AF238412

ACCESO GRATIS *a la Lectura en la Nube*

Para visualizar el libro electrónico en la nube de lectura envíe junto a su nombre y apellidos una fotografía del código de barras situado en la contraportada del libro y otra del ticket de compra a la dirección:

ebooktirant@tirant.com

En un máximo de 72 horas laborales le enviaremos el código de acceso con sus instrucciones.

LOS DERECHOS FUNDAMENTALES ANTE EL TRIBUNAL CONSTITUCIONAL

TRIBUNAL CONSTITUCIONAL

Un recorrido jurisprudencial

LOS DERECHOS FUNDAMENTALES ANTE EL TRIBUNAL CONSTITUCIONAL

Un recorrido jurisprudencial

BLANCA RODRÍGUEZ RUIZ
Profesora Titular de Derecho Constitucional
Universidad de Sevilla

tirant lo blanch
Valencia, 2019

En caso de erratas y actualizaciones, la Editorial Tirant lo Blanch publicará la pertinente corrección en la página web www.tirant.com.

© Blanca Rodríguez Ruiz

© TIRANT LO BLANCH
   EDITA: TIRANT LO BLANCH
   C/ Artes Gráficas, 14 - 46010 - Valencia
   TELFS.: 96/361 00 48 - 50
   FAX: 96/369 41 51
   Email:tlb@tirant.com
   www.tirant.com
   Librería virtual: www.tirant.es
   DEPÓSITO LEGAL: V-2184-2019
   ISBN: 978-84-1336-046-1
   IMPRIME: Guada Impresores, S.L.
   MAQUETA: Tink Factoría de Color

Si tiene alguna queja o sugerencia, envíenos un mail a: *atencioncliente@tirant.com*. En caso de no ser atendida su sugerencia, por favor, lea en *www.tirant.net/index.php/empresa/politicas-de-empresa* nuestro procedimiento de quejas.

Responsabilidad Social Corporativa: http://www.tirant.net/Docs/RSCTirant.pdf

Índice

LA LIBERTAD IDEOLÓGICA Y LA LIBERTAD RELIGIOSA

EL DERECHO A LA LIBERTAD Y A LA SEGURIDAD

LOS DERECHOS DE LA PERSONALIDAD

LOS DERECHOS DE LIBRE CIRCULACIÓN Y RESIDENCIA

LOS DERECHOS A LA LIBERTAD DE EXPRESIÓN Y A LA INFORMACIÓN

EL DERECHO DE REUNIÓN

EL DERECHO DE ASOCIACIÓN

EL DERECHO DE PARTICIPACIÓN EN ASUNTOS PÚBLICOS Y DE ACCESO A FUNCIONES Y CARGOS PÚBLICOS

EL DERECHO A LA LEGALIDAD SANCIONADORA

LOS DERECHOS A LA EDUCACIÓN Y A LA LIBERTAD DE ENSEÑANZA

LOS DERECHOS A LA LIBERTAD SINDICAL Y A LA HUELGA

EL DERECHO DE PETICIÓN

EL DERECHO A OBJETAR EN CONCIENCIA A LAS OBLIGACIONES MILITARES Y A PRESTAR EL SERVICIO MILITAR OBLIGATORIO

Abreviaturas

AA.VV.	Autoras/es Varias/os
ADCP	Anuario de Derecho Constitucional y Parlamentario
ADEclE	Anuario de Derecho Eclesiástico del Estado
ADH	Anuario de Derechos Humanos
AFDUAM	Anuario de la Facultad de Derecho de la Universidad Autónoma de Madrid
CC	Código Civil
CDJ	Cuadernos de Derecho Judicial
CDP	Cuadernos de Derecho Público
CE	Constitución Española
CEC	Centro de Estudios Constitucionales
CEPC	Centro de Estudios Políticos y Constitucionales
CGPJ	Consejo General del Poder Judicial
CP	Código Penal
DPyC	Derecho Privado y Constitución
LEC	Ley de Enjuiciamiento Civil
LECrim	Ley de Enjuiciamiento Criminal
LOTC	Ley Orgánica del Tribunal Constitucional
RAP	Revista de Administración Pública
RArAP	Revista Aragonesa de Administración Pública
RATC	Repertorio Aranzadi del Tribunal Constitucional
RCG	Revista de las Cortes Generales
RDP	Revista de Derecho Político
RDComE	Revista de Derecho Comunitario Europeo
RDConstE	Revista de Derecho Constitucional Europeo
REDA	Revista Española de Derecho Administrativo
REDC	Revista Española de Derecho Constitucional
REDE	Revista Española de Derecho Europeo
REDF	Revista Europea de Derechos Fundamentales
REDT	Revista Española de Derecho del Trabajo
REIS	Revista Española de Investigaciones Sociológicas
REP	Revista de Estudios Políticos
RGDC	Revista General de Derecho Constitucional
RVAP	Revista Vasca de Administración Pública
STC	Sentencia del Tribunal Constitucional

STEDH	Sentencia del Tribunal Europeo de Derechos Humanos
STJUE	Sentencia del Tribunal de Justicia de la Unión Europea
STS	Sentencia del Tribunal Supremo
TC	Tribunal Constitucional
TEDH	Tribunal Europeo de Derechos Humanos
TJUE	Tribunal de Justicia de la Unión Europea
TS	Tribunal Supremo
TyRC	Teoría y Realidad Constitucional
UAM	Universidad Autónoma de Madrid

Presentación

Este manual es fruto de la convicción, fruto a su vez de más de dos décadas de experiencia docente, de que no hay mejor manera de aproximarnos a los derechos fundamentales que a través de su desarrollo jurisprudencial. No hay, en efecto, mejor forma de estudiar y comprender los derechos fundamentales que sumergirnos en el estudio directo de la jurisprudencia constitucional que los desarrolla, en la medida en que es al Tribunal Constitucional a quien corresponde determinar el contenido de estos derechos y las posibilidades de limitarlo. Ciertamente, es importante emprender este estudio con unas nociones de la construcción dogmática de los derechos fundamentales en general, y de cada uno de ellos en concreto. Hacerlo es condición necesaria para entender mejor su desarrollo jurisprudencial y para aproximarnos a él con sentido crítico. Será, con todo, la construcción del propio Tribunal como intérprete último de la Constitución la que prevalezca en el mundo jurídico.

La construcción que de los derechos fundamentales haga el Tribunal Constitucional prevalecerá incluso por encima del desarrollo que el legislador pueda hacer de los mismos. Conocer este desarrollo es sin duda importante, si bien lo será más en unos derechos que en otros. Lo será más en el caso de derechos que se ejercen principalmente, si no de forma exclusiva, frente a los poderes públicos, mientras lo será menos en el de derechos que se hacen valer sobre todo en relaciones entre particulares (ejemplo notable de esto último es el de los derechos reconocidos en el artículo 18.1 CE, en la determinación de cuyo contenido la ley juega un papel poco más que testimonial). Y lo será más en el caso de derechos cuyo ejercicio precisa de un aparato organizativo, procedimental o en algún otro modo institucional, mientras lo será menos en el de otros que no precisan de tal aparato, y en la medida en que no lo precisen (buen ejemplo de esto último es, de nuevo, el de los derechos reconocidos en el artículo 18.1 CE). Sea esto como fuere, y en todo caso, la labor del legislador está siempre sujeta al control de su conformidad constitucional por parte del Tribunal Constitucional, siendo la doctrina de éste la que determina los límites dentro de los que puede moverse la ley.

El problema al que se enfrenta el estudio jurisprudencial de los derechos fundamentales es la abundancia y el carácter casuístico de las sentencias que constituyen el material objeto de estudio. El propósito de este volumen es recoger la tradición anglosajona de los *casebooks* para, adaptándola a nuestra realidad y a nuestra cultura jurídica, ofrecer un estudio sistemático, guiado y crítico de la jurisprudencia que el Tribunal Constitucional ha venido desarrollando en torno a los derechos fundamentales, en concreto en torno a los derechos fundamentales sustantivos que son susceptibles de amparo constitucional. Con este fin, la doctrina constitucional sobre cada uno de estos derechos se ha organizado por temas, y el estudio de cada tema se ha ilustrado con una selección de fragmentos relevantes de Sentencias del Tribunal Constitucional, para que las/os lectoras/es puedan conocer de forma ordenada cómo este Tribunal aborda las cuestiones relevantes relativas a cada derecho. En ocasiones se incluye también mi aportación doctrinal a alguna cuestión que el Tribunal Constitucional no aborda o que, entiendo, no aborda de forma completa o adecuada. Además, el estudio de cada derecho va precedido por una breve introducción en la que se articulan las claves para la lectura informada y crítica de la jurisprudencia constitucional relevante. Como antesala de todo lo anterior, un primer capítulo nos introduce a la construcción dogmática de los derechos fundamentales, siempre a través de la jurisprudencia constitucional.

Por razones de espacio, este volumen está dedicado a los derechos fundamentales sustantivos susceptibles de amparo constitucional. Está dedicado, esto es, a los derechos reconocidos en los artículos 14 a 30.2 CE (artículo 53.2 CE), con exclusión de los derechos procesales reconocidos en el artículo 24 CE, cuya jurisprudencia bien podría ser objeto de estudio, por sus dimensiones, en un volumen específico. Excepcionalmente, se incluye el análisis de algunos derechos fundamentales sustantivos no susceptibles de amparo, reconocidos en la Sección 2ª del Capítulo II del Título I CE, incluso de algún principio rector de la política social y económica (Capítulo III del Título I CE), siempre en conexión con alguno de los derechos aquí estudiados. Es el caso del derecho al matrimonio y de la protección debida a las familias (artículos 32 y 39 CE) en conexión con derecho a la igualdad (artículo 14 CE); del derecho a la existencia de colegios profesionales (artículo 36 CE) en conexión con el derecho de asociación (artículo 22 CE); o de los derechos a la negociación colectiva y a la adopción de medidas de conflicto colectivo (artículo 37 CE) en conexión con los derechos a la libertad sindical y a la huelga (artículo 28 CE). Así concebido, la ambición de este volumen es servir tanto de manual de estudio de los derechos fundamentales sustantivos susceptibles de amparo constitucional como de herramienta de trabajo a quienes en su ejercicio profesional se enfrentan a cuestiones que afectan al disfrute de estos derechos.

INTRODUCCIÓN: LOS DERECHOS FUNDAMENTALES Y SU CONSTRUCCIÓN JURISPRUDENCIAL

I. CONCEPTO Y CONTENIDO DE LOS DERECHOS FUNDAMENTALES: EL PROTAGONISMO DEL TRIBUNAL CONSTITUCIONAL EN SU DEFINICIÓN Y EL PAPEL DEL LEGISLADOR

En la medida en que los derechos fundamentales son derechos reconocidos en una Constitución normativa, estudiarlos nos obliga a estudiar, sobre todo, la jurisprudencia constitucional que los desarrolla. Formalmente, en efecto, los derechos fundamentales son derechos de rango constitucional, derechos que como tales vinculan directamente a todos los poderes públicos, incluido el propio legislador, y que pueden ser directamente reivindicados por sus titulares ante los tribunales de justicia, por encima de su desarrollo legislativo e incluso con independencia de que éste haya tenido o no lugar (**ARTÍCULO 18**: STC 254/1993; **ARTÍCULO 30.2**: STC 15/1982). Ello es así trátese de derechos de libertad, de libertades públicas de contenido negativo o de defensa frente a intromisiones ajenas en su disfrute, o trátese de auténticos derechos fundamentales, que a ese contenido negativo suman también pretensiones positivas, de garantía de su disfrute efectivo. En esta definición encajan, en virtud del artículo 53.1 CE, los derechos reconocidos en el Capítulo II del Título I CE. Según este precepto:

> «Los derechos y libertades reconocidos en el Capítulo segundo del presente Título vinculan a todos los poderes públicos. Sólo por ley, que en todo caso deberá respetar su contenido esencial, podrá regularse el ejercicio de tales derechos y libertades, que se tutelarán de acuerdo con lo previsto en el artículo 161.1.a)».

Como derechos constitucionales, los derechos fundamentales vinculan, pues, al legislador. Y si bien es a éste a quien está reservada la regulación de su ejercicio; si la regulación de sus elementos esenciales, su afectación, está vedada al decreto-ley (artículo 86.1 CE); si en el caso de los derechos reconocidos en los artículos 15 a 29 CE la reserva de su desarrollo directo corresponde al legislador orgánico y está vedada al decreto-legislativo (artículos 81.1 y 82.1 CE); si bien las disposiciones anteriores reservan al poder legislativo, como representante del pueblo soberano, un papel tan relevante en la regulación y desarrollo de los derechos fundamentales, dicha regulación y dicho desarrollo no son imprescindibles, ni son tampoco definitivos. No es el legislador, sino el Tribunal Constitucional, el intérprete auténtico de los derechos fundamentales. La lectura que de éstos haga el primero no pasará de ser una opción de política jurídica. Y no pasará de ser una opción cuya conformidad constitucional corresponde determinar al Tribunal Constitucional (**ARTÍCULO 18**: STC 341/1993) a través del recurso o de la cuestión de inconstitucionalidad (artículos 161.1.a) y 163 CE) —no, como veremos, mediante el recurso de amparo (artículo 42 Ley Orgánica 2/1979, de 3 de octubre, del Tribunal Constitucional, en adelante LOTC)—. Como el Tribunal aclaró en fecha temprana, aunque en un contexto distinto,

> «cuando el legislador estatal dicta una norma básica, dentro del ámbito de sus competencias, está interpretando lo que debe entenderse por básico en el correspondiente caso concreto, pero, como hemos señalado anteriormente, no cabe confundir esta labor interpretativa del legislador con la producción de normas meramente interpretativas, que fijan el contenido de los términos de la Constitución con carácter general cerrando el paso a cualquier otra interpretación; en este caso el legislador se coloca indebidamente en el lugar que corresponde al poder constituyente y al Tribunal Constitucional, por lo que es irrelevante a este respecto que el contenido del art. 2 del Proyecto reproduzca o no con exactitud la doctrina contenida en anteriores Sentencias del Tribunal Constitucional, cuestión ésta que es objeto de consideración tanto por el Abogado del Estado como por los recurrentes» (STC 76/1983, de 5 de agosto, FJ 7).

Los derechos fundamentales son derechos constitucionales también en un sentido sustantivo, desde el punto de vista de su contenido. En términos sustantivos, los derechos fundamentales nos proporcionan las bases sobre las que, a nivel individual, se articula el principio democrático, el principio que afirma la titularidad popular de la soberanía. En efecto, la función constitucional de los derechos fundamentales consiste en garantizar las condiciones para que cada cual pueda articular autónomamente su participación en el espacio público y hacerse valer como co-titular de la soberanía. Es éste el sentido en el que los derechos fundamentales actúan como «fundamento del orden político y de la paz social» (artículo 10.1 CE). Y es éste el sentido en el que son expresión de la dignidad humana, entendida como su contenido esencial, como el mínimo invulnerable común a todos los derechos fundamentales que debe permanecer inalterado cualquiera que sea la situación en que la persona se encuentre (**ARTÍCULO 15**: STC 120/1990, FJ 4). En esta lectura, la dignidad humana no se identifica con una naturaleza humana universal por definir, sino con la capacidad auto-normativa de la persona, con su capacidad para funcionar de forma autónoma, lo que sólo es posible en un contexto democrático (**TITULARIDAD DE LOS DERECHOS FUNDAMENTALES**: «*Identidad o autonomía*»). Esta capacidad auto-normativa, presupuesto del principio democrático, es la que a cada derecho corresponde hacer valer en una esfera determinada. Y le corresponde hacerla valer, bien proporcionando las premisas que, a nivel personal, son necesarias para la propia existencia de dicha capacidad (piénsese en los derechos a la vida y a la integridad física y moral, a la libertad y a la seguridad, al honor, a la intimidad, a la propia imagen, a la inviolabilidad del domicilio, al secreto de las comunicaciones, a la intimidad informática, a la libre circulación y residencia, a la legalidad sancionadora), bien garantizando que esa capacidad auto-normativa pueda transformarse en participación efectiva en la esfera pública (piénsese en los derechos a la libertad ideológica y religiosa, a la libertad de expresión y a la información, de reunión, de asociación, de participación en los asuntos públicos y de acceso a cargos y funciones públicas, a la educación y a la libertad de enseñanza, de libre sindicación, de huelga, de petición o a la objeción de conciencia a la prestación del servicio militar obligatorio). En ambos contextos, los derechos fundamentales garantizan a sus titulares capacidad para auto-normarse en democracia. La cual incluye la capacidad de renunciar al ejercicio o disfrute de un derecho en casos concretos, dando su consentimiento explícito o implícito, aunque siempre revocable, a su limitación (**ARTÍCULO 18:** STC 196/2006). La excepción es el derecho a la vida, que en la interpretación de que él hace nuestro Tribunal Constitucional no incluye el derecho a dejar de disfrutar de ella, no reconociéndose pues un derecho fundamental al suicidio (**ARTÍCULO 15:** STC 120/1990, FJ 7).

Las consideraciones anteriores avalan el protagonismo del Tribunal Constitucional en materia de derechos fundamentales. Es a él a quien corresponde determinar, a nivel institucional, el contenido y alcance de estos derechos, con independencia de la lectura que de ellos pueda hacer el legislador. Tal es el protagonismo de la jurisprudencia constitucional en el desarrollo de los derechos fundamentales que hay algunos, como el derecho al secreto profesional en el marco del derecho de la información (20.1.d) CE), o como el derecho a la huelga (artículo 28.2 CE), que siguen sin contar con más desarrollo directo, o con más desarrollo directo post-constitucional, que el que les proporciona la jurisprudencia constitucional (**ARTÍCULO 20:** 21/2000; **ARTÍCULO 28:** STC 11/1981). Y hay algún otro derecho, en concreto el derecho al secreto de las comunicaciones, que en algunos de sus límites, y hasta la entrada en vigor de la Ley Orgánica 13/2015, de 5 de octubre, de modificación de la Ley de Enjuiciamiento Criminal, no ha contado con más base normativa que la jurisprudencia desarrollada o avalada por el Tribunal Constitucional (**ARTÍCULO 18:** STC 184/2003, FJ 6).

Lo anterior no quiere decir que, de cara a su efectividad, no sea importante que los derechos fundamentales cuenten con desarrollo legislativo. El propio Tribunal Constitucional ha lamentado la falta de desarrollo legislativo del derecho a la huelga (**ARTÍCULO 28:** STC 123/1990, FJ 4) y ha conminado al legislador a que acometa el de los límites del derecho al secreto de las comunicaciones (**ARTÍCULO 18:** STC 184/2003, FJ 6). Lo cierto, en todo caso, es que el Tribunal Constitucional es el intérprete último de la Constitución y, dentro de ella, de los derechos fundamentales. Como tal, su misión es concretar el contenido constitucional de estos derechos en lo que a su delimitación conceptual concierne, entendiendo el término concretar como sinónimo de interpretar, de aclarar el contenido constitucional de un derecho en todo lo que éste pueda tener de indeterminado. El Tribunal Constitucional se encarga así de delimitar el ámbito de cobertura de cada derecho, determinando qué interpretación del mismo es conforme con la Constitución o, incluso, constitucionalmente exigida, y cuáles deben ser descartadas por no encajar en el marco de su reconocimiento constitucional. Ello incluye la labor de actualizar dicho contenido, de adaptarlo a la evolución de las circunstancias materiales o sociales en que tiene que hacerse valer. Es el caso, por ejemplo, de la inclusión de los correos electrónicos en el ámbito de cobertura del derecho al secreto de las comunicaciones (**ARTÍCULO 18**: SSTC 241/2012; 170/2013) o de la protección contra los ruidos en el derecho a la integridad física, en su dimensión de protección de la salud, así como en el de los derechos a la intimidad y a la inviolabilidad del domicilio (**ARTÍCULO 15**: STC 150/2011). No podemos obviar, por lo demás, la función ejecutiva respecto de sus propias sentencias recientemente atribuida al Tribunal Constitucional por la Ley Orgánica 15/2015, de 16 de octubre, de reforma de la LOTC. Se trata de una función enormemente controvertida, por las distorsiones que introduce en el papel institucional del Tribunal Constitucional, pero cuya constitucionalidad ha sido avalada por éste, que ha afirmado en concreto su conformidad con el artículo 25 CE (**ARTÍCULO 25**: STC 215/2016, de 15 de diciembre).

La tarea del legislador es distinta. Y es que el legislador no es el intérprete último de los derechos fundamentales, sino su intérprete cotidiano. Como tal, su labor consiste, ante todo, en concretar, no el ámbito de cobertura de los derechos, sino su ámbito de protección, los supuestos de su ejercicio que merecen protección jurídica, dentro de un marco constitucional que reconoce derechos y principios diversos que apuntan en direcciones y sentidos también distintos, y que se imponen límites recíprocos. Y consiste en concretar dicho ámbito de protección allí donde éste es, no ambiguo, sino abierto, donde el constituyente dejó, no un margen de interpretación en torno a cuál puede ser el contenido constitucionalmente conforme del derecho, sino un margen para optar entre posibilidades diversas a la hora de establecer con qué amplitud se va a limitar o a proteger su ejercicio. Es así función del legislador concretar los límites a que va a estar sujeto un derecho fundamental, no porque imponerlos sea la única opción constitucionalmente permitida, sino porque, de entre todas las posibilidades constitucionalmente abiertas, es la que mejor encaja con sus planteamientos de política jurídica (**ARTÍCULO 28**: STC 11/1981, FJ 7). La concreta opción legislativa, aunque no pueda considerarse la mejor que el marco constitucional permite concebir, y siempre que sea constitucionalmente conforme, se impondrá hasta que el propio legislador, probablemente con una composición política distinta, venga a sustituirla por otra. Ejemplo paradigmático de esta tarea del legislador es el que ofrecen los derechos a la educación y a la libertad de enseñanza. Y es que el Tribunal Constitucional ha avalado la constitucionalidad de opciones legislativas que resuelven en sentidos distintos las tensiones entre el primero y el segundo, y entre las distintas dimensiones de éste: entre la libertad de crear centros docentes privados y determinar su ideario, de un lado, y la libertad de cátedra del personal docente en dichos centros, de otro (**ARTÍCULO 27**: SSTC 5/1981, FFJJ 10-12; 77/1985, FFJJ 7, 9, 21).

Pero es que, además, algunos derechos fundamentales precisan de la colaboración del legislador, no solo para la concreción de sus límites, de su ámbito de protección, sino para la determinación de su contenido conceptual. Son los que se conocen como derechos de configuración legal, derechos cuyo reconocimiento constitucional incluye un llamamiento, explícito o implícito, al legislador para que configure su contenido, de forma que sin intervención legislativa ese contenido queda sin definir. Es el caso de los derechos reconocidos en los artículos 17, 18.4, 20.1.d) (derecho a la cláusula de conciencia y secreto profesional de los profesionales de la información), 23, 25, 27, 28, 30.2 CE —o en el artículo 24 CE, que no es aquí objeto de estudio—. Pues bien, pese a ese llamamiento estructural al legislador, los derechos fundamentales de configuración legal siguen teniendo rango constitucional, y siguen haciéndose valer por encima de su desarrollo legislativo (elocuente es la jurisprudencia en torno al *habeas corpus* y la prisión provisional —ARTÍCULO 17—) e incluso en ausencia del mismo (*vid.*, de nuevo, **ARTÍCULO 18**: STC 254/1993; **ARTÍCULO 30.2**: STC 15/1982). Es más, este desarrollo, como por lo demás el de todos los derechos fundamentales, tendrá contenido constitucional en la medida, y sólo en la medida, en que su respeto pueda considerarse esencial para el ejercicio efectivo del derecho en cuestión. Es la línea doctrinal constante del Tribunal Constitucional en relación, por ejemplo, con el respeto de los requisitos procesales legalmente previstos para la restricción de derechos, como es el caso del derecho de reunión (**ARTÍCULO 21**: SSTC 66/1995, FJ 2; 195/2003, FJ 10); o con el desarrollo legislativo del contenido de la libertad sindical (**ARTÍCULO 28**: STC 9/1988).

Tenemos pues que, para conocer el alcance de la protección que merece un derecho fundamental, en ocasiones para conocer incluso el alcance del propio ámbito de cobertura de ese derecho, es necesario conocer su desarrollo legislativo. Y tenemos también que, incluso en la medida en que esto es así, la jurisprudencia constitucional se erige en el punto de referencia ineludible para saber hasta qué punto dicho desarrollo legislativo forma parte del contenido constitucional del derecho y es, en todo caso, conforme a la Constitución. Todo ello sin perjuicio de que, al controlar la constitucionalidad de la labor del legislador, también en materia de derechos fundamentales el Tribunal Constitucional tenga la obligación democrática de desarrollar en la medida de lo posible una interpretación constitucionalmente conforme de las leyes, antes que declarar su inconstitucionalidad. Por encima de esta obligación, el carácter formal y sustantivamente constitucional de los derechos fundamentales convierte al Tribunal Constitucional en protagonista indiscutible de su desarrollo.

El protagonismo del Tribunal Constitucional en materia de derechos fundamentales viene también condicionado porque, a diferencia de las demás normas constitucionales, estos derechos no sólo encierran una dimensión objetiva o normativa, que vincula a todos los poderes públicos y obliga a todos ellos a respetar, garantizar y hacer valer su contenido en marco de su actividad. El reconocimiento de derechos fundamentales no se traduce tan sólo en el reconocimiento de lo que se conoce como «garantías institucionales», concepto jurídico de origen alemán que hace referencia a esa dimensión objetiva, institucional, de estos derechos que los convierte en vinculantes para los poderes públicos, quienes como veremos deben respetar su contenido esencial. Como derechos que son, los derechos fundamentales tienen, además de esta dimensión objetiva, otra subjetiva que los convierte en reivindicables individualmente de forma directa ante los tribunales de justicia. Ciertamente, no todos los preceptos incluidos en el Capítulo II del Título I CE al que se refiere el artículo 53.1 CE gozan de esta dimensión subjetiva: pensemos, por ejemplo, en la regulación legal de los medios públicos de comunicación social y del acceso a los mismos (**ARTÍCULO 20.3:** STC 86/1992); o en los principios que rigen el sistema penitenciario (**ARTÍCULO 25:** STC 41/2012). Lo que interesa subrayar es que, allí donde existe, que es en casi todos esos preceptos, esta dimensión subjetiva de los derechos fundamentales obliga a discernir el alcance y el nivel de protección que derechos concretos merecen en circunstancias concretas. Se trata de una labor necesariamente jurisprudencial que debe ser asumida en primera línea por los tribunales de justicia. Con todo, el artículo 53.2 CE ha introducido también al Tribunal Constitucional en esta labor:

> «Cualquier ciudadano podrá recabar la tutela de las libertades y derechos reconocidos en el artículo 14 y la Sección primera del Capítulo segundo ante los Tribunales ordinarios por un procedimiento basado en los principios de preferencia y sumariedad y, en su caso, a través del recurso de amparo ante el Tribunal Constitucional. Este último recurso será aplicable a la objeción de conciencia reconocida en el artículo 30».

El disfrute de los derechos fundamentales de mayor relevancia democrática (los reconocidos en los artículos 14 a 29, además del derecho a la objeción de conciencia al servicio militar obligatorio reconocido en el artículo 30.2 CE) tiene así acceso al recurso de amparo ante el Tribunal Constitucional (artículo 53.2 CE). Nos encontramos aquí pues ante un recurso constitucionalmente diseñado como excepcional (sólo tienen acceso a él algunos derechos), además de extraordinario (sólo se tiene acceso a él «en su caso»), y que la LOTC ha diseñado también como subsidiario. Poco hay que comentar respecto de su excepcionalidad. En lo que concierne a su carácter extraordinario, y como más abajo veremos, la LOTC ha diseñado el amparo constitucional como un recurso al que sólo cabe tener acceso por violaciones de un derecho fundamental que tengan su origen en un poder público (artículo 41), sea éste el legislativo (artículo 42), el ejecutivo (artículo 43) o el judicial (artículo 44). Existe incluso la posibilidad de recurrir simultáneamente, pero de forma autónoma, contra violaciones cometidas por los dos últimos. Se trata de los llamados amparos mixtos, en los que al recurso principal contra el poder ejecutivo por violación de un derecho fundamental sustantivo se superpone otro, independiente y subsidiario, contra el poder judicial, por entender que éste ha violado un derecho fundamental procesal al conocer de la primera (STC 5/2008, de 21 de enero). En todo caso, la LOTC excluye literalmente la posibilidad de recurrir en amparo constitucional contra violaciones de derechos fundamentales que tengan su origen en personas privadas, concretando así el inciso «en su caso» del artículo 53.2 CE.

Recurso, pues, excepcional y extraordinario. Además, y como decía, la LOTC diseña el amparo constitucional como un recurso al que solo se tiene acceso de forma subsidiaria. Esto es así incluso en el recurso de amparo contra actos del poder legislativo, que aunque aparece definido como directo en el artículo 42 LOTC sólo se puede interponer, en el plazo de tres meses, después de haber agotado «las vías intraparlamentarias de impugnación» del acto que se entiende vulnerador de un derecho fundamental (STC 33/2010, de 19 de julio, FJ 2). Los amparos contra los poderes ejecutivo y judicial, los más frecuentes, sólo se podrán interponer, en el plazo de veinte y treinta días, respectivamente, una vez que se haya agotado la vía judicial disponible para la tutela del derecho en cuestión, una vez, esto es, que se haya intentado obtener su tutela en los tribunales de justicia y que éstos no la hayan otorgado. La discrepancia entre los plazos para recurrir en amparo contra actos del poder ejecutivo y del poder judicial (introducida por la Ley Orgánica 6/2007, de 24 de mayo, a la que se hará referencia más abajo) produce distorsiones allí donde pueden surgir dudas sobre si el origen de la violación de un derecho está en el primero o en el segundo, en un acto administrativo o en la decisión judicial que lo confirma. En última instancia, corresponde al Tribunal Constitucional determinar si el recurso debe canalizarse por vía del artículo 43 o del 44 LOTC, pudiendo hacer que incurra en causa de inadmisibilidad por extemporáneo, a veces no sin exceso de formalismo. Sería por ello conveniente que el legislador previese el mismo plazo para ambos casos (*vid.* por todos ATC 30/2017, de 27 de febrero, con voto particular de Adela Asúa Batarrita; STC 75/2019, de 22 de mayo, con voto particular de Fernando Valdés Dal-Ré, Juan Antonio Xiol Ríos y María Luisa Balaguer Callejón). Donde el Tribunal entiende que nos encontramos ante un amparo mixto, por su parte, la discrepancia de plazos para recurrir contra los poderes ejecutivo y judicial se resuelve en una interpretación integrada de ambos, a favor de un plazo común de treinta días para ambas pretensiones (*vid.* también ATC 172/2009, de 1 de junio, FJ 3). .

Así diseñado, el recurso de amparo constitucional, ese recurso de carácter excepcional, extraordinario y subsidiario, ha asumido en la tutela de los derechos que tienen acceso a él un papel central que concuerda poco con ese carácter. Tanto es así que pareciera que, en nuestra cultura jurídica, hablar de tutela de derechos fundamentales equivale a hablar de amparo constitucional, que hablar de derechos fundamentales ha pasado a ser sinónimo de hablar de derechos tutelables en amparo, y en la medida en que lo son. Todo lo cual ha conferido al Tribunal Constitucional un papel protagónico indiscutible en la determinación jurisprudencial del alcance y nivel de protección de estos derechos.

II. EL TRIBUNAL CONSTITUCIONAL ANTE EL ALCANCE DEL CONCEPTO DE DERECHOS FUNDAMENTALES RECOGIDO EN LA CONSTITUCIÓN ESPAÑOLA

Conviene insistir en que una de las características esenciales de los derechos fundamentales es su carácter directamente vinculante para todos los poderes públicos, incluido el judicial. Como tales, y como hemos visto, el artículo 53.1 CE los circunscribe a los incluidos en el Capítulo II del Título I CE. Los demás preceptos constitucionales no reconocen derechos fundamentales. Así lo aclara el artículo 53.3 CE respecto de los principios rectores de la política social y económica recogidos en el Capítulo III del Título I CE, al disponer:

> «El reconocimiento, el respeto y la protección de los principios reconocidos en el Capítulo tercero informarán la legislación positiva, la práctica judicial y la actuación de los poderes públicos. Sólo podrán ser alegados ante la Jurisdicción ordinaria de acuerdo con lo que dispongan las leyes que los desarrollen».

Ello es así por muy cercano que el precepto pueda parecer, por su contenido, a un derecho fundamental, como es el caso del respeto de la dignidad humana o del libre desarrollo de la personalidad (artículo 10.1 CE), e incluso si en él se habla expresamente de «derecho» (es el caso de los «derechos» a la salud, a un medio ambiente adecuado o a la vivienda, recogidos en los artículos 43, 45, y 47 CE, respectivamente). Es así, además, con independencia de que los preceptos constitucionales en cuestión puedan servir de criterio interpretativo de los derechos fundamentales (piénsese en el artículo 9.2 respecto del artículo 14 CE), o de que puedan incluso informar y enriquecer el contenido de algún derecho fundamental concreto (es el caso de la dimensión constitucional del derecho a la conciliación de la vida familiar y laboral, con base en los artículos 14 y 39 CE —**ARTÍCULO 14**: STC 26/2011—). En palabras del Tribunal Constitucional:

> De acuerdo con los arts. 53.2 CE y 41.1 LOTC, el recurso de amparo se ha configurado para la protección de los derechos y libertades reconocidos en los arts. 14 a 29 CE, además de la objeción de conciencia a que se refiere el art. 30, pero no para «la preservación de principios o normas constitucionales» (ATC 651/1985, fundamento jurídico 6.º). Esta limitación objetiva del proceso de amparo permite a limine segregar, por ser ajenas al mismo, al menos tres de las nueve supuestas infracciones constitucionales que se denuncian en la demanda.
> Es el caso, en primer lugar, de la presunta vulneración del art. 1.1 CE, en cuanto consagra la libertad como valor superior del ordenamiento jurídico. Es indudable que muchos de los derechos fundamentales y libertades públicas tutelables en amparo son proyecciones del valor libertad, pero sólo estas proyecciones concretas crean derechos amparables en esta vía procesal.
> Tampoco procede examinar, por parecidas razones, si la resolución judicial recurrida —como se asegura en la demanda, aunque en nada se argumente— es contraria o se aviene a lo dispuesto en el art. 9.2 CE. Este precepto, al encomendar a los poderes públicos promover las condiciones para que la libertad y la igualdad del individuo y de

los grupos en que se integra sean reales y efectivas, remover los obstáculos que impidan o dificulten su plenitud y facilitar la participación de todos los ciudadanos en la vida política, económica, cultural y social, refleja la dimensión social del Estado de Derecho e impone determinados cometidos a sus poderes, pero no reconoce derecho subjetivo alguno que sea susceptible de protección de amparo.

Y, finalmente, otro tanto cabe decir en relación con la supuesta infracción, por violación de la dignidad de la persona, del art. 10.1 CE. En efecto, que de acuerdo con este precepto, la dignidad de la persona y los derechos inviolables que le son inherentes sean, junto con el libre desarrollo de la personalidad, el respeto a la Ley y a los derechos de los demás, «fundamento del orden político y de la paz social», no significa ni que todo derecho le sea inherente —y por ello inviolable— ni que los que se califican de fundamentales sean in tolo condiciones imprescindibles para su efectiva incolumidad de modo que de cualquier restricción que a su ejercicio se imponga devenga un estado de indignidad. Piénsese, precisamente, en la restricción de la libertad ambulatoria y conexas que padecen quienes son condenados a una pena privativa de libertad.

Proyectada sobre los derechos individuales, la regla del art. 10.1 CE implica que, en cuanto «valor espiritual y moral inherente a la persona» (STC 53/1985, fundamento jurídico 8.º), la dignidad ha de permanecer inalterada cualquiera que sea la situación en que la persona se encuentre —también, qué duda cabe, durante el cumplimiento de una pena privativa de libertad, como repetidamente se cuida de señalar la legislación penitenciaria [arts. 3, 18, 20, 23, 26 b) LOGP; 3.1, 74.9, 80, 182 b), 230.1 RP]—, constituyendo, en consecuencia, un minimun invulnerable que todo estatuto jurídico debe asegurar, de modo que, sean unas u otras las limitaciones que se impongan en el disfrute de derechos individuales, no conlleven menosprecio para la estima que, en cuanto ser humano, merece la persona. Pero sólo en la medida en que tales derechos sean tutelares en amparo y únicamente con el fin de comprobar si se han respetado las exigencias que, no en abstracto, sino en el concreto ámbito de cada uno de aquéllos, deriven de la dignidad de la persona, habrá de ser ésta tomada en consideración por este Tribunal como referente. No, en cambio, de modo autónomo para estimar o desestimar las pretensiones de amparo que ante él se deduzcan (STC 120/1990, de 27 de junio, FJ 4).

Todo lo anterior nos permite concluir que la expresión «derechos fundamentales» es sinónima de «derechos constitucionales», por tratarse de normas constitucionales que a su dimensión objetiva suman otra subjetiva, y que esta definición abarca todos los derechos reconocidos en el Capítulo II del Título I. Esta conclusión parece conceptualmente más nítida que la que reserva el título de derechos «fundamentales» a los derechos constitucionales más «importantes». En esta otra lectura, serían fundamentales sólo aquellos derechos constitucionales que son objeto de protección constitucional reforzada, los que para su tutela jurisdiccional tienen acceso a un procedimiento preferente y sumario y al amparo constitucional (artículos 14 a 29, además del artículo 30.2 CE); o incluso sólo aquéllos que son objeto de protección reforzada a nivel objetivo o normativo, en concreto a los reconocidos en la sección 1ª del Capítulo II del Título I CE (artículos 15 a 29 CE), cuya regulación está sujeta a reserva de ley orgánica, no meramente ordinaria, y cuya reforma se canaliza a través del procedimiento de revisión constitucional (artículos 81.1 y 168 CE). Todos los demás derechos serían derechos constitucionales a secas. El Tribunal Constitucional ha flirteado con esta última opción

(**ARTÍCULO 30.2**: STC 160/1987, FJ 3). Lo cierto, en última instancia, y como señala Luis M. Díez Picazo, es que nos encontramos ante una cuestión, más que práctica, de coherencia teórica o conceptual. Y es que, aunque la primera de las dos lecturas apuntadas parezca teóricamente más coherente, lo relevante en términos prácticos es tener presente que, llámense fundamentales o constitucionales, todos los derechos reconocidos en el Capítulo II del Título I CE tienen una dimensión subjetiva directamente reivindicable ante los tribunales de justicia, y que son ellos los únicos preceptos constitucionales que la tienen, más allá de que algunos de ellos sean objeto de una tutela reforzada a nivel objetivo o normativo (artículos 15 a 29 CE) y/o a nivel subjetivo (artículos 14 a 30.2 CE).

III. EL TRIBUNAL CONSTITUCIONAL ANTE LAS DIMENSIONES Y LA EFICACIA DE LOS DERECHOS FUNDAMENTALES

Consciente de su papel protagonista en materia de derechos fundamentales, el Tribunal Constitucional no se ha limitado a resolver los casos en que se dirime la vulneración de alguno de ellos. Más allá de la respuesta que se haya podido dar a casos concretos, el Tribunal ha procedido a desarrollar toda una doctrina jurisprudencial en torno al concreto derecho fundamental en juego e incluso en torno a la dogmática general de los derechos fundamentales. Esta dimensión normativa de la jurisprudencia constitucional se encuentra también presente en los recursos de amparo, que como sabemos resuelven reclamaciones subjetivas de violaciones de algunos derechos fundamentales, pero que también permiten al Tribunal Constitucional desarrollar la dimensión objetiva o normativa de éstos. Esta dimensión normativa del amparo ha adquirido mayor protagonismo en la Ley Orgánica 6/2007, de 24 de mayo, por la que se modifica la Ley Orgánica 2/1979, de 3 de octubre, del Tribunal Constitucional, y que entre otras novedades apuntó hacia la objetivación del recurso de amparo con la introducción del siguiente requisito de admisión a trámite:

> «Que el contenido del recurso justifique una decisión sobre el fondo por parte del Tribunal Constitucional en razón de su especial trascendencia constitucional, que se apreciará atendiendo a su importancia para la interpretación de la Constitución, para su aplicación o para su general eficacia, y para la determinación del contenido y alcance de los derechos fundamentales» (artículo 50.1.b)

El Tribunal ha especificado que los casos en que cabe hablar de «especial trascendencia constitucional» son:

> a) el de un recurso que plantee un problema o una faceta de un derecho fundamental susceptible de amparo sobre el que no haya doctrina del Tribunal Constitucional, supuesto ya enunciado en la STC 70/2009, de 23 de marzo; b) o que dé ocasión al Tribunal Constitucional para aclarar o cambiar su doctrina, como consecuencia de un proceso de

reflexión interna, como acontece en el caso que ahora nos ocupa, o por el surgimiento de nuevas realidades sociales o de cambios normativos relevantes para la configuración del contenido del derecho fundamental, o de un cambio en la doctrina de los órganos de garantía encargados de la interpretación de los tratados y acuerdos internacionales a los que se refiere el art. 10.2 CE; c) o cuando la vulneración del derecho fundamental que se denuncia provenga de la ley o de otra disposición de carácter general; d) o si la vulneración del derecho fundamental traiga causa de una reiterada interpretación jurisprudencial de la ley que el Tribunal Constitucional considere lesiva del derecho fundamental y crea necesario proclamar otra interpretación conforme a la Constitución; e) o bien cuando la doctrina del Tribunal Constitucional sobre el derecho fundamental que se alega en el recurso esté siendo incumplida de modo general y reiterado por la jurisdicción ordinaria, o existan resoluciones judiciales contradictorias sobre el derecho fundamental, ya sea interpretando de manera distinta la doctrina constitucional, ya sea aplicándola en unos casos y desconociéndola en otros; f) o en el caso de que un órgano judicial incurra en una negativa manifiesta del deber de acatamiento de la doctrina del Tribunal Constitucional (art. 5 de la Ley Orgánica del Poder Judicial: LOPJ); g) o, en fin, cuando el asunto suscitado, sin estar incluido en ninguno de los supuestos anteriores, trascienda del caso concreto porque plantee una cuestión jurídica de relevante y general repercusión social o económica o tenga unas consecuencias políticas generales, consecuencias que podrían concurrir, sobre todo, aunque no exclusivamente, en determinados amparos electorales o parlamentarios» (STC 155/2009, de 25 de junio, FJ 2).

No cabe negar la importancia de la dimensión normativa de los derechos fundamentales, ni de la aportación que a ésta corresponde hacer al Tribunal Constitucional en amparo. Merece recelo, con todo, la opción legislativa de subordinar la tutela subjetiva de un derecho fundamental a que el Tribunal entienda que su intervención pueda o no aportar algo a su construcción dogmática. Con ella, en efecto, se amenaza con desvirtuar el papel que el recurso de amparo ha pasado a desempeñar como garante de derechos fundamentales, entendidos como normas constitucionales que se caracterizan precisamente por tener una dimensión subjetiva. Esto es tanto más así cuanto que, pese a sus declaraciones de principios, no es posible discernir una aplicación coherente del artículo 50.1.b) LOTC, que en ocasiones más bien parece servir al Tribunal para no entrar a conocer de casos incómodos (*vid.*, a modo de ejemplo, **ARTÍCULO 20**: nota 4).

Sea esto como fuere, la dimensión objetiva o normativa de los derechos fundamentales está presente en la jurisprudencia constitucional. Destaca así cómo la elaboración de su doctrina en torno a la doble dimensión, objetiva o normativa y subjetiva, de los derechos fundamentales, sirvió al Tribunal Constitucional de preámbulo en su análisis del derecho fundamental a la vida (artículo 15 CE), al resolver el recurso previo de inconstitucionalidad contra la reforma del Código Penal que despenalizaba el aborto en tres supuestos concretos (**ARTÍCULO 15**: STC 53/1985, FFJJ 4, 7). El Tribunal Constitucional se sirvió aquí de la elaboración de su doctrina sobre las obligaciones que para los poderes públicos se derivan de esa dimensión objetiva o normativa, esté o no presente una persona titular del derecho. Los poderes públicos, dice el Tribunal, tienen para con el derecho a la vida obligaciones tanto negativas, de abstenerse de interferir en su disfrute, como positivas, de proporcionar los medios necesarios para que dicho disfrute sea posible (*ibídem*, FJ 4). Y si bien sus obligaciones para con el derecho a la vida son especialmente exigentes, en la medida en que es «el derecho fundamental esencial y troncal en cuanto es el supuesto ontológico sin el que los restantes derechos no tendrían existencia posible» (*ibídem*, FJ 3), los poderes públicos tienen obligaciones positivas respecto de todos los derechos fundamentales, si bien no es fácil imponer constitucionalmente a dichas obligaciones una extensión e intensidad determinadas.

Más allá de la doble dimensión de los derechos fundamentales, pronto el Tribunal Constitucional tuvo que enfrentarse también a la cuestión de su eficacia, en concreto a la cuestión de si ésta se extiende más allá del ámbito de las relaciones de sus titulares con los poderes públicos, para adentrarse en las relaciones entre personas privadas. Nos encontramos ante la eficacia frente a terceras personas de los derechos fundamentales, lo que en Alemania se acuñó con el nombre de *Drittwirkung*, y que suscitó en el país germano un importante debate doctrinal. El debate surge porque, en su construcción dogmática moderna, los derechos fundamentales aparecen como instrumentos que dentro del Estado articulan la relación de las personas privadas con los poderes públicos. Se les concibió así, inicialmente, como instrumentos de defensa de las primeras frente a los segundos, como derechos de libertad. Más adelante fueron reconocidos como derechos que encierran también pretensiones positivas, como instrumentos que canalizan la intervención de los poderes públicos en el ámbito de la sociedad civil, con el fin de hacer posible su efectivo ejercicio y disfrute, y cuya misión es garantizar la participación las personas titulares de la soberanía en la esfera pública. En todo caso se les concibió como derechos que rigen la relación entre las personas privadas y los poderes públicos. Esto es así aunque pueda argumentarse, como hace Pedro Cruz Villalón, que en su origen los derechos fundamentales son derechos reconocidos frente a otros individuos, en el marco de relaciones entre personas privadas, correspondiendo a los poderes públicos velar por su efectividad, y quedando ellos también vinculados, a mayor abundamiento, por la obligación de respetarlos. Sea esto como fuere, lo cierto es que la construcción de los derechos fundamentales los erige en bastiones que jalonan la línea divisoria que la modernidad trazó entre la esfera público-política y la esfera de la sociedad civil dentro del Estado, actuando como pilares de contención de dicha línea frente a las tendencias expansivas del poder político, y como bisagras de conexión de éste con la sociedad civil.

Pronto, como decía, la realidad puso de manifiesto que los poderes públicos no son los únicos que pueden poner en peligro el ejercicio o disfrute de los derechos fundamentales, que también pueden hacerlo, con igual o a veces mayor intensidad, ciertos núcleos de poder social. Es el caso muy notablemente del poder empresarial respecto de las personas que tienen con él una relación laboral. El problema es que una lectura ortodoxa de su construcción dogmática no permite entender que los derechos fundamentales puedan ser de aplicación en el marco de estas relaciones, o de cualesquiera otras entre personas privadas. Ciertamente, esa construcción permite ampliar la vinculación a los derechos fundamentales a personas privadas que actúan como depositarias de algún tipo de poder público (piénsese en las empresas concesionarias de servicios públicos), por lo que su actuación puede considerarse una prolongación de los poderes del Estado. Es lo que hace la doctrina de la «state action» americana. Y esa construcción permite también ampliar la titularidad de los derechos fundamentales a las personas jurídicas de derecho privado, en la medida en que las entendamos como proyección simbólica de las personas naturales, y siempre que se trate de derechos que por su naturaleza permiten dicha ampliación (**TITULARIDAD DE LOS DERECHOS FUNDAMENTALES**: STC 139/1995). Pero no permite ir mucho más allá de estas ampliaciones analógicas.

Existen, ciertamente, otras construcciones dogmáticas de los derechos fundamentales (piénsese en la teoría del discurso de Jürgen Habermas, o en la teoría sistémica institucional de Niklas Luhmann) que, cada una a su manera, se alejan en mayor o menor medida de la ortodoxia moderna, lo suficiente para dar cobijo a la eficacia de los derechos fundamentales en las relaciones entre personas privadas. Lo cierto es que sin apartarnos de dicha ortodoxia resulta problemático ampliar la eficacia de los derechos fundamentales a las relaciones entre personas privadas; al igual que lo es extender su titularidad a las personas jurídicas de derecho público (**TITULARIDAD DE LOS DERECHOS FUNDAMENTALES**: STC 175/2001). Y lo es por una pura cuestión conceptual: los derechos fundamentales se reconocen como instrumentos de defensa y reivindicación de personas privadas frente a los poderes públicos. De ahí que, aunque parte de la doctrina alemana reivindicara la eficacia directa de los derechos fundamentales en las relaciones entre personas privadas *(unmittelbare Drittwirkung)*, muy notablemente en las relaciones entre empleadas/os y empleador/a, otra parte propugnara que en estas relaciones los derechos fundamentales sólo pueden tener una eficacia indirecta, emanante de la dimensión objetiva, que no subjetiva, de los derechos, y mediatizada a través de la actuación del legislador. Y aunque bien puede afirmarse, con Robert Alexy, que no cabe reconocer la eficacia indirecta de los derechos fundamentales frente a terceras personas sin asumir que esa eficacia es ante todo y en su origen de tipo directo, es esa versión indirecta de su eficacia entre personas privadas, la *mittelbare Drittwirkung*, la que acabó cristalizando en la jurisprudencia constitucional alemana (*BVerfGE* 7/198, de 15 de enero de 1958 —*caso Lüth*—).

A diferencia de lo que sucedió en Alemania, y quizás debido en parte a que el debate ya había agotado su recorrido en ese país cuando llegó al nuestro, la eficacia frente a terceras personas de los derechos fundamentales no ha suscitado en España grandes enfrentamientos teóricos. Dicha eficacia parece avalada por diversos preceptos constitucionales, como la cláusula del Estado social del artículo 1.1 CE, la obligación de los poderes públicos de promover la igualdad sustantiva entre individuos y colectivos sociales del artículo 9.2 CE (**ARTÍCULO 14**) o la consagración en el artículo 10.1 CE de la dignidad de la persona y los derechos inviolables que le son inherentes como fundamento del orden político y de la paz social. Pero sobre todo la eficacia frente a terceras personas de los derechos fundamentales aparece avalada por el artículo 9.1 CE, que dispone:

> «Los ciudadanos y los poderes públicos están sujetos a la Constitución y al resto del ordenamiento jurídico»

A la consolidación de la eficacia de los derechos fundamentales frente a personas privadas en España contribuyó, además, el desarrollo legislativo del artículo 53.2 CE. En efecto, la Ley 62/1978, de 26 de diciembre, de protección jurisdiccional de los derechos fundamentales de la persona, reguló la tutela judicial preferente y sumaria de esos derechos y libertades frente a violaciones provenientes de los poderes públicos, en la jurisdicción contencioso-administrativa, pero también de personas privadas, en las jurisdicciones civil y penal. A dicha ley vino a sumarse, en el ámbito de la jurisdicción social, el Texto Refundido de la Ley de Procedimiento Laboral, aprobado por Real Decreto Legislativo 2/1995, de 7 de abril, hoy sustituida por la Ley 36/2011, de 10 de octubre, reguladora de la jurisdicción social (artículos 177 a 184). Y vino a sumarse asimismo la Ley Orgánica 2/1989, de 13 de abril, procesal militar (artículo 518). Hoy la Ley 62/1978 aparece vacía de contenido, después de que las Leyes 29/1998, de 13 de julio, y 1/2000, de 7 de enero, incorporan a la regulación de la jurisdicción contencioso-administrativa (artículos 114-122) y a la Ley de Enjuiciamiento Civil (artículo 249), respectivamente, la regulación del procedimiento preferente y sumario en estas jurisdicciones, y después de que la reforma de la Ley de Enjuiciamiento Criminal operada por la Ley 38/2002, de 24 de octubre, eliminara la preferencia y sumariedad de la jurisdicción penal. Estas normas, en las que hoy se concreta el desarrollo del artículo 53.2 CE en materia de procedimiento preferente y sumario, se ven complementadas además por otras, que articulan procedimientos de tutela sujetos a plazos especialmente breves para cuatro derechos fundamentales concretos, derechos cuya tutela, de no estar sujeta a esos plazos expeditivos, perdería su razón de ser. Se trata del derecho a la libertad personal, a través del procedimiento de *habeas corpus* (Ley Orgánica 6/1984, de 24 de mayo); del derecho al honor, a través del derecho de rectificación (Ley Orgánica 2/1984, de 26 de enero); del derecho de reunión (Ley Orgánica 9/1983, de 15 de julio, y artículo 122 de la Ley 29/1998); y del derecho de sufragio, a través de los amparos electorales (artículos 49 y 109-117 de la Ley Orgánica 5/1985, de 19 de junio, del régimen electoral general). Pues bien, lo que interesa aquí destacar es que, al regular la protección jurisdiccional mediante un procedimiento preferente y sumario de algunos derechos fundamentales, en desarrollo del artículo 53.2 CE; en concreto, al regular dicha protección en las jurisdicciones civil, laboral y, en su momento, también penal, el legislador ha asumido desde el principio que esos derechos tienen eficacia también frente a personas privadas, además de frente a los poderes públicos.

Asumida así la eficacia frente a terceras personas de los derechos fundamentales, los problemas que se han planteado en España conciernen no tanto su justificación dogmática como la articulación de su tutela a través del recurso de amparo ante el Tribunal Constitucional previsto en el artículo 53.2 CE, a la luz de lo dispuesto en la LOTC. En concreto, su artículo 41.2 dispone:

> «El recurso de amparo constitucional protege, en los términos que esta ley establece, frente a las violaciones de los derechos y libertades a que se refiere el apartado anterior, originadas por las disposiciones, actos jurídicos, omisiones o simple vía de hecho *de los poderes públicos* del Estado, las Comunidades Autónomas y demás entes públicos de carácter territorial, corporativo o institucional, así como de sus funcionarios o agentes» (mi cursiva).

A continuación, los artículos siguientes regulan los requisitos y condiciones del acceso en amparo al Tribunal Constitucional ante violaciones de derechos fundamentales susceptibles de amparo originadas en disposiciones o actos sin valor de ley del poder legislativo (artículo 42 LOTC), en disposiciones, actos jurídicos, omisiones o simple vía de hecho del poder ejecutivo (artículo 43 LOTC), y ante violaciones de dichos derechos que tuvieran su origen inmediato y directo en un acto u omisión de un órgano judicial (artículo 44 LOTC). Así, mientras que nuestro ordenamiento asumía sin mayores problemas la eficacia frente a terceras personas de los derechos fundamentales, y mientras la protección de esa eficacia se articulaba a través de un procedimiento preferente y sumario ante las jurisdicciones civil e, inicialmente, penal, a las que pronto se sumaría la laboral, el recurso de amparo constitucional quedaba reservado a la tutela de los derechos fundamentales frente a violaciones provenientes de los poderes públicos. En consecuencia, el debate en torno a la eficacia frente a terceras personas de los derechos fundamentales en España ha girado en torno, no a la existencia de dicha eficacia, sino a las posibilidades de canalizar su tutela también ante el Tribunal Constitucional en amparo, una tutela cuya importancia pronto adquirió tales dimensiones que pareciera que el acceso al amparo constitucional formara parte del propio concepto de derecho fundamental.

En este contexto, la aportación del Tribunal Constitucional ha sido decisiva. Para empezar, el Tribunal ha confirmado que los derechos fundamentales despliegan su eficacia en las relaciones entre personas privadas. Esto es así cuando ejercemos un derecho fundamental frente a personas que son también titulares de ese mismo o de otros derechos también fundamentales, en el caso pues de los conflictos de derechos (**ARTÍCULO 20**: STC 171/1990, y las que allí se citan). Y es así en el ámbito de relaciones privadas de poder, constituyendo las que rigen en el mundo laboral un caso paradigmático. Aquí el Tribunal desarrolló pronto una doctrina tuitiva de los derechos fundamentales de las personas trabajadoras, incluidos sus derechos fundamentales inespecíficos, aquellos que no surgen en el marco de la relación laboral. Así, y si bien no ha reconocido que la empresa tenga obligaciones positivas para con el ejercicio de estos derechos (**ARTÍCULO 16**: STC 19/1985), sí ha hecho valer dicho ejercicio en el ámbito empresarial. Ha aclarado incuso que «los derechos fundamentales de una persona trabajadora pueden ser igualmente vulnerados por quien no sea su empresario en la relación laboral», sino por sus mandos o directivos, siempre que actúen en el marco de las actividades de la empresa en términos que permitan atribuir al titular de ésta la responsabilidad de dicha actuación (**ARTÍCULO 28**: STC 33/2011, FJ 6). Como afirmara el Tribunal ya en fecha temprana:

> «La celebración de un contrato de trabajo no implica en modo alguno la privación para una de las partes, el trabajador, de los derechos que la Constitución le reconoce como ciudadano, entre otros el derecho a expresar y difundir libremente los pensamientos, ideas y opiniones [art. 20.1 a)], y cuya protección queda garantizada frente a eventuales lesiones mediante el impulso de los oportunos medios de reparación, que en el ámbito de las relaciones laborales se instrumenta, por el momento, a través del proceso laboral. Ni las organizaciones empresariales forman mundos separados y estancos del resto de la sociedad ni la libertad de Empresa que establece el art. 38 del texto constitucional legitima el que quienes prestan servicios en aquéllas por cuenta y bajo la dependencia de sus titulares deban soportar despojos transitorios o limitaciones injustificadas de sus derechos fundamentales y libertades públicas, que tienen un valor central y nuclear en el sistema jurídico constitucional. Las manifestaciones de «feudalismo industrial» repugnan al Estado social y democrático de Derecho y a los valores superiores de libertad, justicia e igualdad a través de los cuales ese Estado toma forma y se realiza (art. 1.1)» (STC 88/1985, de 19 de julio, FJ 2).

El Tribunal Constitucional admite, pues, sin ambages la eficacia de los derechos fundamentales frente a personas privadas. Los problemas surgen, como decía, en torno al acceso al amparo constitucional frente a violaciones de dicha eficacia, y a las limitaciones que le impone la LOTC. Pronto, pese a esas limitaciones, el Tribunal Constitucional se mostró proclive a permitir dicho acceso, y lo hizo mediante la siguiente interpretación de los artículos 41.2 y 44 LOTC. El poder judicial, afirma el Tribunal, tiene la obligación de proteger los derechos fundamentales. Cuando, al conocer de la violación de un derecho fundamental, un órgano judicial no cumple con su obligación de protegerlo, debe entenderse que dicho órgano judicial es directamente responsable de esa violación en el sentido del artículo 44 LOTC, por lo que cabe imputársela a él y recurrir en amparo contra la falta de tutela judicial del derecho fundamental en cuestión.

> «[...] [E]l art. 161.1 b) de la Constitución establece la competencia del Tribunal Constitucional para conocer del recurso de amparo por violación de los derechos y libertades referidos en el art. 53.2 de la misma «en los casos y formas que la Ley establezca». La LOTC (art. 41.2) viene, pues, en este punto, a desarrollar la Constitución, estableciendo la posibilidad del recurso de amparo contra disposiciones, actos o simple vía de hecho, de los poderes públi-

cos del Estado, las Comunidades Autónomas y demás entes públicos de carácter territorial, corporativo o institucional, así como de sus funcionarios o agentes, ámbito subjetivo que concreta en cuanto a las decisiones o actos sin valor de Ley del legislativo (art. 42) de los emanados del ejecutivo (art. 43) y de los actos u omisiones de órganos judiciales (art. 44). Esta concretización de la Ley Suprema no debe interpretarse en el sentido de que sólo se sea titular de los derechos fundamentales y libertades públicas en relación con los poderes públicos, dado que en un Estado social de Derecho como el que consagra el art. 1 de la Constitución no puede sostenerse con carácter general que el titular de tales derechos no lo sea en la vida social, tal y como evidencia la Ley 62/1978, de Protección de los Derechos Fundamentales, la cual prevé la vía penal —aplicable cualquiera que sea el autor de la vulneración cuando cae dentro de ámbito penal—, la contencioso-administrativa —ampliada por la disposición transitoria segunda núm. 2 de la LOTC— y la civil, no limitada por razón del sujeto autor de la lesión. Lo que sucede, de una parte, es que existen derechos que sólo se tienen frente a los poderes públicos (como los del art. 24) y, de otra, que la sujeción de los poderes públicos a la Constitución (art. 9.1) se traduce en un deber positivo de dar efectividad a tales derechos en cuanto a su vigencia en la vida social, deber que afecta al legislador, al ejecutivo y a los Jueces y Tribunales, en el ámbito de sus funciones respectivas. De donde resulta que el recurso de amparo se configura como un remedio subsidiario de protección de los derechos y libertades fundamentales, cuando los poderes políticos han violado tal deber. Esta violación puede producirse respecto de las relaciones entre particulares cuando no cumplen su función de restablecimiento de los mismos, que normalmente corresponde a los Jueces y Tribunales a los que el Ordenamiento encomienda la tutela general de tales libertades y derechos (art. 41.1 de la LOTC). En este sentido, debe recordarse que el Tribunal ha dictado ya Sentencias en que ha admitido y fallado recursos de amparo contra resoluciones de órganos judiciales, cuando los actos sujetos al enjuiciamiento de los mismos provenían de particulares, debiendo ahora remitirnos a la doctrina sentada en nuestra Sentencia de 29 de enero de 1982, núm. 2/1982, acerca de las peculiaridades que presenta la competencia del Tribunal Constitucional cuando se impugna ante el mismo, en vía de amparo, resoluciones de órganos judiciales» (STC 18/1984, de 7 de febrero, FJ 6).

Y en sentido semejante:

«La construcción técnico-procesal del amparo en los arts. 41 a 43 de la LOTC obliga, pues, a incluir este proceso en el marco del art. 44, excluidos, como están, directamente del recurso de amparo los actos que no proceden de poderes públicos; ello no impide hablar de que estos actos de «particulares» puedan suponer lesión de derechos fundamentales [...]; pero, por las exigencias técnico-procesales referidas, el recurso de amparo sólo es viable si, en caso de lesión [...] por persona o entidad privada, media un acto judicial que no repare las lesiones supuestamente verificadas (o si media acto de cualquier otro poder público reiterativo o no reparador de la lesión previa, si tal hipótesis de intervención de otro poder público que no sea el judicial se diera)» (STC 51/1988, de 22 de marzo, FJ 1).

Esta apertura de los artículos 41 y 44 LOTC al amparo constitucional contra las violaciones de derechos provenientes de personas privadas es, aunque bienvenida, una lectura como poco forzada del tenor literal de ambos artículos. Llama por ello la atención que la LOTC no haya sido reformada en este punto, en concreto que la amplia reforma operada por la Ley Orgánica 6/2007 no haya modificado estos artículos para adaptarlos a esta consolidada práctica jurisprudencial. La razón quizás resida en el margen de actuación que, en su redacción actual, el artículo 44.1.b) otorga al Tribunal Constitucional, al imponer el siguiente requisito a los recursos de amparo que se canalicen por este artículo:

> «Que la violación del derecho o libertad sea imputable de modo inmediato y directo a una acción u omisión del órgano judicial con independencia de los hechos que dieron lugar al proceso en que aquellas se produjeron, *acerca de los que, en ningún caso, entrará a conocer el Tribunal Constitucional*» (mi cursiva).

Este inciso otorga al Tribunal Constitucional cobertura legal para no entrar a conocer de los hechos que originaron la violación de un derecho fundamental en el marco de una relación entre personas privadas, para limitarse a retrotraer actuaciones al momento procesal en que tuvo lugar esa falta de reparación y que sea el órgano judicial en cuestión quien dicte una nueva sentencia acorde con las necesidades de tutela del derecho. Le permite, en concreto, ser selectivo a la hora de entrar a conocer de los hechos que originaron la violación de un derecho fundamental no reparada por el poder judicial, conociendo de ellos si así lo desea, pero apoyándose en el artículo 44.1.b) LOTC para no hacerlo si está ante un derecho y/o en el marco de una relación privada con cuya elaboración doctrinal no se encuentra aún cómodo. Así, mientras el Tribunal Constitucional entrará siempre a conocer de los hechos que están detrás de los conflictos entre los derechos reconocidos en los artículos 18.1 y 20 CE, en el ámbito laboral lo hará solo en el caso de derechos cuya construcción dogmática se encuentra consolidada o no le plantean retos teóricos de entidad. Este es el caso del derecho a no sufrir discriminación por razón de sexo motivada por embarazo, o por orientación sexual (**ARTÍCULO 14**: por todas, SSTC 98/2003; 41/2006). Prefiere no hacerlo, en cambio, en el marco de otras construcciones más recientes, como la dimensión constitucional del derecho a conciliar vida familiar y laboral, articulada como un supuesto de discriminación por razón de sexo en el caso de las mujeres, por razón de circunstancias familiares en el caso de los varones; o como los supuestos de control empresarial de correo electrónico de sus trabajadoras/es. En estos casos, el Tribunal es más deferente para con la jurisdicción laboral, permitiendo que sea ésta quien desarrolle, de entrada, el alcance de la tutela de los derechos en juego (**ARTÍCULO 14**: STC 26/2011; **ARTÍCULO 18.3**: SSTC 241/2012 y 170/2013).

Sea esto como fuere, lo cierto es que la apertura del Tribunal Constitucional a conocer en amparo de las violaciones de derechos fundamentales que tienen su origen en personas privadas es hoy práctica consolidada, que ha permitido situar a la eficacia frente a terceros de los derechos fundamentales en la órbita el recurso de amparo constitucional, afirmándola más allá de toda duda.

Por lo demás, y en relación también con la LOTC, hay que destacar que el artículo 42 LOTC excluye la posibilidad de recurrir en amparo contra leyes, ni siquiera en supuestos en que éstas puedan afectar directamente, por su propia existencia, a un derecho fundamental (piénsese en una ley que prohibiera las prácticas homosexuales entre personas adultas con consentimiento de ambas), y ni siquiera en el caso de leyes singulares o de caso único (piénsese en el Decreto-ley de expropiación de RUMASA). En el primer caso, el TEDH ha admitido el recurso directo contra leyes (Decisión de 9 de octubre de 1979 —asunto *Airey c. Irlanda*—). En el segundo, por su parte, entendió que la imposibilidad que la persona afectada por una ley de caso único fuera oída en el proceso que resuelve la constitucionalidad de dicha ley vulnera su derecho a un proceso equitativo reconocido en el artículo 6 CEDH (Decisión de 23 de junio de 1993 —asunto *Ruiz Mateos c. España*—). Tras la reforma operada por la Ley Orgánica 6/2007, la LOTC permite que las partes afectadas por la aplicación de una ley que estiman inconstitucional puedan personarse y ser oídas en la resolución de una cuestión de inconstitucionalidad sobre dicha ley (artículo 37.2). En todo caso, lo cierto sigue siendo que a las personas titulares de un derecho fundamental que entienden que éste se ha visto directamente afectado por una norma con rango de ley sólo les cabe esperar a que la ley en cuestión les sea aplicada, recurrir contra su acto de aplicación, e instar del órgano judicial que eleve cuestión de inconstitucionalidad en relación con dicha norma legal. La interposición de una cuestión de inconstitucionalidad es, con todo, discreción judicial. Ante la negativa de un órgano judicial a interponerla, si éste además no ofrece tutela judicial frente al acto de aplicación de la ley, la persona afectada sólo puede recurrir contra dicha falta de tutela. Agotada la vía judicial ordinaria, siempre se podrá acudir en amparo ante el Tribunal Constitucional, e instar de éste que se plantee una cuestión interna, o autocuestión, de inconstitucionalidad, para analizar la constitucionalidad de la ley más allá de su aplicación al caso objeto del recurso de amparo (artículo 55.2 LOTC).

IV. EL TRIBUNAL CONSTITUCIONAL Y LOS LÍMITES DE LOS DERECHOS FUNDAMENTALES

Buena parte de la construcción dogmática que el Tribunal Constitucional hace de los derechos fundamentales gira en torno a sus límites, al alcance que la protección de estos derechos merece dentro del marco constitucional, y a los criterios que hay que seguir para discernir si una determinada restricción de su ejercicio, impuesta por un poder público o por persona privada, es o no contraria a la Constitución, si vulnera o no el derecho en cuestión. Para empezar, y en relación con este tema, el Tribunal Constitucional ha aclarado que los derechos fundamentales sólo pueden estar sujetos a límites que persigan un fin recogido, de un modo u otro, en el propio texto constitucional. Los derechos fundamentales, esto es, sólo están sujetos a los llamados límites inmanentes, estén éstos expresamente previstos en el texto constitucional para derechos específicos, o deriven de él de forma indirecta, de la necesidad de proteger o preservar otros derechos y principios constitucionales (**ARTÍCULO 18**: STC 57/1994, FJ 6; **ARTÍCULO 28**: STC 11/1981, FJ 7). En esta lectura, y a diferencia de otras constituciones, como la alemana, nuestra Constitución no admite pues la posibilidad de que derechos fundamentales se vean sometidos a límites externos, límites que persigan fines que carecen de anclaje constitucional alguno, sujetos a su vez a los llamados límites de los límites (*Schranken Schranken*). Antes bien, los derechos fundamentales que nuestra Constitución reconoce sólo admiten aquellos límites que puedan reconducirse al propio texto constitucional, que sean pues resultado de una labor de armonización interna de éste. Esta labor parte de dos premisas. La primera es que los derechos fundamentales, como normas constitucionales, suelen tener la estructura interna de principios, no de reglas; la segunda es que la Constitución no impone expresamente más límite a los límites de los derechos fundamentales que el respeto de su contenido esencial (artículo 53.2 CE).

En la formulación ya clásica de Robert Alexy, se entiende por reglas aquellas normas cuya definición encierra ya todos los supuestos a los que se han de aplicar. Esto significa que, ante la cuestión de si una regla ha sido o no vulnerada en un supuesto concreto, sólo cabe responder determinando, tras la pertinente actividad de interpretación, si este supuesto encaja o no en la definición de la norma, en su ámbito de cobertura, y en caso afirmativo si la norma ha sido o no respetada. Ejemplo paradigmático es el caso del límite temporal absoluto de la detención preventiva, que el artículo 17.2 CE cifra en 72 horas. Como norma con estructura de regla, su aplicación a casos concretos obliga a dilucidar si efectivamente nos encontramos ante un supuesto de detención a los que se refiere el artículo 17 CE y, de ser así, si ésa ha durado o no más de 72 horas. Una respuesta afirmativa a ambas preguntas conduce automáticamente a la conclusión de que nos encontramos ante un supuesto de violación del derecho a la libertad reconocido en el artículo 17 CE (**ARTÍCULO 17**: SSTC 21/1997, 161/2007).

La mayoría de los derechos fundamentales tienen, sin embargo, estructura de principios, entendiendo por tales aquellas normas que encierran un mandato de optimización, un mandato de que su contenido se haga valer en el mayor número posible de situaciones. Con base en este mandato, todas las situaciones que encajan en el ámbito de la libertad de expresión, por ejemplo, merecerían protección jurídica. El problema es que también la merecen todas las situaciones que encajan, por ejemplo, en el ámbito del derecho al honor, cuya tutela apunta en un sentido distinto al del primero. Y también la merecen situaciones que encajan en el ámbito de principios constitucionales no necesariamente reconocidos como derechos fundamentales, como el respeto de la ley (artículo 10.1 CE), o como la libertad, la justicia o el pluralismo político (artículo 1.1 CE; —la igualdad sí está reconocida como derecho fundamental: **ARTÍCULO 14**—); el primero de ellos, la libertad, está además en conexión con la cláusula del libre desarrollo de la personalidad (artículo 10.1 CE), expresión a su vez del principio liberal permite hacer todo aquello que no esté expresamente prohibido en el ordenamiento, y cuyo reconocimiento constitucional encierra también un mandato de optimización. Y el problema es que en una determinada situación controvertida pueden verse involucrados derechos y principios constitucionales diversos, relevantes todos ellos, pero apuntando cada uno hacia una respuesta jurídica distinta. La labor de aplicación de los derechos fundamentales por el Tribunal Constitucional, y la determinación de los límites de su ámbito de protección en un supuesto concreto, consiste pues en una labor de armonización de todos los derechos y principios constitucionales que están en juego en dicho supuesto, para dilucidar qué respuesta a la misma es la que mejor respeta la coherencia interna del texto constitucional, en lo que Klaus Günther llama un juicio de adecuación (*Angemessenheitsurteil*). A este juicio, cifrado en términos de razonabilidad, se solía acoger nuestro Tribunal Constitucional en su jurisprudencia inicial, exigiendo de los poderes públicos que no impusieran limitaciones de derechos arbitrarias ni irrazonable (**ARTÍCULO 28:** SSTC 23/1983, FJ 2; 235/1988, FJ 4), resolviendo los conflictos de derechos mediante la técnica de la ponderación (**ARTÍCULO 20:** STC 171/1990), y exigiendo en el ámbito laboral tanto razonabilidad como buena fe en el ejercicio y en la limitación de derechos. Esta última, aunque teóricamente vinculante para ambas partes en la relación laboral, se aplicaba principalmente para limitar los derechos fundamentales de las/os trabajadoras/es. Valga el siguiente ejemplo:

«La libertad de expresión no es un derecho ilimitado, pues claramente se encuentra sometido a los límites que el art. 20.4 de la propia Constitución establece, y en concreto, a la necesidad de respetar el honor de las personas, que también como derecho fundamental consagra el art. 18.1, lo que discuten las partes y afirma el Ministerio Fiscal; pero al mismo tiempo, dicho ejercicio debe enmarcarse, en cualquier supuesto, en unas determinadas pautas de comportamiento, que el art. 7 del Código Civil expresa con carácter general, al precisar que «los derechos deberán ejercitarse conforme a las exigencias de la buena fe», y que en el supuesto de examen tienen una específica manifestación dentro de la singular relación jurídica laboral que vincula a las partes, no siendo discutible que la existencia de una relación contractual entre trabajador y empresario genera un complejo de derechos y obligaciones recíprocas que condiciona, junto a otros, también el ejercicio del derecho a la libertad de expresión, de modo que manifestaciones del mismo que en otro contexto pudieran ser legítimas, no tienen por qué serlo necesariamente dentro del ámbito de dicha relación.

Los condicionamientos impuestos por tal relación han de ser matizados cuidadosamente, ya que resulta cierto que no cabe defender la existencia de un genérico deber de lealtad, con su significado omnicomprensivo de sujeción del trabajador al interés empresarial, pues ello no es acorde al sistema constitucional de relaciones laborales y aparece contradicho por la propia existencia del conflicto cuya legitimidad general ampara el texto constitucional; pero ello no exime de la necesidad de un comportamiento mutuo ajustado a las exigencias de la buena fe, como necesidad general derivada del desenvolvimiento de todos los derechos y específica de la relación contractual, que matiza el cumplimiento de las respectivas obligaciones, y cuya vulneración convierte en ilícito o abusivo el ejercicio de los derechos, quedando al margen de su protección» (STC 120/1983, de 15 de diciembre, FJ 2).

Este juicio de razonabilidad encontraba su límite en el respeto del contenido esencial de los derechos fundamentales, límite absoluto de los límites que pueden imponerse a su disfrute. La doctrina alemana ha debatido extensamente sobre la noción de contenido esencial, sobre su contenido absoluto o relativo, y sobre su vinculación con la dimensión objetiva o subjetiva de los derechos fundamentales. Entre nosotros, el Tribunal Constitucional ha ofrecido una doble definición de contenido esencial. La primera lo identifica con «aquellas facultades o posibilidades de actuación necesarias para el derecho sea recognoscible» sin las cuales quedaría desnaturalizado; la segunda se refiere a «aquella parte del contenido del derecho que es absolutamente necesaria para que los intereses jurídicamente protegibles, que dan vida al derecho, resulten real, concreta y efectivamente protegidos (**ARTÍCULO 28:** STC 11/1981, FJ 8). Todo lo demás es, afirma el Tribunal, contenido adicional del derecho (**ARTÍCULO 28:** STC 9/1988). Así definido, el Tribunal Constitucional ha hecho valer, como ya vimos, el papel de la dignidad humana como contenido esencial de todos los derechos fundamentales (**ARTÍCULO 15:** STC 120/1990, FJ 4). Y ha hecho valer el contenido esencial de derechos concretos, generalmente frente al legislador. Es el caso del derecho a la huelga (**ARTÍCULO 28:** STC 11/1981), a la libertad sindical (**ARTÍCULO 28:** SSTC 9/1988; 76/2001), o de los derechos fundamentales de las personas extranjeras (**TITULARIDAD DE LOS DERECHOS FUNDAMENTALES:** SSTC 115/1987; 236/2007, FJ 4).

Pronto, con todo, la doctrina constitucional sobre los límites de los límites de los derechos fundamentales dejó de apoyarse exclusivamente en el juego combinado del juicio de razonabilidad y de la noción de contenido esencial para incorporar otros criterios. Pronto el Tribunal empezó a exigir a los límites de los derechos fundamentales requisitos más propios de sus límites externos, no inmanentes, requisitos que, salvo en el ámbito del derecho a la igualdad, donde el juicio de razonabilidad sigue siendo protagonista, empezaron a eclipsar la importancia de éste. El Tribunal empezó a distinguir, en concreto, entre tres tipos de límites de límites (*Schranken Schranken*), en función de que nos encontremos ante limitaciones al ejercicio de los derechos fundamentales provenientes de los poderes públicos, del poder empresarial, o como fruto de un conflicto entre derechos fundamentales. En el primer caso, el juicio de razonabilidad empezó a convivir y a ser reemplazado en importancia por un juicio de proporcionalidad. Es éste el que hoy desempeña un papel central a la hora de evaluar la constitucionalidad de las limitaciones al disfrute de un derecho fundamental por parte de los poderes públicos, trátese del legislador (**ARTÍCULO 15:** STC 215/1994; **ARTÍCULO 30.2:** STC 55/1996), del poder ejecutivo (**ARTÍCULO 18**: STC 57/1994; 89/2006) o del poder judicial (**ARTÍCULO 15**: STC 207/1996). Con base en este juicio, toda limitación de un derecho fundamental proveniente de un poder público debe, además de respetar el contenido esencial del derecho, perseguir un fin constitucionalmente legítimo, un fin que debe ser de un modo u otro reconducible al texto constitucional. Con este fin como punto de referencia, la proporcionalidad exige que la medida sea adecuada o idónea para alcanzarlo; que sea estrictamente necesaria o imprescindible, en el sentido de que no sea evidente la existencia de otro medio obviamente menos lesivo de ese o de otro derecho fundamental que permita alcanzar el mismo fin; y que sea proporcional en sentido estricto, en el sentido de que entre la lesión del derecho y el fin constitucional que con ella se quiere alcanzar no puede haber un «desequilibrio patente y excesivo o irrazonable» (**ARTÍCULO 30.2**: STC 55/1996, FJ 6), lo cual en última instancia impide que el derecho sea vaciado de contenido en aras de un fin ulterior, por muy constitucionalmente legítimo que éste sea —lo que aproxima en este punto el principio de proporcionalidad y el límite del contenido esencial—.

En el caso de las restricciones impuestas por el poder ejecutivo o judicial, la concurrencia de estas circunstancias debe quedar debidamente explicitada en una motivación de la limitación ajustada a las circunstancias específicas del caso concreto (**ARTÍCULO 18**: STC 57/1994). La posibilidad de dichas limitaciones concretas debe estar además legalmente prevista. En relación con este requisito, hay que señalar que se trata de un requisito de creación jurisprudencial, que como el juicio de proporcionalidad no aparece recogido en nuestra Constitución. Ello es así más allá de la remisión expresa a la ley como fuente de los límites de algún derecho concreto (artículos 17, 18.4 CE), y más allá del sometimiento de la administración a la ley, de la exigencia de que las restricciones administrativas de los derechos fundamentales tengan cobertura legal (artículo 103 CE). Es más, tal exigencia de sometimiento a la ley no existe en el ámbito del poder judicial, debiendo entenderse el sometimiento judicial al imperio de la ley (artículo 117 CE) como un deber de sometimiento a todo el ordenamiento jurídico, incluido el marco constitucional (**ARTÍCULO 14**: STC 26/2011, FFJJ 5-6). Ni cabe tampoco entender la *reserva* de ley para la *regulación* de los derechos fundamentales recogida en el artículo 53.1 CE como una *remisión* general al legislador como origen necesario de toda *limitación* de esos derechos. Pero no es sólo que el requisito de previsión legislativa carezca de base constitucional. Se trata también, y sobre todo, de que es un requisito incoherente con el carácter inmanente de los límites de los derechos fundamentales, con la exigencia de que sus límites deriven de la propia Constitución. Tanto es así que en la Ley Fundamental de Bonn, donde sólo algunos derechos fundamentales están sujetos a límites no inmanentes, sino externos, el requisito de la previsión legal se impone exclusivamente a éstos últimos (artículo 19.1). Y tanto es así que nuestra

Constitución apela expresamente a la limitación judicial de algunos derechos, sin mención alguna del legislador (artículo 18.2 y 3, 20.5, 22.4 CE).

Es clara la influencia que, entre nosotros, ha tenido el Convenio Europeo de Derechos Humanos en la imposición del requisito de la previsión legislativa. Un requisito que en el ámbito del Convenio se impone a los límites (externos) de los derechos reconocidos en él, también allí donde su reconocimiento se ha hecho valer frente a España. Clara es también, con todo, la reticencia de nuestro Tribunal Constitucional a aplicar este requisito con todas sus consecuencias (**ARTÍCULO 18**: SSTC 49/1999, FJ 5; 184/2003, FJ 6), salvo allí donde entiende, como ya vimos, que la previsión legislativa de esos límites sería deseable, no como requisito formal, sino en términos sustantivos, por la seguridad jurídica que su concreción legislativa aportaría (*ibídem*). En todo caso, la interpretación no formalista que el Tribunal Europeo de Derechos Humanos hace del requisito de la previsión legislativa, poniéndolo al servicio de la seguridad jurídica e incluyendo el desarrollo jurisprudencial de un derecho dentro del concepto de ley, otorga cierto margen para armonizar ese requisito con nuestro marco constitucional (**ARTÍCULO 18**: INTRODUCCIÓN).

Más allá de las restricciones al ejercicio o disfrute de los derechos fundamentales provenientes de los poderes públicos, el Tribunal Constitucional ha seguido acogiéndose al criterio de la ponderación en supuestos de conflictos entre derechos, desarrollando criterios de resolución de dichos conflictos cada vez mejor perfilados (**ARTÍCULO 20**: de nuevo, por todas, STC 171/1990, y las allí citadas). En lo que a las limitaciones de derechos provenientes del poder empresarial concierne, por su parte, el Tribunal ha pasado de concretar el requisito de la razonabilidad, cifrado aquí en la exigencia de la buena fe, a imponer un criterio de estricta necesidad, criterio éste que se asemeja al requisito de imprescindibilidad que integra el juicio de proporcionalidad, sin llegar a identificarse con él. Según este criterio, serán legítimos aquellos límites que se impongan «en la medida estrictamente imprescindible para el correcto y ordenado desenvolvimiento de la actividad productiva, reflejo, a su vez, de derechos que han recibido consagración en el texto de nuestra norma fundamental (arts. 38 y 33 CE)» (**ARTÍCULO 18**: STC 99/1994, FJ 4). O dicho de otro modo, serán legítimos aquellos límites que puedan considerarse legítimamente implícitos en la propia actividad laboral, en la lógica que rige la misma, y que, hay que presumir, han sido libremente asumidos por las/os trabajadoras/es. Se trata de una lógica que va más allá de los términos concretos del contrato de trabajo o del convenio colectivo vigente en el sector, pero que uno y otro ayudan sin duda a concretar allí donde existe margen para ello. La relación laboral, en definitiva, podrá ser fuente legítima de limitación de derechos de las personas trabajadoras en la medida en que dicha limitación sea consustancial al desarrollo de las tareas objeto de la relación laboral de que se trate. Más allá de estos límites implícitos, la empresa podrá además imponer verdaderos límites a los derechos fundamentales de sus trabajadoras/es, en la medida en que vengan avalados «por razones de necesidad, de tal suerte que se hace preciso acreditar —por parte de quien pretende aquel efecto— que no es posible de otra forma alcanzar el legítimo objetivo perseguido, porque no existe medio razonable para lograr una adecuación entre el interés del trabajador y el de la organización en que se integra» (*ibídem*, FJ 7).

Es este doble criterio de estricta necesidad, medida en términos del contenido de la relación laboral, de un lado, y de la consecución de objetivos empresariales legítimos, de otros; es este criterio, decía, el que hoy utiliza el Tribunal Constitucional para discernir si las restricciones empresariales al disfrute de los derechos fundamentales de sus empleadas/os son o no conformes a la Constitución. Ello con independencia de que a veces siga haciendo referencia, con contenido más retórico que pragmático, a la buena fe contractual (**ARTÍCULO 18.1**: STC 99/1994; **ARTÍCULO 20**: STC 151/2004, FJ 7), o de que en ocasiones recurra formalmente al juicio de proporcionalidad en el ámbito laboral. Y ello con independencia también de que el Tribunal Constitucional muestre a veces, como ya vimos, una amplia deferencia para con la jurisdicción laboral en lo que a la limitación de ciertos derechos concierne. Se trata generalmente, en estos casos, de derechos cuyos perfiles son relativamente novedosos, derechos con cuyo desarrollo dogmático el Tribunal Constitucional aún no se siente cómodo, y respecto a cuya definición parece preferir dejar en la avanzadilla a la jurisdicción laboral (**ARTÍCULO 18**: SSTC 241/2012; 170/2013). Esta práctica jurisprudencial no sólo supone un retroceso en los niveles de protección del derecho en cuestión, sino con frecuencia también un retroceso en su construcción dogmática, y en la de los derechos fundamentales en general. Supone, pues, una preocupante dejación de las funciones tuitivas del Tribunal en lo que a la dimensión subjetiva de los derechos concierne, y una dejación igualmente preocupante de su labor de articulación de la dimensión objetiva de los derechos fundamentales, como normas que vinculan a todos los poderes públicos, y cuyas repercusiones van más allá del caso concreto. Todo lo cual se inserta en una tendencia jurisprudencial regresiva para con una tutela de los derechos fundamentales en el ámbito laboral (*vid.* el voto particular de Fernando Valdés Dal-Ré, al que se adhiere Adela Asua Batarrita, a la STC 39/2016, de 3 de marzo).

Tanto en el ejercicio de los derechos fundamentales frente a los poderes públicos, como en el ámbito empresarial, el Tribunal Constitucional ha desarrollado una doctrina de distribución de la carga de la argumentación entre la persona que alega haber sufrido vulneración de algún derecho fundamental, y quien niega haber provocado dicha vulneración. Con base en esta doctrina, a la primera no le corresponde probar que dicha vulneración ha tenido efectivamente lugar. Hacerlo le obligaría a probar, no sólo que el derecho en cuestión ha sido limitado, sino que esta limitación no es constitucionalmente conforme, lo que entrañaría la dificultad intrínseca a toda actividad probatoria negativa. Antes bien, a quien alega haber sufrido vulneración de un derecho fundamental le corresponde tan sólo probar que el derecho estaba en juego y ha sido efectivamente limitado, y mostrar indicios de que dicha limitación es inconstitucional, de que supone una vulneración del derecho. Es la persona a quien se acusa de haberla provocado quien tiene que argumentar, bien que no ha habido tal limitación del derecho, bien que ésta, habiendo existido, está justificada, con base en los criterios específicamente aplicables al caso concreto (por todas, **ARTÍCULO 14**: SSTC 98/2003; 41/2006, FJ 4; **ARTÍCULO 21**: STC 195/2003, FJ 7; **ARTÍCULO 28**: STC 17/2005).

La jurisprudencia constitucional en torno a los derechos fundamentales desarrolla todos estos puntos, que inciden tanto en su construcción dogmática como en su protección efectiva, así como algunos más, que por afectar a derechos concretos serán abordados en el análisis que se haga de éstos. Sólo resta señalar, para concluir esta introducción, y en lo que concierne a la posibilidad de imponer restricciones al disfrute de los derechos fundamentales, que además de estar sujetos a límites algunos derechos fundamentales pueden ser objeto de suspensión. Y pueden serlo tanto de forma colectiva, en supuestos de declaración del estado de excepción o de sitio prevista en el artículo 116 CE, y desarrollada en la Ley Orgánica 4/1981, de 1 de junio, de los estados de alarma, excepción y sitio (artículo 55.1 CE), como de forma individual, en el marco de las investigaciones correspondientes a la actuación de bandas armadas o elementos terroristas (artículo 55.2 CE). Se trata, en el primer caso, de los derechos reconocidos en los artículos 17, 18.2 y 3, 19, 20.1 a) y d), 20.5, 21, 28.2 y 37.2 CE (derecho a adoptar medidas de conflicto colectivo) y, en el segundo, de los derechos reconocidos en los artículos 17.2 y 18.2 y 3 CE. Mientras que, afortunadamente, no ha habido supuestos de suspensión colectiva de derechos en nuestro país en aplicación del artículo 55.1 CE, sí los ha habido de suspensión individual en aplicación del artículo 55.2 CE. En relación con ellos, el Tribunal Constitucional ha dejado claro que la suspensión individual de derechos no equivale a privar a una persona de los mismos (**ARTÍCULO 17**: STC 199/1987, FJ 7). Supone, antes bien, la posibilidad de someterlos a límites que van más allá de los ordinarios: de que la detención preventiva dure más de las 72h que establece el artículo 17.2 CE, siempre dentro de límites temporales que puedan considerarse razonables (**ARTÍCULO 17**: STC 199/1987, FJ 8); o de que la entrada en domicilio o intervención de comunicaciones se lleve a cabo sin autorización judicial previa, si bien siempre con la necesaria intervención judicial, que el artículo 55.2 CE impone expresamente y que en estos casos tendrá lugar, no a priori, sino a posteriori (**ARTÍCULO 18**: STC 199/1987, FFJJ 9 y 10). La posibilidad de suspensión individual de algunos derechos fundamentales prevista en el artículo 55.2 CE no es pues sino una posibilidad de someter dichos derechos a límites extraordinarios, dentro siempre del marco constitucional.

Nos corresponde ya adentrarnos, a través de la jurisprudencia constitucional, en el estudio individualizado de aquellos derechos fundamentales sustantivos a los que nuestra Constitución otorga tutela jurisdiccional reforzada a través, en lo que aquí interesa, del recurso de amparo ante el Tribunal Constitucional. Se trata de los derechos fundamentales sustantivos a los que nuestra Constitución ha otorgado mayor relevancia democrática. Y se trata de derechos en torno a los que el Tribunal Constitucional ha desarrollado un importante cuerpo jurisprudencial que nos acerca, no sólo a cada uno de ellos, sino a los derechos fundamentales en su conjunto como categoría jurídico-constitucional, y a su lugar en nuestro orden democrático.

LEGISLACIÓN

Ley de Enjuiciamiento Criminal (artículos 504bis, 520bis, 553, 579.4); Ley 62/1978, de 26 de diciembre, de protección jurisdiccional de los derechos fundamentales; Ley Orgánica 2/1979, del Tribunal Constitucional; Ley Orgánica 4/1981, de 1 de junio, de los estados de alarma, excepción y sitio; Ley Orgánica 9/1983, de 15 de julio, reguladora del derecho de reunión; Ley Orgánica 2/1984, de 26 de enero, reguladora del derecho de rectificación; Ley Orgánica 6/1984, de 24 de mayo, reguladora del procedimiento de Habeas Corpus; Ley Orgánica 5/1985, de 19 de junio, del régimen electoral general (artículos 49 y 109-117); Ley Orgánica 2/1989, de 13 de abril, procesal militar (artículo 518); Ley 29/1998, de 13 de julio, reguladora de la jurisdicción contencioso-administrativa (artículos 114-122); Ley 1/2000, de 7 de enero, de enjuiciamiento civil (artículo 249); Ley 36/2011, de 10 de octubre, reguladora de la jurisdicción social (artículos 177 a 184); Ley Orgánica 15/2015, de 16 de octubre, de reforma de la Ley Orgánica 2/1979, de 3 de octubre, del Tribunal Constitucional, para la ejecución de las resoluciones del Tribunal Constitucional como garantía del Estado de Derecho.

BIBLIOGRAFÍA

ALEXY, R. (1993): *Teoría de los derechos fundamentales*, Madrid: CEC; (2002): «Epílogo a la teoría de los derechos fundamentales», *REDC* 66, pp. 13-64; BARNÉS VÁZQUEZ, J. (1998): «El principio de proporcionalidad: estudio preliminar», *CDP* 5, pp. 15-50; BERNAL PULIDO, C. (2006): «La racionalidad de la ponderación», *REDC* 77, pp. 51-75; BILBAO UBILLOS, J.M. (1997): *La eficacia de los derechos fundamentales frente a particulares*, Madrid: CEPC; (1997): *Los derechos fundamentales en la frontera entre lo público y lo privado (La noción de «state action» en la jurisprudencia norteamericana)*, Madrid: McGraw-Hill; BÖCKENFÖRDE, E.W. (1993): *Escritos sobre derechos fundamentales*, Baden-Baden: Nomos; CARRASCO DURÁN, M. (2001): «El concepto constitucional de recurso de amparo. Examen de posibilidades para una reforma de la regulación y la práctica del recurso de amparo», *REDC* 63, pp. 79-127; CARRASCO PERERA, A. (1984): «El juicio de razonabilidad en la justicia constitucional», *REDC* 11, pp. 39-106; CARRILLO LÓPEZ, M. (1995): *La tutela de los derechos fundamentales por los tribunales ordinarios*, Madrid, CEC; CASCAJO CASTRO, J.L. (1988): *La tutela constitucional de los derechos sociales*, Madrid: CEC; CRUZ VILLALÓN, P. (1989): «Formación y evolución de los derechos fundamentales», *REDC* 25, pp. 35-62; (1994): «Sobre el amparo», *REDC* 41, pp. 9-23; (1993): «Derechos fundamentales y legislación», *Estudios de derecho público en homenaje a Ignacio de Otto* (U. Gómez Álvarez, coord.), Oviedo: Universidad de Oviedo, pp. 407-424; (1999): «Derechos fundamentales y derecho privado», en *La curiosidad del jurista persa, y otros estudios sobre la Constitución*, CEPC, pp. 217-232; DÍEZ-PICAZO, L.M. (2008): *Sistema de derechos fundamentales*, Madrid: Civitas; DWORKIN, R. (1984): *Los derechos en serio*, Barcelona: Ariel; FERNÁNDEZ SEGADO, F. (1993): «La teoría jurídica de los derechos fundamentales en la doctrina constitucional», *REDC* 39, pp. 195-247; FERRAJOLI, L. (2002): *Los fundamentos de los derechos fundamentales*, Madrid: Trotta; GARAT DELGADO, M.P. (2016): *El principio de constitucionalidad y su contrastación empírica. La resolución de casos sobre derechos fundamentales*, Sevilla: Athenaica; GARCÍA TORRES, J. (1988): «Reflexiones sobre la eficacia vinculante de los derechos fundamentales», *Introducción a los derechos fundamentales* (AA.VV.), Madrid: Ministerio de Justicia; GARCÍA TORRES, J. y JIMÉNEZ BLANCO, A. (1986): *Derechos fundamentales y relaciones entre particulares*, Madrid: Civitas; GASCÓN ABELLÁN, M. (1994): «La justicia constitucional: entre legislación y jurisdicción», REDC 91, pp. 63-87; GAVARA DE CARA, J.C. (2003): «El principio de proporcionalidad como elemento de control de la constitucionalidad de las restricciones de los derechos fundamentales», *RATC*, pp. 1803-1830; GONZÁLEZ BEILFUSS, M. (2003): *El principio de proporcionalidad en la jurisprudencia del Tribunal Constitucional*, Cizur Menor: Aranzadi; GÜNTHER, K. (1988): *Der Sinn für Angemessenheit, Anwendungsdiskurse in Moral und Recht*, Frankfurt am Main: Suhrkamp; GUTIÉRREZ GUTIÉRREZ, I. (1999): «Criterios de eficacia de los derechos fundamentales en las relaciones entre particulares», *TyRC* 3, pp. 193-211; HABERMAS, J. (1998): *Facticidad y validez*, Madrid: Trotta; JIMÉNEZ CAMPO, J. (1993): «El legislador de los derechos fundamentales», *Estudios de derecho público en homenaje a Ignacio de Otto* (U. Gómez Álvarez, coord.), Oviedo: Universidad de Oviedo, pp. 473-510; LOPERA MESA, G.P. (2005): «El principio de proporcionalidad y los dilemas del constitucionalismo», *REDC* 73, pp. 381-410; LÓPEZ PIETSCH, P. (1998): «Objetivar el recurso de amparo», *REDC* 53, pp. 115-151; LUHMANN, N. (1965): *Grundrechte als Institution. Ein Beitrag zur politischen Soziologie*, Berlin: Duncker & Humblot; MARTÍN RETORTILLO, L. (1991): «Eficacia y garantía de los derechos fundamentales», *Estudios sobre la Constitución española: Homenaje al profesor Eduardo García de Enterría* (Martín-Retortillo Baquer, S., coord.), Madrid: Civitas, pp. 585-634; MARTÍN RETORTILLO, L. y DE OTTO Y PARDO, I. (1988): *Derechos fundamentales y Constitución*, Madrid: Civitas; MEDINA GUERRERO, M. (1996): La vinculación negativa del legislador de los derechos fundamentales, Madrid: McGraw-Hill; (1998): «El principio de proporcionalidad y el legislador de los derechos fundamentales», *CDP* 5, pp. 119-142; NARANJO DE LA CRUZ, R. (2000): *Los límites de los derechos fundamentales en las relaciones entre particulares: la buena fe*, Madrid: CEPC; PÉREZ ROYO, J. (2014): *Curso de derecho constitucional*, Madrid: Marcial Pons; PÉREZ TREMPS, P. (2004): *El recurso de amparo*, Valencia: Tirant lo Blanch; ed. (2004): *La reforma del recurso de amparo*, Valencia: Tirant lo Blanch; PRIETO SANCHÍS, L. (1990): *Estudios sobre derechos fundamentales*, Valencia: Debate; (1992): *Sobre principios y normas*, Madrid: CEC; (1994): «El constitucionalismo de los derechos», *REDC* 71, pp. 47-72; QUADRA-SALCEDO, de la, T. (1981): *El recurso de amparo y los derechos fundamentales en las relaciones entre particulares*, Madrid: Civitas; REQUEJO PAJÉS, J.L. (1994): «Hacia la objetivización del recurso de amparo», *REDC* 42, pp. 153-151; REVENGA SÁNCHEZ, M. (1994): «Las paradojas del recurso de amparo tras la primera década de jurisprudencia constitucional (1981-1991)», *REDC* 41, pp. 25-33; RODRÍGUEZ RUIZ, B. (1999): «El caso 'Valenzuela Contreras' y nuestro sistema de derechos fundamentales», *REDC* 56, pp. 223-250; (2001): «Discourse Theory and the Addressees of Basic Rights», *Rechtstheorie* 32, pp. 87-133; RUBIO LLORENTE, F. (1982): «Sobre la relación entre el Tribunal Constitucional y el Poder Judicial en el ejercicio de la jurisdicción constitucional», *REDC* 4, pp. 35-67; (1993): «Principio de legalidad», *REDC* 39, pp. 9-42; URÍAS MARTÍNEZ, J. (1996): *La cuestión interna de inconstitucionalidad*, Madrid: McGraw-Hill Interamericana de España; (2001): *La tutela frente a leyes*, Madrid: Centro de Estudios Políticos y Constitucionales.

TITULARIDAD DE LOS DERECHOS FUNDAMENTALES

INTRODUCCIÓN

Son dos las cuestiones clásicas que suscita la titularidad de los derechos fundamentales. La primera gira en torno al vínculo entre estos derechos y la nacionalidad, y se refiere a la posibilidad de reconocer como titulares de los mismos a personas extranjeras. La segunda se plantea la posibilidad de reconocer derechos fundamentales, no sólo a las personas físicas, sus titulares naturales, sino también a las personas jurídicas, incluyendo la posibilidad de que puedan serlo las personas jurídicas de derecho público.

La primera de estas dos cuestiones es, en el continente europeo, poco menos que fundacional. Ya la Declaración Universal de los Derechos del Hombre y de Ciudadano de 1789 hizo oscilar la titularidad de los derechos fundamentales en torno a la polaridad universalidad-nacionalidad. Los derechos se consideraban, de un lado, inherentes a la persona y, de otro, privativos de los ciudadanos, pasando a constituir como tales los pilares sobre los que se alzaba la nueva ciudadanía democrática. Esta polaridad no es sino expresión, en el ámbito de los derechos fundamentales, de la tensión definitoria del propio Estado moderno, de la tensión creativa entre los dos pilares en que éste se apoya. El primer pilar es su componente liberal, basado en el principio de libertad individual, entendida como parte de la naturaleza humana y entendida su reivindicación, en consecuencia, como universalizable. El segundo es su componente democrático, entendido como una construcción basada en el principio de soberanía popular, a su vez basado en el principio de igualdad ciudadana, de igualdad en nuestra capacidad de contribuir a la cosa pública en el contexto de un Estado determinado. Esta tensión entre libertad e igualdad, entre la universalidad de la libertad y de las verdades ligadas a ella, concebidas como inherentes al ser humano y por ende como absolutas y eternas, y el carácter situado, estatal, esencialmente político y, por tanto, contingente, de la igualdad, esta tensión, decía, impregna el reconocimiento de derechos fundamentales en el constitucionalismo europeo. El resultado es que éstos se mueven entre la universalidad y la nacionalidad, entre su reconocimiento como valores inherentes al individuo y como instrumentos al servicio de la soberanía popular, al servicio pues del efectivo ejercicio de la ciudadanía democrática en un Estado determinado.

En esta relación de tensión creativa, la universalidad ha ido ganando terreno a la nacionalidad. Fruto de la mayor importancia relativa que los derechos fundamentales han ido adquiriendo dentro de los Estados constitucionales, por encima y a veces incluso en detrimento de su componente democrático, y sin duda influido por el auge de los documentos internacionales y supranacionales de protección de derechos, la universalidad de los derechos fundamentales ha ido afirmándose sobre su vinculación a la soberanía popular y, a través de ella, a una determinada nacionalidad. Esta tendencia hacia la universalización de los derechos fundamentales informa ya el tenor literal de los derechos fundamentales reconocidos en el Título I de nuestra Constitución, la mayoría de los cuales se reconocen en términos universales: «todos», «todas las personas», «nadie» «se reconoce», «se garantiza». Las excepciones son algunos, pocos, derechos fundamentales reconocidos a «los españoles» (artículos 14, 19, 29, 30.2, 35), y uno, el derecho de participación en asuntos públicos, reconocido a «los ciudadanos» (artículo 23 CE).

Llama por ello la atención que el artículo 13.1 CE afirme que los extranjeros «gozarán en España de las libertades públicas que garantiza el presente Título *en los términos que establezcan los tratados y las leyes*» (mi cursiva). Más allá de que la expresión «libertades públicas» no tenga aquí un significado restrictivo, de que haya que entender que el artículo 13.1 CE se refiere a todos los derechos fundamentales (STC 107/1984, FJ 3), el Tribunal Constitucional ha entendido que el artículo 13.1 CE no pretende desconstitucionalizar los derechos fundamentales de las personas extranjeras, remitiendo la definición de los términos de su titularidad a los tratados y las leyes (*ibídem*). Afirmar lo contrario equivaldría a desconocer los términos universales en que el Título I reconoce la mayoría de los derechos fundamentales.

Para armonizar estos términos con el contenido del artículo 13.1 CE, nuestro Tribunal Constitucional ha desarrollado una jurisprudencia tan creativa como compleja. Esta jurisprudencia constitucional descansa sobre cuatro piedras angulares. La primera consiste en entender que, en su remisión al legislador, el artículo 13.1 CE no puede referirse a todos los derechos fundamentales reconocidos en el Título I CE, que más bien se refiere sólo a los que no son inherentes a la dignidad humana. Y es que los derechos inherentes a la dignidad humana constituyen «la base del orden político y de la paz social» (artículo 10 CE), y deben, en cuanto tales, ser reconocidos por igual a todas las personas residentes en nuestro Estado, con independencia de su nacionalidad y con independencia de que su residencia se encuentre o no administrativamente regularizada (STC 107/1984, FJ 3). La titularidad de los derechos de las personas extranjeras se hace así depender, ante todo, de su conexión con la dignidad humana, una categoría de contornos jurídicos nebulosos que, pese a tener anclaje constitucional (artículo 10 CE), nos remite a un plano meta-jurídico difícil de aprehender para el derecho. Lo cual dificulta la definición de la titularidad de los derechos fundamentales. No puede pues sorprendernos que el Tribunal Constitucional no se haya detenido a identificar qué derechos pueden considerarse reconocidos universalmente, en cuanto que inherentes a la dignidad humana, limitándose a enumerar a modo ejemplificativo algunos de ellos. Es el caso de los derechos a la vida, a la integridad física y moral, a la intimidad, la libertad ideológica STC 107/1984, FJ 3), del derecho a la libertad y a la seguridad (STC 115/1987) del derecho a no ser discriminado por razón de nacimiento, raza, sexo, religión o cualquier otra condición o circunstancia personal o social, pese a estar su reconocimiento literalmente limitado a los españoles (STC 137/2000), incluso del derecho a la tutela judicial efectiva (STC 99/1985) y su derecho instrumental a la asistencia jurídica gratuita (STC 95/2003), e incluso también, implícitamente, del derecho a la legalidad penal (SSTC 94/1993; 116/1993; 24/2000).

Como segunda piedra angular, el Tribunal entiende que las personas extranjeras residentes en nuestro Estado, de nuevo con independencia de la regularidad de su situación administrativa, son titulares de todos los derechos reconocidos en términos universales en el Título I CE, incluso si no pueden considerarse derechos inherentes a la dignidad humana. Es el caso de los derechos de reunión y asociación (STC 115/1987). En la medida en que no se trata de derechos inherentes a la dignidad humana, con todo, el legislador puede introducir diferencias en las condiciones legales para su ejercicio por personas extranjeras, siempre que esas diferencias no afecten a su contenido esencial (*ibídem*). En una lectura más reciente, tendente a la ampliación de la titularidad de estos derechos, el Tribunal Constitucional ha pasado a decir que dichas diferencias caben siempre que no afecten, no ya al contenido esencial, sino al «mandato contenido en el precepto constitucional» como contenido preceptivo (STC 236/2007, FJ 4). En esta última lectura, el Tribunal Constitucional ha apuntado incluso a la conexión de los derechos de reunión y de asociación con la dignidad humana (FFJJ 6 y 7), elevándolos así un peldaño en su relevancia constitucional y, con ella, en el mandato al legislador de que equipare la regulación de su ejercicio por personas españolas y de otras nacionalidades, sin acabar de especificar en qué consiste ahora dicho mandato.

El tercer pilar de la jurisprudencia constitucional en la materia son los derechos que la Constitución reconoce sólo a «los españoles». En relación con ellos, el Tribunal Constitucional ha admitido la posibilidad de que la ley amplíe su titularidad a personas extranjeras. Es más, el Tribunal ha aclarado que, de producirse, dicha ampliación adquiere relevancia constitucional, de forma que «los extranjeros que por disposición de una ley o de un tratado, o por autorización concedida por una autoridad competente, tienen derecho a residir en España, gozan de la protección que brinda el art. 19 CE», y tienen, por tanto acceso al recurso de amparo para tu tutela, si bien en los términos que establezca dicha ley, tratado o disposición (STC 94/1993, FJ 3). Lo anterior no significa que el legislador tenga plena libertad al regular estos derechos. Antes bien, al hacerlo se encuentra limitado por los tratados internacionales ratificados por España en materia de derechos fundamentales, en virtud del artículo 10.2 CE (*ibídem*). Se encuentra asimismo limitado por el derecho supranacional, por la libertad de circulación y residencia reconocida a las/os ciudadanas/os de la Unión Europea en el territorio de cualquiera de los Estados Miembros (artículo 45 de la Carta de los Derechos Fundamentales de la Unión Europea). Y se encuentra limitado, ha añadido recientemente el Tribunal, por la obligación del legislador de respetar el contenido esencial de los derechos fundamentales, y de subordinar los límites que se deriven de la preservación de otros derechos, bienes o intereses constitucionalmente protegidos, con respeto al principio de proporcionalidad (STC 236/2007, FJ 4). La introducción de este nuevo límite resulta interesante. Lo es porque con él el Tribunal parece estar trasladando la doctrina inicialmente desarrollada para los derechos reconocidos en términos universales, pero no inherentes a la dignidad humana, a los derechos que la Constitución reconoce sólo a «los españoles», aproximando éstos a los primeros y elevándolos, en virtud de una lectura conjunta de los artículos 10.2 y 13.1 CE, a la categoría de derechos fundamentales, y no de derechos de rango meramente legal, también para las personas extranjeras.

La jurisprudencia constitucional en materia de titularidad de derechos descansa, en fin, en el artículo 13.2 CE. Este precepto restringe la titularidad de los derechos de participación en asuntos públicos, que el artículo 23 CE reconoce a «los ciudadanos», tan sólo a las personas de nacionalidad española. La excepción es el reconocimiento de los derechos de sufragio activo y pasivo en las elecciones locales de personas extranjeras residentes, atendiendo a criterios de reciprocidad. Esta excepción otorga cobertura constitucional, ante todo, al derecho de las personas ciudadanas de un país de la Unión Europea a ser electoras y elegibles en las elecciones municipales del Estado miembro en que residan, en las mismas condiciones que quienes son nacionales de dicho Estado (artículo 40 de la Carta de los Derechos Fundamentales de la Unión Europea). Como es bien sabido, la primera reforma de nuestro texto constitucional tuvo lugar para adaptar en este punto el artículo 13.2 CE al derecho europeo introducido por el Tratado de Maastricht de 1992, siguiendo la Declaración del Tribunal Constitucional 1/1992. Su ámbito, con todo, se extiende más allá del derecho europeo, siempre dentro de los límites que impone la exigencia de atender a criterios de reciprocidad. Con su norma general y su excepción, el artículo 13.2 CE blinda así constitucionalmente la titularidad de los derechos del artículo 23 CE, haciendo depender una ampliación de la misma de una reforma constitucional, y conformando de este modo una piedra de toque inamovible en la construcción de la titularidad de derechos fundamentales por personas extranjeras. Pese a ello, la Ley 7/2007, de 12 de abril, del Estatuto Básico del Empleado Público (artículo 57), amplía a las personas ciudadanas de un Estado de la Unión Europea la titularidad del derecho de acceso a la función pública, aunque con ciertos límites (sobre este punto, *vid.* **ARTÍCULO 23**). Más allá de esta excepción, cuyo fin es adaptar nuestra normativa al derecho de la Unión Europea, que garantiza la libre circulación de trabajadoras/es dentro de los Estados miembros (artículos 12 y 39 TCE), más allá de la excepción, decía, lo cierto es que el artículo 13.2 CE blinda constitucionalmente la titularidad de los derechos de participación en asuntos públicos. Los contornos constitucionales de la titularidad de todos los demás derechos fundamentales aparecen, por el contrario, dibujados en términos flexibles, abriéndose así a la tendencia a expandir el abanico de derechos fundamentales reconocidos a las personas extranjeras, bien porque nos encontremos ante una noción tan dúctil como la de dignidad humana, que se presta a interpretaciones expansivas, bien porque la construcción jurisprudencial de su titularidad es lo suficientemente fluida como para admitir una evolución igualmente expansiva.

Por lo demás, los apartados 3 y 4 del artículo 13 CE no modulan la titularidad de los derechos fundamentales reconocidos en el Título I CE, sino que se limitan a recoger principios que deben regir la interpretación de éstos. Así, el artículo 13.3 CE dispone, en materia de extradición, que ésta «sólo se concederá en cumplimiento de un tratado o de la ley, atendiendo al principio de reciprocidad. Quedan excluidos de la extradición los delitos políticos, no considerándose como tales los actos de terrorismo». El artículo 13.4 CE, por su parte, remite a la ley para que ésta establezca «los términos en que los ciudadanos de otros países y los apátridas podrán gozar del derecho de asilo en España». Al hacerlo, con todo, no reconoce un derecho fundamental de asilo, ya que el artículo 13 CE no se encuentra entre los preceptos constitucionales que reconocen derechos fundamentales, que el artículo 53.1 CE limita a los comprendidos en el Capítulo II del Título I CE. Ni se reconoce a las personas extranjeras derecho alguno de entrada en nuestro país (**ARTÍCULO 19**: STC 72/2005, FJ 6). Lo cual no obsta para que, mientras se encuentran en territorio español, que incluye las dependencias policiales españolas, las personas solicitantes de asilo estén sujetas al derecho español y sean titulares de los derechos fundamentales que en él se reconocen, incluido los derechos a la libertad (artículo 17 CE) y a la libre circulación (artículo 19 CE), que les permite abandonar en cualquier momento dichas dependencias policiales y, con ellas, nuestro territorio (**ARTÍCULO 19**: STC 53/2002). Nada impide tampoco que el legislador pueda reconocer este derecho de asilo a nivel infraconstitucional. Es lo que hace la Ley 12/2009, de 30 de octubre, reguladora del derecho de asilo y de la protección subsidiaria, en línea con la Carta de Derechos Fundamentales de la Unión Europea (artículo 18), que a su vez remite al Convenio de Ginebra sobre Refugiados de 28 de julio 1951 y al Protocolo de 31 de enero de 1967, sobre el Estatuto de los Refugiados, de conformidad con el Tratado constitutivo de la Comunidad Europea.

A diferencia de lo que sucede con las personas extranjeras, y a diferencia de otras constituciones (es de referencia el artículo 19.3 de la Ley Fundamental de Bonn), nuestra Constitución no contiene previsión explícita alguna sobre las personas jurídicas como titulares de derechos fundamentales. Pese a ello, existe un amplio consenso en torno a la idea de que las personas jurídicas pueden ser titulares de aquellos cuya propia naturaleza les permita disfrutar (STC 139/1995 —en línea con el mencionado artículo 19.3 de la Ley Fundamental de Bonn—). Ello puede ser porque se trate de «organizaciones que las personas naturales crean para la protección de sus intereses», en cuyo caso es razonable que «sean titulares de derechos fundamentales, en tanto y en cuanto éstos sirvan para proteger los fines para los que han sido constituidas» (STC 139/1995, FJ 4). Es el caso de los derechos a la libertad religiosa, a la libertad de expresión y a transmitir información, del derecho de asociación, a la libertad de enseñanza o a la libertad sindical. Puede ser también porque algún derecho les es directamente reconocido, como es el caso de la autonomía universitaria a las universidades (artículo 27.10 CE). Y puede ser, en fin, porque se trate de derechos acordes con su propia naturaleza, lo que es el caso de todos salvo de aquéllos cuya titularidad precisa de la presencia de una persona física, como el derecho a la vida o a la integridad física (*ibídem*), a la libertad personal (artículo 17 CE) o a la libertad de circulación y residencia (artículo 19 CE). La titularidad de los derechos fundamentales por personas jurídicas es, pues, una cuestión que deberá ser determinada caso a caso, en función del derecho que esté en juego.

Ello es así en lo que a las personas jurídicas de derecho privado concierne. Las de derecho público suscitan una problemática que va más allá de la anterior. Y es que aquí nos encontramos con que quien pretende disfrutar de un derecho fundamental es una persona que forma parte de los poderes públicos. Los cuales, recordemos, son los que la ortodoxia constitucional reconoce como destinatarios originales de los derechos fundamentales (**INTRODUCCIÓN**). Asumir la posibilidad de reconocerlos como titulares de derechos nos obliga a contemplar estos derechos desde la perspectiva de su dimensión institucional, como instrumentos al servicio de garantizar esferas de libertad democrática. Y nos obliga a cuestionarnos si los poderes públicos pueden actuar como garantes de dichas esferas como titulares de derechos fundamentales al tiempo que responsables de su tutela.

En función de la respuesta que demos a este interrogante, y de cómo la maticemos con base en nuestra construcción teórica de los derechos fundamentales, llegaremos a conclusiones diversas en cuanto a la titularidad de derechos fundamentales por las personas jurídico-públicas. Encontramos algunos ejemplos de ellas en la STC 175/2001, y en los votos particulares que la acompañan. La postura que hasta el momento ha adoptado la mayoría de nuestro Tribunal Constitucional es que las personas jurídico-públicas son titulares, no de derechos sustantivos, sino de algunos derechos fundamentales de contenido procesal, y ello sólo en ámbitos limitados. Son titulares, en concreto, del derecho a la tutela judicial efectiva, incluido el derecho de acceso a la jurisdicción (STC 311/2006), si bien sólo, y de modo excepcional, en litigios en que su situación procesal es análoga a la de las personas particulares, en que no gozan de privilegios o prerrogativas procesales. Y son titulares asimismo del derecho a no sufrir indefensión (STC 175/2001). Parece una jurisprudencia mesurada. Con ella, el Tribunal Constitucional preserva la garantía judicial de nuestro Estado de derecho con independencia de quién le solicite que lo haga, siempre que quien lo solicite se enfrente al poder judicial, no como otro poder del Estado, con los privilegios que tal posición encierra, sino desde la posición de quien está sometido a él y al resto del ordenamiento. No parece que, de momento, la jurisprudencia constitucional apunte a un cambio de postura en este terreno.

LEGISLACIÓN

Ley Orgánica 4/2000, de 11 de enero, sobre derechos y libertades de los extranjeros en España y su integración social; Ley 12/2009, de 30 de octubre, reguladora del derecho de asilo y de la protección subsidiaria.

BIBLIOGRAFÍA

AA.VV. (2004): *Extranjería e inmigración (Actas de las IX Jornadas de la Asociación de Letrados del Tribunal Constitucional)*, Madrid: CEPC; ALONSO SANZ, L. (2016): *El estatuto constitucional del menor inmigrante*, Madrid: Centro de Estudios Políticos y Constitucionales; AJA FERNÁNDEZ, E. (2012): *Inmigración y Democracia*, Madrid: Alianza Editorial; BIGLINO CAMPOS, P. (1998): *Ciudadanía y extranjería: Derecho nacional y comparado*, Madrid: Mc-Graw-Hill; BORRAJO INIESTA, I. (1991): «El status constitucional de los extranjeros», *Estudios sobre la Constitución española: Homenaje al profesor Eduardo García de Enterría* (Martín-Retortillo Baquer, S., coord.), Madrid: Civitas, pp. 697-766; CANO BUESO, J. (2003): «Los derechos de los extranjeros en España: una perspectiva constitucional», *RDP 57*, pp. 11-30; CRUZ VILLALÓN, P. (1992): «Dos cuestiones de titularidad de derechos: los extranjeros; las personas jurídicas», *REDC 35*, pp. 63-83; FERNÁNDEZ PÉREZ, Ana (2016): *Los derechos fundamentales y libertades públicas de los extranjeros en España: una visión desde la doctrina del Tribunal Constitucional*, Valencia: Tirant lo Blanch; GÓMEZ MONTORO, A.J. (2002): «La titularidad de derechos fundamentales por personas jurídicas: un intento de fundamentación», *La democracia constitucional: Estudios en homenaje al profesor Francisco Rubio Llorente* (S. Martín-Retortillo Baquer, coord.), Madrid: Congreso de los Diputados, pp. 387-438; LASAGABASTER HERRARTE, I. (1991): «Derechos fundamentales y personas jurídicas de derecho público», *Estudios sobre la Constitución española: Homenaje al profesor Eduardo García de Enterría* (Martín-Retortillo Baquer, S., coord.), Madrid: Civitas, pp. 651-677; OLIVÁN LÓPEZ, F. (2004): *Constitución y extranjería. La dialéctica de la integración*, Madrid: Dykinson; ROSADO IGLESIAS, G. (2004): *La titularidad de los derechos fundamentales por la persona jurídica*, Valencia: Tirant lo Blanch; RUIZ GONZÁLEZ, A.M. (2018): "Repensando los derechos constitucionales de la persona jurídica a la luz del Obamacare", *REP 181*, pp. 187-216; VIDAL FUEYO, M.C. (2002): *Constitución y extranjería*, Madrid: CEPC.

I. LAS PERSONAS EXTRANJERAS COMO TITULARES DE DERECHOS FUNDAMENTALES: EL ARTÍCULO 13.1 CE

Los extranjeros gozarán en España de las libertades públicas que garantiza el presente Título en los términos que establezcan los tratados y la ley

Alcance de la titularidad de derechos fundamentales por personas extranjeras: la noción de dignidad humana —STC 107/1984, de 23 de noviembre[1]—

---

[1]   En materia laboral, *vid.* también las SSTC 150/1994, de 23 de mayo; 130/1995, de 11 de septiembre.

La Sentencia resuelve el recurso de amparo interpuesto por don L.L.R. contra la Sentencia de la Magistratura de Tra-
bajo núm. 3 de Barcelona, de 17 de mayo de 1982, resolutoria de la relación laboral del demandante de amparo, por
carecer del requisito de autorización de residencia exigible para trabajar en España a todo extranjero, incluso cuando
es ciudadano°de un país hispanoamericano que está exento de la necesidad de proveerse de permiso de trabajo.

FJ 3. [...] A tenor del art. 13 de la Constitución, «los extranjeros gozarán en España de las libertades públicas que
garantiza el presente título en los términos que establezcan los tratados y la Ley». Ello supone que el disfrute de los
derechos y libertades —el término «libertades públicas» no tiene, obviamente, un significado restrictivo— reconocidos en el Título I de la Constitución se efectuará en la medida en que lo determinen los tratados internacionales y la
Ley interna española, y de conformidad con las condiciones y el contenido previsto en tales normas, de modo que
la igualdad o desigualdad en la titularidad y ejercicio de tales derechos y libertades dependerá, por propia previsión
constitucional, de la libre voluntad del tratado o la Ley.

No supone, sin embargo, tal previsión que se haya querido desconstitucionalizar la posición jurídica de los extranjeros relativa a los derechos y libertades públicas, pues la Constitución no dice que los extranjeros gozarán en España
de las libertades que les atribuyan los tratados y la Ley, sino de las libertades «que garantiza el presente título en los
términos que establezcan los tratados y la Ley», de modo que los derechos y libertades reconocidos a los extranjeros
siguen siendo derechos constitucionales y, por tanto, dotados —dentro de su específica regulación— de la protección constitucional, pero son todos ellos sin excepción en cuanto a su contenido derechos de configuración legal.
Esta configuración puede prescindir de tomar en consideración, como dato relevante para modular el ejercicio del
derecho, la nacionalidad o ciudadanía del titular, produciéndose así una completa igualdad entre españoles y extranjeros, como la que efectivamente se da respecto de aquellos derechos que pertenecen a la persona en cuanto tal
y no como ciudadano, o, si se rehúye esta terminología, ciertamente equívoca, de aquellos que son imprescindibles
para la garantía de la dignidad humana que, conforme al art. 10.1 de nuestra Constitución, constituye fundamento
del orden político español. Derechos tales como el derecho a la vida, a la integridad física y moral, a la intimidad, la
libertad ideológica, etc., corresponden a los extranjeros por propio mandato constitucional, y no resulta posible un
tratamiento desigual respecto a ellos en relación a los españoles.

Puede también, sin embargo, introducir la nacionalidad como elemento para la definición del supuesto de hecho al
que ha de anudarse la consecuencia jurídica establecida, y en tal caso, como es obvio, queda excluida a priori la
aplicación del principio de igualdad como parámetro al que han de ajustarse en todo caso las consecuencias jurídicas anudadas a situaciones que sólo difieren en cuanto al dato de la nacionalidad, aunque tal principio haya de ser
escrupulosamente respetado en la regulación referida a todos aquellos situados en identidad de relación con el dato
relevante.

FJ 4. El problema de la titularidad y ejercicio de los derechos y, más en concreto, el problema de la igualdad en el
ejercicio de los derechos, que es el tema aquí planteado, depende, pues, del derecho afectado. Existen derechos que
corresponden por igual a españoles y extranjeros y cuya regulación ha de ser igual para ambos; existen derechos que
no pertenecen en modo alguno a los extranjeros (los reconocidos en el art. 23 de la Constitución, según dispone el
art. 13.2 y con la salvedad que contienen); existen otros que pertenecerán o no a los extranjeros según lo dispongan
los tratados y las Leyes, siendo entonces admisible la diferencia de trato con los españoles en cuanto a su ejercicio.

En el presente caso, la igualdad pretendida por el demandante lo es para la contratación laboral, es decir, para el
ejercicio del derecho al trabajo. Y tanto porque no existe tratado ni Ley que establezcan la igualdad de trato entre
nacionales y extranjeros para el acceso a un puesto de trabajo —lo hay para la titularidad y ejercicio de los derechos
laborales una vez producida la contratación, con excepciones—, como porque la propia Constitución sólo reconoce
el derecho al trabajo para los españoles, no resulta posible la estimación del recurso.

Los extranjeros como titulares de derechos fundamentales y la noción de contenido esencial —STC 115/1987, de 7 de julio (*vid.* también ARTÍCULOS 17, 21 y 22 CE)—

La Sentencia resuelve el recurso de inconstitucionalidad promovido por el Defensor del Pueblo contra algunos artícu-
los de la Ley Orgánica 7/1985, de 1 de julio, sobre derechos y libertades de los extranjeros en España.

FJ 1. [...] El primer precepto cuya inconstitucionalidad se propugna es el párrafo segundo del número 2.° del art. 26
de la Ley Orgánica 7/1985, de 1 de julio, pues se estima que vulnera los arts. 17.1 y 2, 24 y 25.3 de la Constitución
en relación con el art. 13 de la misma.

El Defensor del Pueblo impugna este párrafo segundo del núm. 2.º del art. 26 de la Ley Orgánica 7/1985, y es a solo este párrafo al que se limita la pretensión de inconstitucionalidad. Sin embargo resulta necesario enmarcar ese párrafo en el contexto general de la regulación contenida en ese art. 26. El mismo, en su número primero establece la posibilidad de expulsión de España de los extranjeros en determinados casos, y el párrafo primero del núm. 2.º ha previsto que en algunos de los supuestos establecidos en el número primero «se podrá proceder a la detención del extranjero con carácter preventivo o cautelar mientras se sustancia el expediente».

Respecto a esta última disposición tanto el recurrente como el Letrado del Estado están de acuerdo en que afecta al derecho a la libertad del art. 17 de la Constitución, el cual es un derecho inherente a la persona humana, de aquellos que según la STC 107/1984, de 23 de noviembre, corresponden por igual a españoles y extranjeros. [...]

FJ 2. El Defensor del Pueblo defiende la inconstitucionalidad del art. 7 de la Ley Orgánica 7/1985, por vulneración del art. 21 de la Constitución, y en conexión con el art. 16 de la misma, así como de los arts. 9, 11 y 14 del Convenio Europeo para la Protección de los Derechos Humanos y de las Libertades Fundamentales y de los arts. 2, 3, 18 y 21 del Pacto Internacional de Derechos Civiles y Políticos. El art. 7 de la Ley Orgánica 7/1985 dispone:

«Los extranjeros podrán ejercitar el derecho de reunión, de conformidad, con lo dispuesto en las normas que lo regulan, siempre que se hallen legalmente en territorio español. Para poder promover la celebración de reuniones públicas en local cerrado o en lugar de tránsito público, así como manifestaciones, los extranjeros deberán tener la condición legal de residentes y solicitar del órgano competente su autorización, el cual podrá prohibirlas si resultaran lesivas para la seguridad nacional o los intereses nacionales, el orden público, la salud o la moral pública o los derechos y libertades de los españoles».

El Defensor del Pueblo impugna sólo parcialmente este articulo y sólo en la medida en que su segundo inciso impone para todos los casos la necesidad de autorización previa para promover la celebración de reuniones públicas o de manifestaciones, y ello aunque la autorización sólo pudiera ser denegada por las razones legalmente tasadas. [...]

El art. 21.1 de la Constitución afirma genéricamente que «se reconoce el derecho de reunión pacifica y sin armas», sin ninguna referencia a la nacionalidad del que ejerce este derecho, a diferencia de otros artículos contenidos en el Título I, donde se menciona expresamente a los «españoles», y a diferencia también de otras Constituciones comparadas donde este derecho expresamente se reserva a los ciudadanos.

El precepto impugnado permite el ejercicio del derecho de reunión, pero para el caso de las reuniones públicas exige la necesaria autorización del órgano competente. El problema que se plantea no es el de si es posible aquí esta diferencia de trato en el ejercicio del derecho entre los extranjeros y los españoles, sino si el legislador ha respetado el contenido preceptivo e imperativo que establece el art. 21.1 de la Constitución, también para los extranjeros.

La necesidad de una autorización administrativa previa, referida al ejercicio del derecho de reunión, no es un requisito puramente rituario o procedimental, sobre todo porque nuestra Constitución ha optado por un sistema de reconocimiento pleno del derecho de reunión, sin necesidad de autorización previa (art. 21.1). Esta libertad de reunión sin autorización se constituye así en una facultad necesaria «para que el derecho sea reconocible como pertinente al tipo descrito» (STC 11/1981, de 8 de abril); al imponerse la necesidad de autorización administrativa se están desnaturalizando el derecho de reunión, consagrado en la Constitución «sin supeditarlo a la valoración discrecional y al acto habilitante y de poder implícito de la Administración» (STC 32/1982, de 16 de junio).

Cuando ese acto habilitante es preciso en todo caso, se condicionan hasta tal punto las facultades que lo integran, que el pretendido derecho muda de naturaleza y no puede ser reconocido como tal. Las eventuales restricciones al derecho de reunión que se mencionan en el último inciso del precepto pueden ser válidas por si mismas desde la perspectiva de mera limitación de los derechos fundamentales, pero la tutela de otros bienes constitucionales no puede justificar la introducción, como paso previo al ejercicio del derecho de reunión, de una autorización preceptiva previa.

En consecuencia, procede declarar la inconstitucionalidad del inciso «y solicitar del órgano competente su autorización», contenido en el art. 7 de la Ley Orgánica 7/1985, de 1 de julio.

FJ 3: Se sostiene en la demanda la inconstitucionalidad del art. 8.2 de la Ley Orgánica 7/1985, de 1 de julio, por vulneración de los arts. 22.4 y 14, en relación con el art. 13.1, todos ellos del Texto constitucional.

El art. 8.2 de la Ley Orgánica 7/1985, de 1 de julio, establece:

«El Consejo de Ministros, a propuesta del Ministro del Interior, previo informe del de Asuntos Exteriores, podrá acordar la suspensión de las actividades de las Asociaciones promovidas e integradas mayoritariamente por extranjeros, por un plazo no superior a seis meses, cuando atenten gravemente contra la seguridad o los intereses nacionales, el orden público, la salud o la moral pública o los derechos y libertades de los españoles».

Entiende el Defensor del Pueblo que este precepto ignora el contenido esencial del derecho de asociación, porque ni el art. 22 de la Constitución ni los Tratados internacionales autorizan restricciones diversas de las en ellos previstas, introduciendo una alteración peyorativa y disminuyendo el régimen de garantías establecidas para su ejercicio, mediante la admisión de la suspensión administrativa de las asociaciones legalmente constituidas.

Debe admitirse que, de acuerdo a sus propios términos, el art. 22 de la Constitución, en contraste con otras Constituciones comparadas, reconoce también directamente a los extranjeros el derecho de asociación. En esta línea el art. 8 de la Ley Orgánica 7/1985 reconoce el derecho de asociación de los extranjeros y además también la aplicación a tal derecho de las mismas normas generales aplicables a los españoles. Al mismo tiempo y como única especialidad relevante establece esta posibilidad de suspensión administrativa, pero sólo cuando concurran determinadas circunstancias. El problema también aquí es si el legislador ha respetado o no el contenido preceptivo del art. 22 de la Constitución. […]

La suspensión y disolución administrativas de las asociaciones han sido manifestaciones tradicionales de un sistema de fuerte control estatal, sobre todo, el movimiento asociativo, caracterizado en lo esencial por la discrecionalidad y la valoración de la acción del grupo con arreglo a criterios de oportunidad, y no de mera y estricta legalidad. En relación con la tradicional actitud estatal y a efectos de determinar hasta qué punto queda afectado el contenido esencial del derecho de asociación, la prohibición de disolución o suspensión administrativa de Asociaciones no aparece tanto, o no aparece sólo, como norma atributiva de competencias (que resuelve la opción entre la Administración o los Tribunales), sino como una norma de actuación que garantiza que sólo la Ley puede legitimar la intervención estatal en este área de libertad ciudadana. El que la decisión se adopte por un órgano judicial desde el momento inicial, y no se reduzca a un momento posterior de control judicial de la actividad administrativa, supone, de forma preceptiva, una garantía adicional muy importante, por ser la vía judicial la más adecuada para interpretar y aplicar las restricciones de los derechos fundamentales.

A estas razones responde el art. 22.4 de la Constitución, que establece que «las asociaciones sólo podrán ser disueltas o suspendidas en sus actividades en virtud de resolución judicial motivada». Se establece así una garantía del derecho de asociación no prevista en tales términos en los Tratados Internacionales suscritos por España en la materia. Este mandato del art. 22.4 constituye en puridad un contenido preceptivo del derecho de asociación que se impone al legislador en el momento de regular su ejercicio.

El problema así planteado es el de si el art. 13.1 de la Constitución habilita o no al legislador a establecer una excepción para los extranjeros de la regla contenida en el art. 22.4 de la Constitución. El art. 13.1 de la Constitución reconoce al legislador la posibilidad de establecer condicionamientos adicionales al ejercicio de derechos fundamentales por parte de los extranjeros, pero para ello ha de respetar, en todo caso, las prescripciones constitucionales, pues no se puede estimar aquel precepto permitiendo que el legislador configure libremente el contenido mismo del derecho, cuando éste ya haya venido reconocido por la Constitución directamente a los extranjeros, a los que es de aplicación también el mandato contenido en el art. 22.4 de la Constitución. Una cosa es, en efecto, autorizar diferencias de tratamiento entre españoles y extranjeros, y otra es entender esa autorización como una posibilidad de legislar al respecto sin tener en cuenta los mandatos constitucionales.

No cabe duda que el art. 8.2 de la Ley Orgánica 7/1985 establece una intervención administrativa que resulta totalmente incompatible con la garantía al derecho de asociación reconocida en el art. 22.4 de la Constitución también para los extranjeros. Por ello ha de admitirse, con el recurrente, la inconstitucionalidad del art. 8.2 de la Ley Orgánica 7/1985, de 1 de julio.

Las personas extranjeras sin residencia legal: el derecho a la tutela judicial efectiva y el beneficio de justicia gratuita —STC 95/2003, de 22 de mayo[2]—

La Sentencia resuelve el recurso de inconstitucionalidad promovido por el Defensor del Pueblo contra el inciso «que residan legalmente en España» del apartado a) del artículo 2 de la Ley 1/1996, de 10 de enero, de asistencia jurídica gratuita, en la medida en que excluye de tal derecho a las personas extranjeras que se encuentren en España de forma ilegal, vulnerándose así el artículo 24 CE al no respetar el contenido esencial del derecho fundamental a la tutela judicial efectiva. Observa el Defensor del Pueblo que quedarían fuera del contenido del derecho de asistencia jurídica gratuita las cuestiones que afectan al status personal de las personas extranjeras que no residan legalmente y que no guarden relación con la jurisdicción penal ni con el derecho de asilo.

---

[2]   *Vid.* también STC 236/2007, de 7 de noviembre, FJ 13.

FJ 3. [...] El problema constitucional planteado [...] si la relación existente entre el derecho a la gratuidad de la justicia para quienes acrediten insuficiencia de recursos para litigar (art. 119 CE) y el derecho a la tutela judicial efectiva (art. 24.1 CE) lleva consigo la exigencia *ex Constitutione* de otorgar o reconocer el derecho de asistencia jurídica gratuita a los extranjeros que, cumpliendo el resto de los requisitos impuestos legalmente a la generalidad, no reúnan la condición de residentes legalmente en España, o si, por el contrario, la atribución de tal derecho a los referidos sujetos puede ser acordada o denegada libremente por el legislador ordinario sin ligazón constitucional directa.

La relación existente entre el derecho a la asistencia jurídica gratuita de quienes carecen de recursos económicos para litigar (art. 119 CE) y el derecho a la tutela judicial efectiva (art. 24.1 CE) ha sido puesta de manifiesto por este Tribunal en no pocas ocasiones. Así, en la reciente STC 183/2001, de 17 de septiembre, recordando la doctrina sentada en la STC 117/1998, de 2 de junio, afirmábamos que: «el art. 119 CE, al establecer que 'la justicia será gratuita cuando así lo disponga la ley y, en todo caso, respecto de quienes acrediten insuficiencia de recursos para litigar', consagra un derecho constitucional de carácter instrumental respecto del derecho de acceso a la jurisdicción reconocido en el art. 24.1 CE, pues 'su finalidad inmediata radica en permitir el acceso a la justicia, para interponer pretensiones u oponerse a ellas, a quienes no tienen medios económicos suficientes para ello y, más ampliamente, trata de asegurar que ninguna «persona quede procesalmente indefensa por carecer de recursos para litigar' (STC 138/1988)» (STC 16/1994, FJ 3). Ahora bien, del propio tenor del inciso primero del art. 119 CE, según el cual la justicia será gratuita 'cuando así lo disponga la ley', se desprende que no nos hallamos ante un derecho absoluto e ilimitado. Por el contrario se trata de 'un derecho prestacional y de configuración legal, cuyo contenido y concretas condiciones de ejercicio, como sucede con otros de esa naturaleza, corresponde delimitarlos al legislador atendiendo a los intereses públicos y privados implicados y a las concretas disponibilidades presupuestarias' (STC 16/1994, FJ 3). [...] La amplia libertad de configuración legal que resulta del primer inciso del art. 119 CE no es, sin embargo, absoluta, pues el inciso segundo de dicho precepto explícitamente declara que la gratuidad de la justicia se reconocerá 'en todo caso, respecto de quienes acrediten insuficiencia de recursos para litigar'. Existe, por consiguiente (como también señalamos en la STC 16/1994, FJ 3), un 'contenido constitucional indisponible' para el legislador que obliga a reconocer el derecho a la justicia gratuita necesariamente a quienes acrediten insuficiencia de recursos económicos para litigar» (STC 117/1998, FJ 3).

FJ 4. [...] [T]oda persona física que sea titular del derecho a la tutela judicial efectiva habrá de gozar del derecho a la gratuidad de la justicia si carece de los recursos suficientes para litigar en los términos en los que este concepto jurídico indeterminado sea configurado por el legislador ordinario. Como hemos dicho en otras ocasiones, corresponde al legislador, dentro del amplio margen de libertad de configuración que es propio de su potestad legislativa, la concreción de este concepto normativo. «Puede, por ejemplo, fijarlo a partir de criterios objetivos, como el de una determinada cantidad de ingresos, u optar por un sistema de arbitrio judicial dejándolo a la decisión discrecional de los Jueces o de éstos y otras instancias, o puede utilizar fórmulas mixtas limitándose a establecer las pautas genéricas que debe ponderar el Juez al conceder o denegar las solicitudes de gratuidad (número de hijos o parientes a cargo del solicitante, gastos de vivienda, características del proceso principal, etc.)» (STC 16/1994, de 20 de marzo). Ahora bien, una vez que el concepto «insuficiencia de recursos para litigar» empleado por el art. 119 CE resulta concretado por el legislador, todas las personas físicas titulares del derecho a la tutela judicial efectiva habrán de poderse beneficiar del derecho prestacional a la gratuidad de la justicia (insistimos: del modo y manera en que lo configura el legislador) si en ellas concurre tal insuficiencia de recursos.

Dicho de otro modo, la privación por el legislador del derecho a la gratuidad de la justicia a un grupo de personas físicas que reúnan las condiciones económicas previstas con carácter de generalidad para acceder a tal derecho implica una lesión del derecho fundamental a la tutela judicial efectiva al que, de forma instrumental, ha de servir el desarrollo legislativo del art. 119 CE, pues si no se les reconociese el derecho a la gratuidad de la justicia su derecho a la tutela judicial efectiva resultaría meramente teórico y carecería de efectividad.

FJ 5. Con respecto al derecho fundamental cuya vulneración se denuncia en el presente recurso de amparo ha de observarse que este Tribunal, ya desde la STC 99/1985, de 30 de septiembre, de la que se hizo eco la STC 115/1987, de 7 de julio, ha reconocido a los extranjeros, con independencia de su situación jurídica, la titularidad del derecho a la tutela judicial efectiva.

En efecto, en la primera de las Sentencias citadas decíamos que la extranjería era irrelevante en relación con el derecho constitucional entonces controvertido, que era el derecho fundamental a una tutela judicial efectiva. Así señalábamos (FJ 2) que, con determinadas salvedades expresamente previstas en el texto constitucional, los extranjeros disfrutan de los derechos y libertades reconocidos en el Título I de la Constitución, si bien atemperando su contenido a lo establecido en los Tratados internacionales y en la Ley interna española. «Pero ni siquiera esta modulación o atemperación es posible en relación con todos los derechos, pues 'existen derechos que corresponden por igual a españoles y extranjeros y cuya regulación ha de ser igual para ambos' (STC 107/1984, de 23 de noviembre, FJ 4); así sucede con aquellos derechos fundamentales 'que pertenecen a la persona en cuanto tal y no como ciudadano' o, dicho de otro modo, con 'aquéllos que son imprescindibles para la garantía de la dignidad humana que conforme al art. 10.1 de nuestra Constitución constituye fundamento del orden político español' (ibídem, FJ 3). Pues bien, uno de estos derechos es el que 'todas las personas tienen... a obtener la tutela efectiva de los Jueces y Tribunales', según dice el art. 24.1 de nuestra Constitución; ello es así, no sólo por la dicción literal del citado artículo ('todas las personas...'), sino porque a esa misma conclusión se llega interpretándolo, según exige el art. 10.2 CE, de conformidad con el art. 10 de la Declaración universal de derechos humanos, con el art. 6.1 del Convenio de Roma de 4 de noviembre de 1950 y con el art. 14.1 del Pacto internacional de derechos civiles y políticos de Nueva York de 19 de diciembre de 1966, textos en todos los cuales el derecho equivalente al que nuestra Constitución denomina tutela judicial efectiva es reconocido a 'toda persona' o a 'todas las personas', sin atención a su nacionalidad.» (STC 99/1985, de 30 de septiembre, FJ 2).

FJ 7. Finalmente han de realizarse dos precisiones en cuanto al alcance de la declaración de inconstitucionalidad de la norma impugnada.

La primera tiene que ver con la alegación del Abogado del Estado, según la cual la estimación del recurso y la anulación del inciso «que residan legalmente en España» llevaría al reconocimiento universal del derecho a la asistencia jurídica gratuita a toda persona extranjera que, reuniendo los requisitos económicos legalmente previstos, quisiera litigar ante los Juzgados y Tribunales españoles, ya se encontrase en España, ya en el extranjero.

Pues bien, para efectuar el enjuiciamiento que en este momento nos compete, ha de observarse que la extensión del ámbito tuitivo del beneficio de justicia gratuita en los términos apuntados por la representación procesal del Estado conduciría a unos resultados que desde luego no vienen exigidos por el texto constitucional, cuya eficacia normativa se contrae a su ámbito propio de aplicación. Ello permite concluir que la anulación de la palabra «legalmente» contenida en el precepto impugnado conjura el riesgo de que a la norma se le atribuya un alcance desconectado por completo del vicio de inconstitucionalidad que en ella se aprecia.

Adicionalmente debemos precisar que la expresión «que residan [en España]» habrá de entenderse referida a la situación puramente fáctica de los que se hallan en territorio español, sin que quepa atribuir a la referida expresión un significado técnicamente acuñado de residencia autorizada administrativamente [...], pues, de lo contrario, se vaciaría por completo el sentido y alcance de la declaración de inconstitucionalidad que debemos realizar.

Las personas extranjeras como titulares de derechos fundamentales reconocidos sólo a españolas/es: el caso de la libertad de circulación (artículo 19 CE) —STC 94/1993, de 22 de marzo[3]—

La Sentencia resuelve el recurso de amparo interpuesto por doña E.L.V. contra el Acuerdo de la Dirección de la Seguridad del Estado (Ministerio del Interior), de 15 marzo 1988, y contra la Sentencia emitida por el Tribunal Supremo el 12 julio 1989, que dieron lugar a su expulsión del territorio español. Entiende la recurrente que ambos vulneraron su libertad de circulación reconocida en el artículo 19 CE.

FJ 2. De los derechos fundamentales que la actora invoca en apoyo de su pretensión, reviste una trascendencia directa sobre el contencioso planteado el que enuncia el art. 19 de la Constitución, relativo a las libertades de residencia y de desplazamiento. Es evidente que la decisión de expulsar o extrañar a una persona del territorio nacional, prohibiendo su regreso durante un período de tiempo, afecta directamente a la libertad de circulación que contempla dicho precepto constitucional, pudiendo vulnerarla o no, según el fundamento y alcance de la medida. No obstante, el presente recurso suscita la cuestión previa de si un extranjero puede ser considerado titular del derecho fundamental de circulación, y en su caso con qué alcance.

Tanto el Abogado del Estado como el Ministerio Fiscal enfatizan que el texto del art. 19 CE solamente alude a «los españoles». Ahora bien, la inexistencia de declaración constitucional que proclame directamente la libertad de circulación de las personas que no ostentan la nacionalidad española no es argumento bastante para considerar resuelto el

---

3   *Vid.* también las SSTC 99/1985, de 30 de septiembre; 116/1993, de 29 de marzo; 242/1994, de 20 de julio; 24/2000, de 31 de enero; 260/2007, de 20 de diciembre (FJ 5); 186/2013, de 4 de noviembre.

problema, como ya se indicó respecto a una cuestión similar planteada por el principio de igualdad ex art. 14 CE en la STC 107/1984, fundamento jurídico 3º. La dicción literal del art. 19 CE es insuficiente porque ese precepto no es el único que debe ser considerado; junto a él, es preciso tener en cuenta otros preceptos que determinan la posición jurídica de los extranjeros en España, entre los que destaca el art. 13 de la Constitución. Su apartado 1 dispone que los extranjeros gozan en España de las libertades públicas que garantiza el Título I de la Constitución, aun cuando sea en los términos que establezcan los tratados y la ley, como se dijo en las SSTC 107/1984, 99/1985, y 115/1987. Y el apartado 2 de este art. 13 solamente reserva a los españoles la titularidad de los derechos reconocidos en el art. 23 CE, con el alcance que precisamos en la Declaración de 1 de julio de 1992, y que ha sido objeto de la reforma constitucional de 27 agosto 1992. Por consiguiente, resulta claro que los extranjeros pueden ser titulares de los derechos fundamentales a residir y a desplazarse libremente que recoge la Constitución en su art. 19. Al afirmar lo contrario, la Sentencia de apelación aquí recurrida rompió, de manera abrupta e inexplicada, con una firme línea jurisprudencial del propio Tribunal Supremo, que se mantiene desde sus Sentencias de 25 junio y 3 julio 1980. [...]

FJ 3. Cuestión distinta, sin embargo, es el alcance que despliega la protección constitucional a los desplazamientos de extranjeros en España. La libertad de circulación a través de las fronteras del Estado, y el concomitante derecho a residir dentro de ellas, no son derechos imprescindibles para la garantía de la dignidad humana (art. 10.1 CE, y STC 107/1984, fundamento jurídico 3º), ni por consiguiente pertenecen a todas las personas en cuanto tales al margen de su condición de ciudadano. De acuerdo con la doctrina sentada por la citada Sentencia, es pues lícito que las leyes y los tratados modulen el ejercicio de esos derechos en función de la nacionalidad de las personas, introduciendo tratamientos desiguales entre españoles y extranjeros en lo que atañe a entrar y salir de España, y a residir en ella.
La libertad del legislador al configurar los derechos de los nacionales de los distintos Estados, en cuanto a su entrada y permanencia en España, es sin duda alguna amplia. Pero no es en modo alguno absoluta, como da por supuesto la Sentencia impugnada en este recurso de amparo. El Pacto Internacional de Derechos Civiles y Políticos de 1966, que —a diferencia del Cuarto Protocolo del Convenio Europeo de Derechos Humanos— se encuentra ratificado por España, no puede ser ignorado a la hora de interpretar los arts. 19 y 13 de la Constitución, por imperativo de su art. 10.2. Las leyes y tratados que regulan la circulación de extranjeros en España deben respetar el grado, limitado pero cierto, de libertad que reconocen los arts. 12 y 13 del Pacto Internacional a todas las personas que se hallan legalmente en el territorio del Estado.
Así pues, los extranjeros que por disposición de una ley o de un tratado, o por autorización concedida por una autoridad competente, tienen derecho a residir en España, gozan de la protección que brinda el art. 19 CE, aun cuando no sea necesariamente en idénticos términos que los españoles, sino en los que determinen las leyes y tratados a los que se remite el art. 13.1 CE.

Un intento de sistematización de la construcción jurisprudencial de la titularidad los de derechos fundamentales por las personas extranjeras —STC 236/2007, de 7 de noviembre[4]—

La Sentencia resuelve el recurso de inconstitucionalidad interpuesto por la Letrada del Parlamento de Navarra contra diversos preceptos de la Ley Orgánica 8/2000, de 22 de diciembre, de reforma de la Ley Orgánica 4/2000, de 11 de enero, sobre derechos y libertades de los extranjeros en España y su integración social.

FJ 3. En relación con la primera cuestión, debemos partir del dato de que nuestro ordenamiento no desconstitucionaliza el régimen jurídico de los extranjeros, el cual tiene su fuente primera en el conjunto del texto constitucional. En concreto, la titularidad y el ejercicio de los derechos fundamentales de los extranjeros en España deben deducirse de los preceptos que integran el título I, interpretados sistemáticamente. Para su determinación debe acudirse en primer lugar a cada uno de los preceptos reconocedores de derechos que se incluyen en dicho título, dado que el problema de su titularidad y ejercicio «depende del derecho afectado» (STC 107/1984, de 23 de noviembre, FJ 4). Y en segundo lugar, a la regla contenida en el art. 13 CE, cuyo primer apartado dispone: «Los extranjeros gozarán en España de las libertades públicas que garantiza el presente título en los términos que establezcan los tratados y la ley», mientras el segundo apartado establece que: «Solamente los españoles serán titulares de los derechos reconocidos en el artículo 23, salvo que, atendiendo a criterios de reciprocidad, pueda establecerse por tratado o ley para el derecho de sufragio activo y pasivo en las elecciones municipales».

---

[4]   *Vid.* también las SSTC 259/2007, de 19 de diciembre; 260/2007 a 265/2007, todas de 20 de diciembre.

El art. 13 CE se refiere a los derechos y libertades del título I, consagrando un estatuto constitucional de los extranjeros en España. De una parte, como señalamos en la Sentencia citada, la expresión «libertades públicas» utilizada en el precepto no debe ser interpretada en sentido restrictivo, de manera que los extranjeros disfrutarán «no sólo de las libertades sino también de los derechos reconocidos en el título I de la Constitución». Por otra parte, como se deduce de su dicción y de su ubicación en el capítulo primero («De los españoles y los extranjeros») del título I, este precepto constitucional se refiere a todos los extranjeros, por contraposición a las personas de nacionalidad española, a pesar de que aquéllos puedan encontrarse en España en situaciones jurídicas diversas. La remisión a la ley que contiene el art. 13.1 no supone pues una desconstitucionalización de la posición jurídica de los extranjeros puesto que el legislador, aun disponiendo de un amplio margen de libertad para concretar los «términos» en los que aquéllos gozarán de los derechos y libertades en España, se encuentra sometido a límites derivados del conjunto del título I de la Constitución, y especialmente los contenidos en los apartados primero y segundo del art. 10 CE en los términos que seguidamente se expondrán.

En efecto, el legislador al que remite el art. 13.1 CE no goza de igual libertad para regular la titularidad y el ejercicio de los distintos derechos del título I, pues aquélla depende del concreto derecho afectado. Como ha quedado dicho, una interpretación sistemática del repetido precepto constitucional impide sostener que los extranjeros gozarán en España sólo de los derechos y libertades que establezcan los tratados y el legislador (SSTC 107/1984, de 23 de noviembre, FJ 3; 99/1985, de 30 de septiembre, FJ 2), dejando en manos de éste la potestad de decidir qué derechos del título I les pueden corresponder y cuáles no. Por otra parte, existen en ese título derechos cuya titularidad se reserva en exclusiva a los españoles (los reconocidos en el art. 23 CE, con la salvedad que contiene), prohibiendo la misma Constitución (art. 13.2 CE) que el legislador los extienda a los extranjeros.

En cuanto a lo primero, nuestra jurisprudencia ha reiterado que existen derechos del título I que «corresponden a los extranjeros por propio mandato constitucional, y no resulta posible un tratamiento desigual respecto de los españoles» (STC 107/1984, FJ 3) puesto que gozan de ellos «en condiciones plenamente equiparables [a los españoles]» (STC 95/2000, de 10 de abril, FJ 3). Estos derechos son los que «pertenecen a la persona en cuanto tal y no como ciudadanos, o dicho de otro modo, se trata de derechos que son imprescindibles para la garantía de la dignidad humana que conforme al art. 10.1 de nuestra Constitución es el fundamento del orden político español» (SSTC 107/1984, de 23 de noviembre, FJ 3; 99/1985, de 30 de septiembre, FJ 2; y 130/1995, de 11 de septiembre, FJ 2). También nos hemos referido a ellos como derechos «inherentes a la dignidad de la persona humana» (STC 91/2000, de 30 de marzo, FJ 7). En esta situación se encontrarían el derecho a la vida, a la integridad física y moral, a la intimidad, la libertad ideológica (STC 107/1984, FJ 3), pero también el derecho a la tutela judicial efectiva (STC 99/1985, FJ 2)[5] y el derecho instrumental a la asistencia jurídica gratuita (STC 95/2003, de 22 de mayo, FJ 4), el derecho a la libertad y a la seguridad (STC 144/1990, de 26 de septiembre, FJ 5)[6], y el derecho a no ser discriminado por razón de nacimiento, raza, sexo, religión o cualquier otra condición o circunstancia personal o social (STC 137/2000, de 29 de mayo, FJ 1)[7]. Todos ellos han sido reconocidos expresamente por este Tribunal como pertenecientes a las personas en cuanto tal, pero no constituyen una lista cerrada y exhaustiva.

La aplicación del criterio fijado en su día por este Tribunal para determinar si un concreto derecho pertenece o no a este grupo ofrece algunas dificultades por cuanto todos los derechos fundamentales, por su misma naturaleza, están vinculados a la dignidad humana. Pero como se dirá seguidamente, la dignidad de la persona, como «fundamento del orden político y la paz social» (art. 10.1 CE), obliga a reconocer a cualquier persona, independientemente de la situación en que se encuentre, aquellos derechos o contenidos de los mismos imprescindibles para garantizarla, erigiéndose así la dignidad en un mínimo invulnerable que por imperativo constitucional se impone a todos los poderes, incluido el legislador. Ello no implica cerrar el paso a las diversas opciones o variantes políticas que caben dentro de

---

5   *Vid.* también las SSTC 242/1994, de 20 de julio; 140/1990, de 20 de septiembre; 96/1995, de 19 de junio; 182/1996, de 12 de noviembre; 145/2006, de 8 de mayo; 145/2011, de 26 de septiembre; 205/2012 y 206/2012, de 12 de noviembre; 232/2012, de 10 de diciembre.

6   *Vid.* también las SSTC 140/1990, de 20 de septiembre, 96/1995, de 19 de junio; 86/1996, de 21 de mayo; 182/1996, de 12 de noviembre; 174/1999, 27 de septiembre; 179/2000, de 26 de junio; 53/2002, de 27 de febrero (reconoce la titularidad de este derecho a las personas extranjeras solicitantes de asilo); 303/2005, de 24 de noviembre; 169/2006, de 5 de junio; 201/2006, de 3 de julio; 259/2006, de 11 de septiembre; 169/2008, 15 de diciembre; 172/2008, de 18 de diciembre. A éste hay que sumar el reconocimiento a las personas extranjeras del derecho a la legalidad penal (*vid.* SSTC 94/1993, de 22 de marzo; 116/1993, de 29 de marzo; 24/2000, de 31 de enero).

7   *Vid.* también la STC 95/2000, de 10 de abril.

la Constitución, entendida como «marco de coincidencias» (STC 11/1981, de 8 de abril, FJ 7) que permite distintas legislaciones en materia de extranjería. Ahora bien, el juicio de constitucionalidad que debemos realizar en el presente proceso no consiste en examinar si en el marco constitucional cabrían otras opciones en materia de extranjería distintas a la adoptada por la Ley Orgánica 8/2000, de 22 de diciembre, sino en determinar si los preceptos de esa Ley sometidos a nuestro enjuiciamiento han excedido o no los límites impuestos por la Constitución.

A tales efectos, resulta decisivo el grado de conexión con la dignidad humana que mantiene un concreto derecho dado que el legislador goza de una limitada libertad de configuración al regular los derechos «imprescindibles para la garantía de la dignidad humana». Y ello porque al legislar sobre ellos no podrá modular o atemperar su contenido (STC 99/1985, de 30 de septiembre, FJ 2) ni por supuesto negar su ejercicio a los extranjeros, cualquiera que sea su situación, ya que se trata de derechos «que pertenecen a la persona en cuanto tal y no como ciudadano».

Dada su trascendencia para el presente recurso, debemos detenernos en estos derechos, pues el Parlamento de Navarra alega que algunos de los regulados en los preceptos impugnados derivan directamente de la garantía de la dignidad humana, fundamento del orden político y la paz social (art. 10.1 CE). En este punto cabe recordar lo declarado en la ya citada STC 91/2000, de 30 de marzo: «proyectada sobre los derechos individuales, la regla del art. 10.1 CE implica que, en cuanto 'valor espiritual y moral inherente a la persona' (STC 53/1985, de 11 de abril, FJ 8) la dignidad ha de permanecer inalterada cualquiera que sea la situación en que la persona se encuentre... constituyendo, en consecuencia un minimum invulnerable que todo estatuto jurídico debe asegurar» [STC 120/1990, de 27 de junio, FJ 4; también STC 57/1994, de 28 de febrero, FJ 3 a)]. De modo que la Constitución española salvaguarda absolutamente aquellos derechos y aquellos contenidos de los derechos 'que pertenecen a la persona en cuanto tal y no como ciudadano o, dicho de otro modo... aquéllos que son imprescindibles para la garantía de la dignidad humana' (STC 242/1994, de 20 de julio, FJ 4; en el mismo sentido, SSTC 107/1984, de 23 de noviembre, FJ 2, y 99/1985, de 30 de septiembre, FJ 2)» (FJ 7).

En esa misma resolución, el Tribunal indicó algunas pautas para identificar cuáles son esos derechos y esos contenidos de derecho que la Constitución «proyecta universalmente», señalando que «hemos de partir, en cada caso, del tipo abstracto de derecho y de los intereses que básicamente protege (es decir, de su contenido esencial, tal y como lo definimos en las SSTC 11/1981, de 8 de abril, 101/1991, de 13 de mayo y ATC 334/1991, de 29 de octubre) para precisar si, y en qué medida, son inherentes a la dignidad de la persona humana concebida como un sujeto de derecho, es decir, como miembro libre y responsable de una comunidad jurídica que merezca ese nombre y no como mero objeto del ejercicio de los poderes públicos» (FJ 7).

Y precisando aún más, el Tribunal declaró que en este proceso de determinación de tales derechos revisten especial relevancia «la Declaración universal de derechos humanos y los demás tratados y acuerdos internacionales sobre las mismas materias ratificados por España, a los que el art. 10.2 CE remite como criterio interpretativo de los derechos fundamentales. Esa decisión del constituyente expresa el reconocimiento de nuestra coincidencia con el ámbito de valores e intereses que dichos instrumentos protegen, así como nuestra voluntad como Nación de incorporarnos a un orden jurídico internacional que propugna la defensa y protección de los derechos humanos como base fundamental de la organización del Estado» (STC 91/2000, de 30 de marzo, FJ 7).

De lo expuesto hasta aquí se concluye que la dignidad de la persona, que encabeza el título I de la Constitución (art. 10.1 CE), constituye un primer límite a la libertad del legislador a la hora de regular ex art. 13 CE los derechos y libertades de los extranjeros en España. El grado de conexión de un concreto derecho con la dignidad debe determinarse a partir de su contenido y naturaleza, los cuales permiten a su vez precisar en qué medida es imprescindible para la dignidad de la persona concebida como un sujeto de derecho, siguiendo para ello la Declaración universal de derechos humanos y los tratados y acuerdos internacionales a los que remite el art. 10.2 CE.

FJ 4. El legislador contemplado en el art. 13 CE se encuentra asimismo limitado al regular aquellos derechos que, según hemos declarado, «la Constitución reconoce directamente a los extranjeros» (STC 115/1987, de 7 de julio, FJ 2), refiriéndonos en concreto a los derechos de reunión y asociación. Ello implica, de entrada, que el legislador no puede negar tales derechos a los extranjeros, aunque sí puede establecer «condicionamientos adicionales» respecto a su ejercicio por parte de aquéllos, si bien «ha de respetar, en todo caso, las prescripciones constitucionales, pues no puede estimarse aquel precepto [art. 13.1 CE] permitiendo que el legislador configure libremente el contenido mismo del derecho, cuando éste haya venido reconocido por la Constitución directamente a los extranjeros... Una cosa es, en efecto, autorizar diferencias de tratamiento entre españoles y extranjeros, y otra entender esa autorización como una posibilidad de legislar al respecto sin tener en cuenta los mandatos constitucionales» (STC 115/1987, FJ 3). En tales casos, como se dice en la misma resolución, el mandato contenido en el precepto constitucional «constituye en puridad un contenido preceptivo del derecho [de asociación] que se impone al legislador en el momento de regular su ejercicio» por parte de los extranjeros. Para la identificación de estos derechos reconocidos ex constitutione a los extranjeros debe tenerse especialmente en cuenta, entre otros criterios, la dicción de los preceptos del título I reconocedores de derechos, a los que remite el art. 13.1 CE, pues en ellos se hace normalmente referencia a sus titulares utilizando distintas expresiones («todos, «todas las personas», «los españoles», «nadie», «los ciudadanos») o también fórmulas impersonales («se reconoce», «se garantiza»).

El legislador goza, en cambio, de mayor libertad al regular los «derechos de los que serán titulares los extranjeros en la medida y condiciones que se establezcan en los Tratados y las Leyes» (STC 107/1984, de 23 de noviembre, FJ 4), o dicho de otro modo, de aquellos derechos que no son atribuidos directamente por la Constitución a los extranjeros pero que el legislador puede extender a los no nacionales «aunque no sea necesariamente en idénticos términos que los españoles» (STC 94/1993, de 22 de marzo, FJ 3). El art. 13.1 CE no dice, en efecto, que los extranjeros dispongan de los mismos derechos que los españoles, siendo precisamente ese precepto el que «en nuestra Constitución establece los límites subjetivos determinantes de la extensión de la titularidad de los derechos fundamentales a los no nacionales» [Declaración del Tribunal Constitucional 1/1992, de 1 de julio, FJ 3 b)]. Se trata de derechos de los cuales los extranjeros gozarán «en España», «presupuesto de la extensión de derechos que lleva a cabo [el art. 13.1 CE]» (STC 72/2005, de 4 de abril, FJ 6). Al regular tales derechos la libertad del legislador es más amplia ya que puede modular las condiciones de ejercicio «en función de la nacionalidad de las personas, introduciendo tratamientos desiguales entre españoles y extranjeros», si bien aquella libertad «no es en modo alguno absoluta» (STC 94/1993, de 22 de marzo, FJ 3).

Efectivamente, el art. 13 CE autoriza al legislador a establecer «restricciones y limitaciones» a tales derechos, pero esta posibilidad no es incondicionada por cuanto no podrá afectar a aquellos derechos que «son imprescindibles para la garantía de la dignidad de la humana que, conforme al art. 10.1 CE, constituye fundamento del orden político español», ni «adicionalmente, al contenido delimitado para el derecho por la Constitución o los tratados internacionales suscritos por España» (STC 242/1994, de 20 de julio, FJ 4). De nuestra jurisprudencia se deduce que éste sería el régimen jurídico de derechos tales como el derecho al trabajo (STC 107/1984, de 23 de noviembre, FJ 4), el derecho a la salud (STC 95/2000, de 10 de abril, FJ 3), el derecho a percibir una prestación de desempleo (STC 130/1995, de 11 de septiembre, FJ 2), y también con matizaciones el derecho de residencia y desplazamiento en España (SSTC 94/1993, de 22 de marzo, FJ 3; 242/1994, de 20 de julio, FJ 4; 24/2000, de 31 de enero, FJ 4).

A lo anterior debería aún añadirse que la libertad del legislador se ve asimismo restringida por cuanto las condiciones de ejercicio que establezca respecto de los derechos y libertades de los extranjeros en España sólo serán constitucionalmente válidas si, respetando su contenido esencial (art. 53.1 CE), se dirigen a preservar otros derechos, bienes o intereses constitucionalmente protegidos y guardan adecuada proporcionalidad con la finalidad perseguida.

De todo ello no se concluye que el legislador no esté facultado ex art. 13.1 CE para configurar las condiciones de ejercicio de determinados derechos por parte de los extranjeros, teniendo en cuenta la diversidad de estatus jurídico que existe entre los que no gozan de la condición de españoles, como ha hecho la Ley Orgánica 14/2003, de 20 de noviembre, en relación con los nacionales de los Estados miembros de la Unión Europea (añadiendo un nuevo apartado al art. 1 de la Ley Orgánica 4/2000). En concreto, como ya se ha avanzado, el legislador puede tomar en consideración el dato de su situación legal y administrativa en España, y exigir a los extranjeros la autorización de su estancia o residencia como presupuesto para el ejercicio de algunos derechos constitucionales que por su propia naturaleza hacen imprescindible el cumplimiento de los requisitos que la misma ley establece para entrar y permanecer en territorio español. Esta opción no es constitucionalmente ilegítima, como ya ha sido puesto de manifiesto por diversas decisiones de este Tribunal. Así, en la repetida STC 107/1984, de 23 de noviembre, admitimos que «una legislación que exige el requisito administrativo de la autorización de residencia para reconocer la capacidad de celebrar válidamente un contrato de trabajo no se opone a la Constitución» (FJ 4). Y en la STC 242/1994, de 20 de julio, consideramos que la expulsión podía llegar a ser «una medida restrictiva de los derechos de los extranjeros que se encuentran residiendo legítimamente en España» (FJ 4). Por otra parte, la STC 94/1993, de 22 de marzo, señaló que el art. 19 CE reconoce la libertad de circulación «a los extranjeros que se hallan legalmente en nuestro territorio» (FJ 4), invocando los arts. 12 y 13 del Pacto internacional de derechos civiles y políticos de 1966. Finalmente, en la STC 95/2000, de 10 de abril, se debatió si la demandante cumplía la condición exigida a los extranjeros por el art. 1.2 de la Ley 14/1986, de 25 de abril, general de sanidad para poder acceder al derecho a la protección de la salud y a la atención sanitaria, a saber, «que tengan establecida su residencia en el territorio nacional», sin discutir la constitucionalidad de tal requisito.

Ahora bien, dicha opción está sometida a los límites constitucionales señalados puesto que el incumplimiento de los requisitos de estancia o residencia en España por parte de los extranjeros no permite al legislador privarles de los derechos que les corresponden constitucionalmente en su condición de persona, con independencia de su situación administrativa. El incumplimiento de aquellos requisitos legales impide a los extranjeros el ejercicio de determinados derechos o contenidos de los mismos que por su propia naturaleza son incompatibles con la situación de irregularidad, pero no por ello los extranjeros que carecen de la correspondiente autorización de estancia o residencia en España están desposeídos de cualquier derecho mientras se hallan en dicha situación en España.

Así pues, en relación con el primer argumento general del presente recurso debemos afirmar que el art. 13.1 CE concede al legislador una notable libertad para regular los derechos de los extranjeros en España, pudiendo establecer determinadas condiciones para su ejercicio. Sin embargo, una regulación de este tenor deberá tener en cuenta, en primer lugar, el grado de conexión de los concretos derechos con la garantía de la dignidad humana, según los criterios expuestos; en segundo lugar, el contenido preceptivo del derecho, cuando éste venga reconocido a los extranjeros directamente por la Constitución; en tercer lugar, y en todo caso, el contenido delimitado para el derecho por la Constitución y los tratados internacionales. Por último, las condiciones de ejercicio establecidas por la Ley deberán dirigirse a preservar otros derechos, bienes o intereses constitucionalmente protegidos, y guardar adecuada proporcionalidad con la finalidad perseguida.

«¿Identidad o autonomía? La autonomía relacional como pilar de la ciudadanía democrática», Blanca Rodríguez Ruiz[8]

[83] **II. MÍNIMO INVULNERABLE DE LOS DERECHOS FUNDAMENTALES Y FUNDAMENTO DEL ORDEN JURÍDICO: DIGNIDAD E IGUALDAD COMO AUTONOMÍA (RELACIONAL)**

[...]

Aunque el concepto de dignidad, referido a nuestra naturaleza humana, encierra pretensiones de universalidad, las referencias a la dignidad descansan en consensos sociales culturalmente contingentes acerca de quién, o de qué, es o debe ser merecedor/a de respeto. Cuando el Renacimiento situó la noción de dignidad de la persona en el centro del pensamiento filosófico occidental, lo hizo como sinónimo de autonomía. Como señala Francisco Laporta, la noción de dignidad que Giovanni Pico della Mirandola avanzara en 1496, en su clásico tratado *De Hominis Dignitate*, identifica la dignidad de la persona con su capacidad de hacerse a sí misma, de autonormarse, en cuanto que protagonista activa del universo y, como tal, sujeto moralmente responsable. Es éste el sentido de la dignidad que, pese a lo indeterminado de su contenido, ha seguido informando el pensamiento occidental a través del imperativo categórico kantiano de no instrumentalización, el que concibe a cada persona como un fin en sí misma, no un mero [84] medio para la satisfacción de fines ajenos. No debe por ello extrañarnos que sea ésta también la aproximación al concepto de dignidad que preside nuestra jurisprudencia constitucional.

Como es sabido, nuestra Constitución no reconoce la dignidad de la persona como derecho fundamental, resguardándonos así de las dificultades que emanan de su carácter jurídicamente intangible, en el sentido tanto de inaprensible como de ilimitable. Pero sí la consagra en su artículo 10.1 como uno de los fundamentos del orden político y de la paz social. Y como es sabido, nuestro Tribunal Constitucional ha dado entrada a la dignidad en nuestro sistema de derechos fundamentales como el mínimo invulnerable común a todos ellos, como aquella parte de su contenido que debe permanecer inalterado cualquiera que sea la situación en que la persona se encuentre (STC 120/1990, de 27 de junio, FJ 4). En este contexto, sus referencias a la dignidad suelen insertarse en una retórica tan abstracta y pretendidamente universal como emotiva y cargada de sobreentendidos, una retórica que, más que aclararnos cuál es su contenido constitucional, parece acogerse a un consenso tácito en torno al significado de dignidad. Habla así el Tribunal de la dignidad como «valor espiritual y moral inherente a la persona», de «los derechos que pertenecen a la persona en cuanto tal y no como ciudadano», derechos por tanto con proyección universal (vid. por todas STC 91/2000, de 30 de marzo, FJ 7). A veces, sin embargo, incluso a renglón seguido de lo anterior, el Tribunal sí se detiene a concretar el contenido de la dignidad. Habla en esos casos de la dignidad como la «autodeterminación consciente y responsable de la propia vida» «que lleva consigo la pretensión al respeto por parte de los demás» (STC 53/1985, de 11 de abril, FJ 8); o como la capacidad de actuar «como miembro(s) libre(s) y responsable(s) de una comunidad jurídica que merezca ese nombre y no como mero objeto del ejercicio de los poderes públicos» (STC 91/2000, FJ 7). Cuando el Tribunal concreta el contenido de la dignidad la identifica, en fin, con la capacidad de funcionar como sujetos autónomos en un sistema jurídico democrático.

Especialmente elocuentes en este sentido son las SSTC 235/2007 y 236/2007, ambas del 7 de noviembre. A la primera de ellas se hará referencia más adelante. La segunda es la que resuelve el recurso de inconstitucionalidad del Parlamento de Navarra contra diversos preceptos de la Ley Orgánica 8/2000, de 22 de diciembre, de reforma de la

---

8   Publicado en *AFDUAM* 16, pp. 75-104 —extracto (pp. 83-85; eliminadas notas al pie)—.

Ley Orgánica 4/2000, de 11 de enero, sobre derechos y libertades de los extranjeros en España y su integración social. En esta Sentencia, el Tribunal Constitucional reitera su doctrina sobre la dignidad de la persona como «mínimo invulnerable (de todos los derechos fundamentales) que por imperativo constitucional se impone a todos los poderes, incluido el legislador» (FJ 3); sobre la conexión pues de todos los derechos con la dignidad, si bien su grado de conexión [85] varía en función del contenido y la naturaleza de cada uno; sobre los derechos que, por ser inherentes a la dignidad de la persona e imprescindibles para su garantía, «corresponden a los extranjeros por propio mandato constitucional, y no resulta posible un tratamiento desigual respecto de los españoles» (FJ 3, citando la STC 107/1984, de 23 de noviembre, FJ 3); sobre la dificultad, en fin, de determinar cuáles son esos derechos de proyección universal, cuestión en la que se remite a tratados y acuerdos internacionales.

Lo interesante es que, a la hora de concretar la conexión de los distintos derechos fundamentales con la dignidad de la persona, el discurso del Tribunal Constitucional nos remite a la noción de autonomía. Para empezar, y pese a su retórica universalista, las referencias a la dignidad no aluden a la persona en su naturaleza humana, sino a su condición de sujeto de derecho y titular de derechos (FJ 3). Ello explica la inclusión del derecho a la tutela judicial efectiva (STC 99/1985, FJ 2) y a la asistencia jurídica gratuita (STC 95/2003, de 22 de mayo, FJ 4), en la categoría de los inherentes a la dignidad (STC 236/2007, FJ 13). Pero es que además la retórica desarrollada por el Tribunal a la hora de indagar la conexión de derechos concretos con la dignidad nos remite, no a la dignidad de una naturaleza humana universal por definir, sino al carácter instrumental de cada derecho para hacer valer la capacidad auto-normativa de la persona, medida en términos de la capacidad de cada cual de participar en el espacio público. Se destaca así el papel del derecho de reunión como cauce del principio democrático participativo, en cuanto dimensión colectiva de la libertad de expresión (FJ 6); del derecho de asociación como garantía de un ámbito de autonomía personal y autodeterminación, componente esencial para la viabilidad de las democracias pluralistas (FJ 7); del derecho a la educación no obligatoria como clave para la convivencia social, la cual se ve «reforzada mediante la enseñanza de los valores democráticos y el respeto de los derechos humanos, necesarios para «establecer una sociedad democrática avanzada», como reza el preámbulo de nuestra Constitución» (FJ 8); o de la libertad sindical como derecho de todos los trabajadores (entendidos en sentido material, y no jurídico-formal) conectado con sus derechos de reunión y asociación y con su justificación respectiva (FJ 9).

La dignidad a que se refiere nuestro Tribunal Constitucional se traduce, en definitiva, en aquello que en democracia nos convierte en ciudadanas/os autónomas/os. Es nuestra capacidad auto-normativa la que constituye el núcleo esencial, el mínimo invulnerable de los derechos fundamentales a que se refiere el Tribunal Constitucional. Asumirla abiertamente como tal tiene la ventaja de concretar el discurso jurídico de la dignidad y despojarlo de referencias abstractas a un plano meta-jurídico que pueden actuar de canal de entrada de patrones relacionales de poder. [...]

II. LAS PERSONAS JURÍDICAS COMO TITULARES DE DERECHOS FUNDAMENTALES

Las personas jurídicas como titulares derechos fundamentales que la propia Constitución no circunscribe a las personas físicas —STC 139/1995, de 26 de septiembre[9]—

La Sentencia resuelve el recurso de amparo promovido por «Ediciones Zeta, S.A.», don J.L.M.S. y don B.R.A., contra la Sentencia de la Sala Primera del Tribunal Supremo, de 9 de diciembre de 1993, que confirmó en casación la de la Audiencia Provincial de Barcelona, de 26 de octubre de 1990, que había desestimado el recurso de apelación interpuesto por los recurrentes contra la Sentencia del Juzgado de Primera Instancia núm. 8 de Barcelona, de 16 de noviembre de 1989, que estimó en parte la demanda interpuesta por la compañía mercantil «Lopesan Asfaltos y Construcciones, S.A.» para la protección del derecho al honor y a la propia imagen. La revista «Interviú», en su número 611, publicó un reportaje, firmado por don J.L.M.S. titulado «Cesados fulminantemente altos responsables de la Guardia Civil de Tráfico por presunta corrupción. Cobraron ilegalmente más de doce mil millones de pesetas». El reportaje denuncia la corrupción de algunos responsables de la Guardia Civil de Canarias y pasa a informar sobre una comisión especial

---

[9]   *Vid.* también las SSTC 19/1983, de 14 de marzo; 107/1988, de 8 de junio; 51/1989, de 22 de febrero; 121/1989, de 3 de julio; 214/1991, de 11 de noviembre, FJ 6; 183/1995, de 11 de septiembre; STC 79/2014, de 28 de mayo (derecho al honor); 22/1984, de 17 de febrero; 137/1985, de 17 de octubre; 160/1991, de 16 de julio; 50/1995, de 23 de febrero; 69/1999, de 26 de abril; 54/2015, de 16 de marzo (inviolabilidad del domicilio); 54/2015, de 16 de marzo; Declaración 1/1992, de 1 de julio (derecho de sufragio). En contra de la titularidad por personas jurídicas del derecho a la intimidad, *vid.* ATC 257/1985, de 17 de abril.

de este Cuerpo formada para investigar las corruptelas denunciadas. Bajo el rótulo de «Empresas investigadas», es nombrada, entre otras, la compañía mercantil «Lopesan Asfaltos y Construcciones, S.A.».

FJ 4. La Constitución española no contiene ningún pronunciamiento general acerca de la titularidad de derechos fundamentales de las personas jurídicas, a diferencia, por ejemplo, de la Ley Fundamental de Bonn de 1949, en la que expresamente su art. 19.3 reconoce que los derechos fundamentales rigen para las personas jurídicas nacionales en tanto y en cuanto, por su naturaleza, sean aplicables a las mismas. De todos modos, si bien lo anterior es cierto, también lo es que ninguna norma, ni constitucional ni de rango legal, impide que las personas morales puedan ser sujetos de los derechos fundamentales.

La Constitución, además, contiene un reconocimiento expreso y específico de derechos fundamentales para determinados tipos de organizaciones. Así, por ejemplo, la libertad de educación está reconocida a los centros docentes (art. 27 CE); el derecho a fundar confederaciones está reconocido a los sindicatos (art. 28.1 CE); la libertad religiosa se garantiza a las asociaciones de este carácter (art. 16 CE) o las asociaciones tienen reconocido el derecho de su propia existencia (art. 22.4 CE).

Junto a este reconocimiento, expreso o implícito, de titularidad de derechos fundamentales a las personas jurídicas, el texto constitucional delimita una peculiar esfera de protección. Nuestra Constitución configura determinados derechos fundamentales para ser ejercidos de forma individual; en cambio otros se consagran en el Texto constitucional a fin de ser ejercidos de forma colectiva. Si el objetivo y función de los derechos fundamentales es la protección del individuo, sea como tal individuo o sea en colectividad, es lógico que las organizaciones que las personas naturales crean para la protección de sus intereses sean titulares de derechos fundamentales, en tanto y en cuanto éstos sirvan para proteger los fines para los que han sido constituidas. En consecuencia, las personas colectivas no actúan, en estos casos, sólo en defensa de un interés legítimo en el sentido del art. 162.1 b) de la CE, sino como titulares de un derecho propio. Atribuir a las personas colectivas la titularidad de derechos fundamentales, y no un simple interés legítimo, supone crear una muralla de derechos frente a cualesquiera poderes de pretensiones invasoras, y supone, además, ampliar el círculo de la eficacia de los mismos, más allá del ámbito de lo privado y de lo subjetivo para ocupar un ámbito colectivo y social. Así se ha venido interpretando por este Tribunal, y es ejemplo reciente de esta construcción la STC 52/1995 por la que se reconoce a la empresa «Amaika, Sociedad Anónima», dedicada a la difusión de publicaciones, el derecho a expresar y difundir ideas, pensamientos y opiniones, consagrado en el art. 20.1 a) CE

Sin embargo, la protección que los derechos fundamentales otorgan a las personas jurídicas no se agota aquí. Hemos dicho que existe un reconocimiento específico de titularidad de determinados derechos fundamentales respecto de ciertas organizaciones. Hemos dicho, también, que debe existir un reconocimiento de titularidad a las personas jurídicas de derechos fundamentales acordes con los fines para los que la persona natural las ha constituido. En fin, y como corolario de esta construcción jurídica, debe reconocerse otra esfera de protección a las personas morales, asociaciones, entidades o empresas, gracias a los derechos fundamentales que aseguren el cumplimiento de aquellos fines para los que han sido constituidas, garantizando sus condiciones de existencia e identidad.

Cierto es que, por falta de una existencia física, las personas jurídicas no pueden ser titulares del derecho a la vida, del derecho a la integridad física, ni portadoras de la dignidad humana. Pero si el derecho a asociarse es un derecho constitucional y si los fines de la persona colectiva están protegidos constitucionalmente por el reconocimiento de la titularidad de aquellos derechos acordes con los mismos, resulta lógico que se les reconozca también constitucionalmente la titularidad de aquellos otros derechos que sean necesarios y complementarios para la consecución de esos fines. En ocasiones, ello sólo será posible si se extiende a las personas colectivas la titularidad de derechos fundamentales que protejan —como decíamos— su propia existencia e identidad, a fin de asegurar el libre desarrollo de su actividad, en la medida en que los derechos fundamentales que cumplan esta función sean atribuibles, por su naturaleza, a las personas jurídicas.

Bajo esta perspectiva destaca la STC 23/1989, en la que se afirma que este Tribunal «ha venido considerando aplicable, implícitamente y sin oponer reparo alguno, el art. 14 CE a las personas jurídicas de nacionalidad española, como titulares del derecho que en él se reconoce, como se pone de manifiesto, entre otras, en las SSTC 99/1983, 20 y 26/1985 y 39/1986, sin que existan razones para modificar esta doctrina general» (fundamento jurídico 2º).

FJ 5. Recapitulando lo expuesto hasta aquí, puede sostenerse que, desde un punto de vista constitucional, existe un reconocimiento, en ocasiones expreso y en ocasiones implícito, de la titularidad de las personas jurídicas a determinados derechos fundamentales. Ahora bien, esta capacidad, reconocida en abstracto, necesita evidentemente ser delimitada y concretada a la vista de cada derecho fundamental. Es decir, no sólo son los fines de una persona jurídica los que condicionan su titularidad de derechos fundamentales, sino también la naturaleza concreta del derecho fundamental considerado, en el sentido de que la misma permita su titularidad a una persona moral y su ejercicio por ésta. En el presente caso, el derecho del que se discute esta posibilidad es el derecho al honor, con lo cual el examen se reconduce a dilucidar la naturaleza de tal derecho fundamental. [...]

Las personas jurídico-públicas como titulares de derechos fundamentales: los derechos procesales —STC 175/2001, de 26 de julio[10]—

La Sentencia resuelve el recurso de amparo promovido por la Generalidad de Cataluña contra la Sentencia núm. 266/1998, de 24 de marzo, de la Sección Quinta de la Sala de lo Contencioso-Administrativo del Tribunal Superior de Justicia de Cataluña, que inadmitió el recurso contencioso-administrativo interpuesto por el órgano recurrente.

FJ 3. Debemos pasar a continuación al examen de la cuestión que suscita la Generalidad de Cataluña a través del presente recurso y que no es otra, como se ha apuntado ya, que la eventual vulneración de su derecho a la tutela judicial efectiva (art. 24.1 CE) en la vertiente del derecho de acceso a la jurisdicción en orden a obtener una resolución judicial sobre el fondo. La falta de esa resolución de fondo sería el resultado de una aplicación formalista y rígida del requisito procesal de comunicación previa a la interposición del recurso contencioso-administrativo, prevista al tiempo de esa interposición en el art. 110.3 LPC y luego suprimida por la Disposición derogatoria segunda, apartado d), de la Ley 29/1998, de 13 de julio. El amparo que hoy pide la Generalidad de Cataluña ha sido otorgado, en supuestos muy próximos al presente, en anteriores sentencias de este Tribunal. Así, en la reciente STC 160/2000, de 29 de septiembre, y en las integrantes de una serie jurisprudencial que arranca de la STC 76/1996, de 30 de abril. Lo peculiar del caso que hoy nos ocupa es que quien pide el amparo es un una organización jurídico pública, la Generalidad de Cataluña. Se hace necesario, a la luz de esta peculiaridad, una reflexión en extenso sobre la titularidad del derecho a la tutela judicial efectiva (art. 24.1 CE), sobre su alcance protector y sobre sus garantías procesales.

FJ 4. El derecho a la tutela judicial efectiva, como derecho fundamental, protege, antes que nada, a los individuos frente al poder. Por extensión, también el derecho fundamental a la tutela judicial efectiva ampara a otros sujetos privados que son creación y expresión de las libertades de los ciudadanos. Por eso, ya en la STC 64/1988, de 12 de abril, FJ 1, declaró este Tribunal que «no se puede efectuar una íntegra traslación a las personas jurídicas de Derecho público de las doctrinas jurisprudenciales elaboradas en desarrollo del citado derecho fundamental en contemplación directa de derechos fundamentales de los ciudadanos». Esta distinción dentro del art. 24.1 CE entre la tutela judicial efectiva a las personas privadas y a las personas públicas se reitera en Sentencias posteriores (SSTC 197/1988, de 24 de octubre, FJ 4; 91/1995, de 19 de junio, FJ 2). La misma distinción se contiene también en la STC 123/1996, de 8 de julio, FFJJ 3 y 4, que aborda el problema distinto, aunque relacionado con el anterior, de la legitimación de los entes públicos para recurrir en amparo. En aquella ocasión este Tribunal se planteó si la persona pública recurrente (en aquel caso un Municipio) estaba legitimada para venir en amparo invocando el art. 24.1 CE frente a una Sentencia que el propio Municipio tachaba de irrazonable; se enjuició entonces, en palabras de la propia STC 123/1996, «si el recurso de amparo representa un cauce adecuado para solventar pretensiones como la que aquí se plantea». Y justamente porque el artículo 24.1 CE no ampara por igual a los sujetos públicos y a los privados concluimos negando que el Municipio recurrente estuviera legitimado para interponer el recurso de amparo. El criterio expuesto en aquella STC 123/1996 fue luego reiterado en el ATC 187/2000.

FJ 5. A partir de la jurisprudencia constitucional se puede concluir que sólo en supuestos excepcionales una organización jurídico pública disfruta —ante los órganos judiciales del Estado— del derecho fundamental a la tutela judicial efectiva; y por lo mismo, sólo excepcionalmente podemos considerar al recurso de amparo como cauce idóneo para que las personas públicas denuncien una defectuosa tutela de los jueces y Tribunales. Más adelante nos detendremos en los ámbitos procesales en que, por excepción, las personas públicas disfrutan del derecho fundamental a la tutela judicial efectiva. Ahora debemos precisar que, más allá del contenido constitucional garantizado por el art. 24.1 CE, corresponde a las leyes procesales establecer qué tutela judicial deben prestar los jueces y Tribunales a las personas

---

10   *Vid.* también las SSTC 56/2002, de 11 de marzo; 63/2002, de 11 de marzo; 173/2002, de 9 de octubre; 176/2002, de 9 de octubre; 45/2004, de 23 de marzo; 250/2005, de 10 de octubre; 311/2006, de 23 de octubre; 78/2010, de 20 de octubre; 20/2012, de 16 de febrero; 79/2012, de 17 de abril; 103/2012, de 9 de mayo; 116/2012, de 4 de junio; 125/2012, de 18 de junio; 167/2014, de 22 de octubre; 44/2016, de 14 de marzo.

públicas. Los derechos procesales que las leyes otorgan a los sujetos públicos obviamente vinculan a los órganos judiciales, pero no gozan, lógicamente, de la garantía extraordinaria del amparo constitucional.

FJ 6. Ya hemos avanzado que, con carácter general, las personas públicas no son titulares del derecho fundamental a la tutela judicial efectiva. Hay que tener en cuenta que es la falta de poder de cada individuo para imponer sus derechos e intereses —consecuencia necesaria del deber de respeto a los demás y de la paz social a que se refiere el art. 10.1 CE— la que dota al derecho a la tutela judicial efectiva de su carácter materialmente esencial o fundamental, en tanto necesario para la realización de los derechos e intereses de los particulares. Bien distinta es la situación cuando las personas públicas ejercen poderes exorbitantes y los órganos judiciales fiscalizan y consiguientemente limitan el alcance de aquellos poderes. En esos ámbitos de actuación administrativa es claro que las personas públicas no pueden invocar el art. 24.1 CE —ni servirse del amparo constitucional— para alzarse frente a los Jueces y Tribunales que, cumpliendo con lo previsto en el art. 106.1 CE, fiscalizan la actuación de los sujetos públicos. En este contexto debemos destacar también que cuando las personas públicas se alzan frente a los Jueces y Tribunales, lo que está en juego no es sólo la defensa del interés general atribuido a cada sujeto público sino, en última instancia, el orden normativo de distribución del poder. De esta manera, el derecho a la tutela judicial efectiva serviría —en los ámbitos a que venimos haciendo referencia— como instrumento para el correcto ejercicio del poder por los diferentes órganos del Estado. Y no hace falta insistir en la diferencia que, desde la perspectiva del amparo constitucional, existe entre garantizar a los particulares la realización de sus derechos e intereses por medio de los Jueces, y la garantía de un orden objetivo de poder que asegura la realización del interés general atribuido a las personas públicas incluso frente a los Jueces.

FJ 7. Debemos tener en cuenta, además, que el amparo constitucional es una garantía procesal no sólo subsidiaria de la judicial, sino en sí misma extraordinaria (STC 143/1994, de 9 de mayo, FJ 5) y cuyo disfrute, por tanto, no garantiza la Constitución en la generalidad de los casos. Téngase en cuenta, por de pronto, que el art. 53.2 CE se refiere al (eventual) recurso de amparo como una garantía procesal subjetiva del ciudadano. Y si bien esta referencia expresa al ciudadano no impide que las personas jurídico privadas también disfruten de aquella garantía procesal, según razonó este Tribunal con apoyo en las normas de legitimación del art. 162.1 b) CE (SSTC 53/1983, de 20 de junio, FJ 1; y 241/1992, de 21 de diciembre, FJ 4) ello no justifica por sí que la misma ampliación subjetiva del amparo constitucional se deba predicar automática y necesariamente de las personas públicas. Señalemos también que el carácter extraordinario del amparo constitucional lo viene apreciando este Tribunal —en relación con las personas públicas— a la hora de interpretar los requisitos de legitimación que establece el art. 162.1 b) CE. En efecto, ya este Tribunal ha tenido ocasión de señalar, en supuestos determinados, que el art. 162.1 b) CE no legitima a las personas públicas para defender en amparo sus propios actos y competencias (STC 257/1988, de 22 de diciembre, FFJJ 4 y 5; y AATC 139/1985, de 27 de febrero, FJ 2; 500/1987, de 22 de abril; 100/1989, de 20 de febrero; 205/1990, de 17 de mayo, FJ 3). En la doctrina expuesta se expresaba con claridad el carácter extraordinario del recurso de amparo constitucional cuando su actor es un sujeto público.

Debemos, por último, reseñar que el art. 34 CEDH impide que las organizaciones públicas invoquen ante el Tribunal de Estrasburgo los derechos reconocidos por el Convenio de Roma, y entre ellos, el derecho a un juicio justo (art. 6.1 CEDH). Ninguna distinción han hecho los órganos del Convenio Europeo en torno a la clase de derechos cuya defensa en juicio pretendía cada organización jurídico pública, como muestran la Decisión de la Comisión Europea de Derechos Humanos de 14 de diciembre de 1988 (asunto *Municipio de Rothenthurm contra Suiza*) y recientemente también la Decisión de la Sección Cuarta del Tribunal Europeo de 1 de febrero de 2001 (asunto *Ayuntamiento de Mula contra España*).

FJ 8. Según hemos adelantado ya, sólo excepcionalmente —y en ámbitos procesales muy delimitados— podemos admitir que las personas públicas disfrutan del derecho fundamental a la tutela judicial efectiva (art. 24.1 CE), y con ello del recurso de amparo ante este Tribunal. Las excepciones que se contienen en nuestra jurisprudencia contemplan, en primer lugar, a las personas públicas en aquellos litigios en los que su situación procesal es análoga a la de los particulares. En este sentido, ya en la STC 19/1983, de 18 de marzo, FJ 2, declaramos que un sujeto público (la Diputación Foral de Navarra) estaba amparado por el art. 24.1 CE «en sus relaciones laborales» y en un proceso en el orden social. Siguiendo aquel precedente, en otras Sentencias hemos otorgado el amparo pedido frente a vulneraciones del art. 24.1 CE en procesos donde la situación jurídica de las personas públicas era equiparable a la de las personas privadas (entre otras, SSTC 120/1986, de 22 de octubre; 162/1990, de 22 de octubre; 117/1991, de 23 de mayo; 91/1991, de 25 de abril; 27/1992, de 9 de marzo; 168/1992, de 26 de octubre; 58/1993, de 15 de febrero; 96/1993, 22 de marzo; 278/1994, de 17 de octubre; 4/1995, de 10 de enero; 30/1995, de 6 de febrero; 189/1995, de 18 de diciembre; 124/1997, de 1 de julio; 68/1999 de 26 de abril; 179/1999, de 11 de octubre; 100/2000, de 10 de abril). Se trataba de litigios donde las personas públicas no gozaban de privilegios o prerrogativas procesales y pedían justicia como cualquier particular. No es necesario detenerse ahora en el fundamento, en cada caso, de aquella situación procesal ordinaria constituido bien por la existencia de una personificación jurídico privada para el cumplimiento de tareas públicas, bien por un mandato legal de sometimiento al Derecho privado y a los órdenes jurisdiccionales correspondientes, o bien por una decisión legal a favor del foro procesal ordinario, con independencia del Derecho material que en él había de aplicarse. Lo relevante ahora es destacar que en todos aquellos casos donde la posición procesal de los sujetos públicos es equivalente a la de las personas privadas el art. 24.1 CE también ampara a las personas públicas.

Las personas públicas son titulares, también, del derecho de acceso al proceso. El art. 24.1 CE no exige de la Ley la articulación, en todo caso, de instrumentos procesales con los que las personas públicas puedan hacer valer los intereses generales cuya satisfacción les atribuye el Ordenamiento. Dicho de otro modo, según viene declarando este Tribunal, esta vertiente del art. 24.1 CE sólo tutela a las personas públicas frente a los Jueces y Tribunales, no en relación con el legislador (SSTC 197/1988, de 24 de octubre, FJ 4; 29/1995, de 6 de febrero, FJ 7). Corresponde a la Ley procesal determinar, entonces, los casos en que las personas públicas disponen de acciones procesales para la defensa del interés general que les está encomendado. Lógicamente, aquella tarea de configuración legal ha de ejercerse con sometimiento al ordenamiento constitucional, lo que impide no sólo exclusiones procesales arbitrarias, sino incluso aquellas otras que, por su relevancia o extensión, pudieran hacer irreconocible el propio derecho de acceso al proceso. El alcance limitado del art. 24.1 CE en relación con las personas públicas actúa, según venimos diciendo, respecto del legislador, no en relación con el juez. Así que la interpretación judicial de las normas de acceso al proceso estará guiada, también en relación con las personas públicas, por el principio *pro actione* (cuando se trate de acceso a la jurisdicción) o por el canon constitucional de interdicción de la arbitrariedad, la irrazonabilidad y el error patente, cuando se trate del acceso a los recursos legales.

También, como excepción, las personas públicas están amparadas por el derecho a no sufrir indefensión en el proceso (art. 24.1 CE). Así lo hemos entendido en relación con procesos donde una defectuosa contradicción entre las partes conducía a un vicio de incongruencia en la resolución del litigio (SSTC 150/1995, de 23 de octubre; y 82/1998, de 20 de abril). Y ello con independencia de qué derechos o competencias se hagan valer, quiénes sean las otras partes procesales y el orden jurisdiccional ante el que actúen. Tiene sentido destacar aquí que la prohibición de indefensión procesal a las personas públicas protege inmediatamente a éstas, pero mediatamente también a otros intereses: al interés objetivo en que el proceso sirva de forma idónea a la función jurisdiccional atribuida por la Constitución a Jueces y Tribunales (art. 117.1 CE). Y también al interés de las otras partes de que el proceso en el que actúan esté desprovisto de toda indefensión; de esta forma queda reforzada la confianza de las demás partes en la estabilidad de las resoluciones que pongan fin al proceso. Correlato lógico del derecho a no sufrir indefensión es el disfrute, por las personas públicas, de las singulares garantías procesales que se enuncian en el art. 24.2 CE, y cuya esencial vinculación con la prohibición de indefensión viene siendo destacada por este Tribunal en numerosas Sentencias, desde la STC 46/1982, de 12 de julio, FJ 2.

FJ 9. En el presente proceso la Generalidad de Cataluña invoca el derecho de acceso a la jurisdicción que garantiza el art. 24.1 CE; y lo hace alegando que la Sala de lo Contencioso-Administrativo ha interpretado de forma rigorista la exigencia legal de comunicación previa a la interposición del recurso contencioso-administrativo. Estamos pues en un ámbito procesal —el del acceso a la jurisdicción— donde por excepción los sujetos públicos pueden invocar el art. 24.1 CE frente a los Jueces y Tribunales. Sentado lo anterior, para la resolución de este proceso de amparo hemos de partir de nuestra STC 76/1996, de 30 de abril, que resolvió diversas cuestiones de inconstitucionalidad, acumuladas, en relación con el art. 110.3 LPC y el art. 57.2 f) LJCA de 1956, esta última en su nueva redacción dada por la Disposición adicional undécima LPC. Afirmamos entonces, en relación con el requisito —previsto en el primero de los preceptos citados— de comunicación previa de la interposición del recurso contencioso-administrativo al órgano que dictó el acto que se pretendía impugnar, que «la pura exigencia de la comunicación previa no encuentra impedimento constitucional» (FJ 3). No obstante, destacamos también que las finalidades que a través de dicha comunicación pretendían satisfacerse —esencialmente, el conocimiento por parte de la Administración concernida del propósito de recurrir un acto dictado por ella, a los efectos que estimara pertinentes— tenían «muy escaso relieve» (mismo FJ), desde el momento en que, si no del propósito, del hecho mismo de la interposición del recurso sí tenía conocimiento la Administración poco tiempo después, con su anuncio en el Boletín Oficial correspondiente y la reclamación del expediente administrativo por parte del órgano judicial conforme a lo previsto en los arts. 60 y 61.1 LJCA (FJ 4). Estas apreciaciones de partida nos llevaron a considerar que la insubsanabilidad de la omisión —no sólo ya de la acreditación del cumplimiento de dicho requisito, sino de su cumplimiento mismo— que podía desprenderse de la interpretación judicial de los dos preceptos cuestionados resultaba desproporcionada. De ahí que, en aras de la plena efectividad del derecho a la tutela judicial efectiva, nos inclinásemos por una interpretación de los preceptos cuestionados que permitiera efectuar tal comunicación aun con posterioridad a la propia interposición del recurso. En aplicación de esa doctrina, otorgamos el amparo en aquellos casos en los que los órganos judiciales no habían admitido dicha posibilidad (SSTC 83/1996, de 20 de mayo; 84/1996, de 21 de mayo; 152/1996, de 30 de septiembre; 205/1996, de 16 de diciembre; 19/1997, de 10 de febrero; 65/1997, de 7 de abril; 152/1997, de 29 de septiembre; 178/1999, de 11 de octubre).

FJ 10. En el presente caso, sin embargo, y a diferencia de los anteriores, la inadmisión del recurso contencioso-administrativo interpuesto por la Generalidad de Cataluña no la ha basado el Tribunal Superior de Justicia en el incumplimiento del trámite de comunicación previa con anterioridad al momento de interposición del mismo, sino en la falta de subsanación de dicha omisión, tras ser puesta de manifiesto en el escrito de contestación de la demanda por parte del Ayuntamiento de Caldes d'Estrac. Ello altera un tanto —pero no completamente, como veremos— los términos de la controversia, hasta el punto de que la Generalidad y el citado Ayuntamiento sustentan sus pretensiones frontalmente contrapuestas sobre la base de la doctrina formulada y aplicada por este Tribunal al respecto. En realidad, el actual supuesto guarda mayor relación con el recientemente resuelto en la STC 160/2000, de 29 de septiembre. En efecto, en dicha Sentencia, y sin que viéramos la necesidad de determinar si la recurrente procedió o no a efectuar la referida subsanación una vez que la falta de comunicación previa fue también puesta de manifiesto por el Ayuntamiento demandado en su escrito de contestación, entendimos que la previa interposición en vía administrativa de recurso de reposición contra el acto en cuestión, fuera o no dicho recurso preceptivo, sirvió como comunicación de un posible recurso contencioso-administrativo posterior que, efectivamente, acabó interponiéndose. Para llegar a dicho resultado tuvimos en cuenta (FJ 4) tanto la escasa relevancia del trámite objeto de controversia puesta de manifiesta en la STC 76/1996, y confirmada de alguna manera con su supresión por la Disposición derogatoria segunda d) de la nueva LJCA de 1998, como la estrecha relación existente entre el recurso de reposición que preveía el art. 52 LJCA de 1956 y al que la comunicación previa del art. 110.3 LPC vino a sustituir, apreciación ésta efectuada también en la STC 76/1996 [FJ 6 a)].

FJ 11. Pues bien, de acuerdo con lo anteriormente expuesto, y atendiendo a la finalidad esencial con la que en su momento fue establecido el requisito de la comunicación previa de la interposición del recurso contencioso-administrativo en la LPC —«la de ser una carga procesal con un contenido informativo» (STC 152/1997, FJ 2)—, el amparo solicitado por la Generalidad de Cataluña ha de ser otorgado. En efecto, especialmente relevante resulta en el presente caso el hecho (puesto de manifiesto por la recurrente en amparo, y que se refleja en el escrito de formalización de la demanda del recurso contencioso-administrativo, sin que haya sido negado por el Ayuntamiento de Caldes d'Estrac) de que, con anterioridad a la interposición del recurso uno de los vocales del Tribunal calificador, que actuaba en representación de la Dirección General de Seguridad Ciudadana, órgano dependiente de la Generalidad, hizo constar, mediante escrito dirigido al Alcalde del Ayuntamiento como Presidente de dicho Tribunal, su opinión acerca de la no conformidad a Derecho del nombramiento de Inspector de la Policía Local origen de la controversia, circunstancia ésta a la que cabía razonablemente deducir por parte de los responsables municipales la posibilidad de que dicho acto fuera posteriormente impugnado en vía contencioso-administrativa, como finalmente ocurrió. A ello hay que añadir que, en cualquier caso, el Ayuntamiento de Caldes d'Estrac tuvo conocimiento de la interposición del recurso, y por tanto, de la previsible formalización de la demanda, poco días después de aquélla, con la notificación de la providencia de la Sección Quinta de la Sala de lo Contencioso-Administrativo del Tribunal Superior de Justicia por la que se acordaba la publicación del recurso en el «Boletín Oficial de la Provincia de Barcelona» y la reclamación del expediente administrativo a la Administración demandada (arts. 60 y 61.1 LJCA de 1956).

FJ 12. Por último, tampoco ha de pasarse por alto, como ha indicado el Ministerio Fiscal, que, aunque la Generalidad de Cataluña no subsanó la falta de comunicación previa en un momento en ya había devenido insubsanable —una vez que ésta fue puesta de manifiesto en el escrito de contestación a la demanda— el Tribunal Superior de Justicia tampoco requirió formalmente al órgano recurrente para que procediera a efectuar dicha subsanación, en aplicación analógica del art. 129.3 LJCA. En efecto, dicho precepto establecía la obligación del órgano judicial, para el caso en que el defecto hubiere consistido en no haberse interpuesto recurso de reposición, de requerir al demandante para que lo formulase en el plazo de diez días. Y si bien es cierto que la obligación de interponer previamente dicho remedio procesal (art. 54 LJCA) fue expresamente derogada por la Disposición derogatoria 2 c) LPC, no lo es menos que el citado art. 129.3 LJCA se mantuvo en vigor, evidenciándose de este modo la voluntad del legislador de sustituir el recurso de reposición por el requisito de comunicación previa, a la que ya hicimos referencia y de la que podía cabalmente derivarse la necesidad de aplicar también a esta última las garantías establecidas para el requisito anterior, todo ello por exigencias del principio hermenéutico *pro actione*, que opera con especial intensidad cuando, como es el caso, del acceso a la jurisdicción se trata (SSTC 37/1995, de 7 de febrero, FJ 5; 55/1995, de 6 de marzo, FJ 2; 36/1997, de 25 de febrero, FJ 3; 147/1997, de 16 de septiembre, FJ 2; 157/1999, de 14 de septiembre, FJ 2; 158/2000, de 12 de junio, FJ 5).

FJ 13. Así pues, la inadmisión del recurso contencioso-administrativo interpuesto por la Generalidad de Cataluña ha de considerarse fruto de un formalismo o rigor excesivo, revelador de una clara desproporción entre el fin que se pretendía preservar a través de la causa de inadmisión aplicada y los intereses sacrificados (SSTC 35/1999, de 22 de marzo, FJ 4, por todas). Ello ha originado, en consecuencia, la vulneración del derecho a la tutela judicial efectiva de la recurrente, por lo que debemos otorgar el amparo y retrotraer las actuaciones judiciales al momento procesal oportuno, a fin de que se dicte Sentencia en la que no se acuerde inadmitir el recurso por no haberse producido la comunicación previa del propósito de recurrir por parte de la Generalidad de Cataluña.

Voto particular que formula el Magistrado don Carles Viver Pi-Sunyer

Comparto plenamente la premisa de la que parte la Sentencia conforme a la cual en nuestro ordenamiento las personas jurídico-públicas no son titulares del derecho fundamental a la tutela judicial efectiva —salvo cuando actúan en el tráfico jurídico en posición similar a la de los particulares. La noción misma de derecho fundamental, que encuentra su base en el art. 10 CE, resulta incompatible en su raíz con la atribución de su titularidad a entes de naturaleza pública (STC 91/1995, 19 de junio, FJ 2; ATC 187/2000). Estoy también de acuerdo en que las personas jurídico-públicas carecen de legitimación para recurrir en amparo en defensa de sus potestades y de los actos jurídicos realizados en ejercicio de las mismas, y no tienen tampoco, como implícitamente reconoce la Sentencia, un derecho fundamental, tutelable en amparo, a obtener de los jueces y tribunales una respuesta de fondo a sus pretensiones, razonada, razonable, no incursa en error patente y fundada en Derecho.

Puedo aceptar también, como excepción a la referida premisa, la afirmación de que las personas jurídico-públicas gozan del derecho a no sufrir indefensión procesal cuando ya se hallan incorporadas como parte en el proceso. Así parece requerirlo la esencia misma del proceso —especialmente el principio de igualdad de armas entre las partes procesales— y así podría justificarlo el hecho de que en el seno del proceso los entes públicos se hallan en una posición muy similar a la de los demás sujetos de Derecho.

Sin embargo, no comparto la conclusión alcanzada en la Sentencia de que los personas jurídico-públicas son titulares, frente a los Jueces y Tribunales, del derecho al acceso a la jurisdicción cuando una ley les reconoce las correspondientes «acciones procesales para la defensa del interés general que les está encomendado». Disiento de este planteamiento y no se me alcanza razón alguna que justifique esta excepción al principio de que los entes públicos y sus Administraciones no son titulares del derecho a la tutela judicial efectiva. No comparto la tesis de que el contenido constitucionalmente garantizado del derecho a la tutela judicial efectiva y, más concretamente, del derecho al acceso a la jurisdicción, tiene una eficacia distinta cuando actúa frente al legislador que cuando lo hace frente a los órganos judiciales. A mi entender, el contenido constitucional de este derecho se impone por igual al legislador y a los Jueces y Tribunales y su vulneración podrá llevar en el primer caso la declaración de inconstitucionalidad a través de los procesos constitucionales correspondientes y en el segundo a la anulación de la resolución judicial mediante el proceso de amparo. Por el contrario, fuera de ese contenido constitucional —sin duda, configurado por la ley, como sucede con todos los derechos de «configuración legal»—, el reconocimiento legal de la capacidad procesal de las personas jurídico-públicas no amplía ni el alcance del derecho fundamental, ni el ámbito tutelable en amparo; aunque por supuesto esta legislación deberá ser aplicada por los órganos judiciales y su vulneración conculcará la legalidad procesal con los efectos y las vías de reparación previstos en el ordenamiento; pero nada de ello tiene relevancia constitucional.

En mi opinión, el derecho fundamental a la tutela judicial efectiva consagrado en el art. 24.1 CE no exige al legislador la configuración o previsión de una vía jurisdiccional que permita a los entes públicos acudir a los órganos judiciales en defensa de esas potestades y actos (así lo ha reconocido el Tribunal Constitucional en múltiples ocasiones, entre ellas en las SSTC 197/1988, de 24 de octubre, FJ 4, y 129/1995, de 11 de septiembre, FJ 7) o, como sucede en el presente caso, en defensa de la legalidad vigente frente a la actuación de otro ente público. A mi entender, a diferencia de lo que sostiene la Sentencia de la que parcialmente discrepo, esta premisa lleva necesariamente a la conclusión de que el derecho de acceso a la jurisdicción reconocido por las leyes procesales a las personas jurídico-públicas tiene en nuestro ordenamiento un contenido meramente legal, tanto frente al legislador como frente al juez, y su tutela no puede instarse por la vía del recurso de amparo constitucional. No alcanzo a comprender cómo el derecho de acceso a la jurisdicción de las personas públicas, que se reconoce eventual y meramente legal frente al legislador, se transmuta en derecho constitucional, garantizable en amparo, cuando nos hallamos ante los Jueces y Tribunales.

Voto particular concurrente que formula el Magistrado don Manuel Jiménez de Parga y Cabrera

Estoy de acuerdo con el fallo a que se llega en la Sentencia. Mi discrepancia se centra en la forma en que se utiliza el concepto «derecho fundamental», considerándose si las organizaciones jurídico-públicas, o las personas de esa clase, son titulares de un determinado derecho fundamental. Como dije en los debates del Pleno, yo estimo que debe distinguirse entre «derechos fundamentales» y «derechos humanos». La Declaración Universal de 1948 se refiere a «todos los miembros de la familia humana», los cuales son titulares de los derechos humanos. La titularidad de los derechos fundamentales es harina de otro costal.

1. Carácter histórico de los derechos fundamentales. A diferencia de los derechos humanos, inherentes a la naturaleza de todos los seres humanos (que «nacen libres e iguales en dignidad y derechos»: artículo primero de la Declaración de 1948), los derechos fundamentales han sido formalizados por la historia. En cada país, en un momento determinado, se reconocen unos derechos fundamentales, que se hallan en la base y son los cimientos de su organización jurídico-política. No todos los regímenes constitucionales garantizan los mismos derechos fundamentales. Todos los ciudadanos de ellos, en cambio, son titulares de los mismos derechos humanos.

2. Los derechos fundamentales de las personas jurídico-públicas. En la Constitución Española, que es la que ahora nos importa considerar, el Estado y las demás entidades jurídico-públicas son titulares de derechos fundamentales —que no son siempre la concreción histórica de un derecho humano—, gracias a cuyo ejercicio se convive en paz, libertad, y con seguridad.

Creo que debió matizarse, en suma, el empleo de la expresión «derechos fundamentales», entendida como los derechos que prestan solidez jurídico-política al Ordenamiento constitucional español.

Voto particular concurrente que emite el Magistrado don Fernando Garrido Falla

Coincidiendo con el fallo estimatorio del presente recurso, en cuanto otorga a la Generalidad de Cataluña el amparo solicitado, me atrevo sin embargo a discrepar de la argumentación en la que el Pleno de este Tribunal Constitucional fundamenta el dicho fallo estimatorio.
En efecto:

1- Advirtamos, de entrada, que el tema central de esta Sentencia —si la Generalidad de Cataluña, en cuanto persona jurídica de derecho público puede invocar ante esta jurisdicción, a los efectos de impugnar previa Sentencia dictada en vía contencioso-administrativa, la tutela efectiva de los Jueces y Tribunales que garantiza el art. 24.1 de la Constitución— no ha sido formalmente planteado como óbice de admisibilidad de este recurso de amparo por ninguna de las partes personadas. El tema, cuya importancia ciertamente hay que reconocer, se lo autoplantea este Tribunal «de oficio»; primero, en Sala y, después, por avocación, en Pleno.
Y los argumentos que se utilizan para admitir la legitimación de la Generalidad de Cataluña como recurrente en el presente procedimiento de amparo son, a saber, los siguientes: 1) que, como regla, «el derecho a la tutela judicial efectiva se configura en nuestra Constitución como un derecho fundamental que protege, antes que nada, a los individuos frente al poder» y, por extensión, a otros sujetos privados que son creación y expresión de las libertades de los ciudadanos (personas jurídicas privadas) (FJ 4); 2) por consiguiente, y siendo ésta la regla general, solo en casos *excepcionales* puede una entidad pública disfrutar del derecho fundamental a la tutela judicial efectiva (FJ 5); 3) la diferencia de trato entre personas jurídicas privadas y personas jurídicas públicas resulta para nuestra Sentencia fácil de justificar, pues «no hace falta insistir en la diferencia que existe entre garantizar a los particulares la realización de sus derechos e intereses por medio de los Jueces y la garantía de un orden objetivo de poder que asegura la realización del interés general atribuido a las personas públicas incluso frente a los Jueces» (FJ 6); 4) establecida la regla general, los precedentes jurisprudenciales —cuya cita se contiene en el FJ 8— en los que este Tribunal ha otorgado a personas jurídicas públicas (por ejemplo Ayuntamientos) el amparo pedido frente a vulneraciones del art. 24.1 hay que explicarlo porque nos encontremos en presencia de «procesos donde la situación jurídica de las personas públicas era análoga a la de las personas privadas»; es decir «se trataba de litigios donde las personas públicas no gozaban de *privilegios o prerrogativas procesales* y pedían justicia como cualquier particular» (FJ 8; Las cursivas son nuestras).

2- Afirmar, como se hace en nuestra Sentencia, que en aquellos casos en que las personas jurídicas públicas se encuentran en situación análoga a las personas jurídicas privadas debe legitimar a aquéllas para invocar en vía de amparo la vulneración del art. 24.1 CE es, desde luego, una afirmación correcta. Lo que ocurre, empero, es que se omite el establecimiento del criterio substantivo para saber cuándo las personas jurídicas públicas se encuentran en situación análoga a las personas jurídicas privadas. Y resulta curioso observar que se trata de tema ampliamente discutido, pero con solución concorde en la doctrina y con precedentes en nuestra propia jurisprudencia. Así, nuestra STC 123/1996 denegó el amparo ex art. 24.1 a un Ayuntamiento que se quejaba de irracionalidad de la Sentencia impugnada y, en el mismo sentido, el posterior ATC 187/2000 negó que las personas públicas, cuando actúan en defensa de sus potestades, estén amparadas por el derecho a obtener una resolución sobre el fondo del asunto, previa invocación del art. 24.1 CE. El Magistrado que suscribe considera correcto este criterio y, si bien no es este el momento de exponer una teoría general sobre las potestades administrativas, habrá que convenir en que nos estamos refiriendo a aquellos ámbitos de actuación administrativa donde las personas públicas ejercen poderes exorbitantes y donde los órganos judiciales —en la vía precedente al amparo— fiscalizan y, en su caso, limitan el ejercicio de dichos poderes de conformidad con el Ordenamiento jurídico. Es en estos ámbitos de actuación administrativa donde las personas jurídicas públicas no pueden invocar el art. 24.1 CE frente a las resoluciones judiciales que ponen fin a un litigio. En el caso de la jurisdicción contencioso-administrativa, el tema adquiere una luminosa claridad: el origen del pleito se encuentra en la impugnación de un acto administrativo —es decir, emanado de una Administración pública y sujeto al Derecho administrativo— que se impone al particular como título jurídico ejecutivo y ejecutorio (es decir, capaz de imponerse coactivamente frente al particular sin necesidad de pedir ayuda a los Tribunales); el particular no tiene más alternativa que la de acudir, frente a una supuesta ilegalidad, por vía de recurso ante la jurisdicción contencioso-administrativa, la cual dictará la oportuna sentencia. Pues bien, aquí —en la Sentencia— es donde el diferente tratamiento que debe concederse a la situación del particular frente a la de la Administración demandada se hace patente; pues, mientras, si hay motivos para ello, el particular podrá acudir en amparo por la vía del art. 24.1 CE, en cambio, para la Administración demandada dicha vía de amparo queda vedada. El recurso de amparo, en efecto, se ha establecido en nuestra jurisdicción para defender, en su caso, las vulneraciones de los derechos fundamentales por los poderes públicos (incluidas las que puedan producirse por los órganos jurisdiccionales), pues es el Tribunal Constitucional el que ha de decir la última palabra en relación con la defensa de tales derechos. Por contra, las Administraciones públicas en el ejercicio de sus potestades están sujetas al control de los Tribunales ordinarios cuya sentencia —si hemos de interpretar correctamente el art. 106.1 CE— constituyen la solución final e inapelable en relación con la cuestión planteada.

3- Siendo lo expuesto, a mi juicio, el fundamento material del diverso tratamiento que debe darse en nuestro tema a las personas jurídicas públicas y privadas, a la misma solución se llega si planteamos el tema desde la perspectiva de la posición procesal que en el juicio previo (al menos en el contencioso-administrativo) ha correspondido a cada una de las partes. Lo cual nos conduciría a la siguiente conclusión: si la Administración pública ha sido demandada en el proceso previo, la sentencia que se dicte sólo por el particular recurrente puede revisarse mediante la vía de amparo; pues es obvio que en tales casos el acto jurídico que se discute ha sido dictado cabalmente en ejercicio de una potestad administrativa.

Si, por el contrario, la Administración aparece como demandante en vía contencioso-administrativa, la explicación se encuentra en el obvio argumento de que dicha Administración carece de poder jurídico (es decir, de potestad) para imponer su voluntad al particular demandado o a otra Administración pública. Precisamente por eso tiene que recurrir al Juez o Tribunal en demanda de título ejecutivo (una sentencia) que preste fuerza coactiva a su pretensión. En tales casos, cualquier vulneración de las garantías procesales que protege el art. 24 de la Constitución puede ser alegada por la Administración recurrente ante el Tribunal Constitucional en vía de amparo. Y hay que añadir que tales supuestos no constituyen <u>excepciones</u> a la regla general de la falta de legitimación de los entes públicos para acudir al recurso de amparo; constituyen, por el contrario, la regla general cuando, al carecer de potestades o prerrogativas propias de su originaria condición de poderes públicos, han de acudir a los Tribunales ordinarios para que declaren su derecho o, si procede, la nulidad de las actuaciones administrativas de otros entes públicos.

Pues bien, en el caso que nos ocupa esto es cabalmente lo que ha ocurrido en el conflicto que enfrente a la Generalidad de Cataluña y al Ayuntamiento de Caldes d'Estrac (Barcelona). La Generalidad carece de potestad para anular por sí misma el nombramiento de funcionario realizado por el Ayuntamiento; pero entendiendo que es ilegal, acude, como lo pudiese haber hecho cualquier particular legitimado, a la jurisdicción contencioso-administrativa. Y, como cualquier particular, tiene abierta en su caso, el recurso de amparo ante una eventual violación de las garantías procesales que se contienen en el art. 24.1 CE. Esta es la razón —omitida desafortunadamente por la Sentencia que nos ocupa— por la que puede afirmarse que la Generalidad de Cataluña se encuentra en situación análoga a la de un particular. A juicio del Magistrado que suscribe, esta es la línea argumental que justifica la concesión de amparo que de este Tribunal Constitucional ha impetrado la Generalidad de Cataluña.

Voto particular que formula el Magistrado don Vicente Conde Martín de Hijas

1. Expresando de antemano mi sincero respeto personal al criterio mayoritario expresado en la Sentencia, creo, no obstante, conveniente ejercitar frente a él la facultad prevista en el artículo 90.2 LOTC, formulando por medio de este Voto mi disidencia respecto de dicho criterio mayoritario.

2. Mi discrepancia de la Sentencia se centra en su base de partida, que no es otra que la titularidad de los derechos fundamentales por parte de los entes públicos.

La Sentencia sistematiza nuestra jurisprudencia con un intento evidente de configuración dogmática de proyección hacia el futuro. En esa construcción doctrinal se da por sentado que es posible la titularidad de los derechos fundamentales por los entes públicos, y, en concreto, del de tutela judicial efectiva, si bien con una diferenciación neta respecto de la titularidad por las personas físicas y jurídicas de carácter privado y por las personas jurídico-públicas. Y en ese ulterior plano de las matizaciones se distingue en los diversos contenidos del derecho de tutela judicial efectiva, entre los que se han considerado susceptibles de extender el amparo constitucional a los entes públicos, y los que no, considerando que el acceso al proceso es de los contenidos del derecho de tutela judicial efectiva susceptible de atribución a las personas jurídico-públicas, con la consecuente extensión respecto de él de la titularidad del recurso de amparo constitucional.

Nada tengo que objetar a la atribución de ese contenido de la tutela judicial a los entes públicos, si es que se parte del principio de que los entes públicos pueden ser titulares del derecho fundamental de tutela judicial efectiva, y, por supuesto, sobre esa base puedo compartir toda la argumentación de la Sentencia en que se razona la vulneración del derecho de acceso al proceso. Mi discrepancia se sitúa en el presupuesto de arranque; esto es, en la atribución del derecho fundamental de tutela judicial efectiva, en tanto que tal derecho fundamental, a los entes públicos, con su obligada secuela de legitimación de estos entes para el recurso de amparo constitucional.

En mi concepción de los derechos fundamentales no me resulta convincente que puedan ser titulares de ellos los entes públicos, pues creo que tales derechos son ante todo garantías de los ciudadanos frente al poder público, directamente conectados (art. 10.1 CE) con la dignidad de la persona, entendida ésta en su esencia primaria como referida al hombre y a la mujer, a la persona física. Que en una ulterior extensión ciertos derechos fundamentales puedan atribuirse a personas jurídicas, puede justificarse en cuanto limitada esa extensión a las jurídico-privadas, que no son, en definitiva, sino meras formas de organización y relación de las personas físicas, pudiéndose referir de modo mediato la atribución de titularidad del derecho a dichas personas físicas. Pero la posible inclusión de los entes públicos, en tanto que personas jurídicas, en la referencia general a éstas me resulta ya forzada, pues creo que en esa extensión hay un elemento de diferenciación cualitativa en el *iter* de la personificación, en el que la referencia última a las personas físicas, como soporte básico de la titularidad de los derechos fundamentales, se pierde.

Si la idea de persona jurídica supone una metáfora respecto de la idea de persona física, la consideración de persona de la Administración pública entraña, a mi juicio, una metáfora elevada al cuadrado, en la que la esencia de lo personal desde la clave de la dignidad de la persona se desvanece por completo.

La persona física es en sí una realidad sustancial, a cuyo servicio se articula, tanto la organización del poder, como toda la construcción del ordenamiento jurídico. La persona jurídico-pública es, por contraste, una mera construcción del Derecho, carente del sentido sustancial radical de la auténtica persona y de su atributo esencial de dignidad, elemento, a su vez, de referencia de los derechos fundamentales (art. 10.1 CE).

Desde esta visión radical creo que el recurso de amparo debiera haberse desestimado, porque, al no ser titulares de derechos fundamentales los entes públicos, no lo es la Generalidad recurrente del derecho de tutela judicial efectiva, ni por tanto está legitimada para ejercitar el recurso de amparo constitucional. La tutela judicial de los entes públicos no creo que tenga relación con la titularidad del derecho fundamental de tal nombre, sino que se trata de una mera cuestión de legalidad, que se agota en ese plano. A mi juicio el recurso de amparo constitucional está reservado a los ciudadanos (arts. 53.2 CE y 41.2 LOTC), condición en la que no pueden incluirse los poderes públicos, cuya posición ante dichos derechos es de vinculación a los mismos y no de titularidad de ellos (art. 53.1 CE). No se me oculta que el art. 162.1 b) CE se refiere junto a las personas físicas a las personas jurídicas; pero la extensión de éstas la entiendo en el sentido ya explicado más detrás.

En conclusión, creo que el recurso de amparo debiera haberse desestimado. No hubiera formulado este Voto, y me hubiera conformado con una solución estimatoria, que no hubiese problematizado la posible titularidad del derecho de tutela judicial efectiva por los entes públicos, pues tal cuestión no fue planteada por las partes, y una actitud inercial en relación con una tendencia consolidada no hubiera provocado mi disentimiento. Es el intento de configuración dogmática de una doctrina que no comparto, el que me induce a exponer ante él mi propia posición personal, reiterando mi proclamado respeto hacia la posición mayoritaria contraria con el que iniciaba este Voto

Las personas jurídico-públicas y la acción popular —STC 311/2006, de 23 de octubre[11]—

La Sentencia resuelve el recurso de amparo promovido por la Generalitat Valenciana contra el Auto de la Sección Cuarta de la Audiencia Provincial de Valencia de 19 de julio de 2005, que le denegó la personación para el ejercicio de la acción popular en el procedimiento penal de Tribunal de Jurado 1-2004 seguido ante el Juzgado de Instrucción núm. 1 de Xàtiva (Valencia) por delito de homicidio enmarcado en el ámbito de la denominada violencia de género.

FJ 3. El examen de la vulneración aducida requiere [...] valorar si la fundamentación que sustenta la decisión del órgano judicial de denegar a la recurrente la personación para el ejercicio de la acción popular se ajusta al contenido del derecho de acceso a la jurisdicción que integra el derecho a la tutela judicial efectiva sin indefensión (art. 24.1 CE). Pues bien, al margen de que sobre el argumento relativo a la imposibilidad de que la entidad ejerza la acusación particular por no ser perjudicada por el delito nada puede oponerse desde la perspectiva constitucional, los tres argumentos que se refieren de forma específica a la imposibilidad de ejercicio de la acción popular por la Generalitat Valenciana no pueden ser tenidos por conformes con el derecho a la tutela judicial efectiva sin indefensión, pues impiden de forma absoluta el ejercicio de esta clase de acción por las entidades jurídico-públicas cuando ni la Constitución ni las leyes que la regulan incluyen una restricción expresa semejante y cuando el legislador ha previsto la personación de la Generalitat Valenciana en los procesos penales que se sustancien en relación con los casos más graves de violencia de género.

La resolución impugnada alude, en primer término, a que la titularidad de la acción popular se ostenta solo por personas privadas, ya que los arts. 125 de la Constitución (CE), 19.1 de la Ley Orgánica del Poder Judicial (LOPJ) y 101 de la Ley de enjuiciamiento criminal (LECrim) se refieren a los ciudadanos y, aunque carente de argumentación sobre este extremo, se refiere también a una cierta incompatibilidad entre la institución de la acción popular y su ejercicio por la Administración pública.

Esta argumentación se asemeja a la realizada por este Tribunal en la STC 129/2001, de 4 de junio, FJ 4, en un supuesto en el que el Gobierno Vasco intentó su personación en un proceso penal por calumnias a la policía autónoma que le había sido denegada por los órganos judiciales. En aquella ocasión afirmamos que no se había producido ninguna vulneración del derecho a la tutela judicial efectiva sin indefensión de la entidad demandante de amparo, pues «dados los términos del art. 125 CE, no puede estimarse dicha pretensión. En efecto, este precepto constitucional se refiere explícitamente a 'los ciudadanos', que es concepto atinente en exclusiva a personas privadas, sean las físicas, sean también las jurídicas (a las que hemos extendido este concepto en las SSTC 34/1994, de 31 de enero, 50/1998, de 2 de marzo, 79/1999, de 26 de abril, entre otras), tanto por sus propios términos como por el propio contenido de la norma, que no permite la asimilación de dicho concepto de ciudadano a la condición propia de la Administración pública y, más concretamente, de los órganos de poder de la comunidad política».

Ahora bien, frente a la conclusión de la STC 129/2001, de 4 de junio, hemos de señalar que esta decisión es previa a la Sentencia de Pleno 175/2001, de 26 de julio, que afrontó la cuestión de la titularidad del derecho a la tutela judicial efectiva sin indefensión por parte de las entidades jurídico-públicas. En efecto, la STC 175/2001, de 26 de julio (FJ 7), si bien reconoció que la ampliación del término ciudadano del art. 53.2 CE a las personas jurídico-privadas no justifica por sí misma la ampliación subjetiva de forma automática a las personas jurídico-públicas, sin embargo, consideró que tampoco lo impide a la luz del reconocimiento de la titularidad de ámbitos específicos del derecho a la tutela judicial efectiva sin indefensión a las personas jurídico-públicas que la propia Sentencia establece (FJ 8). Por otra parte, sobre el contenido del término «ciudadanos» en su utilización por el art. 125 CE al referirse a los titulares de la acción popular hemos declarado que el argumento terminológico es insostenible «desde el momento en que, con relación a otros preceptos constitucionales, este Tribunal viene entendiendo que el término en cuestión no se refiere exclusivamente a las personas físicas. En definitiva, si el término 'ciudadanos' del art. 53.2 de la Constitución ha de interpretarse. en un sentido que permita la subsunción de las personas jurídicas, no hay razón alguna que justifique una interpretación restrictiva de su sentido cuando dicho término se utiliza en el art. 125 o en la normativa

11   *Vid.* también la STC 167/2011, de 16 de mayo.

articuladora del régimen legal vigente de la acción popular» (STC 241/1992, de 21 de diciembre, FJ 4; reiterado en STC 34/1994, de 31 de enero, FJ 3; 50/1998, de 2 de marzo, FJ 2).

FJ 4. En la STC 175/2001, de 26 de julio, ya en relación con el derecho de acceso a la jurisdicción de las personas jurídico-públicas, afirmamos que «corresponde a la Ley procesal, determinar los casos en que las personas públicas disponen de acciones procesales para la defensa del interés general que les está encomendado», así como que «el alcance limitado del art. 24.1 CE en relación con las personas públicas actúa respecto del legislador, no en relación con el juez» (FJ 8). Por tanto, la resolución de un recurso de amparo en el que se alega y se estima la vulneración del derecho a la tutela judicial efectiva sin indefensión, en particular, del derecho de acceso a la jurisdicción, tiene como objeto enjuiciar si la interpretación y aplicación al caso de la legislación aplicable ha respetado el contenido del derecho fundamental garantizado; de modo que ni dicho examen de la vulneración del derecho a la tutela judicial efectiva puede efectuarse haciendo abstracción de la legalidad aplicable, ni el resultado del mismo puede extrapolarse a otros casos en los que la normativa aplicable haya variado o en los que la interpretación de la misma normativa se haya modificado, o se haya modulado en su aplicación al caso.

De conformidad con el art. 125 CE, la acción popular podrá ser ejercida «en la forma y con respecto a aquellos procesos penales que la ley determine». Igualmente, el art. 19.1 LOPJ establece que la acción popular se ejerce «en los casos y formas establecidas por la Ley». Por su parte la Ley de enjuiciamiento criminal admite la acción popular para toda clase de procesos penales y delitos o faltas salvo respecto del enjuiciamiento de las infracciones perseguibles solo a instancia de parte (art. 104 LECrim), estableciendo restricciones para el ejercicio de la acción penal relativas a los ciudadanos extranjeros, cónyuges o familiares por ciertos delitos, Juez o Magistrado de la causa, o quien no goce de los derechos civiles o haya sido condenado dos veces por delito de calumnia (arts. 101, 102, 103 LECrim). Por tanto, en la regulación general no hay exclusión expresa de las personas jurídico-públicas para el ejercicio de la acción popular.

En el marco legal expuesto, hemos de precisar que el recurso de amparo resuelto en la STC 129/2001, de 4 de junio, tuvo su origen en una querella por delito de calumnias a la policía autónoma vasca, respecto del cual regía la normativa procesal general, esto es, la Ley de enjuiciamiento criminal que, aunque prevé con carácter general el ejercicio de la acción popular en todo tipo de procesos (art. 101), no contiene previsión específica alguna habilitadora para su ejercicio por las Administraciones públicas. Por consiguiente, fue en el ámbito de esta regulación legal en el que la STC 129/2001 examinó la denegación de la legitimación del Gobierno Vasco por los órganos judiciales desde la perspectiva del derecho a la tutela judicial efectiva sin indefensión, concluyendo en la inexistencia de vulneración de dicho derecho por la argumentación realizada por los órganos judiciales en las resoluciones impugnadas en amparo. No es ésta, sin embargo, la regulación legal que vinculaba a la Audiencia Provincial de Valencia cuando dictó el Auto recurrido en este recurso de amparo. A la regulación general para todos los procesos penales se han venido a unir recientemente las previsiones específicas sobre el ejercicio de la acción popular por las Administraciones públicas en los procesos penales sustanciados para el enjuiciamiento de hechos que se enmarcan en la denominada violencia de género. El art. 36 de la Ley 9/2003, de 2 de abril, para la igualdad entre hombres y mujeres, dictada por el Parlamento de la Comunidad Autónoma Valenciana, constituye muestra de ello al establecer que «la Consellería con competencias en materia de mujer podrá proponer al Consell de la Generalitat el ejercicio de la acción popular, a través del Gabinete Jurídico de la Generalitat o de abogadas/os colegiadas/os, en los supuestos de agresiones físicas domésticas en los que se cause la muerte o lesiones graves a mujeres residentes en la Comunidad Valenciana». La ley prevé, por tanto, la posibilidad de que la Generalitat Valenciana se persone ejerciendo la acción popular en algunos de los procesos penales seguidos por violencia de género, esto es, en aquéllos en los cuales la víctima sea residente en la Comunidad Autónoma y siempre que se haya producido muerte o lesiones graves.

A la vista de lo expuesto hemos de concluir en que los argumentos aducidos por la resolución impugnada en la interpretación de la referida regulación legal en relación con el ejercicio de la acción popular de la Generalitat Valencia son desproporcionadamente restrictivos y por tanto, contrarios al principio pro actione. Así las cosas hemos de examinar ahora si la inaplicación de la ley que prevé esa posibilidad vulnera el derecho a la tutela judicial efectiva (art. 24. 1 CE) en su dimensión de acceso a la jurisdicción.

FJ 5. El Auto recurrido parte de la incompatibilidad entre la institución de la acción popular y su titularidad por los órganos de gobierno de las Comunidades Autónomas. Pues bien, la ponderación que tal apreciación judicial conlleva corresponde efectuarla al legislador, pues, como hemos recordado, es el legislador quien tiene la competencia para configurar los mecanismos procesales de acceso a la jurisdicción entre los cuales en los procesos penales se cuenta con el de la acción popular. Y como señalamos en la STC 175/2001, de 26 de julio, el contenido limitado del derecho a la tutela judicial efectiva sin indefensión para las entidades públicas no opera frente al legislador. Lo razonado no implica un juicio sobre la constitucionalidad abstracta de la ampliación de la acción popular a las personas públicas, juicio que sólo podríamos realizar en caso de que la ley que así lo establezca fuera recurrida ante este Tribunal. En el ejercicio de la jurisdicción de amparo, desde la perspectiva del derecho de acceso al proceso aquí alegado, existiendo una ley vigente, no impugnada ante este Tribunal, que prevé la posibilidad de ejercicio de la acción popular por la Generalitat Valenciana, no compete a este Tribunal pronunciarse sobre la oportunidad de tal previsión legal ni sobre su constitucionalidad.

De otra parte, el precepto contenido en el art. 36 de la Ley de las Cortes Valencianas 9/2003, de 2 de abril, no puede desconocerse por los órganos judiciales e inaplicarse, como hace de facto la Audiencia Provincial de Valencia, con el argumento de que «crea una forma de acusación, invadiendo legislación estatal y la doctrina sostenida por el Tribunal Constitucional», pues como hemos declarado en la STC 173/2002, de 9 de octubre, «los órganos jurisdiccionales no pueden fiscalizar las normas postconstitucionales con rango de ley (STC 73/2000, de 14 de marzo, FJ 16), dado que el constituyente ha querido sustraer al juez ordinario la posibilidad de inaplicar una ley ante un eventual juicio de incompatibilidad con la Constitución (STC 17/1981, de 1 de junio, FJ 1). La depuración del ordenamiento legal, vigente la Constitución, corresponde de forma exclusiva al Tribunal Constitucional, que tiene la competencia y la jurisdicción para declarar, con eficacia erga omnes, la inconstitucionalidad de las leyes» (FJ 9). Por ello, hemos afirmado que «forma parte, sin duda, de las garantías consustanciales a todo proceso judicial en nuestro Ordenamiento» que una disposición de ley aplicable no puede dejar de serlo «sino a través de la promoción de una cuestión de inconstitucionalidad mediante resolución motivada (art. 163 CE) y con la audiencia previa que prescribe el art. 35 LOTC. Ignorar estas reglas, constitucionales y legales, supone, en definitiva, no sólo menoscabar la posición ordinamental de la ley en nuestro Derecho y soslayar su singular régimen de control, sino privar también al justiciable de las garantías procedimentales (como el de la previa audiencia, a que nos acabamos de referir), sin cuyo respeto y cumplimiento la ley aplicable al caso no puede dejar de ser, en ningún supuesto, inaplicada o preterida» (STC 173/2002, de 9 de octubre, FJ 8).

Si el órgano judicial tenía dudas sobre la constitucionalidad del art. 36 de la Ley de las Cortes Valencianas 9/2003, de 2 de abril, debido a que, en su criterio, invadía competencias estatales al configurar una forma de acusación no prevista en la legislación común, debió plantear la cuestión de constitucionalidad ante este Tribunal, dando audiencia a la demandante para que alegara sobre la cuestión. No haberlo hecho así es motivo suficiente para estimar el amparo por vulneración del derecho a la tutela judicial efectiva sin indefensión por cuanto la inaplicación misma del precepto autonómico que da cobertura a la actuación de la Generalitat Valenciana sin plantear la cuestión de constitucionalidad con audiencia previa de la entidad desconoce las garantías procesales anudadas a dichos procedimientos (STC 173/2002, de 9 de octubre).

DERECHO A LA IGUALDAD Y A LA NO DISCRIMINACIÓN

Artículo 14. Los españoles son iguales ante la ley, sin que pueda prevalecer discriminación alguna por razón de nacimiento, raza, sexo, religión, opinión o cualquier otra condición o circunstancia personal o social.

INTRODUCCIÓN

El artículo 14 CE introduce el Capítulo II del Título I de la Constitución, dedicado a Derechos y Libertades, con el reconocimiento del derecho a la igualdad ante la ley como preámbulo, principio estructurador y punto de referencia hermenéutico de los demás derechos reconocidos en las dos secciones en que se divide este Capítulo. Se trata de la igualdad que el artículo 1.1 CE consagra como valor superior del ordenamiento, el único de los valores superiores del ordenamiento que es reconocido también como derecho, y que tiene por tanto, junto a una dimensión objetiva o normativa, vinculante para todos los poderes públicos, una dimensión subjetiva, que permite su reivindicación individual directamente ante los tribunales de justicia, con independencia de que esté o no en juego el disfrute de algún otro derecho. Y aunque su reconocimiento se circunscribe a los españoles (a las personas de nacionalidad española, tanto físicas como jurídicas —STC 23/1989—), leído en conjunción con el artículo 13 CE la titularidad del derecho a la igualdad abarca necesariamente también a las personas extranjeras en la medida en que éstas sean titulares de los derechos fundamentales reconocidos en el resto del Capítulo II del Título I de la Constitución.

La igualdad, como valor superior del ordenamiento y como derecho fundamental, es una aspiración del ordenamiento jurídico, un principio normativo por el que éste se rige (igualdad ante la ley) cuyo objetivo es crear una ciudadanía jurídicamente homogénea, sin privilegios que consagren formalmente categorías distintas de personas. Por ello, el derecho a la igualdad no está diseñado para impregnar todos los aspectos de nuestra vida en sociedad, sino que, en línea de principio, despliega su eficacia frente a los poderes públicos, no en el marco de relaciones privadas (STC 108/1989). Y por ello el punto de partida del artículo 14 CE es la igualdad de trato jurídico, que se entiende pues como norma general, cuyo seguimiento no precisa de ulterior justificación. No reconoce este artículo el derecho complementario a ser objeto de trato diferenciado en atención a las características de las circunstancias concretas de cada cual. Ni se reconoce en él, en consecuencia, el derecho a la igualdad sustantiva, en la medida en que su consecución tenga que apoyarse en políticas de trato desigual. En palabras del Tribunal Constitucional, «el art. 14 CE no consagra un derecho a la desigualdad de trato» (STC 198/2012, FJ 3), un derecho a recibir respuestas individualizadas a la medida de las características específicas de cada situación, tendencialmente únicas.

Ahora bien, lo anterior no impide a los poderes públicos «adoptar medidas de trato diferenciado de ciertos colectivos en aras de la consecución de fines constitucionalmente legítimos» (STC 198/2012, FJ 3), siempre que ese trato diferenciado posea una justificación objetiva y razonable a la luz de dichos fines. En efecto, el artículo 14 CE no reconoce un derecho a recibir «un tratamiento legal igual con abstracción de cualquier elemento diferenciador de relevancia jurídica» (STC 39/2002, FJ 4). Lo cual quiere decir que no toda desigualdad de trato normativo vulnera el derecho a la igualdad. Lo harán las «que introduzcan una diferencia entre situaciones que puedan considerarse iguales, sin que se ofrezca y posea una justificación objetiva y razonable para ello» (*ibídem*). Lo que implica que las consecuencias jurídicas que se deriven de tal distinción deben ser proporcionales a la finalidad perseguida, de suerte que se eviten resultados excesivamente gravosos o desmedidos. Por ello, reivindicar el derecho a la igualdad obliga a ofrecer un término de comparación adecuado, igual al supuesto en cuestión en sus aspectos relevantes, para poder apreciar si se ha producido efectivamente la alegada diferencia de trato, y si atendiendo a su fin constitucional y a sus resultados, ésta supera un juicio de razonabilidad. Ello es así tanto en el ámbito de la igualdad en la ley, en que es tarea del legislador realizar ese juicio de razonabilidad (STC 39/2002), como en el ámbito de la potestad reglamentaria del gobierno, donde entra en juego la vinculación de la administración a la ley (STC 209/1987), o en el de cualquier otro poder normativo (*vid.* SSTC 68/1991, de 8 de abril; 44/2004, de 23 de marzo). Y es así en el terreno ejecutivo y en el de la aplicación judicial del derecho. En éste último, y en atención al principio de independencia que, como condición de su imparcialidad, rige la actuación del poder judicial, el principio de igualdad sólo juega en el ámbito de actuación de un mismo órgano, de una misma Sala e incluso, dentro de ésta, de una misma Sección. Lo cual no impide cambios de línea jurisprudencial, sino más bien exige que éstos estén suficientemente motivados (STC 13/2004).

Que la Constitución sólo reconozca un derecho a la igualdad de trato no significa pues que ignore la necesidad de hacer valer otras dimensiones de la igualdad. De acoger dichas dimensiones se encarga el artículo 9.2 CE, que impone a los poderes públicos la obligación constitucional de «promover las condiciones para que la libertad y la igualdad del individuo y de los grupos en que se integra sean reales y efectivas; remover los obstáculos que impidan o dificulten su plenitud y facilitar la participación de todos los ciudadanos en la vida política, económica, cultural y social». Así, y aun sin reconocer un derecho fundamental, el artículo 9.2 CE impone a los poderes públicos la obligación de trabajar en pos de la igualdad sustantiva. Es más, determina desde la Constitución cuál debe ser el punto de referencia de dicha igualdad sustantiva: la consecución de la paridad de participación ciudadana de todas las personas, con independencia de los grupos sociales en que se integren, en las distintas dimensiones de la esfera pública. Este objetivo va a servir de criterio interpretativo del derecho a la igualdad reconocido en el artículo 14 CE y de la amplitud con que en él se haya de dar cobijo a la diferencia de trato como instrumento al servicio de la igualdad real y efectiva.

Pero es que, además, el artículo 14 CE no sólo reconoce un derecho a la igualdad. Reconoce también un derecho a no sufrir discriminación por razón de nacimiento, raza, sexo, religión, opinión o cualquier otra condición o circunstancia personal o social. Como la igualdad, este derecho aparece reconocido a los españoles y, como la igualdad, su titularidad debe entenderse ampliada a las personas extranjeras con base en el artículo 13 CE, en este caso como un derecho que, con independencia del tenor literal del artículo 14 CE, es imprescindible para la dignidad humana. Tanto es así que el Tribunal Constitucional entiende incluida en el artículo 14 CE la prohibición de discriminación por razón de nacionalidad (STC 137/2000). En efecto, si el derecho a la igualdad se traduce en el derecho a no sufrir trato diferenciado peyorativo sin justificación objetiva y razonable, el derecho a no sufrir discriminación añade a lo anterior una dimensión social o colectiva, al prohibir todo trato peyorativo e injustificado de que una persona pueda ser objeto, no ya a título individual, sino por su pertenencia a determinado colectivo social. En concreto, el derecho a no sufrir discriminación prohíbe que un trato diferenciador peyorativo pueda estar vinculado a diferencias sociales históricamente arraigadas, de las que el artículo 14 CE ofrece una lista no exhaustiva, diferencias «que han situado, tanto por la acción de los poderes públicos como por la práctica social, a sectores de la población en posiciones, no sólo desventajosas, sino contrarias a la dignidad de la persona que reconoce el art. 10.1 CE» (STC 39/2002, FJ 4). El objetivo es pues acabar con dinámicas intergrupales de poder que sitúan a determinados colectivos en posición de prevalencia social sobre otros. Lo cual, a diferencia de lo que sucede con el derecho a la igualdad a secas, «no requiere necesariamente un término de comparación», si bien «en ocasiones la discriminación puede concretarse en desigualdades de trato que pueden ser objeto de contraste o necesitar de éste para ser apreciadas» (STC 171/2012, FJ 5).

Así concebida, la interdicción de discriminación prohíbe, para empezar, cualquier actuación de los poderes públicos que pueda venir a avalar dicha posición de prevalencia, sea directamente o de forma indirecta, a través de normas o políticas públicas diseñadas en términos neutrales, pero cuya implementación perjudica desproporcionadamente a determinados colectivos (discriminación indirecta —STC 145/1991—), sea incluso mediante una inactividad normativa que perpetúe discriminaciones jurídicas, en supuestos de inconstitucionalidad por omisión (STC 216/1991). Y prohíbe además dinámicas intergrupales de poder en el ámbito de la sociedad civil, en las relaciones entre personas privadas que, si bien no se ven obligadas por el derecho a la igualdad a justificar las diferencias de trato a que someten a personas distintas, sí lo están a no infligir discriminación, directa o indirecta, a persona alguna (STC 108/1989). Esta obligación adquiere toda su virtualidad en el contexto de relaciones de poder, muy notablemente en el ámbito laboral.

Ciertamente, el derecho a no sufrir discriminación no impide que las personas pertenecientes a colectivos históricamente desfavorecidos puedan ser objeto de tratamiento peyorativo. Lo que impide es que éste pueda descansar, de forma abierta o encubierta (STC 13/2001), en exclusiva o en combinación con otros motivos (STC 41/2006, FJ 4), en dicha pertenencia, debiendo dicho tratamiento ser ajeno a la misma. La persona que alega haber sufrido discriminación no soporta la carga de argumentar que el trato peyorativo de que es objeto tiene perfil discriminatorio; es quien inflige ese trato quien tiene que convencer al órgano juzgador de que éste no es fruto de discriminación alguna, de que es completamente ajeno a cualquier causa discriminatoria (por todas, SSTC 98/2003; 41/2006, FJ 4). Eso sí, para que nazca esta obligación argumentativa, quien alega haber sufrido discriminación deberá ofrecer indicios de ésta, así como probar las consecuencias peyorativas que le reporta (por todas, SSTC 98/2003; 233/2007). Tampoco impide el artículo 14 CE que las personas pertenecientes a colectivos históricamente desfavorecidos puedan ser objeto de tratamiento diferenciado favorable, «de medidas reequilibradoras de situaciones sociales discriminatorias preexistentes», adoptadas para lograr una sustancial y efectiva equiparación de la posición social de los colectivos sociales afectados (STC 229/1992, FJ 2). Antes bien, la adopción de dichas medidas reequilibradoras es una obligación constitucional de los poderes públicos (artículo 9.2 CE). Se trata de las llamadas medidas de acción afirmativa o positiva, que no de discriminación positiva o inversa (la discriminación es, por definición, una diferencia de trato no justificada), cuyo objetivo es alcanzar la paridad de participación ciudadana de todos los sectores poblacionales, siempre sujetas a la exigencia de razonabilidad en relación con el fin perseguido.

La doctrina constitucional en materia de discriminación ha sido desarrollada mayormente en el ámbito del derecho a no sufrir discriminación por razón de sexo. Es éste un motivo de discriminación endémico, el más frecuente y persistente en nuestro Estado, y el más estructural. La discriminación por razón de sexo conecta, en efecto, con la construcción del género, y el sistema sexo-género resultante (entendido como el sistema de acuerdos sociales por el que la sexualidad biológica se transforma en un producto cultural que estructura el papel social de mujeres y varones) se encuentra a su vez en los cimientos de la construcción de la ciudadanía moderna dentro del Estado. En efecto, el Estado se asienta sobre un modelo dicotómico de ciudadanía, fruto de un «contrato (hetero)sexual» con base en el cual los varones se erigen en modelo de ciudadanía activa, desempeñando el papel de actores independientes en la esfera pública, mientras que las mujeres asumen el papel de ciudadanas pasivas, dependientes de los varones y encargadas de gestionar dependencias propias y ajenas en la esfera doméstica. El Estado se encuentra tan profundamente anclado en esta dicotomía que se ve impregnado por sus manifestaciones cotidianas en todas sus esferas, desde el espacio público-político, económico, sindical o laboral hasta el doméstico. De ahí que la discriminación por razón de sexo haya sido también objeto de mayor desarrollo legislativo que cualquier otro motivo de discriminación. Sólo en la última década y media contamos con una batería de normas centradas en atajar la discriminación de las mujeres (*vid. infra* Legislación), cuyo mayor exponente es la Ley Orgánica 3/2007, de 22 de marzo, para la igualdad efectiva de hombres y mujeres, centrada principalmente en la preterición laboral de las mujeres, pero que aborda el problema de la igualdad con mayor amplitud. Así, además de recoger la noción de discriminación indirecta, desarrollada por el Tribunal Constitucional y por el derecho europeo (Directivas del Consejo 2000/43/CE, de 29 de junio y 2000/78/CE, de 27 de noviembre), o de incluir el acoso sexual y el acoso por razón de sexo como instancias de discriminación, esta Ley Orgánica incide en el ámbito de las políticas públicas, de los medios de comunicación, en el mundo empresarial, en el empleo público, en las fuerzas armadas y cuerpos y fuerzas de seguridad, en el acceso a bienes y servicios o, en lo que fue su aspecto más polémico, en el espacio público representativo, donde su Disposición Adicional segunda modificó la legislación electoral para imponer una cuota de presencia paritaria flexible (entre el 40 y el 60%) de personas de uno y otro sexo en las listas electorales.

Con independencia de la valoración que este y otros instrumentos normativos nos puedan merecer en su diseño y en su aplicación efectiva, lo cierto es que su objetivo es atajar la situación de preterición social tradicionalmente sufrida por las mujeres. Para lograr este objetivo es preciso prohibir «aquellos tratamientos peyorativos que se fundan, no sólo en la pura y simple constatación del sexo de la víctima, sino en la concurrencia de razones o circunstancias que tengan una conexión directa e inequívoca con el sexo, como sucede con el embarazo» (por todas, STC 233/2007, FJ 6). Como antesala de la maternidad, el embarazo ocupa, en efecto, un lugar central en la discriminación estructural de las mujeres, como motivo de despido o, más genéricamente, de limitación de sus «legítimas expectativas» profesionales (STC 182/2005, de 4 de julio, FJ 4). Para hacer frente a esta situación, el legislador español, siguiendo directrices europeas (Directivas del Consejo 92/85/CEE, de 19 de octubre de 1992, y 96/34/CE, de 3 de junio de 1996), lo ha convertido en motivo objetivo de discriminación, eximiendo a las mujeres que son objeto de despido estando embarazadas, en baja maternal, en baja médica durante el embarazo o en periodo de lactancia, de la obligación de probar o de proporcionar indicios de que dicho trato es discriminatorio, y de que quien lo impone tenía efectivamente, en su caso, conocimiento del embarazo (artículo 55.5 LET, en redacción dada por la Ley 39/1999, de 5 de noviembre —vid. STC 92/2008, FJ 5—). En estos casos, corresponde siempre a la parte empresarial probar la procedencia del despido. Esta dinámica probatoria se extiende hoy a los casos de despido de mujeres o varones en baja de m/paternidad por parto, adopción o acogimiento, o que se encuentren disfrutando de las medidas de conciliación previstas en los artículos 37.4, 37.5, 37.6 ó 46.3 LET (artículo 55.5 LET, en redacción dada por el Real Decreto Legislativo 2/2015, de 23 de octubre, por el que se aprueba el texto refundido de la Ley del Estatuto de los Trabajadores).

Del mismo modo, la maternidad y las circunstancias relacionadas con ella, como la lactancia y la conciliación de vida familiar y laboral, juegan un papel determinante en la histórica discriminación de las mujeres. Con todo, y mientras el embarazo es territorio exclusivo de las mujeres, y mientras que también lo es la lactancia natural, hoy la lactancia y su contenido social pueden ser compartidos con los varones. Tanto es así que, siguiendo jurisprudencia del Tribunal de Justicia de la Unión Europea (STJE de 30 de septiembre de 2010 —caso Roca Álvarez c. España—), y distanciándose de su doctrina anterior, el Tribunal Constitucional ha pasado a considerar discriminatorio el reconocimiento de dicho permiso sólo a las madres trabajadoras, con exclusión de los padres (STC 75/2011, de 19 de mayo, FJ 7 —vid. nota 6—). Y mientras hoy siguen siendo las mujeres quienes mayoritariamente soportan la carga de conciliar la vida familiar y laboral, mujeres y varones tienen por igual un derecho fundamental a acceder a medidas de conciliación, un derecho amparado por el artículo 14 CE en conjunción con la obligación de los poderes públicos de tutelar a las familias que recoge el artículo 39 CE, y cuya vulneración equivale a un supuesto de discriminación. La discriminación tiene, con todo, base distinta para mujeres y para varones. Para las primeras, la denegación injustificada del acceso a dichas medidas constituye un supuesto de discriminación por razón de sexo, por su histórico y aún mayoritario papel de cuidadoras, y por los obstáculos que éste pone en el camino de su participación en la esfera pública. Los varones, por el contrario, difícilmente pueden decirse discriminados por este motivo, al no ser ellos quienes se han visto históricamente perjudicados por la necesidad de conciliar tareas de cuidado con su papel de ciudadanos activos. La injustificada denegación a los varones del acceso a medidas de conciliación constituye discriminación, sí, pero no por razón de sexo, sino por razón de circunstancias familiares (STC 26/2011; vid. con todo la STEDH de 11 de junio de 2002 —asunto Willis c. Reino Unido—). Garantizar la conciliación de la vida familiar y laboral a varones es, por lo demás, como afirma el Tribunal Constitucional (ibídem) instrumental para acabar con la división de tareas sociales, de roles ciudadanos, que están en la base de la discriminación por razón de sexo. Pese a ello, el Tribunal Constitucional ha negado que la Constitución obligue a equiparar los permisos de maternidad y paternidad por parto, justificando las diferencias entre ambos con base en la protección de la salud de las madres. Entiende por ello el Tribunal que dicha equiparación es una opción legislativa (STC

111/2018). A ella se ha acogido el Decreto-ley 6/2019, de 1 de marzo, de medidas urgentes para garantía de la igualdad de trato y de oportunidades entre mujeres y hombres en el empleo y la ocupación. En él se introduce un incremento gradual del permiso de p/maternidad para el progenitor por parto distinto de la madre biológica: desde las cinco semanas previstas en la Ley 6/2018, de 3 de julio, de Presupuestos Generales del Estado (D.A. 38), a ocho semanas a partir del 1 de marzo de 2019, a doce semanas el 1 de enero de 2020, hasta la equiparación total, el 1 de enero de 2021, de los permisos de ambos progenitores por parto, equiparación que incluye seis semanas de permiso obligatorio para cada uno (*vid.* también la Resolución, de 22 de noviembre de 2018, de la Secretaría de Estado de Función Publica).

En cuestión de estrategias, no resulta fácil trazar aquélla que mejor nos permita articular la deconstrucción de los roles ciudadanos dicotómicos, para varones y para mujeres, y con ellos la deconstrucción del género. Una opción es abrazar la igualdad formal o de trato como estrategia global, con todas sus consecuencias, acabando así con todas las desigualdades jurídicas peyorativas para las mujeres (piénsese en el caso del matrimonio, donde el artículo 32 CE impone la igualdad formal sin matices), pero también con otras que aspiran a compensarlas por su situación general de preterición social y su alejamiento de la esfera pública. Así lo hizo el Tribunal Constitucional durante los años ochenta y parte de los noventa en un buen número de sentencias, denegando el amparo a mujeres que reivindicaban tales beneficios, y otorgándoselos a varones que los reclamaban en igualdad de condiciones (SSTC 103/1983 y otras citadas en la nota 7). Todo ello sin reparar en que, en un contexto de persistente desigualdad material, la estricta igualdad formal amenaza con ahondar en dicha desigualdad (*vid.* el voto particular de Francisco Rubio Llorente a la STC 103/1983). Puede, por otro lado, argumentarse que aceptar esos beneficios compensatorios incurre en paternalismo proteccionista, dificultando el acceso de las mujeres a la ciudadanía activa (voto particular de Álvaro Rodríguez Bereijo y Eugenio Díaz Eimil a la STC 68/1991). Lo cierto es que, trátese de beneficios pre- o postconstitucionales, el criterio a seguir para su mantenimiento o adopción no puede ser otro que el contenido en el artículo 9.2 CE: la promoción de la paridad de participación ciudadana de mujeres y varones en todas las esferas de lo público. Este principio, arrinconado por la jurisprudencia constitucional más temprana, ha asumido en la más reciente mayor protagonismo. Así, el Tribunal se ha acogido al mandato constitucional de avanzar hacia la paridad ciudadana para justificar la constitucionalidad de la cuota legal de presencia mínima paritaria de mujeres y varones en las listas electorales (STC 12/2008), o la del endurecimiento de las penas por lesiones, malos tratos, amenazas, coacciones, vejaciones, de varones contra mujeres que son o han sido sus parejas (por todas, STC 59/2008). De este modo, la igualdad y la diferencia se erigen en estrategias al servicio de la paridad ciudadana asumida como fin constitucional, debiendo medirse su constitucionalidad a la luz de su razonable relación con dicho fin.

Aunque el sexo es el motivo de discriminación de mayor relevancia social en nuestro país, y el que ha dado lugar a mayor actividad normativa y jurisprudencial, el artículo 14 CE protege también frente a discriminaciones por otros motivos, mencionando expresamente el nacimiento (SSTC 74/1997; 200/2001; 9/2010; 171/2012), la raza (STC 13/2001), la religión (STC 109/1988) o la opinión. El número de recursos de amparo a que han dado lugar estos motivos es mucho menor. Los dos últimos suelen además ser objeto de tutela con base, no en el artículo 14 CE, sino en los derechos a la libertad ideológica y a la libertad religiosa reconocidos en el artículo 16 CE. En lo que a la libertad religiosa concierne, este planteamiento ha dado lugar a una jurisprudencia poco abierta al reconocimiento de la diversidad, y a la necesidad de poner fin a la preterición de colectivos religiosos distintos del mayoritario, situación que un análisis desde la perspectiva del artículo 14 CE, interpretado a la luz del artículo 9.2 CE, podría venir a corregir (*vid.* **ARTÍCULO 16**: INTRODUCCIÓN). Por lo demás, el Tribunal Constitucional no siempre ha abordado la vulneración del artículo 14 CE por estos otros motivos desde la perspectiva de la no discriminación, sino más bien desde la igualdad, analizando si existe justificación objetiva y razonable para el trato desigual de situaciones en principio homogéneas (STC 171/2012). Algo parecido sucede con otros motivos sospechosos de discriminación que el Tribunal Constitucional ha incluido en la categoría genérica «cualquier otra condición o circunstancia personal o social» del artículo 14 CE. Es el caso de la nacionalidad (STC 137/2000), de la edad (por todas, STC 65/2011), o de la salud (STC 62/2008). Y es el caso de la discriminación por circunstancias familiares, en la medida en que este motivo de discriminación se concreta en el tratamiento jurídico peyorativo de ciertos modelos de familia frente a otros, trátese de parejas no casadas que conviven *more uxorio* frente a los matrimonios (STC 222/1992), de las que celebraron su matrimonio al margen de la legislación civil (STC 69/2007), o de parejas del mismo sexo frente a las de sexo distinto (STC 41/2013).

Distinto es el caso del derecho a no sufrir discriminación por circunstancias familiares cuando éste se sitúa al servicio de la conciliación de la vida familiar y laboral de los varones: como ya vimos, en estos casos este motivo de discriminación funciona en los mismos términos que la discriminación por razón de sexo lo hace para las mujeres (STC 26/2011; no olvidemos, con todo, que desde la lógica del derecho a no sufrir discriminación la STC 111/2018 justifica la constitucionalidad de la distinta regulación de los permisos de maternidad y de paternidad por parto, con base en el objetivo de proteger la salud de las madres). Como también son distintos los casos de discriminación por orientación sexual y por identidad sexual, incluida la transexualidad, consideradas motivos sospechosos de discriminación incluidos en el listado abierto del artículo 14 CE. Respecto de ambos el Tribunal Constitucional ha establecido que, para no ser discriminatorio, todo trato diferenciador en que entre en juego uno de estos factores habrá de apoyarse en razones ajenas al motivo sospechoso de que se trate. Así, en relación con el primero, el Tribunal ha afirmado que un despido pluricausal, motivado tanto por la indisciplina y falta de responsabilidad del recurrente como por la hostilidad hacia su homosexualidad, vulnera el artículo 14 CE en la medida en que no deja de tener un componente discriminatorio (STC 41/2006); en el segundo, el Tribunal ha considerado conforme con el artículo 14 CE la reducción del régimen de visitas del padre transexual de un menor, pero exclusivamente en la medida en que se produjo con base en el interés superior de éste, valorado no en atención a la transexualidad del recurrente, sino a su inestabilidad emocional y al efecto de ésta sobre dicho menor (STC 178/2008). Una vez más, en el marco de la interdicción de discriminación como en el del derecho a la igualdad a secas, la aplicación del artículo 14 CE se sitúa al servicio de lograr la paridad ciudadana, una paridad cuya consecución es para los poderes públicos, en virtud del artículo 9.2 CE, un mandato constitucional.

LEGISLACIÓN

Código Civil, Libro I; Código Penal Libro II, Títulos I a XII; Libro III, Título I; Ley Orgánica 1/2004, de 28 de diciembre, de medidas de protección integral contra la violencia de género; Ley Orgánica 3/2007, de 22 de marzo, para la igualdad efectiva de hombres y mujeres; Ley Orgánica 2/2010, de 3 de marzo, de salud sexual y reproductiva y de la interrupción voluntaria del embarazo; Ley Orgánica 5/2018, de 28 de diciembre, de reforma de la Ley Orgánica 6/1985, de 1 de julio, del Poder Judicial, sobre medidas urgentes en aplicación del Pacto de Estado en materia de violencia de género; Ley 30/2003, de 13 de octubre, de impacto de género; Ley 13/2005, de 1 de julio, por la que se modifica el Código Civil en materia de derecho a contraer matrimonio (regulación de los matrimonios del mismo sexo); Ley 14/2006, de 26 de mayo, sobre técnicas de reproducción humana asistida; Ley 39/2006, de 14 de diciembre, de promoción de la autonomía personal y atención a las personas en situación de dependencia; Ley 3/2007, de 15 de marzo, reguladora de la rectificación registral de la mención relativa al sexo de las personas; Ley 20/2011, de 21 de julio, del Registro Civil (artículo 49); Ley 3/2019, de 1 de marzo, de mejora de la situación de orfandad de las hijas e hijos de víctimas de violencia de género y otras formas de violencia contra la mujer; Decreto-ley 9/2018, de 3 de agosto, de medidas urgentes para el desarrollo del Pacto de Estado contra la violencia de género; Decreto-ley 6/2019, de 1 de marzo, de medidas urgentes para garantía de la igualdad de trato y de oportunidades entre mujeres y hombres en el empleo y la ocupación.

BIBLIOGRAFÍA

BARRÈRE UNZUETA, M. (1997): *Discriminación, derecho antidiscriminatorio y acción positiva en favor de las mujeres*, Madrid: Civitas; (2014): *El derecho antidiscriminatorio y sus límites*, Lima: Grijley; BARRÈRE UNZUETA, M. & MORONDO TARAMUNDI, D. (2011): «Subordiscriminación y discriminación interseccional: Elementos para una teoría del Derecho antidiscriminatorio», *Anales de la Cátedra Francisco Suárez* 45, pp. 15-42; CABAÑAS GARCÍA, J.C. (2010): *El derecho a la igualdad en la aplicación judicial de la ley*, Navarra: Aranzadi; ELVIRA PERALES, A. (2007): «La interdicción de discriminación por razón de orientación sexual. Comentario a la sentencia del Tribunal Constitucional 41/2006», *TyRC* 20, pp. 655-661; GAVARA DE CARA, J.C. (2005): *Contenido y función del término de comparación en la aplicación del principio de igualdad*, Cizur Menor: Aranzadi; GIMÉNEZ GLÜCK, D. (2004): *Juicio de igualdad y Tribunal Constitucional*, Barcelona: Bosch; GONZÁLEZ BEILFUSS, M. (2000): *Tribunal Constitucional y reparación de la discrimina-*

ción normativa, Madrid: CEPC; JIMÉNEZ CAMPO, J. (1983): «La igualdad como límite frente al legislador», *REDC* 9, pp. 71-114; LAURENZO, P., MAQUEDA, M.L. y RUBIO, A., coords. (2008): *Género, violencia y derecho*, Valencia: Tirant lo Blanch; LAUROBA LACASA, M.E. (2018): "Las personas intersexuales y el derecho: posibles respuestas jurídicas para un colectivo invisible", *DPyC* 32, pp. 11-54; LOUSADA AROCHENA, J.F. (2017): "Discriminación múltiple: El estado de la cuestión y algunas reflexiones", *Aequalitas*, 41, pp. 29-40; MACÍAS JARA, M. (2015): «La democracia en clave de igualdad. Entre la alternancia y las listas abiertas para la igualdad efectiva de género», *Asparkía*, 26, pp. 51-69; MARTÍN VIDA, M.A. (2003): *Fundamento y límites constitucionales de las medidas de acción positiva*, Madrid: Civitas; MARTÍNEZ ALARCÓN, M.L. (2008): «La ley orgánica para la igualdad efectiva de mujeres y hombres y la sentencia del Tribunal Constitucional 12/2008, de 29 de enero» *REP* 142, pp. 105-137; MARTÍNEZ SAMPERE, E. (2000): «La legitimidad de la democracia paritaria», *REP* 107, pp. 133-149; MESTRE I MESTRE, R.M., coord. (2008): *Mujeres, derechos y ciudadanías*, Valencia: Tirant lo Blanch; MESTRE I MESTRE, R. y ZÚÑIGA AÑAZCO, Y., coords. (2013): *Democracia y participación política de las mujeres. Visiones desde Europa y América Latina*, Valencia: Tirant lo Blanch; MONTOYA MELGAR, A. y SÁNCHEZ-URÁN AZAÑA (2007): *Igualdad entre mujeres y hombres*, Madrid: Civitas; OSBORNE, R. (2009): *Apuntes sobre la violencia de género*, Barcelona: Bellaterra; NUÑO GÓMEZ, L. (2016): "El tratamiento de la diferencia sexual en las democracias formalmente igualitarias", *REP* 174, pp. 113-141; PATEMAN, C. (1988): *The Sexual Contract*, Stanford: Stanford University Press; REQUEJO PAJÉS, J.L. (1993): «Igualdad en la ley y ante la ley: el criterio de la diferencia», *Revista Jurídica de Asturias* 17, pp. 57-64; REY MARTÍNEZ, F. (1986): *El derecho fundamental a no ser discriminado por razón de sexo*, Madrid: McGraw-Hill; (2003): «La prohibición de discriminación racial o étnica en la Unión Europea y en España. El caso de la minoría gitana», *RDP* 57, pp. 61-110; (2005): «Homosexualidad y Constitución», *REDC* 73, pp. 111-156; (2007): «La discriminación racial en la jurisprudencia del Tribunal Europeo de Derechos Humanos», *REDC* 79, pp. 279-307; (2017): "Igualdad y prohibición de discriminación: de 1978 a 2018", *RDP* 100, pp. 125-171; RODRÍGUEZ PIÑERO, M. y FERNÁNDEZ LÓPEZ, M.F. (1986): *Igualdad y discriminación*, Madrid: Tecnos; RODRÍGUEZ RUIZ, B. (2000): «Discriminación y participación», *REP* 110, pp. 199-208; (2010): «Hacia un Estado postpatriarcal. Feminismo y ciudadanía», *REP* 149, pp. 87-122; (2011): «Matrimonio, género y familia en la Constitución española. Trascendiendo la familia nuclear», *REDC* 91, pp. 69-102; (2015): «La dimensión constitucional de la conciliación de la vida familiar y laboral, o de la dimensión doméstica de la ciudadanía», *REDC* 103, pp. 355-384; (2017): *Género y Constitución. Mujeres y varones en el orden constitucional español*, Lisboa: Juruá; RODRÍGUEZ RUIZ, B. y RUBIO MARÍN, R. (2007): «De la paridad, la igualdad y la representación en el estado democrático», *REDC* 81, pp. 115-159; (2012 —eds.—): *The Struggle for Female Suffrage in Europe. Voting to Become Citizens*, Brill Leiden-Boston; RUBIO LLORENTE, F. (1991): «La igualdad en la jurisprudencia del Tribunal Constitucional», *REDC* 31, pp. 9-36; RUBIO MARÍN, R., ed. (1999): *Mujer e igualdad: la norma y su aplicación*, Sevilla: Instituto Andaluz de la Mujer; RUBIN, G. (1975): «The Traffic in Women: Notes on the 'Political Economy' of Sex», en *Toward an Anthropology of Women* (Reiter, R., ed.), New York, Monthly Review Press, pp. 157-210; SALAZAR BENÍTEZ, O. (2013): *Masculinidades y ciudadanía: Los hombres también tenemos género*, Madrid: Dykinson; SANTAMARÍA LAMBÁS, F. (2016): "La necesidad de una ley integral de identidad de género: crítica a la Ley 3/2007 de Rectificación Registral de Cambio de Sexo", *Laicidad y Libertades* 16, pp. 163-196; SIEGEL, R. (1995): «Abortion as a Sex Equality Right: Its Basis in Feminist Theory», en *Mothers in Law* (M.A. Fineman & I. Karpin eds), Columbia University Press, New York, pp. 43-72; VIVAS LARRUY, A. dir. (2004): *La discriminación por razón de sexo tras veinticinco años de la Constitución española*, Madrid: Dykinson; WITTIG, M. (1992): «On the Social Contract», *The Straight Mind and other essays*, Boston: Beacon Press, pp. 33-45; ZOCO ZABALA, C. (2004): *Igualdad en la aplicación de las normas y motivación de sentencias*, Barcelona: Bosch; (2017): "Igualdad entre mujeres y hombres tras 40 años de Constitución Española, *RDP* 100, pp. 211-256.

I. EL DERECHO A LA IGUALDAD

Titularidad del derecho a la igualdad: las personas jurídicas —STC 23/1989, de 2 de febrero—

La Sentencia resuelve el recurso de amparo interpuesto por «Sociedad General Española de Librería, Diarios, Revistas y Publicaciones, S.A.» contra Resoluciones del Ayuntamiento de Barcelona, confirmadas por Sentencia de 12 de abril de 1985, de la Sala Cuarta del Tribunal Supremo, que excluyeron a las personas jurídicas del concurso restringido convocado por dicho Ayuntamiento para la adjudicación de concesiones de uso privativo de bienes de dominio público, para la instalación de kioscos de prensa. Entiende la recurrente que dicha exclusión vulnera su derecho a la igualdad.

FJ 2. [...] A este respecto hemos de reiterar el criterio mantenido por este Tribunal de que en nuestro ordenamiento constitucional, aun cuando no se explicite en los términos con que se proclama en los textos constitucionales de otros Estados, los derechos fundamentales rigen también para las personas jurídicas nacionales en la medida en que, por su naturaleza, resulten aplicables a ellas. Así ocurre con el derecho a la inviolabilidad del domicilio, o el derecho a la tutela judicial efectiva (STC 137/1985, de 17 de octubre). Y lo mismo puede decirse del derecho a la igualdad ante la ley proclamado en el art. 14 de la Constitución, derecho que el precepto reconoce a los españoles, sin distinguir entre personas físicas y jurídicas. No obsta a ello que el propio art. 14 prohíba expresamente toda discriminación por razón de circunstancias que, como el nacimiento, la raza, el sexo, la religión o la opinión, son predicables exclusiva o normalmente de las personas físicas. De un lado, la prohibición de tales discriminaciones concretas no agota el contenido del derecho a la igualdad jurídica, en su sentido positivo, y, de otro, el propio precepto constitucional prohíbe también, mediante una cláusula abierta, la discriminación fundada en otras condiciones personales o sociales, que pueden ser igualmente atributos de las personas jurídicas. De hecho, este Tribunal ha venido considerando aplicable, implícitamente y sin oponer reparo alguno, el art. 14 CE a las personas jurídicas de nacionalidad española, como titulares del derecho que en el se reconoce, como se pone de manifiesto, entre otras, en las SSTC 99/1983, de 16 de noviembre; 20 y 26/1985, de 14 y 22 de febrero, respectivamente, y 39/1986, de 31 de marzo, sin que existan razones para modificar esta doctrina general.

FJ 3. Ahora bien, no existe una necesaria equiparación entre personas físicas y jurídicas. Siendo éstas una creación del Derecho, corresponde al ordenamiento jurídico delimitar su campo de actuación fijando los limites concretos y específicos, y determinar, en su caso, si una concreta actividad puede ser desarrollada en un plano de igualdad por personas tanto físicas como jurídicas.

En el presente caso se trata, sin embargo, de una actividad que, por esencia, puede ser desempeñada por cualquiera de ellas, sin que exista norma alguna que reserve a las personas físicas la actividad objeto de las concesiones impugnadas, ni que configure el negocio jurídico correspondiente como una relación obligacional in tuitu personae; en consecuencia, desde el punto de vista de las características de la actividad a desarrollar y de las normas generales del ordenamiento, no es posible establecer diferencia alguna entre una y otra clase de personas. Por ello ha de concluirse que, en relación con el concurso convocado por el Ayuntamiento de Barcelona para la adjudicación de concesiones de uso privativo del dominio público a efectos de la instalación de kioscos de prensa, la sociedad recurrente se hallaba en una situación sustancialmente igual, en cuanto persona jurídica, a la de los demás interesados y que, por lo tanto, resulta adecuado el planteamiento del recurrente al comparar su situación con la de las personas físicas que participaron en el concurso.

La igualdad de trato como punto de partida: el inexistente derecho a la diferencia de trato —STC 198/2012, de 6 de noviembre[1]—

La Sentencia resuelve el recurso de inconstitucionalidad interpuesto por don Ignacio Astarloa y otros setenta y un Diputados del Grupo Popular contra la Ley 13/2005, de 1 de julio, por la que se modifica el Código civil en materia de derecho a contraer matrimonio, ampliándolo a las parejas del mismo sexo.

---

[1]   En la misma línea, el Tribunal Constitucional ha afirmado que el «art. 14 de la Constitución reconoce el derecho a no sufrir discriminaciones, pero no el hipotético derecho a imponer o exigir diferencias de trato» (STC 52/1987, de 7 de mayo, FJ 3). *Vid.* también SSTC 75/1983, de 3 de agosto, FJ 2; 34/1984, de 9 de marzo; 136/1987, FJ 6; 19/1988, FJ 6; 48/1989, FJ 5 y 308/1994, FJ 5; 114/1995, de 6 de julio, FJ 4; o, más recientemente, 38/2014, de 11 de marzo; 183/2014, de 6 de noviembre, 56/2016, de 17 de marzo.

FJ 3. [...] En relación con la alegada vulneración del principio de igualdad, los recurrentes entienden que la equiparación de derechos que realiza la norma entre parejas del mismo sexo y parejas de distinto sexo sería contraria a los arts. 1.1, 9.2 y 14 CE, y a la interpretación que de estos preceptos ha realizado este Tribunal, puesto que no tendría en cuenta que el matrimonio y las parejas del mismo sexo son realidades distintas que deben ser tratadas de un modo diferente.

La pretensión debe ser rechazada en aplicación de la doctrina que, desde los años ochenta y hasta la fecha, sostiene este Tribunal sobre la «discriminación por indiferenciación». Según nuestra jurisprudencia la «discriminación por indiferenciación» no puede situarse en el ámbito de protección del art. 14 CE, porque lo que éste impide es la distinción infundada o discriminatoria (STC 86/1985, de 10 de julio, FJ 3). Este Tribunal ha establecido reiteradamente que el art. 14 CE no consagra un derecho a la desigualdad de trato, ni ampara la falta de distinción entre supuestos desiguales, por lo que no existe ningún derecho subjetivo al trato normativo desigual (por todas, STC 117/2006, de 24 de abril, FJ 2), si bien también hemos dicho que «cuestión distinta es que los poderes públicos, en cumplimiento del mandato del art. 9.2 CE, puedan adoptar medidas de trato diferenciado de ciertos colectivos en aras de la consecución de fines constitucionalmente legítimos, promoviendo las condiciones que posibiliten que la igualdad de los miembros que se integran en dichos colectivos sean reales y efectivas o removiendo los obstáculos que impidan o dificulten su plenitud» (STC 69/2007, de 16 de abril, FJ 4). Por tanto, habiendo dicho ya que el principio de igualdad no puede fundamentar un reproche de discriminación por indiferenciación (por todas, STC 30/2008, de 25 de febrero, FJ 7) y no pudiendo por tanto censurar lo que en la STC 135/1992, de 5 de octubre, denominamos «desigualdad por exceso de igualdad» (FJ 9), no resulta posible censurar la Ley desde la perspectiva del principio de igualdad por abrir la institución matrimonial a una realidad —las parejas del mismo sexo— que presenta características específicas respecto de las parejas heterosexuales.

La necesidad de justificar las diferencias de trato —STC 39/2002, de 14 de febrero[2]—

La Sentencia resuelve la cuestión de inconstitucionalidad planteada por el Juzgado de Primera Instancia núm. 1 de Reus respecto del artículo 9.2 del Código Civil, en su redacción anterior a la Ley 11/1990, de 15 de octubre. Este disponía en su último inciso que, en defecto de los puntos de conexión principalmente establecidos para la determinación de la ley aplicable a las relaciones personales entre cónyuges, se aplicase la «ley nacional del marido al tiempo de la celebración» del matrimonio. Entiende el órgano cuestionante que tal preferencia discrimina a las mujeres.

FJ 4. [...] Para efectuar el enjuiciamiento apuntado bueno será recordar la doctrina de este Tribunal sobre el derecho a la igualdad y las prohibiciones de discriminación, recogida de forma extensa y precisa en la reciente STC 200/2001, de 4 de octubre, en cuyo fundamento jurídico 4 se puntualizan los siguientes extremos:

«a) El art. 14 CE contiene en su primer inciso una cláusula general de igualdad de todos los españoles ante la Ley, habiendo sido configurado este principio general de igualdad, por una conocida doctrina constitucional, como un derecho subjetivo de los ciudadanos a obtener un trato igual, que obliga y limita a los poderes públicos a respetarlo y que exige que los supuestos de hecho iguales sean tratados idénticamente en sus consecuencias jurídicas y que, para introducir diferencias entre ellos, tenga que existir una suficiente justificación de tal diferencia, que aparezca al mismo tiempo como fundada y razonable, de acuerdo con criterios y juicios de valor generalmente aceptados, y cuyas consecuencias no resulten, en todo caso, desproporcionadas.

Como tiene declarado este Tribunal desde la STC 22/1981, de 2 de julio, recogiendo al respecto la doctrina del Tribunal Europeo de Derechos Humanos en relación con el art. 14 CEDH, el principio de igualdad no implica en todos los casos un tratamiento legal igual con abstracción de cualquier elemento diferenciador de relevancia jurídica, de manera que no toda desigualdad de trato normativo respecto a la regulación de una determinada materia supone una infracción del mandato contenido en el art. 14 CE, sino tan sólo las que introduzcan una diferencia entre situaciones que puedan considerarse iguales, sin que se ofrezca y posea una justificación objetiva y razonable para ello, pues,

---

[2]   Estamos ante jurisprudencia consolidada y constante. *Vid.* también, entre otras muchas, y además de las citadas en la Sentencia, SSTC 166/1986, de 19 de diciembre (aplicando esta doctrina a las leyes singulares); 40/1989, de 16 de marzo; 125/2003, de 19 de junio; 197/2003, de 30 de octubre; 78/2004, de 29 de abril; 110/2004, de 30 de junio; 186/2004, de 2 de noviembre (el reparto de una pensión de viudedad entre la viuda y las esposas anteriores del causahabiente no vulnera el derecho a la igualdad de la primera respecto de las viudas que no tienen que hacer dicho reparto); 233/2007, de 5 de noviembre; 120/2010, de 14 de noviembre; 5/2011, de 14 de febrero; 36/2011, de 28 de marzo.

como regla general, el principio de igualdad exige que a iguales supuestos de hecho se apliquen iguales consecuencias jurídicas y, en consecuencia, veda la utilización de elementos de diferenciación que quepa calificar de arbitrarios o carentes de una justificación razonable. Lo que prohíbe el principio de igualdad son, en suma, las desigualdades que resulten artificiosas o injustificadas por no venir fundadas en criterios objetivos y razonables, según criterios o juicios de valor generalmente aceptados. También es necesario, para que sea constitucionalmente lícita la diferencia de trato, que las consecuencias jurídicas que se deriven de tal distinción sean proporcionadas a la finalidad perseguida, de suerte que se eviten resultados excesivamente gravosos o desmedidos. En resumen, el principio de igualdad, no sólo exige que la diferencia de trato resulte objetivamente justificada, sino también que supere un juicio de proporcionalidad en sede constitucional sobre la relación existente entre la medida adoptada, el resultado producido y la finalidad pretendida (SSTC 22/1981, de 2 de julio, FJ 3; 49/1982, de 14 de julio, FJ 2; 2/1983, de 24 de enero, FJ 4; 23/1984, de 20 de febrero, FJ 6; 209/1987, de 22 de diciembre, FJ 3; 209/1988, de 10 de noviembre, FJ 6; 20/1991, de 31 de enero, FJ 2; 110/1993, de 25 de marzo, FJ 6; 176/1993, de 27 de mayo, FJ 2; 340/1993, de 16 de noviembre, FJ 4; 117/1998, de 2 de junio, FJ 8, por todas).

El derecho a la igualdad como un juicio relacional —STC 200/2001, de 4 de octubre—

La Sentencia resuelve la cuestión de inconstitucionalidad elevada al Pleno por la Sala Primera del Tribunal Constitucional en relación con el artículo 41.2 del Real Decreto Legislativo 670/1987, de 30 de abril, por el que se aprueba el texto refundido de la Ley de Clases Pasivas del Estado, por su posible contradicción con el artículo 14 CE. La STC 46/1999, de 22 de marzo, estimó el recurso de amparo promovido contra el Acuerdo de la Dirección General de Costes de Personal y Pensiones Públicas de 15 de diciembre de 1994, confirmado por Resolución del Tribunal Económico-Administrativo Central de 6 de abril de 1995 y por Sentencia de la Sección Séptima de la Sala de lo Contencioso-Administrativo de la Audiencia Nacional de 27 de mayo de 1996, que había denegado al demandante de amparo la pensión de orfandad por no cumplir el requisito temporal que establecía el artículo 41.2 del texto refundido de la Ley de Clases Pasivas del Estado aprobado por Real Decreto Legislativo 670/1987, de 30 de abril («que el adoptante haya sobrevivido dos años, al menos, desde la fecha de la adopción»). De conformidad con lo dispuesto en el artículo 55.2 LOTC, la Sala acordó elevar al Pleno cuestión de inconstitucionalidad en relación con el mencionado precepto legal, por considerar que el indicado requisito temporal, exigido para que la adopción pudiera surtir efectos pasivos en orden a la pensión de orfandad, constituía una discriminación con respecto a hijas e hijos adoptivas/os vedada en el artículo 14 CE.

FJ 5. El juicio de igualdad es de carácter relacional. Requiere como presupuestos obligados, de un lado, que, como consecuencia de la medida normativa cuestionada, se haya introducido directa o indirectamente una diferencia de trato entre grupos o categorías de personas (STC 181/2000, de 29 de junio, FJ 10) y, de otro, que las situaciones subjetivas que quieran traerse a la comparación sean, efectivamente, homogéneas o equiparables, es decir, que el término de comparación no resulte arbitrario o caprichoso (SSTC 148/1986, de 25 de noviembre, FJ 6; 29/1987, de 6 de marzo, FJ 5; 1/2001, de 15 de enero, FJ 3). Sólo una vez verificado uno y otro presupuesto resulta procedente entrar a determinar la licitud constitucional o no de la diferencia contenida en la norma.

El juicio relacional de la igualdad y el término de comparación —STC 1/2001, de 15 de enero[3]—

La Sentencia resuelve los recursos de amparo acumulados promovidos por don A.L.V. contra las Sentencias de la Sala de lo Contencioso-Administrativo del Tribunal Superior de Justicia de La Rioja, de 23 de octubre de 1996 y 29 de enero de 1997, que desestiman sus recursos contencioso-administrativos contra sendas Resoluciones del Tribunal Económico-Administrativo Regional de La Rioja de 28 de septiembre de 1995, que confirmaron parcialmente las liquidaciones provisionales de oficio dictadas por los órganos de gestión de la Agencia Estatal de Administración Tributaria en Haro (La Rioja) en concepto de IRPF de los ejercicios 1992 y 1993. El motivo de la queja es que, mientras el recurrente debe tributar por la renta empleada en satisfacer las anualidades por alimentos que satisface a su hija en virtud del

---

[3]   *Vid.* también SSTC 106/1994, de 11 de abril, FJ 2; 103/2018, de 4 de octubre, FJ 5 (no basta con aportar término de comparación; es preciso exponer también qué "elementos comunes constitucionalmente relevantes entre los respectivos términos de comparación justificarían la necesidad de llevar a cabo un juicio de igualdad").

convenio de separación, su ex-esposa no está obligada por dicho convenio a abonar cantidad alguna en concepto de alimentos, ni debe tributar en el IRPF por el que el recibe del recurrente en tal concepto.

FJ 3. […] [C]onforme a constante doctrina de este Tribunal, el principio de igualdad ante o en la Ley garantizado en el art. 14 CE «impone al legislador el deber de dispensar un mismo tratamiento a quienes se encuentran en situaciones jurídicas iguales, con prohibición de toda desigualdad que, desde el punto de vista de la finalidad de la norma cuestionada, carezca de justificación objetiva y razonable o resulte desproporcionada en relación con dicha justificación» (SSTC 134/1996, de 22 de julio, FJ 5; en el mismo sentido, entre otras muchas, SSTC 76/1990, de 26 de abril, FJ 9; 214/1994, de 14 de julio, FJ 8; 117/1998, de 2 de junio, FJ 8; y 46/1999, de 22 de marzo, FJ 2). Para poder apreciar vulneración del art. 14 CE, pues, es conditio sine qua non que los términos de comparación que se aportan para ilustrar la desigualdad denunciada sean homogéneos. Y este es un requisito esencial que, claramente, no concurre en este caso.

A este respecto, en primer lugar, debe ponerse de manifiesto, con el Ministerio Fiscal, que para fundamentar su queja el recurrente parte de un presupuesto fáctico claramente erróneo: no es, como se sostiene en las demandas de amparo, su ex-esposa, sino la hija de ambos la que percibe la pensión por alimentos, con independencia de que sea aquélla la que administra dicha pensión en tanto que es quien está al cuidado de la menor [arts. 90 A), 92 y 103.1 del Código Civil]. Obviamente, siendo la hija del recurrente la última destinataria de la pensión alimenticia —pensión que la LIRPF califica como rendimiento del trabajo personal [art. 25 q)] exento de tributación [art. 9 k) LIRPF]—, la pretensión de que sea la persona encargada de su custodia por convenio aprobado judicialmente (la ex-esposa del recurrente) la que tribute por la misma no se acomoda en absoluto al principio de capacidad económica constitucionalmente establecido en el art. 31.1 CE.

En segundo lugar, la circunstancia de que sólo el demandante de amparo deba satisfacer por convenio de separación una concreta cantidad pecuniaria en concepto de alimentos en favor de la hija no constituye discriminación alguna prohibida por el art. 14 CE. En este sentido conviene recordar que, por imperativo constitucional, los padres tienen la obligación de «prestar asistencia de todo orden a los hijos» —asistencia que, naturalmente, incluye la contribución a los alimentos— con independencia de que éstos hayan sido concebidos dentro o fuera del matrimonio (art. 39.3 CE), de que se haya producido la nulidad matrimonial, la separación legal o la disolución del matrimonio por divorcio (art. 92 CC), o incluso, en fin, de que el progenitor quede excluido de la patria potestad y demás funciones tuitivas (arts. 110 y 111, in fine, CC). En definitiva, también la esposa del recurrente está obligada a contribuir con sus bienes e ingresos a los gastos precisos para el sustento, habitación, vestido, asistencia médica y educación de la hija, elementos todos ellos que, conforme al art. 142 CC, se integran en el concepto «alimentos». Como señala la legislación civil, en efecto, es el convenio regulador aprobado judicialmente el que establece la contribución a los alimentos de cada padre [art. 90 C) CC]; concretamente, el art. 93 CC establece que el Juez «en todo caso, determinará la contribución de cada progenitor para satisfacer los alimentos y adoptará las medidas convenientes para asegurar la efectividad y acomodación de las prestaciones a las circunstancias económicas y necesidades de los hijos en cada momento», contribución que, de conformidad con el art. 146 CC, deberá ser «proporcionada al caudal o medios de quien los da y a las necesidades de quien los recibe» (art. 146 CC). En definitiva, por imperativo legal, tanto quien nos demanda amparo como su ex-esposa tienen el deber de mantener a la hija de ambos, obligación que debe concretarse en el convenio de separación matrimonial aprobado por el Juez, quien, por exigencia legal, ha de tener en consideración tanto las necesidades del alimentista como los medios de que disponen cada uno de los obligados a dar alimentos. El recurrente, al afirmar que su ex-esposa «recibe y, al no estar obligada por el convenio, no paga», como advierte el Abogado del Estado, más que dirigir su denuncia contra las liquidaciones provisionales practicadas por la Administración tributaria o contra la LIRPF, está poniendo en duda la ponderación que en su día hizo el Juzgado de Primera Instancia de Haro para establecer el cálculo de lo que cada padre debía satisfacer para el sustento de la hija común. Dicha queja, sin embargo, ni se compadece con el hecho, que subrayan el Abogado del Estado y el Fiscal, de que el convenio de separación que ahora parece censurarse fue también aprobado con el acuerdo del demandante de amparo, ni constituye una cuestión en la que este Tribunal pueda entrar.

En tercer lugar, en fin, la circunstancia de que el demandante de amparo no pueda deducir en el IRPF la pensión destinada a alimentar a su hija tampoco constituye vulneración del art. 14 CE. Como se ha señalado, el de alimentar a los hijos habidos dentro o fuera del matrimonio es un deber constitucional de todos los padres. Aunque, desde luego, no existiría ningún inconveniente constitucional, el legislador tributario no ha previsto deducción alguna en el IRPF por razón de la renta consumida en cumplir con el citado deber. De este modo, al excluir la posibilidad de que los padres que deben satisfacer pensiones de alimentos en favor de sus hijos por resolución judicial puedan deducir la cuantía de las mismas en la base imponible del IRPF, como señala el Abogado del Estado, el art. 71.2 de la Ley 18/1991 no hace otra cosa que equiparar la situación de aquéllos a la de todos los padres que —por imperativo constitucional (art. 39.3 CE) y legal (arts. 110, 111 y 143 CC)—, han de sufragar los gastos que ocasiona la manutención y educación de sus hijos sin que exista una decisión judicial que se lo imponga.

Dimensiones de la igualdad ante la ley —STC 144/1988, de 12 de julio[4]—

La Sentencia resuelve el recurso de amparo promovido por doñas P.L.P. y J.G.J. contra la Sentencia del Tribunal Central de Trabajo de 6 de abril de 1987, que revocó la dictada por la Magistratura de Trabajo núm. 17 de Madrid, dictada en proceso sobre derechos dimanantes de Convenio Colectivo.

FJ 1. El principio de igualdad que garantiza la Constitución (art. 14) y que está protegido en último término por el recurso constitucional de amparo (art. 53.2 CE) opera, como tantas veces hemos dicho, en dos planos distintos. De una parte, frente al legislador, o frente al poder reglamentario, impidiendo que uno u otro puedan configurar los supuestos de hecho de la norma de modo tal que se dé trato distinto a personas que, desde todos los puntos de vista legítimamente adoptables, se encuentran en la misma situación o, dicho de otro modo, impidiendo que se otorgue relevancia jurídica a circunstancias que, o bien no pueden ser jamás tomadas en consideración por prohibirlo así expresamente la propia Constitución, o bien no guardan relación alguna con el sentido de la regulación que, al incluirlas, incurre en arbitrariedad y es por eso discriminatoria.

En otro plano, en el de la aplicación, la igualdad ante la Ley obliga a que ésta sea aplicada efectivamente de modo igual a todos aquellos que se encuentran en la misma situación, sin que el aplicador pueda establecer diferencia alguna en razón de las personas o de circunstancias que no sean precisamente las presentes en la norma. Situados ya en este plano de la aplicación, es forzoso, claro está, operar una segunda distinción para tomar en cuenta la diferente situación en la que al respecto se encuentran los órganos administrativos, de una parte, y los órganos judiciales de la otra.

Los primeros, esto es, los que integran el amplio conjunto de las Administraciones públicas, no están ciertamente vinculados por el precedente, pero sí sujetos al control de los Tribunales, que han de corregir las desviaciones que en la aplicación igual de la Ley se produzcan, no sólo en el ejercicio de las potestades regladas, sino también en el ejercicio de la discrecionalidad que las normas frecuentemente conceden a los administradores. Los Tribunales han de fijar, para ello, tanto las circunstancias fácticas del caso como el contenido concreto de la norma aplicada. Las decisiones del Juez de instancia sobre uno y otro aspecto de la cuestión podrán ser revisadas, en su caso, por las sucesivas instancias dentro del Poder Judicial, pero no por este Tribunal, salvo en lo que afecta al contenido mismo de la norma y sólo para el caso de que la interpretación que de éste se ha hecho afecte a alguno de los derechos fundamentales que la Constitución garantiza.

Otra es la situación en la que se encuentran los órganos del Poder Judicial, los cuales, tanto en la determinación de los hechos como en la interpretación de las normas, son independientes y no están sometidos al control de otro poder del Estado, aunque las decisiones que adoptan pueden ser revisadas, tanto en los hechos como en la interpretación del Derecho, por otros Tribunales a través de los recursos previstos en las leyes procesales. El recurso de amparo ante este Tribunal, que no puede modificar los hechos declarados probados por los Tribunales ordinarios [art. 44.1 b) LOTC], los sujeta también en último término a nuestro control, pero ello sólo para el caso de que hayan aplicado leyes contrarias a la Constitución o hayan interpretado de modo incompatible con ésta las que, en otra interpretación, no lo serían. Salvo en este supuesto, no nos corresponde a nosotros, sino al Tribunal Supremo (art. 123. 1 CE), determinar cuál es la interpretación correcta de las normas jurídicas.

El derecho a la igualdad ante la autoridad gubernativa —STC 209/1987, de 22 de diciembre—

La Sentencia resuelve el recurso de amparo promovido por el Defensor del Pueblo a favor del Sr. P.E. respecto de la Sentencia del Tribunal Central de Trabajo de 18 de noviembre de 1986, que revocó la dictada por la Magistratura de

---

[4] El concepto de ley abarca todas las normas jurídicas (por todas SSTC 68/1991, de 8 de abril; 44/2004, de 23 de marzo), salvo la propia Constitución allí donde se desvincula del derecho a la igualdad (piénsese en el orden sucesorio a la Corona recogido en el artículo 57 CE). Fuera del ámbito de aplicación del artículo 14 CE quedan también las normas de derecho histórico pre-democrático que establecían la preferencia del varón sobre la mujer en el orden sucesorio a los títulos nobiliarios (STC 126/1997, de 3 de julio) u otras condiciones en el acceso a dichos títulos (STC 27/1982, de 24 de mayo), aunque el legislador pueda decidir acomodar dicho orden sucesorio al artículo 14 CE (Ley 33/2006, de 30 de octubre, sobre igualdad del hombre y la mujer en el orden de sucesión de los títulos nobiliarios; *vid.* SSTC 159/2014, de 6 de octubre; 168/2014, de 22 de octubre).

Trabajo núm. 1 de Tarragona, de 1 de julio de 1986, y confirmó las resoluciones de 19 de diciembre de 1985 y 13 de enero de 1986, de la Dirección Provincial del Instituto Nacional de Empleo (INEM) en Tarragona, que denegaron al Sr. P.E. subsidio de desempleo. La denegación se motivó en que el solicitante incumplía lo dispuesto en el artículo 7.3 del Real Decreto 625/1985, de 2 de abril, sobre régimen de Seguridad Social en que debe causarse la futura pensión de jubilación, restricción no prevista en la legislación entonces vigente. Entiende el recurrente que la Sentencia y resoluciones recurridas vulneran el derecho a la igualdad ante la Ley.

FJ 3. [...] La Ley ante la cual el art. 14 de nuestra Constitución impone la igualdad es desde luego, en principio, la ley en sentido material, la norma jurídica en abstracto, con independencia de su rango, de manera que a todos deben ser aplicadas por igual las normas legales y reglamentarias y ni éstas ni aquéllas pueden introducir entre los ciudadanos o entre las situaciones en las que éstos se encuentran diferencias que no estén justificadas por razones objetivas y legítimas, ni atribuir a las diferencias establecidas consecuencias que no resulten proporcionadas con el fin que se persigue. Desde esta última perspectiva, es decir, desde el punto de vista de la llamada igualdad en la ley, no se encuentran, sin embargo, en el mismo plano, la norma legal y la reglamentaria, pues como ya hemos dicho, no es la misma la relación que existe entre Constitución y ley que la que media entre ésta y el reglamento. El legislador no ejecuta la Constitución, sino que crea derecho con libertad dentro del marco que ésta ofrece, en tanto que el ejercicio de la potestad reglamentaria se opera «de acuerdo con la Constitución y las Leyes» (art. 97 CE) y el Gobierno no puede crear derechos ni imponer obligaciones que no tengan su origen en la ley de modo inmediato o, al menos, de manera mediata, a través de la habilitación. Del mismo modo, no puede el Reglamento excluir del goce de un derecho a aquellos a quienes la ley no excluyó. El juicio sobre la licitud constitucional de las diferencias establecidas por una norma reglamentaria requiere así, necesariamente, y sólo desde esta perspectiva, un juicio de legalidad.

El derecho a la igualdad en la aplicación judicial de la ley —STC 13/2004, de 9 de febrero—

La Sentencia resuelve el recurso de amparo promovido por la Congregación Hermanas Dominicas de la Anunciata contra la Sentencia 532/2002, de 24 de mayo de 2002, dictada por el Tribunal Superior de Justicia de Madrid, Sala de lo Contencioso-Administrativo, desestimatoria del recurso contra una decisión del Ayuntamiento de Madrid en materia de inspección de tributos por el concepto de impuesto sobre actividades económicas. Dicha Sentencia adoptó una decisión, no ya distinta, sino contraria a otras anteriores y posteriores dictadas por el mismo órgano en casos idénticos, basándose en el mismo fundamento (una determinada interpretación de la normativa aplicable al caso), que sin embargo llega a un resultado contrario al mantenido por el órgano judicial en esas otras varias ocasiones, sin que se exponga en ella argumento justificativo alguno de tal cambio de resultado. Tal modo de proceder, además de resultar arbitrario y comportar indefensión de la recurrente (artículo 24.1 CE), supone una desigualdad de trato en relación con los otros supuestos reseñados, con vulneración del artículo 14 CE.

FJ 2. [...] Precisado lo anterior, cabe ya entrar en el análisis de lo planteado por la demanda, que, como se deduce claramente de lo reflejado en los antecedentes, gira de modo principal sobre el afirmado quebrantamiento del principio de igualdad en la aplicación de la ley y, en segundo lugar, sobre el también entendido como vulnerado derecho a la tutela judicial efectiva.

En relación con lo primero se impone recordar la doctrina sentada en esta sede para concluir cuándo un tratamiento distinto supone contradecir lo que el artículo 14 de la Constitución veda; esto es, cuándo un tratamiento diferente supone una discriminación. Dicha doctrina, constante desde hace tiempo, ha sido recogida últimamente en el fundamento jurídico 2 de la STC 106/2003, de 2 de junio, de esta misma Sala, que cabe complementar con alguna acotación oportuna expuesta en alguna otra. Se indica en la Sentencia que se acaba de citar la necesidad de que se den acumuladamente los siguientes requisitos para que pueda entenderse vulnerado el derecho a la igualdad en la aplicación de la ley reconocido en el art. 14 CE:

a) La acreditación de un tertium comparationis, ya que el juicio de la igualdad sólo puede realizarse sobre la comparación entre la Sentencia impugnada y las precedentes resoluciones del mismo órgano judicial que en casos sustancialmente iguales hayan resuelto de forma contradictoria (SSTC 266/1994, de 3 de octubre, FJ 3; 285/1994, de 27 de octubre, FJ 2; 4/1995, de 6 de febrero, FJ 1; 55/1999, de 12 de abril, FJ 2; 62/1999, de 22 de abril, FJ 4; 102/1999, de 31 de mayo, FJ 2; 132/2001, de 7 de junio, FJ 2; y 238/2001, de 18 de diciembre, FJ 4, por todas). Los supuestos de hecho enjuiciados deben ser, así pues, sustancialmente iguales, «pues sólo si los casos son iguales entre sí se puede efectivamente pretender que la solución dada para uno debe ser igual a la del otro (STC 78/1984, de 9 de julio, FJ 3)» (STC 47/2003, de 3 de marzo, FJ 3, con cita de la STC 111/2001, de 7 de mayo, FJ 2).

b) La existencia de alteridad en los supuestos contrastados; es decir, de «la referencia a otro», exigible en todo alegato de discriminación en la aplicación de la ley, excluyente de la comparación consigo mismo (SSTC 1/1997, de 13 de enero, FJ 2; 150/1997, de 29 de septiembre, FJ 2; 64/2000, de 13 de marzo, FJ 5; 162/2001, de 5 de julio, FJ 2; 229/2001, de 26 de noviembre, FJ 2; 74/2002, de 8 de abril, FJ 3; y 111/2002, de 6 de mayo, FJ 2).

c) La identidad de órgano judicial, entendiendo por tal, no sólo la identidad de Sala, sino también la de Sección, al considerarse éstas como órganos jurisdiccionales con entidad diferenciada suficiente para desvirtuar una supuesta desigualdad en la aplicación judicial de la ley (SSTC 134/1991, de 17 de junio, FJ 2; 245/1994, de 15 de septiembre, FJ 3; 32/1999, de 22 de abril, FJ 4; 102/2000, de 10 de abril, FJ 2; y 122/2001, de 4 de junio, FJ 5, entre otras). Esta exigencia, identidad del órgano que resuelve (SSTC 119/1994, de 25 de abril, FJ 2; 46/1996, de 25 de marzo, FJ 5), permite valorar si la divergencia de criterio expresada por el juzgador es fruto de la libertad de apreciación del órgano jurisdiccional en el ejercicio de su función juzgadora (art. 117.3 CE) y consecuencia de una diferente ponderación jurídica de los supuestos sometidos a su decisión, o un cambio de valoración del caso puramente arbitrario, carente de fundamentación suficiente y razonable (SSTC 49/1982, de 14 de julio, FJ 2; 181/1987, de 13 de noviembre; 285/1994, de 27 de octubre, FJ 2; 46/1996, de 25 de marzo, FJ 5); es decir, en expresión popular, la utilización por el mismo órgano judicial de una doble vara de medir (STC 152/2002, de 15 de julio, FJ 2).

d) La ausencia de toda motivación que justifique en términos generalizables el cambio de criterio, bien lo sea para separarse de una línea doctrinal previa y consolidada; esto es, de un previo criterio aplicativo consolidado (por todas, SSTC 122/2001, de 4 de junio, FJ 2; 193/2001, de 1 de octubre, FJ 3), bien lo sea con quiebra de un antecedente inmediato en el tiempo y exactamente igual desde la perspectiva jurídica con la que se enjuició (SSTC 25/1999, de 8 de marzo, FJ 5; 152/2002, de 15 de julio, FJ 2; 210/2002, de 11 de noviembre, FJ 3), y ello, a fin de excluir la arbitrariedad o la inadvertencia (SSTC 266/1994, de 3 de octubre, FJ 3; 47/1995, de 14 de febrero, FJ 3; 25/1999, de 8 de marzo, FJ 5; 75/2000, de 27 de marzo, FJ 2; 193/2001, de 14 de febrero, FJ 3). La razón de esta exigencia estriba en que el derecho a la igualdad en la aplicación de la ley, en conexión con el principio de interdicción de la arbitrariedad (art. 9.3 CE), obliga a que un mismo órgano jurisdiccional no pueda cambiar caprichosamente el sentido de sus decisiones adoptadas con anterioridad en casos sustancialmente iguales sin una argumentación razonada de dicha separación, que justifique que la solución dada al caso responde a una interpretación abstracta y general de la norma aplicable, y no a una respuesta ad personam, singularizada (SSTC 111/2002, 6 mayo, FJ 6 o 106/2003, de 2 de junio, FJ 2).

También hemos dicho en la STC 70/2003, de 9 de abril, FJ 2, que la justificación a que hace referencia el último de los requisitos señalados no ha de venir necesariamente explicitada en la resolución judicial cuya doctrina se cuestiona, sino que podrá, en su caso, deducirse de otros elementos de juicio externos que indiquen un cambio de criterio, como podrían ser posteriores pronunciamientos coincidentes con la línea abierta en la Sentencia impugnada (SSTC 63/1984, de 21 de mayo, FJ 4; 108/1988, de 8 de junio, FJ 2; 200/1990, de 10 de diciembre, FJ 3; 201/1991, de 28 de octubre, FJ 1). En suma, «lo que invariablemente hemos exigido en tales supuestos es que un mismo órgano no modifique arbitrariamente sus decisiones, en casos sustancialmente iguales» (SSTC 8/1981, de 30 de marzo, y 25/1999, de 8 de marzo).

FJ 3. En el caso del que trae causa el presente recurso de amparo todas las exigencias que se acaban de señalar se cumplen [...].

Los derechos a la igualdad y a la no discriminación en las relaciones entre personas privadas —STC 108/1989, de 8 de junio—

La Sentencia resuelve el recurso de amparo promovido por la Federación de Industrias de la Construcción y Madera de Comisiones Obreras contra la Sentencia del Tribunal Central de Trabajo de 26 de mayo de 1987, que revocó, en parte, la dictada por la Magistratura de Trabajo núm. 18 de Madrid en proceso de conflicto colectivo. La entidad recurrente solicita la anulación de tal Sentencia y la del convenio de eficacia limitada suscrito entre la Federación de Madera, Construcción y Afines de la UGT y las patronales del sector, por entender vulnerada su libertad sindical y su derecho a la igualdad de trato, pues no fue convocada a la reunión en la que suscribió el citado convenio.

FJ 1. [...] [L]a igualdad que consagra el art. 14 CE es igualdad ante la Ley (aunque también en la Ley) y [...], en consecuencia, no puede ser argüida su vulneración si no se precisa qué norma legal es la que ha sido objeto de una aplicación diferenciadora o discriminatoria, y la recurrente no hace ninguna indicación al respecto, sino más bien el de una actuación pretendidamente ilegal de los firmantes del convenio. De otro lado, [...] el respeto de la igualdad ante la Ley se impone a los órganos del poder público, pero no a los sujetos privados, cuya autonomía está limitada sólo por la prohibición de incurrir en discriminaciones contrarias al orden público constitucional, como son, entre otras, las que expresamente se indican en el art. 14 CE.

II. LA INTERDICCIÓN DE DISCRIMINACIÓN

El artículo 14 CE: desde la igualdad hacia la interdicción de discriminación —STC 39/2002, de 14 de febrero (*vid. supra*)[5]—

FJ 4. […] b) La virtualidad del art. 14 CE no se agota, sin embargo, en la cláusula general de igualdad con la que se inicia su contenido, sino que a continuación el precepto constitucional se refiere a la prohibición de una serie de motivos o razones concretos de discriminación. Esta referencia expresa a tales motivos o razones de discriminación no implica el establecimiento de una lista cerrada de supuestos de discriminación (STC 75/198, de 3 de agosto, FJ 6), pero sí representa una explícita interdicción de determinadas diferencias históricamente muy arraigadas y que han situado, tanto por la acción de los poderes públicos como por la práctica social, a sectores de la población en posiciones, no sólo desventajosas, sino contrarias a la dignidad de la persona que reconoce el art. 10.1 CE (SSTC 128/198, de 16 de julio, FJ 5; 166/1988, de 26 de septiembre, FJ 2; 145/1991, de 1 de julio, FJ 2).

En este sentido el Tribunal Constitucional, bien con carácter general en relación con el listado de los motivos o razones de discriminación expresamente prohibidos por el art. 14 CE, bien en relación con alguno de ellos en particular, ha venido declarando la ilegitimidad constitucional de los tratamientos diferenciados respecto de los que operan como factores determinantes o no aparecen fundados más que en los concretos motivos o razones de discriminación que dicho precepto prohíbe, al tratarse de características expresamente excluidas como causas de discriminación por el art. 14 CE (con carácter general respecto al listado del art. 14 CE, SSTC 83/1984, de 8 de febrero, FJ 3; 20/1991, de 31 de enero, FJ 2; 176/1993, de 27 de mayo, FJ 2; en relación con el sexo, entre otras, SSTC 128/1987, de 16 de julio, FJ 6; 207/1987 de 22 de diciembre, FJ 2; 145/1991, de 1 de julio, FJ 3; 147/1995, de 16 de octubre, FJ 2; 126/1997, de 3 de julio, FJ 8; en relación con el nacimiento, SSTC 74/1997, de 21 de abril, FJ 4; 67/1998, de 18 de marzo, FJ 5; ATC 22/1992, de 27 de enero; en relación con la edad, STC 31/1984, de 7 de marzo, FJ 11).

No obstante este Tribunal ha admitido también que los motivos de discriminación que dicho precepto constitucional prohíbe puedan ser utilizados excepcionalmente como criterio de diferenciación jurídica (en relación con el sexo, entre otras, SSTC 103/1983, de 22 de noviembre, FJ 6; 128/1987, de 26 de julio, FJ 7; 229/1992, de 14 de diciembre, FJ 2; 126/1997, de 3 de julio, FJ 8; en relación con las condiciones personales o sociales, SSTC 92/1991, de 6 de mayo, FF JJ 2 a 4; 90/1995, de 8 de julio, FJ 4; en relación con la edad, STC 75/1983, de 3 de agosto, FF JJ 6 y 7; en relación con la raza, STC 13/2001, de 29 de enero, FJ 8), si bien en tales supuestos el canon de control, al enjuiciar la legitimidad de la diferencia y las exigencias de proporcionalidad, resulta mucho más estricto, así como más rigurosa la carga de acreditar el carácter justificado de la diferenciación.

Al respecto tiene declarado que, a diferencia del principio genérico de igualdad, que no postula ni como fin ni como medio la paridad y sólo exige la razonabilidad de la diferencia normativa de trato, las prohibiciones de discriminación contenidas en el art. 14 CE implican un juicio de irrazonabilidad de la diferenciación establecida ex constitutione, que imponen como fin y generalmente como medio la parificación, de manera que sólo pueden ser utilizadas excepcionalmente por el legislador como criterio de diferenciación jurídica, lo que implica la necesidad de usar en el juicio de legitimidad constitucional un canon mucho más estricto, así como un mayor rigor respecto a las exigencias materiales de proporcionalidad (SSTC 126/1997, de 3 de julio, FJ 8, con cita de las SSTC 229/1992, de 14 de diciembre, FJ 4; 75/1983, de 3 de agosto, FFJJ 6 y 7; 209/1988, de 10 de noviembre, FJ 6). También resulta que en tales supuestos la carga de demostrar el carácter justificado de la diferenciación recae sobre quien asume la defensa de la misma y se torna aún más rigurosa que en aquellos casos que quedan genéricamente dentro de la cláusula general de igualdad del art. 14 CE, al venir dado el factor diferencial por uno de los típicos que el art. 14 CE concreta para vetar que en ellos pueda basarse la diferenciación, como ocurre con el sexo, la raza, la religión, el nacimiento y las opiniones (STC 81/1982, de 21 de diciembre, FJ 2).»

Tipos de discriminación: discriminaciones abiertas y encubiertas —STC 13/2001, de 29 de enero—

La Sentencia resuelve el recurso de amparo presentado por Sra. W.L., su esposo y el hijo de ambos contra la Resolución del Ministerio del Interior de 7 de febrero de 1994, y contra la Sentencia de la Sala de lo Contencioso-Administrativo de la Audiencia Nacional que desestimó el recurso contra la primera, por denegar la solicitud de responsabilidad patrimonial de la Administración General del Estado por los daños morales sufridos como consecuencia de una actuación policial que consideran discriminatoria por motivos raciales. El 6 de diciembre de 1992, cuando los recurrentes descendieron de un tren en la estación ferroviaria de Valladolid, la policía solicitó la documentación exclusivamente a la Sra. W.L., por ser negra. Ante las protestas de su esposo, se les trasladó a las dependencias policiales de la misma estación, donde tras comprobar que la Sra. W.L. era española, la policía le pidió disculpas y dejó marchar a los recurrentes.

FJ 8. En el estudio de las discriminaciones fundadas en razones expresamente prohibidas en el art. 14 CE, que han sido objeto de nuestra atención especialmente en el ámbito de las relaciones laborales (STC 198/1996, de 3 de diciembre, y las en ella citadas, sobre discriminación por razón de sexo), hemos de partir de que la prohibición de discriminación consagrada en el art. 14 CE comprende no sólo la discriminación patente, es decir, el tratamiento jurídico manifiesta e injustificadamente diferenciado y desfavorable de unas personas respecto a otras, sino también la encubierta, esto es, aquel tratamiento formal o aparentemente neutro o no discriminatorio del que se deriva, por las diversas circunstancias de hecho concurrentes en el caso, un impacto adverso sobre la persona objeto de la práctica o conducta constitucionalmente censurable en cuanto la medida que produce el efecto adverso carece de justificación (no se funda en una exigencia objetiva e indispensable para la consecución de un objetivo legítimo) o no resulta idónea para el logro de tal objetivo.

Tipos de discriminación: discriminaciones directas e indirectas —STC 145/1991, de 1 de julio[6]—

La Sentencia resuelve los recursos de amparo interpuestos por las trabajadoras del Hospital Provincial de Madrid contra el Convenio Colectivo aplicable que implanta, en relación con ciertos grupos de trabajadores, un sistema salarial peyorativo para el personal femenino respecto del masculino por la realización de las mismas tareas, sistema propiciado por la diversificación de las categorías profesionales en que, con criterios aparentemente objetivos, se encuentran las demandantes y sus compañeros varones, tomados como término de comparación.

FJ 2 En relación con el tratamiento diferenciado de una persona en razón de su sexo, conviene recordar que, como este Tribunal ha declarado, «la virtualidad del art. 14 CE no se agota en la cláusula general de igualdad que inicia su contenido, sino que también persigue la interdicción de determinadas diferencias, históricamente muy arraigadas, que, tanto por la acción de los poderes públicos como por la práctica social, han situado a amplios sectores de la población en posiciones no sólo desventajosas, sino abiertamente contrarias a la dignidad de la persona que reconoce el art. 10 CE» (STC 19/1989, fundamento jurídico 4.º). Esta afirmación que, en determinados supuestos, ha conducido a considerar ajustadas al art. 14 CE determinadas medidas normativas ventajosas para colectivos tradicionalmente discriminados (SSTC 128/1987 y 19/1989), despliega también importantes efectos cuando de lo que se trata es de enjuiciar si una diferencia peyorativa para estos colectivos es o no conforme al mandato del art. 14 CE

La prohibición constitucional de discriminación por características personales y en particular por el sexo, como signo de pertenencia de la mujer a un grupo social determinado objeto históricamente de infravaloración social, económica y jurídica, se conecta también con la noción sustancial de igualdad. Ello permite ampliar y enriquecer la propia noción de discriminación, para incluir no sólo la noción de discriminación directa, o sea, un tratamiento diferenciado perjudicial en razón del sexo donde el sexo sea objeto de consideración directa, sino también la noción de discriminación indirecta, que incluye los tratamientos formalmente no discriminatorios de los que derivan, por las diferencias fácticas que tienen lugar entre trabajadores de diverso sexo, consecuencias desiguales perjudiciales por el impacto diferenciado y desfavorable que tratamientos formalmente iguales o tratamientos razonablemente desiguales tienen sobre los trabajadores de uno y de otro sexo a causa de la diferencia de sexo.

Ello implica que cuando ante un órgano judicial se invoque una diferencia de trato basada en las circunstancias que el citado precepto considera discriminatorias —en este caso, el sexo— y tal invocación se realice precisamente por una persona perteneciente al colectivo tradicionalmente castigado por esa discriminación —en este caso, las mujeres—,

---

[6]   *Vid.* también la STC 147/1995, de 16 de octubre.

el órgano judicial no puede limitarse a valorar si la diferencia de trato tiene, en abstracto, una justificación objetiva y razonable, sino que debe entrar a analizar, en concreto, si lo que aparece como una diferenciación formalmente razonable no encubre o permite encubrir una discriminación contraria al art. 14 CE

FJ 5. El órgano judicial ha considerado objetivamente justificada la diferencia de tratamiento económico entre Peones y Limpiadoras «en atención a la mayor penosidad y esfuerzo físico que caracteriza a la categoría de Peón». Sin embargo, la utilización exclusiva e irrazonable de este criterio objetivo ha producido consecuencias desiguales y perjudiciales para la mujer. Se ha partido de una premisa no demostrada, la mayor penosidad y esfuerzo físico, dando más valor así injustificadamente a una cualidad predominantemente masculina, desconociéndose otras características del trabajo (atención, cuidado, asiduidad, responsabilidad, etc.) más neutras en cuanto a su impacto en cada uno de los sexos.
El órgano judicial para excluir la existencia de discriminación por razón de sexo no debió limitarse a constatar que las reglas en materia de clasificación profesional establecían funciones distintas (sin tener en cuenta además que los varones que realizaban tareas de limpieza habían sido calificados como Peones), y debió entrar a analizar si las mismas podían encubrir una discriminación indirecta por razón de sexo (art. 1.2 Directiva CEE 75/117). El art. 14 CE le imponía valorar si las diferentes funciones previstas en las normas sectoriales para las categorías de Peones y Limpiadoras efectivamente implicaban o no desarrollar un trabajo de distinto valor, empleando para cuantificar tal valor criterios que no puedan considerarse a su vez discriminatorios. Era preciso comprobar si la diversificación, incluso formalmente correcta, enmascaraba la infravaloración de «trabajos de valor igual», pero predominantemente desempeñados por mujeres, porque, si ese resultado se produce, se habrá completado el supuesto de hecho de una discriminación por razón de sexo —con independencia de la ocasional presencia de varones en las categorías «feminizadas», o viceversa— al resultar globalmente de este procedimiento de valoración un trato desfavorable del trabajo femenino al amparo de un esquema que no obedece a criterios técnicos racionales, desvinculados de toda consideración al sexo del trabajador. Así lo ha puesto de manifiesto el Tribunal de Justicia de las CC. EE. en su Sentencia de 1 de julio de 1988 (asunto Dummler-Dato Druck), y así cabe apreciarlo también, para interpretar adecuadamente, en todas sus implicaciones, la prohibición contenida en el art. 14 CE [...].
Una vez definida la categoría de Peón atendiendo sólo a la falta de conocimientos especializados y a la aportación de esfuerzo físico —que no resulta especialmente tipificado, y que bien puede ser equivalente de «trabajo manual»— la segregación de una determinada serie de trabajadores, tipificada por la mera definición de las tareas que les incumben, y que sustancialmente pueden ser asimiladas a la muy genérica descripción de la categoría de «Peón», en cuanto a sus rasgos caracterizadores, resulta discriminatoria, pues a esta sustancial similitud de los factores de evaluación del trabajo se añaden los datos que, en este contexto, resultan sumamente significativos: La feminización de la categoría segregada (que demuestra incluso el hecho de que sea denominada en femenino) y la asignación a esta última de un nivel retributivo inferior. Ello permite suponer, más allá de toda duda, que no se persigue otro objetivo o resultado que minusvalorar el trabajo prestado en un área de servicios con dominante ocupación femenina, sin que existan razones objetivas que permitan sostener el «desigual valor» respecto de otras categorías en las que la participación femenina es menos acusada. Podría objetarse, como lo hace el Letrado de la Comunidad demandada que la diferencia retributiva pretende ajustarse al mayor esfuerzo físico que corresponde desarrollar en su trabajo a los Peones, pero tampoco esta objeción es determinante. De hecho, cuando se emplean criterios tan genéricos para delimitar el ámbito de la categoría de Peón, y el esfuerzo físico, real o presunto, resulta ser el único factor concreto al que anudar la superior retribución, se demuestra cómo se aprecian exclusivamente «valores correspondientes a los rasgos medios de trabajadores de un solo sexo para determinar en qué medida un trabajo exige un esfuerzo u ocasiona una fatiga o es físicamente penoso» (Sentencia Tribunal de Justicia CE 1 de julio de 1988, cit.), y ello constituye también una violación de la prohibición de discriminación salarial por ruptura del principio de igualdad de retribución entre hombres y mujeres. No puede ser de otra forma, si se tiene en cuenta que el criterio dominante de valoración —expresamente admitido por la Comunidad demandada— se corresponde única y exclusivamente con un estándar del trabajo varón, que de este modo se transforma en patrón de medida de las modalidades de prestación de servicios más apreciados.

La discriminación por omisión: la obligación de los poderes públicos de corregir desigualdades jurídicas —STC 216/1991, de 14 de noviembre—

La Sentencia resuelve el recurso de amparo interpuesto por doña A.B.M.A. contra la Sentencia de la Sala Quinta del Tribunal Supremo de 7 de octubre de 1988, y contra el acto del Ministerio de Defensa que vino a confirmar. Ambos inadmitieron su solicitud de participación en las pruebas para el ingreso en la XLIII promoción de la Academia General del Aire, argumentando que «no es posible legalmente admitir su petición en tanto no se promulgue la Ley a que se refiere el art. 36 de la Ley Orgánica 6/1980, de 1 de julio, de Criterios Básicos de la Defensa Nacional», en el sentido de permitir a mujeres el acceso a las Fuerzas Armadas. La recurrente entendió vulnerado su derecho a no sufrir discriminación por razón de sexo.

FJ 4. Que la exclusión de las mujeres de las vías de acceso a la profesión militar resultaba discriminatorio e inconciliable con el derecho fundamental a la igualdad, no ofrecía duda a quien —en virtud del art. 97 de la CE— dirige la Administración militar y la defensa del Estado, esto es, al Gobierno, el cual, en el preámbulo del Real Decreto-ley 1/1988 empieza por englobar la acción integradora e incorporadora que con tal disposición afirma emprender dentro de las previsiones del «Plan para la igualdad de oportunidades de las mujeres» aprobado por Acuerdo del Consejo de Ministros de 25 de septiembre de 1987. Este Plan —prosigue diciendo el preámbulo mencionado— «contiene una serie de medidas orientadas a eliminar los obstáculos que se oponen a la plena efectividad del principio constitucional de igualdad». De conformidad con esas previsiones, «procede iniciar el programa de incorporación de la mujer a las Fuerzas Armadas, regulando sin demora su acceso a determinados Cuerpos y Escalas militares» (los que se enumeran luego en el articulado del Decreto-ley), en tanto que «la incorporación a los demás Cuerpos de los Ejércitos se hará de una forma progresiva a medida que se vayan efectuando adaptaciones de diversa índole que, al tiempo que aseguren la adecuada integración, permitan mantener el normal desarrollo de las funciones que las Fuerzas Armadas tienen encomendadas».

Por otra parte, ni el legislador parlamentario autor de la LODN ni el Gobierno mediante el Real Decreto 2078/1985 han efectuado exclusión discriminatoria alguna per se, limitándose a deferir, de modo amplio y omnicomprensivo la LODN, de forma precisa el Real Decreto, la integración e incorporación aludidas a la adopción de una ley específica, demora legislativa que se prolongó hasta después de las alegaciones de este proceso, según se ha hecho constar en los antecedentes, pero que dejó de ser tal demora con la promulgación de la Ley 17/1989, de 19 de julio, reguladora del Régimen del Personal Militar Profesional, cuyo art. 44 elimina toda discriminación por razón de sexo en los procesos de selección para el ingreso en los centros docentes militares. Una convocatoria de 1989, en efecto, permitió a la aquí recurrente ser admitida a las pruebas selectivas para el ingreso en la Enseñanza Superior Militar, pruebas que no superó.

FJ 5. Ahora bien, la cuestión, entonces, ya no radica en determinar si la desigualdad producida a la recurrente encuentra su justificación en una diferenciación razonable establecida por el legislador aplicada por la Administración Militar, sino, primero, si cabe calificar de razonable el mantenimiento temporal de una diferenciación discriminatoria en los términos vistos, y, segundo, en caso afirmativo, si ha de reputarse asimismo de razonable el lapso de tiempo transcurrido desde que el mantenimiento fue normativamente decidido hasta que a la actora se le expresó la negativa aquí enjuiciada.

Desde luego, el precepto constitucional que prohíbe toda discriminación por razón de sexo (art. 14) es de aplicación directa e inmediata desde la entrada en vigor de la Constitución. Su adecuada interpretación exige, sin embargo, la integración sistemática del mismo con otros preceptos de la Ley fundamental, pues así lo precisa la unidad de ésta. Al respecto, cabe observar que la igualdad que el art. 1.1 de la Constitución proclama como uno de los valores superiores de nuestro ordenamiento jurídico —inherente, junto con el valor justicia, a la forma de Estado Social que ese ordenamiento reviste, pero también a la de Estado de Derecho— no sólo se traduce en la de carácter formal contemplada en el art. 14 y que, en principio, parece implicar únicamente un deber de abstención en la generación de diferenciaciones arbitrarias, sino asimismo en la de índole sustancial recogida en el art. 9.2, que obliga a los poderes públicos a promover las condiciones para que la de los individuos y de los grupos sea real y efectiva.

La incidencia del mandato contenido en el art. 9.2 sobre el que, en cuanto se dirige a los poderes públicos, encierra el art. 14 supone una modulación de este último, en el sentido, por ejemplo, de que no podrá reputarse de discriminatoria y constitucionalmente prohibida —antes al contrario— la acción de favorecimiento, siquiera temporal, que aquellos poderes emprendan en beneficio de determinados colectivos, históricamente preteridos y marginados, a fin de que, mediante un trato especial más favorable, vean suavizada o compensada su situación de desigualdad sustancial. Así lo viene entendiendo este Tribunal constantemente (SSTC 128/1987, 166/1988, 19/1989 y 145/1991, que versan precisamente sobre pretendidas discriminaciones por razón de sexo y a cuya doctrina en este punto procede remitirse).

Pero, por otra parte, la modulación aludida, además de llevar a la calificación de no discriminatorias, en los términos del art. 14, a las acciones diferenciadoras semejantes, exige de los poderes públicos, enfrentados a una situación de desigualdad de origen histórico, la adopción de una actitud positiva y diligente tendente a su corrección; de tal modo que, si bien no cabe, por lo general, mesurar ex constitutione la falta de celo y presteza del legislador en la procura de aquella corrección cuando una desigualdad de hecho no se traduce en una desigualdad jurídica, la concurrencia de esta última por la pervivencia en el ordenamiento de una discriminación no rectificada en un lapso de tiempo razonable habrá de llevar a la calificación como inconstitucionales de los actos que la mantengan.

La carga de la argumentación en supuestos de discriminación —STC 98/2003, de 2 de junio—

La Sentencia resuelve el recurso de amparo promovido por doña A.I.G.H. contra Sentencia de la Sala de lo Conten-cioso-Administrativo del Tribunal Superior de Justicia de Madrid, desestimatoria de su recurso contra la Orden de la Consejería de la Presidencia de la Comunidad de Madrid, de 6 de octubre de 1995, que ordenó su cese como secre-taria unas semanas después de que notificara al Consejero su embarazo. La recurrente entiende vulnerado su derecho a no sufrir discriminación por razón de sexo.

FJ 2. Para resolver la cuestión de fondo planteada en la demanda es obligado partir de la doctrina constitucional que este Tribunal, en una consolidada jurisprudencia que arranca de la STC 38/1981, de 23 de noviembre, ha perfilado acerca de las reglas que ordenan la distribución de la carga de la prueba en supuestos como el que ahora nos ocupa. Con arreglo a esta doctrina, hemos advertido «que cuando se alegue que una determinada medida encubre en reali-dad una conducta lesiva de derechos fundamentales, incumbe al autor de la medida probar que su actuación obedece a motivos razonables y ajenos a todo propósito atentatorio de un derecho fundamental» (SSTC 136/1996, de 23 de julio, 87/1998, de 21 de abril, 29/2000, de 31 de enero, y 114/2002, de 20 de mayo, entre otras muchas).

Ahora bien, como también hemos declarado repetidamente, para que se produzca este desplazamiento del *onus pro-bandi* no basta simplemente, en lo que aquí importa, con que el actor tache la medida de discriminatoria, sino que, además, «ha de acreditar la existencia de indicios que generen una razonable sospecha, apariencia o presunción a favor de su alegato» (SSTC 136/1996, de 23 de julio, y 48/2002, de 25 de junio). Sólo, pues, cuando esto último su-cede, la parte demandada asume en su consecuencia «la carga de probar la existencia de causas suficientes, reales y serias para calificar de razonable su decisión» (STC 21/1992, de 14 de febrero), y destruir así la sospecha o presunción de lesión constitucional generada por los indicios (STC 74/1998, de 31 de marzo). Naturalmente, no se trata de situar al demandado ante la prueba diabólica de un hecho negativo —la no discriminación— (SSTC 266/1993, de 20 de septiembre, y 214/2000, de 29 de octubre), sino ante la carga de probar, «sin que le baste intentarlo» (STC 114/1989, de 22 de junio), «la razonabilidad y proporcionalidad de la medida adoptada y su carácter enteramente ajeno a todo propósito» contrario a la igualdad (SSTC 197/1990, de 29 de noviembre, y 17/1996, de 7 de febrero).

En esta misma jurisprudencia está dicho también que la mencionada carga probatoria opera igualmente en los su-puestos de decisiones discrecionales, o no causales, y que no precisan por tanto ser motivadas, pues «ello no excluye que, desde la perspectiva constitucional, sea igualmente ilícita una decisión discrecional contraria a los derechos fundamentales del trabajador» (SSTC 90/1997, de 6 de mayo, 190/2001, de 1 de octubre). Lo que, en el ámbito de las relaciones de los empleados públicos y la Administración y, más concretamente, en los casos de puestos de trabajo de libre designación que aquí importan, significa, según ha puesto de relieve reiteradamente este Tribunal, que «la correlativa libertad de cese [que está implícita en la de libre nombramiento] es una libre facultad que, en el plano de la constitucionalidad, también queda limitada por el respeto a los derechos fundamentales» (SSTC 17/1996, antes citada, y 202/1997, de 25 de noviembre).

FJ 3. [...] Con arreglo a este planteamiento, en el presente asunto la recurrente ha aportado indicios que razonable-mente apuntan a la existencia de un móvil discriminatorio contrario al art. 14 CE en la decisión administrativa que ordenó su cese.

En efecto, la recurrente ha probado que desde septiembre de 1993 ha desempeñado diversos puestos, siempre bajo la directa dependencia del Consejero de Presidencia. Primero como secretaria en el Grupo Parlamentario Popular en el Senado, del que el Sr. Pedroche Nieto era entonces su Secretario General; más tarde, desde febrero de 1995 hasta el siguiente mes de junio, como secretaria igualmente del citado Grupo Parlamentario Popular en la Asamblea de Madrid, y finalmente desde el 1 de julio de 1995 hasta la fecha de su cese como jefa de la secretaría del Consejero de Presidencia. También se desprende de las actuaciones que, en todo ese tiempo, la recurrente no fue objeto de ninguna amonestación ni recibió tampoco queja profesional alguna de parte de su superior jerárquico.

A mediados del mes de septiembre de 1995 la recurrente comunicó al Consejero de Presidencia su embarazo y el siguiente 6 de octubre es cesada en su puesto de trabajo por Orden del propio Consejero, que sólo alude, a modo de motivación, a lo dispuesto en «la Disposición Adicional 8ª de la Ley 1/1986, de 10 de abril, de la Función Pública de la Comunidad de Madrid».

El decurso de los acontecimientos y, de modo particular, esta correlación temporal entre el anuncio de su embarazo y la resolución administrativa que acordó su cese, sin que entretanto, como pone de manifiesto el Ministerio Fiscal, se produjera ningún acontecimiento que permitiera presagiar ese desenlace, apenas acordado dos meses después de su nombramiento y en pugna con la confianza personal alimentada a lo largo de varios años de servicio profesional, permite apreciar, al menos indiciariamente, la existencia de una relación de causa-efecto entre ambos hechos y, en consecuencia, estimar acreditada la apariencia o sospecha de que el controvertido cese se produjo con la lesión constitucional que denuncia la recurrente.

FJ 4. Con este presupuesto correspondía, por tanto, a la Administración probar que la decisión del cese de la recurrente obedeció a razones objetivas y ajenas por completo a cualquier ánimo discriminatorio.

La Administración autonómica ha alegado en este proceso, como ya antes lo hiciera en el proceso judicial al contestar la demanda contenciosa, que el cese se produjo por razón de la pérdida de confianza del Consejero de Presidencia en la recurrente, como consecuencia, a su vez, del incorrecto desempeño de su trabajo; lo que el representante de la Comunidad de Madrid cifra en «los continuos errores e incorrecciones en su trabajo, en las desconsideraciones tanto al personal de la Comunidad como fuera de ella, extralimitaciones en sus funciones, errores al concretar reuniones y citas con agentes sociales, políticos o administrativos, incumplimiento del horario en el último periodo etc…».

No hay duda que tales razones, de concurrir realmente, habilitarían la pérdida de confianza en la recurrente y que su cese resultaría entonces jurídicamente irreprochable. Sin embargo, semejante alegato no resulta verosímil y, en consecuencia, no es suficiente para eliminar la sospecha o presunción de lesión del derecho fundamental que denuncia la demandante. Por lo pronto, importa observar que en ningún momento antes la Administración, al ordenar el cese de la recurrente, alegó la existencia de los mencionados motivos profesionales. […] Un silencio que por las razones dichas realmente no es fácil de comprender y que, de hecho, no se compagina tampoco con la doctrina constitucional que, como antes hemos recordado, obligaba a la Administración a probar que el cese de la recurrente se produjo por causas ajenas a cualquier propósito o ánimo discriminatorio.

Pero es que materialmente, además, los reproches profesionales que el Letrado de la Comunidad de Madrid alega como justificación de la meritada pérdida confianza no son motivos reales, serios y suficientes para destruir la sospecha de discriminación generada por lo indicios aportados por la recurrente. Hay dos datos que son definitivos al respecto: el que semejantes imputaciones no se concilien fácilmente con los hechos probados. Y, concluyentemente, el que la Administración, ni el proceso judicial ni en este proceso, no sólo no ha probado ninguna de las tachas profesionales que imputa a la recurrente, es que no ha aportado el más mínimo elemento de prueba que así pudiera demostrarlo. […]

Pues bien, con tales antecedentes, con una relación de confianza alimentada durante varios años de servicio, cumplidos sin tacha alguna, sino antes muy al contrario, y habiendo sido nombrada la recurrente para desempeñar el puesto de jefa de secretaría del Consejero de Presidencia apenas dos meses antes, no es comprensible que la recurrente incurriera de pronto en las tachas profesionales, notables en número y de significada transcendencia, que le atribuye la Administración. Un comportamiento ciertamente anormal que no se concilia fácilmente, como decimos, con la trayectoria profesional de la recurrente al servicio del Consejero de Presidencia, y que siempre hasta ese momento había valorado muy positivamente, ni es factible incluso que quepa en un periodo tan breve. De hecho, tal «cúmulo» de irregularidades en el desempeño, en expresión del propio Letrado de la Comunidad de Madrid, alude a una hipótesis de ejercicio profesional tan sumamente deficiente que sólo mediante su demostración puede llegar a compartirse.

Y, sin embargo, como se ha advertido, nada ha probado la Administración, al no aportar a tal efecto testimonio o prueba de los errores e incumplimientos que alega. A falta, pues, de esta obligada demostración que, como se ha dicho, no consta en modo alguno, debemos concluir que la decisión de cese se produjo, no por motivos profesionales, sino exclusivamente como consecuencia de que la recurrente hubiera quedado embarazada. Lo que revela un comportamiento discriminatorio por razón de sexo contrario al art. 14 CE, que debe ser corregido por este Tribunal.

Obligación argumental de quien alega discriminación: presentación de indicios de discriminación y de prueba de la existencia de perjuicio —STC 233/2007, de 5 de noviembre—

La Sentencia resuelve el recurso de amparo interpuesto por doña E.A.P. contra la Sentencia dictada por la Sección Primera de la Sala de lo Social del Tribunal Superior de Justicia de Madrid el 11 de julio de 2005, confirmatoria de la Sentencia del Juzgado de lo Social núm. 9 de Madrid, de 28 de enero de 2005. Estas Sentencias no aprecian dis-

criminación en el hecho de que, tras su complicado embarazo, con varias bajas, consiguiente maternidad y sucesiva excedencia para el cuidado de su hijo prematuro, la empresa no le reservara su puesto de trabajo, contratando a un empleado varón para la realización del trabajo que ella desarrollaba (incumpliendo de ese modo lo que dispone el artículo 46.3 de la Ley del estatuto de los trabajadores), y privándole de ocupación efectiva, de sitio físico y de herramientas de trabajo, encomendándole, tras su reincorporación, un trabajo de inferior categoría profesional. Todo lo cual, entiende la recurrente, vulnera su derecho a no sufrir discriminación por razón de sexo.

FJ 9. Pues bien, partiendo de los hechos probados y aplicando la doctrina recogida en el fundamento jurídico séptimo, no podemos apreciar la existencia de la vulneración denunciada. [...]

[...] En efecto, ni se aprecia una motivación discriminatoria en la conducta empresarial, como se expondrá en aplicación del esquema propio de la doctrina constitucional sobre la prueba indiciaria en el proceso laboral; ni tampoco se advierte la causación de un perjuicio de carácter discriminatorio si ponemos en relación la regulación legal aplicable, los actos empresariales cuestionados y el trato recibido en sus derechos y expectativas laborales por la trabajadora recurrente en amparo, pues no se ha acreditado la producción en el caso de un perjuicio efectivo que quepa conectar, en última instancia, con el previo ejercicio del derecho a la excedencia para el cuidado de hijos.

a) Empezando por esta última aproximación (perjuicios derivados del incumplimiento legal que quepa subsumir en la prohibición de discriminación del art. 14 CE), conviene tener presente que el párrafo quinto del art. 46.3 LET, que resulta de aplicación al caso enjuiciado, establece lo siguiente: «El período en que el trabajador permanezca en situación de excedencia conforme a lo establecido en este artículo será computable a efectos de antigüedad y el trabajador tendrá derecho a la asistencia a cursos de formación profesional, a cuya participación deberá ser convocado por el empresario, especialmente con ocasión de su reincorporación. Durante el primer año tendrá derecho a la reserva de su puesto de trabajo. Transcurrido dicho plazo, la reserva quedará referida a un puesto de trabajo del mismo grupo profesional o categoría equivalente». [...]

Esto así, en su significación constitucional, la conexión directa que ese derecho de reserva tiene con el derecho fundamental a la no discriminación por razón de sexo (art. 14 CE) no da lugar al reconocimiento de un determinado cuerpo de derechos frente a otro alternativo resultante de una u otra interpretación del art. 46.3 LET, que no nos corresponde realizar. Por el contrario supone exclusivamente (aun cuando al mismo tiempo con toda su centralidad) la prohibición de que un incumplimiento del art. 46.3 LET cause discriminación por ocasionar, en los términos antes descritos, un perjuicio o minusvaloración de la trabajadora ejercitante del derecho de excedencia que lleva asociada la reserva. Dicho en otras palabras, el incumplimiento legal resultaría discriminatorio si llevase aparejado un trato peyorativo en las condiciones laborales o una limitación o quebranto de los derechos o expectativas económicas o profesionales de la trabajadora en los términos expuestos en el fundamento jurídico séptimo.

Desde ese enfoque, incluso si llegara a identificarse el derecho de reserva que corresponde al primer año de excedencia («reserva de su puesto de trabajo») con un derecho al puesto de trabajo que se ocupaba con anterioridad sin alteraciones funcionales de ningún tipo, el incumplimiento del correspondiente mandato legal (en la tesis interpretativa descrita) por incorporación a otro puesto de trabajo o al puesto anterior modificado revelaría la infracción de una norma legal, pero, en sí mismo considerado, no supondría inevitablemente una distinción discriminatoria, un trato peyorativo o una limitación de derechos o de legítimas expectativas de la mujer en su relación laboral contrarias al art. 14 CE. Porque, para que ello se produzca, según hemos dicho, deben estar acreditados perjuicios de ese carácter, y en el presente caso no han resultado probados.

En efecto, existe una discrepancia entre la empresa y la trabajadora sobre las funciones a desarrollar por ésta y sobre cuáles deberían ser, tras su reincorporación, las condiciones de prestación en el puesto de trabajo que ha debido serle reservado. Pero lo cierto es que, más allá de esa controversia y de la solución concreta que merezca en el plano de legalidad en el que ha de encuadrarse, tenemos que partir, a efectos del enjuiciamiento que nos es propio, de la constatación de que no resulta acreditado en el caso hecho probado alguno que ponga en cuestión que se hayan respetado la categoría profesional y los derechos económicos y profesionales de la trabajadora. Ésta realiza funciones que ya desempeñaba, que no se han declarado en ningún momento impropias de su categoría ni inferiores a las del área contable que en origen también desarrollaba. Tampoco existen datos para inferir que haya sufrido otro tipo de limitaciones en sus derechos o en sus condiciones de trabajo, señaladamente en las retributivas (cobra su salario por encima de lo previsto en el convenio y en mayor cuantía que otros compañeros), al igual que no existe constancia alguna de que no haya podido beneficiarse de cualquier mejora en las condiciones de trabajo a la que hubiera podido tener derecho durante su ausencia, o de que se le haya privado de derechos adquiridos o en curso de adquisición en la fecha de inicio de la excedencia. Por otra parte no se la ha sometido a una espera para la reincorporación, la cual se ha producido de manera automática, pudiendo presumirse que ha tenido lugar con los derechos consolidados antes y durante la excedencia, pues no se ha formulado ninguna alegación sobre incidencias negativas a ese respecto, en particular en el cómputo de la excedencia a los efectos de la antigüedad, al no ponerse en cuestión que ésta haya sido reconocida tanto a los fines de la promoción profesional como a efectos estrictamente económicos. Y, finalmente, tampoco hay prueba de otros perjuicios, como, por ejemplo, los relativos a posibles limitaciones de derechos de actualización profesional o formativos, por citar tan sólo aquellos que expresamente contempla el art. 46.3 LET.

La falta de ocupación efectiva de la recurrente, por su parte, tiene relación directa con la negativa de la misma a desempeñar las funciones encomendadas, según afirma el relato fáctico de las resoluciones judiciales, discrepancia que pone de manifiesto la existencia de un conflicto sobre la interpretación del art. 46.3 LET, pero que no resulta reveladora de que se haya producido en el caso una discriminación por razón de sexo, dada la falta de justificación del perjuicio laboral que hubiera ocasionado a la trabajadora el desempeño de las funciones encomendadas o, particularmente, de la aportación de un nexo causal que enlace el encargo funcional que la recurrente discute con el previo ejercicio del derecho de excedencia del art. 46.3 LET, puesto que, no se olvide, las tareas administrativas en el taller de chapa ya las realizaba la trabajadora antes de la excedencia.

No existe, en suma, acreditación ad casum de un perjuicio de carácter discriminatorio asociado al ejercicio del derecho de excedencia para el cuidado de hijos, ni tampoco, en particular, vinculado al denunciado incumplimiento del régimen legal de la reserva de puesto de trabajo (art. 46.3 LET).

b) Como se adelantaba anteriormente, tampoco se aprecia una motivación discriminatoria en el examen de la conducta empresarial (supuesto de discriminación igualmente enunciado en el fundamento jurídico séptimo de la presente resolución).

Para analizar la existencia de una vulneración del derecho a la no discriminación por razón de sexo desde esa perspectiva se hace preciso partir de la doctrina sentada por este Tribunal ya en la STC 38/1981, de 23 de noviembre, acerca de la importancia que tiene la regla de la distribución de la carga de la prueba en estos casos. Según nuestra reiterada doctrina, cuando se alegue que determinada decisión encubre en realidad una conducta lesiva de derechos fundamentales del afectado incumbe al autor de la medida probar que obedece a motivos razonables y ajenos a todo propósito atentatorio contra un derecho fundamental. Pero para que opere este desplazamiento al demandado del onus probandi no basta con que el actor tilde a la decisión impugnada de discriminatoria, sino que ha de acreditarse la existencia de indicios generadores de una razonable sospecha, apariencia o presunción que puedan servir de sustento de la indicada alegación, y sólo una vez presente esta prueba indiciaria el demandado asumirá la carga de probar que los hechos motivadores de la decisión son legítimos o que (aun cuando no justifique su licitud) se presentan razonablemente ajenos a todo móvil atentatorio de derechos fundamentales. No se impone, por tanto, al demandado la prueba diabólica de un hecho negativo (la no discriminación), sino la acreditación de la razonabilidad y proporcionalidad de la medida adoptada y la de que ésta resulta absolutamente ajena a todo propósito atentatorio de derechos fundamentales (por todas, SSTC 17/2003, de 30 de enero, FJ 4; 188/2004, de 2 de noviembre, FJ 4; 38/2005, de 28 de febrero, FJ 3; 3/2006, de 16 de enero, FJ 2, o 183/2007, de 10 de septiembre, FJ 4).

Pues bien, en cuanto a la existencia de indicios que provoquen el desplazamiento al demandado del onus probandi, es patente que la modificación parcial en las funciones de la trabajadora que se produjo al reincorporarse a la empresa tras el ejercicio de un derecho asociado a la maternidad, existiendo un derecho de reserva de puesto de trabajo previsto en la Ley del estatuto de los trabajadores, resulta por sí sola suficiente para ofrecer el principio de prueba que la doctrina constitucional exige.

Sin embargo las razones aducidas por la empresa, acreditadas según los hechos probados, deducidos tanto por la Sentencia del Juzgado de lo Social como por la Sentencia de la Sala de lo Social del Tribunal Superior de Justicia, revelan un incremento de necesidades en el taller de chapa durante la excedencia. Ese elemento pone en relación las decisiones empresariales con factores objetivos, de carácter organizativo y productivo, ajenos a una intención discriminatoria. En esa misma dirección apunta la continuidad en la empresa del Sr. Crespo Esteban pese a la reincorporación de la recurrente, al igual que ocurre con la decisión de fragmentar las funciones administrativas (taller de chapa y área contable) que anteriormente se unificaban en la trabajadora demandante de amparo, pues no resulta irrazonable o absolutamente ajeno a la lógica ordinaria inferir que el fundamento de todo ello es el aumento de volumen de trabajo al que se refieren en distintos momentos las Sentencias dictadas en el proceso judicial. [...]

También es relevante para alcanzar la conclusión apuntada la valoración global que realizan de los hechos probados los órganos judiciales, particularmente el juzgador a quo, que, aun no haciéndolo de manera demasiado explícita, resalta la favorable conducta de la empresa hacia la trabajadora en aspectos diversos (horario, salario, etc.) y destaca también los actos de la propia demandante tras la excedencia (como su intento de resolución consensual del contrato de trabajo cuando se produjo la discrepancia sobre las funciones, o el hecho de que la denuncia ante la Inspección de

Trabajo la realizara tras su intento infructuoso de llegar a aquel acuerdo extintivo —fundamento de Derecho tercero de la Sentencia del Juzgado de lo Social núm. 9 de Madrid, de 28 de enero de 2005).

Todo lo cual permite concluir que no hay soporte para apreciar la existencia de un ánimo discriminatorio en la conducta empresarial [...]

Obligación argumental de quien es acusada/o de discriminación: los despidos pluricausales —STC 41/2006, de 13 de febrero—

La Sentencia resuelve el recurso de amparo promovido por don P.C. contra la Sentencia de la Sala de lo Social del Tribunal Superior de Justicia de Cataluña, de 27 de junio de 2003, que estimó el recurso de suplicación contra la Sentencia del Juzgado de lo Social núm. 24 de Barcelona, de 12 de noviembre de 2002, que había declarado nulo, por discriminatorio, el despido del recurrente. Éste trabajaba desde el 15 de octubre de 2001 para Alitalia Líneas Aéreas Italianas, S.P.A., como analista de marketing con contrato indefinido. El 30 de julio de 2002 la empresa le notificó carta de despido disciplinario, alegando indisciplina y falta de responsabilidad en el desempeño de su trabajo, con dejación de funciones. El recurrente, por su parte, acredita indicios de acoso psicológico a su persona debido a su condición de homosexual. Mantiene por ello que la Sentencia recurrida vulneró su derecho a no sufrir discriminación.

FJ 4. [...] En atención a los matices que han ido presentando los diferentes casos enjuiciados por este Tribunal, hemos ido realizando precisiones y concreciones adicionales de esa doctrina. [...] En relación con la carga probatoria del trabajador, pueden subrayarse nuestras indicaciones sobre el tipo de conexión necesaria para apreciar la concurrencia del indicio, apuntadas en nuestro ATC 89/2000, de 21 de marzo, y después recogidas expresamente por la STC 17/2003, de 30 de enero. Decimos, en ese sentido, que tendrán aptitud probatoria tanto los hechos que sean claramente indicativos de la probabilidad de la lesión del derecho sustantivo, como aquéllos que, pese a no generar una conexión tan patente y resultar por tanto más fácilmente neutralizables, sean sin embargo de entidad suficiente para abrir razonablemente la hipótesis de la vulneración del derecho fundamental. Debe señalarse en relación con ello, con cita por ejemplo de la STC 30/2002, de 11 de febrero, que en la aportación de una prueba verosímil o principio de prueba de la vulneración denunciada resultará insuficiente la simple afirmación de la discriminación o lesión de un derecho fundamental, lo mismo que reflejar tal afirmación en unos hechos. Al contrario, en casos en los que la sospecha o apariencia de la violación del derecho fundamental se pretende hacer descansar en una inferencia derivada de la relación entre diversos hechos, será exigible una conexión lógica entre todos ellos que encuentre fundamento en algún nexo causal (o en otros términos, un relación directa entre las decisiones empresariales y el derecho fundamental, como ya dijimos en la STC 87/1998, de 21 de abril, FJ 4).

De igual modo, ahora en lo que atañe a la carga probatoria del empresario una vez aportado por el trabajador demandante un panorama indiciario, este Tribunal ha sentado también una serie de criterios. Enunciando sólo algunos de los más sobresalientes, recordaremos que el ejercicio de las facultades organizativas y disciplinarias del empleador no puede traducirse en la producción de resultados inconstitucionales, lesivos de los derechos fundamentales del trabajador, ni en la sanción del ejercicio legítimo de tales derechos por parte de aquél (por todas, STC 90/1997, de 6 de mayo), de manera que no neutraliza el panorama indiciario la genérica invocación de facultades legales o convencionales; que la obligación empresarial de neutralización de los indicios constituye una auténtica carga probatoria, que no puede entenderse cumplida por el mero intento de negar la vulneración de derechos fundamentales —lo que claramente dejaría inoperante la finalidad de la prueba indiciaria (STC 29/2002, de 11 de febrero, FJ 3, entre tantas otras)—, que debe llevar a la convicción del juzgador de que tales causas han sido las únicas que han motivado la decisión empresarial, de forma que ésta se hubiera producido verosímilmente en cualquier caso y al margen de todo propósito vulnerador de derechos fundamentales; que la ausencia de prueba trasciende el ámbito puramente procesal y determina, en último término, que los indicios aportados por el demandante desplieguen toda su operatividad para declarar la lesión del propio derecho fundamental del trabajador (así lo hemos establecido con reiteración desde la STC 90/1997, de 6 de mayo, FJ 5); que esa carga probatoria incumbe al empresario incluso en el supuesto de decisiones discrecionales, o no causales, y que no precisan por tanto ser motivadas, ya que esto no excluye que, desde la perspectiva constitucional, sea igualmente ilícita una decisión de esta naturaleza contraria a los derechos fundamentales del trabajador (por ejemplo, STC 171/2003, de 29 de septiembre, FJ 6); o, para concluir, que no basta una genérica explicación de la empresa, pues debe acreditar ad casum que existe alguna justificación laboral real y de entidad suficiente en su decisión, es decir, desde la específica y singular proyección sobre el caso concreto (recientemente, STC 79/2004, de 5 de mayo, FJ 3, y las allí citadas).

Pues bien, en estos terrenos de la carga probatoria de la empresa será necesario en esta ocasión, por lo que afecta a la resolución del presente caso, realizar nuevas precisiones, dado que la resolución judicial recurrida ignora la doctrina constitucional por motivos que conviene clarificar.

FJ 5. En efecto, centrados como estamos en el plano del poder disciplinario, será imprescindible hacer referencia a la idea de la pluricausalidad. Los despidos «pluricausales» son aquellos despidos disciplinarios en los que, frente a los indicios de lesión de un derecho fundamental, como puede ser el invocado en este recurso de amparo, el empresario alcanza a probar que el despido obedece realmente a la concurrencia de incumplimientos contractuales del traba-jador que justifican la adopción de la medida extintiva. El verdadero sentido de la doctrina sentada por este Tribunal Constitucional en Sentencias como la STC 7/1993, de 18 de enero, o más recientemente en la STC 48/2002, de 25 de febrero, sobre dichos despidos «pluricausales», consiste en que, como se dice en la primera de ellas, «cuando se ventila un despido 'pluricausal', en el que confluyen una causa, fondo o panorama discriminatorio y otros eventuales motivos concomitantes de justificación, es válido para excluir que el mismo pueda considerarse discriminatorio o contrario a los derechos fundamentales que el empresario acredite que la causa alegada tiene una justificación ob-jetiva y razonable que, con independencia de que merezca la calificación de procedente, permita excluir cualquier propósito discriminatorio o contrario al derecho fundamental invocado» (FJ 4).

Subsiste, por tanto, como decía la citada STC 48/2002, de 25 de febrero, la carga probatoria anteriormente señalada para el empresario, esto es, acreditar que la decisión extintiva, cuando no está plenamente justificado el despido, obedezca a motivos extraños a todo propósito atentatorio contra el derecho fundamental en cuestión. O en otras pa-labras, en aquellos casos en que la trascendencia disciplinaria es susceptible de distinta valoración, el empresario ha de probar tanto que su medida es razonable y objetiva, como que no encubre una conducta contraria a un derecho fundamental, debiendo alcanzar necesariamente dicho resultado probatorio, sin que baste el intentarlo. La decisión empresarial no será, así, contraria a derechos fundamentales cuando aun «sin completar los requisitos para aplicar la potestad sancionadora en su grado máximo, se presenta ajena a todo móvil discriminatorio o atentatorio de un derecho fundamental» (STC 7/1993, de 18 de enero, nuevamente).

Es decir, en estos supuestos disciplinarios podrá neutralizarse el panorama indiciario, en primer lugar, acreditando de manera plena la causa legal expresada en la carta de despido, siempre que ese resultado probatorio revele efec-tivamente la desvinculación entre el acto empresarial y el derecho fundamental invocado (pues, como se sabe, la declaración de procedencia del despido no permite descartar —en todo caso y sin excepción— que éste sea lesivo de derechos fundamentales: por todas, STC 14/2002, de 28 de enero, FJ 7). En segundo lugar, los indicios también podrán resultar contrarrestados, incluso si no llega a acreditarse el incumplimiento contractual aducido en la carta de despido, cuando el empresario demandado demuestre —que es lo trascendente desde la perspectiva constitucional— que los hechos motivadores de su decisión se presentan razonablemente ajenos a todo móvil atentatorio de derechos fundamentales. Esto es, dicho en otros términos, la acreditación plena del incumplimiento contractual habilitante del despido permite entender, en principio y como regla general, satisfecha la carga empresarial de neutralización de los indicios; pero también neutralizará el panorama indiciario aquella actividad probatoria de la empresa de la que que-pa concluir la desconexión patente entre el factor constitucionalmente protegido (aquí, la orientación homosexual) y el acto empresarial que se combate (el despido, en este caso), logre o no logre probar fehacientemente el empleador, además, la causa legal disciplinaria contenida en el escrito de comunicación del despido.

Carga de la argumentación y conocimiento de la situación origen de la discriminación —STC 92/2008, de 21 de julio—

La Sentencia resuelve el recurso de amparo promovido por doña M.J.P.L. contra la Sentencia de la Sala de lo Social del Tribunal Supremo de 29 de marzo de 2006 y contra la de la Sala de lo Social del Tribunal Superior de Justicia de Extremadura de 17 de enero de 2005, confirmatorias de la Sentencia del Juzgado de lo Social núm. 1 de Badajoz de 24 de marzo de 2004, que consideró improcedente y no nulo el despido del que fue objeto cuando se encontraba embarazada. Considera la demandante que el despido fue motivado por su estado de embarazo, que ya era percepti-ble cuando se produjo, y que las resoluciones judiciales no declararon su nulidad por la exigencia de un requisito (la acreditación del conocimiento por la empresa de su estado de embarazo) que no figura en la norma legal (artículo 55.5 b) LET). Esta dispone, transponiendo las Directivas 92/85/CEE y 96/34/CE, la nulidad del despido de las trabaja-doras embarazadas, salvo que se declare la procedencia del despido por motivos no relacionados con el embarazo. Todo ello, entiende, vulnera su derecho a no sufrir discriminación por razón de sexo, además de su derecho a la tutela judicial efectiva (artículo 24.1 CE).

FJ 4. Resultando inequívoco, conforme a nuestra doctrina, que un despido motivado por el embarazo de la trabajadora —o por la concurrencia de bajas laborales causadas por el embarazo (STC 17/2007, de 12 de febrero, FJ 6)—,
constituye una discriminación por razón de sexo, en el asunto ahora considerado, como en los analizados en nuestras
SSTC 41/2002, de 25 de febrero, y 17/2003, de 30 de enero, así como, desde una perspectiva diferente, en la STC
62/2007, de 27 de marzo, la cuestión relativa al conocimiento o no por la empresa de la situación de embarazo ha
centrado en buena medida el debate en la vía judicial. La importancia de dicha cuestión viene determinada por el
hecho de que, para entender vulnerado por la empresa el derecho de la trabajadora a la no discriminación por razón
de sexo, no basta con el hecho de que la trabajadora haya sido despedida hallándose embarazada. Como hemos
señalado en otras ocasiones, al hecho del embarazo y a la circunstancia concurrente del despido será preciso añadir
otros elementos que pongan indiciariamente en conexión lo uno (el factor protegido —embarazo) con lo otro (el resultado de perjuicio que concretaría la discriminación —extinción contractual), por cuanto que el estado de gestación
constituye únicamente, en principio, un presupuesto de la posibilidad misma de la lesión del art. 14 CE, pero no un
indicio de vulneración que por sí solo desplace al demandado la obligación de probar la regularidad constitucional
de su acto. En palabras de nuestras SSTC 41/2002, de 25 de febrero, FJ 4, y 17/2003, de 30 de enero, FJ 4, «para que se
produzca la inversión pretendida por la recurrente, no basta con que la trabajadora esté embarazada y demuestre tal
dato objetivo, sino que, a partir de tal constatación, es preciso alegar circunstancias concretas en las que fundamentar
la existencia de un presumible trato discriminatorio. En la medida en que no basta la mera alegación, sino la muestra
de un panorama indiciario, no puede apreciarse una valoración incorrecta de la carga de la prueba por parte de los
órganos judiciales por el hecho de que la empresa no haya probado la existencia de una causa real suficiente y seria
de extinción que acredite que el despido es ajeno a un motivo discriminatorio».
Según se deduce de las Sentencias anteriormente señaladas, este Tribunal ha considerado que el conocimiento por
parte de la empresa del estado de embarazo de la trabajadora constituye un requisito necesario para fundamentar
la existencia de un presumible trato discriminatorio en relación con el despido. Así, en la STC 41/2002, de 25 de
febrero, analizando un supuesto en el que constaba acreditado en hechos probados el desconocimiento por parte de
la empresa del estado de la trabajadora, señalamos que «si se afirma que la causa del despido es el embarazo habrá
de consignarse la existencia de tal embarazo y el conocimiento o desconocimiento de la empresa demandada, por lo
que, constando expresamente en los hechos probados que la empresa demandada no conocía el embarazo, resulta
difícil imputar tal vulneración a la decisión extintiva empresarial y entender que la empresa ha basado su decisión en
dicha circunstancia» (FJ 4). En el caso de la STC 17/2003, de 30 de enero, pese a que ni el conocimiento ni el desconocimiento del embarazo por el empresario figuraban expresamente acreditados en los hechos probados de las resoluciones recurridas, el Tribunal consideró que estaba fuera de controversia el conocimiento de dicho estado «en el
centro de trabajo» y, en todo caso, apreció que el silencio de los hechos probados sobre esa circunstancia no era por
sí solo suficiente para rechazar la existencia de un panorama indiciario de la lesión del derecho fundamental, ante la
concurrencia de otros datos que permitían deducir su probabilidad. Por su parte, en la STC 62/2007, de 27 de marzo,
apreciamos la existencia de una lesión —en ese caso del art. 15 CE— tomando en consideración el hecho de que, aun
no estando acreditado el conocimiento por la Administración autora de la pretendida lesión del hecho del embarazo
en el momento en que adoptó la decisión impugnada, sí constaba tal conocimiento en un momento inmediatamente
posterior, de manera que «la inactividad administrativa a partir del conocimiento de dicho dato, permaneciendo pasiva desde aquella fecha sin ocuparse de anular el acto previo o de dictar uno que lo sustituyera en cumplimiento de
la normativa aplicable, dio como resultado la lesión de los derechos fundamentales invocados» (FJ 4).
En definitiva, nuestra doctrina ha considerado necesario el conocimiento por parte de la empresa del estado de embarazo de la trabajadora para apreciar la existencia de un panorama indiciario de la lesión del derecho fundamental,
bien porque conste dicho conocimiento en los hechos probados de las resoluciones recurridas, bien porque, aun no
constando expresamente, existan otros datos que permitan deducir la probabilidad de la lesión. En efecto, difícilmente puede apreciarse la existencia de un tratamiento peyorativo basado en el embarazo de la trabajadora cuando no
haya quedado acreditado el conocimiento por la empresa de dicho embarazo o de cualquier otra situación o circunstancia que pudiera entenderse conectada con el mismo, ni existan otros datos de los que, pese a la falta de constancia
expresa del conocimiento, pueda deducirse la probabilidad de la lesión.
Pues bien, en el caso analizado ni consta tal conocimiento ni existen otros datos indiciarios de los que pudiera deducirse la probabilidad de la lesión. Atendiendo a los hechos probados de las resoluciones recurridas, cuya invaria-
bilidad nos impone el art. 44.1 b) LOTC, dado que la revisión del factum judicial está vedada a nuestra jurisdicción,
como hemos proclamado con reiteración desde las iniciales SSTC 2/1982, de 29 de enero, y 11/1982, de 29 de
marzo, los únicos datos acreditados son los relativos a la inexistencia de causa legal para el despido de la trabajadora
—admitida por la propia empresa al reconocer desde el primer momento su carácter improcedente— y el hecho de

que la trabajadora se encontraba embarazada en la fecha del despido, datos estos insuficientes para operar la inversión de la carga probatoria, conforme a nuestra doctrina.

La decisión de las resoluciones judiciales recurridas de no considerar acreditada la existencia de un despido «motivado» por el embarazo es, por tanto, conforme con nuestra doctrina, en los términos en que ha quedado expuesta, al no haber aportado la trabajadora al proceso —como le incumbía— indicios de la vulneración de su derecho fundamental.

III. DISCRIMINACIÓN POR RAZÓN DE SEXO Y ESTRATEGIAS PARA PONERLE FIN

El sexo como motivo sospechoso de discriminación —STC 229/1992, de 14 de diciembre[7]—

La Sentencia resuelve el recurso de amparo interpuesto por doña C.R.V. contra la Sentencia de la Sala de lo Social del Tribunal Superior de Justicia de Madrid, de 11 de julio de 1989, que desestimó su pretensión de ocupar una plaza de ayudante minera en la empresa nacional Hulleras del Norte, S.A. (HUNOSA), plaza que le había sido denegada, pese a haber superado las pruebas de admisión, con base en el Decreto de 26 de julio de 1957, cuyo artículo 1 prohíbe a las mujeres el trabajo en las minas por motivo de las «condiciones especiales del trabajo» y el peligro de accidentes. La recurrente denuncia vulneración de su derecho a la no discriminación por razón de sexo.

FJ 2. [...] No obstante el carácter bidireccional de la regla de parificación entre los sexos, no cabe desconocer que han sido las mujeres el grupo víctima de tratos discriminatorios, por lo que la interdicción de la discriminación implica también, en conexión además con el art. 9.2 CE, la posibilidad de medidas que traten de asegurar la igualdad efectiva de oportunidades y de trato entre hombres y mujeres. La consecución del objetivo igualatorio entre hombres y mujeres permite el establecimiento de un «derecho desigual igualatorio», es decir, la adopción de medidas reequilibradoras de situaciones sociales discriminatorias preexistentes para lograr una sustancial y efectiva equiparación entre las mujeres, socialmente desfavorecidas, y los hombres, para asegurar el goce efectivo del derecho a la igualdad por parte de la mujer (SSTC 128/1987 y 19/1989). Se justifican así constitucionalmente medidas en favor de la mujer que estén destinadas a remover obstáculos que de hecho impidan la realización de la igualdad de oportunidades entre hombres y mujeres en el trabajo, y en la medida en que esos obstáculos puedan ser removidos efectivamente a través de ventajas o medidas de apoyo hacia la mujer que aseguren esa igualdad real de oportunidades y no puedan operar de hecho en perjuicio de la mujer.

No cabe duda de que la prohibición de trabajar en el interior de las minas a la mujer, aunque responda históricamente a una finalidad protectora, no puede ser calificada como una medida de acción positiva o de apoyo o ventaja para conseguir una igualdad real de oportunidades, ya que no favorece a ésta sino que más bien la restringe al impedir a la mujer acceder a determinados empleos.

Alcance de la discriminación por razón de sexo —STC 233/2007, de 5 de noviembre (*vid. supra*)[8]—

FJ 6. A esos perfiles generales de la prohibición de discriminación se añaden otros específicos respecto de la que se produce por razón de sexo (por todas, SSTC 17/2003, de 30 de enero, y 3/2007, de 15 de enero). En lo que ahora interesa para la solución del caso procede recordar que tal tipo de discriminación comprende, sin duda, aquellos tratamientos peyorativos que se fundan, no sólo en la pura y simple constatación del sexo de la víctima, sino en la concurrencia de razones o circunstancias que tengan una conexión directa e inequívoca con el sexo, como sucede con el embarazo, elemento o factor diferencial que incide de forma exclusiva sobre las mujeres (STC 173/1994, de 7 de junio, FJ 2; 136/1996, de 23 de julio, FJ 5; 20/2001, de 29 de enero, FJ 4; 41/2002, de 25 de febrero, FJ 3; 17/2003, de 30 de enero, FJ 3; 175/2005, de 4 de julio, FJ 3; 342/2006, de 11 de diciembre, FJ 4, o, más recientemente, 17/2007, de 12 de febrero, FJ 3).

Esa protección constitucional asociada a factores diferenciales que inciden en las mujeres no se detiene en el embarazo. Igualmente, para ponderar las exigencias que el art. 14 CE despliega en orden a hacer efectiva la igualdad de la mujer en el mercado de trabajo, es preciso atender a circunstancias tales como «la peculiar incidencia que respecto

---

[7]   *Vid.* también el ATC 254/2001, de 20 de septiembre, como ejemplo de rechazo, por discriminatorios, de razonamientos paternalistas como justificación del tratamiento diferenciado, peyorativo, para las mujeres.

[8]   *Vid.* SSTC 66/2014, de 5 de mayo; 162/2016, de 3 de octubre; 2/2017, de 16 de enero.

de la situación laboral de aquélla tiene el hecho de la maternidad y la lactancia,[9] en cuanto se trata de compensar las desventajas reales que para la conservación de su empleo soporta la mujer a diferencia del hombre y que incluso se comprueba por datos revelados por la estadística (tal como el número de mujeres que se ven obligadas a dejar el trabajo por esta circunstancia a diferencia de los varones)» (SSTC 109/1993, de 25 de marzo, FJ 6; 203/2000, de 24 de julio, FJ 6; 324/2006, de 20 de noviembre, FJ 4, y 3/2007, de 15 de enero, FJ 2), y a que existe una innegable y mayor dificultad para la mujer con hijos de corta edad para incorporarse al trabajo o permanecer en él, dificultad que tiene orígenes muy diversos, pero que coloca a esta categoría social en una situación de hecho claramente desventajosa respecto a los hombres en la misma situación (SSTC 128/1987, de 16 de julio, FJ 10, o 214/2006, de 3 de julio, FJ 6, por añadir otros pronunciamientos a los ya citados).

De esa necesidad de compensación de las desventajas reales que para la conservación de su empleo soporta la mujer a diferencia del hombre se deduce la afectación del derecho a la no discriminación por razón de sexo cuando se produzcan decisiones empresariales contrarias al ejercicio de un derecho de maternidad en sentido estricto, así como también cuando se den otras que resulten contrarias al ejercicio por parte de la mujer de derechos asociados a su maternidad. En efecto, el Ordenamiento jurídico, además de los derechos que atribuye a las mujeres por su maternidad, reconoce otros que, si bien se conceden a ambos padres, inciden por razones sociales de modo singular en las mujeres, como demuestran los datos estadísticos (SSTC 240/1999, de 20 de diciembre, FJ 7; 203/2000, de 24 de julio, FJ 6, o 3/2007, de 15 de enero, FJ 5). Así, por ejemplo, en relación con el cuidado de los hijos es obvio que la situación de grave desventaja laboral que afecta a las mujeres no deriva de que ésta tenga, frente al hombre, superiores obligaciones de orden jurídico o moral respecto de los hijos. Sin embargo, por imposición de la realidad social, la desventaja es todavía hoy análoga a aquellos otros supuestos en los que concurre abiertamente un hecho biológico incontrovertible, como sucede con el embarazo o la maternidad, ya que, al ser mayoritariamente las mujeres las que en la práctica tienen dificultades para compatibilizar la vida laboral y familiar (STC 203/2000, de 24 de julio), si se les limitan los derechos de esa naturaleza que el Ordenamiento jurídico otorga (como el de excedencia, regulado en el art. 46.3 LET) o se les perjudica o relega laboralmente a consecuencia de su ejercicio, se reproducirá la diferenciación histórica que conlleva una situación de clara discriminación por razón de sexo en la relación laboral, pues esos obstáculos dificultarán el mantenimiento de las mujeres al mercado de trabajo en igualdad de condiciones con los hombres. Desde ese enfoque, para subrayar la conexión de constitucionalidad y la protección constitucional implicada, que enlaza con la prohibición de discriminación por razón de sexo (art. 14 CE), podemos hablar en estos casos de derechos asociados a la maternidad en tanto que ejercitados mayoritariamente por mujeres.

El embarazo como causa objetiva de discriminación —STC 92/2008, de 21 de julio (*vid. supra*)[10]—

FJ 5. La anterior constatación no agota, sin embargo, el análisis de la demanda de amparo, dado que en ésta, entremezclada con la queja anterior, se plantea por la demandante una segunda queja, claramente diferenciada y que requiere de un análisis específico. Según dicha queja las resoluciones judiciales recurridas habrían vulnerado su derecho a la tutela judicial efecto del art. 24.1 CE al no haber aplicado la norma que establece que el despido de una trabajadora embarazada será nulo, exigiendo la acreditación del conocimiento por el empresario de la situación de embarazo, requisito que no figura en el precepto legal, el cual, por tanto, habría sido aplicado de manera arbitraria por los órganos judiciales. Se plantea, en definitiva, una posible vulneración del derecho a la tutela judicial efectiva de la trabajadora por la interpretación efectuada por los órganos judiciales del art. 55.5 LET, en la redacción dada al mismo por la Ley 39/1999, de 5 de noviembre, de conciliación de la vida familiar y laboral de las personas trabajadoras.

---

[9]   El Tribunal Constitucional solía incluir la lactancia, junto al embarazo, entre las circunstancias directamente conectadas con la naturaleza femenina, lo que le llevó a considerar no discriminatoria la exclusión de los padres varones del permiso de lactancia (vid. SSTC 128/1987, de 16 de julio, FJ 5; 19/1989, de 31 de enero, FJ 4; 109/1993, de 25 de marzo, FJ 6; 317/1994, de 28 de noviembre, FJ 2; 17/2003, de 30 de enero, FJ 3; 214/2006, de 3 de julio, FJ 6; 324/2006, de 20 de noviembre, FJ 4). Recientemente, y siguiendo jurisprudencia del Tribunal de Justicia de la Unión Europea (STJE de 30 de septiembre de 2010 —caso *Roca Álvarez c. España*—), el Tribunal ha pasado a desvincular el permiso de lactancia de la lactancia natural, considerando en consecuencia discriminatorio el reconocimiento de dicho permiso sólo a las madres trabajadoras (STC 75/2011, de 19 de mayo, FJ 7). Por lo demás, el tratamiento peyorativo no tiene por qué traducirse en despido, pudiendo consistir en falta de promoción u otra limitación de «legítimas expectativas» profesionales (STC 182/2005, de 4 de julio, FJ 4).

[10]   *Vid.* también la STC 124/2009, de 18 de mayo.

Los arts. 7 y 8 de la Ley 39/1999 citada dieron nueva redacción a las disposiciones sobre nulidad del despido, contenidas en la Ley del estatuto de los trabajadores y en la Ley de procedimiento laboral, respectivamente. En lo que interesa a la presente demanda de amparo, referida a un supuesto de despido disciplinario, el art. 7.3 de la citada Ley modificó el art. 55.5 LET, redactándolo en los siguientes términos:

«5. Será nulo el despido que tenga por móvil algunas de las causas de discriminación prohibidas en la Constitución o en la Ley, o bien se produzca con violación de derechos fundamentales y libertades públicas del trabajador.

Será también nulo el despido en los siguientes supuestos:

a) El de los trabajadores durante el período de suspensión del contrato de trabajo por maternidad, riesgo durante el embarazo, adopción o acogimiento al que se refiere la letra d) del apartado 1 del artículo 45 de esta Ley, o el notificado en una fecha tal que el plazo de preaviso finalice dentro de dicho período.

b) El de las trabajadoras embarazadas, desde la fecha de inicio del embarazo hasta la del comienzo del período de suspensión a que se refiere la letra a), y el de los trabajadores que hayan solicitado uno de los permisos a los que se refieren los apartados 4 y 5 del artículo 37 de esta Ley, o están disfrutando de ellos, o hayan solicitado la excedencia prevista en el apartado 3 del artículo 46 de la misma.

Lo establecido en las letras anteriores será de aplicación, salvo que, en ambos casos, se declare la procedencia del despido por motivos no relacionados con el embarazo o con el ejercicio del derecho a los permisos y excedencia señalados»

La redacción anterior de dicho precepto, coincidente con la del primer párrafo de la redacción modificada expuesta, establecía exclusivamente lo siguiente:

«5. Será nulo el despido que tenga por móvil alguna de las causas de discriminación prohibidas en la Constitución o en la Ley, o bien se produzca con violación de derechos fundamentales y libertades públicas del trabajador».

[...] Dichas modificaciones se introdujeron por el legislador, como señala expresamente la exposición de motivos de la Ley, con objeto de completar la transposición a la legislación española de las directrices marcadas por diversas normas internacionales y comunitarias —citándose, expresamente, las Directivas del Consejo 92/85/CEE, de 19 de octubre de 1992, relativa a la aplicación de medidas para promover la mejora de la seguridad y de la salud en el trabajo de la trabajadora embarazada, que haya dado a luz o en período de lactancia, y 96/34/CE, del Consejo, de 3 de junio de 1996, relativa al Acuerdo marco sobre el permiso parental celebrado por la UNICE, el CEEP y la CES, y la Declaración de los Estados reunidos en la IV Conferencia mundial sobre las mujeres, celebrada en Pekín en septiembre de 1995—, superando los niveles mínimos de protección previstos en las mismas. La propia exposición de motivos enmarca dichas medidas en los derechos y principios contenidos en los arts. 14, 39.1 y 9.2 de la Constitución.

En función de la citada nueva redacción del precepto legal lo que se discute por la recurrente es la interpretación —que califica de arbitraria— del precepto legal en virtud de la cual para declarar la nulidad del despido de la trabajadora embarazada resulta necesaria la concurrencia de un ánimo empresarial discriminatorio y, por tanto, el conocimiento previo del estado de embarazo. A su juicio, los nuevos incisos añadidos al precepto legal por la Ley 39/1999 operan de manera automática, siempre que se encuentre la trabajadora (o el trabajador, en su caso) en una de las situaciones contempladas, sin necesidad de que concurra un ánimo discriminatorio, salvo que el despido se declare procedente.

La cuestión así planteada no ha sido analizada hasta la fecha por este Tribunal. En nuestras SSTC 41/2002, de 25 de febrero, y 17/2003, de 30 de enero, a las que anteriormente hacíamos referencia, se analizó por este Tribunal la exigencia o no de un previo conocimiento empresarial del estado de embarazo de la trabajadora para apreciar la existencia de un despido discriminatorio por razón de embarazo, en función de la aplicación del único supuesto de nulidad del despido disciplinario establecido en la redacción del art. 55.5 LET vigente en la fecha de los hechos, anterior a la ahora considerada. La nueva dualidad de causas de nulidad del despido introducida por la reforma fue, sin embargo, contemplada de forma indirecta en nuestra STC 342/2006, de 11 de diciembre, resolviendo una demanda de amparo en la que se reclamaba que se considerara nulo por discriminatorio por razón de embarazo en función del párrafo primero del art. 55.5 LET un despido que había sido declarado ya nulo por aplicación del nuevo párrafo segundo del precepto, siendo otorgado el amparo por el Tribunal tras entender acreditado el conocimiento por parte de la empresa de su estado de embarazo y por aplicación de nuestra doctrina general en materia de prueba indiciaria.

FJ 6. Antes de continuar con nuestro análisis resulta preciso establecer que el canon aplicable en este caso es el propio del art. 24.1 en relación con el art. 14 CE, canon que, de conformidad con nuestra reiterada doctrina, conlleva, en primer lugar, el derecho a obtener una resolución fundada en Derecho, favorable o adversa, que es garantía frente a la arbitrariedad e irrazonabilidad de los poderes públicos (SSTC 112/1996, de 24 de junio, FJ 2; 87/2000, de 27 de marzo, FJ 6). Ello implica, en primer lugar, que la resolución ha de estar motivada, es decir, contener los elementos y razones de juicio que permitan conocer cuáles han sido los criterios jurídicos que fundamentan la decisión (SSTC 58/1997, de 18 de marzo, FJ 2; 25/2000, de 31 de enero, FJ 2); y en segundo lugar, que la motivación debe contener una fundamentación en Derecho (STC 147/1999, de 4 de agosto, FJ 3), lo que conlleva la garantía de que la decisión no sea consecuencia de una aplicación arbitraria de la legalidad, no resulte manifiestamente irrazonada o irrazonable o incurra en un error patente, ya que, en tal caso, la aplicación de la legalidad sería tan solo mera apariencia (SSTC 147/1999, de 4 de agosto, FJ 3; 25/2000, de 31 de enero, FJ 2; 87/2000, de 27 de marzo, FJ 3; 82/2001, de 26 de marzo, FJ 2; 221/2001, de 31 de octubre, FJ 6; 55/2003, de 24 de marzo, FJ 6; y 262/2006, de 11 de septiembre, FJ 5). Se trata, no obstante, de un canon reforzado (SSTC 84/2001, de 26 de marzo, FJ 3; 215/2001, de 29 de octubre, FJ 2; 203/2002, de 28 de octubre, FJ 3; y 28/2005, de 14 de febrero, FJ 3) por tratarse de un supuesto en el que está en juego el derecho fundamental a la no discriminación por razón de sexo (art. 14 CE). En efecto, no puede desconocerse que la interpretación efectuada por los órganos judiciales en el presente procedimiento ha determinado la desesti-mación de la pretensión de la trabajadora de que se declarara la nulidad del despido del que fue objeto durante su embarazo, afectando con ello al alcance y contenido de las garantías establecidas por el legislador para la protección del derecho a la no discriminación por razón de sexo, del que indudablemente forman parte las garantías frente al despido de las trabajadoras embarazadas (entre otras muchas, SSTC 175/2005, de 4 de julio, FJ 3; 342/2006, de 11 de diciembre, FJ 3; y 171/2007, de 12 de febrero, FJ 3). Nos encontramos, por tanto, ante resoluciones judiciales especialmente cualificadas por razón del derecho fundamental a cuya efectividad sirve el precepto legal cuya inter-pretación se cuestiona, «sin que a este Tribunal, garante último de los derechos fundamentales a través del recurso de amparo, pueda resultarle indiferente aquella cualificación cuando se impugnan ante él este tipo de resoluciones, pues no sólo se encuentra en juego el derecho a la tutela judicial efectiva, sino que puede producirse un efecto derivado o reflejo sobre la reparación del derecho fundamental cuya invocación sostenía la pretensión ante el órgano judicial, con independencia de que la declaración de la lesión sea sólo una de las hipótesis posibles» (SSTC 84/2001, de 26 de marzo, FJ 3; 112/2004, de 12 de julio, FJ 4; 28/2005, de 14 de febrero, FJ 3; 196/2005, de 18 de julio, FJ 3). [...]

FJ 7. Analizadas con el anterior canon de enjuiciamiento las resoluciones judiciales recurridas lo primero que se advierte es la parquedad del razonamiento en virtud del cual han desestimado la pretensión de nulidad de la actora, a pesar de estar en juego la tutela del derecho fundamental a la no discriminación por razón de sexo. [...]

FJ 8. En el ejercicio de la función constitucional que le es propia, a este Tribunal corresponde interpretar la cons-titucionalidad de la ley en todo tipo de procesos de que conoce, juicio de constitucionalidad que, con autoridad suprema, le está reservado, al igual que la delimitación de su propia jurisdicción y la fijación de los límites entre la constitucionalidad y la legalidad. [...]

[...] [N]o puede oponerse el hecho de que la Directiva comunitaria prevea expresamente la necesidad de comunica-ción del estado de embarazo; antes al contrario, es manifiesto el apartamiento por el legislador nacional del texto de la Directiva en este aspecto concreto, cuya transposición omite íntegramente, advirtiéndose en la propia exposición de motivos que la transposición se efectúa «superando los niveles mínimos de protección» previstos en la Directiva. [...]

Se configura así por el legislador un mecanismo de garantía reforzada en la tutela de las trabajadoras embarazadas, reforzamiento que posee, además, una clara relevancia constitucional. En primer lugar desde la perspectiva prioritaria del derecho a la no discriminación por razón de sexo, que se ve reforzado al dispensar a la trabajadora de una prueba que en ocasiones puede ser enormemente complicada y cuya exigencia limitaría la eficacia del derecho fundamental, como lo ponen de manifiesto no sólo los diferentes recursos analizados por este Tribunal en los que, de una u otra forma, ha sido ésta la cuestión controvertida, sino la propia Sentencia de instancia dictada en este procedimiento, suficientemente expresiva de la dificultad probatoria al considerar finalmente no acreditado que la empresa tuviera conocimiento del embarazo de la trabajadora en la fecha del despido pese a afirmar que «es lógico suponer» que sí lo tuviera. Se exime con ello, además, de la necesidad de demostrar el conocimiento por un tercero de un hecho que pertenece a la esfera más íntima de la persona y que la trabajadora puede desear mantener, legítimamente, fuera del conocimiento de los demás y, en particular, de la empresa, por múltiples razones, incluida la del deseo de preservar un puesto de trabajo que puede entender amenazado como consecuencia del embarazo. Exonerar de esta prueba del conocimiento del embarazo y, con ella, de toda obligación de declaración previa, sustituyéndola por la prueba en caso de despido de un hecho físico objetivo como es el embarazo en sí, constituye, sin duda, una medida de fortalecimiento de las garantías frente al despido de la trabajadora embarazada, al tiempo que plenamente coherente con el reconocimiento de su derecho a la intimidad personal y familiar (art. 18.1 CE). Del mismo modo que, por definición, constituye también un reforzamiento de las restantes finalidades constitucionales a las que sirve la medida no directamente relacionadas con la tutela antidiscriminatoria, ya sean éstas las relacionadas con la protección de su salud y seguridad a las que alude la Directiva comunitaria, ya sean las referidas a la protección de la familia y de los hijos, amparando la libre determinación de la trabajadora en favor de su maternidad con una «garantía de indemnidad» reforzada.

FJ 9. La garantía frente al despido del derecho a la no discriminación por razón de sexo de las trabajadoras embarazadas no exige necesariamente un sistema de tutela objetiva como el previsto por el legislador en la Ley 39/1999. Serían posibles, desde esta perspectiva, otros sistemas de protección igualmente respetuosos con el art. 14 CE como, en particular, el que estaba en vigor en el momento de la reforma legal. Sin embargo, una vez que el legislador ha optado por un desarrollo concreto del art. 14 CE, que incrementa las garantías precedentes conectándolas con una tutela también reforzada de otros derechos y bienes constitucionalmente protegidos, no puede el órgano judicial efectuar una interpretación restrictiva y ajena a las reglas hermenéuticas en vigor que prive al precepto legal de aquellas garantías establecidas por el legislador y con las que la trabajadora podía razonablemente entenderse amparada en su determinación personal, pues con ello se estaría impidiendo la efectividad del derecho fundamental de acuerdo con su contenido previamente definido (STC 229/2002, de 9 de diciembre, FJ 4). Tal decisión no satisface las exigencias del canon de razonabilidad y motivación reforzadas y de efectividad del derecho fundamental que impone la afectación —particularmente intensa, en el presente caso— del derecho a la no discriminación por razón de sexo de la trabajadora y de los restantes derechos y bienes constitucionalmente relevantes implicados.

En virtud de lo señalado no cabe sino concluir que las Sentencias del Juzgado de lo Social núm. 1 de Badajoz de 24 de marzo de 2004 y de la Sala de lo Social del Tribunal Superior de Justicia de Extremadura de 17 de enero de 2005 han vulnerado el derecho a la tutela judicial efectiva de la demandante (art. 24.1 CE) en relación con su derecho a la no discriminación por razón de sexo (art. 14 CE). Para reponer a la demandante en la integridad de su derecho habremos de anular las citadas resoluciones judiciales y declarar la nulidad de su despido, sin que sea procedente extender esta anulación a la Sentencia de la Sala de lo Social del Tribunal Supremo de 29 de marzo de 2006, razonablemente motivada, independientemente de que se vea indirectamente afectada por nuestro fallo.

Obligaciones empresariales para con las mujeres embarazadas —STC 161/2004, de 4 de octubre—

La Sentencia resuelve el recurso de amparo promovido por doña C.A.P. contra el Auto de la Sala de lo Social del Tribunal Supremo de 24 de abril de 2001, que inadmite el recurso de casación para la unificación de doctrina interpuesto contra la Sentencia de la Sala de lo Social del Tribunal Superior de Justicia de Madrid de 3 de octubre de 2000, que resuelve el recurso de suplicación interpuesto contra la Sentencia del Juzgado de lo Social núm. 13 de Madrid de 27 de diciembre de 1999. La recurrente en amparo, que trabajaba para la empresa Pan Air Líneas Aéreas, S.A., con la categoría profesional de segundo piloto, fue calificada como «no apta circunstancial» por razón de embarazo al efectuársele el 12 de febrero de 1998 un reconocimiento en el Centro de Instrucción de Medicina Aeroespacial. Como consecuencia, la empresa le comunicó el 27 de marzo la suspensión de su contrato, sin derecho a contraprestación salarial, en tanto que se encontraba imposibilitada para desempeñar sus funciones como piloto y no se le podía ofrecer un puesto distinto por falta de vacantes. Alega la recurrente que las resoluciones impugnadas vulneran su derecho a no sufrir discriminación por razón de sexo.

FJ 6. [...] [L]a falta de aptitud de la demandante, de carácter temporal, era consecuencia del embarazo, sin que pueda considerarse por tanto aquélla en abstracto, ya que ha de ponerse en relación con su causa, es decir, el embarazo. A ello hay que añadir que la empleadora, como subraya el Fiscal, era «plenamente consciente de su obligación de efectuar la evaluación de riesgos» prevista en el art. 26 de la Ley 31/1995, de 8 de noviembre, de prevención de riesgos laborales, como evidencia la indicación que hace en su carta de suspensión del contrato relativa a la «imposibilidad de poderle ofrecer otro puesto distinto al de piloto por no existir tal vacante».

Así las cosas, puesto que la falta de aptitud para el vuelo de la demandante era consecuencia del embarazo, y consciente la empresa de su obligación de efectuar una evaluación de riesgos que podría conducir al desarrollo de tareas en tierra, dado que el título de la trabajadora lo permitía, ha de concluirse que la decisión de aquélla de suspender el contrato de trabajo carecía de una justificación razonable. A este respecto, ante todo, la empresa demandante se ha referido a la «nula predisposición» de la trabajadora a ocupar un puesto de trabajo en tierra, que no pidió, señalando la Sentencia de la Sala de lo Social aquí impugnada que «no se acredita en ningún momento que la actora solicitara un puesto de trabajo en tierra». Pero en este sentido ha de indicarse no sólo que la evaluación de riesgos, que hubiera podido conducir al desempeño de otras tareas, es obligación de la empresa, sino también que no resultaba fácil para la demandante la solicitud de otro trabajo, cuando expresamente se le había dicho que no existía vacante.

Y en cuanto a la inexistencia de tal vacante, la empresa, en las alegaciones que formula ante este Tribunal señala que se podrá cuestionar «si la afirmación contenida en la comunicación entregada a la trabajadora, según la cual no existían vacantes en otros puestos que pudieran ser desempeñados por la recurrente, resultaba ser cierta», pero ello afectaría exclusivamente a la legalidad, sin implicar una vulneración del derecho constitucional invocado por la recurrente.

No es así: estando en juego la parificación que reclama el art. 14 CE, la protección de la mujer, en este caso embarazada, se extiende a todo el desarrollo y vicisitudes de la relación laboral, condicionando las facultades de organización y disciplinarias del empresario, de suerte que la veracidad de los fundamentos de la decisión de la entidad empleadora es una exigencia constitucional.

Y como ya hemos visto, los hechos probados, que hemos de respetar —art. 44.1 b) LOTC— conducen a la conclusión de que hubiera podido existir la posibilidad de un puesto de trabajo en tierra, adecuado a la situación de la demandante y viable en su estado de embarazo, pese a la negación que de ello se hacía en la carta por la que se suspendía el contrato.

La decisión empresarial de suspender el contrato de trabajo, carente, así, de justificación razonable, resultó ser discriminatoria por razón del sexo para la recurrente, con vulneración del art. 14 CE, y al no haberse corregido por la Sentencia de la Sala de lo Social aquí impugnada, procedente ha de ser el pronunciamiento previsto en el art. 53 a) LOTC.

Conciliación de la vida familiar y laboral —SSTC 26/2011, de 14 de marzo; 111/2018, de 17 de octubre (*vid.* *infra*)—

Estrategias contra la discriminación por razón de sexo: la ilusión de la igualdad formal —STC 103/1983, de 22 de noviembre[11]—

La Sentencia resuelve la cuestión de inconstitucionalidad planteada por la Magistratura de Trabajo núm. 1 de Madrid en relación con el artículo 160.2 de la Ley General de la Seguridad Social. Según éste, la viuda de un trabajador tiene derecho a percibir una pensión de viudedad si concurren dos condiciones: que hubiese convivido habitualmente con el cónyuge causante o, en caso de separación conyugal, que la sentencia firme la reconociera como inocente; y que el cónyuge causante hubiese completado el período de cotizaciones reglamentariamente determinadas, salvo que la causa de la muerte sea un accidente de trabajo o no laboral. El derecho del viudo está sujeto a un condicionamiento adicional: que al tiempo de fallecer la esposa causante de la pensión se encontrara incapacitado para el trabajo y estuviera a cargo de ésta. Entiende el órgano recurrente que esta exigencia adicional contradice el mandato constitucional de igualdad ante la Ley (artículo 14 CE).

FJ 5. Como ha dicho con reiteración este Tribunal, el art. 14 de la Constitución, al consagrar el principio llamado de «igualdad ante la Ley», ha impuesto un límite a la potestad del legislador y ha otorgado un derecho subjetivo en los términos expresados en nuestra Sentencia 76/1983, de 5 de agosto (fundamento jurídico 2.A). Consiste el primero en

---

11   *Vid.* también las SSTC 104/1983, de 23 de noviembre; 42/1984, de 23 de marzo; 253/1988, de 20 de diciembre; 144/1989, de 18 de septiembre; 142/1990, de 20 de septiembre; 158/1990, de 18 de octubre; 5/1994, de 17 de enero. En sentido semejante, en materia de pensiones a favor de familiares (hijas/os y hermanas/os) del causante, *vid.* STC 3/1993, de 14 de enero. Por su parte, el Tribunal entendió discriminatorias por razón de sexo las diferencias en remuneración por horas extraordinarias, peyorativas para los varones, del personal ayudante sanitario en un centro hospitalario (SSTC 81/1982, de 21 de diciembre; 98/1983, de 15 de noviembre; *vid.* también la STC 38/1986, de 21 de marzo), y avaló la denegación judicial de jubilación anticipada voluntaria, reservada a las mujeres, porque el trato diferenciado había «perdido su razón de ser» (STC 16/1995, de 24 de enero, FJ 7). También ignorar las diferencias biológicas de las mujeres, al igual que los condicionamientos sociales, en aras de la igualdad formal puede dar lugar a resultados discriminatorios (STC 198/1996, de 28 de noviembre). Mención aparte merece la jurisprudencia constitucional sobre la inconstitucionalidad de las excedencias, forzosas o voluntarias, de las mujeres por razón de matrimonio, en concreto sobre el derecho de éstas a recuperar su trabajo tras la entrada en vigor de la Constitución. Aunque reconoce la inconstitucionalidad, por discriminatoria, de la negación de este derecho, el Tribunal entendió que la prescripción del plazo temporal para su solicitud (tres años salvo otra previsión específica) empezaba a contar desde la misma entrada en vigor de la Constitución, limitando enormemente, en la práctica, el acceso al mismo por parte de mujeres para quienes la entrada en vigor del derecho a la igualdad no necesariamente trajo consigo condiciones de vida de igualdad efectiva (SSTC 7/1983, de 14 de febrero; 8/1983, de 18 de febrero; 13/1983, de 23 de febrero; 86/1983, de 26 de octubre; 58/1984, de 9 de mayo; 241/1988, de 19 de diciembre; 59/1993, de 15 de febrero; 70/1993, de 1 de marzo).

que las normas legales no creen entre los ciudadanos situaciones desiguales o discriminatorias y consiste el segundo en el poder de poner en marcha los mecanismos jurídicos idóneos para restablecer la igualdad rota. También ha sido dicho que la igualdad ante la ley consiste en que cuando los supuestos de hecho sean iguales, las consecuencias jurídicas que se extraigan de tales supuestos de hecho han de ser asimismo iguales. Y que deben considerarse iguales los supuestos de hecho cuando la introducción en uno de ellos de un elemento o factor que permita diferenciarlo del otro, haya de considerarse falta de un fundamento racional y —sea por ende arbitraria— por no ser tal factor diferencial necesario para la protección de bienes y derechos, buscada por el legislador. De esta suerte, dos situaciones consideradas como supuestos de hecho normativos son iguales si el elemento diferenciador debe considerarse carente de la suficiente relevancia y fundamento racional. [...]

[...] No se necesita profundizar excesivamente en la materia para comprender que el único factor diferencial de cada una de las situaciones jurídicas que el art, 160 contempla en sus dos apartados es el sexo de la persona, viuda o viudo, lo que sitúa el precepto directamente en el marco del art. 14 de la Constitución.

FJ 6. Situados en este terreno, parece necesario hacer aplicación de la doctrina según la cual los defensores de la norma deben justificar la desigualdad que en ella se introduce. El Abogado del Estado ha tratado de salvar la norma señalando que el parámetro que debe tomarse en consideración para valorarla no es sólo la persona, sino también la necesidad, por lo que, a su juicio, cabe afirmar que si bien la ley confiere a la mujer casada lo que le niega al varón casado, de este dato no se infiere que se acuse un efecto de desigualdad en función del parámetro aplicable, pues el marido ostenta el derecho en atención a la necesidad y tal derecho no se ve oscurecido. Sin embargo, este razonamiento no resulta convincente. Es verdad que el art. 41 de la Constitución dice que «los poderes públicos mantendrán un régimen de Seguridad Social para todos los ciudadanos, que garantice la asistencia y prestaciones sociales suficientes ante situaciones de necesidad». Sin embargo, no puede ser discutido —como ya anteriormente hemos destacado que del hecho de que el art. 41 otorgue una garantía en las situaciones de necesidad, haya que deducir que sólo en las situaciones de necesidad la protección se otorga. El derecho del art. 41 es un mínimo constitucionalmente garantizado. El legislador puede, a impulso de motivaciones de orden de política jurídica o de política social, ampliar el ámbito de la protección. En nuestro Derecho, la idea de la «situación de necesidad» o «estado de necesidad», como determinante de la protección de la seguridad social, se produjo con anterioridad a la Ley que ahora estamos examinando, aun cuando subsista todavía parcialmente una actuación diferenciada del estado de necesidad en algunos casos. Concretamente, en el supuesto de las pensiones de viudedad de las viudas la situación o estado de necesidad no es tomada en cuenta, aunque sí lo es en la de los viudos por lo que el razonamiento nos devuelve a la igualdad rota y a su justificación y en este sentido no debe olvidarse, como acertadamente señala el Ministerio Fiscal, que la igualdad es un valor preeminente en nuestro ordenamiento jurídico, al que debe colocarse en un rango central, como demuestra el art. 1.1 de la Constitución. Lo cual quiere decir que si el derecho discutido se funda en la situación de necesidad, ésta debe existir para todos los eventuales titulares de este derecho y que si el derecho puede carecer de este fundamento debe ocurrir así para todos sus titulares.

En este punto viene finalmente el Abogado del Estado a coincidir cuando tras introducir lo que llama parámetro de la igualdad, concretado en el estado de necesidad, termina su alegato afirmando que es cuestionable que la norma confiere invariablemente el derecho de prestación a la mujer viuda, prescindiendo de toda situación de necesidad, y trata de salvar la dificultad diciendo que esta situación se sitúa realmente «en el marco más modesto de las puras técnicas legislativas», que se ven forzadas a una «simple labor de simplificación», en favor de la necesaria generalización de los preceptos partiendo de una presunción de necesidad. Mas si ello fuera así, ocurriría sin duda que la situación más beneficiosa de las viudas se concreta por lo menos en dos puntos capitales, que son: a) el automatismo en la producción de la consecuencia jurídica, sin necesidad de la intermediación de trámites o de comprobaciones, y b) la presunción de necesidad de la pensión, que es iuris et de iure.

Contemplada desde este ángulo la cuestión, tampoco se ofrece fácilmente la justificación que se busca, pues si el automatismo en la aplicación de las normas y la simplificación de los trámites, con su secuela de economía procesal, es un bien jurídicamente deseable, no es en cambio un interés al que deba sacrificarse un valor de rango constitucional superior; y la hipotética presunción iuris et de iure de necesidad de la mujer, que se quiera fundar en datos sociológicos y en la realidad histórica tampoco ofrece por sí sólo un fundamento suficiente y es además justamente lo contrario de la igualdad preconizada por el art. 14.

FJ 7. Falta de la necesaria fundamentación que la justifique, la desigualdad del régimen jurídico de los apartados 1 y 2 del art. 160 de la Ley General de la Seguridad Social se presenta nítidamente como contraria a los dictados de la

Constitución. Por ello, para restablecer la igualdad se hace preciso declarar inconstitucional el apartado segundo del art. 160, y el inciso del apartado 1 donde dice en femenino «la viuda», pues sólo de este modo se consigue que los viudos de las trabajadoras afiliadas a la seguridad social tengan el derecho a la pensión en las mismas condiciones que los titulares del sexo femenino. Todo ello, naturalmente, ha de entenderse sin perjuicio de la potestad de los órganos de producción jurídica del Estado para articular un sistema diferente, siempre que en el mismo se respeten los principios y dictados de la Constitución y en especial el principio de igualdad.

Voto particular que formula el Magistrado don Francisco Rubio Llorente

[...] La norma que la mayoría declara inconstitucional, reguladora de una prestación de la Seguridad Social, es anulada por considerarla discriminatoria para los viudos. Su solución y el consiguiente reconocimiento del derecho que asiste a los viudos para recibir una pensión de viudedad en los mismos términos que hoy reciben las viudas, implica, como es evidente, una nueva y no desdeñable carga económica para la Seguridad Social. La limitación de los recursos de que ésta dispone habrá de llevar, en consecuencia (y a esta consecuencia parece aludir el párrafo final de la Sentencia), o bien a una disminución general en la cuantía de las pensiones, de manera que con los mismos fondos existentes se paguen tanto las de las viudas como las de los viudos, o bien a una regulación más restrictiva del derecho que hoy se reconoce en términos muy generales a las viudas, que si se equipara con el que hoy tienen los viudos habrán de demostrar no sólo que estaban «a cargo de su esposo», sino también «incapacitadas para el trabajo». La eliminación de la supuesta discriminación de los unos redundará así, inevitablemente, en un empeoramiento de la situación de las otras.

Los grupos sociales a los que la norma da en este caso distinto tratamiento son, sin embargo, grupos cuya condición es realmente muy distinta, pues es un hecho notorio que en nuestra sociedad se diferencian muy nítidamente las funciones que en el seno de la familia corresponden a hombre y mujer. La división doméstica del trabajo arroja sobre ella la parte más importante, cuando no la totalidad, del trabajo del hogar y dificulta su incorporación al mundo de la producción, en el que generalmente desempeña tareas peor retribuidas que las que asumen los hombres, siendo iguales las circunstancias restantes. Esta desigualdad «real y efectiva» debe ser eliminada por el legislador por la vía y en el momento que juzgue más oportuno para dar cumplimiento al mandato del art. 9.2 de la C. E., pero es evidente que no se suprime por el simple procedimiento de ignorarla y se hace más dura mediante la anulación de normas cuya finalidad palmaria es la de compensarla.

Hay buenas razones para sostener que esta «compensación» legislativa ayuda a perpetuar la discriminación social y que, en consecuencia, debe ser suprimida para eliminarla. Pero esta supresión es una medida de política legislativa cuya oportunidad y forma sólo el legislador ha de determinar y cuya incidencia sobre las pautas sociales de comportamiento sólo tiene efectos, como es obvio, hacia el futuro, no hacia el pasado. En el pasado, y de ello se trata ahora, la mujer casada se veía socialmente compelida a vivir «a cargo» del marido (por irónica que la expresión pueda resultar), mientras era excepcional la situación contraria, y, por tanto, no parece discriminatorio que se la dispense de probar esta situación, en tanto que sí ha de probarla el varón, como no es absurdo, sino razonable, que se le exija a éste la prueba de no estar incapacitado para el trabajo y sería absolutamente irrazonable condicionar a la incapacidad para trabajar la percepción de la pensión de viudedad de una mujer que durante toda su vida ha dedicado su esfuerzo a unas tareas domésticas fatigosas y absorbentes que le han impedido adquirir, entre otras cosas, una formación profesional.

La diferencia social hasta ahora existente entre hombres y mujeres impide, en resumen, considerar irrazonable la diferencia que el art. 160 de la Ley de Seguridad Social establece entre viudos y viudas. El precepto no es por ello, a mi juicio, «contrario» a la Constitución y no ha resultado derogado por ésta.

Estrategias contra la discriminación por razón de sexo: la diferencias heredadas y los peligros del paternalismo —STC 68/1991, de 8 de abril[12]—

La Sentencia resuelve el recurso de amparo interpuesto por doña A.M.I.M. contra los Acuerdos de la Comisión Municipal Permanente del Ayuntamiento de Pamplona denegatorios de la pensión de orfandad solicitada por la actora, y contra la Sentencia de la Sala Cuarta del Tribunal Supremo de 21 de marzo de 1988, confirmatoria de los mismos. Denuncia la recurrente la aplicación discriminatoria del artículo 8.2 del «Nuevo Reglamento de la Sociedad de Socorros

---

12   *Vid.* también STC 315/1994, de 28 de noviembre.

Mutuos de Empleados Municipales de la Ciudad de Pamplona» (1943), en que se reconoce a hijas e hijos legítimas/ os o legitimadas/os del socio fallecido el derecho una pensión de orfandad. Éste cesará para los varones al cumplir los veinticinco años, o al contraer matrimonio u obtener destino en dependencia pública o particular o terminar alguna carrera, profesión u oficio, mientras que las hijas percibirán la pensión a cualquier edad, salvo que contraigan matri- monio o profesen en religión. El Ayuntamiento, que venía aplicando esta norma en sus términos literales, denegó su solicitud de pensión a la recurrente por no reunir los requisitos de falta de empleo o de incapacidad laboral, al estimar que la pensión tiene finalidad asistencial y que su concesión quebraría el principio de igualdad del artículo 14 CE en relación con los huérfanos varones.

FJ 4. [...] En su sentido originario, del principio de igualdad se ha derivado, en la tradición constitucional europea, un derecho de los ciudadanos a la igualdad ante la Ley, es decir, un derecho a que ésta sea aplicada a todos por igual, sin acepción de personas, o lo que es lo mismo, sin tener en cuenta otros criterios de diferenciación, entre las personas o entre las situaciones, que los contenidos en la misma Ley. Por eso, como tantas veces se ha repetido, el principio de igualdad se identificaba en la práctica con el de legalidad, puesto que cualquier aplicación inegalitaria de la Ley era una violación de la Ley misma. Sólo al término de una evolución secular y ya en nuestro siglo, se ha derivado del principio de igualdad también un derecho frente al legislador (o más generalmente, frente al autor de la norma) cuyas decisiones pueden así ser anuladas por la jurisdicción competente cuando establezcan distinciones basadas en criterios específicamente prohibidos (raza, sexo, etc.), o que no guarden una razonable conexión con la finalidad propia de la norma. Este nuevo significado del principio de igualdad no implica, sin embargo, la eliminación del anterior; no lo sustituye, sino que lo amplía, extendiendo el deber que de él dimana a todos los poderes del Estado y no sólo a los encargados de aplicar las normas. Por eso no cabe en modo alguno negar el derecho a la igualdad en la aplicación de la Ley so pretexto de asegurar, en favor de otros posibles sujetos, el derecho a la igualdad en la Ley es decir, el derecho frente al autor de la norma. Esto es sin embargo lo que han pretendido hacer las resoluciones administrativas, que por ello deben ser anuladas.

Es, desde luego, cuando menos probable, a la luz de la doctrina que ya hemos sentado «sobre la discriminación por razones de sexo en el derecho a la pensión» (SSTC 103/1983; 104/1983; 144/1989; 142/1990 y 158/1990) que el art. 8 del «Nuevo Reglamento» haya de considerarse, en su formulación actual, incompatible con las exigencias que deri- van de la Constitución. De esa doctrina no puede extraerse, sin embargo, otra consecuencia que la de que no puede denegarse con apoyo en la norma discriminatoria, un derecho que ésta concedería si no lo fuera. El razonamiento inverso, implícito en las resoluciones que analizamos no sólo es lógicamente insostenible (se afirma que la norma es discriminatoria porque excluye del disfrute del derecho a una clase que debería incluir puesto que está excluida sólo por razón de sexo, pero a continuación se niega el derecho de la recurrente, para equipararla así con la clase discriminada) y paradójico (se niega el derecho a la igualdad en la aplicación de la Ley, para asegurar precisamente el principio de igualdad) sino que llevaría, de ser generalizada rigurosamente, a negar el derecho a la pensión de todas las huérfanas (y viudas) a las que les fue concedida al amparo de una norma que las privilegiaba. No es dudoso que el legislador (o, más en general, el titular en cada caso del poder nomotético), al modificar el derecho vigente para acomodarlo a las exigencias del principio de igualdad, puede endurecer las condiciones hoy requeridas para acceder al goce de un derecho, de manera que, en cierto sentido, se empeore la situación de quienes hoy se ven beneficiados por la norma discriminatoria. Mientras ésta exista, sin embargo, el encargado de aplicarla no puede privar a nadie del derecho que ésta le otorga, aunque pueda eventualmente reconocerlo también a quienes, según el tenor literal de la misma, no lo tendrían, inaplicando las cláusulas, que de modo explícito o implícito, establecen la discriminación, pues ésta consiste sustancialmente, para el discriminado en la privación o limitación de un derecho, no en su otorga- miento. Por todo ello, la demanda de amparo debe ser estimada. [...]

Voto particular que formulan los Magistrados don Álvaro Rodríguez Bereijo y don Eugenio Díaz Emil

[...] No se discute en los razonamientos de nuestra Sentencia la finalidad de las resoluciones impugnadas: Evitar la discriminación que se produciría, en perjuicio del varón, en caso de concederse la pensión de orfandad a quien, siendo mujer soltera y con empleo, dispone de medios económicos suficientes para su subsistencia. Pero se afirma, como premisa fundamental en que descansa todo el razonamiento, que «no puede negarse el derecho a la igualdad en la aplicación de la Ley para asegurar, precisamente, el principio de igualdad».

Ciertamente esta paradoja de la igualdad (trato desigual ante la Ley para realizar la igualdad material real y efectiva) es la que se produce siempre en materia de cargas y deberes (tributarios o de prestaciones sociales, por ejemplo) en que entra en juego de modo preferente la justicia distributiva. En estos casos el principio constitucional de igualdad contiene un mandado de desigualdad o de diferenciación. Es precisa la desigualdad formal para lograr la igualdad real. Lo que nos conduce, inevitablemente, al criterio de la razonabilidad y de la proporcionalidad de la diferenciación. Por tanto, afirmada aquella premisa, sería preciso entonces, en nuestra opinión, plantearse la cuestión de si esa desigualdad ante al Ley introducida en la norma aplicada por las resoluciones administrativas y la Sentencia impugnadas está desprovista de una justificación objetiva y razonable en relación con la finalidad y efectos de la medida considerada y si se da, en el caso presente, la adecuada y razonable relación de proporcionalidad entre el cambio aplicativo de la norma operado y la finalidad con él perseguida. [...]

[...] Lo que viene a decir implícitamente la norma por virtud de la resolución interpretativa del Ayuntamiento es que el mismo criterio de la suficiencia de medios económicos o disponer de un trabajo remunerado que originariamente ha venido rigiendo como criterio de exclusión de la prestación social sólo para los hombres huérfanos, después de la Constitución y por aplicación directa de ella y de conformidad con la doctrina de este Tribunal Constitucional, ha de extenderse como limitación también a las mujeres huérfanas, dada la naturaleza y finalidad asistencial que cumple la citada prestación social de orfandad creada en el Reglamento de 1943. Y también debe ser así por aplicación de la doctrina del Tribunal Constitucional que ha afirmado que «la protección de la mujer no es por si sola razón suficiente para justificar la diferencia de trato con el hombre (STC 81/1982) sin que quepa admitir un trato favorable de la mujer frente al hombre cuando se basa «en una valoración proteccionista de la mujer que no tiene vigencia en la sociedad actual y que no está demostrado que tenga como consecuencia su promoción real y efectiva» (STC 38/1986). Y en esta línea el Tribunal Constitucional en numerosas Sentencias ha venido reconociendo la vulneración del principio de igualdad del art. 14 CE en supuestos de trato discriminatorio para el hombre frente a la mujer en materia de pensiones de viudedad (vid. SSTC 103/1983; 104/1983; 42/1984; 253/1988; 144/1989; 142/1990 y 158/1990).

El artículo 9.2 CE y la igualdad sustantiva como horizonte: la estrategia de la paridad —STC 12/2008, de 29 de enero (*vid.* también ARTÍCULOS 16, 22 y 23)[13]—

La Sentencia resuelve la cuestión de inconstitucionalidad promovida por el Juzgado de lo Contencioso-Administrativo núm. 1 de Santa Cruz de Tenerife, y el recurso de inconstitucionalidad, acumulado a la anterior, interpuesto por más de cincuenta Diputados del Grupo Parlamentario Popular del Congreso de los Diputados, en relación con el artículo 44 bis de la Ley Orgánica 5/1985, de 19 de junio, del régimen electoral general, introducido por la Disposición Adicional segunda de la Ley Orgánica 3/2007, de 22 de marzo, para la igualdad efectiva de mujeres y hombres, y que impone una cuota de presencia minima del 40% de personas de un mismo sexo en las listas electorales.

FJ 4. [...] En cuanto al art. 9.2 CE hemos tenido ocasión de afirmar que «la igualdad que el art. 1.1 de la Constitución proclama como uno de los valores superiores de nuestro ordenamiento jurídico —inherente, junto con el valor justicia, a la forma de Estado Social que ese ordenamiento reviste, pero también, a la de Estado de Derecho— no sólo se traduce en la de carácter formal contemplada en el art. 14 y que, en principio, parece implicar únicamente un deber de abstención en la generación de diferenciaciones arbitrarias, sino asimismo en la de índole sustancial recogida en el art. 9.2, que obliga a los poderes públicos a promover las condiciones para que la de los individuos y de los grupos sea real y efectiva» (STC 216/1991, de 14 de noviembre, FJ 5).

Dicho de otro modo, el art. 9.2 CE expresa la voluntad del constituyente de alcanzar no sólo la igualdad formal sino también la igualdad sustantiva, al ser consciente de que únicamente desde esa igualdad sustantiva es posible la realización efectiva del libre desarrollo de la personalidad; por ello el constituyente completa la vertiente negativa de proscripción de acciones discriminatorias con la positiva de favorecimiento de esa igualdad material.

La incorporación de esa perspectiva es propia de la caracterización del Estado como social y democrático de Derecho con la que se abre el articulado de nuestra Constitución y que trasciende a todo el orden jurídico (STC 23/1984, de 20 de febrero, FJ 4). Una caracterización a la que se debe reconocer pleno sentido y virtualidad en la interpretación del alcance de los diversos preceptos constitucionales, habida cuenta de que, como hemos afirmado, «la Constitución

---

[13]   *Vid.* también las SSTC 13/2009, de 19 de enero y 40/2011, de 31 de marzo, que resuelven sendos recursos de inconstitucionalidad, ambos interpuestos por diputados del Partido Popular, contra la Ley del Parlamento Vasco 4/2005, de 18 de febrero, para la igualdad de mujeres y hombres (en concreto contra sus artículos 7, párrafo segundo y 20.4 b), 5, 6 y 7, y las disposiciones finales segunda, apartado 2, cuarta y quinta), y contra el artículo 2 de la Ley del Parlamento de Andalucía 5/2005, de 8 de abril, por el que se modifica el artículo 23 de la Ley 1/1986, de 2 de enero, electoral de Andalucía, respectivamente, en la medida en que elevan la presencia mínima de mujeres legalmente requerida en sus respectivas elecciones autonómicas.

no es la suma y el agregado de una multiplicidad de mandatos inconexos, sino precisamente el orden jurídico fundamental de la comunidad política, regido y orientado a su vez por la proclamación de su art. 1, en su apartado 1, a partir de la cual debe resultar un sistema coherente en el que todos sus contenidos encuentren el espacio y la eficacia que el constituyente quiso otorgarles» (STC 206/1992, de 27 de noviembre, FJ 3).

De modo que la caracterización de nuestro modelo de Estado como social y democrático de Derecho, con los valores superiores de libertad, justicia, igualdad y pluralismo político que dotan de sentido a esta caracterización, representa el fundamento axiológico para la comprensión del entero orden constitucional.

Este precepto constitucional encomienda al legislador la tarea de actualizar y materializar la efectividad de la igualdad que se proyecta, entre otras realidades, en el ámbito de la representación, correspondiendo a este Tribunal Constitucional la función de examinar si las decisiones adoptadas al respecto son acordes con el marco constitucional aquí definido. Pues bien, en particular del art. 9.2 CE, y de la interpretación sistemática del conjunto de preceptos constitucionales que inciden en este ámbito, deriva la justificación constitucional de que los cauces e instrumentos establecidos por el legislador faciliten la participación de todos los ciudadanos, removiendo, cuando sea preciso, los obstáculos de todo orden, tanto normativos como estrictamente fácticos, que la impidan o dificulten y promoviendo las condiciones garantizadoras de la igualdad de los ciudadanos. En este punto cabe añadir que la igualdad sustantiva no sólo facilita la participación efectiva de todos en los asuntos públicos, sino que es un elemento definidor de la noción de ciudadanía.

FJ 5. Dicho lo anterior, al preguntarnos sobre la legitimidad constitucional de la condición impuesta a los partidos por el art. 44 bis LOREG, la respuesta, como razonaremos, ha de ser afirmativa, toda vez que los partidos políticos, como asociaciones cualificadas por sus funciones constitucionales (STC 48/2003, de 12 de marzo), son cauce válido para el logro de la sustantivación de la igualdad formal propugnada por el art. 9.2 CE, precepto éste que dota de legitimidad a las configuraciones legislativas del estatuto jurídico de los partidos, o de sus actividades con relevancia pública, orientadas a la realización efectiva de un principio tan fundamental del orden constitucional como es el de la igualdad (arts. 1.1 y 14 CE).

Como sintéticamente ya se dijo más arriba, y no importa repetir, la disposición adicional segunda impugnada incorpora el principio de composición equilibrada de mujeres y hombres como condicionante de la formación de las listas electorales. Principio que se concreta en la exigencia de que «en el conjunto de la lista los candidatos de cada uno de los sexos supongan como mínimo el cuarenta por ciento» (art. 44 bis.1), proporción que debe mantenerse igualmente en cada uno de los tramos de cinco puestos (art. 44 bis.2) en las listas de suplentes (art. 44 bis.3) y, con las modulaciones indicadas en el art. 44 bis.4 LOREG, en las candidaturas para el Senado que se agrupen en listas. Estas previsiones no suponen un tratamiento peyorativo de ninguno de los sexos, ya que, en puridad, ni siquiera plasman un tratamiento diferenciado en razón del sexo de los candidatos, habida cuenta de que las proporciones se establecen por igual para los candidatos de uno y otro sexo. No se trata, pues, de una medida basada en los criterios de mayoría/minoría (como sucedería si se tomase en cuenta como elementos de diferenciación, por ejemplo, la raza o la edad), sino atendiendo a un criterio (el sexo) que de manera universal divide a toda sociedad en dos grupos porcentualmente equilibrados.

Como se señala en la exposición de motivos de la Ley Orgánica en que se inserta esta disposición adicional: «El llamado en la Ley principio de presencia o composición equilibrada, con el que se trata de asegurar una representación suficientemente significativa de ambos sexos en órganos y cargos de responsabilidad, se lleva así también a la normativa reguladora del régimen electoral general, optando por una fórmula con la flexibilidad adecuada para conciliar las exigencias derivadas de los artículos 9.2 y 14 de la Constitución con las propias del derecho de sufragio pasivo incluido en el artículo 23 del mismo texto constitucional. Se asumen así los recientes textos internacionales en la materia y se avanza en el camino de garantizar una presencia equilibrada de mujeres y hombres en el ámbito de la representación política, con el objetivo fundamental de mejorar la calidad de esa representación y con ella el de nuestra propia democracia».

Así pues el art. 44 bis LOREG persigue la efectividad del art. 14 CE en el ámbito de la representación política, donde, si bien hombres y mujeres son formalmente iguales, es evidente que las segundas han estado siempre materialmente preteridas. Exigir de los partidos políticos que cumplan con su condición constitucional de instrumento para la participación política (art. 6 CE), mediante una integración de sus candidaturas que permita la participación equilibrada de ambos sexos, supone servirse de los partidos para hacer realidad la efectividad en el disfrute de los derechos exigida por el art. 9.2 CE. Y hacerlo, además, de una manera constitucionalmente lícita, pues con la composición de las Cámaras legislativas o de los Ayuntamientos se asegura la incorporación en los procedimientos normativos y de ejercicio del poder público de las mujeres (que suponen la mitad de la población) en un número significativo. Ello resulta coherente, en definitiva, con el principio democrático que reclama la mayor identidad posible entre gobernantes y gobernados.

Que los partidos políticos, dada «su doble condición de instrumentos de actualización del derecho subjetivo de asociación, por un lado y de cauces necesarios para el funcionamiento del sistema democrático, por otro» (STC 48/2003, de 12 de marzo, FJ 5), coadyuven por imperativo legal —esto es, por mandato del legislador constitucionalmente habilitado para la definición acabada de su estatuto jurídico— a la realización de un objetivo previsto inequívocamente en el art. 9.2 CE no es cuestión que pueda suscitar reparos de legitimidad constitucional, como ahora veremos. Y es que, es su condición de instrumento para la participación política y de medio de expresión del pluralismo como sujetos que concurren a la formación y manifestación de la voluntad popular (art. 6 CE) lo que cualifica su condición asociativa como partidos y los diferencia netamente de las demás asociaciones, de manera que es perfectamente legítimo que el legislador defina los términos del ejercicio de esas funciones y cometidos de modo que la voluntad popular a cuya formación y expresión concurren y la participación para la que son instrumento sean siempre el resultado del ejercicio de la libertad y de la igualdad «reales y efectivas» de los individuos, como expresamente demanda el art. 9.2 CE. [...]

FJ 8. Sostienen, también, los Diputados recurrentes que las excepciones a la aplicación general del nuevo art. 44 bis LOREG introducidas por los nuevos arts. 187.2 y 201.3 ponen de manifiesto la falta de un fundamento objetivo y razonable de las reformas legislativas controvertidas pues operan sobre los supuestos en los que resulta más manifiesta la tradicionalmente escasa participación de la mujer en la vida política. Recordemos que esas excepciones se refieren a los municipios con un número de residentes igual o inferior a 3.000 habitantes (5.000 hasta 2011, según la disposición transitoria séptima LOREG añadida por la Ley cuestionada) y a las islas con número de residentes igual o inferior a 5.000 habitantes, respectivamente.

Este reproche no tiene acogida posible dada la interpretación que hemos efectuado del precepto legal impugnado y de su finalidad y el fundamento que a su legitimidad constitucional ofrece el art. 9.2 CE que, es patente, no impone una regulación como la cuestionada, aunque sí le presta el apoyo señalado para la sustanciación de la igualdad y la participación efectivas de hombres y mujeres a que la norma se dirige y que la Constitución expresamente demanda. Siendo esto así, el art. 9.2 CE no obliga a que esa regulación se exija en todos los casos, correspondiendo a la libertad de configuración del legislador democrático el diseño del régimen electoral en los términos vigentes hasta la entrada en vigor de la reforma del art. 44 bis LOREG o en los del nuevo precepto legal, que, sin duda, contribuye a la realización del mandato que inequívocamente dirige el art. 9.2 CE a los poderes públicos, con las excepciones que los Diputados recurrentes cuestionan; excepciones que, por lo demás, persiguen facilitar o flexibilizar su aplicación, constituyendo instrumentos particularmente apropiados para satisfacer las exigencias de la proporcionalidad de la nueva regulación legal. En rigor, los arts. 187.2 y 201.3 LOREG excepcionan la exigibilidad del principio de presencia o composición equilibrada de las listas electorales en unas determinadas circunscripciones electorales caracterizadas por su reducida población, de modo que en ellas tan legítimas resultarán las candidaturas conformadas mayoritariamente por hombres como aquellas integradas principalmente por mujeres.

Al segundo párrafo del nuevo art. 44 bis 1 LOREG se reprocha que da cobertura al establecimiento de normas que eleven la cuota de representación de la mujer hasta acercarla al 50 por 100 en la composición de las listas de candidatos a las Asambleas Legislativas de las Comunidades Autónomas. En todo caso esta habilitación en sí misma, y así entendida encuentra cobertura constitucional en el art. 9.2 CE. Por otra parte, su aplicación concreta, como apunta el Abogado del Estado, puede realizarse a través de diferentes fórmulas respecto de las cuales no procede que nos pronunciemos ahora, pues, como hemos dicho con tanta reiteración que excusa cualquier cita de nuestra jurisprudencia al respecto, no corresponde a este Tribunal efectuar pronunciamientos preventivos sobre legislaciones hipotéticas o sobre legislaciones que, aunque ya existieran, no son objeto del presente proceso.

La igualdad sustantiva como horizonte: la estrategia del trato diferenciado —STC 59/2008, de 14 de mayo[14]—

La Sentencia resuelve la cuestión de inconstitucionalidad planteada por el Juzgado de lo Penal núm. 4 de Murcia, sobre el artículo 153.1 del Código penal, según redacción dada por el artículo 37 de la Ley Orgánica 1/2004, de 28 de diciembre, de medidas de protección integral contra la violencia de género, por entender que infringe los artículos 10, 14 y 24.2 CE, al endurecer el trato punitivo en relación con la misma conducta cuando el sujeto activo es varón y el pasivo mujer, si la relación entre ellos, presente o pretérita, fuera conyugal o análoga.

---

14   *Vid.* además, sobre este tema, las SSTC 76/2008, de 3 de julio; 80/2008 a 83/2008, todas de 17 de julio; 95/2008 a 97/2008, 99/2008 y 100/2008, todas de 24 de julio; 141/2008, de 30 de octubre; 45/2009, de 19 de febrero; 107/2009, de 4 de mayo; 127/2009, de 26 de mayo; 151/2009 a 154/2009, todas de 25 de junio; 164/2009 a 167/2009, todas de 2 de julio; 177/2009 a

FJ 6. Nuestro análisis relativo a la adecuación constitucional del art. 153.1 CP desde la perspectiva del art. 14 CE ha de comenzar recordando que la duda se refiere a la selección legislativa de una determinada conducta para su consideración como delictiva con una determinada pena, y que esta labor constituye una competencia exclusiva del legislador para la que «goza, dentro de los límites establecidos en la Constitución, de un amplio margen de libertad que deriva de su posición constitucional y, en última instancia, de su específica legitimidad democrática» (SSTC 55/1996, de 28 de marzo, FJ 6; 161/1997, de 2 de octubre, FJ 9; AATC 233/2004, de 7 de junio, FJ 3; 332/2005, de 13 de septiembre, FJ 4). Es al legislador al que compete «la configuración de los bienes penalmente protegidos, los comportamientos penalmente reprensibles, el tipo y la cuantía de las sanciones penales, y la proporción entre las conductas que pretende evitar y las penas con las que intenta conseguirlo» (SSTC 55/1996, FJ 6; 161/1997, FJ 9; 136/1999, de 20 de julio, FJ 23).

El hecho de que el diseño en exclusiva de la política criminal corresponda al legislador (STC 129/1996, de 9 de julio, FJ 4) y que la determinación de las conductas que han de penarse y la diferenciación entre ellas a los efectos de asignarles la pena adecuada para su prevención sea el «el fruto de un complejo juicio de oportunidad que no supone una mera ejecución o aplicación de la Constitución», demarca «los límites que en esta materia tiene la jurisdicción de este Tribunal … Lejos … de proceder a la evaluación de su conveniencia, de sus efectos, de su calidad o perfectibilidad, o de su relación con otras alternativas posibles, hemos de reparar únicamente, cuando así se nos demande, en su encuadramiento constitucional. De ahí que una hipotética solución desestimatoria ante una norma penal cuestionada no afirme nada más ni nada menos que su sujeción a la Constitución, sin implicar, por lo tanto, en absoluto, ningún otro tipo de valoración positiva en torno a la misma» (STC 161/1997, FJ 9). Así, nuestro análisis actual del art. 153.1 CP no puede serlo de su eficacia o de su bondad, ni alcanza a calibrar el grado de desvalor de su comportamiento típico o el de severidad de su sanción. Sólo nos compete enjuiciar si se han respetado los límites externos que el principio de igualdad impone desde la Constitución a la intervención legislativa.

FJ 7. A la luz de la doctrina antes reseñada en torno al doble contenido del art. 14 CE (principio general de igualdad y prohibición de discriminación) debemos precisar que el Auto de planteamiento invoca la jurisprudencia relativa a la igualdad como cláusula general contenida en el primer inciso del mismo. Como luego habrá ocasión de explicitar, es ésta la perspectiva adecuada de análisis el precepto, pues a la vista del tipo de conductas incriminadas en el art. 153.1 CP y de las razones de su tipificación por el legislador, sustentadas en su mayor desvalor en comparación con las conductas descritas en el art. 153.2 CP, no constituye el del sexo de los sujetos activo y pasivo un factor exclusivo o determinante de los tratamientos diferenciados, requisito, como se ha visto, de la interdicción de discriminación del art. 14 CE. La diferenciación normativa la sustenta el legislador en su voluntad de sancionar más unas agresiones que entiende que son más graves y más reprochables socialmente a partir del contexto relacional en el que se producen y a partir también de que tales conductas no son otra cosa, como a continuación se razonará, que el trasunto de una desigualdad en el ámbito de las relaciones de pareja de gravísimas consecuencias para quien de un modo constitucionalmente intolerable ostenta una posición subordinada.

El principio general de igualdad del art. 14 CE exige, según la doctrina jurisprudencial citada, que el tratamiento diferenciado de supuestos de hecho iguales tenga una justificación objetiva y razonable y no depare unas consecuencias desproporcionadas en las situaciones diferenciadas en atención a la finalidad perseguida por tal diferenciación. Descartada en este caso la falta de objetividad de la norma, pues indudable resulta su carácter general y abstracto, proceden ahora los análisis de razonabilidad de la diferenciación y de falta de desproporción de sus consecuencias (FJ 10), distinguiendo lógicamente en el primero entre la legitimidad del fin de la norma (FJ 8) y la adecuación a dicho fin de la diferenciación denunciada (FJ 9), tal como se apuntaba anteriormente con cita de la STC 222/1992, de 11 de diciembre.

FJ 8. La Ley Orgánica de medidas de protección integral contra la violencia de género tiene como finalidad principal prevenir las agresiones que en el ámbito de la pareja se producen como manifestación del dominio del hombre sobre la mujer en tal contexto; su pretensión así es la de proteger a la mujer en un ámbito en el que el legislador aprecia que sus bienes básicos (vida, integridad física y salud) y su libertad y dignidad mismas están insuficientemente protegidos. Su objetivo es también combatir el origen de un abominable tipo de violencia que se genera en un contexto de desigualdad y de hacerlo con distintas clases de medidas, entre ellas las penales.

180/2009, todas de 21 de julio; 201/2009 a 203/2009, todas de 27 de octubre; 213/2009, de 26 de noviembre; 41/2010, de 22 de julio; 45/2010, de 28 de julio; 52/2010, de 4 de octubre; 60/2010, de 7 de octubre; 77/2010, de 19 de octubre; 79/2010, de 26 de octubre; 81/2010 y 84/2010, ambas de 3 de noviembre.

La exposición de motivos y el artículo que sirve de pórtico a la Ley son claros al respecto. La Ley «tiene por objeto actuar contra la violencia que, como manifestación de la discriminación, la situación de desigualdad y las relaciones de poder de los hombres sobre las mujeres, se ejerce sobre éstas por parte de quienes sean o hayan sido sus cónyuges o de quienes estén o hayan estado ligados a ellas por relaciones similares de afectividad, aun sin convivencia» (art. 1.1 Ley Orgánica 1/2004). Este objeto se justifica, por una parte, en la «especial incidencia» que tienen, «en la realidad española … las agresiones sobre las mujeres» y en la peculiar gravedad de la violencia de género, «símbolo más brutal de la desigualdad existente en nuestra sociedad», dirigida «sobre las mujeres por el hecho mismo de serlo, por ser consideradas, por sus agresores, carentes de los derechos mínimos de libertad, respeto y capacidad de decisión», y que tiene uno de sus ámbitos básicos en las relaciones de pareja (exposición de motivos I). Por otra parte, en cuanto que este tipo de violencia «constituye uno de los ataques más flagrantes a derechos fundamentales como la libertad, la igualdad, la vida, la seguridad y la no discriminación proclamados en nuestra Constitución», los poderes públicos «no pueden ser ajenos» a ella (exposición de motivos II).

Tanto en lo que se refiere a la protección de la vida, la integridad física, la salud, la libertad y la seguridad de las mujeres, que el legislador entiende como insuficientemente protegidos en el ámbito de las relaciones de pareja, como en lo relativo a la lucha contra la desigualdad de la mujer en dicho ámbito, que es una lacra que se imbrica con dicha lesividad, es palmaria la legitimidad constitucional de la finalidad de la ley, y en concreto del precepto penal ahora cuestionado, y la suficiencia al respecto de las razones aportadas por el legislador, que no merecen mayor insistencia. La igualdad sustancial es «elemento definidor de la noción de ciudadanía» (STC 12/2008, de 29 de enero, FJ 5) y contra ella atenta de modo intolerable cierta forma de violencia del varón hacia la mujer que es o fue su pareja: no hay forma más grave de minusvaloración que la que se manifiesta con el uso de la violencia con la finalidad de coartar al otro su más esencial autonomía en su ámbito más personal y de negar su igual e inalienable dignidad.

FJ 9. La razonabilidad de la diferenciación normativa cuestionada —la que se produce entre los arts. 153.1 y 153.2 CP— no sólo requiere justificar la legitimidad de su finalidad, sino también su adecuación a la misma. No sólo hace falta que la norma persiga una mayor protección de la mujer en un determinado ámbito relacional por el mayor desvalor y la mayor gravedad de los actos de agresión que, considerados en el primero de los preceptos citados, la puedan menospreciar en su dignidad, sino que es igualmente necesario que la citada norma penal se revele como funcional a tal fin frente a una alternativa no diferenciadora. Será necesario que resulte adecuada una diferenciación típica que incluya, entre otros factores, una distinta delimitación de los sujetos activos y pasivos del tipo: que sea adecuado a la legítima finalidad perseguida que el tipo de pena más grave restrinja el círculo de sujetos activos —en la interpretación de la Magistrada cuestionante, que, como ya se ha advertido, no es la única posible— y el círculo de sujetos pasivos.

a) La justificación de la segunda de estas diferenciaciones (de sujeto pasivo o de protección) está vinculada a la de la primera (de sujeto activo o de sanción), pues, como a continuación se expondrá, el mayor desvalor de la conducta en el que se sustenta esta diferenciación parte, entre otros factores, no sólo de quién sea el sujeto activo, sino también de quién sea la víctima. Debe señalarse, no obstante, que esta última selección típica encuentra ya una primera razón justificativa en la mayor necesidad objetiva de protección de determinados bienes de las mujeres en relación con determinadas conductas delictivas. Tal necesidad la muestran las altísimas cifras en torno a la frecuencia de una grave criminalidad que tiene por víctima a la mujer y por agente a la persona que es o fue su pareja. Esta frecuencia constituye un primer aval de razonabilidad de la estrategia penal del legislador de tratar de compensar esta lesividad con la mayor prevención que pueda procurar una elevación de la pena.

La cuestión se torna más compleja en relación con la diferenciación relativa al sujeto activo, pues cabría pensar a priori que la restricción del círculo de sujetos activos en la protección de un bien, no sólo no resulta funcional para tal protección, sino que se revela incluso como contraproducente. Así, si la pretensión fuera sin más la de combatir el hecho de que la integridad física y psíquica de las mujeres resulte menoscabada en mucha mayor medida que la de los varones por agresiones penalmente tipificadas, o, de un modo más restringido, que lo fuera sólo en el ámbito de las relaciones de pareja, la reducción de los autores a los varones podría entenderse como no funcional para la finalidad de protección del bien jurídico señalado, pues mayor eficiencia cabría esperar de una norma que al expresar la autoría en términos neutros englobara y ampliara la autoría referida sólo a aquellos sujetos. Expresado en otros términos: si de lo que se trata es de proteger un determinado bien, podría considerarse que ninguna funcionalidad tiene restringir los ataques al mismo restringiendo los sujetos típicos.

Con independencia ahora de que la configuración de un sujeto activo común no deja de arrostrar el riesgo de una innecesaria expansión de la intervención punitiva —pues cabe pensar que la prevención de las conductas de los sujetos añadidos no necesitaba de una pena mayor—, con una especificación de los sujetos activos y pasivos como la del inciso cuestionado del art. 153.1 CP no se producirá la disfuncionalidad apuntada si cabe apreciar que estas agresiones tienen un mayor desvalor y que por ello ese mayor desvalor necesita ser contrarrestado con una mayor pena. Esto último, como se ha mencionado ya, es lo que subyace en la decisión normativa cuestionada en apreciación del legislador que no podemos calificar de irrazonable: que las agresiones del varón hacia la mujer que es o que fue su pareja afectiva tienen una gravedad mayor que cualesquiera otras en el mismo ámbito relacional porque corresponden a un arraigado tipo de violencia que es «manifestación de la discriminación, la situación de desigualdad y las relaciones de poder de los hombres sobre las mujeres». En la opción legislativa ahora cuestionada, esta inserción de la conducta agresiva le dota de una violencia peculiar y es, correlativamente, peculiarmente lesiva para la víctima. Y esta gravedad mayor exige una mayor sanción que redunde en una mayor protección de las potenciales víctimas. El legislador toma así en cuenta una innegable realidad para criminalizar un tipo de violencia que se ejerce por los hombres sobre las mujeres en el ámbito de las relaciones de pareja y que, con los criterios axiológicos actuales, resulta intolerable.

No resulta reprochable el entendimiento legislativo referente a que una agresión supone un daño mayor en la víctima cuando el agresor actúa conforme a una pauta cultural —la desigualdad en el ámbito de la pareja— generadora de gravísimos daños a sus víctimas y dota así consciente y objetivamente a su comportamiento de un efecto añadido a los propios del uso de la violencia en otro contexto. Por ello, cabe considerar que esta inserción supone una mayor lesividad para la víctima: de un lado, para su seguridad, con la disminución de las expectativas futuras de indemnidad, con el temor a ser de nuevo agredida; de otro, para su libertad, para la libre conformación de su voluntad, porque la consolidación de la discriminación agresiva del varón hacia la mujer en el ámbito de la pareja añade un efecto intimidatorio a la conducta, que restringe las posibilidades de actuación libre de la víctima; y además para su dignidad, en cuanto negadora de su igual condición de persona y en tanto que hace más perceptible ante la sociedad un menosprecio que la identifica con un grupo menospreciado. No resulta irrazonable entender, en suma, que en la agresión del varón hacia la mujer que es o fue su pareja se ve peculiarmente dañada la libertad de ésta; se ve intensificado su sometimiento a la voluntad del agresor y se ve peculiarmente dañada su dignidad, en cuanto persona agredida al amparo de una arraigada estructura desigualitaria que la considera como inferior, como ser con menores competencias, capacidades y derechos a los que cualquier persona merece.

b) Esta razonabilidad legislativa en la apreciación de este desvalor añadido no quiebra, como alega el Auto de cuestionamiento, porque tal desvalor no haya sido considerado en otros delitos más graves —maltrato habitual, delitos contra la libertad sexual, lesiones graves u homicidio. De un lado, porque la comparación no desmiente la razonabilidad en sí de aquel juicio axiológico; de otro, porque tampoco objeta el precepto cuestionado desde la perspectiva del principio genérico de igualdad, al tratarse de delitos de un significativo mayor desvalor y de una pena significativamente mayor. Lo que la argumentación más bien sugiere es o un déficit de protección en los preceptos comparados —lo que supone una especie de desproporción inversa sin, en principio, relevancia constitucional— o una desigualdad por indiferenciación en dichos preceptos merecedora de similar juicio de irrelevancia.

Lo mismo sucede respecto a la objeción de que la agravación se haya restringido a las relaciones conyugales o análogas —sin inclusión, por ejemplo, de las paternofiliales. Y más allá de que las relaciones comparadas —meramente sugeridas en el Auto de cuestionamiento— son relaciones carentes de las peculiaridades culturales, afectivas y vitales de las conyugales o análogas, debe subrayarse que cuando las mismas son entre convivientes cabe su encuadramiento en el art. 153.1 CP si se considera que se trata de agresiones a personas especialmente vulnerables.

c) Como el término «género» que titula la Ley y que se utiliza en su articulado pretende comunicar, no se trata una discriminación por razón de sexo. No es el sexo en sí de los sujetos activo y pasivo lo que el legislador toma en consideración con efectos agravatorios, sino —una vez más importa resaltarlo— el carácter especialmente lesivo de ciertos hechos a partir del ámbito relacional en el que se producen y del significado objetivo que adquieren como manifestación de una grave y arraigada desigualdad. La sanción no se impone por razón del sexo del sujeto activo ni de la víctima ni por razones vinculadas a su propia biología. Se trata de la sanción mayor de hechos más graves, que el legislador considera razonablemente que lo son por constituir una manifestación específicamente lesiva de violencia y de desigualdad.

FJ 10. La legitimación constitucional de la norma desde la perspectiva del principio general de igualdad (art. 14 CE) requiere, además de la razonabilidad de la diferenciación, afirmada en los dos fundamentos anteriores, que la misma no conduzca a consecuencias desproporcionadas que deparen que dicha razonable diferencia resulte inaceptable desde la perspectiva constitucional. Este análisis de ausencia de desproporción habrá de tomar en cuenta así tanto la razón de la diferencia como la cuantificación de la misma: habrá de constatar la diferencia de trato que resulta de la norma cuestionada y relacionarla con la finalidad que persigue. El baremo de esta relación de proporcionalidad ha de ser de «contenido mínimo», en atención de nuevo a la exclusiva potestad legislativa en la definición de los delitos y en la asignación de penas, y en convergencia con el baremo propio de la proporcionalidad de las penas (STC 161/1997, de 2 de octubre, FJ 12). Sólo concurrirá una desproporción constitucionalmente reprochable ex principio de igualdad entre las consecuencias de los supuestos diferenciados cuando quepa apreciar entre ellos un «desequilibrio patente y excesivo o irrazonable … a partir de las pautas axiológicas constitucionalmente indiscutibles y de su concreción en la propia actividad legislativa» (SSTC 55/1996, de 28 de marzo, FJ 9; 161/1997, FJ 12; 136/1999, de 20 de julio, FJ 23).

Tampoco con la perspectiva de esta tercera exigencia de la igualdad merece reproche constitucional la norma cuestionada. Es significativamente limitada la diferenciación a la que procede la norma frente a la trascendencia de la finalidad de protección que pretende desplegarse con el tipo penal de pena más grave (art. 153.1 CP) y frente a la constatación de que ello se hace a través de un instrumento preventivo idóneo, cual es la pena privativa de libertad. Tal protección es protección de la libertad y de la integridad física, psíquica y moral de las mujeres respecto a un tipo de agresiones, de las de sus parejas o ex parejas masculinas, que tradicionalmente han sido a la vez causa y consecuencia de su posición de subordinación.

Desde el punto de vista de los supuestos diferenciados debe recordarse que el precepto más grave sólo selecciona las agresiones hacia quien es o ha sido pareja del agresor cuando el mismo es un varón y la agredida una mujer (art. 153.1 CP), en la interpretación del Auto de cuestionamiento, y que equipara a las mismas las agresiones a personas especialmente vulnerables que convivan con el autor. Como ya se ha apuntado, podrán quedar reducidos estos casos de diferenciación si se entiende que, respecto a estos últimos sujetos pasivos, el sujeto activo puede ser tanto un varón como una mujer, pues en tal caso el art. 153.1 CP podrá abarcar también otros casos de agresiones en el seno de la pareja o entre quienes lo fueron: las agresiones a persona especialmente vulnerable que conviva con el agresor o la agresora.

Desde el punto de vista punitivo la diferencia entre el art. 153.1 CP y el 153.2 CP se reduce a la de tres meses de privación de libertad en el límite inferior de la pena (un marco penal de seis meses a un año frente al de tres meses a un año), debiendo subrayarse, con la Fiscalía, en primer lugar, que esta pena diferenciada en su límite mínimo es alternativa a la pena de trabajos en beneficio de la comunidad, igual en ambos tipos, y, en segundo lugar, que el art. 153.4 CP incorpora como opción de adaptación judicial de la pena a las peculiaridades del caso el que la pena del art. 153.1 CP pueda rebajarse en un grado «en atención a las circunstancias personales del autor y las concurrentes en la realización del hecho», si bien es cierto que esta misma previsión es aplicable también al art. 153.2 CP, lo que permite en este caso imponer una pena inferior a la mínima alcanzable a partir del art. 153.1 CP.

De la variedad de recursos que pone el legislador en manos del Juez penal merece la pena destacar, en suma, que, cuando la agresión entre cónyuges, ex cónyuges o relaciones análogas sea entre sujetos convivientes distintos a los del primer inciso del art. 153.1 CP —sujeto activo varón y sujeto pasivo mujer— y la víctima sea una persona especialmente vulnerable, dicha agresión será penada del mismo modo que la agresión del varón hacia quien es o fue su pareja femenina, que por las razones expuestas cabe entender como de mayor desvalor. Asimismo, el legislador permite calibrar «las circunstancias personales del autor y las concurrentes en la realización del hecho» con la imposición de la pena inferior en grado (art. 153.4 CP), que, si es privativa de libertad, coincide con la propia del art. 153.2 CP.

FJ 12. Aun considerando que el sujeto activo del inciso cuestionado del art. 153.1 CP ha de ser un varón, la diferenciación normativa que impugna el Auto de cuestionamiento por comparación con el art. 153.2 CP queda reducida con la adición en aquel artículo de la «persona especialmente vulnerable que conviva con el autor» como posible sujeto pasivo del delito. La diferencia remanente no infringe el art. 14 CE, como ha quedado explicado con anterioridad, porque se trata de una diferenciación razonable, fruto de la amplia libertad de opción de que goza el legislador penal, que, por la limitación y flexibilidad de sus previsiones punitivas, no conduce a consecuencias desproporcionadas. Se trata de una diferenciación razonable porque persigue incrementar la protección de la integridad física, psíquica y moral de las mujeres en un ámbito, el de la pareja, en el que están insuficientemente protegidos, y porque persigue esta legítima finalidad de un modo adecuado a partir de la, a su vez, razonable constatación de una mayor gravedad de las conductas diferenciadas, que toma en cuenta su significado social objetivo y su lesividad peculiar para la seguridad, la libertad y la dignidad de las mujeres. Como esta gravedad no se presume, como la punición se produce precisamente por la consciente realización del más grave comportamiento tipificado, no podemos apreciar vulneración alguna del principio constitucional de culpabilidad.

IV. OTROS MOTIVOS DE DISCRIMINACIÓN

Titularidad de los derechos reconocidos en el artículo 14 CE y la discriminación por razón de nacionalidad —STC 137/2000, de 39 de mayo[15]—

La Sentencia resuelve recurso de amparo interpuesto por don S.T.C., de nacionalidad francesa, contra las resoluciones dictadas por la Audiencia Provincial de Vitoria y el Juzgado de Vigilancia Penitenciaria de Bilbao, que resuelven los recursos contra el acuerdo de la Junta de Régimen y Administración del Centro Penitenciario de Nanclares de Oca, denegatorio de un permiso ordinario de salida. Entiende el recurrente que dicha denegación y su confirmación judicial vulneran, entre otros, su derecho fundamental a no sufrir discriminación por razón de nacionalidad.

FJ 1. [...] En la demanda de amparo se habla, con acierto, de que no se puede discriminar en relación con el disfrute de este tipo de permisos penitenciarios por causa de la nacionalidad, en este caso francesa, del solicitante. Pues, a pesar de la literalidad de la redacción que se contiene en el art. 14 CE, a partir de la doctrina general que este Tribunal Constitucional ha elaborado en materia de extranjeros —especialmente en las SSTC 107/1984, de 23 de noviembre, 99/1985, de 30 de septiembre, 115/1987, de 7 de julio, y 94/1993, de 22 de marzo— se garantizan a todas las personas, y no sólo a los españoles, los derechos «imprescindibles para la garantía de la dignidad humana» (STC 107/1984, FJ 3) y no hay duda de que entre éstos debe inducirse el derecho a no ser discriminado por razón de nacimiento, raza, sexo, religión, opinión o cualquier otra condición o circunstancia personal o social. Pero a la hora de explicar los motivos y de exponer los argumentos acreditativos de la discriminación, en la denegación del permiso de salida por el hecho de ser extranjero, en la demanda se guarda un silencio total que sólo se ve interrumpido por la simple invocación a la igualdad. Por tanto, el demandante no ha desplegado, como es su obligación, una mínima actividad, ni mostrado indicio alguno, para llevarnos al convencimiento de que ha sido objeto de un trato discriminatorio en la aplicación de la ley que ha llevado a cabo la resolución judicial impugnada y que pudiera haber servido para vincular la hipotética desigualdad de trato de que se queja con alguna de las causas expresamente prohibidas en el art. 14 CE. Por lo que debe también rechazarse el motivo de lesión del principio de igualdad ante la Ley.

Discriminación por razón de raza —STC 13/2001, de 29 de enero (*vid. supra*)—

FJ 7. Centrándonos ya en la cuestión de fondo (la aducida discriminación racial), hemos de recordar que este Tribunal se ha manifestado ya, en las ocasiones en que, aun desde otra perspectiva, se le han planteado cuestiones sobre discriminación racial o étnica, afirmando tajantemente el carácter odioso de la aludida forma de discriminación, prohibida en forma expresa tanto por el art. 14 de nuestra Constitución como por el Convenio Europeo de Derechos Humanos (art. 14). Así, en la STC 126/1986, de 22 de octubre (FJ 1), calificamos la discriminación racial de perversión jurídica, y en la STC 214/1991, de 11 de noviembre, hemos rechazado rotundamente que, bajo el manto protector de la libertad ideológica (art. 16 CE) o de la libertad de expresión (art. 20 CE), puedan cobijarse manifestaciones, expresiones o campañas de carácter racista o xenófobo, «puesto que... ello es contrario no sólo al derecho al honor de la persona o personas directamente afectadas, sino a otros bienes constitucionales como el de la dignidad humana (art. 10 CE), que han de respetar tanto los poderes públicos como los propios ciudadanos, de acuerdo con lo dispuesto en los arts. 9 y 10 CE. La dignidad como rango o categoría de la persona como tal, del que deriva y en el que se proyecta el derecho al honor (art. 18.1 CE), no admite discriminación alguna por razón de nacimiento, raza o sexo, opiniones o creencias. El odio y el desprecio a todo un pueblo o a una etnia (a cualquier pueblo o a cualquier etnia) son incompatibles con el respeto a la dignidad humana, que sólo se cumple si se atribuye por igual a todo hombre, a toda etnia, a todos los pueblos». Y si bien las aludidas manifestaciones las efectuábamos en relación con el ataque al honor dirigido contra todo un pueblo (en el caso considerado, el judío), tal rechazo absoluto es predicable también de aquellas conductas que, proyectadas sobre un solo individuo, encuentran su motivación en la pertenencia de éste a un determinado grupo racial, étnico o religioso. Finalmente en la STC 176/1995, de 11 de diciembre, (FJ 4, párrafo 4) tuvimos ocasión

---

15   *Vid.* también la STC 34/2004, de 8 de marzo (la diferencia retributiva entre el recurrente, auxiliar administrativo en la Oficina comercial de España en Belgrado, y otras trabajadoras, de idéntica categoría y prestación de servicios en la misma Administración pública, basada exclusivamente en el criterio de la nacionalidad —española del primero, yugoslava, de las segundas— carece de justificación objetiva y razonable, y es por tanto discriminatoria); en sentido semejante, se pronuncia la STC 5/2007, de 15 de enero.

de afirmar, como colofón de todo el razonamiento desarrollado en ella, que el mensaje racista está en contradicción abierta con los principios de un sistema democrático de convivencia pacífica.

FJ 8. [...] Los requerimientos policiales de identificación efectuados a fin de controlar el cumplimiento de la legislación de extranjería encuentran cobertura normativa en el art. 72.1 del Real Decreto 1119/1986, de 26 de mayo, por el que se aprueba el Reglamento de ejecución de la Ley Orgánica 7/1985, de 1 de julio, sobre Derechos y Libertades de los Extranjeros en España, que obliga a los extranjeros a llevar consigo el pasaporte o documento con base en el cual hubieran efectuado su entrada en España, y, en su caso, el permiso de residencia, y a exhibirlos, cuando fueran requeridos por las autoridades o sus agentes, sin perjuicio de poder demostrar su identidad por cualquier otro medio si no los llevaran consigo. Del mismo modo el art. 11 de la Ley Orgánica 1/1992, de 21 de febrero, sobre protección de la seguridad ciudadana, dispone que «los extranjeros que se encuentren en territorio español están obligados a disponer de la documentación que acredite su identidad y el hecho de hallarse legalmente en España, con arreglo a lo dispuesto en las normas vigentes», pudiendo ser requerida su identificación a tenor del art. 20.1 de dicha norma. Pues bien, es en el marco del ejercicio de esta potestad, amparada legalmente cuando no se desvía de la finalidad para la que se otorgó, en el que ha de indagarse si se produjo una discriminación encubierta por motivos raciales. A tal efecto, forzoso es reconocer que, cuando los controles policiales sirven a tal finalidad, determinadas características físicas o étnicas pueden ser tomadas en consideración en ellos como razonablemente indiciarias del origen no nacional de la persona que las reúne.

A esto cabe añadir que el lugar y el momento en el que dicha persona se encuentra, en los cuales es usual que lleve consigo la documentación acreditativa de su identidad, hace que no resulte ilógico realizar en ellos estos controles, que, por las circunstancias indicadas, resultan menos gravosos para aquél cuya identificación se requiere. La variedad de circunstancias de esta índole (lugares de tránsito de viajeros, de hospedaje, zonas con especial incidencia de la inmigración, etc.) determina que su valoración sea eminentemente casuística. A lo anterior ha de añadirse que, aun contando con cobertura legal y ejercitándose el requerimiento para el cumplimiento del fin previsto normativamente, el ejercicio de las facultades de identificación ha de llevarse a cabo de forma proporcionada, respetuosa, cortés y, en definitiva, del modo que menos incidencia genere en la esfera del individuo. La transgresión de esta condición de ejercicio, no sólo hace a éste contrario al Ordenamiento, sino que puede ser reveladora de que, la que en principio puede parecer una razonable selección de las personas a identificar en el ejercicio de las funciones policiales, no es tal, sino que ha sido efectuada o aprovechada para infligir un daño especial o adicional a quienes pertenecen a determinado grupo racial o étnico. Es decir, que bajo el manto protector del ejercicio de unas funciones legalmente previstas se encubre un móvil racista o xenófobo en la decisión misma de ejercitar dichas funciones o en el modo concreto en que, atendidas las circunstancias, se llevaron a cabo.

FJ 9. En el presente caso ha de desecharse que el requerimiento de identificación efectuado a la Sra. Williams Lecraft obedeciera a una discriminación patente. En efecto, ha quedado descartado que existiese una orden o instrucción específica de identificar a los individuos de una determinada raza, pues el recurso de alzada contra la supuesta instrucción general en ese sentido fue inadmitido por la inexistencia de tal instrucción, y la resolución administrativa correspondiente fue confirmada por la Audiencia Nacional en vía contencioso-administrativa, sin que se haya acudido en amparo ante este Tribunal en relación con estos pronunciamientos.

En orden a indagar si se produjo o no una discriminación racial encubierta en la concreta forma de ejercicio de la potestad policial de identificación, es decir, si el requerimiento de identificación produjo a la Sra. Williams Lecraft, en su calidad de integrante de un grupo racial concreto, un impacto adverso que, atendidas las circunstancias concurrentes, resulta objetivamente injustificado o inidóneo para el cumplimiento de la finalidad en función de la cual se confirió la potestad para llevar a cabo el requerimiento identificatorio cuestionado, habrá de observarse si existe algún dato de entre los tenidos por probados que permita afirmar que las características raciales de la Sra. Williams Lecraft fueron tomadas en consideración para pedirle la documentación por algún otro motivo que el de su genérico carácter indiciario de una mayor probabilidad de que la interesada fuese extranjera. A tales efectos conviene recordar que, aun advirtiendo de la prudencia con la que deben usarse las referencias de carácter étnico para evitar malentendidos, su utilización con carácter descriptivo, en sí misma considerada, no resulta por principio discriminatoria (STC 126/1986, FJ 1). Para realizar esta valoración no es superfluo recordar que este Tribunal ha de respetar los hechos declarados probados por la Sentencia que agotó la vía judicial [art. 44.1 b) LOTC], pues fue ante la jurisdicción ordinaria donde el demandante dispuso de la posibilidad de impugnar la apreciación de los hechos efectuada por la Administración en la Resolución desestimatoria de la reclamación de responsabilidad. Hemos de partir, por tanto, de los hechos explícita o implícitamente admitidos por la Sentencia de la Audiencia Nacional y centrar nuestro análisis en su significación en orden a la existencia o no de una discriminación por motivos raciales en la actuación policial. Para ello se ha de resaltar que la Sentencia de la Audiencia Nacional afirma expresamente que no queda acreditado en los autos que la actuación policial fuese desconsiderada o humillante. Es más, los demandantes de amparo no denuncian que se produjese un trato ni siquiera incorrecto, sino que atacan la utilización del color de la piel de la Sra. Williams Lecraft como criterio determinante de que se le pidiese su documentación.

Pues bien, del relato de hechos de la Resolución administrativa recurrida, no desvirtuada en el proceso judicial previo a este recurso de amparo, se desprende que la actuación policial usó el criterio racial como meramente indicativo de una mayor probabilidad de que la interesada no fuera española. Ninguna de las circunstancias acaecidas en dicha intervención indica que el comportamiento del funcionario de la Policía Nacional actuante fuese guiado por un prejuicio racista o por una especial prevención contra los integrantes de un determinado grupo étnico, como se alega en la demanda. Así, la actuación policial se produjo en un lugar de tránsito de viajeros, una estación de ferrocarril, en el que, de una parte, no es ilógico pensar que exista mayor probabilidad que en otros lugares de que las personas a las que selectivamente se solicita la identificación puedan ser extranjeras, y, de otro, las incomodidades que todo requerimiento de identificación genera son menores, así como razonablemente asumibles como cargas inherentes a la vida social. De hecho los requerimientos de identificación en función de las apariencias que permitían razonablemente presumir la condición de extranjeros de determinadas personas hicieron posible que la actividad de la Brigada Móvil de Valladolid diera lugar a la localización de 126 extranjeros en situación ilegal durante 1992.

Finalmente, como queda dicho, no aparece tampoco acreditado que los funcionarios policiales desplegasen su actuación de forma desconsiderada, ofensiva o gratuitamente obstaculizante de la libertad de circulación de la demandante de amparo, pues la intervención policial se prolongó únicamente lo imprescindible para lograr la identificación. Finalmente puede descartarse que los agentes de policía actuasen de un modo airado o llamativo que hiciese pasar a la Sra. Williams Lecraft y sus acompañantes a un primer plano que les resultase afrentoso o incómodo frente a la colectividad de ciudadanos que hubiese en la propia estación de ferrocarril, sino que la toma de los datos de identidad se produjo en las dependencias policiales existentes en la misma estación.

Lo discriminatorio hubiera sido la utilización de un criterio (en este caso el racial) que careciese de toda relevancia en orden a la individualización de las personas para las que el Ordenamiento jurídico ha previsto la medida de intervención administrativa, en este caso los ciudadanos extranjeros. Estos, como ha quedado expuesto, están obligados a exhibir los documentos justificativos de su estancia legal en España, obligación de identificarse que, por lo demás, afecta a la generalidad de los ciudadanos según resulta del art. 20.1 de la Ley Orgánica 1/1992, de 21 de febrero, sobre protección de la seguridad ciudadana, en relación con su art. 9 y el art. 12 del Decreto núm. 196/1976, de 6 de febrero, por el que se regula el Documento Nacional de Identidad, en la redacción dada por el Real Decreto 1245/1985, de 17 de julio.

FJ 10. En atención a lo hasta ahora dicho hemos de concluir que, conforme a las líneas generales la doctrina que sobre la distribución de la carga de la prueba se contiene ya en la STC 26/1981, de 17 de julio, al haber alegado por la Sra. Williams Lecraft un indicio de discriminación consistente en un trato desigual, por ser ella de color y haber sido la única persona requerida para mostrar su documentación, se ha trasladado a la Administración la carga de justificar que su actuación goza de cobertura legal y se ajusta a criterios de razonabilidad y proporcionalidad, lo que se ha efectuado adecuadamente, según acabamos de exponer. Asimismo ha de admitirse que de lo actuado no resulta que la policía haya infligido a la Sra. Williams Lecraft un trato humillante o simplemente desconsiderado, pues, aparte de la discusión en torno a la obligación de identificarse propiciada esencialmente por el Sr. Calabuig-París, la intervención policial se agotó en la constatación de que la Sra. Williams Lecraft era española, ajustándose así al principio de proporcionalidad que ha de presidir este tipo de actuaciones.

Discriminación por razón de nacimiento y filiación no matrimonial —STC 74/1997, de 21 de abril[16]—

La Sentencia resuelve el recurso de amparo interpuesto por doña P.P.C. contra la Sentencia del Juez de lo Penal núm. 9 de Madrid de 7 de marzo de 1992, y contra la de la Sección Tercera de la Audiencia Provincial de Madrid el 20 de mayo del mismo año, que la confirmó en apelación. Esa Sentencia absolvió al padre del hijo de la recurrente como

---

16   *Vid.* también STC 67/1998, de 18 de marzo. Y *vid.* SSTC 273/2005, de 27 de octubre; 52/2006, de 16 de febrero; 41/2017, de 24 de abril (inconstitucionalidad de la restricción de la legitimación activa para promover la declaración de la filiación no matrimonial, por contraria a los artículos 24.1 y 39.2 CE).

culpable de un delito de impago de alimentos para este hijo, tipificado en el artículo 487bis del Código Penal en redacción dada por la Ley Orgánica 3/1989, y hoy derogado, por no constar que tuviera medios para hacer frente a sus obligaciones paterno-filiales. Este precepto disponía que quien «dejare de pagar durante tres meses consecutivos o seis meses no consecutivos cualquier tipo de prestación económica en favor de su cónyuge o sus hijos, establecida en convenio judicialmente aprobado o resolución judicial, en los supuestos de separación legal, divorcio o declaración de nulidad de matrimonio, será castigado con la pena de arresto mayor y multa de 100.000 a 500.000 pesetas». La recurrente entiende que dicha Sentencia la discrimina a ella y a su hijo, por razón de situación personal y de nacimiento, respectivamente.

FJ 4. En este punto conviene recordar que cuando nuestra Constitución, en su art. 39.1, proclama que los poderes públicos han de asegurar la protección social, económica y jurídica de la familia no constriñe este concepto, en términos exclusivos y excluyentes, a la fundada en el matrimonio, debiendo subsumirse también en el mismo a familias de origen no matrimonial (STC 222/1992). Sentado ello, es cierto que esta igualación entre una y otra clase de familias no impone una paridad de trato en todos los aspectos y en todos los órdenes de las uniones matrimoniales y las no matrimoniales (STC 184/1990) y que, por consiguiente, toda distinción entre unas y otras no puede decirse sea incompatible con la igualdad jurídica y la prohibición de discriminación que la Constitución garantiza en su art. 14. Por lo tanto, si el art. 487 bis del Código Penal pretendía proteger a los miembros económicamente más débiles de la unidad familiar en momento de crisis, en principio cabría afirmar que la limitación de la protección a los miembros de unidad familiares de origen matrimonial, con exclusión de los miembros de las extramatrimoniales, necesariamente no tenía por qué ser contraria al art. 14 de la Constitución.

Pero la anterior conclusión, que tiene su fundamento en el hecho de que la decisión de vivir en matrimonio o convivir *more uxorio* es libremente adoptada por los sujetos de una y otra clase de unión, no es válida para el caso de los hijos, a quienes la Constitución obliga a dispensar una protección integral con independencia de su filiación y respecto de quienes los padres deben prestar asistencia con independencia de su origen matrimonial o extramatrimonial (art. 39.2 y 3 CE), en otras palabras, de su nacimiento, y cuyo desvalimiento motiva incluso una intensa protección internacional (Convención de las Naciones Unidas sobre los Derechos del Niño, de 20 de noviembre de 1989, ratificada por España mediante instrumento de 30 de noviembre de 1990), pues su filiación y su condición de habidos dentro o fuera del matrimonio es el resultado de decisiones ajenas a los mismos (STC 184/1990). En definitiva, el legislador, ejerciendo su libertad de configuración normativa, puede elegir libremente proteger o no penalmente a los hijos en las crisis familiares frente al incumplimiento por sus progenitores de las obligaciones asistenciales que les incumben y judicialmente declaradas, pero una vez hecha esta elección no puede dejar al margen de la protección a los hijos no matrimoniales sin incidir en una discriminación por razón de nacimiento que proscribe el art. 14 de la Constitución. Esta conclusión no se ve enervada porque existieran otros preceptos en el Código Penal de 1973 a través de los cuales pudiera reaccionarse contra el incumplimiento por los progenitores de sus obligaciones de sostenimiento para con sus hijos extramatrimoniales, en concreto, tal y como nos recuerdan el Fiscal y el codemandado, los arts. 487, 237 y 519. El primero, porque al tipificar el delito genérico de abandono de familia, a diferencia del precepto cuestionado, exigía, además del incumplimiento de los deberes paterno-filiales, que tal incumplimiento tuviese su causa en la conducta desordenada del obligado, con lo que la protección penal en este caso resultaba menos intensa que la que se dispensaba a través del art. 487 bis y, por ende, la discriminación subsistía en la medida en que los hijos no matrimoniales recibían una protección más débil que los que tienen su origen en el matrimonio. Los segundos, que tipificaban respectivamente los delitos de desobediencia y de alzamiento de bienes, porque a través de ellos se protegían bienes jurídicos diferentes al que ahora centra nuestra atención y se describían conductas cuyos rasgos típicos eran diversos de los de la aquí contemplada. Buena prueba de que ese art. 487 bis se compadecía mal con el art. 14 CE es el vigente Código Penal de 1995 donde la protección se extiende a todos los hijos, cualquiera que fuere su origen (art. 227).

FJ 5. Ahora bien, que el art. 487 bis del hoy derogado Código Penal de 1973 colisionara frontalmente con el art. 14 CE, no lleva necesariamente a otorgar el amparo. [...]

[...] No existe [...] hoy en día un derecho de la víctima a obtener la condena penal de otro, y, por ello, no puede pretenderse en esta sede la anulación de una Sentencia con un pronunciamiento absolutorio.

[...] En definitiva, la absolución pronunciada por la Audiencia Provincial en modo alguno puede haber vulnerado el derecho fundamental que a cualquier hijo en relación con los de su misma condición, reconoce el art. 14 CE, puesto que ese derecho fundamental no comprende el derecho a la condena de su progenitor. El amparo ha de ser desestimado, sin que sea necesario suscitar ante el Pleno de este Tribunal cuestión sobre la constitucionalidad del reiterado precepto penal derogado.

Discriminación por razón de nacimiento: la adopción (1) —STC 200/2001, de 4 de octubre (*vid. supra*)—

FJ 4. c) [...] [D]entro de la prohibición de discriminación del art. 14 CE y, más concretamente, dentro de la no discriminación por razón del nacimiento, este Tribunal ha encuadrado la igualdad entre las distintas clases o modalidades de filiación (SSTC 7/1994, de 17 de enero, FJ 3.b; 74/1997, de 21 de abril, FJ 4; 67/1998, de 18 de marzo, FJ 5; AATC 22/1992, de 27 de enero; 324/1994, de 28 de noviembre), de modo que deben entenderse absolutamente equiparadas éstas (ATC 22/1992, de 27 de enero). Y directamente conectado con el principio constitucional de no discriminación por razón de filiación (ATC 22/1992, de 27 de enero), se encuentra el mandato constitucional recogido en el art. 39.2 CE, que obliga a los poderes públicos a asegurar «la protección integral de los hijos, iguales éstos ante la Ley con independencia de su filiación» (STC 7/1994, de 17 de enero, FJ 3.b), de manera que toda opción legislativa de protección de los hijos que quebrante por sus contenidos esa unidad, incurre en una discriminación por razón de nacimiento expresamente prohibida por el art. 14 CE, ya que la filiación no admite categorías jurídicas intermedias (STC 67/1998, de 18 de marzo, FJ 5).

FJ 5. [...] En el presente supuesto, como ya se ha dejado constancia y cabe deducir con absoluta nitidez de la lectura del art. 41.2 del texto refundido de la Ley de Clases Pasivas del Estado de 1987, es evidente la diferencia que el mencionado precepto establecía desde la perspectiva de los derechos pasivos, en concreto, de la percepción de la pensión de orfandad, entre los hijos adoptivos y los hijos por naturaleza, al imponer a aquéllos como requisito para que pudieran tener derecho a la pensión de orfandad que el adoptante hubiera sobrevivido dos años al menos desde la fecha de la adopción, el cual, así como ningún otro requisito temporal, no era exigido, sin embargo, a los hijos por naturaleza.

FJ 6. Un análisis más detenido requiere el segundo de los presupuestos antes aludido, esto es, la homogeneidad o equiparación de las situaciones subjetivas que se pretenden comparar a efectos del juicio de igualdad, constituidas en este caso por las de los hijos adoptivos y las de los hijos por naturaleza. La concurrencia o no de dicha homogeneidad o equiparación pasa necesariamente por abordar la caracterización jurídica de la adopción en nuestro Ordenamiento jurídico y, en concreto, por determinar si la misma constituye o no una forma o modalidad de filiación, ya que sólo en tal caso nos encontraríamos ante dos situaciones que, a efectos de lo establecido en el art. 14 CE, podrían considerarse iguales. La Constitución no contiene una definición del instituto de la filiación, dejando un amplio espacio a la regulación del legislador, el cual se encuentra obviamente vinculado y constreñido por distintos mandatos constitucionales, entre ellos, en lo que ahora interesa, por la prohibición de discriminación por razón de nacimiento (art. 14 CE), en cuanto comprensiva de la igualdad entre las distintas clases de filiación, así como por la obligación de asegurar «la protección integral de los hijos, iguales éstos ante la Ley con independencia de su filiación» (art. 39.2 CE). En este sentido no cabe sino compartir los razonamientos del Abogado del Estado y del Fiscal General del Estado de que dentro del margen de libertad del legislador se encontraría la posibilidad de establecer o no una institución a la que denominase adopción o, incluso, de configurarla al margen de la relación genérica de filiación. [...]
En lo que aquí interesa, basta con resaltar que la adopción aparece configurada y caracterizada en nuestro ordenamiento jurídico como una forma de filiación, determinando, en consecuencia, el establecimiento de una relación jurídica de filiación entre el adoptante o los adoptantes y el adoptado, que el propio art. 108 CC prevé, además, que surte los mismos efectos que la filiación por naturaleza. En otras palabras, la filiación puede tener lugar en nuestro ordenamiento tanto por naturaleza como por adopción, radicando la diferencia entre una y otra modalidad de filiación en su origen, pues en tanto aquélla deriva de la existencia de un nexo biológico, ésta viene determinada por resolución judicial. De otra parte, esta caracterización de la adopción como forma de filiación sintoniza con lo establecido en el Convenio relativo a la protección del niño y a la cooperación en materia de adopción internacional, hecho en la Haya el 19 de marzo de 1993, ratificado por España el 27 de marzo de 1995, cuyo art. 26.1 dispone que «el reconocimiento de la adopción supone el reconocimiento: A) Del vínculo de filiación entre el niño y sus padres adoptivos...». Así pues, siendo la adopción, como lo es, una forma de filiación, las situaciones subjetivas que se pretenden comparar reúnen los requisitos de identidad y homogeneidad que a los efectos del juicio de igualdad impone el art. 14 CE.

FJ 7. La diferencia de trato normativo entre los hijos adoptivos y los hijos por naturaleza que establecía el art. 41.2 del texto refundido de la Ley de Clases Pasivas del Estado viene referida a una prestación social, la pensión de orfandad, respecto a la que el derecho a percibirla viene determinado, al margen de los requisitos específicos relativos a la edad de los beneficiarios que son comunes a los hijos adoptivos y por naturaleza y, por consiguiente, intrascendentes a los efectos de la diferenciación enjuiciada, por la existencia de una relación de filiación entre el causante y los beneficiarios de la misma. El trato desigual en perjuicio de los hijos adoptivos es un hecho indiscutible desde el momento en que se condicionaba su derecho a la percepción de la pensión a que el adoptante hubiera sobrevivido dos años al menos desde la fecha de la adopción, no exigiéndose, por el contrario, requisito temporal alguno a los hijos por naturaleza. Y no se necesita profundizar excesivamente en la materia para comprender, circunstancia en la que están de acuerdo todas las partes que han comparecido en este proceso, que el único factor diferencial y determinante del distinto trato normativo viene dado por el diferente origen de la filiación de unos y otros beneficiarios, esto es, por su condición de hijos adoptivos o de hijos por naturaleza.

Al fundarse exclusivamente el diferente trato que dispensaba la norma en la filiación de los posibles beneficiarios de la prestación es evidente que la misma resulta contraria, no sólo al art. 14 CE, en cuanto utiliza como criterio de diferenciación una característica —la filiación— excluida como causa de discriminación por el mencionado precepto constitucional, al encuadrarse concretamente tal circunstancia en la expresa prohibición de discriminación por razón de nacimiento, sino también al mandato que el art. 39.2 CE impone a los poderes públicos de asegurar la protección integral de los hijos, «iguales éstos ante la ley con independencia de su filiación», pues, configurada la adopción en nuestro Ordenamiento jurídico como una forma de filiación, ambos preceptos constitucionales imponen un régimen igual entre las distintas modalidades de filiación en el plano de sus efectos o consecuencias jurídicas.

FJ 8. A mayor abundamiento, aun en el supuesto de que pudiera admitirse, de conformidad con la doctrina constitucional de la que se ha dejado antes constancia, que tal elemento de diferenciación pudiera ser utilizado excepcionalmente por el legislador como criterio de diferenciación jurídica (SSTC 229/1992, de 14 de diciembre, FJ 2; 126/1997, de 5 de mayo, FJ 8), las razones que en defensa de su constitucionalidad expone en su escrito de alegaciones el Abogado del Estado en ningún modo satisfacen el canon más estricto y riguroso que en estos casos requieren las exigencias de razonabilidad y proporcionalidad.

En este sentido, aduce, en primer término, las importantes matizaciones que experimenta el derecho constitucional a la igualdad cuando se proyecta sobre la acción prestacional de los poderes públicos. Cierto es, de acuerdo con una reiterada doctrina constitucional, que el legislador dispone de un amplio margen de libertad en la configuración del sistema de Seguridad Social y en la apreciación de las circunstancias económicas de cada momento a la hora de administrar recursos limitados para atender a un gran número de necesidades sociales (SSTC 65/1987, de 21 de mayo, FJ 17; 134/1987, de 21 de julio, FJ 5; 97/1990, de 24 de mayo, FJ 3; 184/1990, de 15 de noviembre, FJ 3, por todas), así como también que corresponde a su libertad de configuración articular los instrumentos, normativos o de otro tipo, a través de los que hacer efectivo en este caso el mandato constitucional del art. 39.2 CE de asegurar la protección integral de los hijos, sin que ninguno de ellos resulte a priori constitucionalmente obligado [SSTC 222/1992, de 11 de diciembre, FJ 4 a); 67/1998, de 18 de marzo, FJ 5]. Ahora bien, no es menos cierto, sin embargo, que, configurado un determinado mecanismo o expediente para la protección de los hijos, su articulación concreta deberá de llevarse a cabo en el respeto a las determinaciones de la Constitución y, muy específicamente, a las que en este ámbito imponen el principio de igualdad (art. 14 CE) y el propio art. 39.2 CE, so pena de incurrir en una discriminación por razón de nacimiento expresamente prohibida por el art. 14 CE. Ello sin perjuicio, obviamente, de que en atención a las disponibilidades económicas de cada momento para atender a las necesidades sociales el legislador pueda, respetando estas prescripciones constitucionales, diferenciar al determinar los posibles beneficiarios de la prestación en atención a criterios de necesidad relativa o a otros que resulten igualmente racionales (SSTC 222/1992, de 11 de diciembre, FJ 4).

FJ 9. En segundo lugar, como ya hiciera con ocasión del recurso de amparo que resolvió la STC 46/1999, de 22 de marzo, el Abogado del Estado insiste de nuevo para justificar la diferenciación normativa que entre hijos adoptivos e hijos por naturaleza establecía el art. 41.2 del texto refundido de la Ley de Clases Pasivas del Estado en que la finalidad del requisito temporal que a aquéllos imponía era la de evitar posibles fraudes, tratándose así de impedir que la causa real de la adopción fuera la de facilitar al adoptado una pensión de orfandad en vez de constituir en realidad un vínculo jurídico de filiación.

Para rechazar tal argumentación, como causa que pudiera justificar la diferenciación normativa enjuiciada, basta con remitirse, asumiéndolos ahora, a los razonamientos vertidos al respecto en la STC 46/1999, de 22 de marzo, con base en los cuales concluyó la Sala Primera de este Tribunal que la desigualdad creada por la norma, ni era razonable, ni proporcionada al fin perseguido por la misma, de modo que tal diferencia debía de considerarse contraria al art. 14 CE. Se dijo al respecto en la mencionada Sentencia, y procede reiterar en este momento, que tal cautela frente al fraude de Ley resultaba claramente desproporcionada, pues «con el fin de evitar un posible fraude se priva de pensión a todos aquellos hijos adoptados que hayan quedado huérfanos en este período. Fraude, por otra parte que, al menos de modo generalizado, tampoco puede producirse, ya que para que se realice es preciso que muera el adoptante; suceso que, en la gran mayoría de los casos, es imprevisible, e incluso, en el supuesto de que fuera realmente previsible, tampoco podría considerarse que la adopción realizada fuera necesariamente fraudulenta». Razonamiento al que se añadía que esta forma de proceder del legislador no resultaba tampoco razonable, ya que «además de presumir que se ha actuado en fraude de Ley, [se] establece una presunción sin posibilidad de prueba en contrario, lo que no sólo supone invertir el principio de que generalmente los derechos se ejercen conforme a la exigencia de la buena fe, sino que se está desconociendo la exigencia constitucional de dar protección a la familia y a los hijos (art. 39.1 y 2 CE)» (FJ 2).

Discriminación por razón de nacimiento: la adopción (y 2) —STC 9/2010, de 27 de abril[17]—

La Sentencia resuelve el recurso de amparo interpuesto por doña M.D.L.M. y doña M.C.L.M. contra la Sentencia de la Sala de lo Civil y Penal del Tribunal Superior de Justicia de Cataluña, de 22 de enero de 2004. Las recurrentes denuncian una discriminación contraria al artículo 14 CE, en conexión con el 39.2 CE, al haber sido excluidas, por su condición de hijas adoptivas, del llamamiento a la herencia de su abuelo paterno en favor de los hijos legítimos de los instituidos en el testamento.

FJ 4. [...] Ante todo, debe tenerse en cuenta que la conclusión alcanzada por la Sentencia impugnada en este amparo, en el sentido de que la expresión «hijos legítimos» empleada por el testador no comprende a los hijos adoptados, no se deduce de manera inequívoca de la formulación literal de la cláusula testamentaria, sino que es producto de la interpretación que de aquella expresión realiza el órgano judicial, de manera que la exclusión de las demandantes de amparo del llamamiento a la herencia no tiene su origen directo en el ejercicio de la libertad de testar sino en el de la jurisdicción. En efecto, una vez sentado que la voluntad del testador es la ley de la sucesión y que ésta debe ser interpretada de conformidad con el sentido literal del testamento (art. 675 del Código civil), la legislación aplicable y los términos en los que estaba formulada la disposición testamentaria otorgaban en este supuesto a los órganos judiciales un margen de arbitrio dentro del cual éstos podían realizar legítimamente interpretaciones diversas de la expresión «hijos legítimos».

Por un lado, dicha expresión podía interpretarse de conformidad con el significado que tenía en el marco de la legislación vigente en el momento de otorgar el testamento o, en su caso, de fallecer el causante. Este es el criterio empleado por la Sentencia aquí impugnada que, con cita de jurisprudencia del Tribunal Supremo, al igual que las resoluciones de las que trae causa, entiende que, en el presente caso, la voluntad del testador «es clara, tanto en su interpretación literal, como puesta en relación con las disposiciones legales vigentes en el momento en que es expresada, año 1927, cuanto en el momento en que se abre la sucesión, año 1945», de forma que «el llamamiento a favor de los hijos —para los puestos en condición— sólo comprende a los legítimos y a los legitimados por subsiguiente matrimonio, nunca a los naturales ni a los adoptivos».

Por otro lado, sin embargo, el supuesto que afronta la Sentencia impugnada se caracteriza porque, aunque el testamento se otorgó y el causante falleció mucho antes de 1978, la condición correspondiente a la sustitución fideicomisaria se verificó con posterioridad a la entrada en vigor de la Constitución, de tal manera que también podía entenderse que la voluntad del testador expresada en el testamento debe ser interpretada de conformidad con la situación jurídica propia del momento en que ha de ejecutarse la sustitución. Ésta es la interpretación que patrocinaron en su momento las ahora demandantes de amparo, así como la acogida por el propio Tribunal Supremo en algunos pronunciamientos recientes (Sentencias de la Sala de lo Civil del Tribunal Supremo de 28 de junio de 2002, de 15 de diciembre de 2005, o de 29 de septiembre de 2006). De acuerdo con este segundo planteamiento, es legítimo presumir que, a menos que en el testamento conste lo contrario de forma inequívoca, no es la voluntad del testador introducir distinciones que resulten contrarias a los fundamentos del sistema jurídico vigente en el momento en que se cumple la condición y han de ser ejecutadas las correspondientes disposiciones testamentarias (en este sentido, por ejemplo, Sentencia de la Sala de lo Civil del Tribunal Supremo de 29 de septiembre de 2006, FJ 4).

En principio, la cuestión relativa a la aplicación de las normas sobre la interpretación de los testamentos pertenece al ámbito de la legalidad ordinaria, de modo que al Tribunal Constitucional no le corresponde revisar, en vía de amparo, la apreciación que de las misma hayan realizado los órganos judiciales, a menos, claro está, que sea dicha interpretación la que lesione el contenido de los derechos fundamentales reconocidos por la Constitución. Pues bien, esto es, precisamente, lo que ocurre en este supuesto en relación con el derecho reconocido en los arts. 14 y 39.2 CE.

---

[17]   *Vid.* también la STC 105/2017, de 18 de septiembre.

En efecto, no ha sido el causante al formular en su día la disposición testamentaria en el ejercicio de su libertad de testar, sino el órgano judicial al interpretar una expresión ambigua y, por tanto, en el ejercicio de la jurisdicción, quien ha creado un tratamiento jurídico discriminatorio a partir de un criterio como el relativo a la filiación adoptiva, que resulta expresamente prohibido por el art. 14 CE en relación con el art. 39.2 CE. A este resultado se llega por aplicación de la doctrina constitucional, a la que ya se ha hecho referencia, en virtud de la cual los órganos judiciales pueden vulnerar el art. 14 CE cuando interpretan las normas jurídicas con un criterio que produzca «el trato discriminatorio en relación con otras situaciones válidamente comparables, siempre que la norma a aplicar sea susceptible de distinta interpretación que, siendo admitida en Derecho, conduzca a eliminar la desigualdad injustificada que en aquel caso se produce, lo cual supone que si existe esa alternativa de interpretación más conforme con la igualdad su no utilización equivale a una aplicación de la norma que el art. 14 CE no consiente» (SSTC 34/2004, de 8 de marzo, FJ 3; 154/2006, de 22 de mayo, FJ 8).

FJ 5. Como advierten las recurrentes en defensa de su pretensión de amparo, ésta es también la doctrina auspiciada por la Sentencia del Tribunal Europeo de Derechos Humanos de 13 de julio de 2004, dictada en el asunto Pla y Puncernau c. Andorra, que juzgó un caso similar al ahora examinado en el que los Tribunales andorranos, tomando en consideración el momento histórico y jurídico en el que se otorgó testamento (1939) y aquel en que se produjo el fallecimiento de la causante (1949), estimaron que no podía entenderse puesto en condición un hijo adoptivo en la sustitución fideicomisaria que ordenaba que quien llegara a ser heredero debía trasmitir la herencia a un hijo o nieto de un matrimonio legítimo y canónico. A juicio del Tribunal Europeo de Derechos Humanos, que estima la demanda interpuesta por los recurrentes (el hijo adoptivo del primer instituido y su madre) y condena al Estado andorrano, la interpretación judicial que origina la demanda es discriminatoria y contraria a los postulados del principio de igualdad proclamado por el art. 14 del Convenio europeo para la protección de los derechos humanos y de las libertades públicas (en adelante, CEDH), por cuanto, una vez aceptado que la cláusula en cuestión requería una interpretación por parte de los Tribunales internos, ésta no podría realizarse exclusivamente a la luz del contexto social y jurídico en vigor en el momento de la redacción del testamento o del fallecimiento de la testadora (1939 y 1949, respectivamente) y ello debido al largo período de tiempo transcurrido entre las fechas en las que se produjeron tales acontecimientos y el momento en el que tomó efecto la disposición testamentaria (1996), en el curso del cual se produjeron profundos cambios de orden social, económico y jurídico que han dado lugar a nuevas realidades que no pueden ser ignoradas por el Juez.

En conclusión, las Sentencias dictadas en el proceso del que trae causa este recurso de amparo, al fundar la desestimación de la pretensión de las recurrentes en su condición de hijas adoptivas, les han dispensado un tratamiento discriminatorio contrario al art. 14 CE, interpretado sistemáticamente en relación con el art. 39.2 CE, lo que corrobora el Tribunal Europeo de Derechos Humanos en la indicada Sentencia con invocación del art. 14 CEDH, un instrumento internacional, éste, de conformidad con el cual es preciso interpretar los derechos y libertades proclamados por la Constitución (art. 10.2 CE) y, por lo tanto, también el derecho a no ser discriminado por razón de la filiación reconocido en los arts. 14 y 39.2 CE.

Discriminación por razón de nacimiento: las/os descendientes de sólo un cónyuge —STC 171/2012, de 4 de octubre—

La Sentencia resuelve la cuestión de inconstitucionalidad planteada por la Sección Quinta de la Audiencia Provincial de Pontevedra, en relación con el artículo 123.3 de la Ley del Parlamento de Galicia 4/1995, de 24 de mayo, de Derecho civil de Galicia, por posible vulneración de los artículos 14 y 39 CE. El precepto cuestionado dispone que el titular del usufructo voluntario de viudedad viene obligado a «prestar alimento, con cargo al usufructo, a los hijos y descendientes comunes que lo precisen». Dicha obligación, que pesa sobre el cónyuge viudo y se hace efectiva a costa del usufructo, se establece únicamente en beneficio de hijas/os y descendientes comunes, no extendiéndose a quienes lo son sólo del fallecido. Entiende el órgano cuestionante que dicha exclusión supone una discriminación por razón de nacimiento contraria a los citados preceptos constitucionales.

FJ 5. Expuesto lo anterior, deberemos analizar ahora si la ya aludida diferencia de trato que ha dado lugar al planteamiento de la presente cuestión de inconstitucionalidad posee una justificación objetiva y razonable, toda vez que, como ya se ha anticipado, lo que prohíbe el principio constitucional de igualdad no es cualquier diferencia de trato, sino solamente aquella desigualdad que resulte artificiosa o injustificada por no venir fundada en criterios objetivos y razonables, según criterios o juicios de valor generalmente aceptados (por todas, STC 307/2006, de 23 de octubre, FJ 5). Ahora bien, también tenemos declarado [STC 154/2006, de 22 de mayo, FJ 6 a)] que la prohibición de discriminación es más que un precepto de igualdad y no requiere necesariamente un término de comparación, pero también es evidente que en ocasiones la discriminación puede concretarse en desigualdades de trato que pueden ser objeto de contraste o necesitar de éste para ser apreciadas. Bajo esas circunstancias, planteándose aquí un supuesto de desigualdad por razón del origen de la filiación que se encuadra en la prohibición de discriminación del art. 14 CE, deberemos atender a un canon más riguroso —de exigencia de parificación, como regla—, en la solución del caso que se nos plantea.

A este respecto, la simple lectura del art. 123.3 de la Ley del Parlamento de Galicia 4/1995 evidencia la diferencia de trato que el mencionado precepto establece, en cuanto al eventual derecho a percibir alimentos con cargo al usufructo y el correlativo deber de prestarlos que pesa sobre el usufructuario, entre los descendientes que lo fueren solamente del fallecido y los que el precepto denomina comunes, esto es, del causante y del cónyuge supérstite beneficiario del usufructo, pues excluye a aquellos del mencionado derecho que reconoce únicamente a los segundos. Así pues, es claro que el legislador gallego ha otorgado, al regular las obligaciones que pesan sobre el beneficiario de un usufructo de esta naturaleza, un distinto tratamiento a los hijos y descendientes comunes respecto de los no comunes, descendientes todos ellos del causante y cuya única diferencia es, claro está, la diferente relación o vínculo con la usufructuaria, en principio, inexistente en el caso de los hijos o descendientes que lo sean únicamente del causante. Constatado lo anterior, debemos examinar el fundamento del precepto objeto del presente proceso para comprobar si es posible apreciar que la norma cuestionada responde a una justificación objetiva o razonable al tomar como elemento determinante de la diferenciación la relación con la usufructuaria o, más bien, la ausencia de vínculo con la misma, pues el carácter discriminatorio o no habrá de valorarse en relación con la finalidad y efectos de la medida considerada. Tal fundamento podemos encontrarlo, de acuerdo con el mandato constitucional del art. 39 CE, en la atención a las necesidades de los hijos o descendientes, de suerte que, con cargo al patrimonio de sus progenitores o ascendientes, aquellos reciben los medios necesarios para atender a su subsistencia, finalidad que el legislador, en cuanto configura la prestación de alimentos con cargo al usufructo como obligatoria, hace prevalecer incluso sobre la voluntad del causante que lo constituyó, pues la finalidad directa de esta institución es otra en cuanto pretende el mantenimiento de la unidad y cohesión del patrimonio del causante en beneficio de su cónyuge. De este modo, la razón última de la disposición es proteger a quienes gozaban a su favor y a cargo del causante al momento de su muerte del derecho a la prestación de alimentos en caso de necesidad, imponiendo la pervivencia de la obligación con cargo al usufructo vidual y evitando de esta forma su extinción por muerte del obligado.

Así, si bien desde el punto de vista de las relaciones de parentesco es evidente que la situación de los hijos o descendientes comunes es diferente de la de aquellos que solamente lo son del causahabiente no debe obviarse que tal diferencia no resulta significativa si se atiende a la finalidad del precepto. Importa señalar que, en lo aquí relevante, ambos se encuentran en situación equiparable por cuanto, amén de unirles el mismo vínculo familiar con el causante, lo mismo ocurre en relación al patrimonio de su progenitor o ascendiente fallecido. También desde la perspectiva de la prestación de alimentos en relación al causahabiente y con cargo a sus bienes, ambos, en razón de su vinculo común, se encuentran en idéntica situación dado que ambos son hijos o descendientes del causante y ambos tienen reconocido, antes de su muerte, el derecho de alimentos, obligación que había de ser atendida con cargo a la unidad patrimonial que ahora sigue permaneciendo unida en tanto que gravada con el usufructo.

Lo anterior pone de manifiesto que el hecho de utilizar el criterio del carácter común de los descendientes o, dicho de otro modo, la existencia de previo vínculo con el beneficiario del usufructo, para circunscribir a éstos el ámbito de la obligación regulada por la norma no puede ser considerado como elemento de diferenciación válido desde la perspectiva de la prohibición de discriminación por razón de filiación derivada del art. 14 CE. El precepto, al establecer una obligación de alimentos que pesa sobre el beneficiario del usufructo y con cargo a los bienes objeto del mismo, trata de hacer frente a las eventuales situaciones de necesidad de aquellos que han visto extinguida la obligación de alimentos por muerte del obligado, extremo éste, el de las concretas necesidades del eventual alimentista en función del cual pueden producirse diferencias entre unos descendientes y otros en la aplicación del precepto que no pueden darse en la existencia y exigencia de un previo vínculo con el usufructuario. En un ámbito como el de la interdicción de la discriminación, en el que regla es la parificación, carece de justificación la diferencia de trato entre unos y otros descendientes, distinción entre situaciones equiparables que resulta perjudicial para la posición jurídica de unos descendientes respecto de los otros, de suerte que los que lo son sólo del causante puedan quedar sumidos en una eventual situación de necesidad tras la muerte del mismo —aun pudiendo ser, según los casos, herederos de sus bienes—, mientras que los que son comunes, siendo la misma la relación que les une con el causante, queden debidamente protegidos por aplicación del precepto que examinamos. De esta forma, al distinguir entre ellos, la norma aplicable no asegura a los descendientes del causante una idéntica cobertura familiar a sus necesidades y discrimina así a unos frente a otros por razón de su filiación.

Blanca Rodríguez Ruiz

Por todo lo expuesto es posible concluir que, al utilizar el carácter común o no común de los descendientes del causante como circunstancia que priva de la posibilidad de reclamar alimentos a aquellos que lo fueren únicamente del fallecido, el legislador gallego ha introducido una distinción basada en una circunstancia irrelevante en relación con la finalidad perseguida por la norma y ha diferenciado situaciones que deberían haber recibido la misma valoración. Todo ello sin que se haya aportado una justificación objetiva y razonable de la diferencia de trato, con la consecuencia de haber incurrido en la discriminación vedada por el art. 14 CE.

FJ 6. La apreciada infracción del art. 14 CE no puede ser salvada con una interpretación del precepto inclusiva de los hijos y descendientes del premuerto, pues esa interpretación pugnaría con sus términos literales, cuya claridad hace que no haya lugar a duda alguna respecto del silencio que el legislador gallego guardó en punto a la extensión del deber de alimentos en casos como el aquí controvertido. Silencio tanto mas llamativo a la vista de lo afirmado en la exposición de motivos de la antes citada Ley del Parlamento de Galicia 2/2006, la cual, al abordar la reforma de la norma cuestionada, señala que «[s]e llama la atención de la nueva regulación del artículo 234.3), el cual extiende la obligación de prestar alimentos a los hijos y ascendientes [sic] que lo precisen, sin tener que reunir la condición de comunes, modificación que va a incidir en la cuestión de inconstitucionalidad núm. 311/2003 con relación al artículo 123.3) de la Ley de 24 de mayo de 1995». Tampoco puede estimarse que la justificación del precepto radique, como sugiere la representación procesal de la Xunta de Galicia, en el margen de apreciación del que gozaría el legislador gallego para regular la institución de la forma que estime más conveniente, pues es evidente que, aun cuando a éste le corresponde apreciar en qué medida la ley ha de contemplar situaciones distintas que sea procedente diferenciar y tratar desigualmente, esa valoración tiene unos límites constitucionales, entre ellos el debido respeto al principio de igualdad y no discriminación del art. 14 CE, el cual le impone el deber de dispensar un mismo tratamiento a quienes, como es el caso, se encuentran en situaciones jurídicas equiparables, de forma que no cabe discernir, en la diferenciación normativa que enjuiciamos, una finalidad no contradictoria con la Constitución. [...]

Discriminación por razón de parentesco, sexo y religión —STC 109/1988, de 8 de junio[18]—

La Sentencia resuelve el recurso de amparo interpuesto por doña S.D.D. contra la Sentencia del Tribunal Central de Trabajo de 13 de febrero de 1987 sobre derecho de afiliación al Montepío del Servicio Doméstico. La recurrente figuró desde el día 1 de abril de 1975 dada de alta en el Régimen Especial del Servicio Doméstico de la Seguridad Social como empleada de hogar por cuenta de su tía carnal, doña M.D.O., religiosa célibe de la Institución Teresiana, con la que convivió como servidora única. Por resolución de la entidad gestora de 12 de enero de 1983, se revisó la afiliación de doña S.D.D. y se le impuso la baja de oficio en atención al artículo 3.1 del Decreto 2.346/1969, de 25 de septiembre, que excluye del campo de aplicación del Régimen Especial de la Seguridad Social del Servicio Doméstico al cónyuge, descendientes, ascendientes y demás parientes del cabeza de familia, por consanguinidad hasta el tercer grado inclusive, con la excepción (artículo 3.2) de los familiares de sexo femenino de los sacerdotes célibes. Doña S.D.D. recurrió ante la Magistratura de Trabajo núm. 3 de Oviedo, que en Sentencia de fecha 4 de julio de 1983 entendió que la citada exclusión comprende no sólo a los sacerdotes célibes, sino a las religiosas también célibes por observancia de votos canónicos, y declaró el derecho de la recurrente a continuar de alta en el Régimen Especial del Servicio Doméstico desde el 1 de abril de 1975 hasta que se produjera su baja por causa legal. El INSS recurrió dicha Sentencia ante la Sala Cuarta del Tribunal Central de Trabajo, que la revocó. Entiende la recurrente que esta Sentencia vulnera su derecho a no sufrir discriminación.

FJ 2. [...] Se ha aludido de forma genérica a discriminaciones por razón de parentesco, por razón de sexo y por razón de status religioso o social. Y, cada una de ellas habrá de ser examinada separadamente.
a) Planteada en tales términos la cuestión, el primer problema a examinar es, si efectivamente, como aduce la recurrente, el art. 3.1 del Decreto incurre en discriminación por razón de parentesco al excluir del régimen de afiliación al sistema de Seguridad Social de los trabajadores del servicio doméstico a quienes sean familiares hasta cierto grado del empleador. El parentesco no puede considerarse un factor discriminatorio en el presente supuesto, si se le relaciona con la medida que implica y con la finalidad que persigue la norma en cuestión. En esta materia del trabajo doméstico y de su cobertura por la Seguridad Social (como en el ámbito más general de la asignación de un carácter genuinamente laboral) el parentesco y los trabajos familiares ponen de manifiesto una diferente situación real entre los unidos por tales vínculos, respecto de los que no lo están. Es esta razón, y no simplemente el temor a abusos o fraudes sobre el que el

---

18   *Vid.* también STC 128/2001, de 4 de junio (**ARTÍCULO 16**).

Ministerio Fiscal pone un especial énfasis, la que justifica la apreciación legal de que el trabajo desempeñado en tales condiciones, no reúne las que justifican la protección por la Seguridad Social. En suma, no hay entre parientes del empleador y personas ajenas a todo vínculo familiar, situaciones equivalentes que permitan una comparación.

b) Se ha señalado asimismo a lo largo del debate que el art. 3.2 del Decreto incurre en discriminación por razón de sexo, en la medida en que ya en relación con los parientes que prestan un servicio doméstico al sacerdote célibe, exige la característica de que sean «femeninas». No puede ocultarse que en este punto existe un notorio problema en la medida en que la reserva en exclusividad, aunque sea para la hipótesis concreta del servicio doméstico a los trabajadores femeninos, puede engendrar algún tipo de discriminación, que, en todo caso, para resolver el presente supuesto y dictar la presente Sentencia es por completo irrelevante, pues quien nos pide amparo no es persona carente de aquella condición y, por tanto, no puede sentirse discriminada por la norma que lo exige.

c) Tampoco es preciso examinar otras eventuales discriminaciones como podrían ser las relativas a la referencia, en sentido exclusivo, de la regla excepcional del art. 3.2 a la Iglesia Católica y la situación en que podrían encontrarse los ministros de otras confesiones religiosas, pues tal cuestión es evidentemente ajena al marco que se produce dentro de este proceso. Este último ha versado, como es notorio, en punto a si la regla de excepción del art. 3.2 referida a los sacerdotes ha de entenderse o no aplicable a los religiosos y religiosas en quienes se reúnan las demás condiciones que el precepto establece. Para examinar y dilucidar esta cuestión a la luz del principio de igualdad del art. 14 de la Constitución conviene hacer dos observaciones preliminares. La primera de ellas es que la hipótesis en que quiere situarse el recurso se produciría una discriminación por indiferenciación. Las genuinas normas discriminatorias son aquéllas en que se contiene un mandato positivo, respecto de las categorías discriminadas, situación que no es, obviamente la misma que se produce cuando una categoría no se encuentra contemplada ni en sentido positivo ni en sentido negativo por la norma, pues entonces el debate vuelve a ser, como señalamos en el fundamento jurídico 1.º, un debate referido a las operaciones de la aplicación del Derecho, pero no directamente a la norma misma. En el caso concreto la discusión versa sobre si la categoría no contemplada (religiosos y religiosas) tiene su cabida en la regla general o tiene su cabida en la excepción, problema en el cual juegan los criterios hermenéuticos sin que sea posible imputar a la norma la diferenciación. La segunda observación que aparece necesario hacer es que la genuina discriminación por razón de sexo, raza, religión u otras circunstancias personales es aquella que se refiere a la persona discriminada como portadora de tales aspectos o condiciones, mientras que aquí no se trataría en ningún caso de una discriminación por razón de las condiciones personales del supuestamente discriminado, que es el empleado, sino de una discriminación atendida a las condiciones del empleador. Si pudieran superarse los obstáculos que han sido puestos de relieve en las líneas anteriores y penetráramos a examinar la comparación entre la hipótesis sacerdotes del art. 3.2 del citado Decreto con la hipótesis religiosos o religiosas, no especialmente contempladas por norma alguna, las consecuencias a las que debe llegarse, coinciden en la conclusión desestimatoria de las pretensiones sostenidas en este amparo constitucional.

Puede llegarse a esta conclusión sobre la base de que la inclusión en la norma del art. 3.2 es excepcional y se refiere a los clérigos que ejercen ministerio sacerdotal, encuentra su fundamento en el art. 17 de la Constitución y en las relaciones de cooperación entre el Estado español y la Iglesia Católica y otras confesiones religiosas y se trata con ello de favorecer, dentro de los esquemas de la regulación de ese ministerio y de las consideraciones de decoro que en ella rigen, el ejercicio de la función sacerdotal, en la medida en que el Estado, por virtud de las antedichas relaciones de cooperación, encuentren en ella un interés justificable, como puede serlo el favorecimiento de que los ciudadanos reciban, para el ejercicio de su propia libertad de religión, asistencia religiosa. Mas si esa es, como parece, la razón y el fundamento ultimo de la norma, ello obliga a entenderlo como un favorecimiento del ejercicio de la función sacerdotal con referencia a los clérigos que ejerzan tal ministerio; e impone, necesariamente, la no inserción dentro de la norma excepcional de los religiosos y de las religiosas. Por una doble razón. Ante todo porque en el concepto religiosos y religiosas se encuentra presente la idea de vida monástica y en comunidad, en la cual, como es lógico, el trabajo doméstico como cualquier otro se realiza también en comunidad y si se contrata para llevarlo a cabo a personas ajenas a la comunidad no existe razón suficiente para exceptuarlas de la regla general. Y si se trata, como parece que es el presente caso de religiosa que, bien por decisión propia o bien por el cumplimiento de reglas especiales de un instituto, que no es propiamente de vida monástica, se inserta plenamente en la vida seglar, resulta claro que no hay ninguna razón para no aplicarle, en aras precisamente del principio de igualdad ante la ley, avalado en este punto por su propia decisión personal, el mismo ordenamiento previsto para los seglares que es entonces, no la norma excepcional de los clérigos que ejercen ministerio sacerdotal, sino la de exclusión de las relaciones de servicio doméstico que estuviera fundado en relaciones parentales.

Discriminación por razón de edad —STC 65/2011, de 16 de mayo[19]—

La Sentencia resuelve la cuestión de inconstitucionalidad planteada por la Sección Segunda de la Sala de lo Contencioso-Administrativo del Tribunal Superior de Justicia de Castilla-La Mancha, sobre el artículo 22.6 de la Ley 4/1996, de 26 de diciembre, de ordenación del servicio farmacéutico en Castilla-La Mancha, que establece: «[e]n ningún caso pueden participar en el procedimiento de instalación de una nueva oficina de farmacia los farmacéuticos [...] que tengan más de sesenta y cinco años al inicio del procedimiento.» Para el órgano cuestionante dicha prohibición es discriminatoria por razón de edad.

FJ 3. [...] Por lo que se refiere en concreto a la edad como factor de discriminación, este Tribunal la ha considerado una de las condiciones o circunstancias incluidas en la fórmula abierta con la que se cierra la regla de prohibición de discriminación\establecida en el art. 14 CE, con la consecuencia de someter su utilización por el legislador como factor de diferenciación al canon de constitucionalidad más estricto, en aplicación del cual este Tribunal ha llegado a soluciones diversas, en correspondencia con la heterogeneidad de los supuestos enjuiciados, tanto en procesos de amparo constitucionalidad como de control de normas con rango de ley. Así, en la STC 75/1983, de 3 de agosto, FJ 3, afirmamos que «la edad no es de las circunstancias enunciadas normativamente en el art. 14, pero no ha de verse aquí una intención tipificadora cerrada que excluya cualquiera otra de las precisadas en el texto legal, pues en la fórmula del indicado precepto se alude a cualquier otra condición o circunstancia personal o social, carácter de circunstancia personal que debe predicarse de la edad; de modo que la edad dentro de los límites que la ley establece para el acceso y la permanencia en la función pública es una de las circunstancias comprendidas en el art. 14 y en el art. 23.2, desde la perspectiva excluyente de tratos discriminatorios», si bien en el supuesto concreto analizado la diferenciación por razón de la edad se consideró justificada, mientras en la STC 37/2004, de 11 de marzo, mereció un juicio de inconstitucionalidad. Del mismo modo en la STC 31/1984, de 7 de marzo, FJ 11, al abordar la cuestión de las diferencias establecidas en el salario mínimo interprofesional por razón de la edad, aun cuando finalmente se consideraron justificadas al manejarse la edad como indicativa de una distinta naturaleza y valor del trabajo desempeñado, advertimos que la diferencia resultante, «en cuanto se fundaría en la utilización de la 'edad' sin más razones como criterio de diferenciaciones salariales, estaría en contradicción con el mandato constitucional prohibitivo de la discriminación por razón de una circunstancia que ha de tenerse por incluida en la formulación genérica con la que se cierra el art. 14 de la CE». También en la STC 69/1991, de 8 de abril, FJ 4, partimos de la inclusión de la edad entre las circunstancias personales que no pueden ser razón para discriminar (en este caso de modo indirecto, al aplicar una norma en principio neutral) salvo que existan motivos justificados. Y el mismo punto de partida se trasluce en la STC 361/1993, de 3 de diciembre. Por su parte la STC 149/2004, de 20 de septiembre, admite la relevancia de la edad como criterio sobre el que articular diferencias de trato normativo en materia de seguridad social. Y las SSTC 280/2006, de 9 de octubre, y 341/2006, de 11 de diciembre, descartan la existencia de discriminación constitucionalmente ilegítima en el establecimiento convencional de una edad de jubilación obligatoria.

Este Tribunal se ha pronunciado también con relación a la edad en supuestos de oficinas de farmacia en dos recursos de inconstitucionalidad contra leyes autonómicas que establecían como una causa de caducidad de las autorizaciones de farmacia el cumplimiento de setenta años. El debate suscitado en dichos recursos fue, en primer lugar, el de la compatibilidad de esta causa de caducidad con las bases estatales en materia de sanidad y, en especial, por su posible vulneración de la regulación estatal de la transmisibilidad de las farmacias. La decisión de este Tribunal fue la de entender que la Ley 16/1997, como norma básica estatal, «deja a las Comunidades Autónomas, no la libertad

---

19   Sobre este tema, y además de las citadas en la Sentencia, vid. SSTC 79/2011, de 26 de marzo; 117/2011, de 21 de mayo; 161/2011, 5 de julio; 41/2015, de 2 de marzo. Vid. también las SSTC 22/1981, de 2 de julio (es discriminatoria la fijación de una edad laboral máxima incondicionada); 100/1989, de 5 de junio (no es discriminatoria la reducción en la pensión de jubilación que deriva de la condición de jubilado forzoso por razón de edad, prevista en la Ley 30/1984, de 2 de agosto, de Medidas para la Reforma de la Función Pública); 197/2003, de 30 de octubre (la imposibilidad de declarar en situación de gran invalidez a las personas en edad de jubilación es razonable y no vulnera el artículo 14 CE); 280/2006, de 9 de octubre (es constitucional el establecimiento y aplicación de la cláusula de jubilación forzosa establecida por convenio colectivo aplicable en la empresa, siempre que su previsión convencional esté justificada, que su aplicación empresarial tenga fundamento legítimo ligado a la política de empleo, y que se prevean compensaciones para las/os trabajadoras/es; vid. también SSTC 58/1985, de 30 de abril; 341/2006, de 11 de diciembre); 66/2015, de 13 de abril (el uso de la edad como criterio para seleccionar a trabajadores afectados por un despido colectivo aparece razonablemente justificada y no es por tanto contrario al artículo 14 CE); 3/2018, de 22 de enero (imponer un límite de edad para acceder a una prestación de atención a la dependencia es discriminatorio).

de enervar la transmisibilidad de las farmacias, pero sí la de someter la transmisión a requisitos o condiciones que, naturalmente, no podrán ser arbitrarias, ni podrán entrar en pugna con la Constitución». Lo que conduce al Tribunal a declarar, en segundo lugar, que «el establecimiento de una edad tope para el ejercicio de una actividad privada declarada de interés público [las leyes autonómicas calificaban la atención farmacéutica de servicio de interés público] se conecta con dicho interés y ni impide la posibilidad de transmisión ni puede estimarse arbitraria» [SSTC 109/2003, de 5 de junio, FJ 10 b), y 152/2003, de 17 de julio, FJ 5 a)].

En la segunda de estas Sentencias, la STC 152/2003, de 17 de julio, sin embargo se adujo expresamente la compatibilidad de la caducidad de las autorizaciones de farmacia por el cumplimiento de los setenta años de edad con relación al art. 14 CE. En ese caso el Tribunal entendió que había una justificación razonable y proporcionada en el interés público al que la autorización de farmacia está vinculada. En concreto, porque «el cumplimiento de aquella edad pudiera mermar la prestación de la actividad en las condiciones que requiere la finalidad a la que sirve» [FJ 5 c)]. Y asimismo se entendió que «la aludida caducidad no enerva la posibilidad de la transmisión de los elementos patrimoniales de la oficina (art. 25.3), de un lado, y tampoco impide el ejercicio de su actividad profesional en otras áreas, la diferencia de trato que supone la caducidad de la autorización está justificada y no conlleva consecuencias desmedidas» [STC 152/2003, de 17 de julio, FJ 5 c)].

La doctrina sentada en estas dos últimas Sentencias no es trasladable automáticamente a este caso, pues en aquellas la edad de setenta años limitaba con carácter general el ejercicio de la actividad habilitada por una autorización de farmacia mientras que el precepto legal que enjuiciamos solo sujeta al tope de sesenta y cinco años el desempeño farmacéutico derivado de la obtención de una nueva autorización, permitiendo sin embargo el normal ejercicio de una preexistente, lo que es una diferencia relevante a la hora de ponderar la razonabilidad y proporcionalidad de una restricción por razón de edad establecida en aras a garantizar el correcto ejercicio de una actividad de interés público.

FJ 4. Una vez sentado que, de conformidad con la doctrina constitucional expuesta, la edad es uno de los factores a los que alcanza la prohibición constitucional de fundar en ellos un tratamiento diferenciado que no se acomode a las rigurosas exigencias de justificación y proporcionalidad acabadas de mencionar, la respuesta a la duda de constitucionalidad planteada vendrá dada por la valoración de las razones esgrimidas por los órganos autonómicos en pro de la justificación constitucional del distinto tratamiento que la ley cuestionada dispensa a los mayores de sesenta y cinco años. Bien entendido que, al no hallarnos en el ámbito de la genérica interdicción de la desigualdad, sino en el de la prohibición de la discriminación por las causas que, en enumeración abierta, se contienen en el segundo inciso del art. 14 CE, el canon de control de la excepcional legitimidad constitucionalidad de la diferenciación por uno de esos factores, como lo es la edad, es mucho más estricto al enjuiciar la justificación y proporcionalidad de la diferenciación. Así como en la STC 152/2003, de 17 de julio, se admitió la razonabilidad de la caducidad de las autorizaciones de farmacia por el cumplimiento de los setenta años de edad, hemos de verificar si en el caso de autos concurre también una justificación razonable y proporcionada para la implantación de un límite de edad. Consecuentemente hemos de analizar las razones que, en opinión de los órganos autonómicos, justifican la prohibición de participar en los procesos de adjudicación de autorizaciones para apertura de nuevas oficinas de farmacia a quienes tuvieran más de sesenta y cinco años al iniciarse el expediente, lo que nos lleva a las siguientes conclusiones:

a) En primer lugar, no resulta constitucionalmente admisible justificar la prohibición contenida en la norma cuestionada en que a los sesenta y cinco años la mayoría de los españoles cesa en su actividad laboral, en que la indicada es la edad prevista para la jubilación en la normativa de laboral en sentido lato, y en que, en consecuencia, a partir de dicha edad sean crecientes las dificultades de adaptación a las peculiaridades tanto de la localidad en la que haya de instalarse la nueva oficina de farmacia como de los habitantes de aquélla. En efecto, además de que la pretendida dificultad objetiva de los mayores de sesenta y cinco años para prestar el servicio, y en particular para adaptarse a las peculiaridades de la localidad y de la población en que haya de instalarse la nueva oficina de farmacia, es difícilmente contrastable, el modo incondicional con el que la prohibición se instrumenta resulta absolutamente desproporcionado respecto del fin al que supuestamente se orienta. Desde luego son imaginables otros métodos para contrastar la capacidad de adaptación que apodícticamente se niega a los mayores de sesenta y cinco años que no cierran la posibilidad de autorizar una nueva instalación a quienes superando tal edad poseen la capacidad de adaptación que se pretende salvaguardar. Pero es que, además, la prohibición establecida, no sólo alcanza a los mayores de sesenta y cinco años que estén interesados en instalar una primera oficina de farmacia, sino también a quienes, siendo ya titulares de una en un núcleo de población concreto, pretendan acceder a una nueva autorización para otro núcleo distinto en la misma localidad, que bien pudiera ser próximo (respetando siempre la limitación de una única titularidad de oficina de farmacia establecida en el art. 20.2 de la Ley 4/1996). En tales supuestos resulta muy aventurado presumir que en el antiguo y el nuevo núcleo de población existe una heterogeneidad tal en la población a atender que requiera una adaptación especial y, en consecuencia, es desproporcionado, si no arbitrario, cercenar de raíz a los mayores de sesenta y cinco años que ya se encuentran ejerciendo de farmacéuticos en su propia oficina de farmacia toda posibilidad de optar a una autorización en otro núcleo distinto (máxime a la vista de la configuración del concepto de núcleo de población efectuado por el art. 36.2, inciso segundo, de la indicada ley). Finalmente, la inconsistencia de la razón pretendidamente justificante de la prohibición cuestionada se muestra especialmente evidente si se toma en cuenta que la prohibición afecta también a los farmacéuticos mayores de sesenta y cinco años que pretendan acceder a la autorización de una nueva oficina de farmacia (por aumento de población, ex art. 36.2) para un núcleo de población respecto del cual no precisan obviamente adaptación alguna, dado que se encuentran ya trabajando en él como sustitutos o adjuntos (arts. 28 y 29) de una farmacia ajena, o incluso como auxiliares (art. 30).

b) Tampoco puede admitirse que la prohibición impuesta a los mayores de sesenta y cinco años constituya una medida de acción positiva dirigida a equilibrar la desfavorable situación de partida de los integrantes de un grupo desfavorecido. Su exposición de motivos se refiere al acceso de nuevos profesionales a las oficinas de farmacia como una de las finalidades de la Ley 4/1996, para lo que se prevé el incremento del número de aquéllas mediante la adopción de ciertas medidas, tales como la de posibilitar su instalación en todos los núcleos de población y la disminución del número máximo de habitantes por farmacia y de la distancia mínima entre ellas. Sin embargo, además de que en absoluto se alude en la justificación de la norma a que con la incorporación de los nuevos profesionales se trate de favorecer precisamente a los farmacéuticos jóvenes o de mediana edad, la exclusión de los mayores de sesenta y cinco años se manifiesta injustificada y desproporcionada por las siguientes razones:

- La amplitud del colectivo privilegiado (todos los profesionales, hasta que cumplan la edad de sesenta y cinco años) permite albergar serias dudas acerca de que efectivamente se trate de un grupo desfavorecido que precise de una medida de acción positiva para reequilibrar su posición frente a los mayores de sesenta y cinco años. En el caso la medida excepcional, pretendida o supuestamente de discriminación positiva, más que privilegiar a un grupo supuestamente merecedor de especial protección margina a un colectivo concreto (los mayores de sesenta y cinco años).

- Tal como con acierto argumenta el Ministerio Fiscal, el propósito de favorecer al colectivo de los menores de sesenta y cinco años no se instrumenta potenciando cualidades o condiciones reconducibles a los principios de mérito y capacidad que informan el sistema de autorizaciones de apertura de nuevas farmacias, sino excluyendo radical y directamente de la posibilidad de participar en los procedimientos establecidos al efecto a los mayores de sesenta y cinco años, los cuales, además, no tienen ningún obstáculo legal para ejercer la profesión por encima de esa edad. Consecuentemente no estamos ante una medida de favorecimiento de un grupo necesitado de reequilibrio, sino ante una medida de exclusión, que se revela como injustificadamente lesiva de la prohibición de discriminación contenida en el art. 14 CE.

- Si la edad de sesenta y cinco años no es obstáculo para seguir ejerciendo la profesión de farmacéutico titular de la oficina de farmacia, la prohibición de acceso a una nueva autorización para los mayores de esa edad no está conectada con el interés público presente en la ordenación del servicio farmacéutico, y sin embargo incide en una de las formas de ejercicio profesional, precisamente la articulada a través de la organización de una actividad empresarial, faceta en la cual no está justificada la restricción impuesta a los mayores de sesenta y cinco años.

- Finalmente, la prohibición de la que hablamos produce el resultado de que los farmacéuticos que ya tienen farmacia en otro núcleo de población podrán participar o no en el concurso dependiendo de la edad que tengan, sin que la exclusión de los mayores de sesenta y cinco años lleve consigo el acceso de nuevos profesionales, revelándose así la medida como inidónea al fin pretendido.

La salud como motivo sospechoso de discriminación —STC 62/2008, de 26 de mayo—

La Sentencia resuelve el recurso de amparo interpuesto por don E.D.Z. contra la Sentencia de 12 de mayo de 2003 de la Sección Sexta de la Sala de lo Social del Tribunal Superior de Justicia de Madrid y contra la Sentencia del Juzgado de lo Social núm. 35 de Madrid, de 11 de diciembre de 2002, que declararon la improcedencia de su despido. Entendieron dichas Sentencias que el motivo del despido, el conocimiento adquirido por la empresa de la existencia de una enfermedad previa que convertía en no rentable su prestación laboral en el sector de la construcción, no es causa de nulidad. El recurrente entiende que su despido debió ser declarado nulo, por vulnerar su derecho a la igualdad y a la no discriminación por causa de enfermedad.

FJ 5. [...] A diferencia de los casos que habitualmente ha abordado nuestra jurisprudencia, relativos por lo común a factores de discriminación expresamente citados en el art. 14 CE o, aun no recogidos de forma expresa, históricamente reconocibles de modo palmario como tales en la realidad social y jurídica (como la orientación sexual, STC 41/2006, de 13 de febrero), en esta ocasión se cuestiona la posible discriminación por causa de un factor no listado en el precepto constitucional, cual es el estado de salud del trabajador; en concreto, la existencia de una enfermedad crónica que se discute si resulta o no incapacitante para la actividad profesional del trabajador. Se hace por ello preciso determinar si dicha causa puede o no subsumirse en la cláusula genérica de ese precepto constitucional («cualquier otra condición o circunstancia personal o social»), teniendo en cuenta que, como se sabe, no existe en el art. 14 CE una intención tipificadora cerrada (SSTC 75/1983, de 3 de agosto, FJ 3; 31/1984, de 7 de marzo, FJ 10; y 37/2004, de 11 de marzo, FJ 3).

Para ello debemos partir de la consideración de que, como es patente, no todo criterio de diferenciación, ni todo motivo empleado como soporte de decisiones causantes de un perjuicio, puede entenderse incluido sin más en la prohibición de discriminación del art. 14 CE, pues, como indica acertadamente la Sentencia de suplicación citando jurisprudencia del Tribunal Supremo, en ese caso la prohibición de discriminación se confundiría con el principio de igualdad de trato afirmado de forma absoluta. De ahí que, para determinar si un criterio de diferenciación no expresamente listado en el art. 14 CE debe entenderse incluido en la cláusula genérica de prohibición de discriminación por razón de «cualquier otra condición o circunstancia personal o social», resulte necesario analizar la razonabilidad del criterio, teniendo en cuenta que lo que caracteriza a la prohibición de discriminación, frente al principio genérico de igualdad, es la naturaleza particularmente odiosa del criterio de diferenciación utilizado, que convierte en elemento de segregación, cuando no de persecución, un rasgo o una condición personal innata o una opción elemental que expresa el ejercicio de las libertades más básicas, resultando así un comportamiento radicalmente contrario a la dignidad de la persona y a los derechos inviolables que le son inherentes (art. 10 CE).

Así como los motivos de discriminación citados expresamente en el art. 14 CE implican un juicio de irrazonabilidad de la diferenciación establecido ya ex Constitutione, tal juicio deberá ser realizado inexcusablemente en cada caso en el análisis concreto del alcance discriminatorio de la multiplicidad de condiciones o circunstancias personales o sociales que pueden ser eventualmente tomadas en consideración como factor de diferenciación, y ello no ya para apreciar la posibilidad de que uno de tales motivos pueda ser utilizado excepcionalmente como criterio de diferenciación jurídica sin afectar a la prohibición de discriminación, como ha admitido este Tribunal en el caso de los expresamente identificados en la Constitución (así, en relación con el sexo, entre otras, SSTC 103/1983, de 22 de noviembre, FJ 6; 128/1987, de 26 de julio, FJ 7; 229/1992, de 14 de diciembre, FJ 2; 126/1997, de 3 de julio, FJ 8; y en relación con la raza, STC 13/2001, de 29 de enero, FJ 8), sino para la determinación misma de si la diferenciación considerada debe ser analizada desde la prohibición de discriminación del art. 14 CE, en la medida en que responda a un criterio de intrínseca inadmisibilidad constitucional análoga a la de los allí contemplados, o con la perspectiva del principio genérico de igualdad, principio que, como es sabido, resulta en el ámbito de las relaciones laborales matizado por «la eficacia del principio de la autonomía de la voluntad que, si bien aparece fuertemente limitado en el Derecho del trabajo, por virtud, entre otros factores, precisamente del principio de igualdad, subsiste en el terreno de la relación laboral» (STC 197/2000, de 24 de julio, FJ 5).

FJ 6. Pues bien, no cabe duda de que el estado de salud del trabajador o, más propiamente, su enfermedad, pueden, en determinadas circunstancias, constituir un factor de discriminación análogo a los expresamente contemplados en el art. 14 CE, encuadrable en la cláusula genérica de las otras circunstancias o condiciones personales o sociales contemplada en el mismo. Ciñéndonos al ámbito de las decisiones de contratación o de despido que se corresponde con el objeto de la presente demanda de amparo, así ocurrirá singularmente, como apuntan las resoluciones ahora recurridas basándose en jurisprudencia previa de la Sala de lo Social del Tribunal Supremo, cuando el factor enfermedad sea tomado en consideración como un elemento de segregación basado en la mera existencia de la enfermedad en sí misma considerada o en la estigmatización como persona enferma de quien la padece, al margen de cualquier consideración que permita poner en relación dicha circunstancia con la aptitud del trabajador para desarrollar el contenido de la prestación laboral objeto del contrato.

No es éste, sin embargo, el supuesto aquí analizado, en el que la valoración probatoria efectuada por los órganos judiciales ha puesto inequívocamente de manifiesto que en la decisión extintiva el factor enfermedad ha sido tenido en cuenta con la perspectiva estrictamente funcional de su efecto incapacitante para el trabajo. Por decirlo de otra manera, la empresa no ha despedido al trabajador por estar enfermo, ni por ningún prejuicio excluyente relacionado con su enfermedad, sino por considerar que dicha enfermedad le incapacita para desarrollar su trabajo, hasta el punto de que, según afirma, de haber conocido dicha circunstancia con anterioridad a la contratación no habría procedido a efectuarla.

No existe en las resoluciones judiciales recurridas ninguna consideración sobre la cuestión relativa a si la enfermedad padecida por el trabajador le incapacitaba realmente para desarrollar su trabajo en el sector de la construcción, como señala la empresa, o si carecía de ese alcance incapacitante, como argumenta el trabajador con base en lo que, según afirma, ha sido reiteradamente valorado por el Instituto Nacional de la Seguridad Social al declararle no incapacitado permanentemente para el trabajo en grado alguno. Las resoluciones judiciales recurridas no han analizado el alcance incapacitante de la enfermedad del trabajador, sin duda por entenderlo irrelevante para enjuiciar un despido disciplinario basado en una pretendida trasgresión de la buena fe contractual. Y tampoco resultan concluyentes a la hora de valorar dicha motivación empresarial las alegadas decisiones del Instituto Nacional de la Seguridad Social denegando la incapacidad permanente, ya que la primera de ellas se dictó casi cuatro años antes, período que impide obtener conclusión alguna en relación con la evolución que pudiera haber experimentado la dolencia del trabajador, mientras que la segunda es posterior a la fecha del despido y ni siquiera constaba que hubiera adquirido firmeza en el momento de dictarse la Sentencia de instancia recurrida. Por lo demás, es de señalar que las resoluciones del Instituto Nacional de la Seguridad Social son decisiones dictadas en un procedimiento distinto al de la impugnación del despido, no dirigido propiamente a la determinación de la capacidad o incapacidad del trabajador para desempeñar un puesto de trabajo, sino al reconocimiento de una prestación, y que, en consecuencia, no vinculan al mismo, además de ser, obviamente, recurribles.

Pero, en cualquier caso, la realidad del efecto incapacitante de la enfermedad sufrida por el trabajador sería una cuestión que no afectaría a la conceptuación de la decisión empresarial de extinción como discriminatoria, sino únicamente a la calificación legal de su procedencia o improcedencia, y ello en la hipótesis de que la medida se hubiera materializado a través de uno de los mecanismos previstos en la legislación laboral para atender a este tipo de circunstancias y no mediante el, en todo caso, manifiestamente improcedente recurso a un despido disciplinario por trasgresión de la buena fe contractual. No hay, por tanto, aquí un problema de inversión de la carga probatoria en virtud de la cual, aportado por el trabajador un indicio discriminatorio, correspondiera a la empresa acreditar la existencia de una justificación objetiva y razonable de su decisión, ajena a todo móvil discriminatorio, en este caso, la efectiva situación de incapacidad del trabajador. No hay inversión de la carga de la prueba pues no hay aportación de un indicio discriminatorio, toda vez que la enfermedad desde la óptica con que ha sido analizada no constituye un factor de discriminación.

La temporalidad laboral como motivo sospechoso de discriminación —STC 71/2016, de 14 de abril—

La Sentencia resuelve la cuestión de inconstitucionalidad planteada por la Sala de lo Social del Tribunal Superior de Justicia de Canarias respecto de la disposición adicional quincuagésima séptima de la Ley 10/2012, de 29 de diciembre, de presupuestos generales de la Comunidad Autónoma de Canarias para 2013, que dentro de la Administración de la Comunidad Autónoma impone al personal laboral temporal y al indefinido declarado como tal por resolución judicial o administrativa condiciones de trabajo distintas y desfavorables respecto de las establecidas para el personal laboral fijo, apelando a "razones de contención de gasto público". Entiende el órgano judicial cuestionante que las denunciadas diferencias de trato entre estos colectivos laborales podría suponer una vulneración del artículo 14 CE.

FJ 5. [...] Debe tenerse en cuenta que la categoría de personal laboral indefinido tiene su origen en la solución jurisprudencial aplicada para salir al paso de la existencia de irregularidades en la contratación temporal de las Administraciones públicas. Dichas irregularidades, como pone de relieve la jurisprudencia del Tribunal Supremo (SSTS 20 de enero de 1998 y 22 de julio de 2013, entre otras muchas), pese a su ilicitud, no podían determinar la adquisición de la fijeza por el trabajador afectado, pues tal efecto pugnaría con los principios legales y constitucionales que garantizan el acceso al empleo público —tanto funcionarial, como laboral— en condiciones que se ajusten a los principios de igualdad, mérito, capacidad y publicidad.

En consecuencia, el carácter indefinido del contrato, aun cuando implica que este no esté sometido a término cierto o determinado, no supone que el trabajador consolide una plaza fija en plantilla, por lo que, desde el punto de vista que ahora interesa, no puede apreciarse que exista una diferencia sustancial entre el contrato indefinido y el contrato temporal. Por ello puede afirmarse que la norma cuestionada establece una diferencia de trato entre los trabajadores temporales (en los que ha de considerarse incluido el personal laboral indefinido) y los trabajadores fijos.

No obstante, para apreciar la quiebra del principio de igualdad no basta con que exista un trato diferente entre estos dos tipos de trabajadores sino que, como se ha indicado, es preciso, además, que no existan causas objetivas que permitan considerar razonable esta diferenciación. Y a los efectos de apreciar si estas causas objetivas existen ha de partirse de la premisa, como también se ha señalado, de que tanto la jurisprudencia de este Tribunal como la del Tribunal de Justicia de la Unión Europea ha reconocido la existencia de un criterio igualitario entre los trabajadores temporales y fijos que no puede ser excepcionado por razón de la duración. De ahí que el diferente trato que se otorgue a estos trabajadores solo puede considerarse acorde con el referido criterio igualitario si el trato distinto se justifica en la naturaleza del específico trabajo que desempeñen o sea una consecuencia inherente a su condición de trabajadores temporales, como sucede, en particular, en lo que se refiere a las causas que determinan la extinción de su relación contractual.

En el presente caso la disposición adicional que se enjuicia establece, con carácter general, la reducción de jornada del personal funcionario interino, del personal laboral indefinido y del personal laboral temporal, por lo que es claro que la diferenciación no se establece por razón de la naturaleza del trabajo que se desempeña, sino por el hecho de que este personal no tiene una relación de empleo fija con la Administración. Esta circunstancia, de acuerdo con la doctrina establecida en la STC 104/2004, de 28 de junio, FJ 6, no puede considerarse, por sí sola, una justificación razonable que permita considerar acorde con el principio de igualdad la medida establecida, pues, aunque para acceder a una relación de empleo fija con la Administración, bien como funcionario de carrera, bien como personal laboral fijo, se exija superar unos procesos selectivos que acrediten el mérito y capacidad y estos procesos selectivos sean diferentes de los que han de superar aquellos que tienen un vínculo temporal con la Administración, esta diferente forma de acceso no permite en este supuesto entender justificada la diferencia de trato. La menor dificultad que tiene los procesos selectivos que superan quienes se incorporan con carácter temporal a la Administración pública respecto de los que tienen que superar aquellos que se integran como personal fijo no justifica que respecto de estos trabajadores se adopten medidas que no estén justificadas en datos objetivos relacionados con la prestación de trabajo que tienen que desempeñar o que sean consustanciales a la naturaleza temporal de su relación de empleo.

De ahí que como la medida prevista en la norma cuestionada no tiene esta justificación, sino que se fundamenta, como expresamente se reconoce en su apartado primero, en razones de contención de gasto público y tiene como finalidad mantener el empleo público, hacer recaer estas medidas únicamente en los empleados públicos que tienen la condición de temporales no puede considerarse acorde con el principio de igualdad. Esta previsión, como se ha indicado, rompe el criterio igualitario entre los trabajadores con contratos de duración determinada y los trabajadores fijos comparables que se deduce de la doctrina de este Tribunal (STC 104/2004, de 28 de junio) así como de la aplicación del Derecho europeo y la interpretación que del mismo ha hecho el Tribunal de Justicia de la Unión Europea.

La orientación sexual como motivo sospechoso de discriminación —STC 41/2006, de 13 de febrero (*vid.* *supra*)—

FJ 3 […]. La orientación homosexual, si bien no aparece expresamente mencionada en el art. 14 CE como uno de los concretos supuestos en que queda prohibido un trato discriminatorio, es indubitadamente una circunstancia incluida en la cláusula «cualquier otra condición o circunstancia personal o social» a la que debe ser referida la interdicción de la discriminación. Conclusión a la que se llega a partir, por un lado, de la constatación de que la orientación homosexual comparte con el resto de los supuestos mencionados en el art. 14 CE el hecho de ser una diferencia históricamente muy arraigada y que ha situado a los homosexuales, tanto por la acción de los poderes públicos como por la práctica social, en posiciones desventajosas y contrarias a la dignidad de la persona que reconoce el art. 10.1 CE, por los profundos prejuicios arraigados normativa y socialmente contra esta minoría; y, por otro, del examen de la normativa que, ex art. 10.2 CE, debe servir de fuente interpretativa del art. 14 CE. […]
Bajo esas circunstancias, extendiendo a estos terrenos la doctrina constitucional sentada en relación con otros motivos de discriminación —distintos en su causa pero coincidentes en la protección constitucional que precisan—, concluiremos que en el ámbito de las relaciones laborales la prohibición de discriminación por orientación homosexual alcanzará tanto a decisiones causales como el despido, como a decisiones empresariales ad nutum. Y es que la paridad que impone el segundo inciso del art. 14 CE en lo que se refiere a las condiciones de trabajo, comprendido el supuesto extintivo, implica que se garanticen a hombres y mujeres las mismas condiciones en el empleo, sea cual sea su orientación sexual.

Discriminación por razón de identidad sexual: la transexualidad como motivo sospechoso de discriminación —STC 176/2008, de 22 de diciembre—

La Sentencia resuelve el recurso de amparo promovido por don A.P.V. contra la Sentencia de la Sección Primera de la Audiencia Provincial de Lugo de 19 de mayo de 2005, que confirmó la del Juzgado de Primera Instancia núm. 4 de Lugo de 18 de octubre de 2004, recaída en procedimiento de modificación de medidas definitivas en materia de separación matrimonial, por la que se acordó modificar el régimen de visitas del recurrente a su hijo menor de edad.

El recurrente venía disfrutando desde que se dictara sentencia de separación, el 2 de abril de 2002, de un régimen de visitas a su hijo los fines de semana alternos, desde las 10:00 horas del sábado hasta las 20:00 horas del domingo, así como de la mitad del tiempo correspondiente a las vacaciones de navidad, semana santa y verano, rotándose dichas mitades según los años pares e impares. Con motivo del proceso de reasignación de sexo empezado por el recurrente, y a instancias de la madre de su hijo, las Sentencias recurridas sustituyeron este régimen de visitas por una comunicación entre padre e hijo (entonces de 6 años de edad) de tres horas —de 17:00 a 20:00 horas— sábados alternos, en la sede del punto de encuentro de Lugo y con presencia de un profesional del centro y de la madre del menor, quedando abierta la posibilidad de ampliar este régimen en el futuro, a expensas de los informes bimensuales que fuesen rindiendo al Juzgado el servicio psicológico del punto de encuentro. Entiende el recurrente que estas Sentencias enmascaran una discriminación por identidad sexual.

FJ 3. [...] [N]o puede ponerse en duda —como tampoco lo hacen, por otra parte, las Sentencias impugnadas— que el recurrente ha de ser considerado como transexual, atendiendo para ello al significado común que este término ha adquirido en nuestra sociedad actual, esto es, la persona que perteneciendo a un sexo por su configuración cromosómica y morfológica, se siente y actúa como miembro del otro sexo, en este caso el femenino. Partiendo de este presupuesto hemos de examinar si, como sostienen el Ministerio Fiscal y el recurrente, ha sido en realidad la condición de transexual femenino de éste la que ha determinado los términos restrictivos del nuevo régimen de visitas acordado por las Sentencias impugnadas en amparo, pues de ser así las resoluciones judiciales habrían incurrido en la vulneración que se denuncia del derecho fundamental del recurrente a no sufrir discriminación por razón de su orientación sexual (art. 14 CE).

FJ 4. [...] [N]o existe ningún motivo que lleve a excluir de la cobertura del principio de no discriminación contenido en el inciso segundo del art. 14 CE a una queja relativa a la negación o recorte indebido de derechos —en este caso familiares— a quien se define como transexual y alega haber sido discriminado, precisamente, a causa de dicha condición y del rechazo e incomprensión que produce en terceros su disforia de género. En relación con lo anterior, es de destacar que la condición de transexual, si bien no aparece expresamente mencionada en el art. 14 CE como uno de los concretos supuestos en que queda prohibido un trato discriminatorio, es indudablemente una circunstancia incluida en la cláusula «cualquier otra condición o circunstancia personal o social» a la que debe ser referida la interdicción de la discriminación. Conclusión a la que se llega a partir, por un lado, de la constatación de que la transexualidad comparte con el resto de los supuestos mencionados en el art. 14 CE el hecho de ser una diferencia históricamente arraigada y que ha situado a los transexuales, tanto por la acción de los poderes públicos como por la práctica social, en posiciones desventajosas y contrarias a la dignidad de la persona que reconoce el art. 10.1 CE, por los profundos prejuicios arraigados normativa y socialmente contra estas personas; y, por otro, del examen de la normativa que, ex art. 10.2 CE, debe servir de fuente interpretativa del art. 14 CE.

En efecto, en cuanto a lo primero, es notoria la posición de desventaja social y, en esencia, de desigualdad y marginación sustancial que históricamente han sufrido los transexuales. En cuanto a lo segundo, puede citarse a modo de ejemplo que el Tribunal Europeo de Derechos Humanos, al analizar el alcance del art. 14 del Convenio europeo para la protección de los derechos humanos y las libertades fundamentales (CEDH), ha destacado que la orientación sexual es una noción que se contempla, sin duda, en dicho artículo, señalando que la lista que contiene el precepto tiene un carácter indicativo y no limitativo (STEDH de 21 de diciembre de 1999, caso Salgueiro Da Silva Mouta contra Portugal, § 28); insistiéndose expresamente en que en la medida en que la orientación sexual es un concepto amparado por el art. 14 CEDH, como las diferencias basadas en el sexo, las diferencias de trato basadas en la orientación sexual exigen razones especialmente importantes para ser justificadas (entre otras, SSTEDH de 9 de enero de 2003, casos L. y V. contra Austria, § 48, y S.L. contra Austria, § 37, ó 24 de julio de 2003, caso Karner contra Austria, § 37, a las que se han remitido numerosas Sentencias posteriores como son las SSTEDH de 10 de febrero de 2004, caso B.B. contra Reino Unido; 21 de octubre de 2004, caso Woditschka y Wilfing contra Austria; 3 de febrero de 2005, caso Ladner contra Austria; 26 de mayo de 2005, caso Wolfmeyer contra Austria; 2 de junio de 2005, caso H.G. y G.B. contra Austria; ó 22 de enero de 2008, caso E.B. contra Francia, § 91)

Del mismo modo, y en relación con el art. 26 del Pacto internacional de derechos civiles y políticos, en que se establece también la cláusula de igualdad de trato e interdicción de la discriminación por motivos de raza, color, sexo, idioma, religión, opiniones políticas o de cualquier índole, origen nacional o social, posición económica, nacimiento o cualquier otra condición social, el Comité de Derechos Humanos de Naciones Unidas ha destacado que la prohibición contra la discriminación por motivos de sexo (art. 26) comprende la discriminación basada en la orientación sexual (señaladamente, Dictamen de 4 de abril de 1994, comunicación núm. 488-1992, caso Toonen contra Australia, § 8.7, y Dictamen de 18 de septiembre de 2003, comunicación núm. 941-2000, caso Young contra Australia, § 10.4). Asimismo es pertinente la cita del art. 13 del Tratado constitutivo de la Comunidad Europea (futuro art. 19 del nuevo Tratado de funcionamiento de la Unión Europea, conforme al Tratado de Lisboa de 13 de diciembre de 2007, cuya ratificación por España se autoriza por la Ley Orgánica 1/2008, de 30 de julio), que se refiere a la orientación sexual como una de las causas de discriminación, cuando señala que «Sin perjuicio de las demás disposiciones del presente Tratado y dentro de los límites de las competencias atribuidas a la Comunidad por el mismo, el Consejo, por unanimidad, a propuesta de la Comisión y previa consulta al Parlamento Europeo, podrá adoptar acciones adecuadas para luchar contra la discriminación por motivos de sexo, de origen racial o étnico, religión o convicciones, discapacidad, edad u orientación sexual».

Finalmente, el art. 21.1 de la Carta de los derechos fundamentales de la Unión Europea, aprobada en Niza el 7 de diciembre de 2000 y modificada en Estrasburgo el 12 de diciembre de 2007, contempla de manera explícita la «orientación sexual» como una de las razones en que queda prohibido ejercer cualquier tipo de discriminación.

FJ 5. [...] Debe tenerse presente que la comunicación y visitas del progenitor que no ostenta la guarda y custodia permanente del hijo menor de edad se configura por el art. 94 del Código civil como un derecho del que aquél podrá gozar en los términos que se señalen judicialmente pero sin que pueda sufrir limitación o suspensión salvo «graves circunstancias que así lo aconsejen o se incumplieren grave o reiteradamente los deberes impuestos por la resolución judicial». Se trata, en realidad, de un derecho tanto del progenitor como del hijo, al ser manifestación del vínculo filial que une a ambos y contribuir al desarrollo de la personalidad afectiva de cada uno de ellos.

En este sentido, los instrumentos jurídicos internacionales sobre protección de menores, integrados en nuestro ordenamiento ex art. 10.2 CE y por expresa remisión de la propia Ley Orgánica 1/1996, de 15 de enero, sobre protección jurídica del menor (art. 3), contemplan el reconocimiento del derecho a la comunicación del progenitor con el hijo como un derecho básico de este último, salvo que en razón a su propio interés tuviera que acordarse otra cosa: así el art. 9.3 de la Convención sobre los derechos del niño, adoptada por la Asamblea General de las Naciones Unidas el 20 de noviembre de 1989 y en vigor desde el 2 de septiembre de 1990 («Los Estados Partes respetarán el derecho del niño que esté separado de uno o de ambos padres a mantener relaciones personales y contacto directo con ambos padres de modo regular, salvo si ello es contrario al interés superior del niño»); así también el art. 14 de la Carta europea de los derechos del niño aprobada por el Parlamento Europeo en Resolución de 18 de julio de 1992 («En caso de separación de hecho, separación legal, divorcio de los padres o nulidad del matrimonio, el niño tiene derecho a mantener contacto directo y permanente con los dos padres, ambos con las mismas obligaciones, incluso si alguno de ellos viviese en otro país, salvo si el órgano competente de cada Estado miembro lo declarase incompatible con la salvaguardia de los intereses del niño»); igualmente cabe citar el art. 24.3 de la Carta de los derechos fundamentales de la Unión Europea («Todo niño tiene derecho a mantener de forma periódica relaciones personales y contactos directos con su padre y con su madre, salvo si ello es contrario a sus intereses»).

FJ 6. En coherencia con lo que acaba de indicarse, constituye doctrina consolidada de este Tribunal, con fundamento en las citadas normas internas e internacionales dictadas para la protección de los menores de edad, que en materia de relaciones paternofiliales (entre las que se encuentra lo relativo al régimen de guarda y custodia de los menores por sus progenitores, como es el caso que nos ocupa) el criterio que ha de presidir la decisión que en cada caso corresponda adoptar al Juez, a la vista de las circunstancias concretas, debe ser necesariamente el del interés prevalente del menor, ponderándolo con el de sus progenitores, que aun siendo de menor rango, no por ello resulta desdeñable (SSTC 141/2000, de 29 de mayo, FJ 5; 124/2002, de 20 de mayo, FJ 4; 144/2003, de 14 de julio, FJ 2; 71/2004, de 19 de abril, FJ 8; 11/2008, de 21 de enero, FJ 7). En el mismo sentido se ha pronunciado el Tribunal Europeo de Derechos Humanos (entre otras, SSTEDH de 24 de marzo de 1988, caso Olsson; 28 de noviembre de 1988, caso Nielsen; de 25 de febrero de 1992, caso Andersson; de 23 de junio de 1993, caso Hoffmann; de 23 de septiembre de 1994, caso Hokkanen; de 24 de febrero de 1995, caso McMichael; de 9 de junio de 1998, caso Bronda; de 16 de noviembre de 1999, caso E.P. contra Italia; y de 21 de diciembre de 1999, caso Salgueiro Da Silva Mouta contra Portugal).

El interés superior del niño opera, precisamente, como contrapeso de los derechos de cada progenitor y obliga a la autoridad judicial a ponderar tanto la necesidad como la proporcionalidad de la medida reguladora de la guarda y custodia del menor. Cuando el ejercicio de alguno de los derechos inherentes a los progenitores afecta al desenvolvimiento de sus relaciones filiales, y puede repercutir de un modo negativo en el desarrollo de la personalidad del hijo menor, el interés de los progenitores deberá ceder frente al interés de éste. En estos casos nos encontramos ante un juicio de ponderación que debe constar expresamente en la resolución judicial, identificando los bienes y derechos en juego que pugnan de cada lado, a fin de poder calibrar la necesidad y proporcionalidad de la medida adoptada.

Por otra parte, cuando lo que está en juego es la integridad psíquica del menor no deviene necesario que se acredite consumada la lesión para poder limitar los derechos del progenitor, sino que basta con la existencia de «un riesgo relevante de que la lesión puede llegar a producirse» (STC 221/2002, de 25 de noviembre, FJ 4; en el mismo sentido STC 71/2004, de 19 de abril, FJ 8). Es decir, un riesgo consistente en la alteración efectiva de la personalidad del hijo menor, merced a un comportamiento socialmente indebido de su progenitor, bien sea por la negatividad de los valores sociales o afectivos que éste le transmite durante el tiempo en que se comunican, bien por sufrir el menor de manera directa los efectos de actos violentos, inhumanos o degradantes a su dignidad ocasionados por el padre o la madre, o que de manera persistente alteran o perturban su psique. Sea cuales fueren los motivos de esa perturbación, incluso si se debieran a circunstancias incontrolables para el progenitor causante (depresiones o problemas mentales de diversa índole), resulta inequívoco y absoluto que el hijo menor no está en modo alguno obligado a sufrirlos, y sí la autoridad competente a arbitrar los instrumentos para evitarlo, incluso con restricción o suspensión de ese derecho de comunicación filial, según la gravedad de los hechos.

FJ 7. Ahora bien, es claro que lo que en modo alguno resulta constitucionalmente admisible es presumir la existencia de un riesgo de alteración efectiva de la personalidad del menor por el mero hecho de la orientación sexual de uno u otro de sus progenitores. Ello implica que la adopción de una decisión judicial consistente en suprimir, suspender o limitar el derecho de comunicación de los padres con sus hijos menores con fundamento, de forma principal o exclusiva, en la transexualidad del padre o de la madre, deba calificarse como una medida discriminatoria proscrita por el art. 14 CE.

Así lo ha venido entendiendo el Tribunal Europeo de Derechos Humanos al analizar el alcance del art. 14 CEDH, que sanciona el principio de no discriminación, «especialmente por razones de sexo, raza, color, lengua, religión, opiniones políticas u otras, origen nacional o social, pertenencia a una minoría nacional, fortuna, nacimiento o cualquier otra situación», cláusula abierta que incluye, como antes se dijo, la orientación sexual, así como el art. 8 CEDH, que reconoce el derecho al respeto de la vida privada y familiar (garantizado entre nosotros por el art. 18.1 CE).

En tal sentido valga recordar que en la STEDH de 25 de marzo de 1992, caso B. contra Francia, § 48, el Tribunal Europeo ya afirmó en relación con el transexualismo que «considera innegable que las mentalidades han evolucionado, que la ciencia ha progresado y que se concede una importancia creciente al mismo», destacando además la complejidad de las relaciones jurídicas que se vinculan a aquél: «cuestiones de naturaleza anatómica, biológica, psicológica y moral», así como los ámbitos sobre los que se proyecta, incluyendo entre ellos el de la filiación. En el caso concreto, el Tribunal estimó infringido el art. 8 CEDH, al entender que la negativa de las autoridades a conceder a la demandante el cambio de nombre tras el tratamiento al que se sometió —incluyendo cirugía de reasignación de sexo— no estaba justificado y originó a la demandante diversos perjuicios graves de índole personal (§§ 55 a 63).

En suma, una decisión judicial o de otro poder público que suprima, suspenda o restrinja los derechos del progenitor en relación con sus hijos menores, cuya ratio decidendi descanse de manera decisiva, expresa o implícitamente, en la orientación sexual de dicho progenitor supone una diferenciación discriminatoria proscrita por el art. 14 CE, pues en ningún caso el mero dato de la orientación sexual o, más específicamente, de la disforia de género puede erigirse en justificación objetiva y razonable para dispensar un trato discriminatorio en perjuicio de ese progenitor en el marco de sus relaciones paternofiliales. Ello implica que resulte exigible que la resolución judicial (o, en su caso, administrativa) que en estos casos pueda acordar una supresión o limitación de derechos del progenitor transexual en relación con sus hijos menores, extreme, al formular su juicio de ponderación, y teniendo siempre presente el interés prevalente del menor, la justificación de la necesidad y proporcionalidad de las medidas restrictivas acordadas, de suerte que el escrutinio de la resolución permita descartar, sin sombra de duda alguna, que la orientación sexual o la disforia de género del progenitor haya sido el verdadero motivo de la decisión adoptada.

FJ 8. En el caso que nos ocupa se advierte, como ya quedó expuesto, que la Sentencia de instancia niega expresamente que la decisión adoptada se deba a una discriminación hacia el padre por la circunstancia de su transexualidad, al tiempo que afirma que se fundamenta en el interés prevalente del menor: «no se trata, en contra de lo que interpreta la demandada, de impedir que el padre se relacione con su hijo por el hecho de ser transexual, no se trata de discriminar por ese motivo, ni de impedir que el padre ejerza como tal con sus derechos y deberes, de lo que se trata es de buscar la solución más adecuada para el menor velando siempre por su interés y procurando buscar la resolución más adecuada a sus intereses, es decir, la que mejor le permita adaptarse a las nuevas circunstancias familiares» (FJ 3).

El razonamiento judicial que sigue a esta afirmación permite descartar, frente a lo que sostienen el recurrente y el Ministerio Fiscal, que el dato de la transexualidad del recurrente haya sido el verdadero motivo determinante de la decisión judicial de restringir drásticamente el régimen de visitas inicialmente establecido. Por el contrario, el órgano judicial justifica la necesidad de adoptar esta decisión en «la inestabilidad emocional [de don Alex P.V.] que recoge la psicóloga en su informe pericial», informe en el que claramente se expresa que la situación de inestabilidad emocional que se aprecia en el recurrente con ocasión de la evaluación psicológica realizada a petición del Juzgado es por sí sola determinante de que por el momento no se considere idóneo que disfrute de un régimen de visitas amplio con el menor, «y no por la transexualidad en sí misma». [...]

La Sentencia de apelación, por su parte, confirma íntegramente la de instancia, concluyendo, en la misma línea de razonamiento, que el interés prevalente del menor aconseja restringir el régimen de visitas del padre. La Audiencia Provincial de Lugo razona en su Sentencia que la prueba practicada en apelación a instancias del recurrente (informe del perito psicólogo que viene tratando al recurrente desde el año 2004 de su trastorno de identidad sexual) «no hace más que ratificar el acertado criterio de la Sentencia apelada», fundado en la prueba pericial psicológica practicada en instancia con plenas garantías de inmediación y contradicción, prueba de la que se infiere, sin lugar a dudas, que está plenamente justificada la modificación del régimen de visitas del padre acordado inicialmente, pues esa prueba pericial acredita que el mantenimiento de «un sistema normal de visitas supondría un riesgo para la salud emocional del menor» (FJ 2). Por ello, «tal como se razona en la Sentencia apelada, debe establecerse un sistema controlado de visitas en el punto de encuentro, hasta que los profesionales lo crean oportuno, emitiéndose informes bimensuales al Juzgado a fin de realizar un seguimiento del desarrollo de las mismas» (FJ 1).

No es, en definitiva, la transexualidad del recurrente la causa de la restricción del régimen de visitas acordada en las Sentencias impugnadas, sino la situación de inestabilidad emocional por la que aquél atraviesa, según el dictamen pericial psicológico asumido por los órganos judiciales, y que supone la existencia de un riesgo relevante de alteración efectiva de la salud emocional y del desarrollo de la personalidad del menor, dada su edad (de seis años en el momento de producirse la exploración judicial) y la etapa evolutiva en la que se encuentra.

Ciertamente no basta con afirmar la existencia de un situación de trastorno emocional del progenitor para adoptar una medida tan restrictiva de los derechos paternofiliales de éste como la aquí considerada. Lo determinante, en todo caso, será la efectiva repercusión de ese trastorno en relación con el menor. Desde luego, un menor no tiene, ni moral ni jurídicamente, el deber de soportar un trato inadecuado y perturbador de sus padres por razón de los problemas personales que éstos padezcan, sean cuales fueren, incluyendo los derivados de una decisión libre de uno de los progenitores de someterse a un proceso de reasignación de sexo. De verificarse tal repercusión negativa para el desarrollo personal del niño habría que adoptar efectivamente las medidas necesarias para evitarla, pero sólo en ese caso.

Pues bien, en el presente supuesto tal repercusión negativa se ha justificado en las Sentencias impugnadas en amparo como «riesgo relevante» (SSTC 221/2002, de 25 de noviembre, FJ 4; y 71/2004, de 19 de abril, FJ 8) para el menor, lo que permite descartar, como ya hemos señalado, que la disforia de género del recurrente haya sido el verdadero motivo de la decisión de restringir el régimen de visitas de aquel. En efecto, los razonamientos de las Sentencias evidencian que, partiendo de una valoración motivada y razonable de las pruebas practicadas en el proceso, en especial de la pericial psicológica (valoración que no le corresponde a este Tribunal revisar, conforme a consolidada doctrina: SSTC 81/1998, de 2 de abril, FJ 3; 220/2001, de 5 de noviembre, FJ 3; 57/2002, de 11 de marzo, FJ 2; 119/2003, de 16 de junio, FJ 2; y 159/2004, de 4 de octubre, FJ 9, por todas), los órganos judiciales han justificado la necesidad y proporcionalidad de la decisión de restringir el régimen de visitas del recurrente, al apreciar la existencia de un riesgo cierto (y mientras que éste subsista) de que, dado el trastorno emocional coyuntural que sufre en el presente caso el recurrente, según el resultado de la evaluación psicológica realizada a instancias del órgano judicial, pudieran llegar a producirse perjuicios para la integridad psíquica o el desarrollo de la personalidad del menor si se mantuviese el régimen de visitas originario.

Discriminación y modelos de familia —STC 222/1992, de 11 de diciembre[20]—

La Sentencia resuelve la cuestión de inconstitucionalidad planteada por el Juzgado de Primera Instancia e Instrucción núm. 4 de Fuengirola en relación con el artículo 58 de la Ley de Arrendamientos Urbanos en relación con los artículos 14 y 39 CE. El artículo cuestionado dispone la subrogación arrendaticia, en caso de fallecimiento de la persona titu-

---

[20] Se trata de la primera Sentencia en que el Tribunal asumió que la familia tutelada en el artículo 39 CE no es ni exclusiva ni principalmente la matrimonial (*vid.* AATC 308/1985, de 8 de mayo; 156/1987, de 11 de febrero, FJ 1; 788/1987, de 24 de

lar del contrato de arrendamiento urbano, de su cónyuge supérstite, pero no de quien convivía con ella en análoga situación de afectividad.

FJ 5. Ningún problema de constitucionalidad existiría si el concepto de familia presente en el art. 39.1 de la Constitución hubiera de entenderse referido, en términos exclusivos y excluyentes, a la familia fundada en el matrimonio. No es así, sin embargo. Nuestra Constitución no ha identificado la familia a la que manda proteger con la que tiene su origen en el matrimonio, conclusión que se impone no sólo por la regulación bien diferenciada de una institución y otra (arts. 32 y 39), sino también, junto a ello, por el mismo sentido amparador o tuitivo con el que la Norma fundamental considera siempre a la familia y, en especial, en el repetido art. 39, protección que responde a imperativos ligados al carácter «social» de nuestro Estado (arts. 1.1 y 9.2) y a la atención, por consiguiente, de la realidad efectiva de los modos de convivencia que en la sociedad se expresen. El sentido de estas normas constitucionales no se concilia, por lo tanto, con la constricción del concepto de familia a la de origen matrimonial, por relevante que sea en nuestra cultura —en los valores y en la realidad de los comportamientos sociales— esa modalidad de vida familiar. Existen otras junto a ella, como corresponde a una sociedad plural, y ello impide interpretar en tales términos restrictivos una norma como la que se contiene en el art. 39.1, cuyo alcance, por lo demás, ha de ser comprendido también a la luz de lo dispuesto en los apartados 2 y 3 del mismo artículo.

Del propio art. 39.1 no cabe derivar, por lo tanto, una diferenciación necesaria entre familias matrimoniales y no matrimoniales, diferenciación que tampoco fue afirmada por nuestra STC 184/1990, en la que no fue preciso pronunciarse acerca de si «la protección social, económica y jurídica de la familia» a la que aquel precepto se refiere podría alcanzar, en principio, tanto a la familia matrimonial como a la no fundada en el matrimonio (fundamento jurídico 2°). No es, con todo, impertinente la pregunta acerca de si tal diversificación resulta posible, en algún caso, en atención a la específica consideración del matrimonio en el art. 32 de la misma Norma fundamental.

Sin duda que la garantía constitucional del matrimonio entraña, además de su existencia necesaria en el ordenamiento, la justificación de la existencia de su específico régimen civil, esto es, del conjunto de derechos, obligaciones y expectativas jurídicas que nacen a raíz de haberse contraído un matrimonio. Cuestión ya distinta es, sin embargo, si el matrimonio, más allá de esta regulación civil que le es propia, puede constituirse en supuesto de hecho de otras normas jurídicas que, en sectores distintos del ordenamiento, atribuyan derechos o, en general, situaciones de ventaja. Planteada en tales términos, esta pregunta no admite respuestas radicales o genéricas, pues tan cierta es la relevante diferenciación de partida entre unas situaciones y otras (matrimoniales y no matrimoniales) como la imposibilidad de zanjar toda duda al respecto con el argumento de que cualquiera ha de asumir las consecuencias, favorables y desfavorables, de no haber ejercido el derecho a contraer matrimonio (art. 32.1), aunque no sea más que por la consideración obvia de que no es éste un derecho de ejercicio individual, pues no hay matrimonio sin consentimiento mutuo (art. 45 Código Civil). La Constitución, pues, no da una respuesta unívoca o general para este tipo de problemas, aunque sí impone que las diferenciaciones normativas que tomen como criterio la existencia de una unión matrimonial se atemperen, según su diverso significado y alcance, al contenido dispositivo de la propia Norma fundamental.

Que el matrimonio y la convivencia extramatrimonial no son a todos los efectos «realidades equivalentes» es algo, por otra parte, que ya dejó dicho este Tribunal, reiterando su anterior doctrina, de general aplicación, en la STC 184/1990 (fundamento jurídico 3°), apreciación que ha habido ocasión de repetir con posterioridad (SSTC 29, 30, 31, 35, 38 y 77, todas de 1991, así como STC 29/1992). Aquella resolución, con todo, no dejó prejuzgada, en modo alguno, la respuesta a una cuestión que la propia STC 184/1990 calificó, en su Fundamento jurídico 2°, de «general e indeterminada» y que no es otra que la de las exigencias y límites en este punto derivados del ya examinado art. 39.1 de la Constitución, observando entonces el Tribunal que de aquella no equivalencia entre matrimonio y convivencia de hecho no se deducía necesariamente que «toda medida que tenga como únicos destinatarios a los cónyuges, con exclusión de quienes conviven establemente en unión de hecho, sea siempre y en todos los casos compatible con la igualdad jurídica y la prohibición de discriminación que la Constitución garantiza en su art. 14».

En el presente caso es discernible un elemento objetivo, de carácter fáctico, que impone la comparación entre dos usuarios legítimos de la vivienda arrendada, el viudo del arrendatario fallecido y quien con él haya convivido *more uxorio*, pues la Ley (art. 58.1, *in fine*) condiciona la subrogación en favor del cónyuge supérstite a la convivencia con el fallecido («mera convivencia», dice el texto legal) y resulta claro que la situación así designada por la Ley —pre-

---

junio; SSTC 45/1989, de 20 de febrero, FJ 4; 184/1990, de 19 de noviembre, FFJJ 2-3; 29/1991; 30/1991, 31/1991, 35/1991, 38/1991, todas de 14 de febrero; 77/1991, de 11 de abril, FJ 3).

sumible en el matrimonio (arts. 69 y 102.1 del Código Civil), pero necesitado de prueba al margen de él— puede y debe ser puesta en relación con la diferenciación que la norma establece a fin de apreciar, a la luz de la igualdad, la constitucionalidad de esta última. La vida en común a la que se refiere el art. 58.1 in fine no es sólo un requisito que permite aquí, como en otras regulaciones, reconocer la existencia de vínculos de dependencia y de afectividad entre el fallecido y su cónyuge, vínculos que prestan fundamento sustantivo, en este supuesto como en otros, al ejercicio de determinada facultad legal por el supérstite. Es también, junto a ello, la designación por la Ley de una precisa situación fáctica —haber vivido en determinado espacio físico con el titular del arrendamiento— que la norma toma en consideración para hacer posible, mediante la subrogación, una continuidad en la ocupación de la vivienda arrendada, en la que se ha desarrollado, precisamente en ella, dicha convivencia. Esta, y no otra, es la situación protegida por la Ley mediante la subrogación, que aquí aparece al servicio, por lo tanto, de la posible permanencia en la vivienda que fue común. A esta vivienda, en la hipótesis de la Ley, está ligado el cónyuge supérstite por vínculos materiales y también de orden moral y, por ello, en la medida en que aquella permanencia en la vivienda se constituye en objeto de la protección legal es preciso determinar si la diferenciación que la propia norma establece entre convivencia matrimonial y extramatrimonial se atempera al principio constitucional de igualdad (artículo 14 de la Constitución). [...]

FJ 6. La doctrina constante de este Tribunal —tan reiterada que su cita es ya ociosa— viene estableciendo que los condicionamientos y límites que, en virtud del principio de igualdad, pesan sobre el legislador se cifran en una triple exigencia, pues las diferenciaciones normativas habrán de mostrar, en primer lugar, un fin discernible y legítimo, tendrán que articularse, además, en términos no inconsistentes con tal finalidad y deberán, por último, no incurrir en desproporciones manifiestas a la hora de atribuir a los diferentes grupos y categorías derechos, obligaciones o cualesquiera otras situaciones jurídicas subjetivas.

La norma excluyente cuya constitucionalidad está aquí en cuestión muestra —tal como ya se ha adelantado— una finalidad protectora de la familia, pero la diferenciación que introduce entre el miembro supérstite de la pareja matrimonial y el que lo sea de una unión de hecho no sólo carece de un fin aceptable desde la perspectiva jurídico-constitucional que aquí importa, sino que entra en contradicción, además, con fines o mandatos presentes en la propia norma fundamental. Que lo primero es como queda dicho no requiere ahora de argumentación mayor, pues es patente que esa exclusión tácita no puede decirse orientada a configurar el específico régimen jurídico-matrimonial, en cuya órbita la norma no se inscribe. Tampoco se podría justificar la exclusión del (o de la) conviviente no casado por la finalidad de estimular o propiciar el matrimonio de las uniones estables, pues la radicalidad de la medida supondría coartar o dificultar irrazonablemente la autonomía de la voluntad del hombre y de la mujer que deciden convivir more uxorio, límite que la STC 184/1990 (fundamento jurídico 2) ha trazado para las medidas públicas de favorecimiento de la familia matrimonial.

Sin duda que la unión de carácter matrimonial proporciona a terceros una certeza jurídica nada irrelevante cuando del ejercicio de derechos frente a particulares se trata, como aquí es el caso, certeza mucho más débil —hasta el extremo, eventualmente, de requerir prueba— en el caso de la unión more uxorio, carente, por definición, de toda formalidad jurídica, pero esta consideración no da razón bastante para la diferenciación que enjuiciamos. No es sólo que el legislador pueda, en efecto, rodear de específicas garantías la concesión del derecho de subrogación arrendaticia al miembro supérstite de una unión de hecho, evitando así que tal facultad se invoque sin fundamento en una convivencia estable y protegiendo, con ello, el derecho del arrendador. Es, sobre todo, de inexcusable consideración que la mera procuración de una mayor certeza jurídica no puede llevar a contrariar los imperativos de la igualdad (art. 14 CE) cuando de conseguir un objetivo constitucional se trata (art. 39.1 de la propia Norma constitucional) y ya se ha dicho que la familia es, para la Constitución, objeto de protección en sí misma y que la norma que así lo quiere no puede ser, por ello, reducida a un mero expediente para la indirecta protección del matrimonio. Tampoco cabe olvidar, en fin, que la subrogación arrendaticia que consideramos es una de las posibles modalidades de realización del principio rector según el cual «todos los españoles tienen derecho a disfrutar de una vivienda digna y adecuada» (art. 47 CE), principio que exige del legislador —y de este Tribunal, al controlar sus normas— una atención específica a los imperativos que sobre él proyecta el art. 14 de la Norma fundamental. La subrogación es disponible para el legislador, pero, una vez instituida, no puede ser conferida con daño a la igualdad sin menoscabar, al propio tiempo, lo que prescribe este art. 47.

FJ 7. Las consideraciones expuestas bastan para concluir en el carácter inconstitucional, por discriminatorio, de la diferenciación contenida en el art. 58.1 de la LAU entre el cónyuge supérstite de una unión matrimonial y quien hubiera convivido *more uxorio* con la persona titular, hasta su fallecimiento, del arrendamiento[21].

No obstante, no cabe concluir esta Sentencia sin dejar sentada una puntualización sobre el alcance del fallo que se impone.

Ha de declarar este fallo, desde luego, la inconstitucionalidad sobrevenida de la exclusión enjuiciada, pero no la nulidad de la regla legal que concede hoy al «cónyuge» el beneficio de la subrogación, resultado éste que, sobre no reparar en nada la discriminación apreciada, dañaría, sin razón alguna, a quienes ostentan, en virtud del art. 58.1 de la LAU, un derecho que no merece, claro está, tacha alguna de inconstitucionalidad.

Modelos de familia, uniones del mismo sexo y pensiones de viudedad —STC 41/2013, de 14 de febrero[22]—

La Sentencia resuelve la cuestión de inconstitucionalidad planteada por el Juzgado de lo Social núm. 33 de Barcelona respecto de la Disposición Adicional tercera de la Ley 40/2007, de 4 de diciembre, de medidas en materia de Seguridad Social. Dicha Disposición establece: «Con carácter excepcional, se reconocerá derecho a la pensión de viudedad cuando, habiéndose producido el hecho causante con anterioridad a la entrada en vigor de la presente Ley, concurran las siguientes circunstancias: a) Que a la muerte del causante, reuniendo éste los requisitos de alta y cotización a que se refiere el apartado 1 del artículo 174 del texto refundido de la Ley General de la Seguridad Social, no se hubiera podido causar derecho a pensión de viudedad; b) Que el beneficiario hubiera mantenido convivencia ininterrumpida, como pareja de hecho en los términos establecidos en el primer inciso, párrafo cuarto, artículo 174.3 de la Ley General de la Seguridad Social, en la redacción dada por el artículo 5 de la presente Ley, con el causante, durante, al menos, los seis años anteriores al fallecimiento de éste; c) Que el causante y el beneficiario hubieran tenido hijos comunes [...]». Para el órgano cuestionante, esta Disposición discrimina por causa de la orientación sexual, ya que las parejas del mismo sexo no pueden satisfacer el requisito de haber tenido hijas/os en común ni por m/paternidad biológica ni, en términos generales, por adopción, pues su derecho a la adopción conjunta y la adopción individual del hijo o la hija de su conviviente sólo ha sido reconocido de manera reciente en algunas Comunidades Autónomas.

---

[21]   *Vid.* también las SSTC 47/1993, de 8 de febrero; 155/1998, de 13 de julio. El Tribunal Constitucional no ha equiparado a las parejas de hecho con las casadas, sin embargo, en terrenos distintos de la subrogación arrendaticia. Así, en casos de separación, no les ha considerado aplicables las medidas provisionales que se aplican en demandas de nulidad matrimonial, separación o divorcio (ATC 324/1994, de 28 de noviembre). En caso de fallecimiento de uno de sus miembros, y en línea con su jurisprudencia anterior a la STC 222/1992, y con la jurisprudencia del TEDH (STEDH de 10 de mayo de 2001 —*caso Mata Estévez c. España*—; STEDH 24 de junio de 2010 —*caso Schalk & Kopf c. Austria*—) tampoco ha reconocido al miembro supérstite derecho a una pensión de viudedad, incluso en casos en que no era posible contraer matrimonio por tratarse de una pareja del mismo sexo (*vid.* infra STC 41/2013, de 14 de febrero y la jurisprudencia en ella citada; *vid.* también ATC 222/1994, de 11 de julio; SSTC 92/2014, de 10 de junio; 93/2014, de 12 de junio; 98/2014, de 23 de junio; 115/2014 y 116/2014, ambas de 8 de julio; 124/2014, de 21 de julio, e incluso donde la persona recurrente alega su convencimiento de la existencia del vínculo matrimonial (ATC 232/1996, de 22 de julio; STC 69/2007, de 16 de abril —*vid. infra*—). Las excepciones son los casos en que no hubiera sido posible contraer matrimonio, porque uno de los convivientes estuviese ya casado sin existir el divorcio (STC 155/1998, de 13 de julio), o en que contraerlo hubiese violado la libertad ideológica de al menos uno de los contrayentes, por no existir más matrimonio que el canónico, salvo declaración de apostasía de uno o, desde 1958, de ambos contrayentes (STC 180/2001, de 17 de septiembre —**ARTÍCULO 16**—). Todo ello sin perjuicio de que el legislador pueda ampliar el régimen de pensiones de viudedad a las parejas de hecho (*vid. infra* STC 41/2013, de 14 de febrero). En materia tributaria en fin, y tras declarar la inconstitucionalidad de que las parejas casadas sólo pudieran tributar de forma conjunta (SSTC 209/1988, de 190 de noviembre; 45/1989, de 20 de febrero), el Tribunal Constitucional ha denegado el amparo a parejas casadas con hijas/os que recurrieron alegando ser víctimas de discriminación frente a parejas no casadas y también con hijas/os, dada la posición fiscal ventajosa de éstas últimas (en las parejas casadas, la tributación conjunta como unidad familiar lo es de todos sus miembros, mientras que en las no casadas uno de sus miembros puede constituir una unidad familiar con sus hijas/os, beneficiándose de tipos de interés más bajos, pero tributando separadamente del otro miembro, evitando así la progresividad del impuesto), Hasta ahora, el Tribunal Constitucional ha eludido la cuestión de fondo con base en argumentos formales (SSTC 47/2001, de 15 de febrero; 212/2001, de 29 de octubre; 21/2002, de 28 de enero). Recientemente, el Tribunal Constitucional ha considerado que vulnera el derecho a la igualdad en materia de protección a las familias la resolución judicial que al atribuir eficacia constitutiva al título de familia numerosa, excluyó a los recurrentes del disfrute de un beneficio fiscal (STC 77/2015, de 27 de abril).

[22]   *Vid.* también STC 77/2013, de 8 de abril.

FJ 3. [...] [D]ebemos empezar por recordar que desde la STC 184/1990, de 15 de noviembre, este Tribunal ha venido declarando que la exigencia del vínculo matrimonial como presupuesto para acceder a la pensión de viudedad establecida dentro del sistema público de Seguridad Social no pugna con el art. 14 CE, toda vez que «el matrimonio y la convivencia extramatrimonial no son realidades equivalentes. El matrimonio es una institución social garantizada por la Constitución, y el derecho del hombre y de la mujer a contraerlo es un derecho constitucional (art. 32.1) ... Nada de ello ocurre con la unión de hecho more uxorio, que ni es una institución jurídicamente garantizada ni hay un derecho constitucional expreso a su establecimiento». Por consiguiente, nada se opone constitucionalmente a que «el legislador, dentro de su amplísima libertad de decisión, deduzca razonablemente consecuencias de esa diferente situación de partida» (STC 184/1990, FJ 3). Lo que significa que «no serán necesariamente incompatibles con el art. 39.1 CE, ni tampoco con el principio de igualdad, las medidas de los poderes públicos que otorgan un trato distinto y más favorable a la unión familiar que a otras unidades convivenciales, ni aquellas otras medidas que favorezcan el ejercicio del derecho constitucional a contraer matrimonio (art. 32.1 CE), siempre, claro es, que con ello no se coarte ni se dificulte irrazonablemente al hombre y la mujer que decidan convivir more uxorio.» (STC 184/1990, FJ 2).

Así pues, siendo el derecho a contraer matrimonio un derecho constitucional, el legislador puede establecer diferencias de tratamiento entre la unión matrimonial y la puramente fáctica, concluyéndose que «la diferencia de trato en la pensión de viudedad entre cónyuges y quienes conviven de hecho sin que nada les impida contraer matrimonio no es arbitraria o carente de fundamento» (STC 184/1990, FJ 3), ni resulta discriminatoria desde la perspectiva del art. 14 CE, pues la exigencia del vínculo matrimonial para tener derecho a la pensión de viudedad «no está privada de justificación objetiva y razonable» (STC 184/1990, FJ 4; doctrina que se reitera en términos similares en SSTC 29/1991, 30/1991, 31/1991, 35/1991 y 38/1991, todas ellas de 14 de febrero; 77/1991, de 11 de abril; 29/1992, de 9 de marzo; y 69/1994, de 28 de febrero; y AATC 188/2003, de 3 de junio; 47/2004, de 10 de febrero; 77/2004, de 9 de marzo; 177/2004, de 11 de mayo; 393/2004, de 19 de octubre; y 203/2005, de 10 de mayo).

De este modo, se ha venido considerando de forma reiterada por nuestra doctrina que la exclusión de las parejas de hecho de la protección dispensada en materia de pensión de viudedad por el sistema público de Seguridad Social no resulta contraria a la Constitución, sin perjuicio de que, como también hemos tenido ocasión de advertir en esa misma doctrina, tampoco existe obstáculo constitucional alguno a que el legislador pueda extender la protección de la pensión de viudedad a las uniones de hecho estables, heterosexuales u homosexuales: «es cierto también que el legislador podría extender a las uniones estables de hecho, al menos en determinadas condiciones, los beneficios de la pensión de viudedad. Extensión que en modo alguno resulta vedada por el art. 14 ni encontraría obstáculos en los arts. 32 y 39 de la Constitución. El legislador dispone de un amplio margen de libertad en la configuración del sistema de Seguridad Social y en la apreciación de las circunstancias socioeconómicas de cada momento a la hora de administrar recursos limitados para atender a un gran número de necesidades sociales (por todas, SSTC 65/1987, FJ 17; 134/1987, FJ 5 y 97/1990, FJ 3). En tal sentido, la opción de requerir la existencia de previo vínculo matrimonial para tener derecho a una pensión de supervivencia no es la única constitucionalmente posible, por lo que es legítimo propugnar que la actual pensión de viudedad se extienda por el legislador a las uniones estables de hecho» (STC 184/1990, FJ 3), «sean o no heterosexuales» (ATC 222/1994, de 11 de julio, FJ 2). En suma, «habrá de ser, en su caso, el legislador quien decida proceder a dicha extensión, con los requisitos y en los términos que se consideren pertinentes, y en el marco de una nueva y coherente ordenación de la citada pensión, singularmente si la convivencia establece sin vínculo matrimonial se instalara como una práctica social extendida» (STC 184/1990, FJ 5).

FJ 4. En el ejercicio de ese amplio margen de libertad de configuración al que tantas veces hemos hecho mención el legislador ha procedido en la Ley 40/2007, de 4 de diciembre, de medidas en materia de Seguridad Social, a la extensión de los beneficios de la pensión de viudedad a las parejas de hecho estables (tanto heterosexuales como homosexuales), pero sin llegar a la plena equiparación en el régimen jurídico de las prestaciones de viudedad entre los matrimonios y las parejas de hecho. [...]

Esta importante reforma legal, que se sitúa en la necesidad de atender las situaciones creadas por las nuevas realidades familiares, dando así respuesta a una creciente demanda social, despliega su eficacia jurídica respecto de los hechos causantes que acaezcan a partir de la entrada en vigor de la Ley 40/2007, esto es, a partir del 1 de enero de 2008, conforme a la regla general según la cual en materia de Seguridad Social la norma aplicable para causar derecho a la prestación de que se trate es la vigente en el momento de producirse el hecho causante. [...]

[...] [A]unque en su configuración actual (que tiene su origen en la reforma introducida por la Ley 24/1972, de 21 de junio) la pensión de viudedad en el caso de matrimonio (art. 174.1 LGSS) no tenga por estricta finalidad atender a una situación de necesidad o de dependencia económica, sino más bien compensar frente a un daño, cual es la falta o minoración de unos ingresos de los que participaba el cónyuge supérstite, y, en general, afrontar las repercusiones económicas causadas por la actualización de una contingencia (la muerte de uno de los cónyuges), no es menos cierto que ello no impide que el legislador pueda configurarla legítimamente en el futuro de distinto modo, condicionando su reconocimiento o su cuantía (o su compatibilidad con otras rentas del trabajo o pensiones del beneficiario) a la existencia de un estado real de necesidad del supérstite o de dependencia económica del causante, así como, en su caso, a la existencia de cargas familiares (como así se ha sugerido en alguna ocasión en las recomendaciones del pacto de Toledo, con la finalidad de recuperar la configuración originaria de la pensión de viudedad como prestación sustitutiva de las rentas perdidas por el óbito del causante).

Tal es, justamente, la ordenación de la pensión de viudedad en el caso de parejas de hecho estables que introduce la Ley 40/2007 (dando nueva redacción al art. 174.3 LGSS) para hechos causantes acaecidos a partir de su entrada en vigor (1 de enero de 2008), de tal suerte que su reconocimiento se fundamenta en la concurrencia de una situación real de necesidad del supérstite, en función de su nivel de ingresos propios y de la existencia o no de cargas familiares.

FJ 5. Además de lo anterior —y ello nos sitúa ya en el problema a abordar en la presente cuestión— la Ley 40/2007 establece también en su disposición adicional tercera una regla de carácter excepcional y eficacia retroactiva favorable, que permite acceder a la pensión de viudedad a los supérstites de parejas de hecho estables en las que el fallecimiento del causante hubiere tenido lugar antes de la entrada en vigor de la Ley 40/2007, siempre que se cumplan una serie de requisitos, entre ellos el de haber tenido hijos en común, que es el requisito cuestionado y que excluye de la pensión de viudedad a los supérstites de parejas de hecho en las que el fallecimiento del causante se hubiese producido antes del 1 de enero de 2008 y que no hubiesen tenido comunes, aunque cumplan el resto de requisitos establecidos por la referida disposición adicional para acceder a la pensión. [...]

FJ 6. [...] [E]l Juzgado promotor de la cuestión no fundamenta su duda sobre la constitucionalidad del precepto legal cuestionado en la cláusula general de igualdad del primer inciso del art. 14 CE, sino desde la perspectiva de las prohibiciones de discriminación que este mismo precepto constitucional enuncia a continuación, entre las que, desde luego, ha de entenderse comprendida la discriminación por causa de la orientación sexual, pues si bien es cierto que esta causa no aparece expresamente mencionada en el art. 14 CE como uno de los concretos supuestos en que queda prohibido un trato discriminatorio, es indubitadamente una circunstancia incluida en la cláusula «cualquier otra condición o circunstancia personal o social» a la que debe ser referida la interdicción de la discriminación (por todas, STC 41/2006, de 13 de febrero, FJ 3).

Sin embargo, nuestro enjuiciamiento sobre la constitucionalidad del precepto legal cuestionado ha de comenzar por su escrutinio desde la perspectiva de la cláusula general de igualdad del primer inciso del art. 14 CE, toda vez que el requisito de «que el causante y el beneficiario hubieran tenido hijos comunes» para tener derecho a la pensión de viudedad cuando el hecho causante se hubiere producido antes de la entrada en vigor de la Ley 40/2007, no tiene en cuenta la orientación sexual de la pareja de hecho como factor determinante del excepcional acceso retroactivo a la pensión, sino la existencia o inexistencia de descendencia común, biológica o adoptiva. Dicho de otro modo, el requisito establecido en la cuestionada letra c) de la disposición adicional tercera de la Ley 40/2007 se exige a todas las parejas de hecho, con independencia de que sus componentes sean de distinto o del mismo sexo, y ello al margen (claro está) de que el requisito sea, como señala el Juzgado promotor de la cuestión, de más difícil o incluso imposible cumplimiento en el caso de las parejas homosexuales, dada la imposibilidad biológica de que las parejas homosexuales tengan hijos entre sí y la imposibilidad legal de adopción conjunta por estas parejas (también de las parejas de hecho formadas por miembros de distinto sexo) hasta fechas relativamente recientes, cuando diversas Comunidades Autónomas han aprobado leyes que permiten la adopción conjunta por las parejas de hecho. [...]

Debemos, en consecuencia, determinar si la diferencia de trato que el referido requisito legal contenido en la letra c) de la disposición adicional tercera de la Ley 40/2007 establece entre parejas de hecho con hijos en común y parejas de hecho que no hubiesen tenido hijos comunes, responde a una finalidad objetivamente justificada, razonable y proporcionada.

FJ 7. [...] [S]egún la tesis del Fiscal General y del Abogado del Estado, el requisito legal cuestionado operaría como un indicador inequívoco de la existencia efectiva de la relación de convivencia que se pretende proteger, lo que se acomodaría al carácter excepcional de la pensión de viudedad regulada por la disposición adicional tercera de la Ley 40/2007, y por ende a la finalidad de evitar que accedan a esta prestación situaciones en las que la pretendida convivencia more uxorio no resultase plenamente acreditada, finalidad que, a juicio del Fiscal General y del Abogado del Estado, resulta adecuada para garantizar la equidad, eficiencia y economía del gasto público en materia de pensiones públicas, dentro del margen de apreciación de las circunstancias socioeconómicas de cada momento a la hora de administrar recursos limitados para atender a un gran número de necesidades sociales, (arts. 31.2 y 41 CE), y que no contraviene los mandatos de protección social de la familia y en particular de los hijos menores (art. 39 CE).

Sin embargo, este Tribunal no aprecia que los razonamientos del Fiscal General y del Abogado del Estado a favor de la constitucionalidad del precepto legal cuestionado permitan entender que la diferencia de trato que establece entre parejas de hecho responda a una justificación objetiva y razonable, en función del objetivo perseguido.

En efecto, el requisito legal cuestionado no puede ser entendido como un indicador inequívoco de la existencia efectiva de la relación de convivencia more uxorio que se pretende proteger, pues ni la circunstancia de haber tenido hijos en común acredita una mayor estabilidad o solidez de la unión de hecho, ni dicha circunstancia constituye el único medio de prueba posible sobre la estabilidad de la pareja, debiendo repararse en que la propia disposición adicional tercera de la Ley 40/2007, en su letra b), ya establece como requisito autónomo para acceder a la pensión, al margen de la descendencia, que el beneficiario hubiera mantenido convivencia ininterrumpida como pareja de hecho con el causante durante, al menos, los seis años anteriores al fallecimiento de éste, en los términos establecidos en el primer inciso, párrafo cuarto, del art. 174.3 LGSS.

Es decir, tanto en el supuesto excepcional de la pensión de viudedad more uxorio previsto en la disposición adicional tercera de la Ley 40/2007 (para hechos causantes acaecidos antes del 1 de enero de 2008), como en el supuesto «ordinario» de la pensión de viudedad more uxorio regulado por el citado art. 174.3 LGSS (para hechos causantes a partir del 1 de enero de 2008), el cumplimiento del requisito de convivencia estable y notoria como pareja de hecho con carácter inmediato al fallecimiento del causante se acredita del mismo modo (durante un periodo mínimo que es, por cierto, superior en el caso de la pensión de viudedad de carácter excepcional regulada por la disposición adicional tercera de la Ley 40/2007), esto es, mediante el certificado municipal de empadronamiento.

FJ 8. Descartado que la diferencia de trato entre parejas de hecho que establece el requisito contenido en la letra c) de la disposición adicional tercera de la Ley 40/2007 se justifique por la conveniencia de acreditar de forma inequívoca una efectiva y estable convivencia more uxorio entre el causante y el beneficiario, a fin de evitar posibles reclamaciones abusivas o fraudulentas, debemos asimismo rechazar que dicho requisito encuentre justificación objetiva y razonable en una pretendida finalidad de otorgar protección social a una concreta situación de necesidad. [...]

En efecto, el precepto cuestionado exige únicamente que «el causante y el beneficiario hubieran tenido hijos comunes», lo que significa que —cumplidos los restantes requisitos que señala el legislador— se puede acceder a la pensión de viudedad excepcional regulada en la disposición adicional tercera de la Ley 40/2007 tanto si existen hijos comunes de la pareja de hecho a cargo del supérstite, como si los hijos comunes de la pareja no sobreviven al causante o no se encuentran ya a cargo del supérstite por ser mayores de edad. En definitiva, cumplida la exigencia de que la pareja de hecho hubiese tenido hijos en común, resulta indiferente para el acceso a la pensión regulada por la disposición adicional tercera de la Ley 40/2007 que esos hijos sean menores o mayores de edad, su convivencia o no con sus progenitores, su dependencia económica del supérstite, o incluso si sobreviven al causante o han fallecido. Dicho de otro modo, lo relevante para el legislador en el precepto cuestionado no es que sobrevivan hijos comunes de la pareja de hecho que dependan económicamente del progenitor superviviente, sino, exclusivamente, que la pareja de hecho haya tenido descendencia en común.

La diferencia de trato que establece el requisito legal cuestionado se revela así carente de una justificación objetiva y razonable, porque no responde a la finalidad de la pensión (contributiva) de viudedad configurada por la disposición adicional tercera de la Ley 40/2007 (referida a hechos causantes acaecidos antes de su entrada en vigor, de ahí su carácter excepcional) que no es propiamente la de atender a una real situación de necesidad o de dependencia económica, asegurando un mínimo de rentas, sino más bien resarcir frente al daño que se produce al actualizarse la contingencia (la muerte del causante), por la falta o minoración de ingresos de los que participaba el supérstite, otorgando a tal efecto una pensión que depende en su cuantía de las cotizaciones efectuadas por el causante al régimen de Seguridad Social correspondiente.

Pero sucede también que ese requisito (haber tenido hijos en común) no sólo carece de justificación constitucionalmente legítima por las razones expuestas, sino que, además, resulta ser de imposible cumplimiento, por razones biológicas, tanto para las parejas de hecho formadas por personas del mismo sexo como para las parejas de hecho de distinto sexo que no pudieron tener hijos por causa de infertilidad, a lo que ha de añadirse que la posibilidad de adopción de niños por las parejas de hecho ha estado vetada en nuestro ordenamiento jurídico hasta fechas relativamente recientes, como ya se dijo, lo que significa que el requisito cuestionado tampoco podía ser cumplido por vía de adopción en el caso de aquellas parejas de hecho en las que el fallecimiento de uno de sus miembros se produjo antes de la entrada en vigor de la normativa legal autonómica aplicable en cada caso que permite la adopción conjunta a las parejas de hecho, del mismo o de distinto sexo.

FJ 9. Lo expuesto permite concluir que el requisito contenido en la letra c) de la disposición adicional tercera de la Ley 40/2007, de 4 de diciembre, constituye una directa vulneración del principio de igualdad ante la ley consagrado en el art. 14 CE, pues la diferencia de trato que se establece por la norma cuestionada entre parejas de hecho, en razón a que hubieran tenido o no hijos en común, no sólo no obedece, como se ha visto, a ninguna razón objetivamente justificada, relacionada con la propia esencia, fundamento o finalidad de la pensión de viudedad especial regulada en la referida disposición adicional de la Ley 40/2007 (aplicable sólo a hechos causantes acaecidos antes de su entrada en vigor), sino que conduce además a un resultado desproporcionado, al impedir injustificadamente a determinados supérstites de parejas de hecho el acceso a la protección dispensada mediante dicha pensión, por ser de imposible cumplimiento (por razones biológicas o jurídicas) la exigencia de haber tenido hijos comunes. [...]

Ha de advertirse que esta declaración de inconstitucionalidad y nulidad, que tiene efectos erga omnes desde la fecha de publicación de la presente Sentencia en el «Boletín Oficial del Estado» (art. 164.1 CE y art. 38.1 LOTC), no permite que quienes, por no cumplir el requisito de haber tenido hijos en común con el causante, no solicitaron la pensión de viudedad prevista en la disposición adicional tercera de la Ley 40/2007 en el plazo de los doce meses siguientes a la entrada en vigor de dicha Ley, puedan reclamar ahora la pensión, toda vez que el referido requisito temporal, establecido en la letra e) de la misma disposición, ni ha sido cuestionado, ni cabe que este Tribunal extienda al mismo la declaración de inconstitucionalidad y nulidad de la letra c) de dicha disposición, al no concurrir entre uno y otro inciso la conexión o consecuencia que para extender la declaración de nulidad exige el art. 39.1 LOTC. Tampoco permite, claro está, revisar procesos fenecidos mediante sentencia con fuerza de cosa juzgada en los que se haya hecho aplicación de lo dispuesto en la letra c) de la disposición adicional tercera de la Ley 40/2007 (art. 40.1 LOTC).

Discriminación por razón de etnia y condición social: pensión de viudedad y matrimonio contraído por el rito gitano —STC 69/2007, de 16 de abril[23]—

La Sentencia resuelve el recurso de amparo interpuesto por doña M.L.M.D. contra la Sentencia de la Sala de lo Social del Tribunal Superior de Justicia de Madrid de 7 de noviembre de 2002, que revocando la Sentencia del Juzgado de lo Social núm. 12 de Madrid de 30 de mayo de 2002, le denegó la prestación de viudedad por no concurrir el presupuesto de la relación matrimonial con el causante, con quien había contraído matrimonio por el rito gitano en noviembre de 1971. Entiende que dicha denegación la discriminó étnica y socialmente, al equiparar su situación jurídica con la de una pareja de hecho que conviviera more uxorio, y no con una relación matrimonial, o cuanto menos con un matrimonio nulo, pese a estar casada por el rito gitano con el convencimiento de la validez del consentimiento que prestó en su día y con respeto de los demás elementos legales de orden público, y pese a no haber sido libre, en 1971, para contraer matrimonio con efectos civiles. Considera asimismo discriminatorio que el legislador no haya regulado el consentimiento matrimonial a través del rito gitano.

FJ 4. [...] [P]artiendo de la base, por un lado, de que no implica discriminación limitar la prestación de viudedad a los supuestos de vínculo matrimonial legalmente reconocido, excluyendo otras uniones o formas de convivencia y, por otro, de que la unión celebrada conforme a los usos y costumbre gitanos no ha sido reconocida por el legislador como una de las formas válidas para contraer matrimonio, no cabe afirmar que suponga un trato discriminatorio basado en motivos sociales o étnicos el hecho de que se haya denegado dicha prestación a la recurrente por no constar vínculo matrimonial con el causante en cualquiera de las formas reconocidas legalmente. En efecto, en primer lugar, debe descartarse la concurrencia de un supuesto trato discriminatorio por motivos sociales, ya que, por las razones antes resumidas y ampliamente expuestas en la citada STC 184/1990 y en las restantes resoluciones que a ella se remiten,

---

[23]   En sentido parecido, y en relación con un matrimonio contraído mediante el rito islámico que no llegó a surtir efectos civiles, por no contar con el pertinente certificado de capacidad matrimonial expedido por el encargado del registro civil correspondiente, *vid.* STC 194/2014, de 1 de diciembre.

ninguna vulneración del art. 14 CE desde esta concreta perspectiva se deriva de la limitación de dicha prestación a la concurrencia de vínculo matrimonial.

Del mismo modo, tampoco se puede apreciar la existencia de un trato discriminatorio directo o indirecto por motivos raciales o étnicos, derivado de que no se haya equiparado la unión de la recurrente conforme a los usos y costumbre gitanos con el vínculo matrimonial a los efectos de dicha prestación y de que se les haya aplicado el mismo tratamiento jurídico que a las uniones more uxorio. En primer lugar, la pretensión de la recurrente de que, a pesar de reconocer que no concurre en las uniones celebradas conforme a los usos y ritos gitanos la existencia de un vínculo matrimonial reconocido legalmente, resulta discriminatorio que se les dé el mismo trato que a las uniones more uxorio, por existir diferencias relevantes con ellas como es la tradición y la base étnica, supone una invocación del art. 14 CE basada en lo que se ha denominado «discriminación por indiferenciación». Al respecto este Tribunal ya ha reiterado que resulta ajeno al núcleo de protección del art. 14 CE la «discriminación por indiferenciación», al no consagrar el principio de igualdad un derecho a la desigualdad de trato, ni ampara la falta de distinción entre supuestos desiguales, por lo que no existe ningún derecho subjetivo al trato normativo desigual (por todas, STC 117/2006, de 24 de abril, FJ 2). Cuestión distinta es que los poderes públicos, en cumplimiento del mandato del art. 9.2 CE, puedan adoptar medidas de trato diferenciado de ciertos colectivos en aras de la consecución de fines constitucionalmente legítimos, promoviendo las condiciones que posibiliten que la igualdad de los miembros que se integran en dichos colectivos sean reales y efectivas o removiendo los obstáculos que impidan o dificulten su plenitud. En este sentido pudieran tomarse en consideración las peculiaridades y el carácter de minoría étnica de la comunidad gitana, en línea con los principios del Convenio internacional sobre la eliminación de todas las formas de discriminación racial de 21 de diciembre de 1965 (BOE de 17 de mayo de 1969), y con las previsiones de su art. 1.4. Ahora bien, en defecto de dicha regulación, no cabe pretender un trato desigual, bajo la invocación del art. 14 CE.

En segundo lugar, la exigencia legal de vínculo matrimonial como presupuesto para acceder a la pensión de viudedad y la interpretación efectuada por la resolución judicial impugnada de que sólo cabe apreciar dicho presupuesto en relación con las formas legalmente reconocidas de acceder al matrimonio y no respecto de otras formas de convivencia, incluyendo las uniones conforme a los usos y costumbre gitanos, en ningún caso supone tomar como elemento referencial circunstancias raciales o étnicas sino, como ha señalado en Ministerio Fiscal, una circunstancia relacionada con la libre y voluntaria decisión de no acceder a la formalización del vínculo matrimonial conforme a las previsiones legales, las cuales ni en su forma civil ni en las formas confesionales reconocidas legalmente están condicionadas a la pertenencia a una raza, con exclusión de las demás, ni toman siquiera como presupuesto las tradiciones, usos o costumbres de una determinada etnia en detrimento de otras, por lo que tampoco concurre en ellas una forma encubierta de discriminación de la etnia gitana.

Tampoco pueda asumirse la argumentación desarrollada en la demanda de amparo en relación con la diversa normativa internacional relativa a la aplicación del principio de igualdad de trato independientemente de su origen racial o étnico y, singularmente, la relacionada con la etnia gitana, ya que, ha de insistirse en ello, el Ordenamiento jurídico no sólo garantiza una forma de acceso civil al vínculo matrimonial con una escrupulosa neutralidad desde el punto de vista racial sino que, incluso en los casos en que se ha optado por dotar de efectos civiles a las formas de celebración confesional de uniones matrimoniales, tampoco es posible apreciar connotaciones de exclusión étnica alguna, tampoco de la gitana.

Por último, además, también debe desestimarse que el reconocimiento de efectos civiles al vínculo matrimonial contraído conforme a los ritos de determinadas confesiones religiosas, pero no a los celebrados de acuerdo con los usos y costumbre gitanos, y la negativa del órgano judicial a hacer una aplicación analógica de los mismos, implique, directa o indirectamente, la aducida discriminación étnica. Siendo evidente que las formas confesionales reconocidas legalmente de celebración del matrimonio tienen como fundamento exclusivo consideraciones religiosas, ello impide conceptualmente establecer un término válido de comparación con las uniones que, como la alegada por la recurrente, tienen su fundamento en consideraciones étnicas. Al margen de ello, además, no puede apreciarse tampoco una forma indirecta de discriminación de la etnia gitana a partir de la concurrencia de una concreta confesión religiosa identificada como mayoritaria o culturalmente predominante en dicha etnia, cuya forma de celebración matrimonial no cuente con reconocimiento legal.

FJ 5. En resumen, tomando como presupuesto, en primer lugar, que el Ordenamiento jurídico establece con alcance general una forma civil de acceso al vínculo matrimonial que es neutral desde la perspectiva racial, al carecer por completo de cualquier tipo de connotación étnica y, en segundo lugar, que cuando el legislador ha decidido otorgar efectos legales a otras formas de acceder al vínculo matrimonial, lo ha hecho sobre la exclusiva base de consideraciones religiosas y alejado también, por tanto, de cualquier connotación étnica, no cabe apreciar el trato discriminatorio por razones étnicas alegado.

Por tanto, sin perjuicio de que el legislador pudiera, en atención a las singularidades que plantea la etnia gitana, desarrollar una regulación legal en la que, preservando los derechos y valores constitucionales, se establecieran las condiciones materiales y formales en que las uniones celebradas conforme a los ritos y usos gitanos pudieran contar con plenos efectos civiles matrimoniales, verificado que no ha existido un trato discriminatorio ni por motivos sociales ni por razones étnicas o raciales, el presente recurso de amparo debe ser denegado.

Voto particular que formula el Magistrado don Jorge Rodríguez-Zapata Pérez[24]

1. Doña María Luisa Muñoz Díaz es de nacionalidad española, pero pertenece a la etnia gitana. Reclama pensión de viudedad de su causante, don Mariano Dual Jiménez, con quien se casó en territorio español por el rito ancestral de los gitanos en noviembre de 1971. Don Mariano era albañil y trabajó por cuenta ajena hasta su fallecimiento el 24 de diciembre de 2000. Cotizó a la Seguridad Social durante diecinueve años, tres meses y ocho días, por lo que a doña María Luisa le corresponderían 903,29 euros mensuales de pensión, que se le reconocieron por la Sentencia, luego revocada, del Juzgado de lo Social núm. 12 de Madrid. Doña María Luisa y don Mariano eran titulares de un libro de familia, expedido el 11 de agosto de 1983, en el que consta el nacimiento de cada uno de los seis hijos que tuvieron en los casi treinta años que duró su relación conyugal; en octubre de 1986 les fue expedido el título de familia numerosa núm. 28/2220/8 de la categoría primera. Don Mariano tenía cartilla de beneficiario de la Seguridad Social núm. 28/2098958/66, en la que —con independencia del detalle desagradable en que se detiene el antecedente de hecho 2 c) de la Sentencia de la mayoría— figura indubitadamente como beneficiaria tanto doña María Luisa como los seis hijos de ambos.

2. Una comparación de estos hechos probados con los que resultan de la reciente Sentencia de nuestra Sala Segunda de 15 de noviembre de 2004 (STC 199/2004) me lleva a la conclusión de que era obligado el otorgamiento de la pensión que reclama doña María Luisa.

En efecto, la STC 199/2004 declaró vulnerado el derecho a la igualdad del viudo de una funcionaria, tras acreditar la existencia de una relación conyugal con ella [antecedente de hecho 2 d) de la STC 199/2004] aunque no su matrimonio que, entre otros extremos que diré, no figuraba inscrito en el Registro Civil.

Tampoco figura inscrito en el Registro Civil el matrimonio gitano de doña María Luisa, por la consideración del mismo como un simple hecho para nuestra legislación estatal. En el caso de la STC 199/2004 fueron los propios contrayentes quienes se negaron expresamente a que se practicara la inscripción registral de su unión conyugal. Los fundamentos de hecho de aquel caso, conforme a lo que entendió la Administración, expresó la Sentencia de la Audiencia Nacional y se precisa en los atinados razonamientos (FFJJ 4 y 5) del Voto particular a la STC 199/2004 de la Magistrada doña Elisa Pérez Vera ponen en duda que el denominado «matrimonio en la fe», invocado por el viudo de la funcionaria tuviera otra consecuencia que la de ser una «pareja de hecho», en contra de lo que afirma la propia STC 199/2004y recoge, en el presente caso, la Sentencia mayoritaria en el fundamento jurídico 2 in fine.

Pues bien, el caso del viudo de funcionaria con matrimonio no inscrito coincide así, a mi entender en forma decisiva, con el de doña María Luisa en que se reclamaba en ambos pensión de viudedad por dos recurrentes que no tenían lo que afirmaban ser su matrimonio debidamente inscrito en el Registro Civil. El viudo de funcionaria con unión conyugal controvertida y no inscrita obtuvo nuestro amparo, y consiguió su pensión en la STC 199/2004, mientras que la viuda gitana que no ha visto inscrito en el Registro Civil el matrimonio conforme a las costumbres ancestrales de su pueblo ha visto rechazado el reconocimiento de su pensión de viudedad en la Sentencia de la que discrepo.

3. Por otra parte, la integración y el reconocimiento de derechos de las minorías es una de las prioridades del Consejo de Europa. España es parte en el Convenio-marco para la protección de las minorías nacionales, hecho en Estrasburgo el 1 de febrero de 1995 (BOE de 23 de enero de 1998). En toda sociedad pluralista y genuinamente democrática no sólo se debe respetar la identidad étnica, cultural, lingüística y religiosa de cada persona perteneciente a una minoría, sino también crear las condiciones apropiadas que permitan expresar, preservar y desarrollar esa identidad, con el único límite —obligado— del «orden público constitucional». Sin embargo, la jurisprudencia de este Tribunal no se

---

[24] En línea con este voto particular, en el sentido de que la recurrente sí había sido objeto de discriminación, se pronunció el Tribunal Europeo de Derechos Humanos (STEDH de 8 de septiembre de 2009 —caso *Muñoz Díaz c. España*—).

ha ocupado hasta ahora de la protección de los usos, prácticas o costumbres de una etnia o colectividad caracterizada, o cuándo la no consideración como válidos o susceptibles de protección constitucional de los actos realizados por personas pertenecientes a minorías que reclaman respeto por su tradición cultural debe entenderse discriminatoria. Este Tribunal se ha limitado a afirmar que, desde una perspectiva constitucional, los individuos pueden serlo también como parte de grupos humanos sin personalidad jurídica, pero con una neta y consistente personalidad constituida por cualquier otro rango dominante de su estructura y cohesión, como el histórico, el sociológico, el étnico o el religioso (STC 176/1995, de 11 de diciembre, FJ 3), el carácter odioso de la discriminación racial (STC 13/2001, de 29 de enero, FJ 2) o la discriminación racial contra el pueblo gitano como perversión jurídica (STC 126/1986, de 22 de octubre, FJ 1). En la STC 214/1991, de 11 de noviembre, rechazamos rotundamente que, bajo el manto protector de la libertad ideológica (art. 16 CE) o de la libertad de expresión (art. 20 CE) puedan cobijarse manifestaciones, expresiones o compañas de carácter racista o xenófobo y que tal rechazo absoluto es predicable también de aquellas conductas que, proyectadas sobre un solo individuo encuentra su motivación en la pertenencia de éste a un determinado grupo racial, étnico, o religioso (FJ 8 y fallo).

La situación que se ha planteado en este recurso de amparo muestra, y además por primera vez en nuestra jurisprudencia, que la protección de las minorías tiene una envergadura constitucional mucho más rica y compleja que la que resulta de estas escuetas declaraciones o de la respuesta que ha recibido doña María Luisa en este recurso de amparo. No hubiera sido necesario que doña María Luisa se vea obligada a recurrir a instancias supranacionales para obtener la protección que reclama. En los supuestos de protección de minorías étnicas, la consecución de la igualdad exige, a mi juicio, medidas de discriminación positiva a favor de la minoría desfavorecida y que se respete, con una sensibilidad adecuada, el valor subjetivo que una persona que integra esa minoría muestra, y exige, por el respeto a sus tradiciones y a su herencia e identidad cultural.

La Directiva 2000/43, del Consejo, de 29 de junio de 2000, relativa a la aplicación del principio de igualdad de trato de las personas independientemente de su origen racial o étnico —que consideró aplicable a favor de doña María Luisa la Sentencia del Juzgado de lo Social de Madrid— afecta a la protección social de las personas, incluida en forma precisa la Seguridad Social y la asistencia sanitaria (art. 3.1.e). Conforme a dicha Directiva es necesario reconocer que existe discriminación indirecta cuando una disposición, criterio o práctica aparentemente neutros sitúe a personas de un origen racial o étnico concreto en desventaja particular respecto a otras personas (art. 2.1.b).

Los gitanos españoles constituyen un grupo étnico formado por más de medio millón de personas, que se asentaron en España hace 500 años. El legislador español se refería ya a la familia gitana como un mero hecho en la Pragmática de Medina del Campo del año 1499 (Ley 1 del Título XVI, Libro XII de la Novísima Recopilación), bastantes siglos antes de que apareciese en nuestro ordenamiento jurídico «la forma de acceso civil al vínculo matrimonial» «de escrupulosa neutralidad desde el punto de vista racial», a que les remite el fundamento jurídico 4 de la Sentencia de la mayoría.

No basta, en mi opinión, la «escrupulosa neutralidad» de una norma cuando la realidad que se enfrenta ante ella es la de una persona que, como doña María Luisa, pertenece a una minoría étnica que se queja de la injusta igualación de su situación matrimonial gitana, nacida en la buena fe, conforme a las normas ancestrales de su raza y a la conducta correspondiente a los miembros de su etnia con la situación —dice— de una pareja de hecho o de una convivencia more uxorio. Es deseable que la intervención del legislador respecto de estas parejas pueda cubrir en un futuro próximo la situación de la recurrente, pero su queja era, y es, muy distinta: La de obtener protección y respeto para su identidad cultural, sin que existan en el caso problemas de consentimiento, dignidad femenina o prueba que pudieran ser cuestionados desde la perspectiva de lo que he denominado orden público constitucional. Creo que se ha vulnerado a la recurrente su derecho a la igualdad y a no ser discriminada por motivos de raza (art. 14 CE), en cuanto dicha prohibición protege la situación de la minoría gitana, si se trae a colación el art. 14 en relación con el art. 12 CEDH, como resulta obligado por el juego del art. 10.2 CE (Cfr., aun con fallo desestimatorio, la STEDH Buckley v. United Kingdom, de 25 de septiembre de 1996, y su consideración de la aplicabilidad de los arts. 8 y 14 CEDH a la etnia gitana).

La Sentencia de la mayoría concluye sugiriendo una intervención del legislador para que las uniones celebradas conforme al rito ancestral de los gitanos pudieran tener efectos civiles matrimoniales (FJ 4 in fine). En mi opinión la validez previa del matrimonio gitano a efectos de Derecho de familia no era necesaria para que otorgásemos el amparo que reclamaba en este caso doña María Luisa. Y es que resulta claramente desproporcionado que el Estado español que ha tenido en cuenta a doña María Luisa, y a su familia gitana al otorgarle libro de familia, reconocimiento de familia numerosa, asistencia sanitaria con familiares a su cargo para ella y para sus seis hijos y ha percibido las cotizaciones correspondientes a su marido gitano durante diecinueve años, tres meses y ocho días quiera desconocer hoy que el matrimonio gitano resulta válido en materia de pensión de viudedad (STJCE Becker, asunto 8/81, § 24).

Los varones y la discriminación por circunstancias familiares —STC 26/2011, de 14 de marzo—

La Sentencia resuelve el recurso de amparo interpuesto por don G.H.P. contra la Sentencia del Juzgado de lo Social núm. 1 de Palencia, de 15 de febrero de 2008, contra la de la Sala de lo Social del Tribunal Superior de Justicia de Castilla y León de 9 de julio de 2008, que confirmó la anterior, y contra el Auto de la Sala de lo Social del Tribunal Supremo de 21 de julio de 2009, que inadmitió recurso de casación contra ésta para unificación de doctrina. El recurrente presta servicios laborales para la Consejería de Educación de la Junta de Castilla y León, como Ayudante técnico educativo en una residencia de educación especial de Palencia. Al negociar el calendario laboral para el curso 2007-2008, se establecieron para el personal ayudante técnico educativo ocho puestos con horario ordinario y ocho con turnos rotativos de mañana, tarde y noche, pudiendo optar las/os trabajadoras/es por uno u otro régimen. El recurrente eligió el segundo. Posteriormente solicitó a la Consejería realizar todas las jornadas en horario de noche, para conciliar su vida laboral y familiar, sin que su solicitud fuese respondida, siendo su posterior reclamación desestimada por no existir en el centro ningún puesto específico de ayudante técnico educativo con horario nocturno. Entiende el recurrente que las decisiones impugnadas le discriminan por razón de sexo a él e, indirectamente, a su esposa, obligada a reducir su jornada laborar para cuidar de sus hijos comunes de corta edad.

FJ 2. […] En el caso que ahora nos ocupa este Tribunal ha entendido que concurre el requisito sustantivo o de fondo de la «especial trascendencia constitucional» que impone el art. 50.1 b) LOTC para la admisión del recurso de amparo, porque, como a continuación se pone de manifiesto, le permite perfilar, como consecuencia del surgimiento de nuevas realidades sociales, la doctrina constitucional sobre el derecho a la no discriminación en el ámbito laboral, cuando es un varón el que insta una modificación de sus condiciones de trabajo para el efectivo logro de la conciliación laboral y familiar, fomentada en nuestro ordenamiento a partir de la Ley 39/1999, de 5 de noviembre, que adoptó medidas tendentes a lograr una efectiva participación del trabajador varón en la vida familiar a través de un reparto equilibrado de las responsabilidades familiares. […]

FJ 3. […] Por otra parte, como señala el Ministerio Fiscal en sus alegaciones, la lesión del derecho fundamental que se invoca, en cuanto referida a la esposa del demandante de amparo, ha de quedar fuera de nuestro examen, pues a través del recurso de amparo sólo pueden protegerse, en principio, los derechos fundamentales y libertades públicas de los directamente afectados, entendiendo como tales los titulares del derecho subjetivo presuntamente vulnerado, que son los únicos que pueden conseguir de este Tribunal la protección del propio derecho, sin que puedan lograrlo en relación con derechos fundamentales ajenos, a salvo los supuestos de representación u otros de carácter marcadamente excepcional (por todas, SSTC 141/1985, de 22 de octubre, FJ 1; 11/1992, de 27 de enero, FJ 2; 83/2000, de 27 de marzo, FJ 2; y 174/2002, de 9 de octubre, FJ 4).

Nuestro enjuiciamiento debe centrarse, por tanto, en determinar si el demandante de amparo ha sido objeto de una decisión contraria al derecho fundamental a la no discriminación por razón de sexo o por cualquier otra circunstancia personal o social (art. 14 CE), sin perjuicio de que esa decisión pudiera, además, conllevar una repercusión negativa para su mujer, en cuanto pudiera haberse visto obligada por ello, como sostiene el recurrente, a reducir su jornada laboral para cuidar de los hijos de la pareja.

FJ 4. Definido así el objeto del presente recurso de amparo, debemos comenzar recordando que la prohibición de discriminación por razón de sexo (art. 14 CE) tiene su razón de ser en la voluntad de terminar con la histórica situación de inferioridad, en la vida social y jurídica, de la población femenina, singularmente en el ámbito del empleo y de las condiciones laborales, situación que se traduce en dificultades específicas de la mujer para el acceso al trabajo y su promoción dentro del mismo (por todas, SSTC 128/1987, de 16 de julio, FJ 5; 19/1989, de 31 de enero, FJ 4; 317/1994, de 28 de noviembre, FJ 2; 17/2003, de 30 de enero, FJ 3; 214/2006, de 3 de julio, FJ 2; y 324/2006, de 20 de noviembre, FJ 4).

De ahí que hayamos afirmado que la interdicción de la discriminación por razón de sexo implica no sólo la proscripción de aquellos tratamientos peyorativos que se fundan ya en la pura y simple constatación del sexo de la persona, ya en la concurrencia de razones o circunstancias que tengan con el sexo una conexión directa e inequívoca, como sucede con el embarazo, elemento o factor diferencial que, por razones obvias, incide de forma exclusiva sobre las mujeres (SSTC 173/1994, de 7 de junio, FJ 2; 136/1996, de 23 de julio, FJ 5; 20/2001, de 29 de enero, FJ 4; y 41/2002, de 25 de febrero, FJ 3, entre otras muchas), sino también la adopción de medidas que tratan de asegurar la igualdad efectiva de trato y oportunidades de la mujer y del hombre, por lo que las medidas legales que tratan de compensar las desventajas reales que para el acceso al trabajo o la conservación de su empleo soporta la mujer a diferencia del hombre no podrían considerarse opuestas al principio de igualdad, sino, al contrario, dirigidas a eliminar situaciones de discriminación existentes, para hacer realidad la efectividad en el disfrute de los derechos exigida por el art. 9.2 CE (SSTC 128/1987, FFJJ 7 y ss.; 19/1989, FJ 4; 28/1992, de 9 de marzo, FJ 3; 229/1992, de 14 de diciembre, FJ 2; 3/1993, de 14 de enero, FJ 3; y 109/1993, de 25 de marzo, FJ 5, por todas).

Desde esta perspectiva, resultaría difícil apreciar la existencia de discriminación por razón de sexo que alega el recurrente, pues, como advierte el Fiscal en sus alegaciones, el cuidado de los hijos no ha sido una función históricamente impuesta a los varones, por lo que no ha supuesto la imposición de dificultades específicas al hombre para el acceso al trabajo y su promoción dentro del mismo, a diferencia de lo sucedido en el caso de las mujeres.

Por otra parte, el examen de las resoluciones impugnadas en amparo evidencia que el recurrente no ha sido objeto de una diferencia de trato por razón de sexo, pues la denegación de su pretensión de ser adscrito al horario nocturno con carácter fijo durante el curso 2007-2008 no se fundamenta en que sea trabajador varón, lo que excluye que nos hallemos ante una hipotética discriminación directa por razón de sexo prohibida por el art. 14 CE.

FJ 5. Lo anterior no es obstáculo, conforme a nuestra doctrina (por todas, SSTC 59/1987, de 19 de mayo, FJ 1; 262/1988, de 22 de diciembre, FJ 3; y 99/2000, de 10 de abril, FJ 6), para que la queja del recurrente en amparo pueda ser analizada desde la perspectiva del mismo derecho fundamental a la no discriminación, pero en relación con otro de los motivos concretos de prohibición de discriminación que el art. 14 CE enumera, concretamente el referido a las circunstancias personales o sociales, pues lo que se plantea en el presente caso es un problema de posible discriminación por razón de las circunstancias familiares, en la medida en que la negativa a acceder a la asignación de horario nocturno solicitada por el trabajador demandante pudiera suponer un menoscabo para la efectiva conciliación de su vida familiar y laboral.

La prohibición de discriminación entre mujeres y hombres (art. 14 CE), que postula como fin y generalmente como medio la parificación, impone erradicar de nuestro ordenamiento normas o interpretaciones de las normas que puedan suponer la consolidación de una división sexista de papeles en las responsabilidades familiares. Así lo ha entendido el Tribunal de Justicia de la Unión Europea en su Sentencia Roca Álvarez, de 30 de septiembre de 2010, asunto C-104/2009, que considera que la exclusión de los padres trabajadores del disfrute del permiso de lactancia cuando la madre del niño no tiene la condición de trabajadora por cuenta ajena (art. 37.4 LET) constituye una diferencia de trato por razón de sexo no justificada que se opone a los arts. 2 y 5 de la Directiva 76/207/CEE. Y ello porque tal exclusión «no constituye una medida que tenga como efecto eliminar o reducir las desigualdades de hecho que pudieran existir para las mujeres en la realidad de la vida social…, ni una medida tendente a lograr una igualdad sustancial y no meramente formal al reducir las desigualdades de hecho que puedan surgir en la vida social», y sí, en cambio, una medida que puede «contribuir a perpetuar un reparto tradicional de funciones entre el hombre y la mujer, al mantener a los hombres en una función subsidiaria de las mujeres respecto al ejercicio de su función parental».

En definitiva, la dimensión constitucional de todas aquellas medidas normativas tendentes a facilitar la compatibilidad de la vida laboral y familiar de los trabajadores, tanto desde la perspectiva del derecho a la no discriminación por razón de sexo o por razón de las circunstancias personales (art. 14 CE) como desde la del mandato de protección a la familia y a la infancia (art. 39 CE), ha de prevalecer y servir de orientación para la solución de cualquier duda interpretativa en cada caso concreto, habida cuenta de que el efectivo logro de la conciliación laboral y familiar constituye una finalidad de relevancia constitucional fomentada en nuestro ordenamiento a partir de la Ley 39/1999, de 5 de noviembre, que adoptó medidas tendentes a lograr una efectiva participación del varón trabajador en la vida familiar a través de un reparto equilibrado de las responsabilidades familiares, objetivo que se ha visto reforzado por disposiciones legislativas ulteriores, entre las que cabe especialmente destacar las previstas en la Ley Orgánica 3/2007, de 22 de marzo, para la igualdad efectiva de mujeres y hombres, en cuya exposición de motivos se señala que las medidas en materia laboral que se establecen en esta ley pretenden favorecer la conciliación de la vida personal, profesional y familiar de los trabajadores, y fomentar una mayor corresponsabilidad entre mujeres y hombres en la asunción de las obligaciones familiares.

FJ 6. Sentado cuanto antecede, para dar cumplida respuesta a la queja que se nos plantea debemos partir de la consideración de que no corresponde a este Tribunal determinar si la concreta pretensión del recurrente de realizar su jornada laboral en horario nocturno durante el curso 2007-2008 se encuentra o no amparada por lo dispuesto en los arts. 36.3 y 34.8 LET o en el convenio colectivo aplicable, por ser esta una cuestión de legalidad ordinaria que compete exclusivamente a los Jueces y Tribunales (art. 117.3 CE).

Sin embargo, debemos igualmente afirmar, como hemos hecho en anteriores ocasiones, que sí nos corresponde valorar desde la perspectiva constitucional que nos es propia, y a la vista del derecho fundamental concernido, la razón o argumento en virtud del cual las resoluciones judiciales impugnadas validan la decisión de la Consejería de Educación de la Junta de Castilla y León por la que se niega al demandante de amparo la asignación del horario nocturno que solicitaba. Hemos sostenido reiteradamente que, estando en juego un derecho fundamental sustantivo y no el derecho reconocido en el art. 24.1 CE, el control por parte de este Tribunal no puede limitarse a verificar el carácter motivado, razonable y no arbitrario de las resoluciones judiciales impugnadas, sino que será preciso analizar si las mismas resultan o no lesivas del ejercicio del derecho fundamental sustantivo alegado (entre otras muchas, SSTC 30/2000, de 31 de enero, FJ 4; 173/2001, de 26 de julio, FJ 4; 14/2002, de 28 de enero, FJ 4; 92/2005, de 18 de abril, FJ 5; 326/2005, de 12 de diciembre, FJ 5; y 3/2007, de 15 de enero, FJ 4). [...]

Así, conforme ha quedado expuesto en los antecedentes de la presente resolución, en la Sentencia del Juzgado de lo Social se desestima la pretensión del demandante, en síntesis, porque en la normativa aplicable no se reconoce un derecho directo del trabajador a elegir cambio de turno de trabajo por motivos familiares, sin que tampoco exista el turno fijo de noche cuya adscripción solicita el demandante durante el curso 2007-2008, dentro del centro y de la categoría a la que aquél pertenece, sino que todos los trabajadores de dicha categoría que voluntariamente (como el propio demandante) han elegido el régimen de turnos rotativos de mañana, tarde y noche, van turnando en los correspondientes horarios. Esta Sentencia es confirmada en suplicación por la Sala de lo Social del Tribunal Superior de Justicia de Castilla y León que, tras señalar que no se advierte la presencia de ningún indicio de la «discriminación por paternidad» que alega el recurrente, razona que ni el art. 36.3 LET ni el convenio colectivo aplicable ni norma alguna reconocen al recurrente un pretendido derecho a realizar su jornada laboral en horario nocturno. En fin, la Sala de lo Social del Tribunal Supremo señala que la pretensión del recurrente carece de amparo legal, tanto si se aplica el art. 37.6 LET, como si se aplicase el art. 34.8 LET, en la redacción resultante de la Ley Orgánica 3/2007, de 22 de marzo, de igualdad efectiva de hombres y mujeres; y añade que las alegaciones del recurrente en el trámite de inadmisión sobre la pretendida lesión del derecho fundamental a la no discriminación (art. 14 CE) sólo cabe entenderlas con el propósito de cumplir el requisito de la invocación previa en la vía judicial para poder interponer posteriormente recurso de amparo ante el Tribunal Constitucional.

Pues bien, la reseñada fundamentación de las resoluciones judiciales impugnadas en amparo prescinde de toda ponderación de la importancia que para la efectividad del derecho a la no discriminación del trabajador recurrente pudiera tener su pretensión de desempeñar su jornada laboral en horario nocturno durante el curso 2007-2008 por motivos familiares, y, en su caso, las dificultades que esta pretensión del trabajador pudiera ocasionar en el funcionamiento regular de la empresa para oponerse a la misma.

El hecho de que los órganos judiciales no se hayan planteado la cuestión de si denegar al trabajador demandante la pretendida asignación del horario nocturno constituía o no un obstáculo para la compatibilidad de su vida familiar y laboral, en atención a las circunstancias concurrentes, supone no valorar adecuadamente la dimensión constitucional ex art. 14 CE, en relación con el art. 39.3 CE, del asunto planteado, de suerte que, como hemos afirmado en diversas ocasiones en relación con otros derechos fundamentales, el reproche que desde la perspectiva constitucional merece formularse contra las resoluciones judiciales recurridas en amparo «no es tanto ni sólo que haya renunciado a interpretar la normativa aplicable de la manera más favorable a la efectividad del derecho fundamental, sino que ni siquiera haya tenido en cuenta que este derecho estaba en juego y podía quedar afectado» (SSTC 191/1998, de 29 de septiembre, FJ 5; 92/2005, de 18 de abril, FJ 5; y 3/2007, de 15 de enero, FJ 6).

Conforme ya indicamos, la dimensión constitucional de las medidas normativas tendentes a facilitar la conciliación de la vida familiar y laboral de las personas trabajadoras, tanto desde la perspectiva del derecho a la no discriminación por razón de las circunstancias personales (art. 14 CE), como desde la perspectiva del mandato de protección a la familia y a la infancia (art. 39 CE), debe prevalecer y servir de orientación para la solución de cualquier duda interpretativa que pueda suscitarse ante la aplicación a un supuesto concreto de una disposición que afecte a la conciliación profesional y familiar. Ello obligaba en el presente caso a valorar las concretas circunstancias personales y familiares que concurrían en el trabajador demandante, así como la organización del régimen de trabajo de la residencia de educación especial en la que prestaba servicios, para ponderar si la negativa empresarial a su pretensión de trabajar en horario nocturno constituía o no un obstáculo injustificado para la compatibilidad de su vida familiar y profesional. En relación con las circunstancias familiares concurrentes, conforme a los datos obrantes en las actuaciones, resultaba necesario tener en cuenta el número de hijos del recurrente, su edad y situación escolar, en su caso, así como la situación laboral de su cónyuge y la posible incidencia que la denegación del horario nocturno al recurrente pueda haber tenido para conciliar su actividad profesional con el cuidado de sus hijos. Asimismo era necesario valorar si la organización del trabajo mediante turnos fijo (diurno) y rotatorio de la residencia en la que presta servicios el recurrente permitía alteraciones como la interesada por éste sin poner el funcionamiento de la residencia en dificultades organizativas lo suficientemente importantes como para excluir tales modificaciones.

En definitiva, la decisión de los órganos judiciales de validar la negativa de la Consejería de Educación y Cultura de la Junta de Castilla y León a reconocer al trabajador recurrente la concreta asignación de horario nocturno solicitada sin analizar hasta qué punto dicha pretensión resultaba necesaria para lograr la efectiva participación de aquél en el cuidado de sus hijos de corta edad a través de un reparto equilibrado de las responsabilidades familiares, ni cuáles fueran las dificultades organizativas que el reconocimiento del horario solicitado pudiera ocasionar al centro de trabajo en el que presta servicios, nos lleva a concluir que no ha sido debidamente tutelado por los órganos judiciales el derecho fundamental del recurrente a la no discriminación por razón de sus circunstancias personales o familiares (art. 14 CE), relacionadas con su responsabilidad parental en la asistencia de todo orden a sus hijos menores de edad (art. 39.3 CE).

FJ 7. Cuanto ha quedado expuesto conduce al otorgamiento del amparo. Ahora bien, teniendo en cuenta que el trabajador recurrente acudió ante la jurisdicción laboral en demanda de reconocimiento del derecho a realizar su jornada en horario nocturno, para restablecer al recurrente en la efectividad de su derecho será necesario, con anulación de las resoluciones judiciales impugnadas, reponer las actuaciones al momento procesal oportuno a fin de que el Juzgado de lo Social núm. 1 de Palencia dicte, con plenitud de jurisdicción, nueva resolución respetuosa con el derecho fundamental reconocido.

Voto particular que formula el Magistrado don Pablo Pérez Tremps

2. [...] Es preciso destacar que ésta es la primera ocasión en que el Tribunal utiliza como categoría discriminatoria las circunstancias familiares. La determinación de una nueva categoría discriminatoria distinta de las expresamente recogidas en el art. 14 CE, tal como ha reiterado este Tribunal, exige que se identifique la existencia del mantenimiento de determinadas diferenciaciones históricamente muy arraigadas que hayan situado, tanto por la acción de los poderes públicos como por la práctica social, a sectores de la población en posiciones no sólo desventajosas, sino abiertamente contrarias a la dignidad de la persona que reconoce el art. 10.1 CE (por todas, STC 176/2008, de 22 de diciembre, FJ 4). Pues bien, en el presente caso, la circunstancia de tener dos hijos de corta edad no parece que históricamente haya supuesto una diferenciación que haya colocado a un sector de la población, los hombres, en una situación contraria a la dignidad de la persona que permita identificarla como una categoría discriminatoria en el sentido del art. 14 CE. En realidad, tal como denunció el recurrente y parece reconocerse implícitamente por la propia posición de la mayoría, que cita en su favor la Sentencia del Tribunal de Justicia de la Unión Europea de 30 de septiembre de 2010, éste sería un supuesto, en su caso, de discriminación indirecta de la mujer, dado que se trata de una medida que contribuiría a perpetuar un reparto tradicional de funciones entre el hombre y la mujer, en el que la función de protección y cuidado de la familia recae principalmente en la mujer. Cuestión distinta es que esta perspectiva tenga que quedar al margen del análisis al no ser un derecho propio del recurrente sino de su esposa, aunque no quepa descartar tampoco un interés legítimo del recurrente para su defensa [art. 162.1 b) CE].

Los varones y la discriminación por circunstancias familiares: el permiso de paternidad —STC 111/2018, de 17 de octubre[25]—

La Sentencia resuelve el recurso de amparo promovido por don I.A.P. y la asociación Plataforma por permisos iguales e intransferibles de nacimiento y adopción (PPiiNA), contra la Sentencia dictada por la Sala de lo Social del Tribunal

---

[25] *Vid.* también SSTC 117/2018, de 29 de octubre; 138/2018, de 17 de diciembre; 2/2019, de 14 de enero; AATC 14/2016, de 19 de enero. Ya la STC 75/2011, de 19 de mayo, punto de referencia de las anteriores, se enfrentó a la dimensión constitucional del derecho de los varones a disfrutar de permisos de paternidad por parto en igualdad de condiciones que las madres. Reivindicó entonces un padre por parto su derecho a devengar el permiso de maternidad en lugar de la madre, quien no era trabajadora incluida en un régimen de la Seguridad Social. El Tribunal Constitucional denegó el amparo, entendiendo suficientemente justificado, por motivos de salud, que en estos casos dicho derecho se reconociera exclusivamente a las madres trabajadoras. A diferencia pues de lo que sucede en los casos de m/paternidad por adopción o acogimiento, argumentó el Tribunal, en los primeros el reconocimiento de los permisos de m/paternidad a madres y padres en los mismos términos no es un mandato constitucional, sino una opción legislativa. Señaló, en todo caso, que la Ley Orgánica 3/2007, de 22 de marzo, para la igualdad efectiva de mujeres y hombres, ya recoge como opción legislativa la medida reclamada por el recurrente (disposición adicional 11ª), al introducir el siguiente tercer párrafo en el artículo 48.4 LET "En el caso de que la madre no

Superior de Justicia de Madrid el 30 de junio de 2017, que desestima el recurso de suplicación núm. 423-2017 interpuesto contra la Sentencia de 22 de diciembre de 2016 del Juzgado de lo Social núm. 30 de Madrid, así como frente a las precedentes resoluciones del Instituto Nacional de la Seguridad Social, que denegaron a don I.A.P. (trabajador por cuenta ajena) la equiparación de su permiso de paternidad al de maternidad. Entienden los recurrentes que dicha denegación vulnera el derecho a no sufrir discriminación.

FJ 6. Ahora bien, de la premisa indiscutible de que los progenitores deben corresponsabilizarse en el cuidado de los hijos comunes, conforme exige el artículo 39.3 CE, no se sigue la conclusión, en contra de lo que se pretende en la demanda de amparo, de que los permisos laborales en caso de parto, y las correlativas prestaciones económicas de la Seguridad Social, deban tener el mismo contenido, ni por tanto que la diferente duración de los permisos por maternidad y por paternidad lesione el derecho a la igualdad ante la ley reconocido en el artículo 14 CE.

Como ya afirmara este Tribunal en la STC 109/1993, de 25 de marzo, FJ 4, "la maternidad, y por tanto el embarazo y el parto, son una realidad biológica diferencial objeto de protección, derivada directamente del art. 39.2 de la Constitución y por tanto las ventajas o excepciones que determine para la mujer no pueden considerarse discriminatorias para el hombre". En sentido similar, con referencia al Derecho de la Unión Europea, la STC 324/2006, de 20 de noviembre, FJ 6, afirma que "la baja de maternidad está íntimamente relacionada con la condición femenina de la trabajadora. Su principal fundamento no está en la protección a la familia, sino en la de las madres. Como dice el considerando decimocuarto de la Directiva 92/85/CEE, la vulnerabilidad de la trabajadora embarazada, que haya dado a luz o en período de lactancia, hace necesario un derecho a un permiso de maternidad". La finalidad primordial de este permiso (y de la correspondiente prestación económica de la Seguridad Social), como asevera la citada STC 75/2011, FJ 3, es la de preservar la salud de la trabajadora embarazada sin detrimento de sus derechos laborales. Este entendimiento del permiso de maternidad en la doctrina constitucional es coincidente con el que resulta de la jurisprudencia del Tribunal de Justicia de la Unión Europea, traída a colación por las partes en el proceso *a quo*. En efecto, según la jurisprudencia del Tribunal de Justicia de la Unión Europea, "la trabajadora que haya dado a luz o en período de lactancia se encuentra en una situación específica de vulnerabilidad que requiere que se le conceda un permiso de maternidad", debiendo considerarse tal permiso a favor de las trabajadoras embarazadas como "un medio de protección del Derecho social que reviste particular importancia"; al tener "por objeto, por una parte, la protección de la condición biológica de la mujer durante el embarazo y después de este, y, por otra parte, la protección de las especiales relaciones entre la mujer y su hijo durante el período que sigue al embarazo y al parto, evitando que la acumulación de cargas que deriva del ejercicio simultáneo de una actividad profesional perturbe dichas relaciones" (sentencia de 19 de septiembre de 2013, asunto *Betriu Montull*, C 5/12, apartados 48-50, con cita a su vez de las Sentencias de 12 de julio de 1984, asunto *Hofmann*, 184/83, apartado 25; de 27 de octubre de 1998, asunto *Boyle y otros*, C 411/96, apartado 40; y de 20 de septiembre de 2007, asunto *Kiiski*, C 116/06, apartados 46 y 49).

Recuerda al respecto el Tribunal de Justicia de la Unión Europea que el artículo 8 de la Directiva 92/85/CEE del Consejo, de 19 de octubre de 1992, relativa a la aplicación de medidas para promover la mejora de la seguridad y la salud en el trabajo de la trabajadora embarazada, establece que los Estados miembros tienen la obligación de tomar las medidas necesarias para que las trabajadoras disfruten de un permiso de maternidad de como mínimo catorce semanas ininterrumpidas, distribuidas antes o después del parto, debiendo incluir un permiso obligatorio de dos semanas como mínimo (Sentencia *Betriu Montull*, cit., apartados 52-55). La legislación española supera estas disposiciones mínimas.

Asimismo ha declarado reiteradamente el Tribunal de Justicia de la Unión Europea en relación con la Directiva 76/207/CEE del Consejo, de 9 de febrero de 1976, relativa a la aplicación del principio de igualdad de trato entre hombres y mujeres en lo que se refiere al acceso al empleo, a la formación y a la promoción profesionales, y a las condiciones de trabajo, que, "al reservar a los Estados miembros el derecho a mantener o a adoptar disposiciones destinadas a garantizar la protección del embarazo y a la maternidad, el apartado 3 del artículo 2 de la Directiva 76/207 reconoce la legitimidad, en relación con el principio de igualdad de trato entre los sexos, de la protección de la condición biológica de la mujer durante su embarazo y después del mismo, por una parte, y de la protección

---

tuviese derecho a suspender su actividad profesional con derecho a prestaciones de acuerdo con las normas que regulen dicha actividad, el otro progenitor tendrá derecho a suspender su contrato de trabajo por el periodo que hubiera correspondido a la madre, lo que será compatible con el ejercicio del derecho reconocido en el artículo siguiente" (artículo 48bis: permiso de paternidad). Nótese, con todo, que este precepto no se aplica a casos de madres sin empleo, sino tan sólo de madres trabajadoras que no tienen derecho a suspender su actividad profesional (por ser trabajadoras autónomas, por ejemplo).

de las particulares relaciones entre la mujer y su hijo durante el período que sigue al embarazo y al parto, por otra" (Sentencia *Betriu Montull*, cit., apartados 60-62, con cita a su vez de la Sentencia *Hofmann*, apartado 2, y de la Sentencia de 30 de septiembre de 2010, asunto *Roca Álvarez*, C-104/09, apartado 27, por todas). [...]

FJ 7. [...] En el supuesto de parto la finalidad primordial perseguida por el legislador le ha llevado a establecer el derecho de la mujer trabajadora a suspender su contrato con reserva de puesto de trabajo durante dieciséis semanas ininterrumpidas, o el periodo superior que proceda en caso de parto múltiple, de las cuales al menos seis habrán de ser obligatoriamente disfrutadas después del parto. Igualmente, la correspondiente prestación por maternidad de la seguridad social tiene como finalidad preservar la salud de la mujer ante un hecho biológico singular, considerando que una reincorporación inmediata de la mujer a su puesto de trabajo tras el alumbramiento puede ser perjudicial para su completa recuperación; lo que hace compatible esa protección de la condición biológica y de la salud de la mujer trabajadora con la conservación de sus derechos laborales. Se trata pues de una exigencia, derivada del artículo 39.2 CE, de preservar la salud de la mujer trabajadora durante su embarazo y después de este y, por otra parte, de proteger las particulares relaciones entre la madre y su hijo durante el período de puerperio, como también ha señalado la jurisprudencia del Tribunal de Justicia de la Unión Europea, antes citada. Por eso los compromisos internacionales asumidos por España al ratificar los citados acuerdos y convenios sobre derechos humanos obligan a adoptar las medidas necesarias para que las trabajadoras embarazadas disfruten de un permiso de maternidad, a fin de proteger la salud de la mujer (Convenio OIT núm. 103; art. 10.2 PIDESC); también la normativa de la Unión Europea impone esta obligación (art. 8 de la Directiva 92/85/CEE). Así lo advirtió también este Tribunal, al señalar que "la vulnerabilidad de la trabajadora embarazada, que haya dado a luz o en período de lactancia, hace necesario un derecho a un permiso de maternidad" (STC 324/2006, FJ 6).

Por el contrario, el establecimiento de un permiso por paternidad no viene impuesto hasta la fecha por ninguna norma de Derecho internacional que obligue a nuestro país ni por el Derecho de la Unión Europea. Obedece a una finalidad tuitiva diferente: favorecer la conciliación de la vida personal, familiar y laboral, fomentando la corresponsabilidad de madres y padres en el cuidado de los hijos comunes (art. 39.3 CE). Por tanto, la decisión del legislador, desde luego inobjetable, de reconocer a los hombres el derecho a la suspensión del contrato de trabajo por nacimiento de un hijo, con el correlativo a percibir la prestación por paternidad de la Seguridad Social, tiene una finalidad diferente al supuesto tradicional de suspensión del contrato de trabajo de la mujer trabajadora por parto. No se trata, como es obvio, de proteger la salud del trabajador, sino de contribuir a un reparto más equilibrado de las responsabilidades familiares en el cuidado de los hijos. Buena prueba de la diferencia apuntada es que el permiso de maternidad en caso de parto se configura legalmente como un derecho originario de la madre trabajadora (STC 76/2011, FJ 3); esta puede optar por ceder al padre, cuando ambos trabajen, el disfrute de una parte determinada del periodo de descanso posterior al parto, con exclusión de las seis semanas de descanso obligatorio para la madre (art. 48.4 LET).

Siendo diferentes las situaciones que se traen a comparación, no puede reputarse como lesiva del derecho a la igualdad ante la ley (art. 14 CE) la diferente duración de los permisos por maternidad o paternidad y de las correspondientes prestaciones de la seguridad social que establece la legislación aplicada en las resoluciones administrativas y judiciales que se impugnan en amparo. La atribución del permiso por maternidad, con la correlativa prestación de la seguridad social, a la mujer trabajadora, con una duración superior a la que se reconoce al padre, no es discriminatoria para el varón. Este Tribunal ya ha tenido ocasión de señalar que la maternidad, el embarazo y el parto son realidades biológicas diferenciadas de obligatoria protección, derivada directamente del artículo 39.2 CE, que se refiere a la protección integral de las madres. Por tanto las ventajas que se determinen para la mujer no pueden considerarse discriminatorias para el hombre (SSTC 109/1993, FJ 4, y 75/2011, FJ 7).

FJ 8. Cuestión distinta es que el legislador, en el legítimo ejercicio de su libertad de configuración del sistema de seguridad social, apreciando las circunstancias socioeconómicas concurrentes en cada momento a la hora de administrar recursos económicos limitados para atender a un gran número de necesidades sociales (por todas, SSTC 65/1987, de 21 de marzo, FJ 17; 184/1990, de 15 de noviembre, FJ 3, y 75/2011, FJ 7), pueda ampliar la duración del permiso de paternidad, como en efecto lo ha hecho. En la actualidad su duración es de cinco semanas, periodo durante el cual se percibe el correspondiente subsidio de paternidad, hasta llegar incluso, si lo estima oportuno, a la plena equiparación con el permiso y la prestación por maternidad, con el fin de fomentar un reparto más equilibrado de las responsabilidades familiares en el cuidado de los hijos (art. 39.3 CE); sin que ello signifique que la regulación legal precedente y actual, que establece una duración del permiso y la prestación por paternidad inferior a la del permiso y la prestación por maternidad, sea por ello contraria al artículo 14 CE.

Voto particular que formula la Magistrada doña M. Luisa Balaguer Callejón

4. [...] [A] mi juicio, el Tribunal se confunde en la identificación de las finalidades de los permisos, y este error está en la base de un modelo indefectiblemente discriminatorio. Estando de acuerdo con que la naturaleza del "permiso de paternidad" no es, obviamente, la protección de la maternidad entendida como fenómeno biológico exclusivamente vinculado a las mujeres, es preciso reconocer que la finalidad del "permiso de maternidad" no es única.

La configuración actual del mismo, permite ceder una parte importante de su disfrute al padre o al progenitor no gestante, en concreto hasta diez de las dieciséis semanas de suspensión del contrato que prevé el artículo 48.2 del texto refundido de la Ley del estatuto de los trabajadores. Además, también se prevé la suspensión con reserva de puesto de trabajo, con una duración íntegra de dieciséis semanas, en los supuestos de adopción, de guarda con fines de adopción y de acogimiento (art. 48.5 del texto refundido de la Ley del estatuto de los trabajadores), permiso que puede disfrutar cualquiera de los dos progenitores en la medida en que no ha existido parto, ni se exige recuperación física alguna. Estas previsiones, referidas inequívocamente al "permiso de maternidad", no corroboran la argumentación contenida en la Sentencia. Ni la finalidad exclusiva del permiso de maternidad es la recuperación física de la madre, ni la finalidad del de paternidad es (solo) la conciliación, sino la garantía de la igualdad en el acceso, promoción y desarrollo de la actividad laboral de hombres y mujeres. Y es que no se trata únicamente de asegurar al padre el disfrute de "su" derecho a conciliar la vida laboral y el cuidado de sus hijos, sino de repartir entre el padre y la madre el coste laboral que la decisión de tener descendencia tiene en las personas, de modo tal que dicha decisión impacte por igual, en el sentido que sea (positivo o negativo) tanto en el hombre como en la mujer.

5. La interpretación que formula el Tribunal, y que no deja de traer al centro del análisis el reparto equitativo de las responsabilidades familiares, olvida que no se trata solo de la corresponsabilidad en el ámbito familiar, sino de la repercusión externa que la asunción de responsabilidades familiares tiene en el ámbito laboral. Y la desigual duración de los permisos, en la proporción en que tal desigualdad se prevé en la normativa (trece días frente a dieciséis semanas), resulta injustificada y desincentiva la contratación de mujeres en edad fértil.

La Sentencia ignora que existe un efecto claro de discriminación indirecta de las mujeres, asociado al hecho de la maternidad, que el legislador debiera tratar de erradicar por mandato del artículo 9.2 CE. Un Tribunal Constitucional de este siglo debería haber reconocido la necesaria evolución de la realidad social, y profundizado en el análisis de los efectos reales de las medidas de protección que aquí se cuestionan. Ya se reconoció en la STC 128/1987, que "la mujer que tiene a su cargo hijos menores se encuentra en una situación particularmente desventajosa en la realidad para el acceso al trabajo, o el mantenimiento del que ya tiene". Y, si bien las circunstancias han cambiado en treinta años, una generación más tarde sigue existiendo una fractura clara entre hombres y mujeres en el mercado laboral. Esta se traduce, y se visualiza estadísticamente, en las diversas modalidades de contratación —mayor temporalidad en la contratación de mujeres y mayor contratación a tiempo parcial—; en la brecha salarial; en la elección de los perfiles profesionales; o en las dificultades de ascenso a determinados puestos de responsabilidad. Hoy ya no se trata solo de lamentar que la mujer concentre la mayor parte de cargas derivadas del cuidado de la familia, y particularmente del cuidado de los hijos, porque sigue haciéndolo a pesar de los avances innegables. Se trata de analizar por qué las medidas desarrolladas para compensar esa realidad social, destinadas fundamentalmente a las mujeres, no logran superar como debieran esa realidad y no aseguran la igualdad real de las mujeres en el acceso al mundo laboral y su promoción dentro del mismo. Se trata de examinar por qué esas medidas no logran atajar el problema del desigual reparto de los desincentivos entre los hombres y las mujeres. [...]

7. Por último el Tribunal pierde la ocasión de vincular los permisos que buscan la conciliación personal, familiar y laboral, con el disfrute del derecho a la vida familiar (art. 8 del Convenio europeo de derechos humanos), derecho del que son titulares los progenitores pero también, y a mi juicio sobre todo, los niños y las niñas. Los hijos y las hijas, sobre todo, en franjas de edad muy baja, no son responsabilidad preferente de su madre, ni el vínculo con ella merece un mayor grado de protección que el vínculo paternofilial. Esta consideración, implícita en la Sentencia, consolida una división de roles en el cuidado que puede y debe ser revisada, para adaptarla a una visión más actual y coherente con el artículo 9.2 CE, de lo que es la igualdad material entre los sexos.

«La dimensión constitucional de la conciliación de la vida familiar y laboral, o de la dimensión doméstica de la ciudadanía», Blanca Rodríguez Ruiz[26]

II. EL TRIBUNAL CONSTITUCIONAL ANTE LA DIMENSIÓN CONSTITUCIONAL DE LA CONCILIACIÓN DE LA VIDA FAMILIAR Y LABORAL, LA DEFERENCIA HACIA LA JURISDICCIÓN SOCIAL, Y EL DILEMA DE CÓMO PROMOVER LA CIUDADANÍA ACTIVA DE LAS MUJERES SIN PROBLEMATIZARLA

Desde hace ya más de una década, el Tribunal Constitucional viene estableciendo que las medidas orientadas a facilitar la conciliación de la vida familiar y laboral tienen una dimensión constitucional que, afirma, se desprende de la lectura conjunta de los artículos 14 y 39 CE: de la obligación de los poderes públicos de proteger la familia, la maternidad y la filiación, así como de fomentar el cumplimiento de responsabilidades parentales, y de hacer todo ello en términos coherentes con el principio de igualdad y la interdicción de discriminación por razón de sexo que recoge el artículo 14 CE.

Nos aleja aquí el Tribunal Constitucional del terreno de la discrecionalidad legislativa para adentrarnos en el de las obligaciones constitucionales de los poderes públicos para con la conciliación de vida familiar y laboral y la corresponsabilidad. Son estas, sin duda, obligaciones más fáciles de articular en el terreno de la función pública. Aquí el Tribunal ha declarado que la práctica de impedir que funcionarias interinas de larga duración se acojan a una excedencia voluntaria para el cuidado de hijas/os menores constituye un caso de discriminación indirecta por razón de sexo contrario al artículo 14 CE, en conexión con el artículo 39 CE. Y lo es aun cuando pudiera contar con cobertura legal [art. 29.4 de la Ley 30/1984, de Medidas para la Reforma de la Función Pública, y [361] art. 105 de la Ley de Funcionarios Civiles del Estado —texto articulado aprobado por Decreto 315/1964]. Se apoya el Tribunal Constitucional en tres consideraciones. La primera es que la denegación de la excedencia voluntaria con base en el carácter temporal de la interinidad pierde toda justificación razonable donde la interinidad es de larga duración —en el caso concreto era de más de cinco años—. La segunda es que la falta de previsión legal de medidas de conciliación afecta aquí a un colectivo, el de las/os funcionarias/os interinas/os de larga duración, integrado mayoritariamente por mujeres. Y la tercera es «un dato extraído de la realidad social imperante, que sin duda debe tenerse en cuenta al interpretar y aplicar las reglas jurídicas, a saber: que, hoy por hoy, son las mujeres las que de forma casi exclusiva solicitan este tipo de excedencias para el cuidado de los hijos y, en consecuencia, al serles denegado, prácticamente solo las mujeres se ven obligadas a abandonar sus puestos de trabajo y a salir del mercado laboral por este motivo» (SSTC 240/1999, de 20 de diciembre, FFJJ 4-5; 203/2000, de 24 de julio, FFJJ 5-6).

Consideraciones de este tipo aparecen también en el ámbito laboral. También aquí el Tribunal Constitucional ha afirmado la dimensión constitucional de las medidas de conciliación, cuya previsión se entiende como desarrollo de los artículos 14 y 39 CE. Y también aquí ha llamado la atención sobre la «necesidad de compensación de las desventajas reales que para la conservación de su empleo soporta la mujer a diferencia del hombre», de la que «se deduce la afectación del derecho a la no discriminación por razón de sexo cuando se produzcan decisiones empresariales contrarias al ejercicio de un derecho de maternidad en sentido estricto, así como también cuando se den otras que resulten contrarias al ejercicio por parte de la mujer de derechos asociados a su maternidad» (STC 233/2007, de 5 de noviembre, FJ 6). Ciertamente, estas desventajas laborales no derivan de que las mujeres soporten respecto a los varones obligaciones superiores de orden jurídico o moral para con los hijos, sino de las que soportan «por imposición de la realidad social». Es esta la que hace que sean «mayoritariamente las mujeres las que en la práctica tienen dificultades para compatibilizar la vida laboral y familiar» (*ibídem*). De ahí deduce el Tribunal que, aunque las medidas de conciliación reguladas en la LET «no limita(n) su reconocimien [362] to a las mujeres…, sensibilizando en el reparto de las responsabilidades y en la modificación de patrones socioculturales de conducta», con todo, «en una perspectiva constitucional (dichas medidas) sigue(n) en el presente vinculada(s) singularmente con la maternidad y, a través de ella, con el artículo 14 CE, porque «hoy por hoy son las mujeres las que de forma casi exclusiva solicitan»» este tipo de medidas. Es pues patente, concluye, «que ese derecho y su ejercicio pueden quedar comprometidos por prácticas discriminatorias» (*ibídem*) trátese de discriminación directa o indirecta.

Elocuente en este sentido es la STC 3/2007, de 15 de enero. El Tribunal resuelve aquí un recurso de amparo presentado por una trabajadora que desarrollaba su jornada de trabajo en turnos rotativos de mañana y tarde, de lunes a sábado, de 10 a 16 horas y de 16 a 22:15 horas. Esta trabajadora solicitó a la empresa la reducción de su jornada de trabajo por guarda legal de un hijo menor de seis años, al amparo de lo dispuesto en el artículo 37.5 LET, solicitando horario de tarde, de

---

26   Publicado en *REDC*, núm.103, pp. 355-384 —extracto (pp. 360-367; eliminadas notas a pie)—.

16:00 a 21:15 horas, de lunes a miércoles. La empresa [363] denegó la reducción solicitada, señalando que con base en el artículo 37.6 LET el horario reducido a aplicar debía desarrollarse dentro de su jornada ordinaria en turnos rotativos de mañana y tarde y de lunes a sábado. Entonces, el artículo 37.6 LET disponía: «La concreción horaria y la determinación del período de disfrute del permiso de lactancia y de la reducción de jornada, previstos en los apartados 4 y 5 de este artículo, corresponderá al trabajador, dentro de su jornada ordinaria. El trabajador deberá preavisar al empresario con quince días de antelación la fecha en que se reincorporará a su jornada ordinaria» —mi cursiva. Pues bien, el Tribunal Constitucional declaró que denegar a una trabajadora una reducción de jornada con el único argumento de que su solicitud no se ajusta a los criterios legales, sin analizar la dimensión constitucional del derecho a la conciliación de la vida familiar y laboral a la luz de los artículos 14 y 39 CE, constituye discriminación indirecta por razón de sexo, habida cuenta de que son las mujeres «notoriamente el colectivo que ejercita en mayor medida tal derecho» (STC 3/2007, FJ 4).

También en el terreno laboral es, pues, clara la toma de postura del Tribunal Constitucional sobre el contenido constitucional de la conciliación, y sobre el carácter indirectamente discriminatorio por razón de sexo de toda medida que afecte negativamente a la posibilidad de conciliar la vida familiar y laboral, por ser las mujeres quienes se ven principalmente afectadas. Con todo, al Tribunal Constitucional le cuesta más hacer valer el contenido constitucional de la conciliación en el ámbito laboral que en el de la función pública. Y es que mientras en esta última nos encontramos en el terreno de las relaciones de los individuos con los poderes públicos, y de la eficacia vertical de los derechos fundamentales en el marco de esas relaciones, el ámbito laboral nos sumerge en la eficacia horizontal o frente a terceros de estos derechos. Aunque la eficacia horizontal [364] de los derechos se ha afirmado ante todo en el marco de las relaciones laborales, es este un ámbito propicio a las matizaciones de dicha eficacia. Lo es porque la dogmática laboral apunta con frecuencia hacia un sentido diverso de los parámetros de la igualdad constitucional y los derechos fundamentales, ofreciendo resistencia a acomodarse a ellos. Pues bien, allí donde el Tribunal Constitucional se mueve aún con titubeos dogmáticos, en terrenos donde él mismo no parece haber aprehendido aún las implicaciones de esos parámetros constitucionales de la igualdad y los derechos, este Tribunal tiende a convertirse en cómplice de dicha resistencia. Y lo hace mostrando para con la jurisdicción social más deferencia que para con la contencioso-administrativa. En concreto, en materia de conciliación de vida familiar y laboral y de corresponsabilidad familiar, el Tribunal se limita a verificar si los tribunales de la jurisdicción social han incorporado o no en sus razonamientos la dimensión constitucional de la conciliación, sin entrar a analizar si lo han hecho en términos que puedan considerarse conformes a los parámetros constitucionales. Donde esa dimensión ha sido tenida en cuenta, y con independencia de cómo haya sido tenida en cuenta, el Tribunal no encuentra infracción constitucional por violación del artículo 14, en conjunción con el 39 CE.

No la encontró en la STC 24/2011, de 14 de marzo. En este caso, la recurrente en amparo, trabajadora de Telefónica de España, S.A.U., con turnos rotativos, solicitó su adscripción permanente al turno de mañana para cuidar de su hija recién nacida, acogiéndose para ello al artículo 34.8 LET. Su solicitud [365] fue denegada por la empresa y desestimada en todas las instancias judiciales, con el argumento de que el artículo 34.8 LET hace depender la adscripción a un turno de trabajo de la existencia de un acuerdo colectivo o individual. Ante el Tribunal Constitucional, la recurrente alegó la violación de su derecho a no sufrir discriminación por razón de sexo, apelando a la dimensión constitucional de la conciliación de la vida familiar y laboral. El Tribunal Constitucional denegó el amparo con el argumento de que, a diferencia de lo que sucedía en el caso resuelto por la STC 3/2007, en este caso dicha dimensión sí había sido tenida en cuenta por los órganos judiciales. Y ello con independencia de cuál fuera su decisión final. El Tribunal, esto es, no consideró necesario entrar a examinar los términos en que los tribunales habían tomado en consideración dicha dimensión. Le bastó con constatar que, de un modo u otro, en uno u otro sentido, lo hubieran hecho. Solo donde los órganos de la jurisdicción social han desconocido de plano esta dimensión entiende el Tribunal Constitucional que se ha producido una violación del artículo 14 CE, en conjunción con el artículo 39 CE. Es más, en tales casos, el Tribunal no restablece en su derecho a la recurrente, como hace cuando la violación del artículo 14 se ha producido en el ámbito de la función pública (SSTC 240/1999; 203/2000), sino que se limita a retrotraer actuaciones «al momento procesal oportuno a fin de que por el órgano judicial se dicte, con plenitud de jurisdicción, nueva resolución respetuosa con el derecho fundamental reconocido» (STC 3/2007, punto 3 del Fallo; vid. también 26/2011, punto 3 del Fallo).

Las consideraciones del Tribunal Constitucional en torno al papel familiar de las mujeres presiden, pues, su jurisprudencia sobre la dimensión constitucional de la conciliación de la vida familiar y laboral tanto en el terreno laboral como en el ámbito de la función pública. La diferencia es que, si en el segundo el Tribunal Constitucional hace valer dicha dimensión constitucional, en el primero se contenta con poner fin al desconocimiento de dicha dimensión, remitiendo la definición de su contenido, de entrada, a la jurisdicción laboral. Esas consideraciones en torno al papel familiar de las mujeres resucitan la cuestión de hasta qué punto se contribuye con ellas a retroalimentar la construcción moderna del género. Resucitan, en concreto, el debate en torno a dos posibles estrategias para avanzar hacia la efectiva igualdad, cada una de las cuales conlleva un coste de oportunidad. La primera apunta a la importancia de romper con la construcción moderna del género que adscribe a las mujeres al terreno [366] privado de la ciudadanía pasiva y que condiciona su ingreso en la ciudadanía activa a la asistencia estatal. Y lo hace fomentando la igualdad formal o de trato, a costa de ignorar los obstáculos que efectivamente jalonan el camino hacia la ciudadanía activa de las mujeres. La segunda apunta a la necesidad de compensar jurídicamente a las mujeres por los obstáculos estructurales que se oponen a su presencia en la esfera pública, muy especialmente en el mundo laboral. El coste supone ofrecer reconocimiento jurídico a dichos obstáculos, reforzando la adscripción de las mujeres a la ciudadanía pasiva, problematizando nuestro acceso a la ciudadanía activa, incluso victimizándonos. El Tribunal Constitucional no se ha decantado claramente por ninguna de las dos estrategias. Puede, con todo, percibirse una evolución desde la primera hacia la segunda, al hilo de la evolución hacia una concepción más efectiva y menos formal de la igualdad. Así, cuando en su temprana jurisprudencia se ocupó de normativa pre-constitucional, el Tribunal Constitucional tendió a adoptar la primera estrategia y con ella, como vimos, una lectura formal de la igualdad (vid. por todas STC 3/1993, de 14 de enero, en materia de pensiones a favor de familiares). En ocasiones, con todo, el Tribunal apostó también entonces por la segunda (vid. SSTC 19/1989, de 31 de enero, y 68/1991, de 8 de abril, en materia de pensiones de orfandad), oscilando entre ambas a veces incluso en el marco de un mismo tema (vid. SSTC 315/1994, de 28 de noviembre, y 16/1995, de 24 de enero, en materia de jubilación anticipada). Todo ello sin justificar su opción por uno u otro criterio. Hoy la apuesta es más bien a favor de la segunda estrategia, a favor, esto es, de tomar conciencia de los obstáculos que se oponen a la igualdad efectiva de las mujeres con las condiciones de ciudadanía que disfrutan los varones, con el objetivo de removerlos. Con esta apuesta por la igualdad efectiva, con todo, se asume también el riesgo de ahondar en la problematización la ciudadanía activa de las mujeres, al tiempo que la de los varones se consolida como el modelo «normal» o no problemático de ciudadanía.

El mejor antídoto frente a este riesgo consiste en problematizar, no la ciudadanía de las mujeres, sino la construcción moderna de la ciudadanía, con sus dos modelos dicotómicos, el femenino y el masculino. Y consiste en diseñar medidas orientadas a atajarla, no solo equiparando la ciudadanía de las mujeres a la de los varones, sino también la de estos a la de las primeras. Consiste, en definitiva, en problematizar también la construcción moderna de la masculinidad y de la ciudadanía de los varones. El Tribunal Constitucional tuvo oportunidad de hacerlo en la STC 26/2011. En ella, como en casos anteriores, [367] el Tribunal resolvió un recurso de amparo contra la denegación de una solicitud de reducción de jornada laboral, de medidas pues de conciliación de su vida familiar y laboral. La peculiaridad de este recurso es que fue presentado por un trabajador varón. Esta circunstancia ofreció al Tribunal Constitucional la posibilidad de enfrentarse a la dimensión constitucional, no solo de la conciliación de la vida familiar y laboral, sino de la obligación de orientarla hacia la corresponsabilidad entre mujeres y varones —a la dimensión constitucional, en definitiva, de la corresponsabilidad entre mujeres y varones en las labores de cuidado que imperan en la vida familiar.

LOS DERECHOS A LA VIDA, A LA INTEGRIDAD FÍSICA Y MORAL Y A NO SER SOMETIDO A TORTURA, NI A PENAS O TRATOS INHUMANOS O DEGRADANTES

***Artículo 15.** Todos tienen derecho a la vida y a la integridad física y moral, sin que, en ningún caso, puedan ser sometidos a tortura ni a penas o tratos inhumanos o degradantes. Queda abolida la pena de muerte, salvo lo que puedan disponer las leyes penales militares para tiempos de guerra*

INTRODUCCIÓN

Como sucede con otros preceptos constitucionales, el artículo 15 CE no reconoce un solo derecho fundamental, sino varios. La vida, acompañada de la abolición de la pena de muerte salvo lo que dispongan las leyes penales para tiempos de guerra, la integridad física y moral, no sufrir tortura ni trato inhumano o degradante: su garantía constituye el objeto de derechos fundamentales relacionados entre sí, pero distintos. Son, de un lado, derechos cuyo reconocimiento gira en torno al objetivo de proteger a la persona como entidad física y moral, presupuesto de la existencia de una persona jurídica sujeto de derechos. Nos encontramos, como afirmara el Tribunal Constitucional en el marco del derecho a la vida, ante la protección de la persona como «supuesto ontológico sin el que los restantes derechos no tendrían existencia posible» (STC 53/1985, FJ 3). Un supuesto ontológico que en el Estado constitucional adquiere sentido en la medida en que se garantiza una vida libre de torturas, de tratos inhumanos o degradantes, o de cualquier otro atentado contra la integridad física o moral de la persona. No por casualidad, los derechos reconocidos en el artículo 15 CE encabezan la Sección 1ª del Capítulo II del Título I de la Constitución. Al mismo tiempo, y de otro lado, cada uno de estos derechos tiene entidad propia, sus propios rasgos definitorios y su perfil dogmático, todo lo cual le lleva a ser objeto de tratamiento individualizado a nivel legislativo y jurisprudencial.

A la cabeza del artículo 15 CE se encuentra el derecho a la vida como «derecho fundamental esencial y troncal» (STC 53/1985, FJ 3), en cuanto presupuesto efectivamente ontológico de los demás derechos fundamentales, incluidos los que aparecen reconocidos en el mismo artículo. La temprana afirmación por parte del Tribunal Constitucional de dicho carácter basilar del derecho a la vida ha traído consigo diversas consecuencias. Así tenemos, en primer lugar, la prioridad que el

Tribunal Constitucional confiere a su tutela frente a la de otros derechos fundamentales. Dicha prioridad no sólo se predica de las obligaciones negativas de los poderes públicos, de su obligación de abstenerse de interferir en el disfrute del derecho a la vida, sino también, y muy especialmente, de sus obligaciones positivas para con dicho derecho, de su obligación, esto es, de garantizar su disfrute por encima del de otros derechos fundamentales. En el ámbito legislativo, esta prioridad del derecho a la vida y de las obligaciones de los poderes públicos para con ella se encuentra detrás de la abolición de la pena de muerte también en tiempo de guerra (LO 11/1995, de 27 de noviembre). A nivel jurisprudencial, ha marcado la posición del Tribunal Constitucional sobre la legislación en materia de interrupción voluntaria del embarazo (STC 53/1985), de donación y utilización de embriones y fetos humanos con fines terapéuticos (STC 212/1996) y de técnicas de reproducción asistida (STC 116/1999). Ha llevado también al Tribunal a definir, en este y otros contextos, las obligaciones de los poderes públicos para con la vida humana en términos especialmente estrictos, en términos que lo han llevado incluso a dar instrucciones concretas al legislador sobre cómo articular su tutela, traspasando las fronteras de su papel jurisdiccional (*vid.* el voto particular de Francisco Tomás y Valiente a la STC 53/1985); y en términos que, al menos en el contexto de relaciones de sujeción especial, obligan a los poderes públicos a tutelar el derecho a la vida por encima de la voluntad de su titular y del disfrute de otros derechos fundamentales (SSTC 120/1990; 48/1996). Y ha llevado al Tribunal a negar que, a diferencia de los demás derechos fundamentales, el derecho a la vida tenga una dimensión negativa, que su contenido incluya la posibilidad de renunciar a su disfrute, y de obligar a los poderes públicos a respetar y hacer valer dicha renuncia. Una dimensión que, en el caso de este derecho, se traduciría en la tutela de la posibilidad de poner fin a la vida propia, si fuera necesario con ayuda del Estado (STC 120/1990, FJ 7).

En la visión del derecho a la vida que defiende el Tribunal Constitucional, no existe pues un derecho a disponer sobre la propia muerte. Hacerlo constituye más bien «una manifestación del agere licere, en cuanto que la privación de la vida propia o la aceptación de la propia muerte es un acto que la ley no prohíbe y no, en ningún modo, un derecho subjetivo que implique la posibilidad de movilizar el apoyo del poder público para vencer la resistencia que se oponga a la voluntad de morir, ni, mucho menos, un derecho subjetivo de carácter fundamental en el que esa posibilidad se extienda incluso frente a la resistencia del legislador, que no puede reducir el contenido esencial del derecho» (*ibídem*). El artículo 15 CE no reconoce, en definitiva, un derecho fundamental al suicidio, ni tampoco a la eutanasia, al testamento vital, ni a ningún otro acto de disposición sobre el fin de la propia vida. Tampoco, por otro lado, prohíbe el artículo 15 CE dichos actos de disposición, en la medida en que sean efectivamente manifestaciones de libertad. La Constitución ni requiere, pues, ni cierra al legislador la posibilidad de regular esos actos en términos que respeten esta libertad. En esta línea, nuestro Código Penal no tipifica el suicidio, aunque sí la inducción al mismo. También tipifica, con menos justificación con base en el *agere licere* de cada cual, la cooperación a cometerlo, e incluso, adjudicándole una pena menor, la eutanasia (artículo 143 CP), que de momento no ha logrado el necesario consenso político para una regulación despenalizadora. Todo ello con el beneplácito del Tribunal Europeo de Derechos Humanos, que ha avalado la conformidad con el Convenio Europeo de Derechos Humanos de la tipificación como delito de la asistencia al suicidio (STEDH de 29 de abril de 2002, asunto *Pretty c. Reino Unido*). Por su parte, la Ley 41/2002, de 14 de noviembre, conocida como ley de autonomía del (de la) paciente, regula a nivel estatal, entre otras cuestiones, la posibilidad de que las personas mayores de edad y con capacidad de obrar manifiesten libremente su voluntad sobre los cuidados y tratamientos médicos que desean recibir, o no, de encontrarse en situaciones en que no puedan expresar dicha voluntad (artículo 11). Es lo que se conoce como «instrucciones previas». Estas, con todo, se encuentran sujetas al ordenamiento jurídico, además de a la «lex artis» médica, no pudiendo contravenir, por tanto, el mencionado artículo 143 CP.

En segundo lugar, la importancia basilar que el Tribunal Constitucional otorga al derecho a la vida lo ha llevado a imponer a los poderes públicos obligaciones positivas para con ella incluso allí donde no existe una persona titular del derecho fundamental a la vida, allí donde éste no está, pues, presente en su dimensión subjetiva, sino tan sólo como un principio normativo, como una norma que integra el orden constitucional. Es el caso de la regulación del aborto, que el Tribunal Constitucional enfoca desde la perspectiva de las obligaciones de los poderes públicos para con la tutela de la vida humana no nacida. Es, en efecto, en el contexto de la regulación del aborto donde el Tribunal Constitucional ha expuesto con mayor énfasis la doctrina de la dimensión objetiva de los derechos fundamentales, y de las obligaciones positivas de los poderes públicos para con su tutela (STC 53/1985, FFJJ 4, 7).

Y en tercer lugar, es tal la importancia que el Tribunal Constitucional otorga a la vida humana como derecho fundamental esencial y troncal, supuesto ontológico de los restantes derechos fundamentales, que la ha erigido en «valor superior del ordenamiento jurídico constitucional», pese a no aparecer mencionada como tal en la Constitución (STC 53/1985, FJ 3). El Tribunal Constitucional se abre así a la llamada jurisprudencia de los valores (*vid.* de nuevo el voto particular de Francisco Tomás y Valiente a esta Sentencia), a la introducción en un ordenamiento jurídico moderno de consideraciones pertenecientes a un orden axiológico meta-jurídico, más en línea con el pensamiento trascendental pre-moderno que con el carácter post-trascendental, autorreferencial, de la modernidad jurídica. Esta exposición del razonamiento jurídico a consideraciones meta-jurídicas es característica de los debates en torno a la vida humana, muy especialmente de los debates que suele suscitar la regulación del aborto. Se trata de un debate al que, entre nosotros, la Ley Orgánica 2/2010, de 3 de marzo, ha querido contribuir con un sistema de plazos que enfatiza los parámetros jurídicos de la cuestión, centrándose en definir y delimitar la posición jurídica de la mujer embarazada, única persona jurídica en juego en supuestos de aborto, aspirando así a sustraerse en lo posible de consideraciones trascendentales, pertenecientes al mundo de lo meta-jurídico. Objeto, en su momento, de un recurso de inconstitucionalidad, resta aún por conocer cuál será la posición del Tribunal Constitucional sobre esta Ley Orgánica.

Junto al derecho a la vida, el artículo 15 CE reconoce el derecho a la integridad física y moral, muy especialmente el derecho a no sufrir tortura, ni trato inhumano ni degradante. La tortura, los tratos inhumanos, los tratos degradantes, constituyen, en palabras del Tribunal Constitucional, «nociones graduadas de una misma escala que, en todos sus tramos, denotan la causación de padecimientos físicos o psíquicos ilícitos e infligidos de modo vejatorio para quien los sufre y con esa propia intención de vejar y doblegar la voluntad del sujeto paciente» (STC 120/1990, FJ 9). Así, y tras proteger al ser humano en cuanto que realidad ontológica, el artículo 15 CE lo protege ahora como entidad volitiva y moral dotada de autonomía, entidad ésta que da contenido constitucional democrático a aquella realidad. Llama la atención, por ello, que el Tribunal Constitucional se muestre menos estricto en la persecución de la tortura y los tratos inhumanos y degradantes que en la tutela de la vida, llegando a considerar conformes con el artículo 15 CE situaciones extremas, en concreto en el contexto de relaciones de sujeción especial. Es el caso del encierro prolongado en celdas de aislamiento (STC 2/1987), de la orden a un recluso de que, tras un *vis-à-vis*, haga flexiones (sentadillas) desnudo ante el personal penitenciario, para que éste pueda saber si ha introducido droga en prisión (STC 57/1994), o de la previsión de que, antes de pasar a una habitación y proporcionar una muestra de orina para determinar si consume sustancias tóxicas, un interno se desnude y sea provisto sólo de bata o albornoz, con el objeto de comprobar que no lleva consigo nada que pudiera alterar el resultado del análisis de orina (STC 196/2006). En estos dos últimos casos el Tribunal Constitucional otorgó el amparo al recurrente, pero prefirió hacerlo con base en un derecho fundamental distinto de los reconocidos en el artículo 15 CE, en concreto con base en el derecho a la intimidad (*vid.* **ARTÍCULO 18**).

El Tribunal Constitucional parece así mostrarse reticente a admitir la posible existencia de tortura o trato inhumano o degradante en el contexto penitenciario o policial. Antes bien, sus esfuerzos se han centrado en razonar que tanto la detención como la privación de libertad resultante de una condena penal conllevan restricciones de derechos fundamentales que van más allá de la mera privación de libertad, las cuales no pueden por ello considerarse trato degradante o inhumano, ni tortura (SSTC 89/1987; 57/1994; 119/1996; 204/2000); como tampoco lo es, en sí misma, la imposición de penas previstas en el Código Penal, dejando el Tribunal Constitucional al legislador un margen amplio, si bien no ilimitado, para apreciar la proporcionalidad de dichas penas (SSTC 65/1986; 150/1991; *vid.* con todo STC 136/1999, **ARTÍCULO 20**). Esta laxitud ha provocado repetidas condenas a España por parte del TEDH (SSTEDH de 2 de noviembre de 2004, asunto *Martínez Sala y otros c. España*; 28 de septiembre de 2010, asunto *San Argimiro Isasa c. España*; 8 de noviembre de 2011, asunto *Beristain Ukar c. España*; 16 de octubre de 2012, asunto *Otamendi Egiguren c. España*; 7 de enero de 2015, asunto *Etxebarría Caballero c. España*; de 5 de mayo de 2015, asunto *Arratibel Garciandía c. España*; 7 de enero de 2015, asunto *Etxebarría Caballero c. España*; de 31 de mayo de 2016, asunto *Beortegui Martínez c. España*), por no investigar suficientemente denuncias de malos tratos de personas presas o detenidas, obligación de investigar que el TEDH exige con mayor rigor cuando las denuncias por tortura se producen en el marco de situaciones de detención incomunicada. Desde hace ya más de una década, con todo, nuestro Tribunal Constitucional parece estar venciendo esa reticencia a admitir que en las prisiones y dependencias policiales de nuestro Estado se producen malos tratos vulneradores de los derechos reconocidos en el artículo 15 CE, para imponer, en línea con esa jurisprudencia y con base en este artículo, la obligación de investigarlos (SSTC 7/2004; 224/2007; 34/2008; 52/2008; 69/2008; 107/2008; 40/2010; 63/2010; 131/2012; 153/2013; 130/2016; 144/2016; 39/2017; *vid.* también las SSTC 63/2008; 123/2008; 182/2012; 12/2013).

Más cómodo se siente sin duda el Tribunal Constitucional en el terreno del derecho a la integridad física y moral más allá de casos de tortura y de tratos inhumanos o degradantes, en el análisis de su contenido y de los límites a los que puede verse sometido por los poderes públicos. En relación con el primero, el Tribunal ha afirmado que nos encontramos ante el derecho a la «incolumidad corporal», entendida como el derecho a no sufrir lesión o menoscabo en nuestro cuerpo o en su apariencia física sin nuestro consentimiento (STC 207/1996, FJ 2). Lo cual lo diferencia del derecho a la intimidad corporal, cuyo objetivo es proteger frente a miradas ajenas zonas corporales socialmente consideradas íntimas (*ibídem*; STC 57/1994 —*vid.* también **ARTÍCULO 18**—). Con base en esta definición, el Tribunal ha admitido que la salud forma parte la integridad física y moral, y que el derecho a disfrutarla puede verse vulnerado por exposiciones a niveles excesivos de ruido (SSTC 119/2001; 16/2004; 150/2011); vulneración cuya existencia se muestra, con todo, reticente a admitir (STC 150/2011), incluso tras la condena de España en la STEDH de 16 de noviembre de 2004, asunto *Moreno Gómez c. España*, que traía causa de la STC 119/2001 (si bien la condena se basa en la violación del derecho a la intimidad y a la inviolabilidad del domicilio —artículo 8 CEDH—). También ha asumido el Tribunal que el derecho a la integridad física y moral protege frente a situaciones de acoso sexual (STC 106/2011) y de acoso laboral (STC 56/2019); y ha asumido que la integridad moral de las personas menores es especialmente vulnerable, protegiéndola en procesos de adjudicación judicial de su tutela (STC 221/2002), o de su guardia y custodia (SSTC 71/2004; 22/2008; 163/2009).

En lo que concierne a la limitación del derecho por los poderes públicos, tráte-se del legislativo, del ejecutivo o del judicial, el Tribunal ha analizado su confor-midad constitucional con base en el principio de proporcionalidad (SSTC 7/1994; 215/1994; 35/1996; 207/1996; 206/2007), modulando la legitimidad constitu-cional de la intromisión en la integridad física y/o moral con base en el fin con ella perseguido, y en su adecuación, imprescindibilidad y proporcionalidad en relación con dicho fin, pero también en función de la gravedad del supuesto de intromisión en la integridad física y/o moral de la persona afectada. Ha analizado también, en este contexto, el deber de tutela en el ámbito de la administración como parte de las obligaciones positivas de los poderes públicos para con el de-recho (STC 62/2007; 160/2007), así como el papel central del consentimiento informado (STC 37/2011). El resultado es una jurisprudencia que bien puede servir de punto de referencia para estudiar los límites de los derechos fundamen-tales impuestos por los poderes públicos, y el principio de proporcionalidad como criterio de legitimidad constitucional de dichos límites.

LEGISLACIÓN

LO 11/1995, de 27 de noviembre, de abolición de la pena de muerte en tiempo de guerra; Ley 41/2002, de 14 noviembre, básica reguladora de la autonomía del paciente y de derechos y obligaciones en materia de información y documentación clínica; Ley 14/2006, de 26 de mayo, sobre técnicas de reproducción humana asistida; Ley Orgánica 2/2010, de 3 de marzo, de salud sexual y reproductiva y de la interrupción voluntaria del embarazo; Código Penal, Libro II, Títulos I al IX.

BIBLIOGRAFÍA

AA.VV. (2003): *El derecho a la vida (Actas de las VIII Jornadas de la asociación de letra-dos del Tribunal Constitucional)*, Madrid: CEPC; ASENSIO SÁNCHEZ, M.A. (2017): "La autonomía del paciente menor de edad", *Laicidad y Libertades* 17, pp. 57-84; CANOSA USERA, R. (2006): *El derecho a la integridad personal*, Valladolid: Lex Nova; (2017): "La protección de la integridad personal", *RDP* 100, pp. 257-310; (2018): "La prohibición de la tortura y de penas y tratos inhumanos o degradantes en el CEDH", *TyRC* 42, pp. 247-271; CASADO GONZÁLEZ, M. (1994): *La eutanasia: aspectos éticos y jurídicos*, Madrid: Reus; DÍEZ RIPOLLÉS, J.L. y MUÑÓZ SÁNCHEZ, J. (coords.) (1996): *El tratamiento jurídico de la eutanasia: una perspectiva comparada*, Valencia: Tirant lo Blanch; DWORKIN, R. (1994): *El dominio de la vida*, Barcelona: Ariel; FLORES ANARTE, L. (2016): *Las técnicas de repro-ducción asistida en España: ¿Mercantilización de la maternidad o empoderamiento femenino?* GARCÍA ARÁN, M. (1995): «Derecho a la integridad física y esterilización de disminuidos psíquicos», *Revista Jurídica de Catalunya* (III), pp. 683-704; GARCÍA PASCUAL, C. (2006): «Cuestiones de vida o muerte. Los dilemas éticos del aborto», *Derechos y Libertades* 16, pp. 181-209; GÓMEZ ABEJA, L. (2011): «Consentimiento informado y derechos fundamenta-les», *REDF* 18, pp. 275-306; GÓMEZ MONTORO, A. J. (2018): "El Estatuto Constitucional del no nacido: evolución y situación actual en España", *RDP* 102, pp. 47-78; HABERMAS, J. (2003): *The Future of Human Nature*, Cambridge: Polity; LALATTA COSTERBOSA, M. (2018): "Argumentos contra la tortura: La definición de tortura, el Estado de Derecho y el Tribunal Europeo de Derechos Humanos", *Derechos y Libertades* 39, pp. 17-33; MAGALDI, N. (2004): *Derecho a saber, filiación biológica y Administración pública*, Madrid: Marcial Pons; MARÍN GÁMEZ, J.A. (1998): «Reflexiones sobre la eutanasia: una cuestión pendiente del Derecho Constitucional a la vista», *REDC* 54, pp. 85-118; MARTÍNEZ SAMPERE, E. (2000): «El derecho a una vida digna hasta el final: suicidio y eutanasia», *Araucaria* 3, pp. 15-24; MUÑOZ CONDE, F. (1995): «La esterilización de deficientes psíquicos: Comentario a la Sentencia del Tribunal Constitucional español de 14 de julio de 1994», *Revista de Derecho y Genoma Humano* 2, pp. 185-210; PARDO FALCÓN, J. (1997): «A vueltas con el artículo 15 CE y otras cuestiones menos recurrentes de nuestro Derecho Constitucional (Un comentario a la STC 212/1996, de 19 de diciembre)», *REDC* 49, pp. 299-309; PAREJO GUZMAN, M.J. (2005): *La eutanasia: ¿un derecho?* Cizur Menor: Aranzadi; PASCUAL MEDRANO, A. (2018): "La interminable configuración del derecho fundamental a la integridad física", *REDC* 114, pp. 47-72; REY MARTÍNEZ, F. (2008): *Eutanasia y derechos fundamentales*, Madrid: CEC; ROCA TRÍAS, E. (2000): «Embriones, padres y donantes», *RJC* 99, pp. 413-432; RODRÍGUEZ RUIZ, B. (2010): «¿Cuestión de derechos? El Consejo de Estado ante los retos del aborto», *TyRC* 25, pp. 603-619; (2012): «Género en el discurso constitucional del aborto», *REP* 156, pp. 49-83; RUIZ MIGUEL, A. (2010): «Autonomía individual y derecho a la propia muerte», *REDC* 89, pp. 11-43; SHELDON, S (1993): «Who is the Mother to make the Judgment?: Constructions of Woman in English Abortion Law», *Feminist Legal Studies* I/1, pp. 3-22; SIEGEL, R. (2008): «The Right's Reasons: Constitutional Conflict and the Spread of Woman Protective Antiabortion Argument», *Duke L.J.* 57, pp. 1641-1692; SIEGEL, R. (2008): «Dignity and the Politics of Protection: Abortion Restrictions under Casey/Carhart», *Yale L. J.* 117, pp. 1694-1800; SINGER, P. (1993): *Practical Ethics*, Cambridge: C.U.P.; TOOLEY, M. et al. (2009): *Abortion. Three Perspectives*, Oxford: O.U.P.; TRIBE, L. H. (1990): *Abortion: The Clash of Absolutes*, New York: W.W. Norton; TORIO LÓPEZ, A. (1986): «La prohibición constitucional de penas y tratos inhumanos y degradantes», *Poder Judicial* 4, pp. 69-84.

I. EL DERECHO A LA VIDA

Titularidad y protección constitucional del derecho a la vida, y la obligación positiva de los poderes públicos de protegerla: interrupción voluntaria del embarazo —STC 53/1985, de 11 de abril[1]—

La Sentencia resuelve el recurso previo de inconstitucionalidad interpuesto por cincuenta y cuatro diputados contra el proyecto de ley de reforma del Código Penal que introdujo el artículo 417bis, por entender que vulneraba, entre otros preceptos constitucionales, el derecho a la vida reconocido en el artículo 15 CE. Según el proyecto de ley, el citado artículo 417bis quedaba redactado como sigue:

«El aborto no será punible si se practica por un Médico, con el consentimiento de la mujer, cuando concurran alguna de las circunstancias siguientes:

1. Que sea necesario para evitar un grave peligro para la vida o la salud de la embarazada.

2. Que el embarazo sea consecuencia de un hecho constitutivo del delito de violación del art. 429, siempre que el aborto se practique dentro de las doce primeras semanas de gestación y que el mencionado hecho hubiere sido denunciado.

3. Que sea probable que el feto habrá de nacer con graves taras físicas o psíquicas, siempre que el aborto se practique dentro de las veintidós primeras semanas de gestación y que el pronóstico desfavorable conste en un dictamen emitido por dos Médicos especialistas distintos del que intervenga a la embarazada.»

---

[1]   *Vid.* también la STC 75/1984, de 27 de junio, esp. FJ 6.

FJ 3. El problema nuclear en torno al cual giran las cuestiones planteadas en el presente recurso es el alcance de la protección constitucional del nasciturus, por lo que procede comenzar por hacer unas consideraciones generales sobre la trascendencia del reconocimiento del derecho a la vida dentro del ordenamiento constitucional, consideraciones que iremos precisando a medida que lo requiera el desarrollo de nuestra argumentación. Dicho derecho a la vida, reconocido y garantizado en su doble significación física y moral por el art. 15 de la Constitución, es la proyección de un valor superior del ordenamiento jurídico constitucional —la vida humana— y constituye el derecho fundamental esencial y troncal en cuanto es el supuesto ontológico sin el que los restantes derechos no tendrían existencia posible. Indisolublemente relacionado con el derecho a la vida en su dimensión humana se encuentra el valor jurídico fundamental de la dignidad de la persona, reconocido en el art. 10 como germen o núcleo de unos derechos «que le son inherentes». La relevancia y la significación superior de uno y otro valor y de los derechos que los encarnan se manifiesta en su colocación misma en el texto constitucional, ya que el art. 10 es situado a la cabeza del título destinado a tratar de los derechos y deberes fundamentales, y el art. 15 a la cabeza del capítulo donde se concretan estos derechos, lo que muestra que dentro del sistema constitucional son considerados como el punto de arranque, como el prius lógico y ontológico para la existencia y especificación de los demás derechos.

FJ 4. Es también pertinente hacer, con carácter previo, algunas referencias al ámbito, significación y función de los derechos fundamentales en el constitucionalismo de nuestro tiempo inspirado en el Estado social de Derecho. En este sentido, la doctrina ha puesto de manifiesto —en coherencia con los contenidos y estructuras de los ordenamientos positivos— que los derechos fundamentales no incluyen solamente derechos subjetivos de defensa de los individuos frente al Estado, y garantías institucionales, sino también deberes positivos por parte de éste (vide al respecto arts. 9.2; 17.4; 18.1 y 4; 20.3; 27 de la Constitución). Pero, además, los derechos fundamentales son los componentes estructurales básicos, tanto del conjunto del orden jurídico objetivo como de cada una de las ramas que lo integran, en razón de que son la expresión jurídica de un sistema de valores que, por decisión del constituyente, ha de informar el conjunto de la organización jurídica y política; son, en fin, como dice el art. 10 de la Constitución, el «fundamento del orden jurídico y de la paz social». De la significación y finalidades de estos derechos dentro del orden constitucional se desprende que la garantía de su vigencia no puede limitarse a la posibilidad del ejercicio de pretensiones por parte de los individuos, sino que ha de ser asumida también por el Estado. Por consiguiente, de la obligación del sometimiento de todos los poderes a la Constitución no solamente se deduce la obligación negativa del Estado de no lesionar la esfera individual o institucional protegida por los derechos fundamentales, sino también la obligación positiva de contribuir a la efectividad de tales derechos, y de los valores que representan, aun cuando no exista una pretensión subjetiva por parte del ciudadano. Ello obliga especialmente al legislador, quien recibe de los derechos fundamentales «los impulsos y líneas directivas», obligación que adquiere especial relevancia allí donde un derecho o valor fundamental quedaría vacío de no establecerse los supuestos para su defensa.

FJ 5. El art. 15 de la Constitución establece que «todos tienen derecho a la vida». La vida es un concepto indeterminado sobre el que se han dado respuestas plurívocas no sólo en razón de las distintas perspectivas (genética, médica, teológica, etc.), sino también en virtud de los diversos criterios mantenidos por los especialistas dentro de cada uno de los puntos de vista considerados, y en cuya evaluación y discusión no podemos ni tenemos que entrar aquí. Sin embargo, no es posible resolver constitucionalmente el presente recurso sin partir de una noción de la vida que sirva de base para determinar el alcance del mencionado precepto. Desde el punto de vista de la cuestión planteada basta con precisar:
a) Que la vida humana es un devenir, un proceso que comienza con la gestación, en el curso de la cual una realidad biológica va tomando corpórea y sensitivamente configuración humana, y que termina en la muerte; es un continuo sometido por efectos del tiempo a cambios cualitativos de naturaleza somática y psíquica que tienen un reflejo en el status jurídico público y privado del sujeto vital.
b) Que la gestación ha generado un tertium existencialmente distinto de la madre, aunque alojado en el seno de ésta.
c) Que dentro de los cambios cualitativos en el desarrollo del proceso vital y partiendo del supuesto de que la vida es una realidad desde el inicio de la gestación, tiene particular relevancia el nacimiento, ya que significa el paso de la vida albergada en el seno materno a la vida albergada en la sociedad, bien que con distintas especificaciones y modalidades a lo largo del curso vital. Y previamente al nacimiento tiene especial trascendencia el momento a partir del cual el nasciturus es ya susceptible de vida independiente de la madre, esto es, de adquirir plena individualidad humana.

De las consideraciones anteriores se deduce que si la Constitución protege la vida con la relevancia a que antes se ha hecho mención, no puede desprotegerla en aquella etapa de su proceso que no sólo es condición para la vida independiente del claustro materno, sino que es también un momento del desarrollo de la vida misma; por lo que ha de concluirse que la vida del nasciturus, en cuanto éste encarna un valor fundamental —la vida humana— garantizado en el art. 15 de la Constitución, constituye un bien jurídico cuya protección encuentra en dicho precepto fundamento constitucional.

Esta conclusión resulta también de los debates parlamentarios en torno a la elaboración del mencionado artículo del texto constitucional, cuya cercanía en el tiempo justifica su utilización como elemento interpretativo. En el Pleno del Congreso fue defendida una enmienda —aprobada por mayoría— que proponía utilizar el término «todos» en sustitución de la expresión «todas las personas» —introducida en el seno de la Comisión para modificar la primitiva redacción del precepto en el Anteproyecto por estimar que era «técnicamente más correcta»— con la finalidad de incluir al nasciturus y de evitar, por otra parte, que con la palabra «persona» se entendiera incorporado el concepto de la misma elaborado en otras disciplinas jurídicas específicas, como la civil y la penal, que, de otra forma, podría entenderse asumido por la Constitución. La ambigüedad del término «todos» en la expresión «todos tienen derecho a la vida» no fue despejada, sin embargo, durante los debates por lo que se refiere a la extensión de la titularidad del derecho, pero en cualquier caso, como señaló el defensor de la enmienda, constituía una fórmula abierta que se estimaba suficiente para basar en ella la defensa del nasciturus. El precepto fue aprobado posteriormente en el Senado por 162 votos a favor, ninguno en contra y dos abstenciones. En definitiva, el sentido objetivo del debate parlamentario corrobora que el nasciturus está protegido por el art. 15 de la Constitución aun cuando no permite afirmar que sea titular del derecho fundamental.

FJ 6. Los recurrentes pretenden deducir tal titularidad, no sólo de los mencionados debates parlamentarios acerca de la inclusión del nasciturus en el término «todos» del art. 15, sino también de la interpretación sistemática de la Constitución, así como de los tratados y acuerdos internacionales ratificados por España, a que remite el art. 10.2 de la Constitución para la interpretación de las normas relativas a los derechos fundamentales y libertades en ella reconocidos. No existe, sin embargo, fundamento suficiente en apoyo de su tesis.

Por lo que se refiere a la primera, los mismos recurrentes reconocen que la palabra «todos» utilizada en otros preceptos constitucionales (arts. 27, 28, 29, 35 y 47) hace referencia a los nacidos, como se deduce del contexto y del alcance del derecho que regulan, pero estiman que de ello no puede concluirse que ese mismo significado haya de atribuirse a dicho término en el art. 15. La interpretación sistemática de éste ha de hacerse, a su juicio, en relación con otros preceptos constitucionales (arts. 1.1, 10, 14, 39 y 49). Pero los mismos términos generales en que esta argumentación se desarrolla y la misma vaguedad de la conclusión a que llegan los recurrentes la convierten en irrelevante, por lo que se refiere a la cuestión concreta planteada de la titularidad del derecho a la vida que pueda corresponder al nasciturus.

En cuanto a la interpretación del art. 15 de conformidad con la Declaración Universal de Derechos Humanos y los tratados y acuerdos internacionales ratificados por España, la versión auténtica francesa utiliza expresamente el término «persona» en el art. 6 del Pacto Internacional de Derechos civiles y políticos —al igual que lo hace la versión auténtica española— y en el art. 2 del Convenio Europeo para la protección de los derechos humanos y libertades fundamentales. si bien el Tribunal de Derechos Humanos no ha tenido ocasión de pronunciarse sobre este extremo, la Comisión Europea de Derechos Humanos, en su función relativa a la admisión de demandadas, si lo ha hecho en relación con el art. 2 del Convenio en el asunto 8416/1979, en su decisión de 13 de mayo de 1980, poniendo de manifiesto por lo que se refiere a la expresión everyone o toute personne de los textos auténticos que, aun cuando no aparece definida en el Convenio, la utilización que de dicha expresión se hace en el mismo y el contexto dentro del cual se emplea en el mencionado art. 2 lleva a sostener que se refiere a las personas ya nacidas y no es aplicable al nasciturus (Ftos. jcos. 9 y 17); asimismo, al examinar el término «vida», la Comisión se planteó en qué sentido puede interpretarse el art. 2 en cuestión en relación con el feto, aunque no llegó a pronunciarse en términos precisos sobre tal extremo por estimar que no era necesario para decidir sobre el supuesto planteado (indicación médica para proteger la vida y la salud de la madre), limitándose a excluir, de las posibles interpretaciones, la de que el feto pudiera tener un «derecho a la vida» de carácter absoluto (Ftos. jcos. 17 a 23).

FJ 7. En definitiva, los argumentos aducidos por los recurrentes no pueden estimarse para fundamentar la tesis de que al nasciturus le corresponda también la titularidad del derecho a la vida, pero, en todo caso, y ello es lo decisivo para la cuestión objeto del presente recurso, debemos afirmar que la vida del nasciturus, de acuerdo con lo argumentado en los fundamentos jurídicos anteriores de esta sentencia, es un bien jurídico constitucionalmente protegido por el art. 15 de nuestra norma fundamental.

Partiendo de las consideraciones efectuadas en el FJ 4, esta protección que la Constitución dispensa al nasciturus implica para el Estado con carácter general dos obligaciones: La de abstenerse de interrumpir o de obstaculizar el proceso natural de gestación, y la de establecer un sistema legal para la defensa de la vida que suponga una protección efectiva de la misma y que, dado el carácter fundamental de la vida, incluya también, como última garantía, las normas penales. Ello no significa que dicha protección haya de revestir carácter absoluto; pues, como sucede en relación con todos los bienes y derechos constitucionalmente reconocidos, en determinados supuestos puede y aun debe estar sujeta a limitaciones, como veremos.

FJ 8. Junto al valor de la vida humana y sustancialmente relacionado con la dimensión moral de ésta, nuestra Constitución ha elevado también a valor jurídico fundamental la dignidad de la persona, que, sin perjuicio de los derechos que le son inherentes, se halla íntimamente vinculada con el libre desarrollo de la personalidad (art. 10) y los derechos a la integridad física y moral (art. 15), a la libertad de ideas y creencias (art. 16), al honor, a la intimidad personal y familiar y a la propia imagen (art. 18.1). Del sentido de estos preceptos puede deducirse que la dignidad es un valor espiritual y moral inherente a la persona, que se manifiesta singularmente en la autodeterminación consciente y responsable de la propia vida y que lleva consigo la pretensión al respeto por parte de los demás.

La dignidad está reconocida a todas las personas con carácter general, pero cuando el intérprete constitucional trata de concretar este principio no puede ignorar el hecho obvio de la especificidad de la condición femenina y la concreción de los mencionados derechos en el ámbito de la maternidad, derechos que el Estado debe respetar y a cuya efectividad debe contribuir, dentro de los límites impuestos por la existencia de otros derechos y bienes asimismo reconocidos por la Constitución.

FJ 9. [...] El legislador parte de una normativa preconstitucional que utiliza la técnica penal como forma de protección de la vida del nasciturus (arts. 411 a 417 del Código Penal), normativa que no revisa con carácter general, limitándose a declarar no punible el aborto en determinados supuestos, que responden a las denominadas indicaciones terapéutica, ética y eugenésica (FJ 2). La cuestión que se suscita es, pues, la de examinar si el legislador puede excluir en supuestos determinados la vida del nasciturus de la protección penal.

[...] [H]emos de considerar si le está constitucionalmente permitido al legislador utilizar una técnica diferente, mediante la cual excluya la punibilidad en forma específica para ciertos delitos.

La respuesta a esta cuestión ha de ser afirmativa. Por una parte, el legislador puede tomar en consideración situaciones características de conflicto que afectan de una manera específica a un ámbito determinado de prohibiciones penales. Tal es el caso de los supuestos en los cuales la vida del nasciturus, como bien constitucionalmente protegido, entra en colisión con derechos relativos a valores constitucionales de muy relevante significación, como la vida y la dignidad de la mujer, en una situación que no tiene parangón con otra alguna, dada la especial relación del feto respecto de la madre, así como la confluencia de bienes y derechos constitucionales en juego.

Se trata de graves conflictos de características singulares, que no pueden contemplarse tan sólo desde la perspectiva de los derechos de la mujer o desde la protección de la vida del nasciturus. Ni ésta puede prevalecer incondicionalmente frente a aquéllos, ni los derechos de la mujer pueden tener primacía absoluta sobre la vida del nasciturus, dado que dicha prevalencia supone la desaparición, en todo caso, de un bien no sólo constitucionalmente protegido, sino que encarna un valor central del ordenamiento constitucional. Por ello, en la medida en que no puede afirmarse de ninguno de ellos su carácter absoluto, el intérprete constitucional se ve obligado a ponderar los bienes y derechos en función del supuesto planteado, tratando de armonizarlos si ello es posible o, en caso contrario, precisando las condiciones y requisitos en que podría admitirse la prevalencia de uno de ellos.

Por otra parte, el legislador, que ha de tener siempre presente la razonable exigibilidad de una conducta y la proporcionalidad de la pena en caso de incumplimiento, puede también renunciar a la sanción penal de una conducta que objetivamente pudiera representar una carga insoportable, sin perjuicio de que, en su caso, siga subsistiendo el deber de protección del Estado respecto del bien jurídico en otros ámbitos. Las leyes humanas contienen patrones de conducta en los que, en general, encajan los casos normales, pero existen situaciones singulares o excepcionales en las que castigar penalmente el incumplimiento de la Ley resultaría totalmente inadecuado; el legislador no puede emplear la máxima constricción —la sanción penal— para imponer en estos casos la conducta que normalmente sería exigible, pero que no lo es en ciertos supuestos concretos.

FJ 11. Una vez analizada la objeción de indeterminación de los supuestos alegada por los recurrentes, basada en la imprecisión de los términos, es preciso examinar la constitucionalidad de cada una de las indicaciones o supuestos de hecho en que el proyecto declara no punible la interrupción del estado de embarazo:

a) El núm. 1 contiene en realidad dos indicaciones que es necesario distinguir: El grave peligro para la vida de la embarazada y el grave peligro para su salud.

En cuanto a la primera, se plantea el conflicto entre el derecho a la vida de la madre y la protección de la vida del nasciturus. En este supuesto es de observar que si la vida del nasciturus se protegiera incondicionalmente, se protegería más a la vida del no nacido que a la vida del nacido, y se penalizaría a la mujer por defender su derecho a la vida, lo que descartan también los recurrentes, aunque lo fundamenten de otra manera; por consiguiente, resulta constitucional la prevalencia de la vida de la madre.

En cuanto a la segunda, es preciso señalar que el supuesto de grave peligro» para la salud de la embarazada afecta seriamente a su derecho a la vida y a la integridad física. Por ello, la prevalencia de la salud de la madre tampoco resulta inconstitucional, máxime teniendo en cuenta que la exigencia del sacrificio importante y duradero de su salud bajo la conminación de una sanción penal puede estimarse inadecuada, de acuerdo con las consideraciones contenidas en el fundamento jurídico 9.

b) En cuanto a la indicación prevista en el núm. 2 —que el embarazo sea consecuencia de un delito de violación y siempre que el aborto se practique dentro de las doce primeras semanas— basta considerar que la gestación ha tenido su origen en la comisión de un acto no sólo contrario a la voluntad de la mujer, sino realizado venciendo su resistencia por la violencia, lesionando en grado máximo su dignidad personal y el libre desarrollo de su personalidad, y vulnerando gravemente el derecho de la mujer a su integridad física y moral, al honor, a la propia imagen y a la intimidad personal. Obligarla a soportar las consecuencias de un acto de tal naturaleza es manifiestamente inexigible; la dignidad de la mujer excluye que pueda considerársele como mero instrumento, y el consentimiento necesario para asumir cualquier compromiso u obligación cobra especial relieve en este caso ante un hecho de tanta trascendencia como el de dar vida a un nuevo ser, vida que afectará profundamente a la suya en todos los sentidos.

Por ello la mencionada indicación no puede estimarse contraria a la Constitución.

c) El núm. 3 del artículo en cuestión contiene la indicación relativa a la probable existencia de graves taras físicas o psíquicas en el feto. El fundamento de este supuesto, que incluye verdaderos casos límite, se encuentra en la consideración de que el recurso a la sanción penal entrañaría la imposición de una conducta que excede de la que normalmente es exigible a la madre y a la familia. La afirmación anterior tiene en cuenta la situación excepcional en que se encuentran los padres, y especialmente la madre, agravada en muchos casos por la insuficiencia de prestaciones estatales y sociales que contribuyan de modo significativo a paliar en el aspecto asistencial la situación, y a eliminar la inseguridad que inevitablemente ha de angustiar a los padres acerca de la suerte del afectado por la grave tara en el caso de que les sobreviva.

Sobre esta base y las consideraciones que antes hemos efectuado en relación a la exigibilidad de la conducta, entendemos que este supuesto no es inconstitucional.

En relación con él y desde la perspectiva constitucional, hemos de poner de manifiesto la conexión que existe entre el desarrollo del art. 49 de la Constitución —incluido en el capítulo III, «De los principios rectores de la política social y económica», del título I, «De los derechos y deberes fundamentales»— y la protección de la vida del nasciturus comprendida en el art. 15 de la Constitución. En efecto, en la medida en que se avance en la ejecución de la política preventiva y en la generalización e intensidad de las prestaciones asistenciales que son inherentes al Estado social (en la línea iniciada por la Ley de 7 de abril de 1982 relativa a los minusválidos, que incluye a los disminuidos profundos, y disposiciones complementarias) se contribuirá de modo decisivo a evitar la situación que está en la base de la despenalización.

FJ 12. Desde el punto de vista constitucional, el proyecto, al declarar no punible el aborto en determinados supuestos, viene a delimitar el ámbito de la protección penal del nasciturus, que queda excluido en tales casos en razón de la protección de derechos constitucionales de la mujer y de las circunstancias concurrentes en determinadas situaciones. Por ello, una vez establecida la constitucionalidad de tales supuestos, es necesario examinar si la regulación contenida en el art. 417 bis del Código Penal, en la redacción dada por el Proyecto, garantiza suficientemente el resultado de la ponderación de los bienes y derechos en conflicto realizada por el legislador, de forma tal que la desprotección del nasciturus no se produzca fuera de las situaciones previstas ni se desprotejan los derechos a la vida y a la integridad física de la mujer, evitando que el sacrificio del nasciturus, en su caso, comporte innecesariamente el de otros derechos constitucionalmente protegidos. Y ello porque, como hemos puesto de manifiesto en los fundamentos jurídicos 4 y 7 de la presente Sentencia, el Estado tiene la obligación de garantizar la vida, incluida la del nasciturus (art. 15 de la Constitución), mediante un sistema legal que suponga una protección efectiva de la misma, lo que exige, en la medida de lo posible, que se establezcan las garantías necesarias para que la eficacia de dicho sistema no disminuya más allá de lo que exige la finalidad del nuevo precepto.

El legislador no ha sido ajeno a esta preocupación, pues indica en el proyecto, con carácter general, que el aborto debe ser practicado por un Médico con el consentimiento de la mujer, así como que el hecho debe ser denunciado en el caso de violación, y que en el tercer supuesto el pronóstico desfavorable ha de constar en un dictamen emitido por dos Médicos especialistas distintos del que intervenga a la embarazada. El propio legislador ha previsto, pues, determinadas medidas encaminadas a conseguir que se verifique la comprobación de los supuestos que están en la base de la despenalización parcial del aborto; se trata, como afirma el Abogado del Estado, de medidas de garantía y de certeza del presupuesto de hecho del precepto, en la línea de lo que sucede en la regulación positiva de países de nuestro entorno.

Se impone, pues, examinar si dichas medidas de garantía son suficientes para considerar que la regulación contenida en el Proyecto cumple las antedichas exigencias constitucionales derivadas del art. 15 de la Constitución.

Por lo que se refiere al primer supuesto, esto es, al aborto terapéutico, este Tribunal estima que la requerida intervención de un Médico para practicar la interrupción del embarazo, sin que se prevea dictamen médico alguno, resulta insuficiente. La protección del nasciturus exige, en primer lugar, que, de forma análoga a lo previsto en el caso del aborto eugenésico, la comprobación de la existencia del supuesto de hecho se realice con carácter general por un Médico de la especialidad correspondiente, que dictamine sobre las circunstancias que concurren en dicho supuesto. Por otra parte, en el caso del aborto terapéutico y eugenésico la comprobación del supuesto de hecho, por su naturaleza, ha de producirse necesariamente con anterioridad a la realización del aborto y, dado que de llevarse éste a cabo se ocasionaría un resultado irreversible, el Estado no puede desinteresarse de dicha comprobación.

Del mismo modo tampoco puede desinteresarse de la realización del aborto, teniendo en cuenta el conjunto de bienes y derechos implicados —la protección de la vida del nasciturus y el derecho a la vida y a la salud de la madre que, por otra parte, está en la base de la despenalización en el primer supuesto—, con el fin de que la intervención se realice en las debidas condiciones médicas disminuyendo en consecuencia el riesgo para la mujer.

Por ello el legislador debería prever que la comprobación del supuesto de hecho en los casos del aborto terapéutico y eugenésico, así como la realización del aborto, se lleve a cabo en centros sanitarios públicos o privados, autorizados al efecto, o adoptar cualquier otra solución que estime oportuna dentro del marco constitucional.

Las exigencias constitucionales no quedarían incumplidas si el legislador decidiera excluir a la embarazada de entre los sujetos penalmente responsables en caso de incumplimiento de los requisitos mencionados en el párrafo anterior, dado que su fundamento último es el de hacer efectivo el deber del Estado de garantizar que la realización del aborto se llevará a cabo dentro de los límites previstos por el legislador y en las condiciones médicas adecuadas para salvaguardar el derecho a la vida y a la salud de la mujer.

Por lo que se refiere a la comprobación del supuesto de hecho en el caso del aborto ético, la comprobación judicial del delito de violación con anterioridad a la interrupción del embarazo presenta graves dificultades objetivas, pues dado el tiempo que pueden requerir las actuaciones judiciales entraría en colisión con el plazo máximo dentro del cual puede practicarse aquélla. Por ello entiende este Tribunal que la denuncia previa, requerida por el proyecto en el mencionado supuesto, es suficiente para dar por cumplida la exigencia constitucional respecto a la comprobación del supuesto de hecho.

Finalmente, como es obvio, el legislador puede adoptar cualquier solución dentro del marco constitucional, pues no es misión de este Tribunal sustituir la acción del legislador, pero sí lo es, de acuerdo con el art. 79.4 b) de la LOTC, indicar las modificaciones que a su juicio —y sin excluir otras posibles— permitieran la prosecución de la tramitación del proyecto por el órgano competente[2].

FJ 13. Consideran los recurrentes que el consentimiento en los supuestos previstos en los núms. 1 y 3 del art. 417 bis del Código Penal, en la redacción dada por el proyecto, no debería corresponder únicamente a la madre y hacen especial referencia a la participación del padre, estimando que la exclusión de ésta vulnera el art. 39.3 de la Constitución.

---

[2]   En contra del activismo del Tribunal Constitucional en esta Sentencia se pronuncian todos los votos particulares, formulados por Jerónimo Arozamena Sierra, Luis Díez-Picazo, Francisco Tomás y Valiente, Ángel Latorre Segura y Manuel Díez de Velasco Vallejo, y Francisco Rubio Llorente.

El Tribunal entiende que la solución del legislador no es inconstitucional, dado que la peculiar relación entre la embarazada y el nasciturus hace que la decisión afecte primordialmente a aquélla.

Voto particular del Magistrado don Francisco Tomás y Valiente

4. Nunca he sido un entusiasta de la filosofía de los valores. Tal vez por ello no comparto (y aquí comienzan mis discrepancias) las abundantes consideraciones axiológicas incluidas en los fundamentos 3, 4 y 5. Al margen de las imprecisiones o titubeos terminológicos que contienen y que sería prolijo e inútil referir aquí, no encuentro fundamento jurídico-constitucional, único pertinente, para afirmar como se hace, que la vida humana «es un valor superior del ordenamiento jurídico constitucional» (fundamento jurídico 3) o «un valor fundamental» (fundamento jurídico 5) o «un valor central» (fundamento jurídico 9). Que el concepto de persona es el soporte y el prius lógico de todo derecho me parece evidente y yo así lo sostengo. Pero esta afirmación no autoriza peligrosas jerarquizaciones axiológicas, ajenas por lo demás al texto de la Constitución, donde, por cierto, en su art. 1.1 se dice que son valores superiores del ordenamiento jurídico la libertad, la justicia, la igualdad y el pluralismo político: Esos y sólo esos. Frente a tan abstractas consideraciones sobre la vida como valor, llama la atención que en la Sentencia no se formule ninguna sobre el primero de los que la Constitución denomina valores superiores: La libertad. De ahí, de esa omisión, que no olvido, deriva quizá la escasa atención que se presta a los derechos de libertad de la mujer embarazada.

6. [...] a) El juicio de constitucionalidad no es un juicio de calidad o de perfectibilidad. El Tribunal Constitucional puede y debe decir en qué se opone a la Constitución un determinado texto normativo, y, en consecuencia, por qué es inconstitucional. Lo que no puede es formular juicios de calidad.
b) La jurisdicción constitucional es negativa, puede formular exclusiones o vetos sobre los textos a ella sometidos. Lo que no puede hacer es decirle al legislador lo que debe añadir a las Leyes para que sean constitucionales. Si actúa así, y así ha actuado en este caso este Tribunal, se convierte en un legislador positivo.
c) Cada Institución debe actuar como lo que es, no «como si» fuera lo que no es. Pocas lógicas hay tan funestas como la lógica del «como si» (als ob). El Tribunal Constitucional, frecuentemente instado a actuar «como si» fuese eso que en un lenguaje ni técnico ni inocente se ha dado en llamar «la tercera Cámara», ha caído por esta vez en la tentación.
d) Por esta sola vez, puesto que al resolver los anteriores recursos previos (léase por todas la Sentencia 76/1983 sobre el proyecto de la LOAPA) nunca entendió este Tribunal que sus competencias llegaran tan lejos, aunque ya entonces, por supuesto, estaba vigente el art. 79.4 b) de la LOTC, ahora citado como apoyo para señalar al legislador, lo que debe hacer a fin de que su Ley sea conforme con la Constitución.
e) El art. 79 de la LOTC, el mismo que creó fuera de la Constitución, el recurso previo de inconstitucionalidad, en su párrafo 4 b) (modelo de pésima redacción), impone dos deberes dirigidos a dos sujetos distintos. Al Tribunal le exige que, en su caso, concrete la inconstitucionalidad de la norma impugnada y el precepto o preceptos constitucionales infringidos. Al otro sujeto —«el órgano competente»— le exige que para seguir la tramitación del proyecto suprima o modifique los preceptos, se entiende, declarados inconstitucionales. No puede interpretarse nunca, a mi juicio, que sea el Tribunal quien le indique al legislador qué modificaciones deben ser ésas. De otro modo, es decir, si el Tribunal indicase las modificaciones a introducir, carecería de sentido el párrafo 5 del mismo art. 79 de la LOTC, puesto que si, según éste, «el pronunciamiento en el recurso previo no prejuzga la decisión del Tribunal» en los recursos que pudieran interponerse contra la Ley ya corregida o modificada, es evidentemente porque tales modificaciones no han sido dictadas de modo vinculante por el Tribunal Constitucional.
f) La técnica usada en este fundamento no tiene nada que ver con la de las denominadas sentencias interpretativas, en las que, de entre las posibles interpretaciones de un texto legal impugnado, el Tribunal declara conforme con la Constitución una de ellas, precisamente en defensa de la presunción de constitucionalidad de las normas emanadas del legislador democrático.
g) Cuando sobre tan exigua, confusa y discutible base, interpretada de forma innovadora ad casum, el Tribunal se atreve a tanto, transgrede los límites de sus competencias y roza una frontera sumamente peligrosa: la del arbitrismo o decisionismo judicial. Por eso, y contra eso, expreso mi profunda y preocupada discrepancia.

Evolución de la posición constitucional de la interrupción voluntaria del embarazo: «Género en el discurso constitucional del aborto», Blanca Rodríguez Ruiz[3]

IV. LA DIMENSIÓN SOCIAL DEL ABORTO EN LA LEY ORGÁNICA 2/2010, DE 3 DE MARZO

La Ley Orgánica 2/2010 da un giro a la regulación del aborto en España vigente desde 1985. Con ella se ha pretendido hacer frente tanto al constante incremento del número de abortos como a la inseguridad jurídica en que la dispar aplicación de los supuestos de despenalización del aborto situaba en la práctica a las mujeres y al personal médico sanitario. Para ello se aborda la problemática del aborto desde una perspectiva preventiva antes que punitiva, con base en una doble estrategia. Se persigue, ante todo, evitar embarazos no deseados mediante una política de formación y educación sexual. Ante la consumación del embarazo, la estrategia preventiva consiste en permitir el aborto durante las primeras catorce semanas de gestación, reconociendo un derecho legal a practicarlo (a reclamar del Estado las prestaciones correspondientes), siempre que su práctica vaya precedida de un proceso informativo a la mujer gestante, realizado al menos tres días antes, en el que se pongan en su conocimiento, de un lado, las ayudas, derechos y prestaciones y, de otro, las consecuencias médicas, psicológicas y sociales, vinculadas todas ellas tanto a la interrupción como a la continuación del embarazo. A partir de ahí, vuelve a penalizarse el aborto, salvo durante las primeras veintidós semanas de gestación en supuestos de riesgo para la vida o la salud de la embarazada o de graves anomalías en el feto, así como en cualquier momento del embarazo cuando se detecten en el feto anomalías incompatibles con la vida; todo ello sobre la base de informes emitidos por dos médicos especialistas distintos del que practique la intervención. En el último caso, es precisa la confirmación por un comité clínico.

[77] La LO 2/2010 se acoge pues a la estrategia preventiva prevalente en Europa, refrendada ya por el TCF alemán en 1993, y más recientemente por el Tribunal Constitucional portugués, desmarcándose, en línea con éste último, y con la STC 53/1985, del lenguaje meta-jurídico, moralizante y paternalista, de la jurisprudencia germana. Se acoge pues a una estrategia que, siquiera durante un período inicial, asume la conexión de los destinos del feto y de la mujer gestante, tratando de armonizarlos, no de oponerlos, canalizando la protección del primero a través del respeto de la autonomía de la segunda, no en contraposición con ella. La constitucionalidad de este cambio de perspectiva fue recurrida ante el Tribunal Constitucional por el grupo parlamentario popular (recurso de 1 de junio de 2010). Ante éste, la luz que la STC 53/1985 puede arrojar parece limitada. Más allá de sus consideraciones generales en torno a los bienes y derechos constitucionales en juego, y a la obligación de los poderes públicos de armonizar la protección de todos ellos, el Tribunal Constitucional se limitó entonces a analizar la constitucionalidad de tres supuestos de despenalización del aborto (el terapéutico, el criminológico o ético y el eugenésico), en los términos previstos por el legislador orgánico. No estudió la posibilidad de despenalizar el aborto en otros supuestos, y aunque admitió que el legislador puede proteger al feto con estrategias distintas del derecho penal, no se detuvo a especular sobre la constitucionalidad de una legislación preventiva. La constitucionalidad de los abortos terapéutico y ético se analizó, además, en clave de conflicto entre derechos, difícilmente trasladable a la lógica relacional de una legislación preventiva que conecta los destinos del feto y de la mujer gestante.

A esa lógica sí responden las consideraciones que la STC 53/1985 realizara en el contexto del aborto eugenésico, sobre la conexión entre el recurso al aborto y el complejo prestacional a disposición de mujeres gestantes, de madres, y de padres. Es precisamente esta visión relacional del aborto la que informa la estrategia preventiva de la LO 2/2010 durante las primeras catorce semanas de gestación, y el proceso informativo previo a la práctica del aborto en que esa estrategia se concreta. La constitucionalidad de la regulación de dicho proceso dependerá de que logre armonizar los distintos derechos y bienes constitucionales que se dan cita en la problemática del aborto, y las correspondientes obligaciones de los poderes públicos, sin hacer dejación de ninguno, ni de ninguna. Entre esas obligaciones se encuentra, es importante recordarlo, la de erradicar la discriminación estructural, intergrupal, entre varones y mujeres (artículos 9.2 y 14 CE). Lo cual pasa, es también importante recordarlo, por remover los obstáculos, incluidos los jurídicos, [78] que impiden a las mujeres formar parte de la comunidad socio-jurídica como ciudadanas activas en igualdad de condiciones con los varones. El proceso informativo deberá pues proteger al feto, sí, pero absteniéndose al mismo tiempo de introducir nuevos obstáculos a esa igualdad, además de contribuir activamente a la remoción de los que ya existen.

La LO 2/2010 establece que la mujer gestante que desee abortar debe recibir información sobre métodos, condiciones legales, centros, trámites y cobertura disponibles para su práctica (artículo 17.1). Se le informará también

---

3   Publicado en *Revista de Estudios Políticos*, núm. 156, pp. 49-83 —extracto (pp. 76-80; eliminadas notas a pie)—.

por escrito y en sobre cerrado sobre ayudas públicas, derechos y prestaciones vinculados tanto a la interrupción del embarazo como a su continuación, al parto y la maternidad (artículo 17.2). Y, asumiendo la propuesta del Consejo de Estado, establece que deberá además recibir información médica, de forma presencial y ajustada a sus circunstancias personales, sobre las consecuencias médicas, psicológicas y sociales tanto de la prosecución como de la interrupción del embarazo, todo ello en línea con los artículos 4 y 10 de la Ley 41/2002, de 14 de noviembre, reguladora de la autonomía del paciente para cualquier intervención en el ámbito de la salud (artículo 17.4). La Ley Orgánica 2/2010 no exige que esta información sea neutra, como sí hacía su Anteproyecto, pero tampoco la pone al servicio de disuadir a la mujer de su intención de abortar, como proponía el Consejo de Estado. Antes bien, esa información verbal y personalizada debe versar sobre las consecuencias tanto de proseguir como de interrumpir el embarazo. Todo ello con un período de reflexión de tres días.

La introducción de este período de reflexión en la legislación española responde sin duda al intento del legislador orgánico de satisfacer las obligaciones constitucionales de los poderes públicos para con el feto que el Tribunal Constitucional especificara en su STC 53/1985, y de hacerlo en términos que se ajusten a la tendencia dominante en la legislación europea en la materia. Y es que, aunque se trate formalmente de un requisito neutro respecto a la decisión de la mujer gestante, dicho período de reflexión está concebido como un requisito al servicio de la protección del feto, en la medida en que la invitación a reflexionar sobre la decisión de abortar encierra una descalificación moral de dicha decisión como intrínsecamente mala o errónea. El problema es que dicha descalificación actúa como vía de entrada de consideraciones meta-jurídicas en la regulación preventiva del aborto. Las cuales encierran, además, una descalificación moral de las mujeres como sospechosas de tomar decisiones morales de forma irreflexiva, como personas a quienes [79] es preciso proteger frente a esa irreflexibilidad (vid. las opiniones de Justices Stevens y Blackmun en *Casey*, 505 U.S. 833, 918-919; 938). Encierran, en fin, una vez más, esa construcción moderna del género que nos devuelve al paradigma cuidado/control, a la construcción de las mujeres como seres tan débiles como irrazonables, tan asentadas en la ciudadanía pasiva como incapaces de funcionar como ciudadanas activas, de tomar decisiones vitales de forma responsable sin la ayuda del Estado. Todo lo cual se compadece mal con el compromiso constitucional de eliminar la discriminación estructural entre mujeres y varones.

Más allá de la exigencia del período de reflexión, la LO 2/2010 mantiene la neutralidad formal del proceso informativo, pese a no exigirla de forma expresa. A nadie se le escapa, sin embargo, que un proceso informativo verbal permite influir en la decisión de la mujer gestante, tanto más cuanto que pretende ajustar la información que en él se ofrece a las circunstancias personales de cada mujer. Además de suponer una amenaza a la intimidad de ésta, como señala el Consejo de Estado, un proceso así diseñado puede convertirse en canal de implementación del paradigma cuidado/control, fruto de una percepción de la mujer como incapaz de entender sus propias coordenadas vitales, incapaz pues de actuar con responsabilidad y autonomía sobre la base de información objetiva. Ello es tanto más así cuanto menos responsable, menos autónoma y más vulnerable aparezca la mujer gestante en el imaginario popular y en el del personal sanitario, lo que puede abrir la puerta a solapadas prácticas de discriminación de determinados sectores de población.

Cómo evolucione el discurso constitucional del aborto en nuestro país dependerá, en buena medida, de cómo se desarrolle en la práctica este proceso informativo. Y dependerá de hasta qué punto los esfuerzos del personal médico por disuadir a las mujeres de su intención de abortar se acaben percibiendo como la herramienta principal para proteger la vida del feto, de hasta qué punto los poderes públicos acaben desplazando hacia uno y hacia otras su obligación constitucional de protegerla. Dependerá, en fin, de que los poderes públicos asuman efectivamente su obligación de proteger la vida del feto armonizándola con la de proteger a la mujer gestante, en sus derechos y en su condición de ciudadana activa de un Estado constitucional comprometido con eliminar la discriminación intergrupal entre los sexos. Todo lo cual depende, a su vez, de que la apuesta por una aproximación relacional al aborto se haya instalado de forma definitiva en nuestro país, por encima de [80] aproximaciones conflictuales y/o paternalistas al mismo. Ello implica asumir, en línea con la jurisprudencia constitucional portuguesa, que las obligaciones constitucionales de los poderes públicos hacia el feto pasan por crear un contexto socio-jurídico amable con el embarazo y la maternidad, y por informar sobre él a las mujeres gestantes. Implica asumir que creando dicho complejo, y dedicando el proceso informativo previo al aborto a informar sobre él, los poderes públicos cumplirán el objetivo de proteger al feto, pero que deberán hacerlo siempre sin menoscabar los derechos que informan la autonomía relacional de la mujer gestante, sino antes bien reforzándola y trabajando para eliminar la discriminación entre los sexos.

El derecho a la vida y la donación y utilización de embriones y fetos humanos con fines terapéuticos —STC 212/1996, de 19 de diciembre—

La Sentencia resuelve el recurso de inconstitucionalidad presentado por setenta y ocho diputados del Grupo Parlamentario Popular contra la Ley 42/1988, de 28 de diciembre, de donación y utilización de embriones y fetos humanos, o de sus células, tejidos u órganos, que ha venido a regular dicha donación y utilización considerando a tales embriones y fetos «desde el momento en que se implantan establemente en el útero» (Exposición de Motivos de la Ley), quedando la regulación del momento previo («hasta el día catorce que sigue al de su fecundación») confiada a la Ley sobre Técnicas de Reproducción Asistida (Ley 35/1988, de 22 de noviembre), según lo previsto en la Disposición final primera de dicha Ley 42/1988. Alegan que la Ley viola, entre otros, y principalmente, el artículo 15 CE, en la medida en que ha quebrantado la protección constitucionalmente exigible de la vida humana.

FJ 5. [...] La regulación que en la Ley se contiene de la donación y utilización de embriones y fetos humanos parte de un presupuesto fundamental, implícito pero no por ello menos constante, cual es el carácter, cuando menos, no viable de dichos embriones y fetos humanos. «Viable» es adjetivo cuyo significado el diccionario describe como «capaz de vivir». Aplicado a un embrión o feto humano, su caracterización como «no viable» hace referencia concretamente a su incapacidad para desarrollarse hasta dar lugar a un ser humano, a una «persona» en el fundamental sentido del art. 10.1 CE. Son, así, por definición, embriones o fetos humanos abortados en el sentido más profundo de la expresión, es decir, frustrados ya en lo que concierne a aquélla dimensión que hace de los mismos «un bien jurídico cuya protección encuentra en dicho precepto» (el art. 15 CE) «fundamento constitucional» (STC 53/1985, fundamento jurídico 5º), por más que la dignidad de la persona (art. 10.1 CE) pueda tener una determinada proyección en determinados aspectos de la regulación de los mismos, como más adelante veremos. La Ley parte, por tanto, de una situación en la que, por definición, a los embriones y fetos humanos no cabe otorgarles el carácter de nascituri toda vez que eso es lo que se quiere decir con la expresión «no viables», que nunca van a «nacer», en el sentido de llevar una propia «vida independiente de la madre» (STC 53/1985, fundamento jurídico 5º). Puede decirse, así, que la Ley se enfrenta con la realidad de la existencia de embriones y fetos humanos, ya sea muertos o no viables, susceptibles de utilización con fines diagnósticos, terapéuticos, de investigación o experimentación, pretendiendo abordar en todo caso esta realidad de modo acorde con la dignidad de la persona. Las puntuales referencias a fetos humanos viables van todas ellas dirigidas, en principio, a preservar su viabilidad, es decir, a prevenir o evitar que ésta pueda frustrarse.

FJ 8. Tanto en relación con el art. 1 como en otros sucesivos (arts. 2, 3.2, 7 y Disposición adicional primera), se reprocha a la Ley el que emplee un concepto, el de donación, de preciso significado, sostienen, en nuestro Derecho y que estiman incompatible con la dignidad de la persona en cuanto supone la patrimonialización de seres humanos, cualquiera que sea su grado de desarrollo. Aclarado, sin embargo, que la Ley no prevé la donación sino de embriones o fetos muertos o, en todo caso, no viables (o de estructuras biológicas procedentes de los mismos cuya muerte ya ha sido constatada, art. 6), tal reproche carece totalmente de sustento desde el momento en que esta singular «donación», al igual que la de órganos humanos regulada en la Ley 30/79, o incluso la del cadáver de una persona, no implica en modo alguno la «patrimonialización», que se pretende, de la persona, lo que sería desde luego incompatible con su dignidad (art. 10.1 CE), sino, justamente, la exclusión de cualquier causa lucrativa o remuneratoria, expresamente prohibida por el art. 2 d) de la Ley: «Que la donación y utilización posterior nunca tengan carácter lucrativo o comercial».

FJ 10. Dicho esto, cabe pasar ya al último reproche de carácter sustantivo basado en una vulneración del art. 15 CE, directamente conectada a la segunda de las obligaciones del Estado derivadas de la consideración de la vida del nasciturus como un bien jurídico constitucionalmente protegido, es decir, la deficiente sanción penal de algunas de las conductas contempladas en la Ley 42/1988. Se trata de un argumento recurrente a lo largo del escrito impugnatorio, con particular reflejo en los arts. 3 y 9 de la Ley. [...] Del mismo modo, se denuncia la radical insuficiencia, desde la perspectiva del derecho fundamental a la vida, de las sanciones, de orden administrativo, previstas para conductas tan extremadamente graves como las contenidas, notablemente, en las letras a), b) y e) del art. 9.2 B) de la Ley 42/1988 (realización de cualquier actuación dirigida a modificar el patrimonio genético humano no patológico; la creación y mantenimiento de embriones o fetos vivos, en el útero o fuera de él, con cualquier fin distinto a la procreación; la experimentación con embriones o fetos vivos, salvo el cumplimiento de determinados requisitos).

[...] [U]na cosa es que una práctica ausencia de «normas penales» pueda ser, en su caso, contrastada con exigencias derivadas del art. 15 CE y otra muy distinta es la pretensión de que cada una de las interdicciones contenidas en una ley como la presente, destinada a regular la donación y utilización de embriones y fetos, vaya indefectiblemente acompañada de la correspondiente sanción penal. Esto vale en particular para el art. 3.3 de la Ley, en el que se prohíbe al equipo que realice la interrupción de un embarazo el que intervenga en la utilización del correspondiente embrión o feto. Que una prohibición de esta naturaleza deba ser necesariamente hecha efectiva a través del instrumento último de la sanción penal es algo que en modo alguno se deriva de la doctrina constitucional anteriormente recordada. En cuanto al art. 3.2 de la Ley 42/1988, que excluye el que la interrupción del embarazo pueda tener como finalidad la donación y posterior utilización del embrión o feto, es patente que describe una conducta ya tipificada y sancionada por el Código Penal.

Finalmente, por lo que hace a la denunciada insuficiencia de la sanción administrativa prevista para las conductas descritas en el art. 9.2 B), letras a) y b), sin necesidad de entrar en otras consideraciones, baste decir que procede apreciar su actual carencia de fundamento toda vez que, tras la interposición del recurso y desde la entrada en vigor del nuevo Código Penal, dichas conductas se encuentran hoy específicamente tipificadas en sus arts. 157, 158, 159 y 161 («Delitos relativos a la manipulación genética»).

El derecho a la vida y las técnicas de reproducción asistida —STC 116/1999, de 17 de junio—

La Sentencia resuelve el recurso de inconstitucionalidad promovido por sesenta y tres Diputados pertenecientes al Grupo Parlamentario Popular del Congreso contra la Ley 35/1988, de 22 de noviembre, sobre Técnicas de Reproducción Asistida. Argumentan, entre otras cosas, que la Ley 35/1988 vulnera el contenido esencial del derecho a la vida, puesto que parte de una indebida distinción entre preembriones y embriones propiamente dichos, que conduce a un distinto status jurídico, claramente insuficiente desde el punto de vista de la exigencia constitucional de protección efectiva de la vida a que se refería la STC 53/1985.

FJ 6. [...] Así las cosas, y por lo que concierne a la investigación o experimentación con gametos, tanto masculinos como femeninos, objeto de regulación en el art. 14 de la Ley recurrida, su apartado 3 prohíbe que los gametos utilizados con tal finalidad puedan ser destinados a originar preembriones para la procreación humana. En el apartado 4 del precepto se contienen dos prescripciones normativas de diversa significación. En la primera de ellas, de carácter específico, se autoriza el denominado «test del hamster» exclusivamente para evaluar la capacidad de fertilización de los espermatozoides humanos, obligando a la interrupción del test desde el momento en que se produzca la división celular. Por su parte, el apartado 4 del mencionado art. 14 establece, como regla general, la prohibición de realizar cualquier otra fecundación entre gametos humanos y animales, prohibición sometida a reserva de autorización administrativa o de la Comisión Nacional de Reproducción Asistida si este Órgano multidisciplinar actúa con competencias delegadas.

FJ 7. El examen atento de las expresadas determinaciones legales permite rechazar cualquier vulneración por las mismas de la protección jurídica que, constitucionalmente, se garantiza a los nascituri. Basta para ello con atender al carácter propio de las realidades biológicas a que se refiere el art. 14 de la Ley: gametos humanos, es decir, óvulos (ovocitos) y espermatozoides en sí mismos considerados, y sin que haya habido lugar todavía a la fecundación. En tales condiciones, sólo forzando el sentido propio de los términos puede alcanzarse la conclusión de que la investigación o experimentación sobre o con los gametos pueda suponer atentado alguno al derecho a la vida. [...]

FJ 9. En su demanda aducen los recurrentes que los arts. 15 y 16 de la Ley impugnada autorizan intervenciones sobre los preembriones, ya sean para investigación o para experimentación, que no obedecen, estrictamente, a una finalidad diagnóstico-terapéutica, por lo que su status jurídico adolece de una indefinición contraria a la protección constitucional de la vida. [...]

B) Es evidente que la Ley en ningún caso permite la experimentación con preembriones viables, como tampoco más investigación sobre ellos que la de carácter diagnóstico, o de finalidad terapéutica o de prevención. Esta apreciación es fundamental en orden a examinar la conformidad de este sistema de requisitos a las exigencias de protección jurídico-constitucional que se derivan del art. 15 CE, por cuanto, descartada —incluso por los recurrentes— que la investigación con finalidad diagnóstica, terapéutica o preventiva, pueda suponer infracción alguna del art. 15 CE, el resto de las hipótesis a que se refiere la Ley solo resultan permitidas en la medida en que tengan por objeto preembriones no viables, es decir, incapaces de vivir en los términos precisados por la STC 212/1996 [...].

C) No siendo los preembriones no viables («abortados en el sentido más profundo de la expresión») susceptibles de ser considerados, siquiera, nascituri, ni las reglas que examinamos ni las ulteriores del art. 17 (relativo a los preembriones ya abortados, a los muertos y a la utilización con fines farmacéuticos, diagnósticos o terapéuticos previamente autorizados de preembriones no viables) pueden suscitar dudas desde el punto de vista de su adecuación al sistema constitucionalmente exigible de protección de la vida humana.

FJ 10. También es objeto de impugnación específica el art. 2.4 de la Ley, en el que se permite a la mujer receptora de las técnicas de reproducción asistida decidir en cualquier momento la suspensión de su realización. Los Diputados recurrentes consideran que dicho precepto es inconstitucional en la medida en que dicha suspensión «implica la muerte del fruto de la concepción realizada in vitro, bien háyase producido ya la transferencia al cuerpo de la mujer o no se haya producido ésta. Asimismo es inconstitucional en cuanto que se está tácitamente admitiendo una nueva causa para el aborto, en caso de haberse producido la transferencia al cuerpo de la mujer». Frente a la interpretación actora opone el Abogado del Estado otra que estima más ajustada a la Constitución: la decisión, a solicitud de la mujer receptora, de suspender las técnicas de reproducción asistida sólo podrá tener lugar mientras dichas técnicas se estén llevando a efecto, esto es, hasta el momento de la transferencia de los embriones al útero materno o, en todo caso, hasta que se considere iniciado el proceso de gestación.

En efecto, la interpretación acogida por los recurrentes no se compadece con la literalidad del precepto, del que patentemente se deduce que la suspensión de las técnicas de reproducción asistida se prevé únicamente para el caso en que aquéllas estén todavía realizándose. Si atendemos a las características de las técnicas permitidas por la Ley, y enumeradas en su art. 1.1 (inseminación artificial y fecundación in vitro, con transferencia de embriones y transferencia intratubárica de gametos), es manifiesto que las mismas dejan de estar realizándose en el momento en que los gametos masculinos (inseminación artificial) o los preembriones son transferidos al cuerpo de la mujer. No hay en la dicción de la Ley motivo que permita interpretar esa posibilidad de suspensión, concedida a la mujer, como una opción permisiva y abierta a un nuevo supuesto de aborto no punible, pues, concluida la práctica de tales técnicas de reproducción asistida, el precepto no autoriza en absoluto a suspender el proceso de gestación. Conclusión que se ve reforzada por la propia realidad biológica de los materiales reproductivos a que se refiere la Ley 35/1988, cuando menos hasta el momento de su transferencia al seno materno.

FJ 11. Este mismo orden de consideraciones permite rechazar la alegada inconstitucionalidad de los arts. 4; 11, apartados 3 y 4 y 5.1 de la Ley. En el primero de ellos se dispone que sólo se transferirán al útero materno el número de preembriones científicamente considerado como el más adecuado para asegurar razonablemente el embarazo. Se trata de una regla que responde, sin duda, a un principio de manipulación e intervención mínima en el proceso de reproducción (que, a falta de otras técnicas que garanticen su éxito, descansa en un cálculo científico de la probabilidad), cuya lógica comprensión no puede desvincularse de la prohibición de la fecundación de óvulos humanos con cualquier fin distinto a la procreación humana, prevista en el art. 3 de la propia Ley.

Inevitable consecuencia de estas técnicas, como venimos exponiendo, es la eventualidad de que en su concreta aplicación resulten preembriones sobrantes en cuanto no transferidos al útero femenino, supuestos para los que el art. 11, apartados 3 y 4, de la Ley prevé su crioconservación en los Bancos autorizados «por un máximo de cinco años», de los que los tres últimos —salvo que procedan de donantes, que lo están desde el inicio— que «quedarán a disposición de los Bancos correspondientes». Idéntica previsión se establece para los gametos crioconservados. Consideran los Diputados recurrentes que las referidas disposiciones son incompatibles con la dignidad humana (art. 10.1 CE), por cuanto «impide el derecho al desarrollo y codifica el fruto de la concepción»; criterio que también les sirve para rechazar la asimilación de los preembriones a los gametos en lo que atañe a su puesta a disposición de los Bancos correspondientes pasados dos años desde su crioconservación (art. 11.4).

Como antes indicábamos, de la Constitución no se desprende la imposibilidad de obtener un número suficiente de preembriones necesario para asegurar, con arreglo a los conocimientos biomédicos actuales, el éxito probable de la técnica de reproducción asistida que se esté utilizando, lo que, desde otra perspectiva, supone admitir como un hecho científicamente inevitable la eventual existencia de preembriones sobrantes. Así entendida, la crioconservación no sólo no resulta atentatoria a la dignidad humana, sino que, por el contrario y atendiendo al estado actual de la técnica, se nos presenta más bien como el único remedio para mejor utilizar los preembriones ya existentes, y evitar así fecundaciones innecesarias.

Esta misma finalidad de conservación del material reproductivo es la que explica la asimilación de los preembriones a los gametos, en orden a su puesta a disposición de los Bancos correspondientes. En este sentido cumple recordar que ni los preembriones no implantados ni, con mayor razón, los simples gametos son, a estos efectos, «persona humana», por lo que del hecho de quedar a disposición de los Bancos tras el transcurso de determinado plazo de tiempo, difícilmente puede resultar contrario al derecho a la vida (art. 15 CE) o a la dignidad humana (art. 10.1 CE), tal como, sin embargo, sostienen los recurrentes. En todo caso, su puesta a disposición de Bancos debidamente autorizados y controlados, no supone que por esa circunstancia dejen de serles aplicables los requisitos y garantías previstas en la Ley, particularmente, como ya nos consta, en cuanto a su empleo —fuertemente limitado— en la investigación y experimentación científica.

Por su parte, el art. 5.1 es impugnado en la medida en que permite la donación de gametos y preembriones, porque, según se afirma en el recurso, ello «patrimonializa y convierte en objeto humano a un individuo fruto de la concepción», lo que resulta incompatible con el art. 15 CE. Sin embargo, como se declaró en la STC 212/1996 (fundamento jurídico 8º), en relación con ciertos preceptos de la Ley 42/1988, esta singular donación «no implica en modo alguno la 'patrimonialización', que se pretende, de la persona, lo que sería desde luego incompatible con su dignidad (art. 10.1 CE), sino, justamente, la exclusión de cualquier causa lucrativa o remunerada, expresamente prohibida»; prohibición que, en este caso, se encuentra en el art. 5.3 de la Ley que ahora enjuiciamos. En definitiva, el objeto perseguido por art. 5.1 de la Ley no es otro que el de garantizar que los gametos y los preembriones en ningún caso puedan ser jurídicamente considerados como bienes comercializables, por lo que, en consonancia con la doctrina antes citada, el precepto impugnado no ofrece tacha alguna de inconstitucionalidad.

FJ 12. [...] [E]l art. 12.1 de la Ley permite la intervención sobre preembriones vivos, in vitro —por tanto, todavía no transferidos— que «no podrá tener otra finalidad que la valoración de su viabilidad o no, o la detección de enfermedades hereditarias, a fin de tratarlas si ello es posible, o de desaconsejar su transferencia para procrear», inciso éste que es, precisamente, el impugnado. Ahora bien, como queda afirmado con reiteración, los preembriones in vitro no gozan de una protección equiparable a la de los ya transferidos al útero materno. Por ello, han de considerarse como suficientes las garantías que en el propio precepto se adoptan: en primer lugar, que la enfermedad hereditaria detectada deberá ser tratada si ello es posible; y, en segundo lugar, el precepto sólo permite a los profesionales intervinientes desaconsejar su transferencia, por lo que, en lo sustancial, la decisión última recae en la madre receptora, según lo dispuesto en el art. 2.4 de la Ley, cuya conformidad a la Constitución ya hemos examinado.

Por su parte, el apartado 2 del art. 12 autoriza esa clase de intervenciones con finalidad diagnóstica «sobre el embrión o sobre el feto, en el útero o fuera de él, vivos», siempre que tengan por objeto «el bienestar del nasciturus y el favorecimiento de su desarrollo, o si está amparada legalmente». La inconstitucionalidad alegada por los actores carece, en este punto, de consistencia, pues no parece discutible que el «amparo legal» a que se refiere el precepto, debe entenderse como una remisión a los supuestos de aborto no punible del art. 417 bis del derogado Código Penal que, sin embargo, la Disposición derogatoria única del Código vigente mantiene expresamente en vigor. Aunque ese es el sentido propio del mencionado inciso final del art. 12.2 de la Ley 35/1988, conviene despejar cualquier duda en materia de tanta trascendencia y, por ello —como también hicimos en la STC 212/1996, fundamento jurídico 12º, respecto de un precepto muy similar—, expresamente hemos de afirmar que el mencionado inciso sólo resulta constitucional en la medida en que las intervenciones «amparada(s) legalmente» del art. 12.2 de la Ley sólo aluden al referido, y aún vigente, art. 417 bis del derogado Código Penal.

Basta, finalmente, la sola lectura del art. 13 de la Ley para desechar que en él se permitan intervenciones de carácter distinto al terapéutico. La posibilidad de otro tipo de intervenciones distintas a la terapéutica contemplada en el precepto no resulta de la literalidad del mismo. Es claro que el art. 13 de la Ley permite exclusivamente las intervenciones con fines terapéuticos, tanto en preembriones como en embriones y fetos, de tal suerte que, como inequívocamente se desprende del inciso inicial de su apartado 3º, esa intervención está constreñida a la aplicación de concretas terapias.

El inexistente derecho a poner fin a la propia vida: caso de la huelga de hambre de reclusos del GRAPO —STC 120/1990, de 27 de junio (*vid.* también ARTÍCULOS 16 y 18.1 CE)[4]—

La Sentencia resuelve el recurso de amparo interpuesto por tres reclusos pertenecientes al «Grupos de Resistencia Antifascista Primero de Octubre» («GRAPO»), internos en el Centro Penitenciario de Preventivos Madrid-2, que fueron ingresados en Centros Hospitalarios de esta capital, a resultas de su negativa a ingerir alimentos, adoptada con el fin de presionar a la Dirección General de Instituciones Penitenciarias para que disponga la concentración en un único establecimiento de los reclusos pertenecientes al GRAPO. El recurso se dirige contra el Auto de 15 de febrero de 1990 de la Audiencia Provincial de Madrid, que revoca lo acordado por el Juzgado de Vigilancia Penitenciaria núm. 2 de la misma capital, que disponía la licitud de la alimentación forzada a partir del momento en que los huelguistas perdieran la conciencia, y que no fue impugnado por los recurrentes de amparo. El auto impugnado, por su parte,

---

4   *Vid.* también las SSTC 137/1990, de 19 de julio y 11/1991, de 17 de enero.

ordena la alimentación forzosa cuando, de acuerdo con los conocimientos médicos, esa alimentación sea necesaria para impedir el riesgo de muerte, disponiendo que se administre en la forma que el Juez de Vigilancia Penitenciaria correspondiente determine, y sin que en ningún caso pueda suministrarse la alimentación por vía bucal en tanto persiste su estado de determinarse libre y conscientemente. Los recurrentes entienden que las decisiones impugnadas vulneran los artículos 1, 10.1, 16.1, 17.1, 18.1, 9.2, 24.1, 25.2 y, en lo que aquí interesa, 15 CE.

FJ 4. [...] Proyectada sobre los derechos individuales, la regla del art. 10.1 CE implica que, en cuanto «valor espiritual y moral inherente a la persona» (STC 53/1985, fundamento jurídico 8.º), la dignidad ha de permanecer inalterada cualquiera que sea la situación en que la persona se encuentre —también, qué duda cabe, durante el cumplimiento de una pena privativa de libertad, como repetidamente se cuida de señalar la legislación penitenciaria [arts. 3, 18, 20, 23, 26 b) LOGP; 3.1, 74.9, 80, 182 b), 230.1 RP]—, constituyendo, en consecuencia, un minimun invulnerable que todo estatuto jurídico debe asegurar, de modo que, sean unas u otras las limitaciones que se impongan en el disfrute de derechos individuales, no conlleven menosprecio para la estima que, en cuanto ser humano, merece la persona. Pero sólo en la medida en que tales derechos sean tutelares en amparo y únicamente con el fin de comprobar si se han respetado las exigencias que, no en abstracto, sino en el concreto ámbito de cada uno de aquéllos, deriven de la dignidad de la persona, habrá de ser ésta tomada en consideración por este Tribunal como referente. No, en cambio, de modo autónomo para estimar o desestimar las pretensiones de amparo que ante él se deduzcan.

FJ 7. El derecho fundamental a la vida, en cuanto derecho subjetivo, da a sus titulares la posibilidad de recabar el amparo judicial y, en último término, el de este Tribunal frente a toda actuación de los poderes públicos que amenace su vida o su integridad. De otra parte y como fundamento objetivo del ordenamiento impone a esos mismos poderes públicos y en especial al legislador, el deber de adoptar las medidas necesarias para proteger esos bienes, vida e integridad física, frente a los ataques de terceros, sin contar para ello con la voluntad de sus titulares e incluso cuando ni siquiera quepa hablar, en rigor, de titulares de ese derecho (STC 53/1985). Tiene, por consiguiente, el derecho a la vida un contenido de protección positiva que impide configurarlo como un derecho de libertad que incluya el derecho a la propia muerte. Ello no impide, sin embargo, reconocer que, siendo la vida un bien de la persona que se integra en el círculo de su libertad, pueda aquélla fácticamente disponer sobre su propia muerte, pero esa disposición constituye una manifestación del agere licere, en cuanto que la privación de la vida propia o la aceptación de la propia muerte es un acto que la ley no prohíbe y no, en ningún modo, un derecho subjetivo que implique la posibilidad de movilizar el apoyo del poder público para vencer la resistencia que se oponga a la voluntad de morir, ni, mucho menos, un derecho subjetivo de carácter fundamental en el que esa posibilidad se extienda incluso frente a la resistencia del legislador, que no puede reducir el contenido esencial del derecho.

En virtud de ello, no es posible admitir que la Constitución garantice en su art. 15 el derecho a la propia muerte y, por consiguiente, carece de apoyo constitucional la pretensión de que la asistencia médica coactiva es contraria a ese derecho constitucionalmente inexistente. Además, aunque se admitiese la tesis de los recurrentes, tampoco podría apreciarse que, en el caso contemplado, se produce vulneración de ese pretendido derecho a disponer de la propia vida, puesto que el riesgo de perderla que han asumido no tiene por finalidad causarse la muerte, sino la modificación de una decisión de política penitenciaria que tratan de obtener incluso a expensas de su vida. Puede ser, por tanto, la muerte de los recurrentes consecuencia de su protesta reivindicativa, pero no un resultado directamente deseado que permitiese hablar, en el caso de que existiese, de ejercicio del derecho fundamental a la propia muerte, ni, por consiguiente, que este supuesto derecho puede haber sido vulnerado por la coacción terapéutica. [...]

El derecho a la vida en el contexto de relaciones de sujeción especial: Las obligaciones de las autoridades penitenciarias para con la vida de las personas reclusas (caso de la huelga de hambre de reclusos del GRAPO) —STC 120/1990, de 27 de junio (*vid. supra*)—

FJ. 7. [...] Una vez establecido que la decisión de arrostrar la propia muerte no es un derecho, sino simplemente manifestación de libertad genérica, es oportuno señalar la relevancia jurídica que tiene la finalidad que persigue el acto de libertad de oponerse a la asistencia médica, puesto que no es lo mismo usar de la libertad para conseguir fines lícitos que hacerlo con objetivos no amparados por la Ley, y, en tal sentido, una cosa es la decisión de quien asume el riesgo de morir en un acto de voluntad que sólo a él afecta, en cuyo caso podría sostenerse la ilicitud de la asistencia médica obligatoria o de cualquier otro impedimento a la realización de esa voluntad, y cosa bien distinta es la decisión de quienes, hallándose en el seno de una relación especial penitenciaria, arriesgan su vida con el fin de conseguir que la Administración deje de ejercer o ejerza de distinta forma potestades que le confiere el ordenamiento jurídico; pues, en este caso, la negativa a recibir asistencia médica sitúa al Estado, en forma arbitraria, ante el injusto de modificar una decisión, que es legítima mientras no sea judicialmente anulada, o contemplar pasivamente la muerte de personas que están bajo su custodia y cuya vida está legalmente obligado a preservar y proteger.

Por consiguiente, todo lo que dejamos expuesto nos conduce a la conclusión de que, desde la perspectiva del derecho a la vida, la asistencia médica obligatoria autorizada por la resolución judicial recurrida no vulnera dicho derecho fundamental, porque en éste no se incluye el derecho a prescindir de la propia vida, ni es constitucionalmente exigible a la Administración penitenciaria que se abstenga de prestar una asistencia médica que, precisamente, va dirigida a salvaguardar el bien de la vida que el artículo 15 de la Constitución protege.

El derecho a la vida y su tutela en el ámbito penitenciario —STC 48/1996, de 25 de marzo—

La Sentencia resuelve el recurso de amparo presentado por V.L.C. contra el auto de la Audiencia Provincial de Valencia, que denegó su petición de excarcelación, a la que había accedido el Juez de Vigilancia Penitenciaria por padecer una dolencia coronaria diagnosticada como grave e incurable. Entiende el recurrente que dicha negativa limita indebidamente su derecho a la vida.

FJ 2. La Constitución proclama el derecho a la vida y a la integridad, en su doble dimensión física y moral (art. 15 CE). Soporte existencial de cualesquiera otros derechos y primero, por ello, en el catálogo de los fundamentales, tienen un carácter absoluto y está entre aquellos que no pueden verse limitados por pronunciamiento judicial alguno ni por ninguna pena, excluidas que han sido de nuestro ordenamiento jurídico la de muerte y la tortura, utilizada otrora también como medio de prueba y prohibidos los tratos inhumanos y degradantes, incluso los trabajos forzados. Por otra parte, la Administración penitenciaria no sólo ha de cumplir el mandato constitucional con una mera inhibición respetuosa, negativa pues, sino que le es exigible una función activa para el cuidado de la vida, la integridad corporal y, en suma, la salud de los hombres y mujeres separados de la sociedad por medio de la privación de su libertad (SSTC 120/1990, 137/1990 y 11/1991; arts. 3 y 4 de la Ley General Penitenciaria y 5.3 de su Reglamento). Desde otra perspectiva complementaria, la relación de sujeción especial entre el recluso y la Administración penitenciaria que hace nacer la condena judicial a una pena de prisión, permite limitar ciertos derechos fundamentales por razón del mismo condicionamiento material de la libertad, pero a la vez impone que se proteja y facilite el ejercicio de los demás que no resulten necesariamente limitados (STC 2/1987).

El equilibrio entre el derecho a la vida, unido indisolublemente por su consistencia ontológica a la dignidad de la persona como profesión de fe en el hombre, que lleva en sí todos los demás y el de la gente a su seguridad, mediante la segregación temporal en cumplimiento de las penas privativas de libertad, con su doble función retributiva y profiláctica o preventiva, es la finalidad que pretende conseguir la norma reglamentaria en cuestión, incorporada hoy al Código Penal. La puesta en libertad condicional de quienes padezcan una enfermedad muy grave y además incurable tiene su fundamento en el riesgo cierto que para su vida y su integridad física, su salud en suma pueda suponer la permanencia en el recinto carcelario. Por consiguiente, no exige la existencia de un peligro inminente o inmediato ni tampoco significa que cualquier dolencia irreversible provoque el paso al tercer grado penitenciario, si no se dieren las otras circunstancias antes indicadas además de las previstas en el Código Penal, entre ellas, como aquí ocurre, la menor peligrosidad de los así libertos por su misma capacidad disminuida. En definitiva, no pietatis causa sino por criterios enraizados en la justicia como resultado de conjugar los valores constitucionales implicados en esta situación límite, insoluble de otra guisa.

FJ 3. [...] No se trata de una excarcelación en peligro de muerte, sino para quien padece un mal sin remedio conocido según las reglas del arte médico, y de ello habrá ocasión de hablar más adelante. La Audiencia, que denegó la liberación anticipada porque «la estancia en prisión» no constituye «un peligro seguro para su vida», hace decir a la norma interpretada lo que no dice, creando un requisito obstativo, un impedimento más, donde no existe. Está claro que la excarcelación no puede garantizar la sanidad de un mal incurable según diagnóstico pero permite una mejoría relativa y una evolución más lenta, con menos ocasiones de episodios agudos, no sólo por el tratamiento médico, que también podría recibir en la cárcel, sino por el cambio de ambiente que coadyuva positivamente por la unidad psicosomática del ser humano, mientras que la permanencia en el establecimiento penitenciario ha de incidir negativamente en la misma medida. Lo dicho pone de manifiesto que la lectura restrictiva del precepto reglamentario hecha por la Audiencia Provincial más allá de su texto introduce un factor de riesgo para la integridad física y aun para la vida del ya enfermo. El mismo juicio, desde la perspectiva constitucional que nos es propia, merece el otro razonamiento utilizado como soporte para denegar la libertad condicional. «En la mano del interno —añade a su final el Auto— está aliviar su enfermedad, optando por someterse a una intervención quirúrgica, la cual podrá ser realizada por un médico de la confianza del propio interno o de sus familiares, con la adopción de las correspondientes medidas cautelares personales». Paradójicamente, donde se hubiera necesitado un argumento jurídico, se cuela de rondón una opinión profana sobre un tema médico, ni siquiera compartida por todos los peritos en el arte. El derecho a la integridad física y moral no consiente que se imponga a alguien una asistencia médica en contra de su voluntad, cualesquiera que fueren los motivos de esa negativa (STC 120/1990), que, por otra parte, es razonable en este caso si se toman en cuenta las discrepancias entre los especialistas sobre la conveniencia de la operación, cuya eficacia ponen en duda varios de ellos. La decisión de permitir una agresión de esa envergadura aunque con finalidad curativa es personalísima y libérrima, formando parte inescindible de la protección de la salud como expresión del derecho a la vida.

Como recapitulación y coda final, quede claro que tan sólo una enfermedad grave e incurable, como esta, en cuya evolución incida desfavorablemente la estancia en la cárcel con empeoramiento de la salud del paciente, acortando así la duración de su vida, aun cuando no exista riesgo inminente de su perdida, permite la excarcelación del recluso aquejado por aquélla, si se dan las demás circunstancias cuya concurrencia exige el Código Penal. [...]

La obligación positiva del Estado de proteger el derecho a la vida y la integridad física y moral[5] reparando las lesiones a los mismos —STC 181/2000, de 29 de junio[6]—

La Sentencia resuelve diez cuestiones de inconstitucionalidad acumuladas contra la Ley sobre Responsabilidad Civil y Seguro en la Circulación de Vehículos a Motor, según la redacción dada por la Disposición adicional octava de la Ley 30/1995, de 8 de noviembre, de Ordenación y Supervisión de los Seguros Privados, al texto refundido aprobado por el Decreto 632/1968, de 21 de marzo. Se le reprocha, en lo que aquí interesa, vulneración del derecho a la vida y a la integridad física y moral. Se aduce que el legislador tiene la obligación constitucional de proteger este derecho y de reparar el daño que se le hubiese ocasionado, acogiendo el remedio sustitutivo que más se acerque a la total indemnidad, que deje a la víctima en la situación más próxima posible a la que disfrutaría si el daño no se hubiese producido. La Ley impugnada somete la reparación de daños personales o corporales a baremos con topes máximos, lo que, se alega, lesiona los derechos reconocidos en el artículo 15 CE.

FJ 8. Precisados los términos en que se formula esta concreta tacha de inconstitucionalidad interesa dejar en claro, desde un principio, que la Ley 30/1995 por la que se introdujo el baremo, no desarrolla ni regula los derechos a la vida y a la integridad física y moral que reconoce el art. 15 CE, aunque, según veremos, sus contenidos tengan incidencia directa sobre los bienes de la personalidad a los que aquellos derechos sirven, y que también encuentran protección jurídica en el art. 15 de la Constitución.

[...] La protección constitucional de la vida y de la integridad personal (física y moral) no se reduce al estricto reconocimiento de los derechos subjetivos necesarios para reaccionar jurídicamente frente a las agresiones a ellos inferidas, sino que, además, contiene un mandato de protección suficiente de aquellos bienes de la personalidad, dirigido al legislador y que debe presidir e informar toda su actuación, incluido el régimen legal del resarcimiento por los daños que a los mismos se hubiesen ocasionado.

No obstante, y a diferencia de lo argumentado en los Autos de planteamiento, ese mandato constitucional de protección suficiente de la vida y de la integridad personal no significa que el principio de total reparación del dañado en-

---

5   Sobre las obligaciones positivas del Estado para con los derechos a la vida, a no sufrir tortura ni trato inhumano o degradante y a la integridad física y moral en supuestos de extradición, en que su tutela se articula a través del artículo 24 CE, *vid.* por todas la STC 140/2007, de 4 de junio, citando jurisprudencia sentada en la STC 181/2004, de 2 de noviembre («para activar este específico deber de tutela que corresponde a los órganos judiciales competentes en materia de extradición, no basta con alegar la existencia de un riesgo, sino que es preciso que 'el temor o riesgos aducidos, sean fundados, en el sentido de mínimamente acreditados por el propio reclamado' y, además, no bastan alusiones o alegaciones 'genéricas' sobre la situación del país, sino que el reclamado ha de efectuar concretas alegaciones con relación a su persona y derechos (STC 148/2004, de 13 de septiembre, FJ 8), FJ 14.

6   Sobre esta cuestión, *vid.* también las SSTC 241/2000, 242/2000, 244/2000, todas de 16 de octubre; 267/2000, de 13 de noviembre; 21/2001, de 29 de enero; 223/2001, de 5 de noviembre; 9/2002, de 15 de enero; 49/2002, de 25 de febrero; 131/2002, de 3 de junio; 31/2003, de 13 de febrero; 42/2003, de 3 de marzo; 134/2003, de 30 de junio; 105/2004, de 28 de junio; 222/2004, de 29 de noviembre; 230/2005 y 231/2005, de 26 de septiembre; 254/2005, 255/2005 y 256/2005, de 11 de octubre. En una línea parecida, sobre la constitucionalidad de los límites legales a la indemnización de las/os hermanas/os mayores de edad de las víctimas de siniestros circulatorios en concepto de daño moral, *vid.* 190/2005, de 7 de julio; 149/2006, de 11 de mayo.

cuentre asiento en el art. 15 de la Constitución. Es cierto que el instituto de la responsabilidad civil requiere, de modo inexcusable, que se fije para aquellos bienes de la personalidad un valor patrimonial (pecunia doloris), puesto que la reparación civil del daño descansa en el derecho del dañado a percibir una indemnización. Cierto también, que en el ejercicio de la pretensión resarcitoria de tales bienes aparecen integrados o aunados los conceptos de reparación del estricto daño personal y de restablecimiento de los daños y perjuicios de índole patrimonial que traen causa de la lesión a los bienes de la personalidad (vida e integridad física y moral). Sin embargo, en el plano constitucional no es posible confundir la reparación de los daños a la vida y a la integridad personal (art. 15 CE), con la restauración del equilibrio patrimonial perdido como consecuencia de la muerte o de las lesiones personales padecidas, pues el mandato de especial protección que el art. 15 CE impone al legislador se refiere estricta y exclusivamente a los mencionados bienes de la personalidad (vida, integridad física y moral), sin que pueda impropiamente extenderse a una realidad jurídica distinta, cual es la del régimen legal de los eventuales perjuicios patrimoniales que pudieran derivarse del daño producido en aquellos bienes.

FJ 9. Se comprende así por qué el mandato constitucional dirigido al legislador, en orden a que adopte los remedios normativos necesarios para ofrecer una satisfactoria protección jurídica de la vida y la integridad personal (art. 15 CE), es difícilmente conciliable con cualquier intento de valoración y cuantificación de los daños producidos a aquellos bienes jurídicos, y que pueda variar significativamente en función de las circunstancias particulares de su titular. Si en el ámbito de la responsabilidad civil, la vida y la integridad (física y moral) han de ser objeto de cuantificación dineraria o patrimonial, el más elemental respeto a la dignidad humana (art. 10.1 CE) obliga a que aquélla sea la misma para todos. Por esta razón, el art. 15 CE sólo condiciona al legislador de la responsabilidad civil en dos extremos: en primer lugar, en el sentido de exigirle que, en esa inevitable tarea de traducción de la vida y de la integridad personal a términos económicos, establezca unas pautas indemnizatorias suficientes en el sentido de respetuosas con la dignidad que es inherente al ser humano (art. 10.1 CE); y en segundo término, que mediante dichas indemnizaciones se atienda a la integridad —según la expresión literal del art. 15 CE— de todo su ser, sin disponer exclusiones injustificadas.
La anterior clarificación y determinación del canon de constitucionalidad permite concluir que el sistema de baremación legal cuestionado no es contrario al art. 15 de la Constitución. En efecto, el baremo atiende no sólo al supuesto de muerte, sino también a las lesiones causadas en la integridad física y moral de las personas, disponiendo (apartado 1, punto 5 del Anexo), a los efectos de la determinación de la correspondiente responsabilidad civil, unas indemnizaciones básicas por muerte (tabla I) y por lesiones permanentes, incluidos los daños morales (tabla III), cuyas cuantías no pueden estimarse insuficientes desde la apuntada perspectiva constitucional; sin que, por otra parte, en ninguna de las cuestiones planteadas se susciten problemas relativos a la irreparabilidad civil de determinadas lesiones físicas o padecimientos morales que, originados en ese concreto contexto de la circulación de vehículos a motor, hayan sido expresamente excluidos por el legislador del sistema de tablas contenido en el Anexo de la Ley 30/1995.

II. EL DERECHO A NO SUFRIR TORTURA NI TRATOS INHUMANOS O DEGRADANTES

El descenso gradual de la tortura a los tratos inhumanos o degradantes, con especial referencia al medio carcelario: caso de la huelga de hambre de reclusos del GRAPO —STC 120/1990, de 27 de junio (*vid. supra*)[7]—

FJ 9. El propio art. 15 de la Constitución prohíbe la tortura y los tratos inhumanos y degradantes; pero esta prohibición no puede estimarse que haya sido quebrantada por la asistencia médica cuya autorización judicial se recurre. «Tortura» y «tratos inhumanos o degradantes» son, en su significado jurídico, nociones graduadas de una misma escala que, en todos sus tramos, denotan la causación de padecimientos físicos o psíquicos ilícitos e infligidos de modo vejatorio para quien los sufre y con esa propia intención de vejar y doblegar la voluntad del sujeto paciente. En este sentido, la Convención contra la Tortura y otros Tratos o Penas Crueles, Inhumanos o Degradantes, de Nueva York, de 10 de diciembre de 1984 (ratificada por España el 19 de octubre de 1987 y en vigor en general desde el 26 de junio de 1987, y para España desde el 20 de noviembre siguiente), define la tortura como «todo acto por el cual se inflija intencionadamente a una persona dolores o sufrimientos graves, con el fin de obtener de ella o de un tercero información o una confesión, de castigarla por un acto que haya cometido o se sospeche que ha cometido, o de intimidar o coaccionar a esa persona o a otros, o por cualquier razón basada en cualquier tipo de discriminación, cuando

---

7   *Vid.* también, además de las SSTC 137/1990, de 19 de julio, y 11/1991, de 17 de enero, la STC 196/2006, de 3 de julio.

dichos dolores o sufrimientos sean infligidos por un funcionario público u otra persona en el ejercicio de funciones públicas, a instigación suya o con su consentimiento o aquiescencia» (art. 1.1). Esta Convención extiende, además, sus garantías a «otros actos que constituyan tratos o penas crueles, inhumanos o degradantes y que no lleguen a ser tortura tal como se define en el art. 1».

Asimismo, en relación con el art. 3 CEDH, que establece una interdicción similar a la del art. 15 CE, el TEDH, partiendo de su propia doctrina acerca de las penas degradantes (SS de 18 de enero y 25 de abril de 1978 —caso Irlanda contra el Reino o nido— y —caso Tyrer—, respectivamente) ha señalado que «para que el trato sea «degradante» debe ocasionar también al interesado —ante los demás o ante sí mismo [...] una humillación o un envilecimiento que alcance un mínimo de gravedad» (igualmente, STEDH de 25 de febrero de 1982, —caso Campbell y Cosans— y de 7 de julio de 1989 —caso Soering).

No otra es, por lo demás, la acepción que, en el concreto ámbito penitenciario, cabe dar a los términos «cruel, inhumano o degradante» que utiliza, para prohibir sanciones disciplinarias a los internos que tengan ese carácter, el art. 31 de las Reglas Mínimas para el Tratamiento de Reclusos, adoptadas por Resolución (73) 5, de 19 de enero de 1973 del Comité de Ministros del Consejo de Europa, e invocadas por los recurrentes, ni otro es tampoco el alcance que, respecto de los tratos inhumanos o degradantes, tiene la más genérica prohibición de «malos tratos» a los internos que el art. 6 de la LOGP establece.

Por ello, y también con referencia al medio carcelario, este Tribunal tiene dicho que para apreciar la existencia de tratos inhumanos o degradantes es necesario que «éstos acarreen sufrimientos de una especial intensidad o provoquen una humillación o sensación de envilecimiento que alcance un nivel determinado, distinto y superior al que suele llevar aparejada la imposición de condena» (SSTC 65/1986, fundamento jurídico 4.º; 89/1987, fundamento jurídico 2.º), daño implícito en la misma que está excluido del concepto de tortura (art. 1.1, in fine, de la Convención contra la tortura cit., de 1984).

De acuerdo con estos criterios, en modo alguno puede calificarse de «tortura» o «tratos inhumanos o degradantes», con el sentido que esos términos revisten en el art. 15 CE, la autorización de una intervención médica, como la impugnada por los recurrentes, que, en sí misma, no está ordenada a infligir padecimientos físicos o psíquicos ni a provocar daños en la integridad de quien sea sometido a ellos, sino a evitar, mientras médicamente sea posible, los efectos irreversibles de la inanición voluntaria, sirviendo, en su caso, de paliativo o lenitivo de su nocividad para el organismo. En esta actuación médica, ajustada a la lex artis, no es objetivamente reconocible indicio alguno de vejación e indignidad. Que para efectuar dicha intervención se permita el empleo de medios coercitivos no es aquí determinante, pues, según se ha visto, no es la coercitividad de trato más allá de lo proporcionado, sino su desmedida severidad, su innecesario rigor y su carácter vejatorio lo que a los efectos de la prohibición constitucional resulta relevante.

El hecho de que la alimentación forzada, cuya finalidad es impedir la muerte de los recurrentes no pueda considerarse constitutiva de trato inhumano o degradante en razón del objetivo que persigue, no impide sin embargo, por sí mismo, que se le pueda considerar como tal, sea en razón de los medios utilizados, sea por constituir una prolongación del sufrimiento, sin lograr pese a ello, evitar la muerte. Ambos hipotéticos reproches han de ser, sin embargo, también desechados, el primero de ellos, porque ya la resolución impugnada excluye expresamente el recurso a la alimentación por vía oral, que es la única cuyo empleo podría ser entendido como una humillación para quien hubiera de sufrirla y el segundo, porque el propósito de la medida no es el de provocar el sufrimiento, sino el de prolongar la vida.

El artículo 15 CE y la exclusión de la prueba obtenida bajo tortura —STC 7/2004, de 9 de febrero—

La Sentencia resuelve once recursos de amparo interpuestos contra la Sentencia de la Sala de lo Penal de la Audiencia Nacional de 26 de diciembre de 1995, que condenó a los recurrentes como autores de los delitos de pertenencia en unos casos y colaboración con banda armada en otros, y contra la Sentencia de la Sala de lo Penal del Tribunal Supremo de 6 de octubre de 1997, que declaró no haber lugar al recurso de casación interpuesto contra la primera. Los recurrentes alegan que su condena se apoya, como única prueba de cargo, en declaraciones autoinculpatorias o incriminatorias para otras personas obtenidas en régimen de incomunicación y bajo tortura, con violación de sus derechos reconocidos en el artículo 15 CE.

FJ 8. Respecto de las declaraciones judiciales de los demás recurrentes, consta en las actuaciones que los detenidos fueron llevados a presencia judicial tras haberse dictado Auto en el que se alzaba la incomunicación, que había durado cinco días, y después de haber sido examinados por el médico forense, quien dictaminó que se hallaban en condiciones físicas y psíquicas de declarar, tras haber sido instruidos de sus derechos (entre ellos el de no declarar contra sí mismos y no confesarse culpables) y haber designado Letrado de su confianza. En definitiva, la declaración judicial de estos inculpados se realizó formalmente con todas las garantías constitucionales frente a la autoincriminación, e incluso en el caso del recurrente Sr. Rojo, consta al folio 1097 de las actuaciones que declara actuar sin coacción ni presión de ningún tipo. [...][8]

[...] [E]n el momento de dictar Sentencia, la Audiencia Nacional contaba con una serie de datos que le permitieron concluir la verosimilitud de la existencia de torturas durante el periodo de permanencia en dependencias policiales, lo que le lleva a expulsar del acervo probatorio las declaraciones prestadas ante los funcionarios policiales, por hallarse viciadas. Sin embargo, respecto de las declaraciones judiciales inmediatamente posteriores al levantamiento de la incomunicación, afirma la Sala sentenciadora que las mismas no están viciadas y son plenamente valorables, al haber sido prestadas voluntariamente, con todas las garantías y sin ningún tipo de coacción o amenaza, siéndoles leídos sus derechos, conociendo la autoridad ante la que prestaban declaración y asistidos por Letrados de su confianza, dos de ellos los mismos que los defendieron en el acto de la vista oral, que no hicieron constar protesta alguna ni circunstancia invalidante de la declaración prestada.

Pues bien, es cierto —como afirma la Sentencia— que la declaración judicial en sí misma se practicó formalmente con todas las garantías y, desde luego, no se imputa al Juez instructor el ejercicio de violencia o coacción alguna. No obstante, en las circunstancias que acaban de relatarse, no puede afirmarse que con ello quede materialmente garantizada la libertad de actuación de quienes durante cinco días habían sido sometidos a torturas y malos tratos, en régimen de incomunicación y, sin solución de continuidad, sin haber podido entrevistarse con ninguna persona de su confianza, ni tampoco con el Abogado que les asistía, son llevados a presencia judicial para declarar sobre los mismos hechos acerca de los que han sido interrogados policialmente bajo tortura. Pues el efecto de la violencia ejercida sobre la libertad y las posibilidades de autodeterminación del individuo no deja de producirse en el momento en el que físicamente cesa aquélla y se le pone a disposición judicial, sino que su virtualidad coactiva puede pervivir, y normalmente lo hará, más allá de su práctica efectiva.

Así, pues, el cumplimiento de las garantías formales legalmente previstas —que en circunstancias normales permite afirmar la espontaneidad y voluntariedad de la declaración sin mayores indagaciones, como anteriormente se señaló—, en las presentes circunstancias excepcionales, no puede llevarnos a la misma conclusión. En tales circunstancias, hubiera sido necesario eliminar la sospecha de falta de libertad (en la declaración judicial) mediante algún tipo de actuación del órgano judicial, orientada a obtener garantías materiales de la existencia de la misma, es decir, de la no influencia anímica de las torturas y malos tratos en ese momento posterior (por ejemplo: retrasar suficientemente la toma de declaración; permitir la entrevista previa con los Abogados o recabar algún tipo de informe médico o psicológico adicional sobre ese extremo concreto). Esa diligencia reforzada del órgano judicial en la tutela de los derechos fundamentales de los recurrentes, más allá de las garantías formales legalmente previstas, resultaba exigible en el caso concreto a la vista de los derechos fundamentales en juego, de la gravedad de la vulneración y de la absoluta necesidad de tutela de los mismos en ese contexto.

Por tanto, debemos concluir que las declaraciones prestadas ante el Juez Central de Instrucción, inmediatamente posteriores al cese de la incomunicación, están también viciadas por la tortura previamente ejercida sobre los imputados declarantes, en la medida en que su efecto coactivo podía seguir incidiendo en la libertad de éstos, y sin que ello se viese eficazmente contrarrestado por la obtención por el Juez de garantías materiales. No se trata, como plantean los recurrentes, de un problema de prueba derivada de otra ilícitamente obtenida, cuya nulidad derivaría de su conexión con la anterior, sino de una prueba nula en sí misma al no haber sido practicada con las suficientes garantías materiales, lo que la invalidaría para su consideración como prueba de cargo[9].

El derecho a una investigación suficiente de las denuncias de torturas bajo custodia policial —STC 224/2007, de 22 de octubre[10]—

La Sentencia resuelve el recurso de amparo presentado por don T.D. contra el Auto de 7 de octubre de 2003 del Juzgado de Instrucción núm. 7 de Valencia que acordó el sobreseimiento y archivo de las diligencias previas iniciadas para averiguar si el recurrente había sido objeto de lesiones durante su detención policial, así como contra el Auto del

---

8   Sobre las garantías frente a la autoincriminación, *vid*. **ARTÍCULO 17**.

9   Sobre este tema, *vid*. **ARTÍCULO 18.3**.

10   *Vid*. también la SSTC 34/2008, de 25 de febrero; 52/2008, de 14 de abril; 69/2008, de 23 de junio; 107/2008, de 22 de septiembre; 40/2010, de 19 de julio; 63/2010, de 18 de octubre; 131/2012, de 18 de junio; 153/2013, de 9 de septiembre; 130/2016, de 18 de julio; 144/2016, de 19 de septiembre; 39/2017, de 24 de abril. En el sentido de que sí ha habido investiga-

mismo Juzgado de 11 noviembre de 2003, que desestimó su recurso de reforma. Considera que han vulnerado sus derechos a la tutela judicial efectiva sin indefensión y a usar los medios de prueba necesarios para su defensa (artículo 24.1 y 2 CE), ambos en conexión con el derecho a no sufrir torturas (artículo 15 CE).

FJ 3. [...] [R]especto a la investigación de indicios de tortura o tratos crueles, inhumanos o degradantes sufridos bajo la custodia de autoridades policiales, de los Acuerdos internacionales firmados por España y del propio tenor del art. 15 CE se desprende un especial mandato de agotar cuantas posibilidades razonables de indagación resulten útiles para aclarar los hechos. En estos supuestos, en los que el valor superior de la dignidad humana puede verse comprometido con motivo de una situación especial en la que el ciudadano se encuentra provisionalmente bajo la custodia física del Estado, es necesario acentuar las garantías, de tal modo que el ordenamiento constitucional pueda amparar al ciudadano fácticamente desprotegido ante cualquier sospecha de excesos contra su integridad física o moral. En este sentido —como recordamos en la STC 7/2004, de 9 de febrero, FJ 2— la jurisprudencia del Tribunal Europeo de Derechos Humanos, en relación con denuncias de torturas o tratos inhumanos o degradantes (art. 3 del Convenio europeo), vincula reiteradamente la apreciación de violaciones de este precepto al incumplimiento por parte de los Estados firmantes del deber que les impone el Convenio de efectuar una investigación efectiva para el esclarecimiento de los hechos y el castigo de los culpables. Así, en la STEDH de 2 de noviembre de 2004 (asunto *Martínez Sala y otros c. España*), se recuerda que, cuando un individuo afirma de forma defendible haber sufrido, a manos de la policía o de otros servicios del Estado, graves sevicias contrarias al artículo 3 CEDH, dicha disposición requiere, por implicación, que se realice una investigación oficial eficaz que debe poder llegar a identificar y castigar a los responsables. En concreto, considera que al rechazar todas las peticiones de diligencias presentadas por quienes denuncian unos malos tratos policiales se les puede privar de una posibilidad razonable de esclarecer los hechos denunciados por ausencia de una investigación profunda y efectiva. En el mismo sentido pueden citarse las SSTEDH de 25 de septiembre de 1997 (asunto *Aydin c. Turquía*); 11 de abril de 2000 (asunto *Sevtap Veznedaroglu c. Turquía*); 11 de julio de 2000 (asunto *Dikme c. Turquía*); 21 de diciembre de 2000 (asunto *Büyükdag c. Turquía*); 1 de marzo de 2001 (asunto *Berktay c. Turquía*).

De ese modo cabe apreciar la existencia de una vulneración del derecho a la tutela judicial efectiva (art. 24.1 CE) en relación con el art. 15 CE cuando, rechazando las alegaciones y peticiones de diligencias presentadas, los órganos judiciales no investigan suficientemente unos malos tratos supuestamente infligidos con ocasión de la custodia policial de una persona. Al efecto no resulta necesario, en primer lugar, que las sevicias denunciadas sean graves y resulten aparentemente verosímiles, en el sentido de que se refieran a un maltrato. Junto a ello debe constar que con motivo de las diligencias de investigación, la parte que alega la vulneración de su derecho haya propuesto la práctica de alguna que razonablemente resulte adecuada para esclarecer los hechos. Sólo cuando el órgano judicial deniegue la práctica de tales investigaciones de manera inmotivada o carente de razonabilidad, en el sentido de no tomar en cuenta el valor especial del reconocimiento constitucional del derecho a la integridad física y moral en los términos del art. 15 CE, sin argumentación suficiente en orden a la posibilidad efectiva de que las investigaciones suplementarias solicitadas puedan contribuir al esclarecimiento de los hechos, podremos constatar la existencia de lesión del derecho contenido en el art. 24.1 CE.

La excepcionalidad de la apreciación de trato inhumano o degradante en la jurisprudencia constitucional: caso de las celdas de aislamiento —STC 2/1987, de 3 de junio[11]—

La Sentencia resuelve los recursos de amparo interpuestos por don J.I.A.E. y doña R.M.A. contra Acuerdos de la Junta de Régimen y Administración de la Prisión de Basauri que le impusieron sanciones disciplinarias consistentes en una

---

ción suficiente de la denuncia, *vid.* SSTC 63/2008, de 26 de mayo; 123/2008, de 20 de octubre; 182/2012, de 17 de octubre; 12/2013, de 28 de enero.

[11]   Sobre tratos inhumanos y degradantes, *vid.* también las SSTC 89/1987, de 3 de junio, FJ 2 («Por la misma razón hay que afirmar que esa negativa y la consiguiente imposibilidad de mantener relaciones sexuales no implica tampoco la sumisión a un trato inhumano o degradante … La privación de libertad, como preso o como penado, es, sin duda, un mal, pero de él forma parte, sin agravarlo de forma especial, la privación sexual»); 150/1991, de 4 de julio, FJ 7 («Es claro al respecto que la previsión del legislador de una mayor pena —no sólo de las privativas de libertad— por la concurrencia de la agravante de reincidencia, o por cualquier otra agravante, no constituye, de suyo, un trato inhumano o degradante a la luz de la doctrina expuesta», FJ 2); 57/1994, de 28 de febrero, y 204/2000, de 24 de julio (los cacheos con desnudo integral no suponen trato degradante, ni violan en sí mismos los derechos reconocidos en

suma total de treinta y tres días de aislamiento en celdas, y contra Autos de 17 de agosto y 8 de octubre de 1985, del Juez de Vigilancia Penitenciaria de Bilbao, confirmatorios de los referidos acuerdos sancionadores.

FJ 2. [...] No cabe duda que cierto tipo de aislamientos en celdas «negras», el confinamiento absolutamente aislado o cerrado es una forma de sanción que envuelve condiciones manifiestamente inhumanas, atroces y degradantes, y por ello han venido siendo vedados en los más modernos sistemas penitenciarios. De ahí las restricciones que la Ley y el Reglamento Penitenciario establecen para la aceptación, residual, de este tipo de sanción. Según el art. 42 de la Ley General Penitenciaria, en principio «no podrá exceder de catorce días» (aunque con posible incremento en la mitad de su máximo en los casos de repetición de la infracción) y, además, en caso de acumulación de sanciones de este tipo no podrá excederse de cuarenta y dos días consecutivos. Además sólo será de aplicación «en los casos en que se manifieste una evidente agresividad o violencia por parte del interno, o cuando éste, reiterada y gravemente, altere la normal convivencia en el Centro». Su ejecución se somete también a condiciones muy estrictas: La celda ha de ser de análogas características a las restantes del establecimiento normalmente en el compartimiento que habitualmente ocupe el interno; se cumplirá con informe y vigilancia médica; se suspende en caso de enfermedad; no se aplica a las madres gestantes; el recluso disfrutará de una hora de paseo en solitario; puede recibir una visita semanal; y sólo se le limita la posibilidad de recibir paquetes del exterior, y de adquirir ciertos artículos del economato (arts. 43 de Ley General Penitenciaria y 112 del Reglamento General Penitenciario). Esta regulación legal restrictiva supone, por un lado, que este tipo de sanción no es una más de las que están a disposición de las autoridades penitenciarias, sino que sólo debe ser utilizada en casos extremos, y en segundo lugar que esta sanción se reduce a una confinación separada, limitando la convivencia social con otros reclusos, en una celda con condiciones y dimensiones normales, llevar una vida regular, y que se le pueda privar de aquellos beneficios (biblioteca, posesión de radio, etc.) abiertos a los demás internos.

La Comisión de Estrasburgo en bastantes casos ha tenido ocasión de examinar quejas relativas a este tipo de confinamiento aislado. De acuerdo a la Comisión el confinamiento solitario, debido a exigencias razonables, no constituye, de por sí, un tratamiento inhumano o degradante, sólo cuando por las condiciones (alimentación, mobiliario, dimensiones de la celda), circunstancias (de acceso a biblioteca, periódicos, comunicaciones, radio, control médico) y duración, se llegue a un nivel inaceptable de severidad, y si ha dicho que un confinamiento prolongado solitario es indeseable, ello ha sido en supuestos en los que la extremada duración de tal confinamiento superaba, mucho más allá, el máximo legal previsto de cuarenta y dos días en nuestra legislación penitenciaria. No es la sanción en sí, sino el conjunto de circunstancias y condiciones de su aplicación, incluyendo su particular forma de ejecución, el carácter más o menos estricto de la medida, su duración, el objeto perseguido y sus efectos en la persona en cuestión, los que podrían hacer en concreto de esa sanción una infracción del art. 3 del Convenio de Roma (decisión Adm. Com. Ap. 8.395/1978, de 16 de diciembre de 1981).

A la luz de esta doctrina debe ser rechazada también la alegación del recurrente. En primer lugar la sanción de aislamiento en celda, como tal y de acuerdo con las garantías que para su imposición y aplicación establece la legislación penitenciaria vigente, no puede ser considerada como una pena o trato inhumano o degradante. En segundo lugar, tampoco en la aplicación concreta al recurrente ni siquiera se ha alegado el que no se hayan observado esas exigencias legales, y haya cumplido las sanciones en circunstancias y condiciones que supusieran la existencia de un trato inhumano o degradante.

La excepcionalidad de la apreciación de trato inhumano o degradante en la jurisprudencia constitucional: caso de la orden a un recluso de que haga flexiones desnudo —STC 57/1994, de 28 de febrero (*vid.* también ARTÍCULO 18.1)[12]—

La Sentencia resuelve los recursos de amparo acumulados interpuestos por don D.A.R.U. contra Acuerdos sancionadores de la Junta de Régimen y Administración del Centro Penitenciario de Nanclares de la Oca, de 11 de julio de 1990 y 11 de marzo de 1991, respectivamente, y contra los Autos del Juzgado de Vigilancia Penitenciaria de

---

el artículo 15 CE); 119/1996, de 8 de julio («la privación de comunicaciones especiales y de tenencia de aparato de televisión en la celda [no encaja en el prisma] de los tratos inhumanos o degradantes»); 196/2006, de 3 de julio (la previsión de que, antes de pasar a una habitación y proporcionar una muestra de orina para determinar si consume sustancias tóxicas, un interno se desnude y sea dotado de una bata o albornoz, con objeto comprobar que no lleva consigo nada que pudiera alterar el resultado del análisis de orina, todo ello sin mediar contacto corporal con el recluso, no constituye trato degradante).

12   *Vid.* también la STC 204/2005, de 24 de julio.

Bilbao, de 6 de agosto y 13 de septiembre de 1990 y de 18 de abril y 28 de mayo de 1991, que los confirmaron en alzada y reforma. Dichos Acuerdos impusieron al recurrente una sanción de aislamiento en celda como autor de falta grave, por desobedecer reiteradamente las órdenes del Funcionario de hacer unas flexiones en el cacheo posterior a una comunicación íntima. Entiende el recurrente que dichas órdenes constituyen un trato vejatorio y degradante que prohíbe el artículo 15 CE, en conexión con su art. 10.1, además de vulnerar su derecho a la intimidad personal (artículo 18.1 CE).

FJ 4. [...] [A]un siendo la queja del recurrente ciertamente escueta en cuanto a las circunstancias relativas a la práctica de la medida que se le ordenó, de ella se desprende que el contenido de la orden recibida no entrañaba que hubiera de producirse contacto corporal alguno con el sujeto pasivo por parte de otra persona, sino sólo que el recluso, contra su voluntad, se desnudara y, una vez desnudo, practicara varias flexiones. Sin que, de otra parte, la queja exprese la duración o el número de las flexiones que aquél debía llevar a cabo para poder inferir, por su prolongación, que éstas causaran un sufrimiento de especial intensidad. Ni tampoco, entre otras circunstancias relevantes, si el local donde habría de practicarse la medida era o no un espacio abierto del establecimiento penitenciario al que pudieran tener acceso terceras personas, tanto reclusos como otros funcionarios del centro distintos de quien impartió la orden y, consiguientemente, presenciar su práctica. En suma, no se desprende de las actuaciones que la orden impartida al hoy recurrente de amparo, ni por su finalidad ni por su mismo contenido o por los medios utilizados, hubiera podido acarrear un sufrimiento de especial intensidad o provocar una humillación o envilecimiento del sujeto pasivo y constituir, por tanto, un trato vejatorio y degradante, prohibido por el art. 15 CE. Lo que conduce a la desestimación por este motivo de la queja del recurrente de amparo.

Las penas degradantes —STC 65/1986, de 22 de mayo—

La Sentencia resuelve el recurso de amparo interpuesto por don S.M.A. contra la Sentencia de la Audiencia Provincial de Teruel de 6 de noviembre de 1981, confirmada por el Tribunal Supremo en Sentencia 12 de noviembre de 1983, y que, tras su rectificación por Auto de 2 de febrero de 1984, en aplicación de la Ley de 25 de junio de 1983, le condenó a la pena de doce años y un día de reclusión menor, con la accesoria de inhabilitación absoluta por el mismo tiempo, como autor responsable de un delito de malversación de caudales públicos por un valor superior a los 2.500.000 pesetas (artículo 394.4 del Código Penal). Según el recurrente, esta pena, aun basada en las normas legales en vigor, vulnera el artículo 15 CE, además de los artículos 14 y 25.1 CE, por su notoria desproporción con las que la misma Ley penal prevé para los delitos de hurto, estafa y apropiación indebida después de la citada reforma del Código Penal de 1983, constituyendo en consecuencia una pena degradante.

FJ 4. Respecto a la supuesta infracción del art. 15 de la Constitución, en cuanto prohíbe la tortura y las penas o tratos inhumanos o degradantes, basta señalar que la calificación de una pena como inhumana o degradante depende de la ejecución de la pena y de las modalidades que ésta reviste, de forma que por su propia naturaleza la pena no acarree sufrimientos de una especial intensidad (penas inhumanas) o provoquen una humillación o sensación de envilecimiento que alcance un nivel determinado, distinto y superior al que suele llevar aparejada la simple imposición de la condena. Tales consideraciones fueron claramente expresadas por el Tribunal Europeo de Derechos Humanos, en su Sentencia de 25 de abril de 1978 (caso Tyrer), al interpretar el art. 3 del Convenio Europeo para la Protección de los Derechos Humanos, y son plenamente aplicables a la interpretación del art. 15 de la Constitución, que coincide literalmente con aquél, de acuerdo con lo establecido en el art. 10.2 de la Constitución, según el cual, «las normas relativas a los derechos fundamentales y a las libertades que la Constitución reconoce se interpretarán de conformidad con la Declaración Universal de Derechos Humanos y los Tratados y Acuerdos internacionales sobre las mismas materias ratificados por España», entre los que se cuenta el mencionado Convenio Europeo. Ahora bien, en el caso que nos ocupa, se impuso al recurrente una pena de privación de libertad y otra de inhabilitación absoluta, penas que, independientemente de su mayor o menor extensión, no pueden ser calificadas de inhumanas o degradantes en el sentido antes indicado. Desde este punto de vista no puede inferirse tampoco que el citado art. 15 contenga en modo alguno un principio de proporcionalidad de las penas aplicables al caso presente.

III. EL DERECHO A LA INTEGRIDAD FÍSICA Y MORAL

Contenido y límites del derecho a la integridad física: caso pelos —STC 207/1996, de 16 de diciembre[13]—

La Sentencia resuelve el recurso de amparo interpuesto por J.B.L. contra el Auto del Juzgado de Instrucción núm. 1 de Roquetas de Mar (Almería), de 9 de febrero de 1996, que ordenó la práctica de una intervención corporal y consiguiente diligencia pericial sobre el pelo del recurrente (a realizar por un laboratorio especializado), con objeto de determinar «si es consumidor de cocaína u otras sustancias tóxicas o estupefacientes y, si fuera adicto a las mismas sustancias mencionadas, el tiempo desde que lo pudiera ser, informando igualmente del grado de fiabilidad científica de la prueba realizada». Para ello se le requería que accediera a que el Médico Forense procediera a «cortar(le) cabellos de diferentes partes de la cabeza, y la totalidad del vello de las axilas», con el apercibimiento de que su negativa podría suponer la comisión de un delito de desobediencia a la autoridad judicial. Entiende el recurrente que dicho Auto le obligaba a soportar una intervención corporal vulneradora de su derecho fundamental a la integridad física (artículo 15 CE), además de a la intimidad personal (artículo 18.1 CE).

FJ 2. [...] Según doctrina reiterada de este Tribunal, mediante el reconocimiento del derecho fundamental a la integridad física y moral (art. 15 CE), «se protege la inviolabilidad de la persona, no sólo contra ataques dirigidos a lesionar su cuerpo o espíritu, sino también contra toda clase de intervención en esos bienes que carezca del consentimiento de su titular» (SSTC 120/1990, FJ 8.;137/1990, 215/1994 y 35/1996) [...]. Resulta de ello, por tanto, que mediante el derecho a la integridad física lo que se protege es el derecho de la persona a la incolumidad corporal, esto es, su derecho a no sufrir lesión o menoscabo en su cuerpo o en su apariencia externa sin su consentimiento. El hecho de que la intervención coactiva en el cuerpo pueda suponer un malestar (esto es, producir sensaciones de dolor o sufrimiento) o un riesgo o daño para la salud supone un plus de afectación, mas no es una condición sine qua non para entender que existe una intromisión en el derecho fundamental a la integridad física.

Dentro de las diligencias practicables en el curso de un proceso penal como actos de investigación o medios de prueba (en su caso, anticipada) recayentes sobre el cuerpo del imputado o de terceros, resulta posible distinguir dos clases, según el derecho fundamental predominantemente afectado al acordar su práctica y en su realización: a) En una primera clase de actuaciones, las denominadas inspecciones y registros corporales, esto es, en aquellas que consisten en cualquier género de reconocimiento del cuerpo humano, bien sea para la determinación del imputado (diligencias de reconocimiento en rueda, exámenes dactiloscópicos o antropomórficos, etc.) o de circunstancias relativas a la comisión del hecho punible (electrocardiogramas, exámenes ginecológicos, etc.) o para el descubrimiento del objeto del delito (inspecciones anales o vaginales, etc.), en principio no resulta afectado el derecho a la integridad física, al no producirse, por lo general, lesión o menoscabo del cuerpo, pero sí puede verse afectado el derecho fundamental a la intimidad corporal (art. 18.1 CE) si recaen sobre partes íntimas del cuerpo, como fue el caso examinado en la STC 37/1989 (examen ginecológico), o inciden en la privacidad.

b) Por contra, en la segunda clase de actuaciones, las calificadas por la doctrina como intervenciones corporales, esto es, en las consistentes en la extracción del cuerpo de determinados elementos externos o internos para ser sometidos a informe pericial (análisis de sangre, orina, pelos, uñas, biopsias, etc.) o en su exposición a radiaciones (rayos X, T.A.C., resonancias magnéticas, etc.), con objeto también de averiguar determinadas circunstancias relativas a la comisión del hecho punible o a la participación en él del imputado, el derecho que se verá por regla general afectado es el derecho a la integridad física (art. 15 CE), en tanto implican una lesión o menoscabo del cuerpo, siquiera sea de su apariencia externa. Y atendiendo al grado de sacrificio que impongan de este derecho, las intervenciones corporales podrán ser calificadas como leves o graves: leves, cuando, a la vista de todas las circunstancias concurrentes, no sean, objetivamente consideradas, susceptibles de poner en peligro el derecho a la salud ni de ocasionar sufrimientos a la persona afectada, como por lo general ocurrirá en el caso de la extracción de elementos externos del cuerpo (como el pelo o uñas) o incluso de algunos internos (como los análisis de sangre), y graves, en caso contrario (por ejemplo, las punciones lumbares, extracción de líquido cefalorraquídeo, etc.).

Resulta claro que la intervención y diligencia pericial acordada en el caso presente por el Juzgado de Instrucción, teniendo en cuenta, primero, su carácter imperativo y contrario a la voluntad del interesado (que, aunque inicialmente se ofreció a una pericia de este tipo, luego, una vez acordada, mostró de manera reiterada su negativa a someterse a ella), y, segundo, que implica una intervención consistente en la extracción de cabellos de diversas partes de la cabe-

---

[13]   *Vid.* también la STC 206/2007, de 24 de septiembre.

za y de la totalidad del pelo de las axilas, ha incidido en el ámbito constitucionalmente protegido de su derecho fundamental a la integridad física, siquiera sea de una manera leve, pues, de acuerdo con la doctrina expuesta, la afectación de este derecho no presupone necesariamente la existencia de un riesgo o lesión para la salud de la persona.

FJ 4. Una vez constatada la afectación por la intervención corporal y consiguiente pericia de los derechos fundamentales a la integridad física y a la intimidad personal, hemos de concretar ahora si el sacrificio de tales derechos fundamentales es susceptible de alcanzar una justificación constitucional objetiva y razonable. A tal efecto, conviene recordar los requisitos que conforman nuestra doctrina sobre la proporcionalidad, los cuales pueden resumirse en los siguientes: que la medida limitativa del derecho fundamental esté prevista por la Ley, que sea adoptada mediante resolución judicial especialmente motivada, y que sea idónea, necesaria y proporcionada en relación con un fin constitucionalmente legítimo. A todos ellos hay que sumar otros derivados de la afectación a la integridad física, como son que la práctica de la intervención sea encomendada a personal médico o sanitario, la exigencia de que en ningún caso suponga un riesgo para la salud y de que a través de ella no se ocasione un trato inhumano o degradante (STC 7/1994, FJ 3.). [...]

FJ 6. La aplicación de la doctrina expuesta en los anteriores fundamentos ha de conducir en el presente caso a la estimación de la demanda de amparo:
A) En primer término, los preceptos de la Ley de Enjuiciamiento Criminal en que se fundamentan las resoluciones impugnadas para ordenar la intervención corporal del recurrente (en concreto, el art. 339 en relación con el art. 311), no prestan a esta concreta medida restrictiva de los derechos a la intimidad y a la integridad física la cobertura legal requerida por nuestra doctrina para todo acto limitativo de los derechos fundamentales (SSTC 37/1989, fundamento jurídico 7°, 7/1994, fundamento jurídico 3°, 35/1996, fundamento jurídico 2°). [...]
En definitiva, la decisión judicial por la que, bajo apercibimiento de incurrir en el delito de desobediencia, se obliga al recurrente a someterse a un rasurado del cabello de distintas partes de su cuerpo con el fin de conocer si es o no consumidor de cocaína u otras sustancias tóxicas o estupefacientes, no puede encontrar apoyo en los arts. 311 y 339 LECrim.
B) Tampoco podemos estimar, en segundo término, que la medida de intervención corporal acordada por las resoluciones judiciales impugnadas en amparo se atenga a la exigencia de «necesidad» requerida por la regla constitucional de proporcionalidad de los sacrificios, que debe presidir la adopción de medidas limitativas de derechos fundamentales.
[...] [U]n examen de contraste entre los delitos cuya presunta comisión se imputa al recurrente en amparo (que inicialmente fueron los de cohecho y contra la salud pública y, tras dictarse auto de procesamiento, los de prevaricación y cohecho), y la finalidad perseguida por la intervención corporal acordada por la autoridad judicial (que es únicamente la de «determinar si Jesús Belluga López es consumidor de cocaína, u otras sustancias tóxicas o estupefacientes, y si fuera adicto a las mismas sustancias mencionadas, el tiempo desde que lo pudiera ser»), desvela que la citada medida no resulta objetivamente imprescindible para acreditar la existencia de los hechos delictivos investigados, ni la comisión de los mismos por el imputado.
Baste con advertir, en este sentido, que el resultado a obtener de llevarse a la práctica la intervención corporal cuestionada —el de acreditar si el recurrente en amparo ha consumido o no cocaína o alguna otra droga— no sería suficiente por sí solo, ni para sostener su falta de participación en los hechos que se le imputan, ni para fundamentar en su día una sentencia condenatoria por los delitos de prevaricación y cohecho por los que ha sido procesado. Dicho en otras palabras, un acto instructorio que limite un derecho fundamental no puede estar dirigido exclusivamente a obtener meros indicios o sospechas de criminalidad, sino a preconstituir la prueba de los hechos que integran el objeto del proceso penal.
La finalidad que se persigue con la intervención corporal recurrida en amparo no es, pues, la de acreditar los hechos constitutivos de la infracción penal, sino únicamente un hecho indiciario —el cual, como este Tribunal ha podido declarar en repetidas ocasiones (vgr. SSTC 174 y 175/1985), es insusceptible por sí solo de destruir el derecho a la presunción de inocencia—, por lo que no es posible admitir que aquella medida sea «necesaria» a los fines del aseguramiento del ejercicio del «ius puniendi», ni, por tanto, acorde con la regla constitucional de la proporcionalidad de los sacrificios. Dicho en otras palabras, un acto instructorio que limite un derecho fundamental no puede estar dirigido exclusivamente a obtener meros indicios o sospechas de criminalidad, sino a preconstituir la prueba de los hechos que integran el objeto del proceso penal.
C) Por otra parte, aun cuando se admitiese que, en el caso que nos ocupa, el análisis pericial del cabello rasurado extraído coactivamente de distintas partes del cuerpo del imputado pudiera ser, abstractamente considerada, una

medida necesaria a los fines de la investigación penal, no por ello las resoluciones judiciales impugnadas resultarían enteramente acordes con la exigencia constitucional de proporcionalidad, pues, en la determinación acerca de si una medida restrictiva de los derechos fundamentales es o no constitucionalmente proporcionada se deben tener en cuenta todas las circunstancias particulares que concurran en el caso, así como la forma en que se ha de llevar a la práctica la medida limitativa de que se trate, todo ello, como es obvio, con el fin de no ocasionar al sujeto pasivo de la misma más limitaciones en sus derechos fundamentales que las estrictamente imprescindibles en el caso concreto. En este sentido, y a la vista de su contenido dispositivo, es evidente que las resoluciones impugnadas, tanto al ordenar que el informe pericial se remonte a «el tiempo desde que (el recurrente) lo pudiera ser (consumidor)» —lo que, en puridad, abarca toda su vida—, como al requerir que dicho informe comprenda el consumo «de cocaína u otras sustancias tóxicas o estufacientes» —y no sólo el de cocaína, que es la única sustancia que se sospecha pudo haber recibido como dádiva en el delito de cohecho que le es imputado—, incurren en una notoria desproporción entre el alcance que otorgan a la medida de intervención corporal y los resultados que se pretenden obtener con su adopción, razón por la cual dicha medida se revela, en este punto, lesiva del derecho a la intimidad del demandante de amparo. D) Esta última consideración habría de ocasionar la nulidad parcial de las resoluciones impugnadas —con reposición de las actuaciones para que por el órgano de instancia se dictase una nueva resolución cuyo concreto alcance temporal y material no resultase lesivo del derecho a la intimidad del recurrente—, si no fuera porque, como se ha analizado en el apartado B) de este mismo fundamento jurídico, la medida acordada por las decisiones judiciales recurridas, de ser llevada a la práctica, vulneraría los derechos del recurrente a la integridad física y a la intimidad, razón por la cual hemos de estimar plenamente el presente recurso y anularlas en su integridad.

La salud como contenido del derecho a la integridad física y moral: protección frente al ruido —STC 150/2011, de 29 de septiembre—

La Sentencia resuelve el recurso de amparo interpuesto por don M.C.Z. contra la Sentencia de la Sección Tercera de la Sala de lo Contencioso-Administrativo del Tribunal Superior de Justicia de la Comunidad Valenciana de 20 de junio de 2003, recaída en el recurso contencioso-administrativo promovido por el recurrente contra la desestimación por silencio administrativo de la reclamación de responsabilidad patrimonial presentada ante el Ayuntamiento de Valencia por importe conjunto de 1.219.080 pesetas por los gastos efectuados en su vivienda para impedir la transmisión de ruidos desde el exterior a la misma, por los daños físicos y morales causados a consecuencia del exceso de ruido y por las amenazas sufridas. Entiende el recurrente que la Sentencia recurrida vulnera su derecho fundamental a la integridad física y moral, además de a la intimidad personal y familiar y a la inviolabilidad del domicilio (artículos 18.1 y 2 CE).

FJ 5. El derecho fundamental a la integridad física y moral (art. 15 CE), repetidamente ha dicho este Tribunal, protege «la inviolabilidad de la persona, no sólo contra ataques dirigidos a lesionar su cuerpo o espíritu, sino también contra toda clase de intervención en esos bienes que carezca del consentimiento de su titular» (entre otras, SSTC 120/1990, de 27 de junio, FJ 8 y 207/1996, de 15 de diciembre, FJ 2). Por su lado, el derecho a la intimidad personal y familiar (art. 18.1 CE) implica «la existencia de un ámbito propio y reservado frente a la acción y el conocimiento de los demás, necesario, según las pautas de nuestra cultura, para mantener una calidad mínima de la vida humana» (por todas, STC 186/2000, de 10 de julio, FJ 5) y que se halla estrictamente vinculado a la propia personalidad y deriva de la dignidad de la persona que el art. 10.1 CE reconoce (STC 202/1999, de 8 de noviembre, FJ 2 y las resoluciones allí citadas). Por último, este Tribunal ha identificado como «domicilio inviolable» (art. 18.2 CE) el espacio en el cual el individuo vive sin estar sujeto necesariamente a los usos y convenciones sociales y donde ejerce su libertad más íntima (por todas, STC 171/1999, de 27 de septiembre, FJ 9) y, en consecuencia, el objeto específico de protección en este derecho fundamental es tanto el espacio físico en sí mismo como también lo que en él hay de emanación de la persona que lo habita (STC 22/1984, de 17 de febrero, FJ 5).

La STC 119/2001, FJ 5, luego de sintetizar la doctrina constitucional sobre ellos de modo similar al expuesto, afirmó que «estos derechos han adquirido también una dimensión positiva en relación con el libre desarrollo de la personalidad, orientada a la plena efectividad de estos derechos fundamentales. En efecto, habida cuenta de que nuestro texto constitucional no consagra derechos meramente teóricos o ilusorios, sino reales y efectivos (STC 12/1994, de 17 de enero, FJ 6), se hace imprescindible asegurar su protección no sólo frente a las injerencias ya mencionadas, sino también frente a los riesgos que puedan surgir en una sociedad tecnológicamente avanzada».

Particularmente sensible a esta realidad ha sido el Tribunal Europeo de Derechos Humanos, cuya doctrina, que se recoge especialmente en sus Sentencias de 9 de diciembre de 1994, caso López Ostra contra Reino de España, § 51, y de 19 de febrero de 1998, caso Guerra y otros contra Italia, § 60, advierte que, en determinados casos de especial gravedad, ciertos daños ambientales, aun cuando no pongan en peligro la salud de las personas, pueden privarle del disfrute de su domicilio y, en consecuencia, atentar contra su derecho al respeto de su vida privada y familiar en los términos del art. 8.1 del Convenio de Roma. Más recientemente, en una sentencia muy conectada con el presente asunto como es la de 16 de noviembre de 2004, caso Moreno Gómez contra Reino de España, § 53, insiste en que «atentar contra el derecho al respeto del domicilio no supone sólo una vulneración material o corporal, como la entrada en el domicilio de una persona no autorizada, sino también una vulneración inmaterial o incorporal, como los ruidos, las emisiones, los olores y otras injerencias. Si la vulneración es grave, puede privar a una persona de su derecho al respeto del domicilio puesto que le impide disfrutar del mismo».

FJ 6. En el recurso de amparo constitucional, en tanto medio excepcional de protección de los derechos fundamentales, se plantea exclusivamente si el nivel de ruido padecido por el actor en su vivienda reviste entidad suficiente para reputar vulnerados los derechos fundamentales invocados. Deben quedar al margen, por tanto, las consideraciones que pudieran proceder en relación a otros cauces de protección frente al ruido como factor psicopatógeno apto para perturbar la calidad de vida de los ciudadanos, también previstos por nuestro ordenamiento jurídico pero no como derechos fundamentales susceptibles de amparo constitucional. Así, este recurso no es lugar para enjuiciar si la Administración permitió con su pasividad que en una zona acústicamente saturada se superasen los umbrales fijados por la Ordenanza ni si esa pasividad prolongada fue el origen de una notable degradación medioambiental del barrio de San José de Valencia sino solamente si esa omisión, por la intensidad y permanencia de esos ruidos, ha supuesto que el actor se vea afectado en el disfrute de los derechos fundamentales que alega. En otras palabras, será ilegal toda pasividad de la Administración que tolere que se excedan los límites fijados en la ordenanza y será contraria al art. 45 CE la inactividad prolongada de la que derive una seria degradación medioambiental de esa zona, pero sólo serán materia de un recurso de amparo aquellas omisiones que se traduzcan en la lesión de un derecho fundamental de los invocados. Ésta es la idea que expresamos en la STC 119/2001 cuando resolvimos dejar fuera de nuestra atención «las alusiones efectuadas tanto por la propia demandante como por el Ministerio Fiscal en torno a la degradación del medio ambiente circundante, cuestión reconducible, en su caso, a la esfera propia del art. 45 CE. Dicho de otro modo, debemos dilucidar si han tenido lugar la específicas infracciones constitucionales aquí planteadas por la recurrente y no hemos de pronunciarnos acerca de la calidad de vida existente en el entorno urbano de su vivienda». [...] En la citada STC 119/2001, FJ 6, definimos de un modo bastante acabado aquellas condiciones y las reiteramos en la STC 16/2004, de 23 de febrero, FJ 4. Acerca del derecho a la integridad física y moral dijimos que «cuando la exposición continuada a unos niveles intensos de ruido ponga en grave peligro la salud de las personas, esta situación podrá implicar una vulneración del derecho a la integridad física y moral (art. 15 CE). En efecto, si bien es cierto que no todo supuesto de riesgo o daño para la salud implica una vulneración del art. 15 CE, sin embargo cuando los niveles de saturación acústica que deba soportar una persona, a consecuencia de una acción u omisión de los poderes públicos, rebasen el umbral a partir del cual se ponga en peligro grave e inmediato la salud, podrá quedar afectado el derecho garantizado en el art. 15 CE». Por su parte, «el art. 18 CE dota de entidad propia y diferenciada a los derechos fundamentales a la intimidad personal y familiar (art. 18.1) y a la inviolabilidad del domicilio (art. 18.2). Respecto del primero de estos derechos fundamentales ya hemos advertido en el anterior fundamento jurídico que este Tribunal ha precisado que su objeto hace referencia a un ámbito de la vida de las personas excluido tanto del conocimiento ajeno como de las intromisiones de terceros, y que la delimitación de este ámbito ha de hacerse en función del libre desarrollo de la personalidad. De acuerdo con este criterio, hemos de convenir en que uno de dichos ámbitos es el domiciliario por ser aquél en el que los individuos, libres de toda sujeción a los usos y convenciones sociales, ejercen su libertad más íntima (SSTC 22/1984, de 17 de febrero, FJ 5; 137/1985, de 17 de octubre, FJ 2, y 94/1999, de 31 de mayo, FJ 5). Teniendo esto presente, podemos concluir que una exposición prolongada a unos determinados niveles de ruido, que puedan objetivamente calificarse como evitables e insoportables, ha de merecer la protección dispensada al derecho fundamental a la intimidad personal y familiar, en el ámbito domiciliario, en la medida en que impidan o dificulten gravemente el libre desarrollo de la personalidad, siempre y cuando la lesión o menoscabo provenga de actos u omisiones de entes públicos a los que sea imputable la lesión producida».

FJ 7. Establecidas las condiciones en que el ruido puede suponer una lesión de los derechos fundamentales alegados, corresponde verificar si la contaminación acústica sufrida por el recurrente cumple esas condiciones. Para concluir que así es resultaría indispensable que el recurrente hubiese acreditado bien que padecía un nivel de ruidos que le producía insomnio y, en consecuencia, ponía en peligro grave e inmediato su salud, bien que el nivel de ruidos existentes en el interior de su vivienda era tan molesto que impedía o dificultaba gravemente el libre desarrollo de su personalidad. Sin embargo, es lo cierto que no ha hecho tal cosa [...].

FJ 8. Es cierto, sin embargo, que, como el Fiscal advierte, no podemos perder de vista la STEDH de 16 de noviembre de 2004, asunto Moreno Gómez, en la que se condenó a España, pues se refiere a unos hechos, objeto y fundamento jurídico que, al menos en principio, son similares a los del caso que ahora nos ocupa y sobre los que este Tribunal falló desestimatoriamente en la STC 119/2001, de 24 de mayo, al «constatar que no ha acreditado la recurrente ninguna medición de los ruidos padecidos en su vivienda que permita concluir que, por su carácter prolongado e insoportable, hayan podido afectar al derecho fundamental para cuya preservación solicita el amparo. Por el contrario, toda su argumentación se basa en una serie de estudios sonométricos realizados en lugares distintos de su domicilio, que arrojan resultados diversos y hasta contradictorios» (FJ 7).

El Tribunal Europeo de Derechos Humanos, luego de reiterar su doctrina de que los individuos tienen derecho al respeto del domicilio (art. 8 CEDH) incluso frente a intromisiones inmateriales como los ruidos, las emisiones o los olores y que el concepto de injerencia no comprende solamente actuaciones positivas de los poderes públicos sino también la ausencia de actividad de la Administración para hacer cesar la violación causada por terceras personas (§§ 53 a 57), afirma que «la exigencia de dicha prueba [de la intensidad de los ruidos en el interior de su vivienda] es demasiado formalista puesto que las autoridades municipales habían calificado la zona en la que vivía la demandante de zona acústicamente saturada» (§ 59) y, en consecuencia, que «teniendo en cuenta la intensidad de la contaminación acústica, fuera de los niveles autorizados y durante la noche, y el hecho de que estos niveles de ruido se mantuvieron durante varios años, el Tribunal concluye con la vulneración de los derechos protegidos por el artículo 8» (§ 69). También dice que «la Administración municipal de Valencia aprobó en el ejercicio de sus competencias en la materia, medidas, en principio adecuadas, con el fin de respetar los derechos garantizados, tales como la ordenanza relativa a los ruidos y vibraciones. Pero durante el período en cuestión, la administración toleró el incumplimiento reiterado de la regulación que ella misma había establecido» (§ 61).

Entender que el mencionado Tribunal europeo haya atribuido a estas afirmaciones una validez general conduciría —como ya hemos apuntado— a admitir que, cuando el ruido ambiental supera los niveles máximos autorizados, todos los ciudadanos que habitan en un área declarada acústicamente saturada, por ese mero hecho y de un modo uniforme y automático, independientemente de las peculiaridades de su caso, sufren vulneraciones de los derechos fundamentales aquí considerados. Parece, más bien, que ese criterio fue establecido teniendo muy presentes las particularidades del caso concreto, donde la señora Moreno Gómez sí intenta, aunque sin éxito, probar el ruido percibido en el interior de su vivienda, circunstancia tomada muy en cuenta por la STEDH de 16 de noviembre de 2004 que la recoge en el § 37 mediante transcripción literal del FJ 8 de la STC 119/2001 [«por lo que específicamente se refiere a la vulneración del derecho a la intimidad (art. 18.1 CE), … toda su argumentación se basa en una serie de estudios sonométricos realizados en lugares distintos de su domicilio, que arrojan resultados diversos y hasta contradictorios»]. Esta lectura resulta confirmada por la reciente doctrina del Tribunal Europeo de Derechos Humanos que en estos casos viene exigiendo una prueba concreta de la lesión alegada. Así, las SSTEDH de 20 de mayo de 2010, caso Oluic contra Croacia; 9 de noviembre de 2010, caso Dees contra Hungría; 25 noviembre de 2010, caso Mileva y otros contra Bulgaria, y muy en especial la de 1 de julio de 2008, caso Borysiewicz contra Polonia, en la que, a pesar de constar que se habían realizado ciertas mediciones sonoras, el Tribunal rechazó que hubiera lesión porque «la recurrente no ha aportado, ni en la instancia nacional ni ante este Tribunal, ninguna medición sonora que permitiera determinar el nivel sonoro percibido en el interior de su casa, y así establecer si excedía de las normas fijadas por la ley nacional o los estándares internacionales aplicables, o excedía los riesgos ambientales inherentes a la vida en las ciudades modernas (ver en este sentido, STEDH de 9 de junio de 2005, caso Fadeyeva contra Rusia, § 69)».

El presente caso, a pesar de las similitudes con el resuelto por la STEDH de 16 de noviembre de 2004, reviste diferencias que a estos efectos pueden ser relevantes y determinar que la razón que subyace a ese pronunciamiento no sea aplicable al presente asunto. Como resulta con detalle de los antecedentes, el actor, en lugar de basar su pretensión en un principio de prueba de la incidencia de los ruidos externos en distintos lugares de su domicilio como hizo la señora Moreno Gómez, adoptó la decisión estratégica, enmarcada en el pleito que sostenía con el Ayuntamiento de Valencia sobre el ruido ambiental en esa zona, de no hacer nada por acreditar individualizadamente que en su vivienda soportaba un nivel sonoro tal que le impedía el disfrute pacífico del domicilio o aún más intenso que suponía una violación al derecho a la integridad física o moral, limitándose a referirse a la situación general de saturación acústica de la zona y a formular una hipótesis general acerca de la repercusión de la misma sobre las viviendas del entorno, sin ni siquiera usar la facultad que el art. 54 de la Ordenanza municipal de ruidos y vibraciones otorga a cualquier persona de solicitar al Ayuntamiento una visita técnica de inspección con esa finalidad.

Ha de tenerse en cuenta que en el caso de la señora Moreno Gómez se trataba de una persona que basó su argumentación, según declaró este Tribunal (STC 119/2001, de 24 de mayo, FJ 7) y fue recogido en los antecedentes fácticos de la STEDH de 16 de noviembre de 2004 (§ 37), «en una serie de estudios sonométricos realizados en lugares distintos de su domicilio, que arrojan resultados diversos y hasta contradictorios». Esto es, que, aunque no logró probar plenamente que el nivel de ruido interno en su domicilio era lesivo de los derechos fundamentales invocados, sí aportó un indicio cualificado de que el ruido externo de una zona acústicamente saturada tenía una incidencia en el interior de su domicilio que afectaba de modo relevante a esos derechos fundamentales. El que en estas circunstancias el Tribunal Europeo dijera que «la exigencia de dicha prueba [plena] es demasiado formalista puesto que las autoridades municipales habían calificado la zona en la que vivía la demandante de zona acústicamente saturada» (§ 59) no implica que dicho criterio sea predicable de quien, sin esfuerzo alguno por acreditar la repercusión real y efectiva en el interior de su domicilio y en qué medida ésta obstaculizaba el ejercicio de los derechos fundamentales en cuestión, no hace otra cosa que alegar genéricamente que habita en una zona acústicamente saturada, derivando de ahí, en virtud de una proyección general y sin atención a las condiciones individuales de la vivienda, la repercusión sonora en su domicilio que alega como fundamento de las vulneraciones.

Dado que la ratio de la STEDH de 16 de noviembre de 2004, por encontrarse estrechamente ligada a las precisas notas del caso que resolvió, no supone que en el supuesto de hecho que enjuiciamos, por ser éste en el extremo pertinente sustancialmente distinto a aquél, deba reputarse automáticamente que los ruidos externos acreditados produzcan en el interior de la vivienda unos niveles de ruido de tal intensidad que mermen significativamente el goce de los derechos invocados, hemos de analizar si, con los datos obrantes en autos, se superan dichos estándares en el interior del domicilio del actor.

Pues bien, lo que deriva de la declaración del barrio de San José en Valencia como zona acústicamente saturada, que es lo único que consta acreditado, es que el ruido ambiental en él supera con cierta habitualidad los límites de la ordenanza. Lo que no se sigue de esa declaración, y por tanto requeriría prueba individualizada, es la repercusión de ese ruido ambiental en el interior de cada vivienda concreta, que oscilará según sus circunstancias propias entre varias escalas que se extienden entre un simple exceso, que es ilegal por contrario a la ordenanza e incluso podría ser contrario al derecho al medio ambiente adecuado ex art. 45 CE pero no lesiona ningún derecho fundamental, y una demasía de tal magnitud que impida el disfrute pacífico del domicilio o aún más intensa que suponga una violación al derecho a la integridad física o moral. Esa concreta repercusión dependerá de las condiciones identificativas de cada vivienda, como su altura (en este caso se trataba de un cuarto piso donde necesariamente el ruido del exterior ha de llegar con intensidad más atenuada que en los pisos inferiores) y, sobre todo, del aislamiento de la fachada, variable esta que el informe del Catedrático de física aplicada reconoce como principal. Además, si se trata, como en este caso, de la incidencia sobre el descanso nocturno habrá que considerar la distribución de la vivienda, pues no es lo mismo una habitación que linde con la pared exterior que una que sea interior. En fin, las viviendas sitas en una zona acústicamente saturada pueden, en función de una serie de condiciones particulares, soportar un nivel sonoro que esté dentro del límite de la ordenanza, o que lo exceda, o que lo supere de un modo tan cualificado que impida el disfrute pacífico del domicilio lesionando así el derecho a la intimidad domiciliaria, o que lo rebase en términos aún más intensos que suponga una violación al derecho a la integridad física o moral.

En fin, este recurso de amparo, debido a que el actor no aportó un principio de prueba de la repercusión sonora en el interior de su domicilio según la condición individual del mismo, lo que sí hizo la señora Moreno Gómez en el asunto fallado por la STEDH de 16 de noviembre de 2004, no se puede extender la solución de dicha Sentencia sino que se hace necesario verificar que el domicilio del recurrente soporta tal nivel de ruidos que la omisión municipal vulneró los derechos fundamentales invocados. Con esta perspectiva, hemos de concluir que el actor, habiéndose limitado a justificar que la zona en la que se ubica su domicilio está acústicamente degradada y a aportar sendos informes de expertos que, sin ninguna referencia a las condiciones individuales de su vivienda, hacen proyecciones generales sobre la repercusión que el ruido ambiental acreditado ha de tener hipotéticamente en el domicilio del actor, no demuestra haber sufrido una lesión real y efectiva de los derechos fundamentales invocados al amparo de los arts. 15, 18.1 y 2 CE.

FJ 9. Además, para que se reputasen lesionados los derechos fundamentales invocados no habría bastado con acreditar una merma relevante en la salud o en la intimidad personal o familiar del actor, sino que junto a ello sería necesario que la misma fuese imputable a la acción u omisión de un poder público. Adviértase, en ese sentido, que la propia STEDH de 16 de noviembre de 2004, según hemos dejado reseñado en el fundamento jurídico anterior, puso un gran énfasis en la tolerancia del Ayuntamiento de Valencia con el incumplimiento de las medidas mitigadoras del ruido que él mismo había aprobado, hasta el punto que de no haber concurrido esa pasividad se deduce con claridad que no habría declarado al Ayuntamiento responsable del daño y, por tanto, tampoco la existencia de la lesión de los derechos fundamentales invocados. [...]

Pues bien, ha de tenerse presente que la señora Moreno Gómez registró su reclamación de responsabilidad patrimonial el 21 de agosto de 1997, apenas seis meses después de la declaración de zona acústicamente saturada realizada por acuerdo plenario de 27 de diciembre de 1996, mientras que el actor lo hizo el 14 de junio de 1999, cuando el Ayuntamiento ya llevaba dos años y medio tomando medidas positivas contra el exceso de emisiones sonoras en esa zona en cumplimiento de aquella declaración. Así, como se detalló extensamente en el antecedente segundo, consta en el expediente administrativo que entre 1997 y 1999 el Ayuntamiento tramitó en el barrio de San José más de cuatrocientos expedientes sancionadores por infracciones a la Ley autonómica 2/1991, de 18 de febrero, de espectáculos, establecimientos públicos y actividades recreativas, motivados por incumplimientos de las obligaciones generales de la ordenanza y de las especiales impuestas por acuerdo plenario que lo declaró zona acústicamente saturada. Muchos de ellos fueron archivados luego que el Ayuntamiento comprobó que los hechos denunciados eran legales, no resultando del expediente administrativo, ni del judicial, ni tampoco en este proceso de amparo que esas decisiones administrativas de archivo fueran anuladas jurisdiccionalmente. Otros, sin embargo, dieron lugar a sanciones, habiéndose impuesto por esta causa multas por un montante de 31.735.000 pesetas y 50 sanciones de suspensión de licencia.

Es cierto, como resulta de los informes municipales de 1 de abril de 1998 y de 28 de marzo de 2000 acompañados a la demanda como documentos 70 y 71, que tras la entrada en vigor de la declaración de zona acústicamente saturada continúan superándose de jueves a domingo los niveles de perturbación por ruido en horario nocturno fijados en la ordenanza, si bien se ha logrado constreñirlos al lapso horario entre las 22 horas y las 3 de la madrugada. Pero también lo es que el Ayuntamiento, como consecuencia de ello y usando los instrumentos que le brinda la propia ordenanza, ha mantenido la declaración de zona acústicamente saturada y ha asociado a ésta un régimen particularmente restrictivo que no se aplica al resto de la ciudad. En fin, de acuerdo a los datos que obran en los expedientes administrativo y judicial, el Ayuntamiento, lejos de mantenerse inactivo frente al incumplimiento reiterado del régimen especial que ella misma había establecido, usó entre los años 1997 y 1999 todas las facultades que la normativa le atribuía para reducir el excesivo nivel de ruido existente en la zona y ajustarlo a los umbrales previstos con carácter general por la ordenanza.

Estas circunstancias fácticas ponen de relieve que en el supuesto de hecho que enjuiciamos, aun en la hipótesis de que se hubiese acreditado una afectación a la salud o a la intimidad personal o familiar del actor, ésta no sería imputable al Ayuntamiento de Valencia en la medida en que el demandante no ha acreditado que el exceso sonoro sea consecuencia de una omisión imputable a la corporación municipal, limitándose a presentar testimonio de diversas denuncias, a su juicio desatendidas, interpuestas por otros vecinos. Por el contrario, de los antecedentes de hecho se desprende que, entre la fecha de aprobación de la declaración de zona acústicamente saturada y la de interposición de la reclamación de responsabilidad patrimonial por el actor, la corporación municipal no sólo desarrolló una actividad inspectora y sancionadora relevante sobre los establecimientos de ocio nocturno que ha conducido a la apertura de más de cuatrocientos expedientes sancionadores y a la imposición tanto de cuantiosas sanciones económicas como de cincuenta sanciones de suspensión de licencia, todo ello para una cifra de ochenta establecimientos abiertos al público al inicio del periodo, sino que, además, no autorizó ninguna nueva actividad, desapareciendo incluso alguna de las existentes.

No obsta tampoco a esta conclusión la STEDH de 16 de noviembre de 2004, asunto Moreno Gómez, pues en ese supuesto el Tribunal Europeo consideró que el Estado español había violado el art. 8 CEDH porque «durante el período en cuestión, la Administración toleró el incumplimiento reiterado de la regulación que ella misma había establecido» (§ 61) mientras que, por contraste, como acabamos de exponer, en este caso no ha quedado acreditado debidamente por quien tenía la carga de hacerlo que durante el «período en cuestión», no es coincidente apenas con el evaluado por el Tribunal Europeo en el asunto referenciado, el Ayuntamiento de Valencia tolerase el incumplimiento reiterado de las obligaciones generales establecidas en la Ordenanza de ruidos y de las especiales impuestas por el Acuerdo Plenario que hizo la declaración de zona acústicamente saturada, lo que es muy transcendente en atención a que nuestra doctrina sobre el ruido como factor lesivo de los derechos fundamentales alegados viene exigiendo que «la lesión o menoscabo provenga de actos u omisiones de entes públicos a los que sea imputable la lesión producida» (STC 119/2001, FJ 6 in fine), todo lo cual conduce a desestimar este primer motivo de amparo.

La integridad física y moral y la proporcionalidad como garantía de sus límites legislativos: caso de la esterilización de deficientes mentales —STC 215/1994, de 14 de julio—

La Sentencia resuelve la cuestión de inconstitucionalidad promovida por el Juzgado de Primera Instancia núm. 5 de Barcelona respecto del artículo 6 de la Ley Orgánica 3/1989, de 21 de junio, de actualización del Código Penal, en la parte que da nueva redacción a su artículo 428, autorizando la esterilización de incapaces que adolezcan de grave deficiencia psíquica, por entenderlo contrario al artículo 15 CE. Ese artículo dispone: «No obstante lo dispuesto en el párrafo anterior, el consentimiento libre y expresamente emitido exime de responsabilidad penal en los supuestos de trasplante de órganos efectuados con arreglo a lo dispuesto en la Ley, esterilizaciones y cirugía transexual realizada por facultativos, salvo que el consentimiento se haya obtenido viciadamente, o mediante precio o recompensa, o el otorgante fuera menor o incapaz, en cuyo caso no será válido el prestado por éstos ni por sus representantes legales. Sin embargo, no será punible la esterilización de persona incapaz que adolezca de grave deficiencia psíquica cuando aquélla haya sido autorizada por el Juez a petición del representante legal del incapaz, oído el dictamen de dos especialistas, el Ministerio Fiscal y previa exploración del incapaz».

FJ 2. [...] [E]l inciso cuestionado del art. 428 del CP no plantea realmente un problema de posible vulneración del art. 15 CE en lo concerniente al derecho «a la integridad física y moral» —aunque ciertamente afecta a ese derecho—, sino que tiene una dimensión diferente: precisar si el derecho a la autodeterminación que a las personas capaces reconoce el párrafo segundo del art. 428 del CP, es susceptible de ser otorgado también a solicitud de sus representantes legales y en los términos que establece el inciso cuestionado, a las personas incapaces que, a causa de una grave deficiencia psíquica, no pueden prestar un consentimiento válido.
[...] [L]o que este Tribunal tiene que ponderar principalmente y en primer lugar, sin perjuicio de atender también a la argumentación del Auto de planteamiento y a la finalidad del precepto y proporcionalidad de la medida —cuestiones que trataremos en otros fundamentos—, es la relativa a las garantías que la norma establece para que la autorización judicial, llamada a sustituir el consentimiento de las personas capaces, vaya precedida de requisitos suficientes para que la misma esté justificada en interés prioritario y realmente único del propio incapaz.

FJ 3. Sobre las garantías que la norma establece, lo primero que hay que decir, saliendo al paso del recuerdo de esterilizaciones abominables, es que tal disposición, referida siempre a un supuesto concreto y excepcional, excluye radicalmente cualquier política gubernamental sobre la esterilización de los deficientes psíquicos, ya que la prevista en el precepto sólo puede autorizarse a solicitud de parte legítima por el Juez, es decir por la única autoridad a quien la Constitución confiere el poder de administrar justicia que, dotada de independencia y de imparcialidad, reúne no sólo las mayores garantías constitucionalmente exigibles, sino que son las únicas a quienes podría encomendar el legislador tan trascendente como delicada misión. La intervención judicial, por tanto, es inexcusable para que pueda otorgarse la autorización, no para que tenga que otorgarse, constituyendo la principal garantía a la que están subordinadas todas las demás.
La solicitud de quienes ostenten la representación legal del incapaz, sin la cual no se puede iniciar el procedimiento de autorización judicial es la segunda garantía o requisito necesario que contempla el precepto: «cuando aquélla —la autorización— haya sido autorizada por el Juez a petición del representante legal del incapaz». Por tanto, sea cual fuere la gravedad de la deficiencia, ninguna esterilización ha de acordarse judicialmente de no existir la solicitud mencionada. Añádase que la «petición del representante legal» presupone lógicamente —tratándose de deficientes psíquicos mayores de edad, únicos cuyo consentimiento es lícito sustituir mediante semejante petición— una previa incapacitación de los mismos declarada jurisdiccionalmente en otro proceso. [...]
En tercer lugar, la solicitud deducida por el representante legal del deficiente, aunque presupuesto inexcusable de la decisión del Juez, carece de todo efecto automático o determinante sobre el carácter positivo de ésta. La deficiencia psíquica del incapaz cuya esterilización se interesa debe ser una deficiencia «grave» y, consecuentemente, generadora de la imposibilidad de comprender los aspectos básicos de su sexualidad y de la medida de intervención corporal cuya autorización su representante legal promueve. La grave deficiencia psíquica ha de ser verificada por el juzgador no sólo a través de los dictámenes de los especialistas que exige el precepto sino también por la propia exploración judicial del incapaz.
Finalmente, el procedimiento cuenta con la preceptiva intervención del Ministerio Fiscal quien, como es obvio, debe pronunciarse acerca de la concurrencia o no de los requisitos formales (previa declaración judicial de incapacidad y nombramiento de representante legal, fehaciencia de la petición de esterilización formulada por el mismo, emisión de los dictámenes de los especialistas y exploración del incapaz por el Juez) y materiales que antes se han indicado.
Pues bien, prevista en el precepto la inexcusable intervención de la familia a través del representante legal del incapaz; del Juez mediante su autorización que puede o no otorgar y que está precedida de la exploración del enfermo y de una previa declaración de incapacidad también judicialmente acordada; de los especialistas que habrán de informar sobre la gravedad de la enfermedad psíquica del incapaz y sobre las consecuencias que para su salud física y mental podrá producir la esterilización y, finalmente, la intervención del Ministerio Fiscal sobre el cumplimiento

de todas y cada una de las garantías previstas en la norma, permite afirmar que tales garantías son suficientes para conducir a una resolución judicial que, sin otra mira que el interés del incapaz, favorezca sus condiciones de vida. Podrá entenderse que a dichas garantías debieran añadirse otras que, como el carácter irreversible de la enfermedad psíquica del incapaz o que la esterilización se lleve a efecto mediante un procedimiento o técnica médica que la haga reversible, garantizasen mejor la grave medida cuya autorización se encomienda a la autoridad judicial, pero lo cierto es que ni el precepto impide que tales circunstancias u otras posibles se tengan en cuenta por el Juez como motivos de su decisión, bien para otorgarla o bien para denegarla; ni corresponde a este Tribunal otra función que la de determinar si las garantías previstas por el legislador son o no suficientes desde un punto de vista constitucional para permitir la esterilización de los incapaces. Si lo son, como entendemos que ocurre en el precepto cuestionado, no podemos, asumiendo competencias que corresponden a otros poderes del Estado, suplir lo establecido por el legislador, ni concretar cómo ha de interpretarse judicialmente el precepto. Nos basta con determinar, en este último aspecto, que la norma por la importancia del supuesto que contempla, no es susceptible de una interpretación extensiva que permita convertir en una apertura general, lo que está previsto para supuestos rigurosamente excepcionales.

FJ 4. [...] Mediante el derecho a la integridad física y moral —declaramos en la STC 120/1990— «se protege la inviolabilidad de la persona, no sólo contra ataques dirigidos a lesionar su cuerpo o espíritu, sino también contra toda clase de intervención en esos bienes que carezca del consentimiento de su titular» (fundamento jurídico 8º). Este consentimiento, empero, es el que, por definición, no puede prestar quien adolezca de grave deficiencia psíquica, y de ahí la previsión legal de la autorización que, a instancia de los representantes legales del deficiente, ha de conceder o denegar el Juez. El órgano proponente cuestiona la licitud constitucional de que quepa sustituir por esta autorización judicial aquel consentimiento de imposible prestación en un supuesto de «disminución de la integridad» de las personas como es la esterilización. Esta, así, nunca sería admisible, toda vez que no cabe su aceptación por el sujeto al que habría de afectar.

Mas tal objeción, que excluiría a los incapaces de una posibilidad que se otorga a las personas capaces, resulta inaceptable porque llevada a sus últimas consecuencias lógicas, conduciría a rechazar cualquier tratamiento médico —y sobre todo una intervención quirúrgica ablatoria— indispensable para la vida o simplemente beneficiosa para la salud de los deficientes psíquicos graves. La propia esterilización puede estar médicamente indicada a los señalados fines. El problema de la sustitución del consentimiento en los casos de inidoneidad del sujeto para emitirlo, atendida su situación de grave deficiencia psíquica, se convierte, por tanto, en el de la justificación y proporcionalidad de la acción interventora sobre su integridad corporal; una justificación que únicamente ha de residir, siempre en interés del incapaz, en la concurrencia de derechos y valores constitucionalmente reconocidos cuya protección legitime la limitación del derecho fundamental a la integridad física que la intervención entraña.

Que quienes padecen una grave deficiencia psíquica no pueden cumplir adecuadamente las obligaciones que a los padres impone el art. 39.3 CE y que son explicitadas en los deberes y facultades que el Código Civil (art. 154) señala a los que ejercen la patria potestad, es algo perfectamente claro. De ahí que el deber constitucional de los padres de prestar asistencia de todo orden a los hijos (art. 39.3 CE), el reconocimiento, entre otros, del derecho de éstos a la protección de la salud (art. 43.1 CE), y su derecho también a disfrutar de todos los que la Constitución establece en su Título I (art. 49 CE), aunque no impelen al legislador a adoptar una norma como la que estudiamos, la hacen plenamente legítima desde la vertiente teleológica, toda vez que la finalidad de esa norma, tendente siempre en interés del incapaz a mejorar sus condiciones de vida y su bienestar, equiparándola en todo lo posible al de las personas capaces y al desarrollo de su personalidad sin otras trabas que las imprescindibles que deriven necesariamente de la grave deficiencia psíquica que padece, permite afirmar su justificación y la proporcionalidad del medio previsto para la consecución de esos fines:

a) Lo primero —la justificación— porque la esterilización del incapaz, por supuesto sometida siempre a los requisitos y garantías ya examinados que para su autorización judicial impone el art. 428 del CP, le permite no estar sometido a una vigilancia constante que podría resultar contraria a su dignidad (art. 10.1 CE) y a su integridad moral (art. 15.1 CE), haciendo posible el ejercicio de su sexualidad, si es que intrínsecamente lo permite su padecimiento psíquico, pero sin el riesgo de una posible procreación cuyas consecuencias no puede prever ni asumir conscientemente en razón de su enfermedad psíquica y que, por esa misma causa, no podría disfrutar de las satisfacciones y derechos que la paternidad y maternidad comportan, ni cumplir por sí mismo los deberes (art. 39.3 CE) inherentes a tales situaciones. Pero es que además [...], si entendemos justificada la esterilización prevista en el inciso cuestionado en ambos sexos, en la mujer deficiente mental está aún más justificada para evitar unas consecuencias que, incomprensibles para ella, pueden dañar más aún su estado psíquico por las consecuencias físicas que produce el embarazo.

b) Cuestión distinta es que la disposición controvertida, autorizante de una limitación del derecho fundamental a la integridad física y por ello precisada de la justificación ya examinada, sea además lícita desde la vertiente de su proporcionalidad, es decir, que la intervención corporal prevista sea necesaria para conseguir el fin legítimo que la inspira y que no entrañe otras consecuencias para las personas afectadas que la privación a ser posible reversible (como ocurre en un alto porcentaje en el caso de la ligadura de trompas que es el supuesto al que se refiere el Auto de planteamiento), de sus potencialidades genésicas. [...]

[...] [E]ntre la finalidad perseguida por el legislador y el medio previsto para conseguirla, hay esa necesaria proporcionalidad porque el resultado, ciertamente gravoso para el incapaz, no resulta desmedido para alcanzar en condiciones de seguridad y certeza la finalidad que se persigue. Si los fines son legítimos no puede tacharse de desproporcionada una medida que, como la esterilización, es la más segura para alcanzar el resultado que se pretende. [...]

Ahora bien, es indudable que la proporcionalidad desaparecería si la previsión legal pudiera constituir un atentado al derecho fundamental a la vida de los deficientes psíquicos, pero este riesgo, al margen del normal que comporta toda intervención quirúrgica, únicamente podría producirse si la resolución judicial autorizante se adoptara no obstante constar en el dictamen de los especialistas el grave riesgo que para la salud de aquéllos habría de significar la esterilización solicitada por sus representantes. De ahí que el respeto a los derechos a la vida y a la integridad física y moral de tales personas requiere del Juez que interese de los peritos especialistas que han de dictaminar que se pronuncien acerca de la existencia de semejante riesgo, pues de concurrir éste, ninguno de los bienes jurídico-constitucionales cuya tutela pudiera perseguir el precepto cuestionado justificaría, por la patente desproporción entre medios y fines, una decisión judicial autorizante de la esterilización.

FJ 5. Examinadas en los fundamentos anteriores en sentido positivo para la constitucionalidad del precepto, las garantías que en él se exigen para que pueda pronunciarse el Juez sobre la autorización que de él se solicita, la finalidad legítima del precepto para amparar la limitación del derecho constitucional a la integridad física de los incapaces, y la proporcionalidad entre el medio autorizado y los fines que persigue la norma, sólo nos resta aludir a las objeciones y a otras posibles medidas menos drásticas a las que se refiere el Auto de planteamiento.

A) Debe rechazarse que, en modo alguno, la esterilización de persona incapaz que adolezca de grave deficiencia psíquica merezca la consideración de trato inhumano o degradante que prohíbe el art. 15 CE [...] [L]a esterilización ni se acuerda con la finalidad de vejar o envilecer ni su práctica médica supone trato inhumano o degradante alguno. Naturalmente, si, en pura hipótesis, la solicitud de esterilización propugnara su realización a través de un método que resultara inconciliable con la prohibición constitucional, el Juez habría de denegarla.

B) El Juez proponente sostiene como alternativa al precepto cuestionado la normal vigilancia de los guardadores de la incapaz en orden a prevenir su gravidez y, en último término, el recurso al aborto, admitido en nuestra legislación para los supuestos de embarazo que sea consecuencia de una violación. Según se advierte, el órgano judicial únicamente considera innecesario el precepto legal en cuanto afecta a las mujeres deficientes; mas, aun así, su argumentación no resulta aceptable. En efecto, comenzando por la referencia a la posibilidad de interrumpir la gestación que contempla el art. 417 bis 1.2º del Código Penal, y como bien observa el Abogado del Estado, ni todo acceso carnal con una deficiente grave constituye violación (sino sólo cuando medie abuso de su deficiencia: art. 429.2 CP), ni cabe considerar seriamente como alternativa razonable a la esterilización la práctica del aborto, que es una medida más traumática, especialmente para quien, en razón de su padecimiento mental, carece del nivel de comprensión en tal caso preciso.

De otro lado, por lo que atañe a la vigilancia «normal» de las personas deficientes, e independientemente del albur de su real efectividad, es éste un argumento del Juez a quo que, en definitiva, y sobre la premisa de que la sexualidad no integra el contenido de ningún derecho, conduce a justificar su represión absoluta. Pero semejante represión puede llegar a oponerse a los principios constitucionales de dignidad de la persona y del libre desarrollo de la personalidad (art. 10.1 CE), cuando no, en la eventualidad de que exista intimidación, al derecho fundamental a la integridad moral (art. 15 CE). La vigilancia a que alude el cuestionante únicamente será legítima, pues, para prevenir cualquier forma de abuso sobre el deficiente o cualquier daño a su salud, no para impedir el ejercicio de su sexualidad.

C) Otras posibles medidas anticonceptivas que, aunque no se citan en el Auto de planteamiento, podrían entenderse implícitamente comprendidas en su argumentación, puesto que las señaladas expresamente lo son a título indicativo, no ofrecerían la misma seguridad y certeza, a que ya nos hemos referido, que la esterilización. Pero es que, además, su adopción o aplicación requeriría, en todo caso, un control constante y continuado por parte de los guardadores del enfermo, no siempre posible y por tanto aleatorio, a no ser que la intervención de aquéllos en la vida del incapaz sea tan intensa y rigorista que reconducirían estos sistemas a la vigilancia del enfermo de la que ya nos hemos ocupado.

FJ 6. Un último punto a tratar es el de la compatibilidad entre la previsión legal cuestionada y lo dispuesto en el art. 49 de la Constitución. Acerca de este extremo, el órgano judicial se ciñe a preguntar, sin más consideraciones, en qué contribuye la esterilización que el precepto controvertido permite a la «previsión, tratamiento, rehabilitación e integración» de las personas mentalmente retrasadas. A este respecto tenemos que decir, reiterando la vía argumental que venimos sosteniendo, que la medida arbitrada por los poderes públicos, en este caso el legislador, no se aparta o contradice la finalidad del art. 49 C.E, puesto que contribuye, en interés exclusivamente de los disminuidos psíquicos, a que puedan desarrollar su vida en condiciones similares a la de las personas capaces, evitando efectos que por su deficiencia psíquica no son capaces de desear o asumir de una manera consciente. En definitiva, lo dispuesto en el último inciso del art. 49 C.E —que los incapaces disfruten de los derechos que el Título I de la Constitución otorga a todos los ciudadanos—, no es sólo compatible con la norma cuestionada, sino que, como ya hemos dicho, contribuye a justificar la finalidad a que responde el precepto.

El derecho a la integridad física y las pruebas de paternidad —STC 7/1994, de 17 de enero (*vid.* también ARTÍCULO 18.1)—

La Sentencia resuelve el recurso de amparo interpuesto por doña E.D.A.N. contra la Sentencia del Tribunal Supremo (Sala de lo Civil), de 30 abril 1992, que revocó la Sentencia de la Audiencia Provincial de Madrid, de 26 de febrero de 1990, que había declarado la paternidad del demandado. Alega la recurrente que dicha Sentencia vulnera varios de sus derechos fundamentales y de su hija, al dejar sin efecto la reparación de la desigualdad por razón de nacimiento extramatrimonial padecida por ésta, produciendo a ambas indefensión (artículos 14, en conexión con el 39, y 24 CE). Por el contrario, el demandado sostiene que la citada Sentencia no vulnera ninguno de los derechos alegados, preservando antes bien los suyos a la intimidad personal y familiar y a la integridad física (artículos 18.1 y 15 CE).

FJ 2. El demandado se negó, tanto en el curso de la instancia como luego en el recurso, a colaborar en la práctica de la prueba biológica. Dicha colaboración consiste en permitir que se le extraiga un pequeño volumen de sangre, que según el tipo de comprobación a realizar oscila entre 5 cc. y 10 cc. Los resultados de los distintos análisis que pueden llevarse a cabo con esas muestras son de una elevada fiabilidad: el grado de certeza es absoluto cuando el resultado es negativo para la paternidad; y, cuando es positivo, los laboratorios de medicina legal señalan grados de probabilidad del 99 por 100 (SSTS de 30 de junio de 1989, 5 de abril de 1990, 2 de enero y 11 julio 1991). Las razones ofrecidas por el demandado para justificar su negativa se fundaron en sus derechos fundamentales a la integridad física y moral y a la intimidad personal, reconocidos por los arts. 15 y 18.1 CE
[...] En esta clase de juicios se produce una colisión entre los derechos fundamentales de las distintas partes implicadas; y no hay duda de que, en los supuestos de filiación, prevalece el interés social y de orden público que subyace en las declaraciones de paternidad, en las que están en juego los derechos de alimentos y sucesorios de los hijos, objeto de especial protección por el art. 39.2 CE, lo que trasciende a los derechos alegados por el individuo afectado, cuando está en juego además la certeza de un pronunciamiento judicial. Sin que los derechos constitucionales a la intimidad y a la integridad física puedan convertirse en una suerte de consagración de la impunidad, con desconocimiento de las cargas y deberes resultantes de una conducta que tiene una íntima relación con el respeto de posibles vínculos familiares.

FJ 3. [...] La resolución judicial que, en el curso de un pleito de filiación, ordena llevar a cabo un reconocimiento hematológico de alguna de las partes no vulnera los derechos del afectado a su intimidad y a su integridad, cuando reúne los requisitos delineados por nuestra jurisprudencia al interpretar los arts. 18.1 y 15 CE:
A) Primero, consistir en una intromisión en el ámbito protegido del ciudadano que no es, por sí sola, inaceptable (STC 37/1989, FFJJ 7 y 8, in fine). Es indudable que no puede considerarse degradante, ni contraria a la dignidad de la persona, la verificación de un examen hematológico por parte de un profesional de la medicina, en circunstancias adecuadas. Un examen de sangre no constituye, per se, una injerencia prohibida (STC 103/1985, FJ 3.).
B) En segundo lugar, debe existir una causa prevista por la Ley que justifique la medida judicial de injerencia. En este caso, no solamente el art. 127 del Código Civil (redactado por la Ley 11/1981, de 13 mayo) da cobertura legal explícita a las pruebas biológicas de investigación de la filiación; dicho precepto no es más que la instrumentación de un terminante mandato constitucional. El art. 39.2 CE declara que «la ley posibilitará la investigación de la paternidad», e inscribe esta prescripción en la idea de «protección integral de los hijos, iguales éstos ante la ley con independencia de su filiación». Lo cual conecta directamente con el art. 14, en cuanto prohíbe que prevalezca discriminación alguna por razón de nacimiento. Y, por añadidura, la Constitución establece directamente un deber: «los padres deben prestar asistencia de todo orden a los hijos habidos dentro o fuera del matrimonio» (art. 39.3 CE).

La finalidad de la norma que permite la práctica de las pruebas biológicas no es otra que la defensa en primer lugar de los intereses del hijo, tanto en el orden material como en el moral, y destaca como primario el derecho del hijo a que se declare su filiación biológica, como ha destacado la doctrina del Tribunal Supremo. Así pues, las resoluciones judiciales que disponen la investigación de la filiación sirven directamente fines constitucionales; y la interpretación de las leyes que rigen esta materia debe realizarse en el sentido que mejor procure el cumplimiento por los padres de sus deberes respecto a sus hijos menores, para lo cual aparece como instrumento imprescindible la investigación de la paternidad, cuando ésta es desconocida.

C) En tercer lugar, las pruebas biológicas en la medida que conllevan la práctica de una intervención corporal tan solo se justifican cuando sean indispensables para alcanzar los fines constitucionalmente protegidos, de tal suerte que, cuando la evidencia sobre la paternidad pueda obtenerse a través de otros medios probatorios menos lesivos para la integridad física, no está autorizado el órgano judicial a disponer la práctica obligatoria de los análisis sanguíneos.

D) En ningún caso puede disponerse por el Juez la práctica de una intervención corporal destinada a la investigación de la paternidad cuando pueda suponer para quien tenga la obligación de soportarla un grave riesgo o quebranto para su salud. En cualquier caso la ejecución de tales intervenciones corporales se habrá de efectuar por personal sanitario y en centros hospitalarios públicos.

E) Por último, la medida judicial que ordena realizar las pruebas biológicas debe guardar una adecuada proporción entre la intromisión que conlleva en la intimidad y la integridad física o moral del afectado por ellas, y la finalidad a la que sirve (STC 37/1989, FFJJ 7. 3 y 8., párrafos 3 a 5). Ponderación que debe plasmarse en la motivación de la necesidad de la medida que ha de razonarse en la decisión judicial.

FJ 4. [...] Las pruebas biológicas solo proceden si no son «impertinentes o inútiles» (art. 566 LEC). Criterio legal que conduce a que la autoridad judicial solo disponga la realización de pruebas biológicas cuando, a la vista de los elementos de convicción obrantes en el proceso, resulte del todo necesario para esclarecer una paternidad posible, no meramente inventada por quien formula la acción de filiación, como ha declarado la Sentencia de casación de 24 mayo 1989.

[...] Una vez decidido por el Juzgado que es preciso realizarla porque no pueda obtenerse la evidencia de la paternidad a través de otros medios probatorios, el afectado está obligado a posibilitar su práctica. No sólo por deberes elementales de buena fe y de lealtad procesal, y de prestar la colaboración requerida por los Tribunales en el curso del proceso (art. 118 CE); sino por el deber que impone la Constitución a todos los ciudadanos de velar por sus hijos menores, sean procreados dentro o fuera del matrimonio (art. 39.3 CE). Deber que puede verse defraudado cuando se niega la paternidad sin razón, con el sólo objeto de eludir las responsabilidades y obligaciones derivadas de la misma. [...] Su oposición sólo hubiera sido lícita, desde la óptica de tales derechos fundamentales, si se fundara en la inexistencia de razones que justificasen la decisión judicial de realizar la prueba.

El derecho a la integridad física y el consentimiento médico informado —STC 37/2011, de 28 de marzo—

La Sentencia resuelve el recurso de amparo presentado por J.M.G-B.G. contra la Sentencia del Juzgado de Primera Instancia núm. 7 de Bilbao, de 23 de abril de 2007, que desestimó la demanda de juicio ordinario formulada en reclamación de responsabilidad civil derivada de asistencia sanitaria, así como contra la Sentencia de la Sección Quinta de la Audiencia Provincial de Bizkaia, de 10 de abril de 2008, que desestimó el recurso de apelación interpuesto frente a la anterior. A ambas imputa el recurrente violación de su derecho a la integridad física (artículo 15 CE), además de a la tutela judicial efectiva (artículo 24.1 CE), y a la libertad (artículo 17.1 CE), por habérsele denegado una indemnización por la pérdida funcional total de la mano derecha, consecuencia de la realización de un cateterismo cardiaco sin que se le hubiese informado de los riesgos de la intervención, ni se hubiese recabado su consentimiento para la práctica de la misma.

FJ 5. De acuerdo con lo expuesto, podemos avanzar que el consentimiento del paciente a cualquier intervención sobre su persona es algo inherente, entre otros, a su derecho fundamental a la integridad física, a la facultad que éste supone de impedir toda intervención no consentida sobre el propio cuerpo, que no puede verse limitada de manera injustificada como consecuencia de una situación de enfermedad. Se trata de una facultad de autodeterminación que legitima al paciente, en uso de su autonomía de la voluntad, para decidir libremente sobre las medidas terapéuticas y tratamientos que puedan afectar a su integridad, escogiendo entre las distintas posibilidades, consintiendo su práctica o rechazándolas. Ésta es precisamente la manifestación más importante de los derechos fundamentales que pueden resultar afectados por una intervención médica: la de decidir libremente entre consentir el tratamiento o rehusarlo, posibilidad que ha sido admitida por el TEDH, aun cuando pudiera conducir a un resultado fatal (STEDH de 29 de abril de 2002, caso Pretty c. Reino Unido, § 63), y también por este Tribunal (STC 154/2002, de 18 de julio, FJ 9). Ahora bien, para que esa facultad de consentir, de decidir sobre los actos médicos que afectan al sujeto pueda ejercerse con plena libertad, es imprescindible que el paciente cuente con la información médica adecuada sobre las medidas terapéuticas, pues sólo si dispone de dicha información podrá prestar libremente su consentimiento, eligiendo entre las opciones que se le presenten, o decidir, también con plena libertad, no autorizar los tratamientos o las intervenciones que se le propongan por los facultativos. De esta manera, el consentimiento y la información se manifiestan como dos derechos tan estrechamente imbricados que el ejercicio de uno depende de la previa correcta atención del otro, razón por la cual la privación de información no justificado equivale a la limitación o privación del propio derecho a decidir y consentir la actuación médica, afectando así al derecho a la integridad física del que ese consentimiento es manifestación.

La información previa, que ha dado lugar a lo que se ha venido en llamar consentimiento informado, puede ser considerada, pues, como un procedimiento o mecanismo de garantía para la efectividad del principio de autonomía de la voluntad del paciente y, por tanto, de los preceptos constitucionales que reconocen derechos fundamentales que pueden resultar concernidos por las actuaciones médicas, y, señaladamente, una consecuencia implícita y obligada de la garantía del derecho a la integridad física y moral, alcanzando así una relevancia constitucional que determina que su omisión o defectuosa realización puedan suponer una lesión del propio derecho fundamental. [...]

FJ 6. Partimos del hecho cierto, reconocido en las resoluciones judiciales impugnadas, de que no se prestó al demandante de amparo información previa sobre la intervención quirúrgica que se le debía practicar, omitiéndose, en definitiva, su consentimiento informado. Dicha omisión no implica necesariamente que se haya producido una vulneración del derecho fundamental a la integridad física del actor, siendo preciso atender a las circunstancias del caso para determinar si aquella omisión se encontraba justificada o no desde un punto de vista constitucional. Y es que el referido derecho fundamental no es un derecho absoluto ni ilimitado, como no lo es ninguno de los derechos fundamentales, pudiendo ceder, como ya se ha expuesto anteriormente, ante intereses constitucionalmente relevantes, siempre que el recorte que haya de experimentar se revele como necesario para lograr el fin legítimo previsto, proporcionado para alcanzarlo y, en todo caso, sea respetuoso con el fin esencial del derecho (STC 143/1994, de 9 de mayo, FJ 6). No obstante, las posibles limitaciones al derecho han de fundarse en una previsión legal justificada constitucionalmente, en la que se concreten con precisión los presupuestos materiales de la medida limitadora, sin emplear criterios de delimitación imprecisos o extensivos que puedan hacer impracticable el derecho fundamental afectado o ineficaz la garantía que la Constitución le otorga (SSTC 52/1995, de 23 de febrero, FJ 4, y 196/2004, de 15 de noviembre, FJ 6. También, STEDH de 29 de abril de 2002, caso Pretty c. Reino Unido, § 68).

Por otra parte, encontrándose en juego un derecho fundamental sustantivo, como es el derecho a la integridad física del demandante de amparo, el análisis constitucional de la suficiencia de la tutela judicial otorgada por los Jueces y Tribunales al derecho de que se trate es distinta y más exigente, pues, como tiene establecido este Tribunal, sobre las resoluciones judiciales que inciden en el contenido de un derecho fundamental sustantivo pesa un deber de motivación reforzada, por comparación con el específicamente derivado del derecho a la tutela judicial efectiva proclamado en el art. 24.1 CE [entre otras, SSTC 214/2000, de 18 de septiembre, FJ 4; 63/2001, de 17 de marzo, FJ 7, y 68/2001, de 17 de marzo, FJ 6 a)], o, más ampliamente, cuando, a pesar de que la decisión judicial no verse directamente sobre la preservación o los límites de un derecho fundamental, uno de estos derechos, distinto al de la propia tutela judicial, esté implicado, vinculado, conectado, resulte puesto en juego, o quede afectado por tal decisión (por todas, STC 29/2008, de 20 de febrero, FJ 7). Específicamente, en relación con el derecho a la integridad física hemos exigido ese plus de motivación en las SSTC 292/2005, de 10 de noviembre, FJ 3, y 224/2007, de 22 de octubre, FJ 3. [...]

El examen de las resoluciones judiciales impugnadas pone de relieve que el Juzgado de Primera Instancia núm. 7 de Bilbao desestimó la queja del actor relativa a la falta de consentimiento informado teniendo en cuenta el padecimiento que le llevó a urgencias, el hecho de haber tenido años antes una intervención del mismo tipo y la urgencia relativa de la misma, junto con su edad, consideraciones que condujeron a la conclusión de que realmente no se había privado al demandante de una información esclarecedora previa al consentimiento. La Audiencia Provincial de Bizkaia confirmó este criterio, excluyendo la responsabilidad por el estado del paciente tanto porque el actor ya había sufrido otra intervención de igual naturaleza, como porque la prueba se realizó en un momento en el que existía riesgo vital ante la situación que le llevó a urgencias. [...]

FJ 7. Pues bien, teniendo en cuenta la legalidad vigente, podemos avanzar que las resoluciones impugnadas realizan una interpretación restrictiva del derecho y, consiguientemente de su efectividad, al tiempo que llevan a cabo una comprensión extensiva de los límites del mismo para excluir que, en este caso, fuera necesario el consentimiento informado.

Ya hemos anticipado que la privación de información equivale a una privación o limitación del derecho a consentir o rechazar una actuación médica determinada, inherente al derecho fundamental a la integridad física y moral. En este sentido, es terminante la Ley 41/2002 (a la que las resoluciones judiciales sólo contienen alguna mención puramente marginal) al exigir en su art. 8 (que es trasunto del art. 5 del Convenio relativo a los derechos humanos y la biomedicina) el previo consentimiento del afectado, libre y voluntario, para toda actuación en el ámbito de su salud, «una vez que, recibida la información prevista en el art. 4, haya valorado las opciones propias del caso». Y el art. 4 recoge en los términos más amplios el derecho de los pacientes a conocer «toda la información disponible» sobre cualquier actuación en el ámbito de su salud, «salvando los supuestos exceptuados por la Ley». El precepto pone de relieve que las excepciones no son indeterminadas ni de consideración extensiva, permitiéndose la limitación del derecho únicamente en casos de carencia de capacidad del paciente para entender la información o por la existencia acreditada de un estado de necesidad terapéutica («cuando por razones objetivas el conocimiento de su propia situación pueda perjudicar su salud de manera grave»), supuestos en los que es preciso comunicarlo a las personas vinculadas al paciente (art. 5.3 y 4).

Del mismo modo, los supuestos en los que se pueda exceptuar la necesidad del previo consentimiento informado son también excepcionales, y así lo ha plasmado el legislador, que permite a los facultativos prescindir del mismo para llevar a cabo las intervenciones clínicas indispensables a favor de la salud del paciente tan sólo en los casos de riesgo para la salud pública, y «[c]uando existe riesgo inmediato y grave para la integridad física o psíquica del enfermo y no es posible conseguir su autorización». Aun más, en este último supuesto, si las circunstancias lo permiten, se debe consultar a los familiares o personas vinculadas de hecho al paciente (art. 9.2 de la Ley 41/2002 y art. 8 del Convenio relativo a los derechos humanos y la biomedicina).

En definitiva, la regulación legal —que obedece a las exigencias constitucionales— implica, de acuerdo con el contenido propio del derecho fundamental, que, en principio, cada intervención médica debe estar autorizada por el previo consentimiento del paciente que, a su vez, se ha de encontrar precedido de la correspondiente información sobre el procedimiento a aplicar. Como regla general, dicha información se ha de proporcionar verbalmente, dejando constancia en la historia clínica, y comprende, como mínimo, la finalidad y la naturaleza de la intervención, sus riesgos y sus consecuencias (art. 4.1), contenido que se amplía al previsto en el art. 10 de la ley para todos los supuestos en los que resulte necesario el consentimiento escrito del paciente, esto es, los establecidos en el art. 8.2 (entre otros, las intervenciones quirúrgicas y los procedimientos diagnósticos y terapéuticos invasores).

En todas estas normas, sin embargo, no se plasman únicamente un conjunto de derechos para el paciente, unido a los correlativos deberes de los facultativos que permitan hacerlos efectivos, sino que, básicamente, reflejan una doble garantía para aquél y éstos: de un lado, la que permite hacer efectivo el derecho fundamental a la integridad física del paciente respecto de las actuaciones médicas que se le efectúen; de otro, la regulación descrita ofrece a los facultativos la garantía de que sus actuaciones se desarrollarán dentro de los límites que impone la protección de aquel derecho. Así pues, desde la perspectiva de los facultativos esta regulación no se limita a imponerles un conjunto de deberes, sino que, también, desde una vertiente positiva, les proporciona una garantía de su propia actuación profesional.

De acuerdo con lo hasta aquí expuesto, no cabe admitir en el supuesto que nos ocupa que resulte suficiente, como entendieron las resoluciones impugnadas, la información prestada al actor con ocasión de un cateterismo realizado en 1994 (con acceso, además, por vía distinta), argumento que, sobre no resultar acorde con el contenido propio del derecho fundamental afectado, ni con la exigencia de una interpretación de la legalidad en el sentido más favorable a la efectividad del derecho fundamental (STC 146/1999, de 27 de julio, FJ 6), no puede sino ser tachado de irrazonable.

Por otro lado, la Sentencia de instancia justifica la omisión del consentimiento informado por la «urgencia relativa de la intervención», mientras que la de apelación habla de la existencia de «riesgo vital» ante la situación que llevó a urgencias al actor. Sin embargo, en tales consideraciones no se aprecia razonamiento alguno sobre la existencia de imposibilidad de obtener el consentimiento informado o de consultar a los familiares o personas vinculadas de hecho al paciente, imposibilidad que, en cualquier caso, se compadece mal con el dato de que el recurrente ingresó en urgencias a las 14:16 del 4 de septiembre de 2005, y el cateterismo no se le practicó hasta la mañana del día siguiente. De tal modo que, aunque la decisión médica no se adoptara de manera inmediata al ingreso del paciente, lo cierto es que el lapso de tiempo transcurrido parece suficientemente amplio como para que, una vez que los facultativos entendieron procedente la realización del cateterismo como solución para la dolencia del actor, éste fuera informado sobre las consecuencias, riesgos y contraindicaciones de la intervención, de acuerdo con lo previsto en el art. 10.1 de la Ley 41/2002. No hay, en consecuencia, ponderación alguna por parte de los órganos jurisdiccionales acerca de si podía entenderse concurrente o no esa imposibilidad material como obstáculo a la plena efectividad del derecho del paciente.

Asimismo, no basta con que exista una situación de riesgo para omitir el consentimiento informado, sino que aquél ha de encontrarse cualificado por las notas de inmediatez y de gravedad, ninguna de las cuales ha sido objeto de mención y, mucho menos, de análisis por parte de los órganos jurisdiccionales que, como queda dicho, han empleado otros conceptos para justificar que se eludiera la obligatoriedad de la prestación del consentimiento informado, que no sólo no ofrecen una justificación razonable y ponderada, sino que, incluso, suponen un reconocimiento implícito de la carencia de la misma («urgencia relativa»), como, por lo demás, ponen de relieve de manera patente las circunstancias del caso, atendido al tiempo transcurrido entre el ingreso en la clínica del demandante de amparo y la realización de la intervención, que permitía perfectamente dar cumplimiento a las exigencias legales impuestas en garantía del derecho fundamental a la integridad física del actor.

El derecho a la integridad física y moral frente a la tutela de la vida en el marco de relaciones de sujeción especial: caso huelga de hambre de reclusos del GRAPO —STC 120/1990, de 27 de junio (*vid. supra*)[14]—

FJ 8. Este mismo precepto constitucional [el artículo 15 CE] garantiza el derecho a la integridad física y moral, mediante el cual se protege la inviolabilidad de la persona, no sólo contra ataques dirigidos a lesionar su cuerpo o espíritu, sino también contra toda clase de intervención en esos bienes que carezca del consentimiento de su titular. Por ello, este derecho constitucional resultará afectado cuando se imponga a una persona asistencia médica en contra de su voluntad, que puede venir determinada por los más variados móviles y no sólo por el de morir y, por consiguiente, esa asistencia médica coactiva constituirá limitación vulneradora del derecho fundamental, a no ser que tenga justificación constitucional.

A tal fin, como ya ha reiterado en diversas ocasiones este Tribunal, conviene tener presente, de una parte, que sólo ante los límites que la propia Constitución expresamente imponga al definir cada derecho o ante los que de manera mediata o indirecta de la misma se infieran al resultar justificados por la necesidad de preservar otros derechos constitucionalmente protegidos, puedan ceder los derechos fundamentales (SSTC 11/1981, FJ 7; 2/1982, FJ 5, 110/1984, FJ 5), y de otra que, en todo caso, las limitaciones que se establezcan no pueden obstruir el derecho «más allá de lo razonable» (STC 53/1986, FJ 3), de modo que todo acto o resolución que limite derechos fundamentales ha de asegurar que las medidas limitadoras sean «necesarias para conseguir el fin perseguido» (SSTC 62/1982, FJ 5; 13/1985, FJ 2) y ha de atender a la «proporcionalidad entre el sacrificio del derecho y la situación en que se halla aquel a quien se le impone» (STC 37/1989, FJ 7) y, en todo caso, respetar su cometido esencial (SSTC 11/1981, FJ 10; 196/1987. FFJJ 4., 5. y 6.; 197/1987, FJ 11), si tal derecho aún puede ejercerse. [...]

Y aquí debemos recordar que, según dejamos expuesto, la asistencia médica se impone en el marco de la relación de sujeción especial que vincula a los solicitantes de amparo con la Administración penitenciaria y que ésta, en virtud de tal situación especial, viene obligada a velar por la vida y la salud de los internos sometidos a su custodia; deber que le viene impuesto por el art. 3.4 de la LOGP, que es la Ley a la que se remite el art. 25.2 de la Constitución como la habilitada para establecer limitaciones a los derechos fundamentales de los reclusos, y que tiene por finalidad, en el caso debatido, proteger bienes constitucionalmente consagrados, como son la vida y la salud de las personas.

Siendo indudable que el ayuno voluntario llevado hasta sus últimas consecuencias genera necesariamente, en un momento determinado, peligro de muerte, la asistencia médica obligatoria para evitar ese peligro se manifiesta como un medio imprescindiblemente necesario para evitar la pérdida del bien de la vida de los internos, que el Estado tiene obligación legal de proteger acudiendo, en último término, a dicho medio coactivo, al menos si se trata de presos declarados en huelga de hambre reivindicativa cuya finalidad no es la pérdida de la vida.

Con el cumplimiento de ese deber del Estado no se degrada el derecho a la integridad física y moral de los reclusos, pues la restricción que al mismo constituye la asistencia médica obligatoria se conecta causalmente con la preservación de bienes tutelados por la Constitución y, entre ellos, el de la vida que, en su dimensión objetiva, es «un valor superior del ordenamiento jurídico constitucional» y «supuesto ontológico sin el que los restantes derechos no tendrían existencia posible» (STC 53/1985).

Por otro lado, la necesidad de cohonestar el derecho a la integridad física y moral de los internos en un Centro penitenciario y la obligación de la Administración de defender su vida y salud, como bienes también constitucionalmente protegidos, encuentra en la resolución judicial recurrida una realización equilibrada y proporcionada que no merece el más mínimo reproche, puesto que se limita a autorizar la intervención médica mínima indispensable para conseguir el fin constitucional que la justifica, permitiéndola tan sólo en el momento en que, según la ciencia médica, corra

---

[14]   *Vid.* también la SSTC 137/1990, de 19 de julio y 11/1991, de 17 de enero.

«riesgo serio» la vida del recluso y en la forma que el Juez de Vigilancia Penitenciaria determine, prohibiendo que se suministre alimentación bucal en contra de la voluntad consciente del interno.

El derecho a la integridad física de las personas reclusas en centros penitenciarios: caso de exploraciones con rayos X —STC 35/1996, de 11 de marzo—

La Sentencia resuelve el recurso de amparo presentado por don P.V.G. contra el Auto de la Sección Tercera de la Audiencia Provincial de Santander, de 20 de junio de 1992, recaído en el recurso de apelación interpuesto contra el Auto del Juzgado de Vigilancia Penitenciaria de 5 de marzo de 1992, que desestimó el recurso de reforma interpuesto contra el Auto de 11 de diciembre de 1991 del mismo Juzgado, así como contra los Acuerdos de la Administración Penitenciaria que ordenaron la práctica de observaciones radiológicas sobre el recurrente, por entender que unos y otros habrían vulnerado el derecho a la integridad física del recurrente.

FJ 3. Es en relación con la doctrina expuesta como hay que analizar si se ha producido la denunciada vulneración del derecho a la integridad física protegido por el art. 15 CE, al haber sido sometido el actor a sesiones de rayos X. Este derecho, en efecto, podría verse afectado por actuaciones coactivas que, con justificación en las normas de seguridad penitenciaria, puedan determinar un riesgo inmediato o futuro para la salud, puesto que también el derecho a la salud, o mejor aún, a que no se dañe o perjudique la salud personal, queda comprendido en el derecho a la integridad personal, el cual, como señalábamos en la STC 120/1990, resultará afectado incluso en el caso de que «se imponga a una persona asistencia médica en contra de su voluntad» y, por consiguiente, esa asistencia médica coactiva constituirá limitación vulneradora del derecho fundamental, a no ser que tenga justificación constitucional». Este riesgo es el que ha determinado las previas quejas del interno y finalmente el recurso de amparo, en cuanto la lesión del derecho a la integridad física podría resultar eventualmente de la aplicación reiterada, o técnicamente incontrolada, de sesiones de rayos X.

Que ese riesgo general no es meramente teórico resulta del propio informe médico emitido en el expediente para acreditar la inocuidad de las aplicaciones efectuadas que si certificaba de ello es precisamente porque según el mismo se aplicaron del modo y con los medios adecuados para prevenir tales riesgos. Puede por consiguiente afirmarse que aquel peligro para la salud y la integridad física existe si las radiaciones utilizadas como medida de seguridad penitenciaria tuviesen lugar con excesiva intensidad, las sesiones fuesen excesivamente frecuentes y no separadas por el tiempo adecuado y se practicasen en forma técnicamente inapropiada o sin observar las garantías científicamente exigibles.

Dentro de esta perspectiva de protección del derecho fundamental a la integridad física del interno han de examinarse, pues, prácticas como las que aquí se cuestionan, que, en garantía de que los efectos dañosos para la salud no vayan a producirse, habrán de llevarse a cabo con todas las prevenciones necesarias a tal efecto, determinando previamente si la práctica era necesaria y adecuada al fin de seguridad pretendido y previniendo razonablemente que el riesgo queda cortado mediante la observancia de las precauciones precisas para la inocuidad de aquélla, tales como la utilización de aparatos idóneos, que el nivel de radiación sea adecuado y controlado, los intervalos de aplicación suficientes, etc. según las técnicas internacionalmente experimentadas y admitidas. Puesto que, como señalábamos en la STC 57/1994, «es preciso considerar, además, si tal actuación es conforme con la garantía constitucional de la intimidad personal en razón de los medios utilizados (STC 120/1990, fundamento jurídico 12), pues a la hora de elegir estos es necesario emplear aquéllos que en menor medida lesionen o restrinjan los derechos fundamentales de la persona (STC 137/1990, fundamento jurídico 7º). A cuyo fin han de tenerse en cuenta las concretas circunstancias relativas a la práctica de la medida aquí impugnada».

FJ 4. En el caso, y según los hechos que en las resoluciones judiciales se declaran probados (y que por consiguiente nosotros no podemos revisar), el dictamen facultativo no reveló que las técnicas de aplicación y la periodicidad de los exámenes hubieran superado el nivel de riesgo exigible para temer o considerar daños futuros a la salud y consiguiente vulneración del derecho a la integridad física. Y así, las circunstancias concretas por las cuales el hoy recurrente se vio sometido a las exploraciones con rayos X son explicadas razonadamente, utilizando como criterio las normas establecidas por la Organización Mundial de la Salud, tanto en el Auto dictado por el Juez de Vigilancia Penitenciaria, como en el de la Audiencia Provincial al resolver el recurso de apelación. En ellos se especifica que la utilización aislada y esporádica, bajo control médico, de un aparato de rayos X que se encontraba en perfecto estado y cuyas radiaciones no suponen peligro alguno para la salud y que incluso en las últimas exploraciones se disminuyó el nivel de radiación (a pesar de especificarse que la radiología utilizada era de menor intensidad que los máximos permitidos por la Organización Mundial de la Salud) no supone vulneración del derecho a la integridad física.

A ello se agrega que el fin perseguido era el de garantizar la seguridad del establecimiento y aunque tales razones de seguridad no puedan constituir con carácter general el único soporte de dichas exploraciones radiológicas, en el caso concurren con el historial del interno, quien según explica el Juez de Vigilancia Penitenciaria en el Auto de 11 de diciembre de 1991, tiene acreditado en su expediente penitenciario intentos de agresión, destrozo de celda, intentos de fuga, y se le han ocupado en diversas ocasiones objetos prohibidos, incluso una sierra, que revelan su peligrosidad. De ahí, que aparezcan justificados aquellos fines de seguridad en relación con la práctica de las observaciones radiológicas denunciadas, adecuadas a la exigencia que se dijo en nuestra STC 57/1994 (fundamento jurídico 6°) de que «lo relevante a los fines de justificar una medida que limita el derecho constitucional reconocido» (en aquel caso por el art. 18.1 CE) «es que se hubiera constatado por la Administración Penitenciaria que tal medida era necesaria para velar por el orden y la seguridad del establecimiento en atención a la concreta situación de éste o el previo comportamiento del recluso».

Vulneración de la integridad física por omisión de los poderes públicos de su deber de tutela —STC 62/2007, de 27 de marzo[15]—

La Sentencia resuelve recurso de amparo interpuesto por A.M.H.L. por vulneración de su derecho a la vida y a la integridad física y de los mismos derechos del hijo que esperaba, contra el Servicio Andaluz de Salud, que le asignó funciones contraindicadas para su embarazo, y contra la Sentencia de la Sala de lo Contencioso-Administrativo del Tribunal Superior de Justicia de Andalucía, de 3 de diciembre de 2001, que, previa revocación de la dictada en primera instancia por el Juzgado del mismo orden jurisdiccional núm. 6 de Sevilla, desestimó el recurso contencioso-administrativo promovido por la demandante.

FJ 3. [...] De todo lo dicho se deduce que el derecho a la integridad física podría verse lesionado no sólo por acciones sino también por omisiones de los poderes públicos —como podría ser el caso de la inactividad del Servicio Andaluz de Salud una vez conocida la situación de embarazo de la Sra. Hidalgo, constando el riesgo potencial para dicho estado de las funciones encomendadas en la Resolución de 2 de agosto de 2000[16].

Ello no implica situar en el ámbito del art. 15 CE una suerte de cobertura constitucional frente a cualquier orden de trabajo en abstracto, apriorística o hipotéticamente pudiera estar contraindicada para la salud, y en concreto para el desarrollo sin trastornos peligrosos de la gestación, pero sí supone admitir que una determinada actuación u omisión de la empleadora en aplicación de su facultades de especificación de la actividad laboral podría comportar, en ciertas circunstancias, un riesgo o daño para la salud cuya desatención conllevara la vulneración del derecho fundamental que aquí se invoca. En particular, desde la perspectiva constitucional que nos compete, tal actuación u omisión podría afectar al ámbito protegido por el art. 15 CE cuando tuviera lugar existiendo un riesgo constatado de producción cierta, o potencial pero justificado ad casum, de la causación de un perjuicio para la salud de la trabajadora o del feto, es decir, cuando se generara con la orden de trabajo un riesgo o peligro grave para la salud de aquélla o para el del hijo en gestación. Precisamente por esa razón, para apreciar la vulneración del art. 15 CE en esos casos no será preciso que la lesión de la integridad se haya consumado, lo que convertiría la tutela constitucional en una protección ineficaz ex post, bastando por el contrario que se acredite un riesgo relevante de que la lesión pueda llegar a producirse (en este sentido, STC 221/2002, de 25 noviembre, FJ 4, y 220/2005, de 12 de septiembre, FJ 4, entre otras), factor que, como razonaremos en breve, resulta decisivo en el presente caso.

FJ 4. Pues bien, como se dijo, el elemento clave que se esgrime tanto por el Servicio Andaluz de Salud como por la Sentencia dictada en apelación y recurrida en este procedimiento constitucional, es el desconocimiento del hecho del embarazo cuando se adoptó la medida de cambio de funciones, que tuvo lugar por Resolución de 2 de agosto

---

15 *Vid.* también la STC 160/2007, de 2 de julio (la decisión administrativa, y la sentencia judicial que la confirma, de obligar a una persona a trabajar bajo las órdenes de otra a quien en su día denunció, sin valorar el riesgo real para la salud mental de la primera con base en los informes médicos y las circunstancias concretas del caso, vulneran su derecho a la integridad física).

16 Este podría también ser el caso de una negativa injustificada a conceder una prórroga de baja por incapacidad laboral, que debería ser corregida por los Tribunales si pudiera traer como consecuencia una lesión real y efectiva del derecho (STC 220/2005, de 12 de septiembre; en este caso la Administración obligó a la recurrente a reincorporarse a la vida laboral, pero le asignó un nuevo puesto de trabajo adecuado a las lesiones padecidas, siguiendo las prescripciones de los correspondientes informes médicos, razón por la cual el Tribunal Constitucional entendió que no se había producido lesión de su derecho fundamental a la integridad física).

de 2000. Es cierto que no se declara probado el conocimiento del embarazo por la Administración en el momento en que dictó ese acto inicial, y que tampoco podemos presumir que este dato fuera de público conocimiento, pues no constan otros datos fácticos de los que derivar esa conclusión ni, por tanto, que tal noticia hubiera llegado a los rectores que tomaron el acuerdo litigioso, aunque la recurrente estuviera en el sexto mes de gestación.

Ciertamente, como dijera nuestra STC 17/2003, de 30 de enero, el silencio de los hechos sobre esa circunstancia no es por sí solo suficiente para rechazar de plano la existencia de una vulneración constitucional, sobre todo cuando el desconocimiento del embarazo tampoco ha sido declarado (a diferencia de lo que sucedía, por ejemplo, en el caso de nuestra STC 41/2002, de 25 de febrero). Pero más allá de ese debate, es determinante que la llamada reclamación previa de 7 de agosto de 2000, con independencia de las consecuencias procedimentales que pudiera conllevar, tuvo un efecto aparejado incuestionable y constitucionalmente decisivo: el conocimiento por parte de la Administración de que estaba comprometido un factor protegido (el embarazo de la trabajadora) y que, por consiguiente, de mantenerse las funciones asignadas a la actora en el matadero de Coria del Río, podían ponerse en peligro derechos consagrados en el art. 15 CE. Desde esta aproximación, la inactividad administrativa a partir del conocimiento de dicho dato, permaneciendo pasiva desde aquella fecha sin ocuparse de anular el acto previo o de dictar uno que lo sustituyera en cumplimiento de la normativa aplicable, dio como resultado la lesión de los derechos fundamentales invocados, como seguidamente indicamos.

FJ 5. En efecto, en las relaciones de trabajo nacen una serie de derechos y deberes de protección y prevención, legalmente contemplados, que reclaman una lectura a la luz de la Constitución, pues no cabe desconectar el nivel jurídico constitucional y el infraconstitucional en estas materias, toda vez que la Constitución reconoce derechos fundamentales como la vida y la integridad física (art. 15 CE), lo mismo que el derecho a la salud (art. 43 CE), y ordena a los poderes públicos velar por la seguridad e higiene en el trabajo (art. 40.2 CE). En relación con todo ello, la lectura de diversos artículos de la Ley 31/1995, de 8 de noviembre, de prevención de riesgos laborales (LPRL) permite conocer la concreción legal que en el ámbito de la prestación de trabajo ha tenido la protección constitucional que impone esa tutela del trabajador, por virtud de las exigencias de diversos derechos constitucionales, entre ellos de los consagrados en el art. 15 CE.

Dicha Ley, como se sabe, es una norma de aplicación tanto en el ámbito de las relaciones laborales reguladas en el texto refundido de la Ley del estatuto de los trabajadores, como en el de las relaciones de carácter administrativo o estatutario del personal al servicio de las Administraciones públicas, con las peculiaridades que, en este caso, se contemplan en la propia Ley o en sus normas de desarrollo. Así, su art. 14 dispone que los trabajadores tienen derecho a una protección eficaz en materia de seguridad y salud en el trabajo, y que el citado derecho supone la existencia de un correlativo deber del empresario de protección de los trabajadores frente a los riesgos laborales, señalándose expresamente que este deber de protección constituye, igualmente, un deber de las Administraciones públicas respecto del personal a su servicio.

En cumplimiento del deber de protección, decía la misma Ley en la versión aplicable al presente caso (luego parcialmente modificada por el art. 2.1 de la Ley 54/2003, de 12 diciembre, de reforma del marco normativo de la prevención de riesgos laborales), el empresario (la Administración empleadora, en esta ocasión) deberá garantizar la seguridad y la salud de los trabajadores a su servicio en todos los aspectos relacionados con el trabajo, imponiéndole, en relación con ello y en el marco de sus responsabilidades, la prevención de los riesgos laborales mediante la adopción de cuantas medidas sean necesarias para la protección de la seguridad y la salud de los trabajadores. En particular, en lo relativo a la protección de la maternidad, se establecen en el art. 26 obligaciones en la evaluación de los riesgos, que deberá comprender la determinación de la naturaleza, el grado y la duración de la exposición de las trabajadoras en situación de embarazo o parto reciente a agentes, procedimientos o condiciones de trabajo que puedan influir negativamente en su salud o en la del feto, en cualquier actividad susceptible de presentar un riesgo específico, con obligación de adopción de las medidas necesarias para evitar la exposición a éste si los resultados de la evaluación revelasen un riesgo para la seguridad y la salud o una posible repercusión sobre el embarazo o la lactancia de las citadas trabajadoras.

Se contempla, a tal fin, una adaptación de las condiciones o del tiempo de trabajo de la trabajadora afectada o, alternativamente, cuando la adaptación de las condiciones o del tiempo de trabajo no resultase posible o, a pesar de tal adaptación, las condiciones de un puesto de trabajo pudieran influir negativamente en la salud de la trabajadora embarazada o del feto y así lo certifiquen los servicios médicos correspondientes, el desempeño de un puesto de trabajo o función diferente y compatible con su estado, incluso no correspondiente a su grupo o categoría equivalente, si no existiese puesto de trabajo o función compatible, conservando el derecho al conjunto de retribuciones de su puesto de origen. También se contempla que, de no ser técnica u objetivamente posible dicho cambio, o inexigible por motivos justificados, se declare el paso de la trabajadora afectada a la situación de suspensión del contrato por riesgo durante el embarazo, contemplada en el art. 45.1 d) del Estatuto de los trabajadores, durante el período necesario para la protección de su seguridad o de su salud y mientras persista la imposibilidad de reincorporarse a su puesto anterior o a otro puesto compatible con su estado.

Acogiendo ese régimen legal en su dimensión constitucional, esto es, en tanto que desarrollo de la tutela propia del derecho fundamental a la integridad física de la trabajadora embarazada (art. 15 CE), la lesión se producirá si, desatendiendo esas precisas previsiones legales relativas a la protección de la salud de la trabajadora y de su estado de embarazo, el empleador le asigna un actividad peligrosa que genere un riesgo grave para su salud o para la gestación, omitiendo las obligaciones de protección y prevención que le competen.

FJ 6. Pues bien, ni la Sentencia recurrida ni la Administración demandada en el proceso judicial ponen en duda la inadecuación objetiva de los servicios encomendados a la Sra. Hidalgo en su situación avanzada de embarazo, habiendo afirmado su inconveniencia e incompatibilidad el juzgador a quo, único que se ocupó de la cuestión sustantiva del riesgo. Queda de ese modo asegurado que quien demanda la tutela frente al peligro probó adecuadamente su existencia, evidenciando la relación directa entre las medidas impugnadas y las consecuencias nocivas que pretende evitar. Esa conclusión no ha sido contrarrestada por el Servicio Andaluz de Salud y tampoco ha sido neutralizada argumentalmente por la Sentencia recurrida en amparo. De hecho, la Sentencia del Tribunal Superior de Justicia de Andalucía, sede de Sevilla, lo mismo que la Administración demandada, se refirieron únicamente al desconocimiento de la gestación en el momento en que se dictó la Resolución de 2 de agosto de 2000. No existe controversia, por otra parte, en cuanto a que la gestación se conocía por la Administración empleadora al menos desde el día 7 de agosto de 2000, quedando también al margen de toda duda la correlación temporal entre el conocimiento de ese hecho y la inactividad o plena pasividad del Servicio Andaluz de Salud. Y es de subrayar que la Administración no podía justificar su pasividad en que la trabajadora estaba de baja pues, concluida ésta, tenía que reincorporarse a su puesto con los peligros que esto implicaba, sin que jurídicamente pudiera dejar de hacerlo. Por ello la Administración debía adoptar ya las medidas pertinentes desde el citado día 7 de agosto de 2000 y, al no hacerlo, la demandante hubo de acudir a los Tribunales en defensa de su derecho a la salud.

Esto así, se concluye que no se tuvo en consideración el derecho fundamental de la recurrente a su integridad física, de especial intensidad durante el embarazo, habiéndose incumplido las obligaciones que concreta la regulación tuitiva aplicable (Ley de prevención de riesgos laborales), de las que se hizo mención, como expresión que son en el ámbito de la prestación de trabajo de la protección constitucional que impone la consagración de los derechos fundamentales recogidos en el art. 15 CE. En efecto, a la vista de esos derechos y obligaciones y de las conclusiones alcanzadas sobre el riesgo por el juzgador con las garantías derivadas de la inmediación (destacando el peligro de sobreesfuerzo y el riesgo de transmisión vertical de antropozoonosis), el mantenimiento del acto de fecha 2 de agosto de 2000 pese a existir un peligro cierto para la integridad física de la trabajadora embarazada representa una vulneración directa del art. 15 CE.

Por lo demás, aunque no conste que se actualizara como consecuencia del acto administrativo ningún tipo de lesión física o de cualquier otra índole, debe declararse vulnerado el derecho de la recurrente, sin que pueda oponerse a la protección que dispensa el art. 15 CE una inconcebible exigencia de previa exposición efectiva al riesgo, como se derivaría de la argumentación de la Administración (que afirma no haber tomado medidas a la espera de la reincorporación de la trabajadora tras su baja laboral). Ese planteamiento equivaldría a hacer depender la efectividad de la tutela constitucional de la previa puesta en peligro de los factores protegidos, o de la consumación de su lesión, lo que sería tanto como aceptar la negación de la tutela que la Constitución garantiza en el art. 15 CE.

El derecho a la integridad física y moral en situaciones de sujeción especial: el acoso en el ámbito militar —STC 106/2011, de 20 de junio—

La Sentencia resuelve el recurso de amparo interpuesto por doña J.A.P., soldado de la escala de tropa de artillería de campaña, contra el Auto del Tribunal Militar Central, de 24 de octubre de 2008, que desestimó el recurso de apelación interpuesto contra el Auto del Juzgado Togado Militar Central núm. 1, de 3 de septiembre de 2008, que disponía el archivo de las diligencias previas incoadas contra sus mandos, el capitán don J.E.F.G. y el coronel don C.A.A., por un supuesto delito de abuso de autoridad o exceso arbitrario en el ejercicio del mando (artículos 103 y 138 CPM, respectivamente). La denuncia se refería al supuesto trato degradante y hostigamiento psicológico de la recurrente durante un periodo de tiempo, así como a una serie de decisiones adoptadas sin justificación, como arrestos disciplinarios, cambio de destino y ordenación de un análisis clínico para detectar un también supuesto consumo de estupefacientes

*por su parte. La recurrente considera que dichas resoluciones, al no agotar todas las posibilidades razonables de inda-
gación en relación a su denuncia sobre trato denigrante y hostigamiento psicológico, habrían vulnerado su derecho a
la tutela judicial efectiva (artículos 24.1 CE), en relación con su derecho a la integridad física y moral (artículo 15 CE).*

FJ 3. [...] Esta queja, con independencia de que resulte o no convenientemente acreditada a lo largo del procedimiento penal, se ha de enmarcar necesariamente en el ámbito del art. 15 CE, no sólo por la referencia que hace este
precepto a la integridad moral, siendo incuestionable que el acoso denunciado afectaría a la dignidad profesional de
la persona, en este caso de una militar, sino también en relación a la integridad física, por los efectos que se describen
haberse derivado para la salud de la recurrente. En este sentido, este Tribunal Constitucional ha afirmado, en un caso
en que la Administración había denegado a una trabajadora unas solicitudes de prórroga de baja por incapacidad
laboral, que tal actuación «sólo podría reputarse que afecta al ámbito protegido por el art. 15 CE cuando existiera un
riesgo relevante de que la lesión pueda llegar a producirse, es decir, cuando se genera un peligro grave y cierto para
la salud del afectado» (STC 220/2005, de 12 de septiembre, FJ 4).

FJ 5. [...] [L]as resoluciones judiciales justificaron esencialmente este archivo en que las medidas adoptadas por los
mandos militares, tanto los arrestos a la soldado como las demás medidas, estaban enmarcadas dentro del ámbito de
sus competencias y atribuciones. No obstante, en una interpretación acorde con los derechos fundamentales implicados o vinculada con la naturaleza de la decisión adoptada, no se trataba tanto en esta causa de comprobar mediante
la investigación judicial si cada uno de los arrestos sufridos por la soldado estaban dentro de las competencias disciplinarias de los oficiales que las impusieron o si la denunciante fue informada o no de la posibilidad de recurrirlos, o
si el cambio de destino sobrevenido era una facultad del jefe que lo acordó, o si el análisis de orina que se le practicó
siguió los «protocolos operativos previstos», sino si todas estas iniciativas en su conjunto fueron impuestas o no por
sus mandos en desarrollo de un previo plan de instigar psicológicamente a la recurrente. Es evidente que estas actuaciones están previstas en principio como opciones legales para los oficiales que las acuerdan, pero pueden resultar
ilegítimas si se comprueba posteriormente que están movidas por un propósito de presionar a la soldado recurrente,
debiendo ser éste el objeto de una investigación judicial de estas características. En este caso, en las resoluciones
judiciales, tanto del Juzgado Togado Militar Central núm. 1 como del Tribunal Militar Central, se aprecia un déficit
constatable respecto a esta motivación específica, pues las mismas no expresan convenientemente las razones que
llevan al órgano judicial a no dar por acreditada la existencia de este acoso moral y sexual denunciado, necesarias
para acordar el archivo de la causa de acuerdo a los parámetros constitucionales antes expuestos.
[...] [T]ampoco se aprecia en las actuaciones que el Juzgado Togado Militar haya acordado las periciales oportunas
para esclarecer la situación psicológica de la soldado recurrente, calificada en la documental médica que aportó a
la causa como «un trastorno adaptativo mixto como reacción a una problemática laboral», que le ha traído como
consecuencia su baja en el servicio activo que venía prestando en el Ejército. Tal diligencia también podría haber
resultado idónea en el presente procedimiento en atención a la naturaleza específica de los hechos denunciados.

El derecho a la integridad moral y el acoso laboral —STC 56/2019, de 6 de mayo[17]—

*La Sentencia resuelve recurso de amparo promovido por don J.N.M. contra una situación de inactividad laboral y las
resoluciones que la avalan: la resolución del subsecretario de Interior de 10 de febrero y 27 de mayo de 2015, la sentencia de la Sección Séptima de la Sala de lo Contencioso-Administrativo del Tribunal Superior de Justicia de Madrid
de 17 de abril de 2017 y las providencias de la Sección Primera de la Sala de lo Contencioso-Administrativo del Tribunal Supremo de 25 de octubre de 2017 y 10 de enero de 2018, respectivamente. Entiende el recurrente que esa situación constituye acoso laboral y vulnera, junto a estas resoluciones, su derecho a la integridad moral (artículo 15 CE).*

FJ 4. El concepto de acoso laboral surgió en la psicología para abordar conjuntamente desde el punto de vista terapéutico situaciones o conductas muy diversas de estrés laboral que tienen de común que, por su reiteración en el
tiempo, su carácter degradante de las condiciones del trabajo o la hostilidad que conllevan, tienen por finalidad o
como resultado atentar o poner en peligro la integridad personal del empleado. Cuando tales situaciones o conductas
son propiciadas por quienes ocupan una posición superior en el organigrama empresarial, que es lo más frecuente,
suele hablarse de acoso "vertical descendente" o "institucional". Los objetivos del acoso laboral pueden ser de lo

---

[17]   *Vid.* también STC 81/2018, de 16 de julio.

más variado: represaliar a un trabajador poco sumiso, marginarle para evitar que deje en evidencia a sus superiores, infundirle miedo para promover el incremento de su productividad o satisfacer la personalidad manipulativa u hostigadora del acosador (el llamado acoso "perverso"), entre otros. Dentro de las organizaciones privadas el acoso laboral responde muchas veces al fin o resultado de que el trabajador hostigado abandone voluntariamente, ahorrando a la empresa la indemnización por despido improcedente, en las administraciones públicas, dadas las peculiaridades del régimen funcionarial, consiste a menudo en la marginación profesional del empleado por variados motivos (venganza personal, castigo encubierto, discriminación ideológica).

Hasta tiempos recientes ha faltado conciencia social e institucional sobre el problema, pese a que el porcentaje estimado de trabajadores que ha sufrido alguna forma de acoso laboral es importante, aún mayor en el ámbito de las administraciones públicas [cfr. resolución del Parlamento Europeo sobre el acoso moral en el lugar de trabajo, núm. 2001/2339 (INI), y comunicación de la Comisión europea sobre cómo adaptarse a los cambios en la sociedad y en el mundo del trabajador: una nueva estrategia comunitaria de la salud y la seguridad, COM (2002) 118 final]. En el ámbito del Consejo de Europa, la primera reacción fue la Carta social europea revisada (hecha en Estrasburgo el 3 de mayo de 1996), conforme a la que el acoso laboral atenta contra el "derecho a la dignidad en el trabajo", debiendo las partes signatarias "adoptar todas las medidas apropiadas para proteger a los trabajadores" (art. 26). En la Unión Europea, las Directivas del Consejo núms. 2000/43/CE, de 29 de junio, y 2000/78/CE, de 27 de noviembre, relativas a la igualdad de trato, han obligado a los Estados miembros a adoptar medidas contra los supuestos de acoso relacionados con la discriminación, entre otras, "garantizar que corresponda a la parte demandada demostrar que no ha habido vulneración del principio de igualdad de trato" (arts. 8.1 y 10.1, respectivamente).

El legislador español ha empezado a tomar en consideración el problema bajo las ópticas de la prevención, la protección y la represión. Cabe citar, en cuanto a esta última perspectiva y con relación al empleo público, el art. 95.2 o) del texto refundido de la Ley del estatuto básico del empleado público (LEEP), aprobado por Real Decreto Legislativo 5/2015, de 30 de octubre, que tipifica el "acoso laboral" como falta muy grave y el segundo párrafo del art. 173.1 del Código penal, introducido por la Ley orgánica 5/2010, de 22 de junio, que tipifica como delito contra la "integridad moral" los "actos hostiles o humillantes" realizados "de forma reiterada" en "el ámbito de cualquier relación laboral o funcionarial y prevaliéndose de su relación de superioridad" que "supongan grave acoso contra la víctima".

A este respecto, debemos traer a colación el precitado protocolo de actuación frente al acoso laboral (acuerdo de 6 de abril de 2011 de la mesa general de negociación de la Administración General del Estado, aprobado y publicado mediante resolución de 5 de mayo de 2011 de la Secretaría de Estado para la Función Pública), aplicable al presente caso. Regula un "procedimiento de actuación" ante la denuncia de la "persona presuntamente acosada" destinado a investigar y remediar las situaciones de acoso laboral (apartado 3). Tras establecer a sus efectos un concepto de "acoso laboral" (apartado 2.1), concreta, para "una mayor clarificación", una serie de conductas "típicas" "que son, o no son, acoso laboral" (apartado 2.1, último párrafo, y anexo II). Lo hace en dos listados, uno con las "conductas consideradas como acoso laboral" [anexo II, letra A)], otro con las "que no son acoso laboral (sin perjuicio de que puedan ser constitutivas de otras infracciones)" [anexo II, letra B)]. Dentro del listado de conductas "típicas" constitutivas de acoso laboral figura en primer lugar: "Dejar al trabajador de forma continuada sin ocupación efectiva, o incomunicado, sin causa alguna que lo justifique".

Desde la óptica constitucional que nos corresponde, cabe apreciar, como primera aproximación, que las situaciones de acoso laboral, en la medida en que tienen por finalidad o como resultado atentar o poner en peligro la integridad del empleado conciernen el reconocimiento constitucional de la dignidad de la persona, su derecho fundamental a la integridad física y moral y la prohibición de los tratos degradantes (arts. 10.1 y 15 CE). Ahora bien, las situaciones de acoso laboral son tan multiformes que pueden involucrar también otros derechos fundamentales. El precitado protocolo de actuación se ha referido a este carácter pluriofensivo del acoso laboral al afirmarse como desarrollo de la Constitución, que "reconoce como derechos fundamentales de los españoles la dignidad de la persona (artículo 10), así como la integridad física y moral sin que, en ningún caso, puedan ser sometidos a torturas ni a penas o tratos inhumanos o degradantes (artículo 15), y el derecho al honor, a la intimidad personal y familiar y a la propia imagen (artículo 18); y encomienda al tiempo a los poderes públicos, en el artículo 40.2, el velar por la seguridad e higiene en el trabajo".

FJ 6. [...] [H]ay un amplio panorama indiciario inequívocamente revelador del carácter intencional, no casual, de la prolongada inactividad profesional padecida por el recurrente. En cualquier caso, estando en juego un derecho fundamental sustantivo, para que llegáramos a la conclusión contraria el abogado del Estado habría debido contrarrestar esos elementos de juicio, probando fehacientemente la ausencia de intencionalidad en el comportamiento administrativo (en general, STC 104/2014, de 23 de junio, FJ 7, y las que allí se citan; refiriéndose a un problema de acoso sexual en el trabajo, STC 224/1999, FJ 4). Sin embargo, nada ha alegado a este respecto. Antes bien, ha dado por cierta la situación de postergación laboral sin aportar argumentos para justificarla. Por lo demás, no puede perderse de vista que, con carácter general, la protección de los derechos fundamentales sustantivos no puede quedar supeditada a "la indagación de factores psicológicos y subjetivos de arduo control" (STC 11/1998, FJ 6) y que, en el caso, el comportamiento administrativo era objetivamente adecuado para producir la lesión de la integridad personal del demandante de amparo; extremo sobre el que volveremos después. [...]

A la vista de todo ello, atendidas la intensidad de los elementos examinados (intención, menoscabo y vejación) y las circunstancias del caso (singularmente, la larga duración de la postergación laboral y la ausencia de motivo legítimo), procede concluir que la administración ha dispensado al demandante de amparo un trato sin duda merecedor de la calificación de degradante y, en cuanto tal, contrario a su derecho fundamental a la integridad moral (art. 15 CE). No está de más precisar que, en la hipótesis de que hubiera faltado el componente vejatorio, el trato dispensado no habría podido considerarse degradante, pero, en ausencia de cobertura legal y de un objetivo legítimo, habría incumplido a *limine* el canon de la proporcionalidad, por lo que habría vulnerado igualmente el derecho a la integridad moral del demandante de amparo (art. 15 CE). [...]

La integridad moral de las personas menores y la adjudicación judicial de su tutela —STC 221/2002, de 25 de noviembre—

La Sentencia resuelve sendos recursos de amparo promovidos por el Ministerio Fiscal y por doña M.P.A. y don M.M.A., guardadores de hecho de la menor M.A.M.R., contra el Auto de 3 de febrero de 2000 de la Audiencia Provincial de Sevilla, que anuló el dictado por el Juez de Primera Instancia el 11 de enero de 1999 y ordenó que se ejecutara y diera cumplimiento al Auto de 18 de septiembre de 1998. Éste disponía que se iniciara el proceso de reinserción de la menor con su familia adoptiva, previamente problemática, basándose en apreciaciones e informes realizados en el marco del proceso que había dado lugar a dicho Auto, y pasando por alto que la menor se encontraba conviviendo con su familia de acogida. El Ministerio público y los recurrentes entienden que el Auto impugnado vulnera el derecho de la menor a la integridad moral, además de diversos derechos reconocidos en el artículo 24 CE, al no tomar en consideración hechos que surgieron con posterioridad al Auto de 19 de septiembre de 1998 y que ponían de manifiesto que la ejecución de dicha resolución podía dañar su salud psíquica.

FJ 4. [...] Como hemos sostenido en la STC 5/2002, de 14 de enero, FJ 4, cuando un órgano judicial adopta una decisión que puede afectar a derechos fundamentales o libertades públicas de una persona no basta con que adopte dicha decisión de forma razonada y motivada, sino que es preciso que identifique adecuadamente el contenido del derecho o libertad que puede verse afectado por dicha resolución y, una vez examinadas las circunstancias concurrentes en el caso y la interpretación de los preceptos aplicables conforme a los criterios existentes al respecto, adopte la decisión que contribuya a otorgar la máxima eficacia posible al derecho fundamental afectado; decisión, además, que, como se afirma en la STC 25/2000, de 31 de enero, FJ 3, al referirse a una pretendida lesión de un derecho fundamental, debe expresar el juicio de ponderación entre los derechos y valores puestos en juego en cada caso para así hacer «efectiva la exigencia de proporcionalidad» (STC 123/1997, de 1 de julio, FJ 3).

En el presente caso la Audiencia Provincial revocó la decisión que adoptó el Juez de Primera Instancia con el fin de evitar daños psicológicos a la menor sin valorar el riesgo apreciado por el Juez, pues negó la existencia de nuevas circunstancias acaecidas con posterioridad a su resolución anterior, no por considerar que no se había producido el cambio de circunstancias invocadas, sino por entender que dichas circunstancias ya habían sido valoradas en otro Auto dictado anteriormente por ella que el Juez se niega a ejecutar. Frente a este planteamiento hemos de observar que, precisamente, el Juez de Primera Instancia fundamenta la adopción de las nuevas medidas que acuerda en la circunstancia de que la menor se encontraba ante una nueva etapa de su existencia que no había sido tenida en consideración con anterioridad (razonamiento jurídico quinto del Auto del Juez de Primera Instancia núm. 7 de Sevilla de 11 de enero de 1999), señalando expresamente que la nueva resolución judicial no tenía como objeto volver a examinar y analizar cuestiones ya resueltas sobre la existencia o inexistencia de una pretérita causa de desamparo, ni tampoco revisar si la actuación de los servicios sociales de la Junta de Andalucía fue la más idónea o adecuada, ni tampoco trataba de suspender la eficacia de lo ya resuelto con carácter firme por la Audiencia Provincial de Sevilla, sino que, simplemente, pretendía tomar en cuenta la situación en la que en ese momento se encontraba la menor y, de acuerdo con lo previsto en el art. 158.3 del Código civil, adoptar las medidas ex novo que fueran necesarias para apartarla de un peligro y evitarle perjuicios.

Resulta, por tanto, que la Audiencia Provincial rechaza la existencia de un peligro actual fundando su decisión en que ese peligro no existió en el pasado, sin ni siquiera entrar a verificar si en el momento en que se pronuncia se ha producido una situación de riesgo para la salud psíquica de la menor. Tal forma de razonar supone incurrir en una quiebra lógica, ya que no resulta coherente afirmar que no se ha producido el cambio de circunstancias respecto de una situación anterior alegando que en el pasado ya se examinaron dichas circunstancias, pues, precisamente, lo que se solicita del órgano judicial es que compruebe si en el momento en el que ha de pronunciarse, y con independencia de lo que hubiera podido resolver en el pasado, se ha producido un cambio de circunstancias que determine que el retorno de la menor con su familia adoptiva pueda ocasionarle daños psicológicos.

FJ 5. Debemos apreciar, en consecuencia, que tal forma de razonar de la Audiencia Provincial vulnera el derecho que consagra el art. 24.1 CE, pues, como ha quedado expuesto en el fundamento jurídico anterior, la fundamentación del Auto impugnado no puede considerarse respetuosa de las exigencias constitucionales de motivación, por la insuficiencia de la argumentación que la sustenta, carente del rigor lógico reclamable a una resolución judicial, máxime estando en juego la salvaguarda del derecho fundamental de la menor a la integridad moral (art. 15 CE), circunstancia que la hace lesiva del derecho a la tutela judicial efectiva que consagra el art. 24.1 CE (por todas STC 214/1999, de 29 de noviembre, FJ 4).

A estas consideraciones debe añadirse que, al encontrarnos en este supuesto ante un caso que afectaba a la esfera personal y familiar de una menor, la cual, por la edad que tenía en aquel momento, gozaba ya del juicio suficiente para deber ser oída por la Audiencia Provincial, con el fin de hacer efectivo el derecho a ser oídos que el art. 9 de la Ley de protección jurídica del menor reconoce a los menores en cualquier procedimiento judicial en que estén directamente implicados y que conduzca a una decisión que afecte a su esfera personal, familiar o social (derecho reconocido, además, por el art. 12 de la Convención de las Naciones Unidas sobre los derechos de niño de 20 de noviembre de 1989, ratificada por Instrumento de 30 de noviembre de 1990, expresamente invocada en el art. 3 de la citada Ley Orgánica de protección jurídica del menor), este órgano judicial debió otorgar un trámite específico de audiencia a la menor antes de resolver el recurso de apelación interpuesto, por lo que también por este motivo debe apreciarse la vulneración del art. 24.1 CE.

La integridad moral de las personas menores en la adjudicación judicial de su guardia y custodia —STC 22/2008, de 31 de enero[18]—

La Sentencia resuelve el recurso de amparo promovido por doña M.R.M. contra el Auto del Juzgado de Primera Instancia e Instrucción núm. 3 de Utrera, de 24 de julio de 2006, por el que se desestimó la oposición de la recurrente a la ejecución provisional de la Sentencia de la Sección Sexta de la Audiencia Provincial de Sevilla de 10 de noviembre de 2005 que, revocando la Sentencia dictada en primera instancia, atribuyó a don J.M.E.B, ex marido de la recurrente, la guarda y custodia de la hija menor de ambos, siendo la patria potestad compartida por los progenitores. Alega la recurrente vulneración, además de su derecho a la tutela judicial efectiva (artículo 24 CE), del derecho de la menor a la integridad física y moral, ya que el cambio de entorno contribuiría a su desestabilización social y afectiva.

FJ 8. [...] Bajo la invocación del derecho a la integridad física y moral (art. 15 CE) lo que en realidad de nuevo vuelve a cuestionar la demandante de amparo es la conveniencia o los beneficios del cambio de guarda y custodia de la menor decidido por la Audiencia Provincial, vinculando el interés de la menor con su estancia bajo la custodia y guarda de la madre. Como el Ministerio Fiscal pone de manifiesto en su escrito de alegaciones, la recurrente no aporta dato alguno del que pueda inferirse riesgo evidente (STC 71/2004, de 9 de abril, FJ 8) o peligro potencial alguno, actual o futuro, a la integridad física y moral de la menor como consecuencia del cambio de guarda y custodia. En este sentido ha de señalarse, frente al pasaje del informe psicológico que invoca la recurrente en amparo, que en él, al margen de la opinión de su autor sobre el beneficio del cambio de guarda y custodia de la menor, no sólo no se alude en ningún momento a algún posible riesgo o peligro para la integridad física o psíquica de la menor como consecuencia de dicho cambio, sino que, por el contrario se afirma expresamente que el padre es una de las principales figuras de apego de la menor, al igual que su madre, así como que «la relación que ha mantenido hasta la fecha con su padre ha servido para el establecimiento de vínculos afectivos estables». Ha de descartarse, pues, que el Auto impugnado, al desestimar la oposición formulada por la recurrente en amparo a la ejecución provisional de la Sentencia de la Audiencia Provincial, haya vulnerado el mencionado derecho fundamental, revistiendo su invocación carente de argumentación un carácter meramente retórico en este caso.

---

[18]   *Vid.* también SSTC 71/2004, de 19 de abril; 163/2009, de 29 de junio.

A mayor abundamiento este Tribunal ha manifestado en la STC 71/2004, de 19 de abril, que la declaración de lesión de la integridad psíquica de menores, cuando lo misma no se haya producido de modo real y efectivo, sino que se infiera de un riesgo, lo que ni siquiera acontece en el caso que ahora nos ocupa, sólo podrá ser efectuada en un proceso de amparo cuando la lesión resulte palmaria, manifiesta o del todo indudable. Por el contrario, cuando no sea así porque quepan dudas fundadas de que tal lesión vaya o no a producirse o porque resulte ponderada teniendo en cuenta otros factores, y sin que el interés de la menor deje de constituir siempre norte del órgano que ha de apreciarla, su declaración por este Tribunal invadiría una función que no le corresponde, sino que está atribuida a los Jueces y Tribunales ordinarios ex art. 117.4 CE, esto es, en función de las atribuciones que expresamente les confiere la Ley en garantía de cualquier derecho (FJ 8).

LA LIBERTAD IDEOLÓGICA Y LA LIBERTAD RELIGIOSA

Artículo 16. 1. Se garantiza la libertad ideológica, religiosa y de culto de los individuos y las comunidades sin más limitación, en sus manifestaciones, que la necesaria para el mantenimiento del orden público protegido por la ley.

2. Nadie podrá ser obligado a declarar sobre su ideología, religión o creencias.

3. Ninguna confesión tendrá carácter estatal. Los poderes públicos tendrán en cuenta las creencias religiosas de la sociedad española y mantendrán las consiguientes relaciones de cooperación con la Iglesia Católica y las demás confesiones.

INTRODUCCIÓN

De los dos derechos reconocidos en el artículo 16 CE, la libertad ideológica y la libertad religiosa y de culto, el segundo constituye una especie del primero. En coherencia con su carácter genérico, la libertad ideológica es un derecho más amplio que la libertad religiosa y de culto, así como también más dúctil, un derecho de contornos flexibles, que como otros derechos que también hacen de marco genérico de otros, como el derecho a la intimidad, está abierto a la exploración permanente de nuevas fronteras. Buen ejemplo de ello es la vigencia del debate, en la doctrina y en la jurisprudencia constitucional, en torno a la cobertura y protección que la objeción de conciencia merece directamente como parte del contenido del derecho a la libertad ideológica, más allá pues de su reconocimiento como derecho específico en el ámbito de la prestación del servicio militar obligatorio (SSTC 53/1985; 145/2015; además de las comentadas en **ARTÍCULO 30.2**).

Más allá de este debate, y como tal derecho genérico, el lugar que la libertad ideológica ocupa en nuestro orden constitucional no es objeto de polémica. Si el derecho a la vida es «supuesto ontológico» de todos los demás (STC 53/1985, FJ 3), la libertad ideológica es su sustento axiológico, así como de todo nuestro sistema democrático, la premisa valorativa para la efectividad de los demás principios que informan nuestro orden constitucional. De ahí que, como el derecho a la vida, la libertad ideológica sea un derecho de titularidad universal (**ARTÍCULO 13:** STC 107/1984), al igual, hay que entender, que lo es la libertad religiosa (STEDH de 5 de octubre de 2006, asunto *Ejército de Salvacion c. Rusia*). En palabras del Tribunal Constitucional, «sin la libertad ideológica consagrada en el art. 16.1 de la Constitución, no serían posibles los valores superiores de nuestro ordenamiento jurídico que se propugnan en el art. 1.1 de la misma para constituir el Estado social y democrático de derecho que en dicho precepto se instaura» (STC 20/1990, FJ 3). Esto es así principalmente en lo que a su dimensión interna concierne, en lo que concierne, esto es, al «derecho a adoptar una determinada posición intelectual ante la vida y cuanto le concierne y a representar o enjuiciar la realidad según personales convicciones» (STC 120/1990, FJ 10). A partir de ahí, y como efecto irradiación, la fundamentalidad de la libertad ideológica impregna también su «dimensión externa, de *agere licere* con arreglo a las propias ideas sin sufrir por ello sanción o demérito ni padecer la compulsión o la injerencia de los poderes públicos» (*ibídem*). Es esta dimensión externa la única susceptible de limitación («sin más limitación, *en sus manifestaciones*» —artículo 16.1 CE, mi cursiva—), siempre en atención a la necesidad de mantener el orden público protegido por la ley, el orden público constitucional (STC 46/2001, FJ 11, sobre libertad religiosa), y con base en el principio de proporcionalidad.

En su dimensión externa, la libertad ideológica confluye con la libertad de expresión sin llegar, sin embargo, a identificarse con ella, manteniéndose, antes bien, siempre en contacto con su dimensión interna, no necesariamente presente en la libertad de expresión. Así, y como ha señalado el Tribunal Constitucional, la violación de la libertad ideológica implica, de un lado, que se perturbe o impida de algún modo «la adopción o el mantenimiento en libertad de una determinada ideología o pensamiento y no simplemente que se incida en la expresión de determinados criterios —por más que ello pueda tener relevancia ex art. 20.1 CE»—; e implica también, de otro lado, «que entre el contenido y sostenimiento de éstos y lo dispuesto en los actos que se combatan quepa apreciar una relación de causalidad suficiente para articular la imputación del ilícito constitucional» (*ibídem*). También confluye la libertad ideológica con el ejercicio de otros derechos fundamentales, como el derecho a la información, el derecho de reunión, de participación política, a la educación y a la libertad de enseñanza, a la libre sindicación o a la huelga, sin identificarse tampoco con ninguno de ellos. Es pues la dimensión interna de la libertad ideológica, esa dimensión ilimitable, la que le dota de contenido específico y lo ubica en el lugar central que le corresponde en el orden constitucional democrático.

La centralidad de la libertad ideológica en nuestro orden constitucional aparece reconocida sin apenas fisuras en la jurisprudencia constitucional, tanto frente a los poderes públicos como en el ámbito laboral. Esas fisuras, donde existen, no derivan de una puesta en cuestión de su lugar constitucional, sino de la ductilidad e indefinición de sus contornos a que más arriba se hacía referencia, y de las correspondientes incertidumbres en torno a la amplitud de su contenido. Conectan, en concreto, con la posibilidad de que la libertad ideológica constitucionalmente garantizada pueda dar cobertura a ideologías contrarias a la propia Constitución.

Nos encontramos así, en primer lugar, con el debate en torno al carácter militante que deben o no tener los sistemas democráticos, un carácter que nuestro

Tribunal Constitucional ha negado con rotundidad al nuestro (SSTC 48/2003, FJ 7; 12/2008, FJ 6). Y es que, si por democracia militante entendemos un modelo que imponga «no ya el respeto, sino la adhesión positiva al ordenamiento, y, en primer lugar, a la Constitución» (STC 48/2003, FJ 7), difícilmente puede tildarse de militante a una democracia cuya Constitución está abierta a la posibilidad de reforma en todos sus aspectos, una Constitución que a diferencia de otras, notablemente de la alemana, no consagra como intangible una parte de la misma, que constituiría así su núcleo duro, irrenunciable (*ibídem*). En realidad, lo que de este modo está negando nuestro Tribunal Constitucional es el carácter militante, no de nuestra democracia, sino de nuestra Constitución. Y es que lo que la militancia democrática exige es la adhesión positiva, no al texto constitucional, sino a los principios democráticos básicos sobre los que descansa el sistema. Todo sistema que se quiera democrático, con independencia de las posibilidades de reforma constitucional que encierre, descansa necesariamente en dicha adhesión. Lo cual equivale a decir que todo sistema que se quiera democrático encierra necesariamente un mínimo de militancia. Lo cierto, con todo, es que en la doctrina de nuestro Tribunal Constitucional la democracia militante se identifica con el compromiso positivo con el orden constitucional formal, no con los principios democráticos que lo sustentan.

El debate en torno al carácter militante de nuestra democracia, así entendido, informaba ya el telón de fondo de la cuestión de si los cargos públicos electos deben o no verse obligados a jurar o prometer el acatamiento de la Constitución (SSTC 101/1983; 122/1983), y de si deben contar con la posibilidad de hacerlo con fórmulas distintas de las legalmente previstas (SSTC 8/1985; 119/1990; 74/1991). Su aparición definitiva en la jurisprudencia constitucional tuvo lugar con el análisis de la constitucionalidad de los artículos 6, 9 y 10 de la Ley Orgánica 6/2002, de 27 de junio, de partidos políticos. Fue en este contexto donde el Tribunal Constitucional afirmó el carácter no militante de nuestra democracia (STC 48/2003, FJ 7). A partir de aquí, y en relación con esos artículos, el Tribunal Constitucional entendió, no sin polémica ni incoherencias, que con ellos no se introducía un modelo de democracia militante que comprometiera el derecho de libertad ideológica, ya que su objeto no es limitar los fines ideológicos que pueden perseguir los partidos políticos, sino tan sólo los medios legítimos, las actuaciones de que se pueden servir para alcanzarlos (STC 48/2003, FJ 7; *vid.* SSTEDH de 9 de abril de 2002, asunto *Partido del Trabajo del Pueblo c. Turquía*; 20 de octubre de 2005, asunto *Macedonia Unida c. Bulgaria*). No sin polémica ni incoherencias, decía, porque aunque la distinción entre medios y fines pueda resultar razonable en abstracto, resulta artificiosa en su aplicación a los preceptos cuestionados. Resulta, en efecto, llamativo que dar apoyo tácito al terrorismo (silenciando ante sus atentados —STC 5/2004, FJ 18—) se considere, no un fin, sino un medio, no una toma de posición ideológica, sino una actuación, que como tal puede eventualmente conducir a la ilegalización del partido en cuestión (artículo 9.3.a). Esta conclusión resulta coherente con la existencia de un núcleo de principios democráticos irrenunciables, en línea con una democracia que es, efectivamente, militante, aunque su texto constitucional no lo sea. Son probablemente las dificultades dogmáticas que conllevan la definición de ese núcleo y la delimitación de las consecuencias de su intangibilidad las que han llevado al Tribunal a negar su existencia y a afirmar el carácter no militante de nuestra democracia, amparándose para ello, en un salto conceptual, en la reformabilidad de todo el texto constitucional.

En segundo lugar, las fisuras en torno al contenido de la libertad ideológica conectan con los límites mismos de la Constitución como fuente autorreferencial de ideología legítima, con el reconocimiento y protección que merecen posicionamientos ideológicos de tipo meta-constitucional o meta-jurídico que puedan venir a condicionar el disfrute de posiciones jurídicas constitucionalmente garantizadas. Es aquí donde se dirime el debate en torno a la objeción de conciencia a que más arriba me refería. Se trata de un debate que afecta a materias, como el aborto o la anticoncepción, impregnadas de contenido meta-jurídico (SSTC 53/1985, FJ 14; 145/2015), o a otras donde se dirime la tarea de educar a la ciudadanía y de decidir los valores (jurídico-democráticos frente a trascendentales) que deben servir de base a dicha educación (SSTS de 22 de febrero de 2009, Sala Tercera). En principio, el Tribunal Constitucional ha afirmado que la objeción de conciencia «con carácter general, es decir, el derecho a ser eximido del cumplimiento de los deberes constitucionales o legales por resultar ese cumplimiento contrario a las propias convicciones, no está reconocido ni cabe imaginar que lo estuviera en nuestro Derecho o en Derecho alguno, pues significaría la negación misma de la idea del Estado» (STC 161/1987, FJ 3). En alguna cuestión impregnada de consideraciones meta-jurídicas, con todo, muy concretamente en el ámbito del aborto y de la anticoncepción, el Tribunal ha cedido a dichas consideraciones, admitiendo la posibilidad de objetar en conciencia como parte del derecho fundamental a la libertad ideológica (SSTC 53/1985, FJ 14; 145/2015).

Si las incertidumbres que suscita la libertad ideológica derivan de los márgenes del marco jurídico constitucional, es fácil entender que dichas incertidumbres impregnen, no ya los contornos, sino el núcleo duro del derecho a la libertad religiosa, cuyo contenido nos traslada derechamente al terreno de lo trascendental. Nos encontramos aquí ante un caso en el que la especie, la libertad religiosa, presenta un contenido más complejo y unos contornos más problemáticos que el género al que pertenece. No por casualidad su reconocimiento abarca casi la totalidad del artículo 16 CE. La libertad religiosa tiene, al igual que la libertad ideológica, una dimensión interna que constituye la base de otra externa, la cual actúa como canal de expresión de la primera. Pero es que, además, y a diferencia de la libertad ideológica, la libertad religiosa tiene, junto a su dimensión individual, una dimensión de ejercicio colectivo: la libertad de culto, que abre la titularidad del derecho a personas jurídicas. Ésta gira en torno a cuerpos institucionalizados de creencias, de principios meta-jurídicos que aspiran a comprehender y regular la realidad humana y social en toda su complejidad y que no son elaboradas por cada individuo concreto con base en su libertad individual, sino que emanan de fuentes de autoridad religiosa, limitándose los individuos a adherirse a ellas más o menos en bloque. Todo lo cual rivaliza con el marco axiológico que conforma el derecho del Estado.

Lejos pues de ser pilar central de nuestro sistema constitucional democrático, y a diferencia de la libertad ideológica, la libertad religiosa constituye, con su cuerpo de creencias de contenido meta-jurídico basadas en fuentes de autoridad ajenas al Estado, un reto para los pilares axiológicos de éste, al menos allí donde estos pilares no se alinean con alguna de esas fuentes de autoridad. De ahí la necesidad que tienen los Estados democráticos de someter a la libertad religiosa y de culto al límite del respeto del orden público, entendido como el respeto al orden democrático de convivencia. Así lo prevé el artículo 16.1 CE. Y así lo prevé la Ley Orgánica 7/1980, de 5 de julio, de libertad religiosa, cuyo artículo 3 se refiere al orden público en el ámbito de una sociedad democrática como el «derecho de los demás al ejercicio de sus libertades públicas y derechos fundamentales, así como la salvaguardia de la seguridad, de la salud y de la moralidad pública» (*vid*. también STC 46/2001, FJ 11).

El orden público que sirve como límite a la libertad religiosa es, en definitiva, el orden democrático. Se trata, ciertamente, de un orden público de mínimos, sujeto a interpretación restrictiva favorable a la libertad religiosa, erigiéndose en un límite que los poderes públicos sólo pueden imponer con base en el principio de proporcionalidad, aplicado siembre en atención a las específicas circunstancias del caso concreto (*ibídem*). Y se trata de un orden público cuya imposición está en manos del poder judicial, no de la autoridad gubernativa. No está, especialmente, en manos de las autoridades a cargo del Registro de religiones existente en el Ministerio de Justicia, según prevé el artículo 5 de la Ley Orgánica 7/1980, de 5 de julio, de libertad religiosa. Las cuales, como ha aclarado el Tribunal Constitucional, no pueden controlar la legitimidad de las creencias religiosas que aspiran a inscribirse en el Registro, ni gozan de discrecionalidad para acordar o no la inscripción solicitada. Antes bien, «su actuación en este extremo no puede sino calificarse como reglada» (STC 46/2001, FJ 8), debiendo limitarse a verificar que están presentes los requisitos formales a que se refiere la Ley Orgánica 7/1980, tales como denominación, domicilio, régimen de funcionamiento y organismos representativos, así como los fines religiosos (artículo 5). Unos fines que la administración no puede juzgar, sino sólo constatar que existen (STC 46/2001, FJ 10). En palabras del Tribunal Constitucional, «sólo cuando se ha acreditado en sede judicial la existencia de un peligro cierto para «la seguridad, la salud y la moralidad pública», tal como han de ser entendidos en una sociedad democrática, es pertinente invocar el orden público como límite al ejercicio del derecho a la libertad religiosa y de culto» (*ibídem*, FJ 11).

El reconocimiento de la libertad religiosa en el marco de un Estado democrático, que es también normalmente, aunque no siempre (piénsese en el Reino Unido, o en Suecia) un Estado aconfesional o laico, obliga a gestionar la relación entre su sistema axiológico y el de los distintos credos religiosos que conviven en su seno. Incluso los estados confesionales democráticos, que reconocen la libertad religiosa, deben gestionar esta relación, normalmente con base en la tolerancia de otros credos. En un Estado laico o aconfesional, la fórmula ideal pasa por definir las creencias religiosas y el Estado como esferas separadas en la medida de lo posible, manteniéndose las primeras ajenas al segundo, y éste neutral respecto de ellas. El objetivo es reducir al mínimo, idealmente eliminar, los puntos de convergencia y fricción entre unas y otro. Ello con independencia de la mayor o menor tolerancia del Estado respecto de la presencia de símbolos religiosos externos en la esfera pública. Es ésta una cuestión compleja, que con frecuencia incide sobre la apariencia externa de las mujeres, adquiriendo junto con su contenido religioso un fuerte contenido de género; y es una cuestión sobre la que no existe aún jurisprudencia constitucional en nuestro país (la STS de 28 de febrero de 2013, Sala Tercera, declaró que una ordenanza del ayuntamiento de Lleida de mayo de 2010 que prohibía el uso del velo integral en edificios e instalaciones municipales para proteger el orden público y los derechos de las mujeres violaba el derecho a la libertad religiosa). Por su parte, la STEDH de 29 de junio de 2004, asunto *Leyla Şahin c. Turquía,* avaló la prohibición del velo en una universidad pública, mientras la STEDH de 1 de julio de 2014, asunto *S.A.S. c. Francia*, avaló la prohibición del velo integral en los espacios públicos en Francia.

No es la fórmula de la separación, con todo, la que ha adoptado nuestro orden constitucional. Antes bien, el artículo 16.3 CE, tras afirmar la aconfesionalidad del Estado, recoge un modelo de cooperación entre éste y las confesiones religiosas presentes en la sociedad española, con mención explícita de la Iglesia Católica. Introducir un modelo de cooperación entre el Estado y las distintas confesiones genera distorsiones en el sistema axiológico estatal. Para empezar, con él se vacía de contenido uno de los derechos fundamentales reconocidos en el marco de la libertad religiosa, el derecho a la intimidad religiosa (artículo 16.2 CE), en la medida en que la colaboración entre el Estado y las distintas confesiones obliga a los individuos a expresar a qué credo pertenecen, como premisa para obtener prestaciones determinadas (SSTC 24/1982; 177/1996; 101/2004). Pero es que, además, un modelo de cooperación implica, no eliminar, sino cultivar los puntos de convergencia entre los órdenes constitucional-democrático y religioso, aspirando más que a mantenerlos separados a armonizarlos. Esos puntos de convergencia someten al Estado al riesgo de contaminación con principios de contenido metajurídico procedentes de algún credo concreto, probablemente aquél con mayor presencia social, generando situaciones de desigualdad, incluso de discriminación de algunos colectivos.

No es éste un riesgo inevitable. Mucho dependerá de cómo el Estado gestione su colaboración con colectivos que profesan credos diversos. Existen dos posibilidades. La primera parte de la igualdad, valor superior del ordenamiento (artículo 1.1 CE), objetivo a perseguir por los poderes públicos (artículo 9.2 CE) y derecho fundamental (artículo 14 CE). Se trataría no sólo de evitar situaciones de discriminación por razones religiosas, sino de atender también a la obligación de los poderes públicos de promover las condiciones para la efectiva igualdad y libertad de las personas y los grupos en que se integran, y para su plena participación en la esfera pública (artículo 9.2 CE). Lo cual implica apoyar a los colectivos que parten de una posición de desventaja social, prestándoles la ayuda de que precisan para el efectivo disfrute de la dimensión colectiva de su libertad religiosa. Todo ello sin dejar de lado a los colectivos mayoritarios, concretamente a la Iglesia Católica, objeto de mención explícita en el artículo 16.3 CE. La segunda posibilidad consiste, por el contrario, en convertir el contenido de la libertad religiosa en vasallo de los colectivos que gozan de hegemonía cultural, subordinando la lectura de la Constitución a nuestra tradición cultural religiosa, de perfil marcadamente católico, una tradición corroborada por la mención de la Iglesia Católica en el propio artículo 16.3 CE y por los Acuerdos suscritos entre España y la Santa Sede, de 3 de enero de 1979. Ello implica centrar en la Iglesia Católica los esfuerzos de cooperación, con atención secundaria a otros credos.

Es este segundo modelo el que se ha impuesto en nuestro Estado. Se trata de un modelo que subvierte las premisas del artículo 9.2 CE, convirtiendo el apoyo Estatal, no en inversamente proporcional al poder social de un determinado colectivo, en la lógica de dicho artículo, sino en directamente proporcional al mismo. Lo cual genera un problema de desigualdad material, no sólo religiosa, sino en un sentido cultural y social más amplio, habida cuenta de la vinculación entre diversidad religiosa y el fenómeno migratorio. El resultado es una lectura del artículo 16.3 CE que lo convierte en instrumento al servicio de colectivos culturalmente hegemónicos (es lo que se desprende de las SSTC 19/1985; 166/1996; 34/2011; entre otras), una lectura que neutraliza la efectividad del artículo 9.2 CE en materia de diversidad religiosa, cerrando las puertas a la multiculturalidad.

Las reflexiones precedentes llevan a preguntarnos qué suerte correría la diversidad religiosa si el Tribunal la abordase no, o no sólo, desde la perspectiva del artículo 16 CE, sino también, e incluso fundamentalmente, desde la perspectiva del derecho a no sufrir discriminación por razón de religión (artículo 14 CE), interpretado a la luz del artículo 9.2 CE. Quizás no sea casualidad que el Tribunal Constitucional evite aproximarse a la libertad religiosa desde esta perspectiva. Hacerlo le obligaría a desarrollar una lectura del artículo 16.3 CE coherente con el artículo 9.2 CE, antes que con los Acuerdos con la Santa Sede. Es en este terreno donde el desarrollo jurisprudencial del artículo 16 CE merece mayores críticas, al tiempo que ofrece mayor potencial para un desarrollo distinto, posible fuente de transformación social.

LEGISLACIÓN

Código penal, artículos 522 a 526; Acuerdos suscritos entre España y la Santa Sede, de 3 de enero de 1979: sobre asuntos jurídicos; sobre enseñanza y asuntos culturales; sobre la asistencia religiosa a las fuerzas armadas y el servicio militar de clérigos y religiosos; y sobre asuntos económicos, respectivamente; Ley Orgánica 7/1980, de 5 de julio, de libertad religiosa; Ley 24/1992, de 10 de noviembre, por la que se aprueba el Acuerdo de Cooperación del Estado con la Federación de Entidades Religiosas Evangélicas de España; Ley 25/1992, de 10 de noviembre, por la que se aprueba el Acuerdo de Cooperación del Estado con la Federación de Comunidades Israelitas de España; Ley 26/1992, de 10 de noviembre, por la que se aprueba el Acuerdo de Cooperación del Estado con la Comisión Islámica de España.

BIBLIOGRAFÍA

AA.VV. (2001): *La libertad ideológica (Actas de las VI ornadas de la asociación de letrados del Tribunal Constitucional*, Madrid: CEPC; ALÁEZ CORRAL, B. (2003): «Símbolos religiosos y derechos fundamentales en la relación escolar», *REDC* 67, pp. 89-125; ARAUJO OLIVER, J. (1993): *Derecho a la objeción de conciencia*, Madrid: Civitas; BARRERO ORTEGA, A. (2001): «Sobre la libertad religiosa en la historia constitucional española» *REDC* 61, pp. 131-185; (2006): *La libertad religiosa en España*, Madrid: CEPC; (2001): «Multiculturalismo y libertad religiosa», *ADEclE*, 27, pp. 21-38; (2012): «El caso *Lautsi*: la cara y la cruz», *REDC* 94, pp. 379-409; (2016): "La objeción de conciencia farmacéutica", *REP* 172, pp. 83-107; BARRERO ORTEGA, A. y TEROL BECERRA, M., coords. (2009): *La libertad religiosa en el Estado social*, Valencia: Tirant lo Blanch; BASTERRA MONTSERRAT, D. (1989): *El derecho a la libertad religiosa y su tutela jurídica*, Madrid: Civitas; CAÑAMARES ARRIBAS, S. (2005): *Libertad religiosa, simbología y laicidad del Estado*, Navarra: Aranzadi; CELADOR ANGÓN, O. (2017): "La objeción de conciencia farmacéutica: Análisis comparativo de los modelos español y estadounidense", *RDP* 99, pp. 121-166; CONTRERAS MAZARÍO, J.M. (2017): "Libertad religiosa vs. libertad de expresión: análisis jurisprudencial", Laicidad y Libertades 17, pp. 85-142; FERNÁNDEZ GARCÍA, E. (1987): *La obediencia al derecho*, Madrid: Civitas; FERNÁNDEZ-CORONADO, A. y LLAMAZARES, D. (1995): *Estado y confesiones religiosas: un nuevo modelo de relación*, Madrid: Civitas; GASCÓN ABELLÁN, M. (1990): *Obediencia al derecho y objeción de conciencia*, Madrid: CEC; GONZÁLEZ MORENO, B. (2002): «El tratamiento dogmatico del derecho de libertad religiosa y de culto en la constitución española», *REDC* 66, pp. 123-145; LLAMAZARES FERNÁNDEZ, D. (1997): *Derecho a la libertad de conciencia*, Madrid: Civitas; LÓPEZ CASTILLO, A. (1999): «Acerca del derecho de libertad religiosa», *REDC* 56, pp. 75-104; (2001): «Libertad de conciencia y de religión», *REDC* 63, pp. 11-42; (2002): *La libertad religiosa en la jurisprudencia constitucional*, Navarra: Aranzadi; (2004): «A propósito de la neutralidad religiosa en el 25 aniversario de la Constitución española: un apunte crítico», *REDC* 71, pp. 217-242; LORENZO VÁZQUEZ, P. (2001): *Libertad religiosa y enseñanza en la Constitución*, Madrid: CEPC; MARTÍN RETORTILLO BAQUER, L. (2007): *La afirmación de la libertad religiosa en Europa*, Madrid: Civitas; MARTÍNEZ DE PISÓN CAVERO, J.M. de (2000): *Constitución y Libertad religiosa en España*, Madrid: Dykinson; POLO SABAU, R. (2017): "El artículo 16 de la Constitución en su concepción y desarrollo: cuarenta años de laicidad y libertad religiosa, *RDP* 100, pp. 311-345; PORRAS RAMÍREZ, J.A. (2006): *Libertad religiosa, laicidad y cooperación con las confesiones en el Estado democrático de derecho*, Madrid: Cívitas; ROLLNERT LIERN, G. (2002): *La libertad ideológica en la jurisprudencia del tribunal Constitucional (1980-2001)*, Madrid: CEC; SOLANES CORELLA, Á. y LA SPINA, E. (2017): "Límites a la libertad religiosa en contextos multiculturales: del velo al 'burkini'", *Laicidad y Libertades* 17, pp. 235-266; SOUTO GALVÁN, B. (2016): "La libertad de creencias y el ínterés superior del menor", *REDF* 28, pp. 191-220; TORRES GUTIÉRREZ, A. (2003): «El desarrollo postconstitucional del derecho a la libertad religiosa en España», *REP* 120, pp. 243-268; VALERO HEREDIA, A. (2008): *Libertad de conciencia, neutralidad del Estado y principio de laicidad*, Madrid: Ministerio de Justicia; VÁZQUEZ ALONSO, V. (2010): «La Laicidad Francesa: un Modelo en Cambio» *Revista general de derecho constitucional (Internet)* 10, pp. 1-6; (2010): «Relaciones iglesia-estado en la jurisprudencia del Tribunal Europeo de Derechos Humanos: ¿laicidad o laicidades?» *ISOTIMIA. Revista internacional de teoría política y jurídica* 3, pp. 73-101; (2012): *Laicidad y Constitución*, Madrid: CEC.

I. LIBERTAD IDEOLÓGICA

La libertad ideológica como pilar axiológico de la Constitución: el caso de las injurias al Rey —STC 20/1990, de 15 de febrero—

La Sentencia resuelve el recurso interpuesto por don J.J.F.P. contra las Sentencias de 19 de octubre de 1987, dictadas por la Sala Segunda del Tribunal Supremo, que casaron la de la Sección Segunda de lo Penal de la Audiencia Nacional, de 12 de abril de 1984, condenando al recurrente, periodista de profesión, como autor de un delito de injurias leves al Jefe del Estado. Coincidiendo con la celebración en España del Campeonato Mundial de Fútbol celebrado 1982, el recurrente publicó en el núm. 270 de la revista semanal «Punto y Hora» un artículo titulado «Junio de los Mundiales y agosto de las multinacionales». En él se hacía una crítica política y social de la organización y finalidad del Campeonato Mundial de Fútbol, y de su utilización por diferentes políticos a lo largo de la historia. La crítica incluía una referencia a la Monarquía Española y a su relación con el Régimen anterior. Entiende el recurrente que su condena vulnera sus derechos a la libertad ideológica y a la libertad de expresión.

FJ 3. Para la adecuada solución del recurso, examinando la queja en él planteada exclusivamente, como hemos dicho, desde su dimensión constitucional, hay que tener presente que sin la libertad ideológica consagrada en el art. 16.1 de la Constitución, no serían posibles los valores superiores de nuestro ordenamiento jurídico que se propugnan en el art. 1.1 de la misma para constituir el Estado social y democrático de derecho que en dicho precepto se instaura. Para que la libertad, la justicia, la igualdad y el pluralismo político sean una realidad efectiva y no la enunciación teórica de unos principios ideales, es preciso que a la hora de regular conductas y, por tanto, de enjuiciarlas, se respeten aquellos valores superiores sin los cuales no se puede desarrollar el régimen democrático que nos hemos dado en la Constitución de 1978. Interpretar las leyes según la Constitución conforme dispone el art. 5.1 de la Ley Orgánica del Poder Judicial, exige el máximo respeto a los valores superiores que en ella se proclaman.

Pues bien, aunque es cierto que, como ha declarado este Tribunal en numerosas Sentencias y recuerda el Ministerio Fiscal en sus alegaciones, no hay derechos absolutos o ilimitados, también lo es que la libertad ideológica invocada por el recurrente, por ser esencial, como hemos visto, para la efectividad de los valores superiores y especialmente del pluralismo político, hace necesario que el ámbito de este derecho no se recorte ni tenga «más limitación (en singular utiliza esta palabra el art. 16.1 CE), en sus manifestaciones, que la necesaria para el mantenimiento del orden público protegido por la ley». La limitación, por la singularidad y necesidad con que se precisa en el propio precepto que la determina, no puede hacerse coincidente en términos absolutos, pese a lo afirmado por el Ministerio Fiscal, con los límites que a los derechos de libertad de expresión y de información reconocidos por el art. 20.1 a) y d) CE, impone el núm. 4 de esta norma. La equiparación entre una y otras limitaciones, requiere, en todo caso, que, como ocurre en este supuesto, cuando el hecho imputado a un ciudadano afecte principalmente a su derecho a la libertad ideológica, su enjuiciamiento ha de ponderar y analizar también principalmente de qué manera a través de su manifestación eterna se ha vulnerado el «orden público protegido por la Ley».

Desde el punto de vista de la libertad ideológica al que nos estamos refiriendo en este fundamento, hay que decir desde el primer momento que la Sentencia del Tribunal Supremo, a diferencia de la dictada por la Audiencia Nacional, no contiene razonamientos explícitos que pongan en relación la libertad ideológica del recurrente con el límite que a la misma señala el art. 16.1 de la Constitución. Se centra en contemplar el escrito enjuiciado desde la perspectiva penal de los arts. 147.1 en relación con el 457 del Código Penal como delito de injurias al Rey. Lo hace así, porque así fue planteado —por inaplicación de dichos preceptos penales— por el Ministerio Fiscal en el motivo de casación acogido por la Sala Segunda del Tribunal Supremo, pero lo cierto es que olvida una referencia incriminatoria concreta frente a la libertad ideológica del autor del escrito, pese a reconocer que el mismo contiene «un determinado componente de crítica política». Entiende la Sentencia que este componente es «de interés para graduar el alcance de la faceta injuriosa del escrito e individualizar la pena», pero, fuera de esto, ningún otro alcance atribuye la Sentencia a dicha libertad ni analiza expresamente si el escrito en cuestión excede o no del límite que a la libertad ideológica señala el art. 16.1 de la Constitución.

La omisión es importante, porque al trasladar todo el problema a los límites que señala el núm. 4 del art. 20 —que es el marco en el que exclusivamente se centra la Sentencia del Tribunal Supremo— a los derechos que se reconocen y protegen en los apartados a) y d) del núm. 1 de este artículo, se equipara en punto a limitaciones la libertad ideológica con esos otros derechos fundamentales y por esta vía se restringe la mayor amplitud con que la Constitución configura el ámbito de aquel derecho.

No se trata, naturalmente, de que la libertad ideológica en su manifestación externa a través de un artículo periodístico, pueda ser utilizada para eludir los límites que a la libertad de expresión impone el art. 20.4 de la Constitución, pero la visión globalizada de ambos derechos, o de las limitaciones con que han de ser ejercidos, no puede servir solamente «de interés para graduar el alcance de la faceta injuriosa del escrito e individualizar la pena», como afirma la Sentencia recurrida, sino que han de servir también y principalmente para determinar si la «faceta injuriosa», por no ser ésta la finalidad del artículo —como claramente resulta de la total lectura del mismo—, puede o debe desaparecer ante la protección a la libertad ideológica del autor que consagra el art. 16.1 de la Constitución. Hay, pues, que partir de este derecho fundamental y no entenderlo simplemente absorbido por las libertades de expresión e información del art. 20. [...]

FJ. 5. [...] En estas circunstancias y por reprobables que sean los términos con que el autor expresa sus propias opiniones —y ciertamente lo son, en el párrafo que sirve de base a la condena— no alcanzan los límites de una conducta merecedora de tan grave sanción penal, puesto que han sido emitidas en el ejercicio de los derechos fundamentales invocados por el recurrente. Lo serían con base en los criterios tradicionales para el enjuiciamiento de los delitos de injurias, pues el animus criticandi no ampararía quizás dichas expresiones; pero no pueden serlo a partir de la Constitución, porque la libertad ideológica que consagra el art. 16.1 y el correlativo derecho a expresarla que garantiza el art. 20.1 a) no son compatibles, como se deduce de la doctrina de este Tribunal que ha quedado recogida en los anteriores fundamentos, con sancionar penalmente el ejercicio de dichas libertades. La libertad ideológica indisolublemente unida al pluralismo político que, como valor esencial de nuestro ordenamiento jurídico propugna la Constitución, exige la máxima amplitud en el ejercicio de aquélla y, naturalmente, no sólo en lo coincidente con la Constitución y con el resto del ordenamiento jurídico, sino también en lo que resulte contrapuesto a los valores y bienes que en ellos se consagran, excluida siempre la violencia para imponer los propios criterios, pero permitiendo la libre exposición de los mismos en los términos que impone una democracia avanzada. De ahí la indispensable interpretación restrictiva de las limitaciones a la libertad ideológica y del derecho a expresarla, sin el cual carecería aquélla de toda efectividad.

Los ataques simbólicos a la Corona —STC 177/2015, de 8 de junio (*vid.* también ARTÍCULO 20)—

La Sentencia resuelve el recurso de amparo promovido por don J.R.R.C. y don E.S.T. contra la Sentencia de la Sala de lo Penal de la Audiencia Nacional, de 5 de diciembre de 2008, que desestimó el recurso de apelación interpuesto contra la Sentencia condenatoria dictada por el Juzgado Central Penal de la Audiencia Nacional, de 9 de julio de 2008, que les condenó como autores de un delito de injurias contra la Corona, con la circunstancia agravante de disfraz, a la pena de quince meses de prisión, que fue sustituida por multa de treinta meses, con una cuota diaria de 3 €. El hecho por el que se les condenó fue la quema, en el curso de una concentración en la plaza mayor de Girona el 13 de septiembre de 2007, de una fotografía de las efigies en tamaño real de los Monarcas. Los recurrentes denuncian la vulneración de sus libertades ideológica y de expresión.

FJ 5. [...] [L]as penas impuestas a los demandantes no vulneran el derecho fundamental a la libertad ideológica (art. 16.1 CE), pues sin perjuicio del trasfondo antimonárquico de su comportamiento, de todo punto evidente, el reproche penal que realizan las Sentencias impugnadas no se fundamenta en el posicionamiento ideológico de los recurrentes, sino en el contenido de un acto episódico de naturaleza simbólica. En el ordenamiento español no existe ninguna prohibición o limitación para constituir partidos políticos que acojan idearios de naturaleza republicana o separatista, ni para su expresión pública, como evidencia la celebración de la manifestación que tuvo lugar inmediatamente antes de la comisión de los hechos sancionados. En suma, pues, la condena penal carece del proscrito efecto disuasorio respecto de la exteriorización de un determinado credo político en torno a la institución monárquica o, más concretamente, respecto de la figura del Rey, ya que tal condena se anuda, exclusivamente, al tratamiento de incitación al odio y a la exclusión de un sector de la población mediante el acto de que fueron objeto los retratos oficiales de los Reyes. [...]

Las dimensiones interna y externa de la libertad ideológica: el caso de la huelga de hambre de reclusos del GRAPO —STC 120/1990, de 27 de junio (*vid.* ARTÍCULO 15 CE)—

FJ 10. Ciertamente, la libertad ideológica, como así viene a latir en el planteamiento de los recurrentes, no se agota en una dimensión interna del derecho a adoptar una determinada posición intelectual ante la vida y cuanto le concierne y a representar o enjuiciar la realidad según personales convicciones. Comprende, además, una dimensión externa de *agere licere*, con arreglo a las propias ideas sin sufrir por ello sanción o demérito ni padecer la compulsión o la injerencia de los poderes públicos.

[...] A la libertad ideológica que consagra el art. 16.1 CE le corresponde «el correlativo derecho a expresarla que garantiza el art. 20.1 a)» (STC 20/1990, FJ 5), aun cuando ello no signifique que toda expresión de ideología quede desvinculada del ámbito de protección del art. 16.1, pues el derecho que éste reconoce no puede entenderse «simplemente absorbido» por las libertades del art. 20 (STC 20/1990, FJ 3), o que toda expresión libremente emitida al amparo del art. 20 sea manifestación de la libertad ideológica del art. 16.1.

Ahora bien, para que los actos de los poderes públicos puedan ser anulados por violaciones de la libertad ideológica reconocida en el art. 16.1 CE es cuando menos preciso, de una parte, que aquéllos perturben o impidan de algún modo la adopción o el mantenimiento en libertad de una determinada ideología o pensamiento y no simplemente que se incida en la expresión de determinados criterios —por más que ello pueda tener relevancia ex art. 20.1 CE— De otra, se exige que entre el contenido y sostenimiento de éstos y lo dispuesto en los actos que se combatan quepa apreciar una relación de causalidad suficiente para articular la imputación del ilícito constitucional.

En el presente caso, [...] aun reconociendo el trasfondo ideológico que late en la huelga de hambre de los recurrentes, es innegable que la asistencia médica obligatoria a los presos en huelga que se encuentren en peligro de perder la vida no tiene por objeto impedir o poner obstáculos a la realización y mantenimiento de la huelga —sin que conste en los autos que no haya sido respetada en todo momento por la Administración penitenciaria, ni que haya ésta adoptado oposición alguna a la misma con medidas represoras o disciplinarias—, sino que va encaminada exclusivamente a defender la vida de los reclusos en huelga, al margen de todo propósito de impedir que éstos continúen en su actitud reivindicativa».

1. La libertad ideológica frente a los poderes públicos

La libertad ideológica ante el ordenamiento jurídico preconstitucional: el delito de aborto —STC 70/1985, de 31 de mayo—

La Sentencia resuelve el recuso de amparo interpuesto por doña J.P.S. y otros contra la Sentencia de la Sala Segunda del Tribunal Supremo en 11 de octubre de 1983, que resuelve recurso de casación contra la de la Sección Segunda de la Audiencia Provincial de Vizcaya de 24 de marzo de 1982 en causa seguida por delitos de aborto, y que resultó en la condena de los recurrentes por delitos de aborto, con base en legislación preconstitucional vigente. Alegan los recurrentes vulneración de sus derechos a la libertad ideológica y religiosa y a la intimidad personal y familiar (artículos 16.1 y 18.1 CE).

FJ 6. La libertad ideológica y religiosa se garantiza en el art. 16.1 de la CE, pero es ciertamente difícil atribuir a ese precepto entronque alguno con el caso que afrontamos, en el que un Tribunal Penal, aplicando una normativa promulgada antes del actual ordenamiento constitucional, mantenida tras éste, todo ello pese a las mutaciones operadas respecto de las libertades ideológicas y religiosas, e incluso al margen de que el actual Estado se halle desvinculado de toda adscripción en esos aspectos, dicta una sentencia condenatoria por unos delitos que el legislador entiende deben reputarse tales. Si lo pretendido es que este Tribunal, merced al mecanismo elegido por la parte recurrente, ponga fin a una situación en la que —según la misma parte— un grupo religioso o ideológico imponga particulares concepciones al resto de la sociedad en la que se hallan integrados, el camino de la vía de amparo constitucional en la forma suscitada es absolutamente inadecuado.

Voto particular que formula el Magistrado don Francisco Tomás y Valiente

2. En dos ocasiones anteriores (mis votos particulares en las Sentencias 75/1984, de 28 de junio, y 53/1985 de 11 de abril), he manifestado mis dudas sobre la constitucionalidad del art. 411 del Código Penal. [...] En ese sistema punitivo del delito de aborto el art. 411 del Código Penal es contrario a la Constitución, a mi modo de ver, y ello porque no tiene en cuenta la existencia de aquellos derechos de la mujer embarazada derivados de los arts. 15 y 10 CE, de los que hablamos en la Sentencia del Pleno, derechos que entran en conflicto con el bien que es el nasciturus, en cuanto vida humana en formación y que, en determinadas hipótesis deben prevalecer. La permanencia del 411 del Código Penal como norma inalterada antes y después de la entrada en vigor de la Constitución significa un desconocimiento de que el nuevo marco de derechos fundamentales no sólo permite, sino que obliga al legislador (y, en su caso, a quien aplica la ley preconstitucional) a introducir reformas que adecuen el tipo penal preconstitucional a las exigencias derivadas de aquellos derechos de la mujer embarazada a su dignidad, a su integridad física y psíquica, al libre desarrollo de su personalidad y a su intimidad personal (artículos 10, 15 y 18 CE). El Tribunal Constitucional no puede decir cómo habría de redactar el legislador el 411 del Código Penal para hacerlo conforme con la Constitución; el Tribunal Constitucional no puede optar entre una adecuación del tratamiento penal del aborto a la Constitución, que consistiera en modificar el tipo del delito reformando el 411 del Código Penal, u otra consistente en una nueva norma del Código Penal que declare no punibles determinadas conductas, reforma esta última que al parecer cuenta con la preferencia del legislador, único con poder de iniciativa a este respecto. Pero el Tribunal no sólo puede, sino que debe, declarar la inconstitucionalidad del 411 del Código Penal, antes de que entre en vigor el anunciado 417bis, porque su texto desconoce y, por tanto, lesiona determinados derechos fundamentales en conflicto, en situaciones determinables y que él debió determinar de un modo u otro, dentro de unos márgenes de discrecionalidad, siempre susceptibles de ser controlados por este Tribunal, en cuanto que necesariamente afectarán a derechos fundamentales recogidos en la Constitución. [...]

Libertad ideológica y pensión de viudedad en ausencia de matrimonio —STC 180/2001, de 17 de septiembre—

La Sentencia resuelve el recurso de amparo promovido por doña J.R.R.G. contra la Sentencia de 30 de septiembre de 1996, dictada por la Sala de lo Contencioso-Administrativo del Tribunal Superior de Justicia de Madrid, que desestimó el recurso interpuesto contra el Acuerdo de la Dirección General de Costes de Personal y Pensiones Públicas de 26 de julio de 1992, desestimatorio a su vez de la solicitud de indemnización formulada, al amparo de la Disposición adicional decimoctava de la Ley 4/1990 de Presupuestos Generales del Estado para 1990, en razón a la prisión sufrida por don A.L.F.-L. La recurrente convivió more uxorio con don A.L.F.-L. entre los años 1931 y 1971, fecha de su fallecimiento, unión de la que nacieron cinco hijos. Tras dicho fallecimiento, la recurrente solicitó pensión de viudedad, que le fue denegada al faltar el vínculo matrimonial. La recurrente alega violación de su derecho fundamental a la libertad ideológica, ya que el único matrimonio al que habrían podido tener acceso era el católico, salvo declaración de apostasía, en contravención de ese derecho.

FJ 3. El punto de arranque de nuestro enjuiciamiento está constituido por la afirmación de este Tribunal, reiterada últimamente en la STC 155/1998, de 13 de julio (FJ 3), de que «el matrimonio y la convivencia extramatrimonial no son situaciones. equivalentes (ATC 56/1987) sino realidades jurídicas distintas, por lo que, en principio, su tratamiento jurídico diferenciado y correlativamente, la diversa atribución de derechos y obligaciones, no es contraria al derecho fundamental a la igualdad que reconoce el art. 14 CE. Concretamente, respecto del legislador la jurisprudencia constitucional ha declarado que le asiste un amplio margen de libre configuración de esas distintas formas de convivencia. No obstante, también hemos advertido que esa libertad de configuración legal no es absoluta. La regulación desigual de lo diferente sólo es constitucionalmente lícita cuando se ajusta a las exigencias derivadas del derecho a la igualdad. Como se declaró en la STC 222/1992, 'las diferenciaciones normativas habrán de mostrar, en primer lugar, un fin discernible y legítimo, tendrán que articularse, además, en términos no inconsistentes con tal finalidad y, deberán, por último, no incurrir en desproporciones manifiestas a la hora de atribuir a los diferentes grupos y categorías derechos, obligaciones o cualesquiera otras situaciones jurídicas subjetivas' (fundamento jurídico 6)».

Más adelante, en el FJ 3 esta misma Sentencia, realizábamos una afirmación de carácter general que ha de constituir el referente de nuestra decisión. Decíamos entonces que:

«[E]n la jurisprudencia constitucional se ha establecido una consideración previa al examen de la legitimidad constitucional ex art. 14 CE del trato diferenciado entre uniones matrimoniales y no matrimoniales: la existencia o no de libertad por parte de quienes desean convivir para escoger entre mantener una relación extramatrimonial o contraer matrimonio. Así este Tribunal en varias resoluciones, al enjuiciar la diferencia de trato en la pensión de viudedad entre los cónyuges y quienes conviven de hecho, ha partido del dato de que, tras la entrada en vigor de la Ley 30/1981 que prevé la posibilidad de divorciarse y contraer nuevo matrimonio, debe presumirse que quienes no contraen matrimonio es porque así lo han decidido libremente, ya que no existe ningún precepto que legalmente se lo impida, y esa libertad de elección es la que legitima, en principio, el tratamiento diferenciado de estos dos tipos de convivencia (por todas, STC 184/1980).»

FJ 5. Pues bien, si exceptuamos el período de vigencia de la Ley de 28 de junio de 1932 sobre matrimonio civil, sobre el que luego hemos de volver, ha de afirmarse que durante el tiempo en que duró la convivencia alegada existía en España un sistema matrimonial que, a lo sumo, admitía únicamente para los bautizados en la Iglesia Católica el matrimonio civil con carácter subsidiario[1]. [...]

[H]asta la promulgación de la Constitución española la posibilidad de contraer matrimonio civil se condicionaba a la prueba de no profesar la religión católica, prueba que en los períodos normativos de menor rigor hubiera exigido a la demandante y al señor Lechuga una declaración expresa de no profesar tal religión, lo que hoy pugna frontalmente con la libertad religiosa y, en concreto, con el derecho derivado de ella a no declarar sobre la propia ideología, religión o creencias que proclama el art. 16 CE. Así lo entendió también la Dirección General de Registros y del Notariado que el día 26 de diciembre de 1978 dictó una Instrucción (publicada en el BOE del día 30, un día después de la entrada en vigor de la Constitución) por la que, atendida la eficacia directa del art. 16 CE, que proclama que nadie puede ser obligado a declarar sobre su religión, ordenaba a los encargados del Registro Civil que autorizasen los matrimonios civiles de todas las personas que deseasen contraerlo «sin indagación ni declaración alguna sobre las ideas religiosas de los contrayentes». En suma, y en esto no podemos aceptar la posición del Ministerio Fiscal, lo relevante no es tanto que la demandante pudo contraer matrimonio con el señor Lechuga, sino que, o dicho matrimonio había de ser el religioso, lo cual pugnaba con sus creencias (al menos con las del señor Lechuga), o, para que el matrimonio fuera civil, tenían que hacer declaración expresa de no profesar la religión católica, lo cual, en cuanto exigencia de manifestación de creencias religiosas, positivas o negativas, resulta incompatible con los derechos reconocidos en el art. 16 CE.

Prescindiendo de las indudables dificultades y repercusiones que tal declaración pudiera acarrear en las diferentes coyunturas político-sociales del dilatado período de convivencia more uxorio, tal falta de libertad efectiva para contraer matrimonio civil determina, conforme a la doctrina constitucional expuesta, la atribución a la demandante de los mismos beneficios que si hubiera contraído matrimonio con el señor Lechuga, pues no puede admitirse que la falta de libertad religiosa que sufrió la demandante prolongue sus efectos en la actualidad, en que tal libertad, no solo alcanza el máximo grado de eficacia conforme al art. 53.1 CE, sino que integra los valores de justicia e igualdad, proclamados como valores superiores del Ordenamiento jurídico por el art. 1 CE.

FJ 6. Resta por analizar la incidencia que haya de tener el hecho de que durante el período 1932-1938 pudiese contraerse en España matrimonio civil. Pese a que la demandante de amparo asegure que durante la totalidad de su convivencia more uxorio con el señor Lechuga entre los años 1931 y 1971 no pudieron ella y éste contraer otro matrimonio que el canónico, lo cierto es que desde la entrada en vigor de la Ley de 28 de junio de 1932, sobre matrimonio civil, hasta 1938, la demandante y el señor Lechuga pudieron haber celebrado un matrimonio civil sin necesidad de realizar ninguna declaración, ni positiva ni negativa, sobre sus creencias religiosas. Ahora bien, no puede desconocerse que tal posibilidad no elimina el hecho cierto de que a partir de 1938, es decir, durante los últimos 33 años de convivencia, la demandante y su compañero no pudieron contraer matrimonio civil sin hacer una declaración sobre sus creencias religiosas, exigencia que hoy pugna con el art. 16 CE, sobre cuya relevancia constitucional ya nos hemos extendido en los anteriores fundamentos jurídicos. Al margen de criterios cuantitativos (extensión de los períodos en que hubo o no posibilidad real de contraer matrimonio civil sin declarar las propias creencias) o crónicos (cuál fue el período en el que existió tal posibilidad), que, sin carecer de toda relevancia, no resultan definitivos ni unívocos en su significación, lo decisivo es que la ausencia de libertad que justifica la equiparación de trato entre las parejas matrimoniales y las no matrimoniales se dio, aunque no durante la totalidad del período de convivencia, en el momento del fallecimiento del señor Lechuga y durante los 33 años que precedieron a este hecho, período durante el cual la Sentencia del Tribunal Superior de Justicia de Madrid, cuyos hechos no nos corresponde revisar [art. 44.1 b) LOTC], afirma la existencia de convivencia more uxorio. Es decir, la falta de libertad a la que constantemente nos referimos constituía el carácter, estable y consolidado, del marco normativo existente durante los 33 años anteriores al fallecimiento el señor Lechuga. Es precisamente el momento del fallecimiento del causante de la indemnización por la privación de libertad el que el legislador toma en cuenta para designar al beneficiario, exigiendo que sea cónyuge del causante, y, por ello, es la situación concreta existente a la sazón la que hemos de tomar en cuenta para determinar si las parejas matrimoniales y las no matrimoniales han de equipararse por no haber podido las últimas

---

[1]   *Vid.* la STC 39/1998, de 17 de febrero, que denegó un recurso de amparo con base en que «la demandante, desde la entrada en vigor de la Ley 30/1981 hasta el fallecimiento del causante de la pretendida pensión de viudedad, dispuso de tiempo suficiente para contraer matrimonio» (STC 180/2001, FJ 4).

contraer matrimonio en virtud de una causa no admisible constitucionalmente, toda vez que dicha situación de falta de libertad no era, en el tiempo a considerar, algo episódico, ocasional o reciente desde el punto de vista normativo. Finalmente, ha de añadirse que, aun guardando cierta semejanza, el presente supuesto difiere del resuelto en la STC 66/1994, de 28 de febrero, a que más arriba nos hemos referido[2]. Entonces la razón de no contraer matrimonio por la demandante de amparo no pugnaba con la Constitución, pues radicaba en la oposición a toda forma de matrimonio, ya fuera civil o religioso, por parte de la persona con la que la entonces demandante de amparo convivió more uxorio durante un dilatado período de tiempo, incluso ya vigente la Constitución.

Libertad ideológica y objeción de conciencia —STC 161/1987, de 27 de octubre (*vid.* también ARTÍCULO 30.2)—

La Sentencia resuelve cuestiones de inconstitucionalidad acumuladas, promovidas por la Sección Primera de la Sala de lo Contencioso-Administrativo de la Audiencia Nacional, sobre la Ley 48/1984, de 26 de diciembre, reguladora de la objeción de conciencia y de la prestación social sustitutoria.

FJ 3. [...] La objeción de conciencia con carácter general, es decir, el derecho a ser eximido del cumplimiento de los deberes constitucionales o legales por resultar ese cumplimiento contrario a las propias convicciones, no está reconocido ni cabe imaginar que lo estuviera en nuestro Derecho o en Derecho alguno, pues significaría la negación misma de la idea del Estado. Lo que puede ocurrir es que sea admitida excepcionalmente respecto a un deber concreto. Y esto es lo que hizo el constituyente español, siguiendo el ejemplo de otros países, al reconocerlo en el art. 30 de la Norma suprema, respecto al deber de prestar el servicio militar obligatorio. [...]

Libertad ideológica y objeción de conciencia: el caso del aborto —STC 53/1985, de 11 de abril (*vid.* ARTÍCULO 15)[3]—

FJ 14. Finalmente, los recurrentes alegan que el proyecto no contiene previsión alguna sobre las consecuencias que la norma penal origina en otros ámbitos jurídicos, aludiendo en concreto a la objeción de conciencia, al procedimiento a través del cual pueda prestar el consentimiento la mujer menor de edad o sometida a tutela y a la inclusión del aborto dentro del régimen de la Seguridad Social.

Al Tribunal no se le oculta la especial relevancia de estas cuestiones, como también la de todas aquellas derivadas del derecho de la mujer a disponer de la necesaria información, no sólo de carácter médico —lo que constituye un requisito del consentimiento válido—, sino también de índole social, en relación con la decisión que ha de adoptar. Pero tales cuestiones, aunque su regulación pueda revestir singular interés, son ajenas al enjuiciamiento de la constitucionalidad del proyecto, que debe circunscribirse a la norma penal impugnada, de conformidad con lo dispuesto en el art. 79 de la LOTC.

No obstante, cabe señalar, por lo que se refiere al derecho a la objeción de conciencia, que existe y puede ser ejercido con independencia de que se haya dictado o no tal regulación. La objeción de conciencia forma parte del contenido del derecho fundamental a la libertad ideológica y religiosa reconocido en el art. 16.1 de la Constitución y, como ha indicado este Tribunal en diversas ocasiones, la Constitución es directamente aplicable, especialmente en materia de derechos fundamentales.

---

[2]   En el recurso de amparo que resuelve la STC 66/1994, «el motivo esgrimido para no haber contraído el matrimonio fue que la ideología anarquista de uno de los convivientes era contraria a formalizar la relación afectiva estable entre hombre y mujer a través de una institución eclesiástica o de la propia Administración, siendo ello una convicción profunda del causante, insuperable, obstativa al matrimonio, de modo que le impedía contraerlo con tanto o más rigor que las causas obstativas expresamente admitidas como tales en la doctrina de este Tribunal Constitucional (señaladamente, la de estar casado, antes de la aprobación de la Ley 30/1981, que reguló el divorcio); tal motivo, al referirse a la institución matrimonial en general, no pugnaba con los principios y valores constitucionales, sino que era expresión de la libertad de contraer o no matrimonio, por lo que el amparo, como queda dicho, no prosperó» (STC 180/2001, FJ 4).

[3]   Sobre la objeción de conciencia a la prestación del servicio militar, *vid.* ARTÍCULO 30.2. Sobre la objeción de conciencia a la asignatura *Educación para la ciudadanía*, *vid.* las SSTC 28/2014, de 24 de febrero; 41/2014, de 24 de marzo; 57/2014, de 5 de mayo; en ellas se inadmite la demanda de amparo por carecer las/os recurrentes de interés legítimo, ya que en el momento de interposición de los respectivos recursos sus hijas/os no cursaban la citada asignatura así como por falta de agotamiento de la vía judicial previa. Sobre el fondo de la cuestión, *vid.* por todas las SSTS de 22 de febrero de 2009 (Sala Tercera).

Y en cuanto a la forma de prestar consentimiento la menor o incapacitada, podrá aplicarse la regulación establecida por el derecho positivo, sin perjuicio de que el legislador pueda valorar si la normativa existente es la adecuada desde la perspectiva de la norma penal cuestionada.

Alcance de la objeción de conciencia en materia de aborto: caso de la píldora del día después —STC 145/2015, de 25 de junio—

La Sentencia resuelve el recurso de amparo, avocado al pleno, promovido por don J.H.D., farmacéutico, contra la resolución de 16 de julio de 2010 de la Dirección general de planificación e innovación sanitaria de la Junta de Andalucía, que confirma la multa impuesta al recurrente por el Delegado Provincial de Salud de Sevilla, así como contra la Sentencia del Juzgado de lo Contencioso administrativo núm. 13 de Sevilla de 2 de noviembre de 2011, que la confirma, y contra la providencia del mismo Juzgado de 22 de diciembre de 2011, que inadmite el incidente de nulidad promovido contra la anterior Sentencia. Entiende el recurrente que la citada sanción, que le fue impuesta por no disponer ni del medicamento conocido como «píldora del día después», ni de preservativos, en la oficina de farmacia de la que es titular, vulneró su derecho a la objeción de conciencia, integrado en el derecho a la libertad ideológica.

FJ 4. [...] El demandante sostiene, invocando en apoyo de su planteamiento la doctrina estatuida en la STC 53/1985, de 11 abril, que las resoluciones impugnadas han vulnerado su derecho a la objeción de conciencia, como manifestación de la libertad ideológica reconocida en el art. 16.1 CE, al haber sido sancionado por actuar en el ejercicio de su profesión de farmacéutico siguiendo sus convicciones éticas sobre el derecho a la vida. Tales convicciones, afirma, son contrarias a la dispensación del medicamento con el principio activo levonorgestrel 0'750 mg., debido a sus posibles efectos abortivos si se administra a una mujer embarazada. El planteamiento del demandante, sintetizado en los términos expuestos, permite colegir que la exención del deber, que para sí reclama, de disponer y expedir el referido medicamento se anuda al efecto que atribuye al indicado principio activo, lo que colisiona frontalmente con sus convicciones sobre la protección del derecho a la vida. [...]

Ciertamente, en el fundamento jurídico 14 de la Sentencia objeto de cita rechazamos que cupiera considerar inconstitucional una regulación del aborto que no incluyera de modo expreso la del derecho a la objeción de conciencia, pues a ese respecto afirmamos que tal derecho «existe y puede ser ejercido con independencia de que se haya dictado o no tal regulación. La objeción de conciencia forma parte del contenido del derecho fundamental a la libertad ideológica y religiosa reconocido en el art. 16.1 CE y, como ha indicado este Tribunal en diversas ocasiones, la Constitución es directamente aplicable, especialmente en materia de derechos fundamentales». En relación con la doctrina expuesta debe destacarse la singularidad del pronunciamiento traído a colación, en tanto que el reconocimiento de la objeción de conciencia transcendió del ámbito que es consustancial al art. 30.2 CE (el servicio militar obligatorio), dadas las particulares circunstancias del supuesto analizado por este Tribunal; por un lado, la significativa intervención de los médicos en los casos de interrupción voluntaria del embarazo y, por otro, la relevancia constitucional que reconocimos a la protección del nasciturus.

Sentadas las anteriores consideraciones, cumple afirmar que para la resolución del presente recurso resulta prioritario dilucidar si la doctrina enunciada en el fundamento jurídico 14 de la STC 53/1985 es también aplicable al caso que nos ocupa. Para despejar esa cuestión es preciso esclarecer, previamente, si los motivos invocados para no disponer de la «píldora del día después» guardan el suficiente paralelismo con los que justificaron el reconocimiento de la objeción de conciencia en el supuesto analizado por la Sentencia citada, al objeto de precisar si la admisión de dicha objeción, entendida como derivación del derecho fundamental consagrado en el art. 16.1 CE, resulta también extensible a un supuesto como el actual, en el que el demandante opone, frente a la obligación legal de dispensar el principio activo levonorgestrel 0'750 mg., sus convicciones sobre el derecho a la vida.

Con relación a esta cuestión, este Tribunal no desconoce la falta de unanimidad científica respecto a los posibles efectos abortivos de la denominada «píldora del día después». Sin perjuicio de ello, y a los meros fines de este procedimiento, la presencia en ese debate de posiciones científicas que avalan tal planteamiento nos lleva a partir en nuestro enjuiciamiento de la existencia de una duda razonable sobre la producción de dichos efectos, presupuesto este que, a su vez, dota al conflicto de conciencia alegado por el recurrente de suficiente consistencia y relevancia constitucional. En consecuencia, sin desconocer las diferencias de índole cuantitativa y cualitativa existentes entre la participación de los médicos en la interrupción voluntaria del embarazo y la dispensación, por parte de un farmacéutico, del medicamento anteriormente mencionado, cabe concluir que, dentro de los parámetros indicados, la base conflictual que late en ambos supuestos se anuda a una misma finalidad, toda vez que en este caso se plantea asimismo una colisión con la concepción que profesa el demandante sobre el derecho a la vida. Además, la actuación de este último, en su condición de expendedor autorizado de la referida sustancia, resulta particularmente relevante desde la perspectiva enunciada. En suma, pues, hemos de colegir que los aspectos determinantes del singular reconocimiento de la objeción de conciencia que fijamos en la STC 53/1985, FJ 14, también concurren, en los términos indicados, cuando la referida objeción se proyecta sobre el deber de dispensación de la denominada «píldora del día después» por parte de los farmacéuticos, en base a las consideraciones expuestas.

FJ 5. Ahora bien, las conclusiones alcanzadas no nos dispensan de ponderar la incidencia del derecho invocado por el demandante en la legítima protección de otros derechos, bienes jurídicos o intereses dignos de tutela. Hemos de partir de la concreta intervención que el sistema público sanitario impone al profesional que ejerce su actividad en una oficina de farmacia, a saber la disposición para su ulterior dispensación a los consumidores de aquellas especialidades farmacéuticas que la Administración haya incluido dentro de una relación obligatoria. Al profesional farmacéutico le incumbe, pues, el deber normativo de facilitar la prestación de dicho servicio y, como señalan el Ministerio Fiscal y el Letrado de la Junta de Andalucía, en el presente caso dicho deber garantiza el derecho de la mujer a la salud sexual y reproductiva, del que dimana el derecho a las prestaciones sanitarias y farmacéuticas establecidas por el ordenamiento jurídico vigente, que incluye el acceso a la prestación sanitaria de la interrupción voluntaria del embarazo en los supuestos legalmente previstos, así como a los medicamentos anticonceptivos autorizados en España.
Pues bien, sobre ese particular cumple decir que la imposición de la sanción a que fue acreedor el demandante no derivó de su negativa a dispensar el medicamento a un tercero que se lo hubiera solicitado, sino del incumplimiento del deber de contar con el mínimo de existencias establecido normativamente. En segundo término, hemos de añadir que en las actuaciones no figura dato alguno a través del cual se infiera el riesgo de que la dispensación «de la píldora del día después» se viera obstaculizada, pues amén de que la farmacia regentada por el demandante se ubica en el centro urbano de la ciudad de Sevilla, dato este del que se deduce la disponibilidad de otras oficinas de farmacia relativamente cercanas, ninguna otra circunstancia permite colegir que el derecho de la mujer a acceder a los medicamentos anticonceptivos autorizados por el ordenamiento jurídico vigente fuera puesto en peligro.
Por último, no resulta ocioso recordar que el demandante estaba inscrito como objetor de conciencia, como así lo refleja certificación expedida por el secretario del Colegio Oficial de Farmacéuticos de Sevilla. Respecto del ámbito farmacéutico, hemos de señalar que la Comunidad Autónoma de Andalucía carece de una regulación específica de rango legal sobre el derecho a la objeción de conciencia de los profesionales farmacéuticos, a diferencia de otras Comunidades Autónomas que sí reconocen en su legislación sobre ordenación farmacéutica el derecho a la objeción de conciencia de los farmacéuticos. Ahora bien, esa ausencia de reconocimiento legal no se extiende a la totalidad de las normas que disciplinan el ejercicio de la profesión farmacéutica en el ámbito territorial en el que ejerce su profesión el demandante. El derecho a la objeción de conciencia está expresamente reconocido como «derecho básico de los farmacéuticos colegiados en el ejercicio de su actividad profesional» en el art. 8.5 de los estatutos del Colegio de Farmacéuticos de Sevilla (corporación profesional a la que pertenece el recurrente), aprobados definitivamente por Orden de 30 de diciembre de 2005, de la Consejería de Justicia y Administración Pública de la Junta de Andalucía, a cuyo tenor «el colegiado al que se impidiese o perturbase el ejercicio de este derecho conforme a los postulados de la ética y deontología profesionales se le amparará por el Colegio ante las instancias correspondientes»; asimismo se reconoce en los arts. 28 y 33 del Código de ética farmacéutica y deontología de la profesión farmacéutica, invocados también por el recurrente, que «la responsabilidad y libertad personal del farmacéutico le faculta para ejercer su derecho a la objeción de conciencia respetando la libertad y el derecho a la vida y a la salud del paciente» (art. 28) y que «el farmacéutico podrá comunicar al Colegio de Farmacéuticos su condición de objetor de conciencia a los efectos que considere procedentes. El Colegio le prestará el asesoramiento y la ayuda necesaria» (art. 33).
Este reconocimiento por los estatutos colegiales del derecho a la objeción de conciencia de los farmacéuticos no carece de relevancia pues, según reza el apartado 1 del art. 22 de la Ley andaluza 10/2003, de 6 de noviembre, reguladora de los colegios profesionales de Andalucía «aprobados los estatutos por el colegio profesional y previo informe del consejo andaluz de colegios de la profesión respectiva, si estuviere creado, se remitirán a la Consejería con competencia en materia de régimen jurídico de colegios profesionales, para su aprobación definitiva mediante orden de su titular, previa calificación de su legalidad»; y el apartado 2 del mismo art. 22 establece que «Si los estatutos no se ajustaran a la legalidad vigente, o presentaran defectos formales, se ordenará su devolución a la corporación profesional para la correspondiente subsanación, de acuerdo con el procedimiento que se establezca reglamentariamente». A la vista de lo expuesto, hemos de afirmar que el demandante actuó bajo la legítima confianza de ejercitar un derecho, cuyo reconocimiento estatutario no fue objetado por la Administración.
En suma, a la vista de la ponderación efectuada sobre los derechos e intereses en conflicto y de las restantes consideraciones expuestas, hemos de proclamar que la sanción impuesta por carecer de las existencias mínimas de la

conocida como «píldora del día después» vulnera el derecho demandante a la libertad ideológica garantizado por el art. 16.1 CE, en atención la concurrencia de especiales circunstancias reflejadas en el fundamento jurídico 4 de esta resolución.

FJ 6. El demandante también fue sancionado por no disponer (y, en consecuencia, no dispensar) de preservativos en la oficina de farmacia que regenta. Vistas las razones que nos han conducido a considerar que la falta de existencias, en el establecimiento citado, del principio activo levonorgestrel 0'750 mg. queda amparada por el art. 16.1 CE, es patente que el incumplimiento de la obligación relativa a las existencias de preservativos queda extramuros de la protección que brinda el precepto constitucional indicado. La renuencia del demandante a disponer de profilácticos en su oficina de farmacia no queda amparada por la dimensión constitucional de la objeción de conciencia que dimana de la libertad de creencias reconocida en el art. 16.1 CE. Ningún conflicto de conciencia con relevancia constitucional puede darse en este supuesto.

Voto particular que formula la Magistrada doña Adela Asua Batarrita

1. La Sentencia parte de una discutible premisa: que la objeción de conciencia forma parte del contenido del derecho fundamental a la libertad ideológica del art. 16.1 CE, con un alcance tal que puede conducir a relativizar muy diversos mandatos constitucionales y deberes legales que garantizan el ejercicio de derechos fundamentales de otras personas.

La premisa es, a mi juicio, errónea porque se sustenta como único argumento en la afirmación contenida en un obiter dictum de la STC 53/1985, de 11 de abril, FJ 14, referida a la constitucionalidad de la Ley que introdujo el sistema de plazos en la despenalización parcial en la interrupción del embarazo, en el que se afirmaba escuetamente que «[l]a objeción de conciencia forma parte del contenido del derecho fundamental a la libertad ideológica y religiosa reconocido en el art. 16.1 de la Constitución y, como ha indicado este Tribunal en diversas ocasiones, la Constitución es directamente aplicable, especialmente en materia de derechos fundamentales». Tal pronunciamiento se vierte tras señalar expresamente que la cuestión de la objeción de conciencia, al igual que otras cuestiones, era ajena al objeto de enjuiciamiento. Por ello, resulta poco consistente extraer de tal escueta y retórica referencia la conclusión de que el derecho a la objeción de conciencia forme parte del contenido del derecho fundamental reseñado, pues, como se desprende de Sentencias posteriores a las que me referiré más adelante, para ello es preciso un reconocimiento a nivel constitucional —como es el caso del art. 30.2 CE— o, en su caso, un reconocimiento legal que lo conecte a un derecho fundamental, lo que no ha tenido lugar.

En efecto, la STC 160/1987, de 27 de octubre, FJ 3 (que en la Sentencia se ignora, al igual que cualesquiera otras que puedan contradecir la postura que defiende), señaló que la objeción de conciencia es «un derecho constitucional reconocido por la Norma suprema en su art. 30.2, protegido, sí, por el recurso de amparo (art. 53.2), pero cuya relación con el art. 16 (libertad ideológica) no autoriza ni permite calificarlo de fundamental. A ello obsta la consideración de que su núcleo o contenido esencial —aquí su finalidad concreta— consiste en constituir un derecho a ser declarado exento del deber general de prestar el servicio militar (no simplemente a no prestarlo), sustituyéndolo, en su caso, por una prestación social sustitutoria. Constituye, en ese sentido, una excepción al cumplimiento de un deber general, solamente permitida por el art. 30.2, en cuanto que sin ese reconocimiento constitucional no podría ejercerse el derecho, ni siquiera al amparo del de libertad ideológica o de conciencia (art. 16 CE) que, por sí mismo, no sería suficiente para liberar a los ciudadanos de deberes constitucionales o 'subconstitucionales' por motivos de conciencia, con el riesgo anejo de relativizar los mandatos jurídicos. Es justamente su naturaleza excepcional ... lo que le caracteriza como derecho constitucional autónomo, pero no fundamental, y lo que legitima al legislador para regularlo por Ley ordinaria 'con las debidas garantías', que, si por un lado son debidas al objetor, vienen asimismo determinadas por las exigencias defensivas de la Comunidad como bien constitucional».

En suma, nuestra doctrina constitucional desmiente la premisa de la que parte la Sentencia, pues el derecho a la objeción de conciencia al servicio militar es un derecho autónomo no fundamental y de naturaleza excepcional, reconocido en el art. 30.2 CE y no en el art. 16 CE. Mientras que el derecho a la libertad ideológica o de conciencia (art. 16 CE) no es por sí «suficiente para liberar a los ciudadanos de deberes constitucionales o 'subconstitucionales' por motivos de conciencia, con el riesgo anejo de relativizar los mandatos jurídicos».

Libertad ideológica y el registro de objetores de conciencia a la interrupción voluntaria del embarazo —STC 151/2014, de 25 de septiembre—

La Sentencia resuelve el recurso de inconstitucionalidad promovido por más de cincuenta Diputados del Grupo Parlamentario Popular del Congreso de los Diputados contra la Ley Foral de Navarra 16/2010, de 8 de noviembre, por la que se crea el registro de profesionales en relación con la interrupción voluntaria del embarazo. Los Diputados recurrentes fundamentan la inconstitucionalidad de esta Ley Foral en dos motivos. El primero es la falta de competencia de la Comunidad Foral de Navarra para regular por ley el procedimiento de declaración de objeción de conciencia de los profesionales sanitarios directamente implicados en la interrupción voluntaria del embarazo, así como para crear un registro de profesionales sanitarios objetores de conciencia a dicha práctica. El segundo es que los preceptos citados limitan de forma desproporcionada el ejercicio de la libertad ideológica y de la intimidad (artículos 16 y 18.1 CE), al exigir a quienes ejercen el derecho a la objeción de conciencia el cumplimiento de unas obligaciones que, a su juicio, exceden los términos de la normativa estatal.

FJ 5. [...] [L]a creación de un registro no se contradice con la doctrina constitucional dictada hasta la fecha en materia de objeción de conciencia, concretamente en relación con el derecho a la objeción de conciencia como exención al servicio militar obligatorio, según la cual el ejercicio de este derecho no puede, por definición, permanecer en la esfera íntima del sujeto, pues trae causa en la exención del cumplimiento de un deber y, en consecuencia, el objetor «ha de prestar la necesaria colaboración si quiere que su derecho sea efectivo para facilitar la tarea de los poderes públicos en ese sentido (art. 9.2 CE), colaboración que ya comienza, en principio, por la renuncia del titular del derecho a mantenerlo —frente a la coacción externa— en la intimidad personal, en cuando nadie está obligado a declarar sobre su ideología, religión o creencias (art. 16.2 CE)» (STC 160/1987, de 27 de octubre, FJ 4).

La creación de un registro autonómico de profesionales en relación con la interrupción voluntaria del embarazo con la finalidad de que la Administración autonómica conozca, a efectos organizativos y para una adecuada gestión de dicha prestación sanitaria, quienes en ejercicio de su derecho a la objeción de conciencia rechazan realizar tal práctica, no está sometida a reserva de ley orgánica, no invade las bases estatales en materia de sanidad, no afecta a las condiciones básicas que han de garantizar la igualdad de todos los españoles en el ejercicio de sus derechos, y su existencia no implica, per se, un límite al ejercicio del derecho a la objeción de conciencia recogido en el art. 19.2 de la Ley Orgánica 2/2010, ni un sacrificio desproporcionado e injustificado de los derechos a la libertad ideológica e intimidad, sin que pueda afirmarse, como hacen los Diputados recurrentes, que con el mismo se persigue disponer de una lista de objetores con la finalidad de discriminarlos y represaliarlos, pues esta es una afirmación sin base jurídica alguna y en la que no se puede fundar una queja de inconstitucionalidad, por lo que debemos declarar que los arts. 1 y 4 de la Ley Foral 16/2010, no incurren en ningún vicio de inconstitucionalidad.

Libertad ideológica y acatamiento de la Constitución —STC 101/1983, de 18 de noviembre (*vid.* también ARTÍCULO 23)[4]—

La Sentencia resuelve los recursos de amparo planteados por dos diputados de Herri-Batasuna, electos en las Elecciones Generales de 28 de octubre de 1982, contra el acto del Presidente de la Cámara que les niega sus derechos y prerrogativas parlamentarias hasta tanto adquieran la condición plena de diputados. Esto requiere, conforme al artículo 20.1 del Reglamento del Congreso, el acatamiento de la Constitución por juramento o promesa, algo que los recurrentes se negaron a prestar. Alegaban que la suspensión de derechos y prerrogativas de los Diputados por razón del no cumplimiento del acto formal de juramento o promesa de acatamiento a la Constitución vulneraba sus derechos reconocidos en los artículos 14, 16 y 23 CE, vulneración que imputan a dicho precepto del Reglamento del Congreso.

FJ 5. [...] [L]as manifestaciones de la libertad ideológica de los titulares de los poderes públicos sin la cual no sería posible ni el pluralismo ni el desarrollo del régimen democrático ha de armonizarse en su ejercicio con el necesario cumplimiento del deber positivo inherente al cargo público de respetar y actuar en su ejercicio con sujeción a la Constitución, y por ello, si se pretendiera modificarla, de acuerdo con los cauces establecidos por la misma. En defini-

---

[4] *Vid.* también STC 122/1983, de 26 de diciembre. *Vid*, con todo, las SSTC 8/1985, de 25 de enero, 119/1990, de 21 de junio; 74/1991, de 8 de abril, sobre la posibilidad de acatar la Constitución con base en formulas no previstas en la normativa aplicable.

tiva, cuando la libertad ideológica se manifiesta en el ejercicio de un cargo público, ha de hacerse con observancia de deberes inherentes a tal titularidad, que atribuye a una posición distinta a la correspondiente a cualquier ciudadano.

Libertad ideológica, democracia militante y partidos políticos —STC 48/2003, de 12 de marzo (*vid.* también los ARTÍCULOS 22 Y 23)[5]—

La Sentencia resuelve el recurso de inconstitucionalidad promovido por el Gobierno Vasco contra la Ley Orgánica 6/2002, de 27 de junio, de partidos políticos, a la que se acusa, entre otras cuestiones, de imponer un modelo de democracia militante, en virtud del cual se impondría como límite a los partidos que, más allá del respeto al texto constitucional, comulguen con un determinado régimen o sistema político, lo cual resulta contrario al derecho a la libertad ideológica reconocido en el artículo 16 CE.

FJ 7. [...] El Gobierno recurrente fundamenta la afirmación anterior en las referencias contenidas en diversos apartados de los arts. 6, 9 y 10 LOPP a los «valores constitucionales expresados en los principios constitucionales y en los derechos humanos» (art. 9.1), a «los principios democráticos» (arts. 6 y 9.2), al «régimen de libertades» y al «sistema democrático» [arts. 9.2 y 10.2 c)] y al «orden constitucional» y a la «paz pública» [art. 9.2 c). Con independencia de que el sentido jurídico de esas referencias sólo puede alcanzarse en el contexto de la totalidad del precepto que en cada caso las contiene y de que, a su vez, el precepto en cuestión debe ser objeto de una interpretación integrada en el conjunto de la Ley y de todo el ordenamiento, ha de coincidirse con el Gobierno Vasco en que en nuestro ordenamiento constitucional no tiene cabida un modelo de «democracia militante» en el sentido que él le confiere, esto es, un modelo en el que se imponga, no ya el respeto, sino la adhesión positiva al ordenamiento y, en primer lugar, a la Constitución. Falta para ello el presupuesto inexcusable de la existencia de un núcleo normativo inaccesible a los procedimientos de reforma constitucional que, por su intangibilidad misma, pudiera erigirse en parámetro autónomo de corrección jurídica, de manera que la sola pretensión de afectarlo convirtiera en antijurídica la conducta que, sin embargo, se atuviera escrupulosamente a los procedimientos normativos. La Ley recurrida no acoge ese modelo de democracia. Ante todo, ya en la Exposición de Motivos parte de la base de la distinción entre ideas o fines proclamados por un partido, de un lado, y sus actividades, de otro, destacando que «los únicos fines explícitamente vetados son aquéllos que incurren en el ilícito penal», de suerte que «cualquier proyecto u objetivo se entiende compatible con la Constitución siempre y cuando no se defienda mediante una actividad que vulnere los principios democráticos o los derechos fundamentales de los ciudadanos». Y, en consecuencia con ello, en lo que ahora importa, la Ley contempla como causas de ilegalización, precisamente, «conductas», es decir, supuestos de actuación de partidos políticos que vulneran con su actividad, y no con los fines últimos recogidos en sus programas, las exigencias del art. 6 CE, que la Ley viene a concretar.

La Constitución española, a diferencia de la francesa o la alemana, no excluye de la posibilidad de reforma de ninguno de sus preceptos ni somete el poder de revisión constitucional a más límites expresos que los estrictamente formales y de procedimiento. Ciertamente, nuestra Constitución también proclama principios, debidamente acogidos en su articulado, que dan fundamento y razón de ser a sus normas concretas. Son los principios constitucionales, algunos de los cuales se mencionan en los arts. 6 y 9 de la Ley impugnada. Principios todos que vinculan y obligan, como la Constitución entera, a los ciudadanos y a los poderes públicos (art. 9.1 CE), incluso cuando se postule su reforma o revisión y hasta tanto ésta no se verifique con éxito a través de los procedimientos establecido en su Título X. Esto sentado, desde el respeto a esos principios, y como se afirma en la Exposición de Motivos de la Ley recurrida, según acabamos de recordar, cualquier proyecto es compatible con la Constitución, siempre y cuando no se defienda a través de una actividad que vulnere los principios democráticos o los derechos fundamentales. Hasta ese punto es cierta la afirmación de que «la Constitución es un marco de coincidencias suficientemente amplio como para que dentro de él quepan opciones políticas de muy diferente signo» (STC 11/1981, de 8 de abril, FJ 7).

El Gobierno Vasco no fundamenta sus afirmaciones con impugnaciones concretas de preceptos de la Ley recurrida que vengan a imponer a los partidos políticos limitaciones sustantivas en su ideario político. Las expresiones extraídas en su recurso de los arts. 6, 9 y 10 LOPP no convierten a los «principios democráticos», al «régimen de libertades» o al «orden constitucional» en canon autónomo de constitucionalidad de los partidos. En primer lugar, estos preceptos de la Ley recurrida se proyectan sobre la actividad de los partidos, no sobre sus fines. En segundo término, y sobre

---

5   *Vid.* también SSTC 199/1987, de 16 de diciembre; 5/2004, de 16 de enero; 68/2005, de 31 de marzo; 31/2009, de 29 de enero; 138/2012, de 20 de junio.

todo, es evidente que los principios y valores referidos por la Ley sólo pueden ser los proclamados por la Constitución, y su contenido y alcance vienen dados por el sentido que resulta de la interpretación integrada de los preceptos constitucionales positivos. Así, los «principios democráticos» no pueden ser, en nuestro ordenamiento, sino los del orden democrático que se desprende del entramado institucional y normativo de la Constitución, de cuyo concreto funcionamiento resulta un sistema de poderes, derechos y equilibrios sobre el que toma cuerpo una variable del modelo democrático que es la que propiamente la Constitución asume al constituir a España en un Estado social y democrático de Derecho (art. 1.1 CE).

FJ 10. [...] [E]l Gobierno Vasco impugna en segundo lugar algunos de los preceptos de los contenidos en los arts. 9, 10, 11 y 12 LOPP por entender que vulneran los derechos fundamentales de libertad ideológica, participación, expresión e información, en la medida en que consagran una «democracia militante». Esa impugnación se limita a las conductas que, a juicio del Gobierno Vasco, no son punibles y se basa en una interpretación aislada de algunos de los supuestos contenidos en el art. 9.3.

Tomando como ejemplo la impugnación de la conducta descrita en el art. 9.3 a), sostiene el Gobierno Vasco que «no habría dificultad en encajarla en el delito penal de apología, con la salvedad de las actuaciones implícitas (apoyo tácito)». En su opinión, la apología no puede expresarse ni de modo encubierto ni de forma implícita y, por tanto, la inclusión del apoyo tácito en el apartado a) del art. 9.3 de la Ley supone «una restricción ilegítima de la libertad ideológica, ya que no cabe extraer una consecuencia jurídica de un silencio, pues nadie está obligado a expresar sus ideas ni de forma coherente puede sufrir sanción por ejercer ese derecho». A lo que añade que «en ningún caso la no condena puede servir como forma de justificación, exculpación o legitimación de los atentados contra el régimen democrático de libertades».

Para responder a la impugnación planteada por el Gobierno Vasco ha de efectuarse previamente una descripción del sistema que constituyen los tres primeros números del art. 9 LOPP. En el primero se habla, no de ninguna clase de vinculación positiva, sino del simple respeto a los valores constitucionales, respeto que ha de guardarse por los partidos en su actividad y que es compatible con la más plena libertad ideológica. En el número 2 se subraya que un partido será declarado ilegal solamente «cuando su actividad vulnere los principios democráticos, particularmente cuando con la misma persiga deteriorar o destruir el régimen de libertades o imposibilitar o eliminar el sistema democrático, mediante alguna de las siguientes conductas, realizadas de forma reiterada y grave», y a continuación se enumeran, en los apartados a), b) y c), los requisitos genéricos que ha de reunir la conducta de los partidos para poder fundamentar la declaración de ilegalidad [...].

Hay que admitir, con el recurrente, que la coincidencia entre el art. 9.2 y la ley penal no es absoluta; también hay que dejar sentado que en ningún momento se hace referencia a programas o ideologías sino a actividades de colaboración o apoyo al terrorismo o la violencia. En consecuencia, no se abre ningún resquicio a la que se ha llamado «democracia militante» y no hay, por consiguiente, vulneración alguna de las libertades ideológica, de participación, de expresión o de información.

[...] Las conductas enumeradas en el art. 9.3 LOPP no son sino una especificación o concreción de los supuestos básicos de ilegalización que, en términos genéricos, enuncia el art. 9.2 de la propia Ley; de tal manera que la interpretación y aplicación individualizada de tales conductas no puede realizarse sino con vinculación a los referidos supuestos contenidos en el art. 9.2.

Esto sentado, y sin que nos corresponda ahora determinar si la mera ausencia de condena puede ser o no entendida como apoyo implícito al terrorismo, lo cierto es que la legitimación de las acciones terroristas o la exculpación o minimización de su significado antidemocrático y de la violación de derechos fundamentales que comportan puede llevarse a cabo de modo implícito, mediante actos concluyentes, en determinadas circunstancias, siendo claro que, en tales supuestos, no puede hablarse de vulneración de la libertad de expresión.

Idénticas consideraciones son aplicables en el art. 9.3 d) LOPP, que así entendido deja de ser una simple manifestación ideológica para convertirse en un acto de colaboración con el terrorismo o la violencia. Ciertamente, la utilización de los instrumentos a que se refiere el precepto que examinamos comporta la emisión de un mensaje; pero, como dijimos en la STC 136/1999, de 20 de julio, «con todo, aun teniendo muy presentes estas cautelas, no puede negarse la posibilidad de que existan mensajes que, aun sin hallarse incursos en alguno de los tipos penales de amenazas o coacciones, puedan considerarse intimidatorios, porque anuden, explícita o implícitamente, pero de modo creíble, la producción de algún mal grave o la realización o no realización de determinada conducta por parte del destinatario. Este tipo de mensajes no queda amparado por las libertades de expresión o de información» (FJ 16). Y lo mismo cabe decir, en general, respecto de la previsión contenida en la letra c) del art. 10.2 LOPP: «Cuando de forma reiterada y grave su actividad vulnere los principios democráticos o persiga deteriorar o destruir el régimen de libertades o imposibilitar o eliminar el sistema democrático, mediante las conductas a que se refiere el art. 9». También aquí es necesario señalar que el precepto se circunscribe a la actividad de los partidos políticos, sin extenderse a sus fines u objetivos programáticos. Por tanto, en los términos de este precepto, sólo incurre en causa de disolución el partido que, no en su ideología, sino en su actividad persiga efectiva y actualmente «deteriorar o destruir el régimen de libertades».

En conclusión, la interpretación sistemática del art. 9, entendiendo los supuestos del apartado 3 como especificaciones del género de conductas descritas en el apartado 2, permite descartar que, al configurar aquéllos como supuestos a partir de los cuales puede llegarse a la disolución de un partido político, se hayan vulnerado las libertades ideológica, de participación, de expresión o de información.

Libertad ideológica, democracia militante y paridad electoral —STC 12/2008, de 29 de enero (*vid*. ARTÍCULO 14; —*vid*. también ARTÍCULO 23)—

FJ 6. Frente a lo afirmado en el recurso y en la cuestión, la normativa impugnada tampoco vulnera la libertad ideológica de los partidos políticos ni su libertad de expresión [arts. 16.1 y 20.1 a) CE]. No lo hace, en primer lugar, de la propia ideología feminista. Una norma como el art. 44 bis LOREG no hace innecesarios los partidos o idearios feministas, pero, a partir de ese precepto, es el propio art. 9.2 CE el que, una vez concretado en términos de Derecho positivo su mandato de efectividad, convierte en constitucionalmente lícita la imposibilidad de presentar candidaturas que quieran hacer testimonio feminista con la presentación de listas integradas únicamente por mujeres. En el nuevo contexto normativo es ya innecesario compensar la mayor presencia masculina con candidaturas exclusivamente femeninas, por la sencilla razón de que aquel desequilibrio histórico deviene un imposible. Cierto que un ideario feminista radical que pretenda el predominio femenino [*sic*] no podrá ser constitucionalmente prohibido, pero tampoco podrá pretender sustraerse al mandato constitucional de la igualdad formal (art. 14 CE) ni a las normas dictadas por el legislador para hacer efectiva la igualdad material tal como establece el 9.2 CE.

Por tanto, la disposición adicional segunda de la Ley Orgánica para la igualdad efectiva de mujeres y hombres no impide la existencia de partidos con una ideología contraria a la igualdad efectiva entre los ciudadanos. De ser así, habríamos de convenir con los recurrentes en la inconstitucionalidad de las medidas recogidas en el precepto legal impugnado pues este Tribunal Constitucional ya ha señalado que en nuestro sistema no tiene cabida un modelo de «democracia militante» que imponga la adhesión positiva al ordenamiento y, en primer lugar, a la Constitución (SSTC 48/2003, de 12 de marzo, FJ 7, y 235/2007, de 7 de noviembre, FJ 4). Antes bien, y como hemos indicado en la última resolución citada, nuestro régimen constitucional se sustenta, por circunstancias históricas ligadas a su origen, en la más amplia garantía de los derechos fundamentales, que no pueden limitarse en razón de que se utilicen con una finalidad anticonstitucional. Por consiguiente, el requisito de que las formaciones políticas que pretendan participar en los procesos electorales hayan de incluir necesariamente a candidatos de uno y otro sexo en las proporciones recogidas en la disposición adicional segunda LOIMH no implica la exigencia de que esas mismas formaciones políticas participen de los valores sobre los que se sustenta la llamada democracia paritaria.

En particular, no se impide la existencia de formaciones políticas que defiendan activamente la primacía de las personas de un determinado sexo, o que propugnen postulados que pudiéramos denominar «machistas» o «feministas» [*sic*]. Lo que exige la disposición adicional que nos ocupa es que cuando se pretenda defender esas tesis accediendo a los cargos públicos electivos se haga partiendo de candidaturas en las que se integran personas de uno y otro sexo. De otro lado, tampoco padece la libertad ideológica de los partidos en general, es decir, de los que no hacen del feminismo el núcleo de su definición ideológica. Más precisamente, no desaparece el componente instrumental de esa libertad en que consiste su capacidad para incluir en sus candidaturas a quienes resulten más capacitados o idóneos para la oferta pública de su programa en la concurrencia electoral y, después, en su caso, para defender el programa del partido en el seno de las instituciones en las que hayan podido integrarse como representantes de la voluntad popular. Esa libertad de los partidos no es, como ya se ha dicho, absoluta o ilimitada, y también se ve condicionada por todos los requisitos jurídicos constitutivos de la capacidad electoral, entre otros, y para el caso de las elecciones generales, el de la nacionalidad, o por aquellos que, como el ahora examinado, no afectan a aquella capacidad individual, sino a los partidos y agrupaciones habilitados para la presentación de candidaturas, y entre los que se cuenta la exigencia de un número determinado de candidatos o cuanto implica el sistema de listas bloqueadas.

En consecuencia, dada la legitimidad constitucional de la nueva exigencia del equilibrio entre sexos impuesta a los partidos para la presentación de candidaturas, según ya vimos en el fundamento jurídico anterior, ha de rechazarse que tal medida vulnere las libertades garantizadas en los arts. 16.1 y 20.1 a) CE. En todo caso, si se sostuviera que, al menos instrumentalmente (aunque no sustantivamente), la limitación de la libertad de presentación de candidaturas a la que nos estamos refiriendo pudiese afectar a los derechos de los arts. 16.1 y 20.1 a) CE, tal limitación habría de entenderse constitucionalmente legítima, en cuanto que resultaría proporcionada según las razones expuestas en el fundamento jurídico 5 al que nos remitimos.

Por lo demás resulta obvio que tanto las formaciones políticas como los ciudadanos individualmente considerados podrán defender y postular la reforma de lo establecido en la disposición adicional segunda LOIMH en legítimo ejercicio de sus libertades ideológica y de expresión.

2. La libertad ideológica en el ámbito laboral

La libertad ideológica del profesorado en centros educativos privados —STC 47/1985, de 27 de marzo—

La Sentencia resuelve el recurso de amparo interpuesto por doña P.S.R. contra la Sentencia dictada por el Tribunal Central de Trabajo el 27 de septiembre de 1983, confirmatoria de la pronunciada por la Magistratura de Trabajo núm. 4 de Barcelona con fecha 29 de septiembre de 1982, que declaró la procedencia de la carta de despido de la recurrente como Profesora titular de EGB en la Empresa dedicada a la enseñanza no estatal «Col. Legi. Lestonnac», en Mollet de Vallés (Barcelona). En la carta se alegan como motivos de despido: a) su disconformidad con las normas de la Dirección del Centro, creando fricciones que deterioran los criterios que presiden la enseñanza en esta Institución; b) el desarrollo de su actividad profesional en forma que no se ajusta el ideario del Centro y todos han de cumplir todos y hacer cumplir. La Profesora entiende que su despido vulnera su libertad ideológica.

FJ 3. [...] [E]s incuestionable que en los Centros docentes privados donde estén establecidos los Profesores están obligados a respetar el ideario educativo propio del Centro y, en consecuencia, «la libertad del Profesor no le faculta, por tanto, para dirigir ataques abiertos o solapados contra este ideario» (Sentencia del TC 5/1981, FJ 10). Pero, por otro lado, no es menos cierto que el derecho a establecer un ideario educativo no es ilimitado ni lo consagra como tal el art. 34.1 de la LOECE, sino que, por el contrario, «este artículo sitúa sus límites en el respeto de los principios y declaraciones de la Constitución» (ibídem FJ 8). Sin necesidad de replantear ni de redefinir ahora lo que en aquella Sentencia se dijo, pero ateniéndonos a lo entonces expuesto, podemos concluir que una actividad docente hostil o contraria al ideario de un Centro docente privado puede ser causa legítima de despido del Profesor al que se le impute tal conducta o tal hecho singular, con tal de que los hechos o el hecho constitutivos de «ataque abierto o solapado» al ideario del Centro resulten probados por quien los alega como causa de despido, esto es, por el empresario. Pero el respeto, entre otros, a los derechos constitucionalizados en el art. 16 implica, asimismo, que la simple disconformidad de un Profesor respecto al ideario del Centro no puede ser causa de despido, si no se ha exteriorizado o puesto de manifiesto en alguna de las actividades educativas del Centro.

FJ 4. En el caso que nos ocupa, y volviendo a las causas del despido invocadas en la carta que dirigió la empresa a la Profesora, la causa a) alude a una disconformidad con la que se creaban fricciones con los criterios del Centro, y la causa b) se refería a una «actividad profesional» no ajustada al ideario. Para que el despido por motivos de carácter ideológico fuese lícito habría que demostrar que hubo no sólo disconformidad, sino fricciones, contra los criterios del Centro, consistentes en actos concretos de la Profesora y en una actividad contraria (o al menos no ajustada) al ideario. Dicho de otro modo: corresponde al empresario que alegue el específico incumplimiento del deber de respeto al ideario del Centro la prueba de los hechos que, de existir, justifican su decisión de despedir. Ello no significa inversión de la carga de la prueba, sino la aplicación del principio de que quien afirma debe probar, sobre todo teniendo en cuenta que en el conflicto, tal y como está planteado en el terreno ideológico, entran en juego no sólo derechos infraconstitucionales e intereses en todo caso legítimos, sino derechos fundamentales. Para ponderar cuál y en qué medida de los derechos fundamentales en conflicto (que aquí son los del art. 16 de la CE para la Profesora y los del art. 27.6 de la CE para los titulares del Centro docente) deben ser restringidos en beneficio de los demás, y al mismo tiempo para facilitar cualquier actividad probatoria, los hechos cuya realidad se invoque para justificar en este caso la licitud del despido ideológico deberían ser claros y concretos y no deberían estar aludidos en fórmulas que «por su generalidad», por decirlo con palabras del propio Magistrado de Trabajo en la Sentencia del caso, dificultan tanto su prueba como la defensa frente a la imputación. [...]

Al no probarse que hubo fricciones contra los criterios del Centro o actividad profesional desarrollada en forma contraria o no ajustada al ideario del Centro, sólo quedaría en pie como imputación de la Empresa, no desmentida por la Profesora, la disconformidad de ésta con los criterios o con el ideario del Centro, pero disconformidad no exteriorizada, y, en cuanto tal, no invocable como causa justa de despido.

Libertad ideológica y libertad sindical —STC 292/1993, de 18 de octubre—

La Sentencia resuelve el recurso de amparo interpuesto por don J.L.V.S. contra la Sentencia de la Sala de lo Social del Tribunal Superior de Justicia de Madrid, de 14 de junio de 1990, que confirmó en suplicación la dictada el 2 de noviembre de 1989 por el Juzgado de lo Social núm. 16 de Madrid, desestimatoria de su demanda de tutela de sus derechos a las libertades ideológica y sindical. El recurrente, trabajador en la empresa Banco de Crédito Agrícola, fue nombrado delegado sindical de CNT en abril de 1985. Tras dicho nombramiento, y por no constarle que entre sus trabajadores hubiera afiliados a dicho Sindicato salvo el propio Delegado, la empresa requirió a éste para que facilitara los nombres de los afiliados que componían la Sección Sindical, siendo sus requerimientos desatendidos, pues el recurrente no podía revelar dichos nombres sin vulnerar el derecho de las personas afectadas a no declarar su afiliación sindical. Ante ello, la empresa le notificó que si en siete días no comunicaba los referidos nombres, entendería que «no existe afiliado alguno de la CNT, ni es posible, por tanto, la existencia de sección sindical, ni por ello de delegado de la misma». Entiende el recurrente que esta decisión, y las Sentencias que la confirman, vulneran su derecho a las libertades ideológica y sindical.

FJ 5. El recurrente alega que la exigencia empresarial de que le comunique los nombres de los afiliados que forman la sección sindical, implica vulneración del derecho de libertad ideológica de esos afiliados, en su vertiente negativa de no estar nadie obligado a declarar sobre su ideología —art. 16.2 de la CE— y tal alegación nos conduce a examinar si la afiliación sindical está protegida por dicho precepto constitucional.

Y en este punto debemos mantener una posición afirmativa, puesto que la libertad ideológica, en el contexto democrático gobernado por el principio pluralista que basado en la tolerancia y respeto a la discrepancia y diferencia, es comprensiva de todas las opciones que suscita la vida personal y social, que no pueden dejarse reducidas a las convicciones que se tengan respecto del fenómeno religioso y el destino último del ser humano y así lo manifiesta bien expresamente el Texto constitucional al diferenciar, como manifestaciones del derecho, «la libertad ideológica, religiosa y de culto» y «la ideología, religión o creencias».

Siendo los sindicatos formaciones con relevancia social, integrantes de la estructura pluralista de la Sociedad democrática, no puede abrigarse duda alguna que la afiliación a un sindicato es una opción ideológica protegida por el art. 16 de la CE, que garantiza al ciudadano el derecho a negarse a declarar sobre ella.

Libertad ideológica de cargo directivo en empresa pública —STC 190/2001, de 1 de octubre—

La Sentencia resuelve el recurso de amparo interpuesto por doña A.S.S. contra la Sentencia dictada por el Juzgado de lo Social núm. 35 de Madrid el 19 de septiembre de 1996, en autos sobre despido seguidos contra Televisión Española, S.A., y por la Sentencia de la Sala de lo Social del Tribunal de Justicia de Madrid de 10 de julio de 1997, que desestima el recurso de suplicación interpuesto contra la anterior. La recurrente, que había desempeñado diversos puestos en RTVE, firmó en enero de 1994 contrato laboral de carácter especial de alta dirección, basado en la recíproca confianza de ambas partes (Real Decreto 1382/1985, de 1 de agosto, e Instrucciones 3/1986 y 1/1990 sobre estatuto interno de directivos en el ente público RTVE y sus sociedades). La cláusula décima establece como causa de extinción de la relación establecida la «decisión del Director General», y la undécima prevé el pago de la indemnización establecida en el artículo 56 LET, con un tope máximo de doce mensualidades, en caso de que la extinción se deba a tal causa. El 19 de junio de 1996 la Directora General del Ente Público RTVE acordó el ceso de la recurrente. Ésta denuncia la nulidad del acuerdo por vulneración de los derechos reconocidos en los artículos 14, 16 y 20 CE.

FJ 4. La demanda alega igualmente violación del derecho a la libertad ideológica (art. 16.1 CE). Para la recurrente, la extinción ilegal del contrato de trabajo tiene su origen en el cambio de Director General de RTVE y se ha basado de modo exclusivo en la pérdida de confianza ideológica; causa ésta de extinción que ha de ser considerada ilegal en el marco de las relaciones laborales de carácter temporal sometidas al Estatuto de los Trabajadores. El argumento utilizado es consecuencia directa del esgrimido anteriormente y, sin duda, presenta una impecable lógica: en la medida en que la recurrente tiene un vínculo laboral ordinario de duración determinada con RTVE, y no así de alto directivo, el desistimiento, como causa extintiva prevista exclusivamente en esta última, pero no así en la relación laboral común, aboca a la inexistencia de una causa legal válida y justificada para proceder a la extinción del contrato; si, además, a lo largo del proceso la única causa alegada y admitida por la empresa ha consistido en el cambio del Director General, y ello ha sido consecuencia de la llegada al Gobierno de un partido político distinto, la conclusión es que lo que parecía un despido improcedente debiera haber sido calificado de nulo al basarse exclusivamente la extinción en su contraria ideología política y no ser el ente RTVE una empresa ideológica, sino un servicio público obligado a mantener neutralidad ideológica por el art. 103 CE. Para justificar que la única causa real ha sido la expuesta, la solicitante de amparo aduce varios indicios: la discrecional decisión de la Directora General por desaparición de la confianza, el hecho de que tuviera encomendada la cobertura periodística del Partido Socialista y del Presidente del Gobierno, la opinión generalizada publicada en varios medios de comunicación de que la información de la recurrente era partidista a favor de esa formación política y que la llegada al poder de un nuevo partido político llevaba consigo la «limpieza» de los simpatizantes socialistas. Sobre esta base indiciaria, al no haber acreditado el ente público que el cese se debiera a criterios profesionales, entiende la recurrente que resulta manifiesto que la pérdida de confianza era meramente política.

Lo que la demanda de amparo plantea, en definitiva, es la vulneración de la doctrina constitucional sobre la traslación de la carga de la prueba en los supuestos de despidos contrarios a derechos fundamentales, pues se habían aportado indicios suficientes sobre la motivación contraria al art. 16 CE del despido de la recurrente, sin que por la empresa se haya acreditado que el mismo ha sido ajeno a la lesión de este derecho fundamental.

FJ 5. [...] En el presente caso los datos aludidos como indicios no pueden considerarse como tales ni conducir a la empresa a la demostración de un hecho negativo, al haber quedado demostrado en todo el proceso que, desde el inicio de la relación laboral, la extinción anticipada del contrato de la recurrente quedaba condicionada al cese o desistimiento del Director General de RTVE y que tal condición se incluyó en su contrato de trabajo por la especial confianza de la relación, que eximía de pruebas selectivas el nombramiento y por la propia especialidad del ente público, que se traduce en la exigencia de una normativa propia y en la que el órgano ejecutivo que representa el Director General es nombrado por el Gobierno oído el Consejo de Administración (art. 10 Ley 4/1980).

Desde esta perspectiva y sin entrar en el análisis —que no nos compete— de la corrección legal de la estipulación contractual correspondiente, lo cierto es que, como razonablemente recogen las Sentencias impugnadas, la extinción por desistimiento especial encuentra su fundamento en el propio contrato suscrito por la recurrente, que otorga ese derecho al Director General, aunque con indemnización, como si de despido improcedente se tratase, y que, a su vez, deviene del art. 11 f) de la Ley 4/1980. De este modo el cese queda vinculado a un dato o elemento objetivo, cual es la remoción como acto discrecional unido a la libre designación, y de carácter neutro, por desprovisto de causa de discriminación. La razón del cese es, así pues y en el presente caso, el mero ejercicio de la facultad rescisoria del Director General del Ente, tal y como se hallaba prevista en el contrato. Cada Director General, en uso de las facultades convenidas, podía, según ella, nombrar a los directivos de su confianza. Pero también podía cesar a los anteriores aunque sus coincidencias ideológicas o políticas con éstos fueran manifiestas, ya que, aun cuando la confianza puede ser en algunos casos política («relación con un componente esencial de confianza política persona-lísima»: ATC 206/1999, de 28 de julio), también puede otorgarse a personas independientes o de ideología contraria que, sin embargo, por razones de profesionalidad y de afinidad estrictamente personal, son merecedoras de la confianza del órgano ejecutivo.

II. LA LIBERTAD RELIGIOSA

El contenido de la libertad religiosa y el pleno acceso a su disfrute mediante la inscripción en el Registro de religiones: el caso de la Secta Moon —STC 46/2001, de 15 de febrero—

La Sentencia resuelve el recurso de amparo interpuesto por la entidad Iglesia de Unificación, don A.L.H. y don S.M.G.-M., contra la Sentencia de la Audiencia Nacional de 30 de septiembre de 1993, que confirmó la Resolución de la Dirección General de Asuntos Religiosos del Ministerio de Justicia, de 22 de diciembre de 1992, que denegó la inscripción de la Iglesia de la Unificación Universal, dirigida por el coreano Sun Myung Moon, en el Registro de Entidades Religiosas, dependiente de dicha Dirección General. Dicha denegación se basa en dos motivos principales: 1) la Iglesia de Unificación carece de auténtica naturaleza religiosa, por no contar con dogmas definidos ni culto específico, requisitos previstos en el artículo 3.2 de la Ley Orgánica 7/1980, de 5 de julio, de Libertad Religiosa; 2) el Congreso de los Diputados, en su sesión plenaria del 2 de marzo de 1989, había aprobado por unanimidad once conclusiones en relación con el estudio de las sectas en España, en la primera de las cuales se instaba al Gobierno para que incrementase el control de las entidades que solicitasen su inscripción en el Registro de Entidades Religiosas. La Sentencia recurrida, por su parte, entendió que si bien la entidad recurrente perseguía fines religiosos, atentaba contra la preservación del orden público. Esta aseveración se fundaba, esencialmente, en la Resolución de 22 de mayo de 1984 del Parlamento Europeo, que tildaba a la citada Iglesia de «secta destructiva», así como en un Informe de 19 de junio de 1991, elaborado por la Brigada Provincial de Información de la Dirección General de la Policía en relación con la llamada «secta Moon», que alertaba de sus peculiaridades. Aunque los recurrentes alegaron la ausencia de condena penal por actividades ilícitas de la reiterada Iglesia en España, el órgano judicial entendió que «la salvaguardia preventiva del orden público, en evitación de futuras lesiones a los derechos fundamentales y libertades públicas, debe considerarse naturalmente incluida en el espíritu y finalidad del art. 16.1 de la Constitución y el art. 3.1 de la L.O. 7/1980». Entienden los recurrentes que dicha Sentencia vulnera su derecho a la libertad religiosa.

FJ 4. El art. 16.1 CE garantiza la libertad religiosa y de culto «de los individuos y las comunidades sin más limitación, en sus manifestaciones, que la necesaria para el mantenimiento del orden público protegido por la ley». Este reconocimiento de «un ámbito de libertad y una esfera de agere licere... con plena inmunidad de coacción del Estado o de cualesquiera grupos sociales» (SSTC 24/1982, de 13 de mayo, y 166/1996, de 28 de octubre) se complementa, en su dimensión negativa, por la determinación constitucional de que «nadie podrá ser obligado a declarar sobre su ideología, religión o creencias» (art. 16.2 CE).

Ahora bien, el contenido del derecho a la libertad religiosa no se agota en la protección frente a injerencias externas de una esfera de libertad individual o colectiva que permite a los ciudadanos actuar con arreglo al credo que profesen (SSTC 19/1985, de 13 de febrero, 120/1990, de 27 de junio, y 63/1994, de 28 de febrero, entre otras), pues cabe apreciar una dimensión externa de la libertad religiosa que se traduce en la posibilidad de ejercicio, inmune a toda coacción de los poderes públicos, de aquellas actividades que constituyen manifestaciones o expresiones del fenómeno religioso, asumido en este caso por el sujeto colectivo o comunidades, tales como las que enuncia el art. 2 LOLR y respecto de las que se exige a los poderes públicos una actitud positiva, desde una perspectiva que pudiéramos llamar asistencial o prestacional, conforme a lo que dispone el apartado 3 del mencionado art. 2 LOLR, según el cual «Para la aplicación real y efectiva de estos derechos [los que se enumeran en los dos anteriores apartados del precepto legal], los poderes públicos adoptarán las medidas necesarias para facilitar la asistencia religiosa en los establecimientos públicos militares, hospitalarios, asistenciales, penitenciarios y otros, bajo su dependencia, así como la formación religiosa en centros docentes públicos». Y como especial expresión de tal actitud positiva respecto del ejercicio colectivo de la libertad religiosa, en sus plurales manifestaciones o conductas, el art. 16.3 de la Constitución, tras formular una declaración de neutralidad (SSTC 340/1993, de 16 de noviembre, y 177/1996, de 11 de noviembre), considera el componente religioso perceptible en la sociedad española y ordena a los poderes públicos mantener «las consiguientes relaciones de cooperación con la Iglesia Católica y las demás confesiones», introduciendo de este modo una idea de aconfesionalidad o laicidad positiva que «veda cualquier tipo de confusión entre fines religiosos y estatales» (STC 177/1996). [...]

FJ 5. En este mismo sentido es de apreciar que la propia formulación constitucional de este derecho permite afirmar que las comunidades con finalidad religiosa, en su estricta consideración constitucional, no se identifican necesariamente con las asociaciones a que se refiere el art. 22 de la Constitución. Una comunidad de creyentes, iglesia o confesión no precisa formalizar su existencia como asociación para que se le reconozca la titularidad de su derecho fundamental a profesar un determinado credo, pues ha de tenerse en cuenta que la Constitución garantiza la libertad religiosa «sin más limitación, en sus manifestaciones, que la necesaria para el mantenimiento del orden público protegido por la ley» (art. 16.1 CE). Por ello mismo, como derecho de libertad, la libertad religiosa no está sometida a más restricciones que las que puedan derivarse de la citada cláusula de orden público prevista en el propio art. 16.1 de la Constitución.

[...] En definitiva, se trata de determinar si la resolución administrativa de la Dirección General de Asuntos Religiosos, por la que se denegó a la Iglesia de Unificación su acceso al Registro de Entidades Religiosas, vulneró o no el derecho a la libertad religiosa en su vertiente colectiva; y, en relación con ello, si la cláusula de orden público, límite intrínseco al ejercicio del derecho establecido por el propio art. 16.1 de la Constitución, fue aplicada en el caso de forma constitucionalmente adecuada y con observancia del contenido constitucional del mencionado derecho fundamental. [...]

FJ 7. A tal efecto, hemos de destacar que la articulación por el legislador orgánico, en desarrollo del derecho fundamental concernido, de un sistema de registro como el instaurado por el art. 5 de la Ley Orgánica 7/1980, ha de situarse en el adecuado contexto constitucional: a) de una parte, el que surge del propio art. 16 CE, conforme al cual el Estado y los poderes públicos han de adoptar ante el hecho religioso una actitud de abstención o neutralidad, que se traduce en el mandato de que ninguna confesión tenga carácter estatal, contenido en el apartado 3, inciso primero, de dicho precepto constitucional; y b) el que hunde sus raíces en el art. 9.2 del texto constitucional, conforme al cual se impone a los poderes públicos una directriz de actuación favorecedora de la libertad del individuo y de los grupos en que se integra, y creadora de las adecuadas condiciones para que tales libertades sean reales y efectivas, y no meros enunciados carentes de real contenido. [...]

FJ 8. Habida cuenta de lo expuesto, la articulación de un Registro ordenado a dicha finalidad no habilita al Estado para realizar una actividad de control de la legitimidad de las creencias religiosas de las entidades o comunidades religiosas, o sobre las distintas modalidades de expresión de las mismas, sino tan solo la de comprobar, emanando a tal efecto un acto de mera constatación que no de calificación, que la entidad solicitante no es alguna de las excluidas por el art. 3.2 LOLR, y que las actividades o conductas que se desarrollan para su práctica no atentan al derecho de los demás al ejercicio de sus libertades y derechos fundamentales, ni son contrarias a la seguridad, salud o moralidad públicas, como elementos en que se concreta el orden público protegido por la ley en una sociedad democrática, al que se refiere el art. 16.1 CE

La Administración responsable de dicho instrumento no se mueve en un ámbito de discrecionalidad que le apodere con un cierto margen de apreciación para acordar o no la inscripción solicitada, sino que su actuación en este extremo no puede sino calificarse como reglada, y así viene a corroborarlo el art. 4.2 del Reglamento que regula la organización y funcionamiento del Registro (Real Decreto 142/1981, de 9 de enero), al disponer que «la inscripción sólo podrá denegarse cuando no se acrediten debidamente los requisitos a que se refiere el artículo 3», tales como denominación, domicilio, régimen de funcionamiento y organismos representativos, así como fines religiosos.

FJ 9. [...] La inscripción en dicho Registro público es la formal expresión de un reconocimiento jurídico dispensado a los grupos o comunidades religiosas, orientado a facilitar el ejercicio colectivo de su derecho a la libertad religiosa, en tanto que instrumento ordenado a «remover los obstáculos», y a «promover las condiciones para que la libertad y la igualdad del individuo y de y efectivos» ex art. 9.2 CE. Pues bien, siendo ello así, la indebida denegación por la Administración responsable del Registro de la inscripción solicitada, viene a constituirse en un injustificado obstáculo que menoscaba el ejercicio, en plenitud, del derecho fundamental de libertad religiosa del que son titulares los sujetos colectivos, y correlativamente, establece una indeseada situación de agravio comparativo entre aquellos grupos o comunidades religiosas que, por acceder al Registro, cuentan con el reconocimiento jurídico y los efectos protectores que confiere la inscripción, y aquellos otros que, al negárseles ésta indebidamente, se ven privados de los mismos, ya sea en orden a que se les reconozca formalmente una organización y régimen normativo propios, ya en lo concerniente a las manifestaciones externas en que se proyectan sus convicciones o creencias religiosas. [...]

FJ 10. [...] La Administración no debe arrogarse la función de juzgar el componente religioso de las entidades solicitantes del acceso al Registro, sino que debe limitarse a constatar que, atendidos sus estatutos, objetivos y fines, no son entidades de las excluidas por el art. 3.2 LOLR [...]

FJ 11. [...] Con independencia de la virtualidad probatoria de los citados informes y resoluciones parlamentarias, es necesario subrayar, desde la perspectiva constitucional que nos es propia, que cuando el art. 16.1 CE garantiza las libertades ideológica, religiosa y de culto «sin más limitación, en sus manifestaciones, que el orden público protegido por la ley», está significando con su sola redacción, no sólo la trascendencia de aquellos derechos de libertad como pieza fundamental de todo orden de convivencia democrática (art. 1.1 CE), sino también el carácter excepcional del orden público como único límite al ejercicio de los mismos, lo que, jurídicamente, se traduce en la imposibilidad de ser aplicado por los poderes públicos como una cláusula abierta que pueda servir de asiento a meras sospechas sobre posibles comportamientos de futuro y sus hipotéticas consecuencias. [...]

Un entendimiento de la cláusula de orden público coherente con el principio general de libertad que informa el reconocimiento constitucional de los derechos fundamentales obliga a considerar que, como regla general, sólo cuando se ha acreditado en sede judicial la existencia de un peligro cierto para «la seguridad, la salud y la moralidad pública», tal como han de ser entendidos en una sociedad democrática, es pertinente invocar el orden público como límite al ejercicio del derecho a la libertad religiosa y de culto. [...]

FJ 12. [...] Pues bien, el examen de la prueba documental practicada, a solicitud de la demandante, en el presente proceso de amparo, nos ha permitido verificar que los elementos de convicción que sirvieron de base para fundamentar la apreciada peligrosidad de la Iglesia de Unificación adolecen de una clara inconsistencia, careciendo de toda idoneidad para alcanzar razonablemente, siquiera sea de un modo indiciario, la conclusión que hicieron suya la Administración y los órganos judiciales. [...]

Denegación de asilo religioso —STC 296/2005, de 21 de noviembre—

La Sentencia resuelve el recurso de amparo interpuesto por doña C.Y.B.P. y por don A.H.L., matrimonio de naciona-lidad cubana y testigos de Jehová, contra la Sentencia de la Sección Tercera de la Audiencia Provincial de Madrid, de 23 de julio, condenatoria en apelación por delito de falsificación en documento oficial, por falsificar pasaportes para viajar de Madrid a Miami. Los recurrentes alegan vulneración de su derecho a la libertad religiosa, por el miedo insuperable que les generaban las consecuencias que, como testigos de Jehová tendría su repatriación a Cuba tras la denegación del asilo solicitado en España.

FJ 4. Tampoco es posible estimar la segunda de las quejas de las demandas de amparo, atinente a la vulneración del derecho a la libertad religiosa (art. 16 CE). Consideran los recurrentes que esta conculcación se produce porque la conducta por la que fueron penalmente sancionados (falsificación de pasaportes) constituía un ejercicio de dicha libertad, pues se dirigía a evitar que fueran repatriados a Cuba, lugar donde no se les permitiría la práctica de sus creencias como miembros de la confesión religiosa testigos de Jehová.

Con anterioridad a cualquier argumentación es preciso advertir que la denegación del amparo por este motivo proviene ya de la falta de acreditación de su base fáctica. Al respecto debe tenerse presente, en primer lugar, que si la primera de las Sentencias que enjuiciaba la conducta de los recurrentes fue absolutoria, no lo fue porque sustentara el miedo insuperable de los recurrentes en la imposibilidad futura de practicar sus creencias religiosas o de sufrir represalias por las mismas, sino porque apreció miedo a las consecuencias que «en caso de vuelta a su país de origen» (Cuba) podrían sufrir por «haber solicitado asilo en España». Sea como fuere, es lo cierto que la Sentencia de apelación, que es la impugnada en amparo, no considera probado el fundamento de dicho temor: «ni en el expediente de asilo, ni en este procedimiento penal, se han aportado o propuesto pruebas que acrediten que los acusados tuvieran razones para temer que iban a sufrir en su país una persecución por razones políticas o religiosas, puesto que tales circunstancias sólo han sido expuestas por ellos». Repárese en que lo anterior configura un dato de hecho que vincula a esta jurisdicción (art. 44.1.b LOTC) salvo que el mismo haya sido precisamente impugnado con éxito por ser su constatación consecuente con la vulneración de un derecho fundamental —significativamente del derecho a la presunción de inocencia—, lo que no sucede en el presente caso.

En todo caso es de señalar que no se impugna aquí un acto del poder estatal que haya impedido o limitado directamente una actuación de los recurrentes conforme a sus creencias religiosas. Ni siquiera trata la decisión recurrida de una entrega a otro Estado en el que tales vulneraciones vayan a acaecer. En una relación indirecta con el ejercicio de creencias religiosas, se trataría, en su caso, de la sanción penal por la comisión de un delito motivado por la preservación del futuro ejercicio de la libertad religiosa. En tales circunstancias, y aun presuponiendo su concurrencia, no sería posible aceptar que no estemos en este caso ante uno de los límites a los que «el derecho que asiste al creyente de creer y conducirse personalmente conforme a sus convicciones» está sometido, constituido por «los que le imponen el respeto a los derechos fundamentales ajenos y otros bienes jurídicos protegidos constitucionalmente» (SSTC 141/2000, de 29 de mayo, FJ 4; 154/2002, de 18 de julio, FJ 7).

1. La libertad religiosa en el ámbito laboral

Libertad religiosa y descanso semanal —STC 19/1985, de 13 de febrero—

La Sentencia resuelve el recurso de amparo interpuesto por doña M.V.C. contra la Sentencia del Tribunal Central de Trabajo de 2 de diciembre de 1983, que revocó la dictada por el Magistrado de Trabajo de Vigo número 2, de 14 de marzo de 1983, que declaró la nulidad radical del despido de la recurrente. La recurrente, que prestaba servicios como estampadora especializada en la empresa «Industrial Dik, Sociedad Anónima», solicitó sin éxito de la empresa un cambio de horario acorde con sus creencias religiosas y pertenencia a la Iglesia Adventista del Séptimo Día, que le imponen la inactividad laboral desde la puesta del sol del viernes a la del sábado. Ante la negativa de la empresa dejó de asistir al trabajo, lo que motivó su despido por abandono de puesto de trabajo y ausencias injustificadas. Entiende la recurrente que la Sentencia recurrida vulnera su derecho a la libertad religiosa.

FJ 2. Empecemos por decir que el derecho fundamental recogido en el art. 16 de la Constitución comprende, junto a las modalidades de la libertad de conciencia y la de pensamiento, íntimas y también exteriorizadas, una libertad de acción respecto de las cuales el art. 16.2 establece un acotamiento negativo en cuanto dispone que «nadie podrá ser obligado a declarar sobre su conciencia, religión o creencias». No se trata, en el caso de que conocemos. de que se haya negado a la demandante esa libertad íntima, por lo demás incoercible, y tampoco que se haya negado la exteriorización de esas creencias o convicciones religiosas o que se haya cuestionado el acotamiento negativo que hemos dicho. De lo que se trata es que la Empresa no la ha dispensado del régimen laboral que, respecto a la jornada de trabajo, tiene establecido, de modo que, bien entendido, no la ha posibilitado el cumplimiento de sus deberes religiosos, que es algo sustancialmente bien distinto de una actuación coercitiva impeditiva de la práctica religiosa. Podrá existir —no hay inconveniente en reconocerlo— una incompatibilidad entre los deberes religiosos, en cuanto impongan la inactividad laboral y la ejecución del trabajo o el cumplimiento de obligaciones laborales, pero no una coercibilidad contraria al principio de neutralidad que debe presidir, en la materia, la conducta del empresario. En este punto de la argumentación, el tema conduce a la relación del art. 16, en cuanto reconoce, con otras, la libertad religiosa, con otros preceptos constitucionales, cual es art. 14, en cuanto proscribe todo trato discriminatorio por razón de las condiciones o circunstancias que establece en fórmula abierta. Y es que el art. 14, al proclamar la igualdad ante la Ley de todas las personas y prohibir cualquier discriminación por razón de «religión»», está mostrando un núcleo de conexiones de los arts. 16 y 14. Vamos a estudiar el recurso desde esta conexión para indagar si en la conducta empresarial que la jurisdicción laboral ha ratificado declarando el incumplimiento de obligaciones del trabajador, y, por tanto, que el despido fue procedente, se detecta violación del art. 16 en conexión con el art. 14.

FJ 3. El descanso mínimo semanal de día y medio ininterrumpido que dice el art. 37.1 del Estatuto de los Trabajadores se organiza en la empresa de que se trata con arreglo a la regla general, según la cual, se comprende el «domingo»» en ese descanso, regla que pertenece al ámbito de lo dispositivo, pues cabe que por convenio colectivo o contrato de trabajo se pacte una regulación distinta. Es este precepto, juntamente con el art. 17.1, también del Estatuto, y que declara nulos y sin efectos, entre otros, los pactos individuales y las decisiones unilaterales del empresario que contengan discriminaciones favorables o adversas en el empleo, así como en materia de retribuciones, jornadas y demás condiciones del trabajo, por circunstancias de sexo, origen, estado civil, raza, condición social, ideas religiosas, etc., el que podría llevar a la idea de cuándo se defiende un trato distinto en materia de jornada, por pertenecer a una determinada creencia religiosa, no se trata de asegurar un trato igualitario, sino cabalmente, todo lo contrario, cual dispensarle de la jornada normal, en cuanto al descanso semanal, por razón de su creencia religiosa. Partiendo del régimen de jornada establecida con carácter general para la empresa, el otorgamiento de un descanso semanal distinto supondría una excepcionalidad, que, aunque pudiera estimarse como razonable, comportaría la legitimidad del otorgamiento de esta dispensa del régimen general, pero no la imperatividad de su imposición al empresario. El problema tiene, sin embargo, otra variante, cual es si el descanso semanal, instituido, por lo general, en un período que comprende el domingo, tiene o no una conceptuación religiosa que pueda hacer cuestionable que la Ley establezca un régimen favorable para unos creyentes y desfavorable para otros, partiendo de que la libertad religiosa comporta, en aplicación del principio de igualdad, el tratamiento paritario de las distintas confesiones.

FJ 4. El análisis del factor religioso en la legislación laboral requiere referirse, aunque de modo sucinto, a la evolución de la legislación al respecto, arrancando de la Ley de 3 de abril de 1904, y a partir de ella, las posteriores hasta llegar al Estatuto de los Trabajadores, coincidentes en establecer una interrupción periódica, que comprende el «domingo». Que el descanso semanal corresponda en España, como en los pueblos de civilización cristiana, al domingo, obedece a que tal día es el que por mandato religioso y por tradición se ha acogido en estos pueblos; esto no puede llevar a la creencia de que se trata del mantenimiento de una institución con origen causal único religioso, pues, aunque la cuestión se haya debatido y se haya destacado el origen o la motivación religiosa del descanso semanal, recayente en un período que comprenda el domingo, es inequívoco en el Estatuto de los Trabajadores, y en la precedente (Ley de Relaciones Laborales) y las más anteriores, con la excepción de la Ley de Descanso Dominical de 1940, que el descanso semanal es una institución secular y laboral, que si comprende el «domingo»» como regla general de descanso semanal es porque este día de la semana es el consagrado por la tradición. Este es el sentido del descanso semanal en la Ley de 1904, y en el Real Decreto-ley de 8 de junio de 1925 que sustituye a esta Ley y adapta la legislación española al Convenio 14 de la OIT, y estos principios de laicidad de la institución no resultan alterados por la Ley de Jornada Máxima Legal de 1931, y vuelven a inspirar la legislación de 1976 (la Ley de Relaciones Laborales), superada la etapa confesional que supuso la Ley de Descanso Dominical de 13 de julio de 1940, de la que se ha dicho autorizadamente que, «aparte su acusado espíritu social, tiene también un cierto espíritu religioso, muy diferente al que informó las Leyes de 1904 y 1925». Esta secularización —no podía ser de otro modo, dada la aconfesionalidad que proclama el art. 16 de la Constitución— se mantiene en el art. 37.1 del Estatuto de los Trabajadores, que dispone que «los trabajadores tendrán derecho a un descanso mínimo semanal de día y medio ininterrumpido que, como regla general comprenderá a la tarde del sábado o, en su caso, la mañana del lunes y el día completo del domingo», a lo que seguidamente añade la posibilidad de modificar esta regla general —dispositiva, en este sentido— por convenio colectivo, contrato de trabajo (también por disposición legal o autorización de la autoridad competente), con lo que está remitiendo a la voluntad concordada de las partes la fijación del día de descanso. Puesto que la voluntad de las partes no se limita en la Ley, ni en cuanto al contenido del acuerdo ni en cuanto a su causa justificadora, el Estatuto otorga carácter dispositivo a la determinación del día del descanso, que es, por tanto, indiferente para el legislador. La tesis de la demandante conduce a configurar el descanso semanal como institución marcadamente religiosa —que no es, como hemos visto, en la legislación—, o desde la perspectiva de la disponibilidad que hemos dicho, a dejarlo a la voluntad de una de las partes, lo que obviamente, no es posible, por muy respetables que sean —y lo son— sus convicciones religiosas.

Libertad ideológica y religiosa del personal laboral en un hospital católico —STC 106/1996, de 12 de junio—

La Sentencia resuelve el recurso de amparo promovido por doña I.M.H. contra el Auto, de 11 de junio de 1993, de la Sala de lo Social del Tribunal Supremo, que inadmite recurso de casación contra la Sentencia dictada, el 14 de enero de 1992, por la Sala de lo Social del Tribunal Superior de Justicia de Andalucía, en procedimiento sobre despido. El 12 de mayo de 1991, en el transcurso de la celebración eucarística que tiene lugar los domingos y festivos en dicho centro, y ante la ausencia de enfermos, que han de ser preparados previamente por el personal sanitario, el capellán celebrante comentó que dicha ausencia podría deberse a la negociación del Convenio con el personal sanitario, ante lo que optó por subir a las plantas a dar la comunión a los enfermos, portando el cáliz y entonando cánticos religiosos. Cuando la comitiva llegó a la planta en que se encontraba la recurrente, ésta manifestó en voz alta: «No sé cómo no les da vergüenza», «Esto parece un picnic», «Estos son los humanitarios» y «Si mi madre estuviese aquí los denunciaría». La recurrente fue despedida por infracción laboral muy grave, despido que, junto con las Sentencias que lo confirman, entiende contrario al artículo 16 CE.

FJ 3. Por de pronto, es necesario poner de relieve que este Tribunal sólo se ha referido al concepto de «ideario del centro» en relación con centros docentes privados, lo que no significa, desde luego, que existan otro tipo de empresas, centros, asociaciones u organizaciones que puedan aparecer hacia el exterior como defensoras de una determinada opción ideológica. Nuestro ordenamiento carece de una legislación expresa que a las mismas se refiera y, por lo tanto, no existe una delimitación a priori de este tipo de empresas.

Por otra parte, cuando nuestra jurisprudencia ha tenido que referirse al ideario de los centros docentes privados (SSTC 5/1981, 47/1985 y 77/1985) siempre ha sido en relación o en contraposición a otro derecho fundamental —la libertad de cátedra que la Constitución consagra en el art. 20.1 c)— e intentando encontrar un equilibrio en el ejercicio superpuesto de ambos derechos.

Desde esta perspectiva, […] hemos sostenido que «una actividad docente hostil o contraria al ideario de un centro docente privado puede ser causa legítima de despido del profesor al que se le impute tal conducta o tal hecho singular, con tal de que los hechos o el hecho constitutivos de «ataque abierto o solapado» al ideario del centro resulten probados por quien los alega como causa de despido, esto es, por el empresario.

Pero el respeto, entre otros, a los derechos constitucionalizados en el art. 16 implica, asimismo, que la simple disconformidad de un profesor respecto al ideario del centro no puede ser causa de despido si no se ha exteriorizado o puesto de manifiesto en alguna de las actividades educativas del centro» (STC 47/1985, FJ 3). Es relevante destacar, que bajo esta doctrina subyace la premisa de que el respeto al ideario del centro por parte de un profesor está en directa conexión con el tipo de función que éste cumple en el propio centro, esto es, la docencia. De suerte que es el propio carácter de la prestación laboral que los docentes desarrollan en los centros de educación —especialmente cuando ésta consiste en transmitir aspectos propiamente educativos o formativos de la enseñanza— el que impone la necesidad de compatibilizar su libertad docente con la libertad del centro, del que forma parte el ideario.

FJ 4. Ahora bien, la anterior doctrina, sentada en torno a los centros docentes privados y los derechos fundamentales que amparan a ambas partes de la relación laboral que en ellos se desarrolla —titulares de los centros y profesores— difícilmente puede ser trasladable, so pena de alterar su originario y legítimo significado, a un tipo de relación laboral como la que en el presente caso mantuvieron la ahora recurrente de amparo y su empresa. Para lo que basta considerar dos extremos, que son aquí relevantes:

A) En primer lugar, el carácter de la actividad laboral prestada por la hoy recurrente de amparo. Esta, en efecto, fue contratada por el centro hospitalario para prestar sus servicios en el mismo como auxiliar de clínica, desarrollando así —desde noviembre de 1986 hasta su despido en junio de 1991— una actividad exclusivamente de carácter técnico sanitario, cuyas obligaciones laborales venían determinadas en su contrato laboral en atención a esa categoría profesional. Por tanto, no cabe desconocer que su actividad laboral no guardaba una relación directa con el ideario de la entidad titular del centro hospitalario. Y si el carácter de esa actividad claramente excluye que pueda ser equiparada a la que desarrolla un docente en una escuela privada, la consecuencia obligada es que no son trasladables al trabajador que en la empresa cumple funciones meramente neutras en relación con la ideología de su empresario las limitaciones que el ideario del centro, en el sentido antes indicado, pueden imponer a un profesor en el ejercicio de sus libertades.

Mientras que en el caso de los centros docentes privados un ataque abierto o solapado del profesor al ideario del centro supone una confrontación entre dos derechos fundamentales —la libertad de cátedra del profesor [art. 20.1 c) CE] y la libertad de enseñanza del titular del centro (art. 27.1 CE)—, en el presente supuesto sólo concurre un derecho fundamental —la libertad de expresión de la trabajadora [art. 20.1 a) CE]— que se ejerce frente al poder de dirección del empresario y las obligaciones que se derivan del contrato de trabajo. Y la prestación laboral que la actora cumple en el centro hospitalario, meramente técnica, o lo que es lo mismo, meramente neutra respecto de la ideología de la empresa —aunque en este caso sólo sea, indirectamente, la de la entidad titular del centro, como luego se verá— sitúa a ésta respecto de aquélla en un plano de legalidad laboral, no permitiendo al empresario exigir a la trabajadora más que el cumplimiento de las obligaciones que se derivan del contrato laboral que las une.

B) En segundo término, cabe observar que las resoluciones judiciales impugnadas en el presente caso tampoco han tenido presente otro dato relevante, a saber: Que si la titular del hospital de «San Rafael» de Granada es, ciertamente, una entidad de carácter religioso, la Orden Hospitalaria de San Juan de Dios, no es menos cierto que la relación laboral de la actora se había concertado con el centro hospitalario y no con aquélla. Esto es, con una empresa, dependiente de la primera, cuya finalidad públicamente reconocida no es la de difusión de un ideario religioso sino la asistencial o sanitaria. [...]

La doctrina sentada por este Tribunal, en efecto, puede ser aplicable a la entidad titular, en cuanto portadora de una ideología, respecto de los trabajadores vinculados por contrato laboral con ella. Pero no puede entenderse que lo sea también respecto de aquellos trabajadores que prestan sus servicios en una empresa que aun siendo instrumental o subordinada de aquélla posee una finalidad y desarrolla una actividad social que es distinta. Pues lo relevante en un supuesto como el presente no es el propósito o la motivación subjetiva de la entidad titular —que ciertamente ha podido crear tal empresa al servicio de su ideario— sino el público reconocimiento de la función social que cumple el centro donde se presta el trabajo, que en este caso es la hospitalaria. Lo que implica, en definitiva, que no puede extenderse de forma incondicionada al centro sanitario el ideario propio de la entidad titular, aun admitiendo tanto el carácter religioso de la entidad titular del hospital como que dicho centro se halla al servicio de una finalidad caritativa.

2. Libertad religiosa (artículo 16.1 CE) y aconfesionalidad del Estado (artículo 16.3 CE)

Asistencia religiosa a las Fuerzas Armadas —STC 24/1982, de 13 de mayo—

La Sentencia resuelve el recurso de inconstitucionalidad promovido por don Gregorio Peces-Barba Martínez, en representación y como comisionado de sesenta y nueve Diputados, contra el punto cuarto del artículo 9 de la Ley 48/1981, de 24 de diciembre, sobre clasificación de mandos y regulación de ascenso en régimen ordinario para los militares de carrera del Ejército de Tierra. Denuncian los recurrentes que dicho apartado, referido al Cuerpo Eclesiástico del Ejército, vulnera el artículo 16 CE.

FJ 1. El art. 16.3 de la Constitución proclama que «ninguna confesión tendrá carácter estatal» e impide por ende, como dicen los recurrentes, que los valores o intereses religiosos se erijan en parámetros para medir la legitimidad o justicia de las normas y actos de los poderes públicos. Al mismo tiempo, el citado precepto constitucional veda cualquier tipo de confusión entre funciones religiosas y funciones estatales.

Es asimismo cierto que hay dos principios básicos en nuestro sistema político, que determinan la actitud del Estado hacia los fenómenos religiosos y el conjunto de relaciones entre el Estado y las iglesias y confesiones: el primero de ellos es la libertad religiosa, entendida como un derecho subjetivo de carácter fundamental que se concreta en el reconocimiento de un ámbito de libertad y de una esfera de agere licere del individuo; el segundo es el de igualdad, proclamado por los arts. 9 y 14, del que se deduce que no es posible establecer ningún tipo de discriminación o de trato jurídico diverso de los ciudadanos en función de sus ideologías o sus creencias y que debe existir un igual disfrute de la libertad religiosa por todos los ciudadanos. Dicho de otro modo, el principio de libertad religiosa reconoce el derecho de los ciudadanos a actuar en este campo con plena inmunidad de coacción del Estado y de cualesquiera grupos sociales, de manera que el Estado se prohíbe a sí mismo cualquier concurrencia, junto a los ciudadanos, en calidad de sujeto de actos o de actitudes de signo religioso y el principio de igualdad, que es consecuencia del principio de libertad en esta materia, significa que las actitudes religiosas de los sujetos de derecho no pueden justificar diferencias de trato jurídico. [...]

FJ 4. El hecho de que el Estado preste asistencia religiosa católica a los individuos de las Fuerzas Armadas no sólo no determina lesión constitucional, sino que ofrece, por el contrario, la posibilidad de hacer efectivo el derecho al culto de los individuos y comunidades. No padece el derecho a la libertad religiosa o de culto, toda vez que los ciudadanos miembros de las susodichas Fuerzas, son libres para aceptar o rechazar la prestación que se les ofrece; y hay que entender que asimismo tampoco se lesiona el derecho a la igualdad, pues por el mero hecho de la prestación en favor de los católicos no queda excluida la asistencia religiosa a los miembros de otras confesiones, en la medida y proporción adecuadas, que éstos pueden reclamar fundadamente, de suerte que sólo el Estado que desoyera los requerimientos en tal sentido hechos, incidiría en la eventual violación analizada.

La negativa a participar en actos públicos con contenido religioso: desfile militar en honor de la virgen —STC 177/1996, de 11 de noviembre—

La Sentencia resuelve el recurso de amparo interpuesto por don F.E.H.S., sargento, contra el Auto de la Sala Quinta del Tribunal Supremo, de 14 de julio de 1994, confirmatorio en apelación del de 17 de mayo, que desestimó su denuncia ante los órganos de la jurisdicción militar contra las autoridades militares intervinientes en las medidas represoras de que había sido objeto, constitutivas, en su opinión, de un delito contra la libertad de conciencia (artículo 205 CP). El recurrente fue designado para realizar una formación de honores a la Virgen de los Desamparados en el Acuartelamiento «San Juan de la Ribera Norte» de Valencia, los días 19 y 20 de noviembre de 1993, en homenaje de las Fuerzas Armadas a la Virgen con motivo del V Centenario de su Advocación. El recurrente solicitó, oralmente y por escrito, ser relevado, apelando a su derecho a la libertad religiosa y a la aconfesionalidad del Estado. Dicha solicitud le fue denegada oralmente, sin que consten las razones que fundamentaron esa decisión. Durante los actos, el recurrente permaneció en la formación durante los honores militares a su excelencia el general jefe de la Región Militar de Levante y a la bandera de España, pero la abandonó —previa solicitud de permiso que le fue denegado— en el momento de rendir honores a la Virgen, reincorporándose posteriormente a la formación. La volvió a abandonar, previa solicitud de permiso, de nuevo denegado, al llegar a la Capitanía General, donde se iba a recibir de nuevo a la Virgen para introducirla en la iglesia. Requerido por la superioridad para que se reincorporase a la misma y ante la negativa del actor, se le explicó que los distintos actos integrantes de la parada militar, a diferencia de otros actos de culto programados, eran estrictamente militares, por lo que tenía la obligación de tomar parte en los mismos. A resultas de estos hechos, se impusieron al recurrente una serie de sanciones disciplinarias que, junto a su confirmación judicial, entiende que vulneran su derecho a la libertad ideológica.

FJ 9. [...] [C]on su solicitud para ser relevado del servicio, el actor no pretendía la defensa de su libertad para realizar actos de culto en consonancia con la fe escogida y sin injerencia del Estado o de otras personas, ni reaccionaba frente a un acto que le exigía declarar sobre su credo religioso o que le obligaba a realizar una conducta contraria al mismo. Manifestaciones, todas ellas, del derecho de libertad religiosa, según se declaró en las SSTC 19/1985 y 63/1994. Antes bien, el recurrente perseguía hacer valer la vertiente negativa de esa misma libertad frente a lo que considera un acto ilegítimo de intromisión en su esfera íntima de creencias, y por el que un poder público, incumpliendo el mandato constitucional de no confesionalidad del Estado (art. 16.3 CE), le habría obligado a participar en un acto, que estima de culto, en contra de su voluntad y convicciones personales.
El derecho a la libertad religiosa del art. 16.1 CE garantiza la existencia de un claustro íntimo de creencias y, por tanto, un espacio de autodeterminación intelectual ante el fenómeno religioso, vinculado a la propia personalidad y dignidad individual. Pero, junto a esta dimensión interna, esta libertad, al igual que la ideológica del propio art. 16.1 CE, incluye también una dimensión externa de agere licere que faculta a los ciudadanos para actuar con arreglo a sus propias convicciones y mantenerlas frente a terceros (SSTC 19/1985, FJ 2.; 120/1990, FJ 10, y 137/1990, FJ 8.).
Por su parte, el art. 16.3 CE al disponer que «ninguna confesión tendrá carácter estatal», establece un principio de neutralidad de los poderes públicos en materia religiosa que, como se declaró en las SSTC 24/1982 y 340/1993, «veda cualquier tipo de confusión entre funciones religiosas y estatales». Consecuencia directa de este mandato constitucional es que los ciudadanos, en el ejercicio de su derecho de libertad religiosa, cuentan con un derecho «a actuar en este campo con plena inmunidad de actuación del Estado» (STC 24/1982, FJ 1), cuya neutralidad en materia religiosa se convierte de este modo en presupuesto para la convivencia pacífica entre las distintas convicciones religiosas existentes en una sociedad plural y democrática (art. 1.1 CE).

FJ 10. [...] [E]l art. 16.3 CE no impide a las Fuerzas Armadas la celebración de festividades religiosas o la participación en ceremonias de esa naturaleza. Pero el derecho de libertad religiosa, en su vertiente negativa, garantiza la libertad de cada persona para decidir en conciencia si desea o no tomar parte en actos de esa naturaleza. Decisión personal, a la que no se pueden oponer las Fuerzas Armadas que, como los demás poderes públicos, sí están, en tales casos, vinculadas negativamente por el mandato de neutralidad en materia religiosa del art. 16.3 CE. En consecuencia, aun cuando se considere que la participación del actor en la parada militar obedecía a razones de representación institucional de las Fuerzas Armadas en un acto religioso, debió respetarse el principio de voluntariedad en la asistencia y, por tanto, atenderse a la solicitud del actor de ser relevado del servicio, en tanto que expresión legítima de su derecho de libertad religiosa[6].

Negativa a participar en actos públicos con contenido religioso: el Cuerpo Nacional de Policía y la Hermandad Nuestro Padre Jesús el Rico de Málaga —STC 101/2004, de 2 de junio—

La Sentencia resuelve el recurso de amparo promovido por don A.C.C. contra la Sentencia de la Sección Segunda de la Sala de lo Contencioso-Administrativo del Tribunal Superior de Justicia de Andalucía, de 7 de marzo de 2002, que desestimó el recurso interpuesto contra la Resolución de 21 de julio de 1998, de la Dirección General de la Policía, que rechazó el recurso ordinario contra la Resolución del Comisario Jefe de la Brigada Provincial de Sevilla de 29 de marzo de 1998. El recurrente, Subinspector del Cuerpo Nacional de Policía, destinado en Sevilla en la Unidad Especial de Caballería, solicitó que se le dispensara de la obligación de acompañar, durante la estación de penitencia de la Semana Santa de 1998, a la Hermandad Sacramental de Nuestro Padre Jesús El Rico de Málaga, de la que el Cuerpo Nacional de Policía ostenta la condición de Hermano Mayor, apelando a su derecho a la libertad religiosa. Dicha solicitud fue denegada, considerándose que la presencia de dicha unidad en el desfile profesional debía considerarse, no como una asistencia a un culto religioso, sino como un servicio cuya actividad es velar por el orden y seguridad del desarrollo del acto.

FJ 2. Dos son los problemas que nos plantea el demandante de amparo y en los que hemos de centrar nuestras reflexiones. Por un lado, está el hecho de que haya sido obligado a participar en una procesión religiosa, si bien realizando un servicio que dudosamente puede calificarse de policial; por otro, deja patente su rechazo, desde el punto de vista también de la libertad religiosa, a que por el Cuerpo Nacional de Policía se ostente la condición de Hermano Mayor de la Hermandad de Nuestro Padre Jesús El Rico de Málaga. Las dos cuestiones deben tratarse separadamente, no sin antes hacer referencia a nuestra doctrina sobre el derecho a la libertad religiosa, reconocido en el art. 16 CE.

FJ 3. Tal y como tuvimos ocasión de afirmar, en apretada síntesis, en el fundamento jurídico 6 de la STC 154/2002, de 18 de julio, la Constitución española reconoce la libertad religiosa, garantizándola tanto a los individuos como a las comunidades, «sin más limitación, en sus manifestaciones, que la necesaria para el mantenimiento del orden público protegido por la ley» (art. 16.1 CE). [...]

FJ 4. [...] La defensa posible de la constitucionalidad de las órdenes recibidas por el ahora quejoso sería la de argumentar, como se hace por la Abogacía del Estado, que nos hallábamos ante un servicio propiamente policial, sin connotación religiosa alguna, y que trataba de asegurar el orden público en un acto con asistencia masiva de personas. Pero este razonamiento se debilita, desaparece dialécticamente, cuando en las mismas resoluciones de la Dirección General de la Policía se presenta como fundamento de la obligación de participar en el acto religioso el hecho de que «el Cuerpo Nacional de Policía es Hermano Mayor de la Hermandad Sacramental de Nuestro Padre Jesús, El Rico, de Málaga» (Resolución del Comisario Jefe de la Brigada Provincial de Seguridad Ciudadana de Sevilla, 29 de marzo de 1998). Además, resulta evidente, sin la menor duda, que un servicio de las características del que aquí nos ocupa —unidad de caballería, uniformidad de gala, armas inusuales como sables y lanzas, etc. — no es un servicio policial ordinario que tenga por objeto cuidar de la seguridad del desfile procesional; servicio que, por otra parte, no se presta con estas características a otras hermandades. Se trata, más bien, de un servicio especial cuya principal finalidad no es garantizar el orden público, sino contribuir a realzar la solemnidad de un acto religioso de la confesión católica, como es la procesión de la hermandad tantas veces citada.

Alcanzado el convencimiento de que ésta es la naturaleza del caso, son claras las implicaciones de tipo religioso de la participación en dicho servicio, implicaciones que fundamentan sobradamente la negativa de quien no profese la

---

[6] Con todo, el Tribunal Constitucional denegó el amparo al recurrente, alegando no poder sustituir la apreciación de los tribunales ordinarios sobre si estamos ante hechos constitutivos de delito (FJ 11) —los derechos fundamentales no encierran una pretensión de su protección penal (*vid.* STC 74/1987, de 21 de abril, FJ 5)—.

religión católica a tomar parte en manifestaciones de culto de dicha religión, como es desfilar procesionalmente. Al no dispensar al recurrente de hacerlo, las Resoluciones de la Dirección General de la Policía y la posterior Sentencia del Tribunal Superior de Justicia de Andalucía, que las confirma, han lesionado su derecho a la libertad religiosa, por lo que procede otorgar el amparo, reconociendo su derecho a no participar, si ése es su deseo, en actos de contenido religioso.

FJ 5. Reconocido el derecho del recurrente a no participar en los actos con dimensión religiosa a que se refiere el presente procedimiento y anuladas, en consecuencia, las resoluciones administrativas de que trae causa este amparo, resta por examinar la segunda de sus pretensiones, que tiene por objeto la nulidad del vínculo que une al Cuerpo Nacional de Policía con la Hermandad Sacramental de Nuestro Padre Jesús El Rico, de Málaga.

Tal pretensión se dirige, por tanto, contra el art. 106 de los estatutos de «La Real, Excelentísima, muy ilustre y venerable Cofradía de culto y procesión de nuestro Padre Jesús Nazareno bajo la advocación de 'El Rico' y María Santísima del Amor» (aprobados por el Obispado de Málaga el día 4 de mayo de 2000), en el que se dispone que «son hermanos de esta Cofradía el Cuerpo de Instituciones Penitenciarias y el Cuerpo Nacional de Policía». Sucede, sin embargo, que la disposición transcrita no es imputable a un poder público, por lo que nada puede pretenderse contra ella a través de un recurso de amparo (art. 41.2 LOTC), independientemente de que el eventual acto de aceptación pueda ser impugnado en la vía procedente.

Aconfesionalidad del Estado y Colegios profesionales: el Colegio de Abogados de Sevilla y sus símbolos identitarios —STC 34/2011, de 28 de marzo—

La Sentencia resuelve el recurso de amparo interpuesto por don J.A.B.V. contra la Sentencia de la Sección Primera de la Sala de lo Contencioso-Administrativo del Tribunal Superior de Justicia de Andalucía, de 25 de abril de 2006, que confirmó en apelación la dictada por el Juzgado de lo Contencioso-Administrativo núm. 1 de Sevilla, de 21 de marzo de 2005, desestimatoria del recurso contencioso-administrativo interpuesto contra la Orden del Consejero de Justicia y Administración Pública de la Junta de Andalucía, de 23 de abril de 2004, la cual declaró la adecuación a la legalidad de los estatutos del Colegio de Abogados de Sevilla aprobados en Junta General extraordinaria de 30 de enero de 2004. Su artículo 2.3 in fine, tras declarar que «el Ilustre Colegio de Abogados de Sevilla es aconfesional», añade: «si bien por secular tradición tiene por Patrona a la Santísima Virgen María, en el Misterio de su Concepción Inmaculada». Entiende el recurrente que dicho artículo vulnera su derecho a la igualdad y su libertad religiosa (artículos 14 y 16.1 y 3 CE).

FJ 4. [...] [E]l enjuiciamiento de si en el presente caso se ha vulnerado la dimensión objetiva de la libertad religiosa del demandante (art. 16.3 CE) exige dilucidar dos aspectos: primero, si el Colegio de Abogados de Sevilla está constitucionalmente obligado a la neutralidad religiosa y, en caso de ser así, si la norma estatutaria controvertida tiene una significación incompatible con ese deber de neutralidad religiosa.

A la primera cuestión ha de responderse afirmativamente puesto que en un sistema jurídico político basado en el pluralismo, la libertad ideológica y religiosa de los individuos y la aconfesionalidad del Estado, todas las instituciones públicas han de ser ideológicamente neutrales (STC 5/1981, de 13 de febrero, FJ 9). Y, en efecto, los colegios profesionales son, con arreglo al art. 1 de la Ley 2/1974, de 13 febrero, «corporaciones de derecho público, amparadas por la ley y reconocidas por el Estado, con personalidad jurídica propia y plena capacidad para el cumplimiento de sus fines». Como hemos declarado en anteriores ocasiones, los colegios profesionales son corporaciones sectoriales que se constituyen para defender primordialmente los intereses privados de sus miembros, pero que también atienden a finalidades de interés público, en razón de las cuales se configuran legalmente como personas jurídico-públicas o corporaciones de Derecho público cuyo origen, organización y funciones no dependen sólo de la voluntad de los asociados, sino también, y en primer término, de las determinaciones obligatorias del propio legislador, el cual, por lo general, les atribuye asimismo el ejercicio de funciones propias de las Administraciones territoriales o permite a estas últimas recabar la colaboración de aquéllas mediante delegaciones expresas de competencias administrativas, lo que sitúa a tales corporaciones bajo la dependencia o tutela de las citadas Administraciones territoriales titulares de las funciones o competencias ejercidas por aquéllas (STC 20/1988, de 18 de febrero, FJ 4; y las que en ella se citan). A la vista de la anterior respuesta afirmativa, es preciso examinar a continuación si, como el recurrente sostiene, la norma estatutaria controvertida tiene una significación incompatible con el deber de neutralidad religiosa. [...]

Nuestro razonamiento ha de partir de la constatación de que es propio de todo ente o institución adoptar signos de identidad que contribuyan a dotarle de un carácter integrador ad intra y recognoscible ad extra, tales como la denominación —elemento de individualización por excelencia—, pero contingentemente también los emblemas, escudos, banderas, himnos, alegorías, divisas, lemas, conmemoraciones y otros múltiples y de diversa índole, entre los que pueden encontrarse, eventualmente, los patronazgos, en su origen propios de aquellas confesiones cristianas que creen en la intercesión de los santos y a cuya mediación se acogen los miembros de un determinado colectivo. Sobre la importancia de estos elementos representativos señalamos en la STC 94/1985, de 29 de julio, que «no puede desconocerse que la materia sensible del símbolo … trasciende a sí misma para adquirir una relevante función significativa. Enriquecido con el transcurso del tiempo, el símbolo [político allí] acumula toda la carga histórica de una comunidad, todo un conjunto de significaciones que ejercen una función integradora y promueven una respuesta socioemocional, contribuyendo a la formación y mantenimiento de la conciencia comunitaria, y, en cuanto expresión externa de la peculiaridad de esa Comunidad, adquiere una cierta autonomía respecto de las significaciones simbolizadas, con las que es identificada; de aquí la protección dispensada a los símbolos [políticos] por los ordenamientos jurídicos» (FJ 7).

Naturalmente, la configuración de estos signos de identidad puede obedecer a múltiples factores y cuando una religión es mayoritaria en una sociedad sus símbolos comparten la historia política y cultural de ésta, lo que origina que no pocos elementos representativos de los entes territoriales, corporaciones e instituciones públicas tengan una connotación religiosa. Ésta es la razón por la que símbolos y atributos propios del Cristianismo figuran insertos en nuestro escudo nacional, en los de las banderas de varias Comunidades Autónomas y en los de numerosas provincias, ciudades y poblaciones; asimismo, el nombre de múltiples municipios e instituciones públicas trae causa de personas o hechos vinculados a la religión cristiana; y en variadas festividades, conmemoraciones o actuaciones institucionales resulta reconocible su procedencia religiosa.

Por consiguiente, es obvio que no basta con constatar el origen religioso de un signo identitario para que deba atribuírsele un significado actual que afecte a la neutralidad religiosa que a los poderes públicos impone el art. 16.3 CE. La cuestión se centra en dilucidar, en cada caso, si ante el posible carácter polisémico de un signo de identidad, domina en él su significación religiosa en un grado que permita inferir razonablemente una adhesión del ente o institución a los postulados religiosos que el signo representa.

A tal fin, nuestra labor hermenéutica debe comenzar tomando en consideración que todo signo identitario es el resultado de una convención social y tiene sentido en tanto se lo da el consenso colectivo; por tanto, no resulta suficiente que quien pida su supresión le atribuya un significado religioso incompatible con el deber de neutralidad religiosa, ya que sobre la valoración individual y subjetiva de su significado debe prevalecer la comúnmente aceptada, pues lo contrario supondría vaciar de contenido el sentido de los símbolos, que siempre es social. En este mismo sentido, la muy reciente Sentencia del Tribunal Europeo de Derechos Humanos de 18 de marzo de 2011, caso Lautsi y otros contra Italia —que ha juzgado sobre la presencia de crucifijos en las escuelas públicas italianas— pone de relieve que, en este ámbito, la percepción subjetiva del reclamante por sí sola no basta para caracterizar una violación del derecho invocado (§ 66).

En segundo lugar, debemos tomar en consideración no tanto el origen del signo o símbolo como su percepción en el tiempo presente, pues en una sociedad en la que se ha producido un evidente proceso de secularización es indudable que muchos símbolos religiosos han pasado a ser, según el contexto concreto del caso, predominantemente culturales aunque esto no excluya que para los creyentes siga operando su significado religioso. En este sentido, en la STC 19/1985, de 13 de febrero (FJ 4), señalamos que la circunstancia de que «el descanso semanal corresponda en España, como en los pueblos de civilización cristiana, al domingo, obedece a que tal día es el que por mandato religioso y por tradición se ha acogido en estos pueblos; esto no puede llevar a la creencia de que se trata del mantenimiento de una institución con origen causal único religioso, pues, aunque la cuestión se haya debatido y se haya destacado el origen o la motivación religiosa del descanso semanal, recayente en un período que comprenda el domingo, es inequívoco … que el descanso semanal es una institución secular y laboral, que si comprende el 'domingo' como regla general del descanso semanal es porque este día de la semana es el consagrado por la tradición». Igualmente, en la STC 130/1991, de 6 de junio, en relación con la presencia de la imagen de la Virgen de la Sapiencia en el escudo de la Universidad de Valencia, apreciamos que resultaba compatible con la aconfesionalidad proclamada en nuestra Constitución, tanto la decisión del claustro universitario de proceder a su supresión como la que hubiera supuesto su mantenimiento.

Por último, siguiendo a la antes citada STEDH de 18 de marzo de 2011, caso Lautsi y otros c. Italia, § 72 (con remisión a las SSTEDH Zengin c. Turquía, § 64; y Folgerø y otros c. Noruega, § 94) debemos valorar la menor potencialidad para incidir sobre la neutralidad religiosa del Estado de los símbolos o elementos de identidad esencialmente pasivos frente a otras actuaciones con capacidad para repercutir sobre la conciencias de las personas, como son los discursos didácticos o la participación en actividades religiosas.

Proyectadas estas consideraciones sobre el enjuiciamiento constitucional del art. 2.3 de los tan citados estatutos, debemos resaltar que la disposición contiene dos proposiciones aparentemente antitéticas —«el Ilustre Colegio de Abogados de Sevilla es aconfesional» y «tiene por Patrona a la Santísima Virgen María, en el Misterio de su Concepción Inmaculada»— cuya debida compresión se obtiene a partir de las palabras que les sirven de unión: «si bien por secular tradición». Claramente se advierte que la finalidad de la norma estatutaria es conservar una de las señas de identidad del Colegio de Abogados de Sevilla; y que, precisamente con el propósito de evitar interpretaciones como la que sostiene el recurrente, se incorporan al precepto dos afirmaciones que de otro modo serían innecesarias: la declaración de aconfesionalidad del Colegio y el origen del patronazgo, esto es, la tradición secular.

Por lo que antecede, procede rechazar la demanda de amparo en este punto, pues fácilmente se comprende que cuando una tradición religiosa se encuentra integrada en el conjunto del tejido social de un determinado colectivo, no cabe sostener que a través de ella los poderes públicos pretendan transmitir un respaldo o adherencia a postulados religiosos; concluyéndose así que, en el presente caso, el patronazgo de la Santísima Virgen en la advocación o misterio de su Concepción Inmaculada, tradición secular del Colegio de Abogados de Sevilla, no menoscaba su aconfesionalidad.

FJ 5. Descartada la afectación de la dimensión objetiva de la libertad religiosa (art. 16.3 CE), debemos examinar si lo está su vertiente subjetiva (art. 16.1 CE). Así lo sostiene el recurrente en amparo, para quien el patronazgo impugnado cercena su libertad individual a no tener creencias religiosas, ni someterse a sus ritos o cultos; añade que la simple designación de la Patrona supone, como mínimo, la imploración de su protección y el sometimiento a la misma, regulándose algo que pertenece a la esfera de la más estricta intimidad de cada uno de los miembros de la corporación. En este punto ha de partirse de que los elementos representativos a que nos venimos refiriendo, singularmente los estáticos, son escasamente idóneos en las sociedades actuales para incidir en la esfera subjetiva de la libertad religiosa de las personas, esto es, para contribuir a que los individuos adquirieran, pierdan o sustituyan sus posibles creencias religiosas, o para que sobre tales creencias o ausencia de ellas se expresen de palabra o por obra, o dejen de hacerlo. Con todo, es preciso coincidir con el recurrente en que su libertad religiosa quedaría menoscabada si, en virtud de la norma colegial, se viera compelido a participar en eventuales actos en honor de la Patrona del Colegio de Abogados. Como apreciamos en la STC 101/2004, de 2 de junio (FJ 4), la imposición del deber de participar en un acto de culto, en contra de la voluntad y convicciones personales, afecta a la vertiente subjetiva de la libertad religiosa, constituyendo un acto ilegítimo de intromisión en la esfera íntima de creencias (art. 16.1 CE), que conllevaría el incumpliendo por el poder público del mandato constitucional de aconfesionalidad. En consonancia con ello, en el ATC 551/1985, de 24 de julio, consideramos que la libertad religiosa no quedaba afectada, en aquel caso, con motivo de los actos previstos para celebrar la festividad de la Policía Municipal de la ciudad de Ceuta, en la medida en que sus miembros pudiesen acomodar su conducta a las propias convicciones religiosas y no se les obligase a acudir a la celebración del oficio religioso; y posteriormente, en la STC 177/1996, de 11 de noviembre (FJ 10) reiteramos que el art. 16 CE no impide a las Fuerzas Armadas la celebración de festividades religiosas o, más propiamente dicho, la participación en ceremonias de esa naturaleza, siempre que se garantice la libertad de cada miembro para decidir en conciencia si desea o no tomar parte en actos de esa naturaleza.

También resultaría afectada la dimensión subjetiva de la libertad religiosa si el patronazgo cuestionado incidiese de cualquier otro modo relevante sobre la esfera íntima de creencias, pensamientos o ideas del recurrente, esto es, sobre el espacio de autodeterminación intelectual ante el fenómeno religioso.

Sin embargo, nada de esto ha ocurrido en el presente caso, en el que ni aun siquiera a efectos dialécticos ha sostenido el recurrente que venga obligado a participar en eventuales actos de contenido religioso en los que el Colegio de Abogados de Sevilla pudiera hacerse presente, ni ha acertado a razonar convincentemente en qué medida se ha visto afectado su ámbito íntimo de creencias, debiéndose recordar que, según resulta del art. 41.2 LOTC, el recurso de amparo procede contra la lesión real y efectiva de los derechos fundamentales y no contra lesiones simplemente temidas de tales derechos (SSTC 162/1985, de 29 de noviembre, FJ 1, y 123/1987, de 15 de julio, FJ 1), por lo cual esta queja debe ser rechazada, sin perjuicio de que, obviamente, el demandante pueda impugnar en el futuro cualesquiera actuaciones emanadas del Colegio de Abogados que, en cuanto actos aplicativos de la norma colegial, conlleven una afectación real de su libertad religiosa.

Libertad religiosa y neutralidad de las prestaciones públicas: caso Testigo de Jehová (1) —STC 166/1996, de 28 de octubre—

La Sentencia resuelve el recurso de amparo interpuesto por don M.A.M.A. contra la Sentencia de la Sala de lo Social del Tribunal Supremo, de 3 de mayo de 1994, que puso fin a la vía judicial ordinaria contra la resolución del Servicio

Navarro de Salud-OSASUMBIDEA, de 28 de mayo de 1991, confirmada por la de 6 de agosto de 1991, que deniega la solicitud de reembolso del recurrente. El recurrente es miembro de la confesión religiosa «Testigos Cristianos de Jehová», entre cuyos principios se incluye el rechazo a la utilización de la sangre humana o animal, con cualquier finalidad, incluso la médica. A comienzos de 1989, ingresó en el Hospital de Estella, dependiente del Departamento de Salud del Gobierno de Navarra, aquejado de un «ulcus duodenal», siendo intervenido el 18 de enero. Durante el curso postoperatorio fue necesario realizar una segunda operación quirúrgica que determinó la conveniencia de hacerle una transfusión de sangre. Ante la negativa a la transfusión, con base en las creencias religiosas del paciente, se solicitó resolución del Juzgado de Primera Instancia e Instrucción de Estella, el cual dictó Auto de 4 de febrero de 1989 autorizando la transfusión de sangre, que se llevó a efecto en el curso de una nueva operación quirúrgica practicada ese mismo día. El día 19 de febrero de 1989 la familia del actor solicitó el alta voluntaria del centro médico, siendo concedida en contra del médico responsable. El día 19 de abril de 1990, el demandante ingresó nuevamente en el referido Hospital, aquejado por un «cuadro de melenas», siendo informado de que de continuar las hemorragias sería preciso realizar una transfusión de sangre. El demandante solicitó el alta voluntaria del centro hospitalario, dirigiéndose a la clínica privada Delfos, donde fue intervenido quirúrgicamente garantizándosele, como así se efectuó, que no se le practicaría transfusión de sangre. El demandante solicitó del Servicio Navarro de Salud el reintegro de los gastos médicos ocasionados por la atención de la clínica Delfos, con base en la Ley 14/1986, de 25 de abril, General de Sanidad, dispone que «las Administraciones Públicas… no abonarán a los ciudadanos los gastos que puedan ocasionarse por la utilización de servicios distintos que aquellos que les correspondan» (artículo 17), siendo la denegación injustificada de tratamiento uno de los supuestos que excepcionan esta regla. Entiende el recurrente que su denegación de tratamiento estaba justificada en su libertad religiosa, por lo que la denegación de reintegro por parte del Servicio Navarro de Salud constituye vulneración de dicha libertad.

FJ 3. El problema que plantea el recurrente, no es de carencias o deficiencias de los servicios médicos de la Seguridad Social respecto del sistema o de los medios conforme a los cuales hayan de atenderse las prestaciones médico-quirúrgicas a los enfermos, sino que pide, en razón y por exigencia de sus creencias religiosas, que tales prestaciones se le dispensen sin que en ningún caso se utilice transfusión de sangre en la operación quirúrgica a que debía de someterse. No pide más de lo que la Seguridad Social tiene previsto para estas prestaciones, sino que se dispensen éstas prescindiendo de un remedio cuya utilización, por pertenecer a la lex artis del ejercicio de la profesión médica, sólo puede decidirse por quienes la ejercen y de acuerdo con las exigencias técnicas que en cada caso se presenten y se consideren necesarias para solventarlo. Las causas ajenas a la medicina, por respetables que sean —como lo son en este caso—, no pueden interferir o condicionar las exigencias técnicas de la actuación médica. [...]

FJ 4. [...] Es cierto que al garantizar el art. 16.1 CE la libertad religiosa y al declararse la aconfesionalidad del Estado en el núm. 3 del mismo precepto, no se desentiende por ello del problema, sino que, conforme se añade en el mismo núm. 3, «los poderes públicos tendrán en cuenta las creencias religiosas de la sociedad española y mantendrán las consiguientes relaciones de cooperación con la Iglesia Católica y las demás confesiones». De ahí que la Ley Orgánica de Libertad Religiosa disponga que para la aplicación real y efectiva de ese derecho, los poderes públicos adoptarán las medidas necesarias para facilitar la asistencia religiosa en los establecimientos públicos militares, hospitalarios, asistenciales, penitenciarios y otros bajo su dependencia, así como la formación religiosa en centros docentes públicos (art. 2.3). Pero de estas obligaciones del Estado y de otras tendentes a facilitar el ejercicio de la libertad religiosa, no puede seguirse, porque es cosa distinta, que esté también obligado a otorgar prestaciones de otra índole para que los creyentes de una determinada religión puedan cumplir los mandatos que les imponen sus creencias. La prestación de una asistencia médica en los términos exigidos por el recurrente supondría, como hemos señalado en otra ocasión, «una excepcionalidad, que, aunque pudiera estimarse como razonable, comportaría la legitimidad del otorgamiento de esta dispensa del régimen general, pero no la imperatividad de su imposición» (STC 19/1985).
Pero es que, además, como se ha razonado en el fundamento anterior, el recurrente no alega carencias en el sistema de la Seguridad Social que debieran remediarse o subsanarse en razón del deber prestacional que incorpora la libertad religiosa, sino que su queja está dirigida exclusivamente a considerar injustificada la negativa de los médicos a intervenirle en las condiciones por él exigidas. Y como esta cuestión está relacionada con la lex artis, y no con los medios con los que cuenta la Seguridad Social, también desde este ángulo ha de desestimarse el recurso de amparo.

FJ 5. El recurrente alega en segundo lugar que, aun aceptando que la libertad religiosa no sea por sí sola determinante del deber de la Sanidad pública de prestar asistencia en los términos impuestos por un singular mandato de determinada confesión religiosa, el mismo deriva del art. 14 CE, que impone a los poderes públicos la obligación de garantizar la asistencia y prestaciones suficientes, para todos, sin discriminación alguna.

Para rechazar esta supuesta vulneración basta con recordar que, como se declara en la STC 114/1995, FJ 4, con cita de numerosas Sentencias anteriores, «el art. 14 de la Constitución reconoce el derecho a no sufrir discriminaciones, pero no el hipotético derecho a imponer o exigir diferencias de trato». Y como lo pretendido en la demanda no es asegurar un trato igualitario, pues igualitario es el régimen legalmente establecido para dispensar la asistencia sanitaria, sino cabalmente se pretende lo contrario: modificar, en razón de sus creencias religiosas, el tratamiento médico ordinario, condicionando a la vez la actuación técnica de los facultativos. No puede apreciarse por tanto la denunciada vulneración del derecho fundamental a la igualdad en la ley reconocido por el art. 14 CE

Voto particular que formula el Magistrado don Julio Diego González Campos

1. A) En primer lugar cabe observar que la queja del recurrente frente a las resoluciones de los órganos jurisdiccionales que han denegado su pretensión de reintegro por el Servicio Navarro de Salud de los gastos por asistencia sanitaria, como consecuencia de una intervención médica realizada en un Centro privado en 1990, posee una directa conexión con otra intervención anterior: la practicada al recurrente el 4 de febrero de 1988 en el Hospital de Estella, tras una resolución judicial de igual fecha autorizando el empleo de una transfusión de sangre, pese a la previa negativa de aquél por razones religiosas. Esta circunstancia, a mi juicio, constituye el auténtico presupuesto de la queja y, por tanto, hubiera sido preciso su examen. Sin embargo, ha sido soslayada en la Sentencia de la que discrepo y, de este modo, se ha perdido la ocasión para determinar si es o no legítima constitucionalmente (arts. 15 y 16 CE) una asistencia médica coactiva a quien no se halla en una relación de sujeción especial y, en los términos empleados por la STC 120/1990, «asume el riesgo de morir en un acto de voluntad que sólo a él afecta» antes que violentar sus creencias religiosas. Para lo que ya se contaba, conviene recordarlo, con el pronunciamiento sobre tal supuesto del Tribunal en la decisión que se acaba de citar.
B) Existe, además, otra circunstancia relevante, también soslayada en la Sentencia de la que discrepo pese a constar en su antecedente 2 f): que tras haber solicitado, por exigirlo así sus creencias religiosas, que la asistencia médica se le dispensara sin utilizar transfusión de sangre o plasma sanguíneo en la operación quirúrgica a que debía someterse, lo que le fue denegado, el recurrente se dirigió a una Clínica privada, donde fue intervenido tras habérsele garantizado que no se practicaría tal transfusión «como así se efectuó». Lo que genera una inevitable contradicción en relación con la justificación de la denegación que se ofrece en dicho fundamento jurídico y se reitera en el 4., esto es, la simple remisión a la lex artis del ejercicio de la profesión médica. Pues si ésta se impone a cualquier profesional, y las «causas ajenas a la medicina, por respetables que sean —como lo son en este caso— no pueden interferir o condicionar las exigencias técnicas de la actuación médica», como se ha dicho en la Sentencia, mal se comprende que tales exigencias de la lex artis puedan ser distintas de un Centro médico a otro y que en la Clínica privada a la que el recurrente se dirigió pueda garantizarse y hacerse efectivo lo que en un Centro público se deniega. Posibilidad que, conviene subrayarlo, también ha existido en otros casos similares, como se desprende de las decisiones judiciales que ha aportado el recurrente.

2. [...] A) De un lado, que la libertad religiosa, al igual que la libertad ideológica, en su manifestación externa «incluye también la adopción de actitudes y conductas» del titular del derecho constitucional como se desprende de los términos del art. 16 CE (ATC 122/1988), estando sometida tan sólo en su ejercicio a la limitación que dicho precepto enuncia y que aquí ciertamente no concurre. Lo que supone, correlativamente, que los poderes públicos no pueden perturbar o impedir ni la adopción ni el mantenimiento de una determinada ideología ni tampoco de la religión que se profesa; generándose la lesión del derecho constitucional cuando exista una relación causal entre el acto o la omisión de aquéllos y la conducta del sujeto que invoca el derecho fundamental (STC 120/1990).
B) De otro lado, el derecho al mantenimiento de las propias creencias se ejerce en el presente caso en relación con el régimen público de Seguridad Social para todos los ciudadanos que el art. 41 CE garantiza, y que cubre la asistencia y las prestaciones suficientes en situaciones de necesidad (SSTC 103/1983 y 184/1990). Pero la indivisibilidad de los derechos fundamentales no permite que la actividad prestacional en esta materia —que corresponde garantizar a los poderes públicos y, por tanto, no puede ser deferida, sin más, a la decisión de los profesionales médicos que forman parte de los Centros de la Seguridad Social—, aun teniendo como base la uniformidad de las prestaciones para garantizar la igualdad de todos los ciudadanos (STC 124/1989), permanezca al margen de los derechos fundamentales que la Constitución garantiza. Por lo que no cabe excluir o desconocer las exigencias que se derivan de la libertad religiosa sin desconocer o excluir, al mismo tiempo, el mayor valor de esta libertad en nuestro ordenamiento. Y ello supondría, asimismo, un injustificado olvido del mandato constitucional a los poderes públicos de promover las condiciones para hacer real y efectiva la libertad del individuo y de los grupos en que se integra (art. 9.2 CE), junto con los que se derivan de la cláusula del Estado social (art. 1.1 CE). Máxime, como aquí ocurre, si el recurrente no ha

solicitado una prestación de asistencia médica a la que no tenga derecho, sino sólo que se le preste en condiciones que no vulneren sus creencias religiosas; y sin que exista, además, imposibilidad de que tal asistencia pueda prestarse en esas condiciones —excluyendo la transfusión de sangre— en los Centros de la Seguridad Social, dados los medios técnicos disponibles. Ni tampoco resulta que ello sea contrario en todo caso a la lex artis, pues se ha practicado en esas condiciones en Centros médicos privados, como antes se ha dicho.

3. En suma, el presente caso nos sitúa ante un acto de los poderes públicos impeditivo del mantenimiento de las creencias religiosas del recurrente, existiendo además una relación de causalidad entre la negativa de la Administración, que los órganos jurisdiccionales han confirmado, y la conducta del recurrente frente aquélla, dirigida a mantener esas creencias. Lo que ha generado, por concurrir los requisitos expuestos en la STC 120/1990, una lesión del derecho fundamental que el art. 16 CE reconoce y ello debería haber conducido, a mi juicio, al otorgamiento del amparo solicitado.

Libertad religiosa y neutralidad de las prestaciones públicas: caso Testigo de Jehová (y 2) —STC 154/2002, de 18 de julio—

La Sentencia resuelve el recurso de amparo promovido por don P.A.T. y doña L.V.R. contra las Sentencias de 27 de junio de 1997, dictadas por la Sala de lo Penal del Tribunal Supremo, que casaron la Sentencia de 20 de noviembre de 1996 de la Audiencia Provincial de Huesca, que les había absuelto del delito de homicidio por omisión de M., hijo de los recurrentes, en causa procedente del Juzgado de Instrucción de Fraga. M., de trece años de edad, tuvo lesiones por caída de bicicleta, a consecuencia de las cuales fue llevado por sus padres al Hospital Arnáu de Vilanova, de Lérida, el 8 de septiembre de 1994. Los médicos les informaron de que se hallaba en situación de alto riesgo hemorrágico por lo que era necesaria una transfusión de sangre. Los padres se opusieron por motivos religiosos y, habiéndoles hecho saber los médicos que no había tratamientos alternativos, solicitaron el alta de su hijo para llevarlo a otro centro sanitario. El centro hospitalario, en lugar de acceder al alta, por entender que peligraba la vida del menor si no era transfundido, solicitó del Juzgado de guardia (siendo las 4:30 horas del día 9) autorización para la práctica de la transfusión, que fue concedida si fuera imprescindible para la vida del menor. Los padres acataron dicha autorización judicial. Al disponerse los médicos a efectuar la transfusión, el menor, sin intervención alguna de sus padres, la rechazó «con auténtico terror, reaccionando agitada y violentamente en un estado de gran excitación, que los médicos estimaron muy contraproducente, pues podía precipitar una hemorragia cerebral». El personal sanitario pidió a los padres que trataran de convencer al menor, a lo cual no accedieron por dichos motivos religiosos. Los médicos desecharon la posibilidad de realizar la transfusión contra la voluntad del menor, por estimarla contraproducente, desechando también «la utilización a tal fin de algún procedimiento anestésico por no considerarlo ser momento ético ni médicamente correcto, por los riesgos que habría comportado». Por ello, «después de consultarlo telefónicamente con el Juzgado de guardia», en la mañana del día nueve, viernes, accedieron a la concesión del alta voluntaria. Los padres del menor lo trasladaron al Hospital privado General de Cataluña. Una nueva transfusión volvió a ser rechazada allí por el menor y sus padres por motivos religiosos. No conociendo ya otro centro al que acudir, los recurrentes regresaron con su hijo a su domicilio sobre la una de la madrugada del martes, 13 de septiembre. El miércoles, 14 de septiembre, el Juzgado de Instrucción de Fraga (Huesca), tras recibir un escrito del Ayuntamiento de Ballobar, acompañado de informe del médico titular, autorizó la entrada en el domicilio del menor a fines de asistencia médica en los términos que estimaran pertinente el facultativo y el médico forense, incluso para que fuera transfundido. Seguidamente se personó la comisión judicial en el domicilio del menor, el cual estaba ya en grave deterioro psico-físico, acatando los padres la decisión del Juzgado. El menor llegó en estado de coma profundo al Hospital, en el cual se le realizó la transfusión de sangre, contra la voluntad y sin la oposición de los padres. El menor falleció a las 21:30 horas del día 15 de septiembre. Entienden los recurrentes que su condena vulnera su derecho y el de su hijo a la libertad religiosa y de conciencia, así como el derecho de éste a la integridad física y moral y a no sufrir tortura ni trato inhumano o degradante.

FJ 6. El art. 16 CE reconoce la libertad religiosa, garantizándola tanto a los individuos como a las comunidades, «sin más limitación, en sus manifestaciones, que la necesaria para el mantenimiento del orden público protegido por la ley» (art. 16.1 CE).

En su dimensión objetiva, la libertad religiosa comporta una doble exigencia, a que se refiere el art. 16.3 CE: por un lado, la de neutralidad de los poderes públicos, ínsita en la aconfesionalidad del Estado; por otro lado, el mantenimiento de relaciones de cooperación de los poderes públicos con las diversas Iglesias. En este sentido, ya dijimos en la STC 46/2001, de 15 de febrero, FJ 4, que «el art. 16.3 de la Constitución, tras formular una declaración de neutralidad (SSTC 340/1993, de 16 de noviembre, y 177/1996, de 11 de noviembre), considera el componente religioso perceptible en la sociedad española y ordena a los poderes públicos mantener las consiguientes relaciones de cooperación con la Iglesia Católica y las demás confesiones», introduciendo de este modo una idea de aconfesionalidad o laicidad positiva que veda cualquier tipo de confusión entre funciones religiosas y estatales» (STC 177/1996)». En cuanto derecho subjetivo, la libertad religiosa tiene una doble dimensión, interna y externa. Así, según dijimos en la STC 177/1996, FJ 9, la libertad religiosa «garantiza la existencia de un claustro íntimo de creencias y, por tanto, un espacio de autodeterminación intelectual ante el fenómeno religioso, vinculado a la propia personalidad y dignidad individual», y asimismo, «junto a esta dimensión interna, esta libertad… incluye también una dimensión externa de agere licere que faculta a los ciudadanos para actuar con arreglo a sus propias convicciones y mantenerlas frente a terceros (SSTC 19/1985, FJ 2; 120/1990, FJ 10, y 137/1990, FJ 8)». Este reconocimiento de un ámbito de libertad y de una esfera de agere licere lo es «con plena inmunidad de coacción del Estado o de cualesquiera grupos sociales» (STC 46/2001, FJ 4, y, en el mismo sentido, las SSTC 24/1982, de 13 de mayo, y 166/1996, de 28 de octubre) y se complementa, en su dimensión negativa, por la prescripción del art. 16.2 CE de que «nadie podrá ser obligado a declarar sobre su ideología, religión o creencias».

La dimensión externa de la libertad religiosa se traduce además «en la posibilidad de ejercicio, inmune a toda coacción de los poderes públicos, de aquellas actividades que constituyen manifestaciones o expresiones del fenómeno religioso» (STC 46/2001), tales como las que se relacionan en el art. 2.1 de la Ley Orgánica 7/1980, de libertad religiosa (LOLR), relativas, entre otros particulares, a los actos de culto, enseñanza religiosa, reunión o manifestación pública con fines religiosos, y asociación para el desarrollo comunitario de este tipo de actividades.

FJ 7. La aparición de conflictos jurídicos por razón de las creencias religiosas no puede extrañar en una sociedad que proclama la libertad de creencias y de culto de los individuos y comunidades así como la laicidad y neutralidad del Estado. La respuesta constitucional a la situación crítica resultante de la pretendida dispensa o exención del cumplimiento de deberes jurídicos, en el intento de adecuar y conformar la propia conducta a la guía ética o plan de vida que resulte de sus creencias religiosas, sólo puede resultar de un juicio ponderado que atienda a las peculiaridades de cada caso. Tal juicio ha de establecer el alcance de un derecho —que no es ilimitado o absoluto— a la vista de la incidencia que su ejercicio pueda tener sobre otros titulares de derechos y bienes constitucionalmente protegidos y sobre los elementos integrantes del orden público protegido por la Ley que, conforme a lo dispuesto en el art. 16.1 CE, limita sus manifestaciones.

Como ya dijimos en la STC 141/2000, de 29 de mayo, FJ 4, «el derecho que asiste al creyente de creer y conducirse personalmente conforme a sus convicciones no está sometido a más límites que los que le imponen el respeto a los derechos fundamentales ajenos y otros bienes jurídicos protegidos constitucionalmente». […]

FJ 10. […] De las consideraciones precedentes cabe concluir que, para el examen del supuesto que se plantea, es obligado tener en cuenta diversos extremos. En primer lugar, el hecho de que el menor ejerció determinados derechos fundamentales de los que era titular: el derecho a la libertad religiosa y el derecho a la integridad física. En segundo lugar, la consideración de que, en todo caso, es prevalente el interés del menor, tutelado por los padres y, en su caso, por los órganos judiciales. En tercer lugar, el valor de la vida, en cuanto bien afectado por la decisión del menor: según hemos declarado, la vida, «en su dimensión objetiva, es «un valor superior del ordenamiento jurídico constitucional» y «supuesto ontológico sin el que los restantes derechos no tendrían existencia posible» (STC 53/1985)» (STC 120/1990, de 27 de junio, FJ 8). En cuarto lugar, los efectos previsibles de la decisión del menor: tal decisión reviste los caracteres de definitiva e irreparable, en cuanto conduce, con toda probabilidad, a la pérdida de la vida. En todo caso, y partiendo también de las consideraciones anteriores, no hay datos suficientes de los que pueda concluirse con certeza —y así lo entienden las Sentencias ahora impugnadas— que el menor fallecido, hijo de los recurrentes en amparo, de trece años de edad, tuviera la madurez de juicio necesaria para asumir una decisión vital, como la que nos ocupa. Así pues, la decisión del menor no vinculaba a los padres respecto de la decisión que ellos, a los efectos ahora considerados, habían de adoptar.

Pero ello no obstante, es oportuno señalar que la reacción del menor a los intentos de actuación médica —descrita en el relato de hechos probados— pone de manifiesto que había en aquél unas convicciones y una consciencia en la decisión por él asumida que, sin duda, no podían ser desconocidas ni por sus padres, a la hora de dar respuesta a los requerimientos posteriores que les fueron hechos, ni por la autoridad judicial, a la hora de valorar la exigibilidad de la conducta de colaboración que se les pedía a éstos.

FJ 11. Sentados los anteriores extremos, debemos establecer si la condición de garantes de los padres resulta afectada —y, en su caso, en qué sentido— por el derecho de éstos a la libertad religiosa. […] Los órganos judiciales no pueden configurar el contenido de los deberes de garante haciendo abstracción de los derechos fundamentales, concretamente —por lo que ahora específicamente interesa— del derecho a la libertad religiosa, que proclama el art. 16.1 CE. [...]

FJ 12. [...] Y es claro que en el presente caso la efectividad de ese preponderante derecho a la vida del menor no quedaba impedida por la actitud de sus padres, visto que éstos se aquietaron desde el primer momento a la decisión judicial que autorizó la transfusión. Por lo demás, no queda acreditada ni la probable eficacia de la actuación suasoria de los padres ni que, con independencia del comportamiento de éstos, no hubiese otras alternativas menos gravosas que permitiesen la práctica de la transfusión. [...]

FJ 14. Sentados los anteriores extremos, procederemos al examen de qué concretas acciones se exigían a los padres, en el caso sometido a nuestra consideración, en relación con la prestación del tratamiento médico autorizado por la resolución judicial.
En primer lugar, se les exigía una acción suasoria sobre el hijo a fin de que éste consintiera en la transfusión de sangre. Ello supone la exigencia de una concreta y específica actuación de los padres que es radicalmente contraria a sus convicciones religiosas. Más aún, de una actuación que es contradictoria, desde la perspectiva de su destinatario, con las enseñanzas que le fueron transmitidas a lo largo de sus trece años de vida. Y ello, además, sobre la base de una mera hipótesis acerca de la eficacia y posibilidades de éxito de tal intento de convencimiento contra la educación transmitida durante dichos años.
En segundo lugar, se les exigía la autorización de la transfusión, a la que se había opuesto el menor en su momento. Ello supone, al igual que en el caso anterior, la exigencia de una concreta y específica actuación radicalmente contraria a sus convicciones religiosas, además de ser también contraria a la voluntad —claramente manifestada— del menor. Supone, por otra parte, trasladar a los padres la adopción de una decisión desechada por los médicos e incluso por la autoridad judicial —una vez conocida la reacción del menor—, según los términos expuestos en el párrafo tercero del relato de hechos probados de la sentencia de instancia [antecedente 2 b) y FJ 3, apartado c), ambos de la presente Sentencia].
En tercer lugar, es oportuno señalar que los padres, ahora recurrentes, llevaron al hijo a los hospitales, lo sometieron a los cuidados médicos, no se opusieron nunca a la actuación de los poderes públicos para salvaguardar su vida e incluso acataron, desde el primer momento, la decisión judicial que autorizaba la transfusión, bien que ésta se llevara a cabo tardíamente (concretamente, cuando se concedió una segunda autorización judicial, varios días después de la primera). Los riesgos para la vida del menor se acrecentaron, ciertamente, en la medida en que pasaban los días sin llegar a procederse a la transfusión, al no conocerse soluciones alternativas a ésta, si bien consta, en todo caso, que los padres siguieron procurando las atenciones médicas al menor.

FJ 15. Partiendo de las consideraciones expuestas cabe concluir que la exigencia a los padres de una actuación suasoria o de una actuación permisiva de la transfusión lo es, en realidad, de una actuación que afecta negativamente al propio núcleo o centro de sus convicciones religiosas. Y cabe concluir también que, al propio tiempo, su coherencia con tales convicciones no fue obstáculo para que pusieran al menor en disposición efectiva de que sobre él fuera ejercida la acción tutelar del poder público para su salvaguarda, acción tutelar a cuyo ejercicio en ningún momento se opusieron.
En definitiva, acotada la situación real en los términos expuestos, hemos de estimar que la expresada exigencia a los padres de una actuación suasoria o que fuese permisiva de la transfusión, una vez que posibilitaron sin reservas la acción tutelar del poder público para la protección del menor, contradice en su propio núcleo su derecho a la libertad religiosa yendo más allá del deber que les era exigible en virtud de su especial posición jurídica respecto del hijo menor. En tal sentido, y en el presente caso, la condición de garante de los padres no se extendía al cumplimiento de tales exigencias.
Así pues, debemos concluir que la actuación de los ahora recurrentes se halla amparada por el derecho fundamental a la libertad religiosa (art. 16.1 CE). Por ello ha de entenderse vulnerado tal derecho por las Sentencias recurridas en amparo.

Libertad religiosa y no discriminación por motivos religiosos: la custodia de menores —STC 141/2000, de 29 de mayo—

La Sentencia resuelve el recurso de amparo promovido por don P.C.C. contra la Sentencia de la Audiencia Provincial de Valencia, de 24 de octubre de 1996, recaída en autos del juicio de separación. Con fecha de 18 de mayo de 1995, doña C.G.R. formuló demanda de separación matrimonial contenciosa contra el recurrente, en la que entre otros ex-

tremos señalaba que desde su incorporación al denominado «Movimiento Gnóstico Cristiano Universal de España», éste había hecho dejación de sus obligaciones familiares, «presionado» a su esposa para que se adhiriera a dicha organización, condicionado las relaciones íntimas de la pareja a los preceptos de dicha organización e incluso abandonado el hogar conyugal para residir en otra vivienda de propiedad de la sociedad de gananciales. Entre las medidas solicitadas se interesaba la restricción del régimen de visitas de don P.C.C. a los dos hijos habidos en el matrimonio, de 5 y 12 años, por resultar conveniente «mantener a los menores al margen de cualquier tipo de adoctrinamiento que les pueda acarrear perjuicios en su desarrollo psicológico y en su educación». Se solicitaba también un régimen de visitas en fin de semana atendiendo al «peculiar hábito alimenticio que sigue el padre según los preceptos del movimiento al que pertenece». El Juzgado de Primera Instancia núm. 8 de Valencia dictó Sentencia el 11 de diciembre de 1995, declarando la separación matrimonial, la disolución de la sociedad de gananciales y la atribución de la guarda y custodia de los hijos menores a la esposa, compartiendo ambos progenitores la patria potestad, y estableciendo como régimen de visitas a favor del padre los fines de semana alternos desde las 20 horas del viernes hasta las 20 horas del domingo, y la mitad de las vacaciones, «con prohibición expresa al padre de hacer partícipe a sus hijos de sus creencias religiosas así como la asistencia de los menores a cualquier tipo de acto que tenga relación con aquéllas». La Sra. G.R. impugnó, por insuficientes, las medidas adoptadas. La Sentencia aquí recurrida estimó parcialmente su recurso, acordando la limitación del régimen de visitas a fines de semana alternos desde las 10 hasta las 20 horas, sábados y domingos, «sin pernoctar en domicilio del apelado, suprimiendo todos los períodos vacacionales, confirmando la sentencia de instancia en el resto de sus pronunciamientos». La Sentencia tachaba de «secta destructiva» a la organización a la que pertenecía el recurrente y apelaba a la conveniencia de someter su régimen de visitas a restricciones que preservaran a los menores de dicha organización. Entiende el recurrente que la Sentencia vulnera su derecho a la libertad religiosa.

FJ 4. La libertad de creencias, sea cual sea su naturaleza, religiosa o secular, representa el reconocimiento de un ámbito de actuación constitucionalmente inmune a la coacción estatal garantizado por el art. 16 CE, «sin más limitación, en sus manifestaciones, que las necesarias para el mantenimiento del orden público protegido por la ley». Ampara, pues, un agere licere consistente, por lo que ahora importa, en profesar las creencias que se desee y conducirse de acuerdo con ellas, así como mantenerlas frente a terceros y poder hacer proselitismo de las mismas. Esa facultad constitucional tiene una particular manifestación en el derecho a no ser discriminado por razón de credo o religión, de modo que las diferentes creencias no pueden sustentar diferencias de trato jurídico (SSTC 1/1981, de 26 de enero, FJ 5; AATC 271/1984 de 9 de mayo; 180/1986, de 21 de febrero; 480/1989, de 2 de octubre; 40/1999, de 22 de febrero; STEDH caso Hoffmann, §§ 33 y 36, por remisión del § 38), posee una distinta intensidad según se proyecte sobre la propia conducta y la disposición que sobre la misma haga cada cual, o bien lo haga sobre la repercusión que esa conducta conforme con las propias creencias tenga en terceros, sean éstos el propio Estado o los particulares, bien pretendiendo de ellos la observancia de un deber de abstenerse de interferir en nuestra libertad de creencias o bien pretendiendo que se constituyan en objeto y destinatarios de esas mismas creencias. Cuando el art. 16.1 CE se invoca para el amparo de la propia conducta, sin incidencia directa sobre la ajena, la libertad de creencias dispensa una protección plena que únicamente vendrá delimitada por la coexistencia de dicha libertad con otros derechos fundamentales y bienes jurídicos constitucionalmente protegidos. Sin embargo, cuando esa misma protección se reclama para efectuar manifestaciones externas de creencias, esto es, no para defenderse frente a las inmisiones de terceros en la libertad de creer o no creer, sino para reivindicar el derecho a hacerles partícipes de un modo u otro de las propias convicciones e incidir o condicionar el comportamiento ajeno en función de las mismas, la cuestión es bien distinta. Desde el momento en que sus convicciones y la adecuación de su conducta a las mismas se hace externa, y no se constriñe a su esfera privada e individual, haciéndose manifiesta a terceros hasta el punto de afectarles, el creyente no puede pretender, amparado en la libertad de creencias del art. 16.1 CE, que todo límite a ese comportamiento constituya sin más una restricción de su libertad infractora del precepto constitucional citado; ni alterar con el sólo sustento de su libertad de creencias el tráfico jurídico privado o la obligatoriedad misma de los mandatos legales con ocasión del ejercicio de dicha libertad, so pena de relativizarlos hasta un punto intolerable para la subsistencia del propio Estado democrático de Derecho del que también es principio jurídico fundamental la seguridad jurídica (SSTC 160/1987, de 27 de octubre, FJ 3, 20/1990, FFJJ 3 y 4). El derecho que asiste al creyente de creer y conducirse personalmente conforme a sus convicciones no está sometido a más límites que los que le imponen el respeto a los derechos fundamentales ajenos y otros bienes jurídicos protegidos constitucionalmente; pero el derecho a manifestar sus creencias frente a terceros mediante su profesión pública, y el proselitismo de las mismas, suma a los primeros los límites indispensables para mantener el orden público protegido por la Ley. Los poderes públicos conculcarán dicha libertad, por tanto, si la restringen al margen o con infracción de los límites que la Constitución ha previsto; o, aun cuando amparen sus actos en dichos límites, si perturban o impiden de algún modo la adopción, el mantenimiento o la expresión de determinadas creencias cuando exista un nexo causal entre la actuación de los poderes públicos y dichas restricciones y éstas resulten de todo punto desproporcionadas (SSTC 120/1990; 137/1998; SSTEDH caso Hoffmann, § 36; caso Manoussakis, §§ 47, 51, 53; caso Larissis, § 54).

La libertad de creencias encuentra, por otra parte, su límite más evidente en esa misma libertad, en su manifestación negativa, esto es, en el derecho del tercero afectado a no creer o a no compartir o a no soportar los actos de prose-litismo ajenos (SSTEDH de 25 de mayo de 1993, caso Kokkinakis, §§ 42 a 44 y 47; de 24 de febrero de 1998, caso Larissis, §§ 45 y 47); así como también resulta un evidente límite de esa libertad de creencias la integridad moral (art. 15 CE) de quien sufra las manifestaciones externas de su profesión, pues bien pudiere conllevar las mismas una cierta intimidación moral, en incluso tratos inhumanos o degradantes (SSTC 2/1982, de 29 de enero, FJ 5; 120/1990, FJ 8; 215/1994, de 14 de julio, FJ 4; 332/1994, de 29 de diciembre, FJ 6; 137/1997, de 21 de julio, FJ 3; AATC 71/1992, de 9 de marzo, FJ 3; 333/1997, de 13 de octubre, FJ 5; SSTEDH caso Kokkinakis, § 48; caso Larissis, § 53). [...]

FJ 5. [...] En resumen, frente a la libertad de creencias de sus progenitores y su derecho a hacer proselitismo de las mismas con sus hijos, se alza como límite, además de la intangibilidad de la integridad moral de estos últimos, aquella misma libertad de creencias que asiste a los menores de edad, manifestada en su derecho a no compartir las convicciones de sus padres o a no sufrir sus actos de proselitismo, o más sencillamente, a mantener creencias diversas a las de sus padres, máxime cuando las de éstos pudieran afectar negativamente a su desarrollo personal. Libertades y derechos de unos y otros que, de surgir el conflicto, deberán ser ponderados teniendo siempre presente el «interés superior» de los menores de edad (arts. 15 y 16.1 CE en relación con el art. 39 CE).

Por lo tanto, ha de concluirse que el sacrificio de su libertad de creencias impuesto al recurrente por la Sentencia de la Audiencia Provincial que aquí se impugna, obedeció a una finalidad constitucionalmente legítima. [...]

FJ 6. Esto sentado, debe decirse desde ahora que la desproporción de las medidas adoptadas por la Audiencia Pro-vincial conduce directamente a la conclusión contraria, esto es, a afirmar que el recurrente ha sido discriminado en virtud de sus creencias y, por lo tanto, a la estimación del amparo.

Esa desproporción se pone en evidencia con sólo comprobar que, como ha aducido el demandante de amparo, falta toda justificación de la necesidad de las medidas restrictivas adicionales adoptadas por la Audiencia Provincial, habida cuenta de que los riesgos que para los menores pudieran dimanar de sus creencias habían sido ya prevenidos con la prohibición, adoptada en instancia, de hacer partícipes de ellas a sus hijos, sin que conste en absoluto que tal prohibición hubiese sido violada, ni siquiera que hubiese riesgo de que lo fuese. [...]

FJ 7. En efecto, la Sentencia de apelación ha supuesto un cambio cualitativo en la restricción de la libertad de creencias sufrida por el demandante de amparo, que ha excedido los contenidos términos a los que la constriñó el Juez de Primera Instancia, para extenderla más allá de lo probado y argumentado como exigible en el caso de autos, representando, por tanto, una injerencia grave en la libertad de creencias del recurrente. Y ello es así porque la inicial restricción impuesta a una manifestación de la libertad de creencias del Sr. Carrasco respecto de sus hijos menores de edad, se ha transformado, lisa y llanamente, por la Audiencia Provincial en la adopción, frente al demandante de amparo, de una restricción de derechos justificada únicamente en su pertenencia a cierto movimiento espiritual, que la Audiencia Provincial ha presumido peligroso; sin que se haya acreditado que exista un riesgo adicional, no conjurado previamente por la prohibición de hacer partícipe a los hijos de sus creencias y llevarlos a cualquier tipo de acto que tenga relación con ellas impuesta en instancia.

[...] [L]a abundante documentación aportada por el recurrente sobre el Movimiento Gnóstico Cristiano Universal de España y el Informe del Equipo Psicosocial [...] [no] arroja resultados que permitan afirmar la mayor intensidad del riesgo en cuestión. No hay en la causa datos objetivos que lo acrediten, deduciéndose el mismo por el órgano judicial a partir de meras conjeturas sobre las características de las creencias profesadas por dicho movimiento, que ni siquiera son desgranadas en la Sentencia de apelación. Tampoco se ha probado en forma alguna que los menores hayan participado en actos de dicha organización o sufrido género alguno de adoctrinamiento o intimidación por su padre o por el movimiento al que pertenece, ni que hayan padecido alteración alguna de su carácter o conducta. La Audiencia Provincial, pese a la gravedad de la cuestión sometida a su conocimiento, no expresa en momento alguno de su Sentencia en qué hechos funda su convicción de la necesidad de extender las medidas limitativas acordadas en la instancia. Ni siquiera trata de razonar los motivos por los que considera adecuadas al caso las restricciones temporales del derecho de visita del recurrente, ni la relevancia e incidencia que pueda tener el que los menores no pernocten con su padre los fines de semana correspondientes o no disfruten con él de los períodos vacacionales, a los efectos de evitar el grave riesgo que semejante contacto pudiere acarrear para el desarrollo personal de sus hijos.

Así pues, y para concluir, con la Sentencia de apelación impugnada, la Audiencia Provincial ha dispensado al recurrente un trato jurídico desfavorable a causa de sus creencias personales, lesionando así su libertad ideológica, por lo que no cabe sino estimar el amparo solicitado.

3. Aconfesionalidad del Estado y relaciones de cooperación de los poderes públicos con la Iglesia Católica y demás confesiones (artículo 16.3 CE)

Aconfesionalidad del Estado y beneficios jurídicos de la iglesia católica: la Iglesia católica como arrendadora urbana —STC 340/1993, de 16 de noviembre[7]—

La Sentencia resuelve cinco cuestiones de inconstitucionalidad promovidas por el Juzgado de Distrito núm. 1 de Toledo, por el Juzgado de Primera Instancia núm. 4 de San Sebastián y por la Sección Segunda de la Audiencia Provincial de La Coruña sobre la constitucionalidad del art. 76.1 y 2 LAU. Este, cuyo Texto Refundido fue aprobado por el Decreto 4.104/1964, de 24 de diciembre, regula la resolución del contrato de arrendamiento urbano por su propietario, sin exigir prueba de la necesidad que éste tiene de usar el inmueble, cuando dicho propietario sea el Estado, la Provincia, el Municipio, la Iglesia Católica y las Corporaciones de Derecho Público. Estos «no vendrán obligados a justificar la necesidad, bien se trate de viviendas o de locales de negocios, pero sí a respetar lo dispuesto, tanto para éstos como para aquellas, sobre preaviso, indemnizaciones y plazos para desalojar». Se denuncia, en concreto, la constitucionalidad de que la Iglesia Católica se beneficie de la citada excepción.

FJ 1. [...] En lo que respecta, en particular, a la inclusión de «la Iglesia Católica» entre las entidades mencionadas en el núm. 1 del precepto aquí considerado, interesa señalar —sin perjuicio de volver ulteriormente sobre el tema— que esta se produce por obra del Decreto de 22 de julio de 1948, al equipararla con las «Corporaciones de Derecho público» a las que, como se ha dicho, la Ley de Bases de Arrendamientos Urbanos de 1946 extendió la dispensa de justificación de la necesidad de la ocupación. Pero al desarrollar el Gobierno la Base 8ª-15 de la Ley de Bases de 22 de diciembre de 1955, la anterior equiparación se sustituyó por una expresa mención de la Iglesia Católica junto al Estado, la Provincia, el Municipio y las Corporaciones de Derecho público en el art. 76.1 del Texto Articulado de la LAU de 1956, precepto que constituye el antecedente inmediato del actualmente vigente.

FJ 4. B) En segundo término, el enjuiciamiento desde la perspectiva del art. 14 CE está justificado si se considera que el art. 76.1 LAU establece —en cuanto a los requisitos para denegar la prórroga del arrendamiento por causa de necesidad— una diferencia de trato entre aquellos arrendadores que son simples particulares y «la Iglesia Católica» cuando ésta es igualmente arrendadora; pues hallándose aquellos y ésta «en idéntica situación y precisando de las fincas cedidas en arrendamiento, (los primeros) deben soportar la carga de probar la necesidad de ocuparlas por imperativo de los arts. 63 y 70 de la misma Ley», como se expresa en el Auto de planteamiento de la cuestión promovida por el Juzgado de Distrito núm. 1 de Toledo. Lo que no ocurre cuando es la Iglesia Católica la que ocupa la posición de arrendadora, al ser beneficiaria en este caso de la dispensa de justificar la necesidad de la ocupación. Por tanto, pese a encontrarnos ante una misma relación jurídica regida por el Derecho privado —el contrato de arrendamiento—, el precepto cuestionado, no obstante, atribuye consecuencias jurídicas distintas respecto a supuestos objetivamente iguales por el sólo hecho que el arrendador es «la Iglesia Católica» y no una persona física o jurídico-privada; diferencia de trato que, a juicio del órgano judicial proponente, es contraria al art. 14 CE. A lo que cabe agregar que el mismo razonamiento puede hacerse, aunque indirectamente, desde la perspectiva de los arrendatarios y eventuales afectados por la denegación de la prórroga por causa de necesidad del arrendador, pues su situación será diferente en este punto cuando hayan concertado el contrato arrendaticio con «la Iglesia Católica» o con un simple particular.

---

[7]   *Vid.* la STC 207/2013, de 5 de diciembre, que resuelve el recurso de inconstitucionalidad interpuesto por el Presidente del Gobierno, contra el apartado 7 del artículo único de la Ley Foral 10/2013, de 12 de marzo, de modificación de la Ley Foral 2/1995, de 10 de marzo, de haciendas forales de Navarra. Según la redacción original del artículo 136 de esta Ley, disfrutaban de exención en la «contribución territorial» (tributo foral homólogo al impuesto sobre bienes inmuebles aplicado en el resto del Estado), entre otros bienes inmuebles, los de la Iglesia católica y las asociaciones confesionales no católicas, legalmente reconocidas, con las que se estableciesen los acuerdos de cooperación a que se refiere el art. 16 CE, «en los términos del correspondiente acuerdo» [letra d)]. La Ley Foral 10/2013 limita la exención a los bienes de la Iglesia católica y las asociaciones no católicas, legalmente reconocidas, con las que se establezcan los acuerdos de colaboración a que se refiere el art. 16

[...] [H]a de admitirse que el art. 76.1 LAU establece, en efecto, una diferencia de trato en favor de la Iglesia Católica [...]. Diferencia de trato que no se halla justificada puesto que nos encontramos ante una «semejanza sustancial» (STC 148/1990, fundamento jurídico 2°) en la posición de arrendador de la Iglesia Católica y de estos otros sujetos y no ante «situaciones que son objetivamente distintas» y, por tanto, permiten al legislador establecer soluciones diferentes (STC 8/1982, fundamento jurídico 6°).

Pero admitido esto, no cabe olvidar que [...] al regular una materia el legislador puede configurar una diferenciación favorable en beneficio de unos sujetos respecto de otros, siempre que pueda apreciarse en esta diversificación normativa «una finalidad no contradictoria con la Constitución y cuando, además, las normas de las que la diferencia nace muestran una estructura coherente, en términos de razonable proporcionalidad, con el fin así perseguido» (STC 209/1988, fundamento jurídico 6°). Por lo que es preciso determinar en el presente caso si el distinto y más favorable régimen legal que la norma cuestionada concede a la Iglesia Católica como arrendadora posee un fundamento objetivo y razonable en relación con la finalidad que la disposición persigue y con los efectos que la distinción genera. Juicio similar al que, conviene también recordarlo, ya se ha llevado a cabo por este Tribunal en materia de arrendamientos urbanos respecto a la preferencia establecida en el art. 64.1 LAU en favor de los pensionistas (ATC 265/1984, fundamento jurídico 4°) y, más recientemente, en beneficio de los funcionarios jubilados (STC 176/1993, fundamento jurídico 3°).

D) En relación con lo anterior, si se considera, en primer lugar, la razón de ser de esta diferencia de trato en favor de la Iglesia Católica, los ya indicados antecedentes del precepto evidencian que el mismo se halla en este punto estrechamente vinculado al carácter confesional del Estado en la época en que el art. 76.1 fue promulgado. Pues basta observar que si este carácter confesional se proclama en el Fuero de los Españoles de 1945 (art. 6), a ello se corresponde la asimilación de la Iglesia, a los efectos del art. 100 LAU de 1947, a las Corporaciones de Derecho público por el Decreto de 22 de julio de 1948. Y a la solemne proclamación en igual sentido del art. I del Concordato con la Santa Sede de 27 de agosto de 1953 también se corresponde la expresa inclusión de la Iglesia Católica —en paridad con el Estado, la Provincia, el Municipio y las Corporaciones de Derecho público— en el art. 76.1 del Texto Articulado de la Ley de Arrendamientos Urbanos aprobado por Decreto de 13 de abril de 1956; mención que se mantuvo, tras la nueva proclamación de la confesionalidad del Estado contenida en la Ley de Principios del Movimiento Nacional de 1958 (Principio II), en el art. 76 del Texto Refundido hoy vigente de la LAU, aprobado por el Decreto 4.104/1964, de 24 de diciembre. En lo que se refiere, por tanto, a «la Iglesia Católica», la justificación del precepto impugnado se basa en un fundamento no conforme con la Constitución Española de 1978, que ha dispuesto que «ninguna confesión tendrá carácter estatal» (art. 16.3 CE).

No obstante, como han sostenido el Abogado del Estado y el Fiscal del Estado, el carácter preconstitucional del precepto impugnado no impide, sin más, que pueda incardinarse y encontrar su justificación en una norma de la Constitución. Alegándose por los mencionados intervinientes que así ocurre, precisamente, respecto al art. 16.3 CE, pues aunque allí inicialmente se proclame la no confesionalidad del Estado, no se excluye sin embargo que los poderes públicos mantengan «relaciones de cooperación con la Iglesia Católica y las demás confesiones». Ahora bien, sin necesidad de entrar a considerar el fundamento y los límites de estas relaciones de cooperación, tal justificación del precepto cuestionado no puede ser acogida. En primer lugar, ha de tenerse en cuenta que los términos empleados por el inciso inicial del art. 16.3 CE no sólo expresan el carácter no confesional del Estado en atención al pluralismo de creencias existente en la sociedad española y la garantía de la libertad religiosa de todos, reconocidas en los apartados 1 y 2 de este precepto constitucional. Al determinar que «Ninguna confesión tendrá carácter estatal», cabe estimar que el constituyente ha querido expresar, además, que las confesiones religiosas en ningún caso pueden trascender los fines que les son propios y ser equiparadas al Estado, ocupando una igual posición jurídica; pues como se ha dicho en la STC 24/1982, fundamento jurídico 1°, el art. 16.3 CE «veda cualquier tipo de confusión entre funciones religiosas y funciones estatales». Lo que es especialmente relevante en relación con el art. 76.1 LAU dado que este precepto ha llevado a cabo precisamente —por las razones históricas antes expuestas— una equiparación de la posición jurídica de la Iglesia con el Estado y los otros entes de Derecho público en materia de arrendamientos urbanos.

CE, «siempre que estén destinados al culto» [letra d)]. El Tribunal declaró dicha modificación inconstitucional, respecto de la iglesia católica, por vulnerar el art. 45.3 de la Ley Orgánica 13/1982, de 10 de agosto, de reintegración y amejoramiento del régimen foral de Navarra (integrante del bloque de constitucionalidad), en relación con el art. 2.1 c) de la Ley 28/1990, de 26 de diciembre, por la que se aprueba el convenio económico entre el Estado y la Comunidad Foral de Navarra. Respecto a las confesiones no católicas legalmente reconocidas, la declaró inconstitucional por vulnerar la competencia exclusiva del Estado prevista en el artículo 149.1.1 CE, en relación con el artículo 16.3 CE, y con el artículo 7 de la Ley Orgánica 7/1980, de 5 de julio, de libertad religiosa. *Vid.* también STC 13/2018, de 8 de febrero.

E) En definitiva, ha de concluirse que la justificación del precepto cuestionado, que equipara a la Iglesia Católica con los Entes públicos allí mencionados, se encuentra únicamente en el carácter confesional del Estado con anterioridad a la vigencia de la Constitución Española de 1978, lo que es contrario al inciso inicial del art. 16.3 de nuestra Norma fundamental. Y el art. 76.1 LAU tampoco puede encontrar justificación en la previsión de dicho precepto constitucional sobre relaciones de cooperación entre el Estado y las confesiones religiosas. Lo que conduce a estimar, en definitiva, que este precepto carece de la justificación objetiva y razonable que toda diferenciación normativa, por imperativo del art. 14 CE, debe poseer para ser considerada legítima; resultando, pues, sobrevenidamente inconstitucional y, por consiguiente, nulo en cuanto a la mención de «la Iglesia Católica».

Libertad religiosa y autonomía universitaria en la elaboración de los Planes de Estudio de la Diplomatura de Maestro —STC 155/1997, de 29 de septiembre[8]—

La Sentencia resuelve el recurso de amparo promovido por la Universidad Autónoma de Madrid contra Sentencia de la Sección Séptima de la Sala Tercera del Tribunal Supremo de 26 de junio de 1995, que declara no haber lugar al recurso de casación promovido contra la Sentencia dictada por la Sección Novena de la Sala de lo Contencioso-Administrativo del Tribunal Superior de Justicia de Madrid, de 20 de octubre de 1993, estimatoria de recurso contencioso-administrativo interpuesto contra las Resoluciones de la Universidad Autónoma de Madrid, de 10 de diciembre de 1992. Estas ordenaron la publicación de los Planes de Estudio de las Diplomaturas de Maestro en las especialidades de Educación Primaria, Educación Física, Lengua Extranjera, Educación Infantil y Educación Musical, incluyendo «Teología y Pedagogía de la Religión y Moral Católicas» como asignatura optativa dotada con cuatro créditos en todas las especialidades. Contra estas Resoluciones interpuso recurso contencioso-administrativo el Arzobispado de Madrid-Alcalá, por entender que infringían la legalidad y vulneraban derechos constitucionales. La Sección Novena de la Sala de lo Contencioso-Administrativo del Tribunal Superior de Justicia de Madrid dictó Sentencia estimatoria el día 20 de octubre de 1993, después confirmada en casación, anulando las Resoluciones recurridas en cuanto afectan a la materia de Religión Católica, por considerar que vulneraban los artículos 16 y 27.1 y 3 CE, razonando que el Acuerdo entre el Estado español y la Santa Sede sobre Enseñanza y Asuntos Culturales, de 3 de enero de 1979, obliga a que en las Escuelas Universitarias de formación del Profesorado se incluya la asignatura de Religión en los Planes de Estudio «en condiciones equiparables a las demás disciplinas fundamentales». Entiende la Universidad Autónoma de Madrid que las sentencias recurridas vulneran su derecho a la libertad ideológica en conexión con la autonomía universitaria (artículos 16 y 27.10 CE).

FJ 2. El problema planteado en la presente demanda de amparo es una derivación del ya resuelto por este Tribunal en la STC 187/1991, por la que se desestimó un recurso promovido también por la Universidad Autónoma de Madrid contra resoluciones judiciales por las que fue obligada a incluir como optativa en los Planes de Estudio de la Escuela Universitaria de Profesores de E.G.B. la asignatura de «Doctrina y Moral Católicas y su Pedagogía».

Se dijo entonces que «la autonomía universitaria comprende las competencias de elaboración y aprobación de planes de estudio, pero con una serie de límites, entre los que figura la determinación por el Estado del bagaje indispensable de conocimientos que deben alcanzarse para obtener cada uno de los títulos oficiales y con validez en todo el territorio nacional», debiendo, en consecuencia, rechazarse el argumento de que «la autonomía universitaria impide que exista la obligatoriedad de incluir en los planes de estudio de una Universidad asignatura alguna y concluir, por el contrario, que la autonomía universitaria no es una libertad absoluta y que el Estado tiene competencia exclusiva para regular las condiciones de obtención, expedición y homologación de títulos académicos y profesionales y, por ende, para imponer en los planes de estudios las materias cuyo conocimiento considere necesario para la obtención de un título concreto, sin perjuicio de que a cada Universidad corresponda la regulación y organización de la enseñanza de esas materias» (STC 187/1991, fundamento jurídico 3°). Por ello se concluyó que la obligación de incluir aquella asignatura en los Planes de Estudio no vulneraba la autonomía universitaria «porque dicha obligación deriva de un Tratado Internacional celebrado por el Estado en el ejercicio legítimo de las competencias que la Constitución le atribuye en el art. 149.1.30, y respeta el contenido esencial de aquel derecho fundamental tal y como queda definido en el art. 27.10 en relación con los apartados 5 y 8 de la CE y en el art. 3.2 f) en relación con los arts. 28 y 29 de la LRU» (loc. cit.). Además, la asignatura en cuestión resultaba «adecuada para la obtención del título de Profesor de Educación General Básica. La justificación de incluir dicha asignatura puede encontrar apoyo en el art. 27.3 de la Constitución, según el cual «los poderes públicos garantizan el derecho que asiste a los padres para que sus hijos

---

8   *Vid.* también la STC 187/1991, de 3 de octubre.

reciban la formación religiosa y moral que esté de acuerdo con sus propias convicciones», lo que a juicio del Estado requiere que en los planes de estudio de las Escuelas Universitarias de Formación de los Profesores de Educación General Básica se incluya, como optativa, la asignatura de Religión. Se trata de la regulación, en un Tratado Internacional, de las condiciones para asegurar la igualdad en el ejercicio del derecho fundamental a la educación religiosa en el ámbito escolar. El hecho de que se trate de la Religión Católica es fruto de un compromiso que el Estado ha querido asumir con la Santa Sede y que tiene respaldo en el art. 16.3 de la CE […]» (fundamento jurídico 4º).

Establecida esta doctrina en 1991, la cuestión relativa a la inclusión de la Religión Católica entre las asignaturas de los Planes de Estudio de las Diplomaturas de Maestro de la Universidad Autónoma de Madrid ha quedado definitivamente zanjada. Lo que ahora se discute no es, por tanto, la constitucionalidad de esa inclusión obligatoria, sino la de los términos en los que la misma ha de llevarse a cabo.

FJ 3. La Universidad demandante de amparo sostiene que la asignatura de Religión Católica ya figura en los Planes de Estudio y que el hecho de que se le atribuyan cuatro créditos garantiza suficientemente la adecuada formación de los Profesores que han de impartirla en los Centros escolares. Imponerle ahora la obligación de asignar a la Religión un número de créditos superior supondría una injerencia ilegítima en el ámbito de la autonomía universitaria, que sólo sería susceptible de limitación, en los términos de la STC 187/1991, a los fines de asegurar el derecho fundamental establecido en el art. 27.3 CE, siendo así que ese aseguramiento se ha conseguido ya con la inclusión de la asignatura en los Planes de Estudio y con la atribución de un número de créditos que, para la Universidad, son suficientes para garantizar una formación adecuada y equiparables a los establecidos para asignaturas troncales.

Ahora bien, el Estado ha concluido un Tratado con la Santa Sede —el Acuerdo sobre Enseñanza y Asuntos Culturales, de 3 de enero de 1979— que incide en el contenido de la autonomía universitaria, al prever la inclusión de la asignatura de Religión en los Planes de Estudio de las Diplomaturas de Maestro. Esa habilitación no se contrae, sin embargo, a esa sola previsión. El Acuerdo con la Santa Sede exige, además, que la inclusión de esa asignatura se verifique en términos equiparables a las demás asignaturas fundamentales. Los órganos judiciales han entendido que esa equiparación no puede «entenderse en el sentido de identidad total, pues lógicamente cada materia tiene un contenido y extensión diversos, pero sí, al menos, debe existir una cierta homogeneidad […] en cuanto al tiempo o número de créditos invertidos en el estudio de cada una de las asignaturas […]» (fundamento jurídico 3º de la Sentencia del Tribunal Superior de Justicia de Madrid). Y, en efecto, es claro que por medio de aquel Acuerdo el Estado se ha comprometido internacionalmente a que la asignatura de Religión reciba un tratamiento equiparable al de las asignaturas fundamentales en los correspondientes Planes de Estudios. No basta, pues, con la inclusión de esa asignatura en los Planes, sino que es, además, obligado que la inclusión lo sea en términos de equiparación con determinadas asignaturas.

El Tribunal Superior de Justicia considera, examinados los Planes de Estudio en su conjunto, que esa equiparación no se ha alcanzado en el supuesto que ahora enjuiciamos. Para llegar a esa conclusión no ha partido de un entendimiento de la equiparación como equivalente a la absoluta identidad, sino que, tomando como criterio el del número de créditos, ha concluido que existía una evidente desproporción, a este respecto, entre los atribuidos a las asignaturas fundamentales —incluso a otras asignaturas optativas— y los reservados a la Religión Católica.

El Acuerdo con la Santa Sede impone, efectivamente, un tratamiento que en los Planes de Estudio examinados no se alcanza. La enseñanza de la Religión Católica no se incluye en esos Planes «en condiciones equiparables a las demás disciplinas fundamentales». Basta ahora con comprobar que asignaturas también optativas, como la Plástica o la Música, tienen atribuidos un total de dieciocho y ochenta y cuatro créditos, respectivamente.

En estas circunstancias, el que las Sentencias recurridas, desde la obligada consideración para la autonomía de la Universidad, se hayan limitado a anular los Planes de Estudio en lo que afecta a las previsiones en ellos contenidas sobre la materia de Religión Católica, resulta constitucionalmente correcto. No han impuesto a la Universidad recurrente la obligación de asignar a esa materia un número determinado de créditos. Corresponderá, pues, a la Universidad Autónoma de Madrid, conforme a lo establecido en el Acuerdo con la Santa Sede, decidir los créditos correspondientes a la Religión Católica, haciendo un uso de la autonomía universitaria que resulte respetuosa con el contenido de los otros derechos que pudieran quedar afectados.

La religión como asignatura evaluable —STC 31/2018, de 10 de abril—

La Sentencia resuelve el recurso de inconstitucionalidad interpuesto por más de cincuenta diputados del Grupo Parlamentario Socialista en el Congreso contra diversos preceptos de la Ley Orgánica 8/2013, de 9 de diciembre, para la mejora de la calidad educativa (LOMCE).

FJ 6. [...] Conectando el contenido del artículo 16 CE con el ámbito de enseñanza de la Religión en los centros docentes, hemos afirmado en nuestra STC 38/2007, de 15 de febrero, FJ 5, que esa inserción "—que sólo puede ser, evidentemente, en régimen de seguimiento libre (STC 5/1981, de 13 de febrero, FJ 9)— hace posible tanto el ejercicio del derecho de los padres de los menores a que éstos reciban la enseñanza religiosa y moral acorde con las convicciones de sus padres (art. 27.3 CE), como la efectividad del derecho de las Iglesias y confesiones a la divulgación y expresión públicas de su credo religioso, contenido nuclear de la libertad religiosa en su dimensión comunitaria o colectiva (art. 16.1 CE). El deber de cooperación establecido en el art. 16.3 CE encuentra en la inserción de la religión en el itinerario educativo un cauce posible para la realización de la libertad religiosa en concurrencia con el ejercicio del derecho a una educación conforme con las propias convicciones religiosas y morales. En este punto es de recordar que el contenido del derecho a la libertad religiosa no se agota en la protección frente a injerencias externas de una esfera de libertad individual o colectiva que permite a los ciudadanos actuar con arreglo al credo que profesen (SSTC 19/1985, de 13 de febrero, 120/1990, de 27 de junio, y 63/1994, de 28 de febrero, entre otras), pues también comporta una dimensión *ad extra* que se traduce en la posibilidad de ejercicio, inmune a toda coacción de los poderes públicos, de aquellas actividades que constituyen manifestaciones o expresiones del fenómeno religioso, asumido en este caso por el sujeto colectivo o comunidades, tales como las que enuncia el artículo 2 de la Ley Orgánica de libertad religiosa (LOLR) y respecto de las que se exige a los poderes públicos una actitud positiva, de naturaleza asistencial o prestacional, conforme a lo que dispone el apartado tercero del artículo 2 LOLR, según el cual "[p]ara la aplicación real y efectiva de estos derechos [los que se enumeran en los dos anteriores apartados del precepto legal], los poderes públicos adoptarán las medidas necesarias para facilitar ... la formación religiosa en centros docentes públicos".

a) Desde ese marco doctrinal, las normas cuestionadas no vulneran el marco constitucional, como afirman los recurrentes, por haber configurado como asignatura la enseñanza de la religión. La existencia de esa asignatura no implica valoración alguna de las doctrinas religiosas que pudiera afectar a la obligación de neutralidad del Estado. Y ello porque, como ya se ha expuesto, el principio de "aconfesionalidad o laicidad positiva" que caracteriza nuestro sistema constitucional en este aspecto (SSTC 46/2001, de 15 de febrero, FJ, 4 y 38/2007, de 15 de febrero, FJ 5) implica una garantía prestacional respecto al ejercicio del derecho a la libertad religiosa, del que gozan tanto los individuos como las iglesias y confesiones. A ello hay que añadir que el contenido nuclear de la libertad religiosa en su dimensión comunitaria o colectiva es precisamente "la divulgación y expresión públicas de su credo religioso" (STC 38/2007, FJ 5). Por último, ese sistema es también un cauce adecuado para el ejercicio por los progenitores del derecho a que sus hijos reciban una formación religiosa y moral de acuerdo con sus convicciones.

Por último, con la introducción de una asignatura de religión se da también cumplimiento a lo establecido en el acuerdo entre el Estado español y la Santa Sede sobre enseñanza y asuntos culturales, firmado el 3 de enero de 1979, y ratificado por instrumento de 4 de diciembre de 1979, cuyo artículo II contiene la siguiente previsión: "Los planes educativos en los niveles de Educación Preescolar, de Educación General Básica (EGB) y de Bachillerato Unificado Polivalente (BUP) y Grados de Formación Profesional correspondientes a los alumnos de las mismas edades incluirán la enseñanza de la religión católica en todos los Centros de educación, en condiciones equiparables a las demás disciplinas fundamentales". Los recurrentes no han cuestionado ese precepto de índole convencional.

En la misma línea, se garantiza el derecho de los alumnos a recibir enseñanza religiosa evangélica, judía e islámica en los términos del artículo 10.1 de las leyes 24, 25 y 26/1992, de 10 de diciembre por las que se aprueban, respectivamente, los acuerdos de cooperación del Estado con la Federación de Entidades Religiosas Evangélicas de España, con la Federación de Comunidades Israelitas de España y con la Comisión Islámica de España.

Por lo tanto, tal y como se desprende de nuestra doctrina, la existencia de una asignatura evaluable de religión de carácter voluntario para los alumnos no implica vulneración constitucional alguna.

b) La segunda tacha de inconstitucionalidad que los recurrentes imputan a la regulación cuestionada se centra en la discriminación que se produce para los alumnos que hayan elegido cursar la materia de religión, puesto que no pueden acceder a las enseñanzas de valores sociales y cívicos y éticos. De este modo, arguyen los recurrentes, "si es necesario estudiar los valores que constituyen el fundamento de la convivencia tendrán que hacerlo todos los alumnos, sin que la perspectiva confesional pueda sustituir a la perspectiva constitucional convirtiéndose en modalidades didácticas de la misma disciplina."

[...] En resoluciones anteriores hemos considerado que la existencia de una relación de alternatividad entre religión y otra asignatura no vulnera el derecho a la igualdad, ni implica discriminación alguna. En particular, en nuestro ATC 44/1999, de 22 de febrero, hemos analizado la posible vulneración del derecho a la igualdad derivado de la existencia de una asignatura alternativa a la religión cuyo contenido era el estudio de manifestaciones escritas, plásticas y musicales de las diferentes confesiones religiosas, que permitieran conocer los hechos, personajes y símbolos más relevantes, así como su influencia en las concepciones filosóficas y en la cultura de las distintas épocas. Y la conclusión a la que llegamos fue la de que "con estas actividades paralelas y complementarias se trata de asegurar que los alumnos reciban una formación adecuada para el pleno desarrollo de su personalidad [artículo 6.1 a) L.O.D.E.], proporcionándoles el bagaje cultural necesario para su legítimo y pleno ejercicio de la libertad ideológica, comprensiva de todas las opciones que suscita la vida personal y social, entre las que se incluyen las convicciones que se tengan respecto del fenómeno religioso y del destino último del ser humano (STC 292/1993, fundamento jurídico 5), y que está reconocida en el artículo 16.1 C.E. por ser fundamento, justamente con la dignidad de la persona y los derechos inviolables que le son inherentes, según se proclama en el artículo 10.1 C.E., de otras libertades y de derechos fundamentales (STC 20/1990, fundamento Jurídico 4) … Estos objetivos pueden alcanzarse bien mediante la impartición de unas enseñanzas que respondan a las convicciones religiosas sentidas por los alumnos, bien a través de esas otras actividades paralelas, no pudiendo apreciarse en los preceptos del Real Decreto 2438/1994 viso alguno de tratamiento desigual carente de razonabilidad o de objetividad. A este respecto conviene recordar que lo que prohíbe el principio de igualdad son las desigualdades que resulten artificiosas o injustificadas, por no venir fundadas en criterios objetivos y razonables según criterios o juicios de valor generalmente aceptados, siendo asimismo necesario para que sea constitucionalmente lícita la diferencia de trato, que las consecuencias jurídicas que deriven de tal distinción sean proporcionadas a la finalidad perseguida, de suerte que se eviten resultados excesivamente gravosos o desmedidos [por todas, SSTC 176/1993, fundamento jurídico 2, y 90/1995, fundamento jurídico 4 b)]. Pues bien, resulta razonable que se establezcan cauces alternativos para el aprendizaje de las materias aquí contempladas, tanto más cuanto que esa alternatividad se articula sobre el respeto a la libertad ideológica y de conciencia".

Por último, pero no menos importante, también ha de tenerse en cuenta que la relación que se establece entre las asignaturas de religión y valores sociales y cívicos (primaria) o éticos (secundaria) no es necesariamente excluyente. Los nuevos artículos 18.3 c), 24.4.c) y 25.6 c) LOE prevén la posibilidad de que, en función de la regulación y la programación de la oferta educativa que establezca cada Administración Educativa y, en su caso, de la oferta de los centros docentes, el alumnado puede cursar simultáneamente ambas opciones. […]

Efectos civiles de la declaración eclesiástica de nulidad matrimonial —STC 66/1982, de 12 de noviembre[9]—

La Sentencia resuelve el recurso de amparo promovido por doña C.M.Z.V. contra el Auto de 12 de marzo de 1982 del Juzgado de Primera Instancia núm. 23 de Madrid, denegatorio de ejecución a efectos civiles de Sentencia canónica de nulidad matrimonial. El 8 de febrero de 1978 interpuso la recurrente demanda de nulidad matrimonial ante el Tribunal del arzobispado de Madrid-Alcalá, el único competente para tramitar causas de nulidad entre personas casadas canónicamente, de acuerdo con lo establecido en el Concordato de 28 de agosto de 1953, y como reconoce el Acuerdo entre la Santa Sede y el Estado español en Orden de 3 de enero de 1979, cuya Disposición transitoria segunda ordena que las causas pendientes sigan tramitándose ante ellos y que las Sentencias tendrán efectos civiles. El Venerable Tribunal Eclesiástico de la Diócesis de Madrid-Alcalá dictó sentencia de nulidad matrimonial el 13 de mayo de 1980, denegando el Juzgado de Primera Instancia núm. 23 de Madrid mediante Auto de 12 de marzo de 1982 la ejecución a efectos civiles de la misma. La recurrente alega que esta denegación viola la citada Disposición transitoria, con vulneración de sus derechos reconocidos en el artículo 16 CE.

FJ 2. En cuanto al reconocimiento legal de eficacia en el orden civil, de las resoluciones dictadas por los Tribunales Eclesiásticos sobre nulidad de matrimonio canónico y decisiones pontificias sobre matrimonio rato y no consumado, se sustenta de una parte en el carácter aconfesional del Estado —art. 16.3 de la Constitución Española— y, de otra, en el párrafo siguiente del propio texto legal que obliga a los poderes públicos a tener en cuenta las creencias religiosas de la sociedad española y mantener las consiguientes relaciones de cooperación. Pues bien, es este principio cooperativo el que se expresa en el Acuerdo entre el Estado español y la Santa Sede de 3 de enero de 1979 en el que se reconoce a la Iglesia Católica, entre otras, las actividades de jurisdicción; y así, el art. VI.2 del mismo autoriza a los contrayentes a acudir a los Tribunales Eclesiásticos solicitando declaración de nulidad o decisión pontificia sobre matrimonio rato y no consumado otorgando a dichas decisiones eclesiásticas la eficacia civil si se declaran ajustadas al Derecho del Estado en resolución del Tribunal civil competente; la disposición transitoria segunda instaura un régimen transitorio para las causas pendientes que se seguirán tramitando ante los Tribunales Eclesiásticos, y sus Sentencias tendrán efectos civiles a tenor de lo dispuesto en el art. XXIV del Concordato de 1953.

---

9   *Vid.* también la STC 93/1983, de 8 de noviembre.

El citado art. XXIV del Concordato obligaría a comunicar la Sentencia, una vez firme y efectiva, al Tribunal civil competente, el cual decretaría lo necesario para su ejecución a efectos civiles.

Finalmente, la Ley 30/1981, de 7 de julio, contiene la nueva redacción del art. 80 del Código Civil que dispone que las resoluciones de los Tribunales Eclesiásticos sobre nulidad de matrimonio canónico o matrimonio rato y no consumado tendrán eficacia en el orden civil a solicitud de cualquiera de las partes si se declaran ajustadas al Derecho del Estado en resolución dictada por el Juez civil competente de acuerdo a las condiciones a que se refiere el art. 954 de la Ley de Enjuiciamiento Civil y la disposición adicional segunda, 2, de la misma Ley ordena que, presentada la demanda por cualquiera de las partes, el Juez dará audiencia por plazo de nueve días al otro cónyuge y al Fiscal y si, no habiéndose formulado oposición, aprecia que la resolución es auténtica y ajustada al Derecho del Estado, acordará la eficacia en el orden civil de la resolución eclesiástica procediéndose a su ejecución con arreglo a las disposiciones del Código Civil.

FJ 3. […] A este respecto hemos de reconocer que, si bien no aparecen indicios de violación del art. 16.3 de la Constitución Española, pues la cooperación del Estado con la Iglesia Católica no implica automatismo en el reconocimiento de las resoluciones dictadas por los Tribunales Eclesiásticos ni se ve de qué modo la negativa al reconocimiento de efectos civiles daña el principio de igualdad del art. 14 de la propia Constitución, ya que, antes al contrario, el fundamento de la resolución contra la que se ejercita el amparo es el de sometimiento de todos los Tribunales españoles al Derecho del Estado, el precepto que puede verse afectado es el del art. 24, en cuanto garantiza a todas las personas el derecho a obtener tutela efectiva de los jueces y tribunales en el ejercicio de sus derechos e intereses legítimos, lo que implica el reconocimiento de los efectos de las resoluciones de los Tribunales predeterminados por la Ley por todos los órganos del Estado. Si el reconocimiento a los católicos de someter sus relaciones matrimoniales a los Tribunales Eclesiásticos aparece reconocido en la legislación aplicable y si, por otra parte, la obligación de reconocer los efectos civiles de las correspondientes resoluciones aparece también declarada, la negativa a proceder de esta suerte, por parte de un órgano del Estado, cuando se dan las circunstancias exigidas por dicha legislación debe ser remediada, aparte del problema de la constitucionalidad misma de la norma de donde resulten aquellos derechos o dicho de otro modo, la constitucionalidad del Acuerdo entre España y la Santa Sede a que nos venimos refiriendo.

FJ 4. Esta Sala en Sentencia dictada en autos 65/1980, de fecha de 26 de enero de 1981, publicada en el «Boletín Oficial del Estado» de 24 de febrero, ha hecho alusión a que el problema de la transitoriedad ha de ser interpretado «en nuestro tiempo marginando soluciones fáciles apoyadas en la efectividad de la disposición derogatoria de la Constitución y evitando, sin daño para el sistema y desde luego, para la armonía institucional que dice el art. 16.3 de aquélla, vacíos normativos, a la espera de las nuevas regulaciones en la materia. Ciertamente aquellos preceptos, en un conjunto normativo que obedece a una redacción que tiene en el Concordato de 1953 su directa inspiración, tienen en la base la confesionalidad del Estado y una concepción de la jurisdicción como uno de los poderes del Estado que no padecían por el ejercicio por los Tribunales Eclesiásticos de funciones que, en cuanto se proyectan en el orden jurídico civil, podrían entenderse propios de la jurisdicción estatal». Como expresa dicha Sentencia, los principios son, ahora los de aconfesionalidad y exclusividad jurisdiccional a los que responde el Acuerdo con la Santa Sede, pero el tránsito debe hacerse con exquisito cuidado de evitar los vacíos a que se ha aludido, siempre que no padezcan las libertades públicas y los derechos fundamentales.

FJ 5. […] No podemos menos de constatar que este Acuerdo del Estado español y la Santa Sede tiene rango de tratado internacional y, por tanto, como aprecia el Fiscal, se inserta en la clasificación del art. 94 de la Constitución Española, sin que, respecto a él se haya, institucionalmente, denunciado estipulaciones contrarias a la propia Constitución ni procedido conforme al art. 95 de la misma y, una vez publicado oficialmente el tratado, forma parte del ordenamiento interno. Este Tribunal no debe, sin haber sido previamente requerido por los órganos constitucionales previstos, entrar en el examen de la supuesta contradicción cuando ningún órgano judicial ha planteado cuestión constitucional, ni la han suscitado las partes.

Discriminación en el régimen laboral de los religiosas y las religiosas docentes —STC 63/1994, de 28 de febrero—

La Sentencia resuelve el recurso de amparo interpuesto por doña E.T.G. contra la Sentencia del Juzgado de lo Social núm. 7 de Madrid, de 28 de julio de 1991. La recurrente perteneció a la Congregación de Siervas de San José, en la que ejerció como maestra desde el año 1950 a 1971. Al secularizarse prestó servicios en un centro de la Congregación y en otra empresa, permaneciendo dada de alta en el Régimen General de la Seguridad Social desde el año 1973 hasta el 31 de agosto de 1990. En esta fecha solicitó pensión de jubilación, que le fue reconocida por Resolución del Instituto Nacional de la Seguridad Social en cuantía equivalente al 64 por 100 de la base reguladora. Con base en el período de tiempo trabajado de religiosa como maestra en la Congregación, la demandante reclamó un incremento hasta el 100 por 100 de la base reguladora. La Administración desestimó la reclamación tras comprobar que en sus archivos no aparecían otras cotizaciones que las computadas para el cálculo de la resolución inicial, desestimación confirmada por Sentencia del Juzgado de lo Social núm. 7 de Madrid de 28 de julio de 1991. La recurrente entiende que la referida Sentencia vulnera los derechos fundamentales de igualdad y no discriminación y de libertad religiosa (artículos 14 y 16 CE), al desconocerse su actividad docente como consecuencia de ser religiosa.

FJ 3. [...] [D]urante el período en que la Sra. Temprano perteneció a la Comunidad, la Ley General de Seguridad Social (arts. 7 y 12) no incluía en su campo de aplicación a las religiosas que formaban parte de Comunidades religiosas, ni por ende obligaba a que éstas las afiliasen a la Seguridad Social. Hoy la situación es distinta, pues en virtud del Real Decreto 3.325/1981, de 20 de diciembre, están incluidos, los religiosos o religiosas de la Iglesia Católica que sean españoles, mayores de dieciocho años, miembros de Monasterios, Ordenes, Congregaciones, Institutos y Sociedades de Vida en común de Derecho Pontificio inscritos en el Registro de Entidades Religiosas del Ministerio de Justicia y que residan y desarrollen su actividad en territorio nacional exclusivamente bajo las órdenes de sus superiores respectivos y para la Comunidad religiosa a la que pertenecen, quedan comprendidos —según la referida norma— con carácter obligatorio en el Régimen Especial de la Seguridad Social de los Trabajadores por cuenta propia o autónomos, salvo que realicen una actividad profesional que dé lugar a su inclusión en cualquiera de los otros regímenes que integran el sistema de Seguridad Social. De lo cual se deduce que, con independencia de la existencia o no de vínculo laboral con la institución religiosa, el período de permanencia en la Comunidad religiosa se computa a efectos de obtener la correspondiente prestación.

[...] [C]omo bien dice el Ministerio Fiscal el invocado derecho a la libertad religiosa (art. 16 CE) debe ser analizado exclusivamente en la órbita del art. 14 CE o desde el prisma de la no discriminación por motivos religiosos. En efecto, no se trata de que se haya negado a la demandante la libertad religiosa, ni la exteriorización de sus creencias o convicciones, ni que se le haya cuestionado su libertad de declarar sobre religión, manifestaciones que, según la STC 19/1985, comprende el derecho fundamental recogido en el art. 16 CE. Lo que está en discusión es si, a diferencia de sus compañeros seglares, no fue incluida en el Régimen General de la Seguridad Social por razón de su religión. [...] La religión, amén de que constituya una de las circunstancias personales a las que se refiere el inciso final, figura expresamente entre las causas de discriminación proscritas por el art. 14 CE. En principio, las actitudes religiosas de los sujetos de derechos no pueden justificar diferencias de trato jurídico (STC 24/1982).

FJ 4. Se hace evidente que la cualidad de miembro de una orden religiosa no puede determinar la «deslaboralización» automática de la actividad profesional que presta, ni, por consiguiente, su exclusión del campo de aplicación del régimen correspondiente de la Seguridad Social. La irrelevancia de la condición religiosa de la persona que ejerce una actividad profesional ajena a su status, con respecto a la configuración de un vínculo jurídico laboral —que es el presupuesto que condiciona la viabilidad y existencia de la inclusión en el Régimen general de la Seguridad Social—, ha sido repetidamente proclamada por la jurisprudencia ordinaria (entre otras, STS 12 marzo 1985, STCT 16 septiembre 1985). No debe haber ningún impedimento para reconocer como laboral la relación que un religioso mantiene con un tercero fuera de la Comunidad a la que pertenece cuando tal actividad se subsume dentro de la participación en la actividad productiva exigida por el art. 1.1 del Estatuto de los Trabajadores, ni, en consecuencia, para determinar su inclusión en el Régimen General de la Seguridad Social.

Pero el supuesto planteado es diferente en la medida en que no hay un tercero distinto de la Congregación. La actora, cuando impartía clase como maestra, primero, y como profesora de E.G.B. después, realizaba un trabajo en dependencia exclusiva de la Comunidad a la que pertenecía como religiosa. El Ministerio Fiscal subraya, a pesar de lo cual, que existe una igual situación real entre los unidos por una relación laboral (maestros seglares) y la actora, dado que realizaban, uno y otra, un mismo trabajo en relación de dependencia con sus superiores del centro. En esta razón justifica la apreciación de la recurrente de que el trabajo desempeñado reunía las condiciones que motivan la protección de la Seguridad Social.

Sin embargo, no es de estimar el motivo que aducen conjuntamente la recurrente y el Ministerio Fiscal, toda vez que la relación entre religioso y comunidad no puede ser en modo alguno calificada como laboral, tal como de manera insistente viene afirmando la jurisprudencia ordinaria (entre otras, SSTC del Tribunal Central de Trabajo 23 marzo 1983, 19 mayo 1983, 24 noviembre 1983). El trabajo docente realizado por la demandante de amparo no era ajeno a sus compromisos como profesa. La pertenencia de la Sra. Temprano a la Comunidad religiosa, en uso de su libertad asociativa, suponía la disposición de ella a aceptar voluntaria y desinteresadamente, además de los trabajos en beneficio de la Comunidad, aquellas otras tareas no genuinamente religiosas como la actividad docente, orientadas al servicio de ciertos sectores de la Sociedad. La subordinación o dependencia a la Superiora del Centro, como en el caso de los compañeros seglares en las tareas educativas, responde a las necesidades organizativas del centro educativo, y puede constituir un elemento esencial del contrato laboral, pero no convierte a la actora en trabajadora por cuenta ajena. Su relación con la actividad del centro estaba imbuida, por encima de todo, de una espiritualidad y de un impulso de gratuidad, en virtud de la profesión religiosa y de los votos de obediencia y pobreza contraídos, que impiden dotar de naturaleza contractual la actividad educativa desempeñada por la recurrente dentro de su propia Comunidad religiosa, y disciplinada por vínculos de carácter espiritual en atención exclusivamente a consideraciones altruistas extrañas a las relaciones contractuales de Trabajo. Se trata, en fin, de una prestación en la que está por completo ausente el interés de ganancia o de percibir una contraprestación económica.

Todo ello conduce a considerar que la recurrente, antes de secularizarse, no se encontraba en la misma situación que sus compañeros seglares, aunque desempeñase actividad docente igual que ellos. Su no inclusión en el Régimen General de la Seguridad Social, no previsto —como ya hemos visto— hasta el Real Decreto 3.325/1981, de 20 de diciembre, no obedecía a motivos discriminatorios, sino a que desarrollaba una actividad que caía fuera del ámbito del contrato de trabajo. Así se razona en la Sentencia impugnada que al aplicar la legalidad entonces vigente sin vulnerar los derechos fundamentales invocados por la recurrente, no es susceptible de ser revisada por este Tribunal.

Calificación de ministros de culto y su régimen de la Seguridad Social —STC 128/2001, de 4 de junio[10]—

La Sentencia resuelve el recurso de amparo promovido por la Unión de Iglesias Cristianas Adventistas del Séptimo Día de España contra la Sentencia de la Sección Tercera de la Sala de lo Contencioso-Administrativo del Tribunal Superior de Justicia de la Comunidad Valenciana, de 18 de noviembre de 1997, desestimatoria de recurso contencioso-administrativo promovido contra Resolución del Director General de Ordenación Jurídica y Entidades Colaboradoras de la Seguridad Social, de 26 de julio de 1994, sobre reclamación de diferencias de cotización al Régimen General de la Seguridad Social efectuada por la entidad recurrente en relación a doña P.M.A.C. Doña P.M.A.C. tenía la cualificación de misionera autorizada al servicio de la Unión de Iglesias Cristianas Adventistas del Séptimo Día de España, prestando sus servicios en el Seminario que esta entidad posee en Sagunto. La Seguridad Social entendió que la referida señora era trabajadora por cuenta ajena en sentido propio, por lo que no le era de aplicación el régimen de cotización establecido en la Orden de 2 de marzo de 1987 para los ministros de culto de cualquier Iglesia (asimilados a los trabajadores por cuenta ajena). No se daba, además, la dedicación de «forma estable y exclusiva a las funciones de culto, asistencia religiosa o formación religiosa» que se exige para la aplicación de dicho régimen. Tal Resolución fue confirmada por el Tribunal Superior de Justicia de Valencia sirviéndose, en lo que ahora interesa, exclusivamente del primero de los argumentos utilizados por la Seguridad Social. La entidad demandante de amparo entiende que dichas Sentencias vulneran su derecho a la autonomía organizativa, dentro de su derecho a la libertad religiosa reconocido en el artículo 16 CE, pues es a ella a quien corresponde determinar quiénes son sus ministros de culto, así como, en relación con éste, del artículo 14 CE, en lo que entiende es un trato peyorativo respecto de los ministros de culto de la iglesia católica.

FJ 3. [...] [N]o puede decirse que el derecho a la libertad religiosa haya sido vulnerado en el caso objeto de nuestro examen respecto del ámbito de las relaciones de cooperación que con las distintas confesiones ha de mantener el Estado a tenor del art. 16.3 CE. En efecto, el acta de liquidación a la que, en definitiva, se atribuye tal lesión no ha supuesto ninguna actuación coactiva ni injerencia externa alguna de otro tipo por parte de los poderes públicos en las actividades de la entidad religiosa recurrente que haya restringido, condicionado u obstaculizado el ejercicio de su libertad de actuar conforme a determinado credo. La entidad demandante de amparo ha podido en todo momento desarrollar cualesquiera de las actividades que constituyen manifestaciones o expresiones del fenómeno religioso, o, al menos, del acto impugnado no se ha derivado restricción alguna de dicha posibilidad. La calificación como laboral de la actividad de la señora Alejos Casado se ha realizado sin mermar en modo alguno la autonomía que el art. 2.2 de la Ley Orgánica 7/1980, de 5 de julio, de Libertad Religiosa, reconoce a las entidades religiosas para designar y formar a sus ministros, pues se ha efectuado en contemplación de la efectiva labor desempeñada y a los solos efectos de la determinación del régimen de cotización a la Seguridad Social que resulta aplicable. Finalmente, el hecho de que

---

[10]   *Vid.* también STC 109/1988, de 8 de junio —**ARTÍCULO 14**—.

el Estado, en atención al mandato de cooperación con las distintas confesiones religiosas, establezca un régimen de cotización a la Seguridad Social específico para los ministros de culto y tome en cuenta el trabajo realizado en tal regulación no supera el ámbito de la legalidad ordinaria y carece de incidencia sobre el derecho fundamental aducido.

FJ 4. La segunda de las quejas se refiere a la vulneración del derecho a la igualdad reconocido en el art. 14 CE, resultando estrechamente relacionada con los derechos reconocidos en el art. 16 CE, pues se vincula a la dimensión prestacional o de trato favorable para las confesiones religiosas que se deriva del art. 16.3. En tal sentido se produce la denuncia en la demanda de la inaplicación de la doctrina constitucional establecida en la STC 63/1994, de 28 de febrero. [...]

Ha de comenzarse por reseñar las diferencias existentes entre el supuesto objeto del presente enjuiciamiento y el decidido en la STC 63/1994. En el caso resuelto por esta última resolución se alegaba la diferencia de trato en cuanto a la acción protectora de la Seguridad Social que recibían quienes desempeñaban una misma labor docente por el hecho de pertenecer a una comunidad religiosa frente a quienes no estaban incorporados a ella. [...] En cambio ahora no se sostiene que se ha discriminado a la entidad demandante frente a quien se encuentra (salvando el carácter religioso propio de dicha entidad) en la misma situación, sino que lo que se pretende es que se tenga en cuenta la pertenencia de la señora Alejos Casado, en calidad de misionera autorizada, a la Comunidad religiosa recurrente. Se reclama, por tanto, un trato diferente en atención a esta circunstancia. Una segunda diferencia está constituida por la intervención normativa operada por la Orden de 2 de marzo de 1987 (entonces no existía regulación específica), la cual determina que la relevancia de aquella circunstancia en orden a la aplicación de un régimen diferente de cotización a la Seguridad Social se haga depender de la concurrencia de un segundo requisito, adicional a la condición de ministro de culto de una comunidad religiosa: su dedicación estable y exclusiva a las funciones de culto, asistencia religiosa o formación religiosa.

FJ 5. Las anteriores consideraciones nos llevan a rechazar también esta segunda queja. En efecto, en primer lugar, la afirmación del carácter laboral de la relación que unía a la señora Alejos Casado y a la entidad demandante de amparo se realiza en la Sentencia sobre el fundamento de afirmar que prestaba servicios como ayudante de cocina, que por ello percibía un salario y que el indicado carácter laboral del vínculo establecido resultó reconocido en el acta de conciliación celebrada ante el SMAC. A partir de tales hechos, no revisables en esta sede conforme a lo prescrito por el art. 44.1.b LOTC, desaparece la base de la diferenciación a la que se anuda la pretensión de un diferente tratamiento jurídico. La apreciación que se efectúa por el Tribunal Superior de Justicia, referida a una materia de legalidad ordinaria, no resulta irrazonable, arbitraria o patentemente errónea, canon al que se sujeta en estos casos nuestro control (entre otras muchas, SSTC 232/1997, de 16 de diciembre, FJ 2; 238/1998, de 15 de diciembre, FJ 9; 165/1999, de 27 de septiembre, FJ 3; 226/2000, de 2 de octubre, FJ 3, y 47/2001, de 15 de febrero de 2001, FJ 11). [...]

Estatuto jurídico del profesorado de religión católica —STC 38/2007, de 15 de febrero[11]—

La Sentencia resuelve cuestión de inconstitucionalidad interpuesta por la Sección Primera de la Sala de lo Social del Tribunal Superior de Justicia de Canarias sobre tres preceptos incluidos en el Acuerdo entre el Estado Español y la Santa Sede sobre enseñanza y asuntos culturales, de 3 de enero de 1979, ratificado por Instrumento de 4 de diciembre de 1979, que determinan que corresponde a la jerarquía eclesiástica (Ordinario diocesano) proponer cada año al personal docente de la enseñanza religiosa posteriormente designado por la autoridad académica (Artículo III); señalar los contenidos de la enseñanza y formación religiosa católica y proponer los libros de texto y material didáctico relativos a dicha enseñanza y formación, así como velar junto con los órganos del Estado, en el ámbito de sus respectivas competencias, por que esta enseñanza y formación sean impartidas adecuadamente (Artículo VI); y concertar con la Administración Central la situación económica de los Profesores de religión católica (Artículo VII). Y cuestiona también la Disposición Adicional segunda de la Ley Orgánica 1/1990, de 3 de octubre, de ordenación general del sistema educativo, en redacción dada por el art. 93 de la Ley 50/1998, de 30 de diciembre, de medidas fiscales, administrativas y del orden social[12].

---

11   *Vid.* también SSTC 80-86/2007, de 23 de mayo; 87-89/2007, de 19 de abril; 128/2007, de 4 de junio.

12   Disposición Adicional Segunda: «La enseñanza de la religión se ajustará a lo establecido en el Acuerdo sobre enseñanza y asuntos culturales suscrito entre la Santa Sede y el Estado Español y, en su caso, a lo dispuesto en aquellos otros que pudieran suscribirse con otras confesiones religiosas. A tal fin, y de conformidad con lo que dispongan dichos acuerdos, se incluirá la

FJ 3. [...] [P]rocede disipar toda sombra de duda sobre la idoneidad de las normas de un tratado para constituirse en objeto de un proceso de control de constitucionalidad.

FJ 5. Si bien la duda de constitucionalidad a la que hemos de dar respuesta en este procedimiento tiene que ver con la posible infracción de varios preceptos constitucionales, son los derechos y principios reconocidos en el art. 16 de la Constitución los que determinan la entidad y el alcance de la posible afección de los demás preceptos invocados en su Auto de planteamiento por la Sala de lo Social del Tribunal Superior de Justicia de Canarias. En efecto, el problema suscitado por la Sala no es otro que la constitucionalidad del vigente sistema de contratación de profesores de religión, cuya compatibilidad con la aconfesionalidad del Estado resulta problemática, en su criterio, aun en los márgenes del deber de cooperación impuesto al Estado en relación con la Iglesia católica y las demás confesiones religiosas (art. 16.3 CE). Ese deber de cooperación exige de los poderes públicos una actitud positiva respecto del ejercicio colectivo de la libertad religiosa (STC 46/2001, de 15 de febrero, FJ 4), que en su dimensión individual comporta el derecho a recibir la educación religiosa y moral que esté de acuerdo con las propias convicciones. Inevitablemente, la definición del contenido y ámbito propios de los derechos y principios establecidos en el art. 16 CE —tanto en sus dimensiones interna y externa como en la individual y en la colectiva— pasa por su ponderación con el contenido y alcance de otros derechos y principios constitucionales que, convergiendo en la delimitación de su sentido, ven así matizada su propia condición de límites del derecho definido, precisamente, con su concurso.

Centrados, pues, en la perspectiva de los derechos y principios del art. 16 CE, es de advertir que ni el órgano judicial ni quienes han sido parte en este proceso hacen cuestión de la inserción de la enseñanza de la religión católica en el sistema educativo. Dicha inserción —que sólo puede ser, evidentemente, en régimen de seguimiento libre (STC 5/1981, de 13 de febrero, FJ 9)— hace posible tanto el ejercicio del derecho de los padres de los menores a que éstos reciban la enseñanza religiosa y moral acorde con las convicciones de sus padres (art. 27.3 CE), como la efectividad del derecho de las Iglesias y confesiones a la divulgación y expresión públicas de su credo religioso, contenido nuclear de la libertad religiosa en su dimensión comunitaria o colectiva (art. 16.1 CE). El deber de cooperación establecido en el art. 16.3 CE encuentra en la inserción de la religión en el itinerario educativo un cauce posible para la realización de la libertad religiosa en concurrencia con el ejercicio del derecho a una educación conforme con las propias convicciones religiosas y morales. En este punto es de recordar que el contenido del derecho a la libertad religiosa no se agota en la protección frente a injerencias externas de una esfera de libertad individual o colectiva que permite a los ciudadanos actuar con arreglo al credo que profesen (SSTC 19/1985, de 13 de febrero, 120/1990, de 27 de junio, y 63/1994, de 28 de febrero, entre otras), pues también comporta una dimensión externa que se traduce en la posibilidad de ejercicio, inmune a toda coacción de los poderes públicos, de aquellas actividades que constituyen manifestaciones o expresiones del fenómeno religioso, asumido en este caso por el sujeto colectivo o comunidades, tales como las que enuncia el art. 2 de la Ley Orgánica de libertad religiosa (LOLR) y respecto de las que se exige a los poderes públicos una actitud positiva, de naturaleza asistencial o prestacional, conforme a lo que dispone el apartado 3 del art. 2 LOLR, según el cual «[p]ara la aplicación real y efectiva de estos derechos [los que se enumeran en los dos anteriores apartados del precepto legal], los poderes públicos adoptarán las medidas necesarias para facilitar ... la formación religiosa en centros docentes públicos».

La cuestión no es, por tanto, si resulta o no constitucionalmente aceptable la enseñanza de la religión católica en los centros escolares. Tampoco si la competencia para la definición del credo religioso objeto de enseñanza ha de corresponder a las Iglesias y confesiones o a la autoridad educativa estatal, pues es evidente que el principio de neutralidad del art. 16.3 CE, como se declaró en las SSTC 24/1982, de 13 de mayo, y 340/1993, de 16 de noviembre, «veda cualquier tipo de confusión entre funciones religiosas y estatales» en el desarrollo de las relaciones de cooperación del Estado con la Iglesia católica y las demás confesiones, antes bien sirve, precisamente, a la garantía de su separación, «introduciendo de este modo una idea de aconfesionalidad o laicidad positiva» (STC 46/2001, de 15 de febrero, FJ 4). El credo religioso objeto de enseñanza ha de ser, por tanto, el definido por cada Iglesia, comunidad o confesión,

---

religión como área o materia en los niveles educativos que corresponda, que será de oferta obligatoria para los centros y de carácter voluntario para los alumnos.

Los profesores que, no perteneciendo a los Cuerpos de funcionarios docentes, impartan enseñanzas de religión en los centros públicos en los que se desarrollan las enseñanzas reguladas en la presente Ley, lo harán en régimen de contratación laboral, de duración determinada y coincidente con el curso escolar, a tiempo completo o parcial. Estos profesores percibirán las retribuciones que correspondan en el respectivo nivel educativo a los profesores interinos, debiendo alcanzarse la equiparación retributiva en cuatro ejercicios presupuestarios a partir de 1999».

no cumpliéndole al Estado otro cometido que el que se corresponda con las obligaciones asumidas en el marco de las relaciones de cooperación a las que se refiere el art. 16.3 CE.

Se sigue de lo anterior que también ha de corresponder a las confesiones la competencia para el juicio sobre la idoneidad de las personas que hayan de impartir la enseñanza de su respectivo credo. Un juicio que la Constitución permite que no se limite a la estricta consideración de los conocimientos dogmáticos o de las aptitudes pedagógicas del personal docente, siendo también posible que se extienda a los extremos de la propia conducta en la medida en que el testimonio personal constituya para la comunidad religiosa un componente definitorio de su credo, hasta el punto de ser determinante de la aptitud o cualificación para la docencia, entendida en último término, sobre todo, como vía e instrumento para la transmisión de determinados valores. Una transmisión que encuentra en el ejemplo y el testimonio personales un instrumento que las Iglesias pueden legítimamente estimar irrenunciable.

FJ 6. [...] A juicio del órgano judicial las dudas se plantean en relación con dos de las concretas opciones normativas seguidas en la configuración de dicho sistema: el recurso a la contratación laboral y el que esta contratación se lleve a cabo por las Administraciones educativas, constituyendo así empleo público, lo que, a su juicio, determinaría la inmunidad frente al Derecho estatal de las decisiones sobre contratación y renovación adoptadas por el Obispado y condicionaría el acceso al empleo público y el mantenimiento en el mismo en base a criterios de índole religiosa o confesional, vulnerándose con ello los arts. 9.3, 14, 16.3, 23.2, 24.1 y 103.3 de la Constitución.

FJ 7. Por lo que se refiere al pretendido obstáculo a la revisión judicial de las decisiones de contratación adoptadas en ejecución del sistema, que derivaría de la consideración de que se trata de decisiones que, en aplicación del Acuerdo de 1979, no proceden directamente de un órgano del Estado, sino de una autoridad ajena al mismo y, en concreto, de una autoridad eclesiástica, lo que determinaría la inmunidad frente a los órganos judiciales de tales decisiones, vulnerando con ello el derecho a la tutela judicial efectiva reconocido en el art. 24.1 CE, no podemos sino rechazar tajantemente su concurrencia.

Como recuerda el Fiscal General del Estado en sus alegaciones, este Tribunal declaró ya en su STC 1/1981, de 26 de enero, la plenitud jurisdiccional de los Jueces y Tribunales en el orden civil, en cuanto exigencia derivada del derecho a la tutela judicial efectiva (art. 24.1 CE), derecho «que se califica por la nota de la efectividad» (STC 1/1981, de 26 de enero, FJ 11). Posteriormente el Tribunal ha vuelto a abordar esta cuestión en su STC 6/1997, de 13 de enero, reiterando en ella que los efectos civiles de las resoluciones eclesiásticas, regulados por la ley civil, son de la exclusiva competencia de los Jueces y Tribunales civiles, como consecuencia de los principios de aconfesionalidad del Estado (art. 16.3 CE) y de exclusividad jurisdiccional (art. 117.3 CE: STC 6/1997, de 13 de enero, FJ 6).

No cabe, por lo tanto, aceptar que los efectos civiles de una decisión eclesiástica puedan resultar inmunes a la tutela jurisdiccional de los órganos del Estado. Siendo ello así, habrá de analizarse si la regulación cuestionada conduce necesariamente a tal conclusión.

Por lo que se refiere al párrafo segundo de la disposición adicional segunda de la Ley Orgánica 1/1990, es lo cierto que nada de lo establecido en la misma conlleva exclusión alguna del orden jurisdiccional. En lo que aquí interesa, la disposición se limita a establecer la naturaleza «laboral» de la relación establecida entre los profesores de religión y la Administración educativa, lo que, lejos de determinar cualquier exclusión, implica la plena competencia del orden jurisdiccional social, ex arts. 1 y 2 Ley de procedimiento laboral, en relación con las cuestiones litigiosas que se promuevan «entre empresarios y trabajadores como consecuencia del contrato de trabajo», despejando con ello cualquier duda que a este respecto pudiera generar otra hipotética opción calificativa de la naturaleza jurídica de la prestación de dichos profesores. Los profesores de religión son, por disposición de los preceptos legales cuestionados, trabajadores de la Administración pública educativa y, en condición de tales, reciben el amparo de la Constitución y de las leyes laborales españolas y tienen asimismo el derecho a recabar la tutela de los órganos jurisdiccionales españoles.

Por lo que se refiere al Acuerdo de 1979 tampoco en el mismo se contiene exclusión alguna de la potestad jurisdiccional de los órganos del Estado, limitándose a señalar en su art. III, nuevamente por lo que aquí interesa, que la enseñanza religiosa será impartida por las personas que, para cada año escolar, sean designadas por la autoridad académica «entre aquéllas que el Ordinario diocesano proponga para ejercer esta enseñanza». Es, no obstante, de esta formulación de la que extrae el órgano judicial proponente su duda de constitucionalidad, al estimar que la exclusiva y vinculante potestad de propuesta atribuida al Ordinario diocesano determina la adopción de decisiones de contratación que a su vez se sustentan en criterios de idoneidad de índole religiosa y confesional, definidos por un ordenamiento distinto al estatal —el Derecho canónico—, que resultarían inatacables ante los órganos del Estado.

Sin embargo, que la designación de los profesores de religión deba recaer en personas que hayan sido previamente propuestas por el Ordinario diocesano, y que dicha propuesta implique la previa declaración de su idoneidad basada en consideraciones de índole moral y religiosa, no implica en modo alguno que tal designación no pueda ser objeto de control por los órganos judiciales del Estado, a fin de determinar su adecuación a la legalidad, como sucede con todos los actos discrecionales de cualquier autoridad cuando producen efectos en terceros, según hemos afirmado en otros supuestos, bien en relación con la denominada «discrecionalidad técnica» (STC 86/2004, de 10 de mayo, FJ 3), bien en el caso de los nombramientos efectuados por el sistema de «libre designación» (STC 235/2000, de 5 de octubre, FFJJ 12 y 13).

El derecho de libertad religiosa y el principio de neutralidad religiosa del Estado implican que la impartición de la enseñanza religiosa asumida por el Estado en el marco de su deber de cooperación con las confesiones religiosas se realice por las personas que las confesiones consideren cualificadas para ello y con el contenido dogmático por ellas decidido. Sin embargo, por más que haya de respetarse la libertad de criterio de las confesiones a la hora de establecer los contenidos de las enseñanzas religiosas y los criterios con arreglo a los cuales determinen la concurrencia de la cualificación necesaria para la contratación de una persona como profesor de su doctrina, tal libertad no es en modo alguno absoluta, como tampoco lo son los derechos reconocidos en el art. 16 CE ni en ningún otro precepto de la Constitución, pues en todo caso han de operar las exigencias inexcusables de indemnidad del orden constitucional de valores y principios cifrado en la cláusula del orden público constitucional.

En consecuencia, ni las normas legales cuestionadas excluyen la competencia de los órganos jurisdiccionales del Estado ni tal exclusión resultaría posible. Antes al contrario son, precisamente, los órganos jurisdiccionales los que deben ponderar los diversos derechos fundamentales en juego. Como pone de relieve el Abogado del Estado en sus alegaciones, en el ejercicio de este control los órganos judiciales y, en su caso, este Tribunal Constitucional habrán de encontrar criterios practicables que permitan conciliar en el caso concreto las exigencias de la libertad religiosa (individual y colectiva) y el principio de neutralidad religiosa del Estado con la protección jurisdiccional de los derechos fundamentales y laborales de los profesores.

Así, y sin pretensión de ser exhaustivos, resulta claro que, en primer lugar, los órganos judiciales habrán de controlar si la decisión administrativa se ha adoptado con sujeción a las previsiones legales a las que se acaba de hacer referencia, es decir, en lo esencial, si la designación se ha realizado entre las personas que el Diocesano ordinario ha propuesto para ejercer esta enseñanza y, dentro de las personas propuestas, en condiciones de igualdad y con respeto a los principios de mérito y capacidad. O, en sentido negativo, y por ajustarse más a las circunstancias del caso analizado en el proceso a quo, habrán de analizar las razones de la falta de designación de una determinada persona y, en concreto, si ésta responde al hecho de no encontrarse la persona en cuestión incluida en la relación de las propuestas a tal fin por la autoridad eclesiástica, o a otros motivos igualmente controlables. Más allá de este control de la actuación de la autoridad educativa, los órganos judiciales competentes habrán de analizar también si la falta de propuesta por parte del Ordinario del lugar responde a criterios de índole religiosa o moral determinantes de la inidoneidad de la persona en cuestión para impartir la enseñanza religiosa, criterios cuya definición corresponde a las autoridades religiosas en virtud del derecho de libertad religiosa y del principio de neutralidad religiosa del Estado, o si, por el contrario, se basa en otros motivos ajenos al derecho fundamental de libertad religiosa y no amparados por el mismo. En fin, una vez garantizada la motivación estrictamente «religiosa» de la decisión, el órgano judicial habrá de ponderar los eventuales derechos fundamentales en conflicto a fin de determinar cuál sea la modulación que el derecho de libertad religiosa que se ejerce a través de la enseñanza de la religión en los centros escolares pueda ocasionar en los propios derechos fundamentales de los trabajadores en su relación de trabajo.

A los efectos del control de constitucionalidad que ahora nos corresponde baste concluir de lo señalado que ni el art. III del Acuerdo sobre la enseñanza y asuntos culturales suscrito el 3 de enero de 1979 entre el Estado español y la Santa Sede, ni el párrafo segundo de la disposición adicional segunda de la Ley Orgánica 1/1990, de 3 de octubre, excluyen el control jurisdiccional de las decisiones de contratación de los profesores de religión ni vulneran, por tanto, el derecho a la tutela judicial efectiva del art. 24.1 CE. [...]

FJ 9. [...] [N]o apreciamos que la opción legislativa de que los profesores que hayan de impartir la enseñanza de la religión católica en los centros escolares lo hagan suscribiendo un contrato de trabajo con la correspondiente Administración pública educativa pueda afectar al derecho a la igualdad y no discriminación del art. 14 CE. Como ha señalado este Tribunal en relación con la aplicación a la función pública del derecho reconocido en el art. 23.2 CE, en términos que resultan igualmente predicables de la aplicación del art. 14 CE en el caso de los contratados laborales, este derecho garantiza a los ciudadanos una situación jurídica de igualdad en el acceso a las funciones públicas, con la consiguiente imposibilidad de establecer requisitos para acceder a las mismas que tengan carácter discriminatorio (SSTC 193/1987, de 9 de diciembre, FJ 5; 47/1990, de 20 de marzo, FJ 6; 166/2001, de 16 de julio, FJ 2) o de referencias individualizadas y concretas (SSTC 50/1986, de 23 de abril, FJ 4; 67/1989, de 18 de abril, FJ 2; 27/1991, de 14 de febrero, FJ 4; 353/1993, de 29 de noviembre, FJ 6; 73/1998, de 31 de marzo, FJ 3; 138/2000, de 29 de mayo, FJ 5). Como señalamos en la STC 96/2002, de 25 de abril, FJ 7, la valoración que se realice en cada caso del principio de igualdad en la Ley «ha de tener en cuenta el régimen jurídico sustantivo del ámbito de relaciones en que se proyecte». En lo que afecta al derecho a la igualdad en el acceso al empleo público, ha de recordarse que la propia Constitución dispone, en su art. 103.3, que dicho acceso debe atenerse a los principios de mérito y capacidad, de manera que las condiciones y requisitos exigidos sean referibles a los citados principios, pudiendo considerarse también lesivos del principio de igualdad todos aquéllos que, sin esa referencia, establezcan una diferencia entre españoles (SSTC 50/1986, de 23 de abril, FJ 4; 73/1998, de 31 de marzo, FJ 3; 138/2000, de 29 de mayo, FJ 5).

[...] Pues bien, en el caso ahora analizado la exigencia para la contratación de estos profesores del requisito de hallarse en posesión de la cualificación acreditada mediante la declaración eclesiástica de idoneidad no puede considerarse arbitraria o irrazonable ni ajena a los principios de mérito y capacidad y, desde luego, no implica una discriminación por motivos religiosos, dado que se trata de contratos de trabajo que se celebran única y exclusivamente para la impartición, durante el curso escolar, de la enseñanza de la religión católica.

La facultad reconocida a las autoridades eclesiásticas para determinar quiénes sean las personas cualificadas para la enseñanza de su credo religioso constituye una garantía de libertad de las Iglesias para la impartición de su doctrina sin injerencias del poder público. Siendo ello así, y articulada la correspondiente cooperación a este respecto (art. 16.3 CE) mediante la contratación por las Administraciones públicas de los profesores correspondientes, habremos de concluir que la declaración de idoneidad no constituye sino uno de los requisitos de capacidad necesarios para poder ser contratado a tal efecto, siendo su exigencia conforme al derecho a la igualdad de trato y no discriminación (art. 14 CE) y a los principios que rigen el acceso al empleo público (art. 103.3 CE).

En efecto, a partir del reconocimiento de la garantía del derecho de libertad religiosa de los individuos y las comunidades del art. 16.1 CE no resultaría imaginable que las Administraciones públicas educativas pudieran encomendar la impartición de la enseñanza religiosa en los centros educativos a personas que no sean consideradas idóneas por las respectivas autoridades religiosas para ello. Son únicamente las Iglesias, y no el Estado, las que pueden determinar el contenido de la enseñanza religiosa a impartir y los requisitos de las personas capacitadas para impartirla dentro de la observancia, como hemos dicho, de los derechos fundamentales y libertades públicas y del sistema de valores y principios constitucionales. En consecuencia, si el Estado, en ejecución de la obligación de cooperación establecida en el art. 16.3 CE, acuerda con las correspondientes comunidades religiosas impartir dicha enseñanza en los centros educativos, deberá hacerlo con los contenidos que las autoridades religiosas determinen y de entre las personas habilitadas por ellas al efecto dentro del necesario respeto a la Constitución que venimos señalando.

Ha de tenerse en cuenta, además, que el art. III del Acuerdo de 1979 no atribuye a la autoridad eclesiástica la facultad de «designar» a las personas que hayan de impartir la enseñanza religiosa, limitándose a señalar que éstas serán designadas por la autoridad académica «entre aquéllas que el Ordinario diocesano proponga», lo que permite que, concurrente el requisito de capacidad que, a través de la previa declaración eclesiástica de idoneidad, conduce a la propuesta de la autoridad eclesiástica, continúe rigiendo plenamente en el proceso de designación el derecho de los ciudadanos a la igualdad en el acceso al empleo público en base a criterios de mérito y capacidad.

En definitiva, la función específica a la que se han de dedicar los trabajadores contratados para esta finalidad constituye un hecho distintivo que determina que la diferencia de trato que se denuncia, materializada en la exigencia de idoneidad, posea una justificación objetiva y razonable y resulte proporcionada y adecuada a los fines perseguidos por el legislador —que poseen igual relevancia constitucional— sin que pueda, por tanto, ser tachada de discriminatoria.

FJ 10. Relacionado con lo anterior, debemos descartar también que pueda oponerse a la regulación legal cuestionada la pretendida imposibilidad para las Administraciones públicas de actuar como una empresa de tendencia, que derivaría del hecho de que los fines a los que éstas han de servir, y hacerlo con objetividad, son sólo los generales (art. 103.1 CE), argumento al que se alude en el Auto de planteamiento de la cuestión y en algunas de las alegaciones presentadas.

En primer término resulta preciso constatar que las interrelaciones existentes entre los profesores de religión y la Iglesia no son estrictamente las propias de una empresa de tendencia, tal y como han sido analizadas en diversas ocasiones por este Tribunal, sino que configuran una categoría específica y singular, que presenta algunas similitudes pero también diferencias respecto de aquélla. La doctrina referente a las empresas de tendencia despliega toda su virtualidad en el ámbito de las relaciones laborales privadas y, por lo que hace en particular a la enseñanza, permite la modulación de los derechos del profesorado en consonancia con el ideario educativo de los centros privados (STC

47/1985, de 27 de marzo), cuya libertad de creación comporta la posibilidad de dotarlos de un carácter u orientación propios (STC 5/1981, de 13 de febrero, FJ 8) como instrumento que son al servicio de las libertades individuales y colectivas garantizadas por los arts. 16 y 27 CE. Sin embargo, la condición que deriva de la exigencia de la declaración eclesiástica de idoneidad no consiste en la mera obligación de abstenerse de actuar en contra del ideario religioso, sino que alcanza, de manera más intensa, a la determinación de la propia capacidad para impartir la doctrina católica, entendida como un conjunto de convicciones religiosas fundadas en la fe. El que el objeto de la enseñanza religiosa lo constituya la transmisión no sólo de unos determinados conocimientos sino de la fe religiosa de quien la transmite, puede, con toda probabilidad, implicar un conjunto de exigencias que desbordan las limitaciones propias de una empresa de tendencia, comenzando por la implícita de que quien pretenda transmitir la fe religiosa profese él mismo dicha fe.

No es momento de analizar aquí, en el control de constitucionalidad que corresponde efectuar a este Tribunal en el marco de la presente cuestión, cuáles hayan de ser los límites a los que, en garantía de los derechos fundamentales de los profesores de religión, deban someterse las actuaciones concretas desarrolladas en ejecución de tales exigencias, pero sí de dejar constancia de que, en su análisis, no habrá de tenerse únicamente en cuenta la doctrina ya sentada por este Tribunal en materia de empresas de tendencia, sino que habrá de atenderse igualmente a las consideraciones que se deriven de la afectación del derecho de libertad religiosa (art. 16.1 CE) y de la doble exigencia que dicho derecho comporta en su dimensión objetiva (STC 101/2004, de 23 de junio, FJ 3): la neutralidad de los poderes públicos, ínsita en la aconfesionalidad del Estado, y el mantenimiento de relaciones de cooperación de los poderes públicos con las diversas iglesias (art. 16.3 CE).

Pero en cualquier caso, es lo cierto que el sistema de contratación establecido por la disposición legal cuestionada no implica la conversión de las Administraciones públicas en una empresa de tendencia, lo que, efectivamente, resultaría incompatible con el art. 103.1 CE. A través de la contratación de los profesores de religión las Administraciones públicas no desarrollan tendencia ni ideario ideológico alguno, sino que ejecutan la cooperación con las Iglesias en materia de enseñanza religiosa en los términos establecidos en los acuerdos que la regulan y en las normas que la desarrollan, contratando para ello a personas que han sido previamente declaradas idóneas por las autoridades religiosas respectivas, que son las únicas que, desde el principio de aconfesionalidad del Estado, pueden valorar las exigencias de índole estrictamente religiosa de tal idoneidad.

FJ 11. Por ello mismo, la exigencia de la idoneidad eclesiástica como requisito de capacidad para el acceso a los puestos de trabajo de profesor de religión en los centros de enseñanza pública no vulnera tampoco el art. 9.3 CE. Como ha señalado este Tribunal, no puede tacharse de arbitraria una norma que persigue una finalidad razonable y que no se muestra desprovista de todo fundamento, aunque pueda legítimamente discreparse de la concreta solución adoptada, pues entrar en el enjuiciamiento de cuál haya de ser su medida justa supone debatir una opción tomada por el legislador que, aun cuando pueda ser discutible, no tiene que ser necesariamente arbitraria ni irracional (por todas, STC 149/2006, de 11 de mayo, FJ 6, y las en ella citadas) [...]. De acuerdo con lo anteriormente señalado, la exigencia de la declaración eclesiástica de idoneidad para poder impartir enseñanzas de religión en los centros educativos no puede estimarse irracional o arbitraria, respondiendo a una justificación objetiva y razonable coherente con los principios de aconfesionalidad y neutralidad religiosa del Estado.

FJ 12. En fin, esta exigencia no puede entenderse que vulnere el derecho individual a la libertad religiosa (art. 16.1 CE) de los profesores de religión, ni la prohibición de toda obligación de declarar sobre su religión (art. 16.2 CE), principios que sólo se ven afectados en la estricta medida necesaria para hacerlos compatibles con el derecho de las iglesias a la impartición de su doctrina en el marco del sistema de educación pública (arts. 16.1 y 16.3 CE) y con el derecho de los padres a la educación religiosa de sus hijos (art. 27.3 CE). Resultaría sencillamente irrazonable que la enseñanza religiosa en los centros escolares se llevase a cabo sin tomar en consideración como criterio de selección del profesorado las convicciones religiosas de las personas que libremente deciden concurrir a los puestos de trabajo correspondientes, y ello, precisamente, en garantía del propio derecho de libertad religiosa en su dimensión externa y colectiva.

FJ 13. [...] Es cierto que el Acuerdo sobre enseñanza y asuntos culturales de 3 de enero de 1979 no exige necesariamente que la enseñanza haya de ser impartida por profesores contratados por las Administraciones públicas; prueba de ello es que hasta 1998 el conjunto del profesorado de religión católica no dependía laboralmente de la Administración, sino de la Iglesia católica. Los compromisos establecidos en el Acuerdo, en el marco del deber de cooperación con las confesiones religiosas proclamado en el art. 16.3 CE, pueden darse por satisfechos con la integración de la enseñanza de los credos religiosos en el itinerario educativo público, en régimen de seguimiento libre, con la incorporación al claustro docente de las personas designadas por las respectivas confesiones en función de criterios respecto de los cuales no cabe la injerencia del poder público, pero frente a los que operan las exigencias inexcusables de indemnidad del orden constitucional de valores y principios cifrado en la cláusula del orden público constitucional, y concertando con la Conferencia Episcopal las condiciones relativas a la situación económica de los profesores.

De esta forma, es claro que el cumplimiento de los compromisos de incorporación del profesorado al claustro docente de los centros de enseñanza y de atención a su sostenimiento financiero podría lograrse mediante otros procedimientos distintos al de la contratación del profesorado en régimen laboral por las Administraciones, como los que se aplicaron en el pasado en los primeros años de vigencia del Acuerdo sobre enseñanzas y asuntos culturales u otros posibles. Sin embargo, no cabe negar que la contratación laboral constituya igualmente un método constitucionalmente válido de cumplimiento de los compromisos alcanzados con base en el precepto constitucional, siendo por lo demás claro que, por principio, constituye una opción que persigue lograr la máxima equiparación posible en el estatuto jurídico y económico de los profesores de religión con respecto al resto de los profesores, sin perjuicio de sus singularidades específicas. De este modo, el Estado cumple también con su deber de cooperación y la Iglesia católica ve igualmente asegurada la impartición de su doctrina en el marco del sistema de educación pública, garantizándose con ello el derecho de los padres a la educación religiosa de sus hijos. Los profesores de religión, por su parte, disfrutarán de los derechos fundamentales y legales que como trabajadores tienen reconocidos en nuestro Ordenamiento de manera irrenunciable, desde un criterio de máxima equiparación, bien que con las modulaciones que resultan de la singularidad de la enseñanza religiosa, sobre cuyo alcance e intensidad nada nos cumple decir ahora, salvo para recordar una vez más que las mismas no pueden hacer ablación de los derechos, principios y valores constitucionales.

En todo caso, la opción por una u otra solución instrumentadora del acuerdo de cooperación no altera en modo alguno la realidad subyacente a la cuestión ni su problemática constitucional. Y ésta no es otra que la que determina la impartición en los centros educativos de enseñanza religiosa con los contenidos y con los requisitos de idoneidad personal establecidos por las autoridades religiosas. Que ello se articule o no mediante contratos laborales y que tales contratos, en su caso, se celebren por las autoridades eclesiásticas o se realicen directamente por las Administraciones públicas pagadoras, constituyen decisiones de política legislativa relevantes a diferentes efectos, entre ellos, y muy significativamente, al del reconocimiento y la mejor protección de los derechos económicos y sociales de los profesores, pero que, en principio, resultan irrelevantes en términos de constitucionalidad del sistema.

A lo anterior habría de añadirse aún una última consideración. Si la impartición en los centros educativos de una determinada enseñanza religiosa pudiera eventualmente resultar contraria a la Constitución, ya fuere por los contenidos de dicha enseñanza o por los requisitos exigidos a las personas encargadas de impartirla, lo que habría de cuestionarse es el acuerdo en virtud del cual la enseñanza religiosa se imparte, no la forma elegida para instrumentarlo. En este punto, no discutiéndose en absoluto la conformidad con la Constitución del Acuerdo en virtud del cual se imparte enseñanza católica en los centros educativos, no parece cuestionable ni que dicha enseñanza se imparta por profesores que hayan sido declarados idóneos para ello por el Ordinario diocesano ni que los profesores sean contratados mediante contratos laborales por la Administración educativa correspondiente.

Estatuto jurídico del profesorado de religión católica: profesora de religión despedida por la jerarquía eclesiástica —STC 51/2011, de 14 de abril[13]—

La Sentencia resuelve el recurso de amparo promovido por doña R.G.N. contra la Sentencia del Juzgado de lo Social núm. 3 de Almería de 13 de diciembre de 2001, y contra la Sentencia de 23 de abril de 2002 de la Sala de lo Social del Tribunal Superior de Justicia de Andalucía, confirmatoria de la anterior. La recurrente venía prestando servicios como profesora de religión católica, a propuesta del obispo de Almería, en diversos centros escolares públicos desde el curso 1994/1995. Para el curso 2001/2002, la recurrente no fue propuesta por haber contraído matrimonio civil con un divorciado el 1 de septiembre de 2000. Doña R.G.N. formuló demanda ante el Juzgado de lo Social núm. 3 de Almería contra el Ministerio de Educación, Cultura y Deporte, la Consejería de Educación y Ciencia de la Comunidad Autónoma de Andalucía y el Obispado de Almería. En ella solicitaba que su no renovación como profesora de religión

---

13   *Vid.* también la STC 128/2007, de 4 de junio, que concede el amparo al recurrente, que había sido despedido por la Iglesia por haber participado en el movimiento pro-celibato opcional y haber contraído matrimonio civil. Por su parte, y en un caso similar, la STC 140/2014, de 11 de septiembre, deniega el amparo a la recurrente tras constatar «la inexistencia de un panorama indiciario suficiente de que la decisión de no contratar a la demandante de amparo un nuevo curso escolar estuviese conectada causalmente con el ejercicio por ésta de derechos fundamentales» (FJ 10). Este resultado es calificado como «insólito»

se considerase como un despido y que éste se declarase nulo por discriminatorio, además de vulnerar su derecho a la intimidad personal y familiar (artículos 14 y 18.1 CE). Contra la desestimación de su demanda en primera instancia y en suplicación interpuso recurso de amparo.

FJ 5. [...] La recurrente reconoce expresamente que la facultad de propuesta del ordinario diocesano para la contratación de profesores de religión católica en cada curso escolar por la Administración educativa forma parte del contenido del derecho a la libertad religiosa protegido por el art. 16 CE, pero sostiene que no se trata de un derecho absoluto o incondicionado, sino que su ejercicio debe respetar los restantes derechos fundamentales y libertades públicas garantizados constitucionalmente, por lo que los Jueces y Tribunales españoles pueden y deben controlar si las concretas propuestas efectuadas por la jerarquía eclesiástica, y asumidas por la Administración educativa competente, respetan los derechos fundamentales de los profesores de religión afectados por una decisión adoptada por una autoridad eclesiástica en el marco de un tratado internacional que forma parte del ordenamiento jurídico español en virtud del art. 96 CE. [...]

FJ 6. [...] [C]omo hemos señalado claramente en nuestra STC 38/2007, FJ 7, en relación con el art. III del Acuerdo sobre enseñanza y asuntos culturales de 3 de enero de 1979 entre el Estado español y la Santa Sede, y a la disposición adicional segunda de la LOGSE, que contienen la regulación fundamental sobre la enseñanza de la religión católica en los centros docentes, es lo cierto que nada de lo establecido en dichas normas en cuanto a que la designación de los profesores de religión deba recaer en personas previamente propuestas por el ordinario diocesano (y que dicha propuesta esté basada en consideraciones de índole moral y religiosa), conlleva exclusión alguna de la potestad jurisdiccional de los Jueces y Tribunales españoles, de conformidad con los arts. 24.1 y 117.3 CE, en relación con el principio de aconfesionalidad del Estado (art. 16.3 CE). En consecuencia, no resulta acorde con esta exigencia de plenitud jurisdiccional en cuanto al control de los efectos civiles de una decisión eclesiástica (SSTC 1/1981, FJ 11; 6/1997, FJ 7; y 38/2007, FJ 7), la premisa de la que parte la Sentencia de instancia al afirmar que las propuestas realizadas por el ordinario diocesano a la Administración educativa para los nombramientos de profesores de religión católica no están sometidas a control alguno por parte del Estado español.

Cierto es que en la Sentencia de instancia se afirma también que, aun si se admitiese («a meros efectos dialécticos») que la no renovación del contrato de la demandante pudiera equipararse a un despido por supuesta vulneración de derechos fundamentales, «en el supuesto que nos ocupa no ha existido discriminación ni violación de cualquier otro derecho fundamental de la demandante por el hecho de no haber sido propuesta para dar clases de religión católica en el presente curso escolar por haber contraído matrimonio civil con una persona divorciada», pues se trata de una relación laboral objetivamente especial que se caracteriza por la confianza que requiere el trabajo encomendado, por lo que es lógico que no se produzca la propuesta si quien tiene atribuida legalmente la competencia para efectuarla —la jerarquía eclesiástica— «ha perdido la confianza en la actora para impartir clases de religión católica porque considera que por el hecho de haber contraído matrimonio civil se ha apartado de la doctrina de la Iglesia católica». Sin embargo, no cabe entender que este razonamiento judicial satisfaga las exigencias de ponderación de los derechos fundamentales en conflicto, pues, al margen de que no constituye ratio decidendi del fallo (como lo prueba, por lo demás, la advertencia de que se trata de una hipótesis que se plantea el órgano judicial «a meros efectos dialécticos»), es lo cierto que tal razonamiento viene a negar apodícticamente que este tipo de decisiones eclesiásticas adoptadas en el marco del art. III del Acuerdo sobre enseñanza y asuntos culturales de 3 de enero de 1979 entre el Estado español y la Santa Sede puedan vulnerar los derechos fundamentales y laborales de los profesores de religión afectados, partiendo del presupuesto constitucionalmente inadmisible de que tales decisiones del ordinario diocesano vinculan a la Administración educativa y no son susceptibles de revisión por los Jueces y Tribunales españoles. Por la misma razón, menos aún podemos compartir la premisa sobre la que se asienta la fundamentación de la Sentencia dictada en el recurso de suplicación, en cuanto afirma que las cuestiones suscitadas por la recurrente acerca de si la propuesta del Obispado de Almería contraria a la renovación del contrato como profesora de religión por haber contraído matrimonio civil es susceptible de control jurisdiccional, y si dicha propuesta del Obispado —aceptada por

---

en el voto particular disidente que formula el Fernando Valdés Dal-Ré, al que se adhieren Adela Asúa Batarrita, Luis Ignacio Ortega Álvarez y Juan Antonio Xiol Ríos. En él se critica que la mayoría del Tribunal hiciera caso omiso de que «el único órgano judicial que se ocupó de ese particular, cuya sentencia no ha sido impugnada (el de instancia), y actuando con la debida inmediación, declaró que los había [indicios suficientes de vulneración de los derechos fundamentales de la recurrente] y que existió vulneración del derecho fundamental sustantivo que daba soporte a la pretensión» (3).

la Administración educativa— vulneró los derechos fundamentales de la recurrente, son extrañas a la pretensión de nulidad de despido ejercitada. De este modo, la Sentencia de suplicación se desentiende por completo de la dimensión constitucional de la controversia sometida a su enjuiciamiento, que reduce a una cuestión de mera aplicación del precepto legal que regula la extinción de los contratos de trabajo de duración determinada por vencimiento del plazo pactado. [...]

FJ 7. En efecto, no corresponde al Tribunal Constitucional pronunciarse sobre las razones de política legislativa en que pueda apoyarse la opción actual del legislador a favor de la vinculación de los profesores de religión católica con las Administraciones educativas titulares de los centros docentes mediante un contrato laboral (STC 38/2007, FJ 8), ni sobre la naturaleza especial, en su caso, de dicha relación laboral (que ha recibido nueva regulación en virtud del Real Decreto 696/2007, de 1 de junio), por ser cuestiones de legalidad ordinaria cuyo enjuiciamiento queda reservado a la jurisdicción ordinaria conforme al art. 117.3 CE [...]. Pero sí le corresponde a este Tribunal verificar en el marco del recurso de amparo si los órganos judiciales han ponderado adecuadamente en el caso concreto los derechos en juego, conciliando las exigencias de la libertad religiosa (individual y colectiva) y el principio de neutralidad religiosa del Estado con la protección jurisdiccional de los derechos fundamentales y laborales de los profesores (STC 38/2007, FFJJ 7 y 14).

Pues bien, las Sentencias impugnadas, al partir del inaceptable presupuesto según el cual las decisiones del ordinario diocesano en el marco del art. III del Acuerdo sobre enseñanza y asuntos culturales de 3 de enero de 1979 entre el Estado español y la Santa Sede, y restante normativa aplicable, resultan inmunes a la tutela jurisdiccional de los Jueces y Tribunales del Estado español, se limitan a constatar que la no renovación del contrato laboral de la demandante por la Administración educativa responde al hecho de no encontrarse aquélla incluida en la relación de personas propuestas por el Obispado de Almería para continuar impartiendo clases como profesores de religión en el siguiente curso escolar. [...]

FJ 8. En consecuencia, el enjuiciamiento por parte de este Tribunal ha de atender a resolver el conflicto entre los derechos fundamentales afectados, determinando si ha existido la vulneración denunciada por la demandante, atendiendo al contenido que constitucionalmente corresponda a cada uno de esos derechos.

[...] [D]ebe advertirse que la lesión que invoca de sus derechos a no sufrir discriminación por razón de las circunstancias personales y a la intimidad personal y familiar se encuentra estrechamente conectada con el derecho a la libertad ideológica (art. 16.1 CE), como advierte el Ministerio Fiscal en sus alegaciones, pues lo que está en discusión es el derecho de la demandante a contraer libremente matrimonio con quien desee, no estando de más recordar que «la posibilidad de optar entre el estado civil de casado o el de soltero está íntimamente vinculada al libre desarrollo de la personalidad (art. 10.1 de la Constitución)» (STC 184/1990, de 15 de noviembre, FJ 3), sin que el ejercicio de este derecho pueda verse limitado por otros condicionamientos que los que resulten de las normas de orden público interno. En tal sentido ha de tenerse en cuenta, examinando los derechos en conflicto, que el art. 32.1 CE proclama (en coherencia con los acuerdos internacionales sobre derechos humanos: art. 16 de la Declaración Universal de los Derechos Humanos, art. 23 del Pacto Internacional de Derechos Civiles y Políticos, art. 10 del Pacto Internacional de Derechos Económicos, Sociales y Culturales, art. 12 del Convenio Europeo para la protección de los Derechos Humanos y Libertades Fundamentales y Convención de Naciones Unidas de 15 de abril de 1969 sobre consentimiento para el matrimonio), que el «hombre y la mujer tienen derecho a contraer matrimonio con plena igualdad jurídica», regla que supone una manifestación específica del principio de igualdad de todos los ciudadanos ante la ley (art. 14 CE), como ya señalamos en la STC 159/1989, de 6 de octubre, FJ 5, y hemos reiterado en STC 39/2002, de 14 de febrero, FJ 5. Por su parte, el Tribunal Europeo de Derechos Humanos (TEDH) tiene declarado, como nos recuerda la STEDH de 13 de septiembre de 2005 asunto B. y L. contra Reino Unido, § 34, que el ejercicio del derecho fundamental al matrimonio y a fundar una familia, garantizado por el art. 12 del Convenio Europeo para la protección de los Derechos Humanos y Libertades Fundamentales (CEDH) «plantea consecuencias sociales, personales y legales. Está sujeto a las legislaciones nacionales de los Estados contratantes, pero las limitaciones en ellas introducidas no deben restringir o reducir el derecho de tal manera o hasta tal punto que perjudiquen la esencia del derecho (véase Sentencia Rees contra el Reino Unido de 17 octubre 1986, § 50, y Sentencia F. contra Suiza de 18 diciembre 1987, § 32)».

Asimismo debe recordarse que la conexión entre el derecho al respeto a la vida privada y familiar garantizado por el art. 8 CEDH (que se corresponde con el derecho a la intimidad personal y familiar proclamado por el art. 18.1 CE) y el derecho a contraer matrimonio reconocido por el art. 12 CEDH (que se corresponde con el art. 32.1 CE) ha sido reconocida reiteradamente por el TEDH (entre otras, SSTEDH de 17 de octubre de 1986, asunto Rees contra Reino Unido; 11 de julio de 2002, asunto I. contra Reino Unido; y 18 de abril de 2006, asunto Dickson contra Reino Unido); que asimismo ha reconocido (por todas, STEDH de 18 de diciembre de 1986, asunto Johnston contra Irlanda) la relación existente entre los referidos derechos y la prohibición de discriminación proclamada por el art. 14 CEDH (en términos similares al art. 14 CE).

A su vez, este Tribunal tiene reiteradamente señalado «que el derecho a la intimidad personal, consagrado en el art. 18.1 CE, se configura como un derecho fundamental estrictamente vinculado a la propia personalidad y que deriva, sin ningún género de dudas, de la dignidad de la persona que el art. 10.1 CE reconoce» (SSTC 170/1997, de 14 de octubre, FJ 4; 231/1988, de 1 de diciembre, FJ 3; 197/1991, de 17 de octubre, FJ 3; 57/1994, de 28 de febrero, FJ 5; 143/1994, de 9 de mayo, FJ 6; 207/1996, de 16 de diciembre, FJ 3; 202/1999, de 8 de noviembre, FJ 2; y 186/2000, de 10 de julio, FJ 5, entre otras muchas). Siendo asimismo doctrina consolidada de este Tribunal que la virtualidad del art. 14 CE no se agota en la cláusula general de igualdad con la que se inicia su contenido, sino que a continuación el precepto constitucional se refiere a la prohibición de una serie de motivos o razones concretos de discriminación, lo que no implica el establecimiento de una lista cerrada de supuestos de discriminación (STC 75/1983, de 3 de agosto, FJ 6), pero sí representa una explícita interdicción de determinadas diferencias históricamente muy arraigadas y que han situado, tanto por la acción de los poderes públicos como por la práctica social, a sectores de la población en posiciones, no sólo desventajosas, sino contrarias a la dignidad de la persona que reconoce el art. 10.1 CE (SSTC 128/1987, de 16 de julio, FJ 5; 166/1988, de 26 de septiembre, FJ 2; 145/1991, de 1 de julio, FJ 2; y 200/2001, de 4 de octubre, FJ 4).

FJ 9. En desarrollo del art. 32.1 CE, así como del art. 149.1.8 CE, que establece como competencia exclusiva del Estado las relaciones jurídico-civiles relativas a las formas de matrimonio, el Código civil (art. 49 y ss.), tras la reforma introducida por la Ley 30/1981, de 7 de julio, regula el derecho de los ciudadanos españoles a contraer matrimonio, tanto en forma civil (ante el Juez, Alcalde o funcionario establecido en el Código civil) como en forma religiosa (sea la católica, según las normas del Derecho canónico, sea la prevista por otra confesión religiosa inscrita).

En el caso que nos ocupa, la demandante de amparo, en el legítimo ejercicio de su derecho a la libre elección de cónyuge, contrajo matrimonio civil con persona cuyo estado civil era el de divorciado. No ha existido, pues, obstáculo alguno para que la demandante ejerciese su derecho constitucional a contraer matrimonio en condiciones de plena libertad e igualdad (arts. 14 y 32.1 CE), derecho que, como también hemos tenido ocasión de precisar (SSTC 222/1992, de 11 de diciembre, FJ 5; y 47/1993, de 8 de febrero, FJ 4), «no es … un derecho de ejercicio individual, pues no hay matrimonio sin consentimiento mutuo (art. 45 del Código civil)». Ahora bien, lo que aquí se discute no es, claro está, que la demandante haya podido ejercer libremente su ius connubii, sino si la reacción del Obispado de Almería al ejercicio por parte de la demandante de su derecho a contraer matrimonio con la persona elegida (reacción que ha determinado a la postre la pérdida de su puesto de trabajo como profesora de religión y moral católicas) puede entenderse lesiva de los derechos fundamentales de aquélla.

En efecto, la cuestión que debemos resolver, a la luz de la doctrina sentada en la citada STC 38/2007 es si la decisión del Obispado de Almería de no proponer a la demandante de amparo como profesora de religión y moral católicas para el curso 2001/2002, haciendo así desaparecer el presupuesto esencial de idoneidad que le permitía seguir desempeñando ese trabajo mediante una nueva contratación por parte de la Administración educativa española, encuentra cobertura, como sostienen el Abogado del Estado y el Obispado de Almería, en el derecho fundamental a la libertad religiosa, en su dimensión colectiva o comunitaria, de la Iglesia católica (art. 16.1 CE), en relación con el deber de neutralidad religiosa del Estado (art. 16.3 CE), o si, por el contrario, tal decisión de la jerarquía eclesiástica vulnera el derecho fundamental de la demandante a la libertad ideológica (art. 16.1 CE) en conexión con su derecho a contraer matrimonio en la forma y condiciones establecidas en la ley (art. 32 CE), y asimismo en relación con su derecho a no sufrir discriminación por razón de sus circunstancias personales (art. 14 CE), y su derecho a la intimidad personal y familiar (art. 18.1 CE), que se configura como un derecho fundamental vinculado a la dignidad de la persona y al libre desarrollo de la propia personalidad (art. 10.1 CE), como ya ha quedado señalado (SSTC 202/1999, de 8 de noviembre, FJ 2, y 186/2000, de 10 de julio, FJ 5, por todas). […]

FJ 11. Una vez acreditado en este caso que la falta de propuesta del ordinario diocesano del lugar ha obedecido a criterios de índole religiosa o moral, cuya definición corresponde a las autoridades religiosas en ejercicio del derecho de libertad religiosa y del principio de neutralidad religiosa del Estado (art. 16.1 y 3 CE), es decir, una vez garantizada la motivación estrictamente religiosa de la decisión de no proponer a la demandante de amparo como profesora de religión y moral católicas, es necesario a continuación, de conformidad con la doctrina de la que hemos dejado constancia con anterioridad, «ponderar los eventuales derechos fundamentales en conflicto a fin de determinar cuál sea la modulación que el derecho a la libertad religiosa que se ejerce a través de la enseñanza de la religión en los centros escolares pueda ocasionar en los propios derechos fundamentales de los trabajadores en su relación de trabajo» (STC 38/2007, FJ 7). En este sentido, hemos declarado que los órganos judiciales y, en su caso, este Tribunal Constitucional, «habrán de encontrar criterios practicables que permitan conciliar en el caso concreto las exigencias de la libertad religiosa (individual y colectiva) y el principio de neutralidad religiosa del Estado con la protección jurisdiccional de los derechos fundamentales y laborales de los profesores» (ibidem).

Valga recordar al respecto que el art. 6 de la Ley Orgánica 7/1980, de 5 de julio, de libertad religiosa, reconoce la facultad de las iglesias, confesiones y comunidades religiosas inscritas para establecer su propio régimen de personal a su servicio, pudiendo incluir en su regulación cláusulas de salvaguarda de su identidad religiosa y de debido respeto a sus creencias, pero siempre dentro «del respeto de los derechos y libertades reconocidos por la Constitución y, en especial, de los de libertad, igualdad y no discriminación». Ciertamente, si el régimen del personal propio de la Iglesia católica ha de respetar, como no puede ser de otro modo, los derechos y libertades constitucionalmente garantizados, con mayor razón deben ser respetados los derechos fundamentales de los profesores de religión y moral católica, cuya vinculación contractual lo es, sin perjuicio de la facultad de propuesta del diocesano del lugar, con las Administraciones educativas titulares de los centros docentes mediante un contrato laboral (STC 38/2007, FJ 8).

FJ 12. Pues bien, ante todo debemos advertir que la renuncia por parte de los órganos judiciales a realizar la debida y requerida ponderación entre los derechos fundamentales en conflicto de los profesores de religión con el derecho de libertad religiosa de la autoridad eclesiástica, o una ponderación inadecuada a las circunstancias del caso, supone per se una vulneración de aquellos derechos. Tal acontece en el presente caso, pues, como ya quedó señalado, las Sentencias impugnadas en amparo niegan la posibilidad de control jurisdiccional de la decisión de la autoridad eclesiástica, y eluden, en consecuencia, la ponderación de los derechos fundamentales de la demandante (derecho a la libertad ideológica, en conexión con su derecho a contraer matrimonio en la forma y condiciones establecidas en la ley, y asimismo en relación con los derechos a no sufrir discriminación por razón de las circunstancias personales y a la intimidad personal y familiar), con el derecho a la libertad religiosa (art. 16.1 y 3 CE) del Obispado de Almería.

A ello se añade que la razón aducida por el Obispado de Almería para justificar su decisión de no proponer a la demandante para ser contratada por la Administración educativa como profesora de religión y moral católicas en el curso 2001/2002, esto es, haber contraído matrimonio civil con persona divorciada, no guarda relación con la actividad docente desempeñada de la demandante (como acertadamente señala el Ministerio Fiscal en sus alegaciones), pues no afecta a sus conocimientos dogmáticos o a sus aptitudes pedagógicas, sino que se fundamenta, como ya quedó señalado, en un criterio de índole religiosa o moral, en cuanto el Obispado de Almería considera que la decisión de la demandante de contraer matrimonio en forma civil puede afectar al ejemplo y testimonio personal de vida cristiana que le es exigible según la doctrina católica respecto del matrimonio. Sin embargo, este criterio religioso no puede prevalecer, por sí mismo, sobre los derechos fundamentales de la demandante en su relación laboral como profesora de religión y moral católica, por las razones que seguidamente se exponen.

Conviene recordar que «los profesores de religión ... disfrutarán de los derechos fundamentales y legales que como trabajadores tienen reconocidos en nuestro ordenamiento de manera irrenunciable, desde un criterio de máxima equiparación, bien que con las modulaciones que resultan de la singularidad de la enseñanza religiosa» (STC 38/2007, FJ 13), siendo así que en el presente caso la circunstancia de que la demandante hubiese contraído matrimonio civil aparece por completo desvinculada de su actividad docente, pues no se le imputa en modo alguno por el Obispado de Almería que en sus enseñanzas como profesora de religión y moral católicas haya incurrido en la más mínima desviación de los contenidos de tales enseñanzas establecidos por la Iglesia católica (lo que excluye, a su vez, cualquier posible afectación del derecho de los padres a la educación religiosa de sus hijos que garantiza el art. 27.3 CE), sino que la falta de coherencia con la doctrina católica sobre el matrimonio que le reprocha el Obispado a la demandante lo es en relación con una decisión tomada por ésta en el legítimo ejercicio de su derecho a contraer matrimonio, derecho que implica la consiguiente libertad de elección del cónyuge (elección que, dadas las circunstancias concurrentes, obligaba a acogerse necesariamente a la forma civil del matrimonio). Y todo ello sin que en ningún momento se afirme, por otra parte, que en su actividad docente como profesora de religión la demandante hubiese cuestionado la doctrina de la Iglesia católica en relación con el matrimonio, o realizado apología del matrimonio civil, ni conste tampoco en modo alguno que la demandante hubiere hecho exhibición pública de su condición de casada con una persona divorciada (constando, por el contrario, que la demandante manifestó al delegado diocesano su disposición de acomodar su situación conyugal a la ortodoxia católica, dado que su marido pretendía solicitar la nulidad de su anterior matrimonio).

La decisión de la demandante de casarse en la forma civil legalmente prevista con la persona elegida queda así, en principio, en la esfera de su intimidad personal y familiar, de suerte que la motivación religiosa de la decisión del Obispado de Almería de no proponerla como profesora de religión para el siguiente curso escolar (por haber contraído matrimonio sin ajustarse a las normas del Derecho canónico) no justifica, por sí sola, la inidoneidad sobrevenida de la demandante para impartir la enseñanza de religión y moral católicas, pues esa decisión eclesial no puede prevalecer sobre el derecho de la demandante a elegir libremente (dentro del respeto a las reglas de orden público interno español) su estado civil y la persona con la que desea contraer matrimonio, lo que constituye una opción estrechamente vinculada al libre desarrollo de la personalidad y a la dignidad humana (art. 10.1 CE), como recuerda la citada STC 184/1990, de 15 de noviembre, FJ 3. Máxime cuando, según se desprende de las actuaciones, la demandante, a la sazón de estado civil soltera, no tenía otra opción que acogerse a la forma civil legalmente establecida si quería contraer matrimonio con el hombre elegido, dado que éste se hallaba divorciado de su anterior cónyuge, pero no había obtenido la nulidad canónica de ese matrimonio.

Entenderlo de otro modo conduciría a la inaceptable consecuencia, desde la perspectiva constitucional, de admitir que quien, como en el caso de la demandante, no tiene impedimento alguno para contraer matrimonio en forma canónica, pero desea casarse con persona que sí lo tiene y no puede hacerlo en dicha forma religiosa por sus circunstancias personales, se vea obligada a elegir entre renunciar a su derecho constitucional a contraer matrimonio con la persona elegida o asumir el riesgo cierto de perder su puesto de trabajo como docente de religión y moral católicas, aun en el caso de guardar reserva sobre su situación personal, lo que supondría otorgar a la libertad religiosa una prevalencia absoluta sobre la libertad individual, conclusión que hemos rechazado expresamente en la STC 38/2007, FJ 7, al declarar que a los órganos judiciales y, en su caso, a este Tribunal, corresponde encontrar criterios practicables que permitan conciliar en el caso concreto las exigencias de la libertad religiosa y el principio de neutralidad religiosa del Estado con la protección de los derechos fundamentales de los profesores de religión y moral católica.

Procede, en consecuencia, el otorgamiento del amparo por vulneración de los derechos a no sufrir discriminación por razón de las circunstancias personales, a la libertad ideológica, en conexión con el derecho a contraer matrimonio en la forma legalmente establecida, y a la intimidad personal y familiar, lo que conlleva la declaración de nulidad de las Sentencias impugnadas, que ratificaron la decisión del Obispado de Almería de no proponer a la demandante como profesora de religión y moral católicas para el curso 2001/2002 (lo que, en efecto, determinó que no fuera contratada por la autoridad académica) sin ponderar si esa decisión vulneraba los derechos fundamentales de la demandante; debiendo retrotraerse las actuaciones al momento anterior a pronunciarse la Sentencia del Juzgado de lo Social para que dicte éste una nueva Sentencia en la que, partiendo inexcusablemente de la ponderación (y de su resultado) entre los derechos fundamentales en conflicto que acaba de establecerse en la presente Sentencia de acuerdo con la doctrina sentada en la STC 38/2007, resuelva sobre la decisión de no renovar el contrato de la demandante de amparo como profesora de religión y moral católicas para el curso 2001/2002.

4. El olvidado derecho de toda persona a no verse obligada a declarar sobre su ideología, religión o creencias (artículo 16.2 CE)

«Reflexiones sobre la intimidad religiosa, la aconfesionalidad del estado y la igualdad material», Blanca Rodríguez Ruiz[14]

¿En qué consiste el derecho de todo individuo a no «ser obligado a declarar sobre su ideología, religión o creencias», reconocido como derecho fundamental en el Artículo 16.2 de la Constitución Española? ¿Cuál es su contenido, esencial o no, cuáles son sus límites? ¿Y cuál es su lugar, su razón de ser en el contexto del Artículo 16? Inútilmente buscaremos en la jurisprudencia constitucional sobre el Artículo 16 CE una respuesta a estos interrogantes. Nótese que, de entrada, lo que se echa en falta en la jurisprudencia constitucional no es una respuesta a cuestiones de especial complejidad, o que requieran de elaboradas construcciones doctrinales. Nos estamos preguntando acerca de los rasgos definitorios básicos del derecho fundamental a la intimidad de nuestra ideología y de nuestras creencias. Es sin duda sorprendente que, pasado el trigésimo aniversario de nuestra Constitución, el Tribunal Constitucional no nos

---

[14] Publicado en *La libertad religiosa en el Estado Social* (Abraham Barrero Ortega y Manuel Terol Becerra, coords.), Tirant lo Blanch Valencia, 2009, pp. 194-207.

haya proporcionado parámetros conceptuales con los que aproximarnos al contenido y los límites de este derecho. Más bien el Tribunal pasa de puntillas sobre el Artículo 16.2, limitándose, todo lo más, a mencionarlo de pasada, a constatar su presencia en la Constitución. Estamos ante el gran olvidado del artículo 16.

El silencio en torno al artículo 16.2 es especialmente llamativo en el contexto del derecho a la libertad religiosa. Y lo es porque al Tribunal Constitucional se le han presentado preciosas oportunidades de examinar y pronunciarse sobre el alcance del derecho a la intimidad de nuestras creencias religiosas. El [194] propio Tribunal se ha referido al derecho a «la existencia de un claustro íntimo de creencias» (por todas, STC 101/2004, de 2 de junio, FJ 3). Lo ha hecho, sin embargo, para dar contenido, no al derecho a la intimidad religiosa, sino al derecho a la libertad religiosa reconocido en el artículo 16.1, en concreto a lo que el Tribunal ha denominado la «dimensión interna» de ese derecho de libertad. En efecto, la jurisprudencia del Tribunal Constitucional en materia de religión gira en torno a los apartados 1 y 3 del artículo 16. Uno de los objetivos principales de esa jurisprudencia ha sido elaborar una lectura de ambos apartados que permita articular una relación armoniosa entre ellos y preservar la coherencia interna de todo el artículo. La tarea es tan necesaria como delicada, en la medida en que dichos apartados responden a concepciones tendencialmente opuestas del lugar de la religión dentro del Estado, y de la posición de los poderes públicos respecto del fenómeno religioso.

Así, y para empezar, el artículo 16.1 reconoce la libertad religiosa como un clásico derecho fundamental de defensa frente a los poderes públicos, un derecho cuya virtualidad consiste en imponer a éstos obligaciones negativas. Los poderes públicos no pueden, ni impedir a personas o comunidades el disfrute de su libertad religiosa, ni obligar a personas o a colectivos a asumir credos o participar en expresiones religiosas en contra de su voluntad. Estas obligaciones afectan tanto a la dimensión interna como a la dimensión externa de la libertad religiosa. En su dimensión interna, la libertad religiosa garantiza a los individuos «un espacio de autodeterminación intelectual ante el fenómeno religioso», mientras que en su dimensión externa les garantiza la facultad de «actuar con arreglo a sus propias convicciones y mantenerlas frente a terceros», todo ello «con plena inmunidad de coacción del Estado o de cualesquiera grupos sociales» (por todas STC 101/2004, de 2 de junio, FJ 3).

Así definido, como derecho fundamental de defensa frente a los poderes públicos, la libertad religiosa no es especialmente problemática. Nadie cuestiona que el Estado no puede ni imponer creencias ni impedir la adscripción a las mismas de persona o de comunidad alguna. Todo ello, claro está, sin perjuicio de los [195] límites constitucionales a que se ve sometido el ejercicio de todo derecho, límites cifrados, en el caso de la libertad religiosa, en la obligación de respetar el orden público entendido como orden democrático constitucional (STC 46/2001, de 15 de febrero, FJ 11). Si el artículo 16 se limitase a reconocer la libertad religiosa como derecho de defensa frente a los poderes públicos, los problemas relativos a su tutela girarían en torno a su alcance conceptual, de un lado (¿qué debe entenderse por religión, credo o confesión religiosa?), y a sus límites, de otro (¿cuál es el alcance de la noción de orden público?). La amplitud de la tutela de la libertad religiosa dependería de que se impusiese una concepción más o menos amplia de las nociones de religión y de orden público.

No es posible minimizar lo delicado de la labor de perfilar estos dos conceptos en el contexto del artículo 16, o de decidir el margen de actuación de que gozan en este terreno los distintos operadores jurídicos. Ni cabe tampoco trivializar las posibilidades que la definición de ambos ofrece a los poderes públicos de coartar las manifestaciones de la libertad religiosa. De todo ello dio buena muestra la STC 46/2001, de 15 de febrero, en que el Tribunal Constitucional declaró inconstitucional la negativa del Registro de religiones de aceptar la solicitud de inscripción de la Iglesia de la Unificación Universal, o Iglesia Moonista (dirigida por el coreano Sun Myung Moon), negativa que se había apoyado tanto en la falta de naturaleza religiosa de esta Iglesia, como en la necesidad de preservar el orden público constitucional. Lo cierto es, con todo, que como derecho de defensa, la libertad religiosa no presenta más problemas en su interpretación y aplicación que los relativos a la definición de los contornos conceptuales y de los límites de este tipo de derechos, a saber, hasta dónde pueden entrar los distintos operadores jurídicos, de un lado a delimitar su contenido, y de otro a imponerle límites en aras del orden público, bajo los parámetros del principio de proporcionalidad.

Un artículo 16 reducido al reconocimiento de la libertad religiosa como derecho de defensa frente a los poderes públicos nos traslada a la clásica separación liberal entre sociedad civil [196] y poder político. Esa separación se traduce, en el ámbito de la libertad religiosa, en un orden constitucional regido por la separación radical entre religión y Estado, en una concepción de la religión como algo privado, como un fenómeno perteneciente a la sociedad civil en cuyas manifestaciones los poderes públicos no pueden intervenir sino para hacer respetar sus límites. El Artículo 16.2, ese gran olvidado de la jurisprudencia constitucional, es también coherente con esta concepción del Estado. En realidad, el Artículo 16.2 no es sino el complemento lógico del Artículo 16.1, podríamos decir que su presupuesto necesario, en la medida en que también en el contexto de la libertad religiosa el derecho a la intimidad es instrumental para el ejercicio de la libertad. Concebido como derecho a controlar nuestros espacios de vida privada, nuestras zonas de retiro y de secreto, el derecho a la intimidad está, en democracia, al servicio de la libertad. En efecto, la posibilidad de controlar quién sabe qué de nosotros y para qué utiliza esa información, quién tiene acceso a qué zonas de nuestra vida y con qué propósito, es condición de nuestra participación libre en una sociedad democrática. La privación de tal control determinará que nuestras actuaciones estén condicionadas por el temor de que alguna información que nos concierna pueda ser utilizada en nuestro perjuicio. Este razonamiento es válido para el ámbito de la libertad religiosa. Sin intimidad respecto a las propias creencias y prácticas religiosas, sin la posibilidad de controlar quién tiene acceso a información, y a qué información, respecto de las mismas, sin disfrutar, en definitiva, de ese «claustro íntimo de creencias» a que se refiere el Tribunal Constitucional y del derecho a no verse obligado a declarar sobre ellas, no puede hablarse de verdadera libertad religiosa.

Las reflexiones anteriores destacan la íntima conexión que existe entre los dos primeros apartados del artículo 16. Ambos, unidos, nos presentan las dos caras de una visión de la libertad religiosa como un área privada del indivi-duo en la que el Estado, neutral respecto del fenómeno religioso, no puede intervenir salvo para hacer respetar sus límites. Ambos son además coherentes, de un lado, con el principio de igualdad que el artículo 14 CE reconoce «sin que pueda prevalecer discriminación alguna por razón de … religión…», y de otro, con la proclamación de la [197] aconfesionalidad del Estado en el artículo 16.3. Hasta aquí llega, sin embargo, la vinculación negativa del Estado a la libertad religiosa, y con ella esa nítida coherencia interna del artículo 16. Pues, tras proclamar la aconfesionalidad del Estado, el artículo 16.3 establece la obligación de los poderes públicos de mantener relaciones de cooperación con la Iglesia Católica y demás confesiones, teniendo en cuenta las creencias religiosas de la sociedad española. Opta así el apartado 3 del artículo 16 por un modelo de cooperación entre el Estado y las confesiones religiosas, desvinculán-dose del modelo de separación entre religión y Estado que propugnaban los dos primeros apartados de este artículo. Existe pues tensión entre los dos primeros apartados del artículo 16 CE, de un lado, y el apartado tercero, de otro, así como, dentro del propio artículo 16.3, entre el principio de aconfesionalidad del Estado y la obligación de los poderes públicos de cooperar con distintas confesiones, en función de su implantación social. Podría argumentarse que esta tensión no tiene nada de excepcional en el contexto de la Constitución, que simplemente nos encontramos ante una manifestación de la tensión estructural que rige la relación entre la vinculación negativa y la vinculación positiva de los poderes públicos a los derechos fundamentales, entre su clásica obligación liberal de abstenerse de interferir en el ejercicio de estos derechos, de un lado, y la que el Estado social y democrático de derecho les impone, de otro, de proporcionar los medios que permitan su ejercicio o disfrute en condiciones de igualdad. Contemplado desde este prisma, el artículo 16.3 se limitaría a explicitar, en el contexto de la libertad religiosa, la tensión estructural entre el disfrute de los derechos fundamentales como derechos de defensa frente a los poderes públicos, y la obligación de éstos de avanzar hacia la igualdad material, impuesta en el artículo 9.2 de nuestra Constitución. Se trataría, en definitiva, de una manifestación más de la tensión entre la dimensión formal y la dimensión material del principio de igualdad. Es, en efecto, posible, leer el artículo 16.3 como expresión, en materia de libertad religiosa, del compro-miso de nuestra Constitución con la igualdad material y de las obligaciones positivas de los poderes públicos con los derechos fundamentales. Desde este prisma, el artículo 16.3 obligaría a [198] los poderes públicos a atender a las necesidades de las confesiones de cara a facilitar el disfrute de la libertad religiosa de los individuos, atendiendo fundamentalmente a que quienes profesan religiones minoritarias puedan disfrutar de esta libertad en igualdad de condiciones que quienes profesan credos que gozan de menor mayor implantación.

La lectura anterior no es, sin embargo, la que informa el espíritu del artículo 16.3, ni la lectura que se ha venido realizando del mismo, en su desarrollo legislativo o en su interpretación jurisprudencial. Antes bien, uno y otra sitúan al artículo 16.3 cerca de las antípodas de las exigencias del artículo 9.2, erigiéndolo en la base constitucional de la obligación de los poderes públicos de cooperar con confesiones religiosas, muy especialmente con la Iglesia Católi-ca, en atención a la necesidad de lograr el disfrute efectivo de la libertad religiosa por parte de todos los ciudadanos, sí, pero en función directa de la implantación social de la confesión en cuestión. En otras palabras, a diferencia del artículo 9.2, el artículo 16:3 no se sitúa al servicio de corregir y atajar relaciones de poder social, nivelando las con-diciones en que los distintos individuos y los grupos en que se integran (confesiones) pueden disfrutar de un derecho fundamental, la libertad religiosa. Por el contrario, el artículo 16.3 viene a consolidar desniveles sociales, obligando a los poderes públicos a apoyar a confesiones que ya gozan de respaldo social, y con él de poder.

En materia de religión y de libertad religiosa, en definitiva, el artículo 16.3 opera en el sentido de consolidar sectores de poder social, la llamada constitución material, situándose al servicio, no de la minoría, sino de grupos socialmente mayoritarios. Como antes se apuntaba, sin embargo, no es ésta la única lectura posible de este precepto, ni la más coherente con el resto de nuestra Constitución. Ciertamente, el artículo 16.3 menciona expresamente a la Iglesia Ca-tólica, pero dicha mención no es incompatible con una lectura que nos permita situar al artículo 16.3 al servicio de las exigencias de la igualdad material, en línea con el compromiso constitucional con dichas exigencia consagrado en el artículo 9.2. Una interpretación integradora de los artículos 16.3 y 9.2 convertiría a ambos en la base de la obliga[199]ción de los poderes públicos de promover las condiciones para que todos los individuos y los grupos en que nos integramos desarrollemos nuestras prácticas religiosas en condiciones reales y efectivas de igualdad. Todo ello sin desatender a las religiones mayoritarias, especialmente a la Iglesia Católica, habida cuenta de su presencia explícita en el artículo 16.3. El artículo 16.3 obligaría al Estado a colaborar, por ejemplo, en el establecimiento de lugares de culto de confesiones minoritarias, o a articular el respeto debido a sus prácticas religiosas cuando éstas entran en colisión con prácticas sociales mayoritarias —siempre dentro de los márgenes del orden público.

Sobre la base de esta lectura, interpretado pues como una norma al servicio de la igualdad material, el artículo 16.3 habría conducido al Tribunal Constitucional a conceder el amparo a aquel testigo de Jehová a quien la Seguridad Social se negó a practicar la operación que necesitaba sin transfusión de sangre, y obligar al reembolso de los gastos en que incurrió al serle practicada dicha operación en la sanidad privada (STC 166/1996, de 28 de octubre). La denegación del amparo y del derecho al reembolso en este caso revela falta de sensibilidad de nuestras instituciones respecto de las obligaciones positivas de los poderes públicos de acomodar y hacer respetar las prácticas y creencias de las distintas confesiones, posiblemente su falta de sensibilidad respecto de la relevancia constitucional de dichas prácticas y creencias con base en el derecho a la libertad religiosa. Asimismo, la lectura del artículo 16.3 aquí propuesta podría haber conducido, si no a una solución distinta, sí al menos a un razonamiento diferente en el caso de aquella trabajadora que, tras su conversión a la Iglesia Adventista del Séptimo Día, fue despedida por negarse a trabajar los sábados, al ser el sábado el día de descanso semanal para esta Iglesia (STC 19/1985, de 13 de febrero). Contemplado desde la perspectiva de un artículo 16.3 situado al servicio de la igualdad material, la solución de este caso habría girado (habría debido girar) en torno a la cuestión de en qué medida el empleador debe facilitar el ejercicio de derechos fundamentales, si no alterando la organización de su estructura empresarial, sí al menos acomodando al ejercicio de esos derechos la estructura empresarial existente —hasta qué punto no acomodar esa estructura dentro [200] de sus posibilidades razonables de organización equivale, no ya a no facilitar, sino a entorpecer el ejercicio de un derecho.

Como hemos visto, sin embargo, el mandato a los poderes públicos de cooperar con confesiones religiosas se interpreta en función directa de la implantación social de éstas. De este modo, el artículo 16.3 introduce un giro en el contenido del artículo 16, un giro que ha obligado al Tribunal Constitucional a realizar importantes esfuerzos interpretativos para preservar la coherencia interna del artículo. Lo primero que ha dejado claro el Tribunal Constitucional es que aconfesionalidad y obligación de cooperar con las confesiones mayoritarias son ciertamente principios en tensión, pero no principios contradictorios —después de todo, uno aparece reconocido a renglón seguido del otro. Antes bien, el Tribunal ha sintetizado ambos principios en «una idea de aconfesionalidad o laicidad positiva», que lo que veda es «cualquier tipo de confusión entre funciones religiosas y estatales» (por todas STC 101/2004, FJ 3). Todo ello sin perjuicio de que en supuestos concretos puedan surgir tensiones entre el principio de cooperación y el de aconfesionalidad o laicidad positiva, en conjunción ésta última con el derecho a la libertad religiosa reconocido en el Artículo 16.1. En tales casos, habrá que definir el alcance y los límites de la obligación del Estado de cooperar con las confesiones religiosas. Es ésta la cuestión que se dirime en las SSTC 24/1982, de 15 de marzo, 177/1996, de 11 de noviembre, y 101/2004, de 2 de junio. Detengámonos un momento en estas Sentencias.

En la primera de estas sentencias, la STC 24/1982, el Tribunal Constitucional se enfrenta a un recurso de inconstitucionalidad presentado por 69 diputados contra el punto cuatro del artículo 9 de la Ley 48/1981, de clasificación de los mandos militares y establecimiento de los sistemas y de las condiciones de ascenso. El motivo del recurso es que el mencionado artículo 9, al señalar las reglas por las que medir el tiempo de efectividad exigido en cada empleo para el ascenso al inmediato superior, y clasificarlo según las armas, cuerpos y escalas, incluye, en cuarto lugar, al Cuerpo Eclesiástico. Los recurrentes alegan que esto equivale a reconocer la presencia dentro del ejército de un Cuerpo Eclesiás[201]tico con la función de prestar asistencia religiosa católica a los miembros de las Fuerzas Armadas, y que tal trato de favor a la Iglesia Católica equivale a una violación de los artículos 14, 16.1 y 16.3 de la Constitución. El Tribunal Constitucional desestima el recurso, debido al desajuste entre su objeto, que solicita la declaración de inconstitucionalidad de la asistencia religiosa católica en las Fuerzas Armadas, y la disposición impugnada, que se limita a regular condiciones de ascenso dentro de éstas. Aun así, el Tribunal aprovecha la ocasión para declarar la compatibilidad de la asistencia religiosa católica a las Fuerzas Armadas, en atención al Artículo 16.3, y la libertad religiosa.

> El hecho de que el Estado preste asistencia religiosa católica a los individuos de las Fuerzas Armadas no sólo no determina lesión constitucional, sino que ofrece, por el contrario, la posibilidad de hacer efectivo el derecho al culto de los individuos y comunidades. No padece el derecho a la libertad religiosa o de culto, toda vez que los ciudadanos miembros de las susodichas Fuerzas, son libres para aceptar o rechazar la prestación que se les ofrece; y hay que entender que asimismo tampoco se lesiona el derecho a la igualdad, pues por el mero

hecho de la prestación a favor de los católicos no queda excluida la asistencia religiosa a los miembros de otras confesiones, en la medida y proporción adecuadas, que éstos pueden reclamar fundamente, de suerte que sólo el Estado que desoyera los requerimientos en tal sentido hechos, incidiría en la eventual violación analizada (FJ 4).

En la STC 177/1996, el Tribunal Constitucional resuelve un recurso de amparo en que el recurrente, un militar, considera violado su derecho a la libertad religiosa, en la medida en que se le castigó por desobedecer la orden de participar en una parada militar de contenido religioso católico en honor de la Virgen de los Desamparados. Aunque el Tribunal desestima el recurso por razones técnicas, aprovecha también esta ocasión para aclarar la relación entre los apartados 1 y 3 del Artículo 16 en el caso concreto. Aclara así que

> el art. 16.3 CE no impide a las Fuerzas Armadas la celebración de festividades religiosas o la participación en ceremonias de esta naturaleza. Pero el derecho de libertad religiosa, en su vertiente negativa, garantiza la libertad de cada persona para decidir en conciencia si desea o no tomar parte en actos de esa naturaleza. Decisión personal, a la que no se pueden oponer las Fuerzas Armadas que, como los demás poderes [202] públicos, sí están, en tales casos, vinculadas negativamente por el mandato de neutralidad en materia religiosa del art. 16.3 CE (FJ 10).

Un caso semejante se plantea en la STC 101/2004. El recurrente cuestiona la conformidad con el artículo 16 CE de la orden de participar, como integrante del Cuerpo Nacional de Policía, en un desfile procesional de la Hermandad Nuestro Padre Jesús el Rico de Málaga. Recurre además, sobre la base de ese mismo artículo, contra el hecho de que el Cuerpo Nacional de Policía tenga la condición de Hermano Mayor de dicha Hermandad. Apoyándose en doctrina establecida en decisiones anteriores, muy especialmente en la STC 177/1996, el Tribunal Constitucional otorga el amparo al recurrente. Lo que está en juego, dice el Tribunal,

> no es un servicio policial ordinario que tenga por objeto cuidar de la seguridad del desfile procesional; servicio que, por otra parte, no se presta con estas características a otras hermandades. Se trata más bien de un servicio especial cuya principal finalidad no es garantizar el orden público, sino contribuir a realzar la solemnidad de un acto religioso de la confesión católica (FJ 4).

El Tribunal reconoce, en consecuencia, el derecho del recurrente a no participar en dicho acto. Obvia el Tribunal, por otro lado, pronunciarse sobre el vínculo que une al Cuerpo Nacional de Policía con la Hermandad de Nuestro Padre Jesús el Rico de Málaga, arguyendo que dicho vínculo tiene su base en los estatutos de esa Hermandad, que éstos no son normas imputables a un poder público, y que no son, en consecuencia, recurribles en amparo (FJ 5).

Lo que me gustaría destacar de las sentencias anteriores es que en ellas la argumentación del Tribunal Constitucional gira en torno a los artículos 16.1 y 16.3, que el Tribunal se concentra en resolver la tensión entre estos apartados, esmerándose en articular una interpretación de ambos que preserve la coherencia y la armonía del artículo 16. El artículo 16.2 no juega aquí papel alguno. De hecho, el Tribunal Constitucional sólo alude a este precepto en la STC 101/2004, y ello sólo para mencionar que el derecho a la intimidad religiosa complementa la libertad religiosa en su dimensión negativa (FJ 3), sin extraer consecuencia [203] interpretativa alguna del reconocimiento de ese derecho. Pues bien, yo propongo que hagamos el ejercicio de incluir el artículo 16.2 en nuestro razonamiento, que indaguemos qué tiene este precepto que aportar a la solución de los casos anteriores. Pues como objeto de reconocimiento constitucional independiente, el derecho a la intimidad religiosa debe tener un contenido distinto de, si bien relacionado con, el derecho a la libertad religiosa del artículo 16.1. ¿Qué sucedería si lo integrásemos en el marco normativo que sirve de base a la solución de los casos arriba mencionados?

Parece razonable presumir que el derecho a la intimidad religiosa del artículo 16.2 reconoce, como mínimo, la facultad de cada individuo de no declarar ante los poderes públicos sobre la propia fe, sobre qué religión o credo profesa, o sobre cuál no profesa. Tomarnos este derecho en serio arroja una luz distinta sobre los casos arriba analizados, y sobre el artículo 16. Ciertamente, el derecho a la libertad religiosa (artículo 16.1) de los integrantes de los Cuerpos y Fuerzas de Seguridad del Estado les garantiza la posibilidad de no aceptar prestaciones religiosas, y de no participar en actos de contenido religioso. Desde la óptica del artículo 16.2, sin embargo, manifestar esta opción es problemático, en la medida en que ello implica la obligación de expresar ante los poderes públicos cuáles son, o mejor cuáles no son, las propias convicciones religiosas. Así, si obligar a los miembros de Cuerpos y Fuerzas de Seguridad del Estado a participar en actos de contenido religioso católico viola su derecho a la libertad religiosa, presumir que van a participar en dichos actos, obligándoles en su caso a romper expresamente esa presunción, entra en conflicto con su derecho a la intimidad de sus creencias religiosas.

Introducir la perspectiva del artículo 16.2 en la solución de los casos anteriores pone así en cuestión, no ya la posibilidad de cada individuo de desvincularse de actos religiosos de contenido católico, posibilidad garantizada por el derecho a la libertad religiosa reconocido en el artículo 16.1. Lo que el derecho a la intimidad religiosa reconocido en el artículo 16.2 pone en cuestión es que el Estado pueda obligar a un individuo a desvincularse [204] expresamente de dichos actos para poder hacer valer su libertad religiosa. Puede pues que en los casos anteriores el Tribunal Constitucional haya logrado armonizar los dictados del apartado 1 con los del apartado 3 del artículo 16, pero lo ha hecho a costa de sacrificar los dictados del apartado 2, de ignorar la presencia de este apartado dentro del artículo 16. Podría ahora argumentarse que la intimidad religiosa reconocida en el artículo 16.2 no es un derecho absoluto, que antes bien, y como cualquier otro derecho, está sujeta a limitaciones, algunas de ellas impuestas por la necesidad de proteger otros derechos fundamentales. Podría así argumentarse que la protección de la intimidad religiosa debe ceder en aras de la efectividad del artículo 16.3, y de la obligación constitucional del Estado de cooperar con la Iglesia Católica. La asistencia católica a los miembros de las Fuerzas Armadas a través del Vicariado castrense y la participación de Cuerpos y Fuerzas de Seguridad del Estado en actos religiosos podrían incluirse en esa obligación constitucional. Tal proposición es, sin embargo, problemática. A ella cabe oponer los límites que el propio Tribunal Constitucional ha fijado a dicha obligación de cooperar, cifrados en la idea de aconfesionalidad concebida como laicidad positiva, que como vimos veda «cualquier tipo de confusión entre funciones religiosas y estatales» (STC 101/2004, FJ 3). Tanto la existencia de un Vicariado castrense como la participación de Cuerpos y Fuerzas de Seguridad del Estado en desfiles y actos religiosos apunta a la confusión de ambas funciones. A esa misma confusión apunta también que el Cuerpo Nacional de Policía ostente la condición de Hermano Mayor de la Hermandad Nuestro Padre Jesús el Rico de Málaga. (*Excursus*: Respecto a la ausencia de acto público recurrible en amparo, resulta llamativo que el Tribunal Constitucional evite recurrir a la conocida como «finta alemana», ese giro argumentativo sobre cuya base el Tribunal Constitucional conoce de violaciones de derechos fundamentales cuyo origen se encuentra en el sector privado mediante la técnica de contemplarlas como violaciones atribuibles al poder judicial, atribuyendo al poder judicial toda violación de derecho que éste no hubiese corregido habiendo tenido la oportunidad de hacerlo.) [205] Aceptemos, con todo, como hipótesis de trabajo, la proposición contraria. Hagamos el ejercicio de asumir como pacífica la proposición de que el Vicariado castrense y la participación de nuestros Cuerpos y Fuerzas de Seguridad en actos religiosos están tutelados por el artículo 16.3. Aun si nos apoyamos en esta hipótesis, ambos supuestos seguirán planteando problemas constitucionales en la medida en que la asistencia religiosa de signo católico y la participación en actos religiosos de esta misma confesión se presuman como norma general y por defecto, obligando a quien quiera desvincularse de ellas a expresar su voluntad al respecto. Y es que el artículo 16.2 obliga a erigir la neutralidad del Estado y el respeto de la intimidad religiosa en norma general. Sólo quien quiera recibir asistencia estatal en materia religiosa debe verse obligado, como contrapartida, a compartir con los poderes públicos información relativa a sus creencias y prácticas confesionales. Hacerlo no equivale, en estos casos, a hacer dejación de control sobre nuestras zonas de retiro y de secreto. Antes bien, equivale a ejercer dicho control con el objetivo de hacer saber al Estado que se precisa de asistencia pública en el ejercicio de un derecho fundamental, en la lógica del artículo 9.2. Lo que ni el artículo 9.2 ni el artículo 16.2 de la Constitución justifica es que se sitúe a los individuos en la obligación de expresar cuáles son sus creencias, o cuáles no lo son, no como condición para que el Estado facilite el disfrute de la libertad religiosa, sino como condición para que no interfiera con esta libertad. Situar a los individuos en esa encrucijada supone un atentado contra su intimidad religiosa, así como una subversión de la lógica de la igualdad material del artículo 9.2.

Así, si en su interpretación actual el artículo 16.3 es difícil de cohonestar con el artículo 16.1, su relación con el artículo 16.2 es de clara confrontación, de negación recíproca. Quizás ello explique por qué el Tribunal Constitucional, en sus intentos por articular una interpretación coherente del artículo 16, se concentra en resolver la tensión entre sus apartados 1 y 3, pasando de puntillas por el apartado 2, sin detenerse a desarrollar su contenido y a extraer de él las consecuencias jurídicas pertinentes. Y el problema no es que los apartados 2 y 3 del artículo 16 de la Constitución sean necesariamente irreconciliables. Armonizar [206] ambos apartados es posible. El problema es que hacerlo obligaría a alterar la lectura actual del artículo 16.3, y a interpretarlo en armonía con el artículo 9.2. Ello obligaría a convertir la neutralidad del Estado en materia religiosa en la norma general, y la revelación de información sobre nuestras creencias en requisito para reclamar, no la neutralidad del Estado, que se presumiría por defecto, sino su asistencia en esta materia.

Que la obligación de desvincularse expresamente de actos o prestaciones públicas con un contenido religioso concreto supone una «exposición indebida de la vida privada» ha sido reconocido por el Tribunal Europeo de Derechos

Humanos (STEDH de 1 de julio de 2007, Caso *Folgero y otros contra Noruega*, Par. 100; véase también la STEDH de 7 de octubre de 2007, Caso *Hasan y Eylem Zengin contra Turquía*, Par. 75). Por el momento, sin embargo, la jurisprudencia del Tribunal Constitucional no parece orientarse hacia una interpretación del artículo 16.3 en la línea aquí apuntada. En su camino se alza, además de su propia jurisprudencia, la fuerza de la constitución material, plasmada en los Acuerdos entre la Santa Sede y el Estado español de 1979. Quizás no sea ocioso recordar aquí que la lógica constitucional impide interpretar los preceptos constitucionales a la luz de dichos Acuerdos, que esa lógica obliga más bien a someter a estos Acuerdos a los dictados de la Constitución. Ciertamente, el artículo 16.3 menciona expresamente a la Iglesia Católica, y ciertamente ello nos obliga a darle a ésta un lugar en el universo de la cooperación entre el Estado y las confesiones religiosas. Situar el artículo 16.3 en abierta oposición con los artículos 16.2 y 9.2 es, sin embargo, tan problemático como innecesario. Para impedir que el primero de estos preceptos se convierta en una negación de los dos últimos basta con erigir la neutralidad del Estado en materia religiosa en la norma general, dejando espacio para que éste facilite que se preste asistencia religiosa a quien lo solicite, trátese de la religión católica o de otras confesiones, con el límite del respeto del orden público constitucional. En esta lógica, el artículo 16.3 seguiría justificando la existencia de relaciones de cooperación entre la Iglesia Católica y el Estado español, pero no justificaría tratos de favor a la Iglesia Católica. Antes bien, y como proponían los recurrentes en la STC 24/1982, la mención ex[207]presa de la Iglesia Católica permitiría erigir sus relaciones con el Estado español en paradigma a seguir por éste en sus relaciones con las demás confesiones. Todo ello, como decía, sobre la base de que la cooperación entre el Estado y las distintas confesiones deben estar regidas por el principio de neutralidad.

Erigiendo la neutralidad del Estado en materia religiosa en el principio básico de sus relaciones con las distintas confesiones, e interpretando la obligación del Estado de cooperar con ellas en armonía con los dictados de la igualdad material, no sólo logramos armonizar las distintas proposiciones del artículo 16.3 entre sí y con el artículo 9.2. Conseguimos además una interpretación integradora del conjunto del artículo 16, y con él de todos los principios constitucionales que rigen en materia religiosa (igualdad, libertad e intimidad religiosas, aconfesionalidad del Estado, cooperación con las distintas confesiones, incluida en todo caso la Iglesia Católica), sin condenar ninguno al olvido. Realizar tal esfuerzo interpretativo, además de ser posible, o precisamente por serlo, es una exigencia constitucional.

EL DERECHO A LA LIBERTAD Y A LA SEGURIDAD

***Artículo 17.** 1. Toda persona tiene derecho a la libertad y a la seguridad. Nadie puede ser privado de su libertad, sino con la observancia de lo establecido en este artículo y en los casos y en la forma previstos en la ley. 2. La detención preventiva no podrá durar más del tiempo estrictamente necesario para la realización de las averiguaciones tendentes al esclarecimiento de los hechos, y, en todo caso, en el plazo máximo de setenta y dos horas, el detenido deberá ser puesto en libertad o a disposición de la autoridad judicial.*
3. Toda persona detenida debe ser informada de forma inmediata, y de modo que le sea comprensible, de sus derechos y de las razones de su detención, no pudiendo ser obligada a declarar. Se garantiza la asistencia de abogado al detenido en las diligencias policiales y judiciales, en los términos que la ley establezca.
4. La ley regulará un procedimiento de «habeas corpus» para producir la inmediata puesta a disposición judicial de toda persona detenida ilegalmente. Asimismo, por ley se determinará el plazo máximo de duración de la prisión provisional.

INTRODUCCIÓN

El artículo 17 CE reconoce la libertad y la seguridad como aspectos complementarios de un derecho único. El contenido de este derecho está, en principio, abierto a dos lecturas distintas. La primera parte de entender los términos libertad y seguridad en un sentido omnicomprensivo. La libertad sería así el objeto de un derecho genérico a hacer todo aquello que no aparezca prohibido en el ordenamiento, un derecho de contenido equivalente al que la Ley Fundamental de Bonn reconoce en su artículo 2.1 como el derecho al libre desarrollo de la personalidad. La seguridad, por su parte, sería objeto de un derecho complementario al anterior, base imprescindible para su disfrute: el derecho a conocer con claridad y en cada momento aquello que el ordenamiento permite o prohíbe, el derecho pues a la seguridad jurídica. La segunda lectura otorga a ambos términos un contenido más restringido. La libertad se identifica aquí con la ausencia de constricciones externas a nuestra capacidad de movimiento físico, mientras que la seguridad es la garantía de que toda restricción de dicha libertad tenga lugar según los procedimientos jurídicamente establecidos al efecto.

Es éste segundo el contenido al que apunta el artículo 17.1 CE, al referirse a las condiciones para la privación legítima de libertad. Ésta, afirma, sólo puede producirse legítimamente según lo en él dispuesto y en los casos y en la forma previstos en la ley, ley que en todo caso debe respetar el principio de proporcionalidad que rige la restricción de los derechos fundamentales por parte de los poderes públicos (STC 341/1993, FJ 5). Y es el contenido al que apuntan los demás apartados del artículo 17 CE, al referirse a los requisitos de la detención preventiva, al *habeas corpus* y a la prisión provisional. Así lo ha entendido el Tribunal Constitucional, que identifica la libertad reconocida en el artículo 17 CE con la libertad física, la libertad «frente a la detención, condena o internamientos arbitrarios», no con una «libertad general de actuación o una libertad general de autodeterminación individual» (STC 120/1990, FJ 11). Nuestra Constitución, aclara el Tribunal en esa misma Sentencia, no reconoce un derecho genérico de libertad que otorgue contenido subjetivo a la libertad como valor superior del ordenamiento (artículo 1.1 CE). Como tampoco reconoce un derecho subjetivo a la seguridad jurídica. Antes bien, el derecho a la seguridad reconocido en el artículo 17 CE es el derecho a no ser objeto de privaciones de libertad arbitrarias o, de algún otro modo, ilegítimas. Es, en definitiva, «el derecho a la seguridad personal y no a la seguridad jurídica que garantiza el art. 9.3 de la CE» (STC 15/1986).

Pese a la mención explícita de la detención preventiva y de la prisión provisional, el derecho fundamental a la libertad y a la seguridad va más allá de una y de otra, afirmándose frente a todo supuesto de detención. Debemos, en este contexto, entender por detención, no sólo las situaciones en que la restricción del derecho de libertad es resultado de un proceso jurídico, realizado bajo control judicial, sino todas aquellas en que una persona se ve de hecho «impedida u obstaculizada para autodeterminar, por obra de su voluntad, una conducta lícita» (STC 98/1986, FJ 4). Cualquier situación en que una persona se vea privada de dicha capacidad de autodeterminación de su conducta es una situación de detención, con independencia de su carácter jurídico o meramente fáctico, «sin que puedan encontrarse zonas intermedias entre detención y libertad» (*ibídem*). Así, y además de los supuestos de detención legítima que puede realizar cualquier persona (en caso de flagrante delito, a personas fugadas, procesadas o condenadas en rebeldía —artículo 490 LECrim—), son supuestos de detención, de privación de libertad relevante para el artículo 17 CE, ante todo, la detención preventiva gubernativa, «para la realización de las averiguaciones tendentes al esclarecimiento de los hechos» relativos a la comisión de un ilícito por parte de la policía, así como la prisión provisional, ambas mencionadas en este artículo. Ambas tienen en común que la persona privada de libertad lo es en un momento en el que no ha podido establecerse jurídicamente si ha cometido o no un ilícito penal, que su detención, gubernativa o judicial, persigue precisamente el fin de esclarecer su conexión con dicho ilícito, por lo que la persona conserva su presunción de inocencia. Y el Tribunal Constitucional ha reconocido también como supuestos de detención, en línea con el artículo 5 CEDH, la de personas extranjeras durante la tramitación de su expediente de expulsión (entre otras, SSTC 115/1987; 303/2005, FJ 3); los arrestos domiciliarios de personas sometidas a estatuto militar (STC 31/1985) y de personas quebradas (STC 178/1985); el internamiento de personas con enfermedades psíquicas (SSTC 112/1988 y las allí citadas; 182/2015); puede serlo incluso, en función de las circunstancias del caso, el ingreso de una persona menor en un centro de acogida (STC 94/2003, FJ 6). Y lo es también el traslado de personas a dependencias policiales con meros fines de identificación (STC 341/1993, FFJJ 4-6), el cual sólo será constitucionalmente legítimo, en cuanto que supuesto de detención, si afecta a personas «de las que razonable y fundadamente pueda presumirse que se hallan en disposición actual de cometer un ilícito penal» o que «hayan incurrido ya en una «infracción» administrativa» (STC 341/1993, FJ 5). En efecto, todos estos supuestos de detención deben, en cuanto tales, y en virtud del artículo 17 CE, estar revestidos de ciertos requisitos y garantías. Quizás por ello, y como excepción a esta doctrina, el Tribunal ha excluido del concepto de detención del artículo 17 CE el requerimiento policial para realizar una prueba de alcoholemia a quien conduce un vehículo de motor, sin duda en consideración a que su escasa entidad no parece justificar que le sean de aplicación las garantías del artículo 17 CE (STC 107/1985, FJ 3).

Lo cierto, con todo, es que las garantías previstas en el artículo 17 CE no están destinadas a todo supuesto de detención, sino tan sólo a la detención preventiva de tipo gubernativo. Ello significa, no que los demás no estén sujetos a garantía alguna, sino que éstas deben modularse en función de las circunstancias de cada situación, en aplicación del principio de proporcionalidad, como límites al derecho de libertad que reconoce el artículo 17 CE. Así, el límite absoluto de setenta y dos horas previsto en el artículo 17.2 CE para la detención preventiva resulta excesivo en el marco del traslado a dependencias policiales con fines de identificación (STC 341/1993, FJ 6), pero es de aplicación al internamiento involuntario de personas con enfermedades psíquicas (STC 182/2015) y a la detención gubernativa de personas extranjeras durante la tramitación del expediente de expulsión (STC 115/1987). Más allá de este límite, y una vez bajo control judicial, será de aplicación a estas personas la doctrina constitucional desarrollada para la prisión preventiva, que somete su internamiento al principio de excepcionalidad como medida cautelar (STC 115/1987). Y mientras en la detención gubernativa de personas extranjeras las garantías del artículo 17.3 CE cobran todo su sentido, en los demás casos lo tendrán en función de sus características. Así, las personas sometidas a internamiento médico involuntario tendrán derecho a asistencia letrada (SSTC 22/2016; 50/2016 —vid. notas 4 y 9—); por su parte, la persona a quien se requiere el traslado a dependencia policiales deberá ser informada de las razones del mismo, pero no tendrá derecho a dicha asistencia ni a no declarar contra sí misma, habida cuenta del fin meramente identificativo de su detención (STC 341/1993, FJ 6).

Ya en el ámbito concreto de la detención preventiva y de sus garantías, de la privación gubernativa de libertad de una persona, recordemos, en pleno disfrute de su presunción de inocencia, el Tribunal Constitucional ha aclarado que el límite temporal de setenta y dos horas previsto en el artículo 17.2 CE es un límite máximo absoluto, que antes que él rige el límite relativo (el tiempo estrictamente necesario para la realización de las averiguaciones tendentes al esclarecimiento de los hechos) previsto en ese mismo precepto (por todas, STC 165/2007). Y ha aclarado que la prórroga de ese plazo máximo absoluto en el marco del artículo 55.2 CE, en el marco, esto es, de la suspensión de derechos fundamentales en relación con investigaciones correspondientes a bandas armadas o elementos terroristas, está sujeta al principio de proporcionalidad y a autorización judicial, declarando inconstitucional su ampliación en siete días (STC 199/1987, FJ 8) —hoy son cinco en total (artículo 520bis LECrim)—. Ha aclarado, asimismo, que el derecho de la persona detenida a ser informada de las razones de la detención (artículo 17.3 CE), lejos de ser un mero formalismo, tiene relevancia sustantiva, incluyendo en consecuencia el derecho a asistencia de intérprete si lo necesitara la persona detenida, incluso si ésta fuera de nacionalidad española y se viera bajo el deber constitucional de conocer la lengua castellana (STC 74/1987). Por otra parte, el Tribunal ha afirmado la constitucionalidad de la opción legislativa de permitir la incomunicación de personas detenidas por sospecha de su conexión con banda armada, siempre que dicha incomunicación sea ordenada judicialmente (STC 199/1987, FJ 11), incluso si ésta les impide elegir libremente a su abogada/o, que debe ser pues designada/o de oficio. Ello es así porque, entiende el Tribunal, el derecho a la asistencia letrada no gira, en fase de detención, en torno al elemento de confianza personal que lo rige en fase procesal, siendo su objeto, no defender, sino meramente informar a la persona detenida de sus derechos (STC 196/1987).

Si la detención es esencialmente una situación fáctica, el procedimiento de *habeas corpus* (artículo 17.4 CE) tiene como objeto garantizar judicialmente el respeto de los derechos de una persona en situación de detención gubernativa, mediante su inmediata y efectiva puesta a disposición judicial (STC 66/1996, de 16 de abril). Regulado en la Ley Orgánica 6/1984, de 24 de mayo, que legitima a un amplio espectro de personas para instar su apertura (*vid.* por todas la STC 37/2008; *vid.* sin embargo la STC 154/2016) el *habeas corpus* es un procedimiento ágil, sencillo, poco formalista y especialmente expeditivo. Es, en efecto, el más expeditivo de los que nuestro ordenamiento prevé para la tutela de derechos fundamentales concretos, ya que debe resolverse en un plazo especialmente breve (24 horas) para no perder su sentido como supervisión judicial de una situación de detención (inmediatez que no se aplica, con todo, a su reivindicación en amparo ante el Tribunal Constitucional, a quien no cabrá sino declarar la vulneración del derecho, sin poder ya subsanarla —STC 208/2000—). Así diseñado, su propósito no es controlar si la decisión policial de llevar a cabo una detención está o no justificada, ni excluye la posible depuración de responsabilidades respecto de ella. Su objetivo es velar por que dicha detención se haya producido en origen y se desarrolle después con todas las garantías. Y es un procedimiento que se aplica a todo supuesto de detención gubernativa, es decir, a todo supuesto de detención no acordada judicialmente, incluidas las que se producen en el ámbito militar (por todas, STC 31/1985), en el contexto de procesos de expulsión de personas extranjeras (por todas, STC 303/2005), o en el marco del ingreso de un menor en un centro de acogida por decisión administrativa, siempre que éste pueda considerarse un supuesto de detención (STC 94/2003, FJ 6). Una vez que la persona detenida ha sido puesta a disposición judicial, el *habeas corpus* pierde su razón de ser. Para ello no basta con la mera comparecencia de la persona detenida ante un órgano judicial; es también preciso que éste la haya efectivamente oído y esté en control de la situación (contrástense las SSTC 303/2005 y 169/2006). En efecto, la existencia de una situación efectiva de detención y su carácter gubernativo son los únicos requisitos que rigen en la solicitud de incoación de un procedimiento de *habeas corpus*, además de los requisitos formales que incluye la Ley Orgánica 6/1984. Ello significa que todo *habeas corpus* en que se den estas circunstancias debe ser admitido a trámite, con independencia de la decisión sobre el fondo a la que después se llegue en la resolución del mismo. La distinción entre los requisitos de admisión a trámite del *habeas corpus*, de un lado, y las consideraciones sobre el fondo del asunto, a tratar durante la resolución del recurso, de otro, constituye una constante en la jurisprudencia constitucional, que sigue insistiendo en que la inadmisión a trámite un recurso de *habeas corpus* con base en consideraciones sobre el fondo supone una vulneración del artículo 17 CE (por todas, STC 208/2000).

Cuando pasamos de la detención preventiva a la prisión provisional, a cuya regulación legal remite el artículo 17.4 CE, pasamos a una situación de privación de libertad que se encuentra ya bajo control judicial. Se trata todavía, con todo, de una situación de privación de libertad que tiene lugar antes de que la persona sometida a ella haya sido condenada mediante sentencia firme, antes pues de que haya habido ocasión de destruir judicialmente su presunción de inocencia (artículo 24.2 CE). Por esta razón, el Tribunal Constitucional ha insistido en la excepcionalidad de la prisión provisional, que sólo puede ser adoptada cuando sea objetivamente necesaria para la investigación de hechos constitutivos de delito, cometidos sin causa de justificación, sin que existan medidas menos gravosas para el derecho de libertad que permitan alcanzar los mismos fines (artículo 502 LECrim). Estos fines pueden resumirse en evitar el riesgo de fuga de la persona procesada, la alteración, destrucción u ocultación de pruebas, la puesta en peligro de los bienes jurídicos de la víctima, o la reincidencia. La alarma social, por su parte, hasta la reforma operada por la Ley Orgánica 24 de octubre de 2003 motivo legal de prisión provisional, no constituía tampoco entonces motivo suficiente para ordenarla (STC 47/2000, FFJJ 5 y 10). También ha insistido el Tribunal en la necesidad de someter los requisitos legales de la prisión provisional (especificados en el artículo 503 LECrim) y sus límites temporales (artículo 504 LECrim) a interpretación restrictiva, con base en un juicio de proporcionalidad, y a la luz del artículo 17 CE. El cual, lejos de contener una remisión en blanco al legislador, somete la regulación de esos requisitos y plazos a parámetros de legitimidad constitucional. Estos parámetros deben regir asimismo las órdenes judiciales relativas a su adopción y a la duración de la misma (por todas, SSTC 47/2000; 121/2003), órdenes judiciales que deben siempre y en todo caso, aun habiendo sido decretado el secreto de sumario, estar debidamente motivadas (STC 12/2007). Preocupa por ello la laxitud con que el Tribunal se ha asomado a los motivos esgrimidos para justificar la prisión provisional en el marco de procesos de marcado carácter político, en los que su acuerdo trae reminiscencias de la alarma social como fin legítimo para ordenarla (SSTC 29/2019 y 30/2019, de 28 de febero —*vid*. nota 17). No hay que olvidar que, en última instancia, y como en el resto del artículo 17 CE, nos encontramos ante la limitación del derecho de libertad de personas que, jurídicamente, siguen siendo inocentes.

LEGISLACIÓN

Ley de Enjuiciamiento Criminal, Libro II, Título VI y VII (artículos 489 a 544 quáter) —LO 13/2003, de 24 de octubre, de reforma de la Ley de Enjuiciamiento Criminal en materia de prisión provisional—; Código Penal, Libro II, Título VI, Capítulo I (artículos 163 a 168) y Libro II, Título XXI, Capítulo V, Sección 1 (artículos 529 a 533); Ley Orgánica 4/1981, de 1 de junio, de los estados de alarma, excepción y sitio; Ley Orgánica 6/1984, de 24 de mayo, reguladora del procedimiento de *habeas corpus*; Ley Orgánica 4/2015, de 30 de marzo, de protección de la seguridad ciudadana.

BIBLIOGRAFÍA

BANACLOCHE PALAO, J. (1997): *Las limitaciones de la libertad personal*, Madrid: McGraw-Hill; CASAL HERNÁNDEZ, J.M. (1998): *El derecho a la libertad personal y las diligencias policiales de identificación*, Madrid: CEPC; FERNÁNDEZ ROJO, D. (2016): "La detención de extranjeros en situación irregular: impacto de la Directiva 2008/115/CE y la jurisprudencia del TJUE en la legislación española", *RDComE* 53, pp. 233-258; FREIXES SANJUAN, T. y REMOTTI, J.C. (1993): *El derecho a la libertad personal*, Barcelona: PPU; GARCÍA MORILLO, J. (1995): *El derecho a la libertad personal*, Valencia: Universitat de València; GIMENO SENDRA, V. (1996): *El proceso de 'habeas corpus'*, Madrid: Tecnos; GONZÁLEZ AYALA, D. (1999): *Las garantías constitucionales de la detención: los derechos del detenido*, Madrid: CEC; HERRERO-TEJEDOR ALGAR, F. (2004): «El Tribunal Constitucional y la nueva regulación legal de la prisión provisional», *RATC*, pp. 1989-2004; LASCURAIN SÁNCHEZ, J.A. (1998): «Fines legítimos de la prisión provisional», *RATC*, pp. 321-350; MARTÍN RÍOS, M.P. (2018): "El derecho a la libertad personal frente a la 'retención' policial con fines de identificación", *REDC* 112, pp. 87-113; PÉREZ ROYO, J. (dir.) y CARRASCO DURÁN, M. (coord.) (2011): *Terrorismo, democracia y seguridad en perspectiva constitucional*, Madrid: Marcial Pons; REBATO PEÑA, M.E. (2006): *La detención desde la Constitución*, Madrid: CEPC; REQUEJO RODRÍGUEZ, P. (2001): «¿Suspensión o supresión de los derechos fundamentales?», *RDP 51*, pp. 105-137; RODRÍGUEZ RAMOS, L. (1987): *La detención*, Madrid: Akal; TENORIO SÁNCHEZ, P. (2010): *Constitución, derechos fundamentales y seguridad: panorama comparativo*, Madrid: Civitas; VERGOTTINI, G. De (2004): «La difícil convivencia entre libertad y seguridad. Respuesta de las democracias al terrorismo» *RDP 61*, pp. 11-36; VOLCANSEK, M.L. y

STACK J.F. Jr. (eds.) (2011): *Courts and Terror. Nine Nations Balance Rights and Security*, New York: Cambridge University Press.

I. EL ARTÍCULO 17.1 CE Y EL CONTENIDO DEL DERECHO A LA LIBERTAD Y A LA SEGURIDAD

El artículo 17.1 CE y el concepto de libertad personal reconocido como derecho fundamental —STC 120/1990, de 27 de junio (*vid.* ARTÍCULO 15)—

FJ 11. Según reiterada doctrina de este Tribunal (SSTC 126/1987, 22/1988, 112/1988 y 61/1990, por citar las más recientes) la libertad personal protegida por este precepto es la «libertad física». La libertad frente a la detención, condena o internamientos arbitrarios, sin que pueda cobijarse en el mismo una libertad general de actuación o una libertad general de autodeterminación individual, pues esta clase de libertad, que es un valor superior del ordenamiento jurídico —art. 1.1 de la Constitución—, sólo tiene la protección del recurso de amparo en aquellas concretas manifestaciones a las que la Constitución les concede la categoría de derechos fundamentales incluidos en el capítulo segundo de su título I, como son las libertades a que se refieren el propio art. 17.1 y los arts. 16.1, 18.1, 19 y 20, entre otros y, en esta línea, la STC 89/1987 distingue entre las manifestaciones «de la multitud de actividades y relaciones vitales que la libertad hace posibles» (o manifestaciones de la «libertad a secas») y «los derechos fundamentales que garantizan la libertad» pero que «no tienen ni pueden tener como contenido concreto cada una de esas manifestaciones en su práctica, por importantes que sean éstas en la vida del individuo».

Conforme, pues, con dicha doctrina, la libertad de rechazar tratamientos terapéuticos, como manifestación de la libre autodeterminación de la persona no puede entenderse incluida en la esfera del art. 17.1 de la Constitución.

Es claro sin embargo que la aplicación de tratamiento médico y alimentario forzoso implica el uso de medidas coercitivas que inevitablemente han de comportar concretas restricciones a la libertad de movimiento o a la libertad física en alguna de sus manifestaciones. Pero tales restricciones, en cuanto inherentes a la intervención médica que acabamos de considerar no violadora de derechos fundamentales, no constituyen lesión de aquellos mismos derechos a la integridad física, ni a los ahora examinados, sin olvidar que el art. 45.1 b) de la LOGP permite esas mismas medidas y es en este sentido la ley a la que se remite genéricamente el art. 17.2 de la Constitución.

El artículo 17.1 CE y el concepto de seguridad reconocido como derecho fundamental —STC 15/1986, de 31 de enero—

La Sentencia resuelve el recurso de amparo promovido por don J.A.A. contra Auto de la Magistratura de Trabajo núm. 3 de las de Oviedo de 25 de marzo de 1985, confirmatorio de otro de 8 de mayo del mismo año, por los que se anulan actuaciones judiciales practicadas en autos sobre reclamación salarial, favorables a los intereses del recurrente. Después de que este pronunciamiento judicial adquiriera firmeza, el demandante abrió el trámite de ejecución, cuyo único objeto es hacer efectivo el derecho ya reconocido por sentencia firme. En esa fase de ejecución el Magistrado declaró mediante Auto la nulidad de las actuaciones procesales, reponiéndolas al momento de admisión a trámite de la demanda y requiriendo al hoy recurrente, con fundamento en el artículo 71 de la Ley de Procedimiento Laboral, a formular nuevo escrito de demanda, con apercibimiento de archivo en caso de no hacerlo. Entiende el recurrente que dicho Auto vulnera su derecho a la seguridad reconocido en el artículo 17 CE.

FJ 2. De los derechos fundamentales que el solicitante de amparo cita como infringidos por la resolución que decretó primero y por la que confirma más tarde la reseñada nulidad, y que son las impugnadas, ninguna relevancia tiene el derecho a la seguridad de consagrar el art. 17.1 de la CE, pues su contenido difiere sustantivamente del que se le pretende asignar. La seguridad aludida en ese pasaje constitucional comporta o implica la ausencia de perturbaciones procedentes de medidas tales como la detención u otras similares que, adoptadas arbitraria o ilegalmente, restringen o amenazan la libertad de toda persona de organizar en cualquier momento y lugar, dentro del territorio nacional, su vida individual y social con arreglo a sus propias opciones y convicciones. El derecho a la seguridad reconocido en el art. 17.1 de la CE es, así, el derecho a la seguridad personal y no a la seguridad jurídica que garantiza el art. 9.3 de la CE y que equivale, con fórmula obligadamente esquemática, a certeza sobre el ordenamiento jurídico aplicable y los intereses, jurídicamente tutelados. El tema del presente amparo ha de quedar, por consiguiente, circunscrito a la presunta violación del derecho a la tutela judicial efectiva.

El concepto de detención del artículo 17.1 CE —STC 98/1986, de 10 de julio[1]—

La Sentencia resuelve el recurso de amparo promovido por don J.M.H.R. y don L.F.C. contra el Auto dictado por el Juzgado de Instrucción número 29 de Madrid, que con fecha de 2 de marzo de 1986 denegó recurso de habeas corpus.

FJ 4. [...] [D]ebe considerarse como detención cualquier situación en que la persona se vea impedida u obstaculizada para autodeterminar, por obra de su voluntad, una conducta lícita, de suerte que la detención no es una decisión que se adopte en el curso de un procedimiento, sino una pura situación fáctica, sin que puedan encontrarse zonas intermedias entre detención y libertad y que siendo admisible teóricamente la detención pueda producirse en el curso de una situación voluntariamente iniciada por la persona.

El derecho de libertad del artículo 17 CE y la pena de prisión —STC 147/1988, de 14 de julio—

La Sentencia resuelve el recurso de amparo formulado por don P.E.L. contra la resolución de la Sección Segunda de la Audiencia Provincial de Sevilla, de 26 de noviembre de 1985, que aprobó la liquidación de su condena y licenciamiento definitivo. Entiende el recurrente que dicha resolución vulnera sus derechos reconocidos en los artículos 17.1 y 24 CE.

FJ 2. El derecho reconocido en el art. 17.1 de la Constitución permite la privación de libertad sólo «en los casos y en las formas previstos en la Ley». En el presente caso no se pone en duda la licitud de la situación de preso y penado del solicitante de amparo, al existir una condena impuesta por Sentencia, la única firme además en el momento de iniciarse el cumplimiento de esa pena. Lo que se cuestiona es la forma de ejecución de esa condena en relación con el cómputo del tiempo de estancia en prisión. No ha de excluirse que lesione el derecho reconocido en el art. 17.1 de la Constitución la ejecución de una Sentencia penal con inobservancia de las disposiciones de la Ley de Enjuiciamiento Criminal y del Código Penal respecto al cumplimiento sucesivo o, en su caso, refundido de las distintas condenas de pérdida de libertad que pudieran reducir el tiempo de permanencia en la prisión del condenado en cuanto que supongan un alargamiento ilegítimo de esa permanencia, y, por ende, de la pérdida de libertad. Al mismo tiempo la inobservancia de tales disposiciones en la ejecución de las correspondientes Sentencias podría afectar al derecho a la tutela judicial efectiva del art. 24.1 de la Constitución. [...]

El señor Espinosa impugna la aplicación cronológica y separada de las distintas penas, tanto porque éstas no se le han refundido como, en otro caso y alternativamente, porque, no se habría tenido en cuenta el orden establecido en el art. 70 del Código Penal a efectos del cumplimiento sucesivo de las distintas condenas separadas. Para conseguir este objetivo, solicita la anulación de las decisiones de la Audiencia Provincial de Sevilla que, en ejecución de la Sentencia por ella impuesta, han entendido cumplida esa pena, imputando a tal efecto su estancia en prisión desde el momento de su detención. Esta petición de anulación se hace instrumentalmente para obtener la pretensión principal que se nos solicita, la de refundición o de nuevo orden en el cumplimiento de las penas. No corresponde a este Tribunal el pronunciarse directamente sobre este último aspecto, pues se trata de decisiones de ejecución de lo juzgado que, de acuerdo al art. 117 de la Constitución, corresponden en exclusiva a los órganos judiciales que son los que, en su caso, habrían de interpretar y aplicar al caso concreto el art. 70 del Código Penal. Hemos de limitarnos por ello a examinar la corrección, desde el punto de vista constitucional, de la respuesta que a esta petición del solicitante de amparo dio la Audiencia Provincial de Sevilla.

[...] No nos corresponde, según se ha dicho, entrar en la corrección o no de la interpretación de la legislación procesal y penal aplicable, pero sí podemos constatar que en el presente caso se han dado razones suficientes por el órgano judicial para no aplicar las disposiciones legales que en su favor invoca el solicitante de amparo.

Garantías frente a privaciones de la libertad personal: Ley Orgánica de Protección de la Seguridad Ciudadana —STC 341/1993, de 17 de noviembre—

La Sentencia resuelve tres recursos de inconstitucionalidad (interpuestos, respectivamente, por noventa y un Diputados al Congreso, por el Parlamento de las Islas Baleares y por la Junta General del Principado de Asturias) y dos cuestiones de inconstitucionalidad (planteadas por la Audiencia Provincial de Madrid y por la Audiencia Provincial de Sevilla), que cuestionan la constitucionalidad de determinados preceptos de la Ley Orgánica 1/1992, de 21 de febrero, sobre Protección de la Seguridad Ciudadana.

---

[1]   *Vid. infra*, con todo, la anterior STC 107/1985, de 7 de octubre.

FJ 4. […] La medida de identificación en dependencias policiales prevista en el art. 20.2 de la LOPSC supone por las circunstancias de tiempo y lugar (desplazamiento del requerido hasta dependencias policiales próximas en las que habrá de permanecer por el tiempo imprescindible), una situación que va más allá de una mera inmovilización de la persona, instrumental de prevención o de indagación, y por ello ha de ser considerada como una modalidad de privación de libertad. Con toda evidencia, estamos, pues, ante uno de «los casos» a que se refiere el art. 17.1 CE

FJ 5. Es preciso examinar si la previsión del art. 20.2 resulta conciliable con lo dispuesto en el art. 17.1 de la Constitución, según el cual: «Toda persona tiene derecho a la libertad y a la seguridad. Nadie puede ser privado de su libertad, sino con la observancia de lo establecido en este artículo y en los casos y en la forma previstos en la Ley». Este precepto remite a la Ley, en efecto, la determinación de los «casos» en los que se podrá disponer una privación de libertad, pero ello en modo alguno supone que quede el legislador apoderado para establecer, libre de todo vínculo, cualesquiera supuestos de detención, arresto o medidas análogas. La Ley no podría, desde luego, configurar supuestos de privación de libertad que no correspondan a la finalidad de protección de derechos, bienes o valores constitucionalmente reconocidos o que por su grado de indeterminación crearan inseguridad o incertidumbre insuperable sobre su modo de aplicación efectiva y tampoco podría incurrir en falta de proporcionalidad. Vale aquí recordar lo que ya dijimos en la STC 178/1985, esto es, que debe exigirse «una proporcionalidad entre el derecho a la libertad y la restricción de esta libertad, de modo que se excluyan —aun previstas en la Ley— privaciones de libertad que, no siendo razonables, rompan el equilibrio entre el derecho y su limitación» (fundamento jurídico 3.). No son éstos los únicos condicionamientos que pesan aquí sobre el legislador, pues la necesaria conexión entre los arts. 17.1 y 10.2 de la Constitución impone acudir a los tratados y acuerdos internacionales en la materia y, en particular, al ya citado Convenio de Roma, para interpretar el sentido y límites de aquel precepto constitucional. Es de relevante consideración, a estos efectos, que el art. 5.1 de aquel Convenio, luego de disponer que «toda persona tiene derecho a la libertad y a la seguridad», establece una relación de supuestos (taxativa, según la doctrina del Tribunal Europeo de Derechos Humanos) en los que podrá legítimamente preverse una privación de libertad. A la luz de estos criterios es preciso examinar ahora lo dispuesto en el art. 20.2 de la LOPSC.
Se inicia este precepto con una referencia a lo dispuesto en el núm. 1 del propio art. 20 («De no lograrse la identificación por cualquier medio, y cuando resulte necesario a los mismos fines del apartado anterior»), pero es del todo claro, atendido el tenor de la norma que enjuiciamos, que la orden o requerimiento para el desplazamiento con fines de identificación a dependencias policiales no podrá dirigirse a cualesquiera personas que no hayan logrado ser identificadas, supuesto en el que la gravosidad de la medida impondría un juicio de inconstitucionalidad, por desproporcionalidad manifiesta, frente a esta previsión. No es así, sin embargo. Aunque el precepto se refiera, como decimos, «a los mismos fines del apartado anterior» (que son los genéricos de «protección de la seguridad»), es lo cierto que la privación de libertad con fines de identificación sólo podrá afectar a personas no identificadas de las que razonable y fundadamente pueda presumirse que se hallan en disposición actual de cometer un ilícito penal (no de otro modo cabe entender la expresión legal «para impedir la comisión de un delito o falta») o a aquellas, igualmente no identificables, que hayan incurrido ya en una «infracción» administrativa, estableciendo así la Ley un instrumento utilizable en los casos en que la necesidad de identificación surja de la exigencia de prevenir un delito o falta o de reconocer, para sancionarlo, a un infractor de la legalidad. […]

FJ 6. […] Los derechos y garantías que dispone el art. 17 (núms. 2 y 3) de la Constitución corresponden al afectado por una «detención preventiva». El «detenido» al que se refieren estas previsiones constitucionales es, en principio, el afectado por una medida cautelar de privación de libertad de carácter penal y así hemos tenido ya ocasión de advertir que «las garantías exigidas por el art. 17.3 —información al detenido de sus derechos y de las razones de su detención, inexistencia de cualquier obligación de declarar y asistencia letrada— hallan […] su sentido en asegurar la situación de quien, privado de su libertad, se encuentra ante la eventualidad de quedar sometido a un procedimiento penal, procurando así la norma constitucional que aquella situación de sujeción no devenga en ningún caso en productora de la indefensión del afectado» (STC 107/1985, FJ 3.).
Ahora bien, ello no significa que las garantías establecidas en los núms. 2 y 3 del art. 17 no deban ser tenidas en cuenta en otros casos de privación de libertad distintos a la detención preventiva. Cabe recordar, en este sentido, que ya en alguna ocasión este Tribunal ha debido contrastar con lo dispuesto en el art. 17.2 previsiones legales relativas a privaciones de libertad no calificables como detención preventiva (STC 115/1987, fundamento jurídico 1.). El ámbito de discrecionalidad del legislador para configurar otros casos de privación de libertad debe ser objeto de control de constitucionalidad a la luz de los criterios que inspiran las garantías dispuestas en los apartados dos y tres de este precepto y en función de la finalidad, naturaleza y duración de la privación de libertad de que se trate.

A) Las garantías que en primer lugar hemos de considerar son las dispuestas en el núm. 2 del art. 17, de conformidad con el cual «la detención preventiva no podrá durar más del tiempo estrictamente necesario para la realización de las averiguaciones tendentes al esclarecimiento de los hechos y, en todo caso, en el plazo máximo de setenta y dos horas, el detenido deberá ser puesto en libertad o a disposición de la autoridad judicial».

La finalidad de identificación que justifica la medida que aquí enjuiciamos no se acomoda enteramente, cierto es, a las concretas prevenciones así establecidas en la Constitución, pero es también patente que este art. 17.2 expresa un principio de limitación temporal de toda privación de libertad de origen policial que no puede dejar de inspirar la regulación de cualesquiera «casos» (art. 17.1) de pérdida de libertad que, diferentes al típico de la detención preventiva, puedan ser dispuestos por el legislador. La remisión a la Ley presente en el último precepto constitucional citado no implica que quede el legislador habilitado para prever otras privaciones de libertad de duración indefinida, incierta o ilimitada, supuesto en el cual padecerían tanto la libertad como la seguridad de la persona.

[...] El que la Ley no haya articulado para estas últimas un límite temporal expreso no supone una carencia que vicie de inconstitucionalidad al precepto; lo sustantivo es —vale reiterar— que el legislador limite temporalmente esta actuación policial a fin de dar seguridad a los afectados y de permitir un control jurisdiccional sobre aquella actuación, finalidades, una y otra, que quedan suficientemente preservadas en el enunciado legal sometido a nuestro control: La fuerza pública sólo podrá requerir este acompañamiento a «dependencias próximas y que cuenten con medidas adecuadas para realizar las diligencias de identificación» y las diligencias mismas, en todo caso, no podrán prolongarse más allá del «tiempo imprescindible» para la identificación de la persona. Precisión que implica un mandato del legislador de que la diligencia de identificación se realice de manera inmediata y sin dilación alguna. El entero sistema de protección judicial de la libertad personal —muy en particular, el instituto del hábeas corpus (art. 17.4 CE)— protegerá al afectado por estas medidas de identificación frente a toda posible desvirtuación de su sentido y también, por lo tanto, frente a una eventual prolongación abusiva de la permanencia en las dependencias policiales.

B) Importa también considerar si resultan aquí aplicables, y en qué medida, las garantías establecidas en el núm. 3 del art. 17, consistentes en la información inmediata al detenido, de modo comprensible, «de sus derechos y de las razones de su detención», en la exclusión de toda obligación de declarar y en el aseguramiento de la asistencia de Abogado en las diligencias policiales —por lo que aquí interesa— «en los términos que la ley establezca». Que el requerido a acompañar a la fuerza pública debe ser informado, de modo inmediato y comprensible, de las razones de tal requerimiento es cosa que apenas requiere ser argumentada, aunque la Ley (que exige consten en el Libro-Registro los «motivos» de las diligencias practicadas) nada dice, de modo expreso, sobre esta información, inexcusable para que el afectado sepa a qué atenerse. [...]

C) Las demás garantías dispuestas en el art. 17.3 (exclusión de toda obligación de declarar y aseguramiento de la asistencia de Abogado en las diligencias policiales «en los términos que la Ley establezca») hallan su preferente razón de ser en el supuesto de la detención preventiva, por lo que no se adecuan enteramente a un supuesto de privación de libertad como el que consideramos. Así es, en efecto, pues la advertencia al afectado sobre su derecho a no declarar no tiene sentido cuando —como aquí ocurre— la norma no permite en modo alguno interrogar o investigar a la persona sobre más extremos que los atinentes, rigurosamente, a su identificación (para la obtención de los «datos personales» a que se refiere el art. 9.3 de la propia Ley Orgánica).

No resulta inexcusable, en el mismo sentido, que la identificación misma haya de llevarse a cabo necesariamente en presencia o con la asistencia de Abogado, garantía ésta cuya razón de ser está en la protección del detenido y en el aseguramiento de la corrección de los interrogatorios a que pueda ser sometido (STC 196/1987, fundamento jurídico 2.). Ninguna de estas garantías constitucionales —recordatorio del derecho a no declarar y asistencia obligatoria de Abogado— son indispensables para la verificación de unas diligencias de identificación que, vale reiterar, no permiten interrogatorio alguno que vaya más allá de la obtención de los «datos personales» a los que se refiere el repetido art. 9.3 de la LOPSC [...]

La detención preventiva de personas extranjeras durante la tramitación del expediente de expulsión —STC 115/1987, de 7 de julio (vid. supra TITULARIDAD DE LOS DERECHOS FUNDAMENTALES)[2]—

FJ 1. [...] El primer precepto cuya inconstitucionalidad se propugna es el párrafo segundo del número 2.° del art. 26 de la Ley Orgánica 7/1985, de 1 de julio, pues se estima que vulnera los arts. 17.1 y 2, 24 y 25.3 de la Constitución en relación con el art. 13 de la misma. [...]

---

[2] Vid. también las SSTC 86/1996, de 21 de mayo; 303/2005, de 24 de noviembre (FJ 3); 236/2007, de 7 de noviembre (FJ 15); 260/2007, de 20 de noviembre, FJ 5.

«La Autoridad Gubernativa que acuerde tal detención se dirigirá al Juez de Instrucción del lugar en que hubiese sido detenido el extranjero, en el plazo de setenta y dos horas, interesando el internamiento a su disposición en centros de detención o en locales que no tengan carácter penitenciario. De tal medida se dará cuenta al Consulado o Embajada respectivos y al Ministerio de Asuntos Exteriores. El internamiento no podrá prolongarse más tiempo del imprescindible para la práctica de la expulsión, sin que pueda exceder de cuarenta días».

El Defensor del Pueblo niega la constitucionalidad de esta disposición, partiendo de la naturaleza administrativa del procedimiento de expulsión y de la prohibición constitucional de que la Administración imponga sanciones que impliquen privación de libertad (art. 25.3 de la Constitución), por lo que tampoco podría la Administración adoptar este tipo de medidas de internamiento aun con carácter cautelar. Según el recurrente, la intervención adhesiva del Juez no desvirtuaría la índole administrativa del procedimiento de expulsión y no tendría carácter de actividad jurisdiccional contradictoria, pues se deja al margen del procedimiento a la persona afectada. No puede admitirse que esa intervención judicial sirva como «mera justificación formal de una medida administrativa privativa de libertad». [...]

El internamiento preventivo de extranjeros, previo a su expulsión, tiene diferencias sustanciales con las detenciones preventivas de carácter penal, no sólo en las condiciones físicas de su ejecución, sino también en función del diverso papel que cumple la Administración en uno y otro caso. En materia penal, una vez puesto el detenido por el órgano gubernativo a disposición judicial, la suerte final del detenido se condiciona a decisiones judiciales posteriores, tanto en lo relativo a la detención preventiva como en el resultado del proceso penal posterior. En el procedimiento de expulsión, la decisión final sobre la misma corresponde al órgano gubernativo, y por ello es una decisión que puede condicionar la propia situación del extranjero detenido. Ello significa que el órgano que «interesa» el internamiento persigue un interés específico estatal, relacionado con la policía de extranjeros, y no actúa ya, como en la detención penal, como un mero auxiliar de la justicia, sino como titular de intereses públicos propios.

Pero ello no significa, en contra de lo que opina el Defensor del Pueblo, que la decisión misma en relación al mantenimiento o no de la libertad haya de quedar en manos de la Administración. La voluntad de la ley, y desde luego el mandato de la Constitución es que, más allá de las setenta y dos horas, corresponda a un órgano judicial la decisión sobre mantenimiento o no de la limitación de la libertad. No deja de ser relevante al respecto la previsión contenida en el art. 117.4 de la Constitución que permite la atribución por ley de funciones no juzgadoras a los órganos judiciales «en garantía de cualquier derecho», y, en el presente caso, para la garantía de la libertad del extranjero afectado. Por consiguiente, a la luz de la Constitución, el término «interesar», ha de ser entendido como equivalente a demandar o solicitar del juez la autorización para que pueda permanecer detenido el extranjero más allá del plazo de setenta y dos horas.

Lo que el precepto legal establece es que el órgano administrativo, en el plazo máximo de setenta y dos horas, ha de solicitar del Juez que autorice el internamiento del extranjero pendiente del trámite de expulsión. El órgano judicial habrá de adoptar libremente su decisión teniendo en cuenta las circunstancias que concurren en el caso, en el bien entendido no las relativas a la decisión de la expulsión en sí misma (sobre la que el Juez no ha de pronunciarse en este procedimiento), sino las concernientes, entre otros aspectos, a la causa de expulsión invocada, a la situación legal y personal del extranjero, a la mayor o menor probabilidad de su huida o cualquier otra que el Juez estime relevante para adoptar su decisión. Interpretado en estos términos el precepto impugnado. es plenamente respetuoso no sólo del art. 17.2 de la Constitución, sino, al mismo tiempo, también del art. 25.3, al no ser una decisión administrativa, sino judicial, la que permite la pérdida de libertad, pues no existe condicionamiento alguno sobre el Juez para decidir sobre esa libertad. Tampoco entraría el precepto en colisión con el art. 24.2 de la Constitución, porque del mismo no se deduce limitación alguna de los derechos de defensa del extranjero ni se impide su intervención en el correspondiente procedimiento.

La disponibilidad sobre la pérdida de libertad es judicial, sin perjuicio del carácter administrativo de la decisión de expulsión y de la ejecución de la misma. Este carácter judicial de la privación de libertad hace plenamente aplicable también al caso de los extranjeros la doctrina sentada por este Tribunal, para el supuesto distinto de la prisión provisional. Ha de decirse que el internamiento del extranjero «debe regirse por el principio de excepcionalidad, sin menoscabo de su configuración como medida cautelar» (STC 41/1982, de 2 de julio). La Sentencia de 12 de marzo de 1987 ha sostenido que este carácter excepcional exige la aplicación del criterio hermenéutico del favor libertatis, lo que supone que la libertad debe ser respetada salvo que se estime indispensable la pérdida de libertad del extranjero por razones de cautela o de prevención, que habrán de ser valoradas por el órgano judicial.

Este carácter excepcional, resulta ya del propio art. 26.2 de la Ley Orgánica 7/1985, que aun cuando utiliza el término «imprescindible» sólo respecto a la duración, implícitamente parece dar a entender que ha de ser también imprescindible la propia pérdida de libertad, de modo que no es la sustanciación del expediente de expulsión, sino las propias circunstancias del caso, por razones de seguridad, orden público, etc., las que han de justificar el mantenimiento de esa pérdida de libertad, siendo el Juez, guardián natural de la libertad individual, el que debe controlar esas razones. Este carácter restringido y excepcional de la medida de internamiento se refleja también en la existencia de una duración máxima, de modo que la medida de internamiento no puede exceder, en ningún caso, de cuarenta días, que es también la duración máxima de la prisión preventiva de los extranjeros prevista en el art. 16.4 del Convenio Europeo de Extradición, de 13 de diciembre de 1957, ratificado por España el 21 de abril de 1982 («Boletín Oficial del Estado» de 8 de junio). Dentro de esa duración máxima podrá el Juez autorizar la pérdida de libertad sin perjuicio de que, en el caso de haberse autorizado una duración menor, pueda la autoridad administrativa solicitar de nuevo del órgano judicial la ampliación del internamiento sin superar, claro está, el tiempo máximo fijado en la ley. La decisión judicial, en relación con la medida de internamiento del extranjero pendiente de expulsión, ha de ser «adoptada mediante resolución judicial motivada» (STC 41/1982, de 2 de julio), que debe respetar los derechos fundamentales de defensa (art. 24.1 y 17.3 de la Constitución), incluidos los previstos en el art. 30.2 de la Ley Orgánica 7/1985, de 1 de julio, en conexión con el art. 6.3 del Convenio Europeo para la Protección de los Derechos Humanos y Libertades Fundamentales, así como la interposición de los recursos que procedan contra la resolución judicial y eventualmente los reconocidos en el art. 35 de la Ley Orgánica 7/1985, de 1 de julio, en conexión con el art. 5.4 del citado Convenio Europeo para la Protección de los Derechos Humanos y Libertades Fundamentales. Se cumple así la exigencia que el Tribunal de Estrasburgo estableció en su Sentencia de 18 de junio de 1971 (Caso de Wilde, Ooms y Versyp), de que toda persona privada de su libertad, con fundamento o no, tiene derecho a un control de legalidad ejercido por un Tribunal, y por ello con «unas garantías comparables a las que existen en las detenciones en materia penal». Es decir, el precepto impugnado respeta y ha de respetar el bloque de competencia judicial existente en materia de libertad individual, incluyendo el derecho de habeas corpus del art. 17.4 de la Constitución, tanto en lo que se refiere a la fase gubernativa previa, dentro de las setenta y dos horas, como también respecto a esa prolongación del internamiento en caso necesario, más allá de las setenta y dos horas, en virtud de una resolución judicial. La intervención judicial no sólo controlará el carácter imprescindible de la pérdida de libertad, sino que permitirá al interesado «presentar sus medios de defensa», evitando así que la detención presente el carácter de un internamiento arbitrario. Es cierto que, como el Defensor del Pueblo alega, el párrafo segundo del número 2.° del art. 26 habla de «interesando el internamiento a su disposición», con lo que parecería dar a entender una disponibilidad administrativa sobre la libertad que estaría en contradicción con el claro mandato del art. 17.2 que precisamente habla de «a disposición de la autoridad judicial». Sin embargo, como ya se ha dicho, el extranjero respecto a su libertad a partir de las setenta y dos horas se encuentra a la plena disponibilidad judicial, que cesará en el momento en que el Juez mismo decida la puesta en libertad o en el momento en que la autoridad administrativa solicite del órgano judicial la entrega del detenido para proceder a su efectiva expulsión. Se posibilita así sin restricciones la actuación del Juez como garante de la libertad de la persona.

Finalmente, el internamiento ha de ser en centros o locales «que no tengan carácter penitenciario», garantía adicional que trata de evitar que el extranjero sea sometido al tratamiento propio de los centros penitenciarios.

Todo este conjunto de garantías deducibles, en un caso del propio texto de la Ley, y en otros de su integración con los preceptos constitucionales, con el Convenio Europeo de 1950 y con la propia doctrina de este Tribunal, hacen que el internamiento de los extranjeros no pueda considerarse ni de carácter administrativo, ni sin las garantías de fondo y forma que eviten su carácter arbitrario. En consecuencia, al ser susceptible de una interpretación conforme a la Constitución, tal y como se ha señalado en este fundamento, no puede ser considerado como inconstitucional el párrafo segundo del núm. 2.° del art. 26 de la Ley Orgánica 7/1985, de 1 de julio.

El internamiento de personas con enfermedades psíquicas como supuesto de privación de libertad del artículo 17 CE —STC 112/1988, de 8 de junio[3]—

La Sentencia resuelve el recurso de amparo interpuesto por doña C.S.S.C. contra Autos de la Audiencia Provincial de Santa Cruz de Tenerife de 14 de febrero de 1986, 25 de marzo de 1987 y 18 de abril de 1987, dictados en la causa

---

[3]   *Vid.* también las SSTC 104/1990, de 4 de junio; 24/1993, de 21 de enero; 129/1999, de 1 de julio («La garantía de la libertad personal establecida en el art. 17.1 de la Constitución alcanza, desde luego, a quienes son objeto de la decisión judicial de internamiento a que se refiere el art. 211 del Código Civil» —FJ 2); 124/2010, de 29 de noviembre; 131/2010 y 132/2010, ambas de 2 de diciembre— (inconstitucionalidad de la previsión en ley ordinaria del internamiento forzoso en establecimiento de salud mental de quienes padezcan trastornos psíquicos, materia que, en cuanto supone una restricción del derecho de libertad personal reconocido en el artículo 17 CE, está reservada a ley orgánica).

núm. 39/1976 del Juzgado de Instrucción núm. 1 de Santa Cruz de Tenerife, por los que se acordaba el traslado de la recurrente del Hospital Psiquiátrico Provincial de dicha ciudad, en la que estaba internada, al Centro Penitenciario Psiquiátrico Provincial de Madrid. Entiende la recurrente que a la vista de los informes médicos obrantes en autos, su traslado al Hospital Psiquiátrico Penitenciario de Madrid vulnera sus derechos reconocidos en los artículos 17, 24 y 25 CE, solicitando su libertad y salida definitiva del Centro Psiquiátrico Provincial de Santa Cruz de Tenerife.

FJ 3. [...] [L]a cuestión esencial de fondo que el recurso plantea se centra en la incidencia que en el derecho a la libertad, reconocido en el art. 17 de la Constitución, pudieran tener los Autos de la Audiencia Provincial, de 25 de marzo y 18 de abril de 1987, al denegar implícitamente la solicitud efectuada por la recurrente y mantener su internamiento psiquiátrico, acordado en Sentencia del propio órgano judicial de 19 de noviembre de 1977, que al apreciar en ella la circunstancia eximente de responsabilidad criminal consistente en enajenación mental, la absolvió, en la causa penal 39/1976 del Juzgado de Instrucción núm. 1 de Santa Cruz de Tenerife, del delito de homicidio frustrado del que fue acusada.

A tales efectos ha de partirse de que, conforme a la STC 16/1981, de 18 de mayo (fundamento jurídico 1, el internamiento judicial en un establecimiento psiquiátrico, dispuesto en Sentencia penal en los casos y forma determinados en el art. 8.1 del Código Penal, no es, en principio, contrario al derecho a la libertad reconocido en el art. 17 de la Constitución. Pero, al establecer en su párrafo segundo que de dicho internamiento no se podrá salir sin la previa autorización del Tribunal sentenciador, dicho artículo no consagra una eventual privación de libertad indefinida en el tiempo y a la plena disponibilidad del órgano judicial competente. Esta privación de libertad ha de respetar las garantías que la protección del referido derecho fundamental exige, interpretadas de conformidad con los tratados y acuerdos internacionales sobre esta materia ratificados por España (art. 10 CE), y, en concreto, con el Convenio para la Protección de los Derechos Humanos y de las Libertades Fundamentales. Y a este respecto es preciso recordar que, salvo en caso de urgencia, la legalidad del internamiento de un enajenado, prevista expresamente en el art. 5.1 e) del Convenio, ha de cumplir tres condiciones mínimas, según ha declarado el Tribunal Europeo de Derechos Humanos al interpretar dicho artículo en su Sentencia de 24 de octubre de 1979 (caso Winterwerp). Estas condiciones son: a) Haberse probado de manera convincente la enajenación mental del interesado, es decir, haberse demostrado ante la autoridad competente, por medio de un dictamen pericial médico objetivo, la existencia de una perturbación mental real; b) que ésta revista un carácter o amplitud que legitime el internamiento; y c) dado que los motivos que originariamente justificaron esta decisión pueden dejar de existir, es preciso averiguar si tal perturbación persiste y en consecuencia debe continuar el internamiento en interés de la seguridad de los demás ciudadanos, es decir, no puede prolongarse válidamente el internamiento cuando no subsista el trastorno mental que dio origen al mismo. Doctrina que ha sido reiterada posteriormente en Sentencias de 5 de noviembre de 1981 (caso X contra Reino Unido) y de 23 de febrero de 1984 (caso Luberti), en relación con supuestos —como el que ahora nos ocupa— de condenas judiciales que determinan la reclusión de delincuentes enajenados en hospitales psiquiátricos.

Dichas condiciones garantizan que el internamiento no resulte arbitrario y responda a la finalidad objetiva para la que fue previsto: evitar que persista el estado de peligrosidad social inherente a la enajenación mental apreciada, puesto de manifiesto, en el supuesto regulado en el art. 8.1, párrafo segundo, del Código Penal, por la comisión de un hecho que la ley sanciona como delito.

Resulta, por consiguiente, obligado, en aras del derecho fundamental consagrado en el art. 17.1 CE —que obliga a interpretar restrictivamente cualquier excepción a la regla general de libertad— el cese del internamiento, mediante la concesión de la autorización precisa, cuando conste la curación o la desaparición del estado de peligrosidad. Este juicio en orden a la probabilidad de una conducta futura del interno socialmente dañosa, así como el convencimiento sobre el grado de remisión de la enfermedad, corresponde al Tribunal penal a través de controles sucesivos en los que ha de comprobar la concurrencia o no de los presupuestos que en su día determinaron la decisión del internamiento. Pero, si bien es cierto que para la adopción de la decisión oportuna no se halla el órgano judicial automáticamente vinculado a los informes emitidos en sentido favorable a la misma, su disentimiento ha de ser, sin duda, motivado, con el fin de evitar que la persistencia de la medida aparezca como resultado de un mero arbitrio o voluntarismo judicial, y deberá basarse en algún tipo de prueba objetivable ya que, conforme a la mencionada doctrina del Tribunal Europeo de Derechos Humanos, dicho internamiento no puede prolongarse válidamente si no persiste el trastorno mental que lo legitime por su carácter y amplitud.

Es de señalar, a este respecto, que la nueva redacción del art. 8.1 del Código Penal hace posible adecuar las medidas de seguridad adoptadas al grado de remisión de la enfermedad, al prever en su párrafo tercero, adicionado por la Ley Orgánica 8/1983, de 25 de junio, que el Tribunal sentenciador pueda sustituir el internamiento por otro tipo de medidas, entre ellas la «sumisión a tratamiento ambulatorio», a la vista de los informes de los facultativos que asistan al enajenado y del resultado de las demás actuaciones que ordene, adición que responde a la finalidad de reinserción social a que deben orientarse las penas privativas de libertad y las medidas de seguridad (art. 25.2 CE).

FJ 4. Frente a las indicadas exigencias, las resoluciones judiciales impugnadas mantienen el internamiento, asumiendo el criterio del Ministerio Fiscal que, en los primeros informes, aparece sin fundamentación alguna y, posteriormente, se basa en que dada la naturaleza de la enfermedad no puede entenderse que haya remitido definitivamente, y en la peligrosidad social de la internada que se hace derivar exclusivamente de sus respectivas fugas del Centro Psiquiátrico. La Sala se limita a hacer suyo dicho criterio sin la necesaria referencia a la persistencia de la enajenación mental que justificó en su día la adopción de la medida de internamiento, ni al carácter y amplitud de la misma, ni a la situación de peligrosidad criminal que puede derivarse de ella; y, por otra parte, hace caso omiso de los reiterados y uniformes dictámenes de los facultativos que asisten a la recurrente. En efecto, examinadas las actuaciones se comprueba que, desde el 15 de diciembre de 1979, dichos dictámenes médicos aconsejan la reincorporación de la recurrente a la vida familiar y social, unida a un tratamiento ambulatorio, añadiendo el informe de 21 de septiembre de 1982 que no existen rasgos indicadores de peligrosidad social y que es de esperar una aceptable adaptación. Y, a partir del emitido el 21 de mayo de 1986, se señala que la sintomatología de la esquizofrenia paranoide, en su día apreciada, ha remitido de forma tal que hace contraproducente y médicamente injustificada la permanencia de la recurrente en el Centro Psiquiátrico, reiterándose en el de 14 de marzo de 1987 que la paciente puede incorporarse a la vida cotidiana de modo gradual con el control psiquiátrico y social del equipo que la asiste, medida, por otra parte, prevista, a partir de la Ley Orgánica 8/1983, en el apartado a) del párrafo tercero del art. 8.1 del Código Penal, a que anteriormente hemos hecho referencia. Y en el mismo sentido se manifiesta la Asistente Social que la atiende en el mencionado Centro, después de analizar el comportamiento de la recurrente en el mismo.

Así, pues, si bien el Tribunal Penal podía disentir del contenido y conclusiones de dichos informes, estaba obligado a hacerlo con motivación expresa y de forma justificada basándose en otros informes periciales, cuya práctica, solicitada por la propia representación de la recurrente, pudiera haber acordado. Al no hacerlo así y mantener el internamiento impuesto a la recurrente sin tomar en consideración los reiterados dictámenes médicos sobre la evolución positiva de su estado mental y consiguiente falta de peligrosidad criminal, ha infringido el art. 8.1 del Código Penal, cuyo sentido y alcance ha de interpretarse conforme a la constitución, y ha lesionado su derecho a la libertad, que el art. 17.1 de la misma le reconoce y que debe ser restablecido en los términos del art. 55 de la LOTC.

Control judicial del internamiento involuntario de personas con enfermedades psíquicas —STC 182/2015, de 7 de septiembre[4]—

La Sentencia resuelve el recurso de amparo promovido por el Ministerio Fiscal contra el Auto de 28 de julio de 2014 de la Sección Tercera de la Audiencia Provincial de Las Palmas, desestimando el recurso de apelación interpuesto contra el Auto del Juzgado de Primera Instancia núm. 15 de las Palmas, de 18 de junio de 2014, recaído en procedimiento de internamiento psiquiátrico no voluntario. El criterio seguido en las resoluciones impugnadas para la determinación del término inicial del plazo de setenta y dos horas que para la ratificación judicial del internamiento no voluntario establece el artículo 763.1 de la Ley de enjuiciamiento civil (LEC), comporta una indebida extensión del infranqueable límite temporal fijado en el citado precepto, con vulneración del derecho reconocido en el artículo 17 CE.

FJ 3. Este Tribunal ha tenido ocasión de pronunciarse sobre las exigencias básicas derivadas del derecho fundamental a la libertad personal (art. 17.1.CE), en relación con los plazos establecidos en el art. 763.1 LEC. Y así, en el apartado c) del fundamento jurídico 5 de la STC 141/2012, de 30 de julio, afirmamos que «la imposición de un límite temporal ha de venir impuesto por la norma legal de desarrollo, en este caso el ya citado art. 763 LEC, donde se señala que 'el responsable del centro en que se hubiere producido el internamiento deberá dar cuenta de éste al tribunal competente lo antes posible y, en todo caso, dentro del plazo de veinticuatro horas, a los efectos de que proceda a la preceptiva ratificación de dicha medida'. Plazo que el legislador actual o futuro no podría elevar en ningún caso más allá de las 72 horas, al resultar vinculante en este ámbito privativo de libertad la limitación que fija el art. 17.2 CE

---

[4]   *Vid.* STC 13/2016, de 1 de febrero. *Vid.* también las SSTC 22/2016, de 15 de febrero y 50/2016, de 14 de marzo, sobre el derecho de asistencia letrada en estos procesos de internamiento, así como la jurisprudencia del TEDH en ellas citada. Y *vid.* SSTC 34/2016, de 29 de febrero, y 132/2016, de 18 de julio, sobre resoluciones judiciales que no adoptaron medida cautelar de internamiento en proceso de incapacitación.

para las detenciones extrajudiciales, el cual, como tenemos declarado, no opera con carácter exclusivo en el orden penal (SSTC 341/1993, de 18 de noviembre, FJ 6; 179/2000, de 26 de junio, FJ 2; 53/2002, de 27 de febrero, FJ 6). Se trata, en todo caso, no de un plazo fijo sino máximo, que por ende no tiene que agotarse necesariamente en el supuesto concreto ni cabe agotarlo discrecionalmente. De este modo, la comunicación al tribunal habrá de efectuarla el director del centro en cuanto se disponga del diagnóstico que justifique el internamiento, sin más demora, siendo que las 24 horas empiezan a contar desde el momento en que se produce materialmente el ingreso del afectado en el interior del recinto y contra su voluntad. Precisión esta última importante, en aquellos casos en los que la persona ha podido acceder inicialmente al tratamiento de manera voluntaria y en algún momento posterior exterioriza su cambio de criterio, siendo en ese preciso momento cuando, tornándose en involuntario, se precisará la concurrencia de los requisitos del art. 763.1 LEC para poder mantener el internamiento, empezando simultáneamente a correr el cómputo de las 24 horas para comunicarlo al órgano judicial».

Más adelante, en el apartado d) del referido fundamento jurídico efectuamos algunas precisiones sobre el control judicial subsiguiente a la comunicación del ingreso psiquiátrico; concretamente sostuvimos que «desde que tiene lugar la comunicación antedicha ha de considerarse que la persona pasa a efectos legales a disposición del órgano judicial, sin que ello exija su traslado a presencia física del juez, como hemos tenido ocasión de precisar en el ámbito de las detenciones judiciales (SSTC 21/1997, de 10 de febrero, FJ 4; 180/2011, de 21 de noviembre, FJ 5). Traslado que, además, tratándose de internamiento psiquiátrico contradiría la necesidad misma de la medida, de allí que lo normal es que el examen judicial directo del afectado se realice en el propio establecimiento hospitalario. En todo caso, el director de este último sigue siendo responsable de la vida e integridad física y psíquica del interno mientras no acuerde el alta, bien por orden judicial o porque a criterio de los facultativos encargados se aprecie que han desaparecido o mitigado suficientemente las causas que motivaban el internamiento; incluso cuando tal ratificación judicial ya se hubiere producido».

Finalmente, en apartado c) del fundamento jurídico 6 de la reiterada Sentencia destacamos la importancia de la observancia del plazo de setenta y dos horas del que, como máximo, dispone el órgano judicial y, a su vez, resaltamos las consecuencias derivadas de su eventual incumplimiento: «Sin duda una de las principales garantías de este marco regulador del internamiento urgente lo constituye el límite temporal del que dispone el juez para resolver, inédito hasta la aprobación de la Ley 1/2000. La base constitucional de dicho plazo, al tratarse de una privación de libertad judicial, no reside en el art. 17.2 CE, sino el art. 17.1 CE, como tenemos ya dicho (SSTC 37/1996, de 11 de marzo, FJ 4; 180/2011, de 21 de noviembre, FJ 2). El plazo ha de considerarse improrrogable, tal como hemos reconocido con otros plazos de detención judicial que desarrollan el art. 17.1 CE (SSTC 37/1996, de 11 de marzo, FJ 4.B; 180/2011, de 21 de noviembre, FFJJ 5 y 6). Por tanto no puede mantenerse el confinamiento de la persona si a su expiración no se ha ratificado la medida, ni cabe aducir dificultades logísticas o excesiva carga de trabajo del órgano judicial para justificar su demora, ni puede considerarse convalidado el incumplimiento porque más tarde se dicte el auto y éste resulte confirmatorio».

FJ 4. La argumentación jurídica que ofrecen los órganos judiciales converge en una misma dirección: hasta que el internamiento acordado por el centro psiquiátrico no se comunique, previo reparto del asunto al órgano judicial a quien en concreto corresponda conocer, no comienza a transcurrir el plazo de 72 horas que, conforme a lo previsto en el art. 763.1 LEC, constituye el límite máximo para la ratificación del referido internamiento. Como ha quedado expuesto, este Tribunal ha tenido ocasión de pronunciarse sobre la vinculación de los plazos estatuidos en el mencionado precepto con la garantía derivada del derecho a la libertad personal reconocido en el art. 17.1 CE. Sin embargo, esta es la primera ocasión —y en ello radica la especial trascendencia constitucional del presente recurso— en que se nos demanda un pronunciamiento sobre la eventual lesión del indicado derecho fundamental, a causa de una errónea interpretación sobre el dies a quo del límite máximo del que dispone la autoridad judicial para ratificar o revocar el internamiento psiquiátrico acordado extrajudicialmente. El marco legal de aplicación al caso se circunscribe al art. 763.1 LEC, cuyo tenor es el siguiente:

«El internamiento, por razón de trastorno psíquico, de una persona que no esté en condiciones de decidirlo por sí, aunque esté sometida a la patria potestad o tutela, requerirá autorización judicial que será recabada del Tribunal del lugar donde resida la persona afectada por el internamiento.

La autorización será previa a dicho internamiento, salvo que razones de urgencia hicieran necesaria inmediata adopción de la medida. En este caso, el responsable del centro en que se hubiera producido el internamiento deberá dar cuenta al Tribunal competente lo antes posible y, en todo caso, dentro del plazo máximo de veinticuatro horas, a los efectos de que se proceda a la efectiva ratificación de dicha medida, que deberá efectuarse en el plazo máximo de setenta y dos horas desde que el internamiento llegue a conocimiento del Tribunal.

En los casos de internamientos urgentes, la competencia para la ratificación de la medida corresponderá al Tribunal del lugar en que radique el centro donde se haya producido el internamiento. Dicho Tribunal deberá actuar, en su caso, conforme a lo dispuesto en el apartado 3 del art. 757 de la presente Ley.»

Para el juzgador de instancia, el plazo previsto en el precepto objeto de cita no fue incumplido, toda vez que hasta el 16 de junio del 2014 el asunto no tuvo entrada en el Juzgado de Primera Instancia núm. 15 de Las Palmas y, como así consta en el procedimiento, por Auto de 18 de junio de 2014 fue ratificado el internamiento acordado extrajudicialmente. La sucinta respuesta dada por el órgano de instancia es fruto una exégesis que se circunscribe al último inciso del segundo párrafo del art. 763.1 LEC y, sobre ese aspecto, colige que hasta tanto la noticia del internamiento no llega a conocimiento del juzgado competente para resolver no comienza a correr el reiterado plazo de 72 horas. Por su parte, el órgano de apelación corrobora la legalidad de la actuación del órgano de instancia, si bien es consciente de que la problemática suscitada presenta una dimensión de mayor envergadura. Por ello, dispensa un razonamiento que expresamente contempla la significación jurídica del tiempo que el asunto tarda en llegar a conocimiento del órgano judicial. A ese respecto, las razones consignadas en el Auto resolutorio del recurso de apelación pueden compendiarse del siguiente modo: a) mientras la comunicación del internamiento no acceda al órgano judicial al que corresponda resolver, no cabe entender que dicho internamiento ha llegado a conocimiento del Tribunal, a los efectos previstos en el art. 763.1 LEC; b) el plazo previsto para la ratificación del internamiento, por parte del órgano judicial, no comienza a transcurrir hasta que el asunto llega a su conocimiento tras el oportuno reparto; c) durante el intervalo que media entre la comunicación del internamiento al Decanato por parte de la autoridad médica y el reparto del asunto al órgano judicial, la privación de libertad del paciente tiene carácter gubernativo; d) el período de detención gubernativa a que se ha hecho mención es conforme a Derecho, siempre que entre la fecha del internamiento y la atribución al juzgado competente no transcurran más de setenta y dos horas, pues así lo avala la STC 141/2012.

FJ 5. […] Según se indica en el segundo párrafo del art. 763.1 LEC, la comunicación del internamiento por parte del responsable del establecimiento debe ir dirigida al «tribunal competente» y el denominado «tribunal competente» deberá ratificar el internamiento, en su caso, dentro del plazo máximo de 72 horas. En las demarcaciones judiciales que cuentan con un sólo órgano no se suscita ningún problema interpretativo, puesto que no hay necesidad de efectuar reparto alguno para determinar el concreto juzgado que deba resolver, pues, en esos casos, «el tribunal competente» será el único juzgado del lugar donde radica el centro de internamiento (art. 763.1, párrafo tercero). Sin embargo, el problema surge en aquellas demarcaciones con varios órganos judiciales, pues es perfectamente factible que la determinación del «tribunal competente» se produzca tras la recepción de la comunicación en el Decanato y el asunto sea turnado a un determinado juzgado. Eso es, precisamente, lo que aconteció en el supuesto concernido por el presente recurso, si bien no consta el motivo por el que el asunto fue repartido el día 13 de junio de 2014 y, sin embargo, no tuvo entrada en el Juzgado de Primera Instancia número 15 de Las Palmas hasta el día 16 del citado mes y año.

Conforme al hilo argumental seguido por el órgano de apelación, el mencionado art. 763.1 LEC admite la existencia de un intervalo intermedio entre la comunicación del internamiento al Decanato, por parte de la autoridad médica, y la asignación del asunto al órgano judicial que corresponda. Según se indica en el Auto de fecha 28 de julio de 2014, ese lapso es compatible con el límite temporal que el art. 17.2 CE establece respecto de las detenciones gubernativas y encuentra acogida favorable en la fundamentación jurídica de la STC 141/2012. En consecuencia, al plazo de 24 horas con que cuenta el del centro psiquiátrico para notificar el internamiento no voluntario y al de 72 horas del que dispone el juez para ratificar la medida privativa de libertad, se suma un nuevo término cuya duración viene determinada por el tiempo que el Decanato tarde en remitir el asunto al órgano judicial que corresponda por reparto, si bien ese lapso no podrá exceder de 72 horas a contar desde que se produjo el internamiento involuntario. Conforme a ese planteamiento, entre la data de internamiento involuntario y la fecha de la ratificación judicial pueden llegar a transcurrir hasta seis días.

FJ 6. Hemos de anticipar que esa interpretación no merece favorable acogida. En primer lugar, la doctrina asentada en la STC 141/2012 no auspicia tales conclusiones, pues como se indica en el apartado c) del fundamento jurídico 5, en relación con el plazo de 24 horas de que dispone el responsable del centro para comunicar el internamiento, lo que afirmamos entonces es que el legislador podría ampliar el mencionado límite temporal hasta las 72 horas, lo cual, como es obvio, no faculta al intérprete judicial de la legalidad a extender el referido plazo sin el oportuno soporte legal habilitante; y ello con independencia de que el art. 17.2 CE establezca un plazo límite de 72 horas para la puesta a disposición judicial del detenido. En segundo término, hemos de recalcar que, en el apartado d) del indicado fundamento jurídico sostuvimos sin ambages que, desde que tiene lugar la comunicación por el centro hospitalario, la persona ingresada pasa a disposición del órgano judicial. De ahí que los razonamientos consignados en ese apartado tampoco patrocinan la prolongación de la «detención gubernativa», en los términos señalados por la Audiencia Provincial. Cierto es que, de cara a ponderar si en aquel supuesto se había incumplido el plazo legal de 72 horas, tomamos como referencia la fecha de la providencia de apertura del procedimiento y, a partir de ese dato, colegimos que se superó con creces el plazo máximo previsto para la ratificación de la medida privativa de libertad. Sin embargo, de tal dato no cabe extraer ninguna conclusión trasladable al presente caso, habida cuenta de que, en el supuesto de hecho analizado en la STC 141/2012, el tiempo empleado por el órgano judicial para resolver, desde que el asunto estuvo a su disposición, excedió catorce días del plazo previsto en el art. 763.1 LEC, lo cual constituye un claro matiz diferencial con el presente caso.

Como así lo refiere el Fiscal, parece que la interpretación efectuada por los órganos judiciales pretende conciliar los plazos estatuidos en el art. 763.1 LEC con los condicionantes impuestos por la infraestructura del reparto de asuntos, principalmente derivados de la ausencia de un servicio de guardia durante los fines de semana. Sin embargo, desde la perspectiva constitucional en que se sitúa este Tribunal debemos desautorizar esa exégesis, pues no es dable alcanzar tal armonización mediante el reconocimiento de un lapso temporal intermedio —el tiempo que el asunto tarda en ingresar en el órgano judicial al que por reparto corresponde conocer—, que se ubica entre la comunicación del internamiento al Decanato y la operatividad del plazo judicial de 72 horas. Si admitiéramos tal posibilidad, el rigor hermenéutico con que se han de abordar las limitaciones del derecho a la libertad personal quedaría sustancialmente atenuado, con el consiguiente detrimento de las garantías establecida en el art. 17.1 CE. Por otra parte, la determinación del dies a quo del plazo para la ratificación judicial del internamiento quedaría a expensas de un factor voluble e indeterminado, lo cual es incompatible con los principios de certidumbre y taxatividad inherentes a cualquier medida privativa de libertad. En suma, desde la obligada pauta interpretativa que propicia la mayor efectividad del derecho fundamental y la correlativa interpretación restrictiva de sus límites, que hemos proclamado en diferentes resoluciones concernientes al derecho fundamental a la libertad personal (entre otras, SSTC 19/1999, de 22 de enero, FJ 5; 57/2008, de 28 de abril, FJ 6, y 152/2013, de 9 de septiembre, FJ 5), afirmamos que la interpretación constitucionalmente adecuada del segundo párrafo del art. 763.1 LEC no admite solución de continuidad entre la comunicación del internamiento involuntario, por parte de la autoridad médica, y el inicio del plazo de 72 horas estatuido para la ratificación judicial de esa medida, ni permite intercalar plazos implícitos entre esos dos acontecimientos procesales.

El concepto de detención y el internamiento de un menor en un centro de acogida —STC 94/2003, de 19 de mayo—

La Sentencia resuelve el recurso de amparo promovido por don A.I.P. contra el Auto del Juzgado de Instrucción núm. 2 de Málaga, de 4 de junio de 2001, que inadmitió a trámite la solicitud de habeas corpus contra el ingreso y estancia de su hijo menor de edad, M. I. P., en un centro de menores por acuerdo del Servicio de Atención del Menor de la Junta de Andalucía.

FJ 6. Las diferentes situaciones de estancia de un menor en un centro dependiente de los servicios de asistencia a los menores provocadas por acuerdos administrativos no pueden recibir una valoración unívoca en cuanto a su eventual calificación como restrictivas o privativas de libertad. Su correcta calificación debe proceder de un doble análisis. Por un lado, el de cuáles han sido las circunstancias que han provocado dicha situación. Por otro, y en conexión con el anterior, si esa situación implica fácticamente una modificación o una alteración del status libertatis del menor. En el presente caso, por lo que respecta al análisis de las circunstancias que motivaron la permanencia del menor en el centro, hay que destacar que el recurrente había puesto de manifiesto en su solicitud de habeas corpus, y, por tanto, en conocimiento del Juez de Instrucción en el momento en que éste tenía que valorar la concurrencia de los requisitos de admisibilidad del procedimiento, que el menor, quien contaba entonces 8 años de edad, permanecía en el centro con motivo de habérsele sustraído a la guarda y custodia paterna por mostrar signos de haber sido golpeado. En relación con ello, y por lo que respecta al análisis de si esto supuso una alteración fáctica del status libertatis del menor, hay que destacar que, tanto antes de su ingreso en el centro, como con posterioridad, su status libertatis estaba contextualizado, en virtud de su minoría de edad, por las exigencias derivadas del ejercicio de la guarda y custo-dia, entre las cuales se encuentra el permanecer en compañía del titular de dicha potestad. Ambas consideraciones resultan definitivas para acreditar que, cuando el recurrente interpuso el recurso de habeas corpus, la situación de permanencia del menor en el centro no asumía ninguna connotación objetiva de afectación a su derecho a la libertad, ya que era una mera consecuencia necesaria e inherente al ejercicio del acogimiento cautelar por parte de la Junta de Andalucía. La decisión sobre el lugar donde debía permanecer el menor era de quien tenía la titularidad de su guarda y custodia en aquel momento, sin que pueda considerarse que el cambio de residencia motivado por la sucesión de quien ejercía esa potestad implicara una alteración del status libertatis del menor, el cual, desde luego, no estaba siendo objeto de compulsión alguna contra su libertad de autodeterminación por parte de la Administración pública. Por ello, con independencia de la legalidad del acuerdo administrativo cautelar y de la consecuencia derivada de ésta de ingresar y mantener al menor en el centro, lo que se reitera no es ni puede ser objeto de enjuiciamiento por este Tribunal, objetivamente la situación fáctica de permanencia en el centro no suponía una situación de compulsión contra el menor más allá del deber inherente a quien ejerce la guarda y custodia de tenerlo en su compañía, por lo que no resulta posible calificar la situación creada de privativa de libertad y, por tanto, considerarla objeto de control judicial a través del procedimiento de habeas corpus. En última instancia el recurrente intentó utilizar la situación del menor, calificándola de privativa de libertad, como excusa para articular una inadecuada vía procedimental de control judicial de la decisión administrativa de privarle de la guarda y custodia de aquél con la exclusiva finalidad de recobrarla. Y la pretensión deducida al efecto fue correctamente rechazada a limine por el órgano judicial, el cual, al margen de otras consideraciones que no eran propias del momento procesal en el que efectuó su pronunciamiento, valoró que el procedimiento de habeas corpus utilizado no resultaba adecuado para la revisión judicial de intereses que, por legítimos que fuesen, no eran el de la protección del derecho a la libertad del menor, del que éste no estaba privado. Por tanto, en la medida en que la resolución judicial impugnada inadmitió liminarmente el habeas corpus fundamentándose, entre otros motivos, en que la situación del menor no era de privación de libertad, y verificado que dicha situación no implicaba la afectación del derecho del menor a la libertad por parte de la Administración pública, sino el ejercicio por parte de ésta de obligaciones derivadas de la asunción de la tutela cautelar, no cabe apreciar que exista la vulneración del art. 17.4 CE aducida por el recurrente, por lo cual debe denegarse el amparo solicitado.

El arresto domiciliario de la persona quebrada —STC 178/1985, de 19 de diciembre—

La Sentencia resuelve la cuestión de inconstitucionalidad planteada por el Juez de Primera Instancia e Instrucción de Lorca, por supuesta inconstitucionalidad del artículo 1.335 de la Ley de Enjuiciamiento Civil, que contemplaba el arresto de la persona quebrada (vid. hoy el artículo 1.1.3 de la Ley Orgánica 8/2003, de 9 de julio, para la Reforma Concursal).

FJ 3. El arresto del quebrado es, además de una medida de imposición automática, una privación de libertad carcelaria, si es que no se presta fianza, que no tiene otro límite temporal que el resultante de la revocación de la medida. Analizada la cuestión desde la perspectiva del art. 17.1 de la Constitución, considera el Ministerio Fiscal que sólo sujetando el arresto a las exigencias constitucionales impuestas para la prisión provisional puede considerarse constitucionalmente legítimo. Parte, para esta conclusión el Ministerio Fiscal de la idea de que, a su entender, el art. 17.1 proscribe toda privación de libertad que no esté relacionada con la comisión de un delito. No se comparte, sin embargo, esta tesis del Ministerio Fiscal, pues ni se agota en la modalidad de prisión los supuestos de restricción o privación de libertad, como resulta de una lectura del precepto y de su interpretación (como manda el art. 10.2 de la Constitución) a la luz de los textos internacionales (en lo que ahora interesa, del art. 5 de la Convención Europea), ni sólo la comisión de un hecho delictivo es título para restringir la libertad. La restricción de libertad es un concepto genérico del que una de sus modalidades es la prisión en razón de un hecho punible, como revela, por lo demás, el art. 5 citado, al establecer los supuestos en que el derecho a la libertad se limita, y al enumerar, junto al referido a un hecho delictivo, otros casos en que no rige la regla delito-privación de libertad. El art. 17.1 no concibe la libertad individual como un derecho absoluto y no susceptible de restricciones. Lo que ocurre es que sólo la Ley puede establecer los casos y la forma en que la restricción o privación de libertad es posible, reserva de Ley que por la excepcionalidad de la restricción o privación exige una proporcionalidad entre el derecho a la libertad y la restricción de esta libertad, de modo que se excluyan —aun previstas en la ley— restricciones de libertad que, no siendo razonables, rompan el equilibrio entre el derecho y su limitación. La necesidad de que el quebrado esté personalmente disponible para cuanto el proceso de quiebra demanda, y por el tiempo indispensable, como se explica en el fundamento siguiente, es una causa legítima para limitar su libertad. Pero esta limitación ha de ser proporcionada al fin que la justifique. Cuando el arresto se convierte en carcelario, subordinado a la disponibilidad económica de una fianza, excede manifiestamente de esa proporcionalidad entre el objetivo y la medida adoptada. En este sentido el arresto carcelario es incompatible con el art. 17.1 de la Constitución, pero no lo es la restricción de libertad que supone el arresto del quebrado en su propio domicilio por el tiempo indispensable para asegurar la finalidad del proceso de quiebra.

FJ 4. La duración de la privación de libertad en que consiste el arresto del quebrado debe ser, tan sólo, la que se considere indispensable para conseguir la finalidad con que se ha decretado, y lograda esta finalidad, resultaría contrario al art. 17.1 de la Constitución la privación de libertad. El art. 1.340 de la Ley de Enjuiciamiento Civil —precepto al que debe extenderse el análisis constitucional por virtud de lo dispuesto en el art. 39 de la LOTC— contiene una regla, a cuyo tenor, acabada la ocupación de bienes del quebrado, y el examen de sus libros, papeles, y documentos concernientes al tráfico del quebrado, procede la soltura, alzamiento del arresto o concesión de salvoconducto. Interpretado el precepto en el sentido de que —a salvo lo que proceda en caso de una quiebra que se repute punible—, procede decretar el alzamiento del arresto, no podrá decirse que tal medida privativa de libertad es de duración indefinida, y, por esto, que es atentativa, por esta indefinición de la duración, a lo que dispone el art. 17.1 de la Constitución. De este entendimiento del art. 1.340 de la Ley de Enjuiciamiento Civil, y de lo que, según hemos dicho en su momento, es como procede entender el art. 1.044, regla segunda, del Código de Comercio antiguo y art. 1.333 de la Ley de Enjuiciamiento Civil, para atemperarlo a las exigencias constitucionales, resulta un arresto desprovisto del automatismo que denuncia el Juez a quo, distinto de la prisión preventiva, y supeditado temporalmente al objeto que lo justifica, cumplido el cual, procede su revocación. Así interpretados los arts. 1.044, regla segunda, del Código de Comercio antiguo; 1.333, 1.335 y 1.340 de la Ley de Enjuiciamiento Civil son compatibles con los arts. 17.1 y 24.2 de la Constitución.

El concepto de detención y los controles de alcoholemia —STC 107/1985, de 7 de octubre[5]—

La Sentencia resuelve el recurso de amparo interpuesto por don J.M.A.A. contra la Sentencia dictada el 16 de marzo de 1984 por el Juzgado de Instrucción número 2 de San Sebastián, confirmada por la Audiencia Provincial, condenatoria por un delito de conducción bajo efecto de bebidas alcohólicas. Solicita el recurrente que declaremos la nulidad de las mencionadas Sentencias, por entender que vulneraron sus derechos fundamentales reconocidos en el artículo 17.3 CE.

FJ 3. Para nuestro análisis hemos de partir de la consideración de que los derechos declarados en el art. 17.3 de la norma fundamental corresponden al «detenido», esto es, a quien ha sido privado provisionalmente de su libertad por razón de la presunta comisión de un ilícito penal y para su puesta a disposición de la autoridad judicial en el plazo máximo de setenta y dos horas, de no haber cesado antes la detención misma, según prescribe el núm. 2 del mismo artículo. Las garantías exigidas por el art. 17.3 —información al detenido de sus derechos y de las razones de su detención, inexistencia de cualquier obligación de declarar y asistencia letrada— hallan, pues, su sentido en asegurar la situación de quien, privado de su libertad, se encuentra ante la eventualidad de quedar sometido a un procedimiento penal, procurando así la norma constitucional que aquella situación de sujeción no devenga en ningún caso en productora de la indefensión del afectado. No es esta situación, sin embargo, la de quien, conduciendo un vehículo de motor, es requerido policialmente para la verificación de una prueba orientativa de alcoholemia, porque ni el así requerido queda, sólo por ello, detenido en el sentido constitucional del concepto, ni la realización misma del análisis entraña exigencia alguna de declaración autoincriminatoria del afectado, y sí sólo la verificación de una pericia técnica de resultado incierto y que no exorbita, en sí, las funciones propias de quienes tienen como deber la preservación de la seguridad del tránsito y, en su caso, en mérito de lo dispuesto en el art. 492, 1.º de la LECrim, la detención de quien intentare cometer un delito o lo estuviere cometiendo. En estos términos, la verificación de la prueba que se considera supone, para el afectado, un sometimiento, no ilegítimo desde la perspectiva constitucional, a las normas de policía, sometimiento al que, incluso, puede verse obligado sin la previa existencia de indicios de infracción, en el curso de controles preventivos realizados por los encargados de velar por la regularidad y seguridad del tránsito (art. 1 in fine de la Orden de 29 de julio de 1981). La realización de esta prueba, por lo tanto, así como la comprobación de otro modo por agentes del orden público de la identidad y estado de los conductores, no requiere de las garantías inscritas en el art. 17.3 de la Norma fundamental, dispuestas específicamente en protección del detenido y no de quienquiera que se halle sujeto a las normas de la policía de tráfico.

II. REQUISITOS CONSTITUCIONALES DE LA DETENCIÓN PREVENTIVA: ARTÍCULO 17.2 Y 17.3 CE

Artículo 17.2 CE: límite temporal relativo y absoluto de la detención —STC 165/2007, de 2 de julio[6]—

La Sentencia resuelve el recurso de amparo promovido por doña L.P.G. contra el Auto del Juzgado de Instrucción núm. 12 de Sevilla de 5 de abril de 2006, que denegó la incoación del procedimiento de habeas corpus que había instado la recurrente a través de su Abogado con ocasión de su detención en las dependencias de la Inspección Central de

---

[5]   *Vid.* también las SSTC 22/1988, de 18 de febrero; 76/1990, de 26 de abril; 252/1994, de 19 de septiembre; 161/1997, de 2 de octubre.

[6]   *Vid.* también, y además de las citadas en la Sentencia, las SSTC 31/1996, de 27 de febrero; 86/1996, de 21 de mayo; 95/2012, de 7 de mayo.

guardia de la mencionada ciudad, en el marco de las diligencias policiales seguidas por presuntos delitos de resisten-
cia y desobediencia grave a los agentes de la Autoridad, y ante la indebida prolongación de su detención desde que
se concluyó el atestado.

FJ 2. En relación con la primera de las quejas en las que se sustenta la demanda de amparo conviene recordar, en la
línea de una reiterada doctrina de este Tribunal, que nuestra Constitución, habida cuenta del valor cardinal que la
libertad personal tiene en el Estado de Derecho, somete la detención de cualquier ciudadano al criterio de la necesidad estricta y, además, al criterio del lapso temporal más breve posible (SSTC 199/1987, de 16 de diciembre, FJ 8;
224/1998, de 24 de noviembre, FJ 3), en consonancia con lo dispuesto en el Convenio europeo para la protección de
los derechos humanos y de las libertades fundamentales (art. 5.2 y 3) y en el Pacto internacional de derechos civiles y
políticos (art. 9.3), que exigen que el detenido sea conducido «sin dilación» o «sin demora» ante la autoridad judicial.
En este sentido, hemos afirmado que el art. 17.2 CE ha establecido dos plazos, en lo que se refiere a los límites
temporales de la detención preventiva, uno relativo y otro máximo absoluto. El primero consiste en el tiempo estrictamente necesario para la realización de las averiguaciones tendentes al esclarecimiento de los hechos que, como es
lógico, puede tener una determinación temporal variable en atención a las circunstancias del caso. Sin embargo, el
plazo máximo absoluto presenta una plena concreción temporal y está fijado en las setenta y dos horas computadas
desde el inicio de la detención, que no tiene que coincidir necesariamente con el momento en el cual el afectado se
encuentra en las dependencias policiales (SSTC 288/2000, de 27 de noviembre, FJ 3; 224/2002, de 25 de noviembre,
FJ 3). Este sometimiento de la detención a plazos persigue la finalidad de ofrecer una mayor seguridad de los afectados por la medida, evitando así que existan privaciones de libertad de duración indefinida, incierta o ilimitada (STC
179/2000, de 26 de junio, FJ 2). En consecuencia, la vulneración del citado art. 17.2 CE se puede producir, no sólo
por rebasarse el plazo máximo absoluto, es decir, cuando el detenido sigue bajo el control de la autoridad gubernativa
o sus agentes una vez cumplidas las setenta y dos horas de privación de libertad, sino también cuando, no habiendo
transcurrido ese plazo máximo, se traspasa el relativo, al no ser la detención ya necesaria por haberse realizado las
averiguaciones tendentes al esclarecimiento de los hechos y, sin embargo, no se procede a la liberación del detenido
ni se le pone a disposición de la autoridad judicial (STC 23/2004, de 23 de febrero, FJ 2). Por ello, hemos afirmado en
la reciente STC 250/2006, de 24 de julio, que «pueden calificarse como privaciones de libertad ilegales, en cuanto
indebidamente prolongadas o mantenidas, aquellas que, aun sin rebasar el indicado límite máximo, sobrepasen el
tiempo indispensable para realizar las oportunas pesquisas dirigidas al esclarecimiento del hecho delictivo que se imputa al detenido, pues en tal caso opera una restricción del derecho fundamental a la libertad personal que la norma
constitucional no consiente» (FJ 3).

FJ 3. En el presente caso, se observa en el atestado que los hechos que provocaron la detención de la recurrente
ocurrieron sobre las 00:15 horas del día 5 de abril de 2006 y que esta fue presentada como detenida en la Inspección
Central de guardia sobre las 2:10 horas. No consta, por el contrario, la hora exacta de su detención, no obstante la
trascendencia de este dato a los fines del control que posteriormente se ha de efectuar sobre si la misma se adecua o
no a las garantías constitucionales, ya que «la detención que embrida el art. 17 CE no es una decisión que se adopte
en el curso de un procedimiento, sino una pura situación fáctica» (SSTC 96/1986, de 10 de junio, FJ 4; 86/1996, de
21 de mayo, FJ 7). Según dicho atestado se procedió a la plena identificación y reseña dactiloscópica y fotográfica
de la detenida en las dependencias policiales, siendo conducida sobre las 3:38 horas del mismo día a un centro
de salud, al solicitar asistencia facultativa, apreciándosele «contusión con erosiones en brazo derecho». Sobre las
11:28 horas de la mañana se procedió a oírla en declaración en presencia del Abogado que había designado para su
defensa, acogiéndose a su derecho a no declarar en sede policial y hacerlo cuando fuese requerido para ello ante la
autoridad judicial. Finalmente, obra una diligencia de remisión del Instructor en la que se expresa que «siendo las 12
horas del día 5-4-2006, el señor Instructor dispone que las presentes actuaciones se den por concluidas, acordando
el cierre de las mismas y que sean entregadas ante el Ilmo. Sr. Magistrado Juez del Juzgado de Instrucción de Guardia
de Detenidos de esta capital, pasando a su disposición Loreto Pizarro Gómez».
Sin embargo, pese a lo que se hace constar en la expresada diligencia, la puesta de la recurrente a disposición de la
autoridad judicial se pospuso hasta el día siguiente, como lo evidencia el que su Letrado promoviera el procedimiento
de habeas corpus sobre las 15 horas ante el Juzgado de Instrucción núm. 12 de Sevilla, en funciones de guardia, y
que, denegada por dicho Juzgado su incoación por Auto de 5 de abril de 2006, esta resolución judicial fuera comunicada a las dependencias policiales para su notificación a la detenida a través de un fax remitido a las 20:36 horas,
como consta en las actuaciones recibidas en este Tribunal. Por ello, una vez denegado de plano el habeas corpus,
permaneció en condición de detenida en la comisaría de policía durante la tarde y noche del 5 de abril de 2006 hasta

que a la mañana siguiente fue puesta a disposición judicial, y ello a pesar de que ya se ha habían practicado todas las diligencias integrantes del atestado policial, tal como se observa en las actuaciones, no correspondiendo por ello a la realidad la afirmación que se hace por el titular de órgano judicial en el Auto ahora impugnado de que «quedan diligencias pendientes de practicar». (hecho único). Como ha afirmado este Tribunal en otras ocasiones, «desde el momento en que las averiguaciones tendentes al esclarecimiento de los hechos fueron finalizadas, y no constando la existencia de otras circunstancias, la detención policial del actor quedó privada de fundamento constitucional. En ese instante, que nunca puede producirse después del transcurso de setenta y dos horas, pero sí antes, la policía tenía que haberlo puesto en libertad, o bien haberse dirigido al Juez competente» (así, SSTC 224/2002, de 25 de noviembre, FJ 4; 23/2004, de 23 de febrero, FJ 4).

En la demanda de amparo se afirma, por otra parte, que a la detenida, durante el trámite de su declaración policial, le fue comunicado que no sería puesta a disposición judicial hasta el día siguiente, porque «sólo se realiza una conducción de detenidos al día, a las nueve de la mañana». Tal afirmación, si bien no es invocada por el Juez en la resolución judicial que inadmitió a límine la petición de habeas corpus, parece confirmarse por la circunstancia de que la Jefatura Superior de Policía remitió al Juzgado, presentada dicha solicitud, junto con el atestado realizado una copia de un protocolo de colaboración entre los Juzgados y las fuerzas y cuerpos de seguridad, donde se establece como «pauta general una única conducción diaria de detenidos al Juzgado de Guardia de Detenidos, antes de las 9:30 horas». No obstante, este criterio, al parecer asumido por el instructor del atestado policial, no aparece en modo alguno justificado, no sólo porque el propio protocolo preveía entre sus disposiciones que no quedaba excluida la presentación de un detenido ante el Juez de guardia en hora distinta de la antes señalada, pudiendo así «el Juzgado de Instrucción de Guardia recibir detenidos durante las 24 horas cuando las circunstancias así lo aconsejen», sino, fundamentalmente, porque tal circunstancia, como afirmábamos en su supuesto parecido en la STC 224/2002, de 25 de noviembre, «no puede justificar en principio un alargamiento tan desproporcionado del periodo de detención, una vez declarada la conclusión de las investigaciones policiales, máxime cuando, como acontece en este caso, se había presentado ante el Juzgado de guardia una solicitud de habeas corpus que permitió conocer, una vez remitidas, la conclusión de las diligencias policiales» (FJ 4).

En consecuencia, la primera queja planteada por la recurrente merece ser estimada por este Tribunal, pues la detención preventiva de que fue objeto en las dependencias policiales se prolongó más allá del tiempo necesario para el esclarecimiento de los hechos presuntamente delictivos que la motivaron, por lo que resultó infringida la garantía que el art. 17.2 CE le reconoce en cuanto titular del derecho a la libertad personal.

El artículo 17.2 CE: el carácter gubernativo de la detención sometida al límite temporal en él previsto —STC 21/1997, de 10 de febrero—

La Sentencia resuelve el recurso de amparo promovido por don A.R. contra al Auto de la Sala de lo Penal de la Audiencia Nacional de 23 de abril de 1996, recaído en el recurso de apelación interpuesto contra el Auto de 25 de octubre de 1995, que confirmó en reforma lo resuelto por el Juzgado Central de Instrucción núm. 1 mediante Auto de 22 de marzo del mismo año. Las mencionadas soluciones judiciales fueron impugnadas por cuanto desestimaron la petición de puesta en libertad y de nulidad de actuaciones del sumario instruido contra el recurrente tras haber sido abordado el buque mercante de bandera panameña Archangelos, que se encontraba bajo su mando, por una dotación del buque del Servicio de Vigilancia Aduanera Petrel I. Alega el don A.R. que desde la captura del buque el 23 de enero de 1995 hasta su arribada al puerto de las Palmas de Gran Canaria, el 6 de febrero de dicho año, se vulneraron sus derechos reconocidos en el artículo 17.1 CE, por privársele de su libertad sin respetar la forma legalmente prevista; en el artículo 17.2 CE, pues entre las fechas indicadas transcurrieron con exceso más de setenta y dos horas sin que el recurrente fuera puesto en libertad o a disposición judicial; y en el artículo 17.3 CE, porque hasta su desembarco en el puerto español permaneció detenido sin ser informado de sus derechos ni contar con asistencia letrada ni intérprete.

FJ 4. En segundo término, se ha alegado que las resoluciones judiciales impugnadas en el presente proceso constitucional han incurrido en nulidad por vulnerar el derecho que el art. 17.2 CE le reconoce, ya que pese a ser detenido el recurrente de amparo el 23 de enero de 1995, no pasó a disposición judicial hasta el 6 de febrero del mismo año. Lo que excede con mucho el plazo máximo de setenta y dos horas establecido en dicho precepto, respecto al que hemos declarado que no sólo es aplicable a los supuestos de detención preventiva legalmente previstos sino que también expresa «un principio de limitación temporal de toda privación de libertad de origen policial» que ha de tener presente el legislador (STC 341/1993). Con la particularidad, además, de que al fijar un plazo máximo de detención preventiva, la garantía del art. 17.2 CE es más rigurosa que la que se contiene en instrumentos internacionales sobre protección de los derechos humanos en los que es parte España y, en concreto, en el art. 5.3 del Convenio de Roma de 1950, invocado por el recurrente con cita de la Sentencia del TEDH de 26 de octubre de 1984 en el asunto Mc Goff.

Sin embargo, la queja por una presunta vulneración del art. 17.2 CE no puede ser acogida. Con independencia de que en el presente supuesto la detención no se practicó y mantuvo en el territorio del Estado parte, como ocurrió en el caso resuelto por el TEDH que se acaba de mencionar, sino en la alta mar y a considerable distancia de las costas españolas más próximas, la razón determinante no es la posibilidad o imposibilidad de dar cumplimiento al plazo de las setenta y dos horas, sino la que se deriva de una correcta interpretación del precepto constitucional cuya vulneración se ha alegado. Pues no cabe admitir la injustificada extensión que la representación procesal del recurrente atribuye a la garantía establecida por el art. 17.2 CE

En efecto, si bien la libertad en cuanto derecho fundamental y valor superior de nuestro ordenamiento (art. 1.1 CE) no puede sufrir excepciones por razones de eficacia en la lucha contra el delito, como ha alegado el recurrente, no es menos cierto que la vulneración del derecho que el art. 17.2 CE garantiza sólo se producirá cuando se hayan transgredido los límites del mismo. Y al respecto basta recordar que si la disponibilidad sobre la pérdida de libertad es exclusivamente judicial «el mandato de la Constitución es que, más allá de las setenta y dos horas, corresponde a un órgano judicial la decisión sobre mantenimiento o no de la limitación de la libertad» (STC 115/1987). Lo que es aplicable incluso respecto a un supuesto tan singular de detención como el presente, pues de esta decisión se desprende con claridad que el sentido y finalidad de esta exigencia constitucional no requiere incondicionalmente la presencia física del detenido ante el Juez —aunque ello debe constituir la forma normal, por implicar una mayor garantía del detenido—, sino que la persona privada de libertad, transcurrido el plazo de las setenta y dos horas, no continúe sujeta a las autoridades que practicaron la detención y quede bajo el control y la decisión del órgano judicial competente, garante de la libertad que el art. 17.1 reconoce.

En el presente caso, el Juzgado Central de Instrucción núm. 1, con fecha 26 de enero de 1995, dictó Auto en el que se expresa que «estando por transcurrir las setenta y dos horas primeras desde la aprehensión del barco Archangelos y detención de su tripulación», debía legalizarse su situación en cumplimiento del mandato constitucional y, tras tener en cuenta las circunstancias de lugar y tiempo que impedían la presencia física de los detenidos ante el órgano judicial y valorar los indicios de criminalidad existentes, acordó la prisión provisional, comunicada y sin fianza de éstos. Ha existido, pues, un pleno control judicial sobre la libertad del recurrente al término del plazo constitucionalmente previsto y, desde la perspectiva del control externo que corresponde a este Tribunal, ningún reproche en esta sede constitucional cabe hacer a la decisión acordando elevar la detención a prisión provisional, pues su adopción se ha acordado de forma fundada, razonada, completa y acorde con la finalidad de la institución (STC 128/1995, fundamento jurídico 3º). Lo que hace que decaiga el segundo motivo del recurso de amparo.

El artículo 17.2 CE y el artículo 55.2 CE: la suspensión individual del límite temporal de la detención en relación con las investigaciones correspondientes a la bandas armadas o elementos terroristas —STC 199/1987, de 16 de diciembre—

La Sentencia resuelve los recursos de inconstitucionalidad interpuestos por el Parlamento de Cataluña y el Parlamento del País Vasco frente a la Ley Orgánica 9/1984, de 26 de diciembre, contra la actuación de bandas armadas y elementos terroristas y de desarrollo del artículo 55.2 de la Constitución.

FJ 7. [...] Buena parte del contenido de los recursos hace referencia al alcance de la exigencia constitucional de la «necesaria intervención judicial». Se trata de un tema particularmente complejo, dada la difícil compatibilidad, puesta de relieve por la doctrina, entre la suspensión de los derechos previstos en los arts. 17.2 y 18.2 y 3 de la Constitución y el mantenimiento de una intervención judicial, calificada como «necesaria» en cada uno de dichos supuestos de suspensión. No cabe sacrificar enteramente ninguno de los dos contenidos del art. 55.2 de la Constitución, ya sea la necesaria intervención judicial a la suspensión, ya sea esta última a la primera, pues la Constitución trata de hacer compatibles la suspensión de los derechos y la intervención judicial al respecto. Nos encontramos en un supuesto característico de aplicación del llamado «principio de concordancia práctica» que impone tratar de hacer compatible la suspensión de los derechos y la intervención judicial. Quiere ello decir que el respeto a la fuerza normativa de la Constitución exigiría mantener toda la eficacia posible de la intervención judicial que fuera compatible con la voluntad, también de la Constitución, de posibilitar una suspensión singular de estos derechos, teniendo en cuenta, además, que la finalidad del precepto es hacer posible esa suspensión, imponiendo, complementariamente y como garantía de esa suspensión, una intervención judicial que ha de hacerse en todo caso compatible con aquélla. Ello supone que en último extremo, pero sólo en último extremo, la «necesaria intervención judicial», debe modalizarse para asegurar la posibilidad de la suspensión.

Precisamente por ello, no cabe, como pretenden los recurrentes, un tratamiento unitario e idéntico para todos los casos y para todos los derechos a que se refiere el art. 55.2 de la Constitución del alcance de la necesaria intervención judicial, sino que ésta ha de abordarse en relación con los específicos problemas que la misma plantea para cada uno de los derechos suspendibles, y también en relación con las circunstancias en las que esa suspensión haya de realizarse. En particular los recurrentes insisten en la necesidad de que la intervención judicial sea en todo caso previa a la actuación gubernativa que supone la suspensión del derecho. La Constitución exige, desde luego, una intervención judicial, y que además ésta sea decisiva al respecto, que pueda ratificar o levantar la suspensión del derecho. Para su mayor efectividad la intervención judicial, debería preceder a la puesta en práctica de la suspensión. Sin embargo, ello no excluye el que en ciertos casos la efectividad de la suspensión misma requiera una actuación inmediata de la autoridad gubernativa, sin perjuicio de la intervención sucesiva del órgano judicial, de forma que la medida podría ser adoptada provisionalmente por la autoridad administrativa a reserva de su ratificación o levantamiento por la autoridad judicial. En estos casos extremos la efectividad de la suspensión puede requerir posponer la intervención judicial a un momento posterior a la actuación gubernativa, pero esta modalización de la necesaria intervención judicial para hacer posible la suspensión entra en la lógica misma de la previsión incluida en el art. 55.2 de la Constitución. Si la intervención judicial en estos casos fuera idéntica a todos los efectos a la existente en el régimen común de los derechos de los arts. 17.2 y 18.2 y 3 de la Constitución, no cabría hablar, como la Constitución hace, de suspensión de tales derechos.

En todo caso, esa labor de ponderación y de compaginación de la suspensión y la intervención judicial ni puede ser examinada de forma general para todos los derechos afectados, ni tampoco, respecto a cada uno de ellos, supone una respuesta única que permita una solución rígida en favor o en contra de la posibilidad de que la intervención judicial haya de ser en todo caso previa a la actuación administrativa en que se concrete la suspensión del derecho en cuestión. Por ello hemos de analizar en concreto el problema de la intervención judicial dentro del examen de la impugnación de cada uno de los artículos que suponen el desarrollo del art. 55.2 de la Constitución.

FJ 8. [...] El art. 13, referido a la detención preventiva, impone la puesta a disposición judicial del detenido dentro de las setenta y dos horas siguientes a la detención, pero permite la prolongación de esa detención preventiva por «el tiempo necesario para los fines investigadores hasta un plazo máximo de otros siete días, siempre que tal propuesta se ponga en conocimiento del Juez antes de que transcurran las setenta y dos horas de la detención. El Juez, en el término de veinticuatro horas, denegará o autorizará la prolongación propuesta».

La inconstitucionalidad del precepto se defiende por un doble orden de razones, en primer lugar porque permite la prolongación de la detención gubernativa, más allá de las setenta y dos horas, sin una previa intervención y resolución judicial. En segundo lugar porque hace posible una prolongación de hasta un máximo de diez días de la detención gubernativa, lo que supondría una coacción moral del detenido incompatible con los derechos reconocidos en los arts. 17 y 24 de la Constitución y Pactos Internacionales ratificados por España. Ambos motivos de inconstitucionalidad han de ser examinados de forma separada.

En cuanto a la omisión de la necesaria intervención judicial, los recurrentes defienden la inconstitucionalidad del precepto por entender que la intervención judicial, que impone el art. 55.2 de la Constitución, para la prolongación de la detención preventiva debería suponer una previa intervención y resolución judicial, sin que bastara al respecto la simple comunicación al Juez prevista en dicho art. 13, que además hace posible, al exigir la puesta en conocimiento judicial hasta antes de que transcurran setenta y dos horas pero concediendo al Juez veinticuatro horas para la resolución, una prolongación «automática» de la detención gubernativa, sin resolución judicial, y por el mero hecho de la comunicación. [...]

[...] [U]na consecuencia exigida por el art. 55.2 de la Constitución no es en absoluto el que pueda iniciarse una prolongación de la detención más allá de las setenta y dos horas sin intervención judicial previa que expresamente la autorice. El precepto constitucional permite que la detención gubernativa pueda prolongarse más allá de las setenta y dos horas, límite general a la misma previsto por el art. 17.2 de la Constitución, y esa posibilidad de prolongación es la que se configura como la «suspensión» del derecho reconocido en dicho artículo. La suspensión del derecho se circunscribe así exclusivamente a esa prolongación del tiempo de la detención gubernativa y ni altera el significado procesal de esta detención ni hace decaer en principio las demás garantías que asisten al detenido. Además debe recordarse que el art. 55.2 impone una necesaria intervención judicial, por lo que tampoco podría ser alegado para justificar su supresión.

Esa necesaria autorización judicial tampoco constituye, como entiende el Letrado del Estado, una puesta «a disposición de la autoridad judicial» a que se refiere el art. 17.2, sino exactamente lo contrario, el que el detenido, por los delitos a los que la Ley se refiere, en virtud de la autorización judicial, pueda continuar, a efectos de las indagaciones, a disposición gubernativa o policial. Con ello no queda vacío de contenido el art. 55.2 de la Constución, sino desarrollado en su plenitud, puesto que la suspensión singular del derecho de libertad sólo puede entenderse referida aquí al límite máximo de la detención gubernativa, pero ello, también, con «la necesaria intervención judicial».

Por ello, la prolongación de la detención gubernativa más allá de las setenta y dos horas no puede ni iniciarse ni llevarse a cabo, de acuerdo a los arts. 17.2 y 55.2 de la Constitución, sin una previa y expresa autorización judicial. Por hacer posible esa prolongación con la mera comunicación o petición de prolongación, sin exigir la previa y expresa autorización del órgano judicial, el art. 13 de la Ley Orgánica 9/1984 es inconstitucional.

Finalmente, el Parlamento Vasco, ha impugnado la inconstitucionalidad del art. 13 por considerar que la prórroga de la detención hasta una plazo de diez días supone, en el mejor de los casos, una coacción moral del detenido incompatible con los derechos reconocidos en el art. 24.2 de la Constitución, citando expresamente los derechos a no prestar declaración, a no confesarse culpable y a la presunción de inocencia.

De acuerdo con el art. 17.2 de la Constitución el plazo máximo de la detención preventiva es de setenta y dos horas, transcurridas las cuales o el detenido ha de ser puesto en libertad o pasa a disposición judicial, convirtiéndose la detención gubernativa en detención judicial, a todos los efectos y en los locales correspondientes. Es decir, el detenido deja de estar a disposición gubernativa. El art. 55.2 de la Constitución permite, con intervención judicial, una prolongación de la detención preventiva, más allá de esas setenta y dos horas, para la «realización de las averiguaciones tendentes al esclarecimiento de los hechos» (art. 17.2 de la Constitución). Como desarrollo de esta habilitación constitucional, el art. 13 ha suspendido ese límite temporal máximo y ha hecho posible que el Juez autorice, más allá de las setenta y dos horas, una prolongación de la detención preventiva, es decir, permanecer bajo la custodia y a disposición de los Cuerpos de Seguridad del Estado.

Corresponde además a la Ley Orgánica fijar el plazo máximo de duración de esta detención ampliada. El legislador tiene un margen de discreción al respecto, pero no una libertad de opción que le permita ampliar a su arbitrio la duración de esta situación excepcional. En este sentido, siguen siendo puntos necesarios de referencia tanto el art. 9.3 del Pacto Internacional de Derechos Civiles y Políticos como el art. 5.3 del Convenio Europeo para la Protección de los Derechos Humanos y Libertades Fundamentales, ambos ratificados por España, que requieren la conducción del detenido ante la presencia judicial «en el plazo más breve posible». Al mismo tiempo el propio art. 17.2 de la Constitución afirma que la detención «no podrá durar más del tiempo estrictamente necesario» para la realización de las correspondientes averiguaciones. Todo ello supone que el legislador ha de ponderar tanto las exigencias derivadas de las investigaciones correspondientes a la actuación de bandas armadas o elementos terroristas, como la aplicación del criterio de la necesidad estricta y de la mayor brevedad posible.

Según el Parlamento Vasco la posibilidad de ampliación a siete días más constituye una «prolongación injustificable del tiempo en que el detenido está a disposición de la autoridad gubernativa». Ha de reconocerse que este plazo máximo de posible ampliación, que supone más que triplicar el plazo máximo de setenta y dos horas reconocido por nuestra Constitución (que a su vez es superior al establecido en otros ordenamientos próximos), resulta excesivo, y no se corresponde con los plazos que para este tipo de delitos han establecido las legislaciones más cercanas a la nuestra. Además, no se han aducido razones por la representación del Estado que permitan llevar a este Tribunal a la convicción de que una prolongación tan dilatada e insólita de la detención gubernativa sea una exigencia estrictamente necesaria para la realización de las correspondientes averiguaciones. Debe tenerse en cuenta, además, que esa amplitud de la detención preventiva que permite el art. 13, en cuanto excede de los límites antes señalados, puede suponer, como alega el Parlamento Vasco, una penosidad adicional y una coacción moral, añadida e injustificada, sobre el detenido, incompatible con sus derechos a no declarar contra sí mismo y a no confesarse culpable.

En consecuencia, el art. 13 de la Ley Orgánica 9/1984, al permitir una prórroga de la detención hasta un plazo adicional de siete días, no ha respetado ni el requisito del art. 17.2 de la Constitución —no durar más del tiempo estrictamente necesario—, ni la exigencia del «plazo más breve posible» del art. 9.3 del Pacto Internacional de Derechos Civiles y Políticos y del art. 5.3 del Convenio Europeo para la Protección de los Derechos Humanos y Libertades Fundamentales, ambos ratificados por España. Por ello ha de ser declarado inconstitucional también por este motivo relativo a la duración excesiva de la prolongación de la detención. La declaración de inconstitucionalidad y la consiguiente nulidad del art. 13 no permiten, a la luz del art. 40.1 de la Ley Orgánica del Tribunal Constitucional, revisar «procesos fenecidos» ya que no se trata de una norma penal que imponga penas o defina responsabilidades, ni invalidan por sí mismas los procedimientos judiciales iniciados con anterioridad a la fecha de la presente Sentencia.

Las garantías del artículo 17.3 CE: el derecho de la persona detenida a ser informada de forma inmediata de sus derechos y de las razones de su detención con asistencia de intérprete —STC 74/1987, de 25 de mayo—

La Sentencia resuelve el recurso de inconstitucionalidad planteado en nombre del Gobierno Vasco contra la Ley 14/1983, de 12 de diciembre, por la que se desarrolla el artículo 17.3 de la Constitución en materia de asistencia letrada al detenido y al preso y modificación de los artículos 520 y 527 de la Ley de Enjuiciamiento Criminal.

FJ 2. [...] La cuestión consiste, por tanto, en determinar si el ciudadano español que no comprenda o no hable el castellano tiene, al igual que el extranjero que se encuentre en esa circunstancia, el derecho a ser asistido por intérprete.

FJ 3. Es evidente que el derecho a ser asistido de un intérprete deriva del desconocimiento del idioma castellano que impide al detenido ser informado de sus derechos, hacerlos valer y formular las manifestaciones que considere pertinentes ante la administración policial, pues si algunos de esos derechos pudieran respetarse por otros medios (la simple información, por ejemplo, por un texto escrito en la lengua que entienda el detenido) otros derechos, que suponen un diálogo con los funcionarios policiales, no pueden satisfacerse probablemente sin la asistencia de intérprete. Este derecho debe entenderse comprendido en el art. 24.1 de la Constitución en cuanto dispone que en ningún caso puede producirse indefensión. Y aunque es cierto que este precepto parece referirse a las actuaciones judiciales debe interpretarse extensivamente como relativo a toda clase de actuaciones que afectan a un posible juicio y condena y, entre ellas, a las diligencias policiales cuya importancia para la defensa no es necesario ponderar. La atribución de este derecho a los españoles que no conozcan suficientemente el castellano y no sólo a los extranjeros que se encuentren en ese caso no debe ofrecer duda. Lo contrario supondría una flagrante discriminación prohibida por el art. 14 de la Constitución. No cabe objetar que el castellano es la lengua española oficial del Estado y que todos los españoles tienen el deber de conocerla (art. 3.1 CE), ya que lo que aquí se valora es un hecho (la ignorancia o conocimiento insuficiente del castellano) en cuanto afecta al ejercicio de un derecho fundamental, cual es el de defensa. En el fondo se trata de un derecho que, estando ya reconocido en el ámbito de las actuaciones judiciales (arts. 231.5 de la LOPJ y 398, 440, 711 y 758.2 de la LECrim), debe entenderse que también ha de reconocerse en el ámbito de las actuaciones policiales que preceden a aquéllas y que, en muchos casos, les sirven de antecedente. Ciertamente, el deber de los españoles de conocer el castellano, antes aludido, hace suponer que ese conocimiento existe en la realidad, pero tal presunción puede quedar desvirtuada cuando el detenido o preso alega verosímilmente su ignorancia o conocimiento insuficiente o esta circunstancia se pone de manifiesto en el transcurso de las actuaciones policiales.

FJ 4. Consecuencia de lo expuesto es que el derecho de toda persona, extranjera o española, que desconozca el castellano a usar de intérprete en sus declaraciones ante la Policía, deriva, como se ha dicho, directamente de la Constitución y no exige para su ejercicio una configuración legislativa, aunque ésta puede ser conveniente para su mayor eficacia. El hecho de que la Ley impugnada, al dar nueva redacción al art. 520 de la Ley de Enjuiciamiento Criminal, se refiera sólo expresamente en su apartado 2 e) al extranjero podría ser una deficiencia legislativa, pero no supone propiamente un caso de inconstitucionalidad por omisión como pretende el Gobierno Vasco, ya que tal tipo de inconstitucionalidad sólo existe «cuando la Constitución impone al legislador la necesidad de dictar normas de desarrollo constitucional y el legislador no lo hace» (STC 24/1982, de 13 de mayo, fundamento jurídico 3.°). La norma contenida en el art. 520.2 °) es, con toda evidencia, constitucional siempre que no se interprete en sentido excluyente, es decir, en el sentido de que al reconocer el derecho a intérprete del extranjero se le niega ese derecho al español que se encuentra en las mismas circunstancias. Basta pues, con interpretar la norma impugnada con arreglo a la Constitución, lo que es perfectamente posible, para disipar todo reproche de inconstitucionalidad. Debe advertirse además que el derecho a intérprete, en cuanto nace única y exclusivamente del desconocimiento del castellano y de la imposibilidad subsiguiente de relacionarse en forma comprensible, con la Administración policial, es aplicable con independencia del lugar en que se producen las diligencias, es decir, para el caso aquí examinado fuera o dentro de la Comunidad Autónoma Vasca. Y por último, debe señalarse también que la asistencia del intérprete ha de ser gratuita para los españoles que la necesiten como lo es para los extranjeros, según el art. 520.3 e) de la Ley de Enjuiciamiento Criminal. Lo contrario vulneraría el principio de igualdad consagrado en el art. 14 de la Constitución y supondría un obstáculo irrazonable al derecho de defensa consagrado en el art. 24.1 de la Norma fundamental.

El artículo 17.3 CE: el sentido del derecho a ser informada/o —STC 21/1997, de 10 de febrero (*vid. supra*)[7]—

FJ 5. En el tercer y último motivo de su queja el recurrente en amparo ha invocado el derecho constitucional de todo detenido a ser informado de forma inmediata y comprensible de sus derechos y de las razones de su detención, a lo que asocia la falta de asistencia de un intérprete y de un Letrado tras producirse aquella el 23 de enero de 1995, estimando que ello ha lesionado el art. 17.3 CE. Más concretamente, en cuanto a lo primero ha alegado, con cita del art. 261 LOPJ, que pudieron haberse utilizado al efecto por el Juzgado Central de Instrucción núm. 1 los medios de comunicación existentes en el Petrel I y, de este modo, pudo haber remitido una «notificación» en idioma griego, lo que no se hizo; en cuanto a lo segundo, que se hubiera cumplido con la exigencia del precepto constitucional «llevando a bordo un Letrado que asistiera a los detenidos», pero careció de tal asistencia tras su detención. Sin embargo, esta queja del recurrente tampoco puede ser acogida.

B) [...] [T]ras la detención preventiva de una persona y su conducción a dependencias policiales, el art. 520.1 LECrim permite realizar diligencias tendentes al esclarecimiento de los hechos, incluida la declaración del detenido. Y es en esta situación, cuando adquieren su pleno sentido protector las garantías del detenido de ser informado «de forma inmediata, y de modo que le sea comprensible, de sus derechos y de las razones de su detención», así como de la asistencia letrada y la de un intérprete, dada su innegable importancia para la defensa en tales diligencias (STC 74/1987). Garantías constitucionales que se han configurado legalmente en el art. 520.2 LECrim y cuya finalidad es, como ha declarado este Tribunal, la de «asegurar la situación de quien, privado de su libertad, se encuentra en la eventualidad de quedar sometido a un proceso», procurando así la norma constitucional que la situación de sujeción que la detención implica no produzca «en ningún caso la indefensión del afectado» (STC 107/1985, fundamento jurídico 3º y SSTC 196/1987 y 341/1993). Y ello se ha reiterado por este Tribunal respecto a la asistencia letrada en las primeras diligencias policiales, diferenciándola de la que se presta en un proceso penal, al declarar que, de acuerdo con lo dispuesto en el art. 520 LECrim, aquella responde a la finalidad «de asegurar con su presencia personal, que los derechos constitucionales del detenido sean respetados, que no sufra coacción o trato incompatible con su dignidad y libertad de declaración y que tendrá el debido asesoramiento técnico sobre la conducta a observar en los interrogatorios, incluida la de guardar silencio, así como sobre su derecho a comprobar, una vez realizados y concluidos con la presencia activa del Letrado, la fidelidad de lo transcrito en el Acta de declaración que se le presenta a la firma» (STC 196/1987, fundamento jurídico 5º y, en el mismo sentido, 252/1994).

En relación con la anterior doctrina basta observar que en el presente caso la captura del buque y la detención de su tripulación no fue seguida de diligencia alguna para el esclarecimiento de los hechos por parte de las autoridades del Servicio de Vigilancia Aduanera en el buque Petrel I. Y como antes se ha dicho, una parte de la tripulación, no identificada, permaneció a bordo del Archangelos, bajo la vigilancia de la dotación de presa, hasta la llegada del buque a puerto español. No ha existido, por tanto, el presupuesto necesario para satisfacer las exigencias de defensa en tales diligencias policiales conforme al sentido y finalidad del art. 17.3 CE, pues ninguna diligencia para el esclarecimiento de los hechos se ha practicado por las autoridades del buque captor; limitándose a custodiar a los detenidos y a proceder de forma inmediata e ininterrumpida a su traslado a un puerto español.

El artículo 17.3 CE: el derecho de la persona detenida a no ser obligada a declarar y los controles de alcoholemia —STC 107/1985, de 7 de octubre (*vid. supra*)[8]—

El artículo 17.3 CE: el carácter instrumental del derecho a asistencia letrada —STC 47/1986, de 21 de abril[9]—

La Sentencia resuelve el recurso de amparo promovido por don L.M.B.T. contra la Sentencia dictada por la Sección Primera de la Audiencia Provincial de Barcelona, con fecha 10 de abril de 1984, en la causa que le fue seguida por el Juzgado de Instrucción de Vic, por delito de robo con homicidio.

---

[7] *Vid.* también las SSTC 339/2005, de 20 de diciembre; 21/2018, de 5 de marzo.

[8] *Vid.* también las SSTC 22/1988, de 18 de febrero; 76/1990, de 26 de abril; 252/1994, de 19 de septiembre; 161/1997, de 2 de octubre.

[9] *Vid.* STC 13/2017, de 30 de enero. *Vid.* también SSTC 22/2016, de 15 de febrero y 50/2016, de 14 de marzo, sobre el derecho de asistencia letrada en procesos de internamiento involuntario por trastorno psíquico, así como la jurisprudencia del TEDH en ellas citada.

FJ 1. El art. 118 de la Ley de Enjuiciamiento Criminal (LECrim), al establecer el derecho a la asistencia de Letrado, plasma una exigencia constitucional. Sin embargo, el derecho de defensa que consagra la Constitución no resulta violado simplemente porque se haya recibido una declaración en sede policial sin la presencia de Abogado pues, como lo expresa, el texto constitucional, la asistencia de Abogado se garantiza «en los términos que la ley establezca» (Sentencia 175/1985, de 17 de diciembre) y de la ley procesal se deduce claramente que los actos realizados sin la asistencia de Abogado pueden tener validez hasta que «la causa llegue al estado en que se necesite el consejo de aquéllos o se haya de intentar algún recurso que hiciese indispensable su actuación». En este mismo sentido debe entenderse la jurisprudencia de este Tribunal Constitucional que, precisando el texto constitucional, entiende que, si la irregularidad no se ha invocado en su momento, «la falta de asistencia letrada en la declaración policial sólo podría ser relevante en la medida en que hubiese determinado la indefensión posterior» (Sentencia 94/1983, de 14 de noviembre). Pero en el presente caso no se ha producido tal indefensión.

En primer lugar, según consta en diligencia incluida en el folio 15 del sumario, al adquirir consistencia las sospechas en un primer interrogatorio del hoy recurrente, este fue «informado de los derechos constitucionales que le asisten, y a su requerimiento se solicita de la presencia de un Letrado del Colegio de Abogados de esta ciudad, a efectos de serle oído en declaración». Las dos sucesivas y amplias declaraciones tienen lugar efectivamente ante Abogado, y de nuevo en ellas se informó al detenido de los derechos que le corresponden de conformidad con el art. 520 de la Ley de Enjuiciamiento Criminal (LECrim). En segundo lugar tuvo ocasión de poder rectificar la confesión prestada en sede policial ante el Juez de Instrucción, siendo dicha rectificación una forma del ejercicio del derecho de defensa. En consecuencia no cabe apreciar una lesión del derecho reconocido en el art. 17.3 de la Constitución como la alegada por la demandante.

El artículo 17.3 CE y la posibilidad de incomunicación de personas detenidas por delitos relacionados con bandas armadas o elementos terroristas: la necesaria intervención judicial —STC 199/1987, de 16 de diciembre (*vid. supra*)—

FJ 11. El art. 15.1 de la Ley Orgánica 9/1984 dispone que:

«La autoridad que haya decretado la detención o prisión podrá ordenar la incomunicación por el tiempo que estime necesario mientras se completan las diligencias o la instrucción sumarial, sin perjuicio del derecho de defensa que afecte al detenido o preso y de lo establecido en los arts. 520 y 527 de la Ley de Enjuiciamiento Criminal para los supuestos de incomunicación.» [...]

Como demuestran experiencias ajenas y propias, un uso ilimitado y extensivo de la situación de incomunicación en las detenciones gubernativas puede poner en peligro derechos tales como los previstos en los arts. 15, 17 y 24.2 de la Constitución. Por ello en nuestro ordenamiento la decisión de incomunicación corresponde siempre al órgano judicial aun en el caso de las detenciones gubernativas.

[...] Por la propia naturaleza de la medida, y dada su finalidad de no perjudicar «el éxito de la instrucción» (art. 524 de la Ley de Enjuiciamiento Criminal) ha de entenderse que la ordenación inmediata de la incomunicación puede realizarla la autoridad gubernativa, pero ello no excluye ni impide el que la decisión definitiva al respecto haya de adoptarse por el órgano judicial. Es decir, se justifica, en aras de la efectividad de la medida, una previa decisión de carácter provisional de la autoridad gubernativa, pero sometida y condicionada a la simultánea solicitud de la confirmación por el órgano judicial, garantía suficiente del derecho del afectado.

Sin embargo, el art. 15.1 no ha previsto esta intervención judicial confirmatoria, y parece partir de la idea de la no necesidad de intervención judicial en la decisión de la incomunicación durante el período inicial de detención gubernativa en las primeras setenta y dos horas, aunque los arts. 15.2 y 14 no excluyen, desde luego, un eventual control judicial sobre la detención y también sobre la incomunicación, que, según se ha dicho, no afecta en ningún caso a la comunicación del detenido con el órgano judicial.

En consecuencia, el art. 15.1 resulta contrario a la Constitución en cuanto permite que la autoridad gubernativa que haya decretado la detención pueda, en todos los casos, y sin intervención judicial alguna, ordenar la incomunicación del detenido durante las primeras setenta y dos horas. Sin embargo, no es contrario a la Constitución el que la autoridad gubernativa pueda ordenar provisionalmente, cuando ello resulte necesario, la incomunicación del detenido, aunque solicitando al mismo tiempo del órgano judicial la confirmación de la medida. El precepto legal ha omitido, pero no ha excluido, la exigencia de una ratificación judicial de la decisión gubernativa. No excluye así, una lectura integradora del precepto conforme y a la luz de los preceptos constitucionales, que es la que habría de elegirse en todo caso (SSTC 19/1982, de 5 de mayo, y 115/1987, de 7 de julio); de ahí que sólo ha de entenderse inconstitucional en la medida que se interprete excluyendo la ratificación judicial de la decisión gubernativa de incomunicación.

En consecuencia, el art. 15.1 de la Ley Orgánica 9/1984 es contrario a la Constitución en la medida en que se entienda que la ordenación de la incomunicación por parte de la autoridad gubernativa, durante las primeras setenta y dos horas, no haya de ser objeto de simultánea solicitud al órgano judicial competente, de acuerdo con el apartado segundo del propio artículo. O dicho en otros términos, el art. 15.1 es parcialmente inconstitucional a no ser que se interprete que la incomunicación por parte de la autoridad gubernativa ha de ser objeto de simultánea solicitud de confirmación al órgano judicial competente.

El artículo 17.3 CE: asistencia letrada e incomunicación de personas detenidas por delitos relacionados con actividades terroristas —STC 196/1987, de 11 de diciembre[10]—

La Sentencia resuelve la cuestión de inconstitucionalidad promovida por la Sala de lo Contencioso Administrativo de la Audiencia Territorial de Pamplona, en relación con el artículo 527 a) de la Ley de Enjuiciamiento Criminal, según el cual: «El detenido o preso, mientras se halle incomunicado, no podrá disfrutar de los derechos expresados en el presente capítulo, con excepción de los establecidos en el artículo 520, con las siguientes modificaciones: a) En todo caso, su Abogado será designado de oficio.»

FJ 5. A tal efecto debe aceptarse que en el ejercicio del derecho a la asistencia letrada tiene lugar destacado la confianza que al asistido le inspiren las condiciones profesionales y humanas de su Letrado y, por ello, procede entender que la libre designación de éste viene integrada en el ámbito protector del derecho; es preciso, sin embargo, matizar que el elemento de confianza alcanza especial relieve cuando se trata de la defensa de un acusado en un proceso penal, donde frecuentemente se plantean complejos problemas procesales y sustantivos; pero no ocurre lo mismo en el supuesto de detención en primeras diligencias policiales, constitutiva de una situación jurídica en la que la intervención del Letrado responde a la finalidad, de acuerdo con lo dispuesto en el art. 520 de la Ley de Enjuiciamiento Criminal, de asegurar, con su presencia personal, que los derechos constitucionales del detenido sean respetados, que no sufra coacción o trato incompatible con su dignidad y libertad de declaración y que tendrá el debido asesoramiento técnico sobre la conducta a observar en los interrogatorios, incluida la de guardar silencio, así como sobre su derecho a comprobar, una vez realizados y concluidos con la presencia activa del Letrado, la fidelidad de lo transcrito en el acta de declaración que se le presenta a la firma.

Estas circunstancias caracterizadoras de la situación del detenido, unidas a que el art. 17.3 de la Constitución habilita al legislador para establecer los términos del derecho a la asistencia letrada del mismo, sin imponerle formas concretas de designación conducen a entender que la relación de confianza, aun conservando cierta importancia, no alcanza, sin embargo, la entidad suficiente para hacer residir en ella el núcleo esencial del derecho, pues no debe olvidarse que, una vez concluido el período de incomunicación, de breve duración por imperativo legal, el detenido recupera el derecho a elegir Abogado de su confianza y que las declaraciones ante la policía, en principio, son instrumentos de la investigación que carecen de valor probatorio.

La esencia del derecho del detenido a la asistencia letrada es preciso encontrarlo, no en la modalidad de la designación del Abogado, sino en la efectividad de la defensa, pues lo que quiere la Constitución es proteger al detenido con la asistencia técnica de un Letrado, que le preste su apoyo moral y ayuda profesional en el momento de su detención y esta finalidad se cumple objetivamente con el nombramiento de un Abogado de oficio, el cual garantiza la efectividad de la asistencia de manera equivalente al Letrado de libre designación.

FJ 6. En este marco constitucional, el legislador puede imponer las limitaciones al contenido normal de los derechos fundamentales que vengan justificadas en la protección de otros derechos fundamentales, bienes y valores constitucionales y sean proporcionadas a la misma, que no sobrepasen su contenido esencial.

FJ 7. La especial naturaleza o gravedad de ciertos delitos o las circunstancias subjetivas y objetivas que concurran en ellos pueden hacer imprescindible que las diligencias policiales y judiciales dirigidas a su investigación sean practicadas con el mayor secreto, a fin de evitar que el conocimiento del estado de la investigación por personas ajenas a esta propicien que se sustraigan a la acción de la justicia culpables o implicados en el delito investigado o se destruyan u oculten pruebas de su comisión.

En atención a ello, la Ley de Enjuiciamiento Criminal concede a la autoridad judicial la competencia exclusiva para decretar la incomunicación del detenido, medida excepcional de breve plazo de duración que tiene por objeto aislar

---

[10]   *Vid.* también la STC 46/1988, de 21 de marzo.

al detenido de relaciones personales, que pueden ser utilizadas para transmitir al exterior noticias de la investigación en perjuicio del éxito de ésta. En tal situación, la imposición de Abogado de oficio se revela como una medida más de las que el legislador, dentro de su poder de regulación del derecho a la asistencia letrada, establece al objeto de reforzar el secreto de las investigaciones criminales.

Teniendo en cuenta que la persecución y castigo de los delitos son pieza esencial de la defensa de la paz social y de la seguridad ciudadana, los cuales son bienes reconocidos en los arts. 10.1 y 104.1 de la Constitución y, por tanto, constitucionalmente protegidos, la limitación establecida en el art. 527 a) de la LECrim encuentra justificación en la protección de dichos bienes que, al entrar en conflicto con el derecho de asistencia letrada al detenido, habilitan al legislador para que, en uso de la reserva específica que le confiere el art. 17.3 de la Constitución, proceda a su conciliación, impidiendo la modalidad de libre elección de Abogado.

III. EL ARTÍCULO 17.4: EL PROCEDIMIENTO DE *HABEAS CORPUS*

Naturaleza jurídica del recurso de *habeas corpus* —STC 94/2003, de 19 de mayo (*vid. supra*)—

FJ 2. [...] Respecto a la correcta identificación del derecho constitucional que eventualmente se habría vulnerado ha de precisarse que, aun cuando este Tribunal haya señalado en alguna resolución que el art. 17.4 CE no contiene propiamente un derecho fundamental, sino una garantía institucional que resulta de la tutela judicial efectiva en todas sus vertientes, y que, por tanto, la corrección de la resolución judicial en esta materia debía ser analizada conforme a dicho canon (STC 44/1991, de 25 de febrero, FJ 2), sin embargo, más recientemente, ha reiterado que, en supuestos como el presente, la perspectiva de examen que debe adoptarse es única y exclusivamente la de la libertad, puesto que, estando en juego este derecho fundamental, la eventual ausencia de una motivación suficiente y razonable de la decisión no supondrá sólo un problema de falta de tutela judicial, propio del ámbito del art. 24.1 CE, sino prioritariamente una cuestión que afecta al derecho a la libertad personal, en cuanto que la suficiencia o razonabilidad de una resolución judicial relativa a la garantía constitucional del procedimiento de habeas corpus, prevista en el art. 17.4 CE, forma parte de la propia garantía (STC 288/2000, de 27 de noviembre, FJ 1). Conclusión que, por otra parte, ya había sido mantenida en la STC 98/1986, de 10 de julio, FJ 3, al afirmarse que la invocación de la lesión de la tutela judicial efectiva en el marco de la resolución de un procedimiento de habeas corpus resulta redundante con la de los arts. 17, apartado 1 y 4 CE, pues aquélla supondría el incumplimiento por el órgano judicial de lo previsto en el art. 17.4 CE y, por tanto, la lesión del derecho a la libertad del art. 17.1 CE. [...]

El papel del *habeas corpus* en la tutela del derecho de libertad —STC 208/2000, de 24 de julio—

La Sentencia resuelve el recurso de amparo promovido por don L.A.C.G. contra el Auto del Juzgado Togado Militar Territorial núm. 42 de Valladolid, de 6 de octubre de 1999, que no accedió a abrir un procedimiento de habeas corpus contra la sanción de cuatro días de arresto domiciliario que le fue interpuesta como autor de una falta leve de negligencia en la conservación del material del servicio. La inadmisión se justifica en que la sanción había sido impuesta por la autoridad competente y dentro de los límites legalmente previstos. El recurrente considera que la sanción de privación de libertad era ilegal, por lo que el Auto de inadmisión del procedimiento de hábeas corpus vulneró su derecho a la libertad.

FJ 3. El art. 17 CE no sólo define un conjunto de derechos, básicamente el de la libertad y otros relacionados con él, sino también una serie de garantías que deben observarse en los supuestos en que se produzcan privaciones o restricciones de aquellos derechos. Normalmente estas garantías constitucionales rigen para el propio acto de privación o limitación del derecho afectado. Sin embargo, el primer inciso del art. 17.4 CE establece una garantía adicional y a posteriori del propio acto de privación de libertad, consistente en que la ley regule un procedimiento, al que la Constitución denomina de hábeas corpus, para que la persona cuya detención se reputa ilegal sea puesta inmediatamente a disposición judicial.

Dicha garantía del hábeas corpus exige una mediación legislativa y una intervención judicial, por usar los términos de la STC 71/1994, de 3 de marzo, FJ 13. Se precisa, en primer lugar, la mediación legislativa ya que el precepto dirige un mandato al legislador con el fin de que regule el correspondiente procedimiento. Pero además la norma constitucional establece, en segundo lugar, una necesaria intervención judicial, puesto que dicho procedimiento —al que por tanto hay que otorgar una naturaleza judicial— debe articular la previsión de que el Juez ordene que se ponga a su disposición al detenido. El art. 17.4, primer inciso, CE impone que el procedimiento en cuestión esté caracterizado por la nota distintiva de la inmediatez de esa comparecencia del detenido, precisamente para que cese cuanto antes la situación de privación de libertad una vez que ésta haya sido calificada por el Juez de ilegal, bien en su origen bien en su mantenimiento.

Aunque se discute si este procedimiento tiene una naturaleza bien cautelar, bien de amparo ordinario, bien de remedio interdictal destinado a la protección de la libertad, lo relevante en clave sistemática es que el constituyente quiso que la libertad del art. 17 CE fuera el único derecho fundamental que contuviera una garantía adicional, única y específica en el marco de los derechos fundamentales reconocidos por nuestra Constitución, consistente en un mecanismo ad hoc para evitar y hacer cesar de manera inmediata las vulneraciones del derecho mediante la puesta a disposición ante el órgano judicial de la persona privada de libertad.

Ello es consecuencia de la importancia de la libertad, que —como advierte la STC 147/2000, de 29 de mayo— no es sólo un valor superior del Ordenamiento jurídico (art. 1.1 CE) sino además un derecho fundamental (art. 17 CE), que está vinculado directamente con la dignidad de la persona, y cuya trascendencia estriba precisamente en ser el presupuesto de otras libertades y derechos fundamentales. La libertad de los ciudadanos es en un régimen democrático donde rigen derechos fundamentales la regla general y no la excepción, de modo que aquéllos gozan de autonomía para elegir entre las diversas opciones vitales que se les presentan. Y concluye esta resolución afirmando que la libertad hace a los hombres sencillamente hombres.

La particularidad de que el derecho a la libertad tenga previsto este procedimiento de hábeas corpus como una garantía reforzada, determina que el control judicial de las privaciones de libertad haya de ser plenamente efectivo. De lo contrario, la actividad judicial en este ámbito se convertiría en un mero expediente ritual o simbólico, lo que a su vez implicaría atribuir a los derechos fundamentales un simple carácter teórico o ilusorio (SSTC 12/1994, de 17 de enero, FJ 6; 232/1999, de 13 de diciembre, FJ 3), que lógicamente no tienen.

FJ 4. De la regulación legal del procedimiento de hábeas corpus se desprende, en una delimitación conceptual negativa, que no es ni un proceso contencioso-administrativo sobre la regularidad del acto o vía de hecho que origina la privación de libertad, ni tampoco un proceso penal sobre la eventual comisión de un delito de detención ilegal. El que ha sido privado de su libertad puede reaccionar contra tal privación optando por una cualquiera de estas tres vías, de naturaleza distinta y sin que se confundan entre sí, o incluso por varias o todas ellas, ya que no se excluyen mutuamente. Esta selección del sistema de impugnación se puede efectuar con plena libertad, ya que es a los ciudadanos a quienes corresponde elegir la vía de reacción más conveniente contra la detención sufrida (STC 31/1996, de 27 de febrero, FJ 9).

Ahora bien, el que elige el procedimiento de hábeas corpus ha de saber, en una aproximación positiva al concepto, que se trata de que un Juez del orden jurisdiccional penal o de la jurisdicción militar examine, aunque sea de manera interina, la legalidad de una privación de libertad no acordada por órganos judiciales. El Juez del hábeas corpus no tiene por misión revisar el acto administrativo, lo que corresponderá a los órganos judiciales del orden contencioso-administrativo, sino la conformidad a Derecho de esa situación de privación de libertad. Expresado en otros términos, hemos afirmado que en materia de revisión judicial de la legalidad material de las detenciones administrativas corresponde al Juez del hábeas corpus dictar la primera, en tanto que los Tribunales de lo Contencioso ostentan la última y definitiva palabra (STC 12/1994, de 17 de enero, FJ 6). Pero lógicamente esta separación de funciones no exonera totalmente a dicho Juez del hábeas corpus de su obligación de analizar, si bien de modo provisional, el presupuesto material que justifica la medida que implica una carencia de libertad (SSTC 12/1994, FJ 6; 232/1999, FJ 3).

Positivamente definido, el hábeas corpus es un proceso de cognición limitada entendido como un instrumento de control judicial, que versa no sobre todos los aspectos o modalidades de la detención o la privación de libertad, sino sobre su regularidad o legalidad, en relación con los arts. 17.1 y 4 CE, interpretados éstos, a través de la vía prevista en el art. 10.2 de la Norma Fundamental, de conformidad con el art. 5.1 y 4 CEDH. La Exposición de Motivos de la Ley Orgánica 6/1984, reguladora del procedimiento de hábeas corpus, expresa que la finalidad fundamental de tal procedimiento es la de verificar la legalidad y las condiciones de la detención, mediante un procedimiento caracterizado por la agilidad, la sencillez y carencia de formalismos, así como por la generalidad de supuestos sometidos a él.

Objeto del recurso de *habeas corpus* —STC 165/2007, de 2 de julio (*vid. supra*)—

FJ 4. [...] El procedimiento de habeas corpus, previsto en el inciso final del citado artículo y desarrollado por la Ley Orgánica 6/1984, de 6 de mayo (LOHC), supone una garantía reforzada del derecho a la libertad para la defensa de los demás derechos sustantivos establecidos en el resto de los apartados del art. 17 CE, cuyo fin es posibilitar el control judicial a posteriori de la legalidad y de las condiciones en las cuales se desarrollan las situaciones de privación de libertad no acordadas judicialmente mediante la puesta a disposición judicial de toda persona que se considere está privada de libertad ilegalmente. Este procedimiento, aun siendo un proceso ágil y sencillo de cognición limitada, no puede verse reducido en su calidad o intensidad, por lo que es necesario que el control judicial de las privaciones de libertad que se realicen a su amparo sea plenamente efectivo. De lo contrario la actividad judicial no sería un verdadero control, sino un mero expediente ritual o de carácter simbólico, lo cual, a su vez, implicaría un menoscabo en la eficacia de los derechos fundamentales y, en concreto, de la libertad (entre otras, SSTC 93/2006, de 27 de marzo, FJ 3; 25/2006, de 24 de julio, FJ 2). Por ello, hemos afirmado que la esencia de este proceso consiste precisamente en que «el Juez compruebe personalmente la situación de la persona que pida el control judicial, siempre que se encuentre efectivamente detenida» (STC 66/1996, de 16 de abril, FJ 3), es decir «haber el cuerpo de quien se encuentre detenido para ofrecerle una oportunidad de hacerse oír, y ofrecer las alegaciones y pruebas» (STC 86/1996, de 21 de mayo, FJ 12). […]

Por otra parte, este Tribunal también ha afirmado de manera específica que el procedimiento de habeas corpus no sirve solamente para verificar el fundamento de cualquier detención, sino también para poner fin a detenciones que, ajustándose originariamente a la legalidad, se mantienen o prorrogan ilegalmente o tienen lugar en condiciones ilegales (SSTC 224/1998, de 24 de noviembre, FJ 5; 61/2003, de 24 de marzo, FJ 2 a). Por esta razón, la Ley Orgánica 6/1984, prevé que el Juez de habeas corpus puede adoptar distintas medidas: una es la de poner inmediatamente en libertad al indebidamente privado de ella, pero otra consiste, precisamente, en acordar que «la persona privada de libertad sea puesta inmediatamente a disposición judicial, si ya hubiere transcurrido el plazo legalmente establecido para su detención» (art. 8.2.c). Habiendo afirmado este Tribunal que este enjuiciamiento de la legalidad de la detención a que antes hemos hecho referencia, que ha de llevarse a cabo en el juicio de fondo previa audiencia del solicitante y demás partes, «es si cabe, aún más necesario cuando el solicitante alegue que la privación de libertad se ha prolongado indebidamente» (en este sentido, SSTC 224/2002, de 25 de noviembre, FJ 5; 23/2004, de 23 de febrero, FJ 5).

El objeto del recurso de *habeas corpus* y la efectiva puesta a disposición judicial de la persona detenida —STC 66/1996, de 16 de abril—

La Sentencia resuelve el recurso de amparo promovido por doña S.F.S., de nacionalidad brasileña, contra el Auto del Juzgado de Instrucción núm. 2 de Burgos, de 8 de febrero de 1996, que declaraba no haber lugar a la incoación del procedimiento de habeas corpus promovido por ella contra su detención y traslado a dependencias policiales. Antes de incoar el procedimiento, la Secretaría del Juzgado se puso en comunicación telefónica con la Comisaría para verificar los hechos, y desde ésta se aseguró que la recurrente se encontraba efectivamente detenida y sometida a un procedimiento de expulsión del territorio español por carencia de medios lícitos de vida. Sin más trámite que el informe del Ministerio Fiscal, que interesó la inadmisión, el Juzgado de Instrucción denegó la incoación del procedimiento de habeas corpus por no concurrir los presupuestos legales enunciados en el artículo 4 de la Ley de Habeas Corpus.

FJ 3. […] Así las cosas, será de indicar:

A) Tal conversación telefónica, con persona no identificada, carecía de virtualidad para acreditar las circunstancias reales de la detención de la solicitante del habeas corpus.

B) En cualquier caso, dicha conversación telefónica en modo alguno podía sustituir al contenido esencial del indicado proceso que para cumplir adecuadamente su fin exige que el Juez compruebe personalmente la situación de la persona que pide el control judicial, siempre que se encuentre efectivamente detenida.

No se olvide que junto a esa puesta de manifiesto de la persona detenida, integran también el contenido esencial del proceso las alegaciones y pruebas (STC 144/1990) que pueda formular y proponer, en lo que ahora importa, la persona privada de libertad.

C) Y en último término será de añadir que aunque se entendiese acreditado que la detención de la ahora recurrente tenía su origen en un expediente de expulsión del territorio nacional, ello no sería bastante para justificar siempre y en todo caso la privación de libertad, que ha de ser controlada en el proceso de «habeas corpus» atendiendo «a la causa de expulsión invocada, a la situación legal y personal del extranjero, a la mayor o menor probabilidad de su huida o cualquier otra que el Juez estime relevante para adoptar su decisión, dado que el internamiento del extranjero debe regirse por el principio de excepcionalidad y la libertad debe ser respetada, salvo que se estime indispensable la pérdida de su libertad por razones de cautela o de prevención, que habrán de ser valoradas por el órgano judicial». (SSTC 115/1987, 144/1990 y 12/1994, entre otras). […]

FJ 5. La doctrina constitucional viene poniendo de relieve la importancia de la motivación de las resoluciones judiciales en general y específicamente en el proceso de «habeas corpus» […].

En el caso que ahora se examina ocurre que la solicitante del «habeas corpus» se ha quedado sin saber «la precisa razón legal» (STC 154/1995) por la que se inadmitía su petición, pues, como con acierto advierte el Ministerio Fiscal, el Auto aquí impugnado, que «es la única pista que tiene el solicitante para conocer los motivos de la denegación», no concreta cuál de los supuestos del art. 4 LOHC es el que ha dado lugar a la inadmisión.

En estos términos ha de concluirse que no se ha visto satisfecho el derecho a obtener una resolución judicial motivada que con carácter general consagra el art. 24.1 CE, lo que aquí ha determinado más directamente una vulneración del art. 17.4 CE

La legitimidad de la atribución a los Juzgados Centrales de Instrucción de la competencia para conocer de recursos de *habeas corpus* —STC 153/1988, de 20 de julio—

La Sentencia resuelve el recurso de amparo interpuesto por don F.F.P.G. contra el Auto de 6 de junio de 1984 del Juzgado de Instrucción núm. 1 de San Sebastián, dictado en el procedimiento de habeas corpus seguido en diligencias previas, por el que dicho Juzgado se inhibió a favor del Juzgado Central de Instrucción de Guardia de la Audiencia Nacional, para conocer de dicho procedimiento. El Auto impugnado considera que, habiendo el Ministerio del Interior decretado la incomunicación al amparo del artículo 3.3 de la L.O. 11/1980, de 1 de diciembre (Ley Antiterrorista), el conocimiento, instrucción y fallo, de acuerdo con el artículo 6 de la misma Ley, corresponde exclusivamente a los Juzgados Centrales de Instrucción y a la Audiencia Nacional, por lo que, al tratarse de un procedimiento de habeas corpus, éste deberá seguirse ante el Juez Central de Instrucción correspondiente.

FJ 3. La línea argumental seguida por la representación del recurrente se desarrolla en los siguientes términos: La Audiencia Nacional y los Juzgados Centrales de Instrucción no son órganos constitucionalmente legítimos, pero, aunque lo fueran, carecerían de justificación otorgarles competencia en lo que se refiere a las situaciones de detención gubernativa. El hecho de que dichos órganos judiciales entiendan de la instrucción, conocimiento y fallo de las causas criminales derivadas de las actuaciones de bandas armadas o elementos terroristas no permite deducir su competencia respecto a las detenciones relacionadas con dichos supuestos, dado que, en lo que a éstos respecta, de lo único que se trata es de garantizar los derechos reconocidos en el art. 17 de la Constitución, lo que no guarda relación alguna con la naturaleza de las causas criminales que originan la detención ni exige la intervención de órganos especializados. Y menos aún cabe deducir dicha competencia en el procedimiento de hábeas corpus, cuyas características esenciales son la rapidez e inmediación, lo que resulta incompatible con la actuación de órganos centralizados.

Delimitada así la cuestión, resulta aplicable al presente caso la doctrina contenida en la STC 199/1987. En el fundamento jurídico 6.° de dicha Sentencia se afirma que la prohibición constitucional de Jueces excepcionales o no ordinarios no impide que el legislador pueda razonablemente en determinados supuestos, teniendo en cuenta su naturaleza, la materia sobre la que versan, la amplitud del ámbito territorial en que se producen y su trascendencia para el conjunto de la sociedad, disponer que la instrucción y enjuiciamiento de los mismos se lleve a cabo por un órgano judicial centralizado sin que ello contradiga el art. 24 de la Constitución. Tanto los Juzgados Centrales de Instrucción como la Audiencia Nacional —se precisa— son orgánica y funcionalmente, por su composición y modo de designación, órganos judiciales «ordinarios», y así ha sido reconocido por la Comisión Europea de Derechos Humanos en su Informe de 16 de octubre de 1986 sobre el caso Barberá y otros.

En ese mismo fundamento jurídico, y en relación con la cuestión que ahora nos ocupa, este Tribunal ha declarado también que al regular el órgano judicial competente para conocer de las detenciones gubernativas presuntamente ilegales, el legislador está obligado a «considerar los posibles riesgos de inefectividad de la tutela» y a «eliminarlos en la medida de lo posible», pudiendo ser contraria a la Constitución una regulación que se despreocupara de la efectividad de la tutela judicial. Pero ha concretado que la asignación del conocimiento de la detención a los Juzgados Centrales de Instrucción no supone un obstáculo que impida el control judicial de esas detenciones, aunque las dificultades que para el justiciable se derivan de ello imponen, en todo caso, una mayor diligencia del órgano judicial en orden a asegurar la efectividad de la protección y defensa judicial de la libertad, que le corresponde. Nada impide al Juez —señala— verificar la legalidad y las condiciones de la detención, velando por el respeto de los derechos constitucionales del detenido, no sólo los del art. 24 C. E., sino también los demás derechos fundamentales afectados en cada caso.

La conclusión principal que de dicha doctrina se desprende es la de la legitimidad constitucional de la atribución a los Juzgados Centrales de Instrucción de la competencia para conocer de las detenciones gubernativas practicadas en relación con las investigaciones concernientes a la actuación de bandas armadas o elementos terroristas. El Ministerio Fiscal aduce —y en ello centra su argumentación respecto a la vulneración del art. 24.2 CE— que se trata también en el presente caso del Juez «predeterminado por la Ley», pues la atribución de competencia al Juez Central de Instrucción satisface los requisitos establecidos por este Tribunal en su Sentencia de 31 de mayo de 1983, ya que dichos Juzgados, cuyo régimen orgánico y funcional es el común, fueron creados, previamente, por la norma jurídica y fueron investidos de jurisdicción y competencia con anterioridad al hecho de que trae causa el recurso de amparo. Pero este aspecto no aparece cuestionado por la representación del recurrente, quien únicamente aduce la falta de legitimidad constitucional de los mencionados órganos judiciales centralizados.

FJ 4. Dicha representación alega, sin embargo, que, aun cuando se reconociera la legitimidad constitucional de la Audiencia Nacional y de los Juzgados Centrales, la atribución de competencia a estos últimos para entender del procedimiento de hábeas corpus resulta incompatible con las notas que definen el contenido esencial de esta garantía constitucional. Y que, por otra parte, si las notas definitorias de dicho procedimiento resultasen incompatibles con la declaración de incompetencia del Juzgado de Instrucción de San Sebastián, es claro que esta declaración habría supuesto, asimismo, la denegación al detenido del derecho a la libertad, reconociendo en el párrafo primero del art. 17 de la Constitución, al no respetarse la garantía establecida en el párrafo cuarto.

Se impone, pues, analizar si existe algún elemento de esta garantía judicial específica frente a las detenciones ilegales, en que consiste el procedimiento de hábeas corpus, al que se acude con la pretensión de obtener la inmediata puesta a disposición de la autoridad judicial competente del ilegalmente detenido. En este sentido es de destacar que el propio legislador manifiesta en la Exposición de Motivos de la LOHC que lo que ha pretendido al desarrollar el art. 17.4 de la Constitución es «establecer remedios eficaces y rápidos» para los supuestos de detenciones ilegales o que transcurran en condiciones ilegales, y ello porque entiende que la eficaz regulación del hábeas corpus exige «la articulación de un procedimiento lo suficientemente rápido como para conseguir la inmediata verificación judicial» de tales detenciones, de modo que uno de los principios inspiradores de la plasmación normativa de la garantía es el de la agilidad «absolutamente necesaria para conseguir que la violación ilegal de la libertad de la persona sea reparada con la máxima celeridad».

Es preciso, por lo tanto, determinar si el Auto impugnado del Juzgado de Instrucción núm. 1 de San Sebastián ha impedido la celeridad en la verificación de la legalidad de la detención y, en su caso, la inmediata puesta a disposición judicial, notas esenciales al procedimiento de hábeas corpus, y con ello ha infringido los derechos fundamentalmente invocados.

Pues bien, no existe fundamento alguno para poder afirmar tal cosa. Por el contrario, según se deduce de las actuaciones obrantes en esta sede jurisdiccional, practicada la detención el 5 de junio de 1984, promovida la solicitud de hábeas corpus el día 6 y dictada la resolución judicial impugnada en esa misma fecha, al día siguiente, 7 de junio, recayó Auto del Juzgado Central de Instrucción núm. 4 sobre tal solicitud, es decir, se dispensó de forma rápida la tutela judicial frente a una detención presuntamente ilegal en cuanto a las condiciones en que estaba teniendo lugar, y, dado que en dicho Auto se decretó no haber lugar a incoar procedimiento de hábeas corpus por no concurrir los requisitos legales —decisión no impugnada en amparo—, no cabe tampoco aducir en el presente caso que se impediría la inmediata comparecencia del detenido ante el Juez. A ello hay que añadir, como señala el Ministerio Fiscal, que al delegar el Juzgado Central en el Juzgado de Instrucción de San Sebastián a fin de que pudiera recabar la información que estimara oportuna durante el período de la detención sobre la situación del detenido y el aseguramiento de sus derechos, e incoar las diligencias indeterminadas 108/84, se proveyó a que el detenido gozase de las garantías básicas reconocidas en el art. 17 de la Constitución. [...]

Legitimación para interponer recurso de *habeas corpus* —STC 154/2016, de 27 de septiembre—

La Sentencia resuelve recurso de amparo promovido por la asociación Algeciras Acoge contra el Auto del Juzgado de Instrucción núm. 2 de Algeciras de 20 de agosto de 2014, por el que se deniega la incoación de oficio del procedimiento de habeas corpus por posible detención ilegal de unos 250 inmigrantes llegados a las costas española en pateras los días 11 y 12 de agosto de 2014, y que permanecían en un pabellón de Tarifa bajo custodia de la Guardia Civil sin haber sido puestos aún a disposición judicial. Entiende la asociación recurrente que se ha producido una vulneración del derecho a la libertad personal y al habeas corpus (artículos 17.1 y 17.4 CE).

FJ 3. [...] El art. 3 de la Ley Orgánica 6/1984, de 24 de mayo, de regulación del procedimiento de habeas corpus (LOHC) establece que sólo pueden instar este procedimiento, además del titular del derecho, esto es, el privado de libertad, su cónyuge o persona unida por análoga relación de afectividad, descendientes, ascendientes, hermanos, el Ministerio Fiscal y el Defensor del Pueblo y, finalmente respecto a los menores y personas incapacitadas, también sus representantes legales. Asimismo, lo podrá iniciar, de oficio, el Juez competente. Por tanto, no se establece en la regulación de este procedimiento ante la jurisdicción ordinaria, ningún tipo de legitimación en favor de organizaciones o asociaciones. Esa fue la razón por la que la asociación recurrente, al no ser titular del derecho, ni tener legitimación legal para instar el procedimiento de habeas corpus, se limitó a pedir al Juzgado que hiciera uso de su potestad jurisdiccional de iniciar de oficio un procedimiento de habeas corpus, quedando agotadas sus posibilidades procesales en el mero ejercicio de la petición y la comunicación de la decisión adoptada aunque su contenido no le fuera favorable. De este modo, a la asociación demandante en amparo no cabía reconocerle su condición de parte en el procedimiento judicial de origen, circunstancia que por sí misma, conforme a lo expuesto, sería suficiente para negarle legitimación activa en el recurso de amparo [art. 46.1 b) LOTC].

A lo anterior se debe añadir que tampoco a la recurrente, podría reconocérsele un "interés legítimo" para acudir en amparo, en tanto que dicho interés, no puede residenciarse como afirma la demandante, en la contribución "al efectivo ejercicio del derecho a la tutela judicial efectiva de las personas extranjeras", pues, como se ha expuesto en el fundamento anterior, no debe confundirse el "interés legítimo" [art. 162.1 b) CE], con un "interés genérico en la preservación de derechos". Como tampoco puede sustentarse el mismo en el art. 20.3 de la Ley Orgánica 4/2000, de extranjería —al que alude la asociación recurrente—, pues, si bien "el régimen legal de la legitimación corporativa puede encontrar aplicación favorable en el campo de los procesos contencioso-administrativos u otros ordinarios, no puede decirse lo mismo respecto de la intervención en el proceso de amparo, cuando además, éste tiene por objeto derechos y libertades públicas de otro signo" (ATC 942/1985, FJ 1). Es evidente, que ni la recurrente es la titular del derecho de habeas corpus, ni del resto de los derechos fundamentales supuestamente vulnerados —titularidad que ni tan siquiera afirma—, ni puede, dada la naturaleza eminentemente personal del derecho tutelado, ampliarse en sede de amparo el restringido círculo de legitimados que reconoce el art. 3 LOHC, de suerte que quepa apreciar a favor de la asociación recurrente un interés cualificado o específico en defensa del derecho a la libertad (art. 17 CE) de terceros, pues por la desestimación del amparo no experimentaría perjuicio alguno y su estimación no incidiría en modo alguno en la esfera jurídica de la recurrente.

Voto particular que formulan Adela Asua Batarrita, Fernando Valdés Dal-Ré y Juan Antonio Xiol Ríos, al que se adhiere Antonio Narváez Rodríguez.

4. [...] La propia naturaleza de los hechos que motivaron la solicitud de incoación de oficio del procedimiento de habeas corpus y los denunciados incumplimientos consistentes en que las personas interceptadas pretendiendo entrar irregularmente en territorio nacional no fueran conducidas "con la mayor brevedad posible a la correspondiente comisaría del Cuerpo Nacional de Policía, para que pueda procederse a su identificación" (art. 23.2 de la Ley Orgánica 2/2009) y de que no fueron provistas de la necesaria asistencia letrada (arts. 17.3 CE, 22.2 LOEX y 23.3 de la Ley Orgánica 2/2009), motivaron que la entidad ahora demandante de amparo no pudiera aportar datos identificativos concretos de las personas que llevaban, al menos, ocho días privadas de libertad bajo la custodia de la autoridad gubernativa en aquellas instalaciones deportivas. En este contexto, apreciar como causa de inadmisión de un procedimiento de habeas corpus el incumplimiento por parte de la asociación solicitante del deber de identificar nominalmente a cada una de las personas que estaban en custodia de la Guardia Civil, cuando esta le había impedido a los miembros de aquella el acceso al lugar de la detención, carece de cobertura legal y resulta rigorista y desproporcionado.

En conclusión, en la medida en que los hechos puestos de manifiesto en la solicitud de incoación de oficio del procedimiento de habeas corpus por la entidad recurrente evidenciaban una vulneración del derecho a la libertad personal de un grupo de personas indeterminadas y de que, a pesar de ello, la decisión judicial fue la de inadmitir de plano dicha solicitud, concurre la aducida vulneración del derecho a la libertad personal tanto en su dimensión sustantiva (art. 17.1 CE) como procedimental (art. 17.4 CE). [...]

6. [...] [C]uando se trata de decidir sobre la legitimación, debe prevalecer el interés legítimo si esto es indispensable para evitar situaciones jurídicas indeseables de desprotección de derechos personalísimos. Este criterio fue el que también se proyectó en la STC 184/2008, de 22 de diciembre, para reconocer que la entidad entonces recurrente, coordinadora de barrios para el seguimiento de menores y jóvenes, ostentaba la legitimación activa en un proceso contencioso-administrativo para impugnar la repatriación de un menor cuya tutela no ejercía. En aquel caso, los elementos que se consideraron relevantes fueron (i) que entre los fines estatutarios de la asociación recurrente está conseguir la integración en la sociedad y la promoción de las personas con problemas de cualquier clase de marginación social, especialmente menores y jóvenes, incluyendo el ejercicio de las acciones judiciales que se entiendan oportunas para la tutela de sus derechos y libertades fundamentales; (ii) el hecho de la directa implicación de la asociación recurrente en el seguimiento y defensa de los intereses del menor demostrativa de que su intervención no respondía únicamente a una intención de mera defensa de la legalidad y de que no era neutral o indiferente ante la resolución impugnada; y (iii) que, ante la simultánea decisión judicial de negar también capacidad procesal al menor y competencia al Juzgado para que le nombrara un defensor judicial, se abortaba completamente la posibilidad de que se pudiera obtener un pronunciamiento judicial sobre el fondo de las vulneraciones de derechos fundamentales que se aducían en el recurso.

Legitimación de la representación letrada de la persona detenida para interponer un recurso de *habeas corpus* —STC 37/2008, de 25 de febrero[11]—

La Sentencia resuelve el recurso de amparo promovido por don M.T.F. contra el Auto del Juzgado de Primera Instancia e Instrucción núm. 1 de Coín (Málaga), de 28 de marzo de 2006, que declara improcedente la solicitud de habeas corpus presentada con motivo de su detención el día anterior. La denegación se basó en que la solicitud había sido formulada por su Letrado y en que, en atención a las circunstancias de la detención, no se estimaba procedente acordar ninguna actuación de oficio.

FJ 2. Según ha quedado expuesto con mayor detalle en los antecedentes de esta Sentencia, la primera de las razones que llevaron al Juez de guardia a no incoar el procedimiento de habeas corpus fue la de apreciar que el solicitante —Abogado del detenido— no figura entre quienes, conforme al art. 3 de la Ley Orgánica de habeas corpus (LOHC), se encuentran legitimados para instar esta singular garantía constitucional.

Yerra, sin embargo, la resolución judicial al examinar la intervención del Abogado del detenido desde la perspectiva de la legitimación procesal. Ya en el ATC 55/1996, de 6 de marzo (FJ 2), apreciamos que el Letrado no solicita por él mismo la incoación del procedimiento de habeas corpus «sino en su calidad de representante de los verdaderos interesados cuya legitimación para solicitar la incoación del meritado procedimiento queda fuera de toda duda», de tal suerte que «quienes instaron el habeas corpus fueron los propios interesados, plenamente legitimados, y no su Abogado, que limitó su papel a asumir la representación de aquéllos».

Posteriormente, en las SSTC 61/2003, de 24 de marzo (FJ 2), y 224/1998, de 24 de noviembre (FJ 2), hemos reiterado que la legitimación originaria para instar el procedimiento de habeas corpus, en cuanto acción específica dirigida a proteger la libertad personal de quien ha sido ilegalmente privado de ella, reside, como prescribe el art. 3.a LOHC, en la persona física privada de libertad, y que si bien es cierto que en el caso enjuiciado el privado de libertad, promotor del amparo, no instó por sí mismo el mentado procedimiento, no es menos cierto que actuó en su nombre, tácitamente apoderado al efecto, el Letrado del turno de oficio que le asistía en su calidad de detenido. Esta circunstancia condujo a entender que se había solicitado el procedimiento por quien, como el privado de libertad, tiene legitimación para ello, si bien, instrumentalmente y dada su situación, lo efectuase en su nombre el Letrado designado por el turno de oficio para asistirle como detenido. Dijimos entonces que si el Juez competente albergaba alguna duda sobre la existencia del oportuno mandato conferido a su Letrado por el detenido, debió, para disiparla, realizar las comprobaciones oportunas y, como esencial, acordar la comparecencia de la persona privada de libertad para oírla, entre otras, acerca de tal circunstancia. Al no hacerlo así, la denegación a limine litis de la sustanciación del procedimiento de habeas corpus, no se acomodó a la función que al órgano judicial incumbe de guardián de la libertad personal.

En la misma línea, debemos ahora afirmar que resulta ínsita al contenido de la asistencia letrada al detenido la facultad del Abogado de suscitar, en nombre de aquél, el procedimiento de habeas corpus; sustentándose tal habilitación en la relevancia del derecho fundamental a cuya garantía sirve el procedimiento, la perentoriedad de la pretensión, las limitaciones fácticas inherentes a la situación de privación de libertad y el principio antiformalista que la exposición de motivos de la Ley reguladora del habeas corpus destaca como inspirador de su regulación.

---

[11]   *Vid.*, además de las citadas en la Sentencia, las SSTC 172/2008 y 173/2008, ambas de 18 de diciembre. El Tribunal Constitucional entiende que la legitimación para interponer recurso de *habeas corpus* es intrínseca al contenido de la asistencia letrada al detenido incluso allí donde no consta que éste le hubiera encomendado la interposición de dicho recurso. Así, las SSTC 303/2005, de 24 de noviembre, y 169/2006, de 5 de junio, no cuestionan dicha legitimación cuando el abogado que recurre en amparo la decisión judicial de no incoar un procedimiento de *habeas corpus* admite en su recurso que desconocía el paradero de la persona interesada, razón por la que decidió acudir personalmente ante el Tribunal Constitucional (*vid.* en contra los votos particulares que formulan Roberto García-Calvo y Montiel y Jorge Rodríguez-Zapata Pérez)

El *habeas corpus* en la jurisdicción militar —STC 31/1985, de 5 de marzo[12]—

La Sentencia resuelve el recurso de amparo interpuesto por don R.M.R., miembro de la Policía Nacional, contra el Auto del Juzgado Togado de Justicia Militar de Instrucción núm. 1 de Burgos, de 21 de septiembre de 1984, que deniega solicitud de apertura de procedimiento de habeas corpus contra una sanción de treinta días de arresto domiciliario que le fue impuesta, alega, sin seguir el procedimiento establecido en el Código Penal Militar.

FJ 2. [...] [L]a libertad personal reconocida en el art. 17.1 de la Constitución queda vulnerada cuando se priva de ella a una persona sin observar lo dispuesto en el mismo o en casos o forma no previstos en la Ley. De aquí que el incumplimiento del principio de legalidad punitiva (tipicidad) y procesal, pueda configurarse como una vulneración de la libertad personal, en garantía de la cual el propio art. 17.1 prevé la regulación por Ley de un procedimiento de habeas corpus para producir la inmediata puesta a disposición judicial de toda persona detenida ilegalmente. Dada la función que cumple este procedimiento, no cabe duda de que comprende potencialmente a todos los supuestos en que se produce una privación de libertad no acordada por el Juez, con objeto de conseguir el resultado indicado si la detención fuera ilegal, en la forma y con el alcance que precisa la Ley Orgánica 6/1984, según se verá más adelante. Las consideraciones anteriores conducen a la afirmación de que toda persona privada de libertad que considere lo ha sido ilegalmente, puede acudir al procedimiento de habeas corpus. El Juez competente, al decidir mediante la oportuna resolución, determinará si la detención es ilegal o no, y acordará lo procedente. Ahora bien, si no calificara de ilegal una privación de libertad en la que no se haya observado el principio de legalidad en el orden punitivo (tipicidad) y procesal, con los efectos consiguientes, la decisión dictada vulneraría el art. 24.1 de la Constitución, que establece con toda rotundidad tales principios.

FJ 3. [...] b) El arresto domiciliario es una sanción privativa de libertad, aun cuando se imponga «sin perjuicio del servicio». En consecuencia es necesario determinar si esta sanción privativa de libertad se impuso ilegalmente por infringir el principio de legalidad en materia punitiva o procesal, lo que vulneraría el art. 17.1 de la Constitución, o con violación de otros derechos fundamentales íntimamente conectados con tales principios, según antes dijimos; pues, en caso afirmativo, la resolución impugnada habría vulnerado tales derechos. [...]
e) De acuerdo con las consideraciones anteriores, resulta que el arresto producido es una sanción privativa de libertad que vulnera el derecho a la libertad personal reconocido por el art. 17.1 de la Constitución, al no haberse producido en un caso previsto en la Ley ni de acuerdo con el procedimiento establecido por la misma para la determinación de la posible existencia de un supuesto tipificado como falta grave.
f) En conclusión, resulta que la sanción disciplinaria privativa de libertad se impuso ilegalmente y, en consecuencia, debió dictarse auto de incoación, seguir el procedimiento con la posibilidad de que se hubiera celebrado prueba sobre si el arresto había o no finalizado, y dictar resolución en la que se reconociera el derecho a la libertad personal del actor en el momento de presentación de su solicitud de habeas corpus y, en consecuencia, se restableciera tal derecho poniendo en libertad al actor si todavía no hubiese cumplido el arresto, todo ello de acuerdo con lo dispuesto en la Ley 6/1984, en especial arts. primero, apartado a), sexto, séptimo y octavo, número 2, apartado a); en especial, debe señalarse que este último precepto contempla como una de las medidas a adoptar por el Juez la puesta en libertad del privado de ella, si lo fue ilegalmente, como sucede en el caso en que una persona —art. 1, apartado a)— estuviera detenida sin que concurran los requisitos legales o sin haber cumplido las formalidades prevenidas y requisitos exigidos por las Leyes.
Según resulta de las consideraciones anteriores, y se comprueba con la lectura del art. 8 de la Ley 6/1984, reguladora del procedimiento de habeas corpus, el Juez puede adoptar diversas medidas como es decidir la puesta en libertad —en el supuesto indicado—, o acordar que la persona privada de libertad sea puesta inmediatamente a disposición de la autoridad judicial si ya hubiera transcurrido el plazo legalmente establecido para su detención. Al efectuar esta regulación, la Ley Orgánica desarrolla el procedimiento de habeas corpus en conexión con el derecho a la libertad personal y los derechos del detenido, lo que da lugar a que siendo su objeto la inmediata puesta a disposición de la autoridad judicial competente del detenido ilegalmente, de acuerdo con el art. 17.4 de la Constitución y el art. 1 de la Ley, la resolución judicial que finaliza el procedimiento contemple diversas decisiones judiciales posibles, una de

---

[12]	Sobre la procedencia del *habeas corpus* en casos de sanciones privativas de libertad impuestas por la Administración militar, *vid.* también las SSTC 194/1989, de 16 de noviembre; 44/1991, de 25 de febrero; 106/1992, de 1 de julio; 1/1995, de 10 de enero; 25/1995, de 6 de febrero; 61/1995, de 19 de marzo; 113/1995, de 6 de julio.

las cuales es la puesta en libertad del privado de ella, si lo fue ilegalmente, refundiendo así en un solo momento la puesta a disposición y la decisión de la autoridad judicial de reconocer y restablecer el derecho a la libertad personal, lo que se justifica plenamente por razones de economía procesal y de urgencia en tal reconocimiento y restablecimiento; mientras que la puesta inmediata a disposición judicial, entendida en sentido formal estricto, encuentra su campo de aplicación al supuesto en que habiéndose producido una detención —en principio legal— ha transcurrido el plazo legal de duración.

Fronteras de la jurisdicción militar —STC 93/1986, de 7 de julio—

La Sentencia resuelve el recurso de amparo promovido por don F.J.R.L., miembro del Cuerpo de Policía Nacional, y representante del Sindicato Unificado de Policía ante la Jefatura de su Unidad, contra Auto del Juzgado de Instrucción núm. 3 de Vitoria, de 26 de abril de 1985, que se declaró incompetente en procedimiento de habeas corpus planteado por el actor. Este fue requerido urgentemente el 19 de abril de 1985, en cuanto representante sindical, por el Comandante de su Unidad. En el curso de la conversación, y en razón a su comportamiento durante la misma, fue arrestado por falta leve de ligera irrespetuosidad (artículo 443 del Código de Justicia Militar). El Juzgado de Instrucción núm. 3 de Vitoria alega que el habeas corpus contra el mencionado arresto debe plantearse «ante el Juzgado Militar competente», al traer causa de la aplicación de normas especiales del Código de Justicia Militar. Entiende el recurrente que ello vulnera su derecho constitucional a ser puesto a disposición judicial (artículo 17.4 CE).

FJ 9. [...] [L]a revisión en su caso de las sanciones disciplinarias impuestas en el seno de las Fuerzas de Policía, como distintas de las Fuerzas Armadas no puede corresponder a la jurisdicción militar, sino a la jurisdicción ordinaria [...].

FJ 10. Siendo, pues, como se ha dicho, competente la jurisdicción ordinaria para la revisión de las sanciones administrativas disciplinarias impuestas fuera del ámbito estrictamente castrense, en el que no se incluyen las Fuerzas de Policía, resulta igualmente competente tal jurisdicción para conocer del procedimiento de habeas corpus (dirigido a obtener la inmediata puesta a disposición de la autoridad judicial competente de cualquier persona detenida ilegalmente) revisor de la legalidad de una privación de libertad en virtud de una sanción disciplinaria impuesta en aplicación del régimen disciplinario policial. En consecuencia, es el Juez de Instrucción señalado en el art. 2 de la Ley reguladora del Procedimiento de Habeas Corpus el competente para incoar el procedimiento en estos casos, en los que se incluye al que ha dado lugar al presente recurso de amparo.

FJ 11. La declaración de incompetencia llevada a cabo por el Juzgado de Vitoria supuso así la denegación al hoy recurrente de la garantía del derecho a la libertad reconocido en el art. 17.1 de la Constitución Española, recogida en el apartado 4 del mismo artículo como es la incoación de un procedimiento de habeas corpus. Igualmente, y dada la justificación para tal declaración de incompetencia, y la remisión que se hace a los órganos de la jurisdicción militar, se ha llevado a cabo una denegación del derecho al Juez ordinario predeterminado por la Ley, recogido en el art. 24.2 de la Constitución Española. [...]

El *habeas corpus* en los procesos de expulsión de personas extranjeras —STC 303/2005, de 24 de noviembre[13]—

La Sentencia resuelve el recurso de amparo interpuesto por don L.M.P.E., manifestando defender de oficio a doña N.Z., contra la resolución del Juzgado de Instrucción núm. 1 de los de Puerto del Rosario que inadmitió a trámite la solicitud de habeas corpus contra la detención de doña N.Z., quien entendía haber sido detenida de forma contraria a derecho al llegar en patera a Fuerteventura. Alega el Juzgado de Instrucción que el habeas corpus había perdido su razón de ser, ya que cuando se promovió el Juzgado de Instrucción núm. 1 de Puerto del Rosario ya había tomado declaración a doña N.Z., con asistencia de abogado e intérprete, en los términos previstos en la Ley de extranjería.

FJ 3. Ya en este punto, por lo que se refiere a las detenciones producidas en el ámbito propio de la legislación de extranjería, ha de señalarse que nuestras resoluciones en recursos de amparo se han referido a detenciones o retenciones gubernativas (así, SSTC 21/1996, de 12 de febrero; 174/1999, de 27 de septiembre; 179/2000, de 26

---

[13]   Sobre la aplicación del artículo 17 CE a personas extranjeras *vid.* también, entre otras, las SSTC 21/1996, de 12 de febrero; STC 66/1996, de 16 de abril; 174/1999, de 27 de septiembre; 179/2000, de 26 de junio; 169/2006, de 5 de junio.

de junio), es decir, a privaciones de libertad realizadas por la policía sin previa autorización judicial y al amparo de la normativa vigente en materia de extranjería. Típico supuesto, pues, de privación de libertad necesitada de un control judicial *a posteriori* sobre su legalidad, articulado en nuestro Derecho —con carácter general y al margen de mecanismos específicos establecidos por la legislación de extranjería—, a través del procedimiento de *habeas corpus*.

Sin embargo, en la STC 115/1987, de 7 de julio, FJ 1, en recurso directo, en lo que ahora importa, dirigido contra el art. 26 de la Ley Orgánica 7/1985, de 1 de julio, sobre derechos y libertades de los extranjeros en España, descartábamos la inconstitucionalidad de su apartado 2, que permitía el internamiento de extranjeros tras interesarlo del Juez de instrucción la autoridad gubernativa, haciendo una interpretación del régimen legal entonces vigente en la que concluíamos que «el precepto impugnado respeta y ha de respetar el bloque de competencia judicial existente en materia de libertad individual, incluyendo el derecho de *habeas corpus* del art. 17.4 de la Constitución, tanto en lo que se refiere a la fase gubernativa previa, dentro de las setenta y dos horas, como también respecto a esa prolongación del internamiento en caso necesario, más allá de las setenta y dos horas, en virtud de una resolución judicial» (FJ 1). Esta afirmación se hizo en un contexto en el que importaba dejar claro que «la disponibilidad sobre la pérdida de libertad es judicial, sin perjuicio del carácter administrativo de la decisión de expulsión y de la ejecución de la misma». Por ello se subrayaba el estricto sometimiento de la autoridad gubernativa al control de los Tribunales, que no derivaba de forma terminantemente clara de la literalidad del texto legal.

Pero en el caso que ahora se examina, por virtud de la aplicación de la Ley Orgánica 4/2000, de 11 de enero, sobre derechos y libertades de los extranjeros en España y su integración social, modificada por la Ley Orgánica 8/2000, de 22 de diciembre, vigente a la sazón, la medida de ingreso en un centro de internamiento, en la expresa dicción de su art. 62.1 y 2, exige: a) la «previa audiencia del interesado»; b) que sea el Juez de Instrucción competente el «que disponga [el] ingreso en un centro de internamiento»; c) que la decisión judicial se adopte «en Auto motivado»; y d) que sobre la base de una duración máxima de cuarenta días «atendiendo a las circunstancias concurrentes en cada caso», el Juez «podrá fijar un periodo máximo de duración del internamiento inferior al citado». Añádase que la decisión judicial es recurrible —art. 216 y ss. de la Ley de enjuiciamiento criminal (LECrim).

Las garantías que para la libertad personal se derivan del régimen de control judicial que acaba de describirse equivalen, desde el punto de vista material y de eficacia, a las que pueden alcanzarse por medio del *habeas corpus*, lo que haría redundante la posibilidad añadida de este remedio excepcional, sólo justificable en el plazo de la estricta detención cautelar gubernativa (durante las primeras setenta y dos horas) o, en su caso, superado el plazo acordado por la autoridad judicial para el internamiento, si el extranjero continúa privado de libertad. [...]

El *habeas corpus* como control judicial de situaciones gubernativas de privación de libertad —STC 303/2005, de 24 de noviembre (*vid. supra*)[14]—

FJ 2. [...] f) Por lo que respecta a la existencia de una situación de privación de libertad, como presupuesto para la admisibilidad del *habeas corpus*, se ha reiterado que debe cumplirse una doble exigencia. Por un lado, que la situación de privación de libertad sea real y efectiva, ya que, si no ha llegado a existir tal situación, las reparaciones que pudieran proceder han de buscarse por las vías jurisdiccionales adecuadas, de tal modo que «cuando el recurrente no se encuentra privado de libertad, la misma podía ser denegada de modo preliminar, en virtud de lo dispuesto en el art. 6 de la Ley Orgánica 6/1984, puesto que en tales condiciones no procedía incoar el procedimiento». Y, por otra parte, que la situación de privación de libertad no haya sido acordada judicialmente, ya que sólo en estos supuestos tendría sentido la garantía que instaura el art. 17.4 CE de control judicial de la privación de libertad, de modo que es plenamente admisible el rechazo liminar de la solicitud de *habeas corpus* contra situaciones de privación de libertad acordadas judicialmente. En tal sentido este Tribunal ya ha afirmado que tienen el carácter de situaciones de privación de libertad no acordadas judicialmente y, por tanto, que con independencia de su legalidad no pueden ser objeto de rechazo liminar las solicitudes de *habeas corpus* dirigidas contra ellas, las detenciones policiales, las detenciones impuestas en materia de extranjería o las sanciones de arresto domiciliario impuestas en expedientes disciplinarios por las autoridades militares».

---

[14]   *Vid.* también las SSTC 315/2005 a 321/2005, todas de 12 de diciembre; 342/2005, de 21 de diciembre.

FJ 3. [...] El *habeas corpus* sólo es factible, por tanto, en los supuestos de privación de libertad que no tienen otro fundamento que la sola voluntad de la autoridad gubernativa, quedando excluido como remedio procesal para las situaciones de privación de libertad dispuestas por el Juez y en el espacio temporal por el que éste las haya autorizado. En consecuencia, un internamiento decidido judicialmente que se extienda más allá del plazo señalado en el Auto dictado al efecto pasa a ser una situación de privación de libertad que, por carecer ya del fundamento judicial que lo hizo constitucionalmente legítimo, no tiene más apoyo que la voluntad gubernativa, lo que la hace objeto posible de una solicitud de *habeas corpus*, siendo éste el sentido cabal en el que ha de entenderse lo afirmado en la citada STC 115/1987 para la Ley Orgánica 7/1985, una vez que se proyecta sobre la nueva legislación en la materia. [...]

FJ 5. Como deriva de todo lo expuesto, el mismo día 25 de marzo en que se promovió el *habeas corpus*, origen del presente recurso de amparo, el Juzgado de Instrucción había tomado declaración a la Sra. Zaitouni, quien contaba con la ayuda de intérprete y la asistencia de Abogado. En esa audiencia, la detenida pudo manifestar todo lo que podía convenir a sus derechos e intereses. Y, tras oírla, el Juzgado acordó su internamiento, basándose en que concurrían las circunstancias previstas por la Ley para adoptar la medida cautelar y fijando en cuarenta días como máximo la duración de aquel internamiento.

Sobre esta base, como con acierto advierte el Ministerio Fiscal en su segundo escrito de alegaciones, «es patente que la persona en cuyo nombre se pedía amparo se encontraba privada de libertad bajo control judicial, precisamente en el mismo Juzgado ante el que se promovía el procedimiento de *habeas corpus*, que, por tanto, se manifestaba a *limine* carente de objeto, ya que el control judicial de la privación de libertad que con el mismo se pretendía había sido realizado» con anterioridad: el Juzgado, «previa audiencia» de la Sra. Zaitouni, asistida de Letrado y con comprobación de la concurrencia de los requisitos legalmente establecidos, mediante «Auto motivado», «dispuso» su ingreso en un centro de internamiento, fijando el «periodo de máxima duración» de aquél —art. 62.1 y 2 de la Ley Orgánica 4/2000, modificada por la Ley Orgánica 8/2000—, Auto este que por virtud de recursos de reforma y apelación dio lugar a dos nuevas resoluciones judiciales.

Así pues, la finalidad del *habeas corpus*, que no es sino la puesta a disposición judicial de quien puede haberse visto privado ilegalmente de su libertad, se había alcanzado ya con la aplicación al caso de la Ley de extranjería, de suerte que la denegación del *habeas corpus* no merece, por razonable y no arbitraria, ni siquiera en los términos del canon reforzado que supone la afectación del derecho a la libertad, tacha alguna de inconstitucionalidad. Nada acredita una situación de riesgo para la integridad de dicho derecho. Y es que el procedimiento de *habeas corpus* queda manifiestamente fuera de lugar cuando, como es el caso, la intervención judicial ya se ha producido con la aplicación de la Ley de extranjería, sin que todavía hubiera transcurrido el plazo que para la duración del internamiento se había fijado por el Juez.

El *habeas corpus* y la efectiva puesta a disposición judicial de las personas detenidas —STC 169/2006, de 5 de junio[15]—

La Sentencia resuelve el recurso de amparo interpuesto por el Letrado don L.M.P.E., manifestando defender de oficio a don A.B., contra la resolución del Juzgado de Instrucción núm. 2 de Puerto del Rosario, que inadmitió a trámite la solicitud de habeas corpus presentada contra su detención, operada el 23 de mayo de 2003 por agentes de la policía nacional tras haber accedido al territorio nacional en patera, y que don A.B. considera contraria a derecho. En el Auto se razonaba que su detención se ajustaba a derecho, ya que el recurrente había sido incurrido en uno de los supuestos contemplados en la Ley de extranjería (Ley Orgánica 4/2000, modificada por la Ley Orgánica 8/2000).

FJ 4. [...] En la STC 303/2005, de 24 de noviembre, se desestimó el recurso de amparo porque, al instarse el habeas corpus, el Juez ya había aplicado el art. 62.1 y 2 de la Ley Orgánica 4/2000, de 11 de enero, sobre derechos y libertades de los extranjeros en España y su integración social, modificada por la Ley Orgánica 8/2000, de 22 de diciembre, y por tanto, como explicaba motivadamente en el Auto por el que inadmitía el procedimiento de habeas corpus entonces solicitado, ya había oído al detenido, con intérprete y asistido por Letrado, y ya había

---

15   *Vid.* también las SSTC 259/2006 y 260/2006, ambas de 11 de septiembre; 201/2006 a 213/2006, todas de 3 de julio; 354/2006 a 356/2006, todas de 12 de diciembre; 19/2007 y 20/2007, ambas de 12 de febrero; 172/2008 y 173/2008, ambas de 18 de diciembre; 14/2009 y 15/2009, ambas de 20 de enero; 84/2009, de 30 de marzo.

dictado Auto disponiendo su ingreso en un centro de internamiento por un periodo máximo de cuarenta días, que no había transcurrido en el momento de promoverse el indicado procedimiento. Y, sobre esta base, al tratarse de una privación de libertad ordenada por un Juez, llegábamos a la conclusión, en aquella Sentencia, de que las garantías que para la libertad personal se derivan del régimen de control judicial que señala el citado art. 62.1 y 2 de la Ley Orgánica 4/2000, de 11 de enero, equivalen, desde el punto de vista material y de eficacia, a las que pueden alcanzarse por medio del habeas corpus, lo que haría redundante la posibilidad añadida de este remedio excepcional, sólo justificable en el plazo de la estricta detención cautelar gubernativa (durante las primeras setenta y dos horas) o, en su caso, superado el plazo acordado por la autoridad judicial para el internamiento, si el extranjero continúa privado de libertad.

Sin embargo, en el presente caso, admitiendo que nos encontramos ante un supuesto límite, debe señalarse que en el momento en que se dictó el Auto de 23 de mayo de 2003 ahora recurrido, por el que se inadmitió a limine el habeas corpus, no queda acreditado, al contrario de lo que sucedía en el supuesto de hecho de la STC 303/2005, que el Juez hubiera oído con anterioridad a dicha decisión al recurrente, asistido de Abogado e intérprete al amparo del art. 62.1 y 2 de la Ley Orgánica 4/2000, de 11 de enero, sobre derechos y libertades de los extranjeros en España y su integración social; por tanto, en el momento de rechazo del habeas corpus solicitado, no consta que existiera un control judicial de la situación de detención del demandante.

La audiencia del recurrente y el control judicial de su situación de privación de libertad como consecuencia de la aplicación de la legislación de extranjería tuvo lugar el mismo día 23 de mayo; sin embargo, del examen de las actuaciones remitidas no se desprende que se llevara a cabo con anterioridad al momento en el que se inadmitió de plano el procedimiento de habeas corpus. Por ello, constatada la diferencia sustancial con el supuesto de la STC 303/2005 y, conforme a la doctrina antes citada sobre las garantías del procedimiento de habeas corpus, no cabe entender ajustada a la misma en el presente caso la inadmisión de plano del procedimiento, ya que tampoco puede considerarse conforme con el art. 17.4 CE la inadmisión a limine, aun cuando la autoridad judicial prevea que, en virtud de la legislación de extranjería, va a tener que intervenir en breve para la decisión de internamiento del extranjero solicitante de habeas corpus. Esta institución está configurada en nuestro ordenamiento jurídico de manera absolutamente independiente de cualquier otro mecanismo de garantía de la libertad personal (como es el previsto en el art. 61 de la Ley de extranjería) y, únicamente en los casos en los que por mera coincidencia temporal, se ha llevado a cabo el control judicial de la situación del detenido con anterioridad a la decisión de admisión o no del procedimiento de habeas corpus —supuesto de la STC 303/2005— podrá entenderse constitucionalmente legítima la decisión de inadmisión de plano de dicho procedimiento, puesto que en estos casos, dicha inadmisión se produce cuando la situación del solicitante ya ha sido controlada por la autoridad judicial.

En definitiva, estando concebido el procedimiento de habeas corpus como una especial garantía judicial para la persona privada de libertad mediante una decisión que no procede de un órgano judicial, en coherencia con nuestra doctrina, debemos reiterar, una vez más, que no es constitucionalmente legítimo la inadmisión a limine de dicho procedimiento bajo el argumento de la supuesta legalidad de la situación de detención del solicitante, porque como hemos recordado en numerosas ocasiones, esa es la cuestión a dilucidar en la fase plenaria del procedimiento de habeas corpus.

El *habeas corpus* y el papel del órgano judicial: la admisión a trámite frente a la resolución sobre el fondo —STC 208/2000, de 24 de julio (*vid. supra*)[16]—

FJ 5. De acuerdo con la naturaleza y finalidad que la Constitución otorga al procedimiento de hábeas corpus, este Tribunal ha venido destacando la especial relevancia constitucional que en dicho procedimiento adquiere la distin-

---

[16]   Se trata de jurisprudencia amplia y consolidada. *Vid.*, además de las citadas en esta Sentencia, las SSTC 179/2000, de 26 de junio; 209/2000, de 24 de julio; 232/2000 y 233/2000, ambas de 2 de octubre; 263/2000, de 30 de octubre; 287/200 y 288/2000, ambas de 27 de noviembre; 194/2001, de 1 de octubre; 224/2002, de 25 de noviembre; 23/2004, de 23 de febrero; 122/2004, de 12 de julio; 37/2005, de 28 de febrero; 29/2006, de 30 de enero; 46/2006, de 13 de febrero; 93/2006, de 27 de marzo; 250/2006, de 24 de julio; 259/2006 y 260/2006, ambas de 11 de septiembre; 273/2006, de 25 de septiembre; 303/2006, de 23 de octubre; 165/2007, de 2 de julio; 35/2008 y 37/2008, ambas de 25 de febrero; 147/2008, de 10 de noviembre; 88/2011, de 6 de junio; 95/2012, de 7 de mayo; 12/2014, de 27 de enero; 21/2014, de 10 de febrero; 32/2014, de 24 de febrero; 195/2014, de 1 de diciembre; 42/2015, de 2 de marzo; 204/2015, de 5 de octubre; 72/2019, de 20 de mayo.

ción, explícitamente prevista en los arts. 6 y 8 LOHC, entre el juicio de admisibilidad y el juicio de fondo sobre la licitud de la detención objeto de denuncia (SSTC 174/1999, de 27 de septiembre, FJ 6; 232/1999, FJ 4). En efecto, en el trámite de admisión no se produce la puesta a disposición judicial de la persona cuya detención se reputa ilegal, tal y como pretende el art. 17.4 CE, ya que la comparecencia ante el Juez de la persona detenida sólo se produce, de acuerdo con el párrafo 1 del art. 7 LOHC, una vez que el Juez ha decidido la admisión a trámite mediante el Auto de incoación.

Ciertamente, como recuerda la STC 232/1999, FJ 4, hemos admitido la corrección constitucional de un rechazo liminar a tramitar el procedimiento, cuando el Auto correspondiente está debidamente fundado (STC 154/1995, de 24 de octubre, FJ 3), pero la legitimidad de tal inadmisión a trámite debe reducirse a los supuestos en que se incumplan bien los presupuestos procesales, bien los elementos formales de la solicitud a los que se refiere el art. 4 LOHC. Y al respecto cabe recordar que expresamente hemos admitido el rechazo liminar en supuestos de falta de competencia del órgano judicial (SSTC 153/1988, de 20 de julio; 194/1989, de 16 de noviembre; 106/1992, de 1 de julio; 1/1995, de 10 de enero; 25/1995, de 6 de febrero), así como en los casos en que no se daba el presupuesto de privación de libertad (SSTC 26/1995, de 6 de febrero; 62/1995, de 29 de marzo).

Pues bien, si se cumplen los requisitos formales y se da el presupuesto de privación de libertad, no es constitucionalmente lícito denegar la incoación del hábeas corpus. Es evidente la improcedencia de declarar la inadmisión cuando ésta se funda en la afirmación de que el recurrente no se encontraba ilícitamente detenido, precisamente porque el contenido propio de la pretensión formulada es el de determinar la licitud o ilicitud de la detención (SSTC 21/1996, de 12 de febrero, FJ 7; 86/1996, de 21 de mayo, FFJJ 10 y 11; 224/1998, de 24 de noviembre, FJ 5). El enjuiciamiento de la legalidad de ésta, en aplicación de lo prevenido en el art. 1 LOHC, debe llevarse a cabo en el juicio de fondo, previa comparecencia y audiencia del solicitante y demás partes, con la facultad de proponer y, en su caso, practicar pruebas, según dispone el art. 7 LOHC (SSTC 174/1999, de 27 de septiembre, FJ 6; 232/1999, FJ 4). Si existe alguna duda en cuanto a la legalidad de las circunstancias de la privación de libertad, no procede acordar la inadmisión, sino examinar dichas circunstancias en el juicio de fondo (SSTC 21/1996, de 12 de febrero, FJ 6; 66/1996, de 16 de abril, FJ 3; 86/1996, FJ 11). La inobservancia de estos criterios provoca que resulte desvirtuado el procedimiento de hábeas corpus, cuya esencia consiste precisamente en «haber el cuerpo» de quien se encuentra detenido para ofrecerle una oportunidad de hacerse oír, y ofrecer sus alegaciones y pruebas (STC 86/1996, FJ 12).

FJ 6. La aplicación de la anterior doctrina al presente caso nos conduce a la estimación del amparo. El recurrente, miembro de la Guardia Civil sancionado con un arresto domiciliario de cuatro días, instó el hábeas corpus ante el Juzgado Togado Militar, para solicitar su inmediata puesta en libertad. En reiteradas ocasiones este Tribunal ha declarado que el procedimiento de hábeas corpus es procedente en los casos de sanciones privativas de libertad impuestas por la Administración militar (SSTC 31/1985, de 5 de marzo, FJ 3; 194/1989, de 16 de noviembre, FJ 9; 44/1991, de 25 de febrero; 196/1992, de 1 de julio, FJ 1; 1/1995, de 10 de enero; 25/1995, de 6 de febrero; 61/1995, de 19 de marzo; 113/1995, de 6 de julio, FJ 6).

El Auto impugnado decide la inadmisión a trámite sobre la base de que la privación de libertad impuesta al Sr. Calleja no puede ser incluida en ninguno de los supuestos de detención ilegal a que se refiere el art. 1 LOHC, ya que la sanción fue impuesta por quien tiene competencia para ello y dentro de los márgenes previstos en la Ley Orgánica Disciplinaria de la Guardia Civil, habiendo hecho uso la Autoridad militar del arbitrio previsto en dicha disposición. De esta manera la resolución judicial anticipó el fondo en el trámite de admisión, impidiendo así que el recurrente compareciera ante el Juez e imposibilitando que formulara alegaciones y propusiera los medios de prueba pertinentes para tratar de acreditarlas (STC 232/1999, FJ 5). En definitiva, el órgano judicial no ejerció de una manera eficaz el control de la privación de libertad y, por tanto, desconoció la naturaleza y función constitucional del procedimiento de hábeas corpus según se desprende del art. 17.4 CE.

En el presente caso cabe apreciar este efecto aún más palpablemente, porque concurren dos factores que conviene mencionar. Por una parte, el art. 54.1 de la Ley Orgánica del Régimen Disciplinario de la Guardia Civil que le fue aplicada prevé que las sanciones disciplinarias impuestas son inmediatamente ejecutivas, sin que se suspenda su cumplimiento por la interposición de ningún tipo de recurso, administrativo o judicial. Por otra, de conformidad con el art. 6 LOHC no cabe recurso alguno contra el Auto de inadmisión a trámite del procedimiento de hábeas corpus.

Inadmisión de un *habeas corpus* con base en razonamientos mixtos, de forma y de fondo —STC 94/2003, de 19 de mayo (*vid. supra*)—

FJ. 4. [...] Tal como ya se expuso en los antecedentes, el recurrente solicitó la incoación del procedimiento de habeas corpus frente a lo que consideraba una situación de privación de libertad indebida e ilegal de su hijo menor de edad, que estaba ingresado desde hacía quince días en un centro dependiente del Servicio de Atención al Menor de la Junta de Andalucía por haber sido privado de su guarda y custodia. El Auto impugnado, al analizar la admisibilidad del recurso, lo declaró improcedente alegando, entre otros motivos, que: «Nos encontramos en el presente caso con una resolución administrativa dictada por órgano competente, en concreto por el Servicio de Atención al Menor de la Junta de Andalucía, órgano al que está atribuida la adopción de este tipo de medidas, las cuales, por otro lado, obvio es decirlo, están encaminadas no a privar de libertad a los menores objeto de las mismas, sino a protegerlos, apartándolos momentáneamente o definitivamente, de su entorno familiar. El Centro en donde se encuentra el menor, como también resulta evidente, tiene por finalidad la protección del afectado y su educación».

De la lectura de este fundamento jurídico se evidencia que, aun cuando el órgano judicial comienza realizando consideraciones de fondo sobre la legalidad del situación del menor, sin embargo también hizo una clara y contundente valoración sobre el hecho de que la situación de éste no era la de privación de libertad, ya que menciona que ése no es el objetivo de la medida acordada por la Administración de privar cautelarmente al padre de la custodia de su hijo, ni la función de los centros de acogida de menores. Con ello nos encontramos ante una resolución judicial con un contenido complejo en la cual, por un lado, se han hecho valer motivos para la inadmisión que se extralimitan del contenido propio que corresponde a ese trámite, y, por otro, se ha tomado en consideración un motivo que sí es propio de ese momento procesal, como es la inexistencia del presupuesto fáctico de que la situación del menor pueda conceptuarse de «privativa de libertad».

El hecho de que la resolución impugnada haya incurrido, en una parte de su razonamiento, en una motivación que resultaría a priori vulneradora del derecho del art. 17.4 CE, no puede implicar que, necesariamente, dicha resolución lesione ese derecho fundamental. Lo determinante para apreciar la mencionada vulneración es que el órgano judicial haya impedido con su resolución liminar la posibilidad de la inmediata puesta a disposición judicial de una persona en situación de privación de libertad no acordada judicialmente, y, en la medida en que en el razonamiento del Auto impugnado la decisión de inadmisión se fundamenta también en la ausencia del presupuesto mismo de que el menor se encuentre en una situación de privación de libertad, no cabe apreciar automáticamente la vulneración aducida. A esta conclusión no puede ser óbice el hecho de que expresamente el Auto impugnado haya afirmado que la incoación del procedimiento resulta improcedente por no encontrarse en ninguno de los supuestos del art. 1 LOHC, ya que ello no puede interpretarse en el sentido de que la única consideración determinante para la inadmisión sea la legalidad de la situación en la cual se encontraba el menor, pues de ese mismo artículo también se deriva la exigencia de que concurra una situación de privación de libertad como presupuesto fundamental de la admisibilidad del recurso de habeas corpus.

En conclusión ha quedado acreditado que el Auto impugnado, no sólo ha fundamentado la inadmisión en consideraciones referidas a la legalidad de la situación del menor, sino también en que dicha situación no era calificable como privativa de libertad.

Efectos del otorgamiento del amparo en materia de *habeas corpus* —STC 208/2000, de 24 de julio (*vid. supra*)—

FJ 7. Por último, en cuanto al alcance del otorgamiento del amparo, debemos advertir que no cabe retrotraer las actuaciones al momento en que se produjo la vulneración del derecho a la libertad para subsanarla, toda vez que al no encontrarse ya el recurrente en situación de privación de libertad, no se cumpliría el presupuesto necesario para que el órgano judicial pudiera decidir la admisión a trámite del procedimiento de hábeas corpus, según hemos declarado desde nuestra primera resolución al respecto (STC 31/1985, de 5 de marzo, FJ 4) y hemos reiterado en ocasiones posteriores (SSTC 12/1994, FJ 7; 154/1995, FJ 6).

IV. EL ARTÍCULO 17.4 CE: LA PRISIÓN PROVISIONAL

Requisitos de la prisión provisional —STC 47/2000, de 17 de febrero[17]—

La Sentencia resuelve el recurso de amparo, avocado al Pleno, promovido por don F.C.L. contra Auto de la Sección Sexta de la Audiencia Provincial de Barcelona, de 6 de febrero de 1996, por el que se resolvió recurso de apelación contra los Autos de los Juzgados de Instrucción núm. 2 de Sabadell y núm. 5 de Barcelona, por los que se decretó y confirmó la prisión provisional del demandante. Entiende el recurrente que estas resoluciones judiciales vulneraron los artículos 17 y 24.1 CE porque la privación de libertad acordada en el curso de una investigación penal lo ha sido en resoluciones insuficientemente fundadas, que sólo contienen una alusión a las normas procesales que habilitan para decretar la medida cautelar cuestionada, la referencia a los delitos que se imputan al detenido y a las penas previstas para ellos en el Código Penal y una referencia a la alarma social que pudieran generar, sin que puedan conocerse los motivos en virtud de los cuales se estima preciso acordar la prisión provisional, ni se mencione siquiera el riesgo de fuga, ni se atienda a las circunstancias personales y de arraigo familiar alegadas.

FJ 2. [...] Tal planteamiento nos obliga a examinar, en primer término, si con el cumplimiento de los requisitos establecidos en los arts. 503 y 504 basta para entender a su vez cumplidas las exigencias constitucionales y, en segundo lugar, si esas exigencias se han cumplido o no efectivamente en el presente caso.

FJ 3. Respecto de las primera de las cuestiones, hemos declarado en nuestras ya numerosas Sentencias relativas a esta medida cautelar que el art. 17 CE somete la legitimidad constitucional de la prisión a múltiples exigencias de tal naturaleza que la ausencia de cualquiera de ellas determina su incompatibilidad con los derechos de libertad reconocidos en nuestra Norma Fundamental.

En el fundamento jurídico 5 de la STC 44/1997 (RTC 1997\44), de 10 de marzo, intentamos compendiar los momentos esenciales de nuestra doctrina, enumerando los requisitos básicos que determinan la legitimidad o ilegitimidad constitucional de la medida de prisión. Tal fundamento jurídico dice, literalmente, así:

«A los efectos que ahora se nos demanda, conviene recordar los siguientes aspectos de la ya extensa jurisprudencia de este Tribunal relativa a la prisión provisional:

a) En relación con el sustento jurídico de la adopción de la medida de prisión provisional, destacábamos en la STC 128/1995, de 26 de julio, que, además de su legalidad (art. 17.1 y 17.4 CE), «la legitimidad constitucional de la prisión provisional exige que su configuración y su aplicación tengan, como presupuesto, la existencia de indicios racionales de la comisión de una acción delictiva; como objetivo, la consecución de fines constitucionalmente legítimos y congruentes con la naturaleza de la medida» (también, STC 62/1996 [RTC 1996\62], de 16 de abril, FJ 5). El propio FJ 3 de esta Sentencia, al que pertenece el entrecomillado anterior, concretaba como constitutiva de estos fines la conjuración de ciertos riesgos relevantes que para el desarrollo normal del proceso, para la ejecución del fallo o, en general, para la sociedad, parten del imputado: «su sustracción de la acción de la Justicia, la obstrucción de la instrucción penal y, en un plano distinto aunque íntimamente relacionado, la reiteración delictiva».

---

[17]   *Vid.* también, además de las citadas en la Sentencia, las SSTC 127/1984, de 26 de diciembre; 32/1987, de 12 de marzo; 88/1988, de 9 de mayo; 85/1989, de 10 de mayo; 8/1990, de 18 de enero; 206/1991, de 30 de octubre; 233/1993, de 12 de julio (internamiento provisional de un menor); 341/1993, de 18 de noviembre; 14/1996, de 29 de enero; 31/1996, de 27 de febrero; 21/1997, de 10 de febrero; 146/1997, de 15 de septiembre; 156/1997 y 157/1997, ambas de 29 de septiembre; 5/1998, de 12 de enero; 79/1998, de 1 de abril; 177/1998, de 14 de septiembre; 224/1998, de 24 de noviembre; 174/1999, de 27 de septiembre, FJ 4; 191/2004, de 2 de noviembre; 65/2008 y 66/2008, ambas de 29 de mayo (motivación de elevación de la fianza que produce reingreso en prisión); 8/2000, de 14 de enero; 14/2000, de 17 de enero; 164/2000 y 165/2000, ambas de 12 de junio; 207/2000, de 24 de julio; 145/2001, de 18 de junio; 217/2001, de 29 de octubre; 146/2001, de 18 de junio; 169/2001, de 16 de julio; 223/2002, de 28 de enero; 138/2002, de 3 de junio; 82/2003, de 5 de mayo; 179/2005, de 4 de julio; 35/2007, de 12 de febrero; 149/2007 a 152/2007, todas de 18 de junio; 122/2009, de 18 de mayo; 143/2010, de 21 de diciembre (el secreto de sumario no justifica la falta de motivación de la prisión provisional); 95/2012, de 7 de mayo; 210/2013, de 16 de diciembre. Mayor laxitud para con los motivos que justifican una orden de prisión provisional muestran las SSTC 29/2019 y 30/2019, de 28 de febrero; 50/2019, de 9 de abril; 62/2019, de 7 de mayo. En cuanto a los requisitos legales de la prisión provisional, éstos tendrán o no una dimensión constitucional en función de su contenido: la tiene así la comparecencia prevista en el artículo 505 LECrim en el plazo de 72 horas desde la adopción de esta medida cautelar (*vid.* SSTC 108/1997, de 2 de junio; 50/2009, de 23 de febrero; 91/2018 y 92/2018, de 17 de septiembre).

b) Las decisiones relativas a la adopción y al mantenimiento de la prisión provisional deben expresarse en una resolución judicial motivada (SSTC 41/1982, de 2 de julio [RTC 1982\41], 56/1987, de 14 de mayo [RTC 1987\56], 3/1992, de 13 de enero [RTC 1992\3], y 128/1995, de 26 de julio). Esta motivación ha de ser suficiente y razonable, «entendiendo por tal que al adoptar y mantener esta medida se haya ponderado la concurrencia de todos los extremos que justifican su adopción y que esta ponderación o, si se quiere, que esta subsunción, no sea arbitraria, en el sentido de que sea acorde con las pautas del normal razonamiento lógico y, muy especialmente, con los fines que justifican la institución de la prisión provisional» [STC 128/1995, FJ 4 b)]. En definitiva, la motivación será razonable cuando sea el resultado de la ponderación de los intereses en juego —la libertad de una persona cuya inocencia se presume, por un lado; la realización de la administración de la justicia penal y la evitación de hechos delictivos, por otro— a partir de toda la información disponible en el momento en el que ha de adoptarse la decisión y del entendimiento de la prisión provisional como «una medida de aplicación excepcional, subsidiaria, provisional y proporcionada a la consecución de los fines» referidos en el párrafo anterior (STC 128/1995, FJ 3).

Concreción obvia de las anteriores directrices es la indispensabilidad de la expresión del presupuesto de la medida y del fin constitucionalmente legítimo perseguido. Más allá, la STC 128/1995 indicaba dos criterios de enjuiciamiento de la motivación de la constatación del peligro de fuga. El primero consiste en que deberán «tomarse en consideración, además de las características y la gravedad del delito imputado y de la pena con que se le amenaza, las circunstancias concretas del caso y las personales del imputado». El segundo matiza parcialmente el anterior y se refiere a la consideración del transcurso del tiempo en la toma de la decisión de mantenimiento de la prisión, de modo que, si bien es cierto que «en un primer momento, la necesidad de preservar los fines constitucionalmente legítimos de la prisión provisional…, así como los datos con los que en ese instante cuenta el instructor, pueden justificar que el decreto de la prisión se lleve a cabo atendiendo solamente al tipo de delito y a la gravedad de la pena», también lo es que «el transcurso del tiempo modifica estas circunstancias» y obliga a ponderar «los datos personales así como los del caso concreto» [FJ 4 b); también, SSTC 37/1996, de 11 de marzo (RTC 1996\37), FJ 6 A) y 62/1996, FJ 5]. En suma, la medida de prisión provisional debe en todo momento responder a los fines constitucionalmente legítimos de la misma y así debe poder deducirse de la motivación de la resolución que la acuerda, aunque en un primer momento estos fines pueden justificarse atendiendo a criterios objetivos como la gravedad de la pena o el tipo de delito. En coherencia con las directrices reseñadas, la STC 62/1996 realizó una nueva aportación a la especificación del canon de enjuiciamiento de la motivación de la prisión provisional para un grupo diferente de supuestos —prisión provisional por riesgo de fuga tras Sentencia condenatoria—, al indicar que el solo dictado de una inicial Sentencia condenatoria por un delito grave puede constituir un dato suficiente que justifique razonable y suficientemente la concurrencia de un riesgo de sustracción a la acción de la justicia (FJ 7).

c) La falta de una motivación suficiente y razonable de la decisión de prisión provisional no supondrá sólo un problema de falta de tutela, propio del ámbito del art. 24.1 CE, sino prioritariamente un problema de lesión del derecho a la libertad, por su privación sin la concurrencia de un presupuesto habilitante para la misma [SSTC 128/1995, F. 4 a); 37/1996, F. 5; 62/1996, F. 2 y 158/1996, de 15 de octubre (RTC 1996\158), F. 3].

FJ 4. Pues bien, la determinación de si el cumplimiento de los requisitos legales basta para entender constitucionalmente legítima la prisión, precisa una toma en consideración del texto de los artículos de la LECrim aquí aplicados, esto es, del art. 503 y de los dos primeros párrafos del art. 504. Dicho texto reza como sigue:

«503. Para decretar la prisión provisional serán necesarias las circunstancias siguientes:

1ª Que conste en la causa la existencia de un hecho que presente los caracteres de delito.

2ª Que éste tenga señalado pena superior a la de prisión menor, o bien que, aun cuando tenga señalada pena de prisión menor o inferior, considere el Juez necesaria la prisión provisional, atendidos los antecedentes del imputado, las circunstancias del hecho, la alarma social que su comisión haya producido o la frecuencia con la que se cometan hechos análogos. Cuando el Juez haya decretado la prisión provisional en caso de delito que tenga prevista pena inferior a la de prisión mayor, podrá, según su criterio, dejarla sin efecto, si las circunstancias tenidas en cuenta hubiesen variado, acordando la libertad del inculpado con o sin fianza.

3ª Que aparezcan en la causa motivos bastantes para creer responsable criminalmente del delito a la persona contra quien se haya de dictar el auto de prisión.

504. Procederá también la prisión provisional cuando concurran la primera y la tercera circunstancia del artículo anterior y el inculpado no hubiera comparecido, sin motivo legítimo, al primer llamamiento del Juez o Tribunal o cada vez que éste lo considere necesario.

No obstante lo dispuesto en el artículo anterior, aunque el delito tenga señalada pena superior a la de prisión menor, cuando el inculpado carezca de antecedentes penales o éstos deban considerarse cancelados y se pueda creer fundadamente que no tratará de sustraerse a la acción de la justicia y, además, el delito no haya producido alarma ni sea de los que se cometen con frecuencia en el territorio donde el Juez o Tribunal que conociere de la causa ejerce su jurisdicción, podrán éstos acordar, mediante fianza, la libertad del inculpado».

FJ 5. La comparación entre los requerimientos dimanantes del art. 17 CE, tal y como los ha delimitado nuestra doctrina y las circunstancias bajo las que los preceptos transcritos permiten acordar la prisión, pone de manifiesto «prima facie», que la Ley ni exige la presencia de un fin constitucionalmente legítimo para acordar tal medida, ni determina cuáles son los fines constitucionalmente legítimos que permiten acordarla ni, por lo tanto, exige que éstos se expresen en la resolución que la acuerda. Quizás bastaría esa insuficiencia de la Ley para entender vulnerado el art. 17 CE en los términos que señalamos en la STC 49/1999, de 5 de abril (RTC 1999\49), FFJJ 4 y 5.

Pero, a esa insuficiencia se añaden, en el presente caso, otras posibles tachas de inconstitucionalidad. En efecto, según una interpretación usual del párrafo segundo del art. 504 que, dado que ni siquiera han respondido a las razones constitucionales aducidas por el recurrente, parece ser la aceptada en este caso por los órganos judiciales, el mero hecho de que el delito esté castigado con pena superior a la de prisión menor puede determinar, pese a que de sus circunstancias personales se deduzca que no hay riesgo de fuga y que no concurre ninguno de los demás fines legítimos, que pudieran justificar constitucionalmente la privación cautelar de libertad, ésta ha de acordarse necesariamente en algunos casos.

De entre ellos, merece una especial consideración la alarma social producida por el delito, a la que se hace referencia en las resoluciones impugnadas. Porque, como dijimos en la STC 66/1997 (RTC 1997\66) (de 7 de abril, F. 6), y reiteramos en la STC 98/1997 (RTC 1997\98) (de 20 de mayo, F. 9), «con independencia del correspondiente juicio que pueda merecer la finalidad de mitigación de otras alarmas sociales que posean otros contenidos —la alarma social que se concreta en disturbios sociales, por ejemplo— y otros orígenes —la fuga del imputado o su libertad provisional—, juicio en el que ahora no es pertinente entrar, lo cierto es que la genérica alarma social presuntamente ocasionada por un delito constituye el contenido de un fin exclusivo de la pena —la prevención general— y («so pena» de que su apaciguamiento corra el riesgo de ser precisamente alarmante por la quiebra de principios y garantías jurídicas fundamentales), presupone un juicio previo de antijuridicidad y de culpabilidad del correspondiente órgano judicial tras un procedimiento rodeado de plenas garantías de imparcialidad y defensa». [...]

FJ 7. [...] Así, hemos señalado que la prisión provisional se sitúa entre el deber estatal de perseguir eficazmente el delito y el deber estatal de asegurar el ámbito de libertad del ciudadano (STC 41/1982, de 2 de julio, F. 2) y que por tratarse de una institución cuyo contenido material coincide con el de las penas privativas de libertad, pero que recae sobre ciudadanos que gozan de la presunción de inocencia, su configuración y aplicación como medida cautelar ha de partir de la existencia de indicios racionales de la comisión de una acción delictiva, ha de perseguir un fin constitucionalmente legítimo que responda a la necesidad de conjurar ciertos riesgos relevantes para el proceso que parten del imputado, y en su adopción y mantenimiento ha de ser concebida como una medida excepcional, subsidiaria, necesaria y proporcionada a la consecución de dichos fines (STC 128/1995, de 26 de julio, FJ 3, reiterada en la STC 62/1996, FJ 5). [...]

FJ 8. [...] Para valorar la razonabilidad de la medida adoptada y su acomodación a los fines que constitucionalmente la legitimarían es preciso que la resolución judicial limitativa de la libertad personal exprese no sólo el fin perseguido con la misma sino también la relación existente entre la medida cautelar adoptada y el fin perseguido, es decir, ha de expresar hasta qué punto la misma es útil a los fines perseguidos en el caso concreto. [...]

En el caso que analizamos no sólo no se conectó la prisión acordada en ninguna de las resoluciones, a alguna de las finalidades que la legitiman, sino que tampoco se llevó a cabo análisis alguno de las circunstancias personales del recurrente, ni en sí mismas ni en relación con el estado de la investigación.

El Auto inicial de 1 de octubre de 1995 se limita —en lo fáctico— a afirmar la existencia de motivos bastantes para creer responsable de un delito al recurrente, y —en lo jurídico— a explicar que los arts. 503 y 504 permiten en tales casos decretar la prisión preventiva, pero no explican por qué se opta por acordarla. Al resolver el recurso de reforma, la Juez de Instrucción núm. 5 de Barcelona, sólo concreta que los delitos imputados lo son de tráfico de sustancias estupefacientes que causan grave daño a la salud, de tenencia ilícita de armas y otro de contrabando, los cuales están castigados con penas de reclusión menor y afirma lacónicamente que «producen una innegable alarma social», sin explicar por qué se opta por decretar la prisión provisional. Por fin, la Audiencia Provincial considera motivadas las resoluciones impugnadas porque expresan la naturaleza y gravedad de los delitos imputados dada la penalidad para ellos prevista y se apoya en la constatación de que los Autos recurridos expresan motivos bastantes para creer responsable de los mismos al recurrente, concluyendo que por ello la medida impugnada es claramente conforme con la legalidad, pero tampoco hace alusión alguna al fin que se persigue con la medida acordada o al riesgo que con la misma se pretende evitar, ni analiza las circunstancias personales del recurrente en relación con la medida acordada, pese a que le fueron expresamente alegadas.

En definitiva, en ningún caso se hace referencia a la finalidad que se persigue con la adopción de la medida cautelar impugnada. Sin expresión del fin perseguido es obvio que tampoco se argumenta sobre las circunstancias personales del recurrente en relación con la prisión acordada. No se expresa juicio de ponderación alguno entre el derecho a la libertad personal y los fines que constitucionalmente legitimarían su limitación, nada se dice de los intereses que se protegen con la resolución, ni sobre la necesidad de la misma. En fin, no se puede apreciar si la misma es o no proporcionada, y mucho menos si es acorde con los fines que la justifican.

FJ 9. [...] Por lo tanto, ha de concluirse que, desde la perspectiva de la falta de expresión de los fines constitucionalmente legítimos que pudieran justificar la prisión provisional, las resoluciones impugnadas vulneran el art. 17 CE.

FJ 10. Como dejamos dicho, aduce, en segundo término, el demandante de amparo, que se ha vulnerado el art. 17 CE dado que las resoluciones impugnadas se han fundamentado en la gravedad abstracta del delito y de la pena, sin tener en cuenta las circunstancias particulares aducidas por el recurrente, a las que ya se ha hecho referencia.

Dejando a un lado la cuestión de la alarma social, que hemos tratado anteriormente, y ciñéndonos, por tanto, a si la gravedad de la pena puede, en este caso, justificar por sí sola la adopción de la medida, hemos de partir, al analizar esta queja, de que este Tribunal ha hecho especial hincapié en la necesidad de distinguir nítidamente dos momentos procesales diversos a la hora de hacer el juicio de ponderación sobre la presencia de los elementos determinantes de la constatación del riesgo de fuga: el momento inicial de adopción de la medida y aquel otro en que se trata de decidir el mantenimiento de la misma pasados unos meses. Citando la doctrina del Tribunal Europeo de Derechos Humanos (Sentencia de 27 de junio de 1968 —asunto Neumeister c. Austria—, de 10 de noviembre de 1969 —asunto Matznetter—, de 27 de agosto de 1992 —asunto Tomasi c. Francia— y de 26 de enero de 1993 —asunto W. c. Suiza) este Tribunal (STC 128/1995, FJ 4 y 62/1996, FJ 5) afirmó que si en un primer momento cabría admitir que para preservar los fines constitucionalmente legítimos de la prisión provisional su adopción inicial se lleve a cabo atendiendo solamente al tipo de delito y a la gravedad de la pena, el transcurso del tiempo modifica estas circunstancias y por ello en la decisión de mantenimiento de la medida deben ponderarse inexcusablemente los datos personales del preso preventivo así como los del caso concreto. A lo que, en la STC 156/1997, de 29 de septiembre, analizando un supuesto muy similar, añadimos que esa exigencia de análisis particularizado «debe acentuarse aún más en casos como el presente, en el que la impugnación del recurrente ha cuestionado extensa y expresamente la subsistencia y aun la existencia inicial de razones concretas que justificaran el riesgo de fuga».

FJ 11. La carencia de justificación suficiente, desde la perspectiva constitucional, de la medida de prisión acordada, constituye una vulneración del derecho a la libertad personal (art. 17.1 CE) al hallarse ausente uno de los elementos esenciales del supuesto que habilita para decretar la privación provisional de libertad. Debe, por consiguiente, reconocerse la vulneración del derecho fundamental, procediendo a anular las resoluciones que autorizaron indebidamente su limitación.

Pero, en el presente caso, nuestra decisión no puede acabar aquí. Como hemos destacado en el fundamento jurídico 5, la Ley aplicada (arts. 503 y 504 LECrim) vulnera el art. 17 CE y esa vulneración ha podido ser determinante de la actuación inconstitucional de los órganos judiciales, por lo que se está en el supuesto previsto en el art. 55.2 LOTC y procede, por tanto, plantearse la cuestión de inconstitucionalidad relativa a dichos preceptos.

Motivación de la prisión provisional —STC 12/2007, de 15 de enero—

La Sentencia resuelve el recurso de amparo interpuesto por don L.F.H.C.B. contra el Auto de la Sección Decimosexta de la Audiencia Provincial de Madrid de 24 de agosto de 2005, que confirmó en apelación el dictado el 24 de julio de 2005 por el Juzgado de Instrucción 3 de Collado Villalba, que decretaba la prisión provisional del recurrente, por desconocer lo previsto en el artículo 506.2 de la Ley de enjuiciamiento criminal (LECrim) y los derechos fundamentales a la tutela judicial efectiva y a la libertad personal (artículos 24.1 y 17.1 CE).

FJ 3. La aplicación de esta doctrina al caso que nos ocupa conduce a la estimación del amparo solicitado, como ha interesado el Ministerio Fiscal.

En el Auto del Juzgado de Instrucción núm. 3 de Collado Villalba de 24 de julio de 2005 se afirma, textualmente, que no se imputan «hechos concretos» al recurrente, y se justifica tal decisión en el secreto sumarial de las actuaciones (fundamento de Derecho Segundo in fine). Tal decisión desconoce el tenor literal del art. 506.2 LECrim y, lo que es más importante en este concreto trámite procesal, el derecho a la libertad personal, conforme a la doctrina constitucional vertida en el anterior fundamento jurídico de esta resolución.

Es oportuno [...] hacer notar que tal lesión no podría ser combatida, como parece sugerirse en la resolución judicial impugnada en amparo, porque el Juzgado se comprometa a dar pleno conocimiento de las actuaciones a la Audiencia Provincial en el caso de que impugne en apelación el Auto de prisión (fundamento de Derecho segundo), ya que lo que este Tribunal viene exigiendo es que las partes puedan conocer las razones o fundamentos de la decisión para, en su caso, impugnarlos, pretensión que se ve seriamente cercenada en supuestos como el enjuiciado, en el que no se sabe qué hechos se imputan al encausado. La segunda para recordar que el amparo debe ser aún más decidido, si cabe, en este caso que en el resuelto en la citada STC 18/1999, de 22 de febrero, puesto que ni siquiera de la comparecencia judicial en su día realizada puede extraerse referencia alguna a los hechos en los que el recurrente se ha visto, presuntamente, implicado. [...] Por tanto es obvio que la imputación de un presunto delito de robo con violencia e intimidación se encuentra huérfana de toda base fáctica en la mentada diligencia judicial.

A su vez, el Auto de la Audiencia Provincial de Madrid de 24 de agosto de 2005 ahonda en la lesión del derecho a la libertad personal del recurrente, puesto que se limita a decir que existen «datos sugerentes» acerca de su implicación en los delitos por los que ya ha sido imputado (dos delitos de robo con violencia e intimidación con uso de armas y, en su caso, de un delito de tentativa de homicidio), pero sin relacionar tal vinculación a ningún hecho. Esta argumentación desconoce manifiestamente tanto lo dispuesto en el art. 506 LECrim, como nuestra jurisprudencia constitucional, por lo que procede otorgar el amparo solicitado y, consiguientemente, declarar la nulidad de las resoluciones judiciales impugnadas.

Duración máxima de la prisión provisional —STC 121/2003, de 16 de junio[18]—

La Sentencia resuelve los recursos de amparo interpuestos por don M.D.S. contra diversos Autos de la Sección Segunda de la Audiencia Provincial de Toledo. El recurrente pretende hacer valer su derecho a la libertad personal, que se habría visto menoscabado porque se le ha mantenido en prisión provisional más allá del periodo para el que ésta fue en su día acordada, y sin que se haya producido la pertinente prórroga. Aduce, igualmente, que los Autos recurridos lesionan su libertad personal, en la medida en que consagran una injustificada privación de la misma.

FJ 2. [...] De la abundante jurisprudencia constitucional sobre el derecho contenido en el art. 17.1 CE, es oportuno traer a colación la referida, de un lado, a la vinculación que este derecho mantiene con la Ley (que opera sobre la prisión provisional) y, de otro, la que se ha ocupado de las dilaciones indebidas a las que alude el párrafo sexto del art. 504 LECrim.

a) En el primer plano, es sabido que el art. 17.1 CE dispone que «nadie puede ser privado de su libertad, sino con la observancia de lo establecido en este artículo y en los casos y en la forma previstos en la Ley». Pues bien, como hemos dicho en la STC 82/2003:

«En palabras de las SSTC 140/1986, de 11 de noviembre (FJ 5), y 160/1986, de 16 de diciembre (FJ 4), 'el derecho a la libertad del art. 17.1, es el derecho de todos a no ser privados de la misma, salvo 'en los casos y en la forma previstos por la Ley': En una ley que, por el hecho de fijar las condiciones de tal privación, es desarrollo del derecho que así limita'.

De modo que la ley, dentro de los límites que le marcan la Constitución y los Tratados internacionales, desarrolla un papel decisivo en relación con este derecho, pues es en ella donde se conforman los presupuestos de la privación de libertad por imperativo constitucional, y donde —aunque no sólo— se determina el tiempo razonable en que puede ser admisible el mantenimiento de dicha situación (STC 241/1994, de 20 de julio, FJ 4). Pero a pesar de este carácter decisivo de la ley respecto a la posibilidad de prever restricciones a la libertad, no cabe duda de que tal ley ha de estar sometida a la Constitución, por lo que hemos afirmado que el derecho a la libertad no es un derecho de pura

[18] *Vid.*, además de las citadas en la Sentencia, las SSTC 117/1987, de 8 de julio; 146/1988, de 14 de julio; 9/1994, de 17 de enero; 2/1994, de 17 de enero (vulneración del derecho a la libertad personal por dilaciones indebidas en el procedimiento causante de la prolongación de la prisión provisional del recurrente); 71/2000, de 13 de marzo; 147/2000, de 29 de mayo; 231/2000, de 2 de octubre; 305/2000, de 11 de diciembre; 145/2001, de 18 de junio; 22/2004, de 23 de febrero; 120/2004, de 12 de julio; 155/2004, de 20 de septiembre; 16/2005, de 1 de febrero; 293/2006, de 10 de octubre; 333/2006, de 20 de noviembre; 27/2008, de 11 de febrero; 50/2009, de 23 de febrero. Sobre el cumplimiento de los plazos máximos de prisión provisional en procedimientos de euroorden, *vid.* SSTC 83/2006, de 13 de marzo; 99/2006, de 27 de marzo; 95/2007, de 7 de mayo; 140/2012, de 2 de julio.

configuración legal [SSTC 2/1992, de 13 de enero, FJ 5; 241/1994, de 20 de julio, FJ 4; 128/1995, de 26 de julio, FJ 3; 157/1997, de 29 de septiembre, FJ 2; 47/2000, de 17 de febrero, FJ 2; 147/2000, de 29 de mayo, FFJJ 3 y 4 a)].

En tal sentido este Tribunal ha tenido asimismo ocasión de declarar que la regla *nulla custodia sine lege* obliga a que la decisión judicial de decretar, mantener o prorrogar la prisión provisional esté prevista en uno de los supuestos legales (uno de los 'casos' a que se refiere el art. 17.1 CE), y se adopte mediante el procedimiento legalmente regulado (en la 'forma' mencionada en el mismo precepto constitucional). De ahí que hayamos dicho reiteradamente que el derecho a la libertad pueda verse conculcado, tanto cuando se actúa bajo la cobertura improcedente de la Ley, como cuando se opera contra lo que la ley dispone (SSTC 127/1984, de 12 de diciembre, FJ 2; 34/1987, de 12 de marzo, FJ 1; 13/1994, de 17 de enero, FJ 6; 241/1994, de 20 de julio, FJ 4; 128/1995, de 26 de julio, FJ 3), así como también hemos afirmado que los plazos han de cumplirse por los órganos judiciales, por lo que en caso de incumplimiento resulta afectada la garantía constitucional de la libertad contenida en el art. 17 CE (SSTC 127/1984, de 26 de diciembre, FJ 3; 40/1987, de 3 de abril, FJ 2; 103/1992, de 25 de junio, FJ; 37/1996, de 11 de marzo, FJ 3; 147/2000, de 29 de mayo, FJ 4.b)» (FJ 3).

b) A su vez, en cuanto hace a la concurrencia de dilaciones no imputables a la Administración de Justicia a las que alude el párrafo 6 del art. 504 LECrim, un buen resumen de nuestra doctrina se contiene en la STC 98/2002, de 29 de abril. En un supuesto similar al planteado en este proceso, afirmamos allí que:

«[l]a exclusión de dichas dilaciones determina que el cómputo de los plazos máximos de la prisión provisional no tenga un carácter de plena automaticidad, pues sin dejar de ser efectivos y determinados, no se consumen por el transcurso natural del tiempo (ATC 527/1988, de 9 de mayo, FJ 2) y que el periodo de tiempo que ha de excluirse del cómputo ha de corresponderse exactamente con la duración de la dilación (SSTC 127/1984, de 26 de diciembre, FJ 3; 28/1985, de 27 de marzo, FJ 3).

Como criterio interpretativo para la valoración de este inciso, hemos empleado el del 'plazo razonable', ponderando la complejidad de la causa, la actividad desplegada por el órgano judicial y el comportamiento del recurrente. Así, hemos admitido que no pueden «merecer el calificativo de 'indebidas' aquellas supuestas dilaciones que obedezcan única y exclusivamente… a la intencionada conducta de la parte recurrente en amparo», que en aquel caso se había sustraído de la acción de la Justicia, huyendo a Francia, provocando su rebeldía y un proceso de extradición (STC 8/1990, de 18 de enero, FJ 6), y que la interposición de un inútil, intempestivo y dilatorio recurso por la representación procesal del recurrente, que provocó la paralización del proceso penal durante más de un año, no es una dilación imputable a los órganos judiciales, sino una 'conducta obstruccionista' que 'no solo no guarda proporcionada relación con el legítimo ejercicio del derecho de defensa, sino que, antes al contrario, estuvo dirigida exclusivamente a obtener la indebida puesta en libertad del recurrente por el mero transcurso de los plazos legales de la prisión provisional' (STC 206/1991, de 30 de octubre, FJ 7).

Por el contrario, con esos mismos cánones, hemos rechazado, por 'injustificadamente restrictiva en atención al significado prevalente de la libertad y al correlativo carácter excepcional de la medida cautelar' la interpretación de la expresión 'Administración de Justicia' como referida al concreto órgano judicial que decreta la prisión en un procedimiento de extradición —con la que se pretendía excluir del cómputo del plazo de la prisión provisional en una causa el tiempo de prisión provisional sufrido por otra—, afirmando que ello supondría hacer depender el límite temporal de la prisión de un elemento relativamente incierto, 'incertidumbre que resulta contraria al espíritu del texto constitucional' (STC 305/2000, de 11 de diciembre, FJ 8)» [FJ 4 f)].

FJ 3. La aplicación de esta doctrina al caso que nos ocupa debe conducirnos a otorgar el amparo solicitado por don Manuel Díaz Sánchez, y la consiguiente declaración de nulidad de todas las resoluciones judiciales impugnadas.

Los Autos de la Sección Segunda de la Audiencia Provincial de Toledo impugnados en la demanda 4569-2002 (de 25 de junio y 8 de julio de 2002), que deniegan la libertad solicitada por el recurrente amparándose en la existencia de unas dilaciones indebidas (que ni siquiera cuantifican), han vulnerado su derecho a la libertad personal (art. 17.1 CE). En efecto, hay que reiterar, en este punto, lo ya señalado en la STC 98/2002, de 29 de abril, y es que no puede afirmarse que la Audiencia Provincial (en el concreto caso, de Toledo) «haya actuado con la 'especial diligencia' que le exige el art. 504.3 LECrim, puesto que ni acordó expresamente, mediante una resolución específica y motivada, la suspensión del plazo en el momento en que las dilaciones se produjeron… ni decretó la prórroga antes del transcurso del plazo» de un año, «habiendo podido hacerlo. Sólo cuando, ya transcurrido el plazo, el recurrente solicita la libertad… afirma que existen dilaciones no imputables a la Administración de Justicia» sin ni siquiera cuantificar su extensión, «por lo que entiende que el plazo no se ha agotado. A esta conducta poco diligente de la Administración de Justicia ha de contraponerse la valoración del comportamiento del recurrente, a quien no puede reprochársele el empleo de maniobra dilatoria, ni de conducta obstruccionista alguna» [FJ 6 c) in fine].

También debemos considerar que los Autos judiciales cuestionados por el recurso de amparo 4756-2002 (dictados por la Sección Segunda de la Audiencia Provincial de Toledo los días 9 y 22 de julio de 2002) son igualmente nulos. Tales resoluciones han sido adoptadas en una situación en la que el recurrente se encontraba privado de libertad sin cobertura legal y, como es obvio, mal puede prorrogarse una prisión que debe ser considerada nula. Y es que el Auto que habríamos de calificar de reinstauración de la prisión provisional expresa formalmente una prolongación tardía y carente, por ello, de validez (STC 98/1998, de 4 de mayo, FJ 4). En efecto, la «prórroga o ampliación del plazo inicial de la prisión provisional requiere una decisión judicial específica que motive tan excepcional decisión con base en alguno de los supuestos que legalmente habilitan para ello (SSTC 142/1998, FJ 3; 234/1998, de 1 de diciembre, FJ 2; 305/2000, de 11 de diciembre, FJ 4) y ha de adoptarse antes de que el plazo inicial haya expirado, pues la lesión en que consiste el incumplimiento del plazo no se subsana por el intempestivo acuerdo de prórroga adoptado una vez superado éste (SSTC 56/1997, de 17 de marzo; 142/1998, de 29 de junio, FJ 3; 234/1998, de 1 de diciembre, FJ 2; 305/2000, de 11 de diciembre, FJ 4)» [STC 98/2002, de 29 de abril, FJ 4 c), cuya doctrina ha sido retomada en la STC 144/2002, de 15 de julio, FJ 3].

FJ 4. [...] [N]o se puede compartir la tesis de que la presentación de recursos legalmente previstos se conciba, a priori, como una actitud obstruccionista, que permita al órgano judicial mantener que se han producido dilaciones indebidas imputables a la representación de la defensa. En las demandas de amparo acumuladas se señala, acertadamente, que el derecho a los recursos forma parte del derecho a la tutela judicial efectiva (art. 24.1 CE) y el Ministerio Fiscal recuerda, en el mismo sentido, que en el marco de un proceso penal los recursos sirven igualmente al derecho de defensa (art. 24.2 CE) sin que, por lo demás, su interposición tenga efectos suspensivos que retrasen el íter procesal. Aunque estas consideraciones no pueden excluir que, ocasionalmente, se haga un uso manifiestamente abusivo de los cauces procesales legalmente previstos, que podría originar una respuesta judicial como la que ahora enjuiciamos, de las actuaciones se colige que no nos encontramos en esta hipótesis. Como se hace notar en las demandas de amparo, ninguno de los recursos interpuestos ha sido inadmitido, sino desestimado, lo que prueba su procedencia formal.

Cómputo del plazo de duración máxima de la prisión provisional —STC 81/2004, de 5 de mayo—

La Sentencia resuelve el recurso de amparo promovido por don B.K.A. contra el Auto de la Sección Primera de la Audiencia Provincial de Valencia de 23 de octubre de 2002, por el que se confirmaba la decisión adoptada por el Juzgado de Instrucción núm. 18 de esa misma ciudad, con fecha de 17 de septiembre de 2002, respecto del mantenimiento del actor en situación de prisión provisional.

FJ 3. Según el razonamiento esgrimido por los órganos judiciales para justificar su decisión denegatoria de la puesta en libertad provisional del recurrente, al estar desconectados temporalmente los hechos que dieron lugar a la incoación de los diversos procedimientos, en que estaba implicado, los periodos de prisión provisional respectivamente cumplidos en cada uno de ellos no serían acumulables, de manera que no podría decirse que hubiera transcurrido aún el indicado plazo máximo en el momento en que el actor solicitó ser puesto en libertad.

A tal argumento cabría oponer, en primer lugar, que la conexidad objetivo-subjetiva que en este caso condujo a acordar la acumulación de los dos procedimientos seguidos contra el demandante de amparo no es un dato que pueda aparecer y desaparecer según se trate de facilitar el enjuiciamiento de los distintos delitos cuya comisión se atribuye a un mismo acusado o de mantenerlo en situación de privación de libertad. Por otra parte, este Tribunal ya ha declarado en otras ocasiones que, dado el carácter excepcional que tiene la adopción de la medida de prisión provisional, la interpretación y aplicación de las normas que la rigen «debe hacerse con carácter restrictivo y a favor del derecho fundamental a la libertad que tales normas restringen» (STC 98/2002, de 29 de abril, FJ 3), lo que también vendría a abonar la idea de que la acumulación de los procedimientos penales en cuestión se traduce en una acumulación, asimismo, de los periodos pasados en situación de prisión provisional en cada uno de ellos. Tal es, en definitiva, el criterio que hemos adoptado en otras ocasiones [por todas, SSTC 127/1984, de 26 de diciembre, FJ 4; 28/1985, de 27 de marzo, FJ 4; y 98/2002, de 29 de abril, FJ 4 e)] al establecer que no resulta posible determinar el plazo máximo de prisión provisional teniendo en cuenta por separado cada uno de los delitos imputados en una misma causa, ya que este criterio haría depender dicho plazo de un elemento incierto y conduciría a un resultado superior a todo plazo razonable. Pues, como ya indicábamos en este mismo sentido en la STC 19/1999, de 22 de febrero, FJ 5, «el hecho de que en una misma causa se enjuicien plurales delitos no permite, según nuestra jurisprudencia... que el plazo máximo de la prisión provisional pueda establecerse multiplicando los plazos legales por el número de delitos imputados» pues ello conduciría «a un resultado notoriamente superior a todo plazo razonable».

Es de señalar que, en el caso que dio origen a la resolución acabada de citar, llegamos a la conclusión de que debía incluirse, dentro del plazo máximo de prisión provisional, el periodo de tiempo pasado en prisión por motivo del cumplimiento de la pena correspondiente a la comisión de otro delito completamente distinto, conclusión que se opone a la alcanzada por las resoluciones judiciales recurridas en el sentido de entender que no podía considerarse en situación de preso preventivo a aquel acusado que estuviera preso en calidad de penado. Pues bien: siendo esto así, con mayor razón aún debe entenderse en el presente caso que el periodo de tiempo pasado en situación de prisión provisional por motivo de la imputación de unos hechos ciertamente separados en el tiempo de otros que también dieron lugar a la imposición de dicha medida cautelar excepcional, pero que posteriormente fueron declarados conexos con estos últimos al efecto de ser enjuiciados en una misma causa, ha de ser tenido en cuenta a la hora de efectuar el cómputo del tiempo total pasado en dicha situación. Lo que viene a significar que, efectivamente, las resoluciones judiciales recurridas han vulnerado el derecho del actor a la libertad personal, al haberse superado el plazo máximo de prisión provisional sin que hubiera sido previamente acordada su prórroga.

La conclusión obtenida acerca de la existencia de la indicada vulneración del derecho del actor a no ser privado de su libertad sino en los casos y en la forma previstos por la Ley (art. 17.1 CE) nos exime de entrar a conocer de la segunda de las quejas planteadas en el presente recurso de amparo, relativa a la pretendida vulneración del derecho del recurrente a la tutela judicial efectiva por falta de motivación suficiente de las resoluciones recurridas.

La prisión provisional ante la pena de privación de libertad —STC 57/2008, de 28 de abril[19]—

La Sentencia resuelve el recurso de amparo promovido por don A.I. contra los Autos de la Sección Primera de la Audiencia Provincial de Las Palmas de 20 y 22 de mayo y de 29 de agosto de 2003, por los que se aprobó y confirmó, respectivamente, la liquidación de condena de privación de libertad practicada al recurrente en ejecutoria dimanante de procedimiento abreviado procedente del Juzgado de Instrucción núm. 4 de Las Palmas de Gran Canaria. El recurrente imputa a las resoluciones judiciales impugnadas la vulneración del derecho a la libertad (artículo 17.1 CE), al no habérsele abonado en su totalidad el tiempo pasado en prisión provisional para el cumplimiento de la pena impuesta en la misma causa, de conformidad con lo dispuesto en el artículo 58.1 del Código penal (CP), pues no se le ha abonado el tiempo en el que simultáneamente a la prisión provisional sufrida en dicha causa ha estado privado de libertad como penado para el cumplimiento de la condena impuesta en otra causa distinta.

FJ 5. Para la resolución de la queja del recurrente en amparo, con la perspectiva constitucional de la STC 19/1999, de 22 de enero, frente al planteamiento de los Autos de la Audiencia Provincial de 22 de mayo y de 29 de agosto de 2002, hemos de partir del presupuesto de que no resulta correcta la identificación del significado de la prisión provisional y de la pena de prisión.

En efecto, dijimos entonces y hemos de reiterar ahora que: «[l]a prisión provisional es una medida cautelar de naturaleza personal, que tiene como primordial finalidad la de asegurar la disponibilidad física del imputado con miras al cumplimiento de la sentencia condenatoria, que eventualmente pueda ser dictada en su contra, impidiendo de este modo que dicho sujeto pasivo de la imputación pueda sustraerse a la acción de la justicia, [de forma que n]o es en modo alguno una especie de pena anticipada». Abundando en esta línea añadíamos que «[l]a distinta funcionalidad de la medida cautelar (en que consiste la prisión provisional) y de la pena permite, sin ninguna violencia lógica, que un mismo hecho (la privación de libertad), cumpla materialmente una doble función, sin que, por ello, y en lo que concierne a la primera, pueda negarse su realidad material, ni alterarse la normal aplicación de su límite temporal». Y concluíamos afirmando, a los efectos que a este recurso de amparo interesan, que: «[d]el hecho de que el tiempo de privación de libertad, sufrido por la prisión provisional, se abone en su totalidad para el cumplimiento de la pena, no se deriva, a modo de una consecuencia lógica necesaria, la de que el tiempo de cumplimiento de una pena, impuesta en una causa distinta de la que se acordó la prisión provisional, y coincidente con dicha medida cautelar, prive de efectividad real a esa medida cautelar» (FJ 4; doctrina que se reitera en la STC 71/2000, de 13 de marzo, FJ 5).

---

[19]   *Vid.* también SSTC 92/2012, de 7 de mayo; 158/2012, de 17 de septiembre; 193/2012, de 29 de octubre; 229/2012, de 10 de diciembre; 148/2013, de 9 de septiembre; 168/2013, de 7 de octubre; 35/2014, de 27 de febrero; 61/2014, de 5 de mayo, y 81/2014, de 28 de mayo. La Ley Orgánica 5/2010, de 22 de junio, por la que se modifica la Ley Orgánica 10/1995, de 23 de noviembre, del Código penal, reformó su artículo 58.1, dando cobertura legal explícita a la exclusión del efecto de "doble cómputo". El artículo 58.1 CP quedó redactado como sigue: «1. El tiempo de privación de libertad sufrido provisionalmente será abonado en su totalidad por el Juez o Tribunal sentenciador para el cumplimiento de la pena o penas impuestas en la causa en que dicha privación fue acordada, salvo en cuanto haya coincidido con cualquier privación de libertad impuesta al penado en otra causa, que le haya sido abonada o le sea abonable en ella. En ningún caso un mismo periodo de privación de libertad podrá ser abonado en más de una causa». Sobre el alcance de la irretroactividad de esta reforma, que con base en el principio de favor libertatis no puede en ningún caso desconocer los beneficios de doble abono ya generados o «adquiridos», *vid.* SSTC 261/2015, de 14 de diciembre; 48/2016, de 14 de marzo; 137/2016, de 18 de julio.

FJ 6. Sentado cuando antecede, esto es, que no puede negarse la funcionalidad y la realidad material de la prisión provisional como medida cautelar de privación de libertad en una causa porque coincida simultáneamente con una privación de libertad para el cumplimiento de una pena impuesta en otra causa distinta, no puede compartirse el argumento de los Autos recurridos de que la liquidación de condena de la pena privativa de libertad se ha practicado en este caso de conformidad con el art. 58 del Código Penal, «al abonarse en esta causa el tiempo de prisión preventiva sufrida durante su tramitación, desde el 6-6-2002 al 7-7-2002, ya que a partir de esta fecha se encontraba cumpliendo condena por otra causa».

En efecto, una vez despejado el dato, como ya ha quedado señalado, de que el recurrente en amparo estuvo en prisión provisional en el procedimiento penal abreviado núm. 273-2002 desde el 6 de junio de 2002 hasta el 20 de marzo de 2003, ostentando simultáneamente desde el 7 de julio de 2002 hasta el 20 de marzo de 2003 la condición de preso preventivo en dicha causa y la de penado en otra causa distinta, ha de resaltarse que el art. 58.1 CP, en la redacción anterior a la que se le ha dado la Ley Orgánica 15/2003, de 25 de noviembre, que era la aplicable en el caso que nos ocupa, disponía que «el tiempo de privación de libertad sufrido preventivamente se abonará en su totalidad para el cumplimiento de la pena o penas impuestas en la misma causa en que dicha privación haya sido acordada». Así pues la previsión legal aplicable era, al igual que lo es en la vigente redacción del art. 58.1 CP, la del abono en su totalidad del tiempo de privación de libertad sufrido preventivamente en una causa para el cumplimiento de la pena o penas impuestas en la misma causa, careciendo de cobertura legal la exclusión para el referido abono del periodo de tiempo en el que simultáneamente a la situación de prisión provisional en dicha causa concurre la situación de penado por otra causa.

En este sentido, proyectando al caso ahora enjuiciado las consideraciones que se hicieron en la STC 19/1999, de 22 de enero, hemos de reiterar que la situación de coincidencia entre la prisión provisional en una causa y la situación de penado en otra, por su frecuencia en la realidad, no es un supuesto que, lógicamente, pudiera haber pasado inadvertido al legislador, al regular el abono del tiempo de privación de libertad sufrido provisionalmente para el cumplimiento de la pena o pena impuestas en la misma causa (art. 58.1 CP), lo que «desde la obligada pauta de la interpretación en el sentido de la mayor efectividad del derecho fundamental y de la correlativa interpretación restrictiva de sus límites» permite entender que, si el legislador no incluyó ninguna previsión respecto a dicha situación en el art. 58.1 CP, y, en concreto, el no abono del tiempo en el que simultáneamente han coincidido las situaciones de prisión provisional en una causa y de penado en otra, fue sencillamente porque no quiso hacerlo. En todo caso, y al margen de problemáticas presunciones sobre la intención del legislador, el dato negativo de la no previsión de esa situación es indudable; y, a partir de él, no resulta constitucionalmente adecuada una interpretación en virtud de la cual pueda llegarse a una consecuencia sobre el abono del tiempo de prisión provisional en una causa para el cumplimiento de la pena o penas impuestas en la misma, regulado en el art. 58.1 CP, basada en un dato ausente de éste (FJ 5).

De otra parte, similar reproche merece el argumento esgrimido en el Auto de 29 de agosto de 2002 de que no puede prosperar la pretensión del recurrente porque «las penas privativas de libertad no pueden ser cumplidas simultáneamente por el condenado, siguiéndose el orden de su respectiva gravedad para su cumplimiento sucesivo, como establece el artículo. 75 del CP». En efecto, el debate litigioso en este caso no estriba en el orden de cumplimiento de las penas impuestas al condenado por diversas infracciones cuando no puedan ser cumplidas simultáneamente, cuestión que aborda y resuelve, como se indica en el Auto, el art. 75 CP, sino la determinación del tiempo de abono de la privación de libertad sufrida provisionalmente en una causa para el cumplimiento de la pena o penas impuestas en la misma causa, tema que regula el art. 58.1 CP, en los términos ya indicados a los efectos que a este recurso de amparo interesan.

FJ 7. Finalmente tampoco puede considerarse, como se hace implícitamente en los Autos recurridos y expresamente manifiesta el Ministerio Fiscal en su escrito de alegaciones, que en la situación de coincidencia temporal de las situaciones de prisión provisional por una causa y de ejecución de pena de prisión por otra la prisión provisional no afecte realmente a la libertad, pues es preciso tener en cuenta que, de conformidad con lo dispuesto en la normativa penitenciaria (arts. 23.3, 29.2, 104, 154, 159, 161 y 192 del Reglamento penitenciario), el cumplimiento en calidad de penado se ve directa y perjudicialmente afectado por el hecho de coincidir con una situación de prisión provisional decretada, pues el penado que se encuentra con causas pendientes en situación de prisión provisional no puede acceder a ningún régimen de semilibertad, no puede obtener permisos, ni puede obtener la libertad condicional. Por ello no puede sostenerse que el preso preventivo, que cumple a la vez condena, no está «materialmente» en situación de prisión preventiva, o, en otros términos, sólo padece una «privación de libertad meramente formal» (STC 19/1999, de 22 de enero, FJ 4).

FJ 8. Las consideraciones precedentes han de conducir al otorgamiento del amparo, puesto que la decisión de no abonar al recurrente en amparo en su totalidad el tiempo de privación de libertad sufrido preventivamente en el procedimiento abreviado núm. 273-2002 para el cumplimiento de la pena de prisión impuesta en la misma causa carece de cobertura legal, lo que ha supuesto un alargamiento ilegítimo de su situación de privación de libertad, lesivo, por lo tanto, del art. 17.1 CE.

LOS DERECHOS DE LA PERSONALIDAD

Artículo 18. 1. Se garantiza el derecho al honor, a la intimidad personal y familiar y a la propia imagen
2. El domicilio es inviolable. Ninguna entrada o registro podrá hacerse en él sin consentimiento del titular o resolución judicial, salvo en caso de flagrante delito
3. Se garantiza el secreto de las comunicaciones y, en especial, de las postales, telegráficas y telefónicas, salvo resolución judicial.
4. La ley limitará el uso de la informática para garantizar el honor y la intimidad personal y familiar de los ciudadanos y el pleno ejercicio de sus derechos

INTRODUCCIÓN

El artículo 18 CE es sin duda el más rico en contenido de los que integran el Título I de la Constitución. El él se reconocen, en términos universales, los derechos al honor, a la intimidad, a la propia imagen, a la inviolabilidad del domicilio, al secreto de las comunicaciones y a la intimidad informática. Se trata de seis derechos distintos, cada cual con su propio perfil conceptual y contenido dogmático, pero íntimamente relacionados entre sí, en la medida en que todos garantizan al individuo una zona para el libre desarrollo de su personalidad, sin intromisiones ajenas. Lo que hace el artículo 18 CE es pues reconocer como derecho parcelas concretas del libre desarrollo de la personalidad, que el artículo 10 CE eleva a fundamento del orden público y de la paz social y que, a diferencia de en la Ley Fundamental de Bonn (artículo 2.1), no encuentra reconocimiento en nuestro texto constitucional como derecho genérico.

En la definición de los derechos reconocidos en el artículo 18 CE la idea de control ocupa un lugar central. Lo ocupa en los derechos al honor, a la intimidad y a la propia imagen reconocidos en el artículo 18.1 CE. Nos encontramos ante tres derechos de la personalidad cuyo origen se remonta a los albores del siglo XX, cuando aparecen en el mundo jurídico como respuestas a las necesidades del nuevo modelo de sociedad que empieza a consolidarse con el nuevo siglo. Este modelo social, más urbano, más mediático, cada vez más inmerso en la economía de mercado y en la publicidad, consolida el individualismo típicamente moderno, al tiempo que le obliga a enfrentarse a nuevas amenazas, más o menos sutiles o fáciles de identificar, pero cada vez más generalizadas. El artículo 18.1 CE responde a estas amenazas reconociendo como derechos fundamentales la posibilidad de controlar nuestro honor, intimidad personal y familiar y propia imagen. La razón de ser común de estos derechos llevó también al legislador orgánico a incluir su desarrollo legislativo en una misma norma, la Ley Orgánica 1/1982, de 5 de mayo, de protección civil del derecho al honor, a la intimidad personal y familiar y a la propia imagen. Los tres comparten además, como característica central, su ductilidad, su adaptabilidad a circunstancias sociales siempre cambiantes, que los convierte jurídicamente en conceptos indeterminados (STC 139/1995, FJ 5), y que confiere más protagonismo al desarrollo jurisprudencial, casuístico, de su contenido que a su concreción legislativa. Todo lo cual, sin embargo, no les resta identidad como «derechos autónomos, de modo que, al tener cada uno de ellos su propia sustantividad, la apreciación de la vulneración de uno no conlleva necesariamente la vulneración de los demás» (STC 14/2003, FJ 4).

El derecho al honor, que encabeza el artículo 18.1 CE, gira en torno a la protección de la buena reputación. La cual, como apunta el Tribunal Constitucional, consiste «en la opinión que las gentes tienen de una persona, buena o positiva si no van acompañadas de adjetivo alguno», y que este derecho intenta proteger contra «el desmerecimiento en la consideración ajena (art. 7, 7 L.O. 1/1982)» (STC 223/1992, FJ 3). Así, el derecho al honor «nos sitúa en el terreno de los demás», lo que le confiere un contenido «lábil y fluido, cambiante y en definitiva, como hemos dicho en alguna otra ocasión, 'dependiente de las normas, valores e ideas sociales vigentes en cada momento' (STC 185/1989)» (STC 223/1992, FJ 3). Fruto de esta evolución es el lugar central que en el ámbito del honor ha pasado a ocupar la reputación en el ámbito del trabajo, la reputación profesional (*ibídem*). El Tribunal Constitucional, además, ha reconocido al derecho al honor un contenido amplio. Para empezar, y junto a su dimensión personal, le ha reconocido una dimensión familiar, aunque ésta no aparezca expresamente mencionada en la Constitución (SSTC 190/1996; 49/2001 —**ARTÍCULO 20**—). Ambas dimensiones, además, entran en juego incluso allí donde el desmerecimiento en la consideración ajena se produce a través de ataques que no están «perfecta y debidamente individualizados «ad personam»», sino que se dirigen más bien de forma genérica a quienes integran, por ejemplo, un grupo social o étnico determinado (STC 214/1991, FJ 6). Y pese a tratarse de un derecho de la personalidad, el Tribunal Constitucional ha incluido entre sus titulares a las personas jurídicas (STC 139/1995, FJ 5), incluidos los partidos políticos (STC 79/2014).

Así concebido, la garantía jurídica del honor consiste en otorgarnos la posibilidad de controlar nuestra reputación, y de hacerlo a través de los actos concluyentes que informan nuestra vida cotidiana (STC 50/1983). Su objetivo es pues tutelar aquella reputación que cada cual se forje, impidiendo la difusión de hechos que puedan desmerecerla, en la medida en que no sean hechos ciertos, o sean inexactos. Y es que el derecho al honor protege contra la divulgación de hechos que no encajan en la reputación de una persona tal y como esa persona la ha ido construyendo con hechos concluyentes, pero no contra los que efectivamente conforman dicha reputación, aunque lo hagan en términos negativos, y aunque hasta entonces fueran desconocidos. Ni protege contra las opiniones que se expresen en torno a esos hechos ciertos, siempre que éstas se ubiquen en un nivel de crítica que podamos considerar socialmente admisible (STC 185/1989), sin incurrir en el insulto. El derecho al honor protege, en fin, en palabras de la Ley Orgánica 1/1982, contra la «imputación de hechos o la manifestación de juicios de valor a través de acciones o expresiones que de cualquier modo lesionan la dignidad de otra persona, menoscabando su fama o atentando contra su propia estimación» (artículo 7.7).

La tutela contra la divulgación de hechos difamatorios y la expresión de opiniones que socialmente puedan considerarse insultantes conforman pues los contornos conceptuales del derecho al honor. Constituyen también los límites de su legítimo disfrute, que en el caso de este derecho coinciden con esos contornos conceptuales, al menos en línea de principio. La excepción a esa coincidencia es la transmisión de información que, siendo incierta, o cuanto menos inexacta, y desmereciendo en su inexactitud la reputación de la persona objeto de la misma, ha sido transmitida de conformidad con los requisitos constitucionales que rigen dicha transmisión de información, en concreto conforme al requisito de la veracidad, de conformidad pues con el artículo 20 CE (STC 244/2007; *vid*. también **ARTÍCULO 20**). Se trata de una verdadera limitación del derecho al honor, que nuestro ordenamiento asume como legítima, sin ofrecer contra ella la tutela de los mecanismos civiles o penales a disposición de las personas titulares de los derechos de la personalidad (STC 236/2006). En estos casos la tutela del derecho al honor sólo puede articularse a través de la lógica informativa, acudiendo a los medios para difundir la propia versión de los hechos controvertidos. Frente al derecho a la información, y ante la preponderancia de su ejercicio sobre el del derecho al honor, el ordenamiento ha articulado el conocido como derecho de rectificación (STC 168/1986; *vid*. también **ARTÍCULO 20**).

El derecho a la intimidad, que el artículo 18.1 CE reconoce en segundo lugar, protege «la existencia de un ámbito propio y reservado frente a la acción y el conocimiento de los demás, necesario, según las pautas de nuestra cultura, para mantener una calidad mínima de la vida humana» (por todas, STC 173/2011, FJ 2). Y lo hace confiriendo a la persona el poder jurídico de imponer a terceros el deber de abstenerse de toda intromisión en ese ámbito y la prohibición de divulgar lo así conocido. En ese ámbito, en la frase acuñada por el Juez Thomas Cooley y que los juristas estadounidenses Louis Warren y Samuel Brandeis hicieron famosa a finales del siglo XIX, se nos reconoce el derecho a que se nos deje en paz («*the right to be let alone*»). El derecho a la intimidad protege la capacidad de cada cual de controlar sus zonas privadas, sus zonas de retiro y de secreto, aquellos espacios y datos de nuestra vida que cada cual desea excluir de intromisiones indeseadas, más allá de que podamos considerarlos íntimos, como los datos médicos o los contenidos en agendas, diarios u ordenadores personales, o no, como los económicos o tributarios (por todas, STC 173/2011). A estas zonas de retiro y de secreto la Constitución reconoce expresamente una dimensión personal y otra familiar (STC 231/1988), de las cuales la primera tiene también una dimensión corporal (por todas, SSTC 57/1994; 196/2004). El objeto del derecho a la intimidad es, pues, la capacidad de controlar quién tiene acceso a qué esfera nuestra de retiro y/o de secreto, y para qué lo tiene —qué uso va a hacerse de la información resultante de dicho acceso—. Eso sí, según ha aclarado el Tribunal Constitucional, ese control se centra en el acceso a dichas esferas, quedando fuera del derecho a la intimidad la posibilidad de determinar las condiciones en que va a tener lugar el disfrute de las mismas. Con base en ello, el Tribunal ha entendido que la reagrupación familiar no forma parte de nuestro derecho fundamental a la intimidad (por todas, STC 186/2013), mientras sí forma parte del derecho a la vida familiar que reconoce el artículo 8 CEDH (STEDH de 10 de julio de 2014, asunto *Mugenzi c. Francia*). Se trata, por lo demás, de un control que se ejerce dentro de un contexto social determinado, y de las pautas culturales que en él rigen nuestra concepción de la intimidad. Así, en relación con la intimidad corporal, el Tribunal Constitucional ha aclarado que no «es una entidad física, sino cultural, y en consecuencia determinada por el criterio dominante en nuestra cultura sobre el recato corporal; de tal modo que no pueden entenderse como intromisiones forzadas en la intimidad aquellas actuaciones que, por las partes del cuerpo humano sobre las que se operan o por los instrumentos mediante los que se realizan, no constituyen, según un sano criterio, violación del pudor o recato de la persona» (STC 57/1994, FJ 5). Sólo cabe esperar que esta aproximación cultural a la intimidad, en concreto a la intimidad corporal, deje espacio para introducir matices en relación con personas pertenecientes a colectivos culturalmente minoritarios, y especular sobre qué alcance podrían, en cada caso, tener esos matices.

En el marco del artículo 18.1 CE no nos encontramos, en definitiva, ante un concepto rígido y preestablecido de intimidad, entendida como un último reducto monolítico en la vida de cada cual, blindado frente a la intromisión de terceros. Nos encontramos más bien ante un concepto fluido, socialmente determinado y adaptable a la evolución de las circunstancias, sociales y tecnológicas, de la sociedad de la información, ante un concepto que, en el marco de esas circunstancias, pone en manos de cada cual la definición de sus contornos personales. Y ello, de nuevo, no en términos formales, definitivos y explícitos, sino a través de actos concluyentes. El ámbito de cobertura del derecho a la intimidad se adaptará pues a las circunstancias de su titular, a las dimensiones más o menos públicas de su vida y de la esfera concreta de la misma en que se pretende ejercer el derecho (contrástense, por ejemplo, las SSTC 159/2009 y 83/2003), así como a su capacidad de controlarlas, siendo el Tribunal especialmente tuitivo de la intimidad de las personas menores (SSTC 197/1991; 134/1999) y de sus demás derechos de la personalidad (STC 158/2009). El objeto del derecho lo acerca pues, más que al concepto castellano de «intimidad», al concepto anglosajón más amplio y dúctil de «*privacy*», de vida privada. Tal y como lo interpreta el Tribunal Constitucional, el derecho a la intimidad tiene los contornos dúctiles de la *privacy* americana. Esa ductilidad le permite adaptarse para proteger frente a nuevas amenazas que puedan surgir para el libre desarrollo de la personalidad del individuo, y frente a las que éste no cuente aún con la protección específica de un derecho concreto: es, por ejemplo, el caso de la contaminación acústica (STC 150/2011). Y le permite ofrecer su tutela frente a amenazas clásicas al libre desarrollo de la personalidad, pero que sólo recientemente se perciben como tales, como es el caso del acoso sexual (STC 224/1999).

Este papel de derecho subsidiario que desempeña el derecho a la vida privada es aún más notable en el caso del derecho al respeto a la vida privada y familiar reconocido en el artículo 8 CEDH, que el TEDH ha interpretado en términos que protegen frente a la contaminación medioambiental, sea odorífera (STEDH de 9 de diciembre de 1994, asunto *López Ostra c. España*), acústica (STEDH de 16 de noviembre de 2004, asunto *Moreno Gómez c. España*) o genérica (STEDH de 10 de noviembre de 2004, asunto *Taskin y otros c. Turquía*); que reconocen el derecho a la propia sexualidad (STEDH de 27 de septiembre de 1999, asunto *Smith y Grady c. Reino Unido*), incluida la identidad sexual, la transexualidad (STEDC de 11 de julio de 2002, asunto *Goodwin e I. c. Reino Unido*); además de otros derechos vinculados a su dimensión familiar, como el derecho a la reagrupación familiar arriba mencionado, la protección de modelos no matrimoniales de familia (STEDH de 13 de julio de 2000, asunto *Elsholz c. Alemania*) o de relaciones paterno-filiales (STEDH de 11 de octubre de 2001, asunto *Sommerfeld c. Alemania*). Entre nosotros, la protección de la mayoría de estos aspectos del derecho a la vida privada y familiar del artículo 8 CEDH se articula a través del artículo 14 CE, en conjunción, en su caso, con la obligación de los poderes públicos de tutelar a las familias, recogida en el artículo 39 CE.

Dentro de esos contornos dúctiles, el derecho a la intimidad no es un derecho absoluto, sino que está, como todos, sujeto a límites. Los cuales, más allá del consentimiento, revocable, de su titular (STC 196/2006), están a su vez sujetos a los requisitos de validez que rigen para la generalidad de los derechos fundamentales. Estos son, además del respeto del contenido esencial, el principio de proporcionalidad para los límites a su difrute frente a los poderes públicos (STC 173/2011) y el criterio de la estricta necesidad para sus límites en el ámbito laboral (por todas SSTC 98/2000; 186/2000). A ellos se suman los límites que para el disfrute del derecho a la intimidad se derivan del derecho a la información, y que se imponen como resultado de una ponderación entre ambos derechos. Si el derecho al honor sólo protege contra la difusión de información inveraz, el derecho a la intimidad sólo se ve afectado por información que, siendo efectivamente cierta, afecta a zonas de nuestra vida que no queremos exponer al público (STC 197/1991). Pues bien, la divulgación de dicha información cierta que afecta a nuestra intimidad sólo será legítima si tiene relevancia pública. Es pues el criterio de la relevancia pública el que permite justificar la revelación de datos de la vida privada de una persona que ésta ha mantenido bajo su control, pero cuya difusión está avalada por su interés informativo (**ARTÍCULO 20**).

También *el derecho a la propia imagen* gira en torno a la noción de control. En concreto, lo que el derecho a la propia imagen garantiza no es, como podría entenderse, nuestra capacidad de controlar nuestra apariencia física —aunque el Tribunal Constitucional ha introducido en este punto un elemento de confusión en lo que hace al derecho al nombre (STC 167/2013)—. Es más bien nuestra capacidad de controlar las reproducciones de nuestra imagen, entendida como aquellos rasgos que nos identifican, incluidos, además de nuestros rasgos físicos, nuestro nombre y nuestra voz (STC 117/1994). Este derecho, que en algunos ordenamientos, como el alemán, se reconoce como parte integrante del derecho a la intimidad, aparece reconocido en el artículo 18.1 CE como un derecho de la personalidad indudablemente conectado con el primero (STC 117/1994, FJ 3), pero con entidad de derecho autónomo (por todas, STC 81/2001). Como tal derecho autónomo, lo que garantiza es el control de la reproducción de la propia imagen, con independencia del uso que se quiera hacer de ella. El Tribunal Constitucional, sin embargo, no ha querido reconocer relevancia constitucional al control de la reproducción de nuestra imagen cuando éste persigue, fundamentalmente, un fin patrimonial (STC 81/2001). Antes bien, ha preferido reservar dicha relevancia a su control en la medida en que éste tiene contenido personal, como derecho de la personalidad. Así, y según esta doctrina, estará en juego el derecho a la propia imagen sólo allí donde la reproducción de ésta produzca al titular del derecho un daño personal, consecuencia de la publicidad dada a la imagen, que no un daño patrimonial, consecuencia de su explotación económica. Esta lectura, que en principio podría parecer coherente con el carácter personal de los derechos reconocidos en el artículo 18 CE, amenaza con vaciar de contenido al derecho a la propia imagen. Y es que, con ella, el objeto de tutela del derecho a la propia imagen queda tan vinculado al derecho a la intimidad que acaba por confundirse con éste, por convertirse en un aspecto de su contenido. En efecto, el Tribunal Constitucional, en línea por lo demás con la jurisprudencia del TEDH (STEDH de 11 de enero de 2005, asunto *Sciacca c. Italia*), ha acabado por subordinar la tutela de la propia imagen a la de la intimidad, a que pueda entenderse que la reproducción de los rasgos físicos que identifican a una persona lesiona su capacidad de controlar el acceso de terceros a sus zonas de retiro y/o de secreto (por todas, STC 7/2014). Incluso la relevancia constitucional de la revocación del consentimiento a la difusión de la propia imagen se ha subordinado a que dicha difusión tuviera o no contenido patrimonial (STC 117/1994, FJ 6). El resultado es que el derecho a la propia imagen acaba reducido a un apéndice del derecho a la intimidad, y su autonomía conceptual convertida en poco más que teórica.

Reconocer la propia imagen como objeto de un derecho fundamental autónomo pasa, entiendo, por otorgar relevancia constitucional a su reproducción no consentida, afecte dicha reproducción o no a la esfera personal de quien es titular del derecho. Ello al margen de que no corresponda al Tribunal Constitucional entrar a dirimir el concreto contenido patrimonial del derecho en un caso determinado, y al margen también de que el tipo de lesión ante el que nos encontremos, personal y/o patrimonial, pueda condicionar el nivel de tutela del derecho. El cual pasaría así a sumarse a los demás criterios que rigen la posibilidad de limitarlo. Estos criterios son, además del consentimiento (STC 12/2012), el principio de proporcionalidad frente a los poderes públicos (STC 14/2003), el principio de estricta necesidad en el ámbito laboral —un criterio que se estableció por primera vez precisamente en el marco del derecho a la propia imagen (STC 99/1994)— y, en su ponderación con los derechos de la comunicación, el principio de relevancia pública frente al derecho a la información (STC 72/2007) y el límite de la tolerancia social frente a la libertad de expresión (STC 23/2010 —**ARTÍCULO 20**—), en línea, respectivamente, con los derechos a la intimidad y al honor.

Al igual que los derechos del artículo 18.1 CE, también el reconocimiento de los *derechos fundamentales a la inviolabilidad del domicilio* (artículo 18.2 CE) y *al secreto de las comunicaciones* (artículo 18.3 CE) gira en torno a la noción de control. A diferencia de los primeros, con todo, el control de los segundos se articula a través de la definición formal de su contenido y de sus límites, y de la seguridad jurídica que ello otorga a su ejercicio. Tanto el derecho a la inviolabilidad del domicilio como el derecho al secreto de las comunicaciones garantizan el disfrute de espacios concretos en que cada individuo disfruta de su vida privada mediante la capacidad de excluir de ellos a terceras personas. Son, por tanto, especies del género intimidad, especies cuyo reconocimiento como derecho se anticipó en alrededor de un siglo al de ésta, remontándose a las primeras declaraciones de derechos de finales del siglo XVIII, y participando del espíritu formal racionalista de la época. En línea con ese espíritu, la garantía de la inviolabilidad del domicilio y del secreto de las comunicaciones no se hace depender de que se haga un uso efectivamente privado de uno o de otras. Lo que su garantía pretende es más bien posibilitar dicho uso privado. Hoy ambos conviven con el derecho a la intimidad, como derechos autónomos, pero instrumentales al disfrute de la primera (STC 22/1984, FJ 2).

Como especie del género intimidad, el domicilio que protege el artículo 18.2 CE es «un espacio en el cual el individuo vive sin estar sujeto necesariamente a los usos y convenciones sociales y ejerce su libertad más íntima» (STC 22/1984, FJ 5), un espacio de «emanación de la persona y de la esfera privada de ella» (*ibídem*), en que el individuo desarrolla su vida privada, aunque sea de forma provisional (STC 10/2002, FJ 7). Como tal, el ámbito del domicilio constitucional va más allá del domicilio civil, abarcando, además de la residencia habitual (artículo 40 CC), las viviendas no habitadas, las habitaciones de hotel (STC 10/2002), las residencias militares (STC 189/2004) o los yates (STC 219/2006). Fuera de él quedan otros espacios, como bares, almacenes, oficinas, locales (STC 10/2002), trasteros, garajes (STC 82/2002), furgonetas (STC 197/2009), o incluso las celdas de un centro penitenciario (STC 89/2006), espacios que no están diseñados para el desarrollo de vida privada y, hay que entender, en la medida en que no estén efectivamente siendo usados con este fin. Todo ello con independencia de que, en algunos de estos supuestos, pueda ser titular del derecho a la inviolabilidad del domicilio una persona jurídica, en cuanto que proyección de las personas físicas que la integran y en relación con los espacios físicos indispensables para que puedan desarrollar su actividad sin intromisiones ajenas (STC 69/1999, FJ 2).

Así definido, el artículo 18.2 CE convierte al domicilio en inviolable, en inmune a cualquier tipo de intromisión, «incluidas las que puedan realizarse sin penetración directa por medio de aparatos mecánicos, electrónicos u otros análogos» (STC 22/1984, FJ 5), o por ruidos (STC 150/2011). Las excepciones son las que contempla el propio artículo 18.2 CE. Lo son las intromisiones que tienen lugar como respuesta inmediata (STC 22/2003, FJ 5) a un delito flagrante, entendida la noción de flagrancia, no como sinónimo de fuerte sospecha, o de certeza, de la comisión de un delito, sino en su sentido jurídico clásico, como una «situación fáctica en la que el delincuente es «sorprendido» —visto directamente o percibido de otro modo— en el momento de delinquir o en circunstancias inmediatas a la perpetración del ilícito» (STC 341/1993, FJ 8). Lo son asimismo las intromisiones consentidas por la persona titular del derecho, aunque no siempre esté claro quién debe entenderse que lo es, dependiendo con frecuencia su determinación de las circunstancias del caso concreto, a analizar a la luz de la conexión entre domicilio e intimidad (SSTC 22/2003; 209/2007). Y lo son, en fin, las que cuenten con autorización judicial, debidamente motivada con base en el principio de proporcionalidad (por todas, STC 239/1999). Todo ello además de los supuestos de estado de necesidad, en que la entrada en domicilio esté motivada por «la necesidad de evitar daños inminentes y graves a las personas y a las cosas, en supuestos de catástrofe, calamidad, ruina inminente u otros semejantes de extrema y urgente necesidad» (Ley Orgánica 4/2015, de 30 de marzo, de protección de la seguridad ciudadana, artículo 15.2).

También especie del género intimidad, también de contornos formalmente definidos, es el derecho al secreto de las comunicaciones. La delimitación de su contenido descansa en la de los términos «comunicaciones», de un lado, y «secreto», de otro. El primero de ellos cubre las comunicaciones interpersonales a distancia. Cubre así las telecomunicaciones, no las comunicaciones que se realizan directamente en presencia de quienes participan en ellas, ni tampoco el tráfico de mercancías, los paquetes postales (STC 281/2006). Su contenido se extiende a todo el proceso de telecomunicación interpersonal, después incluso de concluido dicho proceso, siempre que se tenga «constancia o evidencia ex ante de que lo intervenido es el objeto de una comunicación secreta impenetrable para terceros» (STC 70/2002). Y abarca, además de su contenido, sus circunstancias o datos externos (STC 114/1984, FJ 7), tales como el momento, duración y destino de las comunicaciones realizadas, tal y como figuran, por ejemplo, en los registros de llamadas (STC 230/2007) —si bien el Tribunal admite que el conocimiento de estos datos supone una intromisión menor en el derecho respecto del conocimiento del contenido de la comunicación—. Fuera de su ámbito quedan, por otro lado, las agendas telefónicas, en la medida en que no pertenecen a proceso comunicativo alguno, sin perjuicio de su posible tutela con base en el derecho a la intimidad (STC 115/2013).

El artículo 18.3 CE garantiza el secreto de ese proceso comunicativo, entendiendo por tal la confidencialidad del mismo (STC 123/2002, FJ 5) y, con ella, la libertad que proporciona contar con un espacio en el que poder comunicar con otras personas sin intromisiones ajenas. El secreto de las comunicaciones no opera así frente a las demás partes en el proceso comunicativo, con independencia de que la captación y posterior divulgación de lo comunicado por una de ellas pueda suponer una intromisión en el derecho a la intimidad de la/s otra/s parte/s (STC 114/1984, FFJJ 7 y 8). Y no garantiza el secreto del proceso comunicativo cuando en torno a éste no exista una expectativa razonable de secreto, refrendada por el soporte material del medio a través del cual tiene lugar el proceso comunicativo. Lo cual reduce el secreto de las telecomunicaciones cubierto por el artículo 18.3 CE a los procesos comunicativos a distancia que tienen lugar a través de un canal cerrado. El artículo 18.3 CE cubre así el secreto de las comunicaciones por carta en sobre cerrado, pero no por tarjetas postales; por teléfono, pero no por aparatos de megafonía; por correo electrónico, pero no a través de un chat. Esta precisión resulta coherente con la lógica del derecho, si bien debe ser interpretada cuidadosamente, en términos que no resten credibilidad a la tutela que el mismo ofrece. Y es que existe el riesgo de que el contenido normativo del derecho se acabe subordinando a la realidad tecnológica y/o social frente a la que se quiere hacer valer, haciéndolo depender de eventualidades técnicas, o de la existencia de situaciones de poder en que alguien tiene efectivamente acceso a un proceso comunicativo por la propia fuerza de las cosas. Todo lo cual amenaza con menoscabar la capacidad del derecho de imponerse como canon normativo sobre dichas realidades, una amenaza tanto más real cuanto menos tuitiva sea la novedad tecnológica y/o cuanto mayor sea la aceptación social de una determinada relación de poder (STC 241/2012; 170/2013).

Allí donde está en juego el derecho al secreto de las comunicaciones, su disfrute puede ser limitado, previa autorización judicial sujeta al principio de proporcionalidad (STC 49/1999). Este se concreta en una serie de exigencias formales que vinculan la intervención al fin con ella perseguido y con cuyo cumplimiento el Tribunal Constitucional es altamente riguroso. Lo es, al menos, en la tutela del derecho frente a los poderes públicos, tanto en general como en el ámbito penitenciario, donde también rigen dichas exigencias, con sus correspondientes adaptaciones (por todas, STC 188/1999), y donde la especial protección que la legislación otorga a las comunicaciones de las personas reclusas con el defensor del pueblo, con el poder judicial y con sus abogadas/os adquiere relevancia constitucional (SSTC 73/1983; 183/1994; 58/1998; 107/2012). Menos riguroso se muestra el Tribunal Constitucional con el requisito de la autorización judicial en el ámbito laboral, donde ha dispensado a las empresas de la necesidad de obtenerla para la interceptación de correos electrónicos de sus trabajadoras/es. Y lo ha hecho amparándose en razonamientos dogmáticamente confusos, que se alejan del ámbito del derecho al secreto de las comunicaciones, de la tutela formal de las telecomunicaciones realizadas por canal cerrado, para acercarse al del derecho a la intimidad, a la tutela del control de las zonas de retiro y de secreto que cada cual defina como tal. En concreto, el Tribunal entiende que una empresa puede intervenir el correo electrónico de sus trabajadoras/es sin necesidad de orden judicial cuando éstas/os hayan renunciado a controlar el secreto de sus comunicaciones electrónicas. Lo cual sucede, prosigue, cuando sus comunicaciones se realizan con incumplimiento consciente de lo dispuesto por la empresa, o por convenio colectivo, sobre el uso de dichas comunicaciones (STC 241/2012; 170/2013). Contravenir órdenes empresariales expresas sobre el uso del correo electrónico, concluye el Tribunal, autoriza a la empresa, no ya a sancionar a quienes hayan cometido la contravención, sino incluso a intervenir sus comunicaciones electrónicas sin mediar orden judicial. Lo cual equivale a subordinar el ejercicio del derecho al poder empresarial, a privarle de su naturaleza normativa como derecho fundamental (*vid*. el voto particular de Fernando Valdés Dal-Ré a la STC 241/2012).

Junto con la orden judicial, el Tribunal Constitucional viene exigiendo, desde la condena a España por el TEDH en el asunto Valenzuela (STEDH de 30 de julio de 1998) y en línea con el artículo 8 CEDH, que la intervención de telecomunicaciones tenga cobertura legal, que esté «prevista en la ley». Lo viene haciendo pese a que no estamos ante un requisito exigido por la Constitución, ni tampoco por el principio de proporcionalidad, pese a que se trata incluso de una exigencia incoherente con nuestro sistema de derechos fundamentales (*vid*. **INTRODUCCIÓN**). El Tribunal Constitucional se ha enfrentado en diversas ocasiones a dicha exigencia, incorporada al artículo 18.3 CE desde el artículo 8 CEDH a través del artículo 10.2 CE (SSTC 49/1999; 184/2003). Su incomodidad ante la misma, y ante su falta de coherencia con las que se derivan de nuestro ordenamiento interno es, con todo, manifiesta. De ahí que haya establecido que si, pese a verificarse la falta de cobertura legal de un supuesto de intervención de comunicaciones, la autorización judicial de dicha intervención hubiese respetado «las exigencias constitucionales dimanantes del principio de proporcionalidad, no cabría entender que el Juez hubiese vulnerado, por la sola ausencia de dicha ley, el derecho al secreto de las comunicaciones telefónicas» (SSTC 49/1999, FJ 5; 184/2003, FJ 6). Todo lo cual no ha impedido a nuestro Tribunal Constitucional denunciar la falta de actualización legislativa en la materia (artículo 579 LECrim), especialmente en lo que concierne al límite de la posibilidad de prorrogar la orden judicial de intervención de comunicaciones, y a la posición jurídica de quienes participan, como terceras personas, en las comunicaciones intervenidas (SSTC 49/1999, FJ 5; 184/2003, FJ 6). Ambas cuestiones han sido finalmente abordadas por el legislador, en la Ley Orgánica 13/2015, de 5 de octubre, de modificación de la Ley de Enjuiciamiento Criminal para el fortalecimiento de las garantías procesales y la regulación de las medidas de investigación tecnológica. En ella la posibilidad de prórrogar la intervención de comunicaciones se limita a dieciocho meses (artículo 579 LECrim). Y se regulan además los llamados "descubrimientos casuales", aquellos a los que se llega en el curso de una intervención legítima de comunicaciones, pero que apuntan hacia personas o hechos delictivos distintos de los previstos en la orden de intervención (artículo 579bis LECrim).

La jurisprudencia constitucional en este punto ha sido avalada por el Tribunal Europeo de Derechos Humanos. El cual parte de una interpretación sustantiva del requisito de la cobertura legal que lo pone al servicio de la seguridad jurídica, y que le permite incluir a la doctrina jurisprudencial en el término «ley» utilizado en el artículo 8 del Convenio (STEDH de 26 de abril de 1979, asunto *Sunday Times c. Reino Unido*). A partir de aquí, este Tribunal ha entendido que, en nuestro país, el actual cuerpo de jurisprudencia en la materia ofrece suficiente cobertura a la intervención de telecomunicaciones allí donde la ley formal no lo hace, por lo que puede entenderse satisfecho el requisito de la cobertura legal (STEDH de 25 de septiembre de 2006, asunto *Abdulkadir Coban c. España*).

Además de ser especies del género intimidad, el domicilio y al secreto de las comunicaciones comparten otros dos rasgos característicos. El primero es que, al igual que el artículo 17.2 CE, ambos son susceptibles de suspensión individual con base en el artículo 55.2 CE, en relación con las investigaciones correspondientes a la actuación de bandas armadas o elementos terroristas. Lo cual supone, en ambos casos, la suspensión excepcional del carácter previo del control judicial de la limitación del derecho, siempre que esté suficientemente justificada en el caso concreto (STC 199/1987). La segunda es que la intromisión en uno y en otra resulta con frecuencia en la obtención de prueba incriminatoria contra la persona titular del derecho u, ocasionalmente, contra una tercera persona. De aquí surge la cuestión de si es legítimo utilizar en juicio prueba incriminatoria obtenida mediante una intromisión ilegítima en un derecho fundamental. Dos son las perspectivas desde las que es posible abordar esta cuestión. Una parte de asumir que el nexo causal que existe entre la violación del derecho y el uso de la prueba obtenida como resultado, directo o indirecto, de dicha violación contamina la legitimidad de la segunda, la cual debe, en consecuencia, ser siempre excluida. La otra parte de asumir, por el contrario, que la violación original del derecho es un acto antijurídico que se agota en sí mismo, que no pervive en el uso de la prueba obtenida como resultado de dicha violación. Lo cual no significa que dicha prueba pueda siempre admitirse en juicio, pero sí que la prohibición de su uso en juicio debe justificarse con base en las garantías del proceso, incluida la igualdad de armas de las partes. Se trata de un razonamiento que se centra, más que en impedir la perpetuación de violaciones pasadas de los derechos sustantivos en juego, en impedirlas pro futuro, evitando avalar un mensaje de inmunidad ante las mismas.

Es esta segunda perspectiva la que asume nuestro Tribunal Constitucional. En una jurisprudencia tuitiva de los derechos reconocidos en los apartados 2 y 3 del artículo 18 CE, el Tribunal aborda la exclusión de la prueba obtenida con violación de dichos derechos como una cuestión que afecta, no a éstos, sino a los derechos procesales reconocidos en el artículo 24 CE, a «derechos que cobran existencia en el ámbito del proceso» (STC 114/1984, FJ 2). Pese a ello, y a partir de aquí, el Tribunal se muestra reticente a admitir en juicio pruebas obtenidas con violación de un derecho fundamental. Entiende así, para empezar, que la prueba que es resultado directo de dicha violación debe ser excluida siempre (*ibídem*). Sólo admite la posibilidad de usar en juicio prueba indirectamente ilícita —prueba que ha sido legítimamente obtenida pero que trae causa de otra ilícita anterior—. La Constitución permite el uso de dicha prueba ilícita indirecta, afirma, siempre que pese a su nexo causal con la vulneración del derecho se haya quebrado la conexión de antijuridicidad que la une a ella, una quiebra que tiene que producirse tanto a nivel interno como externo. A nivel interno, la conexión de antijuridicidad se quiebra, por ejemplo, cuando la prueba derivada se apoya, no sólo en la ilícita anterior, sino también en hechos nuevos independientes de aquélla (STC 138/2001). Puede quebrarse también por la confesión de la persona procesada, que el Tribunal considera jurídicamente autónoma habida cuenta de que el artículo 24.2 CE reconoce el derecho fundamental a no declarar contra una/o misma/o (STC 161/1999). La conexión de antijuridicidad externa se quiebra, por su parte, cuando tras valorar la entidad de la violación del derecho afectado, pueda entenderse que la exclusión de la prueba no viene exigida por «las necesidades esenciales de tutela que la realidad y efectividad del derecho al secreto de las comunicaciones exige» (STC 81/1998). Lo cual equivale a decir que cabe la admisión de la prueba obtenida con violación de un derecho fundamental siempre que con ella no se ponga en peligro la protección futura de ese derecho, por encontrarnos, hemos de entender, ante una violación menor y/o no intencionada del derecho. Todo ello siempre que, además, nos encontremos ante prueba cuya ilegitimidad es tan sólo indirecta, y siempre que, pese a su nexo causal con la prueba originalmente ilícita, por alguna circunstancia se haya interrumpido su conexión de antijuridicidad con ella desde un punto de vista, además de externo, también interno.

El artículo 18.4 CE, en fin, reconoce lo que se ha dado en llamar un *derecho a la intimidad informática*, a la autodeterminación informativa o, más simplemente, un derecho de *habeas data*, frente al uso informatizado de nuestros datos personales. El objeto de este derecho, que gira también en torno a la noción de control, es garantizar a sus titulares un poder de disposición y control de sus datos personales, poder que implica el conocimiento previo de «qué datos son los que se poseen por terceros, quiénes los poseen, y con qué fin» (STC 292/2000, FJ 6). Se trata, al igual que en el caso de la inviolabilidad del domicilio y del secreto de las comunicaciones, de una especie del género intimidad (STC 292/2000), incluso de un derecho instrumental para el ejercicio de éste y de otros derechos fundamentales, como el honor, que junto con la intimidad configura el conocido como "derecho al olvido" (STC 58/2018); o como la libertad sindical (STC 11/1998). Pero se trata, en todo caso, de un derecho fundamental autónomo, de titularidad universal (STC 17/2013), que como tal derecho autónomo, y pese a la remisión que el artículo 18.4 CE hace a la ley, puede hacerse valer directamente, aun sin contar con desarrollo legislativo (STC 254/1993). Todo ello al margen de la relevancia que indudablemente tiene dicho desarrollo para el ejercicio del derecho, y de que algunos de sus elementos, como los que rigen la cesión de datos, puedan entenderse como concreciones del contenido constitucional del derecho (STC 292/2000, FJ 11), siempre que se articulen y apliquen de conformidad con el principio de proporcionalidad.

El derecho a la intimidad informática otorga así cobertura específica al tratamiento informatizado de los datos que nos conciernen, y ello con independencia del contenido más o menos personal de dichos datos, abarcando desde los resultantes de pruebas biológicas (STC 135/2014) o los que se incluyen en nuestro ADN (STC 199/2013), hasta datos bancarios (STC 96/2012), económicos (STC 233/1999) o aquellos a los que se pueda acceder con nuestro NIF (STC 143/1994). Fuera de su ámbito de cobertura quedan, por otro lado, los datos que aparecen en registros públicos, como los de afiliación a un partido político (STC 83/2003). El contenido del artículo 18.4 CE está, en todo caso, sujeto a los límites que el principio de proporcionalidad y el principio de estricta necesidad puedan imponer al disfrute de este derecho a la intimidad informática, frente a los poderes públicos y dentro del ámbito laboral, respectivamente (SSTC 202/1999; 29/2013), ámbito éste donde puede apreciarse, con todo, un retroceso en su tutela jurisprudencial (*vid.* el voto particular que formula Fernando Valdés Dal-Ré, al que se suma Adela Asua Batarrita, a la STC 39/2016, así como a la STC de 18 de marzo de 2016 —*vid.* nota 72—). Nos encontramos, en definitiva, ante el reconocimiento como derecho autónomo de una dimensión del derecho a la intimidad que ofrece cobertura específica a los retos a que ésta se enfrenta en la era tecnológica, de forma que, sin perjuicio de la ductilidad del derecho a la intimidad, éste cuente con protección específicamente diseñada para hacer frente al tratamiento automatizado de nuestros datos personales.

LEGISLACIÓN

Ley de Enjuiciamiento Criminal, Libro II, Título VIII (artículos 545 a 588); Código Penal, Libro II, Tít X y XI (artículos 197 a 216), y Libro II, Título XXI, Capítulo V, Sección 2 (artículos 534 a 536); Ley Orgánica 4/1981, de 1 de junio, de los estados de alarma, excepción y sitio; Ley Orgánica 1/1982, de 5 de mayo, de protección civil del derecho al honor, a la intimidad personal y familiar y a la propia imagen; Ley Orgánica 2/1984, de 26 de marzo, reguladora del derecho de rectificación; Ley Orgánica 1/1996, de 15 de enero, de protección jurídica del menor; Ley Orgánica 4/1997, de 4 de agosto, por la que se regula la utilización de videocámaras por las Fuerzas y Cuerpos de Seguridad en lugares públicos; Ley Orgánica 15/1999, de 13 de diciembre, de protección de datos de carácter personal; Ley Orgánica 11/2002, de 6 de mayo, reguladora del Centro Nacional de Inteligencia; Ley Orgánica 4/2015, de 30 de marzo, de protección de la seguridad Ciudadana; Ley Orgánica 13/2015, de 5 de octubre, de modificación de la Ley de Enjuiciamiento Criminal para el fortalecimiento de las garantías procesales y la regulación de las medidas de investigación tecnológica; Ley Orgánica 3/2018, de 5 de diciembre, de Protección de Datos Personales y garantía de los derechos digitales; Ley 22/1995, de 17 de julio, mediante la que se garantiza la presencia judicial en los registros domiciliarios; Decreto-Ley 5/2018, de 27 de julio, de medidas urgentes para la adaptación del Derecho español a la normativa de la Unión Europea en materia de protección de datos; Real Decreto 428/1993, de 26 de marzo, por el que se regula el estatuto de la agencia de protección de datos.

BIBLIOGRAFÍA

AA.VV. (1993): *Honor, intimidad y propia imagen. Cuadernos de Derecho Judicial*, Madrid: CGPJ; AA.VV. (2007): *Veinticinco años de aplicación de la Ley Orgánica 1/1982, de 5 de mayo, de Protección Civil del Derecho al Honor, a la Intimidad Personal y Familiar y a la Propia Imagen*, Cizur Menor: Aranzadi; AA.VV. (2016): *El derecho a la privacidad en un nuevo entorno tecnológico. XX jornadas de la Asociación de Letrados del Tribunal Constitucional*, Madrid: Dykinson; AGUIAR DE LUQUE, L. (1994): «Derecho a la intimidad: su proyección en la esfera económica», *Problemas actuales de los derechos fundamentales* (J.M. Sauca, ed.), Madrid: Universidad Carlos III, pp. 339-351; ALEGRE MARTÍNEZ, M.A. (1997): *El derecho a la propia imagen*, Madrid: Tecnos; ÁLVAREZ-CIENFUEGOS SUÁREZ, J (1999): *La defensa de la intimidad de los ciudadanos y la tecnología informática*, Pamplona: Aranzadi; ARENAS RAMIRO, M. (2006): *El derecho fundamental a la protección de datos personales en Europa*, Valencia: Tirant lo Blanch; AZURMENDI ADARRAGA, A. (1997): El derecho a la propia imagen: su identidad y aproximación al derecho a la información, Madrid: Civitas; BALAGUER CALLEJÓN, M.L. (1992): *El derecho fundamental al honor*, Madrid: Tecnos; BÉJAR, H. (1987): «Autonomía y dependencia: la tensión de la intimidad», *REIS* 37, pp. 69-90; BODAS DAGA, M.E. (2007): *La defensa post mortem de los derechos de la personalidad*, Barcelona: Bosh; CARRILLO LÓPEZ, M. (2003): *El derecho a no ser molestado*, Cizur Menor: Aranzadi; CASCAJO CASTRO, J.L. (1994): «Tratamiento automatizado de los datos de carácter personal», en *SAUCA, J.M.: Problemas actuales de los derechos fundamentales*, Madrid: Universidad Carlos III, pp. 363-376; CONCEPCIÓN RODRÍGUEZ, J.L. (1996): *Honor, intimidad e imagen: un análisis jurisprudencial de la LO 1/1982*, Barcelona: Bosh; CONTRERAS NAVIDAD, S. (2012): *La protección del honor, la intimidad y la propia imagen en Internet*, Cizur Menor: Aranzadi; COBACHO LÓPEZ, Á. (2019): "Reflexiones en torno a la última actualización del derecho al olvido digital", *RDP* 104, pp. 197-227; DELGADO RINCÓN, L.E. (2006): «Algunas consideraciones sobre el derecho a la intimidad personal y familiar de los presos en los centros penitenciarios», *TyRC* 18, pp. 199-221; DOMÉNECH PASCUAL, G. (2006): *Derechos fundamentales y riesgos tecnológicos: el derecho del ciudadano a ser protegido por los poderes públicos*, Madrid: CEPC; ELVIRA PERALES, A. (2007): *Derecho al secreto de las comunicaciones*, Madrid: Iustel; ESCUDERO SALAS, L. (2016): "El control de datos personales en el entorno digital", *Laicidad y Libertades*

16, pp. 111-146; EVANGELIO LLORCA, R. (2018): "Videovigilancia en las aulas universitarias y protección de la vida privada. Consideraciones sobre la STEDH de 28 de noviembre de 2017 (caso Antovic')", *DPyC* 33, pp. 79-116; FARIÑAS MANTONI, L.M. (1983): *El derecho a la intimidad*, Madrid: Trivium; FAYOS GARDÓ, A (2000): *Derecho a la intimidad y medios de comunicación*, Madrid: CEPC; FERNÁNDEZ ESTEBAN, M.L. (1998): *Nuevas tecnologías, internet y derechos fundamentales*, Madrid: McGraw-Hill; FERRERES COMELLA, V. (2002): «La inconstitucionalidad de la entrada y registro en las habitaciones de hotel sin autorización judicial (¿Una cuestión irrelevante?)», *RATC*, pp. 1941-1964; GALÁN JUÁREZ, M. (2005): *Intimidad: nuevas dimensiones de un viejo derecho*, Madrid: Centro de Estudios Ramón Areces; GARCÍA SAN MIGUEL, L, ed. (1992): *Estudios sobre el derecho a la intimidad*, Madrid: Tecnos; GARCÍA VALTUEÑA, E. (1993): «El auto por el que se acuerda la intervención telefónica en el proceso penal», *CDJ: La restricción de los derechos fundamentales de la persona en el proceso penal*, Madrid: CGPJ, pp. 335-357; GARCÍA CANALES, M. (2002): «El derecho al honor de quienes ejercen actividades de relevancia política», *La democracia constitucional: estudios en homenaje al profesor Francisco Rubio Llorente* (AA.VV.) Madrid: Congreso de los Diputados, pp. 487-508; GARRIGA DOMÍNGUEZ, A. y ÁLVAREZ GONZÁLEZ. S. (2016): *Un nuevo reto para los derechos fundamentales: los datos genéticos*, Madrid: Dykinson; GÓMEZ CORONA, E. (2014): *La propia imagen como categoría constitucional*, Cizur Menor (Navarra): Aranzadi; GONZÁLEZ TREVIJANO, PJ. (1992): *La inviolabilidad del domicilio*, Madrid: Tecnos; GUICHOT REINA, E. (2005): *Datos personales y Administración pública*, Cizur Menor: Aranzadi; HERRERO TEJEDOR, F. (1994): *Honor, intimidad y propia imagen*, Madrid: Colex; HIERRO, L.L. (1994): «La intimidad de los niños: un test para el derecho a la intimidad», *Problemas actuales de los derechos fundamentales* (J.M. Sauca, ed.), Madrid, Universidad Carlos III, pp. 377-391; JIMÉNEZ CAMPO, J. (1987): «La garantía constitucional del secreto de las comunicaciones», *REDC* 20, pp. 35-82; LIZÁRRAGA VIZCARRA, I. (2005): *El derecho de rectificación*, Cizur Menor (Navarra): Aranzadi; LÓPEZ BARJA DE QUIROGA, J. y RODRÍGUEZ RAMOS, L. (1989): «La intimidad corporal, devaluada», *Poder Judicial* 14, pp. 123-130; (1989): *Las escuchas telefónicas y la prueba ilegalmente obtenida*, Madrid: Akal; LÓPEZ-FRAGOSO ÁLVAREZ, T. (1991): *Las intervenciones telefónicas en el proceso penal*, Madrid: Colex; LUCAS MURILLO DE LA CUEVA, P. (1990): *El derecho a la autodeterminación informativa*, Madrid: Tecnos; (1999): «La construcción del derecho a la autodeterminación informativa», *REP* 104, pp. 35-60; (2002): «Las vicisitudes del derecho a la protección de datos personales», *La democracia constitucional: Estudios en homenaje al profesor Francisco Rubio Llorente* (AA.VV.), Madrid: Congreso de los Diputados, pp. 509-538; MAGDALENO ALEGRÍA, A. (2019): "EL uso de la cámara oculta en el periodismo de investigación: una certeza y una incógnita", *RDP* 104, pp. 87-116; MARTÍN MORALES, R. (1995): *El régimen constitucional del secreto de las comunicaciones*, Madrid: Civitas; (2017): "Vida privada sin intimidad. Una aproximación a los efectos de las intromisiones tecnológicas en el ámbito íntimo", *Derechos y Libertades* 37, pp. 51-84; MARTÍNEZ OTERO, J.M. (2016): "Derechos fundamentales y publicación de imágenes ajenas en redes sociales sin consentimiento", *REDC* 106, pp. 119-148; MARTÍNEZ DE PISÓN CAVERO, J. (1993): *El derecho a la intimidad en la jurisprudencia constitucional*, Madrid: Civitas; MATÍA PORTILLA, F.J. (1997): *El derecho fundamental a la inviolabilidad del domicilio*, Madrid: McGraw-Hill; MEDINA GUERRERO, M. (2005): *La protección constitucional de la intimidad frente a los medios de comunicación*, Valencia: Tirant lo Blanch; MIERES MIERES, L.J. (2002): *Intimidad personal y familiar (Prontuario de jurisprudencia constitucional)*, Cizur Menor: Aranzadi; MONTAÑÉS PARDO, M.A. (2000): *La intervención de las comunicaciones*, Pamplona: Aranzadi; NAVALPOTROS VALLESTEROS, T. (2007): «Los derechos individuales frente a la video vigilancia pública», *REDA* 135, pp. 613-639; NAVAS SÁNCHEZ, M.M. (2011): «¿Inviolabilidad o intimidad domiciliaria?: A propósito de la jurisprudencia constitucional sobre el derecho fundamental a la inviolabilidad del domicilio», *RDP* 81, pp. 155-198; (2017): "El derecho a la propia imagen de los personajes públicos en las jurisprudencias constitucional, ordinaria y europea: Evolución, concordancias y divergencias, *RDP* 100, pp. 441-480; PACE, A. (1998): «El derecho a la propia imagen en la sociedad de los mass media», *REDC* 52, pp. 33-52; PARDO FALCÓN, J. (1992): «Los derechos del art. 18 de la Constitución española en la jurisprudencia del Tribunal Constitucional», *REDC* 34, pp. 141-178; PASTOR BORGOÑÓN, B. (1986): «Eficacia en el proceso de las pruebas ilícitamente obtenidas», *Justicia*, pp. 337-368; POLLICINO, O. (2016): "La tutela de la privacy digital: el diálogo entre el Tribunal de Justicia de la Unión Europea y las jurisdicciones nacionales", *REP* 173, pp. 195-224; PRESNO LINERA, M.A. (2008): *El Derecho Europeo de Familia*, Cizur Menor: Aranzadi; QUERALT, J.J. (1990): «La inviolabilidad domiciliaria y los controles administrativos (Especial referencia a las empresas)», *REDC* 30, pp. 41-64; REBOLLO DELGADO, L. (2000): *El derecho fundamental a la intimidad*, Madrid: Dykinson; (2000): «El secreto de las comunicaciones: problemas actuales», *RDP* 48-49, pp. 351-382; (2004): *Derechos fundamentales y protección de datos*, Valencia: Dykinson; RIDAURA MARTÍNEZ, M.J. (2017): "El legislador ausente del articulo 18.3 de la Constitución (la construcción pretoriana del derecho al secreto de las comunicaciones)", *RDP* 100, pp. 347-404; RODOTÁ, S. (2003): «Democracia y protección de datos», *CDP* 19-20, pp. 15-26; RODRÍGUEZ, Á. (2016): *El honor de los inocentes y otros límites a la libertad de expresión relacionados con la Administración de Justicia*, Valencia: Tirant lo Blanch; RODRÍGUEZ GUITIÁN, A.M. (1996): *El derecho al honor de las personas jurídicas*, Madrid: UAM; RODRÍGUEZ RUBIO, C. (2016): "La injerencia en el derecho al secreto de las comunicaciones a través de la regulación de las medidas de investigación tecnológica", *REDF* 28, pp. 267-285; RODRÍGUEZ RUIZ, B. (1998): «The right to privacy. A discourse-theoretical approach», *Ratio Juris* 11 pp. 155-167; (1998): *El secreto de las comunicaciones: tecnología e intimidad*, Madrid: McGraw Hill; (1999): «El caso Valenzuela Contreras y nuestro sistema de derechos fundamentales», *REDC* 56, pp. 223-250; (2005): *La intimidad genética. Perspectivas desde la autonomía indivi*dual, *Bioética y Derechos Humanos* (A. Ruiz de la Cuesta, coord.), Sevilla: Universidad de Sevilla, pp. 225-242; RODRÍGUEZ-RICO ROLDÁN, V. (2018): "Las facultades empresariales de vigilancia y los derechos fundamentales de los trabajadores: Su difícil equilibrio en la era tecnológica", *RDConstE*, 29; ROMERO COLOMA, A.M. (1996): *Honor, intimidad e imagen de las personas jurídicas*, Madrid: Montecorvo; (2008): *La intimidad privada: problemática jurídica*, Madrid: Scientia Iuridica; ROVIRA SUEIRO, M.E. (1999): *La responsabilidad civil derivada de los daños ocasionados al derecho al honor, a la intimidad personal y familiar y a la propia imagen*, Barcelona: Cedecs; SÁNCHEZ COLLINET, F.J. (1993): «Prueba pericial en las intervenciones telefónicas», *CDJ: La restricción de los derechos fundamentales de la persona en el proceso penal*, Madrid: CGPJ, pp. 359-365; SANTAMARÍA PASTOR, J.A. (1985): «Sobre el derecho a la intimidad, secretos y otras cuestiones innombrables», *REDC* 15, pp. 159-180; SAR, O. (2016): "Límites de la facultad de fiscalización del empleador cuando entra en conflicto con el derecho al secreto de las comunicaciones de los trabajadores", *RGDC* 23; SERRANO Pérez, M.M. (2003): *El derecho fundamental a la protección de datos: derecho español y comparado*, Madrid: Civitas; SOLOZÁBAL ECHAVARRÍA, J.J. (1990): «Libertad de expresión y derecho a la intimidad de los personajes públicos no políticos», *ADCP* 2, pp. 47-70; TORRES MANRIQUE, J.I. (2018): "Analizando el derecho fundamental al olvido a propósito de su reciente reconocimiento y evolución", *RGDC* 27; VACAS GARCÍA-ALÓS, L. (2005): «Aspectos constitucionales de la defensa jurídica contra el fenómeno del ruido» *RDP* 62, pp. 95-146; VIDAL MARÍN, T. (2000): *El derecho al honor y su protección desde la Constitución española*, Madrid: CEPC; WARREN, L. y BRANDEIS, S. (1890): «The Right to Privacy», *Harvard L.R.* 4, p. 193.

I. LOS DERECHOS DEL ARTÍCULO 18.1 CE

Los derechos de la personalidad del artículo 18.1 CE: honor, intimidad y propia imagen como derechos autónomos —STC 14/2003, de 18 de enero—

La Sentencia resuelve el recurso de amparo promovido por don M.S.V. contra la Sentencia de la Sección Primera de la Sala de lo Contencioso-Administrativo de la Audiencia Nacional, de 5 de mayo de 2000, que desestimó el recurso contencioso-administrativo interpuesto contra la desestimación presunta por el Ministerio del Interior de la reclamación por responsabilidad patrimonial de la Administración del Estado, como consecuencia de la difusión por la policía a determinados medios de comunicación de la reseña fotográfica policial tomada al demandante de amparo el día de su detención por su supuesta implicación en diligencias instruidas por delitos de homicidio y lesiones.

FJ 4. Delimitadas en los términos expuestos las posiciones de las partes, ha de traerse a colación la doctrina de este Tribunal, según la cual los derechos al honor, a la intimidad personal y a la propia imagen, reconocidos en el art. 18.1 CE, a pesar de su estrecha relación en tanto que derechos de la personalidad, derivados de la dignidad humana y dirigidos a la protección del patrimonio moral de las personas, tienen, no obstante, un contenido propio y específico. Se trata, dicho con otras palabras, de derechos autónomos, de modo que, al tener cada uno de ellos su propia sustantividad, la apreciación de la vulneración de uno no conlleva necesariamente la vulneración de los demás (SSTC 81/2001, de 26 de marzo, FJ 2; 156/2001, de 2 de julio, FJ 3). Como hemos declarado en la última de las Sentencias citadas, el carácter autónomo de los derechos del art. 18.1 CE supone que ninguno de ellos tiene respecto de los demás la consideración de derecho genérico que pueda subsumirse en los otros dos derechos fundamentales que prevé este precepto constitucional, pues la especificidad de cada uno de estos derechos impide considerar subsumido en alguno de ellos las vulneraciones de los otros derechos que puedan ocasionarse a través de una imagen que muestre, además de los rasgos físicos que permiten la identificación de la persona, aspectos de su vida privada, partes íntimas de su cuerpo o que se la represente en una situación que pueda hacer desmerecer su buen nombre o su propia estima. En tales supuestos la apreciación de la vulneración del derecho a la imagen no impedirá, en su caso, la apreciación de la vulneración de las eventuales lesiones del derecho a la intimidad o al honor que a través de la imagen se hayan podido causar, pues, desde la perspectiva constitucional, el desvalor de la acción no es el mismo cuando los hechos realizados sólo pueden considerarse lesivos del derecho a la imagen que cuando, además, a través de la imagen puede vulnerarse también el derecho al honor o a la intimidad, o ambos derechos conjuntamente (FJ 3; en el mismo sentido, SSTC 81/2001, de 26 de marzo, FJ 2; 83/2002, de 22 de abril, FJ 4).

Esta constatación lleva a afirmar, en cuanto al canon de enjuiciamiento a aplicar, que, cuando se denuncia que una determinada imagen gráfica ha vulnerado dos o más derechos del art. 18.1 CE, deberán enjuiciarse por separado esas pretensiones, examinando respecto de cada derecho si ha existido una intromisión en su contenido, y posteriormente si, a pesar de ello, esa intromisión resulta o no justificada por la existencia de otros derechos o bienes constitucionales más dignos de protección dadas las circunstancias del caso (STC 156/2001, de 2 de julio, FJ 3). […]

Los derechos de la personalidad de los denominados «personajes públicos» —STC 192/1999, de 15 de julio[1]**—**

La Sentencia resuelve el recurso de amparo promovido, entre otros, por Promotora de Informaciones, S.A. contra la Sentencia de la Sala de lo Civil del Tribunal Supremo, de 24 de noviembre de 1995, que declara no haber lugar al recurso de casación interpuesto contra la dictada por la Sección Novena de la Audiencia Provincial de Madrid, recaída en autos sobre protección civil del derecho al honor, seguidos ante el Juzgado de Primera Instancia núm. 19 de la misma capital.

FJ 7. […] Es doctrina reiterada de este Tribunal que los denominados «personajes públicos», y en esa categoría deben incluirse, desde luego, las autoridades públicas, deben soportar, en su condición de tales, el que sus palabras y hechos se vean sometidos al escrutinio de la opinión pública y, en consecuencia, a que no sólo se divulgue

---

[1]   *Vid.* también las SSTC 78/1995, de 22 de mayo; 134/1999, de 15 de julio; 79/2014, de 28 de mayo. En la categoría de personajes públicos, en el sentido de personajes políticos, el Tribunal Constitucional incluye a las autoridades y funcionarios públicos (STC 54/2004, de 15 de abril), lo que incluye a parlamentarias/os (STC 105/1990, de 6 de junio); juezas, jueces y magistradas/os (SSTC 46/1988, de 21 de marzo; 132/1995, de 11 de septiembre); policías municipales (STC 72/2007, de 16 de abril); guardias civiles (STC 41/2011, de 11 de abril); o quienes gestionan un centro penitenciario (STC 2/2001, de 15 de enero).

información sobre lo que digan o hagan en el ejercicio de sus funciones sino, incluso, sobre lo que digan o hagan al margen de las mismas, siempre que tengan una directa y evidente relación con el desempeño de sus cargos. Los medios de comunicación social, como ha indicado en tantas ocasiones el Tribunal Europeo de Derechos Humanos, cumplen así una función vital para todo Estado democrático, que no es sino la crítica de quienes tienen atribuida la función de representar a los ciudadanos. El personaje público deberá tolerar, en consecuencia, las críticas dirigidas a su labor como tal, incluso cuando éstas puedan ser especialmente molestas o hirientes, sin que pueda esgrimir frente a esa información género alguno de inmunidad o privilegio, y frente a las que tiene más posibilidades de defenderse públicamente de las que dispondría un simple particular (SSTC 104/1986, 85/1992, 19/1996, 240/1997, 1/1998, y SSTEDH caso Sunday Times, 26 de abril de 1979; caso Lingens, de 8 de julio de 1986; caso Schwabe, de 28 de agosto de 1992; Caso Praeger y Oberschlick, 26 de abril de 1995; caso Tolstoy Miloslavski, de 13 de julio de 1995; caso Worm, de 29 de agosto de 1997; caso Fressoz y Roire, de 21 de junio de 1999).

Quienes tienen atribuida la administración del poder público son personajes públicos en el sentido de que su conducta, su imagen y sus opiniones están sometidas al escrutinio de los ciudadanos, los cuales tienen un interés legítimo, garantizado por el derecho a recibir información del art. 20.1 d) CE, a saber cómo se ejerce aquel poder en su nombre. En esos casos, y en tanto lo divulgado o criticado se refiera directamente al ejercicio de las funciones públicas, no puede el individuo oponer sin más los derechos del art. 18.1 CE. Por el contrario, fuera de estos casos, y cuando lo divulgado o la crítica vertida vengan acompañadas de expresiones formalmente injuriosas o se refieran a cuestiones cuya revelación o divulgación es innecesaria para la información y crítica relacionada con el cargo público, es evidente que ese personaje es, a todos los efectos, un particular como otro cualquiera, que podrá esgrimir judicialmente su derecho al honor, a la intimidad o a la propia imagen.

Con ello no se está diciendo que el personaje público carezca de protección constitucional frente a los injustificados ataques a su honor, a su intimidad personal o familiar o a su propia imagen. Como cualquier otro ciudadano, goza de la protección que a estos efectos le dispensa el art. 18.1 CE y, naturalmente, podrá hacer valer sus derechos fundamentales al honor, a la intimidad personal y familiar y a la propia imagen frente a aquellas opiniones o informaciones que considere lesivas de los mismos. Por tanto, resulta fundamental en estos casos examinar con pormenor tanto el texto como el contexto de la información transmitida, analizando únicamente los datos objetivos que se desprendan de uno y otro.

Por lo demás, este análisis debe tener lugar ciñéndolo siempre a la noticia objeto del litigio, evitando desvirtuar su sentido a partir de la recepción que la misma haya podido tener en otros medios de comunicación, o del uso que le hayan podido dar terceros. Pues si esa recepción o uso fuese lesiva de derechos fundamentales del protagonista de la información originaria, semejante menoscabo no puede ser imputado lícitamente, en principio, a quien resultó ser una involuntaria fuente de la información que otros han divulgado. Dicho de otro modo, el que otros medios de difusión, distintos del en su día demandado, se hayan referido al Sr. Vázquez en términos que lógicamente no nos corresponde juzgar aquí, pero frente a los cuales no se dirigió su demanda, no permite imputar la responsabilidad de algunos de tales titulares de prensa al medio que aquí acude en amparo sobre la sola base de que aquéllos declaren apoyarse en la noticia publicada por éste.

Los derechos de la personalidad de personajes con notoriedad pública —STC 99/2002, de 6 de mayo[2]—

La Sentencia resuelve el recurso de amparo promovido por don Jaime Campmany y Díez de Revenga contra la Sentencia de 31 de diciembre de 1996 dictada por el Tribunal Supremo, Sala Primera, que casó y anuló la de la Audiencia Provincial de Madrid de 9 de julio de 1992, que absolvía al recurrente de la demanda civil interpuesta por la Sra. Chávarri Figueroa por una lesión de su derecho al honor y a la intimidad personal y familiar con ocasión de la publicación en la revista «Época» de dos reportajes periodísticos firmados por el Sr. Campmany en los que se refería a la Sra. Chávarri.

FJ 7. En el caso que ahora se examina el recurrente invoca su libertad de expresión sustentando su impugnación de la Sentencia de casación objeto de su demanda de amparo en la condición de persona pública, o para ser más exactos, con notoriedad pública, de la Sra. Chávarri, argumentando que esa condición y el hecho de que aquellas circunstancias que motivaron sus comentarios sobre esta persona ya fuesen conocidas, insinuando que lo fueron por

---

[2]   *Vid.* también las SSTC 171/1990, de 12 de noviembre; 240/1992, de 21 de diciembre; 115/2000, de 10 de mayo; 83/2002, de 22 de abril; 9/2007, de 15 de enero.

el comportamiento de la propia ofendida (lo que el demandante de amparo denomina «teoría de los actos propios»), le imponía el deber de tolerar dichos comentarios por muy hirientes e incluso molestos que le resultasen.

Ya hemos dicho en reiteradas ocasiones que los denominados personajes que poseen notoriedad pública (pues ese podría ser el caso de la actora civil en la medida en que no se ha acreditado que ejerza o desempeñe función o cargo público alguno que motive los comentarios de los que fue objeto en la revista «Época»), esto es, aquellas personas que alcanzan cierta publicidad por la actividad profesional que desarrollan o por difundir habitualmente hechos y acontecimientos de su vida privada, o que adquieren un protagonismo circunstancial al verse implicados en hechos que son los que gozan de esa relevancia pública, pueden ver limitados sus derechos con mayor intensidad que los restantes individuos como consecuencia, justamente, de la publicidad que adquiera su figura y sus actos (SSTC 134/1999, de 15 de julio, FJ 7; 192/1999, de 25 de octubre, FJ 7; 112/2000, de 5 de mayo, FJ 8; 49/2001, de 26 de febrero, FJ 7; STEDH caso Tammen, del 6 de febrero de 2001). Sin embargo, cuando lo divulgado o la crítica vertida vengan acompañadas de expresiones formalmente injuriosas o referidas a cuestiones íntimas cuya revelación o divulgación es innecesaria para la información o la crítica relacionada con la actividad profesional por la que el individuo es conocido o con la información que previamente ha difundido o con su comportamiento y relación directa con los hechos de relevancia pública que le han alzado al primer plano de la actualidad, ese personaje es, a todos los efectos, una persona como otra cualquiera que podrá hacer valer su derecho al honor frente a esas opiniones o críticas que considera ofensivas con idéntica extensión e intensidad como si de un simple particular se tratare (SSTC 76/1995, de 22 de mayo; 3/1997, de 13 de enero; 134/1999, de 15 de julio; y SSTEDH caso Sunday Times, de 26 de abril de 1979; caso Lingens, de 8 de julio de 1986; caso Schwabe, de 28 de agosto de 1992; caso Praeger y Oberschlick, de 26 de abril de 1995; caso Tolstoy Miloslavski, de 13 de julio de 1995; caso Worm, de 29 de agosto de 1997, caso Fressoz y Roire, de 21 de enero de 1999; y caso Tammen, de 6 de febrero de 2001).

Los derechos de la personalidad de personajes con notoriedad pública y de sus hijas/os (caso Sara Montiel) —STC 134/1999, de 15 de julio (vid. infra la STC 197/1991, de 17 de octubre)—

La Sentencia resuelve el recurso de amparo promovido por «Publicaciones Heres, S.A.» contra la Sentencia del Tribunal Supremo, Sala Primera, de 7 de diciembre de 1995, estimatoria del recurso de casación interpuesto contra la de la Audiencia Provincial de Barcelona de 13 de septiembre de 1991, por la que se la absolvía de la demanda de protección del derecho al honor y a la intimidad promovida, en nombre de don J.Z. y de doña T.T.A., por sus padres adoptivos, don José Tous Barberán y doña María Antonia Abad Fernández (Sara Montiel). La citada demanda trae causa de dos informaciones periodísticas publicadas en la revista «Pronto», de la que es editora la demandante del presente amparo, en las que se transcribía una extensa entrevista realizada a doña G.M.P. y un reportaje sobre la filiación biológica del menor J.Z., adoptado por el recurrente, sobre la biografía y situación personal de quien dice ser su madre biológica y sobre los avatares que rodearon dicha adopción.

FJ 7. [...] Puede ser cierto que doña María Antonia Abad, «Sara Montiel», sea un personaje con notoriedad pública, y, como tenemos dicho, estos personajes, que poseen tal notoriedad por la actividad profesional que desarrollan o por difundir habitualmente hechos y acontecimientos de su vida privada, corren el riesgo de que, tanto su actividad profesional en el primero de los casos, cuanto la información revelada sobre su vida privada, en el segundo, se pueda ver sometida a una mayor difusión de la pretendida por su fuente o a la opinión, refutación y crítica de terceros. Estos personajes con notoriedad pública asumen un riesgo frente a aquellas informaciones, críticas u opiniones que pueden ser molestas o hirientes, no por ser en puridad personajes públicos, categoría que ha de reservarse únicamente para todo aquel que tenga atribuida la administración del poder público, en el sentido de que su conducta, su imagen, sus opiniones están sometidas al escrutinio de los ciudadanos, que tienen un interés legítimo, garantizado por el derecho a recibir información del art. 20.1 d) CE, a saber cómo se ejerce aquel poder en su nombre, sino porque su notoriedad pública se alcanza por ser ellos quienes exponen al conocimiento de terceros su actividad profesional o su vida particular. Con todo, en ninguno de los dos casos, cuando lo divulgado o la crítica vertida vengan acompañadas de expresiones formalmente injuriosas o se refieran a cuestiones cuya revelación o divulgación es innecesaria para la información y crítica relacionada con el desempeño del cargo público, la actividad profesional por la que el individuo es conocido o la información que previamente ha difundido, ese personaje es, a todos los efectos, un particular como otro cualquiera que podrá hacer valer su derecho al honor, a la intimidad o a la propia imagen frente a esas opiniones, críticas o informaciones lesivas del art. 18 CE (SSTC 104/1986, 171 y 172/1990, 197/1991, 85/1992, 336/1993, 117/1994, 320/1994, 6/1995, 76/1995, 132/1995, 19/1996, 3/1997; ATC 15/1998; y Sentencias del TEDH, caso Sunday Times, 26 de abril de 1979; caso Lingens, de 8 de julio de 1986; caso Schwabe, de 28 de agosto de 1992;

Caso Praeger y Oberschlick, 26 de abril de 1995; caso Tolstoy Miloslavski, de 13 de julio de 1995; caso Worm, de 29 de agosto de 1997; caso Fressoz y Roire, de 21 de enero de 1999).

Así pues, el riesgo asumido por el personaje con notoriedad pública no implica aminoración de su derecho a la intimidad o al honor o a la propia imagen, cuya extensión y eficacia sigue siendo la misma que la de cualquier otro individuo. Tan sólo significa que no pueden imponer el silencio a quienes únicamente divulgan, comentan o critican lo que ellos mismos han revelado, sin perjuicio de que la disposición sobre una información hecha pública por su propia fuente no justifique el empleo de expresiones formalmente injuriosas o innecesarias, ni la revelación de otros datos no divulgados con antelación por el tercero o que no posean una evidente y directa conexión con aquello que fue revelado.

Dicho esto, no cabe duda de que no fueron los menores adoptados quienes, ciertamente, divulgaron la controvertida información, sino sus padres adoptivos, quienes no han ejercido, es cierto, su patria potestad para proteger con su prudente silencio la intimidad personal y familiar de ambos menores, sin que esta circunstancia pueda servir de excusa, como pretende la recurrente, para hacer público lo que legítimamente don José Zeus y doña Thais Tous pueden reservarse para sí y su familia al resguardo de la curiosidad ajena. Ninguno de los dos eran, obviamente, personas con notoriedad pública, pues sólo lo podrían ser a consecuencia de una actividad profesional que nunca desempeñaron o de la revelación de aspectos de su vida privada, que nunca hicieron; y no lo son, aunque sus padres adoptivos lo puedan ser y en su condición de tales sí hayan revelado indebidamente información sobre la intimidad de ambos. Ni la revelación de información por dichos padres adoptivos, que ellos mismos han reconocido falsa, ni el ser éstos personajes con notoriedad pública, ni el eventual conocimiento y difusión que esa aludida información pudo haber tenido con antelación, ni que su fuente haya sido uno de sus protagonistas, que dice ser la madre biológica de uno de los menores, justifican semejante menoscabo del art. 18.1 CE, ya que los datos revelados no sólo se refieren a las personas de los padres adoptivos o de la supuesta madre biológica de uno de los menores, sino a aquéllos eventos de la vida de ambos menores que ya hemos calificado propios de su intimidad personal y familiar, y que legítimamente deben quedar al abrigo de la curiosidad ajena mientras los citados menores adoptados no puedan ejercer su poder de disposición sobre esa información, en ejercicio de sus derechos garantizados en el art. 18.1 CE (STC 197/1991).

Los derechos de la personalidad de las personas menores —STC 158/2009, de 25 de junio[3]—

La Sentencia resuelve el recurso de amparo interpuesto por La Opinión de Murcia, S.A., contra la Sentencia de la Sala de lo Civil del Tribunal Supremo de 13 de julio de 2006, que declara no haber lugar al recurso de casación interpuesto por La Opinión de Murcia, S.A., contra la Sentencia dictada por la Sección Cuarta de la Audiencia Provincial de Murcia de 15 de abril de 2000, que confirmó, a su vez, la dictada el 24 de junio de 1999 por el Juzgado de Primera Instancia núm. 8 de Murcia, por la que la recurrente en amparo fue condenada al pago de una indemnización de 3.005 euros en concepto de daño moral por la publicación, en un reportaje periodístico sobre discapacitados, de una fotografía de un niño sin el consentimiento de sus padres.

FJ 4. [...] [C]uando se trata, como en el presente caso sucede, de la captación y difusión de fotografías de niños en medios de comunicación social, es preciso tener en cuenta, además de lo anteriormente señalado, que el ordenamiento jurídico establece en estos supuestos una protección especial, en aras a proteger el interés superior del menor, como destacan el Tribunal Supremo en la Sentencia impugnada en amparo (así como las precedentes Sentencias de primera instancia y de apelación que aquélla confirma) y el Ministerio Fiscal en su escrito de alegaciones.

En efecto, cabe recordar que, de conformidad con el art. 20.4 CE, las libertades de expresión e información tienen su límite en el respeto a los derechos reconocidos en el título I, en las leyes que lo desarrollan «y, especialmente, en el derecho al honor, a la intimidad, a la propia imagen y a la protección de la juventud y de la infancia». Asimismo, no deben dejar de ser tenidas en cuenta las normas internacionales de protección de la infancia (sobre cuyo valor interpretativo ex art. 10.2 CE no es necesario insistir), y, entre ellas, muy en particular, la Convención de la Naciones

---

3　　*Vid.* también las SSTC 134/1999, de 15 de julio; 127/2003, de 30 de junio. Recientemente, el Tribunal Constitucional ha declarado conforme con el artículo 18 CE el artículo 18.2.4 de la Ley 15/2015, de 2 de julio, de la jurisdicción voluntaria, que regula el proceso de documentación de la exploración de menores o personas con capacidad judicialmente modificada (STC 64/2019, de 9 de mayo). Por su parte, el ATC 91/2018, de 17 de septiembre, exceptuó la publicidad de los datos identificativos de la recurrente, sustituyéndolos por sus iniciales, en un proceso que afectaba a un núcleo familiar compuesto por personas menores y con discapacidad, con el fin de evitar la identificación de éstas.

Unidas sobre los derechos del niño (ratificada por España por Instrumento de 30 de noviembre de 1990), que garantiza el derecho de los niños a la protección de la ley contra las injerencias arbitrarias o ilegales en su vida privada (art. 16), así como la Resolución del Parlamento Europeo relativa a la Carta europea de los derechos del niño, en la que se establece que «todo niño tiene derecho a no ser objeto por parte de un tercero de intrusiones injustificadas en su vida privada, en la de su familia, ni a sufrir atentados ilegales a su honor» (apartado 29 del § 8 de la Resolución A 3- 0172/92 de 8 de julio).

A su vez, la Ley Orgánica 1/1982, de 5 de mayo, sobre protección del derecho al honor, a la intimidad y a la propia imagen, tras establecer que no se apreciará intromisión ilegítima en el ámbito protegido cuando el titular del derecho hubiere prestado su consentimiento expreso al efecto (art. 2), precisa seguidamente en su art. 3, en cuanto a los menores de edad (e incapaces) que su consentimiento deberá ser prestado por ellos mismos, si sus condiciones de madurez lo permiten y, de no ser así, el consentimiento habrá de otorgarse mediante escrito por sus representantes legales, quienes estarán obligados a poner en conocimiento previo del Ministerio Fiscal el consentimiento proyectado, habiendo de resolver el Juez si en el plazo de ocho días el Ministerio Fiscal se opusiere.

Las previsiones del art. 3 de la Ley Orgánica 1/1982 se complementan, en cuanto a los menores, por lo dispuesto en el art. 4 de la Ley Orgánica 1/1996, de 15 de enero, de protección jurídica del menor, que, entre otros extremos, considera intromisión ilegítima en el derecho al honor, a la intimidad personal y familiar y a la propia imagen del menor «cualquier utilización de su imagen o su nombre en los medios de comunicación que pueda implicar menoscabo de su honra o reputación, o que sea contraria a sus intereses incluso si consta el consentimiento del menor o de sus representantes legales» (art. 4.3).

En suma, para que la captación, reproducción o publicación por fotografía de la imagen de un menor de edad en un medio de comunicación no tenga la consideración de intromisión ilegítima en su derecho a la propia imagen (art. 7.5 de la Ley Orgánica 1/1982), será necesario el consentimiento previo y expreso del menor (si tuviere la suficiente edad y madurez para prestarlo), o de sus padres o representantes legales (art. 3 de la Ley Orgánica 1/1982), si bien incluso ese consentimiento será ineficaz para excluir la lesión del derecho a la propia imagen del menor si la utilización de su imagen en los medios de comunicación puede implicar menoscabo de su honra o reputación, o ser contraria a sus intereses (art. 4.3 de la Ley Orgánica 1/1996).

1. El derecho al honor

A) El contenido del derecho al honor

El contenido del derecho al honor y los actos propios —STC 50/1983, de 14 de junio[4]—

La Sentencia resuelve el recurso de amparo promovido por don E.F.D.B. contra Acuerdo de Consejo de Ministros que le impuso sanción de separación del servicio como Inspector del Cuerpo Superior de Policía al recurrente por hechos que se califican como constitutivos de una falta muy grave de probidad, pero sobre los que no ha habido pronunciamiento alguno de la jurisdicción en el orden penal. Entiende el recurrente que dicha sanción vulnera su derecho al honor.

FJ 3. El recurso se fundamenta, por último, en la hipotética lesión del derecho al honor (art. 18.1 de la CE). Es obvio, sin embargo, que este derecho no constituye ni puede constituir obstáculo alguno para que, a través de expedientes administrativos o procesos judiciales seguidos con todas las garantías, se pongan en cuestión las conductas sospechosas de haber incurrido en ilicitud, pues el daño que el honor de quien sigue tal conducta pueda sufrir no se origina en esos procedimientos, sino en la propia conducta y ni la Constitución ni la Ley pueden garantizar al individuo contra el deshonor que nazca de sus propios actos.

---

[4]   En sentido parecido, la STC 16/1981, de 18 de mayo, estableció que el desmerecimiento de la reputación que pueda derivar de una sentencia judicial en virtud de hechos que en ella se declaran probados son «consecuencias objetivas de una Sentencia» que «no pueden constituir una lesión al honor protegido por el art. 18.1, pues la opinión contraria llevaría al absurdo de que una gran parte de los condenados penalmente podrían invocar dicho derecho para librarse de la condena» (FJ 10).

Contenido sociológico y evolutivo del derecho al honor —STC 223/1992, de 14 de diciembre—

La Sentencia resuelve el recurso de amparo interpuesto por don J.M.C., arquitecto, contra la Sentencia que el 2 de marzo de 1989 dictó la Sala Primera del Tribunal Supremo, que casó la de la Audiencia Territorial de Barcelona de 10 de julio de 1987 que, en apelación contra la del Juzgado de Primera Instancia núm. 2 de Girona de 27 de junio de 1986, consideró que se había producido una intromisión ilegítima en el honor del recurrente. El periódico de información comarcal «Punt Diari», de Gerona, correspondiente al día 29 de enero de 1986 y en la Sección denominada «Tribuna libre», publicó un artículo periodístico firmado por don S.B.C, presidente del Círculo de Católicos de Banyoles, titulado «El caso del Círculo de Católicos: una ristra de contrasentidos», en el que se apunta a la fraudulenta actuación del recurrente en la rehabilitación del edificio del Círculo. En su Sentencia, el Tribunal Supremo concluye que el artículo afecta al prestigio profesional, pero no al honor del recurrente.

FJ 3. Presenciamos, pues, el choque frontal de dos derechos fundamentales, el que tiene como contenido la libertad de informar y aquél otro que protege el honor, desde cuya perspectiva unilateral, ahora, en una segunda fase del análisis conviene a nuestro propósito averiguar cuál sea su ámbito. En una primera aproximación no parece ocioso dejar constancia de que en nuestro ordenamiento no puede encontrarse una definición de tal concepto, que resulta así jurídicamente indeterminado. Hay que buscarla en el lenguaje de todos, en el cual suele el pueblo hablar a su vecino y el Diccionario de la Real Academia (edición 1992) nos lleva del honor a la buena reputación (concepto utilizado por el Tratado de Roma), la cual —como la fama y aun la honra— consisten en la opinión que las gentes tienen de una persona, buena o positiva si no van acompañadas de adjetivo alguno. Así como este anverso de la noción se da por sabido en las normas, éstas en cambio intentan aprehender el reverso, el deshonor, la deshonra o la difamación, lo infamante. El denominador común de todos los ataques o intromisiones legítimas en el ámbito de protección de este derecho es el desmerecimiento en la consideración ajena (art. 7, 7 L.O. 1/1982) como consecuencia de expresiones proferidas en descrédito o menosprecio de alguien o que fueren tenidas en el concepto público por afrentosas. Todo ello nos sitúa en el terreno de los demás, que no son sino la gente, cuya opinión colectiva marca en cualquier lugar y tiempo el nivel de tolerancia o de rechazo. El contenido del derecho al honor es lábil y fluido, cambiante y en definitiva, como hemos dicho en alguna otra ocasión, «dependiente de las normas, valores e ideas sociales vigentes en cada momento» (STC 185/1989). En tal aspecto parece evidente que el honor del hidalgo no tenía los mismos puntos de referencia que interesan al hombre de nuestros días. Si otrora la honestidad y recato de las mujeres (según perdura todavía en una de las acepciones del Diccionario) era un componente importante, al igual que el valor o coraje del varón, hoy como ayer son la honradez e integridad el mejor ingrediente del crédito personal en todos los sectores. Desde entonces hasta ahora el trabajo ha ido ganando terreno, desde una concepción servil a una consideración máxima en el orden de los valores sociales. [...]

El contenido evolutivo del derecho al honor y la reputación profesional —STC 223/1992, de 14 de diciembre (*vid. supra*)[5]—

FJ 3. [...] En esa evolución ascensional el punto de inflexión lo marca el Real Decreto que el 25 de febrero de 1834 dirige la Reina Gobernadora doña Mª Cristina, en nombre de su amada Hija la Reina doña Isabel II, al Secretario del Despacho de Fomento don Javier de Burgos. «Informada de que algunas profesiones industriales se hallan aun degradadas en España», a pesar de la pragmática de Carlos III recogida en la Novísima Recopilación (Ley 8ª, Título 23, Libro VIII), manda y declara que «todos los que ejerzan artes u oficios mecánicos por sí o por medio de otros, son dignos de honra y estimación, puesto que sirven útilmente al Estado», por lo que desde ahora pueden obtener cargos públicos, honores y distinciones. Casi un siglo después, la Constitución de 1931 definiría a España como una «República de trabajadores de todas clases» y hoy la nuestra configura el trabajo con la doble vertiente del deber y del derecho (art. 35.1 CE).

Cuanto queda expuesto atrás viene a cuento para poner de manifiesto algo por lo demás obvio y es que el trabajo, para la mujer y el hombre de nuestra época, representa el sector más importante y significativo de su quehacer en la proyección al exterior, hacia los demás e incluso en su aspecto interno es el factor predominante de realización

---

[5] *Vid.* también las SSTC 165/1995, de 20 de noviembre; 46/1998, de 2 de marzo; 180/1999, de 11 de octubre, FJ 5; 282/2000, de 27 de noviembre; 158/2003, de 15 de septiembre (*vid.* **ARTÍCULO 20**; 216/2013, de 19 de diciembre, FJ 5; 133/2018, de 13 de diciembre.

personal. La opinión que la gente pueda tener de cómo trabaja cada cual resulta fundamental para el aprecio social y tiene una influencia decisiva en el bienestar propio y de la familia, pues de él dependen no ya el empleo o el paro sino el estancamiento o el ascenso profesional, con las consecuencias económicas que le son inherentes. Esto nos lleva de la mano a la conclusión de que el prestigio en este ámbito, especialmente en su aspecto ético o deontológico, más aun que en la técnica, ha de reputarse incluido en el núcleo protegible y protegido constitucionalmente del derecho al honor.

A esta conclusión se llega, desde una vía más aséptica, si se repara en que la Ley Orgánica que lo desarrolla, norma actual pues, donde se incorporan explícita o implícitamente los valores sociales de hoy, no contiene distinción alguna de facetas de la actividad ni tampoco excluye ninguna de su tutela. La divulgación de cualesquiera expresiones o hechos concernientes a una persona que la difamen o hagan desmerecer en la consideración ajena o que afecten negativamente a su reputación y buen nombre (art. 7, 3 y 7 L.O. 1/1982) ha de ser calificada como intromisión ilegítima en el ámbito de protección del derecho al honor. En el mismo sentido se pronunció, antes y después de la Constitución, la doctrina legal del Tribunal Supremo, con el valor normativo complementario que le asigna el Código civil (art. 1, 6), acervo jurisprudencial que tiene su punto de arranque en la Sentencia de 17 de febrero de 1972, a la cual siguieron otras muchas, donde se incluye el prestigio profesional en el derecho al honor. La Sentencia impugnada rompe aisladamente tal concepción, con un razonamiento jurídico por lo demás conciso, sin haber tenido seguidoras en esa tendencia que pretendía iniciar. Desde este punto de vista podría incluso plantearse la vulneración del principio de igualdad en la aplicación de la Ley (art. 14 CE), aunque parezca preferible prescindir de este aspecto de la cuestión, no necesario ya para la resolución del recurso de amparo, por no haberlo alegado el demandante en ningún momento.

Ahora bien, cualquier crítica a la pericia profesional no puede ser considerada automáticamente como un atentado a la honorabilidad personal. Hay aspectos de la actividad profesional que son ajenos a tal derecho, aun cuando tampoco esa posibilidad pueda llevarnos, como hemos dicho recientemente, «a negar rotundamente, cómo se hace en cambio en la Sentencia del Tribunal Supremo impugnada, que la difusión de hechos directamente relativos al desarrollo y ejercicio de la actividad profesional puedan ser constitutivos de una intromisión ilegítima en el derecho al honor cuando excedan de la libre crítica a la labor profesional, siempre que por su naturaleza, características y forma en que se hace la divulgación la hagan desmerecer en la consideración ajena de su dignidad como persona» (STC 40/1992).

Dimensión familiar del derecho al honor y el honor de las personas fallecidas —STC 190/1996, de 25 de noviembre—

La Sentencia resuelve el recurso de amparo promovido por Televisión Española, S.A. contra la Sentencia de la Sala Primera del Tribunal Supremo, de 24 de junio, que anula en casación la de la Sección Primera de la Audiencia Provincial de Barcelona de 2 de julio de 1991 y confirma la del Juzgado de Primera Instancia núm. 20 de la misma ciudad, de 12 marzo de 1990, condenatoria por intromisión ilegítima en el derecho al honor.

FJ 2. Lo primero que alega la recurrente, condicionante del análisis del resto de la demanda, es que no cabe referir el honor, como derecho, a una persona fallecida. No saca de esta premisa ninguna consecuencia concreta para la prosperidad de su pretensión de amparo —lo que ya sería suficiente para desestimar el motivo por infundado—, aunque hay que presumir que con ello quiere impugnar el punto en el que la jurisdicción ordinaria fijó finalmente en este supuesto la frontera de su libertad de información: si no había otro derecho fundamental con el que colidir podría pensarse que el ámbito legítimo de información se expandía hasta comprender, en cualquier caso, la noticia controvertida.

Ninguna consistencia cabe otorgar al reconstruido planteamiento. En primer lugar, porque parece indudable que en supuestos como el presente, en el que lo que se discute es si se atribuye a una persona ya fallecida su posible adicción a las drogas, la difamación no se detiene en el sujeto pasivo de la imputación, sino que alcanza también a aquellas personas de su ámbito familiar con las que guarda una estrecha relación. Como afirmábamos en la STC 231/1988, «no cabe dudar que ciertos eventos que puedan ocurrir a padres, cónyuges o hijos, tienen normalmente, y dentro de las pautas culturales de nuestra sociedad, tal trascendencia para el individuo, que su indebida publicidad o difusión incide directamente en la propia esfera de su personalidad» (fundamento jurídico 4º). No debe dejarse tampoco en el olvido que, conforme posibilita el art. 20.4 CE y en el marco de los principios y valores que informan nuestra Norma fundamental, la Ley Orgánica 1/1982, de 5 de mayo, de Protección Civil del Derecho al Honor, a la Intimidad y a la Propia Imagen, establece que la memoria de una persona fallecida puede limitar el derecho a la comunicación de información veraz.

Titularidad del derecho al honor y legitimación activa para reivindicar su tutela —STC 214/1991, de 11 de noviembre—

La Sentencia resuelve el recurso de amparo promovido por doña V.F. contra la Sentencia de 5 de diciembre de 1989 de la Sala Primera del Tribunal Supremo, que desestimó el recurso de casación interpuesto contra la Sentencia de la Audiencia Territorial de Madrid, de 9 de febrero de 1988, que, a su vez, desestimó el recurso de apelación contra la Sentencia, de 16 de junio de 1986, dictada por el Juzgado de Primera Instancia, en proceso sobre protección civil del derecho al honor. En la base del recurso se encuentra la publicación en el núm. 168 de la revista «Tiempo» de un reportaje titulado «Cazadores de nazis vendrán a España para capturar a Degrelle», en el que se recogían declaraciones de don León Degrelle, ex Jefe de las Waffen S.S., en relación con la actuación nazi con los judíos y con los campos de concentración, en que se niega el genocidio judío durante el Nacional-Socialismo.

FJ 3: Tratándose de un derecho personalísimo, como es el honor, la legitimación activa corresponderá, en principio, al titular de dicho derecho fundamental. Esta legitimación originaria no excluye, ni la existencia de otras legitimaciones (v.gr. la legitimación por sucesión de los descendientes, contemplada en los arts. 4 y 5 de la L.O. 11/982 de Protección del Derecho al Honor), ni que haya de considerarse también como legitimación originaria la de un miembro de un grupo étnico o social determinado, cuando la ofensa se dirigiera contra todo ese colectivo, de tal suerte que, menospreciando a dicho grupo socialmente diferenciado, se tienda a provocar en el resto de la comunidad social sentimientos hostiles o, cuando menos, contrarios a la dignidad, estima personal o respeto al que tienen derecho todos los ciudadanos con independencia de su nacimiento, raza o circunstancia personal o social (arts. 10.1 y 14 CE).

FJ 6: El significado personalista que el derecho al honor tiene en la Constitución no impone que los ataques o lesiones al citado derecho fundamental, para que tengan protección constitucional, hayan de estar necesariamente perfecta y debidamente individualizados «ad personam», pues, de ser así, ello supondría tanto como excluir radicalmente la protección del honor de la totalidad de las personas jurídicas, incluidas las de substrato personalista, y admitir, en todos los supuestos, la legitimidad constitucional de los ataques o intromisiones en el honor de personas, individualmente consideradas, por el mero hecho de que los mismos se realicen de forma innominada, genérica o imprecisa.

FJ 8: Ni la libertad ideológica (art. 16 CE) ni la libertad de expresión (art. 20.1 CE) comprenden el derecho a efectuar manifestaciones, expresiones o campañas de carácter racista o xenófobo, puesto que, tal como dispone el art. 20.4, no existen derechos ilimitados y ello es contrario, no sólo al derecho al honor de la persona o personas directamente afectadas, sino a otros bienes constitucionales como el de la dignidad humana (art. 10 CE), que han de respetar, tanto los poderes públicos, como los propios ciudadanos. La dignidad como rango o categoría de la persona como tal, del que deriva y en el que se proyecta el derecho al honor (art. 18.1 CE), no admite discriminación alguna por razón de nacimiento, raza o sexo, opiniones o creencias.

Titularidad del derecho al honor: las personas jurídicas —STC 139/1995, de 26 de septiembre (*vid.* TITULARIDAD DE LOS DERECHOS FUNDAMENTALES)[6]—

FJ 5. Recapitulando lo expuesto hasta aquí, puede sostenerse que, desde un punto de vista constitucional, existe un reconocimiento, en ocasiones expreso y en ocasiones implícito, de la titularidad de las personas jurídicas a determinados derechos fundamentales. Ahora bien, esta capacidad, reconocida en abstracto, necesita evidentemente ser delimitada y concretada a la vista de cada derecho fundamental. Es decir, no sólo son los fines de una persona jurídica los que condicionan su titularidad de derechos fundamentales, sino también la naturaleza concreta del derecho fundamental considerado, en el sentido de que la misma permita su titularidad a una persona moral y su ejercicio por ésta. En el presente caso, el derecho del que se discute esta posibilidad es el derecho al honor, con lo cual el examen se reconduce a dilucidar la naturaleza de tal derecho fundamental.

No existe positivizado, lo que facilitaría el camino, un concepto de «derecho al honor», ni en la Constitución, ni en ninguna otra ley. Este Tribunal se ha referido expresamente a la imposibilidad de encontrar una definición del mismo en el propio ordenamiento jurídico (STC 223/1992). Se trata de un concepto dependiente de las normas, valores e ideas sociales vigentes en cada momento (STC 185/1989), que encaja sin dificultad, por tanto, en la categoría jurí-

---

6   *Vid.* también las SSTC 183/1995, de 11 de septiembre.

dica conocida de conceptos jurídicos indeterminados (STC 223/1992). A pesar de la imposibilidad de elaborar un concepto incontrovertible y permanente sobre el derecho al honor, ello no ha impedido, acudiendo al Diccionario de la Real Academia Española, asociar el concepto de honor a la buena reputación (concepto utilizado por el Convenio de Roma), «la cual —como la fama y aun la honra— consisten en la opinión que las gentes tienen de una persona, buena o positiva si no van acompañadas de adjetivo alguno. Así como este anverso de la noción se da por sabido en las normas, éstas, en cambio, intentan aprehender el reverso, el deshonor, la deshonra o difamación, lo difamante. El denominador común de todos los ataques e intromisiones ilegítimas en el ámbito de protección de este derecho es el desmerecimiento en la consideración ajena (art. 7.7 L.O. 1/1982) como consecuencia de expresiones proferidas en descrédito o menosprecio de alguien o que fueren tenidas en el concepto público por afrentosas» (STC 223/1992 y, recientemente, STC 76/1995).

Cierto es también, que, de forma paralela a este concepto objetivista de «honor», este Tribunal ha acuñado un concepto personalista del mismo, por lo que a la titularidad de este derecho se refiere. En la STC 107/1988 se afirmó que «el honor es un valor referible a personas individualmente consideradas, lo cual hace inadecuado hablar del honor de las instituciones públicas o de clases determinadas del Estado, respecto de las cuales es más correcto, desde el punto de vista constitucional, emplear los términos de dignidad, prestigio y autoridad moral, que son valores que merecen la protección penal que les dispense el legislador, pero que no son exactamente identificables con el honor, consagrado en la Constitución como derecho fundamental, y, por ello, en su ponderación frente a la libertad de expresión debe asignárseles un nivel más débil de protección del que corresponde atribuir al derecho al honor de las personas públicas o de relevancia pública» (fundamento jurídico 2º).

Con posterioridad a esta STC 107/1988, en la que se considera el honor de una persona jurídico-pública, la STC 51/1989 trata del honor de una institución y la STC 121/1989 de una clase determinada del Estado, manteniendo unas tesis interpretativas que luego fueron matizadas por la STC 214/1991, en una orientación jurisprudencial que con la presente Sentencia queremos reforzar y ampliar.

Pero sigamos. Aunque el honor «es un valor referible a personas individualmente consideradas», el derecho a la propia estimación o al buen nombre o reputación en que consiste, no es patrimonio exclusivo de las mismas. Recuérdese, en este sentido, la citada STC 214/1991, en la que expresamente se ha extendido la protección del derecho al honor a colectivos más amplios, en este caso los integrantes del pueblo judío que sufrieron los horrores del nacionalsocialismo. Por tanto, el significado personalista que el derecho al honor tiene en la Constitución no puede traducirse, como en el fundamento jurídico 6º de esa Sentencia se pone de manifiesto, por una imposición de que «los ataques o lesiones al citado derecho fundamental, para que tengan protección constitucional, hayan de estar necesariamente perfecta y debidamente individualizados ad personam, pues, de ser así, ello supondría tanto como excluir radicalmente la protección del honor de la totalidad de las personas jurídicas, incluidas las de substrato personalista, y admitir, en todos los supuestos, la legitimidad constitucional de los ataques o intromisiones en el honor de personas, individualmente consideradas, por el mero hecho de que los mismos se realicen de forma innominada, genérica o imprecisa».

En consecuencia, dada la propia sistemática constitucional, el significado del derecho al honor ni puede ni debe excluir de su ámbito de protección a las personas jurídicas. Bien es cierto que este derecho fundamental se encuentra en íntima conexión originaria con la dignidad de la persona que proclama el art. 10.1 CE. Pero ello no obsta para que normativamente se sitúe en el contexto del art. 18 de la CE

Resulta evidente, pues, que, a través de los fines para los que cada persona jurídica privada ha sido creada, puede establecerse un ámbito de protección de su propia identidad y en dos sentidos distintos: tanto para proteger su identidad cuando desarrolla sus fines, como para proteger las condiciones de ejercicio de su identidad, bajo las que recaería el derecho al honor. En tanto que ello es así, la persona jurídica también puede ver lesionado su derecho al honor a través de la divulgación de hechos concernientes a su entidad, cuando la difame o la haga desmerecer en la consideración ajena (art. 7.7 L.O. 1/1982).

Titularidad del derecho al honor: los partidos políticos —STC 79/2014, de 28 de mayo—

La Sentencia resuelve el recurso de amparo promovido por don Joan Puigcercós, don Josep Lluís Carod-Rovira y el partido político Esquerra Republicana de Catalunya, contra la Sentencia de la Sala Primera del Tribunal Supremo, de 26 de enero de 2010, que estimó el recurso de casación contra la de la Audiencia Provincial de Barcelona, de 22 de febrero de 2007, que revocó la dictada por el Juzgado de Primera Instancia núm. 22 de Barcelona, de 4 de septiembre de 2006, para declarar que se había producido «una intromisión ilegítima en el honor de los actores». Objeto de recurso son las declaraciones y expresiones pronunciadas en diversas ediciones de «La Mañana» de la COPE, que al informar sobre la reunión en Perpiñán de uno de los dirigentes de ERC, Vicepresidente del Gobierno de Catalunya y entonces Presidente en funciones, con representantes del grupo terrorista ETA, acusaron a este partido, cuyo líder era Carod-Rovira, de ser violento, golpista, bélico, y afín al terrorismo.

FJ 3. [...] De acuerdo con la doctrina de este Tribunal, aunque el honor es un valor referible a personas individualmente consideradas, el derecho a la propia estimación o al buen nombre o reputación en que consiste, no es patrimonio exclusivo de las mismas y dada la propia sistemática constitucional, el significado del derecho al honor ni puede ni debe excluir de su ámbito de protección a las personas jurídicas. Bien es cierto que este derecho fundamental se encuentra en íntima conexión originaria con la dignidad de la persona que proclama el art. 10.1 CE. Pero ello no obsta para que normativamente se sitúe en el contexto del art. 18 CE.

En relación al ámbito de la protección constitucional del derecho al honor, la STC 214/1991, de 11 de noviembre, FJ 6, expresaba que «el significado personalista que el derecho al honor tiene en la Constitución no impone que los ataques o lesiones al citado derecho fundamental, para que tengan protección constitucional, hayan de estar necesariamente perfecta y debidamente individualizados ad personam, pues, de ser así, ello supondría tanto como excluir radicalmente la protección del honor de la totalidad de las personas jurídicas, incluidas las de substrato personalista, y admitir, en todos los supuestos, la legitimidad constitucional de los ataques o intromisiones en el honor de personas, individualmente consideradas, por el mero hecho de que los mismos se realicen de forma innominada, genérica o imprecisa.»

Resulta evidente, pues, que, a través de los fines para los que cada persona jurídica privada ha sido creada, puede establecerse un ámbito de protección de su propia identidad y en dos sentidos distintos: tanto para proteger su identidad cuando desarrolla sus fines, como para proteger las condiciones de ejercicio de su identidad, bajo las que recaería el derecho al honor. En tanto que ello es así, «la persona jurídica también puede ver lesionado su derecho al honor a través de la divulgación de hechos concernientes a su entidad, cuando la difame o la haga desmerecer en la consideración ajena (art. 7.7 de la Ley Orgánica 1/1982)» (STC 139/1995, de 26 de septiembre, FJ 5).

En aplicación de la doctrina reproducida, no cabe excluir a los partidos políticos de la protección que dimana del derecho al honor frente a aquellas afirmaciones y expresiones que los difamen o los hagan desmerecer en la consideración ajena. Así lo ha entendido el Tribunal Europeo de Derechos Humanos al aceptar que la protección de la reputación y el honor (art. 8 del Convenio europeo de derechos humanos) se predique también respecto de los partidos políticos (vid. STEDH caso Lindon, Otchakovsky-Laurens y July c. Francia, de 22 octubre 2007, §§ 42, 44, 47 y 60).

Cuestión distinta será si el grado de tolerancia a la crítica debe ser mayor en el caso de los partidos políticos, en razón del papel fundamental que les asigna la Constitución como instrumento esencial para la participación política y, consecuentemente, para la formación y existencia de una opinión pública libre. Pero tan importante papel debe tener como contrapartida la posibilidad de que los partidos políticos deban soportar que se les valore y se les critique por parte de la opinión pública y los medios de comunicación, lo que supone también una protección constitucional dispensada por el reconocimiento de su derecho al honor, dentro de nuestro sistema democrático.

FJ 8. [...] En ese contexto, y como ya hemos afirmado en otras ocasiones, especialmente cuando los afectados son titulares de cargos públicos, éstos han de soportar las críticas o las revelaciones aunque «duelan, choquen o inquieten» (STC 76/1995, de 22 de mayo) o sean «especialmente molestas o hirientes» (STC 192/1999, de 25 de octubre). Estos criterios jurisprudenciales de este Tribunal han sido muy intensamente refrendados en la STEDH de 15 de marzo de 2011 (caso Otegi Mondragón c. España, § 50), que afirma que los límites de la crítica admisible son más amplios respecto a los sujetos políticos, pues se exponen inevitable y conscientemente a un control atento de sus hechos y gestos tanto por los periodistas como por la masa de los ciudadanos; y que los imperativos de protección de su reputación deben ser puestos en una balanza con los intereses del libre debate de las cuestiones políticas, haciendo una interpretación más restrictiva de las excepciones a la libertad de expresión. [...]

[...] [L]os juicios de valor del periodista se construyen alrededor de una base fáctica suficiente, pues el pacto que afirma que se produjo fue un hecho trasladado a la opinión pública en algún medio de comunicación y las expresiones vertidas se vinculan al juicio de valor que se emite por parte del periodista. Es cierto que tales expresiones se sitúan en los límites de lo admisible por su marcado carácter hiriente y desmesurado, pero las manifestaciones realizadas en los programas radiofónicos examinados se encuentran amparadas por la libertad de expresión, por cuanto que se enmarcan en un debate nítidamente público y de notorio interés, fueron pronunciadas por un periodista y se referían a la actividad de dirigentes políticos en cuanto tales, lo que amplía los límites de la crítica permisible, por tratarse de un debate de relevante interés general, lo que comporta un riesgo de que los derechos subjetivos de personas públicas puedan resultar afectados por dichas opiniones de interés general, pues así lo requieren el pluralismo político, la tolerancia y el espíritu de apertura, sin los cuales no existe sociedad democrática (en este sentido, STC 110/2000, de 5 de mayo, FJ 8 in fine, con cita de la STC 107/1988, de 8 de junio, FJ 2).

Contenido del derecho al honor: la crítica socialmente admisible —STC 185/1989, de 13 de noviembre[7]—

La Sentencia resuelve el recurso de amparo interpuesto por don M.P.R. contra el Acuerdo del Pleno del Ayuntamiento de Priego (Córdoba), de 11 de marzo de 1985. El actor, como consecuencia de diversas discrepancias con el Ayuntamiento, trasladó la celebración del III Curso de Verano, dependiente de la Universidad de Córdoba, a la vecina localidad de Cabra. Seguidamente, el Ayuntamiento de Priego, en su Acuerdo de 11 de mano de 1985, aprobó la realización de determinadas gestiones encaminadas a recuperar para su localidad la sede del citado curso de verano y, en relación con el actor, solicitó su destitución como director del citado curso, le declaró persona «non grata» para el Ayuntamiento y le revocó el nombramiento de cronista oficial de la ciudad efectuado años atrás. Entiende el recurrente que dicho Acuerdo vulneró su derecho al honor.

FJ 4. El contenido del derecho al honor, que la Constitución garantiza como derecho fundamental en su art. 18, apartado 1, es, sin duda, dependiente de las normas, valores e ideas sociales vigentes en cada momento. Tal dependencia se manifiesta tanto con relación a su contenido más estricto, protegidos por regla general con normas penales, como a su ámbito más extenso, cuya protección es de naturaleza meramente civil. Por otra parte, es un derecho respecto al cual las circunstancias concretas en que se producen los hechos y las ideas dominantes que la sociedad tiene sobre la valoración de aquél son especialmente significativas para determinar si se ha producido o no lesión.

[...] [N]o puede considerarse atentatorio contra el honor del recurrente, de acuerdo con pautas sociales generalmente aceptadas hoy día, que el Ayuntamiento le califique de persona «non grata». En primer lugar, porque la decisión municipal ha de situarse en el contexto de una controversia entre el actor y la Corporación municipal que había trascendido a la luz pública, lo cual excluye que la decisión municipal pudiera atribuirse por terceras personas a causas distintas que, eventualmente, pudieran constituir un menoscabo de la aceptación o aprecio público que el actor pueda tener en atención a sus circunstancias personales y profesionales y atentar, por ello, a su honor. En segundo lugar, porque la referida calificación de persona «non grata» para el Ayuntamiento constituye una apreciación subjetiva de los miembros de la Corporación que, como se sostiene en la Sentencia del Tribunal Supremo, no significa por sí misma la atribución al actor de cualidades desmerecedoras del aprecio o estima públicos. Se trata, en definitiva, de un modo de expresar la Corporación su desagrado por una decisión del actor, la de trasladar la celebración de los cursos de verano a otra localidad, no de atribuirle caracteres deshonrosos o de calificarle de indeseable para la colectividad. No puede, por tanto, otorgársele más relevancia que la de expresión de una crítica pública en el marco de una polémica sobre un tema de interés general entre una Corporación municipal, con una composición concreta en un determinado momento, y una persona de la localidad que, a su vez, crítica la gestión de la Corporación municipal en torno a dicha cuestión.

Finalmente, es preciso señalar que la no vulneración del derecho al honor en este caso nada prejuzga sobre si los Ayuntamientos u otras instituciones públicas análogas tienen o no habilitación legal, en cuanto tales personas jurídicas, para hacer declaraciones como la aquí considerada o, en general, para criticar a los administrados. En todo caso, sí conviene precisar, frente a lo que sostiene en sus alegaciones el Ayuntamiento de Priego, que no puede equipararse la posición de los ciudadanos, de libre crítica de la actuación de las instituciones representativas en uso legítimo de su derecho fundamental a la libertad de expresión, a la de tales instituciones, cuya actuación aparece vinculada al cumplimiento de los fines que les asigna el ordenamiento jurídico, entre los cuales ciertamente, no se encuentra el de atribuir calificativos a sus administrados. Pues no puede olvidarse que en el presente caso no se trata de las declaraciones de uno de los miembros de la Corporación, sino de la manifestación de un juicio que pretende atribuirse a la propia Corporación en cuanto tal. El que el calificativo empleado no pueda considerarse ofensivo contra el honor del ciudadano afectado no implica, por tanto, asentir sobre la regularidad y pertinencia de la decisión municipal.

---

[7]   *Vid.* también, entre otras, la STC 208/2013, de 16 de diciembre.

Contenido del derecho al honor: la transmisión de hechos veraces —STC 244/2007, de 3 de diciembre[8]—

La Sentencia resuelve recurso de amparo interpuesto por don J.F.L.A. contra la Sentencia de la Sala de lo Civil del Tribunal Supremo, de 6 de julio de 2004, que revocó en casación la de la Sección Primera de la Audiencia Provincial de Guipúzcoa, de 26 de marzo de 1999, que había confirmado en apelación la del Juzgado de Primera Instancia núm. 4 de San Sebastián, al no apreciar la vulneración del derecho al honor denunciada por el recurrente. Ésta sería fruto de las manifestaciones vertidas en la rueda de prensa ofrecida por el entonces Gobernador Civil de Guipúzcoa para dar cuenta de los resultados de la operación antiterrorista desplegada por la Guardia civil en fechas precedentes en la provincia de Guipúzcoa, quien según el recurrente en amparo afirmó sin prevención o matiz alguno la pertenencia de éste (detenido en aquella operación) a un comando de la organización ETA («comando Kirruli» o «Kiruli»), al que se atribuyó la comisión de graves atentados terroristas.

FJ 3. [...] En el caso que nos ocupa, la información pretendidamente lesiva del derecho al honor fue emitida por quien ostentaba la condición de representante del poder público como Gobernador Civil de Guipúzcoa y en ejercicio de sus potestades públicas. En consecuencia, no cabe apreciar en el caso examinado la existencia de un conflicto entre el derecho al honor del recurrente y otros derechos fundamentales de los que carece el poder público en su actuación frente al ciudadano, singularmente —por lo que aquí nos concierne— el derecho a la información, dada la finalidad de las declaraciones efectuadas, orientadas a trasladar a la opinión pública, a través de los medios de comunicación convocados a la rueda de prensa, los resultados alcanzados en el desarrollo de la operación antiterrorista desplegada en fechas precedentes. El problema que suscita el presente enjuiciamiento es el de los límites que han de enmarcar el deber de los poderes públicos al informar de sus actuaciones sobre determinados asuntos que afectan a bienes cuya protección les está encomendada (medio ambiente, sanidad, seguridad pública, etc.), en tanto en cuanto tal información puede facilitar la libre difusión y recepción de información veraz (STC 178/1993, de 31 de mayo, FJ 4) entendida como garantía institucional de la existencia de una opinión pública libre (STC 171/2004, de 18 de octubre, FJ 2, entre muchas otras), aspecto éste que cobra singular relieve en el caso examinado, dado el especial compromiso que incumbe a los poderes públicos en el fomento y preservación de aquella garantía y dada la particular significación de la materia sobre la que versa la información difundida en relación con los valores de la convivencia democrática encarnados en la Constitución.

Situados en este marco, del contenido del derecho al honor no cabe deducir la imposición de un deber a la autoridad gubernativa de mantener en secreto las investigaciones policiales en tanto no haya recaído una decisión judicial sobre la responsabilidad penal de los inculpados. Bien al contrario, hemos afirmado a este respecto, como recuerda la citada STC 14/2003, de 28 de enero, FJ 11, «que reviste relevancia e interés público la información sobre los resultados positivos o negativos que alcanzan en sus investigaciones las fuerzas y cuerpos de seguridad, especialmente si los delitos cometidos entrañan una cierta gravedad o han causado un impacto considerable en la opinión pública, extendiéndose aquella relevancia o interés a cuantos datos o hechos novedosos puedan ir descubriéndose por las más diversas vías, en el curso de las investigaciones dirigidas al esclarecimiento de su autoría, causas y circunstancias del hecho delictivo (SSTC 219/1992, de 3 de diciembre, FJ 4; 232/1993, de 12 de julio, FJ 4; 52/2002, de 25 de febrero, FJ 8; 121/2002, de 20 de mayo, FJ 4; 185/2002, de 14 de octubre, FJ 4)».

FJ 5. Constatada la relevancia e interés general de la información divulgada, debemos analizar seguidamente si, además, el contenido de la misma puede ser considerado veraz, teniendo en cuenta que la información ofrecida en la rueda de prensa por el Gobernador Civil de Guipúzcoa lo fue en el ejercicio de sus funciones como tal.

Es, en efecto, sobre este aspecto de la veracidad de la información difundida en relación con la alegada presunción de inocencia sobre el que centra el demandante de amparo el grueso de sus objeciones, al considerar que el informante, incumpliendo los mínimos estándares de diligencia exigible en su actuación, realizó en la tan repetida rueda de prensa una falsa imputación al recurrente de varios asesinatos perpetrados por el denominado «comando Kirruli» de ETA, al identificarle, sin matiz ni prevención alguna, como miembro del citado «comando», como vino a revelar el hecho de su puesta en libertad tras el periodo de detención policial y el archivo de las diligencias abiertas por la autoridad judicial. [...]

---

[8]   La STC 133/2018, de 13 de diciembre, entiende vulnerado el derecho al honor de quien en una comisión parlamentaria de investigación es considerado autor de conductas ilícitas, siendo el objetivo de dicha comisión averiguar responsabilidades, no jurídicas, sino políticas.

Del contraste de las informaciones controvertidas con los hechos a los que se refieren cabe advertir, en primer lugar, que la rueda de prensa en la que se vierten esas manifestaciones tiene por objeto trasladar a la opinión pública, a través de los medios de comunicación asistentes a la misma, los resultados de la investigación policial por la autoridad que ostentaba funciones de jefatura de la fuerza policial actuante. Y, en segundo lugar, no se aprecia que el contenido de las manifestaciones refleje una realidad distinta de aquélla que mostraban los resultados de la investigación en el momento en el que se produce la comparecencia del entonces Gobernador Civil de Guipúzcoa ante los medios de comunicación, pues ya se señaló antes que la retractación realizada por otro detenido en la operación antiterrorista de sus iniciales declaraciones en las que incriminaba al recurrente en amparo se efectuó con posterioridad a la referida comparecencia ante los medios de comunicación del Gobernador Civil de Guipúzcoa. No puedan calificarse, pues, de producto de la mera invención o carentes de fundamento fáctico los datos transmitidos en ese momento por el informante, quedando disipada de este modo la aducida falta de diligencia en el contraste de la información difundida.

B) Límites del derecho al honor

La frontera entre los derechos al honor y a la libertad de expresión: las opiniones y la crítica socialmente admisible (*vid*. ARTÍCULO 20)

El derecho al honor frente al derecho a la información: la transmisión de hechos y el requisito de la veracidad (*vid*. ARTÍCULO 20)

El derecho al honor frente al derecho a la libertad de creación científica —STC 43/2004, de 23 de marzo (*vid*. ARTÍCULO 20)—

El derecho al honor frente al derecho a la información: el derecho de rectificación —STC 168/1986, de 22 de diciembre (*vid*. también ARTÍCULO 20)—

La Sentencia resuelve el recurso de amparo interpuesto por «Ediciones Tiempo, Sociedad Anónima» contra la Sentencia de la Sala Segunda de lo Civil de la Audiencia Territorial de Madrid, de 14 de mayo de 1985. Alega la Sociedad recurrente que el ejercicio del derecho de rectificación de la información aparecida en la revista «Tiempo» sobre los hechos que afectan a la parte ahora recurrida, tal como ha sido interpretado y tutelado por la Audiencia Territorial de Madrid, infringe el derecho fundamental de la citada Sociedad recurrente a transmitir información veraz por cualquier medio de comunicación, reconocido en el artículo 20.1 d) CE, pues entiende que los hechos difundidos por dicha revista son ciertos, en tanto que los que se contienen en el escrito de rectificación, y cuya publicación se le impone por el órgano judicial, no se ajustan a la verdad. El respeto de aquel derecho constitucional obligaba al Juzgador a investigar la verdad antes de acordar la inserción, en el medio de comunicación afectado, de una rectificación de los hechos no veraz o inexacta.

FJ 4. Como advierte con razón el Ministerio Fiscal, el ordenamiento jurídico establece las acciones penales y civiles y los procedimientos necesarios para investigar la verdad de los hechos publicados o difundidos, así como para obtener la debida reparación de los perjuicios causados por informaciones inexactas o falsas; acciones y procedimientos que los interesados pueden ejercitar en cualquier caso y de los que ha de resultar, también en beneficio de la colectividad, la determinación de los hechos como ciertos o inciertos, con los efectos de la cosa juzgada. Junto a ellos, nuestro ordenamiento reconoce asimismo un derecho de rectificación, que tiene una finalidad y una eficacia diferentes.

En efecto, el llamado derecho de rectificación, regulado en la Ley Orgánica 2/1984, de 26 de marzo, consiste en la facultad otorgada a toda persona, natural o jurídica, de «rectificar la información difundida, por cualquier medio de comunicación social, de hechos que le aludan, que considere inexactos y cuya divulgación pueda causarle perjuicio» (art. 1). Se satisface este derecho mediante la publicación íntegra y gratuita de la rectificación, referida exclusivamente a los hechos de la información difundida, en los términos y en la forma que la Ley señala (arts. 2 y 3). Configurado de este modo, el derecho de rectificación es sólo un medio de que dispone la persona aludida para prevenir o evitar el perjuicio que una determinada información pueda irrogarle en su honor o en cualesquiera otros derechos o intereses legítimos, cuando considere que los hechos lesivos mencionados en la misma no son exactos. Esta legítima finalidad preventiva que es independiente de la reparación del daño causado por la difusión de una información que se revele objetivamente inexacta quedaría frustrada en muchos casos por la demora en la rectificación pretendida. De ahí que, como declara la STC 35/1983, de 11 de mayo, «el trámite necesario para el ejercicio del derecho debe ser sumario, de manera que se garantice la rápida publicación de la rectificación solicitada» (fundamento jurídico 4.°)[9].

Así se ha entendido también por el legislador, que ha diseñado, en garantía del ejercicio de este derecho, un procedimiento judicial urgente y sumario para exigir la publicación de la rectificación, en caso de que no se haya realizado voluntariamente en el plazo legal o haya sido denegada por el Director del medio de comunicación social requerido al efecto. La sumariedad del procedimiento verbal, de la que es buena muestra que sólo se admitan las pruebas pertinentes que puedan practicarse en el acto [art. 6, b)], exime sin duda al Juzgador de una indagación completa tanto de la veracidad de los hechos difundidos o publicados como de la que concierne a los contenidos en la rectificación, de lo que se deduce que, en aplicación de dicha Ley, puede ciertamente imponerse la difusión de un escrito de réplica o rectificación que posteriormente pudiera revelarse no ajustado a la verdad. Por ello, la resolución judicial que estima una demanda de rectificación no garantiza en absoluto la autenticidad de la versión de los hechos presentada por el demandante, ni puede tampoco producir, como es obvio, efectos de cosa juzgada respecto de una ulterior investigación procesal de los hechos efectivamente ciertos.

FJ 5. De acuerdo con las observaciones que se acaban de exponer, no hay duda de que la rectificación, judicialmente impuesta, en los términos que establece la Ley Orgánica 2/1984, de una información que el rectificante considera inexacta y lesiva de sus intereses, no menoscaba el derecho fundamental proclamado por el art. 20. 1 d) de la Constitución, ni siquiera en el caso de que la información que haya sido objeto de rectificación pudiera revelarse como cierta y ajustada a la realidad de los hechos. [...] [*vid.* **ARTÍCULO 20**]

FJ 6. Por otra parte, contra lo que la recurrente alega, es evidente que los órganos judiciales competentes para conocer de las demandas de rectificación no se limitan a dar curso automático a la pretensión formulada a voluntad del reclamante (no son «meros recipiendarios mudos de una reclamación», en expresión de la sociedad recurrente), sino que ejercen una función de control jurídico de la regularidad legal de la rectificación instada —de la que son buena muestra, por lo demás, tanto la Sentencia del Juzgado de Primera Instancia, contraria a la rectificación solicitada, como la Sentencia de la Sala Segunda de lo Civil de la Audiencia Territorial de Madrid, que en apelación revocó parcialmente aquélla—, ya que la inserción de la réplica sólo procede en la medida en que se pretenden rectificar hechos y no opiniones y cuando los hechos publicados afectan perjudicialmente a los intereses del demandante aludido por la información. La Ley confiere incluso a los Jueces y Tribunales la facultad de rechazar a limine la pretensión deducida, inadmitiendo toda demanda de rectificación manifiestamente improcedente (art. 5, párrafo segundo, de la Ley Orgánica 2/1984), lo que permite al órgano jurisdiccional no admitir a trámite o desestimar la rectificación de una información que, en el momento en que aquélla se solicita, aparece cierta de toda evidencia, o bien no imponer a la parte demandada la difusión de una versión que, también de manera palmaria o patente, carece de toda verosimilitud o no puede en modo alguno causar perjuicio al demandante. Que los órganos judiciales competentes puedan y deban realizar este tipo de control al enjuiciar la demanda de rectificación y a la vista, en su caso, del resultado de la prueba sumaria que se practique en el juicio no significa, sin embargo, que tengan la obligación de indagar exhaustivamente la verdad en el proceso verbal en el que se tutela el derecho de rectificación, ya que, aparte de que la sumariedad del procedimiento no lo permite, tampoco es una exigencia que se deduzca de lo dispuesto en el art. 20.1 d) de la Constitución, tal y como ha quedado razonado.

En consecuencia, la Sentencia de la Audiencia Territorial de Madrid que ordenó la publicación parcial en la revista «Tiempo» de la rectificación instada por don Luis García García, sin investigar previamente y de modo exhaustivo la veracidad de la información que le aludía perjudicialmente y que éste consideraba inexacta, ni la de los hechos referidos en el escrito de rectificación, no ha lesionado el derecho fundamental a comunicar o recibir libremente información por cualquier medio de difusión.

---

[9]   Es también el «mecanismo idóneo para reparar lo que sólo por omisión de los hechos relatados pudiera constituir intromisión en el derecho al honor imputable a quien sirve de soporte o vehículo para la difusión pública de tales hechos (SSTC 35/1983, de 11 de mayo, FJ 4; 40/1992, de 30 de marzo, FJ 2). El Tribunal Constitucional ha dejado claro que «la rectificación de la información no suplanta, ni, por tanto, inhabilita ya, por innecesaria, la debida protección al derecho del honor», siendo el ejercicio de la acción de rectificación perfectamente compatible con el de acciones civiles o penales en defensa del derecho al honor (STC 40/1992, de 30 de marzo, FJ 2).

2. El derecho a la intimidad personal y familiar

A) Contenido del derecho a la intimidad

Contenido constitucional del derecho a la intimidad —STC 173/2011, de 7 de noviembre[10]—

La Sentencia resuelve el recurso de amparo promovido por don C.T.R. contra la Sentencia de la Sección Primera de la Audiencia Provincial de Sevilla de 7 de mayo de 2008, que condenó al recurrente como autor de un delito de corrupción de menores, y contra la Sentencia de la Sala de lo Penal del Tribunal Supremo, de 18 de febrero de 2009, que la confirmó en casación. Alega el recurrente que las Sentencias recurridas vulneraron su derecho a la intimidad, además de sus derechos a un proceso con todas las garantías y a la presunción de inocencia (artículo 24.1 y 2 CE), por haberse fundado la condena en prueba de cargo obtenida con vulneración del primero, al haber accedido tanto el denunciante de los hechos, como después la policía, a determinados archivos de su ordenador sin su consentimiento, sin autorización judicial y sin que existieran razones de urgencia.

FJ 2. [...] Según hemos venido manifestando, el derecho a la intimidad personal, en cuanto derivación de la dignidad de la persona (art. 10.1 CE), implica la existencia de un ámbito propio y reservado frente a la acción y el conocimiento de los demás, necesario, según las pautas de nuestra cultura, para mantener una calidad mínima de la vida humana (SSTC 207/1996, de 16 de diciembre, FJ 3; 186/2000, de 10 de julio, FJ 5; 196/2004, de 15 de noviembre, FJ 2; 206/2007, de 24 de septiembre, FJ 4; y 159/2009, de 29 de junio, FJ 3). De forma que «lo que el art. 18.1 garantiza es un derecho al secreto, a ser desconocido, a que los demás no sepan qué somos o lo que hacemos, vedando que terceros, sean particulares o poderes públicos, decidan cuales sean los lindes de nuestra vida privada, pudiendo cada persona reservarse un espacio resguardado de la curiosidad ajena, sea cual sea lo contenido en ese espacio» (SSTC 127/2003, de 30 de junio, FJ 7 y 89/2006, de 27 de marzo, FJ 5). Del precepto constitucional citado se deduce que el derecho a la intimidad confiere a la persona el poder jurídico de imponer a terceros el deber de abstenerse de toda intromisión en la esfera íntima y la prohibición de hacer uso de lo así conocido (SSTC 196/2004, de 15 de noviembre, FJ 2; 206/2007, de 24 de septiembre, FJ 5; y 70/2009, de 23 de marzo, FJ 2). [...]

FJ 3. [...] Lo ocurrido es que el avance de la tecnología actual y el desarrollo de los medios de comunicación de masas ha obligado a extender esa protección más allá del aseguramiento del domicilio como espacio físico en que normalmente se desenvuelve la intimidad y del respeto a la correspondencia, que es o puede ser medio de conocimiento de aspectos de la vida privada. De aquí el reconocimiento global de un derecho a la intimidad o a la vida privada que abarque las intromisiones que por cualquier medio puedan realizarse en ese ámbito reservado de vida» (FJ 3). En el mismo sentido, en la STC 119/2001, de 24 de mayo, afirmábamos que «estos derechos han adquirido también una dimensión positiva en relación con el libre desarrollo de la personalidad, orientada a la plena efectividad de estos derechos fundamentales. En efecto, habida cuenta de que nuestro texto constitucional no consagra derechos meramente teóricos o ilusorios, sino reales y efectivos ..., se hace imprescindible asegurar su protección no sólo frente a las injerencias ya mencionadas, sino también frente a los riesgos que puedan surgir en una sociedad tecnológicamente avanzada. A esta nueva realidad ha sido sensible la jurisprudencia del Tribunal Europeo de Derechos Humanos, como se refleja en las Sentencias de 21 de febrero de 1990, caso Powell y Rayner contra Reino Unido; de 9 de diciembre de 1994, caso López Ostra contra Reino de España, y de 19 de febrero de 1998, caso Guerra y otros contra Italia» (FJ 5).

En armonía con lo anterior, este Tribunal ha venido describiendo casuísticamente una serie de supuestos, en que, con independencia de las libertades tradicionales antes mencionadas, ha podido sobrevenir una injerencia no admisible en el ámbito de la vida privada e íntima de la persona. Así, hemos afirmado que «el derecho a la intimidad comprende la información relativa a la salud física y psíquica de las personas, quedando afectado en aquellos casos en los que sin consentimiento del paciente se accede a datos relativos a su salud o a informes relativos a la misma» (SSTC 70/2009, de 23 de marzo, FJ 2 y 159/2009, de 29 de junio, FJ 3). También hemos dicho que «no hay duda de que, en principio, los datos relativos a la situación económica de una persona entran dentro de la intimidad constitucionalmente protegida» (STC 233/1999, de 16 de diciembre, FJ 7), que «en las declaraciones del IRPF se ponen de

10   *Vid.*, además de las citadas en la Sentencia, y entre otras, las SSTC 231/1988, de 2 de diciembre; 197/1991, de 17 de octubre; 20/1992, de 14 de febrero; 219/1992, de 3 de diciembre; 142/1993 y 143/1993, ambas de 22 de abril; 117/1994, de 25 de

manifiesto datos que pertenecen a la intimidad constitucionalmente tutelada de los sujetos pasivos» (STC 47/2001, de 15 de febrero, FJ 8), y que «la información concerniente al gasto en que incurre un obligado tributario, no sólo forma parte de dicho ámbito, sino que a través de su investigación o indagación puede penetrarse en la zona más estricta de la vida privada o, lo que es lo mismo, en los aspectos más básicos de la autodeterminación personal del individuo» (STC 233/2005, de 26 de septiembre, FJ 4). Por otra parte, en la STC 70/2002, de 3 de abril, en que un guardia civil había intervenido a un detenido una agenda personal y un documento que se encontraba en su interior, sostuvimos que «con independencia de la relevancia que ello pudiera tener a los fines de la investigación penal y, por tanto, de su posible justificación, debemos afirmar que la apertura de una agenda, su examen y la lectura de los papeles que se encontraban en su interior supone una intromisión en la esfera privada de la persona a la que tales efectos pertenecen, esto es, en el ámbito protegido por el derecho a la intimidad, tal como nuestra jurisprudencia lo define» (FJ 10). Finalmente, cabe recordar que en la STC 14/2003, de 28 de enero, FJ 6, afirmamos que la reseña fotográfica de un detenido, obtenida durante su permanencia en dependencias policiales, «ha de configurarse como un dato de carácter personal», respecto del cual los miembros de las fuerzas y cuerpos de seguridad del Estado «están obligados en principio al deber de secreto profesional»[11].

Si no hay duda de que los datos personales relativos a una persona individualmente considerados, a que se ha hecho referencia anteriormente, están dentro del ámbito de la intimidad constitucionalmente protegido, menos aún pueda haberla de que el cúmulo de la información que se almacena por su titular en un ordenador personal, entre otros datos sobre su vida privada y profesional (en forma de documentos, carpetas, fotografías, vídeos, etc.) —por lo que sus funciones podrían equipararse a los de una agenda electrónica—, no sólo forma parte de este mismo ámbito, sino que además a través de su observación por los demás pueden descubrirse aspectos de la esfera más íntima del ser humano. Es evidente que cuando su titular navega por Internet, participa en foros de conversación o redes sociales, descarga archivos o documentos, realiza operaciones de comercio electrónico, forma parte de grupos de noticias, entre otras posibilidades, está revelando datos acerca de su personalidad, que pueden afectar al núcleo más profundo de su intimidad por referirse a ideologías, creencias religiosas, aficiones personales, información sobre la salud, orientaciones sexuales, etc. Quizás, estos datos que se reflejan en un ordenador personal puedan tacharse de irrelevantes o livianos si se consideran aisladamente, pero si se analizan en su conjunto, una vez convenientemente entremezclados, no cabe duda que configuran todos ellos un perfil altamente descriptivo de la personalidad de su titular, que es preciso proteger frente a la intromisión de terceros o de los poderes públicos, por cuanto atañen, en definitiva, a la misma peculiaridad o individualidad de la persona. A esto debe añadirse que el ordenador es un instrumento útil para la emisión o recepción de correos electrónicos, pudiendo quedar afectado en tal caso, no sólo el derecho al secreto de las comunicaciones del art. 18.3 CE (por cuanto es indudable que la utilización de este procedimiento supone un acto de comunicación), sino también el derecho a la intimidad personal (art. 18.1 CE), en la medida en que estos correos o email, escritos o ya leídos por su destinatario, quedan almacenados en la memoria del terminal informático utilizado. Por ello deviene necesario establecer una serie de garantías frente a los riesgos que existen para los derechos y libertades públicas, en particular la intimidad personal, a causa del uso indebido de la informática así como de las nuevas tecnologías de la información.

El derecho a la intimidad de las personas menores —STC 10/2014, de 27 de enero (*vid.* ARTÍCULO 27 CE)—

La Sentencia resuelve recurso de amparo contra la resolución de 13 de octubre de 2011 de la comisión de escolarización de la Dirección Provincial de Educación de Palencia, de la Consejería de Educación de la Junta de Castilla y León, que acordó que el hijo de los recurrentes continuara escolarizado en un colegio público de educación especial en lugar de en un centro ordinario con los apoyos necesarios para su integración, resolución confirmada por el Juzgado de lo Contencioso-Administrativo núm. 1 de Palencia y la Sala de lo Contencioso-Administrativo del

---

abril; 144/1999, de 22 julio; 127/2000, de 16 de mayo; 292/2000, de 30 de noviembre; 14/2003, de 28 de enero; 25/2005, de 14 de febrero; 233/2005, de 26 de septiembre; 206/2007, de 24 de septiembre; 34/2009, de 9 de febrero.

[11]	Por su parte, la STC 144/1999, de 22 julio, incluyó en el ámbito de tutela del derecho a la intimidad, como especialmente sensible, la información sobre antecedentes penales, que las Juntas Electorales no están normativamente autorizadas para requerir al Registro de Penados y Rebeldes, requerimiento que vulnera el derecho a la intimidad de la persona afectada aunque la información obtenida sea negativa (FJ 8).

Tribunal Superior de Justicia de Castilla y León. Alegan los recurrentes que la decisión impugnada ha vulnerado los artículos 14, 15 y 27 CE.

FJ 2. [...] Como dijimos en la reciente STC 127/2013, de 3 de junio, la circunstancia de que esté involucrado un menor de edad en el presente recurso de amparo explica que, de conformidad con el art. 8 de las Reglas mínimas de las Naciones Unidas para la Administración de Justicia de menores, conocidas como Reglas de Beijing, e incluidas en la resolución de la Asamblea General 40/33, de 28 de noviembre de 1985, no se incluyan en esta resolución el nombre y apellidos completos del menor de edad ni de sus padres, al objeto de respetar su intimidad.

La intimidad corporal: caso de la orden de hacer flexiones desnudo en prisión —STC 57/1994, de 28 de febrero (*vid*. ARTÍCULO 15)[12]—

FJ 5. Sentado lo anterior, ha de entrarse seguidamente en el examen de la segunda queja formulada por el recurrente para determinar si la orden impartida al mismo, aun no constituyendo un trato degradante prohibido por el art. 15 CE, ha vulnerado su derecho a la intimidad personal que el art. 18.1 CE le reconoce.
A) El derecho a la intimidad personal consagrado en el art. 18.1 aparece configurado como un derecho fundamental, estrictamente vinculado a la propia personalidad y que deriva, sin duda, de la dignidad de la persona humana que el art. 10.1 reconoce. Entrañando la intimidad personal constitucionalmente garantizada la existencia de un ámbito propio y reservado frente a la acción y el conocimiento de los demás, necesario —según las pautas de nuestra cultura— para mantener una calidad mínima de vida humana (SSTC 231/1988, FJ 3; 179/1991, FJ 3., y 20/1992, FJ 3.). De la intimidad personal forma parte, según tiene declarado este Tribunal, la intimidad corporal, de principio inmune en las relaciones jurídico-públicas que aquí importan, frente a toda indagación o pesquisa que sobre el propio cuerpo quisiera imponerse contra la voluntad de la persona. Con lo que queda así protegido por el ordenamiento el sentimiento de pudor personal, en tanto responda a estimaciones y criterios arraigados en la cultura de la propia comunidad (SSTC 37/1989, FJ 7.; 120/1990, FJ 12, y 137/1990, FJ 10).
B) Pero dicho esto, conviene además precisar, en primer término, que el ámbito de la intimidad corporal constitucionalmente protegido no es una entidad física, sino cultural, y en consecuencia determinada por el criterio dominante en nuestra cultura sobre el recato corporal; de tal modo que no pueden entenderse como intromisiones forzadas en la intimidad aquellas actuaciones que, por las partes del cuerpo humano sobre las que se operan o por los instrumentos mediante los que se realizan, no constituyen, según un sano criterio, violación del pudor o recato de la persona. En segundo lugar, aun tratándose ya de actuaciones que afecten al ámbito protegido, la intimidad personal puede llegar a ceder en ciertos casos y en cualquiera de sus diversas expresiones ante exigencias públicas, pues no es éste un derecho de carácter absoluto (STC 37/1987, FJ 7.); por lo que se concluía en esta Sentencia, respecto a los ciudadanos que gozan una situación de libertad, que «tal afectación del ámbito de intimidad es sólo posible por decisión judicial que habrá de prever que su ejecución sea respetuosa de la dignidad de la persona y no constitutiva, atendidas las circunstancias del caso, de trato degradante alguno (arts. 10.1 y 15 CE)».
Finalmente, con referencia al concreto ámbito penitenciario este Tribunal ha puesto de relieve que una de las consecuencias más dolorosas de la pérdida de la libertad es la reducción de la intimidad de los que sufren privación de libertad, pues quedan expuestas al público, e incluso necesitadas de autorización, muchas actuaciones que normalmente se consideran privadas e íntimas. Mas se ha agregado que ello no impide que puedan considerarse ilegítimas, como violación de la intimidad «aquellas medidas que la reduzcan más allá de lo que la ordenada vida en prisión requiere» (STC 89/1987, FJ 2.).

FJ 6. [...] Si se considera en primer lugar la finalidad de las órdenes impartidas al hoy recurrente de amparo, cabe estimar que lo pretendido por la Administración penitenciaria era velar por el orden y la seguridad del establecimiento, ya que con dicha medida se trata de evitar que, con ocasión de una comunicación íntima de un recluso con persona ajena al centro penitenciario, puedan introducirse en el mismo objetos peligrosos o sustancias estupefacientes, con riesgo evidente para la seguridad del centro o la salud de las personas. Y es evidente también que dicha finalidad está directamente vinculada con el deber que incumbe a la Administración de disponer y ordenar los cacheos y registros en

---

12   *Vid*. también las SSTC 120/1990, de 27 de junio (FJ 12) y 137/1990, de 19 de julio (FJ 10); 207/1996, de 16 de diciembre; 204/2000, de 24 de julio; 218/2002, de 25 de noviembre; 196/2004, de 15 de noviembre; 25/2005, de 14 de febrero, y 206/2007, de 24 de septiembre; 171/2013, de 7 de octubre.

las personas de los internos, así como los demás procedimientos y medidas que, para atender a la seguridad del centro, ha previsto la legislación penitenciaria. Ahora bien, admitido lo anterior, para apreciar si la actuación administrativa en el presente caso vulneró o no el derecho a la intimidad corporal del demandante de amparo, no es suficiente hacer valer un interés general, al que por definición ha de servir el obrar de la Administración (art. 103.1 CE), pues bien se comprende, como se ha dicho en la STC 37/1989, FJ 7., que «si bastara, sin más, la afirmación de ese interés público para justificar el sacrificio del derecho, la garantía constitucional perdería, relativizándose, toda eficacia». Por ello, no es ocioso recordar aquí que los derechos fundamentales reconocidos por la Constitución sólo pueden ceder ante los límites que la propia Constitución expresamente imponga, o ante los que de manera mediata o indirecta se infieran de la misma al resultar justificados por la necesidad de preservar otros derechos o bienes jurídicamente protegidos (SSTC 11/1981, FJ 7., y 2/1982, FJ 5., entre otras). Ni tampoco que, en todo caso, las limitaciones que se establezcan no pueden obstruir el derecho fundamental más allá de lo razonable (STC 53/1986, FJ 3.). De donde se desprende que todo acto o resolución que limite derechos fundamentales ha de asegurar que las medidas limitadoras sean necesarias para conseguir el fin perseguido (SSTC 62/1982, FJ 5., y 13/1985, FJ 2.), ha de atender a la proporcionalidad entre el sacrificio del derecho y la situación en la que se halla aquél a quien se le impone (STC 37/1989, FJ 7.) y, en todo caso, ha de respetar su contenido esencial (SSTC 11/1981, FJ 10; 196/1987, FFJJ 4. a 6.; 120/1990, FJ 8, y 137/1990, FJ 6.). [...]

[...] Es indudable que una medida de registro personal de los reclusos puede constituir, en determinadas situaciones, un medio necesario para la protección de la seguridad y el orden de un establecimiento penitenciario. Y entre tales situaciones se halla ciertamente, aquella en la que existe una situación excepcional en el centro, con graves amenazas de su orden interno y su seguridad por el comportamiento de los reclusos, como se ha reconocido por la Comisión Europea de Derechos Humanos (decisión de 15 de mayo de 1990, caso «McFeel y otros») al declarar proporcionada a la finalidad perseguida una medida de registro similar a la aquí impugnada. Sin embargo, [...] al adoptar tal medida, es preciso ponderar, adecuadamente y de forma equilibrada, de una parte, la gravedad de la intromisión que comporta en la intimidad personal y, de otra parte, si la medida es imprescindible para asegurar la defensa del interés público que se pretende proteger. Y bien se comprende que el respeto a esta exigencia requiere la fundamentación de la medida por parte de la Administración Penitenciaria, pues sólo tal fundamentación permitirá que sea apreciada por el afectado en primer lugar y, posteriormente, que los órganos judiciales puedan controlar la razón que justifique, a juicio de la autoridad penitenciaria, y atendidas las circunstancias del caso, el sacrificio del derecho fundamental.

[...] De las actuaciones se desprende que no se ha acreditado, ni tan siquiera alegado, que en el centro penitenciario de Nanclares de la Oca y en las fechas en las que se adoptaron las medidas aquí examinadas existiera una situación que, por sí misma, entrañase una amenaza para la seguridad y el orden del centro que hiciera imprescindible adoptarlas. Y otro tanto, ocurre en lo que respecta al comportamiento del interno afectado por la medida, pues tampoco se ha acreditado, ni tan siquiera alegado, que de ese comportamiento se desprendiera la fundada sospecha o la existencia de indicios serios de que el recluso tratase de introducir en el establecimiento penitenciario objetos o sustancias que pudieran poner en peligro el buen orden y la seguridad del centro, o la integridad física o la salud de los internos. Pues no puede considerarse justificación suficiente de la medida la simple alegación de que en la generalidad de las prisiones las comunicaciones íntimas son el medio habitual para que los internos reciban desde el exterior objetos peligrosos o estupefacientes; ya que sin entrar a cuestionar la certeza de tal afirmación basta reparar que sólo posee un carácter genérico, cuando lo relevante a los fines de justificar una medida que limita el derecho constitucional reconocido en el art. 18.1 CE es, por el contrario, que se hubiera constatado por la Administración Penitenciaria que tal medida era necesaria para velar por el orden y la seguridad del establecimiento, en atención a la concreta situación de éste o el previo comportamiento del recluso.

La intimidad corporal como especie del derecho a la intimidad personal —STC 196/2004, de 15 de noviembre—

La Sentencia resuelve el recurso de amparo promovido por doña E.M.G.F. contra la Sentencia de la Sala de lo Social del Tribunal Superior de Justicia de las Islas Baleares de 14 de enero de 2000, dictada en el recurso de suplicación interpuesto por Iberia, LAE, S.A. contra la Sentencia recaída en el Juzgado de lo Social núm. 1 de Ibiza, de fecha 6 de agosto de 1999. La recurrente había venido prestando servicios para Iberia como agente administrativo a través de una sucesión de contratos temporales celebrados para las temporadas 1997, 1998 y 1999. Vigente el último de ellos, la empresa dio por extinguida la relación laboral, con efectos de 18 de mayo de 1999, alegando como motivo el no haberse superado el período de prueba, tras recibir de sus servicios médicos la calificación de «no apto» tras el examen médico realizado a la recurrente por razón de su contratación eventual para esa temporada. En los servicios médicos se le comunicó que los análisis de orina habían detectado un coeficiente de cannabis de 292 ng/ml, muy superior al 50 ng/ml recogido en el protocolo elaborado por la empresa Iberia como máximo permitido para la con-

tratación de trabajadoras/es de su categoría profesional. Se declaró probado que no se comunicó a la recurrente que en los análisis médicos se examinaría el posible consumo de estupefacientes, y que los resultados de dichas pruebas son de exclusivo conocimiento de los servicios médicos, notificándose al Departamento de Personal de la empresa únicamente la calificación de «apto» o «no apto», como así sucedió en este caso.

FJ 5. [...] Como paso previo para apreciar esa posible vulneración, es preciso examinar si las actuaciones llevadas a cabo por los servicios médicos de Iberia con la prueba cuestionada (averiguación sobre el consumo de drogas a través de una analítica de orina) inciden o no en el ámbito constitucionalmente protegido del derecho a la intimidad personal (art. 18.1 CE).

En ese sentido, atendiendo en especial al elemento teleológico que la proclamación del derecho fundamental del art. 18.1 CE incorpora, la protección de la vida privada como garantía de la libertad y de las posibilidades de autorrealización del individuo, este Tribunal ha tenido ocasión de señalar que la protección dispensada por el art. 18.1 CE alcanza a la intimidad personal stricto sensu, integrada, entre otros componentes, por la intimidad corporal. Sin embargo, según declaramos ya en la STC 37/1989, de 15 de febrero, FJ 7, y posteriormente en otras como las SSTC 120/1990, de 27 de junio, FJ 12, 137/1990, de 19 de julio, FJ 10, 207/1996, de 16 de diciembre, FJ 3, 156/2001, 2 de julio, FJ 4, o 218/2002, de 25 de noviembre, FJ 4, aunque la intimidad corporal forma parte del derecho a la intimidad personal garantizado por el art. 18.1 CE, el ámbito de intimidad corporal constitucionalmente protegido no es coextenso con el de la realidad física del cuerpo humano, porque no es una entidad física, sino cultural, y determinada, en consecuencia, por el criterio dominante en nuestra cultura sobre el recato corporal, de tal modo que no pueden entenderse como intromisiones forzadas en la intimidad aquellas actuaciones que, por las partes del cuerpo sobre las que operan o por los instrumentos mediante los que se realizan, no constituyen, según un sano criterio, violación del pudor o del recato de la persona.

Siendo así, en efecto, resulta notorio que una intervención circunscrita a un examen de orina realizado por personal médico, por la forma en que se ejecuta y por no exigir ningún tipo de actuación especial sobre el cuerpo no entra dentro del ámbito constitucionalmente protegido del derecho a la intimidad corporal ni, por lo tanto, puede llegar a vulnerarlo. Ahora bien, que no exista vulneración del derecho a la intimidad corporal no significa que no pueda existir una lesión del derecho más amplio a la intimidad personal del que aquél forma parte, ya que esta vulneración podría causarla la información que mediante este tipo de exploración se ha obtenido (STC 234/1997, de 18 de diciembre, FJ 9). En efecto, el derecho a la intimidad personal garantizado por el art. 18.1 CE tiene un contenido más amplio que el relativo a la intimidad corporal. Según la doctrina de este Tribunal antes transcrita, el derecho a la intimidad personal, en cuanto derivación de la dignidad de la persona (art. 10.1 CE), integra un ámbito propio y reservado frente a la acción y el conocimiento de los demás, referido preferentemente a la esfera, estrictamente personal, de la vida privada o de lo íntimo. Así, la cobertura constitucional implica que las intervenciones corporales pueden también conllevar, no ya por el hecho en sí de la intervención, sino por razón de su finalidad, es decir, por lo que a través de ellas se pretenda averiguar, una intromisión en el ámbito constitucionalmente protegido del derecho a la intimidad personal (STC 207/1996, de 16 de diciembre, FJ 3).

Esto es lo que ocurre cuando, como en el presente caso, a consecuencia de un análisis de orina se llega a la conclusión de que el trabajador había consumido drogas. Una prueba médica realizada en términos objetivos semejantes supone una afectación en la esfera de la vida privada de la persona, a la que pertenece, sin duda, el hecho de haber consumido algún género de drogas (en esa línea, nuevamente, STC 207/1996, de 16 de diciembre, FJ 3).

El derecho a la intimidad de las personas fallecidas y la dimensión familiar de la intimidad: el caso Paquirri —STC 231/1988, de 2 de diciembre[13]—

La Sentencia resuelve el recurso de amparo interpuesto por doña Isabel Pantoja contra la Sentencia de la Sala Primera del Tribunal Supremo de 28 de octubre de 1986, que casó la Sentencia dictada en apelación por la Sala Segunda de la Audiencia Territorial de Madrid, de 16 de julio de 1985, confirmatoria de la del Juzgado de Primera Instancia núm. 14 de la misma ciudad, que condenó a la Entidad mercantil «Prographic, Sociedad Anónima», por la realización y posterior comercialización, sin autorización alguna, de unas cintas de vídeo en las que se mostraban imágenes de la vida privada y profesional de su difunto marido, don Francisco Rivera, de profesión torero y conocido públicamente como «Paquirri», y muy espe-

---

[13] *Vid.* también las SSTC 20/1992, de 14 de febrero; 201/1997, de 25 de noviembre (la dimensión familiar de la intimidad cubre el derecho de las personas internas en un establecimiento penitenciario a comunicar telefónicamente con sus familiares en euskera); 115/2000, de 5 de mayo.

cialmente, de su mortal cogida en la plaza de toros de Pozoblanco (Córdoba) y de su posterior tratamiento médico en la enfermería de la citada plaza. Entiende la recurrente que la resolución judicial impugnada vulnera los artículos 18 y 20 CE.

FJ 3. En lo que atañe a los derechos que se invocan de don Francisco Rivera, muerto a consecuencia de las heridas causadas por un toro en la plaza de Pozoblanco, deben tenerse en cuenta las consideraciones que siguen. Los derechos a la imagen y a la intimidad personal y familiar reconocidos en el art. 18 de la CE aparecen como derechos fundamentales estrictamente vinculados a la propia personalidad, derivados sin duda de la «dignidad de la persona», que reconoce el art. 10 de la CE, y que implican la existencia de un ámbito propio y reservado frente a la acción y conocimiento de los demás, necesario —según las pautas de nuestra cultura— para mantener una calidad mínima de la vida humana. Se muestran así esos derechos como personalísimos y ligados a la misma existencia del individuo. Ciertamente, el ordenamiento jurídico español reconoce en algunas ocasiones, diversas dimensiones o manifestaciones de estos derechos que, desvinculándose ya de la persona del afectado, pueden ejercerse por terceras personas. Así, el art. 9.2 de la L.O. 1/1982, de 5 de mayo, enumera las medidas integrantes de la tutela judicial de los derechos al honor, a la intimidad y a la imagen, entre las que incluye la eventual condena a indemnizar los perjuicios causados; y el art. 4 de la misma Ley prevé la posibilidad de que el ejercicio de las correspondientes acciones de protección civil de los mencionados derechos corresponda a los designados en testamento por el afectado, o a los familiares de éste. Ahora bien, una vez fallecido el titular de esos derechos, y extinguida su personalidad, —según determina el art. 32 del Código Civil: «La personalidad civil se extingue por la muerte de las personas»— lógicamente desaparece también el mismo objeto de la protección constitucional, que está encaminada a garantizar, como dijimos, un ámbito vital reservado, que con la muerte deviene inexistente. Por consiguiente, si se mantienen acciones de protección civil (encaminadas, como en el presente caso, a la obtención de una indemnización) en favor de terceros, distintos del titular de esos derechos de carácter personalísimo, ello ocurre fuera del área de protección de los derechos fundamentales que se encomienda al Tribunal Constitucional mediante el recurso de amparo. [...]

FJ 4. En principio, el derecho a la intimidad personal y familiar se extiende, no sólo a aspectos de la vida propia y personal, sino también a determinados aspectos de la vida de otras personas con las que se guarde una especial y estrecha vinculación, como es la familiar; aspectos que, por la relación o vínculo existente con ellas, inciden en la propia esfera de la personalidad del individuo que los derechos del art. 18 CE protegen. Sin duda, será necesario, en cada caso, examinar de qué acontecimientos se trata, y cuál es el vínculo que une a las personas en cuestión; pero al menos no cabe dudar que ciertos eventos que puedan ocurrir a padres, cónyuges o hijos tienen, normalmente, y dentro de las pautas culturales de nuestra sociedad, tal trascendencia para el individuo, que su indebida publicidad o difusión incide directamente en la propia esfera de su personalidad. Por lo que existe al respecto un derecho —propio, y no ajeno— a la intimidad, constitucionalmente protegible.

FJ 8. Ha de rechazarse que las escenas vividas dentro de la enfermería formasen parte del espectáculo taurino, y, por ende, del ejercicio de la profesión del señor Rivera, que por su naturaleza supone su exposición al público. Sea cual sea la opinión que pueda tenerse sobre la denominada fiesta nacional y sobre la importancia que en ella puedan tener, como parte del espectáculo, no sólo las heridas y muerte infligidas al animal lidiado, sino también el riesgo de graves lesiones e incluso la muerte de los lidiadores, lo cierto es que en ningún caso pueden considerarse públicos y parte del espectáculo las incidencias sobre la salud y vida del torero, derivada de las heridas recibidas, una vez que abandona el coso, pues ciertamente ello supondría convertir en instrumento de diversión y entretenimiento algo tan personal como los padecimientos y la misma muerte de un individuo, en clara contradicción con el principio de dignidad de la persona que consagra el art. 10 de la C.E... Ni la enfermería, por la propia naturaleza de su función puede así considerarse como un lugar abierto al público (y de hecho, los que allí entraron fueron conminados a desalojar el lugar) ni la reacción del señor Rivera ante sus heridas el ejercicio de una «profesión de notoriedad pública».

La dimensión familiar del derecho a la intimidad y libertad religiosa: profesora de religión despedida por la jerarquía eclesiástica —STC 51/2011, de 14 de abril (*vid.* ARTÍCULO 16 CE)—

La dimensión familiar del derecho a la intimidad y la regulación de las parejas de hecho —STC 93/2013, de 23 de abril—

La Sentencia resuelve el recurso de inconstitucionalidad promovido por ochenta y tres Diputados pertenecientes al Grupo Parlamentario Popular del Congreso de los Diputados contra la Ley Foral 6/2000, de 3 de julio, para la igualdad jurídica de las parejas estables.

FJ 8. [...] No cabe soslayar tampoco la incidencia que una regulación detallada de las uniones de hecho pueda tener sobre el derecho a la intimidad personal (art. 18.1 CE) de quienes las integran, en la medida en que éste «se configura como un derecho fundamental estrictamente vinculado a la propia personalidad y que deriva, sin ningún género de dudas, de la dignidad de la persona que el art. 10.1 CE reconoce» (STC 51/2011, de 14 de abril, FJ 8), y, por ello, es patente la conexión entre ese derecho y la esfera reservada para sí por el individuo, en los más básicos aspectos de su autodeterminación como persona (STC 143/1994, de 9 de mayo, FJ 6). Así, hemos señalado que el derecho a la intimidad, al igual que los derechos fundamentales a la integridad física y moral y a la inviolabilidad del domicilio, ha adquirido también «una dimensión positiva en relación con el libre desarrollo de la personalidad, orientada a la plena efectividad de estos derechos fundamentales. En efecto, habida cuenta de que nuestro texto constitucional no consagra derechos meramente teóricos o ilusorios, sino reales y efectivos (STC 12/1994, de 17 de enero, FJ 6), se hace imprescindible asegurar su protección no sólo frente a las injerencias ya mencionadas, sino también frente a los riesgos que puedan surgir en una sociedad tecnológicamente avanzada» (STC 119/2001, de 24 de mayo, FJ 5). Como ha venido manifestando este Tribunal, el objeto del derecho a la intimidad personal hace referencia a un ámbito de la vida de las personas excluido tanto del conocimiento ajeno como de las intromisiones de terceros, debiendo hacerse la delimitación de este ámbito en función del libre desarrollo de la personalidad (STC 119/2001, FJ 6). Y es que este derecho «implica la existencia de un ámbito propio y reservado frente a la acción y el conocimiento de los demás, necesario, según las pautas de nuestra cultura, para mantener una calidad mínima de la vida humana (SSTC 207/1996, de 16 de diciembre, FJ 3; 186/2000, de 10 de julio, FJ 5; 196/2004, de 15 de noviembre, FJ 2; 206/2007, de 24 de septiembre, FJ 4; y 159/2009, de 29 de junio, FJ 3). De forma que 'lo que el art. 18.1 garantiza es un derecho al secreto, a ser desconocido, a que los demás no sepan qué somos o lo que hacemos, vedando que terceros, sean particulares o poderes públicos, decidan cuales sean los lindes de nuestra vida privada, pudiendo cada persona reservarse un espacio resguardado de la curiosidad ajena, sea cual sea lo contenido en ese espacio' (SSTC 127/2003, de 30 de junio, FJ 7 y 89/2006, de 27 de marzo, FJ 5)» (STC 173/2011, de 7 de noviembre, FJ 2). Obviamente, ese derecho no es absoluto, pudiendo ceder y producirse una inmisión en el mismo, por una parte, en virtud del consentimiento eficaz del sujeto particular, en la medida en que corresponde a cada persona acotar el ámbito de intimidad personal y familiar que reserva al conocimiento ajeno (SSTC 83/2002, de 22 de abril, FJ 5 y 196/2006, de 3 de julio, FJ 5), y, por otra, cuando la injerencia se fundamenta en la necesidad de preservar el ámbito de protección de otros derechos fundamentales u otros bienes jurídicos constitucionalmente protegidos (STC 159/2009, de 29 de junio, FJ 3).

FJ 9. [...] Finalmente, se ha de descartar la queja relativa a la vulneración del derecho a la intimidad consagrado en el art. 18.1 CE, que los recurrentes argumentan afirmando que la materia regulada es, en sí misma, constitutiva de un ámbito ordinariamente reservado a la discreción y sustraído a lo público, penetrándose en lo más íntimo de la persona y favoreciendo la exposición pública de tales situaciones. Sin embargo, esa tesis no puede ser admitida. La Ley Foral ha sido respetuosa con la intimidad de quienes integran una unión de hecho, ya que, al definir la pareja estable a efectos de su aplicación, la ha caracterizado no sólo como unión libre, sino también «pública», adjetivo que implica que quienes integran la pareja han realizado profesión públicamente de su condición de pareja estable, llevando a cabo actos externos demostrativos de la existencia entre ellos de una relación de afectividad análoga a la conyugal. No se puede entender, por tanto, vulnerado el derecho a la intimidad personal porque esa manifestación pública de la existencia de la pareja estable implica, de acuerdo con la doctrina que ya ha quedado expuesta en el fundamento anterior, un consentimiento por parte de éstos en cuanto a permitir el conocimiento ajeno de una parte de su intimidad, lo que excluye la vulneración del art. 18.1 CE por injerencias ilícitas en la misma.

La dimensión familiar del derecho a la intimidad y la exclusión de la vida familiar: caso de la reagrupación familiar —STC 186/2013, de 4 de noviembre[14]—

La Sentencia resuelve el recurso de amparo promovido por doña G.V.A., ciudadana argentina, contra la Sentencia de 13 de marzo de 2012 de la Sección Primera de la Sala de lo Contencioso-Administrativo del Tribunal Superior

---

14   *Vid.* también las SSTC STC 236/2007, de 7 de noviembre, FJ 11, y 260/2007, de 20 de diciembre. En el mismo sentido, sobre la pena de alejamiento, *vid.* las SSTC 79/2010, de 26 de octubre; 82/2010, 83/2010 y 86/2010, todas de 3 de noviembre; 115/2010 y 116/2010, de 5 de mayo; 118/2010, de 24 de noviembre. Por su parte, la STC 11/2016, de 1 de febrero, con base en jurisprudencia europea, considera parte del derecho a la intimidad personal y familiar la posibilidad de incinerar un feto abortado legalmente, constituyendo una violación de ese derecho la denegación injustificada del permiso para hacerlo.

de Justicia de Andalucía, que confirmó en apelación la de 30 de marzo de 2011 del Juzgado de lo Contencioso-Administrativo núm. 2 de Cádiz, que estimó parcialmente el recurso contencioso-administrativo contra el acuerdo de la Subdelegación del Gobierno de Cádiz de expulsión de la recurrente. Éste se acordó al hallarla sin la documentación exigible para residir en España y comprobar que cumplía una pena privativa de libertad superior a un año como autora de una conducta dolosa. La recurrente alegó por escrito que era madre de una niña de tres años, nacida en España de una relación sentimental con un ciudadano español, y por tanto de nacionalidad española, que residía en casa de la madre del padre, quien también se encontraba en prisión y sobre esta base solicitó el archivo del expediente. El 21 de septiembre de 2009 la Subdelegación del Gobierno en Cádiz ordenó su expulsión del territorio nacional con prohibición de entrada por 10 años, justificada en la entrada y estancia irregular en España de la actora [artículo 53 a) de la L.O. 4/2000, de 11 de enero, sobre derechos y libertades de los extranjeros en España —LOEx—] y en el cumplimiento de una pena privativa de libertad superior a un año como autora de un delito doloso (artículo 57.2 LOEx). La recurrente alega vulneración de sus derechos reconocidos en los artículos 19 CE y, en lo que aquí interesa, 18.1 CE.

FJ 6. [...] En este punto y sobre el contenido y alcance del derecho a la intimidad familiar que reconoce a todas las personas el art. 18.1 CE existe una doctrina constitucional consolidada que procede recordar. En la STC 236/2007, de 7 de noviembre, FJ 11, precisamente en relación a si era constitucional la remisión al reglamento que los arts. 16 a 18 de la Ley Orgánica 4/2000, de 11 de enero, sobre derechos y libertades de los extranjeros en España (LOEx) contenían en materia de reagrupación familiar o contradecía las reservas de ley previstas en los arts. 81.1 y 53.1 CE, declaramos que «el art. 8.1 del Convenio europeo para la protección de los derechos humanos y las libertades fundamentales (CEDH) establece que 'toda persona tiene derecho al respeto de su vida privada y familiar, de su domicilio y de su correspondencia'. La jurisprudencia del Tribunal Europeo de Derechos Humanos, en contraste con la de este Tribunal, ha deducido de aquel precepto un 'derecho a la vida familiar', que comprendería como uno de sus elementos fundamentales el disfrute por padres e hijos de su mutua compañía (STEDH caso Johansen, de 27 de junio de 1996, § 52) ... Por otra parte, el Tribunal Europeo de Derechos Humanos ha admitido que en algunos casos el art. 8.1 CEDH puede actuar como límite a la posibilidad de aplicación de las causas legales de expulsión de los extranjeros, si bien teniendo en cuenta a su vez los límites impuestos por el art. 8.2 CEDH, las circunstancias del caso y la ponderación de los intereses en juego (entre muchas, STEDH caso Dalia, de 19 de febrero de 1988, §§ 39-45, 52-54)».

También la jurisprudencia del Tribunal Europeo de Derechos Humanos (por todas en SSTEDH de 28 de mayo de 1985, caso Abdulaziz c. Reino Unido y 28 de noviembre de 1996, caso Ahmut c. Países Bajos), reconoce que el derecho de reagrupamiento familiar posteriormente regulado en la Directiva 2003/86/CE del Consejo sólo es viable en el supuesto de imposibilidad de vida familiar en ningún otro lugar, y en la STEDH de 2 de agosto de 2001, caso Boultif c. Suiza, se deja un margen de apreciación a los Estados en aplicación de las normas de extranjería.

En todo caso, en la misma Sentencia 236/2007, de 7 de noviembre, matizamos que «nuestra Constitución no reconoce un 'derecho a la vida familiar' en los mismos términos en que la jurisprudencia del Tribunal Europeo de Derechos Humanos ha interpretado el art. 8.1 CEDH, y menos aún un derecho fundamental a la reagrupación familiar, pues ninguno de dichos derechos forma parte del contenido del derecho a la intimidad familiar garantizado por el art. 18.1 CE» y dijimos en esa misma resolución que el art. 18 CE «regula la intimidad familiar como una dimensión adicional de la intimidad personal, y así lo ha reconocido nuestra jurisprudencia. Hemos entendido, en efecto, que el derecho a la intimidad personal del art. 18 CE implica 'la existencia de un ámbito propio y reservado frente a la acción y conocimiento de los demás, necesario —según las pautas de nuestra cultura— para mantener una calidad mínima de la vida humana' (STC 231/1988, de 2 de diciembre, FJ 3). Y precisado que el derecho a la intimidad 'se extiende no sólo a los aspectos de la vida propia personal, sino también a determinados aspectos de otras personas con las que se guarde una personal y estrecha vinculación familiar, aspectos que, por esa relación o vínculo familiar, inciden en la propia esfera de la personalidad del individuo que los derechos del artículo 18 CE protegen. 'No cabe duda que ciertos eventos que pueden ocurrir a padres, cónyuges o hijos tienen, normalmente y dentro de las pautas culturales de nuestra sociedad, tal trascendencia para el individuo, que su indebida publicidad o difusión incide directamente en la propia esfera de su personalidad. Por lo que existe al respecto un derecho —propio y no ajeno— a la intimidad, constitucionalmente protegido' (STC 231/1988)' (STC 197/1991, de 17 de octubre, FJ 3). En suma, el derecho reconocido en el art. 18.1 CE atribuye a su titular el poder de resguardar ese ámbito reservado por el individuo para sí y su familia de una publicidad no querida (STC 134/1999, de 15 de julio, FJ 5; STC 115/2000, de 5 de mayo, FJ 4)» (FJ 11).

Posteriormente, en la STC 60/2010, de 7 de octubre, resolviendo acerca de qué principios o derechos constitucionales se ven restringidos como consecuencia de la adopción de la pena de prohibición de aproximación a la víctima de los delitos aludidos en el art. 57.2 Código penal, reiteramos literalmente el criterio expuesto de la citada STC 236/2007, de 7 de noviembre, FJ 8, y, a continuación, concluimos que «la imposición de la pena de alejamiento afecta, pues, al libre desarrollo de la personalidad (art. 10.1 CE) pero no a la intimidad familiar, porque lo que el derecho reconocido en el art. 18.1 CE protege 'es la intimidad misma, no las acciones privadas e íntimas de los hombres' (STC 89/1987, de 3 de junio, FJ 2)», puntualizando inmediatamente después que «la distancia entre la doctrina expuesta y la jurisprudencia del Tribunal Europeo de Derechos Humanos sobre el art. 8.1 CEDH, que, tal y como afirma la Sala en el Auto de cuestionamiento, ha deducido de este precepto un 'derecho a la vida familiar', debe relativizarse en gran medida. En efecto, en la STC 236/2007, de 7 de noviembre, hemos señalado que 'nuestra Constitución no reconoce un 'derecho a la vida familiar' en los mismos términos en que la jurisprudencia del Tribunal Europeo de Derechos Humanos ha interpretado el art. 8.1 CEDH' (FJ 11). Sin embargo, según se ha advertido, ello en modo alguno supone que el espacio vital protegido por ese 'derecho a la vida familiar' derivado de los arts. 8.1 CEDH y 7 de la Carta de derechos fundamentales de la Unión Europea, y, en lo que aquí importa, la configuración autónoma de las relaciones afectivas, familiares y de convivencia, carezca de protección dentro de nuestro ordenamiento constitucional».

FJ 7. En consecuencia, procede declarar que es jurisprudencia constitucional reiterada, a la que hemos de ajustarnos al resolver este recurso de amparo, que el «derecho a la vida familiar» derivado de los arts. 8.1 CEDH y 7 de la Carta de los derechos fundamentales de la Unión Europea no es una de las dimensiones comprendidas en el derecho a la intimidad familiar ex art. 18.1 CE y que su protección, dentro de nuestro sistema constitucional, se encuentra en los principios de nuestra Carta Magna que garantizan el libre desarrollo de la personalidad (art. 10.1 CE) y que aseguran la protección social, económica y jurídica de la familia (art. 39.1 CE) y de los niños (art. 39.4 CE), cuya efectividad, como se desprende del art. 53.2 CE, no puede exigirse a través del recurso de amparo, sin perjuicio de que su reconocimiento, respeto y protección informará la práctica judicial (art. 53.3 CE), lo que supone que los jueces ordinarios han de tenerlos especialmente presentes al ejercer su potestad de interpretar y aplicar el art. 57.2 LOEx, verificando si, dadas las circunstancias del caso concreto, la decisión de expulsión del territorio nacional y el sacrificio que conlleva para la convivencia familiar es proporcional al fin que dicha medida persigue, que no es otro en el caso del art. 57.2 LOEx que asegurar el orden público y la seguridad ciudadana, en coherencia con la Directiva 2001/40/CE, de 28 de mayo de 2001 del Consejo.

Por todo ello, verificado que la posición jurídica invocada en la demanda en relación a la vida familiar y las relaciones paterno-filiales no aparece protegida por ningún precepto constitucional exigible en este cauce procesal, corresponde desestimar también este segundo motivo de amparo.

El derecho a la intimidad y los datos médicos: previsión legislativa de su obtención y utilización —STC 159/2009, de 29 de junio—

La Sentencia resuelve el recurso de amparo promovido por don J.O.L. contra la Sentencia de la Sala de lo Contencioso-Administrativo del Tribunal Superior de Justicia del País Vasco, de 26 de julio de 2006, que estima el recurso de apelación interpuesto contra la Sentencia del Juzgado de lo Contencioso-Administrativo núm. 1 de Donostia-San Sebastián, de 22 de noviembre de 2004, que a su vez había estimado el recurso contencioso-administrativo interpuesto contra la Resolución del Ayuntamiento de Donostia-San Sebastián, de 25 de febrero de 2004, por la que decreta la exclusión del recurrente del proceso de selección de 84 agentes de la Guardia Municipal acordando su cese como funcionario en prácticas, por estar incurso en causa de exclusión médica. Entiende el recurrente que la Sentencia recurrida vulnera su derecho a la intimidad, como consecuencia de la divulgación de información relativa a su estado de salud (entre el facultativo de la Academia Vasca y el Ayuntamiento de Donostia-San Sebastián) sin su consentimiento y sin habilitación legal.

FJ 3. [...] a) Resulta evidente que el padecimiento de una enfermedad se enmarca en la esfera de privacidad de una persona, y que se trata de un dato íntimo que puede ser preservado del conocimiento ajeno. El derecho a la intimidad comprende la información relativa a la salud física y psíquica de las personas (STC 70/2009, de 23 de marzo, FJ 2), quedando afectado en aquellos casos en los que sin consentimiento del paciente se accede a datos relativos a su salud o a informes relativos a la misma, o cuando, habiéndose accedido de forma legítima a dicha información, se divulga o utiliza sin consentimiento del afectado o sobrepasando los límites de dicho consentimiento. Dicha apreciación se cohonesta con nuestras pautas sociales, como lo demuestra el hecho de que en el ámbito de la legalidad ordinaria el acceso y el uso de información relativa a la salud se rodea de garantías específicas de confidencialidad, subrayándose la estrecha relación entre el secreto profesional médico y el derecho a la intimidad. También el Tribunal Europeo de Derechos Humanos, como recordamos en la ya citada STC 70/2009, ha insistido en la importancia que para la vida privada poseen los datos de salud (en este sentido, STEDH de 10 de octubre de 2006, caso L.L. c. Francia, § 32), señalando que «el respeto al carácter confidencial de la información sobre la salud constituye un principio esencial del sistema jurídico de todos los Estados parte en la Convención», por lo que «la legislación interna debe prever las garantías apropiadas para impedir toda comunicación o divulgación de datos de carácter personal relativos a la salud contraria a las garantías previstas en el art. 8 del Convenio europeo de derechos humanos (SSTEDH caso Z. c. Finlandia de 25 de febrero de 1997, § 95, y caso L.L. c. Francia, de 10 de octubre de 2006, § 44)». [...]

c) Consecuentemente existirá intromisión ilegítima en el ámbito de la intimidad cuando la penetración en el ámbito propio y reservado del sujeto no sea acorde con la Ley, no sea eficazmente consentida o, aun autorizada, subvierta los términos y el alcance para el que se otorgó el consentimiento, quebrando la conexión entre la información personal que se recaba y el objetivo tolerado para el que fue recogida (STC 196/2004, de 15 de noviembre, FJ 2), o bien cuando, aun persiguiendo un fin legítimo previsto legalmente (de forma tal que se identifique el interés cuya protección se persigue de forma concreta y no genérica, STC 292/2000, de 30 de noviembre, FJ 11), la medida adoptada no se revele necesaria para lograr el fin previsto, no resulte proporcionada o no respete el contenido esencial del derecho (por todas, STC 70/2009, de 23 de marzo, FJ 3). Ello implica realizar un juicio de proporcionalidad que requiere la constatación de que la medida restrictiva adoptada cumple los tres requisitos siguientes: que la medida sea susceptible de conseguir el objetivo propuesto (juicio de idoneidad); que sea además necesaria, en el sentido de que no exista otra medida más moderada para la consecución del tal propósito con igual eficacia (juicio de necesidad); y, finalmente, que la medida adoptada sea ponderada o equilibrada, por derivarse de ella más beneficios o ventajas para el interés general que perjuicios sobre otros bienes o valores en un juicio estricto de proporcionalidad (entre otras SSTC 281/2006, de 9 de octubre, FJ 2 —y las que allí se citan— y STC 207/1996, de 16 de diciembre, FJ 4).

FJ 4. [...] Resulta así que el contexto en que se produce la transmisión de la información sobre el estado de salud física del recurrente es el de la participación en un proceso de selección para el ingreso en las fuerzas y cuerpos de seguridad del País Vasco. En las bases de ambos procesos selectivos se establece la necesidad de superar un examen médico que corrobore que los aspirantes no se encuentran incursos en las causas de exclusión médica previstas en la convocatoria, en aplicación del Decreto 315/1994, de 19 de julio, por el que se regula el procedimiento de selección y formación de la Policía del País Vasco. La realización del control médico se convierte en requisito sine qua non que determina la continuidad en el proceso selectivo. En este sentido el demandante ya vio legalmente modulado en cierta forma su derecho a la intimidad por cuanto se sometió a todos los controles médicos, cuya realización no eludió en ningún momento. Esta carga (de someterse a un reconocimiento para determinar la aptitud física y/o psíquica de los aspirantes), legalmente justificada respecto del concreto procedimiento selectivo en que se produzca, no significa, sin embargo, que la información derivada de esos análisis quede fuera del ámbito de protección dispensado por el art. 18.1 CE.

Resulta evidente que la comunicación de la información relativa al estado de salud del demandante y su utilización por parte del Ayuntamiento en un proceso selectivo diferente y ajeno a aquél donde fue obtenida, sin información ni consentimiento del interesado, ha supuesto una injerencia en el derecho a la intimidad del recurrente, del que forma parte, en los términos de nuestra doctrina ya expuesta, el derecho a preservar del conocimiento ajeno lo referente a la salud física y psíquica del afectado. La cuestión, por tanto, radica en determinar si esa afección o restricción del derecho puede considerarse constitucionalmente legítima.

FJ 5. [...] En este caso debe afirmarse, en primer lugar, la existencia de un fin constitucionalmente legítimo. Así, la especial misión que cumplen los cuerpos y fuerzas de seguridad (de acuerdo con el art. 104 CE) implica la observancia de especiales requisitos de idoneidad profesional en cuanto a la condición física y psíquica del aspirante. Se pretende que los futuros agentes (sean éstos de la Ertzaintza o de la policía municipal) puedan ejercer su función policial en plenas facultades sin poner en peligro su seguridad o la de terceros. En este contexto se entiende la obligatoriedad de realizar y superar un control médico en el proceso de selección a la que se aludió antes. El fin público consistente en garantizar que los aspirantes serán capaces de ejercer la función policial (art. 104 CE) es causa legítima que puede justificar una modulación del derecho a la intimidad del aspirante siempre que esté previsto por Ley que respete el contenido esencial del derecho. Así resulta del art. 44.2 de la Ley de Policía Vasca, cuando establece que «los procesos selectivos cuidarán la adecuación entre el tipo de pruebas a realizar y el contenido de las funciones a desempeñar, pudiendo incluir, a tales efectos, ejercicios de conocimientos generales o específicos, teóricos o prácticos, test psicotécnicos, pruebas de aptitud física, entrevistas, cursos de formación, períodos de prácticas y cualesquiera otros sistemas que resulten adecuados para garantizar la selección de quienes reúnan las condiciones cognoscitivas, psíquicas y físicas más apropiadas para el desempeño de la función». Esta necesaria adecuación física supone, según el art. 54.3 de la misma Ley, que «durante el curso y prácticas, o al término de las mismas, los aspirantes podrán ser sometidos a cuantas pruebas médicas sean precisas en orden a comprobar su adecuación al cuadro de exclusiones médicas establecido para el ingreso en la categoría. Si de las pruebas practicadas se dedujera la concurrencia de alguna causa de exclusión, el órgano responsable podrá proponer, en función de la gravedad de la enfermedad o defecto físico, la exclusión del aspirante del proceso selectivo, correspondiendo al órgano competente para efectuar el nombramiento adoptar la resolución que proceda». La Ley de Policía Vasca persigue efectivamente el objetivo, constitucionalmente legítimo, de garantizar la capacidad de los agentes de policía (ahora en sentido amplio), estableciendo un marco que permite cohonestar ese interés constitucionalmente protegible con el derecho a la intimidad de los aspirantes en lo relativo a sus datos de la salud. La Ley garantiza que esa limitación a la libre disposición del individuo sobre su estado de salud se produce dentro un proceso selectivo, en el que se realizan los controles médicos para determinar la capacidad física y psíquica de los aspirantes (controles que, además, pueden sucederse a lo largo del tiempo) dentro de un procedimiento establecido.

Ahora bien, de estas previsiones legales no se deriva una habilitación para que se produzca el intercambio o cruce de datos médicos entre las diversas Administraciones que convocan procesos selectivos. El intercambio de información tampoco puede ampararse en las previsiones que la Ley de la Policía Vasca contiene respecto de la intervención de la Academia de Policía Vasca en los procedimientos selectivos municipales, pues su función, según la citada Ley, es la de proponer al Gobierno Vasco las reglas básicas para el ingreso en «las escalas y categorías de los Cuerpos de Policía dependientes de la Administración Local, ajustándose a criterios análogos a los establecidos para las de la Ertzaintza que sean equivalentes, y en particular los programas, contenido y estructura de los procesos selectivos» (art. 50 de la Ley de Policía Vasca), o a contribuir en la organización, desarrollo y evaluación final de los cursos de formación, entre cuyos aspectos se encuentra la idoneidad profesional (arts. 31 y 33 del Decreto 315/1994). [...]

FJ 6. La actuación al margen de los procedimientos legalmente establecidos convierte la decisión administrativa en desproporcionada. En efecto, el Ayuntamiento dispuso, y dispone, de medios para acreditar la aptitud o falta de aptitud del aspirante. De hecho el Ayuntamiento de Donostia-San Sebastián sometió al recurrente a tres reconocimientos médicos con sus correspondientes analíticas, que arrojaron un resultado de aptitud médica. Consta en el expediente administrativo comunicación del Médico de empresa en la que se pone de manifiesto que el recurrente «pasó reconocimiento médico (para agentes interinos) el 30 de mayo de 2001, siendo su estado de salud satisfactorio y analíticas y pruebas normales. Nueva analítica y pruebas el 27 de marzo de 2002, con resultados de completa normalidad. Nuevo reconocimiento médico y pruebas analíticas el 7 de mayo de 2003, con ocasión del OPE 2001, siendo declarado apto médico». Sobre esa base resulta claramente desproporcionado que utilice información sobrevenida y obtenida de forma irregular y no contrastada (pues el Ayuntamiento no realiza ninguna prueba tendente a corroborar ese dato) para adulterar el resultado final al que había llevado la superación de las diversas pruebas por el demandante. El hecho de atribuir consecuencias jurídicas a una información que ha sido obtenida con infracción del art. 18.1 CE, y que contradice los hechos resultantes del proceso selectivo municipal que se llevó a cabo, ha de calificarse de absolutamente desproporcionado. No se supera, así, el juicio estricto de proporcionalidad, sobre todo cuando queda acreditado en autos que durante todo el tiempo en el que el demandante mantuvo la relación con el Ayuntamiento no cursó baja médica alguna.

La afiliación política como dato público, no cubierto por el derecho a la intimidad —STC 83/2003, de 8 de mayo[15]—

La Sentencia resuelve el recurso de amparo electoral promovido por Izquierda Unida contra la Sentencia, de 30 de abril, del Juzgado de lo Contencioso-Administrativo núm. 2 de Córdoba, que desestima el recurso interpuesto por el representante provincial de Córdoba de Izquierda Unida, don J.M.M.V., contra el Acuerdo de la Junta Electoral de Zona de Peñarroya-Pueblonuevo publicado el 29 de abril de 2003, en que no se proclaman las candidaturas presentadas por el solicitante de amparo en el municipio de Belalcázar por Izquierda Unida Los Verdes-Convocatoria por Andalucía.

FJ 21. También se alega vulneración las garantías del art. 24 CE en relación con el derecho a la intimidad (art. 18 CE), por cuanto en el proceso contencioso-electoral se admitieron como pruebas datos personales de los candidatos que afectan a su intimidad y a su libertad ideológica (art. 16 CE). Las Sentencias impugnadas se basarían en tales datos

---

15 *Vid.* también las SSTC 99/2004, de 27 de mayo; 68/2005, de 31 de marzo; 110/2007, de 10 de mayo; 43/2009 y 44/2009, ambas de 12 de febrero.

personales, especialmente los relativos a la participación de los candidatos en comicios anteriores, a los que habría accedido la guardia civil y la policía para realizar sus informes, sin solicitar la correspondiente autorización de los afectados.

Para determinar si efectivamente se ha producido la alegada lesión del derecho a la intimidad, deben concretarse los datos personales que utilizaron las Sentencias recurridas para concluir que la proclamación de las candidaturas impugnadas, con algunas excepciones, se produjo con vulneración de la prohibición prevista en el art. 44.4 LOREG. En este sentido, los fundamentos de Derecho cuarto y quinto de aquellas Sentencias, al exponer los datos que permiten afirmar la conexión entre cada una de las agrupaciones y la estrategia de los partidos ilegalizados, toman en consideración «la presencia de candidatos que han mantenido con aquellos partidos vínculos de entidad suficiente» como dato para inferir razonablemente de ello que su propósito es desarrollar el proyecto político de tales partidos. Y se afirma que uno de los medios probatorios de la sucesión o continuidad en la actividad de los partidos disueltos es «la presencia en las nuevas candidaturas de las mismas personas que venían asumiendo cometidos de especial relevancia» en dichos partidos. Finalmente, las Sentencias concluyen afirmando que aquellas circunstancias han quedado justificadas en los autos, pues en la inmensa mayoría de candidaturas se presentan «un gran número de personas que pertenecieron a los partidos políticos disueltos, y que en su representación concurrieron a anteriores procesos electorales o que ocuparon en ellos o en las instituciones en las que estaban representados cargos de especial responsabilidad».

[...] Pues bien, ninguno de estos datos afecta a la intimidad de los candidatos. Este Tribunal ha declarado reiteradamente que el derecho fundamental a la intimidad reconocido por el art. 18.1 CE tiene por objeto garantizar al individuo un ámbito reservado de su vida, vinculado con el respeto de su dignidad como persona (art. 10.1 CE), frente a la acción y el conocimiento de los demás, sean éstos poderes públicos o simples particulares. De suerte que el derecho a la intimidad atribuye a su titular el poder de resguardar ese ámbito reservado, no sólo personal sino también familiar, frente a la divulgación del mismo por terceros y una publicidad no querida. Lo que el art. 18.1 CE garantiza es, pues, el secreto sobre nuestra propia esfera de vida personal y, por tanto, veda que sean los terceros, particulares o poderes públicos, quienes decidan cuáles son los contornos de nuestra vida privada (por todas, STC 83/2002, de 22 de abril, FJ 5). Ahora bien, las informaciones protegidas frente a una publicidad no querida corresponden únicamente a los aspectos más básicos de la autodeterminación personal (STC 143/1994, de 9 de mayo, FJ 6), extendiéndose la tutela del derecho a la reserva que en el marco social le es razonable exigir en atención a los criterios sociales dominantes (STC 99/1994, 11 de abril, FJ 7). Y es obvio que entre aquellos aspectos básicos no se encuentran los datos referentes a la participación de los ciudadanos en la vida política, actividad que por su propia naturaleza se desarrolla en la esfera pública de una sociedad democrática, con excepción del derecho de sufragio activo dado el carácter secreto del voto. De esta manera, el ejercicio del derecho de participación política (art. 23.1 CE) implica en general la renuncia a mantener ese aspecto de la vida personal alejada del público conocimiento. A ello debe añadirse el carácter público que la legislación electoral atribuye a determinadas actuaciones de los ciudadanos en los procesos electorales, en concreto, la publicación de las candidaturas presentadas y proclamadas en las elecciones, que se efectúa, para las municipales, en el Boletín Oficial de la Provincia (arts. 47 y 187.4 LOREG); y la publicación de los electos, que se efectúa, para todo tipo de elecciones, en el Boletín Oficial del Estado (art. 108.6 LOREG). Estas normas que prescriben la publicidad de candidatos proclamados y electos son, por otra parte, básicas para la transparencia política que en un Estado democrático debe regir las relaciones entre electores y elegibles. [...]

El derecho a la intimidad y la protección frente a los ruidos —STC 150/2011, de 29 de septiembre (*vid.* ARTÍCULO 15)—

B) Límites del derecho a la intimidad

La intimidad y la certeza de la información o datos divulgados: caso Sara Montiel —STC 197/1991, de 17 de octubre (*vid. supra* la STC 134/1999, de 15 de julio)—

La Sentencia resuelve el recurso de amparo promovido por la «La Editorial Católica, Sociedad Anónima», y don G.M.G. contra la Sentencia del Juzgado de Primera Instancia núm. 3 de Madrid de 30 de enero de 1986, y contra la Sentencia de la Sala Tercera de lo Civil de la Audiencia Territorial de Madrid de 9 de julio de 1987, que la confirma, sobre intromisión ilegítima en el honor y en la intimidad. En el diario «Ya» de 31 de agosto de 1985 se publicó un artículo periodístico bajo el titular «La madre, XX, trabajaba en un barra americana» y con un subtítulo en el que se señalaba que «El hijo adoptivo de Sara Montiel fue adquirido en Alicante». Este artículo es fruto de una investigación realizada en Murcia y Alicante por el Periodista don J.G.C. sobre la existencia de una red de tráfico de niños, en el curso de la cual vino a descubrirse, según declaraciones efectuadas al Periodista por una persona que actuaba de intermediaria en adopciones de menores, que la madre natural del hijo adoptivo de don José Tous Barberán y de doña María Antonia Abad Fernández (Sara Montiel), era XX, que en aquellos momentos trabajaba en una «barra americana», que el nacimiento se produjo en Alicante y que ella misma había mediado en la adopción. Con anterioridad, los padres adoptivos habían convocado a la denominada «prensa del corazón» para relatar las circunstancias que rodearon la adopción de su hijo, a quien habrían adoptado en Santo Domingo.

FJ 2. [...] El requisito de la veracidad merece distinto tratamiento, según se trate del derecho al honor o del derecho a la intimidad, ya que mientras que la veracidad funciona, en principio, como causa legitimadora de las intromisiones en el honor, si se trata del derecho a la intimidad esa veracidad es presupuesto necesario para que la intromisión se produzca, dado que la realidad de ésta requiere que sean veraces los hechos de la vida privada que se divulgan. El criterio fundamental para determinar la legitimidad de las intromisiones en la intimidad de las personas es por ello la relevancia pública del hecho divulgado, es decir, que, siendo verdadero, su comunicación a la opinión pública resulte justificada en función del interés público del asunto sobre el que se informa.

Límites del derecho a la intimidad: el consentimiento y la preservación de bienes constitucionalmente protegidos (el juicio de proporcionalidad) —STC 173/2011, de 7 de noviembre (*vid. supra*)—

FJ 2. [...] No obstante lo anterior, hemos afirmado que el consentimiento eficaz del sujeto particular permitirá la inmisión en su derecho a la intimidad, pues corresponde a cada persona acotar el ámbito de intimidad personal y familiar que reserva al conocimiento ajeno (SSTC 83/2002, de 22 de abril, FJ 5 y 196/2006, de 3 de julio, FJ 5), aunque este consentimiento puede ser revocado en cualquier momento (STC 159/2009, de 29 de junio, FJ 3). Ahora bien, se vulnerará el derecho a la intimidad personal cuando la penetración en el ámbito propio y reservado del sujeto «aun autorizada, subvierta los términos y el alcance para el que se otorgó el consentimiento, quebrando la conexión entre la información personal que se recaba y el objetivo tolerado para el que fue recogida» (SSTC 196/2004, de 15 de noviembre, FJ 2; 206/2007, de 24 de septiembre, FJ 5; y 70/2009, de 23 de marzo, FJ 2). En lo relativo a la forma de prestación del consentimiento, hemos manifestado que éste no precisa ser expreso, admitiéndose también un consentimiento tácito. Así, en la STC 196/2004, de 15 de noviembre, en que se analizaba si un reconocimiento médico realizado a un trabajador había afectado a su intimidad personal, reconocimos no sólo la eficacia del consentimiento prestado verbalmente, sino además la del derivado de la realización de actos concluyentes que expresen dicha voluntad (FJ 9). También llegamos a esta conclusión en las SSTC 22/1984, de 17 de febrero, y 209/2007, de 24 de septiembre, en supuestos referentes al derecho a la inviolabilidad del domicilio del art. 18.2 CE, manifestando en la primera que este consentimiento no necesita ser «expreso» (FJ 3) y en la segunda que, salvo casos excepcionales, la mera falta de oposición a la intromisión domiciliar no podrá entenderse como un consentimiento tácito (FJ 5).

Por otra parte, tampoco podrá considerarse ilegítima aquella injerencia o intromisión en el derecho a la intimidad que encuentra su fundamento en la necesidad de preservar el ámbito de protección de otros derechos fundamentales u otros bienes jurídicos constitucionalmente protegidos (STC 159/2009, de 29 de junio, FJ 3). A esto se refiere nuestra doctrina cuando alude al carácter no ilimitado o absoluto de los derechos fundamentales, de forma que el derecho a la intimidad personal, como cualquier otro derecho, puede verse sometido a restricciones (SSTC 98/2000, de 10 de abril, FJ 5; 156/2001, de 2 de julio, FJ 4; y 70/2009, de 23 de marzo, FJ 3). Así, aunque el art. 18.1 CE no prevé expresamente la posibilidad de un sacrificio legítimo del derecho a la intimidad —a diferencia de lo que ocurre en otros supuestos, como respecto de los derechos reconocidos en los arts. 18.2 y 3 CE—, su ámbito de protección puede ceder en aquellos casos en los que se constata la existencia de un interés constitucionalmente prevalente al interés de la persona en mantener la privacidad de determinada información. Precisando esta doctrina, recordábamos en la STC 70/2002, de 3 de abril, FJ 10 (resumiendo lo dicho en la STC 207/1996, de 16 de diciembre, FJ 4) que los requisitos que proporcionan una justificación constitucional objetiva y razonable a la injerencia en el derecho a la intimidad son los siguientes: la existencia de un fin constitucionalmente legítimo; que la medida limitativa del derecho esté prevista en la ley (principio de legalidad); que como regla general se acuerde mediante una resolución judicial motivada (si bien reconociendo que debido a la falta de reserva constitucional a favor del Juez, la ley puede autorizar a la policía judicial para la práctica de inspecciones, reconocimientos e incluso de intervenciones corporales leves, siempre y cuando se respeten los principios de proporcionalidad y razonabilidad) y, finalmente, la estricta observancia del principio de proporcionalidad, concretado, a su vez, en las tres siguientes condiciones: «si tal medida es susceptible de conseguir el objetivo propuesto (juicio de idoneidad); si, además, es necesaria, en el sentido de que no exista otra medida más moderada para la consecución de tal propósito con igual eficacia (juicio de necesidad); y, finalmente, si la misma es ponderada o equilibrada, por derivarse de ella más beneficios o ventajas para el interés general que perjuicios sobre otros bienes o valores en conflicto (juicio de proporcionalidad en sentido estricto)» (STC 89/2006, de 27 de marzo, FJ 3). [...]

Consentimiento, actos concluyentes y su repercusión sobre la intimidad de familiares menores (caso Sara Montiel) —STC 197/1991, de 17 de octubre (*vid. supra; vid. supra* la STC 134/1999, de 15 de julio)—

FJ 4. Aunque el derecho a la intimidad, como límite a la libertad de información, deba ser interpretado restrictivamente, ello no supone que los personajes públicos, por el hecho de serlo, y aún menos sus familiares, hayan de ver sacrificado ilimitadamente su derecho a la intimidad. El que la información publicada se refiera a un personaje público no implica de por sí que los hechos contenidos en la misma no puedan estar protegidos por el derecho a la intimidad de esa persona, que constituye siempre un límite del derecho a la intimidad.

Las personas que, por razón de su actividad profesional, como aquí sucede, son conocidas por la mayoría de la sociedad, han de sufrir mayores intromisiones en su vida privada que los simples particulares, pero ello no puede ser entendido tan radicalmente, como se sostiene en la demanda, en el sentido de que el personaje público acepte libremente el «riesgo de lesión de la intimidad que implica la condición de figura pública». Que estos hechos se flexibilicen en ciertos supuestos es una cosa, y otra bien distinta, es que cualquier información sobre hechos que les conciernen guarden o no relación con su actividad profesional (STC 231/1988), cuenten o no con su conformidad, presenten ya esa relevancia pública que la legitime plenamente y dote de una especial protección. No toda información, que se refiere a una persona con notoriedad pública, goza de esa especial protección, sino que para ello es exigible, junto a ese elemento subjetivo del carácter público de la persona afectada, el elemento objetivo de que los hechos constitutivos de la información, por su relevancia pública, no afecten a la intimidad, por restringida que ésta sea.

FJ 4. Quien por su propia voluntad da a conocer a la luz pública unos determinados hechos concernientes a su vida familiar los excluye de la esfera de su intimidad y ha de asumir el riesgo de que el Periodista pueda contrastar la veracidad de esos hechos y rectificar los errores o falsedades de la información espontáneamente suministrada por los afectados. Prevalecerá el derecho a la información sobre la protección de la intimidad en relación con los hechos de la adopción divulgados por los propios afectados por la misma, y por ello, sobre algunas de las informaciones suministradas en el presente caso.

Pero, más allá de esos hechos dados a conocer, con mayor o menor prudencia o ligereza, por los padres adoptivos, y respecto a los cuales, por consiguiente. el velo de la intimidad ha sido destapado, prevalecerá el derecho a la intimidad del menor adoptado, y por reflejo, el de la intimidad familiar de sus padres adoptivos en relación con otras circunstancias de la adopción no reveladas, y que, por su propia naturaleza, han de considerarse que pertenecen a la esfera de lo privado y de lo íntimo, como con toda seguridad sucede con la identificación por parte del periódico de la madre natural del niño y de sus circunstancias personales, datos no incluidos en la información hecha pública por los padres adoptivos ni deducible de ella, y que en modo alguno puede considerarse como una noticia de interés público, al ser sólo un hecho estrictamente personal y privado, incluible en la reserva protegible de la intimidad.

La noticia publicada ha ido más allá del simple salir al paso de la información falseada dada la publicidad por los padres del menor y, extralimitándose en el ejercicio del derecho a la información, ha incluido indebidamente datos y pormenores personales, estrictamente privados, y pertenecientes a la esfera de la intimidad, que además, por su concreto contenido, pueden ser ofensivos o al menos molestos para una persona razonable y de sensibilidad media, constitutiva de una violación del derecho a la intimidad personal y familiar de los afectados por la noticia. Ha de concluirse, por tanto, que cualesquiera que hayan podido ser las manifestaciones o declaraciones de los padres en relación con las circunstancias de la adopción, la información publicada relativa a las circunstancias y situación personal de la madre natural del menor, no constituye materia de interés general que contribuya a la formación de la opinión pública, ni se refiere a hechos relacionados con la actividad pública de la personalidad pública, ni estaba justificada en función del interés público del asunto sobre el que se informaba. Como señala el Ministerio Fiscal, «tratar de plantear en la prensa el debate sobre la verdadera filiación de una personas en este caso menor de edad, supone un ataque a su vida privada y constituye una injerencia a la intimidad personal y familiar, que es arbitraria o ilegal, según expresión del artículo 17.1 del Pacto internacional de Derechos Civiles y Políticos de 19 de diciembre de 1966».

Consentimiento y pruebas biológicas —STC 135/2014, de 8 de septiembre (*vid.* ARTÍCULO 18.4)[16]—

Consentimiento y pruebas biológicas en la determinación de la paternidad —STC 95/1999, de 31 de mayo (*vid.* también ARTÍCULO 15)[17]—

La Sentencia resuelve el recurso de amparo interpuesto por doña G.R.A. contra el Auto de la Sala Primera del Tribunal Supremo, de 7 de marzo de 1995, que inadmitió el recurso de casación, y contra las Sentencias de 1 de octubre de 1993 de la Sección Cuarta de la Audiencia Provincial de Cádiz y de 13 de noviembre de 1992 del Juzgado de Primera Instancia núm. 3 de Cádiz. La recurrente, madre de una niña, fue demandada en un juicio de menor cuantía por quien aportando numerosos indicios alegó ser el padre extramatrimonial de la menor. Entre estos hechos se acreditó que la madre, al inscribir a su hija en el Registro Civil, señaló como nombre del padre el de Enrique, que es el nombre del aquí demandado, y que éste, con posterioridad al nacimiento de la niña, abrió una cuenta a nombre de la recurrente, de la que ésta extrajo cantidades diversas en varias ocasiones. El demandante también propuso, en tiempo y forma, una prueba pericial biológica a fin de determinar la relación de paternidad reclamada. Frente a la pretensión del actor, la recurrente admitió que mantuvo con él una relación sentimental, pero afirmó que la niña es fruto de su relación con otra persona. Aunque en el período probatorio no se opuso a la prueba biológica propuesta por el demandante, ni recurrió el Auto que acordó su práctica, cuando fue citada personalmente para la realización de la prueba biológica presentó escrito manifestando que se negaba (y, con ella, su hija) a someterse a ellas, al amparo de sus derechos constitucionales a la protección de la dignidad, integridad, el honor y la intimidad de las personas (artículos 10, 15 y 18 CE). Finalmente, no compareció en el Instituto Nacional de Toxicología de Sevilla el día señalado, imposibilitando así la práctica de la prueba biológica acordada. El Juzgado, mediante Sentencia de 13 de noviembre de 1992, tras analizar y valorar en su conjunto las pruebas practicadas, y ponderando este resultado probatorio con la negativa de la demandada a someterse a la prueba biológica, estimó la demanda y declaró la paternidad extramatrimonial reclamada por el actor.

FJ 2. Este Tribunal ha declarado la plena conformidad constitucional de la resolución judicial que, en el curso de un pleito de filiación, ordena llevar a cabo un reconocimiento hematológico, pues este tipo de pruebas, que no pueden considerarse degradantes, ni contrarias a la dignidad de la persona, encuentran su cobertura legal en el art. 127 del Código Civil, que desarrollando el mandato contenido en el inciso final del art. 39.2 CE, según el cual «La ley posibilitara la investigación de la paternidad», autoriza la investigación de la relación de paternidad o de maternidad en los juicios de filiación, mediante el empleo de toda clase de pruebas, incluidas las biológicas, a la vez que sirven para la consecución de la finalidad perseguida con las normas constitucionales que imponen «la protección integral de los hijos, iguales éstos ante la ley con independencia de su filiación» (art. 39.2 CE), y la obligación de los padres de «prestar asistencia de todo orden a los hijos habidos dentro o fuera del matrimonio» (art. 39.3 CE). Por ello, cuando sean consideradas indispensables por la autoridad judicial, no entrañen un grave riesgo o quebranto para la salud de quien deba soportarlas, y su práctica resulte proporcionada, atendida la finalidad perseguida con su realización, no pueden considerarse contrarias a los derechos a la integridad física (art. 15 CE) y a la intimidad (art. 18.1 CE) del afectado (STC 7/1994, fundamento jurídico 3º).

Hemos declarado igualmente que, dada la trascendencia que para las personas implicadas en los procesos de filiación tiene la determinación de las relaciones materiales que se dilucidan en ellos, especialmente por lo que respecta a los derechos de los hijos que se garantizan en el art. 39 CE, las partes tienen la obligación de posibilitar la práctica de las pruebas biológicas que hayan sido debidamente acordadas por la autoridad judicial, por ser este un medio probatorio esencial, fiable e idóneo para la determinación del hecho de la generación discutido en el pleito, pues, en estos casos, al hallarse la fuente de la prueba en poder de una de las partes del litigio, la obligación constitucional de colaborar con los Tribunales en el curso del proceso (art. 118 CE), conlleva que dicha parte deba contribuir con su actividad probatoria a la aportación de los hechos requeridos a fin de que el órgano judicial pueda descubrir la verdad, ya que en otro caso, bastaría con que el litigante renuente a la prueba biológica se negase a su realización para colocar al otro litigante en una situación de indefensión contraria al art. 24.1 CE por no poder justificar procesalmente

---

16   *Vid.* también las 1/2005, de 17 de enero; 25/2005, de 14 de febrero; 206/2007, de 24 de septiembre.
17   *Vid.* también las SSTC 134/1999, de 15 de julio; 190/2013, de 18 de noviembre.

su pretensión mediante la utilización de los medios probatorios pertinentes para su defensa que le garantiza el art. 24.2 CE (STC 7/1994, fundamento jurídico 6º y las resoluciones en ella citadas).

Por tales razones, este Tribunal ha declarado ya en ocasiones anteriores que cuando un órgano judicial, valorando la negativa del interesado a someterse a las pruebas biológicas, en conjunción con el resto de los elementos fácticos acreditados a lo largo del procedimiento, llega a la conclusión de que existe la relación de paternidad negada por quien no posibilitó la práctica de la prueba biológica, nos hallamos ante un supuesto de determinación de la filiación, permitido por el art. 135, in fine, del Código Civil, que no resulta contrario al derecho a la tutela judicial efectiva del art. 24.1 CE (AATC 103/1990, 221/1990).

FJ 4. De la aplicación de la doctrina constitucional, antes expuesta, a las resoluciones impugnadas, cabe concluir que la Sentencia del Juzgado, ampliamente razonada (así como las que la ratifican), que tras ponderar la negativa infundada de la demandada a la práctica de la prueba biológica que fue acordada, en relación con el resultado de la valoración en conjunto de la prueba practicada a instancia del actor, y contrastarla con la propia prueba aportada por la demandada, declaró la paternidad reclamada, en nada vulneró los derechos a la intimidad personal y familiar ni a la tutela judicial efectiva reconocidos constitucionalmente, frente a lo que se denuncia en la demanda. A todo ello cabe añadir que, encontrándonos ante una resolución no arbitraria ni irrazonable y suficientemente motivada, ha sido satisfecho el contenido del derecho a la tutela judicial efectiva al haber sido resuelto congruentemente el litigio planteado entre las partes (STC 148/1994, por todas), sin que la valoración fáctica y subsiguiente aplicación de la legalidad que se expresa, pueda ser revisada por este Tribunal, como se pretende, al no ser el recurso de amparo una nueva instancia judicial.

El consentimiento y su revocación —STC 196/2006, de 3 de julio—

La Sentencia resuelve el recurso de amparo promovido por don J.G.G. contra el Auto de 8 de enero de 2001 del Juzgado de Vigilancia Penitenciaria núm. 2 de Castilla y León, desestimatorio del recurso de reforma interpuesto contra el Auto de 24 de noviembre de 2000, por el que se desestimó el recurso de alzada presentado contra el Acuerdo de 16 de agosto de 2000 de la comisión disciplinaria del centro penitenciario La Moraleja, sito en Dueñas (Palencia), que lo sancionó como autor de una falta grave prevista en el art. 109 b) del Real Decreto 1201/1981, de 8 de mayo. El recurrente, tras haber solicitado que se le hiciera una analítica para acreditar que había superado el consumo de sustancias tóxicas, y tras ser ésta judicialmente ordenada, se negó a suministrar una muestra de orina que, para evitar manipulaciones, debía proporcionar desnudo, en un servicio disponible a tal efecto, tras un cacheo integral y dotado únicamente de albornoz o bata.

FJ 5. Sentado lo anterior, ha de valorarse si la orden impartida al recurrente, aun no constituyendo un trato degradante, ha vulnerado el derecho a la intimidad personal que el art. 18.1 CE le reconoce. Resulta indudable que el desnudo integral de la persona incide en el ámbito de su intimidad corporal constitucionalmente protegido, según el criterio social dominante en nuestra cultura (SSTC 37/1989, de 15 de febrero, FJ 7; y 57/1994, de 28 de febrero, FJ 5). Pero, por otra parte, debemos considerar que la intimidad personal no es un derecho de carácter absoluto (STC 37/1989, de 15 de febrero, FJ 7) y que, además de llegar a ceder en ciertos casos ante exigencias públicas, puede el propio titular de este derecho aceptar inmisiones en el mismo.

Así, el interés público propio de la investigación de un delito y, más en concreto, la determinación de hechos relevantes para el proceso penal son, desde luego, causa legítima que puede justificar una limitación de la intimidad corporal. Tal limitación podrá ser acordada mediante resolución judicial motivada que satisfaga las exigencias del principio de proporcionalidad, sin excluirse (debido a la falta de reserva constitucional en favor del Juez), que la Ley pueda autorizar a la policía judicial para disponer, por acreditadas razones de urgencia y necesidad, la práctica de actos que comporten una simple inspección o reconocimiento o, incluso, una intervención corporal leve, siempre y cuando se observen en su práctica los requisitos dimanantes de los principios de proporcionalidad y razonabilidad (STC 207/1996, de 16 de diciembre, FJ 4).

Siendo esto así por lo que respecta a los ciudadanos que gozan de una situación de libertad, la afectación del derecho a la intimidad en el concreto ámbito penitenciario puede llegar a ser más intensa. En efecto, este Tribunal ha puesto de relieve que una de las consecuencias más dolorosas de la pérdida de la libertad es la reducción de la intimidad de los que sufren privación de libertad, pues quedan expuestas al público e incluso necesitadas de autorización muchas actuaciones que normalmente se consideran privadas e íntimas (SSTC 89/1987, de 3 de junio, FJ 2; y 57/1994, de 28 de febrero, FJ 5). Así, el art. 68.2 del Reglamento penitenciario aprobado por Real Decreto 190/1996, de 9 de febrero, contempla que «por motivos de seguridad concretos y específicos, cuando existan razones individuales y contrastadas que hagan pensar que el interno oculta en su cuerpo algún objeto peligroso o sustancia susceptible de causar daño a la salud o integridad física de las personas o de alterar la seguridad o convivencia ordenada del Establecimiento, se podrá realizar cacheo con desnudo integral con autorización del Jefe de Servicios».

Al margen de tales supuestos cabe también que el consentimiento eficaz del sujeto particular permita la inmisión en su derecho a la intimidad, pues corresponde a cada persona acotar el ámbito de intimidad personal y familiar que reserva al conocimiento ajeno (SSTC 83/2002, de 22 de abril, FJ 5; y 196/2004, de 15 de noviembre, FJ 2).

Así ocurre en el presente caso, en el que la toma de orina se acordó como consecuencia de una petición del propio recurrente de que se le hiciera una analítica para acreditar que había superado el consumo de sustancias tóxicas. Por tanto, ni se precisaba de una resolución judicial motivada que supliera la ausencia de consentimiento del afectado, ni la Administración penitenciaria debía sustentar su actuación —como exigimos en las SSTC 204/2000, de 24 de julio, y 218/2002, de 25 de noviembre— en la habilitación legal que suministra el art. 68.2 del Reglamento penitenciario, cuya redacción trae causa de la STC 57/1994, de 28 de febrero. Aquí, por el contrario, es el consentimiento del interno —más aún, su propia petición— la que origina la actuación judicial y administrativa. Y a este respecto hemos dicho que, consistiendo la prueba de que se trate en una intervención corporal leve, es evidente que, realizándose de forma voluntaria, no se lesiona ni el derecho a la integridad física, ni el derecho a la intimidad corporal (SSTC 234/1997, de 18 de diciembre, FJ 9; y 25/2005, de 14 de febrero, FJ 6).

FJ 6. Ahora bien, nuestro enjuiciamiento no puede detenerse aquí. Según acabamos de expresar, la afectación del derecho a la intimidad del demandante de amparo se sustentó en su propio consentimiento inicial. Pero debemos inmediatamente considerar que pertenece a su ámbito de libertad revocar en cualquier momento ese consentimiento, como así hizo, aduciendo que, dadas las características del lugar donde se iba a proceder a proporcionar la muestra de orina, podía ser visto por terceras personas. En la medida en que la negativa del recurrente a suministrar la muestra de orina en las circunstancias dispuestas por la Administración penitenciaria le acarreó una sanción, debemos examinar la posible vulneración del art. 25.1 CE, desde la perspectiva de que es precisamente el ejercicio del derecho a la intimidad corporal (art. 18.1 CE) la premisa en la que se asienta la incompatibilidad de la sanción impuesta con el derecho a la legalidad sancionadora (art. 25.1 CE), y a lo que no se opone que la negativa del recurrente pusiera fin a la diligencia iniciada, pues en casos como el aquí enjuiciado basta con constatar la existencia de un acto conminatorio de los poderes públicos frente al que se reclama la preservación de un derecho fundamental —en este caso la orden del Director del centro penitenciario y la posterior advertencia del funcionario de que daría parte disciplinario de no cumplir aquélla—, aunque no se haya ejecutado, para que podamos pronunciarnos sobre su compatibilidad con la Constitución (SSTC 37/1989, de 15 de febrero, FJ 6; y 207/1996, de 16 de diciembre, FJ 1). [...]

En el presente caso, tal y como hemos reiterado, la orden del Director del centro penitenciario traía causa directa de la providencia de 22 de mayo de 2000, mediante la que el Juez de Vigilancia Penitenciaria núm. 2 de Castilla y León accedía a una petición del demandante de amparo en que se le hiciera una analítica a fin de acreditar que había superado el consumo de sustancias tóxicas. Tratándose de una diligencia probatoria de parte, es claro que podía el peticionario desistir de su práctica, lo cual pudiera surtir el efecto procesal de que el Juez de Vigilancia Penitenciaria no tuviese por probada la alegación relativa a haber superado el consumo de sustancias tóxicas, pero sin que de ello pueda derivarse la consecuencia añadida de la imposición de una sanción.

La dimensión objetiva de los derechos fundamentales y su carácter de elementos esenciales del ordenamiento jurídico imponen a los poderes públicos la obligación de tener presente su contenido constitucional, impidiendo reacciones que supongan su sacrificio innecesario o desproporcionado o tengan un efecto disuasor o desalentador de su ejercicio. Por ello, si la Administración o el órgano judicial prescinden de la circunstancia de que está en juego un derecho fundamental y se incluyen entre los supuestos sancionables conductas que inequívocamente han de ser calificadas como pertenecientes al ámbito objetivo de ejercicio del mismo, se vulnera este derecho, pues aunque la subsunción de los hechos en la norma fuera posible conforme a su tenor literal, los hechos probados no pueden ser a un mismo tiempo valorados como actos de ejercicio de un derecho fundamental y como conductas constitutivas de una infracción (desde la temprana STC 11/1981, de 8 de abril, FJ 22, hasta las más recientes SSTC 2/2001, de 15 de enero, FJ 2; 185/2003, de 27 de octubre, FJ 5; y 110/2006, de 3 de abril, FJ 4).

Por todo ello, en atención a las razones expuestas, se ha de concluir que los derechos del demandante a su intimidad personal (art. 18.1 CE) y a la legalidad sancionadora (art. 25.1 CE) se han visto conculcados en este supuesto, lo que ha de conducir al otorgamiento del amparo solicitado, sin que, por lo demás, sea ya necesario examinar las vulneraciones constitucionales que se reprochan a las resoluciones judiciales impugnadas.

La autorización judicial y sus matices —STC 173/2011, de 7 de noviembre (*vid. supra*)—

FJ 7. [...] [S]i bien la intervención policial desplegada no contó con la previa autorización judicial, circunstancia ésta que ha llevado a considerar, tanto al recurrente como al Fiscal, que se había producido en este caso una vulneración del derecho a la intimidad personal, podemos afirmar que nos encontramos ante uno de los supuestos excepcionados de la regla general, que permite nuestra jurisprudencia, pues existen y pueden constatarse razones para entender que la actuación de la policía era necesaria, resultando, además, la medida de investigación adoptada razonable en términos de proporcionalidad.

Dicho lo anterior, y con independencia de la necesidad de que el legislador regule esta materia con más precisión, avala esta última conclusión la circunstancia de que los funcionarios intervinientes actuaron ante la notitia criminis proporcionada por el propietario de una tienda de informática, quien se personó en las dependencias policiales informando acerca del material pedófilo que había encontrado en un ordenador personal. Con esta actuación, los expresados agentes pretendían, con la conveniente celeridad que requerían las circunstancias, comprobar la veracidad de lo ya descubierto por este ciudadano, así como constatar si existían elementos suficientes para la detención de la persona denunciada. Hemos de valorar, además, que la investigación se circunscribía de manera específica a un delito de distribución de pornografía infantil, lo que resulta relevante, no sólo por la modalidad delictiva y la dificultad de su persecución penal al utilizarse para su comisión las nuevas tecnologías e Internet, sino fundamentalmente en atención a la gravedad que estos hechos implican, derivada ésta de la pena que llevan aparejados por referirse a víctimas especialmente vulnerables.

En esta dirección, la Decisión del Consejo de la Unión Europea de 29 de mayo de 2000, relativa a la lucha contra la pornografía infantil en Internet, luego de advertir en su introducción que «la producción, tratamiento, posesión y difusión de material pornográfico infantil pueden representar una modalidad importante de la delincuencia internacional organizada, cuya envergadura dentro de la Unión Europea suscita cada vez mayor preocupación», insta a los Estados miembros en su artículo 1 a que adopten las medidas necesarias para «garantizar una actuación rápida de las autoridades policiales» en cuanto reciban información sobre estos casos y para «animar a los usuarios de Internet a que comuniquen a las autoridades policiales, directa o indirectamente, sus sospechas sobre la difusión de material pornográfico en Internet, cuando encuentren material de este tipo». Por su parte, la Decisión Marco del mismo Consejo de 22 de diciembre de 2003, sobre la lucha contra la explotación sexual de los niños y la pornografía infantil, tras resaltar también en su parte introductoria que la pornografía infantil constituye «una violación de los derechos humanos y del derecho fundamental del niño a una educación y un desarrollo armonioso», describe en su artículo 5 las especiales penas privativas de libertad y las circunstancias agravantes que los Estados miembros han de aplicar en este tipo de infracciones.

Por otra parte, adquiere especial relevancia en este caso la función que se encomienda a la policía judicial de asegurar las pruebas incriminatorias, debiendo destacarse que en estas infracciones, a diferencia de lo que generalmente ocurre con ocasión de otro tipo de intervenciones (p. ej. telefónicas o postales), el delito se comete en la red, por lo que el ordenador, no sólo es el medio a través del cual se conoce la infracción, sino fundamentalmente la pieza de convicción esencial y el objeto de prueba. En este supuesto, hay que tener en cuenta que la persona denunciada no estaba detenida cuando se practica la intervención, por lo que tampoco aparece como irrazonable intentar evitar la eventualidad de que mediante una conexión a distancia desde otra ubicación se procediese al borrado de los ficheros ilícitos de ese ordenador o que pudiera tener en la «nube» de Internet. En todo caso, también aparece como un interés digno de reseñar la conveniencia de que por parte de los funcionarios policiales se comprobara con la conveniente premura la posibilidad de que existiesen otros partícipes, máxime en este caso en que se utilizó una aplicación informática que permite el intercambio de archivos, o que, incluso, detrás del material pedófilo descubierto, pudieran esconderse unos abusos a menores que habrían de acreditarse.

A estas apreciaciones, habría de añadirse que la actuación policial respetó el principio de proporcionalidad, pues se trata de una medida idónea para la investigación del delito (del terminal informático se podían extraer —como así fue— pruebas incriminatorias y nuevos datos para la investigación), imprescindible en el caso concreto (no existían otras menos gravosas) y fue ejecutada de tal modo que el sacrificio del derecho fundamental a la intimidad no resultó desmedido en relación con la gravedad de los hechos y las evidencias existentes. En este punto, merece subrayarse que el órgano judicial no estuvo durante un espacio prolongado de tiempo al margen de la iniciativa adoptada por la policía, pues ésta inmediatamente (a los dos días) dio cuenta al Juez de instrucción, pudiendo entonces éste hacer la conveniente ponderación sobre si dicha diligencia estaba o no justificada, después de oír, como hemos visto, al instructor del atestado instruido.

El derecho a la intimidad frente al derecho a la información —*vid*. ARTÍCULO 20—

El derecho a la intimidad en el ámbito penitenciario —STC 89/2006, de 27 de marzo[18]—

La Sentencia resuelve el recurso de amparo promovido por don P.P.B. interno en el Centro penitenciario de Ponent, contra el Auto de la Sección Primera de la Audiencia Provincial de Lleida, de 24 de septiembre, confirmatorio en apelación del Auto del Juzgado de Vigilancia Penitenciaria núm. 3 de Cataluña de 6 de marzo de 2002, desestimatorio de queja por registro de celda, realizado en su ausencia, debido a informaciones previas relativas a que otro de los ocupantes de la celda podía esconder sustancias prohibidas en la misma.

FJ 2. b) La perspectiva constitucional desde la que se impugna el registro de la celda del recurrente es la del derecho a la intimidad (art. 18.1 CE) y no la del derecho a la inviolabilidad de domicilio (art. 18.2 CE), aunque esta última invocación se sugiera como posible en alguno de los escritos del debate procesal y se utilice en otros como fuente de argumentación por analogía.

Debemos por ello comenzar afirmando la adecuación del planteamiento de la pretensión del recurrente en amparo, habida cuenta de que la celda que ocupa un interno en un establecimiento penitenciario no es su domicilio en el sentido constitucional del término. Esta constatación expresa en sí misma tanto las graves limitaciones que comporta la pena o la medida de prisión para la intimidad de quienes la sufren —«una de las consecuencias más dolorosas de la pérdida de la libertad es la reducción de lo íntimo casi al ámbito de la vida interior, quedando, por el contrario, expuestas al público e incluso necesitadas de autorización muchas actuaciones que normalmente se consideran privadas e íntimas» (STC 89/1987, de 3 de junio, FJ 2)— como también, por el hecho mismo de tal restricción, la especial necesidad de preservar los ámbitos de intimidad no concernidos por la pena o la medida y por su ejecución, y de declarar «ilegítimas, como violación de la intimidad y por eso también degradantes, aquellas medidas que la reduzcan más allá de lo que la ordenada vida de la prisión requiere» (STC 89/1987, FJ 2). [...]

FJ 3. Centrada, pues, la cuestión de legitimidad constitucional en la compatibilidad del registro de celda denunciado con el derecho a la intimidad personal de su ocupante, procede recordar que este derecho es propio de la dignidad de la persona reconocida en el art. 10.1 CE e implica «la existencia de un ámbito propio y reservado frente a la acción y el conocimiento de los demás, necesario, según las pautas de nuestra cultura para mantener una calidad mínima de la vida humana» (SSTC 231/1988, de 1 de diciembre, FJ 3; 57/1994, de 28 de febrero, FJ 5; 70/2002, de 3 de abril, FJ 10; 233/2005, de 26 de septiembre, FJ 4, entre otras muchas). Sin embargo, no es un derecho absoluto, «como no lo es ninguno de los derechos fundamentales, pudiendo ceder ante intereses constitucionalmente relevantes, siempre que el recorte que aquél haya de experimentar se revele como necesario para lograr un fin constitucionalmente legítimo, proporcionado para alcanzarlo y, en todo caso, sea respetuoso con el contenido esencial del derecho (SSTC 57/1994, de 28 de febrero, FJ 6; 143/1994, de 9 de mayo, FJ 6; 98/2000, de 10 de abril, FJ 5, 186/2000, de 10 de julio, FJ 5; 156/2001, de 2 de julio, FJ 4)» (STC 70/2002, de 3 de abril, FJ 10). Específicamente, en relación con «el condenado a pena de prisión», el art. 25.2 de la Constitución, «en atención al estado de reclusión en que se encuentran las personas que cumplen penas de privación de libertad, admite que los derechos constitucionales de estas personas puedan ser objeto de limitaciones que no son de aplicación a los ciudadanos comunes» (STC 120/1990, de 27 de junio, FJ 6) y en concreto que puedan serlo «por el contenido del fallo condenatorio, el sentido de la pena y la ley penitenciaria» (art. 25.2 CE).

El primero de los requisitos para la validez constitucional de la limitación del derecho fundamental de un preso a la intimidad es su establecimiento por ley, como se infiere, no sólo de la mención a la ley penitenciaria como la tercera de las fuentes específicas de restricción de derechos fundamentales de los condenados a penas de prisión, sino ya de la exigencia general del «art. 53.1 CE para la regulación del ejercicio de los derechos y libertades del capítulo segundo del título primero» (STC 58/1998, de 16 de marzo, FJ 3). Este requisito, no obstante, no es ni puede ser el único. De la dicción del art. 25.2 CE no se extrae la conclusión de que las limitaciones que contemplan sean «limitaciones de pura configuración legal» (STC 58/1998, FJ 3). Tales limitaciones, cuando no provienen directa o indirectamente de

---

18   Sobre este tema, *vid*. también la STC 106/2012, de 21 de mayo. Sobre el disfrute del derecho a la intimidad en el ámbito penitenciario, *vid*. también las SSTC 120/1990, de 27 de junio (FJ 12) y 137/1990, de 19 de julio (FJ 10); 207/1996, de 16 de diciembre; 204/2000, de 24 de julio; 218/2002, de 25 de noviembre; 196/2006, de 3 de julio; 171/2013, de 7 de octubre.

la pena —de su contenido o de su sentido—, han de ser «penitenciarias» y, además, sometidas, en su conformación normativa y en su aplicación, a las exigencias del principio de proporcionalidad.

Que hayan de ser limitaciones penitenciarias, en primer lugar, supone que su finalidad «tendrá que estar anudada a las propias de la institución penitenciaria» (STC 58/1998, FJ 3). Más allá de esta precisión relativa a la finalidad de la limitación del derecho fundamental, su constitucionalidad exige igualmente observar las exigencias del principio de proporcionalidad [...]

FJ 4. [...] En el presente caso la Administración penitenciaria justificó la medida de registro en el seguimiento que los funcionarios estaban realizando de uno de los ocupantes de la celda «por su relación con el tráfico de drogas» y en la «información que tenían los funcionarios de que podía haber en la celda sustancias prohibidas». Esta finalidad, que es calificable como penitenciaria y, conforme a nuestra doctrina, como suficientemente específica, no ha sido cuestionada ni en el expediente penitenciario ni en la demanda de amparo, por lo que debe rechazarse la alegación que analizamos relativa a la innecesariedad del registro en sí.

FJ 5. El grueso de la argumentación de la demanda se refiere al modo en el que se realizó el registro y, en concreto, a que se hiciera en ausencia del ocupante de la celda, sin notificación previa al mismo y sin que posteriormente se le entregara un acta del registro. [...]

Para el enjuiciamiento de la pretensión de amparo en este punto resulta conveniente precisar la relación entre el derecho a la intimidad y el conocimiento por su titular de que existe una injerencia en su ámbito de intimidad. La cuestión consiste así en si la intimidad limitada por un registro de pertenencias personales y de un área de intimidad resulta aún más limitada por el hecho de que el sujeto afectado desconozca el hecho mismo del registro, o su contenido, o el resultado del mismo en cuanto a la incautación de objetos personales. La respuesta ha de ser afirmativa, pues no puede negarse la existencia de conexión entre la intimidad y el conocimiento de que la misma ha sido vulnerada y en qué medida lo ha sido.

Para la comprensión de tal conexión debe recordarse a su vez la íntima relación existente entre el derecho a la intimidad y la reserva de conocimiento. El derecho a la intimidad se traduce en un «un poder de control sobre la publicidad de la información relativa a la persona y su familia, con independencia del contenido de aquello que se desea mantener al abrigo del conocimiento público. Lo que el art. 18.1 CE garantiza es un derecho al secreto, a ser desconocido, a que los demás no sepan qué somos o lo que hacemos, vedando que terceros, sean particulares o poderes públicos, decidan cuáles sean los lindes de nuestra vida privada, pudiendo cada persona reservarse un espacio resguardado de la curiosidad ajena, sea cual sea lo contenido en ese espacio. Del precepto constitucional se deduce que el derecho a la intimidad garantiza al individuo un poder jurídico sobre la información relativa a su persona o a la de su familia, pudiendo imponer a terceros su voluntad de no dar a conocer dicha información o prohibiendo su difusión no consentida, lo que ha de encontrar sus límites, como es obvio, en los restantes derechos fundamentales y bienes jurídicos constitucionalmente protegidos» (STC 134/1999, de 15 de julio, FJ 5). Así, si la intimidad es, entre otras facetas, una reserva de conocimiento de un ámbito personal, que por eso denominamos privado y que administra su titular, tal administración y tal reserva se devalúan si el titular del ámbito de intimidad desconoce las dimensiones del mismo porque desconoce la efectiva intromisión ajena. Tal devaluación es correlativa a la de la libertad, a la de la «calidad mínima de la vida humana» (STC 231/1988, de 2 de diciembre, FJ 3), que posibilita no sólo el ámbito de intimidad, sino el conocimiento cabal del mismo.

FJ 6. Desde esta perspectiva afecta al derecho a la intimidad, no sólo el registro de la celda, sino también la ausencia de información acerca de ese registro, que hace que su titular desconozca cuáles son los límites de su capacidad de administración de conocimiento. Esta afectación adicional debe quedar también justificada —en atención a las finalidades perseguidas por el registro o en atención a su inevitabilidad para el mismo— para no incurrir en un exceso en la restricción, en principio justificada, del derecho fundamental. [...]

En un contexto como el penitenciario, en el que la intimidad de los internos se ve necesariamente reducida por razones de organización y de seguridad, toda restricción añadida a la que ya comporta la vida en prisión debe ser justificada en orden a la preservación de un área de intimidad para el mantenimiento de una vida digna y para el desarrollo de la personalidad al que también debe servir la pena (art. 25.2 CE). En el presente caso, sin embargo, aunque el registro de la celda estaba justificado por su finalidad, no consta ni que se le informara al recurrente del mismo —mediante su presencia durante su práctica o mediante una comunicación posterior—, ni justificación suficiente alguna para esta falta de información, lo que hizo que la limitación del derecho a la intimidad incurriera en desproporción por extenderse más allá de lo necesario para los fines de seguridad que la legitimaban.

El derecho a la intimidad en el ámbito laboral: el acoso sexual —STC 224/1999, de 13 de diciembre—

La Sentencia resuelve el recurso de amparo interpuesto por doña A.M.I.E. contra la Sentencia de la Sala de lo Social del Tribunal Superior de Justicia de Galicia, de 9 de febrero de 1995, que revocó la del Juez de lo Social núm. 2 de Vigo en Sentencia de 19 de noviembre de 1994, que había estimado parcialmente la demanda. La recurrente prestó servicios para la Sociedad Limitada Organización de Tiendas de Galicia desde el día 1 de junio de 1994 en virtud de contrato de aprendizaje pactado con una duración de 6 meses. Con fecha de 20 de octubre de 1994, la actora, en situación de baja laboral desde el 17 de agosto de 1994, formuló demanda sobre protección de derechos fundamentales contra la citada empresa y contra don S.B.A., denunciando ser víctima de acoso sexual por parte del citado S.B.A., con base en una serie de hechos, e invocando la vulneración del art. 4.2 e) del Estatuto de los Trabajadores, y de los arts. 10, 14, 15 y 18 CE.

FJ 2. La cuestión así planteada ante este Tribunal estriba en determinar si una trabajadora, como consecuencia de la conducta libidinosa del empresario, ha visto vulnerados sus derechos fundamentales y concretamente el que le garantiza la intimidad personal en el art. 18.1 CE, pues en éste se inscribe el derecho a la protección del trabajador contra el conocido también como «acoso sexual» en el ámbito laboral por cuanto se trata de un atentado a una parcela tan reservada de una esfera personalísima como es la sexualidad, en desdoro de la dignidad humana (art. 10.1 CE), sin olvidar tampoco la conexión que en ocasiones pueda trabarse con el derecho de la mujer a no ser discriminada por razón de su sexo cuando tales comportamientos agresivos, contrarios a los valores constitucionales, puedan afectar todavía en el día de hoy, más a las mujeres que a los hombres (art. 14 CE). Es cierto que aquella norma constitucional no se ha invocado en ningún momento por su número ni por su nombre, pero no lo es menos que los hechos determinantes y el agravio que constituyen son suficientemente significativos por sí mismos y permiten, sin esfuerzo, identificar el derecho fundamental agredido con el soporte de la dignidad humana que se adujo siempre como raíz de la reacción judicial de la víctima. Esto ha de ser suficiente para nosotros y en tal sentido nos hemos pronunciado tantas veces que hace superflua la cita de los precedentes. […]

FJ 3. Comprobada, pues, la dimensión constitucional del problema en tela de juicio conviene iniciar el razonamiento jurídico desde el concepto que, según la terminología acuñada en la jurisdicción social, se conoce como «acoso sexual en el trabajo», para averiguar si se ha producido, o no, un atentado a la intimidad personal (art. 18.1 CE). Esta primera delimitación conceptual dejaría a salvo, claro está, el diverso significado del acoso sexual tipificado como delito en el art. 184 del vigente Código Penal. Un paso más en ese camino nos lleva al ámbito del Estatuto de los Trabajadores donde se proclama su derecho a que sea respetada su intimidad y a recibir la consideración debida a su dignidad, comprendida la protección frente a ofensas verbales, gestuales y físicas de tendencia libidinosa [art. 4.2 e)]. En el ámbito de esa salvaguardia queda así prohibido no sólo el acoso en el cual el sometimiento de la mujer o el hombre a tales requerimientos no queridos ni pedidos de empleadores o compañeros, se erige en un peligro de la estabilidad en el empleo, la promoción, o la formación profesional o cualesquiera otra condiciones en el trabajo o en el salario, sino también el acoso sexual consiste en un comportamiento de carácter libidinoso no deseado por generar un ambiente laboral desagradable, incómodo, intimidatorio, hostil, ofensivo o humillante para el trabajador (Resolución del Consejo de las Comunidades Europeas de 29 de mayo de 1990 y art. 1 de la Recomendación de la Comisión de las Comunidades Europeas de 27 de noviembre de 1991, para la protección de la dignidad de la mujer y del hombre en el trabajo). En tal situación constituye un elemento esencial que esa conducta sea lo suficientemente grave como para crear tal entorno negativo y lo sea, por otra parte, no sólo según la percepción subjetiva o la sensibilidad particular de quien lo padece, sino objetivamente considerada. Por tanto, en esta modalidad del acoso hay algo más que una repercusión negativa sobre una concreta condición de trabajo del acosado o una explícita discriminación en las condiciones de trabajo.

En resumen, pues, para que exista un acoso sexual ambiental constitucionalmente recusable ha de exteriorizarse, en primer lugar, una conducta de tal talante por medio de un comportamiento físico o verbal manifestado, en actos, gestos o palabras, comportamiento que además se perciba como indeseado e indeseable por su víctima o destinataria, y que, finalmente, sea grave, capaz de crear un clima radicalmente odioso e ingrato, gravedad que se erige en elemento importante del concepto. En efecto, la prohibición del acoso no pretende en absoluto un medio laboral aséptico y totalmente ajeno a tal dimensión de la persona, sino exclusivamente eliminar aquellas conductas que generen, objetivamente, y no sólo para la acosada, un ambiente en el trabajo hosco e incómodo. En tal sentido, la práctica judicial de otros países pone de manifiesto que ese carácter hostil no puede depender tan sólo de la sensibilidad de la víctima de la agresión libidinosa, aun cuando sea muy de tener en cuenta, sino que debe ser ponderado objetivamente, atendiendo al conjunto de las circunstancias concurrentes en cada caso, como la intensidad de la conducta, su reiteración, si se han producido contactos corporales humillantes o sólo un amago o quedó en licencias o excesos verbales y si el comportamiento ha afectado al cumplimiento de la prestación laboral, siendo por otra parte relevantes los efectos sobre el equilibrio psicológico de la víctima para determinar si encontró opresivo el ambiente en el trabajo. Así, fuera de tal concepto quedarían aquellas conductas que sean fruto de una relación libremente asumida, vale decir previamente deseadas y, en cualquier caso, consentidas o, al menos, toleradas.

FJ 4. [...] Es cierto que, como se ha dicho más arriba, la configuración constitucional del acoso sexual, como atentado a la intimidad personal del trabajador (art. 18.1 CE), protege exclusivamente frente a comportamientos de significado libidinoso que no sean asumidos por la persona destinataria de los mismos. En tal sentido, como se sigue del código de conducta de la Recomendación de la Comisión ya citada, lo que distingue al acoso sexual del comportamiento amistoso es que aquél es unilateral e indeseado, y el otro, voluntario y recíproco, correspondiendo a cada individuo la libre opción de aceptarlo o rechazarlo por ofensivo. En consecuencia, parece razonable que, salvo casos extremos, una señal del carácter no querido de tal conducta por parte de su destinataria sea conveniente para deshacer cualquier equívoco o ambigüedad al respecto como ocurrió en este caso sin que en consecuencia quepa hablar de tolerancia por su parte. Debe ser rechazado, pues, el razonamiento judicial, que parece imponer al eventual afectado por un acto de acoso sexual la carga de reaccionar con carácter inmediato y con una contundencia incompatible con la interpretación predicada por la sobredicha Recomendación.

Por otra parte, pueden espigarse datos, en el relato de lo sucedido que revelan la reacción airada de la víctima frente a los primeros avances así como su incomodidad y desagrado ante los requerimientos del empresario, con indicios racionales de que tal conducta no era deseada ni deseable, como son el que comunicara lo sucedido no solo a compañeras en su anterior empresa (cuyos testimonios se recogen en el acta del juicio), y se quejara de ello a un amigo del propio empresario. En el mismo sentido debe interpretarse el hecho de que la empleada se dirigiera al Servicio de información y asesoramiento de los derechos de la mujer dependiente del Concello de Vigo para recabar asesoramiento jurídico y médico sobre la persecución de la cual se creía víctima y que iniciada la relación de trabajo en junio de 1994, ya en el mes de octubre planteara la reclamación en sede judicial. Sobre el empresario recaía entonces la carga de probar que su comportamiento fue alentado, consentido o al menos tolerado por la trabajadora, sin que a tal fin tenga eficacia persuasiva el que en alguna ocasión ambas familias almorzaran juntas o que el día de su onomástica ella invitara sin éxito a un café al empresario y a un amigo de éste.

FJ 5. Es claro, por tanto, que en el presente supuesto se dan los elementos definidores del acoso sexual [...] generando así un entorno laboral hostil e incómodo objetivamente considerado, no sólo sentido como tal por la víctima, con menoscabo de su derecho a cumplir la prestación laboral en un ambiente despejado de ofensas de palabra y obra que atenten a su intimidad personal.

El derecho a la intimidad en el ámbito laboral: los reconocimientos médicos —STC 196/2004, de 15 de noviembre (*vid. supra*)[19]—

FJ 6. [...] Sin perjuicio de la relevancia que tendrán para la resolución del caso otros elementos de ese elenco, importa destacar ahora que la regulación de la vigilancia de la salud de los trabajadores en la Ley de prevención de riesgos laborales descansa en un principio vertebral: la voluntariedad del reconocimiento médico como regla general. Efectivamente, conforme a lo expuesto hasta aquí, de esa manera se toma en consideración la afectación en el derecho a la intimidad que puede resultar de ese tipo de pruebas. De ahí que el párrafo 2 del art. 22.1 disponga que la vigilancia de la salud a través de los reconocimientos médicos sólo podrá realizarse, por regla general, cuando el trabajador preste su consentimiento. El trabajador, por tanto, será libre para decidir someterse o no a los controles médicos, permitiendo, en su caso, exploraciones y analíticas sobre datos corporales.

Como se adelantó, existen sin embargo excepciones a ese principio de libre determinación del sujeto, configurándose supuestos de obligatoriedad. Así ocurre, dice la Ley, cuando resulte imprescindible para evaluar los efectos de

---

[19]   *Vid.* también la STC 202/1999, de 8 de noviembre (el almacenamiento informático, en la base de datos «Absentismo con baja médica», de los diagnósticos médicos de trabajadoras/es de una empresa sin mediar su consentimiento expreso ni contar con apoyo legal vulnera el derecho a la intimidad de esas/os trabajadoras/es —*vid.* ARTÍCULO 18.4 CE); 70/2009, de 23 de marzo; 159/2009, de 29 de junio (*vid. supra*)—.

las condiciones de trabajo sobre la salud de los trabajadores; cuando se busque verificar si el estado de salud del trabajador puede constituir un peligro para él mismo, para los demás trabajadores o para otras personas relacionadas con la empresa o cuando así esté establecido en una disposición legal en relación con la protección de riesgos específicos y actividades de especial peligrosidad (art. 22.1, párrafo segundo, LPRL). Esa previsión adapta al campo de la salud laboral la lógica propia de la normativa sanitaria, que contempla también tratamientos médicos obligatorios en determinadas circunstancias (señaladamente, art. 9.2 de la Ley 41/2002, de 14 noviembre, básica reguladora de la autonomía del paciente y de derechos y obligaciones en materia de información y documentación clínica).

Ahora bien, las excepciones contenidas en la Ley de prevención de riesgos laborales deberán cumplir ciertos requisitos para poder dar lugar a una imposición del control médico.

Ciertamente, la Constitución, en su art. 18.1, no prevé expresamente la posibilidad de un sacrificio legítimo del derecho a la intimidad (a diferencia, por ejemplo, de lo que ocurre con los derechos a la inviolabilidad del domicilio o al secreto de las comunicaciones —art. 18.2 y 3 CE), mas ello no significa que sea un derecho absoluto, pues puede ceder ante razones justificadas de interés general convenientemente previstas por la Ley, entre las que, sin duda, se encuentra la evitación y prevención de riesgos y peligros relacionados con la salud. Ese interés público es, desde luego, causa legítima que puede justificar la realización de reconocimientos médicos también en el marco de la relación laboral. Claro que, como ha puesto de relieve nuestra jurisprudencia en el terreno del propio derecho fundamental a la intimidad personal, las posibles limitaciones deberán estar fundadas en una previsión legal que tenga justificación constitucional, sea proporcionada y que exprese con precisión todos y cada uno de los presupuestos materiales de la medida limitadora (STC 292/2000, de 30 de noviembre, FJ 16).

El Tribunal Europeo de Derechos Humanos ha tenido en cuenta también estas exigencias, pues refiriéndose a la garantía de la intimidad individual y familiar del art. 8 CEDH, reconociendo que pudiera tener límites como la seguridad del Estado (STEDH caso Leander, de 26 de marzo de 1987), o la persecución de infracciones penales (mutatis mutandis, SSTEDH casos Funke, de 25 de febrero de 1993, y Z, de 25 de febrero de 1997), ha exigido que tales limitaciones estén previstas legalmente y sean las indispensables en una sociedad democrática, lo que implica que la ley que establezca esos límites sea accesible al individuo concernido por ella, que resulten previsibles las consecuencias que para él pueda tener su aplicación, y que los límites respondan a una necesidad social imperiosa y sean adecuados y proporcionados para el logro de su propósito (Sentencias del Tribunal Europeo de Derechos Humanos caso X e Y, de 26 de marzo de 1985; caso Leander, de 26 de marzo de 1987; caso Gaskin, de 7 de julio de 1989; mutatis mutandis, caso Funke, de 25 de febrero de 1993; caso Z, de 25 de febrero de 1997). La norma habilitante, en suma, deberá concretar las restricciones alejándose de criterios de delimitación imprecisos o extensivos, pues vulnerará la intimidad personal si regula los límites de forma tal que hagan impracticable el derecho fundamental afectado o ineficaz la garantía que la Constitución le otorga (STC 292/2000, de 30 de noviembre, FJ 11).

Trasladando todo lo dicho a la disposición de referencia en la materia, el art. 22.1, párrafo segundo, LPRL, hemos de convenir en que los reconocimientos médicos obligatorios únicamente están habilitados por la Ley cuando concurran una serie de notas, a saber: la proporcionalidad al riesgo (por inexistencia de opciones alternativas de menor impacto en el núcleo de los derechos incididos); la indispensabilidad de las pruebas (por acreditarse ad casum la necesidad objetiva de su realización en atención al riesgo que se procura prevenir, así como los motivos que llevan al empresario a realizar la exploración médica a un trabajador singularmente considerado), y la presencia de un interés preponderante del grupo social o de la colectividad laboral o una situación de necesidad objetivable (descrita en los supuestos del segundo párrafo del art. 22.1), notas que justificarían en su conjunto la desfiguración de la regla ordinaria de libertad de decisión del trabajador.

Consecuentemente, los límites legales (las excepciones a la libre disposición del sujeto sobre ámbitos propios de su intimidad, previstos en el art. 22.1, párrafo segundo, LPRL) quedan vinculados o bien a la certeza de un riesgo o peligro en la salud de los trabajadores o de terceros, o bien, en determinados sectores, a la protección frente a riesgos específicos y actividades de especial peligrosidad (pues es obvio que existen empresas y actividades sensibles al riesgo y por tanto trabajadores especialmente afectados por el mismo —ATC 272/1998, de 3 de diciembre).

La obligatoriedad no puede imponerse, en cambio, si únicamente está en juego la salud del propio trabajador, sin el añadido de un riesgo o peligro cierto objetivable, pues aquél, según se dijo, es libre para disponer de la vigilancia de su salud sometiéndose o no a los reconocimientos en atención a las circunstancias y valoraciones que estime pertinentes para la decisión.

FJ 7. [...] El reconocimiento médico en la relación laboral no es, en definitiva, un instrumento del empresario para un control dispositivo de la salud de los trabajadores, como tampoco una facultad que se le reconozca para verificar la capacidad profesional o la aptitud psicofísica de sus empleados con un propósito de selección de personal o similar.

Su eje, por el contrario, descansa en un derecho del trabajador a la vigilancia de su salud. Un derecho que sólo puede venir restringido por las excepciones enunciadas, con los requisitos y límites mencionados. En suma, la regla es —y la regla tiene una clara base constitucional a tenor de la conexión íntima entre los reconocimientos médicos y derechos fundamentales como el de la intimidad personal— la conformidad libre, voluntaria e informada del trabajador para la vigilancia y protección de su salud frente a los riesgos del trabajo.

FJ 9. Situados en el marco ordinario de la prevención y vigilancia de la salud, afectada la intimidad personal (FJ 4) y no existiendo circunstancias justificativas de un reconocimiento médico obligatorio y de las consecuencias que a él, según fueran sus resultados, pudieran eventualmente aparejarse, toma protagonismo central la necesidad de consentimiento por parte de la afectada. [...]
De acuerdo con lo señalado, la recurrente se sometió libremente a las pruebas médicas. El hecho del que se deduce es el acto mismo de entrega de las muestras. No resulta admisible, en cambio, el argumento que aporta en esta sede Iberia, LAE, S.A., sobre la necesidad de intencionalidad para que la lesión del derecho fundamental pueda producirse, pues hemos declarado reiteradamente que la vulneración de derechos fundamentales «no queda supeditada a la concurrencia de dolo o culpa en la conducta del sujeto activo, a la indagación de factores psicológicos y subjetivos de arduo control. Este elemento intencional es irrelevante, bastando constatar la presencia de un nexo de causalidad adecuado entre el comportamiento antijurídico y el resultado lesivo prohibido por la norma» (por todas, STC 225/2001, de 26 de noviembre, FJ 4).
Ahora bien, desde la perspectiva del derecho a la intimidad personal, lo anterior no es suficiente para considerar válido el consentimiento, ni para concluir que se respetaron los términos para los que fue otorgado. Existe un segundo aspecto a considerar: la información que debe proporcionarse al trabajador en este tipo de pruebas. En efecto, el acto de libre determinación que autoriza una intervención sobre ámbitos de la intimidad personal, para ser eficaz, requiere que el trabajador sea expresamente informado de las pruebas médicas especialmente invasoras de su intimidad. Esa exigencia significa que el trabajador debe recibir información expresa, al tiempo de otorgar su consentimiento, sobre cualquier prueba o analítica que pudiera llegar a afectar a su intimidad corporal, esto es, conforme a nuestra doctrina, en relación con todas las actuaciones que por las partes del cuerpo sobre las que se opera o por los instrumentos mediante los que se realizan incidan en el pudor o el recato corporal de la persona, en tanto responda a estimaciones y criterios arraigados en la cultura de la propia comunidad (SSTC 37/1989, de 15 de febrero, FJ 7; 120/1990, de 27 de junio, FJ 12; 137/1990, de 19 de julio, FJ 10; 207/1996, de 16 de diciembre, FJ 3; 156/2001, 2 de julio, FJ 4; 218/2002, de 25 de noviembre, FJ 4). En segundo lugar, es preciso también un acto expreso de información si en el reconocimiento médico fueran a realizarse pruebas que, aun sin afectar a la intimidad corporal del trabajador, sí conciernen en cambio al derecho más amplio a la intimidad personal de la que aquélla forma parte, al tener por objeto datos sensibles que puedan provocar un juicio de valor social de reproche o desvalorización ante la comunidad (como ocurre con el consumo habitual de drogas: STC 207/1996, de 16 de diciembre, FJ 3). Finalmente, por su importancia destacada en el presente caso, la misma necesidad de información previa existe cuando las pruebas a practicar sean ajenas a la finalidad normativa de vigilancia de la salud en relación con los riesgos inherentes al trabajo. [...]

FJ 10. Pues bien, en el presente caso los hechos probados declaran que a la recurrente no se le comunicó ni por la empresa ni por sus servicios médicos cuál era la información buscada con los análisis médicos y, en concreto, que no se le informó de que se analizaría su consumo de estupefacientes. Esa circunstancia, ciertamente, no equivale a que existiera resistencia por parte de Iberia, LAE, S.A., a informar a la demandante, caso de que ésta lo hubiera solicitado, ni tampoco supone que ésta no tuviera posibilidades de acceder a dicho conocimiento a través de sus representantes o directamente dirigiéndose a los servicios médicos o por otros cauces. Ahora bien, conforme a lo que hemos establecido, Iberia, LAE, S.A., tenía la obligación de informar expresamente a la trabajadora de esa analítica concreta, toda vez que, si bien no afectaba a la intimidad corporal, según se dijo, sí tenía como objeto datos sensibles que lo imponían, pues el hecho de haber consumido en algún momento algún género de drogas, pese a que en nuestro ordenamiento es una conducta en sí misma impune, provoca a menudo un juicio social de reproche en sectores significativos de la comunidad. Por ello, los datos mismos que quedaban comprometidos, por su naturaleza, obligaban a una información previa y expresa, tendente a asegurar la libre decisión. [...]
En consecuencia, al haberse invadido la esfera privada de la recurrente sin contar con habilitación legal para ello y sin consentimiento eficaz de la titular del derecho, actuando sin autorización sobre ámbitos que exigían una información expresa y previa al consentimiento, con vulneración por tanto del art. 18.1 CE, procedente será el otorgamiento del amparo, debiendo recordarse que, según constante doctrina de este Tribunal (entre otras, SSTC 38/1981, de 23 de

noviembre, 114/1989, de 22 de junio, 186/1996, de 25 de noviembre, 1/1998, de 12 de enero, 57/1999, de 12 de abril, 20/2002, de 28 de enero, o 49/2003, de 17 de marzo), la reparación de la lesión de un derecho fundamental que hubiese sido causado por el despido laboral, debe determinar la eliminación absoluta de sus efectos, es decir, la nulidad del mismo, lo que implica la anulación de la Sentencia impugnada y declaración de la firmeza de la Sentencia del Juzgado de lo Social que con acierto aplicó el art. 18.1 CE.

El derecho a la intimidad en el ámbito laboral: la instalación de aparatos de captación y grabación del sonido en el centro de trabajo —STC 98/2000, de 10 de abril[20]—

La Sentencia resuelve el recurso de amparo promovido por don S.A.G. en su propio nombre y en representación del Comité de empresa del Casino de La Toja, S.A., contra la Sentencia de 25 de enero de 1996 de la Sala de lo Social del Tribunal Superior de Justicia de Galicia que revoca otra anterior del Juzgado de lo Social núm. 3 de Pontevedra y declara que la decisión de la empresa Casino de La Toja, S.A., sobre instalación de micrófonos en determinadas dependencias del centro de trabajo no vulnera derecho fundamental alguno de los trabajadores. El recurrente entiende, por el contrario, que dicha decisión vulnera sus derechos a la intimidad y a la propia imagen.

FJ 8. No existe normativa específica que regule la instalación y utilización de estos mecanismos de control y vigilancia consistentes en sistemas de captación de imágenes o grabación de sonidos dentro de los centros de trabajo, por lo que son los órganos jurisdiccionales (y, en último caso, este Tribunal) los encargados de ponderar, en caso de conflicto, en qué circunstancias puede considerarse legítimo su uso por parte del empresario, al amparo del poder de dirección que le reconoce el art. 20 LET, atendiendo siempre al respeto de los derechos fundamentales del trabajador, y muy especialmente al derecho a la intimidad personal que protege el art. 18.1 CE, teniendo siempre presente el principio de proporcionalidad.

Por ello, el control que debe realizar este Tribunal de la Sentencia recurrida en amparo ha de recaer precisamente en enjuiciar si, como exige la doctrina reiterada de este Tribunal que ha quedado expuesta, el órgano jurisdiccional ha ponderado adecuadamente si la instalación y empleo de medios de captación y grabación del sonido por la empresa ha respetado en el presente caso el derecho a la intimidad personal de los trabajadores del Casino de La Toja, S.A.

FJ 9. Pues bien, en el caso presente, la justificación ofrecida por la empresa Casino de La Toja, S.A., para instalar y utilizar unos aparatos de audición que permiten captar y grabar las conversaciones que tienen lugar en las secciones de caja y del juego de la ruleta francesa es la de que esas grabaciones sirven para completar los sistemas de seguridad (particularmente, el sistema de circuito cerrado de televisión) ya existentes en el casino, siendo útil disponer de grabación del sonido en caso de tener que resolver eventuales reclamaciones de los clientes. Esta justificación es considerada suficiente por la Sentencia recurrida para entender que no se ha vulnerado el derecho a la intimidad personal de los trabajadores, porque la instalación de los micrófonos se limita a puntos concretos del centro de trabajo (de modo que no existe una utilización general indiscriminada que pudiera reputarse arbitraria), siendo conocida por los trabajadores, y atendiendo a una finalidad legítima ya que «añade un plus de seguridad para resolver reclamaciones relativas al juego de la ruleta o a las que se puedan producir al efectuar los cambios en caja». Para llegar a esta conclusión la Sentencia recurrida parte, como ya hemos señalado, de «la premisa básica cual es la de que el centro de trabajo no constituye por definición un espacio en el que se ejerza el referido derecho por parte de los trabajadores. La actividad laboral en general, ya se considere en el sentido estricto del desempeño del cometido profesional, como concurriendo en el mismo las relaciones con los clientes, lo que supone abarcar las conversaciones de personal y clientes en el ámbito de dicho cometido profesional y en el lugar de trabajo, no están amparadas por el derecho de intimidad, y no hay razón alguna para que la empresa no pueda conocerlas, ya que en principio el referido derecho se ejercita en el ámbito de la esfera privada del trabajador, que en la empresa hay que entenderlo limitado a sus lugares de descanso o esparcimiento, vestuarios, servicios y otros análogos, pero no en aquellos lugares en que se desarrolla la actividad laboral» (fundamento de derecho 3).

Pues bien, a la vista de la doctrina sentada por este Tribunal no puede admitirse que la resolución judicial objeto del presente recurso de amparo haya ponderado adecuadamente si en el presente caso se cumplieron los requisitos

---

[20] *Vid.* también el tratamiento de estas cuestiones desde la perspectiva del **ARTÍCULO 18.4** (*vid. infra* SSTC 29/2013, de 11 de febrero).

derivados del principio de proporcionalidad. De entrada, resulta inaceptable, como ya se dijo, la premisa de la que parte la Sentencia impugnada en el sentido de que los trabajadores no pueden ejercer su derecho a la intimidad en la empresa, con excepción de determinados lugares (vestuarios, servicios y análogos). Esta tesis resulta refutada por la citada doctrina del Tribunal Constitucional que sostiene que la celebración del contrato de trabajo no implica en modo alguno la privación para una de las partes, el trabajador, de los derechos que la Constitución le reconoce como ciudadano, por más que el ejercicio de tales derechos en el seno de la organización productiva pueda admitir ciertas modulaciones o restricciones, siempre que esas modulaciones estén fundadas en razones de necesidad estricta debidamente justificadas por el empresario, y sin que haya razón suficiente para excluir a priori que puedan producirse eventuales lesiones del derecho a la intimidad de los trabajadores en los lugares donde se realiza la actividad laboral propiamente dicha.

La cuestión a resolver es, pues, si la instalación de micrófonos que permiten grabar las conversaciones de trabajadores y clientes en determinadas zonas del casino se ajusta en el supuesto que nos ocupa a las exigencias indispensables del respeto al derecho a la intimidad. Al respecto hemos de comenzar señalando que resulta indiscutible que la instalación de aparatos de captación y grabación del sonido en dos zonas concretas del casino como son la caja y la ruleta francesa no carece de utilidad para la organización empresarial, sobre todo si se tiene en cuenta que se trata de dos zonas en las que se producen transacciones económicas de cierta importancia. Ahora bien, la mera utilidad o conveniencia para la empresa no legitima sin más la instalación de los aparatos de audición y grabación, habida cuenta de que la empresa ya disponía de otros sistemas de seguridad que el sistema de audición pretende complementar.

Como acertadamente advierte el Ministerio Fiscal, la instalación de los micrófonos no ha sido efectuada como consecuencia de la detección de una quiebra en los sistemas de seguridad y control anteriormente establecidos sino que, como se deduce del comunicado que la empresa remitió al Comité de empresa dando cuenta de la implantación del sistema de audición, se tomó dicha decisión para complementar los sistemas de seguridad ya existentes en el casino. Es decir, no ha quedado acreditado que la instalación del sistema de captación y grabación de sonidos sea indispensable para la seguridad y buen funcionamiento del casino. Así las cosas, el uso de un sistema que permite la audición continuada e indiscriminada de todo tipo de conversaciones, tanto de los propios trabajadores, como de los clientes del casino, constituye una actuación que rebasa ampliamente las facultades que al empresario otorga el art. 20.3 LET y supone, en definitiva, una intromisión ilegítima en el derecho a la intimidad consagrado en el art. 18.1 CE.

En resumen, la implantación del sistema de audición y grabación no ha sido en este caso conforme con los principios de proporcionalidad e intervención mínima que rigen la modulación de los derechos fundamentales por los requerimientos propios del interés de la organización empresarial, pues la finalidad que se persigue (dar un plus de seguridad, especialmente ante eventuales reclamaciones de los clientes) resulta desproporcionada para el sacrificio que implica del derecho a la intimidad de los trabajadores (e incluso de los clientes del casino). Este sistema permite captar comentarios privados, tanto de los clientes como de los trabajadores del casino, comentarios ajenos por completo al interés empresarial y por tanto irrelevantes desde la perspectiva de control de las obligaciones laborales, pudiendo, sin embargo, tener consecuencias negativas para los trabajadores que, en todo caso, se van a sentir constreñidos de realizar cualquier tipo de comentario personal ante el convencimiento de que van a ser escuchados y grabados por la empresa. Se trata, en suma, de una intromisión ilegítima en el derecho a la intimidad consagrado en el art. 18.1 CE, pues no existe argumento definitivo que autorice a la empresa a escuchar y grabar las conversaciones privadas que los trabajadores del casino mantengan entre sí o con los clientes. Lo cual conduce al otorgamiento del amparo con el restablecimiento al demandante en la integridad de su derecho, tal como le fue reconocido en instancia por el Juzgado de lo Social núm. 3 de Pontevedra.

El derecho a la intimidad en el ámbito laboral: la instalación de aparatos de captación y grabación del sonido en el centro de trabajo —STC 186/2000, de 10 de julio[21]—

La Sentencia resuelve el recurso de amparo promovido por don C.J.M.P.G. contra la Sentencia del Juzgado de lo Social núm. 1 de Avilés de 26 de septiembre de 1995, así como contra la de la Sala de lo Social del Tribunal Superior

---

[21]   Sobre la intervención empresarial de comunicaciones por correo electrónico de sus trabajadoras/es, analizadas bajo la perspectiva de los derechos a la intimidad, entrelazada con la del derecho al secreto al secreto de las comunicaciones, *vid.* SSTC 241/2012, de 17 de diciembre; 170/2013, de 7 de octubre (*vid.* **ARTÍCULO 18.3**).

de Justicia del Principado de Asturias, de 2 de febrero de 1996, que desestimó el recurso de suplicación interpuesto contra aquélla, y contra el Auto de 23 de abril de 1997 de la Sala de lo Social del Tribunal Supremo, que inadmitió el recurso de casación para unificación de doctrina interpuesto contra la Sentencia dictada en suplicación. El recurrente venía prestando servicios como cajero del economato de su empresa (ENSIDESA). Como consecuencia de un descuadre llamativo en los rendimientos de la sección de textil y calzado del economato donde desarrollaba su labor y de alguna advertencia sobre el irregular proceder de los cajeros, la dirección contrató con una empresa de seguridad la instalación de un circuito cerrado de televisión que enfocase únicamente a las tres cajas registradoras y al mostrador de paso de las mercancías desde el techo, en el radio de acción aproximado que alcanzaba el cajero en sus manos. El resultado de la vigilancia realizada en diferentes fechas de abril y mayo de 1995 determinó la adopción de medidas disciplinarias contra los tres cajeros: el recurrente fue despedido y a los otros dos se les impuso una sanción de suspensión de empleo y sueldo durante dos meses. Entiende el recurrente que su despido y la Sentencias que lo confirman vulneraron sus derechos fundamentales a la intimidad y a la propia imagen.

FJ 7. Pues bien, del razonamiento contenido en las Sentencias recurridas se desprende que, en el caso que nos ocupa, la medida de instalación de un circuito cerrado de televisión que controlaba la zona donde el demandante de amparo desempeñaba su actividad laboral era una medida justificada (ya que existían razonables sospechas de la comisión por parte del recurrente de graves irregularidades en su puesto de trabajo); idónea para la finalidad pretendida por la empresa (verificar si el trabajador cometía efectivamente las irregularidades sospechadas y en tal caso adoptar las medidas disciplinarias correspondientes); necesaria (ya que la grabación serviría de prueba de tales irregularidades); y equilibrada (pues la grabación de imágenes se limitó a la zona de la caja y a una duración temporal limitada, la suficiente para comprobar que no se trataba de un hecho aislado o de una confusión, sino de una conducta ilícita reiterada), por lo que debe descartarse que se haya producido lesión alguna del derecho a la intimidad personal consagrado en el art. 18.1 CE.

En efecto, la intimidad del recurrente no resulta agredida por el mero hecho de filmar cómo desempeñaba las tareas encomendadas en su puesto de trabajo, pues esa medida no resulta arbitraria ni caprichosa, ni se pretendía con la misma divulgar su conducta, sino que se trataba de obtener un conocimiento de cuál era su comportamiento laboral, pretensión justificada por la circunstancia de haberse detectado irregularidades en la actuación profesional del trabajador, constitutivas de transgresión a la buena fe contractual. Se trataba, en suma, de verificar las fundadas sospechas de la empresa sobre la torticera conducta del trabajador, sospechas que efectivamente resultaron corroboradas por las grabaciones videográficas, y de tener una prueba fehaciente de la comisión de tales hechos, para el caso de que el trabajador impugnase, como así lo hizo, la sanción de despido disciplinario que la empresa le impuso por tales hechos.

Pero es más, como ya quedó advertido, en el caso presente la medida no obedeció al propósito de vigilar y controlar genéricamente el cumplimiento por los trabajadores de las obligaciones que les incumben, a diferencia del caso resuelto en nuestra reciente STC 98/2000, en el que la empresa, existiendo un sistema de grabación de imágenes no discutido, amén de otros sistemas de control, pretendía añadir un sistema de grabación de sonido para mayor seguridad, sin quedar acreditado que este nuevo sistema se instalase como consecuencia de la detección de una quiebra en los sistemas de seguridad ya existentes y sin que resultase acreditado que el nuevo sistema, que permitiría la audición continuada e indiscriminada de todo tipo de conversaciones, resultase indispensable para la seguridad y buen funcionamiento del casino. Por el contrario, en el presente caso ocurre que previamente se habían advertido irregularidades en el comportamiento de los cajeros en determinada sección del economato y un acusado descuadre contable. Y se adoptó la medida de vigilancia de modo que las cámaras únicamente grabaran el ámbito físico estrictamente imprescindible (las cajas registradoras y la zona del mostrador de paso de las mercancías más próxima a los cajeros). En definitiva, el principio de proporcionalidad fue respetado.

El hecho de que la instalación del circuito cerrado de televisión no fuera previamente puesta en conocimiento del Comité de empresa y de los trabajadores afectados (sin duda por el justificado temor de la empresa de que el conocimiento de la existencia del sistema de filmación frustraría la finalidad apetecida) carece de trascendencia desde la perspectiva constitucional, pues, fuese o no exigible el informe previo del Comité de empresa a la luz del art. 64.1.3 d) LET, estaríamos en todo caso ante una cuestión de mera legalidad ordinaria, ajena por completo al objeto del recurso de amparo. Todo ello sin perjuicio de dejar constancia de que los órganos judiciales han dado una respuesta negativa a esta cuestión, respuesta que no cabe tildar de arbitraria o irrazonable, lo que veda en cualquier caso su revisión en esta sede. [...]

3. El derecho a la propia imagen

A) Contenido del derecho a la propia imagen

El derecho a la propia imagen como derecho de la personalidad y su conexión con el derecho a la intimidad: caso Ana García Obregón —STC 117/1994, de 25 de abril[22]—

La Sentencia resuelve el recurso de amparo promovido por doña Ana García Obregón contra Sentencia la Sala Primera del Tribunal Supremo, de 16 de junio de 1990, por la que se declara no haber lugar el recurso de casación interpuesto contra la dictada por la Sala Primera de lo Civil de la Audiencia Territorial de Barcelona, de fecha 19 de julio de 1988, que confirmó en apelación la del Juzgado de Primera Instancia núm. 2 de Barcelona, de 9 de noviembre de 1987, en proceso de protección civil del derecho al honor, a la intimidad y a la propia imagen. Mediante documento privado, la recurrente reconoció, gratuitamente, al fotógrafo italiano don Mimo Cattarinich «el pleno derecho de distribuir en todo el mundo, con fines periodísticos», una serie de fotografías obtenidas los días 24, 25 y 26 del citado mes y año y por ella misma «seleccionadas y aprobadas». El 13 de marzo de 1985 se publicaron algunas de esas fotografías en la revista «Interviú». Don Mimo Cattarinich, mediante contrato de 10 de septiembre de 1986, cedió a «Editorial Origen, S.A.», editora de la revista «Play Boy España», los derechos de reproducción del reportaje fotográfico para su publicación en un sólo número de la citada revista, percibiendo por ello la cantidad de 1.000.000 ptas. Entiende la recurrente que la publicación de sus fotografías sin su consentimiento vulneró su derecho a la propia imagen.

FJ 3. El derecho a la propia imagen forma parte de los derechos de la personalidad, y como tal garantiza el ámbito de libertad de una persona respecto de sus atributos más característicos, propios e inmediatos como son la imagen física, la voz o el nombre, cualidades definitorias del ser propio y atribuidas como posesión inherente e irreductible a toda persona. En la medida en que la libertad de ésta se manifiesta en el mundo físico por medio de la actuación de su cuerpo y las cualidades del mismo, es evidente que con la protección de la imagen se salvaguarda el ámbito de la intimidad y, al tiempo, el poder de decisión sobre los fines a los que hayan de aplicarse las manifestaciones de la persona a través de su imagen, su identidad o su voz. El derecho a la intimidad limita la intervención de otras personas y de los poderes públicos en la vida privada, intervención que en el derecho que ahora nos ocupa puede manifestarse tanto respecto de la observación y captación de la imagen y sus manifestaciones como de la difusión o divulgación posterior de lo captado.

Contenido del derecho a la propia imagen como derecho autónomo: caso *Te huelen los pies* —STC 81/2001, de 26 de marzo[23]—

La Sentencia resuelve el recurso de amparo promovido por don Emilio Aragón Álvarez contra la Sentencia de la Sala Primera del Tribunal Supremo de 30 de enero de 1998, que casó la dictada por la Audiencia Provincial de Badajoz el 17 de noviembre de 1993, que había desestimado el recurso de apelación interpuesto por el recurrente contra la Sentencia de 28 de mayo de 1993 del Juzgado de Primera Instancia núm. 1 de Villanueva de la Serena. La entidad Proborín, S.L., publicó, sin consentimiento ni autorización del recurrente, una serie de anuncios publicitarios en diversos medios de comunicación en los que, evitando reproducir el nombre y la imagen del recurrente, se utilizaban expresiones y representaciones gráficas, consistentes en un dibujo de unas piernas cruzadas, vistiendo unos pantalones negros y calzando unas botas deportivas de color blanco, junto con una leyenda que decía: «La persona más popular de España está dejando de decir te huelen los pies». El recurrente, conocido actor, había popularizado en sus apariciones televisivas una peculiar forma de vestir, que se reproducía en ese anuncio publicitario; y es, además, compositor e intérprete de una canción titulada «Me huelen los pies». Entiende el recurrente que la entidad demandada había aprovechado su fama y popularidad con fines publicitarios, lesionando su derecho a la propia imagen.

---

[22]   *Vid.* también la STC 170/1987, de 30 de octubre (el Tribunal Constitucional deniega el amparo a quien pretende tutelar su libertad de decidir su apariencia externa en el ámbito laboral, si bien más con base en consideraciones relativas a las relaciones laborales); 139/2001, de 18 de junio; 156/2001, de 2 de julio; 23/2010, de 27 de abril; 12/2012, de 30 de enero; 25/2019, de 15 de febrero.

[23]   *Vid.* también las SSTC 231/1988, de 2 de diciembre; 99/1994, de 11 de abril; 139/2001, de 18 de junio; 156/2001, de 2 de julio; 23/2010, de 27 de abril.

FJ 2. En su dimensión constitucional, el derecho a la propia imagen consagrado en el art. 18.1 CE se configura como un derecho de la personalidad, derivado de la dignidad humana y dirigido a proteger la dimensión moral de las personas, que atribuye a su titular un derecho a determinar la información gráfica generada por sus rasgos físicos personales que puede tener difusión pública. La facultad otorgada por este derecho, en tanto que derecho fundamental, consiste en esencia en impedir la obtención, reproducción o publicación de la propia imagen por parte de un tercero no autorizado, sea cual sea la finalidad —informativa, comercial, científica, cultural, etc.— perseguida por quien la capta o difunde.

En la Constitución española ese derecho se configura como un derecho autónomo, aunque ciertamente, en su condición de derecho de la personalidad, derivado de la dignidad y dirigido a proteger el patrimonio moral de las personas, guarda una muy estrecha relación con el derecho al honor y, sobre todo, con el derecho a la intimidad, proclamados ambos en el mismo art. 18.1 del Texto constitucional. No cabe desconocer que mediante la captación y publicación de la imagen de una persona puede vulnerarse tanto su derecho al honor como su derecho a la intimidad. Sin embargo, lo específico del derecho a la propia imagen es la protección frente a las reproducciones de la misma que, afectando a la esfera personal de su titular, no lesionan su buen nombre ni dan a conocer su vida íntima. El derecho a la propia imagen pretende salvaguardar un ámbito propio y reservado, aunque no íntimo, frente a la acción y conocimiento de los demás; un ámbito necesario para poder decidir libremente el desarrollo de la propia personalidad y, en definitiva, un ámbito necesario según las pautas de nuestra cultura para mantener una calidad mínima de vida humana (STC 231/1988, de 2 de diciembre, FJ 13). Ese bien jurídico se salvaguarda reconociendo la facultad para evitar la difusión incondicionada de su aspecto físico, ya que constituye el primer elemento configurador de la esfera personal de todo individuo, en cuanto instrumento básico de identificación y proyección exterior y factor imprescindible para su propio reconocimiento como sujeto individual (SSTC 231/1988, de 2 de diciembre, FJ 3, y 99/1994, de 11 de abril, FJ 5).

En la medida en que la libertad de la persona se manifiesta en el mundo físico por medio de la actuación de su cuerpo y de las características del mismo, es evidente que con la protección constitucional de la imagen se preserva no sólo el poder de decisión sobre los fines a los que hayan de aplicarse las manifestaciones de la persona a través de su imagen (STC 117/1994, de 25 de abril, FJ 3), sino también una esfera personal y, en este sentido, privada, de libre determinación y, en suma, se preserva el valor fundamental de la dignidad humana. […]

El contenido del derecho a la propia imagen como derecho autónomo: su contenido no patrimonial (caso *Te huelen los pies*) —STC 81/2001, de 26 de marzo (*vid. supra*)[24]—

FJ 2. […] Por supuesto, al igual que sucede con los demás derechos, el derecho a la propia imagen no es absoluto. Como todos los derechos encuentra límites en otros derechos y bienes constitucionales y en este caso, muy particularmente, en el derecho a la comunicación de información y en las libertades de expresión y de creación artística. Sin embargo, para la resolución del recurso enjuiciado en este proceso constitucional de amparo no es necesario abordar la amplia y compleja problemática de los límites del derecho a la propia imagen. Por el contrario, sí conviene destacar que, de lo que llevamos dicho se desprende que, como ya se apuntó en la STC 231/1988, FJ 3 y, sobre todo, en la STC 99/1994, el derecho constitucional a la propia imagen no se confunde con el derecho de toda persona a la explotación económica, comercial o publicitaria de su propia imagen, aunque obviamente la explotación comercial inconsentida —e incluso en determinadas circunstancias la consentida— de la imagen de una persona puede afectar a su derecho fundamental a la propia imagen.

Es cierto que en nuestro Ordenamiento —especialmente en la Ley Orgánica 1/1982, de 5 de mayo, sobre protección civil del derecho al honor, a la intimidad personal y a la propia imagen— se reconoce a todas las personas un conjunto de derechos relativos a la explotación comercial de su imagen. Sin embargo, esa dimensión legal del derecho no puede confundirse con la constitucional, ceñida a la protección de la esfera moral y relacionada con la dignidad humana y con la garantía de un ámbito privado libre de intromisiones ajenas.

FJ 3. Pues bien, en el caso aquí enjuiciado no cabe duda de que el derecho concernido no es el derecho constitucional a la propia imagen. Para llegar a esta conclusión y resolver el caso planteado, no es necesario elaborar en abstracto una doctrina general acerca de los elementos que permiten distinguir entre la dimensión moral y la patrimonial del

---

[24] *Vid.* también las SSTC 231/1988, de 2 de diciembre; 117/1994, de 25 de abril; 156/2001, de 2 de julio; 77/2009, de 23 de marzo.

derecho a la propia imagen. Basta destacar dos datos que caracterizan el presente supuesto: en primer lugar, el hecho de que desde la demanda ante el Juzgado hasta, sobre todo, el recurso de amparo, la reivindicación del recurrente siempre ha tenido como objeto la defensa «del valor patrimonial o comercial» de la imagen indebidamente utilizada. En segundo lugar, más allá del contenido de la reivindicación del recurrente, debe tenerse presente que la imagen reproducida, en este caso concreto, tampoco afectaba a lo que hemos denominado dimensión personal y no patrimonial del derecho a la imagen, ya que se trataba de un simple dibujo en blanco y negro realizado por ordenador de unas piernas cruzadas y enfundadas en unos pantalones negros y calzadas con zapatillas deportivas blancas que, además, representaban al personaje en su faceta de actor. Esta doble circunstancia permite afirmar que, con independencia de la cuestión debatida en casación acerca de si esta imagen era suficiente o no para identificar al recurrente y podía por ello generar una vulneración del valor comercial de esa imagen, la referida representación gráfica no se refiere ni afecta al recurrente como sujeto en su dimensión personal, individual o privada, sino a lo sumo en cuanto personaje popularizado a través de sus apariciones televisivas, con lo que, como queda dicho, en ese anuncio no quedaba concernido el bien jurídico protegido por el derecho fundamental a la propia imagen.

En suma, no estamos ante la reproducción del rostro o de los rasgos físicos de la persona del recurrente, sino ante la representación imaginaria de las características externas de un personaje televisivo… Y si bien el valor asociado a la persona de su creador por lazos jurídicos y económicos es susceptible de protección jurídica en nuestro Ordenamiento, estos vínculos no se insertan en la dimensión constitucional del derecho a la propia imagen (art. 18.1 CE) porque no pertenecen a la esfera reservada y propia de aquél.

El objeto del derecho a la propia imagen: el derecho al nombre —STC 167/2013, de 7 de octubre—

La Sentencia resuelve el recurso de amparo promovido por doña M.L.Q. contra la Sentencia de la Sección Décimo Segunda de la Audiencia Provincial de Barcelona, de 21 de diciembre de 2009, desestimatoria del recurso de apelación promovido frente a la Sentencia del Juzgado de Violencia sobre la Mujer núm. 3 de Barcelona, de 26 de febrero de 2009, que estimó parcialmente la demanda formulada por don J.A.J.M. declarando la filiación no matrimonial del menor don I.L.Q. En concreto, este Juzgado declaró que «[I.L.Q.], nacido el día 17.09.04, es hijo no matrimonial de don J.A.J.M, con las consecuencias legales inherentes a dicha declaración. En consecuencia, una vez firme esta resolución, se oficiará al Registro Civil correspondiente a fin de que proceda a la inscripción de los datos correspondientes a la paternidad del demandante, lo que supondrá el cambio de orden de los apellidos». El recurso de amparo se dirige contra este último punto.

FJ 5. […] La inclusión del derecho al nombre dentro del conjunto de derechos de la persona y, más concretamente, en el ámbito del derecho fundamental a la propia imagen del artículo 18.1 CE, ya se expresó en nuestra STC 117/1994, de 25 de abril, y en el mismo sentido ha venido siendo reconocido tanto por el Tribunal de Justicia de la Unión Europea como por el Tribunal Europeo de Derechos Humanos. Más concretamente, en relación con los apellidos, la Sentencia del Tribunal de Justicia de la Unión Europea de 22 de diciembre de 2010 (C-208/09, Sayn-Wittgenstein, ap. 52) expresa que el apellido de una persona es un elemento constitutivo de su identidad y de su vida privada, cuya protección está consagrada por el artículo 7 de la Carta de los derechos fundamentales de la Unión Europea, así como por el artículo 8 del Convenio europeo para la protección de los derechos humanos y de las libertades fundamentales. Aunque el artículo 8 de dicho Convenio no lo mencione expresamente, el apellido de una persona afecta a su vida privada y familiar al constituir un medio de identificación personal y un vínculo con una familia. En el mismo sentido se había pronunciado el Tribunal Europeo de los Derechos Humanos en las Sentencias Burghartz c. Suiza de 22 de febrero de 1994, ap. 24, y Stjerna c. Finlandia de 25 de noviembre de 1994, ap. 37.

En relación a los menores de edad, los textos internacionales de derechos humanos suscritos por el Estado español también reconocen el derecho al nombre como un derecho de la personalidad. Así cabe citar, entre otros, el Pacto internacional de derechos civiles y políticos que establece que «el niño será inscrito inmediatamente después de su nacimiento y deberá tener nombre» (art. 24.2). Del mismo tenor es la Convención de Naciones Unidas de derechos de la infancia al disponer que «[e]l niño será inscrito inmediatamente después de su nacimiento y tendrá derecho desde que nace a un nombre, a adquirir una nacionalidad y, en la medida de lo posible, a conocer a sus padres y a ser cuidado por ellos» (art. 7) y que «[l]os Estados Parte se comprometen a respetar el derecho del niño a preservar su identidad, incluidos la nacionalidad, el nombre y las relaciones familiares de conformidad con la ley sin injerencias ilícitas. Cuando un niño sea privado ilegalmente de algunos elementos de su identidad o de todos ellos, los Estados Parte deberán prestar la asistencia y protección apropiadas con miras a restablecer rápidamente su identidad» (art. 8).

FJ 6. Por otra parte, al regular el régimen jurídico del derecho al nombre de la persona el legislador no ha obviado la protección de otros valores constitucionalmente relevantes como son, además de la dignidad de la persona (art. 10.1 CE), la protección de la familia en general (art. 39.1 CE) y de los hijos en particular (art. 39.2 CE), así como la seguridad jurídica (art. 9.3 CE) en lo que concierne al estado civil de las personas. También la regulación legal establecida en los arts. 109 del Código civil y 194 del Reglamento del Registro Civil garantizan la determinación de la filiación a través de los apellidos, la posibilidad de los progenitores de decidir un orden diverso al establecido como norma supletoria, así como la posibilidad de la inversión de los mismos por su titular cuando posea la plena capacidad de obrar para así decidirlo libremente y, por último, el interés del Estado, al tratarse de una materia de orden público, en dotar de estabilidad el estado civil mediante la fijación inicial de los apellidos y los supuestos concretos de cambio o alteración de los mismos. Pues bien, ninguna duda cabe que los arts. 109 del Código civil y 194 del Reglamento del Registro Civil cumplen con la exigencia de preservar la dignidad de la persona (art. 10.1 CE) en un aspecto tan personalísimo como lo es su derecho al nombre en cuanto asegura desde el momento mismo de su nacimiento que sea identificada por su filiación cuando está determinada y si en aquél momento no lo está desde el mismo instante en que quede declarada, trazando los criterios que deben regir la inscripción registral de los apellidos mientras el hijo no es plenamente capaz de obrar y deben ejercer esta facultad sus progenitores como titulares de la patria potestad. El primero de ellos es el mutuo acuerdo sobre el orden en el que deberán quedar inscritas ambas filiaciones, la paterna y la materna. El segundo es la inscripción de la filiación paterna y después la materna, como ha venido siendo usual en el ordenamiento jurídico civil. En todo caso, y dado que el titular de este derecho personalísimo es el hijo, puede invertir su orden una vez alcanzada la mayoría de edad en virtud de la sola declaración de voluntad y sin necesidad de esgrimir causa alguna.

FJ 7. En el caso examinado, debemos tomar en consideración que está comprometido el derecho fundamental del menor I., puesto que había nacido en el año 2004 y el proceso no se inició hasta el año 2008, por lo cual durante todo este tiempo y el de sustanciación del proceso el menor era conocido como I. L. Q. [...]
Desde esta perspectiva constitucional, debió ponderarse especialmente el interés del menor y su derecho fundamental al nombre como integrante de su personalidad, a la hora de decidir sobre el orden de los apellidos, por lo que se concluye reconociendo la vulneración del contenido constitucional del art. 18.1 CE, invocado por la parte recurrente como infringido.

Titularidad del derecho a la propia imagen como derecho personalísimo: las personas fallecidas (caso Paquirri) —STC 231/1988, de 2 de diciembre (*vid. supra*)—

FJ 3. [...] [E]n esta vía, este Tribunal no puede pronunciarse sobre aquellas cuestiones que, por el fallecimiento del afectado, carecen ya de dimensión constitucional; concretamente, y en el presente caso, sobre la explotación comercial de la imagen de don Francisco Rivera en el ejercicio de su actividad profesional. En este aspecto, el «derecho a la imagen» que se invoca (y al que la demandante concede especial relevancia) es, en realidad, el derecho a disponer de la imagen de una persona desaparecida y de su eventual explotación económica, protegible, según la Ley 1/1982 en vías civiles, y susceptible de poseer un contenido patrimonial, pero derecho que no puede ser objeto de tutela en vía de amparo, ya que, una vez fallecido el titular de ese bien de la personalidad, no existe ya un ámbito vital que proteger en cuanto verdadero objeto del derecho fundamental aun cuando pudieran pervivir sus efectos patrimoniales.

B) Límites del derecho a la propia imagen

Límites del derecho a la propia imagen: consentimiento, interés público y proporcionalidad —STC 14/2003, de 28 de enero (*vid. supra*)—

FJ 5. [...] El derecho a la propia imagen, como cualquier otro derecho, no es un derecho absoluto, y por ello su contenido se encuentra delimitado por el de otros derechos y bienes constitucionales (SSTC 81/2001, de 26 de marzo, FJ 2; 156/2001, de 2 de julio, FJ 6).
La determinación de estos límites debe efectuarse tomando en consideración la dimensión teleológica del derecho, y por esta razón hemos considerado que debe salvaguardarse el interés de la persona en evitar la captación o difusión de su imagen sin su autorización o sin que existan circunstancias que legitimen esa intromisión. Como ocurre «cuando la propia —y previa— conducta de aquél o las circunstancias en las que se encuentre inmerso justifiquen el descenso de las barreras de reserva para que prevalezca el interés ajeno o el público que puedan colisionar con aquél (STC 99/1994, de 11 de abril, FJ 5)». El derecho a la imagen se encuentra delimitado así por la propia voluntad del titular del derecho que es, en principio, a quien corresponde decidir si permite o no la captación o difusión de su imagen por un tercero.

No obstante, como ya se ha señalado, existen circunstancias que pueden conllevar que la regla enunciada ceda, lo que ocurrirá en los casos en que exista un interés público en la captación o difusión de la imagen y este interés público se considere constitucionalmente prevalente al interés de la persona en evitarlas. Por ello, cuando este derecho fundamental entre en colisión con otros bienes o derechos constitucionalmente protegidos deberán ponderarse los distintos intereses enfrentados y, atendiendo a las circunstancias concretas de cada caso, decidir qué interés merece mayor protección, si el interés del titular del derecho a la imagen en que sus rasgos físicos no se capten o difundan sin su consentimiento, o el interés público en la captación o difusión de su imagen (STC 156/2001, de 2 de julio, FJ 6).

FJ 9. Aunque en el presente supuesto no cabe apreciar la existencia de un conflicto entre el derecho a la propia imagen del recurrente en amparo con otros derechos fundamentales, en concreto, como sostienen el Abogado del Estado y el Ministerio Fiscal, con el derecho a la libertad de información, no puede sin embargo descartarse que puedan concurrir otros bienes constitucionales o de interés público más dignos de protección, dadas las circunstancias del caso, que el interés del demandante de amparo en evitar la difusión de su imagen, lo que excluiría el carácter ilegítimo de la intromisión apreciada en su derecho a la propia imagen como consecuencia de la difusión o distribución por la policía a determinados medios de comunicación de la reseña fotográfica policial que fue tomada en las dependencias policiales el día de su detención. Puede acontecer así que, a pesar de haberse producido una intromisión en el derecho del demandante de amparo a la propia imagen, la misma no resulte ilegítima si se revela como idónea y necesaria para alcanzar un fin constitucionalmente legítimo, proporcionada para lograrlo y se lleva a cabo utilizando los medios necesarios para procurar una mínima afectación del ámbito garantizado por el derecho fundamental (en este sentido, STC 156/2001, de 2 de julio, FJ 4, y la doctrina constitucional allí citada).

Ahora bien, admitido lo anterior, para apreciar si la actuación policial cuestionada en el presente caso vulneró o no el derecho a la propia imagen del recurrente en amparo no es suficiente hacer valer un interés general o público, al que por definición ha de servir el obrar de la Administración (art. 103.1 CE), pues bien se comprende que «si bastara, sin más, la afirmación de ese interés público para justificar el sacrificio del derecho, la garantía constitucional perdería, relativizándose, toda eficacia» (STC 37/1989, de 15 de febrero, FJ 7). Por ello no es ocioso recordar aquí, como tiene declarado con carácter general este Tribunal, que los derechos fundamentales reconocidos por la Constitución sólo pueden ceder ante los límites que la propia Constitución expresamente imponga, o ante los que de manera mediata o indirecta se infieran de la misma al resultar justificados por la necesidad de preservar otros derechos o bienes jurídicamente protegidos (SSTC 11/1981, de 8 de abril, FJ 7; 2/1982, de 29 de enero, FJ 5, entre otras). Ni tampoco que, en todo caso, las limitaciones que se establezcan no pueden obstruir el derecho fundamental más allá de lo razonable (STC 53/1986, de 5 de mayo, FJ 3). De donde se desprende que todo acto o resolución que limite derechos fundamentales ha de asegurar que las medidas limitadoras sean necesarias para conseguir el fin perseguido (SSTC 61/1982, de 13 de octubre, FJ 5; 13/1985, de 31 de enero, FJ 2), ha de atender a la proporcionalidad entre el sacrificio del derecho y la situación en la que se halla aquél a quien se le impone (STC 37/1989, de 15 de febrero, FJ 7) y, en todo caso, ha de respetar su contenido esencial (SSTC 11/1981, de 8 de abril, FJ 10; 196/1987, de 11 de diciembre, FFJJ 4 a 6; 120/1990, de 27 de junio, FJ 8; 137/1990, de 19 de julio, FJ 6; 57/1994, de 28 de febrero, FJ 6). [...]

FJ 11. [...] [E]ste Tribunal ha tenido ocasión de declarar que la persecución y castigo del delito constituye un bien digno de protección constitucional, a través del cual se defienden otros como la paz social y la seguridad ciudadana, bienes igualmente reconocidos en los arts. 10.1 y 104.1 CE (SSTC 166/1999, de 27 de septiembre, FJ 2; 127/2000, de 16 de mayo, FJ 3.a; 292/2000, de 30 de noviembre, FJ 9; ATC 155/1999, de 15 de junio). [...]

Mas, como ya se ha dicho, en el presente caso la medida adoptada por la autoridad administrativa careció de fundamentación en el momento de su adopción, la cual solo fue ofrecida a posteriori durante la tramitación del expediente de responsabilidad patrimonial de la Administración, aduciéndose como razones de la difusión, a las que seguidamente nos referiremos, la trascendencia social de los hechos delictivos y la facilitación de nuevos datos que permitiesen la detención del tercer individuo interviniente en la agresión, el hermano del demandante de amparo, que en ese momento se encontraba huido. [...]

Resulta necesario reparar al respecto que en este caso los presuntos autores de los hechos delictivos investigados ya habían sido identificados por la policía, quien, además, contaba con la reseña fotográfica de cada uno de ellos; que dos de ellos, entre los que figuraba el demandante de amparo, se encontraban detenidos en dependencias policiales en el momento de procederse por la policía a la difusión o distribución a determinados medios de comunicación de la fotografía tomada al recurrente en amparo con destino a su ficha policial; y, en fin, que el tercer implicado, aunque se encontraba huido, ya había sido identificado, habiendo difundido también la policía a los medios de comunicación su reseña fotográfica.

Sobre esa base, una vez rechazada la concreta finalidad expuesta de la Audiencia Nacional, objeto del precedente análisis, ha de examinarse, a continuación, si la actuación policial cuestionada pudiera encontrarse en este caso justificada en los otros distintos bienes constitucionales o intereses públicos aducidos por la Jefatura Superior de Policía de Valladolid, la Audiencia Nacional, el Abogado del Estado y el Ministerio Fiscal. [...]

En efecto, se aducen al respecto la tranquilidad de la opinión pública, dada la trascendencia social de los hechos delictivos investigados, y la transmisión de mensaje de eficacia policial, con estas denominaciones o las más genéricas de seguridad pública y represión de infracciones penales, como bienes o intereses que legitimarían la intromisión en el derecho a la propia imagen del demandante de amparo.

En este caso, dadas sus circunstancias, tales bienes o intereses en modo alguno requerían para su consecución y satisfacción la difusión por parte de la policía de la reseña fotográfica policial obtenida del demandante de amparo a los fines de la investigación y esclarecimiento de los hechos investigados, pues, identificados los presuntos autores de los hechos delictivos, y encontrándose detenido el demandante de amparo, su satisfacción se alcanzaba perfectamente, sin merma alguna, informando a la opinión pública sobre las investigaciones policiales llevadas a cabo, sus resultados positivos, la detención de dos de las personas presuntamente implicadas en los hechos investigados y la búsqueda de la tercera que se encontraba huida e identificada por su propia reseña fotográfica. [...]

Ha de concluirse, pues, que en este caso, en atención a las circunstancias del mismo, la difusión o distribución por la policía a determinados medios de comunicación de la reseña fotográfica tomada al demandante de amparo el día de su detención en dependencias policiales con destino a su ficha policial ha vulnerado su derecho a la propia imagen.

La revocación del consentimiento a la publicación de imágenes: alcance y límites (caso Ana García Obregón) —STC 117/1994, de 25 de abril (*vid. supra*)—

FJ 3. [...] Cierto que, mediante la autorización del titular, la imagen puede convertirse en un valor autónomo de contenido patrimonial sometido al tráfico negocial y ello inducir a confusión acerca de si los efectos de la revocación se limitan al ámbito de la contratación o derivan del derecho de la personalidad. Esto es lo que puede determinar situaciones como la que aquí se contempla porque los artistas profesionales del espectáculo (o quienes pretenden llegar a serlo), que ostentan el derecho a su imagen como cualquier otra persona salvo las limitaciones derivadas de la publicidad de sus actuaciones o su propia notoriedad, consienten con frecuencia la captación o reproducción de su imagen, incluso con afección a su intimidad, para que pueda ser objeto de explotación comercial; mas debe afirmarse que también en tales casos el consentimiento podrá ser revocado, porque el derecho de la personalidad prevalece sobre otros que la cesión contractual haya creado. Mas, en esos supuestos de cesión voluntaria de la imagen o de ciertas imágenes, el régimen de los efectos de la revocación (prevista en el art. 2.3 de la L.O. 1/1982 como absoluta) deberá atender a las relaciones jurídicas y derechos creados, incluso a favor de terceros, condicionando o modulando algunas de las consecuencias de su ejercicio; y corresponde a los Tribunales ordinarios la ponderación de los derechos en conflicto en tales casos, sin perjuicio de la que a este Tribunal compete, únicamente desde la perspectiva constitucional.

FJ 6. La dicción literal del art. 2.3 de la Ley Orgánica 1/1982 deja fuera de toda duda que la revocación [del consentimiento] puede producirse «en cualquier momento», prescripción que se refiere al momento de ejercicio de aquélla pero no siempre al tiempo de sus efectos ni por tanto autoriza para que éstos se apliquen a situaciones pretéritas, trocando retroactivamente en ilegítimas intromisiones antes consentidas. Por otra parte, cuando existe una autorización contractual que atribuyó a la imagen un valor patrimonial poniéndola en el comercio, los efectos de la revocación, ya se dirija a la persona primitivamente autorizada ya a terceros que de ella traen causa, habrá de tener en cuenta los condicionamientos o requisitos que resulten de las relaciones contractuales existentes. Cuando menos, como se desprende de la regulación legal, habrá de acreditar algunas circunstancias como la de proceder del propio titular del derecho, expresar de modo concreto e indubitado la voluntad de revocar, indubitado e íntegro conocimiento por la persona o personas a quienes se dirige (incluso publicación en caso necesario), tener lugar en momento en el que todavía el derecho cedido pueda ejercitarse, no atribuirle con carácter retroactivo (o sea, invalidatorio de los efectos ya producidos) y, por último, mediante la indemnización de daños y perjuicios; requisito este último que en muchos casos no podrá relegarse íntegramente al futuro sino que habrá de influir en el modo, tiempo y circunstancias de la revocación, particularmente en cuanto a la garantía de las indemnizaciones procedentes.

FJ 7. No pudiendo, pues, la revocación proyectarse hacia el pasado, lo cuestionado en el proceso ha sido si la publicación de las fotografías por la editorial demandada era o no un hecho futuro a los efectos revocatorios.

Los Tribunales que han dictado las Sentencias impugnadas han coincidido en la apreciación de que, por las circunstancias de hecho concurrentes en el caso, había de considerarse que la publicación de las fotografías era un evento que, a los efectos de la revocación del consentimiento, debía tenerse por acaecido porque, según su fundamentación, la editora demandada sólo tuvo conocimiento de aquélla cuando era ya materialmente imposible detener, sin grave perjuicio y quebranto, la publicación de la revista. A lo cual opone la recurrente que, en tanto no se hubiera hecho pública la edición, la revocación obligaba en toda su extensión a los demandados, sin que pudiera argumentarse en términos de menoscabo económico para negarle su eficacia, pues, caso de producirse algún perjuicio, la editora habría tenido derecho a la indemnización a la que se refiere el propio art. 2.3 de la L.O. 1/1982.

Es en este punto donde los efectos de la revocación se han visto sin duda condicionados por la circunstancia de que la autorización para el uso de las fotografías tuviera un origen contractual y generase una serie de derechos económicos, y que la recurrente ejercitase su derecho de revocación en el seno de esas relaciones contractuales. Porque aquélla había de incidir necesariamente en las relaciones constituidas y los derechos adquiridos incluso por terceros y, ya fuese para su efectividad, ya para la de la obligada indemnización, los derechos patrimoniales afectados habían de ser tenidos en cuenta por los órganos judiciales: no sólo el de la demandante a recuperar su exclusivo derecho sobre las fotografías, sino también el del editor a no sufrir un perjuicio patrimonial derivado de la suspensión de la publicación sin la correlativa obligación de ofrecer garantía suficiente de resarcimiento de dichos perjuicios. Son éstas, evidentemente, cuestiones de legalidad ordinaria que las Sentencias de los Tribunales civiles impugnadas han resuelto fundadamente y con razonamientos que no lesionan el derecho fundamental pues afectan sólo a los requisitos exigibles para la eficacia personal y temporal de la revocación para producir efectos en la rehabilitación del derecho de la recurrente a la parcela de imagen contractualmente cedida.

FJ 8. La decisión, pues, de las Sentencias civiles en las tres instancias se ha formulado sobre la base de que la publicación no era un acontecimiento singular e instantáneo, sino un proceso integrado por una pluralidad de fases sucesivas, de las cuales algunas de las más importantes ya se habían producido con anterioridad a la revocación y a su conocimiento por la editora y otras se hallaban en muy avanzado estado de ejecución, de modo que la sustracción de las imágenes del mundo comercial había de adecuarse a una situación de urgencia derivada de las anteriores relaciones contractuales; lo cual, por otra parte, no determinaba en el derecho a la imagen de la recurrente una intromisión diferente de la que ya derivaba de su primitiva autorización. Dichas Sentencias, pues, han considerado que se trataba de un acontecimiento que —por su contenido plural y sucesivo— había que tenerse por prácticamente concluido cuando la revocación se produjo. Los Tribunales civiles otorgaron, pues, relevancia decisiva a la cesión contractual de las imágenes en relación con el momento de la eficacia de la revocación y, sin duda, la prevención del necesario resarcimiento de daños y perjuicios dada la inminencia de una publicación costosa que se estimaba ya en marcha. Apreciación que debe reputarse razonada y razonable según se desprende de sus fundamentos; pero además, según la ponderación constitucional que a este Tribunal compete en orden a sus efectos sobre el derecho fundamental invocado, no puede estimarse contraria al mismo ni se opone a los razonables efectos de la revocación de la autorización prestada, máxime si se tiene en cuenta la ya referida falta de ofrecimiento de garantía de resarcimiento económico por quien revoca el consentimiento.

FJ 9. Finalmente, y por lo que respecta a las quejas de la demandante en punto a los comentarios que acompañan a las fotografías finalmente publicadas, tampoco merece reproche la fundamentación de la Sentencia recurrida, basada (como ya alegaron el Ministerio Fiscal y los demandados) en que si la demandante consintió en su momento para que las fotografías se publicaran, había de suponer dada su naturaleza que —sin ningún género de dudas— su publicación sólo podía realizarse en revistas como la encausada y seguramente acompañada de comentarios como los que ahora denuncia. Ello no constituye una difusión en sí misma difamatoria y además, pese a su evidente tosquedad y falta de elegancia, aquellos comentarios, si bien groseros, no se muestran ofensivos para la recurrente sino que, al fin, dentro de su estilo, pretenden más bien constituir una burda alabanza a las cualidades físicas reveladas por las fotografías. Si tal consentimiento —conjunto para la publicación y para los inevitables «pies de foto»— fue válido y su revocación no puede afectar, por cuanto ha quedado dicho, a la edición del número de noviembre de 1986 de la revista «Play Boy España», es evidente que no pueden admitirse tampoco sus quejas sobre este particular.

Límites del derecho a la propia imagen y la libertad de expresión: el caso de las caricaturas —STC 23/2010, de 27 de abril (*vid*. ARTÍCULO 20)—

Límites del derecho a la propia imagen y el derecho a la información: la relevancia pública y la imagen accesoria de información sobre hechos noticiables —STC 72/2007, de 16 de abril (*vid*. ARTÍCULO 20)—

La relevancia pública de las imágenes frente a su carácter privado (ausencia de consentimiento), incluso de personas con dimensión pública y/o de imágenes grabadas en espacios públicos —STC 139/2001, de 18 de junio[25]—

La Sentencia resuelve el recurso de amparo promovido por don Alberto Cortina de Alcocer contra la Sentencia de 21 de octubre de 1997 de la Sala de lo Civil del Tribunal Supremo, que casó la Sentencia de 12 de julio de 1993 de la Audiencia Provincial de Madrid, que había desestimado el recurso de apelación interpuesto contra la dictada el 22 de enero de 1992 por el Juzgado de Primera Instancia núm. 8 de Madrid, que desestimó la demanda interpuesta por el recurrente para la protección de su derecho a la propia imagen. Esta demanda trae origen de la publicación en la revista «Diez Minutos», en su núm. 2.304 de 9 de agosto de 1990, de unas fotografías tomadas durante el viaje que había realizado a Kenya el año anterior en compañía de doña Marta Chávarri Figueroa.

FJ 6. La Sentencia recurrida en amparo estimó el recurso de casación, declarando que la Sentencia de la Audiencia Provincial de Madrid había infringido el art. 8.2 a) de la Ley Orgánica 1/1982 al no apreciar que el recurrente era una persona muy conocida en el ámbito financiero y social en general, y que una reserva federal de caza en el Estado de Kenya es un ámbito abierto al público en general, circunstancias que, al entender de la Sentencia de casación, hacen decaer el derecho a la propia imagen a favor del derecho a la información. Como sostiene el Ministerio Fiscal, el órgano judicial no tuvo en cuenta la naturaleza privada y el carácter personal y familiar de las fotografías, ni su forma de obtención, mediante una operación ajena a la voluntad del actor y sin su consentimiento, razones por las cuales su enjuiciamiento no es adecuado, pues no ha ponderado el derecho a la propia imagen del recurrente y el derecho a comunicar información, respetando la definición constitucional de cada derecho y sus límites. [...]

Límites del derecho a la propia imagen y su imbricación y confusión conceptual con el derecho a la intimidad —STC 7/2014, de 27 de enero[26]—

La Sentencia resuelve los recursos de amparo acumulados promovidos ambos por doña M.E.C., actriz, y su pareja, don L.A.C., contra dos Sentencias de la Sala de lo Civil del Tribunal Supremo, de 30 de noviembre de 2011, y de 19 de abril de 2012, respectivamente. En ambas resoluciones judiciales el Tribunal Supremo entendió que la publicación en los números 500 y 506 de la revista «¡Qué me dices!» de los reportajes gráficos referidos a los demandantes no sobrepasó el ámbito de la libertad de información y que, por tanto, no se produjo la intromisión ilegítima en el derecho a la intimidad que denuncian los demandantes de amparo. En ellos se incluyen reportajes gráficos aludiendo al nombre y edad de los demandantes y a sus respectivas profesiones, mostrándolos actitud íntima en una vía pública, y comentando su buena racha personal y profesional.

FJ 3. [...] Como hemos recordado en reiteradas ocasiones ante quejas de esta naturaleza, el control de este Tribunal no se circunscribe a examinar la suficiencia y consistencia de la motivación de las resoluciones judiciales bajo el prisma del art. 24.1 CE, sino que, en su condición de garante máximo de los derechos fundamentales, el Tribunal Constitucional debe resolver la adecuada delimitación de ambos derechos «atendiendo al contenido que constitucionalmente corresponda a cada uno de ellos, aunque para este fin sea preciso utilizar criterios distintos de los aplicados por los órganos jurisdiccionales, ya que sus razones no vinculan a este Tribunal» (STC 244/2007, de 10 de diciembre, FJ 2). De ese modo, este Tribunal puede realizar su propia ponderación delimitadora de los derechos constitucionales a partir de la definición y valoración constitucional de los bienes en juego, de acuerdo con el valor que corresponde a cada uno de ellos (por todas, SSTC 41/2011, de 11 de abril, FJ 4; y 190/2013, de 18 de noviembre, FJ 1).

Así, para resolver la adecuada delimitación de las exigencias del derecho a la intimidad y de la libertad de información debe recordarse la doctrina de este Tribunal (por todas, SSTC 197/1991, de 17 de octubre, FJ 3; 134/1999, de 15 de julio, FJ 5; 115/2000, de 10 de mayo, FJ 4; 185/2002, de 14 de octubre, FJ 3; 206/2007, de 24 de septiembre, FJ 5; 17/2013, de 31 de enero, FJ 14; y 176/2013, de 21 de octubre, FJ 7), según la cual el derecho fundamental a la intimidad reconocido por el art. 18.1 CE tiene por objeto garantizar al individuo un ámbito reservado de su vida, vinculado con el respeto de su dignidad como persona (art. 10.1 CE), frente a la acción y el conocimiento de terceros, sean éstos poderes públicos o simples particulares, necesario, según las pautas de nuestra cultura, para mantener una calidad mínima de la vida humana. De suerte que el derecho fundamental a la intimidad personal otorga a su titular

---

[25] En sentido semejante, *vid.* también las SSTC 156/2001, de 2 de julio; 83/2002, de 22 de abril; 77/2009, de 23 de marzo; 176/2013, de 21 de octubre; 7/2014, de 27 de enero; 19/2014, de 10 de febrero; 18/2015, de 16 de febrero.
[26] *Vid.* también, entre otras, la STC 176/2013, de 21 de octubre.

cuando menos una facultad negativa o de exclusión, que impone a terceros el deber de abstención de intromisiones, salvo que estén fundadas en una previsión legal que tenga justificación constitucional y que sea proporcionada, o que exista un consentimiento eficaz del afectado que lo autorice, pues corresponde a cada persona acotar el ámbito de intimidad personal que reserva al conocimiento ajeno.

Y es que, como ya se dijo en la citada STC 134/1999, FJ 5, el derecho a la intimidad garantiza que «a nadie se le puede exigir que soporte pasivamente la revelación de datos, reales o supuestos, de su vida privada personal o familiar (SSTC 73/1982, 110/1984, 170/1987, 231/1988, 20/1992, 143/1994, 151/1997; SSTEDH caso X e Y, de 26 de marzo de 1985; caso Leander, de 26 de marzo de 1987; caso Gaskin, de 7 de julio de 1989; caso Costello-Roberts, de 25 de marzo de 1993; caso Z, de 25 de febrero de 1997).» O como también se dijo en la citada STC 176/2013, FJ 7, «lo que el art. 18.1 CE garantiza es el secreto sobre nuestra propia esfera de vida personal y, por tanto, veda que sean los terceros, particulares o poderes públicos, quienes decidan cuáles son los contornos de nuestra vida privada».

FJ 4. [...] [E]l Tribunal Supremo considera que la intromisión de los reportajes gráficos en la esfera de la intimidad personal de los recurrentes de amparo es escasa y queda amparada por el derecho fundamental a comunicar libremente información veraz que garantiza el art. 20.1 d) CE. El Tribunal Supremo apoya esta decisión en una serie de argumentos que pasamos seguidamente a analizar.

a) El primero de estos argumentos se refiere a la proyección pública, en su condición de modelo y actriz, de doña Mónica Estarreado), protagonista de uno de los papeles principales en una serie televisiva de éxito «Yo soy Bea».

Sin embargo, la proyección pública y social, como consecuencia de la actividad profesional desempeñada, no puede ser utilizada como argumento para negar a la persona que la ostente una esfera reservada de protección constitucional en el ámbito de sus relaciones afectivas, derivada del contenido del derecho a la intimidad personal, reduciéndola hasta su práctica desaparición. Como se dijo en las citadas SSTC 134/1999, FJ 7 y 115/2000, FJ 5, «si bien los personajes con notoriedad pública inevitablemente ven reducida su esfera de intimidad, no es menos cierto que, más allá de ese ámbito abierto al conocimiento de los demás, su intimidad permanece y, por tanto, el derecho constitucional que la protege no se ve minorado en el ámbito que el sujeto se ha reservado y su eficacia como límite al derecho de información es igual a la de quien carece de toda notoriedad». En sentido similar se afirma en la también citada STC 176/2013, FJ 7, que «la notoriedad pública del recurrente no le priva de mantener, más allá de esta esfera abierta al conocimiento de los demás, un ámbito reservado de su vida como es el que atañe a sus relaciones afectivas».

Por otra parte, y en lo que se refiere al derecho a la intimidad del demandante Sr. Arribas, las Sentencias del Tribunal Supremo impugnadas se limitan a afirmar que su persona tenía carácter accesorio en los reportajes, pero que resultaba necesaria para transmitir la información acerca de la relación afectiva de la Sra. Estarreado. Frente a esta afirmación ha de sostenerse que, sin duda, el Sr. Arribas no puede ser incluido en el grupo de aquellos sujetos que asumen un mayor riesgo frente a informaciones que conciernen estrictamente al desarrollo de su actividad profesional, dada su manifiesta carencia de notoriedad pública, pero que su derecho a la intimidad en modo alguno puede ser considerado «accesorio» al de la Sra. Estarreado, ni entenderse «sujeto al interés general de la divulgación de la imagen» (STC 176/2013, FJ 7) de aquella.

b) Como segundo argumento para sostener la legitimidad constitucional de los reportajes periodísticos objeto de controversia, el Tribunal Supremo se apoya en el hecho de que las fotografías que ilustran los reportajes fueron captadas en lugares públicos (una calle, una gasolinera, un parque), por lo que no pueden considerarse obtenidas clandestinamente o de manera furtiva, aun cuando hubieran sido tomadas sin el conocimiento ni el consentimiento de los afectados.

Sin embargo, el carácter público de los lugares donde fueron captadas las fotografías de la Sra. Estarreado y del Sr. Arribas no tiene la capacidad de situar la actuación de los demandantes extramuros del ámbito de protección del derecho a la intimidad. No puede admitirse que los demandantes, quienes en ningún momento han prestado consentimiento expreso, válido y eficaz a la captación y publicación de las imágenes, hayan disminuido por el hecho de mostrarse afecto en la calle las barreras de reserva impuestas por ellos al acceso por terceros a su intimidad. Como ha señalado el Tribunal Europeo de Derechos Humanos, existe una zona de interacción entre el individuo y los demás que, incluso en un contexto público, puede formar parte de la vida privada (Sentencia Von Hannover c. Alemania, Gran Sala, de 7 de febrero de 2012, § 95). Así lo hemos reconocido también en nuestra doctrina, por cuanto hemos afirmado que «la intimidad protegida por el art. 18.1 CE no se reduce necesariamente a la que se desarrolla en el ámbito doméstico o privado» (STC 12/2012, de 30 de enero, FJ 5).

A lo anterior cabe añadir que, para valorar la legitimidad constitucional de la intromisión en el derecho a la intimidad de los demandantes resulta más determinante otra circunstancia, no tenida en cuenta por las Sentencias impugnadas, a saber: que las fotografías «fueron obtenidas clandestinamente por un reportero profesional de los especializados en este tipo de captación de imágenes (paparazzi)» (STC 176/2013, FJ 7), pues ello es expresivo de que los recurrentes no abrieron al público conocimiento su ámbito reservado de intimidad (STC 12/2012, FJ 6).

c) Asimismo, el Tribunal Supremo se refiere al interés público de la publicación de los reportajes controvertidos. Parte para ello del carácter de «celebridad social» de la demandante Sra. Estarreado y añade que no puede pasar desapercibido el interés que la difusión de la relación sentimental entre los demandantes tenía para los medios de comunicación y, por consiguiente, para los lectores de la revista en la que fueron publicados los reportajes controvertidos. Frente a esta afirmación del Tribunal Supremo debe señalarse que en ningún caso puede entenderse que la información sobre los demandantes de amparo que fue objeto de divulgación en los reportajes publicados en la revista «¡Qué me dices!» se encuentre amparada en un interés público constitucionalmente relevante.

La información publicada (tanto las fotografías como los textos escritos que las acompañan) versaba sobre la relación sentimental mantenida por los demandantes de amparo y las muestras de afecto entre ellos. Tal información no guarda relación con la actividad profesional de la demandante de amparo Sra. Estarreado, verdadera razón de ser de su condición de persona con proyección pública (y menos aún con la actividad profesional del Sr. Arribas). Tanto es así que se obtuvo en un ámbito o espacio totalmente ajeno a dicha actividad o con ocasión de la participación en actos públicos relacionados con la profesión de modelo y actriz de la Sra. Estarreado.

En cualquier caso, tampoco puede estimarse que la difusión de las controvertidas imágenes estuviera amparada en un interés público constitucionalmente prevalente, pues este concurre «cuando la información que se comunica es relevante para la comunidad, lo cual justifica la exigencia de que se asuman perturbaciones o molestias ocasionadas por la difusión de una determinada noticia» (SSTC 134/1999, FJ 8; 154/1999, de 14 de septiembre, FJ 9; y 52/2002, de 25 de febrero, FJ 8), lo que no sucede en el presente caso.

En efecto, la revelación de las relaciones afectivas de los demandantes de amparo carece en absoluto de cualquier trascendencia para la comunidad, porque no afecta al conjunto de los ciudadanos. La curiosidad alimentada por la propia revista, al atribuir un valor noticioso a la publicación de las imágenes objeto de controversia, no debe ser confundida con un interés público digno de protección constitucional (por todas, SSTC 29/1992, de 9 de marzo, FJ 3; 134/1999, FJ 8; 115/2000, FJ 9; 83/2002, de 22 de abril, FJ 5; y 176/2013, FJ 7). No cabe identificar indiscriminadamente interés público con interés del público, o de sectores del mismo ávidos de curiosidad. Curiosidad que, lejos de justificar una merma del derecho a la intimidad, es de la que ha de quedar a salvo ese ámbito de reserva personal constitucionalmente protegido.

d) Finalmente, afirma el Tribunal Supremo en las Sentencias impugnadas que la Sra. Estarreado había concedido antes de los reportajes en cuestión entrevistas a la prensa, dato que evidenciaría que adoptó «pautas de comportamiento favorables a dar a conocer aspectos de su vida privada».

Ahora bien, como acertadamente observa el Ministerio Fiscal, el hecho de que la Sra. Estarreado hubiera concedido con anterioridad entrevistas a los medios de comunicación social, o posado como modelo, no es un argumento válido y suficiente para justificar la intromisión en su intimidad personal mediante la publicación de un reportaje que contiene imágenes no consentidas y que no guardan relación con la actividad profesional de aquella. [...]

En el presente caso, sin perjuicio de que la veracidad de la información sobre los demandantes publicada en los reportajes de la revista «¡Qué me dices!» no se discute, resulta evidente, como señala el Ministerio Fiscal, que los datos íntimos desvelados en aquellos reportajes no habían sido publicados con anterioridad. E incluso si la relación sentimental entre los demandantes fuese ya conocida, ello no legitima la intromisión en el derecho a la intimidad mediante la publicación de información al respecto sin consentimiento de los afectados (SSTC 134/1999, FJ 6; 99/2002, de 6 de mayo, FJ 8; y 190/2013, FJ 7). De suerte que, en definitiva, el derecho a la intimidad de los demandantes de amparo ha de prevalecer sobre el derecho a la libre comunicación de información.

El derecho a la propia imagen y la falta de consentimiento a su grabación por cámaras ocultas —STC 12/2012, de 30 de enero[27]—

La Sentencia resuelve los recursos de amparo acumulados, promovidos por Canal Mundo Producciones Audiovisuales, S.A. y por Televisión Autonómica Valenciana, S.A., contra la Sentencia de fecha 16 de enero de 2009, y la providencia de 14 de abril de 2009 de la Sala de lo Civil del Tribunal Supremo dictadas en el recurso de casación, que condenó a las recurrentes por violación del derecho a la intimidad. La periodista doña L.G.H., contratada por la productora Canal Mundo Producciones Audiovisuales, S.A., acudió a la consulta de doña R.M.F.T., esteticista y naturista, haciéndose pasar por una paciente. Allí fue atendida en la parte de la vivienda destinada a consulta, ocasión utilizada

---

27   *Vid.* también las SSTC 24/2012, de 27 de febrero; 74/2012, de 16 de abril; 25/2019, de 15 de febrero.

por la primera para grabar la voz y la imagen de la segunda con una cámara oculta. Canal Mundo Producciones Audiovisuales, S.A., cedió la grabación a Televisión Autonómica Valenciana, S.A., que la emitió en el programa PVP de la cadena de televisión Canal 9. Se desarrolló también una tertulia sobre la existencia de falsos profesionales en el mundo de la salud, durante la que la imagen de doña R M.F.T. apareció en un ángulo de la pantalla, y donde se puso de manifiesto la existencia, casi tres años antes de la grabación emitida, de una condena penal contra dicha persona por delito de intrusismo, por haber actuado como fisioterapeuta sin ostentar título para ello. Las recurrentes entienden que las decisiones judiciales mencionadas vulneraron su derecho a transmitir información veraz.

FJ 6. [...] El presente caso presenta unos contornos o perfiles singulares derivados de la especial capacidad intrusiva del medio específico utilizado para obtener y dejar registradas las imágenes y la voz de una persona. Por un lado, como razona en sus alegaciones el Ministerio Fiscal, el carácter oculto que caracteriza a la técnica de investigación periodística llamada «cámara oculta» impide que la persona que está siendo grabada pueda ejercer su legítimo poder de exclusión frente a dicha grabación, oponiéndose a su realización y posterior publicación, pues el contexto secreto y clandestino se mantiene hasta el mismo momento de la emisión y difusión televisiva de lo grabado, escenificándose con ello una situación o una conversación que, en su origen, responde a una previa provocación del periodista interviniente, verdadero motor de la noticia que luego se pretende difundir. La ausencia de conocimiento y, por tanto, de consentimiento de la persona fotografiada respecto a la intromisión en su vida privada es un factor decisivo en la necesaria ponderación de los derechos en conflicto, como subraya el Tribunal Europeo de Derechos Humanos (SSTEDH de 24 de junio de 2004, Von Hannover c. Alemania, § 68, y de 10 de mayo de 2011, Mosley c. Reino Unido, § 11). Por otro lado, es evidente que la utilización de un dispositivo oculto de captación de la voz y la imagen se basa en un ardid o engaño que el periodista despliega simulando una identidad oportuna según el contexto, para poder acceder a un ámbito reservado de la persona afectada con la finalidad de grabar su comportamiento o actuación desinhibida, provocar sus comentarios y reacciones así como registrar subrepticiamente declaraciones sobre hechos o personas, que no es seguro que hubiera podido lograr si se hubiera presentado con su verdadera identidad y con sus auténticas intenciones. La finalidad frecuente de las grabaciones de imágenes y sonido obtenidas mediante la utilización de cámaras ocultas es su difusión no consentida en el medio televisivo cuya capacidad de incidencia en la expansión de lo publicado es muy superior al de la prensa escrita (en este sentido, la STEDH de 23 de septiembre de 1994, Jersild c. Dinamarca, § 31). No hay duda de que ello hace necesario reforzar la vigilancia en la protección de la vida privada para luchar contra los peligros derivados de un uso invasivo de las nuevas tecnologías de la comunicación, las cuales, entre otras cosas, facilitan la toma sistemática de imágenes sin que la persona afectada pueda percatarse de ello, así como su difusión a amplios segmentos del público, como subrayaba el Tribunal Europeo de Derechos Humanos en relación a un caso de captación fotográfica a cientos de metros de distancia (STEDH de 24 de junio de 2004, Von Hannover c. Alemania, § 70).
En cuanto a las técnicas periodísticas que puedan utilizarse para la presentación de una información, es cierto, como indica el recurrente en amparo, que el Tribunal Europeo de Derechos Humanos reconoce a los profesionales correspondientes la libertad de elegir los métodos o técnicas que consideren más pertinentes para la transmisión informativa, que debe ser acorde a las exigencias de objetividad y neutralidad (STEDH de 23 de septiembre de 1994, Jersild c. Dinamarca, § 34). Pero asimismo dicho Tribunal ha subrayado que en la elección de los medios referidos, la libertad reconocida a los periodistas no está exenta de límites, y que en ningún caso pueden considerarse legítimas aquellas técnicas que invaden derechos protegidos, ni aquellos métodos que vulneren las exigencias de la ética periodística en cuanto a la solvencia y objetividad del contenido informativo (SSTEDH de 18 de enero de 2011, MGN Limited c. Reino Unido, § 141; y de 10 de mayo de 2011, Mosley c. Reino Unido, § 113).

FJ 7. La aplicación de las reglas descritas en los fundamentos jurídicos anteriores al enjuiciamiento constitucional del presente asunto exige tomar en consideración en primer lugar, atendiendo a los límites inmanentes, las circunstancias específicas en las que se ha ejercitado la libertad de comunicación, ponderando a continuación adecuadamente la posible afectación de otros derechos fundamentales en juego.
Las entidades recurrentes han alegado con insistencia la veracidad del contenido del reportaje, tanto en la vía judicial como en apoyo de su pretensión de impugnación en amparo de la Sentencia del Tribunal Supremo. Este argumento no puede acogerse, no sólo porque en la vía judicial previa no se ha controvertido en ningún momento la veracidad de la información divulgada alegando, por ejemplo, manipulación o alteración de los registros de imagen y sonido obtenidos, sino fundamentalmente porque este Tribunal viene reiterando que, cuando se afecta al derecho a la intimidad, lo determinante para resolver el conflicto de derechos es la relevancia pública de la información y no la veracidad del contenido de la información divulgada, en cuanto que, a diferencia de lo que sucede en las intromisiones en el honor, la veracidad no es paliativo sino presupuesto de la lesión de la intimidad (por todas, STC 185/2002, de 14 de octubre, FJ 4).

En cuanto al interés general del reportaje que alegan los recurrentes, resulta procedente señalar que, aun cuando la información hubiera sido de relevancia pública, los términos en que se obtuvo y registró, mediante el uso de una cámara oculta, constituyen en todo caso una ilegítima intromisión en los derechos fundamentales a la intimidad personal y a la propia imagen. En cuanto a la vulneración de la intimidad, hay que rechazar en primer lugar que tanto el carácter accesible al público de la parte de la vivienda dedicada a consulta por la esteticista/naturista, como la aparente relación profesional entablada entre dicha persona y la periodista que se hizo pasar por una paciente, tengan la capacidad de situar la actuación de la recurrente extramuros del ámbito del derecho a la intimidad de aquélla, constitucionalmente protegido también en relaciones de naturaleza profesional. La Sentencia del Tribunal Supremo impugnada señala correctamente que la relación entre la periodista y la esteticista/naturista se desarrolló en un ámbito indudablemente privado. No existiendo consentimiento expreso, válido y eficaz prestado por la titular del derecho afectado, es forzoso concluir que hubo una intromisión ilegítima en el derecho fundamental a la intimidad personal. Y en cuanto al derecho a la propia imagen, debemos alcanzar idéntica conclusión. En efecto, como apreció correctamente la Sentencia de la Sala de lo Civil del Tribunal Supremo, la persona grabada subrepticiamente fue privada del derecho a decidir, para consentirla o para impedirla, sobre la reproducción de la representación de su aspecto físico y de su voz, determinantes de su plena identificación como persona.

La Sentencia impugnada valora correctamente los datos que concurren en la presente situación, y concluye con la negación de la pretendida prevalencia de la libertad de información. Conclusión constitucionalmente adecuada, no sólo porque el método utilizado para obtener la captación intrusiva —la llamada cámara oculta— en absoluto fuese necesario ni adecuado para el objetivo de la averiguación de la actividad desarrollada, para lo que hubiera bastado con realizar entrevistas a sus clientes, sino, sobre todo, y en todo caso, porque, tuviese o no relevancia pública lo investigado por el periodista, lo que está constitucionalmente prohibido es justamente la utilización del método mismo (cámara oculta) por las razones que antes hemos expuesto.

El derecho a la propia imagen en el ámbito laboral: caso del cortador de jamón —STC 99/1994, de 11 de abril[28]—

La Sentencia resuelve el recurso de amparo promovido por don J.A.F.S. contra la Sentencia de la Sala de lo Social del Tribunal Superior de Justicia de Extremadura, de 12 de febrero de 1990, que desestimó su recurso de suplicación contra la Sentencia del Juzgado de lo Social núm. 1 de Badajoz, que avaló su despido. Este se produjo con motivo de la muestra de un producto (jamón ibérico) a los medios de comunicación y autoridades de la Consejería de Agricultura para la presentación de la denominación de origen del jamón de bellota, fabricado por la empresa en que prestaba sus servicios el solicitante de amparo. Dada su destreza, éste fue reiteradamente requerido por aquélla para realizar el corte de jamón, a lo que se negó alegando que bajo ningún concepto deseaba que su imagen fuese captada fotográficamente, por lo que la empresa procedió a despedirle.

FJ 4. [...] [D]ebe recordarse que, como este Tribunal ha tenido ocasión de reiterar, el contrato de trabajo no puede considerarse como un título legitimador de recortes en el ejercicio de los derechos fundamentales que incumben al trabajador como ciudadano, que no pierde su condición de tal por insertarse en el ámbito de una organización privada (STC 88/1985). Pero que, partiendo de este principio, no puede desconocerse tampoco que la inserción en la organización ajena modula aquellos derechos, en la medida estrictamente imprescindible para el correcto y ordenado desenvolvimiento de la actividad productiva, reflejo, a su vez, de derechos que han recibido consagración en el texto de nuestra norma fundamental (arts. 38 y 33 CE). Es en aplicación de esta necesaria adaptabilidad de los derechos del trabajador a los requerimientos de la organización productiva en que se integra, y en la apreciada razonabilidad de éstos, como se ha afirmado que manifestaciones del ejercicio de aquéllos que en otro contexto serían legítimas, no lo son, cuando su ejercicio se valora en el marco de la relación laboral (SSTC 73/1982; 120/1983; 19/1985; 170/1987; 6/1988; 129/1989 ó 126/1990, entre otras). En este marco de modulación a las exigencias organizativas, estrictamente apreciadas, cabe valorar el alcance del derecho a la propia imagen, invocado por el trabajador como justificación de su negativa a la orden del empresario.

---

[28]   *Vid.* también la STC 37/1998, de 17 de febrero, sobre el derecho a la propia imagen en el ejercicio del derecho a la huelga (*vid.* **ARTÍCULO 28**). Se pone así fin a una jurisprudencia restrictiva respecto del ejercicio del derecho a la propia imagen en el ámbito laboral (STC 170/1987, de 30 de octubre).

FJ 5. Por los propios términos en que se ha planteado la cuestión, es claro que ésta atañe al derecho a la propia imagen como derecho a impedir que otros la capten o la difundan.

El derecho a la propia imagen, consagrado en el art. 18.1 CE junto con los derechos a la intimidad personal y familiar y al honor, contribuye a preservar la dignidad de la persona (art. 10.1 CE), salvaguardando una esfera de propia reserva personal, frente a intromisiones ilegítimas provenientes de terceros. Sólo adquiere así su pleno sentido cuando se le enmarca en la salvaguardia de «un ámbito propio y reservado frente a la acción y conocimiento de los demás, necesario, según las pautas de nuestra cultura, para mantener una calidad mínima de la vida humana» (STC 231/1988, Fundamento Jurídico 3º). Una valoración teleológica que, por lo demás, también ha prevalecido cuando se ha analizado la proyección del derecho en cuestión sobre la relación individual de trabajo (STC 170/1987, Fundamento Jurídico 4º). Calificado así, resulta claro que el primer elemento a salvaguardar sería el interés del sujeto en evitar la difusión incondicionada de su aspecto físico, que constituye el primer elemento configurador de su intimidad y de su esfera personal, en cuanto instrumento básico de identificación y proyección exterior y factor imprescindible para su propio reconocimiento como individuo. En este contexto, la captación y difusión de la imagen del sujeto sólo será admisible cuando la propia —y previa— conducta de aquél o las circunstancias en que se encuentra inmerso, justifiquen el descenso de las barreras de reserva para que prevalezca el interés ajeno o el público que puedan colisionar con aquél. [...]

Y en esta línea, la Ley Orgánica 1/1982 (arts. 2 en conexión con el 7, apartados 5 y 6, y art. 8.2) estructura los límites del derecho a la propia imagen en torno a dos ejes: la esfera reservada que la propia persona haya salvaguardado para sí y su familia conforme a los usos sociales; y, de otra parte, la relevancia o el interés público de la persona cuya imagen se reproduce o de los hechos en que ésta participa, como protagonista o como elemento accesorio, siendo ésta una excepción a la regla general citada en primer lugar, que hace correr paralelo el derecho a la propia imagen con la esfera privada guardada para sí por su titular. No puede deducirse del art. 18 CE, que el derecho a la propia imagen, en cuanto límite del obrar ajeno, comprenda el derecho incondicionado y sin reservas a permanecer en el anonimato. Pero tampoco el anonimato, como expresión de un ámbito de reserva especialmente amplio, es un valor absolutamente irrelevante, quedando desprotegido el interés de una persona a salvaguardarlo impidiendo que su imagen se capte y se difunda. Deben apreciarse, en este caso como en todos los de colisión de derechos fundamentales o bienes constitucionalmente protegidos, los intereses en presencia, mediante una adecuada ponderación de las circunstancias concurrentes. Es en esta perspectiva donde ha de situarse la valoración del alcance del derecho a la propia imagen como factor legitimador de la negativa del trabajador a obedecer la orden empresarial.

FJ 7. [...] La relación laboral, en cuanto tiene como efecto típico la sumisión de ciertos aspectos de la actividad humana a los poderes empresariales, es un marco que ha de tomarse en forzosa consideración a la hora de valorar hasta qué punto ha de producirse la coordinación entre el interés del trabajador y el de la empresa que pueda colisionar con él. Un marco, además, que también ha contribuido a crear la voluntad del propio trabajador, en cuanto que encuentra su origen en un contrato, por especial que éste pueda ser. A tal efecto, resulta de interés esencial la toma en consideración del propio objeto del contrato, y la medida en que éste exigía, o podía entenderse que exigía conforme a las exigencias de la buena fe, la limitación del derecho fundamental para el cumplimiento y la satisfacción del interés que llevó a las partes a contratar. Todo ello porque es claro que existen actividades que traen consigo, con una relación de conexión necesaria, una restricción en el derecho a la imagen de quien deba realizarlas, por la propia naturaleza de éstas, como lo son todas las actividades en contacto con el público, o accesibles a él. Cuando ello suceda, quien aceptó prestar tareas de esta índole, no puede luego invocar el derecho fundamental para eximirse de su realización, si la restricción que se le impone no resulta agravada por lesionar valores elementales de la dignidad de la persona (art. 10.1 CE) o de la intimidad de ésta. La cuestión, ahora, es si, por la naturaleza del trabajo contratado en este caso, las tareas encomendadas al trabajador implicaban la necesaria restricción de su derecho de tal suerte que pudiera entenderse que era la propia voluntad del trabajador —expresada al celebrar el contrato— la que legitimaba las que pudieran exigírsele en el futuro, dentro de los márgenes que se acaban de exponer.

No es éste el caso. No consta que el trabajador, oficial de 2. deshuesador de jamones, tuviera asignada, explícita ni implícitamente, tarea alguna de exhibición de su habilidad en la promoción del producto, ni que éstas fueran componentes imprescindibles —o aun habituales— de las funciones que debía desarrollar. Con este condicionante básico, el vínculo contractual originario no puede considerarse, por sí sólo y sin otra consideración adicional, cobertura suficiente para la orden dada.

[...] Los requerimientos organizativos de la empresa que pudieran llegar a ser aptos para restringir el ejercicio de aquéllos (al margen de los conectados de forma necesaria con el objeto mismo del contrato) deben venir especialmente cualificados por razones de necesidad, de tal suerte que se hace preciso acreditar —por parte de quien pretende aquel efecto— que no es posible de otra forma alcanzar el legítimo objetivo perseguido, porque no existe medio razonable para lograr una adecuación entre el interés del trabajador y el de la organización en que se integra. [...] [N]o basta con que la orden sea, prima facie, legítima; es preciso acreditar una racionalidad específica en la que la restricción del derecho del trabajador, no instrumental para el efectivo desarrollo de su tarea, sea, verdaderamente, la única solución apreciable para el logro del legítimo interés empresarial. [...]

El derecho a la propia imagen en el ámbito laboral y la videovigilancia —SSTC 98/2000, de 10 de abril y 186/2000, de 10 de julio (vid. supra 2. El derecho a la intimidad)—

4. La tutela judicial de los derechos al honor, la intimidad y la propia imagen

Las acciones civiles y penales en la tutela de los derechos de la personalidad —STC 236/2006, de 17 de julio[29]—

La Sentencia resuelve el recurso de amparo promovido por doña M.J.B.B. y otras contra la Sentencia de la Sala de lo Civil del Tribunal Supremo de 18 de febrero de 2004, que anula en casación la Sentencia de la Sección Tercera de la Audiencia Provincial de Palma de Mallorca, de 31 de octubre de 2000, que desestimó el recurso de apelación interpuesto contra la Sentencia de 8 de febrero de 2000 del Juzgado de Primera Instancia núm. 8 de Palma de Mallorca. Las recurrentes denuncian la vulneración de sus derechos a la tutela judicial efectiva (artículo 24.1 CE) y al honor (artículo 18.1 CE) porque el órgano de casación, al estimar extinguida la acción civil, no entró a resolver sobre el fondo del asunto, por lo que la pretensión inicial formulada por las actoras ha quedado imprejuzgada.

FJ 5. [...] El citado precepto (artículo 1 de la Ley Orgánica 1/1982, de 5 de mayo] dispone literalmente, que «[l]a extinción de la acción penal no lleva consigo la de la civil, a no ser que la extinción proceda de haberse declarado por sentencia firme que no existió el hecho de que la civil hubiese podido nacer»; es decir, en los supuestos de concurrencia de una acción penal y una acción civil, la Ley de enjuiciamiento criminal sólo considera extinguida esta última cuando en el ejercicio de la acción penal se haya concluido con un pronunciamiento en el sentido de que no se ha probado la existencia del hecho del que podría derivar la responsabilidad.

Por tanto, ante la proclamación básica del precepto de que «la extinción de la acción penal no lleva consigo la de la civil», afirmar que el ejercicio de la acción penal impide el posterior ejercicio de la civil viene a resultar directamente contrario a su sentido lógico. En consecuencia, en la medida en que de hecho se está estableciendo por vía jurisprudencial una causa de extinción de la acción no prevista en la ley, y que resulta contraria a un precepto legal que fundamenta claramente la solución contraria a la posible existencia de tal causa, se está limitando en términos constitucionalmente inaceptables el derecho fundamental a la tutela judicial efectiva, consagrado en el art. 24.1 CE, en su concreto contenido de acceso a la jurisdicción.

En el presente caso, como subraya el Ministerio Fiscal, en el proceso penal —que, por lo demás, no se inició a instancia de las recurrentes— no se determinó la inexistencia de las declaraciones del demandado que hubieran podido constituir un delito de injurias, sino que se declaró prescrita la acción penal. Resulta obvio que dicha declaración impide la condena penal por tales hechos pero no descarta, en absoluto, el eventual carácter de ilícito civil de la conducta enjuiciada que, desde esta perspectiva jurídica, quedó imprejuzgada, por lo que las demandantes, en el legítimo ejercicio de su derecho a obtener una resolución sobre el fondo del asunto, solicitaron que se levantara la suspensión del proceso civil que había quedado paralizado hasta tanto recayera Sentencia penal firme.

En este orden de cosas, ha de recordarse que la STC 15/2002, de 28 de enero, a la que se alude en la demanda de amparo, contempla un supuesto en el que la demanda civil fue desestimada por apreciar el órgano judicial la cosa juzgada derivada de la Sentencia absolutoria por falta de acreditación de la autoría recaída en un procesal penal previo seguido contra el demandado; en ella se afirma que los órganos judiciales privaron al recurrente de un pronunciamiento sobre el fondo de la pretensión que ejercitó en el proceso civil sin que hubiera causa legal para ello, de modo que las resoluciones recurridas «deben reputarse irrazonables y restrictivas de la efectividad del derecho a la tutela judicial efectiva (STC 121/1994, de 24 de abril)» (FJ 5). De ello debe colegirse, como también

---

[29] *Vid.* también la STC 241/1991, de 16 de diciembre.

indica el Ministerio Fiscal, que no cabe, fuera de los cauces legales, declarar cerrada la vía civil por el mero hecho de que se haya acudido al proceso penal, sin atender al resultado y a la causa de terminación de éste, pues ello es precisamente lo que condiciona la posibilidad de examinar la cuestión de fondo en la vía civil, lo que en este supuesto no se ha llevado a cabo.

En suma, por todo cuanto antecede, debe concluirse que la decisión de considerar extinguida la acción civil por el mero hecho de haberse personado en un proceso penal iniciado a instancia de otras partes y en el que, por determinarse la prescripción del delito imputado, quedó imprejuzgada la eventual responsabilidad civil, carece de base legal alguna en la que sustentarse, resultando por ello inaceptable desde la óptica del derecho a la tutela judicial efectiva en su vertiente de acceso a la justicia (art. 24.1 CE). En consecuencia, la Sentencia impugnada, al imposibilitar la obtención de un pronunciamiento sobre el fondo del asunto, ha vulnerado el derecho a la tutela judicial efectiva de las demandantes, por lo que procede otorgar el amparo solicitado, anulando dicha Sentencia y acordando la retroacción de las actuaciones al momento anterior a pronunciarse la misma, a fin de que se dicte otra respetuosa con el derecho reconocido en el art. 24.1 CE. Por otra parte, habida cuenta del carácter subsidiario del recurso de amparo, no procede examinar la denunciada lesión del derecho al honor (art. 18.1 CE), por haber quedado imprejuzgada en la jurisdicción ordinaria.

La tutela constitucional del derecho al honor ante la inexistencia de ilícito penal —STC 78/1995, de 22 de mayo (*vid. supra*)[30]—

FJ 5. […] Se da en el caso de autos, sin embargo, una peculiaridad que, oportunamente puesta de relieve por el Ministerio Fiscal, no puede pasarse por alto: en la Sentencia dictada en sede de apelación, no sólo se absuelve al autor del artículo periodístico en atención a la eficacia justificante del derecho que le asistía a manifestar públicamente una opinión crítica respecto de los solicitantes de amparo, sino que se niega expresamente la presencia en las expresiones objetivamente injuriosas contenidas en el mencionado escrito del imprescindible animus iniuriandi, al considerarse que no hubo en el proceso prueba suficiente de que el acusado hubiera actuado con tal intención, cuya aportación correspondía a quien acusaba al efecto de desvirtuar la inicial presunción iuris tantum de que, en lugar de ello, el comportamiento del periodista había estado guiado por un ánimo de comunicar y de criticar penalmente irrelevante. Sin perjuicio, desde luego, de la exclusiva jurisdicción que a los Jueces y Tribunales corresponde en cuanto a la determinación de la concurrencia de los elementos de los tipos delictivos y, en consecuencia, en lo tocante a la calificación penal de los hechos y a la aplicación de la pena correspondiente, por ser todas ellas cuestiones de legalidad ordinaria no revisables en esta vía de amparo constitucional, ello no supone en modo alguno que este Tribunal no pueda revisar aquellas decisiones judiciales que, en la aplicación de esa legalidad, hayan prescindido de la dimensión constitucional que adquiere la cuestión al estar en juego derechos fundamentales enfrentados (STC 85/1992, fundamento jurídico 4º). Quiere significarse con ello que si bien nada tenemos que decir acerca de la afirmación del órgano judicial ad quem respecto de la falta de concurrencia en el caso de autos del imprescindible elemento subjetivo de lo injusto constituido por el animus iniuriandi (STC 297/1993) —por lo demás perfectamente compatible, en unánime opinión de la doctrina y de la jurisprudencia penales, con la existencia de otros ánimos distintos como los de narrar, criticar o informar—, no es menos cierto que, apoyada tal conclusión en la Sentencia dictada en sede de apelación precisamente en los resultados de un juicio de ponderación incorrectamente efectuado, según se desprende con toda evidencia del razonamiento contenido en el fundamento jurídico 3º de la citada resolución, la revisión por este Tribunal de dicha ponderación no obliga a los órganos judiciales a desdecirse afirmando la concurrencia de un animus iniuriandi previamente negado, pero sí a descartar la presencia del mismo con apoyo en argumentos distintos a los anteriormente esgrimidos, sin que ello suponga una intromisión de la jurisdicción constitucional en lo que, por imperativo del art. 117.3 CE, es tarea exclusiva de la jurisdicción ordinaria.

Reparación insuficiente de los derechos a la personalidad —STC 300/2006, de 23 de octubre[31]—

La Sentencia resuelve el recurso de amparo promovido por don A.A.T. contra la Sentencia de la Sala de lo Civil del Tribunal Supremo de 14 de noviembre de 2002, recaída en el recurso de casación interpuesto contra la Sentencia

---

30   *Vid.* también las SSTC 272/1994, de 17 de octubre; 297/1994, de 14 de noviembre; 76/2002, de 8 de abril; 26/2018, de 5 de marzo (*vid.* el voto particular que a ésta última formulan Cándido Conde-Pumpido Tourón y M. Luisa Balaguer Callejón).

31   *Vid.*, en el mismo sentido, las SSTC 186/2001, de 17 de septiembre; 153/2004, de 20 de septiembre.

de la Sección Decimoctava de la Audiencia Provincial de Madrid de 27 de septiembre de 1993, tras ser anulada por STC 83/2002, de 22 de abril, la anterior Sentencia de la Sala de lo Civil del Tribunal Supremo de 17 de diciembre de 1997, recaída en el mismo recurso de casación. La STC 83/2002 declaró que la publicación de unas fotografías en la portada y en el interior de dos números de la revista «Diez Minutos», en las que aparecía el recurrente tumbado en una playa junto a una mujer, constituye una intromisión ilegítima en los derechos a la intimidad y a la propia imagen (artículo 18.1 CE) del recurrente. La Sentencia impugnada confirma ahora la vulneración de dichos derechos, si bien reduce la indemnización de la misma, que la Sentencia de la Audiencia Provincial de Madrid de 27 de septiembre de 1993 —confirmatoria de la dictada en instancia— había establecido en 20 millones de pesetas (120.202 euros), a 200 euros.

FJ 2. [...] Ciertamente resulta incuestionable la semejanza entre el presente recurso de amparo y el resuelto por la citada STC 186/2001; a partir de este precedente, y a fin de delimitar el objeto del presente proceso, debe tenerse en cuenta que la principal queja que articula el demandante por infracción del art. 24.1 CE se fundamenta en la falta de motivación de la Sentencia impugnada a la hora de revisar la valoración del quantum indemnizatorio, que fija una indemnización simbólica mediante un razonamiento que menoscaba la eficacia jurídica de la situación subjetiva declarada en la STC 83/2002 y, por ello, determina la vulneración de los derechos a la intimidad y a la propia imagen (art. 18.1 CE) del demandante.

En consecuencia, conforme a reiterada doctrina de este Tribunal (SSTC 139/2001, de 18 de junio, FJ 3; 8/2002, de 14 de enero, FJ 4; y 92/2005, de 18 de abril, FJ 5, por todas), lo que está en juego en el presente caso no es tanto el derecho a la tutela judicial efectiva (art. 24.1 CE) como los derechos fundamentales sustantivos afectados por la argumentación que sirve de ratio decidendi a la Sentencia impugnada, por lo que nuestro examen debe versar sobre el cumplimiento de las exigencias de motivación impuestas por la salvaguarda de los derechos a la intimidad y a la propia imagen (art. 18.1 CE) del demandante de amparo, cuya vulneración ya declaramos en la STC 83/2002. [...]

FJ 3. Hechas las precisiones que anteceden estamos en condiciones de abordar la cuestión fundamental que se plantea en el presente recurso de amparo, que no es otra que la de determinar si, como sostienen tanto el demandante de amparo como el Ministerio Fiscal, la Sentencia impugnada ha vulnerado los derechos del demandante a la intimidad y a la propia imagen (art. 18.1 CE) al revisar el quantum indemnizatorio fijado en las Sentencias de primera instancia y apelación contradiciendo los criterios declarados en la STC 83/2002 y procediendo a fijar una indemnización meramente simbólica, que vacía de contenido y eficacia aquellos derechos fundamentales reconocidos en la citada STC 83/2002.

Esta queja suscita la cuestión de mayor trascendencia desde la perspectiva de la función de control en materia de derechos fundamentales que nos corresponde, pues lo que se denuncia es que la Sala de lo Civil del Tribunal Supremo, al revisar la cuantía de la indemnización fijada por la Audiencia Provincial —confirmando la Sentencia de instancia— partió de un entendimiento de los derechos a la intimidad y a la propia imagen que no se ajusta a lo declarado por este Tribunal en la STC 83/2002, que tiene valor de cosa juzgada a partir del día siguiente de su publicación en el «Boletín Oficial del Estado» (art. 164.1 CE) y vincula a todos los Jueces y Tribunales que integran el Poder Judicial, tal como disponen los arts. 87.1 de la Ley Orgánica del Tribunal Constitucional (LOTC) y 5.1 de la Ley Orgánica del Poder Judicial (LOPJ), precepto éste último que paradójicamente se invoca en la Sentencia impugnada (fundamento de Derecho primero) para justificar la pretendida necesidad de dictar una nueva Sentencia de casación.

En efecto, debemos recordar que, de conformidad con lo ordenado en los arts. 87.1 LOTC y 5.1 LOPJ, los órganos judiciales están obligados al cumplimiento de lo que el Tribunal Constitucional resuelva, no pudiendo, en consecuencia, desatender a lo declarado y decidido por el mismo. En algunas ocasiones el cumplimiento por el órgano judicial de una Sentencia de este Tribunal puede requerir una interpretación del alcance de la misma, a fin de dar un cabal cumplimiento a lo resuelto en ella y adoptar, en consecuencia, las medidas pertinentes para hacer efectivo el derecho fundamental reconocido frente a la violación de la que fue objeto. Pero semejante consideración y aplicación por el órgano judicial no puede llevar, sin embargo, como es claro, ni a contrariar lo establecido en ella ni a dictar resoluciones que menoscaben la eficacia de la situación jurídica subjetiva allí declarada (SSTC 159/1987, de 26 de octubre, FJ 3; 227/2001, de 26 de noviembre, FJ 6; 153/2004, de 20 de septiembre, FJ 3; y AATC 134/1992, de 25 de mayo, FJ 2; 220/2000, de 2 de octubre, FJ 1; 19/2001, de 30 de enero, FJ 2). Por lo demás, la especial vinculación que para todos los poderes públicos tienen las Sentencias de este Tribunal no se limita al contenido del fallo, sino que se extiende a la correspondiente fundamentación jurídica, en especial a la que contiene los criterios que conducen a la ratio decidendi (STC 302/2005, de 21 de noviembre, FJ 6).

FJ 4. Pues bien, debe tenerse en cuenta que la Sentencia de la Audiencia Provincial de Madrid declaró que la cantidad de 20 millones de pesetas, fijada por el Juez de instancia en concepto de indemnización, ha de valorarse conforme a las reglas del art. 9.3 de la Ley Orgánica 1/1982, de 5 de mayo, y que «por ello no parece excesiva atendiendo a las circunstancias del caso y muy especialmente a la forma en que fueron obtenidas las fotografías, a la gravedad del ataque a la intimidad al producirse una agresión dentro de su círculo íntimo y a los consiguientes perjuicios sociales y familiares originados, a la difusión que ha de considerarse tuvo la revista objeto de autos dada la falta de prueba de dicha difusión y al beneficio que cabe suponer se obtuvo atendiendo a que se pagaron por las fotografías la cantidad de cuatro millones de pesetas y que las utilizó no sólo para una revista concreta sino también como base de un cartel publicitario, convirtiendo al actor en modelo publicitario forzoso de la revista, motivos todos ellos que llevan a considerar adecuada la cantidad fijada por el Juez a quo» (fundamento de Derecho octavo).

Por su parte, la Sala de lo Civil del Tribunal Supremo procedió en la Sentencia impugnada a la revisión de la cuantía acordada por la Sentencia de la Audiencia Provincial, fijando la indemnización en 200 euros. La Sala fundamentó su decisión afirmando que «no apareciendo datos objetivos que permitan una aplicación directa de los criterios del artículo 9.3 mencionado, se atiende a la trascendencia —escasa— de unas fotos, a la capacidad económica —alta— del perjudicado, a la situación de las personas en el lugar —público— y a la obtención de las imágenes —por persona amiga— y su difusión —por persona desconocida— por lo que, en trance de fijar una cantidad, se establece en 200 euros a la vista de las detalladas comparaciones y meditadas consideraciones que se hicieron por esta Sala en la sentencia de 5 de noviembre de 2001».

Sin embargo, es lo cierto que tales criterios no sólo carecen de sustento en los establecidos en el art. 9.3 de la Ley Orgánica 1/1982 para fijar la cuantía de la indemnización (que «se extenderá al daño moral que se valorará atendiendo a las circunstancias del caso y a la gravedad de la lesión efectivamente producida, para lo que se tendrá en cuenta en su caso la difusión o audiencia del medio a través del que se ha producido» y «también se valorará el beneficio que haya obtenido el causante de la lesión como consecuencia de la misma»), sino que además se apartan notoriamente de los establecidos en la STC 83/2002 (FFJJ 4 y 5), cuya apreciación condujo a estimar precisamente que la difusión de las controvertidas imágenes constituyó una intromisión ilegítima en los derechos a la propia imagen y a la intimidad (art. 18.1 CE) del recurrente, concluyendo en el otorgamiento del amparo solicitado. [...]

A la vista de lo anterior, debemos concluir que al revisar el quantum indemnizatorio correspondiente a la lesión de los derechos a la intimidad y a la propia imagen (art. 18.1 CE) del recurrente, la Sentencia impugnada desconoció los criterios contenidos en la STC 83/2002, realizando una interpretación que, lejos de reparar tales derechos, los lesiona de nuevo, menoscabando así la eficacia jurídica de la situación subjetiva declarada en nuestra precedente Sentencia, siendo por lo demás notorio que una indemnización de 200 euros, frente a los veinte millones de pesetas fijados en las Sentencias de instancia y apelación, resulta una cantidad meramente simbólica y claramente insuficiente para reparar el perjuicio derivado de la lesión de los derechos a la intimidad y a la propia imagen sufrida por el recurrente, que se encuentran protegidos por la Constitución como «derechos reales y efectivos» (STC 176/1988, de 4 de octubre, FJ 4), y cuya garantía jurisdiccional no puede convertirse en «un acto meramente ritual o simbólico» (STC 12/1994, de 17 de enero, FJ 6).

FJ 6. El otorgamiento del amparo solicitado por vulneración de los derechos del recurrente a la intimidad y a la propia imagen (art. 18.1 CE) exige determinar el alcance de nuestro pronunciamiento, de conformidad con el art. 55.1 LOTC. En este sentido, siguiendo el criterio sentado en la citada STC 186/2001, FJ 9, para restablecer al recurrente en la integridad de sus derechos a la intimidad y a la propia imagen procede declarar la nulidad de la Sentencia de la Sala Primera del Tribunal Supremo de 14 de noviembre de 2002 y asimismo declarar la firmeza de la Sentencia de la Sección Decimoctava de la Audiencia Provincial de Madrid de 27 de septiembre de 1993 (que confirma en apelación la dictada por el Juzgado de Primera Instancia núm. 6 de Madrid el 9 de septiembre de 1991), cuya fundamentación sobre el quantum indemnizatorio resulta acorde con las exigencias de los derechos fundamentales protegidos por el art. 18.1 CE tal como quedaron expresadas en la STC 83/2002.

II. EL DERECHO A LA INVIOLABILIDAD DEL DOMICILIO (ARTÍCULO 18.2 CE)

1. Contenido y alcance del derecho a la inviolabilidad del domicilio

Contenido del derecho: el concepto constitucional de domicilio —STC 22/1984, de 21 de febrero[32]—

La Sentencia resuelve el recurso de amparo interpuesto por doña D.T.P. contra los acuerdos del Ayuntamiento de Murcia de 7 de mayo y 4 de junio de 1982, por los que se le requería para que desalojara la vivienda de su propiedad, por entender que vulneraban su derecho a la inviolabilidad del domicilio.

FJ 2. En relación con este tema debe señalarse que la idea de domicilio que utiliza el art. 18 de la Constitución no coincide plenamente con la que se utiliza en materia de Derecho Privado y en especial en el art. 40 del Código Civil como punto de localización de la persona o lugar de ejercicio por ésta de sus derechos y obligaciones. Como se ha dicho acertadamente en los alegatos que en este proceso se han realizado, la protección constitucional del domicilio es una protección de carácter instrumental, que defiende los ámbitos en que se desarrolla la vida privada de la persona. Por ello, existe un nexo de unión indisoluble entre la norma que prohíbe la entrada y el registro en un domicilio (art. 18.2 de la Constitución) y la que impone la defensa y garantía del ámbito de privacidad (artículo 18.1 de la Constitución)[33]. Todo ello obliga a mantener, por lo menos prima facie, un concepto constitucional de domicilio de mayor amplitud que el concepto jurídico privado o jurídico-administrativo.

FJ 5. El art. 18.2 de la Constitución contiene dos reglas distintas: una tiene carácter genérico o principal, mientras la otra supone una aplicación concreta de la primera, y su contenido es por ello más reducido. La regla primera define la inviolabilidad del domicilio, que constituye un auténtico derecho fundamental de la persona, establecido, según hemos dicho, para garantizar el ámbito de privacidad de ésta, dentro del espacio limitado que la propia persona elige y que tiene que caracterizarse precisamente por quedar exento o inmune a las invasiones o agresiones exteriores, de otras personas o de la autoridad pública. Como se ha dicho acertadamente, el domicilio inviolable es un espacio en el cual el individuo vive sin estar sujeto necesariamente a los usos y convenciones sociales y ejerce su libertad más íntima. Por ello, a través de este derecho no sólo es objeto de protección el espacio físico en sí mismo considerado, sino lo que en él hay de emanación de la persona y de esfera privada de ella. Interpretada en este sentido, la regla de la inviolabilidad del domicilio es de contenido amplio e impone una extensa serie de garantías y de facultades, en las que se comprenden las de vedar toda clase de invasiones incluidas las que puedan realizarse sin penetración directa por medio de aparatos mecánicos, electrónicos u otros análogos.
La regla segunda establece un doble condicionamiento a la entrada y al registro, que consiste en el consentimiento del titular o en la resolución judicial. (*vid. infra*)

Alcance del concepto constitucional de domicilio: la exclusión de unos espacios y la inclusión de otros, como las habitaciones de hotel —STC 10/2002, de 17 de enero—

La Sentencia resuelve la cuestión de inconstitucionalidad planteada por la Audiencia Provincial de Sevilla sobre el artículo 557 de la Ley de Enjuiciamiento Criminal. Dicho precepto establece que «[l]as tabernas, casas de comidas, posadas y fondas no se reputarán como domicilio de los que se encuentren o residan en ellas accidental o temporalmente; y lo serán tan sólo de los taberneros, hosteleros, posaderos y fondistas que se hallen a su frente y habiten así con sus familias en la parte del edificio a este servicio destinada» —enumeración en que, en una lectura actualizada, han de entenderse incluidas las habitaciones de hotel—. Se cuestiona la constitucionalidad de la delimitación excluyente del concepto de domicilio operada en este artículo, tanto en términos conceptuales como garantistas, en la medida en que de dicha exclusión deriva la inexigencia de autorización judicial para realizar registros fuera de los casos de flagrante delito y de consentimiento del titular.

---

[32]   Se trata de jurisprudencia constante y ampliamente reiterada por el Tribunal Constitucional; *vid.* por ejemplo las SSTC 137/1985, de 17 de octubre, FJ 2, y 94/1999, de 31 de mayo, FJ 5; 150/2011, de 29 de septiembre, FJ 6.

[33]   Como ha aclarado el Tribunal, «dicha instrumentalidad no empece a la autonomía que la Constitución española reconoce a ambos derechos, distanciándose así de la regulación unitaria de los mismos que contiene el art. 8.1 del Convenio europeo de derechos humanos (en adelante, CEDH; STC 119/2001, de 24 de mayo, FJ 6)» (STC 10/2002, de 17 de enero, FJ 5).

FJ 6. La Constitución no ofrece una definición expresa del domicilio como objeto de protección del art. 18.2 CE. Sin embargo, este Tribunal ha ido perfilando una noción de domicilio de la persona física cuyo rasgo esencial reside en constituir un ámbito espacial apto para un destino específico, el desarrollo de la vida privada. Este rasgo, que ha sido señalado de forma expresa en Sentencias recientes (SSTC 94/1999, de 31 de mayo, FJ 4; 283/2000, de 27 de noviembre, FJ 2), se encuentra asimismo comprendido en las declaraciones generales efectuadas por este Tribunal sobre la conexión entre el derecho a la inviolabilidad domiciliaria y el derecho a la intimidad personal y familiar, así como en la delimitación negativa que hemos realizado de las características del espacio que ha de considerarse domicilio y de la individualización de espacios que no pueden calificarse de tal a efectos constitucionales.

Con carácter general, como acabamos de recordar, hemos declarado que «el domicilio inviolable es un espacio en el cual el individuo vive sin estar sujeto necesariamente a los usos y convenciones sociales y ejerce su libertad más íntima. Por ello, a través de este derecho no sólo es objeto de protección el espacio físico en sí mismo considerado, sino lo que en él hay de emanación de la persona y de esfera privada de ella» (SSTC 22/1984, de 17 de febrero, FJ 5; 137/1985, de 17 de octubre, FJ 2; 69/1999, de 26 de abril, FJ 2; 94/1999, de 31 de mayo, FJ 5; 119/2001, de 24 de mayo, FFJJ 5 y 6).

A esta genérica definición hemos añadido una doble consecuencia para el concepto constitucional de domicilio, extraída del carácter instrumental que la protección de la inviolabilidad domiciliaria presenta en la Constitución respecto del derecho a la intimidad personal y familiar, y deducida también del nexo indisoluble que une ambos derechos: en primer término, que «la idea de domicilio que utiliza el art. 18 de la Constitución no coincide plenamente con la que se utiliza en materia de Derecho privado y en especial en el art. 40 del Código Civil como punto de localización de la persona o lugar de ejercicio por ésta de sus derechos y obligaciones»; en segundo lugar, que el concepto constitucional de domicilio tiene «mayor amplitud que el concepto jurídico privado o jurídico-administrativo» (SSTC 22/1984, de 17 de febrero, FJ 2; 94/1999, de 31 de mayo, FJ 5), y no «admite concepciones reduccionistas [... como las] que lo equiparan al concepto jurídico-penal de morada habitual o habitación» (STC 94/1999, de 31 de mayo, FJ 5).

En una delimitación negativa de las características que ha de tener cualquier espacio para ser considerado domicilio hemos afirmado que ni el carácter cerrado del espacio ni el poder de disposición que sobre el mismo tenga su titular determinan que estemos ante el domicilio constitucionalmente protegido. Y, en sentido inverso, que tampoco la falta de habitualidad en el uso o disfrute impide en todo caso la calificación del espacio como domicilio. Así, hemos declarado que no todo «recinto cerrado merece la consideración de domicilio a efectos constitucionales», y que, en particular, la garantía constitucional de su inviolabilidad no es extensible a «aquellos lugares cerrados que, por su afectación —como ocurre con los almacenes, las fábricas, las oficinas y los locales comerciales (ATC 171/1989, FJ 2)—, tengan un destino o sirvan a cometidos incompatibles con la idea de privacidad» (STC 228/1997, de 16 de diciembre, FJ 7). Igualmente, hemos señalado, que «no todo local sobre cuyo acceso posee poder de disposición su titular debe ser considerado como domicilio a los fines de la protección que el art. 18.2 garantiza», pues «la razón que impide esta extensión es que el derecho fundamental aquí considerado no puede confundirse con la protección de la propiedad de los inmuebles ni de otras titularidades reales u obligacionales relativas a dichos bienes que puedan otorgar una facultad de exclusión de los terceros» (STC 69/1999, de 26 de abril, FJ 2). Y, finalmente, hemos advertido sobre la irrelevancia a efectos constitucionales de la intensidad, periodicidad o habitualidad del uso privado del espacio si, a partir de otros datos como su situación, destino natural, configuración física, u objetos en él hallados, puede inferirse el efectivo desarrollo de vida privada en el mismo (STC 94/1999, de 31 de mayo, FJ 5; en sentido similar sobre la irrelevancia de la falta de periodicidad, STEDH 24 de noviembre de 1986, caso Guillow c. Reino Unido).

En aplicación de esta genérica doctrina, hemos entendido en concreto que una vivienda es domicilio aun cuando en el momento del registro no esté habitada (STC 94/1999, de 31 de mayo, FJ 5), y, sin embargo, no hemos considerado domicilio los locales destinados a almacén de mercancías (STC 228/1997, de 16 de diciembre, FJ 7), un bar y un almacén (STC 283/2000, de 27 de noviembre, FJ 2), unas oficinas de una empresa (ATC 171/1989, de 3 de abril), los locales abiertos al público o de negocios (ATC 58/1992, de 2 de marzo), o los restantes edificios o lugares de acceso dependiente del consentimiento de sus titulares a los que el art. 87.2 LOPJ extiende la necesidad de autorización judicial para su entrada y registro [STC 76/1992, de 14 de mayo, FJ 3 b)][34].

---

[34]   La STC 82/2002, de 22 de abril, da por válida la jurisprudencia del Tribunal Supremo según la cual «los trasteros de las viviendas no constituyen parte de las mismas o espacios destinados a la habitación de las personas, por lo que no puede extenderse a ellos la protección constitucional ni por ende serles de aplicación las normas procesales reguladoras de las garantías que han de observarse en la práctica de las diligencias de entrada y registro en el domicilio de los particulares» (FJ 8). Lo mismo cabe

FJ 7. De la jurisprudencia constitucional expuesta se obtiene, como ya hemos anticipado, que el rasgo esencial que define el domicilio a los efectos de la protección dispensada por el art. 18.2 CE reside en la aptitud para desarrollar en él vida privada y en su destino específico a tal desarrollo aunque sea eventual. Ello significa, en primer término, que su destino o uso constituye el elemento esencial para la delimitación de los espacios constitucionalmente protegidos, de modo que, en principio, son irrelevantes su ubicación, su configuración física, su carácter mueble o inmueble, la existencia o tipo de título jurídico que habilite su uso, o, finalmente, la intensidad y periodicidad con la que se desarrolle la vida privada en el mismo. En segundo lugar, si bien el efectivo desarrollo de vida privada es el factor determinante de la aptitud concreta para que el espacio en el que se desarrolla se considere domicilio, de aquí no se deriva necesariamente que dicha aptitud no pueda inferirse de algunas de estas notas, o de otras, en la medida en que representen características objetivas conforme a las cuales sea posible delimitar los espacios que, en general, pueden y suelen ser utilizados para desarrollar vida privada.

El rasgo esencial que define el domicilio delimita negativamente los espacios que no pueden ser considerados domicilio: de un lado, aquéllos en los que se demuestre de forma efectiva que se han destinado a cualquier actividad distinta a la vida privada, sea dicha actividad comercial, cultural, política, o de cualquier otra índole; de otro, aquéllos que, por sus propias características, nunca podrían ser considerados aptos para desarrollar en ellos vida privada, esto es, los espacios abiertos. En este sentido resulta necesario precisar que, si bien no todo espacio cerrado constituye domicilio, ni deja de serlo una vivienda por estar circunstancialmente abierta, sin embargo, es consustancial a la noción de vida privada y, por tanto, al tipo de uso que define el domicilio, el carácter acotado respecto del exterior del espacio en el que se desarrolla. El propio carácter instrumental de la protección constitucional del domicilio respecto de la protección de la intimidad personal y familiar exige que, con independencia de la configuración física del espacio, sus signos externos revelen la clara voluntad de su titular de excluir dicho espacio y la actividad en él desarrollada del conocimiento e intromisiones de terceros.

FJ 8. Precisado en estos términos el concepto constitucional de domicilio, se ha de otorgar la razón al órgano judicial cuestionante en cuanto a que las habitaciones de los hoteles pueden constituir domicilio de sus huéspedes, ya que, en principio, son lugares idóneos, por sus propias características, para que en las mismas se desarrolle la vida privada de aquéllos habida cuenta de que el destino usual de las habitaciones de los hoteles es realizar actividades enmarcables genéricamente en la vida privada[35]. Ello, no obstante, no significa que las habitaciones de los hoteles no puedan ser utilizadas también para realizar otro tipo de actividades de carácter profesional, mercantil o de otra naturaleza, en cuyo caso no se considerarán domicilio de quien las usa a tales fines. En el caso origen del proceso penal pendiente, no existen dudas de que los periodistas se hospedaban en las habitaciones del hotel que fueron registradas, de modo que constituían en ese momento su domicilio en cuanto en ellas desarrollaban su vida privada.

Desde esta perspectiva, ni la accidentalidad, temporalidad, o ausencia de habitualidad del uso de la habitación del hotel, ni las limitaciones al disfrute de las mismas que derivan del contrato de hospedaje, pueden constituir obstáculos a su consideración como domicilio de los clientes del hotel mientras han contratado con éste su alojamiento en ellas. Siendo las habitaciones de los hoteles espacios aptos para el desarrollo o desenvolvimiento de la vida privada, siempre que en ellos se desarrolle, constituyen ámbitos sobre los que se proyecta la tutela que la Constitución garantiza en su art. 18.2: su inviolabilidad y la interdicción de las entradas o registros sin autorización judicial o consentimiento de su titular, fuera de los casos de flagrante delito.

---

decir de los garajes de las viviendas (*ibídem*). La STC 219/2006, de 3 de julio, asume la condición de domicilio de un yate (FJ 7). Por su parte, la STC 197/2009, de 28 de septiembre declaró: «Por lo que respecta a la ausencia de autorización judicial y a la no presencia del titular o de su Abogado en la práctica del registro de la furgoneta, irregularidades que el recurrente considera vulneradoras del derecho a un proceso con todas las garantías (art. 24.2 CE), cabe recordar en primer lugar —como señala el Tribunal Supremo, razonamiento jurídico primero— que, no teniendo el citado vehículo la condición de domicilio, no le son aplicables las garantías establecidas en el art. 18.2 CE, lo que no parece ponerse en cuestión en la demanda de amparo» (FJ 9) —*vid.* también la STC 259/2005, de 24 de octubre, FJ 6—. La STC 89/2006, de 27 de marzo, excluye del concepto de domicilio a las celdas en centros penitenciarios (*vid.* también la STC 106/2012, de 21 de mayo).

35   La STC 189/2004, de 2 de noviembre, extendió esta declaración «con mayor razón aún a las habitaciones ocupadas por quienes son definidos en las normas de régimen interior de la residencia militar como usuarios permanentes, máxime cuando … la función de estos alojamientos es facilitar aposentamiento a los militares destinados en una determinada plaza» (FJ 2); lo cual implica la necesidad de obtener autorización judicial de entrada en dichas habitaciones cuando no media el consentimiento de sus ocupantes (FJ 4).

La consideración de las habitaciones de los hoteles como domicilio de quienes se alojan en ellas a efectos de la protección que el art. 18.2 CE establece para el domicilio coincide, por lo demás, con la jurisprudencia de la Sala de lo Penal del Tribunal Supremo (por todas, SSTS de 3 de julio 1992, RJ 1992\6017; 10 de julio 1992, RJ 1992\6378; 5 de octubre 1992, RJ 1992\7737; 17 de marzo de 1993, RJ 1993\2330; 15 de febrero de 1995, RJ 1995\865; 2 de octubre de 1995, RJ 1995\7588, 21 de noviembre de 1997, RJ 1997\7995; 24 de enero de 1998, RJ 1998\88; 16 de mayo de 2000, RJ 2000\4960) y la jurisprudencia de otros países (Stoner v. California, 376 U.S. 483).

FJ 9. [...] Excluir los establecimientos de hostelería de la necesidad de autorización judicial no es, sin embargo, en principio, contrario al art. 18.2 CE, pues se trata de establecimientos abiertos al público en los que principalmente se desarrollan actividades no privadas y, por consiguiente, quienes las realizan no tienen pretensión de privacidad. Por ello, el art. 557 LECrim, en su sentido original, no es contrario a la protección constitucional del derecho a la inviolabilidad del domicilio.

La incompatibilidad del art. 557 LECrim con el derecho reconocido en el art. 18.2 CE se produce sólo en la medida en que impide con carácter absoluto que dichos establecimientos o una parte de los mismos, específicamente sus habitaciones respecto de sus huéspedes, sean consideradas domicilio, esto es, espacios en los que los huéspedes de los hoteles despliegan su privacidad. Como hemos afirmado, el art. 18.2 CE garantiza la interdicción de la entrada y registro en el domicilio, estableciendo que, en ausencia de consentimiento de su titular y de flagrante delito, sólo es constitucionalmente legítima la entrada y registro efectuada con resolución judicial autorizante. Dicha exigencia de autorización judicial constituye un requisito de orden preventivo para la protección del derecho (por todas, SSTC 160/1991, de 18 de julio, FJ 8; 126/1995, de 25 de julio, FJ 2; 171/1999, de 27 de septiembre, FJ 10) que no puede ser excepcionado, puesto que las excepciones constitucionales a la interdicción de entrada y registro tienen carácter taxativo (SSTC 22/1984, de 17 de febrero, FJ 3; 136/2000, de 29 de mayo, FJ 3). Por consiguiente, ninguna justificación puede tener, desde la perspectiva constitucional, la exclusión de la autorización judicial de espacios que han de considerarse, de conformidad con el art. 18.2 CE, domicilio de una persona física.

Inviolabilidad del domicilio y protección frente a ruidos —STC 150/2011, de 29 de septiembre (*vid.* ARTÍCULO 15 CE)—

Las personas jurídicas como titulares del derecho a la inviolabilidad del domicilio —STC 137/1985, de 17 de octubre[36]—

La Sentencia resuelve el recurso de amparo interpuesto por la Sociedad «Derivados de Hojalata, Sociedad Anónima», contra el Auto judicial que autorizó la entrada en su domicilio social a solicitud de la Administración tributaria, derivada de procedimiento de apremio seguido contra esa Entidad mercantil. La Sociedad entiende que dicho Auto vulneró su derecho a la inviolabilidad del domicilio.

FJ 2. [...] [E]l Auto de 17 de abril del año actual (recurso de amparo núm. 139/1985) estableció que «el derecho a la intimidad que reconoce el art. 18.1 de la CE, por su propio contenido y naturaleza, se refiere a la vida privada de las personas individuales, en la que nadie puede inmiscuirse sin estar debidamente autorizado, y sin que en principio las personas jurídicas, como las Sociedades Mercantiles, puedan ser titulares del mismo, ya que la reserva acerca de las actividades de estas Entidades quedará, en su caso, protegidas por la correspondiente regulación legal, al margen de la intimidad personal y subjetiva constitucionalmente decretada».

Ahora bien, de cuanto queda reflejado no cabe colegir la realidad de pronunciamiento alguno, y tampoco de la emisión de razonamientos, por parte de este Tribunal, encaminados a eliminar a las personas jurídicas de la protección que respecto del domicilio, mediante su inviolabilidad, brinda el art. 18.2 de la CE, y ello, en cuanto a la citada Sentencia, porque en la misma no se hace otra cosa —por lo que importa al extremo ahora considerado— que circunscribir el razonamiento tal como venía impuesto por el caso enjuiciado al domicilio de las personas físicas, su protección constitucional, la justificación del mismo y el alcance que merece, pero sin incluir ni siquiera alusión o referencia a parejas cuestiones referidas a las personas jurídicas, quedando por supuesto libre en absoluto el Tribunal,

---

[36]   *Vid.* también las SSTC 160/1991, de 16 de julio; 50/1995, de 23 de febrero; 54/2015, de 16 de marzo.

en cuanto a las mismas, llegada la hora de ser preciso dilucidar cuanto afecta a este aspecto del derecho fundamental considerado.

Sucede lo propio en cuanto al Auto citado, porque en el recurso de amparo al que puso término, lejos de dilucidar algo referente a la inviolabilidad o no del domicilio de las personas jurídicas, se trataba del derecho a la intimidad personal, establecido en el núm. 2 del art. 18 de la CE, sino en el núm. 1 de tal artículo, derecho cuestionado a la sazón, pero sin estimable concomitancia alguna con el problema que aquí se afronta.

FJ 3. Ausente de nuestro ordenamiento constitucional un precepto similar al que integra el art. 19.3 de la Ley Fundamental de Bonn, según el cual los derechos fundamentales rigen también para las personas jurídicas nacionales, en la medida en que, por su naturaleza, les resulten aplicables, lo que ha permitido que la jurisprudencia aplicativa de tal norma entienda que el derecho a la inviolabilidad del domicilio conviene también a las Entidades mercantiles, parece claro que nuestro Texto Constitucional, al establecer el derecho a la inviolabilidad del domicilio, no lo circunscribe a las personas físicas, siendo pues extensivo o predicable igualmente en cuanto a las personas jurídicas, del mismo modo que este Tribunal ha tenido ya ocasión de pronunciarse respecto de otros derechos fundamentales, como pueden ser los fijados en el art. 24 de la misma CE, sobre prestación de tutela judicial efectiva, tanto a personas físicas como a jurídicas.

Este es también el criterio aceptado por la doctrina generalizada en otros países, como pueden ser, dentro de Europa, en Alemania, Italia y Austria, donde se sigue un criterio que puede reputarse extensivo, llegado el momento de resolver esta misma cuestión, pudiendo entenderse que este derecho a la inviolabilidad del domicilio tiene también justificación en el supuesto de personas jurídicas, y posee una naturaleza que en modo alguno repugna la posibilidad de aplicación a estas últimas, las que —suele ponerse de relieve— también pueden ser titulares legítimos de viviendas, las que no pueden perder su carácter por el hecho de que el titular sea uno u otra, derecho fundamental que cumple su sentido y su fin también en el caso de que se incluyan en el círculo de los titulares de este derecho fundamental a personas jurídicas u otras colectividades. En suma, la libertad del domicilio se califica como reflejo directo de la protección acordada en el ordenamiento a la persona, pero no necesariamente a la persona física, desde el momento en que la persona jurídica venga a colocarse en el lugar del sujeto privado comprendido dentro del área de la tutela constitucional, y todas las hipótesis en que la instrumentación del derecho a la libertad no aparezcan o sean incompatibles con la naturaleza y la especialidad de fines del ente colectivo.

El alcance del derecho cuando su titularidad corresponde a personas jurídicas —STC 69/1999, de 26 de abril—

La Sentencia resuelve el recurso de amparo interpuesto por la mercantil «Ingeniería Electrónica de Consumo, S.A.» contra el Auto de la Sección Sexta de la Audiencia Provincial de Barcelona de 29 de junio de 1995 y contra los del Juzgado de Instrucción núm. 5 de Barcelona de 21 de febrero de 1995 y 14 de noviembre de 1994, que autorizaron la entrada en un local de la recurrente en ejecución de una Resolución administrativa anterior. Entiende la recurrente que dichos Autos vulneraron su derecho a la inviolabilidad del domicilio.

FJ. 2. [...] De otra parte, tampoco existe una plena correlación entre el concepto legal de domicilio de las personas jurídicas, en el presente caso el establecido por la legislación mercantil, con el del domicilio constitucionalmente protegido, ya que éste es un concepto «de mayor amplitud que el concepto jurídico privado o jurídico administrativo» (SSTC 22/1984, fundamentos 2º y 5º, 160/1991, fundamento jurídico 8º, y 50/1995, fundamento jurídico 5º, entre otras) [...]

Tal afirmación no implica, pues, que el mencionado derecho fundamental tenga un contenido enteramente idéntico con el que se predica de las personas físicas. Basta reparar, en efecto, que, respecto a éstas, el domicilio constitucionalmente protegido, en cuanto morada o habitación de la persona, entraña una estrecha vinculación con su ámbito de intimidad, como hemos declarado desde la STC 22/1984, fundamento jurídico 5º (asimismo, SSTC 160/1991 y 50/1995, entre otras); pues lo que se protege no es sólo un espacio físico sino también lo que en él hay de emanación de una persona física y de su esfera privada (STC 22/1984 y ATC 171/1989), lo que indudablemente no concurre en el caso de las personas jurídicas. Aunque no es menos cierto, sin embargo, que éstas también son titulares de ciertos espacios que, por la actividad que en ellos se lleva a cabo, requieren una protección frente a la intromisión ajena.

Por tanto, cabe entender que el núcleo esencial del domicilio constitucionalmente protegido es el domicilio en cuanto morada de las personas físicas y reducto último de su intimidad personal y familiar. Si bien existen otros ámbitos que gozan de una intensidad menor de protección, como ocurre en el caso de las personas jurídicas, precisamente por faltar esa estrecha vinculación con un ámbito de intimidad en su sentido originario; esto es, el referido a la vida personal y familiar, sólo predicable de las personas físicas. De suerte que, en atención a la naturaleza y la especifi-cidad de los fines de los entes aquí considerados, ha de entenderse que en este ámbito la protección constitucional del domicilio de las personas jurídicas y, en lo que aquí importa, de las sociedades mercantiles, sólo se extiende a los espacios físicos que son indispensables para que puedan desarrollar su actividad sin intromisiones ajenas, por constituir el centro de dirección de la sociedad o de un establecimiento dependiente de la misma o servir a la custodia de los documentos u otros soportes de la vida diaria de la sociedad o de su establecimiento que quedan reservados al conocimiento de terceros.

2. Límites del derecho a la inviolabilidad del domicilio

Los límites del derecho: el concepto de «flagrante delito» en la Ley Orgánica 1/1992, de 21 de febrero, sobre Protección de la Seguridad Ciudadana (artículo 21.2) —STC 341/1993, de 18 de noviembre (vid. ARTICULO 17)—

FJ 8. [...] A) Consideraremos, en primer lugar, si puede el legislador —como, sin duda, ha hecho en el art. 21.2— llevar a cabo una delimitación de la noción de «flagrante delito» a efectos de la entrada forzosa en domicilio. Según el art. 18.2 de la Constitución, «el domicilio es inviolable», de tal modo que «ninguna entrada o registro podrá hacerse en él sin consentimiento del titular o resolución judicial, salvo en caso de flagrante delito». Es éste, pues, un derecho fundamental «relativo y limitado» (STC 199/1987, FJ 9.), en el sentido de que la protección que la Consti-tución dispensa a este espacio vital puede ceder en determinados supuestos (consentimiento del titular, resolución judicial y flagrante delito), previsión constitucional que tiene un carácter rigurosamente «taxativo» (STC 160/1991, fundamento jurídico 8.). Se sigue de ello, claro está, que las excepciones así dispuestas por la Constitución son pieza fundamental para la identificación del objeto del derecho (qué sea la «inviolabilidad» domiciliaria) y de su contenido propio (facultad de rechazo del titular frente a toda pretensión ilegítima de entrada) y también, en relación con ello, para controlar las regulaciones legales y las demás actuaciones públicas que puedan afectar a este derecho funda-mental. Función delimitadora que, asimismo, corresponde, por tanto, al concepto de «flagrante delito», noción que la Constitución ha utilizado en algún otro precepto (art. 71.2), pero que, como es patente, no ha definido de modo directo o expreso.

Esta circunstancia no supone, sin embargo, que el concepto que examinamos deba considerarse vacío de todo contenido o, lo que es lo mismo, a merced de la libre determinación del poder público (del legislador o de los apli-cadores del Derecho), pues, si así fuera, el derecho que tal concepto contribuye a delimitar no merecería el nombre de fundamental. La Constitución «no surge, ciertamente, en una situación de vacío jurídico, sino en una sociedad jurídicamente organizada» (STC 108/1986, FJ 16) y esta advertencia es de especial valor cuando se trata de desarrollar o, en su caso, interpretar los conceptos jurídicos que el Texto fundamental ha incorporado, conceptos que pueden tener —así ocurre con el de «flagrancia»— un arraigo en la cultura jurídica en la que la Constitución se inscribe y que deben ser identificados, por lo tanto, sin desatender lo que tempranamente llamó este Tribunal las «ideas ge-neralizadas y convicciones generalmente admitidas entre los juristas, los Jueces y, en general, los especialistas en Derecho» (STC 11/1981, FJ 8.). Ideas y convicciones que contribuyen así, en cada momento, a delimitar una imagen del Derecho, o de los conceptos que lo perfilan, que resulta indispensable, como dijimos en la Sentencia citada, para reconocerlo o no subsistente en las regulaciones de las que pueda ser objeto, esto es, para captar, en definitiva, lo que la Constitución llama su contenido esencial (art. 53.1 CE).

Sin embargo, ello no supone que le esté vedado a la Ley desarrollar ese contenido y regular qué deba entenderse por delito flagrante a los efectos de la entrada en domicilio sin autorización judicial. Incluso tal regulación legal podría estar justificada, como señalan la Fiscalía General y la Abogacía del Estado, para alcanzar una mayor seguridad jurídica en la aplicación del precepto constitucional y de las normas legales en conexión con él. El legislador actúa aquí no para precisar «el único sentido, entre los varios posibles, que deba atribuirse a un determinado concepto o precepto de la Constitución», y por tanto, dictando una norma meramente interpretativa de la Constitución [STC 76/1983, FJ 4. c), 227/1988, FJ 3. y 17/1991, FJ 7.], sino en la función que le corresponde de reflejar o formalizar en su norma el sentido de un concepto presente aunque no definido en la Constitución. Esta labor legislativa puede estimarse necesaria a fin de proporcionar a los titulares del derecho y a los agentes de la autoridad una identificación segura de la hipótesis en la cual será legítima la entrada forzosa en domicilio por delito flagrante, designio de certeza que no puede decirse irrelevante o caprichoso, dada la trascendencia que tiene la valoración acerca de una entrada en domicilio que se intente o se lleve a cabo con invocación de tal causa. Por consiguiente, no cabe tachar de incons-titucional la formalización legislativa del concepto de delito flagrante a efectos de la entrada en domicilio, y ello sin perjuicio que esa regulación legal ha de respetar el contenido esencial del derecho de acuerdo a lo que establece el art. 53.1 CE, aunque en tal caso la tacha de inconstitucionalidad no estaría en la existencia misma de la norma, sino en su contenido, y esto es lo que hemos de examinar seguidamente.

B) Lo que antecede es sólo, sin embargo, la respuesta genérica a la cuestión, igualmente abstracta, acerca de la posibilidad de una formalización legal del concepto constitucional de «flagrante delito» y nada dice, por consiguiente, a propósito de la corrección o incorrección jurídica de la definición llevada a cabo, para determinados delitos, en el art. 21.2 de la LOPSC. Es preciso recordar, a este respecto, lo que hemos dejado dicho en el apartado que antecede en orden a los criterios generales para la identificación del concepto constitucional de «flagrante delito» y reiterar, también, el sentido riguroso que tienen las excepciones dispuestas por la Norma fundamental a la inviolabilidad del domicilio. El art. 18.2 de la Constitución no ha deferido a la Ley la previsión de aquellas excepciones y tampoco ha utilizado cláusulas de habilitación genéricas para justificar la entrada policial en domicilio, sino que ha establecido un sólo supuesto —fuera del consentimiento del titular y de la autorización judicial— en el que será posible aquella entrada: «caso de flagrante delito».

Desde luego, no corresponde a este Tribunal determinar con detalle en todos sus extremos, el concepto de flagrancia delictiva, pero sí debe, cuando así se le pida para enjuiciar una disposición de Ley, perfilar los contornos esenciales que en la Constitución muestra tal figura, interpretación ahora inexcusable a fin de resolver sobre la constitucionalidad, también en cuanto a este punto, del art. 21.2 de la LOPSC. A los efectos constitucionales que aquí importan no procede asumir o reconocer como definitiva ninguna de las varias formulaciones legales, doctrinales o jurisprudenciales, que de la flagrancia se han dado en nuestro ordenamiento, pero lo que sí resulta inexcusable —y suficiente, a nuestro propósito— es reconocer la arraigada imagen de la flagrancia como situación fáctica en la que el delincuente es «sorprendido» —visto directamente o percibido de otro modo— en el momento de delinquir o en circunstancias inmediatas a la perpetración del ilícito. Si el lenguaje constitucional ha de seguir siendo significativo —y ello es premisa firme de toda interpretación—, no cabe sino reconocer que estas connotaciones de la flagrancia (evidencia del delito y urgencia de la intervención policial) están presentes en el concepto inscrito en el art. 18.2 de la Norma fundamental, precepto que, al servirse de esta noción tradicional, ha delimitado un derecho fundamental y, correlativamente, la intervención sobre el mismo del poder público.

A idéntica conclusión conduce una interpretación lógico-sistemática del art. 18.2 de la Constitución. Con reiteración ha dicho este Tribunal que la garantía constitucional del domicilio queda salvaguardada —al margen el consentimiento del titular —mediante la previa intervención judicial (SSTC 199/1987, FJ 9, y 160/1991, FJ 8). Esta previa intervención judicial ha sido excepcionada por la Constitución con rigor a través de la noción de «flagrante delito», que no puede entenderse, por ello, a los fines del art. 18.2 CE, sino como la situación fáctica en la que queda excusada aquella autorización judicial, precisamente porque la comisión del delito se percibe con evidencia y exige de manera inexcusable una inmediata intervención. Mediante la noción de «flagrante delito» la Constitución no ha apoderado a las Fuerzas y Cuerpos de Seguridad para que sustituyan con la suya propia la valoración judicial a fin de acordar la entrada en domicilio, sino que ha considerado una hipótesis excepcional en la que, por las circunstancias en las que se muestra el delito, se justifica la inmediata intervención de las Fuerzas y Cuerpos de Seguridad.

El art. 21.2 de la LOPSC incorpora alguno de los elementos o rasgos que la jurisprudencia y la doctrina han venido utilizando para identificar el delito flagrante, y así ocurre en el pasaje final del precepto, que requiere «que la urgente intervención de los agentes sea necesaria para impedir la consumación del delito, la huida del delincuente o la desaparición de los efectos o instrumentos del delito». Urgencia, sin embargo, no es, por sí sola, flagrancia, como llevamos dicho, y a partir de esta advertencia es inevitable constatar que las demás condiciones prescritas por la norma impugnada muestran una amplitud e indeterminación en su enunciado incompatible con el rigor que presenta y requiere, en este punto, el art. 18.2 CE. Se refiere la Ley, en efecto, al «conocimiento fundado por parte de las Fuerzas y Cuerpos de Seguridad que les lleve a la constancia de que se está cometiendo o se acaba de cometer» alguno de los delitos que menciona, pero estas expresiones legales —«conocimiento fundado» y «constancia»— en cuanto no integran necesariamente un conocimiento o percepción evidente van notoriamente más allá de aquello que es esencial o nuclear a la situación de flagrancia. Al utilizar tales términos el precepto permite entradas y registros domiciliarios basados en conjeturas o en sospechas que nunca, por sí mismas, bastarían para configurar una situación de flagrancia. Las expresiones ambiguas e indeterminadas del art. 21.2 confieren al precepto un alcance que la Constitución no admite.

La interpretación y aplicación legislativa de los conceptos constitucionales definidores de ámbitos de libertad o de inmunidad es tarea en extremo delicada, en la que no puede el legislador disminuir o relativizar el rigor de los enunciados constitucionales que establecen garantías de los derechos ni crear márgenes de incertidumbre sobre su modo de afectación. Ello es no sólo inconciliable con la idea misma de garantía constitucional, sino contradictorio, incluso, con la única razón de ser —muy plausible en sí— de estas ordenaciones legales, que no es otra que la de procurar una mayor certeza y precisión en cuanto a los límites que enmarcan la actuación del poder público, también cuando este poder cumple, claro está, el «deber estatal de perseguir eficazmente el delito» (STC 41/1982, FJ 2.). La eficacia en la persecución del delito, cuya legitimidad es incuestionable, no puede imponerse, sin embargo, a costa de los derechos y libertades fundamentales. La delimitación legal del delito flagrante que expresa el impugnado art. 21.2 no es, por cuanto queda dicho, conforme a lo dispuesto en el art. 18.2 CE, lo que impone declarar la inconstitucionalidad del precepto.

Alcance del concepto de flagrancia —STC 22/2003, de 10 de febrero—

La Sentencia resuelve el recurso de amparo interpuesto por don A.M.G. contra el registro de su vivienda, efectuado por miembros de la policía judicial, una vez que él había sido detenido y trasladado a la comisaría por un delito de amenazas, sin que mediara autorización judicial ni su consentimiento, sino tan sólo el de otros miembros de su familia, y amparado en el concepto de flagrancia. El recurrente alega que dicho registro vulneró su derecho a la inviolabilidad del domicilio. Los órganos judiciales negaron la existencia de una vulneración del artículo 18.2 CE basándose en la suficiencia del consentimiento de la esposa y el hijo del recurrente, ambos moradores de la vivienda, de la que la esposa era también titular.

FJ 5. Comenzando por la cuestión de la flagrancia hay que reconocer que, ciertamente, la actuación policial se produjo ante un delito flagrante de amenazas, puesto que los dos policías que inicialmente acudieron al citado domicilio lo hicieron ante la llamada de una mujer, a la que el recurrente (su marido) estaba amenazando con un arma de fuego en el interior del domicilio conyugal, y oyeron personalmente los disparos. Por tanto en ese momento la flagrancia del delito habría legitimado la entrada en el domicilio. Incluso cuando, tras haber salido la mujer de la casa y tras haberse entregado el recurrente (ya consumado el delito), los policías entraron en la vivienda a comprobar la situación y observaron los impactos de los disparos esa entrada estaba amparada por la existencia de flagrante delito. Ahora bien, el registro no se produjo en ese momento, sino en otro posterior, cuando los primeros agentes habían ya abandonado el lugar de los hechos, llevándose al recurrente detenido y una segunda unidad de la policía judicial, autorizada y acompañada por la mujer y el hijo, intervino no sólo la escopeta con la que se habían efectuado los disparos (que se encontraba debajo de un colchón), sino otra serie de armas que se encontraban en un altillo y entre las que se hallaba la pistola. Así se desprende de las actuaciones y, especialmente del testimonio de la mujer y de los agentes de la policía. Y en este segundo momento puede afirmarse que ya no existía un delito flagrante o que [en palabras de la STC 171/1999, de 27 de septiembre, FJ 9 c)] «aunque la detención del recurrente se produjera de forma inmediata tras la percepción sensorial directa de los policías… de un episodio que puede calificarse de flagrante delito, sin embargo, la flagrancia del mismo cesó».

En definitiva, la flagrancia autorizaba la entrada y registro respecto del delito flagrante (pues la flagrancia se predica del delito y autoriza la excepcional intervención policial respecto de ese delito, y no cualquier otra, salvo los casos de hallazgo casual o inevitable) y en tanto en cuanto existiera aún tal situación y la necesidad y urgencia de la intervención policial en relación con el mismo. Habiendo cesado la situación de flagrancia delictiva, la posterior actuación policial excede del ámbito de injerencia autorizado por dicha flagrancia.

La titularidad individual de la inviolabilidad domiciliaria y el consentimiento de los cónyuges a la entrada en domicilio común —STC 22/2003, de 10 de febrero (*vid. supra*)—

FJ 6. Descartado, por tanto, que la actuación policial esté amparada por la flagrancia del delito, debemos examinar a continuación si no era necesaria la autorización judicial para el registro efectuado en la medida en que se prestó consentimiento para la práctica de éste por la esposa del recurrente. […]

FJ 7. Para solventar ese problema ha de partirse de que la convivencia presupone una relación de confianza recíproca, que implica la aceptación de que aquél con quien se convive pueda llevar a cabo actuaciones respecto del domicilio común, del que es cotitular, que deben asumir todos cuantos habitan en él y que en modo alguno determinan la lesión del derecho a la inviolabilidad del domicilio. En definitiva, esa convivencia determinará de suyo ciertas modulaciones o limitaciones respecto de las posibilidades de actuación frente a terceros en el domicilio que se comparte, derivadas precisamente de la existencia de una pluralidad de derechos sobre él. Tales limitaciones son recíprocas y podrán dar lugar a situaciones de conflicto entre los derechos de los cónyuges, cuyos criterios de resolución no es necesario identificar en el presente proceso de amparo.

Como regla general puede afirmarse, pues, que en una situación de convivencia normal, en la cual se actúa conforme a las premisas en que se basa la relación, y en ausencia de conflicto, cada uno de los cónyuges o miembros de una pareja de hecho está legitimado para prestar el consentimiento respecto de la entrada de un tercero en el domicilio, sin que sea necesario recabar el del otro, pues la convivencia implica la aceptación de entradas consentidas por otros convivientes.

A esa situación normal parece responder el texto expreso de la Constitución española. En efecto, el artículo 18.2 CE, tras proclamar que el domicilio es inviolable, declara que «ninguna entrada o registro podrá hacerse en él sin el consentimiento del titular o autorización judicial», excepto en los casos de flagrante delito.

De modo que, aunque la inviolabilidad domiciliaria, como derecho, corresponde individualmente a cada uno de los que moran en el domicilio, la titularidad para autorizar la entrada o registro se atribuye, en principio, a cualquiera de los titulares del domicilio, por lo que pueden producirse situaciones paradójicas, en las que la titularidad para autorizar la entrada y registro pueda enervar la funcionalidad del derecho a la inviolabilidad domiciliaria para tutelar la vida privada del titular del derecho.

FJ 8. Sin embargo, el consentimiento del titular del domicilio, al que la Constitución se refiere, no puede prestarse válidamente por quien se halla, respecto al titular de la inviolabilidad domiciliaria, en determinadas situaciones de contraposición de intereses que enerven la garantía que dicha inviolabilidad representa.

Del sentido de garantía del art. 18.2 CE se infiere inmediatamente que la autorización de entrada y registro respecto del domicilio de un imputado no puede quedar librada a la voluntad o a los intereses de quienes se hallan del lado de las partes acusadoras, pues, si así fuese, no habría, en realidad, garantía alguna, máxime en casos como el presente, en que hallándose separados los cónyuges, el registro tuvo lugar en la habitación del marido.

FJ 9. La aplicación de la doctrina anteriormente expuesta al caso sometido a nuestro enjuiciamiento nos conduce a declarar que el registro practicado por la policía sin autorización judicial y con el solo consentimiento de la esposa vulneró el derecho del recurrente a la inviolabilidad domiciliaria del art. 18.2 CE.

La titularidad individual de la inviolabilidad domiciliaria y el consentimiento de quien mora temporalmente en una vivienda con su titular —STC 209/2007, de 24 de septiembre—

La Sentencia resuelve el recurso de amparo promovido por don R.R.E. contra la entrada policial en domicilio el día 20 de septiembre de 2002 y contra la Sentencia de la Audiencia Provincial de Teruel 16/2005, de 27 de julio, confirmatoria en apelación de la Sentencia del Juzgado de lo Penal de Teruel 65/2005, de 25 de mayo, condenatoria por delito continuado de robo con fuerza en las cosas. El recurrente fue detenido por agentes de la Guardia civil en la vivienda de un amigo, en la que llevaba varios días pernoctando. Dado que la entrada policial se produjo con el consentimiento de dicho amigo, arrendatario del inmueble y morador en él, pero, a su entender, sin el suyo, y como además dicha entrada no había sido judicialmente autorizada ni se debía a la comisión flagrante de un delito, considera el demandante de amparo que se ha vulnerado su derecho fundamental a la inviolabilidad de domicilio.

FJ 2. [...] Le asiste la razón al demandante en la defensa que efectúa de su titularidad del domicilio (art. 18.2 CE) en que se produjo la entrada policial a partir del sustrato fáctico que suministra la Sentencia de instancia de que el demandante «se quedó a pernoctar unos días» en la casa en la que entraron los agentes policiales, que era la vivienda en la que moraba como arrendatario un amigo suyo, único que pagaba las rentas de alquiler, aunque él «colaborara en los gastos de manutención» (FD 1). Si el «rasgo esencial» del domicilio como objeto de protección del art. 18.2 CE es el de «constituir un ámbito espacial apto para un destino específico, el desarrollo de la vida privada» (STC 10/2002, de 17 de enero, FJ 6), de modo que se identifica con la «morada de las personas físicas», «reducto último de su intimidad personal y familiar» (STC 283/2000, de 27 de noviembre, FJ 2), resulta que la casa del amigo en la que se encontraba el demandante de amparo cuando fue detenido era su domicilio en tal momento, el lugar en el que, siquiera transitoriamente, mientras se encontraba en dicha localidad, «vivía», tenía su espacio vital de referencia, un ámbito en el que recogerse, salvaguardar sus objetos más personales y poder desarrollar los aspectos de su vida personal que considerara más privados. [...]

FJ 3. [...] Si la convivencia en un mismo domicilio no altera, en principio, ni la titularidad del derecho ni la posibilidad de su ejercicio, resulta que cada titular del mismo mantiene una facultad de exclusión de terceros del espacio domiciliario que se impone al ejercicio del libre desarrollo de la personalidad del comorador que desea la visita de un tercero que no mora en él. Ello no obsta para que la composición razonable de los intereses en juego de los comoradores haga que usualmente pacten explícita o implícitamente la tolerancia de las entradas ajenas consentidas por otro comorador y que los terceros que ingresen en el domicilio puedan así confiar a priori en que la autorización de uno de los titulares del domicilio comporta la de los demás. En este sentido hemos dicho que «cada uno de los cónyuges o miembros de una pareja de hecho está legitimado para prestar el consentimiento respecto de la entrada de un tercero en el domicilio, sin que sea necesario recabar el del otro, pues la convivencia implica la aceptación de entradas consentidas por otros convivientes» (STC 22/2003, de 10 de febrero, FJ 7). Puede suceder, naturalmente, que excepcionalmente aquel pacto no exista como tal, o que sea evidente que no concurra respecto a determinadas entradas domiciliares por el perjuicio que puedan comportar para alguno de los moradores. Así, para el caso de una cónyuge separada que autorizó el registro de la vivienda común en unas diligencias en las que se imputaba a su marido un delito contra ella, afirmamos en la STC 22/2003 que «el consentimiento del titular del domicilio, al que la Constitución se refiere, no puede prestarse válidamente por quien se halla, respecto al titular de la inviolabilidad domiciliaria, en determinadas situaciones de contraposición de intereses que enerven la garantía que dicha inviolabilidad representa» (FJ 8).

FJ 4. Una limitación específica del derecho personal y general de exclusión del titular del domicilio concurre en el derecho de quien habita en una morada por concesión graciosa de un morador que, por las razones que sean, tenga a bien soportar sin contraprestaciones los inconvenientes que comporta su paso a una situación de comorador. En estos supuestos, la lógica de la relación entre los moradores y la propia viabilidad de este tipo de concesiones posesorias hacen que no sea válida la ponderación de intereses que el derecho a la inviolabilidad de domicilio resuelve en favor de la exclusión respecto a la inclusión de la visita ajena, y que no pueda imponerse la facultad de exclusión del nuevo morador frente al interés del titular originario de aceptar entradas en su domicilio y organizar de tal modo su vida personal. Al igual que sucede con el ejercicio del derecho de exclusión de los «cotitulares del domicilio de igual derecho y, en concreto, en los casos de convivencia conyugal o análoga» (STC 22/2003, de 10 de febrero, FJ 6), en el que concurre usualmente un pacto recíproco de admisión de las entradas consentidas por otro cotitular, puede también hablarse en estas situaciones, que no generan obligaciones para quien cede graciosamente su morada, de la asunción explícita o implícita por el así beneficiado de la tolerancia con las entradas que el titular originario del domicilio consienta en el mismo.
Esta limitación del derecho a la inviolabilidad de domicilio del segundo comorador, sin embargo, puede encontrar a su vez un límite (la excepción de la excepción que provoca el regreso a la regla general) en aquellos casos en los que la intromisión en el domicilio sea ajena a los intereses del titular originario y esté a la vez específicamente orientada a alterar la privacidad de aquél por parte de los agentes de la autoridad. Esto es lo que sucede en el presente caso. Frente a la petición de autorización de los agentes policiales para entrar en la morada a los efectos de detener al sospechoso, o de registrar sus pertenencias, no puede invocarse la limitación del derecho a la inviolabilidad del domicilio del morador en precario en relación con las entradas consentidas por quien le cede la posesión, pues, al tiempo que sólo de un modo muy tenue está en juego el desarrollo de la personalidad de éste, queda, sin embargo, afectado con la máxima intensidad el derecho de aquél a la preservación de un ámbito espacial íntimo a través de una facultad de exclusión del mismo «de cualquier persona y, específicamente, de la autoridad pública para la práctica de un registro» (STC 189/2004, de 2 de noviembre, FJ 3). La ponderación de intereses que está en la base del derecho a la inviolabilidad de domicilio debe decantarse en este particular supuesto a favor del interés de exclusión del morador a pesar de las peculiaridades de su situación posesoria y de la autorización del titular que había accedido graciosamente a compartir su morada.

FJ 5. [...] [L]a perspectiva constitucional de enjuiciamiento acerca de la actitud subjetiva del morador respecto a la intromisión en su domicilio en orden a constatar la vulneración de su derecho fundamental a la inviolabilidad de aquél no es la de si concurrió una «prohibición tajante» o, al menos, una oposición a la entrada, sino la de si «no consintió» tal intromisión, aunque sin duda aquellas prohibición y oposición constituyan concreciones de esta falta de consentimiento. Dicho en otros términos, es preciso el consentimiento de su titular para justificar la intromisión domiciliar ex art. 18.2 CE, no bastando su falta de oposición a la misma, por mucho que en determinados contextos la falta de oposición pueda ser indiciaria de la concurrencia de un consentimiento tácito.
Uno de tales contextos propicios a que la falta de oposición pueda ser interpretada como expresión de consentimiento es precisamente el del comorador en precario frente a la autorización de entrada del titular originario del domicilio y a su vez comorador. Y tal posible identificación entre ausencia de rechazo y consentimiento es la que cabe apreciar en el presente supuesto a la vista de los datos que obran en las actuaciones. Así, es de señalar que el acta policial de entrada y registro alude, por una parte, a la «autorización expresa y voluntaria de permitir el acceso» del comorador,

que acompaña a los agentes al domicilio que había decidido compartir con el recurrente y «permite y acompaña el acceso al interior»; reseña también el acta, por otra parte, que se realizaron previamente «reiteradas llamadas», sin que conste respecto a las mismas reacción alguna de rechazo a la entrada por parte del recurrente, que se encontraba en el interior del piso. Esta convergencia de la autorización y facilitación de la entrada policial por parte del primer comorador, titular originario del domicilio, y de la pasividad al respecto del recurrente, segundo comorador por concesión graciosa del primero, permite afirmar en el presente caso, de acuerdo con el Ministerio Fiscal, que, siquiera de modo tácito, concurrió el consentimiento de aquél respecto a la entrada policial que ahora considera vulneradora de su derecho a la inviolabilidad de domicilio. Es por ello por lo que su queja de amparo no puede prosperar.

Requisitos de la autorización judicial a entrada en domicilio —STC 239/1999, de 20 de diciembre[37]—

La Sentencia resuelve el recurso de amparo interpuesto por el Sr. B.P. contra las Sentencias de la Sección Primera de la Audiencia Provincial de Santander y del Juzgado de lo Penal núm. 1 de la misma localidad, que le condenaron como autor de un delito de tenencia ilícita de armas. El Sr. B.P. entiende que la Sentencia le condenó teniendo como únicas pruebas de cargo las obtenidas ilícitamente con motivo de una entrada y registro en el domicilio de un tercero, que fueron autorizados mediante un Auto del Juzgado de Instrucción núm. 6 de Santander carente de la debida motivación, además de haber extendido indebidamente el mandamiento de entrada y registro domiciliario a otro delito, la tenencia ilícita de armas, que no era objeto en principio de las diligencias de investigación llevadas a cabo por la Guardia Civil, y por el que fue indebidamente condenado. Todo lo cual, entiende, vulnera su derecho a la inviolabilidad del domicilio (artículo 18.2 CE), además de a la presunción de inocencia (artículo 24.2 CE).

FJ 5. Es doctrina reiterada de este Tribunal que la resolución judicial que con arreglo al art. 18.2 CE puede autorizar la entrada y registro de una vivienda debe ser motivada, con el propósito de alejar de la decisión judicial todo automatismo, que no dejaría de ser una forma de arbitrariedad del poder público prohibida en el art. 9.3 CE (SSTC 22/1984, 144/1987, 160/1991, 76/1992, 211/1992, 126/1995, 171/1997, 50/1995, 139/1999; ATC 30/1998; SSTEDH caso Chappell, de 30 de marzo de 1989; caso Niemitz, de 16 de diciembre de 1992; caso Funke, de 25 de febrero de 1993). Una motivación que no es sólo la exigible a los efectos del art. 24.1 CE (SSTC 207/1996, 126/1995, 158/1996), sino una motivación más intensa cuya fundamentación, como acabamos de decir, radica en la interdicción de la arbitrariedad de los poderes públicos (art. 9.3 CE). Arbitrariedad que ha de conjurarse por el órgano judicial mediante la rigurosa y precisa exposición del insoslayable juicio de proporcionalidad entre la medida restrictiva adoptada y el derecho fundamental limitado, en atención a las circunstancias de cada caso (SSTC 341/1993, fundamento jurídico 7°; 50/1995, fundamento jurídico 7°).

En diversas ocasiones hemos señalado que esa resolución motivada, cuyo objeto específico debe ser precisamente la autorización o el mandamiento de entrada y registro, que debe ser dictada únicamente a tal fin (STC 22/1984, fundamento jurídico 5°), es un mecanismo preventivo, que no reparador, o, por así decir, un acto de comprobación de las circunstancias del caso, dirigido a la preservación del derecho a la inviolabilidad del domicilio ante restricciones del mismo ilícitas. Una medida singular de limitación de un derecho fundamental tan severa, como es la expedición de un mandamiento judicial de entrada y registro en un domicilio, para no incurrir en arbitrariedad, y, por consiguiente, en infracción del art. 18.2 CE, debe exponer las razones que justifican dicha medida y en qué términos debe llevarse a cabo; esto es, debe poner de manifiesto el juicio de proporcionalidad exigible para todo acto específico de limitación de un derecho fundamental, so pena de lesionarlo. Pues, no hay que olvidar que la Constitución española habilita en su art. 18.2 al órgano judicial para acordar una singular medida restrictiva de un derecho fundamental en unas circunstancias concretas, por lo que sólo con el conocimiento de la motivación sobre la que ha cimentado dicha restricción es posible comprobar si ha respetado el derecho fundamental limitado en su contenido esencial, o si, simplemente ha privado singularmente a una persona del mismo.

En estos casos, el órgano judicial no sólo debe exteriorizar en su resolución las razones jurídicas que le han llevado a la decisión adoptada, lo que puede satisfacer las exigencias del art. 24.1 CE, sino que es necesario, además, un mayor esfuerzo expositivo del órgano judicial en la fundamentación de la medida limitativa de aquellas libertades, sin que esta exigencia deba confundirse ni con un razonar extenso o con un razonar prolijo, ni nuestro examen de

---

[37]   Se trata de jurisprudencia consolidada. *Vid.*, además de las citadas en esta Sentencia, también la STC 41/1998, de 24 de febrero; 94/1999, de 31 de mayo; 8/2000, de 17 de enero; 136/2000, de 29 de mayo; 87/2001, de 2 de abril; 239/2006, de 17 de julio, FJ 6.

dicha motivación con un enjuiciamiento sobre la calidad o la precisión de la motivación (en general, por todas SSTC 158/1996, 151/1997, 175/1997 y 19/1999; respecto de la motivación de resoluciones que afectan al art. 18.2 CE, SSTC 37/1989, 7/1994, 207/1996; ATC 30/1998). Sólo si el órgano judicial exterioriza con detalle las razones en las que ha basado su resolución autorizando o mandando la entrada en un domicilio, este Tribunal podrá examinar si el órgano judicial ha cumplido con su función tutelar del derecho a la inviolabilidad del domicilio o no, de forma que, a falta de dicha motivación o si ésta es defectuosa, no cabe duda que se habrá infringido el art. 18.2 CE, que impone objetivamente ese deber de tutela, viciando con la nulidad todos los actos de ejecución de la orden judicial y los que de ella deriven (en términos generales, SSTC 200/1997, 33/1999).

Esa motivación para ser suficiente debe expresar con detalle el juicio de proporcionalidad entre el sacrificio que se le impone al derecho fundamental restringido y su límite, argumentando la idoneidad de la medida, su necesidad y el debido equilibrio entre el sacrificio sufrido por el derecho fundamental limitado y la ventaja que se obtendrá del mismo (SSTC 62/1982, 13/1985, 151/1997, 175/1997, 200/1997, 177/1998, 18/1999). El órgano judicial deberá precisar con detalle las circunstancias espaciales (ubicación del domicilio) y temporales (momento y plazo) de la entrada y registro, y de ser posible también las personales (titular u ocupantes del domicilio en cuestión) (SSTC 181/1995, fundamento jurídico 5º; 290/1994, fundamento jurídico 3º; ATC 30/1998, fundamento jurídico 4º). A esta primera información, indispensable para concretar el objeto de la orden de entrada y registro domiciliarios, deberá acompañarla la motivación de la decisión judicial en sentido propio y sustancial, con la indicación de las razones por las que se acuerda semejante medida y el juicio sobre la gravedad de los hechos supuestamente investigados, e igualmente, teniendo en cuenta si se está ante una diligencia de investigación encuadrada en una instrucción judicial iniciada con antelación, o ante una mera actividad policial origen, justamente, de la instrucción penal; y sin que sea necesario cimentar la resolución judicial en un indicio racional de comisión de un delito, bastando una noticia criminis alentada por la sospecha fundada en circunstancias objetivas de que se pudo haber cometido, o se está cometiendo o se cometerá el delito o delitos en cuestión (STC 47/1998, fundamento jurídico 3º) (la idoneidad de la medida respecto del fin perseguido); la sospecha fundada de que pudiera encontrarse pruebas o pudieran éstas ser destruidas, así como la inexistencia o la dificultad de obtener dichas pruebas acudiendo a otros medios alternativos menos onerosos (su necesidad para alcanzar el fin perseguido); y, por último, que haya un riesgo cierto y real de que se dañen bienes jurídicos de rango constitucional de no proceder a dicha entrada y registro, que es en lo que en último término se fundamenta y resume la invocación del interés constitucional en la persecución de los delitos (STC 81/1998), pues los únicos límites que pueden imponerse al derecho fundamental a la inviolabilidad del domicilio son los que puedan derivar de su coexistencia con los restantes derechos fundamentales y bienes constitucionalmente protegidos a falta de otra indicación en el precepto constitucional sobre sus límites (juicio de proporcionalidad en sentido estricto).

Sobre la remisión al oficio policial y la interpretación integrada de la resolución judicial y la petición policial —STC 239/1999, de 20 de diciembre (*vid. supra*)—

FJ 6. Resta, por último, analizar si el órgano judicial cumple con su obligación de motivar en estos casos, bien con la remisión al oficio policial que interesó dicha medida o bien, sin necesidad de que esa remisión sea explícita, mediante una interpretación integrada de la resolución judicial y la petición policial. Pues en efecto, no debe soslayarse la distinción que acaba de hacerse entre la expresa remisión al oficio policial y la integración de éste con la resolución judicial como si de un todo se tratare, ya que, si, según las circunstancias, en principio podría ser constitucionalmente lícita la primera de las posibilidades, siempre con las debidas precauciones (SSTC 200/1997, fundamento jurídico 4º, 49/1999, fundamento jurídico 10, STC 139/1999, fundamento jurídico 2º), no cabe decir lo mismo de la segunda. La Constitución en su art. 18.2 habilita al órgano judicial en exclusiva para acordar semejante medida restrictiva del derecho a la inviolabilidad de domicilio, y sobre él recae la responsabilidad de la decisión que al respecto tome. Y no estará de más advertir sobre el extremo, ahora transcendente, de que aquí la remisión de una decisión judicial a otra decisión de un poder público no es de índole semejante a las que este Tribunal ha considerado admisibles a los efectos del derecho a una resolución judicial motivada (art. 24.1 CE, por todos ATC 207/1999 y las allí citadas), dado que aquí la remisión no se hace a otra resolución judicial, sino a un oficio policial. Su función preventiva, con ser la de garante del derecho fundamental en cuestión, no consiste constitucionalmente, ni puede consistir a la luz del art. 18.2 CE, en una mera supervisión o convalidación de lo pedido y hecho por las Fuerzas y Cuerpos de Seguridad del Estado. Quien adopta la decisión de limitar el derecho fundamental y establece en qué términos tendrá lugar dicha restricción es, constitucionalmente, el órgano judicial, quien no puede excusar su deber de resolver y motivar lo resuelto con la simple remisión a los motivos que aduzca otro poder público no judicial; sin perjuicio de que en ciertos casos y según las circunstancias, en particular si ya hay una instrucción judicial en marcha, le sea posible complementar algunos de los extremos no esenciales de su mandamiento de entrada y registro, es decir, los que no constituyan el juicio de proporcionalidad, con los detalles que se hagan constar en el oficio policial, siempre que éstos también respondan al canon constitucional más arriba expuesto (SSTC 309/1994, 47/1998, fundamento jurídico 33º, 94/1999; AATC 333/1993, 30/1998; a título general STC 49/1999).

Dicho esto sobre la remisión del mandamiento judicial de entrada y registro domiciliario, resulta evidente que no es de ningún modo aceptable la técnica de integración referida, en la que la motivación de la medida limitativa singular del derecho a la inviolabilidad del domicilio se extrae de la interpretación conjunta de, cuando menos, el oficio policial interesándola y la resolución judicial autorizándola. Semejante técnica no es sino una forma de soslayar la habilitación constitucional del art. 18.2 CE, donde es patente que, no sólo permite al órgano judicial competente adoptar semejante decisión, sino que, además, le ordena que sea él quien tome esa decisión, y en esa medida sea él también quien deba motivarla expresamente. Así pues, no es posible que la falta o deficiente motivación del órgano judicial oportuno sea suplida por una interpretación de conjunto que, en definitiva, vienen a realizar otros órganos judiciales en el proceso penal, distintos de aquél que, con arreglo al art. 18.2 CE, debió decidir sobre la entrada y registro de un domicilio. Es éste un caso en el que la ausencia y falta de motivación y, en consecuencia, la lesión del concreto derecho fundamental no puede suplirse ni sanarse en las posibles instancias jurisdiccionales a las que se acuda, pues, en puridad, en esas instancias ya no cabe reparar la lesión infringida al derecho a la inviolabilidad del domicilio convalidando ex post una entrada y registro infundados y lesivos del art. 18.2 CE

Sobre los límites temporales de la autorización judicial —STC 94/1999, de 31 de mayo—

La Sentencia resuelve recurso de amparo interpuesto por don C.N. contra la Sentencia de la Sección Tercera de la Sala de lo Penal de la audiencia Nacional, y a la de la Sala Segunda del Tribunal Supremo que la confirmó en casación, que lo condenaron como autor, entre otros, de un delito contra la salud pública. El recurrente aduce la vulneración, además del derecho a la presunción de inocencia, del derecho la inviolabilidad del domicilio, por haberse obtenido prueba incriminatoria mediante dos registros domiciliarios, de los cuales el segundo fue realizado sin que mediara resolución judicial alguna, pues se había rebasado ya el plazo fijado en la resolución judicial que autorizó la práctica del primero, y, en todo caso, sin la asistencia del recurrente, que ya estaba entonces detenido.

FJ 5. [...] Pese a ello, ha de afirmarse que, como apunta el Ministerio Fiscal, para otorgar el amparo que se reclama, no es necesario llegar a disipar las dudas acerca de este extremo temporal. La lesión del derecho a la inviolabilidad del domicilio se habría producido, obviamente, si se hubiera utilizado la autorización judicial más allá del límite temporal expresado en la misma (exceso temporal en la ejecución), mas, al margen de esta cuestión fáctica, la lectura de las actuaciones pone de manifiesto que la práctica del segundo registro no se efectuó en las mismas circunstancias que justificaron la primera autorización judicial, por lo que su realización no podía fundamentarse en las mismas razones tenidas entonces en cuenta. La conclusión es que en ningún caso el segundo registro podría quedar habilitado por la misma resolución judicial que autorizó el primero.

En efecto, la lectura de las actuaciones, más concretamente, la del relato fáctico de la Sentencia impugnada, nos lleva a afirmar, en contra del criterio expresado por la Sentencia de casación, que se llevaron a efecto dos registros, y no uno sólo realizado en dos fases.

Tal afirmación encuentra sustento en dos datos básicos: en primer lugar, las circunstancias concurrentes en el registro cuestionado eran muy distintas de las que se daban en el inicial: en oposición a los datos con que se contaba el día anterior, tal y como fueron puestos de manifiesto ante el Juez, el día 16 de noviembre uno de los sospechosos de ser arrendatario de la vivienda se hallaba no sólo identificado sino detenido; la policía, aunque mantenía dudas al respecto, conoció a través del portero de la vivienda, quiénes eran los usuarios habituales de la misma; se habían encontrado en el primer registro documentos que vinculaban al recurrente con la vivienda —sus fotografías y el contrato de alquiler—, y se contaba, además, con el dato negativo de no haber hallado ninguna cantidad de droga en el registro anterior. Además, la razón de ser del segundo registro fue una nueva confidencia que confirmaba la presencia de la droga en el lugar ya infructuosamente registrado.

Este conjunto de circunstancias, así como la nueva confidencia recibida, debió ser puesto en conocimiento del Juez de Instrucción para que, una vez conocidos los resultados del anterior registro, y a la vista del tiempo ya transcurrido desde su práctica (más de doce horas), sopesara su entidad y suficiencia a efectos de alzar nuevamente la inviolabilidad domiciliaria. Por esta razón, cabe concluir que la resolución judicial inicial, cualquiera que fuera la hora en que el segundo registro se efectuase y cualesquiera que sean las diversas interpretaciones posibles acerca de su extensión temporal, no era apta para alzar por segunda vez, conforme a la Constitución, la inviolabilidad domiciliaria del recurrente.

Los funcionarios policiales omitieron someter a valoración judicial estas nuevas razones y circunstancias supliéndola por su propio criterio, y violentaron, así, el art. 18.2 de la Constitución al sortear la garantía judicial en la limitación del derecho fundamental (STC 160/1991), y con ella el instrumento de tutela que la CE ha arbitrado para protegerlo. La estimación de tal vulneración, acaecida en la fase preliminar de investigación de un delito, nos obliga ahora a determinar su alcance en el proceso penal subsiguiente, lo que enlaza con las alegadas lesiones del derecho a un proceso con todas las garantías, y más allá, del derecho a ser presumido inocente.

Sobre la presencia de la persona interesada en la entrada en domicilio —STC 219/2006, de 3 de julio[38]—

La Sentencia resuelve el recurso de amparo presentado por P.A.H. contra la Sentencia de la Sala de lo Penal del Tribunal Supremo de 2 de abril de 2004, que declara no haber lugar al recurso de casación interpuesto contra la Sentencia de la Sección Segunda de la Audiencia Provincial de Las Palmas, de 18 de marzo de 2002, que condenó al recurrente como autor de un delito contra la salud pública. Éste denuncia que dichas Sentencias vulneraron, además de sus derechos fundamentales procesales (artículo 24 CE) y al secreto de las comunicaciones, su derecho a la inviolabilidad del domicilio, pues la condena se apoya en la incautación de droga en el registro del yate Tipitesa, que se realizó en ausencia de su titular, pese a estar localizado, lo que convertiría dicho registro en nulo.

FJ 7. Como segundo motivo de amparo se denuncia la vulneración tanto del derecho a la inviolabilidad del domicilio (art. 18.2 CE), como de los derechos a la tutela judicial efectiva (art. 24.1 CE), a un proceso con todas las garantías (art. 24.2 CE) y a la presunción de inocencia (art. 24.2 CE), vulneraciones todas ellas que para el recurrente derivan del hecho de que el registro del yate Tipitesa, de su propiedad, y cuya cualidad de domicilio fue reconocida por el Instructor en el Auto que acuerda la entrada y registro, se llevara a cabo sin su presencia, con inobservancia de las garantías previstas en la ley procesal, lo que determinaría la nulidad de dicha diligencia probatoria, de la incautación de la droga y de todas las demás actuaciones de ella derivadas.

Constituye ya reiterada doctrina de este Tribunal que, una vez obtenido el mandamiento judicial, la forma en que la entrada y registro se practiquen, las incidencias que en su curso puedan producirse y los excesos o defectos en que incurran quienes lo hacen se mueven siempre en el plano de la legalidad ordinaria, por lo que el incumplimiento de las previsiones de la Ley de enjuiciamiento criminal no afecta al derecho a la inviolabilidad del domicilio (art. 18.2 CE), «para entrar en el cual basta la orden judicial (SSTC 290/1994, y 309/1994; AATC 349/1988, 184/1993 y 223/1994), ni tampoco a la efectividad de la tutela judicial (art. 24.1 CE) en sus diferentes facetas», sino en su caso a la «validez y eficacia de los medios de prueba» (SSTC 133/1995, de 25 de septiembre, FJ 4; 94/1999, de 31 de mayo, FJ 3; 171/1999, de 27 de septiembre, FJ 11). Por tanto, en el presente caso, dado que el registro del barco en el que se halló la droga fue judicialmente autorizado mediante un Auto cuya motivación y legitimidad constitucional no se cuestionan en este proceso, en ningún caso cabría apreciar la denunciada vulneración del derecho a la inviolabilidad del domicilio (art. 18.2 CE), derivada de la ausencia del interesado en el registro, aunque se hubieran incumplido las previsiones al respecto del art. 569 LECrim, pues tal incumplimiento no trasciende al plano de la constitucionalidad.

Sobre la presencia de secretaria/o judicial en la entrada en domicilio —STC 171/1999, de 27 de septiembre[39]—

La Sentencia resuelve el recurso de amparo interpuesto por don I.N. contra la Sentencia de 18 de julio de 1996, de la Sala Segunda del Tribunal Supremo, desestimatoria del recurso de casación contra la Sentencia 22 de febrero de 1995, de la Sección Tercera de la Audiencia Provincial de Málaga, que lo condenó como coautor de un delito contra la salud pública. Entiende el recurrente que la mencionada Sentencia vulnera, además de sus derechos fundamentales procesales (artículo 24 CE) y al secreto de las comunicaciones (artículo 18.3 CE), también su derecho a la inviolabilidad del domicilio. En relación con éste alega que la condena descansa en prueba obtenida en una entrada irregular en su domicilio, realizada en ausencia de Secretario judicial, cuya intervención era preceptiva en virtud de la redacción del artículo 569 LECrim vigente en aquellas fechas.

FJ 11. Por último, en este orden de cuestiones, no puede compartirse la afirmación de la demanda de que la ausencia del Secretario Judicial en la ejecución del registro, así como la del recurrente, detenido en comisaría, generen la vul-

---

[38]   *Vid.* también las SSTC 259/2005, de 24 de octubre, FJ 6; 219/2006, de 3 de julio, FJ 7.

[39]   *Vid.* también las SSTC TC 41/1998, de 24 de febrero, FFJ 31-35; 290/1994, de 27 de octubre, FJ 4, 133/1995, de 25 de septiembre, FJ 4, y 228/1997, de 16 de diciembre; 87/2001, de 2 de abril, FJ 4.

neración del derecho a la inviolabilidad del domicilio. En primer término, la ausencia del investigado en la práctica del registro es constitucionalmente irrelevante, dado que sí estuvo presente doña Belén Izquierdo, titular del domicilio. Y la ausencia del Secretario Judicial constituye, en su caso, una irregularidad procesal que, desde la perspectiva constitucional, no afecta al derecho fundamental a la inviolabilidad del domicilio.

Como ha declarado este Tribunal en reiteradas ocasiones «[u]na vez obtenido el mandamiento judicial, la forma en que la entrada y registro se practiquen, las incidencias que en su curso puedan producirse y los excesos o defectos en que incurran quienes lo hacen, se mueven siempre en otra dimensión, el plano de la legalidad. En ésta, por medio de la Ley de Enjuiciamiento Criminal (art. 569) no en la Constitución, se exige la presencia del Secretario Judicial para tal diligencia probatoria. Por ello, su ausencia no afecta a la inviolabilidad del domicilio, para entrar en el cual basta la orden judicial (SSTC 290/1994 y 309/1994; AATC 349/1988, 184/1993 y 223/1994), ni tampoco a la efectividad de la tutela judicial en sus diferentes facetas (SSTC 349/1988 y 184/1993). En definitiva, el incumplimiento de la norma procesal donde se impone ese requisito no transciende al plano de la constitucionalidad y sus efectos se producen en el ámbito de la validez y eficacia de los medios de prueba» (SSTC 133/1995, fundamento jurídico 4º; 94/1999, fundamento jurídico 3º).

Por tanto, aunque en la fecha en la que se verificó el registro —enero de 1991— la Ley de Enjuiciamiento Criminal exigía la presencia del Secretario Judicial en la práctica del registro, esta irregularidad no afecta, desde la perspectiva constitucional, al derecho fundamental invocado. Como tampoco afectan al derecho a un proceso con todas las garantías ni esta irregularidad, ni la ausencia de notificación del Auto de autorización de entrada y registro, requisitos todos ellos que se mueven en el plano de la legalidad ordinaria, sin trascendencia en el plano constitucional, y cuyos efectos se producen, en su caso, en el ámbito de la validez y eficacia de los medios de prueba.

La autorización judicial y el desalojo de viviendas ocupadas ilegalmente – STC 32/2019, de 28 de febrero

La Sentencia resuelve el recurso de inconstitucionalidad promovido por más de cincuenta diputados del Grupo Parlamentario Confederal de Unidos Podemos-En Comú Podem-En Marea en el Congreso de los Diputados, contra la Ley 5/2018, de 11 de junio, de modificación de la Ley 1/2000, de 7 de enero, de enjuiciamiento civil, cuyo artículo único pretende adecuar y actualizar el tradicional interdicto de recobrar la posesión para una recuperación inmediata de viviendas ocupadas ilegalmente y pertenecientes a personas físicas, organizaciones sin ánimo de lucro y entidades vinculadas a administraciones públicas propietarias o poseedoras legítimas de viviendas sociales. Entienden los recurrentes que la Ley vulnera los artículos 18.2, 24 y 47 CE.

FJ 5. [...] La entrada en domicilio sin el consentimiento de quien lo ocupa, ni estado de necesidad o flagrancia, solo puede hacerse si lo autoriza u ordena la autoridad judicial. El juez a quien se confiere la protección del derecho fundamental a la inviolabilidad del domicilio será el competente según la materia y el proceso de que se trate, conforme a las leyes que determinan la competencia de los distintos jueces y tribunales. A ese juez le corresponde llevar a cabo la ponderación de los intereses en juego como garantía del derecho a la inviolabilidad del domicilio, decidiendo en caso de conflicto si debe prevalecer este derecho fundamental u otros valores o intereses constitucionalmente protegidos. De este modo, la garantía judicial aparece como un instrumento preventivo, destinado a proteger el derecho y no, a diferencia de otras intervenciones judiciales constitucionalmente previstas, a reparar su vulneración cuando esta se hubiere producido (por todas, SSTC 160/1991, de 18 de julio, FJ 8; 22/2003, de 10 de febrero, FJ 4, y 189/2004, de 2 de noviembre, FJ 3). Por lo demás, una vez recaída una resolución judicial que dé lugar, por su naturaleza y contenido, a una entrada domiciliaria, tal resolución será título bastante para esa entrada y se habrá cumplido la garantía del art. 18.2 CE (SSTC 160/1991, FJ 9, y 199/1998, de 13 de octubre, FJ 2, por todas).

La decisión judicial de proceder al desalojo de los ocupantes que puede adoptarse en el proceso sumario para la recuperación de la posesión de la vivienda instituido por la Ley 5/2018, si aquellos no hubieran justificado suficientemente su situación posesoria y siempre que el título que el actor hubiere acompañado a la demanda fuere bastante para acreditar su derecho a poseer, no constituye una violación del derecho a la inviolabilidad del domicilio garantizado por el art. 18.2 CE. Antes al contrario, esa intervención judicial conforme al procedimiento legalmente previsto integra la garantía que ese precepto constitucional establece. Como señala el abogado del Estado, el juez o tribunal competente para conocer de ese proceso especial es en este caso la autoridad judicial determinada por la Constitución para ordenar y reconducir situaciones contrarias a la norma sustantiva y su adecuación a ella, sin que puedan oponérsele circunstancias de hecho encaminadas a hacer posible la permanencia y consolidación de una situación ilícita, como la ocupación ilegal de una vivienda.

[...] Por otra parte, la orden judicial de desalojo de los ocupantes de la vivienda decretada en el proceso especial creado por la Ley 5/2018 no excluye en modo alguno que los poderes públicos competentes deban atender, conforme a las disposiciones aplicables y los medios disponibles, a las situaciones de exclusión residencial que pudieran producirse, en particular cuando afectaren a personas especialmente vulnerables. En tal sentido, la legislación controvertida determina que la resolución judicial que en su caso ordene el desalojo de los ocupantes ilegales de la vivienda se ha de comunicar por el órgano judicial a los servicios públicos competentes en materia de política social, para que en el plazo de siete días puedan adoptar las medidas de protección que fueren procedentes, en orden a la situación de vulnerabilidad en que pudieran quedar los afectados por el lanzamiento, siempre que estos hubieren manifestado su consentimiento, conforme establece el último párrafo del art. 441.1 *bis* LEC (y con carácter general, para todos los procesos que concluyan con una resolución judicial de lanzamiento de quienes ocupen una vivienda, el art. 150.4 LEC). Corresponde en efecto a las distintas administraciones públicas, en el ámbito de sus competencias en materia de vivienda y servicios sociales, articular las medidas necesarias para prevenir situaciones de exclusión residencial y para que resulte eficaz la comunicación prevista en los preceptos referidos, a fin de dar respuesta adecuada y lo más pronta posible a los casos de vulnerabilidad que pudieran producirse como consecuencia del desalojo judicial de ocupantes de viviendas, según determina expresamente la propia Ley 5/2018 en su disposición adicional.

La autorización judicial como implícita en una decisión judicial que contiene orden de desalojo: el caso de la expropiación de viviendas —STC 160/1991, de 18 de julio[40]—

La Sentencia resuelve el recurso de amparo interpuesto por cincuenta y cinco vecinos de Riaño contra las actuaciones materiales en virtud de las cuales, bien por vía de hecho o en ejecución de resoluciones administrativas no notificadas, se procedió a la expropiación y demolición de sus domicilios para la construcción de un pantano, así como contra el Auto del Tribunal Supremo de 7 de abril de 1988, confirmatorio del Auto de la Sala de Valladolid, que inadmitió su recurso contencioso-administrativo contra dichas actuaciones. Entienden los recurrentes que los actos impugnados vulneraron su derecho a la inviolabilidad del domicilio, ya que no hubo resolución judicial específica que autorizara el desalojo y derribo de sus domicilios en el municipio de Riaño.

FJ 8. [...] Para resolver sobre la pretensión de los recurrentes, cabe recordar que el art. 18.2 de la Constitución Española lleva a cabo una rigurosa protección de la inviolabilidad de domicilio, al establecer tres supuestos taxativos en que procederá la entrada o registro del domicilio: la existencia de consentimiento del titular, la presencia de flagrante delito y la resolución judicial. Esta enumeración viene a separarse de regulaciones constitucionales de otros países que, aun reconociendo la inviolabilidad del domicilio, se remiten, para las excepciones al respecto, a los casos y las formas establecidas por la ley (caso del art. 14 de la Constitución italiana) o aceptar la posibilidad de que órganos no judiciales acuerden la entrada forzosa en un domicilio, en supuestos de urgencia (art. 13.2 de la Ley Fundamental de Bonn).

Por el contrario, en el caso de la Constitución Española, y como expresión de la estrecha relación entre la protección del domicilio y la acordada a la intimidad personal y familiar en el apartado 1 del mismo art. 18, fuera de los supuestos de consentimiento del titular, y de flagrancia delictiva (ninguno de los cuales es relevante en el presente recurso), se posibilita la entrada o registro domiciliario únicamente sobre la base de una resolución judicial. La garantía judicial aparece así como un mecanismo de orden preventivo, destinado a proteger el derecho, y no —como en otras intervenciones judiciales previstas en la Constitución— a reparar su violación cuando se produzca. La resolución judicial, pues, aparece como el método para decidir, en casos de colisión de valores e intereses constitucionales, si debe prevalecer el derecho del art. 18.2 CE u otros valores e intereses constitucionalmente protegidos. Se trata, por tanto, de encomendar a un órgano jurisdiccional que realice una ponderación previa de intereses, antes de que se proceda a cualquier entrada o registro, y como condición ineludible para realizar éste, en ausencia de consentimiento del titular.

---

[40] *Vid.* también las SSTC 144/1987, de 23 de septiembre; 76/1992, de 14 de mayo; 199/1998, de 13 de octubre; y los AATC 129/1990, de 26 de marzo, y 85/1992, de 8 de junio. Sobre la suficiencia para entrada en domicilio de una orden judicial de lanzamiento en ejecución de sentencia de desahucio, *vid.* AATC 328/1982, de 27 de octubre de 2002, FJ 1; 9/2007, de 15 de enero. *Vid.* también el ATC 47/2009, de 13 de febrero, sobre la suficiencia para entrada en domicilio de un auto judicial que, debidamente motivado, ordena que se proceda a recoger del domicilio de sus padres de acogida a una menor para su entrega a sus padres biológicos, aclarando que «la autorización se extiende exclusivamente a lo estrictamente necesario para recoger a la menor» (FJ 5).

En el presente supuesto ha de tenerse en cuenta que, como hace constar el Auto del Tribunal Supremo que se impugna, nos encontramos ante unas actuaciones de desalojo y demolición de un conjunto amplio de edificaciones del municipio de Riaño, que se llevaron a cabo en cumplimiento de resoluciones judiciales firmes, confirmatorias por su parte de resoluciones administrativas expropiatorias de tierras, edificaciones y viviendas en el municipio citado. Resulta así que hubo resolución judicial concerniente al desalojo de los hoy recurrentes, pues, evidentemente, una decisión de los órganos jurisdiccionales relativa a expropiación de viviendas (y más aún con el fin de construir un embalse, como se señala por los recurrentes) implica, sin duda, el desalojo de los en ellas habitantes, y, por tanto, una ponderación de los intereses y derechos de éstos, incluidos, desde luego, los referentes al domicilio.

En el presente caso no estamos, por tanto, ante una actividad de la Administración de ejecución forzosa de sus propios actos amparada en el privilegio de la denominada autotutela administrativa, sino ante la ejecución de resoluciones judiciales firmes que autorizaron a la Administración a desalojar y derribar las viviendas expropiadas conforme a Derecho. Se trata, pues, de ejecución de Sentencias —y no de actos administrativos—, que en principio corresponde al órgano que hubiere dictado el acto o disposición objeto del recurso (art. 103 LJCA), debiendo interpretar esta competencia, tal y como hemos declarado, no como la atribución de una potestad, sino como la concreción del deber de cumplir lo decidido por la Sentencia (STC 67/1984). [...]

FJ 9. Los recurrentes, no obstante, se refieren a nuestra STC 22/1984, y de ella extraen la consecuencia de que se vulneró su derecho a la inviolabilidad de domicilio, pues sería necesaria una resolución judicial específica para proceder al desalojo y derribo de sus viviendas, lo que plantea la cuestión de si, existiendo una previa resolución judicial firme que ordena la expropiación y consecuente desalojo y derribo de una vivienda, es además necesaria una posterior resolución judicial para ejecutarla materialmente.

La respuesta a esta cuestión ha de ser forzosamente negativa; y en este aspecto debemos apartarnos, en los términos previstos en el art. 13 LOTC, de la doctrina sentada en la Sentencia 22/1984, en lo que constituía su ratio decidendi, acerca de la exigencia de una duplicidad de resoluciones judiciales. Corresponde al Juez, según lo señalado, y de acuerdo con el art. 18.2 CE, llevar a cabo la ponderación preventiva de los intereses en juego como garantía del derecho a la inviolabilidad del domicilio. Y una vez realizada tal ponderación, se ha cumplido el mandato constitucional. La introducción de una segunda resolución por un Juez distinto no tiene sentido en nuestro ordenamiento, una vez producida, en el caso que se trata, una Sentencia firme en la que se declara la conformidad a Derecho de una resolución expropiatoria que lleva anejo el correspondiente desalojo. Pues no cabe, una vez firme la resolución judicial, que otro órgano jurisdiccional entre de nuevo a revisar lo acordado y a reexaminar la ponderación judicial efectuada por otras instancias, que pudieran ser incluso de órdenes jurisdiccionales distintos, o de superior rango en la jerarquía jurisdiccional, pues ello iría en contra de los más elementales principios de seguridad jurídica. Y si no es posible una intervención judicial revisora, tampoco resulta admisible una segunda resolución judicial que no efectuara esa revisión, pues se convertiría en una actuación meramente automática o mecánica, confirmadora de la decisión judicial a ejecutar, lo que no constituye garantía jurisdiccional alguna ni responde a lo dispuesto en el art. 18.2 CE

En contra de lo que acaba de afirmarse, podría argüirse que la intervención del órgano judicial no sería meramente rituaria y mecánica, ya que vendría a efectuar la correcta y debida individualización del sujeto que ha de soportar la ejecución forzosa y el cumplimiento de los elementales formalismos que deben preceder a la ejecución forzosa de todos los actos administrativos y, en particular, de aquellos que pueden suponer la lesión de derechos fundamentales. Sin embargo, ello no es así en el presente caso, ya que se trata de una ejecución en línea directa o de continuidad, donde se da una identidad absoluta entre el acto de ejecución material y su título habilitante que no necesita ni permite, siquiera, que se intercale ninguna actuación intermedia de individualización y que, por ello, hace innecesaria una nueva intervención judicial, que en este caso sí sería, sin duda, huera y carente de significado, pues ninguna garantía añadiría a la protección del derecho fundamental de que se trata. Ello sin perjuicio de que, si surgieran incidentes en la ejecución de una resolución judicial, fueran competencia, según las normas procesales (55 LEC y 41 LJCA) del órgano jurisdiccional que hubiera dictado tales resoluciones. Ha de concluirse, pues, que, una vez recaída una resolución judicial que adquiera firmeza y que dé lugar, por su naturaleza y contenido, a una entrada domiciliaria, tal resolución será título bastante para esa entrada, y se habría cumplido la garantía del art. 18 CE

La autorización judicial y la ejecución de actos de la Administración mediante entrada en domicilio —STC 139/2004, de 13 de septiembre[41]—

La Sentencia resuelve el recurso de amparo interpuesto por doña M.S.M.R. contra el Auto del Juzgado de lo Contencioso-Administrativo núm. 6 de Madrid, y contra la Sentencia de la Sala de lo Contencioso-Administrativo del Tribunal Superior de Justicia de dicha capital de 22 de mayo 2001, que lo confirma. El mencionado Auto autorizó la entrada en el domicilio donde reside la recurrente junto con sus hijos menores, a efectos de proceder a la ejecución forzosa del Acuerdo de Tutela de éstos, de 19 de octubre de 2000, adoptado por la Comisión de Tutela del Menor de la Comunidad de Madrid, por el que se declara a los referidos menores en situación de desamparo y se asume su tutela con el fin de ingresarlos en un centro de protección dependiente de la Comunidad de Madrid. Entiende la recurrente que dichas resoluciones vulneraron su derecho fundamental a la inviolabilidad del domicilio.

FJ 2. [...] [A]l Juez que otorga la autorización de entrada no le corresponde enjuiciar la legalidad del acto administrativo que pretende ejecutarse. Conviene advertir que esta doctrina, aunque se ha establecido en relación con el Juez de Instrucción, que era quien antes de la reforma efectuada por la Ley 29/1998, de 13 de julio, reguladora de la jurisdicción contencioso-administrativa (en adelante LJCA), otorgaba este tipo de autorizaciones, resulta igualmente aplicable a los Jueces de lo contencioso-administrativo, que son los ahora competentes para emitir aquéllas en los casos en los que ello sea necesario para la ejecución de los actos de la Administración pública (art. 8.5 LJCA) —actual 8.6 LJCA— pues, en este concreto procedimiento, las atribuciones de estos Jueces se limitan únicamente a garantizar que las entradas domiciliarias se efectúen tras realizar una ponderación previa de los derechos e intereses en conflicto. Como ha señalado este Tribunal (SSTC 160/1991, de 18 de julio, FJ 8; 136/2000, de 29 de mayo, FJ 3), en estos supuestos la intervención judicial no tiene como finalidad reparar una supuesta lesión de un derecho o interés legítimo, como ocurre en otros, sino que constituye una garantía y, como tal, está destinada a prevenir la vulneración del derecho [a la inviolabilidad del domicilio]. De ahí que, para que pueda cumplir esta finalidad preventiva que le corresponde, sea preciso que la resolución judicial que autorice la entrada en el domicilio se encuentre debidamente motivada, pues sólo de este modo es posible comprobar, por una parte, si el órgano judicial ha llevado a cabo una adecuada ponderación de los derechos o intereses en conflicto y, por otra, que, en su caso, autoriza la entrada del modo menos restrictivo posible del derecho a la inviolabilidad del domicilio.

Por este motivo, el otorgamiento de esta clase de autorizaciones no puede efectuarse sin llevar a cabo ningún tipo de control, pues si así se hiciera no cumplirían la función de garantizar el derecho a la inviolabilidad del domicilio que constitucionalmente les corresponde. Por esta razón este Tribunal ha sostenido que, en estos supuestos, el Juez debe comprobar, por una parte, que el interesado es el titular del domicilio en el que se autoriza la entrada, que el acto cuya ejecución se pretende tiene una apariencia de legalidad, que la entrada en el domicilio es necesaria para aquélla y que, en su caso, la misma se lleve a cabo de tal modo que no se produzcan más limitaciones al derecho que consagra el art. 18.2 CE que las estrictamente necesarias para la ejecución del acto [SSTC 76/1992, de 14 de mayo, FJ 3 a); 50/1995, de 23 de febrero, FJ 5; 171/1997, de 14 de octubre, FJ 3; 69/1999, de 26 de abril; y 136/2000, de 29 de mayo, FFJJ 3 y 4]. Junto a estas exigencias, este Tribunal ha señalado también que han de precisarse los aspectos temporales de la entrada, pues no puede quedar a la discrecionalidad unilateral de la Administración el tiempo de su duración (STC 50/1995, de 23 de febrero, FJ 7). Tales cautelas tienen como finalidad asegurar que no se restringe de modo innecesario el derecho a la inviolabilidad del domicilio, evitando un sacrificio desproporcionado de este derecho (SSTC 50/1995, de 23 de febrero, FJ 7; 69/1999, de 26 de abril, FJ 4). Por ello las exigencias en cada supuesto dependerán de las circunstancias que concurran, pues, como se señala en la STC 69/1999, de 29 de abril, FJ 4, los requisitos de detalle formulados a propósito de casos concretos pueden no resultar precisos en otros supuestos en los que las circunstancias sean diferentes.

En definitiva, ha de concluirse que, desde la perspectiva constitucional, la resolución judicial por la que se autoriza la entrada en un domicilio se encontrará debidamente motivada y, consecuentemente, cumplirá la función de garantía de la inviolabilidad del domicilio que le corresponde, si a través de ella puede comprobarse que se ha autorizado la entrada tras efectuar una ponderación de los distintos derechos e intereses que pueden verse afectados y adoptando las cautelas precisas para que la limitación del derecho fundamental que la misma implica se efectúe del modo menos restrictivo posible.

---

41   *Vid.*, además de la jurisprudencia citada en esta Sentencia, las SSTC 188/2013, de 4 de noviembre.

FJ 3. [...] A la solicitud de autorización [de entrada en domicilio], acompañada de la documentación mencionada, recayó Auto con la siguiente motivación:

«Examinada la presente solicitud... se aprecia que la Administración solicitante ha tramitado regularmente el procedimiento, que entra dentro de sus competencias y, así mismo, que la entrada en el domicilio del administrado es la medida adecuada y proporcionada para lograr la plena efectividad del acto administrativo, por lo que procede conceder la autorización interesada».

La mera lectura del párrafo transcrito pone de manifiesto que el órgano judicial no ha exteriorizado, como resulta constitucionalmente exigible, la ponderación de los distintos derechos o intereses que pueden verse afectados: su contenido, de carácter genérico, podría utilizarse para casos muy diferentes, pues no recoge ninguno de los datos concretos que individualizan la situación que reclama la entrada domiciliaria. No se hace ninguna referencia a las exigencias propias de la inviolabilidad del domicilio, por un lado, y a las notas definidoras del interés de los menores, por otro, sin que, como con acierto advierte el Ministerio Fiscal, se haya razonado ni siquiera mínimamente respecto de la inexistencia de otros medios que siendo bastantes para la efectividad de la medida fueran menos gravosos para el derecho fundamental reconocido en el art. 18.2 CE.

De este modo, al no expresarse en el Auto impugnado el juicio de proporcionalidad entre la limitación que se impone al derecho fundamental restringido y la finalidad perseguida, ni argumentarse sobre la idoneidad de la medida, su necesidad y el debido equilibrio entre el sacrificio del derecho fundamental limitado y la ventaja que se obtiene con ello (STC 136/2000, de 29 de mayo FJ 4; en el mismo sentido, entre otras muchas, STC 69/1999, de 26 de abril, FJ 4), la autorización otorgada no puede considerarse que cumpla la función de garantía que constitucionalmente le corresponde, lo que implica que debamos apreciar la vulneración del derecho fundamental a la inviolabilidad del domicilio (art. 18.2 CE) invocada en la demanda de amparo, con el pronunciamiento previsto en el art. 53 a) LOTC.

La autorización judicial de entrada en domicilio y el principio de proporcionalidad —STC 188/2013, de 4 de noviembre—

La Sentencia resuelve el recurso de amparo interpuesto por don A.G. contra las sucesivas resoluciones del Juzgado de lo Contencioso-Administrativo núm. 30 de Madrid, de 20 de abril de 2011, y de la correspondiente Sala del Tribunal Superior de Justicia de Madrid, de 8 de marzo de 2012, que autorizaron la entrada en el domicilio del recurrente para proceder a su desalojo y demolición, en ejecución de resolución administrativa del Ayuntamiento de Madrid de 23 de junio de 2005. Entiende el recurrente que esta resolución y la autorización judicial de su ejecución vulneraron su derecho fundamental a la inviolabilidad del domicilio.

FJ 4. [...] [E]l principio de proporcionalidad que debe ser respetado en la autorización judicial de entrada en domicilio, según constante doctrina de este Tribunal, y ha de efectuarse «teniendo en cuenta los elementos y datos disponibles en el momento en que se adopta la medida restrictiva del derecho fundamental (SSTC 126/2000, de 16 de mayo, FJ 8; y 299/2000, de 11 de diciembre, FJ 2), debiendo comprobarse, desde la perspectiva de análisis propia de este Tribunal, si en la resolución judicial de autorización aparecen los elementos necesarios para entender que se ha realizado la ponderación de la proporcionalidad de la medida (por todas, SSTC 171/1999, de 27 de septiembre, FJ 5; y 169/2001, de 16 de julio, FJ 9)» (STC 239/2006, de 17 de julio, FJ 6). Y en este caso la ponderación de la necesidad de incidir en el derecho fundamental previsto en el art. 18.2 CE, para la ejecución de la resolución administrativa no sólo es proporcionada sino la única posibilidad de su ejecución pues contiene el mandato de su desalojo y demolición y no como pretende el recurrente que la ponderación de proporcionalidad lo sea sobre otra posible solución administrativa eventual y futura que no constituye derecho alguno frente a la ilegalidad de la construcción, cuya cuestión fue firme y consentida en la vía administrativa, esto es, no cabe plantearse en esta sede de amparo constitucional por no afectar al contenido del derecho fundamental a la inviolabilidad domiciliaria tal y como ha sido configurado por las Sentencias de este Tribunal antes citadas. A mayor abundamiento, las resoluciones judiciales recurridas en amparo garantizan la proporcionalidad de la entrada en domicilio para la demolición respecto a los derechos educativos de los menores, demorando su ejecución hasta la finalización del curso escolar de éstos.

La excepción al requisito de la autorización judicial previa derivada del artículo 55.2 CE —STC 199/1987, de 16 de diciembre (*vid.* ARTÍCULO 17)—

FJ 9. Desarrollo del art. 55.2 de la Constitución es también el art. 16 de la Ley Orgánica 9/1984, relativo a la detención y registros domiciliarios, objeto de impugnación en estos recursos tanto por el Parlamento Catalán como por el

Parlamento Vasco. El núm. 1 de este artículo autoriza a los miembros y Cuerpos de Fuerzas de Seguridad del Estado a «proceder sin necesidad de previa autorización o mandato judicial a la inmediata detención de los presuntos responsables de las acciones a que se refiere el art. 1, cualquiera que fuese el lugar o domicilio donde se ocultasen o refugiasen, así como al registro de dichos lugares y a la ocupación de los efectos o instrumentos que en ellos se hallaren y que pudieren guardar relación con el delito».

El núm. 2 de dicho artículo exige al Ministro del Interior o, en su defecto al Director general de la Seguridad del Estado la comunicación inmediata al Juez competente de las causas del registro, sus circunstancias y su resultado. Ambos recurrentes impugnan la totalidad del artículo por un mismo y común motivo, el que la intervención judicial, exigencia del art. 55.2 de la Constitución, en el caso de entrada o registro domiciliario, debería ser previa a dichas medidas de investigación. La demanda del Parlamento de Cataluña alega además que ni siquiera se ha previsto una intervención o control judicial a posteriori, sino sólo una mera comunicación al Juez del registro efectuado o de la detención practicada. Para el Abogado del Estado la impugnación debería ser rechazada, pues si la intervención hubiera de ser previa y consistir en un acto autorizativo, no habría diferencia alguna con cuanto establece el art. 18 de la Constitución para los supuestos generales.

La inviolabilidad del domicilio, o sea el derecho de no penetración en el domicilio en contra de la voluntad del titular del mismo, protegida por el art. 18 de la Constitución, es un derecho relativo y limitado en cuanto que la propia Constitución autoriza su restricción en supuestos contemplados por la Ley, aunque exige, en principio, una decisión judicial al respecto, salvo en los casos de «flagrante delito». Ello supone que el derecho a la inviolabilidad del domicilio consiste sustancialmente en un derecho a que, contra la voluntad del titular y, salvo delito flagrante, no haya penetración en el propio domicilio, sin una autorización judicial, cuya concesión y realización se somete además en la Ley de Enjuiciamiento Criminal a la existencia de determinados requisitos (arts. 546 y siguientes).

La suspensión individual del derecho a la inviolabilidad del domicilio, que permite el art. 55.2 de la Constitución, plantea el intrincado problema de tratar de hacer compatible la efectividad de la suspensión de este derecho, consistente según se acaba de decir en la exigencia de una resolución judicial que autorice la entrada y registro, no consentidos, de un domicilio, con la intervención judicial a la que también alude el art. 55.2 de la Constitución. Debe tenerse en cuenta que en el caso de la inviolabilidad del domicilio tienen razón los recurrentes cuando sostienen que la única intervención judicial efectiva en principio es aquella que se adopta antes de la penetración en el domicilio, puesto que la intervención a posteriori se produciría una vez realizada la penetración en el domicilio, y no evitaría en ningún caso el sacrificio del derecho fundamental, sino que aparte de la eventual responsabilidad disciplinaria o penal en caso de extralimitación manifiesta, sólo podría tener algún efecto en la legitimidad de las pruebas conseguidas en una penetración del domicilio que el Juez posteriormente a su realización haya desautorizado.

El Letrado del Estado entiende que tal suspensión sólo podría consistir en la suspensión de la autorización judicial, pues, en último término, suspender la inviolabilidad del domicilio supone prescindir de la intervención judicial al respecto. Así ocurre por ejemplo durante el estado de excepción, de acuerdo al art. 17.1 de la Ley Orgánica 4/1981, y ello podría haber sido así, desde luego, en este tipo de suspensión singular de no haber impuesto de forma expresa el art. 55.2 la intervención judicial. Quiere ello decir que el art. 55.2 sólo habilita al legislador a modular la intervención judicial en la entrada y registro de domicilio, pero no a suprimirla de raíz. El legislador ha de poner en concordancia, según se ha dicho en el fundamento jurídico 7.° la efectividad de la suspensión del derecho a la inviolabilidad del domicilio y la necesaria intervención judicial, dicho en otros términos ha de asegurar una suficiente intervención judicial, en lo posible previa, que sea compatible con la suspensión de ese derecho.

Hemos de examinar en consecuencia ahora si el artículo impugnado ha asegurado una suficiente intervención judicial, compatible con la efectividad de la suspensión del derecho a la inviolabilidad del domicilio.

Lo primero que procede precisar es el sentido de la suspensión de la inviolabilidad del domicilio que el mismo regula. De la dicción del precepto se deduce que el mismo contempla primaria y únicamente el registro domiciliario que tiene por objeto la inmediata detención de un presunto terrorista o miembro de una banda armada. Es decir, sólo permite la entrada en un domicilio, sin previa autorización judicial, para efectuar una inmediata detención, y, con ocasión de ella, proceder al registro y ocupación de los instrumentos y efectos relacionados con las actividades terroristas. Se ha aplicado, así, la regla del art. 553 de la Ley de Enjuiciamiento Criminal, suponiendo el efecto de la suspensión del derecho el prescindir del requisito legal general del mandamiento de prisión para hacer posible la entrada en el domicilio sin previa autorización judicial para proceder a una detención inmediata. Esta razón de inmediatez indica que la Ley ha querido limitar esta posibilidad a supuestos excepcionales en los que en función de la «inmediata detención» (art. 16) se hace absolutamente imprescindible la adopción directa de la medida, y en las que el mínimo de retraso que supondría la intervención judicial haría inviable el éxito de la detención y registro.

El art. 16 de la Ley Orgánica 9/1984, no ha establecido así como regla general la falta de autorización judicial previa, ni puede decirse que la sola vigencia de la Ley sea suficiente, sin la presencia de otra circunstancia, para que la fuerza de Policía pueda entrar en cualquier domicilio para proceder a su registro y, en su caso, ocupar los instrumentos y efectos correspondientes. Sólo, de forma excepcional, en supuestos absolutamente imprescindibles y en los que las circunstancias del caso no permitan la oportuna adopción previa de medidas por la autoridad judicial, por tener que procederse a la inmediata detención de un presunto terrorista, es cuando podrá operar la excepción a la necesidad de previa autorización o mandato judicial. No puede decirse que esta regulación, así entendida, no haya ponderado adecuadamente la efectividad de la suspensión del derecho a la inviolabilidad del domicilio y la suficiente intervención judicial. La Ley ha tratado de concordar ambos elementos, y sólo ha sacrificado el carácter previo de la intervención judicial en supuestos límite, en aras de hacer efectivos los fines por los que el art. 55.2 permite la suspensión del derecho a la inviolabilidad del domicilio. En este caso, y sólo en este caso, la intervención judicial habrá de ser a posteriori, pero sin que pueda entenderse, como se razona en los recursos, que en este caso esa intervención se limite a la mera recepción de información, pues el art. 16.2 no establece, ni podría establecer, ningún límite al control judicial al respecto. [...]

El Parlamento de Cataluña se refiere también a la inconstitucionalidad del párrafo segundo del art. 16, por entender que éste limita la intervención judicial al mero conocimiento, y por ello presupone una «actitud meramente receptiva y pasiva sin posibilidad de actuación positiva». Es cierto, desde luego, que una mera información gubernativa al Juez no puede asimilarse a una intervención judicial. Sin embargo, como ya se ha dicho, del precepto no se deduce limitación alguna de las facultades judiciales al respecto, sino una obligación de la autoridad gubernativa de puesta en conocimiento, la cual en cada caso será a los efectos pertinentes, conservando siempre el Juez todas las facultades que el ordenamiento le reconoce para adoptar las medidas y decisiones que estime pertinentes al respecto. Y, desde luego, en relación con los casos excepcionales de detención inmediata, le corresponderá verificar si las circunstancias del caso han justificado la penetración en el domicilio sin la previa autorización judicial. Al no suponer el precepto limitación alguna de la intervención judicial, ha de rechazarse también la alegación del Parlamento de Cataluña sobre la presunta inconstitucionalidad de este apartado segundo del art. 16 de la Ley Orgánica 9/1984.

III. EL DERECHO AL SECRETO DE LAS COMUNICACIONES (ARTÍCULO 18.3 CE)

1. Contenido y alcance del derecho al secreto de las comunicaciones

El derecho al secreto de las comunicaciones y el concepto de «secreto»: contenido formal frente a terceras personas —STC 114/1984, de 29 de noviembre[42]—

La Sentencia resuelve el recurso de amparo interpuesto por don F.P.N. contra la Sentencia de la Sala Sexta del Tribunal Supremo de 15 de febrero de 1984, que confirmó la anteriormente dictada por de la Magistratura de Trabajo de Alicante, por entender que han incurrido en violación de su derecho fundamental al secreto de las comunicaciones reconocido en el artículo 18.3 CE, al realizar una «interpretación errónea» del contenido de este artículo.

FJ 7. [...] Es necesario determinar si, efectivamente, la grabación de la conversación, en la que fuera parte el actor, constituyó, como se pretende, una infracción del derecho al secreto de las comunicaciones. La tesis del actor no puede compartirse. Su razonamiento descansa en una errónea interpretación del contenido normativo del art. 18.3 de la Constitución. Y en un equivocado entendimiento de la relación que media entre este precepto y el recogido en el núm. 1 del mismo artículo. El derecho al «secreto de las comunicaciones... salvo resolución judicial» no puede oponerse, sin quebrar su sentido constitucional, frente a quien tomó parte en la comunicación misma así protegida. Rectamente entendido, el derecho fundamental consagra la libertad de las comunicaciones, implícitamente, y, de modo expreso, su secreto, estableciendo en este último sentido la interdicción de la interceptación o del conocimiento antijurídicos de las comunicaciones ajenas. El bien constitucionalmente protegido es así —a través de la imposición a

---

[42]   *Vid.* también SSTC 34/1996, de 11 de marzo; 56/2003, de 24 de marzo, FJ 3 («Pues bien, en el presente caso, no existe vulneración del derecho al secreto de las comunicaciones. Es, precisamente, uno de los interlocutores en la comunicación telefónica (el denunciante del chantaje al que se encontraba sometido) quien autorizó expresamente a la Guardia Civil a que registrara sus conversaciones para poder determinar así el número desde el que le llamaban, al no contar con aparato técnico para ello»).

todos del «secreto»— la libertad de las comunicaciones, siendo cierto que el derecho puede conculcarse tanto por la interceptación en sentido estricto (que suponga aprehensión física del soporte del mensaje —con conocimiento o no del mismo— o captación, de otra forma, del proceso de comunicación) como por el simple conocimiento antijurídico de lo comunicado (apertura de la correspondencia ajena guardada por su destinatario, por ejemplo).

Y puede también decirse que el concepto de «secreto», que aparece en el artículo 18.3, no cubre sólo el contenido de la comunicación, sino también, en su caso, otros aspectos de la misma, como, por ejemplo, la identidad subjetiva de los interlocutores o de los corresponsales. La muy reciente Sentencia del Tribunal Europeo de Derechos del Hombre de 2 de agosto de 1984 —caso Malone— reconoce expresamente la posibilidad de que el art. 8 de la Convención pueda resultar violado por el empleo de un artificio técnico que, como el llamado comptage, permite registrar cuáles hayan sido los número telefónicos marcados sobre un determinado aparato, aunque no el contenido de la comunicación misma.

Sea cual sea el ámbito objetivo del concepto de «comunicación», la norma constitucional se dirige inequívocamente a garantizar su impenetrabilidad por terceros (públicos o privados: el derecho posee eficacia erga omnes) ajenos a la comunicación misma. La presencia de un elemento ajeno a aquéllos entre los que media el proceso de comunicación, es indispensable para configurar el ilícito constitucional aquí perfilado. No hay «secreto» para aquél a quien la comunicación se dirige, ni implica contravención de lo dispuesto en el art. 18.3 de la Constitución la retención, por cualquier medio, del contenido del mensaje. Dicha retención (la grabación, en el presente caso) podrá ser, en muchos casos, el presupuesto fáctico para la comunicación a terceros, pero ni aun considerando el problema desde este punto de vista puede apreciarse la conducta del interlocutor como preparatoria del ilícito constitucional, que es el quebrantamiento del secreto de las comunicaciones.

Ocurre, en efecto, que el concepto de «secreto» en el art. 18.3 tiene un carácter «formal», en el sentido de que se predica de lo comunicado, sea cual sea su contenido y pertenezca o no el objeto de la comunicación misma al ámbito de lo personal, lo íntimo o lo reservado. Esta condición formal del secreto de las comunicaciones (la presunción iuris et de iure de que lo comunicado es «secreto», en un sentido sustancial) ilumina sobre la identidad del sujeto genérico sobre el que pesa el deber impuesto por la norma constitucional. Y es que tal imposición absoluta e indiferenciada del «secreto» no puede valer, siempre y en todo caso, para los comunicantes, de modo que pudieran considerarse actos previos a su contravención (previos al quebrantamiento de dicho secreto) los encaminados a la retención del mensaje. Sobre los comunicantes no pesa tal deber, sino, en todo caso, y ya en virtud de norma distinta a la recogida en el art. 18.3 de la Constitución, un posible «deber de reserva» que —de existir— tendría un contenido estrictamente material, en razón del cual fuese el contenido mismo de lo comunicado (un deber que derivaría, así del derecho a la intimidad reconocido en el art. 18.1 de la Norma fundamental). Quien entrega a otro la carta recibida o quien emplea durante su conversación telefónica un aparato amplificador de la voz que permite captar aquella conversación a otras personas presentes no está violando el secreto de las comunicaciones, sin perjuicio de que estas mismas conductas, en el caso de que lo así transmitido a otros entrase en la esfera «íntima» del interlocutor, pudiesen constituir atentados al derecho garantizado en el artículo 18.1 de la Constitución. Otro tanto cabe decir, en el presente caso, respecto de la grabación por uno de los interlocutores de la conversación telefónica. Este acto no conculca secreto alguno impuesto por el art. 18.3 y tan sólo, acaso, podría concebirse como conducta preparatoria para la ulterior difusión de lo grabado.

Por lo que a esta última dimensión del comportamiento considerado se refiere, es también claro que la contravención constitucional sólo podría entenderse materializada por el hecho mismo de la difusión (art. 18.1 CE). Quien graba una conversación de otros atenta, independientemente de toda otra consideración, al derecho reconocido en el art. 18.3 CE; por el contrario, quien graba una conversación con otro no incurre, por este solo hecho, en conducta contraria al precepto constitucional citado. Si se impusiera un genérico deber de secreto a cada uno de los interlocutores o de los corresponsables ex art. 18.3, se terminaría vaciando de sentido, en buena parte de su alcance normativo, a la protección de la esfera íntima personal ex art. 18.1, garantía ésta que, «a contrario», no universaliza el deber de secreto, permitiendo reconocerlo sólo al objeto de preservar dicha intimidad (dimensión material del secreto, según se dijo). Los resultados prácticos a que podría llevar tal imposición indiscriminada de una obligación de silencio al interlocutor son, como se comprende, irrazonables y contradictorios, en definitiva, con la misma posibilidad de los procesos de libre comunicación humana.

FJ 8. [...] Como conclusión, pues, debe afirmarse que no constituye contravención alguna del secreto de las comunicaciones la conducta del interlocutor en la conversación que graba ésta (que graba también, por lo tanto, sus propias manifestaciones personales, como advierte el Ministerio Fiscal en su escrito de alegaciones). La grabación en sí —al margen su empleo ulterior— sólo podría constituir un ilícito sobre la base del reconocimiento de un hipotético «derecho a la voz» que no cabe identificar en nuestro ordenamiento, por más que sí pueda existir en algún Derecho extranjero. Tal protección de la propia voz existe sólo, en el Derecho español, como concreción del derecho a la intimidad y, por ello mismo, sólo en la medida en que la voz ajena sea utilizada ad extra y no meramente registrada, y aun en este caso cuando dicha utilización lo sea con determinada finalidad (art. 7.6 de la citada Ley Orgánica 1/1982: «utilización de la voz de una persona para fines publicitarios, comerciales o de naturaleza análoga).

El derecho al secreto de las comunicaciones y el concepto «comunicación» —STC 123/2002, de 20 de mayo[43]—

La Sentencia resuelve el recurso de amparo presentado por doña B.A.D. contra la Sentencia de la Sección Segunda de la Audiencia Provincial de Córdoba de 22 de noviembre de 1999 y contra la Sentencia del Juzgado de lo Penal núm. 1 de Córdoba de 26 de julio de 1999, en virtud de las cuales resultó condenada la recurrente como autora de un delito de estafa agravada de los arts. 528 y 529.7 CP (texto refundido 1973). La demandante de amparo alega que se ha vulnerado, además de su derecho a la inviolabilidad del domicilio, su derecho al secreto de las comunicaciones.

FJ 4. [...] La separación del ámbito de protección de los derechos fundamentales a la intimidad personal (art. 18.1 CE) y al secreto de las comunicaciones (art. 18.3 CE) efectuada en esta Sentencia se proyecta sobre el régimen de protección constitucional de ambos derechos. Pues si ex art. 18.3 CE la intervención de las comunicaciones requiere siempre resolución judicial, «no existe en la Constitución reserva absoluta de previa resolución judicial» respecto del derecho a la intimidad personal. Ahora bien, también respecto del derecho a la intimidad personal hemos dicho que rige como regla general la exigencia constitucional de monopolio jurisdiccional en la limitación de derechos fundamentales, si bien hemos admitido de forma excepcional que en determinados casos y con la suficiente y precisa habilitación legal sea posible que la policía judicial realice determinadas prácticas que constituyan una injerencia leve en la intimidad de las personas (SSTC 37/1989, de 15 de febrero, FJ 7; 207/1996, de 16 de diciembre, FJ 3; y 70/2002, de 3 de abril, FJ 10). La legitimidad constitucional de dichas prácticas, aceptada excepcionalmente, requiere también el respeto de las exigencias dimanantes del principio de proporcionalidad, de modo que mediante la medida adoptada sea posible alcanzar el objetivo pretendido —idoneidad—; que no exista una medida menos gravosa o lesiva para la consecución del objeto propuesto —necesidad—; y que el sacrificio del derecho reporte más beneficios al interés general que desventajas o perjuicios a otros bienes o derechos atendidos la gravedad de la injerencia y las circunstancias personales de quien la sufre —proporcionalidad estricta— (SSTC 207/1996, de 16 de diciembre, FJ 3; y 70/2002, de 3 de abril, FJ 10).

FJ 5. [...] El derecho al secreto de las comunicaciones protege a los comunicantes frente a cualquier forma de interceptación o captación del proceso de comunicación por terceros ajenos, sean sujetos públicos o privados (STC 114/1984).
[...] Este derecho garantiza a los interlocutores o comunicantes la confidencialidad de la comunicación telefónica que comprende el secreto de la existencia de la comunicación misma y el contenido de lo comunicado, así como la confidencialidad de las circunstancias o datos externos de la conexión telefónica: su momento, duración y destino; y ello con independencia del carácter público o privado de la red de transmisión de la comunicación y del medio de transmisión (eléctrico, electromagnético, óptico...) de la misma.

FJ 6. La entrega de los listados por las compañías telefónicas a la policía sin consentimiento del titular del teléfono requiere resolución judicial, pues la forma de obtención de los datos que figuran en los citados listados supone una interferencia en el proceso de comunicación que está comprendida en el derecho al secreto de las comunicaciones telefónicas del art. 18.3 CE. En efecto, los listados telefónicos incorporan datos relativos al teléfono de destino, el momento en que se efectúa la comunicación y a su duración, para cuyo conocimiento y registro resulta necesario acceder de forma directa al proceso de comunicación mientras está teniendo lugar, con independencia de que estos datos se tomen en consideración una vez finalizado aquel proceso a efectos, bien de la lícita facturación del servicio prestado, bien de su ilícita difusión. Dichos datos configuran el proceso de comunicación en su vertiente externa y son confidenciales, es decir, reservados del conocimiento público y general, además de pertenecientes a la propia

---

43   *Vid.* también la STC 145/2014, de 22 de septiembre.

esfera privada de los comunicantes. El destino, el momento y la duración de una comunicación telefónica, o de una comunicación a la que se accede mediante las señales telefónicas, constituyen datos que configuran externamente un hecho que, además de carácter privado, puede asimismo poseer un carácter íntimo.

Ahora bien, aunque el acceso y registro de los datos que figuran en los listados constituye una forma de afectación del objeto de protección del derecho al secreto de las comunicaciones, no puede desconocerse la menor intensidad de la injerencia en el citado derecho fundamental que esta forma de afectación representa en relación con la que materializan las «escuchas telefónicas», siendo este dato especialmente significativo en orden a la ponderación de su proporcionalidad.

El alcance del concepto «comunicación» y los registros de llamadas —STC 230/2007, de 5 de noviembre[44]—

La Sentencia resuelve recurso de amparo promovido por don A.T.R. contra la Sentencia de la Sección Quinta de la Audiencia Provincial de Valencia de 20 de septiembre de 2004, por la que se desestima el recurso de apelación interpuesto contra la Sentencia del Juzgado de lo Penal núm. 8 de Valencia de 16 de junio de 2004. El 22 de marzo la Guardia Civil detuvo un cocho conducido por el recurrente en el marco de una operación contra el tráfico de drogas. Durante su detención los guardias civiles ocuparon los teléfonos móviles de las personas detenidas, incluido el recurrente, accediendo, entre otros, al registro de llamadas memorizado en él, sin contar con su consentimiento ni con la debida autorización judicial, confeccionando un listado de llamadas recibidas, enviadas y perdidas. Entiende el recurrente que dicha actuación vulneró su derecho al secreto de las comunicaciones, de lo que se deriva una vulneración de su derecho a la presunción de inocencia (artículo 24 CE).

FJ 2. [...] Con los antecedentes expuestos, debe concluirse, conforme también interesa el Ministerio Fiscal, que se ha vulnerado al recurrente el derecho al secreto de las comunicaciones (art. 18.3 CE), en tanto que, acreditado y reconocido por las resoluciones judiciales el presupuesto fáctico del acceso policial al registro de llamadas del terminal móvil intervenido al recurrente sin su consentimiento ni autorización judicial, dicho acceso no resulta conforme a la doctrina constitucional reiteradamente expuesta sobre que la identificación de los intervinientes en la comunicación queda cubierta por el secreto de las comunicaciones garantizado por el art. 18.3 CE y, por tanto, que resulta necesario para acceder a dicha información, en defecto de consentimiento del titular del terminal telefónico móvil intervenido, que se recabe la debida autorización judicial. Ello supone la imposibilidad de valoración de dicha prueba al tener que quedar excluida del material probatorio apto para enervar la presunción de inocencia, en tanto que obtenida con vulneración de derechos fundamentales del recurrente.

El alcance del concepto «comunicación» y las agendas telefónicas de los móviles —STC 115/2013, de 9 de mayo—

La Sentencia resuelve el recurso de amparo promovido por don M.P.S. contra la Sentencia de 2 de diciembre de 2010 de la Sala de lo Penal del Tribunal Supremo, que confirma en casación la Sentencia de 3 de febrero de 2010 dictada por la Sección Tercera de la Audiencia Provincial de Cádiz, y que condenaron al recurrente como autor responsable de un delito contra la salud pública. La detención del recurrente se produjo cuando éste se dio a la fuga dejando detrás su teléfono móvil encendido, lo que permitió a la policía examinar su agenda de contactos telefónicos y averiguar su identidad llamando al número registrado como «mamá». El recurrente alega que dicho examen vulneró su derecho a la intimidad (artículo 18.1 CE) y al secreto de las comunicaciones (artículo 18.3 CE), por no concurrir la necesaria autorización judicial.

FJ 3. [...] Pues bien, en el caso que nos ocupa, y teniendo en cuenta que en el proceso constitucional de amparo debe partirse de la acotación de hechos llevada a cabo por los órganos judiciales (STC 25/2011, de 14 de marzo, FJ 5), acerca de los que en ningún caso entrará a conocer este Tribunal [art. 44.1 b) LOTC], debe destacarse que, atendiendo estrictamente a los hechos declarados probados en las Sentencias impugnadas, resulta que los agentes de policía accedieron a la agenda de direcciones del teléfono móvil que encontraron encendido en el invernadero del que salieron huyendo varias personas tras ser sorprendidas por la irrupción policial, pudiendo comprobar los agentes

---

[44]   *Vid.* en conexión con esta doctrina la STC 173/2011, de 7 de noviembre (ordenadores).

que dicha agenda telefónica contenía un nombre registrado como «mamá», correspondiente a un número de teléfono fijo de Cádiz perteneciente a la madre del recurrente en amparo.

No estamos, por tanto, ante un supuesto de acceso policial a funciones de un teléfono móvil que pudiesen desvelar procesos comunicativos, lo que requeriría, para garantizar el derecho al secreto de las comunicaciones (art. 18.3 CE), el consentimiento del afectado o la autorización judicial, conforme a la doctrina constitucional antes citada. El acceso policial al teléfono móvil del recurrente se limitó exclusivamente a los datos recogidos en la agenda de contactos telefónicos del terminal —entendiendo por agenda el archivo del teléfono móvil en el que consta un listado de números identificados habitualmente mediante un nombre—, por lo que debe concluirse que dichos datos «no forman parte de una comunicación actual o consumada, ni proporcionan información sobre actos concretos de comunicación pretéritos o futuros» (STC 142/2012, FJ 3[45]), de suerte que no cabe considerar que en el presente caso la actuación de los agentes de la Policía Nacional en el ejercicio de sus funciones de investigación supusiera una injerencia en el ámbito de protección del art. 18.3 CE.

En efecto, con el acceso a la agenda de contactos del teléfono móvil del recurrente los agentes de policía no obtuvieron dato alguno concerniente a un proceso de comunicación emitida o recibida mediante dicho aparato, sino únicamente a un listado de números de teléfono introducidos voluntariamente por el usuario del terminal, equiparable a los recogidos en una agenda de teléfonos en soporte de papel (STC 70/2002, FJ 9). Por tanto, «siendo lo determinante para la delimitación del contenido de los derechos fundamentales garantizados por los arts. 18.1 y 18.3 CE ... no el tipo de soporte, físico o electrónico, en el que la agenda de contactos esté alojada», ni «el hecho ... de que la agenda sea un aplicación de un terminal telefónico móvil, que es un instrumento de y para la comunicación, sino el carácter de la información a la que se accede» (STC 142/2012, FJ 3), debe descartarse que el derecho al secreto de las comunicaciones (art. 18.3 CE) se haya visto afectado en el presente caso por la actuación policial descrita.

FJ 4. Así pues, ha de concluirse que el derecho fundamental afectado por el acceso policial a una agenda de contactos de un teléfono móvil, en los términos ya expuestos, es el derecho a la intimidad personal (art. 18.1 CE) y no el derecho al secreto de las comunicaciones ex art. 18.3 CE (STC 142/2012, FJ 4), por no haberse accedido por los agentes de la Policía Nacional intervinientes a datos de una eventual comunicación telefónica que pudiera haber mediado entre el recurrente y otras personas.

Distinto sería el caso si, como antes hemos señalado, el acceso policial lo hubiera sido a cualquier otra función del teléfono móvil que pudiera desvelar procesos comunicativos, supuesto en el que tal acceso solo resultaría constitucionalmente legítimo si media consentimiento del propio titular del terminal o autorización judicial, dada la circunstancia indubitada de que un teléfono móvil es un instrumento cuyo fin esencial es la participación en un proceso comunicativo protegido por el derecho al secreto de las comunicaciones ex art. 18.3 CE, como también advertimos en la citada STC 142/2012, FJ 3. Ahora bien, en las concretas circunstancias concurrentes en el presente caso (como resulta del relato de hechos probados que ha quedado reflejado en los antecedentes de esta resolución) queda descartado que los agentes de policía accedieran a ningún proceso de comunicación, lo que excluye la alegada vulneración del derecho garantizado por el art. 18.3 CE.

Por otra parte conviene también reparar en que la versatilidad tecnológica que han alcanzado los teléfonos móviles convierte a estos terminales en herramientas indispensables en la vida cotidiana con múltiples funciones, tanto de recopilación y almacenamiento de datos como de comunicación con terceros (llamadas de voz, grabación de voz, mensajes de texto, acceso a internet y comunicación con terceros a través de internet, archivos con fotos, videos, etc.), susceptibles, según los diferentes supuestos a considerar en cada caso, de afectar no sólo al derecho al secreto de las comunicaciones (art. 18.3 CE), sino también a los derechos al honor, a la intimidad personal y a la propia imagen (art. 18.1 CE), e incluso al derecho a la protección de datos personales (art. 18.4 CE), lo que implica que el parámetro de control a proyectar sobre la conducta de acceso a dicho instrumento deba ser especialmente riguroso, tanto desde la perspectiva de la existencia de norma legal habilitante, incluyendo la necesaria calidad de la ley, como desde la perspectiva de si la concreta actuación desarrollada al amparo de la ley se ha ejecutado respetando escrupulosamente el principio de proporcionalidad.

---

[45]   «En efecto, con el acceso a la agenda de contactos telefónicos la Guardia Civil no ha obtenido dato alguno concerniente a la transmisión de comunicación emitida o recibida por el teléfono móvil, sino únicamente un listado de números telefónicos introducidos voluntariamente por el usuario del terminal sobre los que no consta si han llegados a ser marcados».

Alcance temporal del concepto «comunicación» —STC 70/2002, de 3 de abril[46]—

La Sentencia resuelve el recurso de amparo interpuesto por don J.L.P.M. contra la Sentencia de la Sala de lo Penal del Tribunal Supremo de 12 de mayo de 2001, que confirma en casación la de la Sección Décima de la Audiencia Provincial de Barcelona, de 21 de junio de 2000, por la que se condena al recurrente como autor de un delito contra la salud pública. Alega el recurrente que en el momento de su detención le fue intervenida una carta, que la Guardia Civil desdobló y leyó sin previa autorización judicial, con lo que se habría vulnerado su derecho al secreto de las comunicaciones postales y su derecho a la intimidad, al tratarse de una comunicación privada, que iba doblada en el interior de una agenda, guardando su contenido de terceros.

FJ 9. [...] c) A la vista de la doctrina anteriormente expuesta, en el presente caso, si la carta hallada por la Guardia Civil en el momento de la detención hubiera tenido inequívocamente tal carácter, podríamos plantearnos si estaríamos en el ámbito de protección del art. 18.3 CE.

Sin embargo, el hallazgo que se produce es algo distinto. Pues la supuesta carta no presentaba ninguna evidencia externa que hubiera permitido a la Guardia Civil ex ante tener la constancia objetiva de que aquello era el objeto de una comunicación postal secreta, tutelada por el art. 18.3 CE. Por el contrario, la apariencia externa del hallazgo era equívoca: unas hojas de papel dobladas en el interior de una agenda no hay por qué suponer que fueran una carta y no resultaría exigible a la Guardia Civil que actuara respecto de cualquier papel intervenido al delincuente, en el momento de la detención, con la presunción de que se trata de una comunicación postal.

A lo que ha de añadirse otra consideración, relativa al momento en que se produce la intervención policial. Pues tal intervención no interfiere un proceso de comunicación, sino que el citado proceso ya se ha consumado, lo que justifica el tratamiento del documento como tal (como efectos del delincuente que se examinan y se ponen a disposición judicial) y no en el marco del secreto de las comunicaciones. La protección del derecho al secreto de las comunicaciones alcanza al proceso de comunicación mismo, pero finalizado el proceso en que la comunicación consiste, la protección constitucional de lo recibido se realiza en su caso a través de las normas que tutelan la intimidad u otros derechos.

Estos dos datos (falta de constancia o evidencia ex ante de que lo intervenido es el objeto de una comunicación secreta impenetrable para terceros y falta de interferencia en un proceso de comunicación) son los decisivos en el presente supuesto para afirmar que no nos hallamos en el ámbito protegido por el derecho al secreto de las comunicaciones postales sino, en su caso, en el ámbito del derecho a la intimidad del art. 18.1 CE. Pues, y esto debe subrayarse, el art. 18.3 CE contiene una especial protección de las comunicaciones, cualquiera que sea el sistema empleado para realizarlas, que se declara indemne frente a cualquier interferencia no autorizada judicialmente.

El concepto de «comunicación» y los paquetes postales —STC 281/2006, de 9 de octubre—

La Sentencia resuelve el recurso de amparo presentado por don L.S.C. contra la Sentencia de la Sección Segunda de la Audiencia Provincial de Santa Cruz de Tenerife de 12 de junio de 2001 y las Sentencias de la Sala de lo Penal del Tribunal Supremo de 10 de febrero de 2003 en virtud de las cuales resultó condenado como autor de un delito contra la salud pública en grado de tentativa a las penas de dos años de prisión, multa y accesorias, al considerarse acreditado que se había prestado a ser el destinatario de un paquete postal que, conteniendo cocaína, fue interceptado por las autoridades británicas en el aeropuerto de Heathrow procedente de Venezuela y entregado al demandante en España, previa autorización judicial para efectuar la entrega controlada y apertura del mismo al amparo del artículo 263 bis de la Ley de enjuiciamiento criminal (LECrim). Alega el recurrente que la interceptación del mencionado paquete postal vulneró su derecho al secreto de las comunicaciones.

FJ 3. [...] b) La delimitación del objeto de protección del derecho reconocido en el art. 18.3 CE ha de partir de su propio tenor literal y del de los textos de los convenios sobre derechos humanos en los que España es parte, que, de conformidad con el art. 10.2 CE, sirven de pauta en la interpretación del contenido y alcance de los derechos fundamentales reconocidos en la Constitución.

En primer término, hemos de recordar que el art. 18.3 CE literalmente «garantiza el secreto de las comunicaciones y en especial, de las postales, telegráficas y telefónicas, salvo resolución judicial». Varias circunstancias derivan de

---

46   *Vid.* también la STC 137/2002, de 3 de junio (FJ 3).

dicho tenor literal: que el art. 18.3 CE no alude al secreto postal sino al secreto de las comunicaciones postales y que identifica de forma individualizada las comunicaciones postales diferenciándolas de las telegráficas. Por consiguiente, no todo envío o intercambio de objetos o señales que pueda realizarse mediante los servicios postales es una comunicación postal pues, de un lado, no se refiere al secreto postal y, de otro, también las comunicaciones telegráficas se mencionan expresamente en este precepto constitucional, siendo el servicio de telégrafos uno de los servicios prestados por los propios servicios postales. La noción constitucional de comunicación postal es, en consecuencia, una noción restringida que no incluye todo intercambio realizado mediante los servicios postales. De otra parte, ha de tenerse en cuenta que el término «comunicaciones» al que se refiere el art. 18.3 CE, sirve para denotar el objeto de protección de este derecho constitucional sea cual sea el medio a través del cual la comunicación tiene lugar —postal, telegráfico, telefónico...—; de modo que la noción constitucional de comunicación ha de incorporar los elementos o características comunes a toda clase de comunicación.

Pues bien, si el derecho al secreto de las comunicaciones (art. 18.3 CE) constituye una plasmación singular de la dignidad de la persona y el libre desarrollo de la personalidad que son «fundamento del orden político y de la paz social» (art. 10.1 CE), las comunicaciones comprendidas en este derecho han de ser aquellas indisolublemente unidas por naturaleza a la persona, a la propia condición humana; por tanto, la comunicación es a efectos constitucionales el proceso de transmisión de expresiones de sentido a través de cualquier conjunto de sonidos, señales o signos. Aunque en la jurisprudencia constitucional no encontramos pronunciamientos directos sobre el ámbito objetivo del concepto constitucional de «comunicación», sí existe alguna referencia indirecta al mismo derivada del uso indistinto de las expresiones «comunicación» y «mensaje», o del uso de términos como «carta» o «correspondencia» cuando de la ejemplificación del secreto de las comunicaciones postales se trataba (STC 114/1984, de 29 de noviembre, FJ 7). De otra parte, es de señalar que los convenios internacionales sobre derechos humanos tampoco protegen el secreto de toda comunicación postal ni su inviolabilidad. Así, de un lado, el art. 8 del Convenio europeo de derechos humanos establece que «toda persona tiene derecho al respeto de su vida privada y familiar, de su domicilio y de su correspondencia». Y el art. 17 del Pacto internacional de derechos civiles y políticos prevé que «1. [n]adie será objeto de injerencias arbitrarias o ilegales en su vida privada, su familia, su domicilio o su correspondencia, ni de ataques ilegales a su honra y reputación».

De todo ello deriva que la comunicación es un proceso de transmisión de mensajes entre personas determinadas. Por tanto, el derecho al secreto de las comunicaciones postales sólo protege el intercambio de objetos a través de los cuales se transmiten mensajes mediante signos lingüísticos, de modo que la comunicación postal es desde la perspectiva constitucional equivalente a la correspondencia.

Varias precisiones son aún necesarias a los efectos de la delimitación de la noción constitucional de correspondencia del art. 18.3 CE. De un lado, en la medida en que los mensajes pueden expresarse no solo mediante palabras, sino a través de otro conjunto de signos o señales que componen otra clase de lenguajes, y dado que los mensajes pueden plasmarse no solo en papel escrito, sino también en otros soportes que los incorporan —cintas de cassette o de vídeo, CD's o DVD's, etc,— la noción de correspondencia no puede quedar circunscrita a la correspondencia escrita, entendida ésta en su sentido tradicional. Por ello, se ha de estar a la delimitación que la regulación legal sobre el servicio postal universal establece, que al efecto atiende a ciertas características externas y físicas —tamaño— del objeto de envío —sobre, paquete—, en cuyo interior se introducen los soportes físicos de los mensajes —papeles, cintas, CD's ... Desde esta perspectiva, no gozan de la protección constitucional aquellos objetos —continentes— que por sus propias características no son usualmente utilizados para contener correspondencia individual sino para servir al transporte y tráfico de mercancías (ATC 395/2003, de 11 de diciembre, FJ 3), de modo que la introducción en ellos de mensajes no modificará su régimen de protección constitucional. Ni tampoco gozan de la protección constitucional del art. 18.3 CE aquellos objetos que, pudiendo contener correspondencia, sin embargo, la regulación legal prohíbe su inclusión en ellos, pues la utilización del servicio comporta la aceptación de las condiciones del mismo.

Además, si lo que se protege es el secreto de la comunicación postal quedan fuera de la protección constitucional aquellas formas de envío de la correspondencia que se configuran legalmente como comunicación abierta, esto es, no secreta. Así sucede cuando es legalmente obligatoria una declaración externa de contenido, o cuando bien su franqueo o cualquier otro signo o etiquetado externo evidencia que, como acabamos de señalar, no pueden contener correspondencia, pueden ser abiertos de oficio o sometidos a cualquier otro tipo de control para determinar su contenido.

Si, como acabamos de recordar, el derecho fundamental protege el secreto de las comunicaciones frente a cualquier clase de interceptación en el proceso de comunicación, es indiferente el procedimiento a través del cual se acceda al conocimiento del proceso de la comunicación postal o del contenido de la correspondencia, por lo que se vulnera este derecho aún cuando a tal conocimiento no se acceda mediante la apertura del continente o de la propia carta, documento u objeto, de otro modo cerrado. La existencia de la comunicación, la identidad de los corresponsales, el momento en que se produce, los lugares de remisión y destino, son todos ellos datos que, una vez iniciado el proceso de comunicación, son secretos para cualquier persona ajena a la comunicación, de modo que su conocimiento por quien presta el servicio postal puede ser utilizado a los solos efectos de la prestación del servicio (mutatis mutandi, STC 123/2002, de 20 de mayo, FFJJ 5, 6).

Esta afirmación, no obstante, ha de ser matizada y ponerse en conexión con las especialidades del objeto de protección cuando de las comunicaciones postales se trata. Pues, si lo que se protege es la comunicación humana en cuanto expresión de sentido, sólo serán lesivas del derecho a la comunicación postal aquellas formas de acceso al contenido del soporte material del mensaje que supongan formas de tomar conocimiento del mensaje, por lo que no serán lesivos de este derecho aquellos procedimientos que, siendo aptos para identificar que el contenido del sobre o del soporte sea un objeto ilícito, no lo son, sin embargo, para conocer el mensaje mismo —inspecciones mediante perros adiestrados, escáneres… Por consiguiente, el procedimiento más habitual de vulneración del derecho al secreto de la correspondencia será su apertura, aunque no pueda descartarse la vulneración del derecho mediante otros procedimientos técnicos que permitan acceder al contenido del mensaje sin proceder a la apertura de la correspondencia. Finalmente, a los efectos de la protección del derecho al secreto de las comunicaciones postales es indiferente quién presta el servicio postal, de modo que el derecho al secreto de las comunicaciones postales alcanza el proceso de comunicación tanto si se presta mediante servicios públicos como privados, dado que la Ley 24/1998, de 13 de julio, del servicio postal universal y de liberalización de los servicios postales ha procedido a su liberalización.

c) De esta delimitación derivan varias consecuencias. Es la primera que el envío de mercancías o el transporte de cualesquiera objetos, incluidos los que tienen como función el transporte de enseres personales —maletas, maletines, neceseres, bolsas de viaje, baúles, etc.— por las compañías que realizan el servicio postal no queda amparado por el derecho al secreto de las comunicaciones, pues su objeto no es la comunicación en el sentido constitucional del término. Es la segunda que el art. 18.3 CE no protege directamente el objeto físico, el continente o soporte del mensaje en sí, sino que éstos sólo se protegen de forma indirecta, esto es, tan sólo en la que medida en que son el instrumento a través del cual se efectúa la comunicación entre dos personas —destinatario y remitente. Por consiguiente, cualquier objeto —sobre, paquete, carta, cinta, etc.— que pueda servir de instrumento o soporte de la comunicación postal no será objeto de protección del derecho reconocido en el art. 18.3 CE si en las circunstancias del caso no constituyen tal instrumento de la comunicación, o el proceso de comunicación no ha sido iniciado (STC 137/2002, de 3 de junio, FJ 3); así, no constituyen objeto de este derecho cuando se portan por su propietario o terceros ajenos a los servicios postales, o viaja con ellos, o los mantienen a su disposición durante el viaje. Estos objetos, máxime si de sus características externas se infiere su destino al transporte de enseres personales o se hace constar en su exterior su condición de objeto personal o íntimo, quedarán, no obstante, protegidos por el derecho a la intimidad personal (art. 18.1 CE); y, por consiguiente, de conformidad con nuestra jurisprudencia constitucional, la ley podrá autorizar a la autoridad administrativa para su apertura o para proceder a inspeccionar y controlar su contenido por cualquier procedimiento, siendo requisito de la constitucionalidad de tal control o inspección su sujeción a las máximas derivadas del principio de proporcionalidad, esto es, ser necesaria para alcanzar un fin constitucionalmente legítimo, idónea para alcanzarlo y que la concreta forma de control o inspección reporte en el caso menos sacrificios en el derecho individual que beneficios en los intereses generales.

d) La delimitación del ámbito de protección constitucional de las comunicaciones postales tiene en cuenta el diferente régimen jurídico de los envíos postales y de los envíos de correspondencia establecido tanto en la legislación internacional como interna. De un lado, en las normas internacionales de la Unión Postal Universal —Actas del Congreso de Beijing de 1999, cuya ratificación fue publicada en el BOE núm. 62, de 14 de marzo de 2005— se incluyen dos reglamentaciones diferentes, el Reglamento relativo a los envíos de correspondencia y el Reglamento relativo a encomiendas postales —anexo al BOE núm. 62, de 14 de marzo de 2005. De otro, también reconoce dicha diferencia la normativa de la Unión Europea, cuya Directiva comunitaria 97/67/CE, relativa a las normas comunes para el desarrollo del marco interior de los servicios postales de la Comunidad, aprobada el 15 de diciembre de 1997, distingue entre el envío postal —art. 2.6— y el envío de correspondencia —art. 2.7. Finalmente, regulan de forma separada ambas clases de envíos la Ley 24/1998, de 13 de julio, del servicio postal universal y de liberalización de los servicios postales —art. 15.2.B, a) y b)— y el Real Decreto 1829/1999, de 3 de diciembre, por el que se aprueba el Reglamento por el que se regula la prestación de los servicios postales, en desarrollo de la Ley 24/1998 —art. 13.2.

FJ 4. En aplicación de dicha razón de decidir al caso planteado en la demanda, hemos de advertir que, a pesar de lo alegado en la misma, así como a pesar de ser el punto de partida tanto de las resoluciones impugnadas como del Voto particular discrepante emitido en la Sentencia de casación, el envío postal que, procedente de Venezuela, fue interceptado en Gran Bretaña y sometido a entrega vigilada hasta su destino en España no constituía el objeto de una comunicación postal o correspondencia a los efectos del art. 18.3 CE.

El paquete postal en el que se halló la droga no es, de conformidad con lo razonado, el instrumento o soporte de una comunicación postal protegida en el art. 18.3 CE, pues ni de sus características externas ni de sus signos externos se infiere su destino a la transmisión de mensajes: una caja de cartón con un peso aproximado de mil quinientos gramos, en la que no consta que contuviera correspondencia, ni signo alguno que lo evidencie. Por consiguiente, ninguna vulneración del derecho al secreto de las comunicaciones postales del art. 18.3 CE se ha producido porque las autoridades británicas accedieran a conocer el contenido del paquete y trasladaran dicha información a las autoridades españolas. [...]

2. Límites del derecho al secreto de las comunicaciones

La autorización judicial y sus requisitos —STC 49/1999, de 5 de abril[47]—

La Sentencia resuelve nueve recursos de amparo acumulados contra las Sentencias dictadas por la Sala Segunda del Tribunal Supremo, de 23 de noviembre de 1994, que confirma la Sentencia de la Sección Segunda de la Audiencia Provincial de Málaga, de 23 de marzo de 1992, que condenaron a los recurrentes por considerar probada su autoría de un delito contra la salud pública y otro de contrabando, consistente en promover, favorecer y facilitar el consumo ilegal de drogas tóxicas mediante la introducción en España, procedentes de Marruecos, de grandes cantidades de hachís. Los recurrentes impugnan la eficacia probatoria del resultado de la intervención telefónica practicada en la fase de investigación, por entender que dicha intervención se produjo con vulneración del derecho al secreto de las comunicaciones, habiendo vulnerado además su sentencia condenatoria el derecho a un proceso con todas las garantías y a la presunción de inocencia (artículo 24 CE).

FJ 7. [...] Tanto la regulación legal como la práctica de las injerencias en los derechos fundamentales ha de limitarse a las que se hallen dirigidas a un fin constitucionalmente legítimo que pueda justificarlas y que se hallan justificadas sólo en la medida en que supongan un sacrificio del derecho fundamental estrictamente necesario para conseguirlo y resulten proporcionadas a ese sacrificio. [...]

Tales condiciones se reconducen, en el presente supuesto, a determinar si las resoluciones judiciales que incidieron sobre el derecho al secreto de las comunicaciones telefónicas de los recurrentes *expresaron* de modo suficiente la concurrencia de los presupuestos habilitantes de la intervención o de su prórroga. Pues los elementos indispensables para que el juicio de proporcionalidad pueda llevarse a cabo (en el momento posterior en el que ha de verificarse si la medida adoptada fue acorde con la Constitución) han de explicitarse en el momento de adopción de la medida, de modo que su ausencia o falta de expresión determina que la injerencia no pueda tampoco estimarse justificada desde la perspectiva del art. 18.3 CE. En este sentido hemos afirmado que toda resolución que limite o restrinja el ejercicio de un derecho fundamental ha de estar debidamente fundamentada, de forma que las razones fácticas y jurídicas de tal limitación puedan ser conocidas por el afectado, ya que sólo a través de la expresión de las mismas se preserva el derecho de defensa y puede hacerse, siquiera a posteriori, el necesario juicio de proporcionalidad entre el sacrificio del derecho fundamental y la causa a la que obedece (SSTC 37/1989 y 85/1994, entre otras).

La expresión del presupuesto habilitante de la intervención telefónica constituye una exigencia del juicio de proporcionalidad. Pues, de una parte, mal puede estimarse realizado ese juicio, en el momento de adopción de la medida, si no se manifiesta, al menos, que concurre efectivamente el presupuesto que la legitima. Y, de otra, sólo a través de esa expresión, podrá comprobarse ulteriormente la idoneidad y necesidad (en definitiva, la razonabilidad) de la me-

---

47   *Vid.* también, además de las citadas en esta Sentencia, la STC 166/1999, de 27 de septiembre. Para la aplicación de la doctrina desarrollada en estas Sentencias a casos concretos, *vid.* SSTC 171/1999, de 27 de septiembre; 236/1999, 237/1999 y 238/1999, de 20 de diciembre; 75/2000, de 27 de marzo; 92/2000, de 10 de abril; 126/2000, de 16 de mayo; 299/2000, de 11 de diciembre; 310/2000, de 18 de diciembre; 14/2001, de 29 de enero, FJ 2; 17/2001, de 29 de enero; 138/2001, de 18 de junio; 82/2002, de 22 de abril, FJ 4; 167/2002, de 18 de septiembre; 205/2002, de 11 de noviembre; 184/2003, de 23 de octubre; 165/2005, de 20 de junio; 259/2005, de 24 de octubre; 261/2005, de 24 de octubre; 263/2005, de 26 de septiembre; 104/2006, de 3 de abril; 123/2006, de 24 de abril; 136/2006, de 8 de mayo; 146/2006, de 8 de mayo; 150/2006, de 22 de mayo; 219/2006 y 220/2006, de 3 de julio; 239/2006, de 17 de julio; 253/2006, de 11 de septiembre; 148/2009, de 15 de junio; 197/2009, de 28 de septiembre; 9/2011, de 28 de febrero; 26/2006, de 30 de enero; 145/2014, de 22 de septiembre.

dida limitativa del derecho fundamental (SSTC 37/1989, 3/1992, 12/1994, 13/1994, 52/1995, 128/1995, 181/1995 y 54/1996). En su tarea de protección del derecho fundamental afectado, al Tribunal Constitucional tan sólo le corresponde supervisar la existencia de una fundamentación suficiente, entendiendo por tal aquella que, al adoptar y mantener cualquier medida que afecte a su contenido, permita reconocer la concurrencia de todos los extremos que justifican su adopción y ponderar si la decisión adoptada es acorde con las pautas del normal razonamiento lógico y, muy especialmente, con los fines que justifican la medida de que se trate.

FJ 8. En el caso analizado, el valor constitucional que se invoca frente al secreto de las comunicaciones es el interés público propio de la investigación de un delito que nuestra legislación considera grave, y, más concretamente, la determinación de hechos relevantes para la investigación penal del mismo. No cabe duda, como dijimos antes, de que el fin perseguido es en sí mismo constitucionalmente legítimo, pero no es suficiente con constatar que la petición y la autorización persiguieron un fin legítimo para afirmar su conformidad con la Constitución, sino que, además, ha de ser necesaria para la consecución de ese fin.

Para que pueda apreciarse esta necesidad es preciso verificar, en primer lugar, que la decisión judicial dirigida a tal fin apreció razonadamente la conexión entre el sujeto o sujetos que iban a verse afectados por la medida y el delito investigado (existencia del presupuesto habilitante)[48], para analizar después, si el Juez tuvo en cuenta tanto la gravedad de la intromisión como su idoneidad e imprescindibilidad para asegurar la defensa del interés público (juicio de proporcionalidad).

La relación entre la causa justificativa de la limitación pretendida —la averiguación de un delito— y el sujeto afectado por ésta —aquél de quien se presume que pueda resultar autor o partícipe del delito investigado o pueda hallarse relacionado con él— es un prius lógico del juicio de proporcionalidad: atendiendo al sujeto sobre el que recaen, sólo serán lícitas las medidas de investigación limitativas de derechos fundamentales que afecten a quienes fundadamente puedan provisionalmente ser tenidos como responsables del delito investigado o se hallen relacionados con ellos. La relación entre la persona y el delito investigado se expresa en la sospecha, pero las sospechas que, como las creencias, no son sino meramente anímicas, precisan, para que puedan entenderse fundadas, hallarse apoyadas en datos objetivos, que han de serlo en un doble sentido. En primer lugar, en el de ser accesibles a terceros, sin lo que no serían susceptibles de control. Y, en segundo lugar, en el de que han de proporcionar una base real de la que pueda inferirse que se ha cometido o se va a cometer el delito sin que puedan consistir en valoraciones acerca de la persona. Esta mínima exigencia resulta indispensable desde la perspectiva del derecho fundamental, pues si el secreto pudiera alzarse sobre la base de meras hipótesis subjetivas, el derecho al secreto de las comunicaciones, tal y como la CE lo configura, quedaría materialmente vacío de contenido [...].

Será preciso, por tanto, examinar si efectivamente en el momento de pedirla y acordarla, se pusieron de manifiesto ante el Juez, a través de la solicitud policial, no meras suposiciones o conjeturas de que el delito pudiera estarse cometiendo o llegar a cometerse y de que las conversaciones que se mantuvieran a través de la línea telefónica indicada eran medio útil de averiguación del delito, sino datos objetivos que permitieran pensar que dicha línea era utilizada por las personas sospechosas de su comisión o por quienes con ellas se relacionaban, y que, por lo tanto, no se trataba de una investigación meramente prospectiva. En otras palabras, el secreto de las comunicaciones no puede ser desvelado para satisfacer la necesidad genérica de prevenir o descubrir delitos, o para despejar las sospechas sin base objetiva que surjan en la mente de los encargados de la investigación penal, por más legítima que sea esta aspiración, pues de otro modo se desvanecería la garantía constitucional.

FJ 11. [...] En anteriores resoluciones —por todas cabe citar la STC 181/1995, FJ 6 y las que ésta cita— este Tribunal ha declarado que la justificación exigida para limitar el derecho al secreto de las comunicaciones ha de ser observada

---

48   Es precisa, pues, la identificación de dicho/s sujeto/s, no bastando la de los números de teléfono intervenidos (STC 54/1996, de 26 de marzo, FJ 8). Sin embargo, allí donde la policía judicial ha podido identificar correctamente el número de teléfono móvil a intervenir, pero no los datos de su usuario, porque el teléfono funcionaba con tarjeta prepago, no cabe atribuir relevancia constitucional a un error en la identificación de dicho usuario basado en una inferencia razonable (STC 104/2006, de 3 de abril, FJ 5; 150/2006, de 22 de mayo, FJ 4). Como no la tiene que durante el curso de una intervención telefónica lícita se descubrieran otros hechos delictivos, pues como sostuvo la STC 41/1998, de 24 de febrero, FJ 22, «la Constitución no exige, en modo alguno, que el funcionario que se encuentra investigando unos hechos de apariencia delictiva cierre los ojos ante los indicios de delito que se presentaran a su vista, aunque los hallados casualmente sean distintos a los hechos comprendidos en su investigación oficial, siempre que ésta no sea utilizada fraudulentamente para burlar las garantías de los derechos fundamentales» (STC 104/2006, de 3 de abril, FJ 5).

también «en todas aquellas resoluciones en las que se acuerde la continuación o modificación de la limitación del ejercicio del derecho, expresándose en todo momento las razones que llevan al órgano judicial a estimar procedente lo acordado», ya que «la motivación ha de atender a las circunstancias concretas concurrentes en cada momento que legitiman la restricción del derecho, aun cuando sólo sea para poner de manifiesto la persistencia de las mismas razones que, en su día, determinaron la decisión, pues sólo así pueden ser conocidas y supervisadas», sin que sea suficiente una remisión tácita o presunta integración de la motivación de la prórroga por aquella que se ofreció en el momento inicial. La necesidad de control judicial de la limitación del derecho fundamental exige aquí, cuando menos, que el Juez conozca los resultados de la intervención acordada para, a su vista, ratificar o alzar el medio de investigación utilizado. [...][49]

En efecto, al analizar la garantía constitucional del secreto de las comunicaciones hemos indicado que, en su realización, es preciso el respeto de «requisitos similares a los existentes en otro tipo de control de comunicaciones» (SSTC 85/1994, FJ 3.); la estricta observancia del principio de proporcionalidad en la ejecución de la diligencia de investigación (STC 86/1995, FJ 3.)[50], y que «el control judicial efectivo en el desarrollo y cese de la medida es indispensable para el mantenimiento de la restricción del derecho fundamental dentro de los límites constitucionales» (STC 49/1996, fundamento jurídico 3.). Por tanto, el control judicial de la ejecución de la medida se integra en el contenido esencial del derecho cuando es preciso para garantizar su corrección y proporcionalidad.

FJ 13. Los demandantes de amparo consideran también deficiente la participación judicial en la selección, transcripción, traducción e incorporación a las actuaciones del resultado de la intervención telefónica practicada, postulando por este insuficiente control una nueva lesión de su derecho al secreto de las comunicaciones. [...]

Desde la perspectiva del contenido material del derecho fundamental al secreto de las comunicaciones, hemos exigido el control judicial de la ejecución de la intervención telefónica, en la medida en que sea «preciso para garantizar su corrección y proporcionalidad» —STC 121/1998 (FJ 5)—. Por ello la necesidad de control judicial que el art. 18 CE establece, no se colma con exigir que las eventuales prórrogas valoren los resultados hasta entonces alcanzados en el curso de la investigación, sino que, una vez finalizada la intervención y alzado el secreto de la medida, la intervención judicial es precisa para garantizar que sólo lo útil para la investigación del delito acceda a las actuaciones: el respeto a la intimidad de los comunicantes y al secreto de lo comunicado —arts. 18.1 y 3 CE— exige que al proceso penal sólo accedan aquellos pasajes de lo conocido que sirvan para determinar hechos relevantes para la investigación del delito. [...] Y la determinación de qué es útil al proceso ha de hacerse por el Juez, con participación de las partes.

---

[49]   En efecto, «las condiciones de legitimidad de la limitación del derecho al secreto de las comunicaciones afectan también a las resoluciones de prórroga, y, respecto de ellas, además debe tenerse en cuenta que la motivación ha de atender a las circunstancias concretas concurrentes en cada momento que legitiman la restricción del derecho, aun cuando sólo sea para poner de manifiesto la persistencia de las razones que, en su día, determinaron la inicial decisión de intervenir las comunicaciones del sujeto investigado, pues sólo así dichas razones pueden ser conocidas y supervisadas (STC 181/1995, FJ 6). A estos efectos no es suficiente una motivación tácita o una integración de la motivación de la prórroga por aquella que se ofreció en el momento inicial. La necesidad de control judicial de la limitación del derecho fundamental exige aquí, cuando menos, que el Juez conozca los resultados de la intervención acordada para, a su vista, ratificar o alzar el medio de investigación utilizado [STC 49/1999, FJ 11 y 171/1999, FJ 8 c) y 138/2001, FJ 6]» (STC 202/2001, de 15 de octubre, FJ 6). Ahora bien, «a tal fin no resulta necesario, como pretenden los recurrentes, que se entreguen las cintas en ese momento por la autoridad que lleve a cabo la medida, pues el Juez puede tener puntual información de los resultados de la intervención telefónica a través de los informes de quien la lleva a cabo» (SSTC 82/2002, de 22 de abril, FJ 5; 205/2005, de 18 de julio, FJ 4; ATC 225/2004, de 4 de junio, FJ 2).
Asimismo, la STC 166/1999, de 27 de septiembre, puntualiza que «queda afectada la constitucionalidad de la medida si... el Juez no efectúa un seguimiento de las vicisitudes de desarrollo y cese de la intervención telefónica, y si no conoce el resultado obtenido en la investigación». (FJ 3 c)).

[50]   El principio de proporcionalidad obliga a poner en relación la gravedad de la intervención de la comunicación con la de los hechos investigados. Esta gravedad «no ha de determinarse únicamente por la calificación de la pena legalmente prevista, sino que también han de tenerse en cuenta el bien jurídico protegido y la relevancia social de la actividad» (STC 14/2001, de 29 de enero, FJ 4; vid. también las SSTC 299/2000, de 11 de diciembre, FJ 2; 202/2001, de 15 de octubre, FJ 3; 82/2002, de 22 de abril, FJ 4; 104/2006, de 3 de abril, FFJ 4-5; 150/2006, de 22 de mayo).

La habilitación legal y el derecho de las terceras personas parte en las comunicaciones intervenidas —STC 184/2003, de 23 de octubre[51]—.

La Sentencia resuelve el recurso de amparo promovido por don J.R.B. y don L.N.M. contra la Sentencia de la Sección Primera de la Audiencia Provincial de Sevilla de 28 de diciembre de 1999 y la Sentencia de la Sala de lo Penal del Tribunal Supremo de 19 de julio de 2001, en virtud de las cuales los recurrentes de amparo fueron condenados como responsables de un delito de cohecho y otro de falsedad en documento mercantil. Denuncian los recurrentes la vulneración, entre otros, de su derecho al secreto de las comunicaciones, ya que la intervención de sus comunicaciones se ordenó sin suficiente cobertura legal.

FJ 5. [...] [N]uestro pronunciamiento, acogiendo la doctrina del Tribunal Europeo de Derechos Humanos y de nuestros órganos judiciales, debe poner de manifiesto que el art. 579 LECrim adolece de vaguedad e indeterminación en aspectos esenciales, por lo que no satisface los requisitos necesarios exigidos por el art. 18.3 CE para la protección del derecho al secreto de las comunicaciones, interpretado, como establece el art. 10.2 CE, de acuerdo con el art. 8.1 y 2 CEDH. En la STC 49/1999, de 5 de abril, FJ 5, en la que proyectamos a partir de nuestra Constitución dichas exigencias, dijimos que se concretan en: «la definición de las categorías de personas susceptibles de ser sometidas a escucha judicial; la naturaleza de las infracciones susceptibles de poder dar lugar a ella; la fijación de un límite a la duración de la ejecución de la medida; el procedimiento de transcripción de las conversaciones interceptadas; las precauciones a observar, para comunicar, intactas y completas, las grabaciones realizadas a los fines de control eventual por el Juez y por la defensa; las circunstancias en las cuales puede o debe procederse a borrar o destruir las cintas, especialmente en caso de sobreseimiento o puesta en libertad».

El art. 579 LECrim, en la redacción dada por la Ley Orgánica 4/1988, de 25 de mayo, establece:

«1. Podrá el Juez acordar la detención de la correspondencia privada, postal y telegráfica que el procesado remitiere o recibiere y su apertura y examen, si hubiere indicios de obtener por estos medios el descubrimiento o la comprobación de algún hecho o circunstancia importante de la causa.

2. Asimismo, el Juez podrá acordar, en resolución motivada, la intervención de las comunicaciones telefónicas del procesado, si hubiere indicios de obtener por estos medios el descubrimiento o la comprobación de algún hecho o circunstancia importante de la causa.

3. De igual forma, el Juez podrá acordar, en resolución motivada, por un plazo de hasta tres meses, prorrogable por iguales períodos, la observación de las comunicaciones postales, telegráficas o telefónicas de las personas sobre las que existan indicios de responsabilidad criminal, así como de las comunicaciones de las que se sirvan para la realización de sus fines delictivos».

De la lectura del transcrito precepto legal resulta la insuficiencia de su regulación sobre el plazo máximo de duración de las intervenciones, puesto que no existe un límite de las prórrogas que se pueden acordar; la delimitación de la naturaleza y gravedad de los hechos en virtud de cuya investigación pueden acordarse; el control del resultado de las intervenciones telefónicas y de los soportes en los que conste dicho resultado, es decir, las condiciones de grabación, y custodia, utilización y borrado de las grabaciones, y las condiciones de incorporación a los atestados y al proceso de las conversaciones intervenidas. Por ello, hemos de convenir en que el art. 579 LECrim no es por sí mismo norma de cobertura adecuada, atendiendo a las garantías de certeza y seguridad jurídica, para la restricción del derecho fundamental al secreto de las comunicaciones telefónicas (art. 18.3 CE).

Pero, además, tampoco regula expresamente y, por tanto, con la precisión requerida por las exigencias de previsibilidad de la injerencia en un derecho fundamental las condiciones de grabación, custodia y utilización frente a ellos en el proceso penal como prueba de las conversaciones grabadas de los destinatarios de la comunicación intervenida, pues el art. 579 LECrim sólo habilita específicamente para afectar el derecho al secreto de las comunicaciones de las personas sobre las que existan indicios de responsabilidad criminal en el momento de acordar la intervención de las comunicaciones telefónicas de las que sean titulares o de las que se sirvan para realizar sus fines delictivos, pero no habilita expresamente la afectación del derecho al secreto de las comunicaciones de los terceros con quienes aquéllos se comunican. A estos efectos resulta conveniente señalar que al legislador corresponde ponderar la proporcionalidad de la exclusión, o inclusión, y en su caso bajo qué requisitos, de círculos determinados de personas en atención

---

51   *Vid.* los artículos 579 y 579bis LECriom, en redacción introducida por la Ley Orgánica 13/2015, de 5 de octubre, de modificación de la Ley de Enjuiciamiento Criminal para el fortalecimiento de las garantías procesales y la regulación de las medidas de investigación tecnológica.

a la eventual afección de otros derechos fundamentales o bienes constitucionales concurrentes al intervenirse sus comunicaciones, o las de otros con quienes se comunican, como en el caso de Abogados o profesionales de la información el derecho al secreto profesional (arts. 24.2, párrafo 2, y 20.1.d CE), o en el caso de Diputados o Senadores el derecho al ejercicio de su cargo de representación política (art. 23.2 CE), su inmunidad parlamentaria y la prohibición de ser inculpados o procesados sin previa autorización de la Cámara respectiva (art. 71.2 CE).

Pues bien, en el caso que nos ocupa no existía norma de cobertura específica no sólo por las insuficiencias de regulación ya expuestas, sino porque los recurrentes de amparo no son ni los titulares ni los usuarios habituales de ninguna de las líneas de teléfono intervenidas sino personas con quienes se pusieron en contacto telefónico aquéllos cuyas líneas telefónicas estaban intervenidas, siendo dichas conversaciones utilizadas como prueba en el proceso al ser introducidas en el mismo mediante la escucha directa de las cintas en las que se grabaron. Es decir, se afectó su derecho al secreto de sus comunicaciones telefónicas sin que el art. 579 LECrim habilite expresamente dicha injerencia en el derecho de terceros, inicialmente ajenos al proceso penal.

FJ 6. Esta declaración, sin embargo, no es suficiente para resolver la cuestión controvertida de si las deficiencias del art. 579 LECrim implican la vulneración del derecho al secreto de las comunicaciones. Varias precisiones son aún necesarias:

a) Como este Tribunal recordó en la STC 49/1999, de 5 de abril, FJ 4, «por mandato expreso de la Constitución, toda injerencia estatal en el ámbito de los derechos fundamentales y las libertades públicas, ora incida directamente sobre su desarrollo (art. 81.1 CE), o limite o condicione su ejercicio (art. 53.1 CE), precisa una habilitación legal». Y proseguimos: «[e]sa reserva de ley a que, con carácter general, somete la Constitución española la regulación de los derechos fundamentales y libertades públicas reconocidos en su Título I, desempeña una doble función, a saber: de una parte, asegura que los derechos que la Constitución atribuye a los ciudadanos no se vean afectados por ninguna injerencia estatal no autorizada por sus representantes; y, de otra, en un ordenamiento jurídico como el nuestro en el que los Jueces y Magistrados se hallan sometidos 'únicamente al imperio de la Ley' y no existe, en puridad, la vinculación al precedente (SSTC 8/1981, 34/1995, 47/1995 y 96/1996) constituye, en definitiva, el único modo efectivo de garantizar las exigencias de seguridad jurídica en el ámbito de los derechos fundamentales y las libertades públicas». Por consiguiente, la injerencia en los derechos fundamentales sólo puede ser habilitada por la «ley» en sentido estricto, lo que implica condicionamientos en el rango de la fuente creadora de la norma y en el contenido de toda previsión normativa de limitación de los derechos fundamentales (STC 169/2001, de 16 de julio, FJ 6). [...]

b) Sentado lo anterior, y afirmada la exigencia de ley en sentido estricto por nuestra Constitución, sobre el presente caso hemos de añadir, en relación con la argumentación de la Sala de lo Penal del Tribunal Supremo que, al igual que en el caso resuelto en la STEDH de 18 de febrero de 2003, caso Prado Bugallo c. España, las intervenciones telefónicas tuvieron lugar del 28 de enero 1992 al 15 de julio 1992, esto es, antes del inicio de la jurisprudencia del Tribunal Supremo sobre los requisitos de adecuación de las intervenciones telefónicas al derecho al secreto de las comunicaciones —Auto de 18 de junio de 1992, caso Naseiro— y, especialmente, antes de la unificación y consolidación de la jurisprudencia constitucional a partir de 1998 y, señaladamente, a partir de la STC 49/1999, de 5 de abril.

c) En definitiva, si en el tiempo en que se llevaron a cabo las intervenciones telefónicas denunciadas la cobertura legal era insuficiente desde la perspectiva del art. 18.3 CE, hemos de reconocer, al igual que hicimos en la STC 49/1999, de 5 de abril, FJ 5, que «la situación del Ordenamiento jurídico español, puesta de manifiesto en la concreta actuación que aquí se examina, y sufrida por los recurrentes, ha de estimarse contraria a lo dispuesto en el art. 18.3 CE». Pero, ahora como entonces, debemos aclarar «el alcance de la estimación de tal vulneración», pues, si bien «estamos en presencia de una vulneración del art. 18.3 CE, autónoma e independiente de cualquier otra: la insuficiencia de la ley, que sólo el legislador puede remediar y que constituye, por sí sola, una vulneración del derecho fundamental», para que dicha vulneración pueda tener efectos sobre las resoluciones judiciales impugnadas en amparo es preciso, en primer lugar, que la actuación de los órganos judiciales, que autorizaron las intervenciones, haya sido constitucionalmente ilegítima; esto es, que a ellas sea imputable de forma directa e inmediata la vulneración del derecho fundamental (art. 44.1.b LOTC). Y a estos efectos, «si, pese a la inexistencia de una ley que satisficiera las genéricas exigencias constitucionales de seguridad jurídica, los órganos judiciales, a los que el art. 18.3 de la Constitución se remite, hubieran actuado en el marco de la investigación de una infracción grave, para la que de modo patente hubiera sido necesaria, adecuada y proporcionada la intervención telefónica y la hubiesen acordado respecto de personas presuntamente implicadas en el mismo, respetando, además, las exigencias constitucionales dimanantes del principio de proporcionalidad, no cabría entender que el Juez hubiese vulnerado, por la sola ausencia de dicha ley, el derecho al secreto de las comunicaciones telefónicas» (STC 49/1999, de 5 de abril, FJ 5; mutatis mutandi STC 47/2000, de 17 de febrero, FJ 5).

FJ 7. No obstante, antes de proceder al análisis anunciado hemos de concluir la respuesta a la queja de los recurrentes relativa a la vulneración de su derecho fundamental al secreto de las comunicaciones por insuficiente habilitación legal.

Hemos reconocido las insuficiencias de que adolece la regulación contenida en el art. 579 LECrim a la luz de las exigencias del art. 18.3 CE, interpretado conforme al art. 8 CEDH y a la jurisprudencia del Tribunal Europeo de Derechos Humanos siguiendo el mandato del art. 10.2 de nuestra Constitución. Otras insuficiencias aparte, que ya han quedado señaladas desde nuestra STC 49/1999, FJ 5 y ss., es obvio, como también ha quedado expuesto, que las previsiones del citado precepto legal no alcanzan a contemplar «el caso de los interlocutores escuchados 'por azar' en calidad de 'partícipes necesarios' de una conversación telefónica registrada por las autoridades en aplicación de sus disposiciones» (STEDH de 16 de febrero de 2000, caso Amann c. Suiza, § 61).

Los anteriores razonamientos ponen de manifiesto la existencia de una situación que no se ajusta a las exigencias de previsibilidad y certeza en el ámbito del derecho fundamental al secreto de las comunicaciones que reconoce el art. 18.3 CE, que, sin embargo, no se resolvería adecuadamente a través del planteamiento de la cuestión de inconstitucionalidad sobre el art. 579 LECrim. El mecanismo de control de constitucionalidad de la ley que el art. 55.2 LOTC ordena con carácter consecuente a la estimación del recurso de amparo está previsto para actuar sobre disposiciones legales que en su contenido contradicen la Constitución, pero no respecto de las que se avienen con aquélla y cuya inconstitucionalidad deriva no de su enunciado, sino de lo que en éste se silencia, deficiencias que pueden predicarse del art. 579 LECrim sin otro precepto que lo complemente, que no existe en nuestro ordenamiento jurídico. En estos casos, así como en el que resolvimos en la STC 67/1998, de 18 de marzo (FJ 7), el planteamiento de la cuestión de inconstitucionalidad resulta inútil, en la medida en que la reparación de la eventual inconstitucionalidad solo podría alcanzarse supliendo las insuficiencias de las que trae causa y no mediante la declaración de inconstitucionalidad y, en su caso, nulidad de un precepto que no es contrario a la Constitución por lo que dice, sino por lo que deja de decir. Ni siquiera hipotéticamente a través de una Sentencia interpretativa podría este Tribunal colmar todos los vacíos con la necesaria precisión por cuanto por medio de una interpretación no podría resolver en abstracto más de lo que de manera concreta haya ido estableciendo. Precisamente por ello, la intervención del legislador es necesaria para producir una regulación ajustada a las exigencias de la Constitución.

Esta es cabalmente la singularidad del presente caso en que el control de constitucionalidad que habría de ejercerse a través del art. 55.2 LOTC versa sobre un precepto con un núcleo o contenido constitucionalmente válido, pero insuficiente, esto es, sobre un defecto de ley. El ejercicio por este Tribunal de su tarea depuradora de normas contrarias a la Constitución culminaría, en su caso, con una declaración de inconstitucionalidad por defecto de la disposición legal —art. 579 LECrim— que agravaría el defecto mismo —la falta de certeza y seguridad jurídicas— al producir un vacío mayor. Los intereses constitucionalmente relevantes que con el art. 579.3 LECrim se tutelan se verían absolutamente desprotegidos por cuanto aquella declaración podría comportar, cuando menos, la obligación de los poderes públicos de inaplicar la norma viciada de inconstitucionalidad. De esta suerte, y en el contexto de un proceso de amparo en el que ya se ha satisfecho la pretensión principal de los recurrentes, no podemos dejar de advertir que el resultado de inconstitucionalidad al que se llegase entraría en conflicto con las exigencias mismas del art. 18.3 CE, pues dejaríamos el ordenamiento desprovisto de cualquier habilitación legal de injerencia en las comunicaciones telefónicas, agravando la falta de certeza y seguridad jurídicas de las situaciones ordenadas por el art. 579 LECrim hasta tanto el legislador no completase el precepto reparando sus deficiencias a través de una norma expresa y cierta. Es al legislador a quien corresponde, en uso de su libertad de configuración normativa propia de su potestad legislativa, remediar la situación completando el precepto legal. Como hemos dicho en otras ocasiones, aunque ciertamente a efectos diferentes a los aquí contemplados, esa situación debe acabar cuanto antes, siendo función de la tarea legislativa de las Cortes ponerle término en el plazo más breve posible (SSTC 96/1996, de 30 de mayo, FJ 23; 235/1999, de 20 de diciembre, FJ 13).

Y aunque hemos declarado en numerosas ocasiones que no es tarea de este Tribunal definir positivamente cuáles sean los posibles modos de ajuste constitucional, siquiera sea provisionalmente, hasta que la necesaria intervención del legislador se produzca, sí le corresponderá suplir las insuficiencias indicadas, lo que viene haciendo en materia de intervenciones telefónicas, como ya hemos dicho, desde la unificación y consolidación de su doctrina por la STC 49/1999, en los términos que señalaremos en el fundamento jurídico 9, doctrina que es aplicable a los terceros y vincula a todos los órganos de la jurisdicción ordinaria. Conforme señala el art. 5.1 LOPJ, las resoluciones de este Tribunal en todo tipo de procesos vinculan a todos los Jueces y Tribunales, quienes han de interpretar y aplicar las leyes y reglamentos según los preceptos y principios constitucionales interpretados por este Tribunal.

Cómputo del plazo de la autorización judicial para la intervención de comunicaciones —STC 205/2005, de 18 de julio[52]—

La Sentencia resuelve el recurso interpuesto por don F.CE contra la Sentencia del Tribunal Supremo de 6 de febrero de 2003, desestimatoria del recurso interpuesto contra la dictada por la Audiencia Provincial de Málaga el 2 de mayo de 2001, que le condenó por tráfico de estupefacientes. Sostiene el recurrente que su condena se apoyó en pruebas obtenidas mediante vulneración de su derecho al secreto de las comunicaciones. Entre otros argumentos esgrime que las intervenciones de sus comunicaciones no respetaron los plazos temporales fijados en los autos judiciales que las autorizaron.

FJ 5. [...] Un examen de las actuaciones acredita, en efecto, que tras la autorización para intervenir dicho teléfono, acordada el 1 de agosto de 1996, se encuentra un escrito del Subgrupo de investigación fiscal y antidroga de la Guardia civil de Marbella en el que se da cuenta de que la misma ha sido realizada el 12 de agosto de 1996, aunque solamente ha sido efectiva en los aparatos de grabación y escucha a partir del posterior día 29 (folio actuaciones 249). El siguiente día 2 de septiembre se interesa la prórroga de la medida a partir del 12 de septiembre, lo que es acordado mediante Auto fechado el 6 de septiembre.

El recurrente entiende que el plazo de intervención cuenta desde el día en que se dicta el Auto judicial, y no desde el día en que la intervención es efectiva. Se separa de tal parecer el Tribunal Supremo, quien afirma que la prórroga se acordó «siempre antes de que transcurriera el mes desde el inicio de la intervención» (FD 1 de la Sentencia de 6 de febrero de 2003). Y en la misma dirección se decanta el Fiscal, que estima que el Tribunal Supremo explica, con argumentos jurídicamente atendibles, que la extemporaneidad del Auto judicial de prórroga no se ha producido, porque dicho plazo comienza a partir de la fecha en que se realiza la conexión (lo que tuvo lugar el 12 de agosto). Si bien este criterio no podría ser combatido desde la estricta perspectiva del derecho a la tutela judicial efectiva (art. 24.1 CE), en la medida en que no puede ser calificado de irrazonable, sí puede ser cuestionado desde la perspectiva del derecho al secreto de las comunicaciones (art. 18.3 CE). Es oportuno recordar que estamos en presencia de una resolución judicial que permite la restricción de un derecho fundamental, afirmación de la que, asimismo, hemos de extraer algunas consecuencias útiles, en línea con lo expresado, en este punto, por el Tribunal Europeo de Derechos Humanos y por nuestra propia doctrina en materias cercanas.

No precisa mayor discusión el hecho de que la medida judicial que acuerda la limitación del derecho al secreto de las comunicaciones debe fijar un límite temporal para que la misma tenga lugar. Si el Tribunal Europeo de Derechos Humanos ha exigido que una previsión sobre la «fijación de un límite a la duración de la ejecución de la medida» esté recogida en la legislación española (cfr. SSTEDH Valenzuela Contreras c. España, de 30 de julio de 1998, § 59, y Prado Bugallo c. España, de 18 de febrero de 2003, § 30), es evidente que tal cautela debe encontrar reflejo en la misma resolución judicial. Tal límite se vincula a un lapso temporal (dejando de lado las matizaciones que esta doctrina presenta en el ámbito penitenciario, cfr. ATC 54/1999, de 8 de marzo), delimitado por la fijación de una fecha tope o de un plazo. En el caso concreto la intervención se autorizó por el plazo de un mes. Por tanto lo que se cuestiona es, precisamente, cómo se debe computar el plazo previsto en la resolución judicial y más en particular cuál debe ser su dies a quo. Mientras que los órganos judiciales que han conocido de la causa estiman plausible que dicho día sea aquél en el que se produce efectivamente la intervención telefónica, el recurrente afirma que es el día en que se dicta la decisión judicial que autoriza dicha intervención.

En dos ocasiones, este Tribunal ya ha advertido que autorizaciones judiciales que restringen determinados derechos fundamentales (como son la intimidad o la inviolabilidad del domicilio) no pueden establecer unos límites temporales tan amplios que constituyan «una intromisión en la esfera de la vida privada de la persona» (STC 207/1996, de 16 de diciembre, FJ 3.b) o una suerte de «suspensión individualizada de este derecho fundamental a la inviolabilidad del domicilio» (STC 50/1995, de 23 de febrero, FJ 7). Pues bien, el entendimiento de que la resolución judicial que autoriza una intervención telefónica comienza a desplegar sus efectos sólo y a partir del momento en que la misma se realiza supone aceptar que se ha producido una suspensión individualizada del derecho fundamental al secreto de las comunicaciones, que tiene lugar desde el día en que se acuerda la resolución judicial hasta aquél en el que la intervención telefónica empieza a producirse.

Aunque este argumento bastaría, por sí solo, para entender que se ha producido la aducida lesión en el mentado derecho fundamental del recurrente, es oportuno hacer notar que a la misma conclusión nos llevan otros razonamientos suplementarios.

---

[52]   *Vid.* también la STC 26/2006, de 30 de enero, FJ 9.

Así, de un lado, debemos recordar que cuando la interpretación y aplicación de un precepto «pueda afectar a un derecho fundamental, será preciso aplicar el criterio, también reiteradamente sostenido por este Tribunal (por todas, STC 219/2001, de 30 de octubre, FJ 10), de que las mismas han de guiarse por el que hemos denominado principio de interpretación de la legalidad en el sentido más favorable a la efectividad de los derechos fundamentales, lo que no es sino consecuencia de la especial relevancia y posición que en nuestro sistema tienen los derechos fundamentales y libertades públicas (por todas, STC 133/2001, de 13 de junio, FJ 5). En definitiva, en estos supuestos el órgano judicial ha de escoger, entre las diversas soluciones que entiende posibles, una vez realizada la interpretación del precepto conforme a los criterios existentes al respecto, y examinadas las específicas circunstancias concurrentes en el caso concreto, aquella solución que contribuya a otorgar la máxima eficacia posible al derecho fundamental afectado» (STC 5/2002, de 14 de enero, FJ 4). Es evidente que en el caso que nos ocupa la lectura más garantista, desde la perspectiva del secreto de las comunicaciones, es la que entiende que el plazo de intervención posible en el mentado derecho fundamental comienza a correr desde el momento en que la misma ha sido autorizada.

De otro lado, si en nuestra STC 184/2003, de 23 de octubre, afirmábamos, en línea con la citada jurisprudencia del Tribunal de Estrasburgo, que el art. 579 de la Ley de enjuiciamiento criminal, en la redacción dada por la Ley Orgánica 4/1988, de 25 de mayo, «no es por sí mismo norma de cobertura adecuada, atendiendo a las garantías de certeza y seguridad jurídica, para la restricción del derecho fundamental al secreto de las comunicaciones telefónicas (art. 18.3 CE)» (FJ 5), debemos afirmar ahora que el entendimiento de que el plazo previsto en una autorización judicial que autoriza la restricción del secreto de las comunicaciones comienza a correr el día en que aquélla efectivamente se realiza compromete la seguridad jurídica y consagra una lesión en el derecho fundamental, que tiene su origen en que sobre el afectado pesa una eventual restricción que, en puridad, no tiene un alcance temporal limitado, ya que todo dependerá del momento inicial en que la intervención tenga lugar. Es así posible, por ejemplo, que la restricción del derecho se produzca meses después de que fuera autorizada, o que la autorización quede conferida sin que la misma tenga lugar ni sea formalmente cancelada por parte del órgano judicial. En definitiva, la Constitución solamente permite —con excepción de las previsiones del art. 55 CE— que el secreto de las comunicaciones pueda verse lícitamente restringido mediante resolución judicial (art. 18.3 CE), sin que la intervención de terceros pueda alterar el dies a quo determinado por aquélla.

La conclusión, a la vista de todas las consideraciones realizadas hasta el momento, es que, en el caso de autos, se ha producido, efectivamente, una lesión en el derecho fundamental al secreto de las comunicaciones. Si partimos de la premisa de que el cómputo previsto de un mes en el Auto del Juzgado de Instrucción 6 de Marbella que autoriza la intervención de un teléfono móvil comienza a correr ese mismo día, se ha producido una injerencia que no cuenta con cobertura legal entre los días 2 y 6 de septiembre de 1996, en cuya fecha se autorizó la prórroga de la medida adoptada en su día. Por tanto, dado que la interceptación telefónica realizada en ese concreto lapso temporal carece de cobertura judicial, debe entenderse que es nula y, por ello mismo, que las conversaciones grabadas durante esos días no pueden desplegar efectos probatorios[53].

Ahora bien, lo anterior, no es obstáculo para que afirmemos igualmente, a la vista de las actuaciones y en línea con lo expresado en el fundamento jurídico 6 la STC 81/1998, de 2 de abril, que los agentes actuantes sin duda creyeron actuar bajo el mandato de un Auto judicial, lo que excluye toda conducta directamente dirigida a menoscabar tal derecho fundamental. En efecto, al igual que aconteciera con ocasión del recurso de amparo que dio lugar a la STC 22/2003, de 10 de febrero, es obvio que los agentes de la Guardia civil «actuaban en la creencia de estar obrando lícitamente, e incluso que su error era objetivamente invencible, lo que permitiría afirmar la ausencia de responsabilidad penal o de otro tipo derivada de este hecho. Pero, pese a la inexistencia de dolo o imprudencia, pese a la buena fe policial, desde la perspectiva constitucional que nos corresponde debemos afirmar que objetivamente» (FJ 11) se ha visto vulnerado el derecho al secreto de las comunicaciones.

Notificación de la autorización judicial al Ministerio Fiscal —STC 197/2009, de 28 de septiembre[54]—

La Sentencia resuelve el recurso de amparo promovido por don E.G.B. contra el Auto de la Sala de lo Penal del Tribunal Supremo de 30 de noviembre de 2006 que inadmite el recurso de casación interpuesto contra la Sentencia dictada por la Sección Cuarta de la Sala de lo Penal de la Audiencia Nacional de 9 de enero de 2006, que le condenó

---

[53]   El Auto de autorización de la medida puede, con todo, fijar como momento para comenzar el cómputo del plazo de dicha autorización la fecha en que técnicamente se produzca la intervención (STC 148/2009, de 15 de junio, FJ 3).

[54]   *Vid.* también las SSTC 219/2009 y 220/2009, de 21 de diciembre; 5/2010, de 7 de abril; 26/2010, de 27 de abril; 72/2010, de 18 de octubre; 87/2010, de 3 de noviembre; 25/2011, de 14 de marzo.

como autor de un delito contra la salud pública. El recurrente denuncia que su condena se apoyó en la vulneración del derecho fundamental al secreto de las comunicaciones, entre otras razones, por falta de notificación al Ministerio Fiscal de los Autos que acuerdan las intervenciones.

FJ 7. […] Desde la STC 49/1999, de 5 de abril, FJ 6, dictada por el Pleno de este Tribunal, venimos señalando que la garantía jurisdiccional del secreto de las comunicaciones no se colma con la concurrencia formal de una autorización procedente de un órgano jurisdiccional (en el caso del ordenamiento español, el Juez de Instrucción, al que la Ley de enjuiciamiento criminal configura como titular de la investigación oficial), sino que ésta ha de ser dictada en un proceso, único cauce que permite hacer controlable, y con ello jurídicamente eficaz, la propia actuación judicial. Al desarrollarse la actuación judicial en el curso de un proceso es posible el control inicial por parte del Ministerio Fiscal —como garante de la legalidad y de los derechos de los ciudadanos—, en el periodo en que se desarrolla la misma, sin conocimiento del interesado y, posteriormente, cuando la medida se alza, por el propio interesado, que ha de poder conocer e impugnar la medida. No obstante, hemos afirmado que tal garantía existe también cuando las «diligencias indeterminadas» se unen, pese a todo, sin solución de continuidad, al proceso judicial incoado en averiguación del delito, «satisfaciendo así las exigencias de control del cese de la medida que, en otro supuesto, se mantendría en un permanente, y por ello constitucionalmente inaceptable, secreto» (SSTC 49/1999, de 5 de abril, FJ 6; 126/2000, de 16 de mayo, FJ 5; 165/2005, de 20 de junio, FJ 7; 136/2006, de 8 de mayo, FJ 5).

Sobre la base de esa doctrina —y siempre en referencia a supuestos en los que los Autos de intervención y prórroga se dictan en el seno de unas «diligencias indeterminadas», que no constituyen en rigor un proceso legalmente existente— posteriores resoluciones han declarado contrario a las exigencias de control de la intervención la falta de notificación al Ministerio Fiscal de los Autos de intervención o prórroga, cuando no existe constancia de que efectivamente se produjera tal conocimiento, en la medida en que tal ausencia impidió el control inicial del desarrollo y cese de la medida, en sustitución del interesado, por el garante de los derechos de los ciudadanos (SSTC 205/2002, de 11 de noviembre, FJ 5; 165/2005, de 20 de junio, FJ 7; 259/2005, de 24 de octubre, FJ 5; 146/2006, de 8 de mayo, FJ 4). Ciertamente, en la STC 165/2005, de 20 de junio, FJ 7, se afirma que, además de la falta de notificación al Fiscal de los Autos de intervención y prórroga dictados en el seno de las diligencias indeterminadas, también se aprecia la falta de notificación de los Autos de intervención y prórroga dictados ya en las diligencias previas que se incoaron posteriormente y a las que se incorporaron las diligencias indeterminadas, pero destacando que el Auto de incoación de las diligencias previas tampoco fue notificado al Fiscal, lo que impidió cualquier control inicial de la medida por parte de éste.

De lo anteriormente expuesto cabe concluir que lo que nuestra doctrina ha considerado contrario a las exigencias del art. 18.3 CE no es la mera inexistencia de un acto de notificación formal al Ministerio Fiscal de la intervención telefónica —tanto del Auto que inicialmente la autoriza como de sus prórrogas—, sino el hecho de que la misma, al no ser puesta en conocimiento del Fiscal, pueda acordarse y mantenerse en un secreto constitucionalmente inaceptable, en la medida en que no se adopta en el seno de un auténtico proceso que permite el control de su desarrollo y cese. Ahora bien, en el presente caso, y a diferencia de los resueltos por la jurisprudencia anteriormente citada, las intervenciones telefónicas se acuerdan en el seno de unas diligencias previas, que sí constituyen un auténtico proceso judicial, de cuya existencia tuvo conocimiento el Ministerio Fiscal desde el primer momento, pues con carácter previo a autorizar las primeras intervenciones el Juez de Instrucción dictó un Auto, de fecha 28 de enero de 1998, por el que se incoan las diligencias previas 93-1998, ordenando en su parte dispositiva dar cuenta de las mismas al Ministerio Fiscal, constando una diligencia del Secretario en la que da fe del cumplimiento de lo acordado. Y en el fundamento jurídico segundo de dicho Auto se establecía ya la procedencia de acordar la intervención telefónica solicitada en el oficio policial y en su parte dispositiva se ordenaba oficiar a la compañía telefónica para que facilitase al Juzgado y a la Comisaría los listados de llamadas de uno de los teléfonos posteriormente intervenidos. Siendo así, y aunque no existe constancia en las actuaciones de la notificación al Fiscal de los Autos que autorizan y prorrogan las intervenciones telefónicas, la ausencia de dicho acto formal de notificación no constituye un defecto constitucionalmente relevante en el control de la intervención, en la medida en que no ha impedido el control inicial de su desarrollo y cese y no consagra, por tanto, un «secreto constitucionalmente inaceptable». Al haberse acordado en el seno de un auténtico proceso, de cuya incoación tuvo constancia el Ministerio Fiscal desde el primer momento, éste pudo desde entonces intervenir en las actuaciones en defensa de la legalidad y como garante de los derechos del ciudadano, quedando así garantizada la posibilidad efectiva de control inicial de la medida hasta su cese. Y posteriormente, cuando la medida se alzó, el propio interesado tuvo la posibilidad de conocerla e impugnarla, lo que no se ha puesto en cuestión en la demanda de amparo.

Las excepciones al requisito de la autorización judicial derivadas del artículo 55.2 CE —STC 199/1987, de 16 de diciembre (*vid. supra*)—

FJ 10. El art. 17 de la Ley Orgánica 9/1984 se refiere a la observación postal, telegráfica o telefónica, y afecta, por ello a la limitación del secreto de las comunicaciones del art. 18.3 de la Constitución, el cual exige una resolución judicial para permitir la observación de las comunicaciones. En esta misma línea, el núm. 1 de este art. 17 ha previsto, una autorización judicial previa como regla general; sin embargo el núm. 2 del mismo dispone que «en caso de urgencia» esta «observación postal, telegráfica o telefónica» pueda ser ordenada por el Ministro del Interior o, en su defecto, por el Director de la Seguridad del Estado, «comunicándolo inmediatamente por escrito motivado al Juez competente, quien, también de forma motivada revocará o confirmará tal resolución en un plazo máximo de 72 horas desde que fue ordenada la observación». Los recurrentes impugnan este núm. 2 del artículo, por entender que es inconstitucional la supresión de la previa resolución judicial incluso en los casos de urgencia. Según el Letrado del Estado la medida se corresponde con una situación legal de suspensión de derechos fundamentales, en los que la intervención previa del Juez implicaría el vaciamiento de significado del art. 55.2 de la Constitución, de ahí que la intervención judicial se produzca sólo a posteriori.

Este argumento del Letrado del Estado debe ser precisado. Del art. 55.2 de la Constitución no puede deducirse la posibilidad de una inicial competencia gubernativa para decidir sobre la observación o interceptación de las comunicaciones: el mismo no autoriza a la ley a suprimir de forma general y para todos los casos en aras de una mayor efectividad de la suspensión del derecho, la previa intervención judicial. Una adecuada ponderación de las finalidades perseguidas, suspensión singular del derecho al secreto de las comunicaciones e intervención judicial ha de llevar también a un proceso de concordancia entre ellas que consiga el objetivo constitucional de la suspensión del derecho, garantizando al mismo tiempo el máximo posible de intervención judicial. Debe tenerse en cuenta, además, que el derecho al secreto de comunicaciones es un derecho relativo, un derecho a que no haya intervención de las mismas sin resolución judicial que la autorice. Por ello, la suspensión de este derecho ha de afectar de algún modo a esa exigencia de resolución judicial, que es contenido típico del derecho. De ahí la necesaria conexión entre la suspensión del derecho al secreto de las comunicaciones y la reducción de la intervención judicial al respecto. Aunque la ley no podría establecer de forma general una plena libertad de acción policial al respecto, sin previa intervención judicial, sí que está habilitada por el art. 55.2 de la Constitución y como régimen excepcional del derecho, para eliminar el carácter previo de la intervención judicial, en supuestos en los que las circunstancias del caso no permitiesen la oportuna adopción previa de una resolución judicial, sin perjuicio de la ratificación posterior de la medida por la autoridad judicial.

El art. 17 de la Ley Orgánica 9/1984 ha partido del principio general, también en las investigaciones correspondientes a la actuación de bandas armadas o elementos terroristas, de atribución a la autoridad judicial de la resolución de levantamiento del secreto de las comunicaciones, y sólo en determinados supuestos, cualificados por la urgencia y durante un tiempo limitado, el núm. 2 del artículo permite la «observación» de las comunicaciones por una resolución gubernativa, permitiendo que momentáneamente la autoridad gubernativa pueda decidir de forma inmediata y directa una interceptación de comunicaciones necesaria en el curso de investigaciones sobre las actividades delictivas a las que la Ley se refiere. En cuanto que afecta a la limitación de un derecho fundamental, las razones de urgencia han de ser interpretadas restrictivamente y, además, el precepto impone una inmediata comunicación motivada al Juez competente (motivación que debe incluir, desde luego, las razones de urgencia que justifiquen la ordenación gubernativa de la medida), correspondiendo al órgano judicial confirmar o revocar la medida de forma inmediata. Al suprimir la intervención judicial previa sólo en supuestos excepcionales cualificados por la urgencia, el legislador ha realizado una adecuada ponderación de la efectividad de la suspensión y de la intervención judicial, por lo que el art. 17.2 de la Ley Orgánica 9/1984 no resulta contrario al art. 55.2 de la Constitución.

El derecho al secreto de las comunicaciones en prisión: las comunicaciones genéricas —STC 106/2001, de 23 de abril[55]—

La Sentencia resuelve el recurso de amparo promovido por don J.A.B.C. contra el Acuerdo del Consejo de Dirección del Centro Penitenciario de Herrera de La Mancha, de 29 de septiembre de 1997, por el que se decidió (de conformidad con lo dispuesto en los artículos 51.5 de la Ley Orgánica 1/1979, de 26 de septiembre, General Penitenciaria

---

[55] *Vid.*, además de las citadas en esta Sentencia, las SSTC 127/1996, de 9 de julio; 192/2002, 193/2002, 194/2002, de 28 de octubre; 68/2005, de 31 de marzo, FJ 8.

y 41.2, 43 y 46.5 del Real Decreto 190/1996, de 9 de febrero, por el que se aprueba el Reglamento Penitenciario) mantener la intervención de las comunicaciones orales y escritas del recurrente, salvo las realizadas con el Defensor del Pueblo y con sus Abogados defensores, así como contra el Auto del Juzgado de Vigilancia Penitenciaria núm. 1 de Castilla-La Mancha de 12 de enero de 1998, y los de la Sección Segunda de la Audiencia Provincial de Ciudad Real de 11 de febrero y de 8 de junio de 1998, que confirmaron dicho Acuerdo. Entiende el recurrente que el Acuerdo y sus Autos confirmatorios vulneraron su derecho al secreto de las comunicaciones.

FJ 6. Delimitado en los términos expuestos el objeto del presente recurso, es necesario traer a colación la reiterada doctrina constitucional, que constituye ya un cuerpo jurisprudencial consolidado, sobre el derecho al secreto de las comunicaciones de los ciudadanos recluidos en un centro penitenciario y los requisitos que deben cumplir los Acuerdos o medidas de intervención de las mismas (SSTC 183/1994, de 20 de junio; 127/1996, de 9 de julio; 170/1996, de 29 de octubre; 128/1997, de 14 de julio; 175/1997, de 27 de octubre; 200/1997, de 24 de noviembre; 58/1998, de 16 de marzo; 141/1999, de 22 de julio; 188/1999, de 25 de octubre; 175/2000, de 26 de junio; ATC 54/1999, de 8 de marzo).

a) El marco normativo constitucional del derecho al secreto de las comunicaciones de que puede gozar una persona interna en un centro penitenciario viene determinado, no sólo por lo dispuesto en el art. 18.3 CE —que garantiza el derecho al secreto de las comunicaciones, salvo resolución judicial—, sino también y primordialmente por el art. 25.2 CE, precepto que en su inciso segundo establece que «el condenado a pena de prisión que estuviera cumpliendo la misma gozará de los derechos fundamentales de este Capítulo, a excepción de los que se vean expresamente limitados por el contenido del fallo condenatorio, el sentido de la pena y la ley penitenciaria». Así pues, la persona recluida en un centro penitenciario goza, en principio, del derecho al secreto de las comunicaciones, aunque puede verse afectada por las limitaciones expresamente mencionadas en el art. 25.2 CE.

En los supuestos como el presente, en los que ni el contenido del fallo condenatorio, ni el sentido de la pena, han servido de base para la limitación del derecho del recurrente en amparo al secreto de las comunicaciones, es preciso contemplar las restricciones previstas en la legislación penitenciaria, al objeto de analizar su aplicación a la luz de los arts. 18.3 y 25.2 CE. (SSTC 170/1996, de 29 de octubre, FJ 4; 175/1997, de 27 de octubre, FJ 2; 200/1997, de 24 de noviembre, FJ 2; 175/2000, de 26 de junio, FFJJ 2 y 3).

b) El art. 51 LOGP reconoce el derecho de los reclusos a las comunicaciones, diferenciando el propio precepto, en cuanto al ejercicio de tal derecho, entre varias modalidades de comunicación, que son de muy diferente naturaleza y vienen, por ello, sometidas a regímenes legales claramente diferenciados. Por lo que se refiere a las limitaciones que pueden experimentar las denominadas comunicaciones genéricas que regulan los arts. 51.1 LOPG y concordantes RP de 1996, esto es, las que los internos pueden celebrar con sus familiares, amigos y representantes de organismos internacionales e instituciones de cooperación penitenciaria, que son las afectadas en este caso por la intervención que cuestiona el recurrente en amparo según él mismo reconoce en sus escritos, el citado art. 51.1 LOGP, además de mencionar los casos de incomunicación judicial, impone que tales comunicaciones se celebren de manera que se respete al máximo la intimidad, pero autoriza que sean restringidas por razones de seguridad, de interés del tratamiento y del buen orden del establecimiento. Por su parte, el art. 51.5 LOGP permite que tales comunicaciones sean intervenidas motivadamente por el Director del centro penitenciario, dando cuenta a la autoridad judicial competente. En suma, el citado precepto legal permite la intervención de las denominadas comunicaciones genéricas por razones de seguridad, interés del tratamiento y del buen orden del establecimiento, configurándose tales supuestos, por lo tanto, como causas legítimas para ordenar la intervención de las comunicaciones de un interno.

Y en cuanto a los requisitos que deben de cumplir los Acuerdos o medidas de intervención de las comunicaciones genéricas, junto a la exigencia de motivación y de dar cuenta a la autoridad judicial competente que impone el art. 51.5 LOGP, así como la de notificación al interno afectado que establecen los arts. 43.1 y 46.5 RP de 1996, este Tribunal Constitucional ha añadido la necesidad de preestablecer un límite temporal a la medida de intervención (SSTC 128/1997, de 14 de julio, FJ 4; 175/1997, de 27 de octubre, FFJJ 3 y 4; 200/1997, de 24 de noviembre, FJ 3; 188/1999, de 25 de octubre, FJ 5; 175/2000, de 26 de junio, FJ 3).

c) Respecto al requisito de la doble notificación o comunicación de la medida, este Tribunal Constitucional tiene declarado que la notificación de su adopción al interno en nada frustra la finalidad perseguida, ya que la intervención tiene fines únicamente preventivos, no de investigación de posibles actividades delictivas para lo que se requeriría la previa autorización judicial, a la vez que supone una garantía para el interno afectado (STC 200/1997, de 24 de noviembre, FJ 4).

De otra parte, la necesidad legal de la comunicación de la medida adoptada a la autoridad judicial competente ha de ser inmediata, con el objeto de que ésta ratifique, anule o subsane la decisión administrativa, es decir, ejerza con plenitud su competencia revisora sobre la restricción del derecho fundamental, articulándose, pues, como una auténtica garantía con la que se pretende que el control judicial de la intervención administrativa no dependa del eventual ejercicio por el interno de los recursos procedentes. Rectamente entendida esta dación de cuentas a la autoridad judicial competente implica, «no sólo la mera comunicación del órgano administrativo al órgano judicial para conocimiento de éste, sino un verdadero control jurisdiccional de la medida efectuado a posteriori mediante una resolución motivada» (STC 175/1997, de 27 de octubre, FJ 3). Conclusión que impone, no sólo una necesaria consideración sistemática del art. 51. 5 LOGP con los arts. 76.1 y 2 g) y 94.1 de la misma, conforme a los cuales corresponde al Juez de Vigilancia Penitenciaria salvaguardar los derechos fundamentales de los internos que cumplen condena, sino, igualmente, el art. 106.1 CE, por el que la Administración, también la penitenciaria, está sujeta al control judicial de la legalidad de su actuación. A ello hay que añadir, para valorar en toda su dimensión la importancia de esta medida, que el recluso puede ponerse en comunicación con ciudadanos libres, a los que también les afecta el acto administrativo de intervención. Por todo ello resulta claro que, si la autoridad judicial competente se limitara a una mera recepción de la comunicación del acto administrativo en el que se acuerda intervenir las comunicaciones y adoptase una actitud meramente pasiva ante la restricción por dicho acto del derecho fundamental del recluso, no estaría dispensando la protección del derecho en la forma exigida (SSTC 183/1984, de 20 de junio, FJ 5; 170/1996, de 29 de octubre, FJ 3; 175/1997, de 27 de octubre, FJ 3; 200/1997, de 24 de noviembre, FJ 4; 141/1999, de 22 de julio, FJ 5; 188/1999, de 25 de octubre, FJ 5).

d) En relación con el límite temporal de la medida de intervención debe recordarse que el mantenimiento de una medida restrictiva de derechos, como la analizada, más allá del tiempo estrictamente necesario para la consecución de los fines que la justifican podría lesionar efectivamente el derecho afectado (SSTC 206/1991, de 30 de octubre, FJ 4; 41/1996, de 12 de marzo, FJ 2). En este sentido, los arts. 51 y 10.3 LOGP y 41 y ss. RP de 1996 llevan implícita la exigencia del levantamiento de la intervención en el momento en que deje de ser necesaria por cesación o reducción de las circunstancias que la justificaron, en cuanto se justifica exclusivamente como medida imprescindible por razones de seguridad, buen orden del establecimiento o interés del tratamiento. Por todo ello, este Tribunal Constitucional ha venido exigiendo que, al adoptarse la medida de intervención de las comunicaciones, se determine el período de su vigencia temporal, aunque para ello no sea estrictamente necesario fijar una fecha concreta de finalización, sino que ésta puede hacerse depender de la desaparición de la condición o circunstancia concreta que justifica la intervención. El Acuerdo puede, pues, en determinados casos sustituir la fijación de la fecha por la especificación de esa circunstancia, cuya desaparición pondría de manifiesto que la medida habría dejado de ser necesaria (SSTC 170/1996, de 29 de octubre, FJ 4; 175/1997, de 27 de octubre, FJ 4; 200/1997, de 24 de noviembre, FJ 4; 141/1999, de 22 de julio, FJ 5; ATC 54/1999, de 8 de marzo).

e) Por último, la exigencia de motivación de la medida no sólo se convierte ex art. 51.5 LOGP en presupuesto habilitante de toda restricción del derecho al secreto de las comunicaciones, sino que, aunque faltase esa precisión legal, su concurrencia vendría exigida por la propia Constitución, ya que su ausencia o insuficiencia afecta al propio derecho fundamental en la medida en que sin ella el recluso que ve limitado el ejercicio de un derecho desconoce la razón de esa restricción y los órganos judiciales encargados de efectuar el control relativo a la necesidad, idoneidad y proporcionalidad de la medida carecen de datos indispensables para llevar a cabo esta tarea, que es el objeto principal del control jurisdiccional. En este sentido, la jurisprudencia constitucional ha insistido en la importancia y necesidad de la motivación de la medida de intervención, no sólo porque ello permite acreditar las razones que justifican la medida de restricción del derecho, sino, además, porque constituye el único medio para constatar que la ya limitada esfera jurídica del ciudadano interno en un centro penitenciario no se restringe o menoscaba de forma innecesaria, inadecuada o excesiva.

El contenido de la motivación ha de extenderse, primero, a la especificación de cuál de las finalidades legalmente previstas —seguridad, buen orden del establecimiento e interés del tratamiento— es la perseguida con la adopción de la medida y, segundo, a la explicitación de las circunstancias que permiten concluir que la intervención resulta adecuada para alcanzar la finalidad perseguida. Respecto a dicho requisito este Tribunal Constitucional tiene declarado que la individualización de las circunstancias del caso[56], e incluso de la persona de interno, no significa que dichas circunstancias deban ser predicables única y exclusivamente del interno afectado por la medida, o que si se trata de características comunes que concurren en un grupo de personas no puedan aducirse como causa justificativa de la intervención. Individualizar no significa necesariamente destacar rasgos que concurran exclusivamente en el

---

[56]   La STC 170/1996, de 29 de octubre, insiste en que no caben razonamientos genéricos, sino que éste debe ser específico para la restricción concreta del derecho que se ordena.

recluso afectado. Puede tratarse de unos rasgos comunes a los pertenecientes a ese colectivo o a una organización; en estos casos lo que debe individualizarse es esa característica común que a juicio de la Administración penitenciaria justifica en el supuesto concreto la adopción de la medida. En lo referente a los aspectos formales de la motivación, cuya finalidad sigue siendo hacer posible el control jurisdiccional de la medida, el Acuerdo ha de contener los datos necesarios para que el afectado y posteriormente los órganos judiciales puedan llevar a cabo el juicio de idoneidad, necesidad y proporcionalidad, aunque no resulta exigible que en el mismo se explicite ese triple juicio por parte de la Administración, pues los referidos datos pueden completarse con los que de forma clara y manifiesta estén en el contexto en el que se ha dictado el Acuerdo (SSTC 170/1996, de 29 de octubre, FFJJ 5 y 6; 128/1997, de 14 de julio, FJ 4; 200/1997, de 24 de noviembre, FJ 4; 141/1999, de 22 de julio, FJ 5).

FJ 7. De conformidad con la doctrina constitucional expuesta, debemos de analizar si la práctica administrativa de intervenir la correspondencia escrita que desde el exterior del establecimiento penitenciario le es remitida vulnera el derecho al secreto de las comunicaciones del recurrente en amparo. Sostiene éste, en primer término, que dicha actuación administrativa no encuentra cobertura en el Acuerdo del Consejo de Dirección del Centro Penitenciario, de 29 de septiembre de 1997, por el que se decidió mantener la intervención de las comunicaciones orales y escritas del solicitante de amparo, pues esta medida ha sido adoptada con la única finalidad de evitar la transmisión de datos que el interno pueda difundir a través de las comunicaciones que remita al exterior, de modo que la intervención de la correspondencia escrita que le es enviada al centro penitenciario resulta improcedente por carecer de cobertura en el mencionado Acuerdo.

El Consejo de Dirección del Centro Penitenciario, en el citado Acuerdo de 29 de septiembre de 1997, decidió, en aplicación de los arts. 51.5 LOGP y 41.2, 43 y 46.5 RP de 1996, mantener la intervención de las denominadas comunicaciones genéricas, orales y escritas, del demandante de amparo por seguir persistiendo los motivos que determinaron la adopción de la medida de intervención. En dicho Acuerdo se exponen las causas que justifican el mantenimiento de la medida, que no son otras que «su pertenencia y militancia activa en un grupo organizado de carácter terrorista» y «las características del delito cometido», constando respecto a este último extremo en el expediente administrativo relativo a la intervención de las comunicaciones del recurrente en amparo una copia de la Sentencia de la Sección Segunda de la Sala de lo Penal de la Audiencia Nacional, de 4 de noviembre de 1991, que adquirió firmeza el 8 de octubre de 1992, por la que se condenó al solicitante de amparo, ejecutoriamente ya condenado por un delito de colaboración con banda armada, como autor, en concepto de cooperador necesario, de un delito de atentado, otro de asesinato en grado de frustración y otro de estragos por su participación, junto a los integrantes del comando Araba de la organización armada ETA, en el atentado a la Casa Cuartel de la Guardia Civil de Llodio en el mes de marzo de 1988. En el Acuerdo se explicita también la finalidad perseguida con la medida de mantenimiento de la intervención, que cifra en «preservar la seguridad del Centro Penitenciario», justificándose la funcionalidad de la medida en «evitar la trasmisión de datos que pueda difundir a través de las comunicaciones que realice».

Es precisamente en el último inciso transcrito del Acuerdo en el que el demandante de amparo funda su postura de que la intervención de la correspondencia escrita que le es enviada desde el exterior del centro penitenciario no tiene cobertura en dicho Acuerdo, al considerar que el mismo ha sido adoptado con la finalidad de evitar la trasmisión de datos que por él pueda difundir, difusión que, en su opinión, únicamente puede tener lugar a través de la correspondencia que remita al exterior del establecimiento penitenciario. [...]

Pues bien, en este caso en modo alguno puede tacharse de inidónea, innecesaria o excesiva, en atención a la finalidad que se trata de preservar con la medida de intervención —la seguridad del centro penitenciario— y las concretas circunstancias particulares del demandante de amparo que determinaron su adopción —su pertenencia a la organización ETA—, la interpretación del ámbito material del Acuerdo de mantenimiento de intervención de las comunicaciones de la que implícitamente parte la Administración penitenciaria al llevar a cabo la concreta medida de intervención cuestionada por el recurrente en amparo, y que han confirmado los órganos jurisdiccionales, en el sentido de entender que aquel Acuerdo abarca tanto las comunicaciones escritas remitidas por el interno al exterior del centro penitenciario como las que desde el exterior del mismo le son enviadas a él. En supuestos como el presente, en los que es de general conocimiento que la organización a la que pertenece el demandante de amparo es especialmente peligrosa para la seguridad del centro penitenciario, ya que en numerosas ocasiones ha atentado contra la seguridad de las prisiones y la vida y la libertad de sus funcionarios y trabajadores, se trata de conjurar con la medida de intervención la peligrosidad de una comunicación incontrolada (STC 200/1997, de 24 de noviembre, FJ 5), cuya eficacia exige o puede exigir la intervención de las comunicaciones en uno y otro sentido, tanto actúe el interno como destinatario o emisor de la comunicación, pues de lo contrario sería posible la trasmisión de datos que pusieran en peligro la seguridad del centro penitenciario, resultando defraudada o burlada la medida de intervención en detrimento de la finalidad que con ella se persigue y que constituye uno de los fines que pueden justificar desde la perspectiva constitucional una restricción del ejercicio del derecho al secreto de las comunicaciones (STC 200/1997, de 24 de noviembre, FJ 5).

FJ 8. Igual suerte desestimatoria ha de correr la queja del demandante de amparo relativa a la insuficiente individualización de las circunstancias que determinaron la práctica administrativa de intervenir la correspondencia escrita que le es remitida desde el exterior del establecimiento penitenciario.

En el Acuerdo en el que aquella práctica encuentra cobertura se hace referencia a la pertenencia y militancia activa del demandante de amparo en la organización terrorista ETA, así como consta en el expediente administrativo de la medida de intervención su condena por haber participado, junto a los miembros del comando Araba de dicha organización, en un atentado contra la Casa Cuartel de la Guardia Civil de Llodio. En tal sentido, este Tribunal tiene declarado que «el dato de la pertenencia a una concreta organización de la que consta que ha atentado reiteradamente contra la seguridad de las prisiones y contra la vida y la libertad de sus funcionarios supone, en este caso, una individualización suficiente de las circunstancias que justifican la medida, ya que se conoce suficientemente el rasgo concreto de esta organización que en efecto puede poner en peligro la seguridad y el buen orden del Centro. Como se ha dicho anteriormente, individualizar las circunstancias que explican por qué la medida es necesaria para alcanzar el fin legítimo que se propone no significa que deban concretarse unas circunstancias exclusivas y excluyentes del penado. Estas circunstancias justificativas las puede compartir con los miembros de un determinado grupo y cuando, como en el presente caso, esto es así, basta para justificar la medida hacer referencia explícita, o implícita pero incontrovertible, a esta circunstancia común al grupo en cuando le es aplicable individualmente. No se justifica, pues, la intervención por el tipo de delito cometido, ni por la pertenencia a un grupo delictivo, ni siquiera por la pertenencia a un grupo terrorista, sino, más concretamente, porque ese grupo ha llevado y continúa llevando a cabo acciones concretas que efectivamente ponen en peligro la seguridad y el orden en los Centros. Se individualiza, pues, la circunstancia común a los miembros del grupo que justifica la medida al concurrir en uno de sus componentes» (STC 200/1997, de 24 de noviembre, FJ 5; doctrina que reitera la STC 141/1999, de 22 de julio, FJ 6).

FJ 9. Tampoco puede prosperar la pretensión de amparo en razón de la indeterminación temporal que el recurrente imputa a la medida de intervención de la correspondencia escrita que le es enviada desde el exterior del centro penitenciario.

El Acuerdo en el que se decide mantener la intervención de las comunicaciones del demandante de amparo, en el que encuentra cobertura la actuación administrativa cuestionada, no establece un límite temporal de la medida en relación a una determinada fecha. Sin embargo, al fundar el mantenimiento de la intervención en la persistencia de la causa que ocasionó la adopción de la intervención de las comunicaciones del recurrente en amparo, la cual explicita y especifica, está condicionando temporalmente la misma a la subsistencia de tal causa, que no es otra que la pertenencia y militancia activa del demandante de amparo a la organización terrorista ETA. Si los requisitos constitucionalmente impuestos a la medida de intervención de las comunicaciones llevan implícita la exigencia de su levantamiento en el momento en que deje de ser necesaria por cesación o reducción de las circunstancias que la justificaron (STC 170/1996, de 29 de octubre, FJ 4), no cabe concluir que la medida carece de límite temporal cuando de su propio tenor cabe deducir que la misma ha de levantarse al cesar las circunstancias específicas que la motivaron. En este sentido, no puede dejar de traerse a colación, según resulta de la documentación que se adjunta a la demanda de amparo y del expediente administrativo de intervención de las comunicaciones del recurrente, pese a que éste no resulta completo, que el Acuerdo de 29 de septiembre de 1997 ha sido revisado posteriormente, en al menos dos ocasiones, en orden al levantamiento o mantenimiento de la medida de intervención por el Consejo de Dirección del Centro Penitenciario. Todo ello, obvio es, sin perjuicio de que el interno pueda en cualquier momento exigir la revisión de la medida si estima que un cambio de las circunstancias obliga a su levantamiento (SSTC 200/1997, de 24 de noviembre, FJ 5; ATC 54/1999, de 8 de marzo).

FJ 10. El demandante de amparo sostuvo también en la vía judicial previa que la medida de intervención de la correspondencia escrita que le es remitida desde el exterior del centro penitenciario no había sido comunicada a la autoridad judicial competente, por lo que vulneraba su derecho al secreto de las comunicaciones.

Pues bien, además de destacar en este extremo la inexistencia en el expediente administrativo de intervención de las comunicaciones del recurrente en amparo, requerido por este Tribunal, de un soporte documental claro y completo acerca de la medida adoptada, lo cierto es que, si bien consta la notificación al interno del Acuerdo de mantener la intervención de sus comunicaciones, en el que encuentra su cobertura la práctica por él denunciada, no existe, sin embargo, constancia alguna, ni tampoco en las actuaciones judiciales, de su comunicación inmediata, ni la de aquella práctica, a la autoridad judicial competente, en este caso al Juzgado de Vigilancia Penitenciaria al tratarse de un penado (art. 43 RP de 1996), habiéndose incumplido, por lo tanto, dicha exigencia, a cuyo alcance y finalidad ya nos hemos referido, y la garantía que con ella se trata de preservar, la cual no puede hacerse depender del eventual ejercicio por el interno de los recursos procedentes (STC 170/1996, de 29 de octubre, FJ 3), ni, por consiguiente, conferir a tal actuación procesal carácter sanador de la omisión imputable a la Administración penitenciaria.

En consecuencia, ha de concluirse que ha sido vulnerado el derecho al secreto de las comunicaciones del recurrente en amparo al no haber sido comunicados por el centro penitenciario a la autoridad judicial competente los actos de intervención de la correspondencia escrita objeto de este proceso.

El derecho al secreto de las comunicaciones entre personas reclusas en centros distintos —STC 188/1999, de 25 de octubre[57]—

La Sentencia resuelve el recurso de amparo promovido por don C.F.T. contra el Auto del Juzgado de Vigilancia Penitenciaria núm. 2 de Castilla-La Mancha de 20 de diciembre de 1994, que desestimó el recurso de queja interpuesto contra el Auto pronunciado por el mismo Juzgado el 21 de octubre de 1994, desestimatorio, a su vez, del recurso formulado contra el Acuerdo de la Junta de Régimen y Administración del Centro Penitenciario de Ocaña II, que impuso al recurrente una sanción de un fin de semana de aislamiento en celda por la comisión de una falta grave, consistente en «sacar una carta de prisión a prisión en forma no reglamentaria» (artículo 109.f del Reglamento Penitenciario de 1981). Cuando se encontraba interno en el Centro Penitenciario de Ocaña II, el recurrente remitió una carta a otro preso ingresado en la Prisión de Segovia. Este último Centro Penitenciario, al recibir la misiva y observar su lugar de procedencia, la devolvió a la Dirección del Centro Penitenciario en que se encontraba el remitente. El Centro intervino la carta en aplicación de lo dispuesto en el art. 98.5 del Reglamento Penitenciario, e incoó contra el solicitante de amparo expediente disciplinario que concluyó con la sanción arriba mencionada. Entiende el recurrente que dicha sanción trae causa de una vulneración de su derecho al secreto de las comunicaciones.

FJ 7. Examinada la regulación constitucional y normativa de la materia, estamos ya en condiciones de indagar en el caso si la intervención de las comunicaciones acordada se ha ejercido o no en el marco de aquélla. En tal sentido, las resoluciones administrativas sancionadoras a las que el recurrente imputa la lesión del derecho reconocido en el art. 18.3 CE encuentran su fundamento en el art. 98.5 RP de 1981. Éste dice, como hemos visto, que «en todo caso, la correspondencia entre los internos de los distintos Establecimientos se cursará a través de la Dirección y será intervenida».

La dicción del precepto contempla un supuesto específico de intervención de comunicaciones, tanto por la materia a la que afecta (se trata de correspondencia, y por ello afecta sólo a las comunicaciones escritas), los sujetos de la misma (el remitente y el destinatario han de estar internados en Establecimientos penitenciarios diferentes) y la forma de enviarla (ha de hacerse a través de la Dirección). La especificidad de esta comunicación, en razón del lugar y de las personas entre las que se produce, hace justificables las cautelas con las que la norma la contempla. Tanto razones de seguridad como de buen orden de los Establecimientos penitenciarios pueden justificar una restricción en la forma de envío y en la necesidad de que éste se efectúe a través del Director de la Prisión. Dichas razones pueden servir de soporte, asimismo, a una eventual intervención de la correspondencia.

---

[57] Sobre la intervención de comunicaciones entre personas reclusas en un mismo establecimiento, el Tribunal Constitucional ha declarado que el hecho de que no esté prevista en el Reglamento penitenciario no implica que pueda realizarse con carácter general, sin afectar al derecho fundamental reconocido en el artículo 18.3 CE. Los derechos fundamentales, recuerda el Tribunal, con independencia de que hayan sido desarrollados o no por el legislador, «vinculan a todos los poderes públicos (arts. 9.1 y 53.1 de la Constitución) y son origen inmediato de derechos y obligaciones y no meros principios programáticos» (STC 15/1982, de 23 de abril). Esto no excluye, sin embargo, «que el legislador pueda, en aras a prevenir determinados riesgos que cabe pensar acompañen a las comunicaciones realizadas en el seno de un establecimiento penitenciario (así, a efectos de evitar la transmisión de consignas entre internos destinados en diferentes departamentos para precaver que, de manera coordinada, organicen desórdenes colectivos; o para luchar contra el tráfico interno de sustancias u objetos prohibidos; o con el objeto de garantizar la integridad física de determinados internos;…), establecer exigencias específicas en la normativa penitenciaria. Pero las medidas contempladas en ésta que incidan en el derecho fundamental puesto en cuestión deberán ser contenidas en una disposición con rango de Ley (art. 53.1 CE) y tendrán que ser aplicadas respetando el principio de proporcionalidad» (STC 169/2003, de 29 de septiembre, FJ 3).

FJ 8. Ahora bien, el hecho de que razones de seguridad y buen orden del Establecimiento penitenciario autoricen una intervención de la correspondencia que se remitan personas internas en distintos Centros, según la redacción del RP de 1981, no significa que dicha intervención sea automática ni que pueda prescindirse para su práctica de las formas y de las garantías que ordena la norma 4ª del art. 98 del texto reglamentario. Por exigencias de este último precepto la intervención ha de ser ordenada motivadamente por la Junta de Régimen o por la Dirección, ha de notificarse al interno y comunicarse al Juez de Vigilancia Penitenciaria.

Así lo ha entendido este Tribunal Constitucional, en numerosas Sentencias dictadas a este respecto, cuando ha dicho que las «resoluciones administrativas de intervención de las comunicaciones, no sólo han de cumplir lo dispuesto en los arts. 18.3 y 25.2 CE y en el art. 51 LOGP, especialmente la motivación prevista en el art. 51.5 LOGP, sino, en cuanto medida que supone el sacrificio de un derecho fundamental, también han de cumplir el presupuesto de que se persiga con ella un fin constitucionalmente legítimo y los requisitos de que la medida sea adoptada mediante resolución de la Dirección del Centro especialmente motivada, que la misma sea notificada al interesado y que sea comunicada al Juez para que éste pueda ejercer el control sobre ella» (SSTC 207/1996, 128/1997 y 175/1997).

También lo entiende de esta manera la nueva redacción que sobre la materia contiene el RP de 1996, cuyo art. 46.7 dispone que: «La correspondencia entre los internos de distintos centros penitenciarios podrá ser intervenida mediante resolución motivada del Director y se cursará a través de la Dirección del Establecimiento de origen. Efectuada dicha intervención se notificará al interno y se pondrá en conocimiento del Juez de Vigilancia...».

A la vista de lo dicho puede concluirse que, en cuanto la sanción impuesta al interno supuso la previa intervención de su correspondencia por el Centro Penitenciario sin dictar la necesaria resolución motivada que así lo acordase, sin notificar la misma al interno y sin comunicar aquella intervención al Juzgado de Vigilancia Penitenciaria, las Autoridades Penitenciarias del Centro de Ocaña II han vulnerado el derecho fundamental al secreto de las comunicaciones (art. 18.3 CE en relación con el art. 25.2 CE).

Conclusión que cabe extender a las resoluciones judiciales que confirmaron la sanción, las cuales han conculcado indirecta o reflejamente el derecho al secreto de las comunicaciones (art. 18.3 y 25.2 CE) en la medida en que ratificaron o convalidaron la actuación administrativa lesiva de este derecho fundamental.

FJ 9. Finalmente hay que dejar constancia de que no puede accederse a la pretensión del recurrente de que el precepto contenido en el art. 98.5 RP de 1981 sea declarado contrario a la Constitución, puesto que las disposiciones de rango reglamentario (excepto las contenidas en los Reglamentos de las Cámaras y de las Cortes Generales, o en los Reglamentos de las Asambleas legislativas de las Comunidades Autónomas) no son susceptibles de declaración de inconstitucionalidad, a tenor de lo establecido en el art. 27.2 LOTC. que circunscribe el marco referencial de ésta a los Tratados Internacionales, a las Leyes Orgánicas y a las demás Leyes, disposiciones normativas y actos con fuerza de Ley.

El secreto de las comunicaciones de personas reclusas con el poder judicial —STC 107/2012, de 21 de mayo[58]—

La Sentencia resuelve el recurso de amparo promovido por don C.L.T.A. contra los Autos de 11 de noviembre de 2009 y 10 de septiembre de 2009, dictados por el Juzgado de Vigilancia Penitenciaria núm. 4 de Andalucía, que desestimaron los recursos de reforma y alzada, respectivamente, interpuestos por el recurrente contra el acuerdo sancionador de la comisión disciplinaria del centro penitenciario Puerto I, de 11 de agosto de 2009. Dicho acuerdo trae causa de las manifestaciones vertidas por el recurrente en un escrito de queja dirigido al Juez de vigilancia penitenciaria, a cuyo contenido accedieron los funcionarios del centro penitenciario, que procedieron a incoarle un expediente disciplinario. Entiende el recurrente que su sanción vulnera su derecho fundamental al secreto de las comunicaciones.

FJ 5. El art. 51 de la Ley Orgánica 1/1979, de 26 de septiembre, general penitenciaria (LOGP) establece una regulación específica (desarrollada reglamentariamente) del derecho a las comunicaciones de los internos, distinguiendo varias modalidades de comunicación, sometidas a distintos regímenes: las denominadas comunicaciones genéricas, esto es, «con familiares, amigos y representantes acreditados de Organismos e instituciones de cooperación penitenciaria» (art. 51.1 LOGP), «con el Abogado defensor o con el Abogado expresamente llamado en relación con asuntos

---

[58]   *Vid.* también, además de las citadas en la Sentencia, la STC 230/2012, de 10 de diciembre.

penales o con los Procuradores que los representen» (art. 51.2 LOGP), y «con profesionales acreditados en lo relacionado con su actividad, con los Asistentes Sociales y con Sacerdotes o Ministros de su religión» (art. 51.3 LOGP).
Dicho precepto no incluye en su regulación, sin embargo, las comunicaciones escritas dirigidas por los internos a la
autoridad judicial y en su desarrollo reglamentario, el art. 49.2 del reglamento penitenciario prohíbe expresamente
cualquier restricción de las comunicaciones de los internos con las autoridades judiciales al disponer que «[l]as
comunicaciones orales y escritas de los internos con … Autoridades Judiciales y miembros del Ministerio Fiscal no
podrán ser suspendidas, ni ser objeto de intervención o restricción administrativa de ningún tipo.»
Por otra parte, y como destacan tanto el recurrente como el Ministerio Fiscal, la legislación penitenciaria contiene
una regulación específica de las quejas y recursos que los internos tienen derecho a formular (arts. 50 LOGP y 54.1
del reglamento penitenciario). Y como afirmamos con rotundidad en la STC 15/2011, de 28 de febrero, FJ 6, de la
legislación penitenciaria se desprende tanto la obligación del director del establecimiento penitenciario de dar curso
a los recursos previstos en la ley que los internos dirijan a la autoridad judicial, sin facultarle a imponer restricción
o limitación alguna (art. 50.2 LOGP), como que los escritos con peticiones o quejas que el interno dirija al Juez de
vigilancia penitenciaria pueden presentarse en sobre cerrado o abierto y que, en cualquiera de los dos supuestos la
Administración penitenciaria lo remitirá, «sin dilación y en todo caso en el plazo máximo de tres días, al Juez de
Vigilancia Penitenciaria».
Dada la ausencia de habilitación legal y la prohibición reglamentaria expresa de la intervención administrativa de
una comunicación dirigida a un órgano judicial por quien se encuentra recluido en un centro penitenciario, la jurisprudencia constitucional ha afirmado que tal intervención se encuentra constitucionalmente proscrita y vulnera el
derecho al secreto de las comunicaciones del interno. Y ello con independencia de que el escrito se entregue para
su curso en sobre abierto o cerrado o sin introducirlo en sobre alguno, pues en cualquier caso su destinatario es el
Juez y la norma constitucional que garantiza el secreto de la comunicación se dirige inequívocamente a preservar su
impenetrabilidad por terceros ajenos a la comunicación misma. Así lo hemos declarado expresa e inequívocamente
en las SSTC 127/1996, de 9 de julio, FJ 4; y 175/2000, de 26 de junio, FJ 4, y lo reiteramos ahora, destacando la irrelevancia de que el escrito se introduzca o no en un sobre por parte del interno, pues lo constitucionalmente vedado
es el acceso a la comunicación entre el Juez y el interno.
En el presente caso, del examen de las actuaciones se desprende que el demandante de amparo trató de realizar
una comunicación con el Juzgado de Vigilancia Penitenciaria, habiendo hecho constar expresamente en el encabe-
zamiento de su escrito tanto que se trataba de un «Escrito de queja contra el Director de Puerto I … y el Subdirector
médico», como que el mismo se dirigía al Juez de Vigilancia Penitenciaria núm. 4 de los de Andalucía. Resulta por
tanto una evidencia que nos encontramos ante una comunicación entre el interno y la autoridad judicial cuya intervención administrativa se encuentra constitucionalmente proscrita, de conformidad con la doctrina anteriormente
expuesta. Pese a lo cual los funcionarios del centro penitenciario accedieron al contenido de la misma, vulnerando
de este modo el derecho al secreto de las comunicaciones del recurrente (art. 18.3 y 25.2 CE).
Las comunicaciones de personas reclusas con su abogada/o —STC 73/1983, de 30 de julio[59]—
La Sentencia resuelve el recurso de amparo promovido por don G.M.F. contra los Autos de 10, 18 y 25 de febrero de
1982 del Juzgado de Instrucción de Manzanares, y contra los Autos de la Audiencia Provincial de Ciudad Real de 26
de junio y 5 de julio de 1982, que deniegan la denuncia interpuesta por el recurrente contra el Director, Subdirector
y Jefe de Servicios de la Prisión de Herrera de la Mancha, entre otras razones, por suspensión e intervención de sus
comunicaciones con su representado, el interno señor Villegas Chicoy. Alega el recurrente que las resoluciones impugnadas interpretan los artículos 51.2 de la LOGP y 87 del Reglamento en el sentido de que confieren al Director la
facultad omnímoda de intervenir o suspender las comunicaciones de los reclusos, interpretación que estima contraria
al derecho al secreto de las comunicaciones.

FJ 7. Las comunicaciones de los internos han de celebrarse respetándose al máximo la intimidad, de acuerdo con
la regulación contenida en el apartado 1 del art. 51 de la Ley Orgánica 1/1979, regla de contenido análogo a los de
otras legislaciones extranjeras como la suiza, austriaca o de la República Federal Alemana. Centrando el tema en las
reglas que han de regir las relaciones de los Abogados defensores o expresamente llamados y de los Procuradores que
los representen con los reclusos, el art. 101 del Reglamento Penitenciario (aprobado por Real Decreto 1201/1981, de
8 de mayo) establece que se han de celebrar en departamentos apropiados, no pudiendo ser suspendidas salvo por
orden de la autoridad judicial y en los supuestos de terrorismo, diferenciándose en este ámbito el Abogado que acude

---

[59]   *Vid*. también la STC 183/1994, de 20 de julio.

por ser llamado, considerándose destinatario pasivo del requerimiento del recluido y el Abogado defensor de quien parte la iniciativa de la comunicación cuantas veces lo desee, teniendo como límite la orden de la autoridad judicial y en los supuestos de terrorismo (art. 51.2 de la referida Ley General Penitenciaria).

La interpretación de este precepto —51.2— ha de hacerse en conexión con la regla quinta del mismo, que regula la suspensión o intervención motivada por el Director del establecimiento de las comunicaciones orales o escritas, previstas en dicho artículo, «dando cuenta a la autoridad judicial competente». La interpretación lógica de uno y otro apartado de dicho artículo —que en cuanto afecta un derecho fundamental puede hacer este TC— conduce a la conclusión de que las comunicaciones de los internos de que trata el núm. 2 sólo pueden ser suspendidas por orden de la autoridad judicial con carácter general, si bien en los supuestos de terrorismo además podrá acordar la suspensión el Director del establecimiento, dando cuenta a la autoridad judicial competente.

Finalmente, la correspondencia con letrados defensores prevista en el art. 98.4, párrafo tercero, del vigente Reglamento Penitenciario no tendrá otra limitación que la prevista en el art. 51.2 de la Ley Orgánica 1/1979, interpretado en la forma expuesta.

Dado que el supuesto planteado no hace referencia a un caso de terrorismo, las consideraciones anteriores acreditan la procedencia de reconocer el derecho a la comunicación entre Abogados e internos en los términos que se dejan expuestos, de acuerdo con el art. 25.2 de la CE y la Ley Penitenciaria a la que remite. [...]

Comunicaciones de personas reclusas por delitos de terrorismo con su abogada/o —STC 58/1998, de 16 de marzo—

La Sentencia resuelve el recurso de amparo interpuesto por don J.I.U.Z., recluso en Establecimiento Penitenciario de Cádiz-Puerto II por delito terrorismo, contra el Auto de la Sección Segunda de la Audiencia Provincial de Cádiz, de 30 de marzo de 1995, y contra los del Juzgado de Vigilancia Penitenciaria de Puerto de Santa María de 27 de septiembre y de 14 de julio de 1994, desestimatorio todos ellos de su queja relativa al Acuerdo genérico de intervención de su correspondencia con su Abogada. Entiende el recurrente que las resoluciones impugnadas vulneran, además de su derecho a la defensa, su derecho fundamental al secreto de las comunicaciones (artículo 18.3 CE), ya que la limitación de dichos derechos a la que se le sometía carecía de la cobertura legal formal exigida por el artículo 25.2 CE, pues la Ley Orgánica General Penitenciaria reservaría este tipo de intervenciones a la competencia judicial (artículo 51.2).

FJ 1. [...] Las resoluciones recurridas y el Ministerio Fiscal abogan por la tesis de que la orden judicial previa en casos de terrorismo afecta sólo a las comunicaciones orales, quedando las escritas sin esta garantía. Basan sus alegaciones en el tenor literal del art. 51.2 LOGP y en la posibilidad de defraudar la intervención de comunicaciones dada la dificultad de identificar a los Abogados y Procuradores destinatarios o emisores de los escritos y la imposibilidad de evitar que mediante esta comunicación se transmitan mensajes que no se refieran estrictamente a la defensa judicial de los internos. A estas alegaciones el recurrente opone el carácter preferente de los derechos a la defensa (art. 24.2 CE) y al secreto en las comunicaciones (art. 18.3 CE), así como la STC 183/1994 que, a su juicio, declaró que las condiciones habilitantes de la intervención previstas en el art. 51.2 LOGP se referían no sólo a las comunicaciones orales o personales entre los internos y sus Abogados, sino también a las escritas.

FJ 3. [...] Se trata, pues, de determinar si la intervención administrativa de la correspondencia del recurrente con su Abogado es, en primer lugar, inconstitucional por ilegal, en el sentido de no estar prevista en la ley penitenciaria; y, de no serlo, se trata de determinar si la interpretación de la norma aplicable que realizaron la Administración penitenciaria y los órganos judiciales —y, con ello, la aplicación misma— es, por su contenido, inconstitucional. [...]

FJ 4. No cabe afirmar que la interpretación que realizaron los órganos judiciales del art. 51 LOGP sea ajena al tenor literal posible de los términos de la norma o fruto de la quiebra de otros criterios formales de interpretación —lógicos, sistemáticos—. A partir de la redacción de la norma aplicada y de su contexto inmediato puede llegar a entenderse que la alusión del apartado 2 a la «celebración» de las comunicaciones y a los «departamentos apropiados» restringe las comunicaciones reguladas en el mismo, es decir, las del interno con su Abogado o Procurador, a las comunicaciones orales y presenciales, dejando las demás de dichos sujetos —entre ellas las escritas, o al menos las escritas no presenciales o por correspondencia— al régimen general de intervención administrativa del apartado 5, es decir, sin necesidad de autorización judicial y ésta limitada a los casos de terrorismo.

FJ 5. Esta interpretación es, pues, legal en el sentido descrito y no puede por ello ser tachada de inconstitucional por este motivo. No es sin embargo, constitucionalmente aceptable por la ponderación que la supresión de la garantía judicial previa supone de los derechos fundamentales en juego, ponderación en la que las relaciones de especial sujeción del recluso con la Administración penitenciaria deben ser entendidas en un sentido reductivo, compatible con el valor preferente de los derechos fundamentales (SSTC 74/1985, 170/1996, 2/1987, 175/1997). De ahí que si fuera una interpretación única y forzosa para los órganos de aplicación, debiera conducir a la declaración de inconstitucionalidad de la norma de la que parte.

En efecto, la desproporción limitativa de derechos a la que conduce la interpretación judicial ahora impugnada, a través de la privación de la garantía del mandato judicial previo, se sostiene tanto sobre la notable incidencia que tiene la intervención en el derecho de defensa del preso, como sobre la falta de imparcialidad y de conocimientos suficientes de la Administración para ponderar cabalmente los intereses en juego. Respecto a esto último baste subrayar, con la STC 183/1994, la imposibilidad de que la Administración Penitenciaria, «totalmente ajena a las exigencias y necesidades de la instrucción penal», pondere los bienes en conflicto y decida acerca de la intervención de este tipo de comunicaciones.

El hondo detrimento que sufre el derecho de defensa a raíz de este tipo de intervenciones, se basa en la peculiar trascendencia instrumental que tiene el ejercicio de este derecho para quien se encuentra privado de libertad y pretende combatir jurídicamente dicha situación o las condiciones en las que se desarrolla. Que dicho detrimento se produce por la intervención de las comunicaciones del preso con su Abogado y por el hecho de que dicha intervención sea administrativa, es algo tan ostensible que no requiere especiales esfuerzos argumentativos, a la vista tanto de la importancia que el secreto de tales comunicaciones tiene para el adecuado diseño de la estrategia defensiva (como subraya el Tribunal Europeo de Derechos Humanos en sus Sentencias de 28 de junio de 1984 —como Campbell y Fell contra el Reino Unido—, parágrafos 111 y ss.; y de 25 de marzo de 1992 —caso Campbell contra el Reino Unido—, parágrafos 46 y s.), lo que demanda las máximas garantías para su limitación, como del hecho de que su objeto puede ser la propia atribución de infracciones penales o administrativas a la Administración penitenciaria. No en vano, «la Ley ha conferido a la intervención de las comunicaciones un carácter excepcional» (STC 179/1996, fundamento jurídico 5º). No en vano, también, es la trascendente incidencia del derecho fundamental a la defensa la que hace que el legislador penitenciario constriña toda intervención de las comunicaciones de los internos con sus Abogados o Procuradores a «los supuestos de terrorismo» y que exija además la garantía judicial (art. 51.2 LOGP) (STC 183/1994).

Por lo demás, debemos advertir, de acuerdo con la jurisprudencia del Tribunal Europeo de Derechos Humanos (Sentencia de 25 de marzo de 1992 —caso Campbell contra el Reino Unido—, parágrafo 50) y frente a lo que alega el Fiscal, que el peculiar detrimento del derecho de defensa que se deriva de la intervención administrativa de la correspondencia no queda suficientemente paliado por el hecho de que el interno y su Abogado puedan siempre someter sus comunicaciones al régimen de mayores garantías de la comunicación oral presencial, pues será frecuente que dicho tipo de comunicaciones sea de imposible o costosa realización por la distancia que pueda separar el establecimiento penitenciario del lugar en el que el Abogado tiene su despacho profesional.

FJ 6. La desproporción señalada entre los intereses que se quieren preservar —art. 51.1 LOGP: la seguridad, el tratamiento del interno y el buen orden del establecimiento— y el medio utilizado para conseguirlo —privación de la garantía judicial previa en la limitación de los derechos a la defensa en relación con el derecho al secreto de las comunicaciones, sin garantía judicial previa— es suficiente para el rechazo constitucional de la interpretación de la norma realizada por los órganos judiciales. Repárese, de nuevo, en que no se afirma que sea desproporcionada en todos los casos la intervención de la comunicación escrita entre un interno y su Abogado, sino en que lo es el que se sustraiga dicha intervención de la competencia judicial originaria, a la vista de los trascendentes intereses en conflicto, del conocimiento privilegiado que el órgano judicial puede tener del mismo y, en definitiva, de su peculiar posición institucional como garante de los derechos fundamentales.

A esta argumentación de desproporción en sentido estricto que acabamos de resumir debe sumarse el rechazo de la que sostiene el Juzgado de Vigilancia Penitenciaria relativa a la necesidad de la intervención a los efectos señalados: se trataría de evitar que se utilice la vía de la inmunidad relativa de la correspondencia entre internos y Abogados para establecer otras comunicaciones que por ser peligrosas para los fines que se quieren preservar han sido objeto de intervención por parte de la Administración penitenciaria.

Este fundamento confunde la medida en sí de preservación de las comunicaciones de preso con Abogado, que sólo pueden intervenirse en los supuestos de terrorismo mediante orden judicial (STC 183/1994), con una administración defectuosa de la misma que mediante la dejación de la acreditación de los comunicantes dé lugar a una burla de la intervención genérica de la comunicación en detrimento de las importantes finalidades de seguridad que ésta persigue. Que dicha acreditación es posible lo demuestra, cuando la comunicación parte del preso y tiene por destinatario a su Abogado, la fácil constatación de dicha relación profesional y la propia garantía constitucional de la inviolabilidad de correspondencia. Más compleja se revela sin duda la constatación de que el remitente del escrito es en realidad el Abogado del preso, tal como puede constar en el remite del sobre. Existen, sin embargo, medios jurídicos para dicha acreditación —firma, entrega personal, medios notariales— que impiden convertir la dificultad en imposibilidad, es decir, que impiden confundir una legítima intervención administrativa de la correspondencia por falta de acreditación con una ilegítima privación radical de la garantía judicial previa a partir de la dificultad de acreditación. La Administración penitenciaria deberá poner las medidas necesarias para garantizar la acreditación de la identidad del Abogado y trasladar al órgano judicial toda sospecha de utilización de la comunicación contraria a los fines legalmente previstos, pero de ello no deriva que pueda suplir la actuación judicial.

Por otra parte, que la comunicación pueda versar sobre temas ajenos a la defensa jurídica del interno, como alega también el Juzgado de Vigilancia Penitenciaria, es un riesgo que queda ínsito en la propia naturaleza del derecho —«el concepto de «secreto» en el artículo 18.3º, tiene un carácter «formal», en el sentido de que se predica de lo comunicado, sea cual sea su contenido» (STC 114/1984, fundamento jurídico 7º)— y cuya radical eliminación sólo es posible con la supresión del mismo. Dicho riesgo, en su caso, cuando sea fehacientemente constatable deberá ser valorado y ponderado por el órgano que por la entidad y las características del conflicto ha de resolverlo y que, según hemos razonado, ha de tener ex lege y ex Constitutione naturaleza judicial.

El derecho al secreto de las comunicaciones en el ámbito laboral (1)[60] —STC 241/2012, de 17 de diciembre—

La Sentencia resuelve el recurso de amparo promovido por doña M.R.M. contra el Auto de 31 de mayo de 2007 de la Sala de lo Social del Tribunal Supremo, y contra las Sentencias de 10 de febrero de 2006 de la Sala de lo Social del Tribunal Superior de Justicia de Andalucía (Sevilla), y de 13 de junio de 2005 del Juzgado de lo Social núm. 9 de Sevilla, dictadas en procedimiento sobre tutela de derechos fundamentales. A juicio de la recurrente, la empresa para la que presta servicios habría vulnerado sus derechos a la intimidad personal y al secreto de las comunicaciones (artículos 18.1 y 18.3 CE) al acceder a los ficheros informáticos en que quedaban registradas las conversaciones mantenidas entre ambas trabajadoras a través de un programa de mensajería instalado por ellas mismas en un ordenador de uso común y sin clave de acceso, en contra de la prohibición de la empresa de instalar programas en ordenadores de uso común, conversaciones de carácter íntimo que entiende deben estar protegidas por el mandato constitucional del secreto de las comunicaciones, sin que concurran tampoco las exigencias de necesidad, idoneidad y proporcionalidad de la medida para salvaguardar el interés empresarial de vigilar y controlar la actividad laboral. Dicha vulneración se imputa asimismo a las sentencias recurridas, al desestimar la demanda oportunamente planteada para la tutela de esos mismos derechos.

FJ 4. [...] En relación a los datos que se contienen en ordenadores u otros soportes informáticos, este Tribunal en la STC 173/2011, de 7 de noviembre, FJ 3, recordó que el ordenador es un instrumento útil para la emisión o recepción de correos electrónicos y con carácter general, ha venido reiterando que el poder de dirección del empresario, es imprescindible para la buena marcha de la organización productiva (organización que refleja otros derechos reconocidos constitucionalmente en los arts. 33 y 38 CE). Expresamente en el art. 20 del texto refundido de la Ley del estatuto de los trabajadores (LET) se contempla la posibilidad de que el empresario, entre otras facultades, adopte las medidas que estime más oportunas de vigilancia y control para verificar el cumplimiento del trabajador de sus obligaciones laborales. Mas esa facultad ha de producirse, en todo caso, dentro del debido respeto a la dignidad del trabajador, como expresamente nos lo recuerda igualmente la normativa laboral en los arts. 4.2 c) y 20.3 LET (STC 186/2000, de 10 de julio, FJ 5).

De esta forma, los equilibrios y limitaciones recíprocos que se derivan para ambas partes del contrato de trabajo suponen que también las facultades organizativas empresariales se encuentran limitadas por los derechos fundamentales del trabajador, quedando obligado el empleador a respetar aquéllos (STC 292/1993, de 18 de octubre, FJ 4).

FJ 5. Concretamente, en relación con la utilización de ordenadores u otros medios informáticos de titularidad empresarial por parte de los trabajadores, puede afirmarse que la utilización de estas herramientas está generalizada en el mundo laboral, correspondiendo a cada empresario, en el ejercicio de sus facultades de autoorganización, dirección y control fijar las condiciones de uso de los medios informáticos asignados a cada trabajador. En el marco de dichas facultades de dirección y control empresariales no cabe duda de que es admisible la ordenación y regulación del

---

60   *Vid.* también la SSTC 26/2018, de 5 de marzo; 281/2005, de 7 de noviembre, sobre el derecho al secreto de las comunicaciones (en concreto del correo electrónico) en el ámbito empresarial en conexión con la comunicación sindical en la empresa.

uso de los medios informáticos de titularidad empresarial por parte del trabajador, así como la facultad empresarial de vigilancia y control del cumplimiento de las obligaciones relativas a la utilización del medio en cuestión, siempre con pleno respeto a los derechos fundamentales.

Las consideraciones precedentes no impiden que se proceda a dotar de una regulación al uso de las herramientas informáticas en la empresa y, en particular, al uso profesional de las mismas, por medio de diferentes instrumentos como órdenes, instrucciones, protocolos o códigos de buenas prácticas, de manera que la empresa no quede privada de sus poderes directivos ni condenada a permitir cualesquiera usos de los instrumentos informáticos sin capacidad alguna de control sobre la utilización efectivamente realizada por el trabajador.

A tal fin y en pura hipótesis, pueden arbitrarse diferentes sistemas, siempre respetuosos con los derechos fundamentales, orientados todos ellos a que los datos profesionales o los efectos de la comunicación profesional llevada a cabo alcancen al conocimiento empresarial, sin que se dé, en cambio, un acceso directo o cualquier otra intromisión del empresario o sus mandos en la empresa, en la mensajería o en los datos personales de los trabajadores, si este uso particular ha sido permitido. En ese ámbito, aunque pudiera caber la pretensión de secreto de las comunicaciones, actúa a su vez legítimamente el poder directivo, con la posibilidad consiguiente de establecer pautas de flujo de la información e instrucciones u órdenes del empresario que aseguren, sin interferir injustificadamente el proceso de comunicación y sus contenidos, el acceso a los datos necesarios para el desarrollo de su actividad, al igual que ocurre en otros escenarios en los que, sin control directo del empresario, los trabajadores a su servicio desarrollan la actividad laboral ordenada en contacto con terceros y clientes.

Partiendo del uso común del ordenador, desde la perspectiva de los derechos fundamentales, es esencial determinar si el acceso a los contenidos de los ordenadores u otros medios informáticos de titularidad empresarial puestos por la empresa a disposición de los trabajadores, y en un medio al que puede acceder cualquiera, vulnera el art. 18.3 CE, para lo que habrá de estarse a las condiciones de puesta a disposición, pudiendo aseverarse que la atribución de espacios individualizados o exclusivos puede tener relevancia desde el punto de vista de la actuación empresarial de control. Es el caso de asignación de cuentas personales de correo electrónico a los trabajadores, o incluso a las entidades sindicales, aspecto éste que fue abordado en nuestra STC 281/2005, de 7 de noviembre. El ejercicio de la potestad de vigilancia o control empresarial sobre tales elementos resulta limitada por la vigencia de los derechos fundamentales, si bien los grados de intensidad o rigidez con que deben ser valoradas las medidas empresariales de vigilancia y control son variables en función de la propia configuración de las condiciones de disposición y uso de las herramientas informáticas y de las instrucciones que hayan podido ser impartidas por el empresario a tal fin.

FJ 6. Analizando la cuestión planteada, destacan dos elementos fácticos que son relevantes para determinar si la pretensión de secreto alegada por la demandante forma o no parte del ámbito de protección del derecho fundamental garantizado en el art. 18.3 CE, frente a la intervención empresarial aquí examinada como son: 1) el ordenador era de uso común para todos los trabajadores de la empresa; y 2) la empresa había prohibido expresamente a los trabajadores instalar programas en el ordenador, prohibición ésta que en modo alguno aparece como arbitraria en tanto que se enmarca en el ámbito de las facultades organizativas del propio empresario.

Así, por una parte, la posibilidad de uso común del ordenador por todos los empleados permite considerar que la información archivada en el disco duro era accesible a todos los trabajadores, sin necesidad de clave de acceso alguna. Esta disposición organizativa de uso común permite afirmar su incompatibilidad con los usos personales y reconocer que, en este caso, la pretensión de secreto carece de cobertura constitucional, al faltar las condiciones necesarias de su preservación.

Por otra parte, la prohibición expresa de instalar programas en el ordenador de uso común se conculca por la recurrente y otra trabajadora, quienes instalaron el programa de mensajería instantánea denominado «Trillian». Por tanto, no existiendo una situación de tolerancia a la instalación de programas y, por ende, al uso personal del ordenador, no podía existir una expectativa razonable de confidencialidad derivada de la utilización del programa instalado, que era de acceso totalmente abierto y además incurría en contravención de la orden empresarial.

Lo expuesto no impide afirmar que en el desarrollo de la prestación laboral pueden producirse comunicaciones entre el trabajador y otras personas cubiertas por el derecho al secreto del art. 18.3 CE, ya sean postales, telegráficas, telefónicas o por medios informáticos, por lo que pueden producirse vulneraciones del derecho al secreto de las comunicaciones por intervenciones antijurídicas en las mismas por parte del empresario o de las personas que ejercen los poderes de dirección en la empresa, de otros trabajadores o de terceros. Así lo ha afirmado también la jurisprudencia del Tribunal Europeo de Derechos Humanos en la Sentencia de 3 de abril de 2007, caso Copland c. Reino Unido, § 41, al recordar que, según la reiterada jurisprudencia del Tribunal (SSTEDH de 25 de junio de 1997, caso Halford c. Reino Unido, § 44, y 16 de febrero de 2000, caso Amann c. Suiza, § 44) las llamadas telefónicas que proceden de locales profesionales pueden incluirse en los conceptos de «vida privada» y de «correspondencia» a efectos del artículo 8 del Convenio, y del mismo modo los correos electrónicos enviados desde el lugar de trabajo y la información derivada del seguimiento del uso personal de Internet.

FJ 7. Sin embargo, en el presente caso, estamos ante comunicaciones entre dos trabajadoras que se produjeron al introducirse el programa en un soporte de uso común para todos los trabajadores de la empresa sin ningún tipo de cautela. En este sentido, quedan fuera de la protección constitucional por tratarse de formas de envío que se configuran legalmente como comunicación abierta, esto es, no secreta.

No puede calificarse como vulneradora del derecho al secreto de las comunicaciones la intervención empresarial analizada, por cuanto que, además, la misma se produce a partir de un hallazgo casual de uno de los usuarios, trabajador de la empresa, que transmite su contenido a la dirección, ajustando ésta su actuación de control a un suficiente canon de razonabilidad, sin que se atisbe lesión de derechos fundamentales de las trabajadoras afectadas puesto que el acceso al contenido del programa de mensajería «Trillian» sólo se produjo cuando la empresa tuvo conocimiento de la instalación del programa (mediados de octubre del año 2004) a través de otro empleado.

La intervención empresarial se limita a la comprobación de la instalación en el soporte informático de uso común, con la finalidad de constatar si había habido un incumplimiento por parte de las trabajadoras implicadas y su alcance, desarrollándose la actuación en un plazo razonable de dos meses desde que la empresa tuvo conocimiento de la existencia del programa de mensajería, habida cuenta que la convocatoria efectuada por la empresa el día 27 de diciembre de 2004 fue debida a la licencia por matrimonio y las vacaciones subsiguientes de una de ellas, por quince días cada período vacacional, según consta en el hecho tercero de la sentencia del Juzgado de lo Social, recurrida en este amparo y sin publicidad a terceras personas. Todas estas razones desvirtúan la alegada vulneración del derecho fundamental invocado, ante la falta de secreto de las comunicaciones, pues éstas estaban abiertas y no rodeadas de las condiciones que pudieran preservarlas.

Voto particular que formula el Magistrado don Fernando Valdés Dal-Ré

3. [...] [N]o puede fijarse doctrina sobre los márgenes del empresario en la puesta a disposición y uso de las herramientas informáticas, como hace la Sentencia ahora dictada, olvidando que esa libertad de comunicaciones, como el secreto de éstas, se contiene en el art. 18.3 CE. El empresario, dicho de otro modo, no puede disponer unilateral e ilimitadamente del uso de sus herramientas sin condicionante alguno. No ya porque esa concepción expresa una noción ya superada de los derechos del ciudadano trabajador, sino porque el derecho de libertad, que contiene el art. 18.3 CE, limita sus actos de disposición y limitación de uso o prohibición, sin perjuicio de que quepa, obviamente, la reglamentación del mismo, como dijéramos en la STC 281/2005, y con independencia de que su contenido esencial siga hoy pendiente de una elaboración doctrinal más acabada.

Por consiguiente y desde la perspectiva del derecho a la libertad de comunicaciones del art. 18.3 CE, las órdenes limitativas del uso, incluso privado, de esas herramientas, podrán ser en ocasiones contrarias a aquel derecho fundamental. Y es que el contrato de trabajo no incomunica al trabajador, instalándose, en la organización empresarial en la que presta servicios, en una situación de soledad hacia el exterior; y, de su lado, la titularidad de esos medios y herramientas tampoco confiere al empresario un derecho a restricciones caprichosas. La Constitución no ha recogido una concepción abstracta del derecho de propiedad como mero ámbito subjetivo de libre disposición o señorío sobre el bien objeto del dominio reservado a su titular, sometido únicamente en su ejercicio a las limitaciones generales que las leyes impongan para salvaguardar los legítimos derechos o intereses de terceros o del interés general. Antes al contrario, no sólo la utilidad individual, sino también la función social, definen inescindiblemente el contenido del derecho de propiedad sobre cada categoría o tipo de bienes (STC 37/1987, de 26 de marzo, FJ 2). A partir de este contexto constitucional y en la medida en que en el ámbito de la prestación laboral los diferentes medios utilizados por los trabajadores son de titularidad empresarial, las trabas al uso de los tan mencionados medios informáticos no pueden ampararse de manera dura y ruda en esta circunstancia.

4. La Sentencia [...] desemboca en conclusiones para mí de todo punto inasumibles (FFJJ 6 y 7); a saber: que el uso común del ordenador por todos los empleados hace que la pretensión de secreto carezca de cobertura constitucional; que la comunicación realizada queda fuera de la protección constitucional, al tratarse de formas de envío que se configuran legalmente como comunicación abierta, esto es, no secreta; y que la prohibición expresa de instalar programas en el ordenador de uso común excluye toda expectativa de confidencialidad. [...]

Al hacer esas declaraciones, olvida la Sentencia la doctrina de este Tribunal sobre el derecho al secreto de las comunicaciones. En efecto, la STC 114/1984, respecto del concepto de «secreto» del art. 18.3 CE, enseña que el mismo tiene un carácter «formal», en tanto que se predica de lo comunicado, sea cual sea su contenido y pertenezca o no el objeto de la comunicación misma al ámbito de lo personal, lo íntimo o lo reservado. [...]

El derecho al secreto de las comunicación, como recuerda la STC 142/2012, de 2 de julio, FJ 3, puede resultar vulnerado tanto por la interceptación en sentido estricto —aprehensión física del soporte del mensaje, con conocimiento o no del mismo, o captación del proceso de comunicación—, como por el simple conocimiento antijurídico de lo comunicado —apertura de la correspondencia ajena guardada por su destinatario o de un mensaje emitido por correo electrónico o a través de telefonía móvil, por ejemplo—. [...].

En definitiva y en atención al carácter formal del derecho y a sus contenidos, la protección que ofrece el art. 18.3 CE ha de incluir los supuestos en los que exista, como en el del presente amparo, la trasgresión de una orden empresarial de prohibición de instalación de sistemas de mensajería electrónica o de empleo de los existentes para un fin ajeno a la actividad laboral, pues el incumplimiento de lo ordenado no habilita en modo alguno interferencias en el proceso o en el contenido de la comunicación, sin perjuicio de que pueda acarrear algún tipo de sanción. En otros términos, la infracción de las ordenes empresariales tolera la imposición de las sanciones previstas en el ordenamiento jurídico, pero ni consiente la vulneración directa de derechos fundamentales al amparo del incumplimiento de la orden empresarial, ni tampoco las intromisiones empresariales enderezada a verificar o comprobar la existencia de las comunicaciones, incluso cuando ex post, cometida la vulneración y gracias a esa ilegítima práctica, quede acreditado que aquellas sanciones eran ajustadas a Derecho. La Sentencia confunde gravemente ese doble plano; soslaya que la desatención de las ordenes empresariales, incluso la que tenga naturaleza disciplinaria, no puede justificar lesiones de derechos fundamentales (por todas, STC 41/2006, de 13 de febrero, FJ 5), y que ese criterio no varía en los terrenos del derecho al secreto de las comunicaciones del art. 18.3 CE, debiendo existir una desconexión patente entre la sanción y el factor constitucionalmente protegido; en el caso a examen, el secreto del proceso comunicativo y de los contenidos de la comunicación. Para superar esos límites, cualquier intervención empresarial debe producirse con las prevenciones y cánones de la autorización judicial que cita el art. 18.3 CE, en cuya definición nuestra jurisprudencia incorpora la exigencia de una norma legal que habilite la injerencia —«una ley de singular precisión» (STC 49/1999, FJ 4)— y dispone que los Jueces y Tribunales podrán adoptar la medida sólo cuando concurran los presupuestos materiales pertinentes (ibídem). [...]

La Sentencia de la que me distancio responde a un concepto de las relaciones laborales que, con todo el respeto que me merece la decisión de la Sala, no se corresponde con el modelo que impone la cláusula constitucional del Estado social y democrático de Derecho (art. 1.1 CE) que las informa; atribuye al empresario facultades de las que carece; soslaya los condicionantes que en un juicio como el actual imponen la libertad de las comunicaciones y el derecho al secreto de las mismas, con su carácter formal y que, en fin y en el contexto moderno de las innovaciones tecnológicas, brinda indudables ventajas para los procesos productivos y para el desarrollo de la personalidad de los ciudadanos, y, en última instancia, opta por avalar los instrumentos de fiscalización incluso cuando, como en este caso, se actualizan en términos abiertamente invasivos, lo que, al margen de acentuar la dependencia jurídica y la presión sicológica a los trabajadores, repercute negativamente en la efectividad de los derechos fundamentales constitucionalmente reconocidos a los trabajadores.

El secreto de las comunicaciones en el ámbito laboral (y 2) —STC 170/2013, de 7 de octubre—

La Sentencia resuelve el recurso de amparo promovido por don A.P.G. contra la Sentencia de 27 de abril de 2010 de la Sala de lo Social del Tribunal Superior de Justicia de Madrid, que estimó el recurso de suplicación interpuesto por Alcaliber, S.A., contra la Sentencia de 15 de julio de 2009 del Juzgado de lo Social núm. 16 de Madrid, sobre despido. Considera el recurrente que la interpretación realizada por esta resolución respecto a la admisibilidad de las pruebas en que la empresa funda su despido resulta contraria a sus derechos a la intimidad personal y al secreto de las comunicaciones (artículos 18.1 y 18.3 CE). El recurrente denuncia la lesión de estos derechos por entender que la empresa se extralimitó en sus facultades de fiscalización cuando, no habiendo informado previamente sobre las reglas de uso y control de las herramientas informáticas de la entidad, procedió a interceptar de forma ilícita el contenido de sus correos electrónicos registrados en el ordenador facilitado por la empresa. A su juicio, resulta a tal efecto insuficiente que el convenio colectivo aplicable prevea como infracción leve de los trabajadores la utilización de los medios informáticos propiedad de la empresa para fines distintos de los relacionados con la prestación laboral.

FJ 4. [...] c) Proyectando nuestra doctrina —tanto general como específica— sobre el supuesto ahora enjuiciado, procede determinar el régimen de uso por los trabajadores de las herramientas informáticas de titularidad empresarial que resultaba aplicable en la empresa demandada en el momento de producirse los hechos. Hemos de constatar si la utilización del correo electrónico por parte del recurrente, sobre la que versa su demanda de amparo, gozaba o no de la protección constitucional del art. 18.3 CE ante la actuación fiscalizadora del empresario.

Al respecto, ha de tenerse en cuenta que, conforme a la Sentencia recurrida, las partes del proceso quedaban dentro del ámbito de aplicación del XV Convenio colectivo de la industria química, acordado por la Federación Empresarial de la Industria Química Española y por los sindicatos FITEQA-CCOO y FIA-UGT (resolución de la Dirección General de Trabajo de 9 de agosto de 2007, «Boletín Oficial del Estado» de 29 de agosto de 2007). En lo que ahora interesa, en su art. 59.11 se tipificaba como falta leve la «utilización de los medios informáticos propiedad de la empresa (correo electrónico, Intranet, Internet, etc.) para fines distintos de los relacionados con el contenido de la prestación laboral, con la salvedad de lo dispuesto en el artículo 79.2». Por su parte, el art. 79.2 del Convenio, relativo a los derechos sindicales, que partía de un principio general según el cual «el correo electrónico es de exclusivo uso profesional», añadía, como excepción, que los representantes de los trabajadores —condición que, según los hechos probados de la Sentencia, no ostentaba el actor— podían hacer uso del mismo, únicamente, para comunicarse entre sí y con la dirección de la empresa; se requería el previo acuerdo con ésta para cualquier otro uso ajeno a lo expuesto.

Conforme al presupuesto admitido en la Sentencia impugnada, este contenido del Convenio colectivo —en concreto, se refiere al indicado art. 59.11— resultaba aplicable a la empresa Alcaliber, S.A., y al trabajador demandante; de ahí que, en virtud de lo establecido en el art. 82.3 del texto refundido de la Ley del estatuto de los trabajadores (LET), haya de entenderse que ambas partes quedaban obligadas a lo allí dispuesto. En atención al carácter vinculante de esta regulación colectivamente pactada, cabe concluir que, en su relación laboral, sólo estaba permitido al trabajador el uso profesional del correo electrónico de titularidad empresarial; en tanto su utilización para fines ajenos al contenido de la prestación laboral se encontraba tipificada como infracción sancionable por el empresario, regía pues en la empresa una prohibición expresa de uso extralaboral, no constando que dicha prohibición hubiera sido atenuada por la entidad. Siendo este el régimen aplicable, el poder de control de la empresa sobre las herramientas informáticas de titularidad empresarial puestas a disposición de los trabajadores podía legítimamente ejercerse, ex art. 20.3 LET, tanto a efectos de vigilar el cumplimiento de la prestación laboral realizada a través del uso profesional de estos instrumentos, como para fiscalizar que su utilización no se destinaba a fines personales o ajenos al contenido propio de su prestación de trabajo. En tales circunstancias, de acuerdo con la doctrina constitucional expuesta, cabe entender también en el presente supuesto que no podía existir una expectativa fundada y razonable de confidencialidad respecto al conocimiento de las comunicaciones mantenidas por el trabajador a través de la cuenta de correo proporcionada por la empresa y que habían quedado registradas en el ordenador de propiedad empresarial. La expresa prohibición convencional del uso extralaboral del correo electrónico y su consiguiente limitación a fines profesionales llevaba implícita la facultad de la empresa de controlar su utilización, al objeto de verificar el cumplimiento por el trabajador de sus obligaciones y deberes laborales, incluida la adecuación de su prestación a las exigencias de la buena fe [arts. 5 a) y 20.2 y 3 LET]. En el supuesto analizado la remisión de mensajes enjuiciada se llevó pues a cabo a través de un canal de comunicación que, conforme a las previsiones legales y convencionales indicadas, se hallaba abierto al ejercicio del poder de inspección reconocido al empresario; sometido en consecuencia a su posible fiscalización, con lo que, de acuerdo con nuestra doctrina, quedaba fuera de la protección constitucional del art. 18.3 CE.

En el contexto descrito, debemos concluir que la conducta empresarial denunciada, realizada además cuando el proceso de comunicación podía entenderse ya finalizado, no ha supuesto una interceptación o conocimiento antijurídicos de comunicaciones ajenas realizadas en canal cerrado; en definitiva, debe descartarse la invocada lesión del derecho al secreto de las comunicaciones.

IV. LA EXCLUSIÓN DE PRUEBA OBTENIDA CON VIOLACIÓN DE LOS DERECHOS RECONOCIDOS EN LOS ARTÍCULOS 18.2 Y 18.3 CE

La prueba ilícitamente obtenida —STC 114/1984, de 29 de noviembre (*vid. supra*)[61]—

FJ 1. [...] El razonamiento del actor descansa en la equivocada tesis de que existe una consecutividad lógica y jurídica entre la posible lesión extraprocesal de su derecho fundamental y la pretendida irregularidad procesal de admitir la prueba obtenida a partir de aquella lesión. Sin embargo, el acto procesal podrá haber sido o no conforme a Derecho, pero no cabe considerarlo como atentatorio, de modo directo, de los derechos reconocidos en el art. 18.3 de la Constitución. Ello es claro si se tiene en cuenta que pueden no coincidir la persona cuyo derecho se conculca extra-

---

[61]   *Vid.* SSTC 107/1985, de 7 de octubre; 64/1986, de 21 de mayo; 80/1991, de 15 de abril; 85/1994, de 14 de marzo; 86/1995, de 6 de junio; 107/1995, de 3 de julio; 133/1995, de 25 de septiembre; 181/1995, de 11 de diciembre; 49/1996, de 26 de marzo; STC 127/1996, de 9 de julio; 261/2005, de 24 de octubre; 146/2006, de 8 de mayo; 253/2006, de 11 de septiembre; 111/2008, de 22 de septiembre; 66/2009, de 9 de marzo; 128/2011, de 18 de julio.

procesalmente para obtener la prueba y aquélla otra frente a la cual la prueba pretende hacerse valer en el proceso. Si se acogiese la tesis del recurrente, habría que concluir que el contenido esencial de todos y cada uno de los derechos fundamentales abarcaría no ya sólo la esfera de libertad o la pretensión vital en que los mismos se concretan, sino también la exigencia, como derecho subjetivo, de no reconocer eficacia jurídica a las consecuencias de cualquier acto atentatorio de tales derechos. Esta regla podrá reconocerse en distintos supuestos, pero no por integrarse en el núcleo esencial del derecho, sino en virtud de fundamentaciones diversas y a la vista de los intereses tutelados en cada caso por el ordenamiento.

FJ 2. En el caso aquí planteado, lo que en realidad reprocha el actor a las actuaciones judiciales es haber decidido a partir de una prueba ilícitamente obtenida. Lo cierto es que no existe un derecho fundamental autónomo a la no recepción jurisdiccional de las pruebas de origen antijurídico. La imposibilidad de estimación procesal puede existir en algunos casos, pero no en virtud de un derecho fundamental que pueda considerarse originariamente afectado, sino como expresión de una garantía objetiva e implícita en el sistema de los derechos fundamentales, cuya vigencia y posición preferente en el ordenamiento puede requerir desestimar toda prueba obtenida con lesión de los mismos. Conviene por ello dejar en claro que la recepción de una prueba ilícitamente lograda, no implica necesariamente lesión de un derecho fundamental.

Con ello no quiere decirse que la admisión de la prueba ilícitamente obtenida —y la decisión en ella fundamentada— resulten siempre indiferentes al ámbito de los derechos fundamentales. Tal afectación y la consiguiente lesión no pueden en abstracto descartarse, pero se producirán por referencia a los derechos que cobran existencia en el ámbito del proceso (art. 24.2 CE). [...]

Hay que ponderar en cada caso, los intereses en tensión para dar acogida preferente en su decisión a uno u otro de ellos (interés público en la obtención de la verdad procesal e interés, también, en el reconocimiento de plena eficacia a los derechos constitucionales). No existe, por tanto, un derecho constitucional a la desestimación de la prueba ilícita.

Deriva de lo anterior una primera corrección del planteamiento procesal del actor en el presente recurso de amparo. La pretendida lesión jurisdiccional de los derechos reconocidos en el art. 18.3 de la Constitución carece de fundamento en este caso y no es posible imputar a las resoluciones impugnadas una conculcación directa e inmediata del derecho del recurrente al secreto de sus comunicaciones.

FJ 4. Aun careciendo de regla legal expresa que establezca la interdicción procesal de la prueba ilícitamente adquirida, hay que reconocer que deriva de la posición preferente de los derechos fundamentales en el ordenamiento y de su afirmada condición de «inviolables» (art. 10.1 de la Constitución) la imposibilidad de admitir en el proceso una prueba obtenida violentando un derecho fundamental o una libertad fundamental. Para nosotros, en este caso, no se trata de decidir en general la problemática procesal de la prueba con causa ilícita, sino, más limitadamente, de constatar la «resistencia» frente a la misma de los derechos fundamentales, que presentan la doble dimensión de derechos subjetivos de los ciudadanos y de «elementos esenciales de un ordenamiento objetivo de la comunidad nacional, en cuanto ésta se configura como marco de una convivencia humana, justa y pacífica...» Sentencia de este Tribunal 25/1981, de 14 de julio, FJ 5). Esta garantía deriva, pues, de la nulidad radical de todo acto —público o, en su caso, privado— violatorio de las situaciones jurídicas reconocidas en la sección primera del capítulo segundo del Título I de la Constitución y de la necesidad institucional por no confirmar, reconociéndolas efectivas, las contravenciones de los mismos derechos fundamentales (el deterrent effect propugnado por la jurisprudencia de la Corte Suprema de los Estados Unidos). Estamos, así, ante una garantía objetiva del orden de libertad, articulado en los derechos fundamentales, aunque no —según se dijo— ante un principio del ordenamiento que puede concretarse en el reconocimiento a la parte del correspondiente derecho subjetivo con la condición de derecho fundamental.

El problema de la admisibilidad de la prueba ilícitamente obtenida se perfila siempre en una encrucijada de intereses, debiéndose optar por la necesaria procuración de la verdad en el proceso o por la garantía —por el ordenamiento en su conjunto— de las situaciones jurídicas subjetivas de los ciudadanos. Estas últimas acaso puedan ceder ante la primera cuando su base sea estrictamente infraconstitucional, pero no cuando se trate de derechos fundamentales que traen su causa, directa e inmediata, de la Constitución. En tal supuesto puede afirmarse la exigencia prioritaria de atender a su plena efectividad, relegando a un segundo término los intereses públicos ligados a la fase probatoria del proceso. [...]

FJ 5. Todo lo que se ha dicho en el apartado anterior permite sostener la inadmisibilidad en el proceso de las pruebas obtenidas con violación de derechos fundamentales, pero ello no basta para apreciar la relevancia constitucional del problema, a no ser que se aprecie una ligazón entre la posible ignorancia jurisdiccional de tal principio y un derecho o libertad de los que resultan amparables en vía constitucional [...]. Tal afectación se da, y consiste, precisamente, en que, constatada la inadmisibilidad de las pruebas obtenidas con violación de derechos fundamentales, su recepción procesal implica una ignorancia de las «garantías» propias al proceso (art. 24.2 de la Constitución) implicando también una inaceptable confirmación institucional de la desigualdad entre las partes en el juicio (art. 14 de la Constitución), desigualdad que se ha procurado antijurídicamente en su provecho quien ha recabado instrumentos probatorios en desprecio a los derechos fundamentales de otro.

Incorporación al juicio oral de prueba obtenida mediante intervención telefónica —STC 121/1998, de 15 de junio[62]—

La Sentencia resuelve el recurso de amparo promovido por don O.G.V. contra las Sentencias de la Sección Séptima de la Audiencia Provincial de Madrid de la Sala Segunda del Tribunal Supremo que le condenaron como autor de un delito contra la salud pública y otro de contrabando. Su condena se apoya en pruebas obtenidas mediante la escucha judicialmente autorizada de las comunicaciones telefónicas mantenidas desde un locutorio, así como en declaraciones del recurrente en el acto del juicio oral que, aún negando su participación en los hechos imputados, admitió haber utilizado el locutorio telefónico cuyas líneas estaban intervenidas. Entiende el recurrente que su condena es fruto de una violación de su derecho al secreto de las comunicaciones.

FJ 4. [...] a) El recurrente no cuestiona la legitimidad de la decisión judicial por la que se autorizó la intervención telefónica, ni denuncia que se haya concedido fuera de los supuestos habilitantes o con ausencia o insuficiencia de motivación. Su queja se limita a la forma en que el resultado de la intervención telefónica —la grabación de las conversaciones intervenidas— se incorporó a las actuaciones sumariales, y su aptitud para ser valorado como válida prueba de cargo en el juicio oral. [...]

c) En cualquier caso, la Sentencia de casación declaró la «invalidez procesal» del resultado de la intervención telefónica al apreciar defectos e irregularidades en su incorporación al sumario. Para la Sala Segunda del Tribunal Supremo «no se produjo el adecuado control judicial en la forma que previene la doctrina jurisprudencial [...] —envío al órgano judicial de las cintas originales, selección por el Juez de las partes que por su interés para la investigación deben unirse al proceso y autentificación por el fedatario del juzgado de las transcripciones orales y escritas que se unen a la causa— lo que determina la ineficacia procesal de tal diligencia y su falta de efectos probatorios». Al mismo tiempo añadía que ello no obstaba para que la intervención telefónica «pudiera servir, al ser constitucionalmente válida, de punto suscitador de una investigación policial cuyo resultado podrá probarse por los mismos medios que cualquier otra diligencia de tal carácter, entre los que destaca la declaración testifical, en forma contradictoria y en el acto del juicio oral de los policías intervinientes, sobre aquello que percibieron sensorialmente y conocen de ciencia propia (arts. 297, párrafo 3º y 717 LECrim) y que la Sala enjuiciadora puede valorar con el conjunto de la prueba».
Es este último razonamiento el que específicamente impugna el demandante de amparo al considerar que las irregularidades denunciadas, y apreciadas por el Tribunal Supremo, invalidan también el resto de pruebas valoradas en el juicio oral dada su conexión causal con la intervención telefónica.

FJ 5. A la vista de cierta confusión que se detecta en la exposición fáctica y jurídica que se hace en la demanda, en la que indistintamente se refiere el recurrente a tres momentos claramente diferenciables, como son la decisión judicial de intervenir las comunicaciones, la ejecución policial de dicha autorización y la incorporación a las actuaciones de su resultado, parece preciso aclarar, a efectos meramente expositivos, que la intervención telefónica acordada en el curso de la averiguación de un delito es primariamente un medio de investigación capaz de proporcionar información sobre el hecho delictivo cometido o que va a cometerse. Dicha información puede abrir nuevas vías de investigación y puede, además, ser contrastada por otros medios de prueba distintos a la propia intervención telefónica. Pero no debe olvidarse que, en ocasiones, dicho medio de investigación posibilita también que su resultado —la grabación de las manifestaciones hechas en las conversaciones intervenidas—, cuando sea útil para acreditar la imputación, puede ser propuesto en el juicio oral como medio autónomo de prueba (STC 190/1992, fundamento jurídico 3º) bien por sí mismo (audición de las cintas grabadas), o a través de su transcripción mecanográfica debidamente practicada y autenticada (se trataría entonces de la documentación de un acto de investigación practicado en la fase de sumario previa al juicio oral). En esta segunda condición —como medio de prueba específico— su validez probatoria, ex art.

---

62   *Vid.* también 151/1998, de 13 de julio; 205/2002, de 11 de noviembre.

24.2 CE en relación con los derechos a un proceso con todas las garantías y a la presunción de inocencia, está sometida, como el resto de actuaciones sumariales, a requisitos y condiciones procesales que garantizan su autenticidad y fiabilidad así como la participación de la defensa que sea exigible a fin de garantizar la debida contradicción. Pero no pueden confundirse los defectos producidos en la ejecución de una medida limitativa de derechos y aquellos otros que acaezcan al documentar e incorporar a las actuaciones el resultado de dicha medida limitativa, ni pretender que unos y otros produzcan las mismas consecuencias jurídicas.

[...] Al analizar la garantía constitucional del secreto de las comunicaciones hemos indicado que es preciso el «respeto en su realización de requisitos similares a los existentes en otro tipo de control de comunicaciones» (SSTC 85/1994, fundamento jurídico 3º); la estricta observancia del principio de proporcionalidad en la ejecución de la diligencia de investigación (STC 86/1995, fundamento jurídico 3º), y que «el control judicial efectivo en el desarrollo y cese de la medida es indispensable para el mantenimiento de la restricción del derecho fundamental dentro de los límites constitucionales» (STC 49/1996, fundamento jurídico 3º). Por tanto, el control judicial de la ejecución de la medida se integra en el contenido esencial del derecho cuando es preciso para garantizar su corrección y proporcionalidad. Pero no existe lesión del derecho fundamental cuando las irregularidades denunciadas, por ausencia o insuficiencia del control judicial, no se realizan en la ejecución del acto limitativo sino al incorporar a las actuaciones sumariales su resultado —entrega y selección de cintas, custodia de originales o transcripción de su contenido— pues en tales casos la restricción del derecho fundamental al secreto de las comunicaciones llevada a cabo por los funcionarios policiales en los que se delegó su práctica se ha mantenido dentro de los límites de la autorización.

Cuestión distinta es, como en este caso ha apreciado el Tribunal de casación, que la defectuosa incorporación a las actuaciones de su resultado no reúna las garantías de control judicial y contradicción suficientes como para convertir la grabación de las escuchas en una prueba válida para desvirtuar la presunción de inocencia. Mas al ser tales irregularidades procesales posteriores a la adquisición del conocimiento cuya prueba funda la condena, lo conocido gracias a las escuchas puede ser introducido en el juicio oral como elemento de convicción a través de otros medios de prueba que acrediten su contenido, por ejemplo mediante las declaraciones testificales de los funcionarios policiales que escucharon las conversaciones intervenidas (STC 228/1997, fundamentos jurídicos 9º y 11). Y, desde luego, lo conocido puede ser objeto de posterior investigación y prueba por otros medios que legítimamente accedan al juicio oral.

FJ 6. [...] Las irregularidades denunciadas por el recurrente se refieren a la incorporación del resultado de la intervención telefónica a las actuaciones sumariales o bien a su posterior acceso al juicio oral, y son ajenas al contenido esencial del derecho al secreto de las comunicaciones por afectar únicamente a la aptitud de las grabaciones o de las transcripciones para convertirse en medio de prueba válido por sí mismo. Por más que dichas irregularidades y defectos procedimentales puedan provocar la invalidez probatoria de las escuchas, tal y como el Tribunal Supremo ha reconocido y declarado, lo es por no reunir las garantías procesales que posibilitan su posterior acceso al juicio oral —art. 24.2 CE— pero no como consecuencia de ser el resultado de una violación del derecho sustantivo garantizado en el art. 18.3 CE. No discutiéndose en la demanda la legitimidad de la autorización judicial concedida, las escuchas practicadas, y el conocimiento adquirido con ellas, han de considerarse respetuosos con el derecho fundamental al secreto de las comunicaciones por lo que ninguna pretensión de exclusión del conocimiento adquirido o de la práctica de actos de prueba sobre el mismo puede formularse.

La prueba ilícita derivada —STC 81/1998, de 2 de abril[63]—

La Sentencia resuelve el recurso de amparo (avocado al pleno) interpuesto por don J.S.D.D. contra las Sentencias dictadas por la Sección Primera de la Audiencia Provincial de Palma de Mallorca, y por la Sala Segunda del Tribunal Supremo, que le condenaron como autor de un delito contra la salud pública. El recurrente alega que la condena se basó en una actividad probatoria en cuyo origen se encuentra una intervención telefónica declarada contraria al derecho al secreto de las comunicaciones.

---

[63]   *Vid.* también las SSTC 49/1996, de 26 de marzo; 49/1999, de 5 de abril; 171/1998, de 23 de julio; 166/1999, de 27 de septiembre; 171/1999, de 27 de septiembre; 8/2000, de 17 de enero; 50/2000, de 28 de febrero; 28/2002, de 11 de febrero; 259/2005, de 24 de octubre; 197/2009, de 28 de septiembre.

FJ 4. En supuestos como el aquí examinado, es decir, en los casos en que se plantea la dependencia o independencia de determinada actividad probatoria respecto de la previa vulneración de un derecho fundamental, hemos de empezar delimitando la zona problemática. Las pruebas puestas, desde la perspectiva constitucional, en tela de juicio, no resultan por sí mismas contrarias al derecho al secreto de las comunicaciones telefónicas ni, por lo tanto, al derecho a un proceso con todas las garantías. Sólo en virtud de su origen inconstitucional —como ponen de manifiesto tanto el recurrente como el Ministerio Público— pueden quedar incluidas en la prohibición de valoración. En consecuencia, si desde la perspectiva natural las pruebas de que se trate no guardasen relación alguna con el hecho constitutivo de la vulneración del derecho fundamental sustantivo, es decir, si tuviesen una causa real diferente y totalmente ajena al mismo, su validez y la consiguiente posibilidad de valoración a efectos de enervar la presunción de inocencia sería, desde esta perspectiva, indiscutible.

El problema surge, pues, cuando, tomando en consideración el suceso tal y como ha transcurrido de manera efectiva, la prueba enjuiciada se halla unida a la vulneración del derecho, porque se ha obtenido a partir del conocimiento derivado de ella.

Pues bien: en tales casos la regla general, tal y como hemos expresado en diversas ocasiones (SSTC 85/1994, fundamento jurídico 5º; 86/1995, fundamento jurídico 3º; 181/1995, fundamento jurídico 4º; 49/1996, fundamento jurídico 5º) y reafirmamos expresamente ahora, es que todo elemento probatorio que pretenda deducirse a partir de un hecho vulnerador del derecho fundamental al secreto de las comunicaciones telefónicas se halla incurso en la prohibición de valoración ex art. 24.2 CE

Sin embargo, a la vez que establecíamos la doctrina general que acabamos de exponer, y habida cuenta de que, como hemos dicho repetidamente, los derechos fundamentales no son ilimitados ni absolutos (STC. 254/1988, fundamento jurídico 3º), en supuestos excepcionales hemos admitido que, pese a que las pruebas de cargo se hallaban naturalmente enlazadas con el hecho constitutivo de la vulneración del derecho fundamental por derivar del conocimiento adquirido a partir del mismo, eran jurídicamente independientes de él y, en consecuencia, las reconocimos como válidas y aptas, por tanto, para enervar la presunción de inocencia (SSTC 86/1995, fundamento jurídico 4º y 54/1996, fundamento jurídico 9º).

Esto sentado, los términos en que se halla planteado el problema nos obligan a indagar en la ratio de la interdicción de la valoración de las pruebas obtenidas a través del conocimiento derivado de otra realizada vulnerando el derecho al secreto de las comunicaciones telefónicas, para poder establecer si estamos ante un supuesto en que debe aplicarse la regla general a que nos hemos referido en el fundamento jurídico anterior, extendiendo, en consecuencia, la prohibición de valoración a las pruebas derivadas o reflejas; o, por el contrario, nos hallamos ante alguna de las hipótesis que permiten excepcionarla.

Según se ha dicho, tales pruebas reflejas son, desde un punto de vista intrínseco, constitucionalmente legítimas. Por ello, para concluir que la prohibición de valoración se extiende también a ellas, habrá de precisarse que se hallan vinculadas a las que vulneraron el derecho fundamental sustantivo de modo directo, esto es, habrá que establecer un nexo entre unas y otras que permita afirmar que la ilegitimidad constitucional de las primeras se extiende también a las segundas (conexión de antijuridicidad). En la presencia o ausencia de esa conexión reside, pues, la ratio de la interdicción de valoración de las pruebas obtenidas a partir del conocimiento derivado de otras que vulneran el derecho al secreto de las comunicaciones.

Para tratar de determinar si esa conexión de antijuridicidad existe o no, hemos de analizar, en primer término la índole y características de la vulneración del derecho al secreto de las comunicaciones materializadas en la prueba originaria, así como su resultado, con el fin de determinar si, desde un punto de vista interno, su inconstitucionalidad se transmite o no a la prueba obtenida por derivación de aquélla; pero, también hemos de considerar, desde una perspectiva que pudiéramos denominar externa, las necesidades esenciales de tutela que la realidad y efectividad del derecho al secreto de las comunicaciones exige. Estas dos perspectivas son complementarias, pues sólo si la prueba refleja resulta jurídicamente ajena a la vulneración del derecho y la prohibición de valorarla no viene exigida por las necesidades esenciales de tutela del mismo cabrá entender que su efectiva apreciación es constitucionalmente legítima, al no incidir negativamente sobre ninguno de los aspectos que configuran el contenido del derecho fundamental sustantivo (STC 11/1981, fundamento jurídico 8º)

FJ 5. Desde el punto de vista de la índole y características de la vulneración de que aquí se trata, ha de considerarse, en primer término, cuál de las garantías de la injerencia en el derecho al secreto de las comunicaciones telefónicas (presupuestos materiales, intervención y control judicial, proporcionalidad, expresión de todas y cada una de las exigencias constitucionales (SSTC 199/1987, 85/1994, 86/1995, 181/1995 y 49/1996) ha sido efectivamente menoscabada y en qué forma.

Esta cuestión ha de darse por resuelta en el presente caso a partir de la declaración efectuada por el Tribunal Supremo en la Sentencia que aquí se impugna, como dijimos en el fundamento jurídico 1º. Según esa resolución, la infracción constitucional radica en la falta de expresión parcial del presupuesto legitimador de la injerencia en el derecho fundamental.

Esto sentado, procede analizar el resultado inmediato de la infracción, esto es, el conocimiento obtenido a través de la injerencia practicada inconstitucionalmente. La Sentencia impugnada subraya que, en virtud de la intervención telefónica, sólo se obtuvo un dato neutro como es el de que el entonces sospechoso y ahora recurrente iba a efectuar una visita.

A partir de ese hecho, el Tribunal Supremo entiende que dadas las circunstancias del caso y, especialmente, la observación y seguimiento de que el recurrente era objeto, las sospechas que recaían sobre él y la irrelevancia de los datos obtenidos a través de la intervención telefónica, el conocimiento derivado de la injerencia en el derecho fundamental contraria a la Constitución no fue indispensable ni determinante por sí sólo de la ocupación de la droga o, lo que es lo mismo, que esa ocupación se hubiera obtenido, también, razonablemente, sin la vulneración del derecho.

Esa afirmación que, desde la perspectiva jurídica que ahora estamos considerando, rompe, según la apreciación del Tribunal Supremo, el nexo entre la prueba originaria y la derivada, no es, en sí misma un hecho, sino un juicio de experiencia acerca del grado de conexión que determina la pertinencia o impertinencia de la prueba cuestionada. Por consiguiente, no se halla exento de nuestro control; pero, dado que, en principio, corresponde a los Jueces y Tribunales ordinarios, el examen de este Tribunal ha de ceñirse a la comprobación de la razonabilidad del mismo (ATC 46/1983, fundamento jurídico 6º y SSTC 51/1985, fundamento jurídico 9º, 174/1985, fundamento jurídico 2º; 63/1993, fundamento jurídico 5º y 244/1994, fundamento jurídico 2º, entre otras) y que, en el caso presente no puede estimarse que sea irrazonable o arbitrario, hemos de concluir que, desde el punto de vista antes expuesto, la valoración de la prueba refleja practicada en este caso no vulnera el derecho a un proceso con todas las garantías.

FJ 6. Sin embargo, la conexión de antijuridicidad, que hemos negado desde la perspectiva de la índole y resultado de la vulneración del derecho al secreto de las comunicaciones telefónicas, podría resultar afirmada a partir del examen de las necesidades esenciales de tutela del mismo.

El análisis ha de partir aquí del hecho de que la necesidad de tutela del derecho fundamental al secreto de las comunicaciones telefónicas es especialmente intensa, tanto porque dicho derecho, a consecuencia de los avances tecnológicos, resulta fácilmente vulnerable, cuanto porque constituye una barrera de protección de la intimidad, sin cuya vigencia efectiva podría vaciarse de contenido el sistema entero de los derechos fundamentales.

En consecuencia, la cuestión es la de si excepcionar, en los términos en que lo efectúan las resoluciones impugnadas, la regla general de exclusión de las pruebas obtenidas a partir del conocimiento que tiene su origen en otra contraria a las exigencias del art. 18.3 CE no significa, de algún modo, incentivar la comisión de infracciones del derecho al secreto de las comunicaciones telefónicas y, por lo tanto, privarle de una garantía indispensable para su efectividad. Para resolver esa cuestión, ha de valorarse en primer término que en ningún momento consta en los hechos probados ni puede inferirse de ellos que la actuación de los órganos encargados de la investigación penal se hallase encaminada a vulnerar el derecho al secreto de las comunicaciones. La inconstitucionalidad sobreviene por la falta de expresión de datos objetivos que, más allá de las simples sospechas a las que hace referencia la solicitud policial, y pese a su calificación como indicios en el Auto del Juez, se estimaron necesarios por el Tribunal Supremo para que la medida pudiera adoptarse respetando las exigencias constitucionales. Pero, lo cierto es que esa doctrina, sin duda respetuosa del derecho fundamental, no es acogida de modo unánime por los Jueces y Tribunales. Ese dato excluye tanto la intencionalidad como la negligencia grave y nos sitúa en el ámbito del error, frente al que las necesidades de disuasión no pueden reputarse indispensables desde la perspectiva de la tutela del derecho fundamental al secreto de las comunicaciones.

Tampoco la entidad objetiva de la vulneración cometida hace pensar que la exclusión del conocimiento obtenido mediante la intervención de las comunicaciones resulte necesaria para la efectividad del derecho, pues no estamos ante una injerencia llevada a cabo sin intervención judicial, ni nos hallamos ante una intervención acordada por resolución inmotivada (como ocurría en los casos enjuiciados en las SSTC 85/1994 y 181/1995) que, al no contener motivación de ninguna especie, ni ofrecen precisiones que permitan efectuar, siquiera sea a posteriori, el necesario juicio de proporcionalidad, ni expresan en modo alguno la indispensable valoración del Juez respecto de la injerencia en el derecho fundamental.

En el caso que nos ocupa, la justificación aducida por la Policía Judicial y acogida explícitamente por el Juez determina el posible delito, cuya gravedad está fuera de toda duda, y expresa, junto a esa precisión imprescindible, algunos de los presupuestos de la intervención de las comunicaciones, por más que, en este punto concreto, esto es, en orden a la expresión de los fundamentos justificativos, haya sido declarada insuficiente.

De todo ello se desprende que, en este caso, la necesidad de tutela inherente al derecho al secreto de las comunicaciones quedó satisfecha con la prohibición de valoración de la prueba directamente constitutiva de la lesión, que ya hizo efectiva el Tribunal Supremo en su Sentencia de casación, sin que resulte procedente extender dicha prohibición a las pruebas derivadas.

La prueba ilícita derivada y la valoración de hechos nuevos —STC 138/2001, de 18 de junio—

La Sentencia resuelve el recurso de amparo promovido por doña L.H. contra la Sentencia de la Sala de lo Penal del Tribunal Supremo de 6 de mayo de 1997, que desestimó el recurso de casación interpuesto contra la de la Sección Tercera de la Audiencia Provincial de Málaga, que condenó a la recurrente por la comisión de un delito contra la salud pública. Entiende la recurrente que ambas resoluciones vulneran sus derechos al secreto de las comunicaciones y sus derechos fundamentales procesales (artículo 24 CE), por cuanto su condena se apoyó en intervenciones telefónicas cuyos Autos habilitantes fueron dictados sin la necesaria motivación, pues no existían indicios suficientes que aconsejasen la adopción de la medida, y la ausencia de control judicial sobre esta última.

FJ 4. [...] En consecuencia, el Auto judicial ahora examinado no contiene una motivación suficiente, pues no incorporó, aunque existieran (como después se demostró al aportar la totalidad del atestado instruido), las razones que permitan entender que el órgano judicial ponderó los indicios de la existencia del delito y la relación de la recurrente con el mismo, y que por tanto valoró la concurrencia del presupuesto legal habilitante para la restricción del derecho al secreto de las comunicaciones. El mismo Tribunal Supremo, en el momento de analizar la lesión del derecho fundamental que, en el recurso de casación, fue planteada ante él, ya hizo constar que el Juzgado debería haber exigido una información complementaria más concreta y detallada sobre los indicios de los que la Brigada de Policía Judicial infería que los individuos investigados se dedicaban al tráfico de hachís, y sobre la identidad de tales individuos. Así pues, a este Tribunal sólo le queda constatar la lesión del derecho fundamental al secreto de las comunicaciones (art. 18.3 CE), derivada de este inicial Auto de autorización de la intervención telefónica [...].

FJ 5. Pero como hemos dicho anteriormente, el Auto de intervención telefónica antes examinado no fue el único que dictó sobre la materia el Juzgado de Instrucción núm. 3 de Torremolinos. [...]

Pues bien, a la vista del contenido de la solicitud policial no puede concluirse indudablemente que la misma tenga como antecedente la previa intervención telefónica que antes hemos considerado insuficiente para garantizar el derecho al secreto de las comunicaciones. En ella se aportan, efectivamente, datos que han sido obtenidos de las escuchas anteriores, como son aquellos que mencionan un futuro contacto entre la usuaria del teléfono y «una tal Mary» o los que refieren un próximo cambio en la línea telefónica. Pero a su vez se facilitan elementos fácticos nuevos y que proceden de investigaciones policiales distintas a la propia intervención. Así, la identificación de los usuarios del teléfono deriva de las vigilancias y seguimientos a que fueron sometidas las personas (la recurrente y su marido) en el bar «Ritz» y en su domicilio de Alhaurín El Grande, y las sospechas de que la demandante iba a actuar como persona que transportaba la droga fue conocida tras las investigaciones de las reservas para vuelos con destino a Inglaterra efectuadas por la policía en aeropuertos como el de Málaga y Sevilla. Y ello, como hemos indicado, con independencia de las escuchas instaladas sobre el teléfono anterior.

Tampoco desde la perspectiva del control judicial de la medida puede sostenerse que en esta segunda intervención el órgano judicial haya permanecido al margen de sus resultados. Como indicamos en la STC 49/1999, de 5 de abril, FJ 11, la necesidad de control judicial de la limitación del derecho fundamental exige aquí, cuando menos, que el Juez conozca los resultados de la intervención acordada para, a su vista, ratificar o alzar el medio de investigación utilizado. El control judicial puede resultar ausente o deficiente en caso de falta de fijación judicial de los períodos en los que debe darse cuenta al Juez de los resultados de la restricción, así como en caso de su incumplimiento por la policía; igualmente, queda afectada la constitucionalidad de la medida si, por otras razones, el Juez no efectúa un seguimiento de las vicisitudes del desarrollo y cese de la intervención telefónica, y si no conoce el resultado obtenido en la investigación (SSTC 49/1999, de 5 de abril, FJ 5; 166/1999, de 27 de septiembre, FJ 3; 236/1999, de 20 de diciembre, FJ 3, y 122/2000, de 16 de mayo, FJ 3).

En el caso presente, la lectura del Auto que autoriza la ampliación de la intervención telefónica a otro número y titular establece el plazo durante el que debe de mantenerse la escucha (hasta el 7 de marzo de 1995), ordena, y expide, oficio a la Compañía Telefónica para que comunique al Juzgado la fecha en que se inició la conexión, lo que por ésta se cumplió mediante comunicación fechada el 1 de marzo de 1995, así como para que disponga la desconexión automática de la escucha una vez finalizado el plazo para el que fue concedida y, finalmente, ordena a los funcionarios encargados de intervenir el teléfono la entrega de todas las cintas grabadas y de su transcripción mecanográfica, a fin de ordenar su cotejo por el Secretario Judicial, una vez finalice la misma. Fue antes de finalizar el plazo de la intervención cuando los funcionarios policiales encargados de la escucha pidieron una prórroga de la misma, basándose para ello en que continuaban los encuentros entre la titular del teléfono (quien aquí recurre en amparo) y la tal Mary, y que el vuelo planeado, en principio para el día 5 de marzo, había sido aplazado hasta el día 18, por lo que era de suma importancia el mantenimiento de la escucha. A estos efectos se acompañaban, según reza el propio oficio policial, transcripciones originales de las conversaciones telefónicas grabadas los días 24 de febrero, 2 y 4 de marzo de 1995, en los aspectos que interesaban a la investigación que se estaba llevando a cabo. Ciertamente que esta transcripción no aparece firmada por funcionario alguno, pero sí incorporada al oficio policial suscrito por el Comisario Jefe de la Brigada Provincial de Policía Judicial, del que formaba parte indiscutiblemente, y la corrección de su traducción se vio confirmada por el informe emitido por traductora-intérprete adscrita al Decanato de Málaga. Es más, el funcionario de policía que actuó como instructor del atestado declaró en el acto del juicio oral que cuando solicitaron la prórroga dijeron al Juez que tenían las cintas originales y que las mismas estaban a su disposición.

A la vista de lo dicho, es posible concluir que, en este caso, el Juez fijó el período de duración de la intervención, ordenó su conexión y cese inmediato en el momento de finalización, fijó el momento en el cual debía dársele cuenta del resultado de las escuchas y fue informado antes de su conclusión de los resultados alcanzados, hasta el punto de que los mismos sirvieron de antecedente a una solicitud de prórroga. Todo ello obliga a descartar que el Auto de 23 de febrero de 1995 vulnere la garantía reconocida por el art. 18.3 CE.

La prueba ilícita y la confesión —STC 161/1999, de 27 de septiembre[64]—

La Sentencia resuelve el recurso de amparo interpuesto por d. Francisco Vázquez Rosa contra la Sentencia de la Sala Segunda del Tribunal Supremo que, pese a declarar insuficientemente motivada, y por ello no conforme a la Constitución, la autorización judicial de acceso y registro de la vivienda del recurrente en cuyo transcurso se halló cierta cantidad de cocaína y heroína, consideró válida y concluyente para justificar su condena, por un delito contra la salud pública, la declaración prestada por el recurrente ante el Juez de instrucción y ratificada en el acto del juicio oral, en la que, aduciendo que era consumidor de drogas, admitió que dichas sustancias eran de su propiedad.

FJ 2. [...][E]l supuesto analizado guarda alguna semejanza con los que han dado lugar a las recientes SSTC 94/1999 y 139/1999. En aquellos casos, y en éste, los registros domiciliarios practicados como acto de investigación fueron declarados, por distintas razones, no conformes con la Constitución, pese a lo cual su resultado se utilizó en alguna de las instancias para fundamentar la condena penal. Dijimos allí, y aquí hemos de reiterarlo, que la declarada lesión del art. 18.2 CE «tiene un efecto añadido: la prohibición, derivada de la Constitución, de admitir como prueba frente al recurrente en el juicio oral y de dar valor al hallazgo de la droga», pues «tal hallazgo no puede acceder al juicio oral y utilizarse como argumento para justificar la pretensión de condena, ni a través del acta en que se documentó la diligencia sumarial de investigación ni tampoco por medio de la declaración testifical de quienes protagonizaron o participaron en la ejecución del acto lesivo de la inviolabilidad domiciliaria, ya sean los agentes policiales que la llevaron a término o las personas que, ex art. 569 LECrim, asistieron como testigos a la práctica del registro» (STC 94/1999, fundamento jurídico 6°).

La ilicitud constitucional del acto de investigación ejecutado en fase de instrucción tiene pues una consecuencia jurídica añadida: la exclusión probatoria cuyo alcance se detalla en dichas resoluciones, que son expresión de la doctrina sentada en las SSTC 114/1984, 81/1998 y 49/1999. Pero el reconocimiento de la lesión del derecho fundamental a la inviolabilidad domiciliaria no tiene en sí mismo consecuencias fácticas, es decir, no permite afirmar que «no fue hallada la droga» o que la misma «no existe, porque no está en los autos». Los hechos conocidos no dejan de existir como consecuencia de que sea ilícita la forma de llegar a conocerlos. Cuestión distinta es que esos hechos no puedan darse judicialmente por acreditados para fundar una condena penal sino mediante pruebas de cargo obtenidas con todas las garantías.

Dicho de otro modo, que el hallazgo de la droga fuera consecuencia de un acto ilícito no supone que la droga no fue hallada, ni que sobre el hallazgo no se pueda proponer prueba porque haya de operarse como si el mismo no hubiera sucedido. La droga existe, fue hallada, decomisada y analizada. Por ello, la pretensión acusatoria puede fun-

---

[64]   *Vid.* también las SSTC 8/2000, de 17 de enero; 126/2000, de 26 de mayo; 184/2003, de 23 de octubre.

darse en un relato fáctico que parta de su existencia. Precisamente, el juicio acerca de si la presunción de inocencia ha quedado o no desvirtuada consiste en determinar si dicho relato fáctico está o no acreditado con elementos de prueba constitucionalmente admisibles, más dicha cuestión es objeto de la pretensión de amparo que será analizada en último lugar. [...]

FJ 3. [...] No puede aceptarse la afirmación, hecha en la demanda, de que no se le podía preguntar por la droga, pues su hallazgo, lo hemos dicho antes, había sido objetivado en las actuaciones, por más que las pruebas que daban cuenta de él, antes de su interrogatorio, no podían utilizarse válidamente para fundar su condena. [...]

De las actuaciones se desprende que sobre el recurrente no se ha ejercido compulsión o constricción alguna, para que declarara en determinado sentido, lo que justificaría, por sí solo, la desestimación de esta queja; pero el análisis no puede detenerse ahí pues se alega una suerte de error en el que habría incurrido al creer que se iban a utilizar contra él las pruebas derivadas del registro que evidenciaban la tenencia de la droga. Según su razonamiento, de haberse declarado en el primer momento la invalidez de la entrada y registro, sus manifestaciones hubieran sido otras, y otra hubiera sido su estrategia defensiva.

Al margen de que no puede este Tribunal reconstruir los hechos a partir de acontecimientos que no sucedieron, lo cierto es que el acusado hizo sus manifestaciones después de haber impugnado el registro de su vivienda, y consciente de que aún podía impugnarlo a través de otros remedios jurídicos —el recurso de casación contra la condena, y eventualmente el recurso de amparo—, por lo que su decisión de admitir la tenencia de la droga fue voluntaria y no el fruto de compulsión alguna. Puede ser tenida por errónea desde el punto de vista de su estrategia defensiva, pero no es un error sobre los hechos que se le imputaban, ni un error inducido por el órgano judicial. El recurrente pudo haber guardado silencio, incluso pudo haber mentido. Fue advertido expresamente en este sentido y, desde luego, había sido previamente asesorado cuando declaró en el acto del juicio oral en presencia de su Letrado. Sus manifestaciones, tendentes a acreditar la tenencia para el propio consumo, fueron fruto de una estrategia de defensa voluntariamente adoptada a la vista de las circunstancias jurídicas y fácticas concurrentes en ese momento, por ello no puede apreciarse la lesión que se invoca.

FJ 4. Resta por analizar la supuesta lesión del derecho a la presunción de inocencia en cuya apreciación el Ministerio Fiscal coincide con el recurrente.

En la STC 81/1998 (fundamentos jurídicos 2° y 3°), nos referimos a la íntima relación que existe entre la presunción de inocencia y el derecho a un proceso con todas las garantías, señalando cómo la primera sólo puede entenderse desvirtuada en virtud de «pruebas que puedan considerarse de cargo y obtenidas con todas las garantías». Y no las reúnen aquellas que han sido conseguidas con vulneración de derechos fundamentales sustantivos, pues «aunque esta prohibición de valoración no se halla proclamada en un precepto constitucional que explícitamente la imponga, ni tiene lugar inmediatamente en virtud del derecho sustantivo originariamente afectado, expresa una garantía objetiva e implícita en el sistema de los derechos fundamentales, cuya vigencia y posición preferente, en el Estado de Derecho que la Constitución instaura, exige que los actos que los vulneren carezcan de eficacia probatoria en el proceso (STC 114/1984, fundamentos jurídicos 2° y 3°)».

A partir de estas premisas, afirmamos que «al valorar pruebas obtenidas con vulneración de derechos fundamentales u otras que sean consecuencia de dicha vulneración, puede resultar lesionado, no sólo el derecho a un proceso con todas las garantías, sino también la presunción de inocencia. Ello sucederá si la condena se ha fundado exclusivamente en tales pruebas; pero, si existen otras de cargo válidas e independientes, podrá suceder que... la presunción de inocencia no resulte, finalmente, infringida.»

[...] La declaración del acusado por la que reconocía ser propietario de la droga y demás efectos encontrados en el registro, no resulta, en sí misma, contraria al derecho a la inviolabilidad domiciliaria, ni, por ello, al derecho a un proceso con todas las garantías. Por tanto, la respuesta a la queja del recurrente exige determinar si efectivamente la prueba utilizada para fundar su condena es el resultado directo de la lesión de un derecho fundamental, o si ha sido obtenida a partir del conocimiento adquirido con el acto lesivo, y guarda con éste la conexión de antijuridicidad que, conforme a nuestra doctrina, justifica constitucionalmente su exclusión.

La primera de las interrogantes ha de ser resuelta en sentido negativo. La declaración de quien inicialmente era sospechoso y luego fue acusado de traficar con drogas no es el resultado de la entrada y registro, pues éste lo constituye el hallazgo de la droga y demás efectos, y a tal resultado ya ha sido extendido por el Tribunal Supremo el efecto invalidante a efectos probatorios que genera la previa lesión de la inviolabilidad domiciliaria (tal y como se estimó en las SSTC 94/1999 y 139/1999).

El recurrente mantiene que su declaración admitiendo parcialmente los hechos que han dado lugar a su condena está en relación de dependencia respecto a la previa violación de su domicilio. Para justificarlo utiliza un razonamiento puramente causal: de no haberse registrado la vivienda no se habría hallado la droga, de no haberse hallado la droga no se le habría detenido, ni se le habría tomado declaración, si no se le hubiera tomado declaración nunca habría reconocido la tenencia de la droga.

Sin embargo este razonamiento es insuficiente en términos jurídicos. Como ya hemos expuesto en las SSTC 81/1998, 49/1999, 94/1999 y 134/1999, aunque la conexión causal es requisito necesario para que se extienda el efecto invalidante, pues «si desde la perspectiva natural las pruebas de que se trate no guardasen relación alguna con el hecho constitutivo de la vulneración del derecho fundamental sustantivo, es decir, si tuviesen una causa real diferente y totalmente ajena al mismo, su validez y la consiguiente posibilidad de valoración a efectos de enervar la presunción de inocencia sería, desde esta perspectiva, indiscutible», no es un requisito suficiente para declarar la exclusión probatoria pretendida.

El criterio básico para determinar cuándo las pruebas derivadas causalmente de un acto constitucionalmente ilegítimo pueden ser valoradas y cuándo no se cifra en determinar si entre unas y otras existe una conexión de antijuridicidad. En la STC 49/1999 resumíamos así nuestra doctrina: «hemos de analizar, en primer término la índole y características de la vulneración del derecho... materializadas en la prueba originaria, así como su resultado, con el fin de determinar si, desde un punto de vista interno, su inconstitucionalidad se transmite o no a la prueba obtenida por derivación de aquélla; pero también hemos de considerar, desde una perspectiva que pudiéramos denominar externa, las necesidades esenciales de tutela que la realidad y efectividad del derecho... exige. Estas dos perspectivas son complementarias, pues sólo si la prueba refleja resulta jurídicamente ajena a la vulneración del derecho y la prohibición de valorarla no viene exigida por las necesidades esenciales de tutela del mismo cabrá entender que su efectiva apreciación es constitucionalmente legítima, al no incidir negativamente sobre ninguno de los aspectos que configurar el contenido del derecho fundamental sustantivo (STC 11/1981, fundamento jurídico 8º)».

La aplicación de esta perspectiva de análisis al supuesto enjuiciado nos lleva a desestimar la queja del recurrente, pues se aprecia que, tal y como razonó el Tribunal Supremo, su declaración admitiendo parcialmente los hechos de la pretensión acusatoria es una prueba jurídicamente independiente del acto lesivo de la inviolabilidad domiciliaria. Esta conclusión se apoya en varias consideraciones:

a) Al acusado, y previamente al imputado, se les reconoce constitucionalmente el derecho a no declarar contra sí mismo y a no confesarse culpable. Su declaración, si es en situación de privación de libertad, se lleva a cabo con asistencia letrada, ex. art. 17.3 CE. La misma garantía concurre si se presta en el juicio oral como medio de prueba frente a una pretensión de condena, ex. art. 24.2 CE. Ambas garantías constituyen un eficaz medio de protección frente a cualquier tipo de coerción o compulsión ilegítima y, por ello, el contenido de las declaraciones del acusado, y muy singularmente, el de las prestadas en el juicio oral, puede ser valorado siempre como prueba válida, y en el caso de ser de cargo, puede fundamentar la condena.

b) Las garantías frente a la autoincriminación reseñadas permiten afirmar, cuando han sido respetadas, la espontaneidad y voluntariedad de la declaración. Por ello, la libre decisión del acusado de declarar sobre los hechos que se le imputan permite, desde una perspectiva interna, dar por rota, jurídicamente, cualquier conexión causal con el inicial acto ilícito. A su vez, desde una perspectiva externa, esta separación entre el acto ilícito y la voluntaria declaración por efecto de la libre decisión del acusado, atenúa, hasta su desaparición, las necesidades de tutela del derecho fundamental material que justificarían su exclusión probatoria, ya que la admisión voluntaria de los hechos no puede ser considerada un aprovechamiento de la lesión del derecho fundamental. Las necesidades de tutela quedan, pues, suficientemente satisfechas con la exclusión probatoria ya declarada.

c) La validez de la confesión, como dijimos en la STC 86/1995, al analizar un supuesto en parte similar al presente, «no puede hacerse depender de los motivos internos del confesante, sino de las condiciones externas y objetivas de su obtención». De lo que se trata es de garantizar que una prueba como es la confesión, que por su propia naturaleza es independiente de cualquier otra circunstancia del proceso ya que su contenido es disponible por el acusado y depende únicamente de su voluntad, no responda a un acto de compulsión, inducción fraudulenta o intimidación. Estos riesgos concurren en mayor medida cuando el derecho fundamental cuya lesión se aduce es alguno de los que, al regular las condiciones en que la declaración debe ser prestada, constituyen garantías frente a la autoincriminación (declarar sin Letrado, en situación de privación de libertad, o sin previa advertencia de la posibilidad de callar), pero no es éste el supuesto que aquí abordamos.

Por todas estas consideraciones, debemos declarar razonable y justificada la decisión del Tribunal Supremo que consideró la declaración del acusado como prueba independiente del acto lesivo de la inviolabilidad domiciliaria, y por ello prueba válida, por haber sido obtenida con todas las garantías, para fundamentar su decisión de condena, lo que conduce a rechazar la alegada lesión del derecho a la presunción de inocencia.

V. EL DERECHO A LA INTIMIDAD INFORMÁTICA (ARTÍCULO 18.4 CE)

1. Contenido del derecho a la intimidad informática

La intimidad informática como derecho fundamental autónomo —STC 254/1993, de 20 de julio—

La Sentencia resuelve el recurso de amparo interpuesto por el Sr. O. contra la Administración del Estado (el Gobernador civil de Guipúzcoa y el Ministro del Interior), por no haber respondido a su solicitud de información acerca de los ficheros automatizados donde figurasen datos de carácter personal que le concernían. Sus peticiones eran tres: a) que se le comunicara si existían ficheros automatizados de la Administración del Estado, o de organismos dependientes de ella, donde constasen datos personales suyos; b) que en caso afirmativo se le indicaran la finalidad de esos ficheros, y la autoridad que los controla; y c) que se le comunicaran los datos existentes en dichos ficheros referidos a su persona, de forma inteligible y sin demora. Estas peticiones fueron desestimadas en vía de recurso contencioso-administrativo. El recurrente entiende que la negativa a suministrar la información solicitada vulnera los derechos fundamentales que le reconoce el artículo 18 de la Constitución en sus apartados 1 y 4.

FJ 6. [...] Dispone el art. 18.4 CE que «La ley limitará el uso de la informática para garantizar el honor y la intimidad personal y familiar de los ciudadanos y el pleno ejercicio de sus derechos». De este modo, nuestra Constitución ha incorporado una nueva garantía constitucional, como forma de respuesta a una nueva forma de amenaza concreta a la dignidad y a los derechos de la persona, de forma en último término no muy diferente a como fueron originándose e incorporándose históricamente los distintos derechos fundamentales. En el presente caso estamos ante un instituto de garantía de otros derechos, fundamentalmente el honor y la intimidad, pero también de un instituto que es, en sí mismo, un derecho o libertad fundamental, el derecho a la libertad frente a la potenciales agresiones a la dignidad y a la libertad de la persona provenientes de un uso ilegítimo del tratamiento mecanizado de datos, lo que la Constitución llama «la informática».

El primer problema que este derecho suscita es el de la ausencia, hasta un momento reciente, en todo caso posterior a los hechos que dan lugar a la presente demanda, de un desarrollo legislativo del mismo. Ahora bien, a esa ausencia de legislación no se pueden enlazar las desmesuradas consecuencias que postula el Abogado del Estado. Aun en la hipótesis de que un derecho constitucional requiera una *interpositio legislatoris* para su desarrollo y plena eficacia, nuestra jurisprudencia niega que su reconocimiento por la Constitución no tenga otra consecuencia que la de establecer un mandato dirigido al legislador sin virtualidad para amparar por sí mismo pretensiones individuales, de modo que sólo sea exigible cuando el legislador lo haya desarrollado. Los derechos y libertades fundamentales vinculan a todos los poderes públicos, y son origen inmediato de derechos y obligaciones, y no meros principios programáticos. Este principio general de aplicabilidad inmediata no sufre más excepciones que las que imponga la propia Constitución, expresamente o bien por la naturaleza misma de la norma (STC 15/1982, fundamento jurídico 8º).

Es cierto que, como señalamos en esa misma Sentencia, cuando se opera con una «reserva de configuración legal» es posible que el mandato constitucional no tenga, hasta que la regulación se produzca, más que un mínimo contenido, que ha de verse desarrollado y completado por el legislador. Pero de aquí no puede deducirse sin más (como hace el Abogado del Estado), que los derechos a obtener información ejercitados por el demandante de amparo no forman parte del contenido mínimo que consagra el art. 18 CE con eficacia directa, y que debe ser protegido por todos los poderes públicos y, en último término, por este Tribunal a través del recurso de amparo (art. 53 CE).

FJ 7. A partir de aquí se plantea el problema de cuál deba ser ese contenido mínimo, provisional, en relación con este derecho o libertad que el ciudadano debe encontrar garantizado, aun en ausencia de desarrollo legislativo del mismo. Un primer elemento, el más «elemental», de ese contenido, es, sin duda, negativo, respondiendo al enunciado literal del derecho: El uso de la informática encuentra un límite en el respeto al honor y la intimidad de la personas y en el pleno ejercicio de sus derechos. Ahora bien, la efectividad de ese derecho puede requerir inexcusablemente de alguna garantía complementaria, y es aquí donde pueden venir en auxilio interpretativo los tratados y convenios internacionales sobre esta materia suscritos por España. Pues, como señala el Ministerio Fiscal, la garantía de la intimidad adopta hoy un contenido positivo en forma de derecho de control sobre los datos relativos a la propia persona.

La llamada «libertad informática» es, así, también, derecho a controlar el uso de los mismos datos insertos en un programa informático (habeas data).

En este sentido, las pautas interpretativas que nacen del Convenio de protección de datos personales de 1981[65] conducen a una respuesta inequívocamente favorable a las tesis del demandante de amparo. La realidad de los problemas a los que se enfrentó la elaboración y la ratificación de dicho tratado internacional, así como la experiencia de los países del Consejo de Europa que ha sido condensada en su articulado, llevan a la conclusión de que la protección de la intimidad de los ciudadanos requiere que éstos puedan conocer la existencia y los rasgos de aquellos ficheros automatizados donde las Administraciones públicas conservan datos de carácter personal que les conciernen, así como cuáles son esos datos personales en poder de las autoridades.

[...] [Si] el derecho fundamental a la intimidad puede justificar en determinados casos que un ciudadano se niegue a suministrar a las autoridades determinados datos personales, no se ve la razón por la que no podría justificar igualmente que ese mismo ciudadano se oponga a que esos mismos datos sean conservados una vez satisfecho o desaparecido el legítimo fin que justificó su obtención por parte de la Administración, o a que sean utilizados o difundidos para fines distintos, y aun ilegales o fraudulentos, o incluso a que esos datos personales que tiene derecho a negar a la Administración sean suministrados por terceros no autorizados para ello.

Toda la información que las Administraciones públicas recogen y archivan ha de ser necesaria para el ejercicio de las potestades que les atribuye la Ley, y ha de ser adecuada para las legítimas finalidades previstas por ella, como indicamos en la STC 110/1984, especialmente fundamentos jurídicos 3º y 8º, pues las instituciones públicas, a diferencia de los ciudadanos, no gozan del derecho fundamental a la libertad de expresión que proclama el art. 20 CE (STC 185/1989, fundamento jurídico 4º.4, y ATC 19/1993. Los datos que conservan las Administraciones son utilizados luego por sus distintas autoridades y organismos en el desempeño de sus funciones, desde el reconocimiento del derecho a prestaciones sanitarias o económicas de la Seguridad Social hasta la represión de las conductas ilícitas, incluyendo cualquiera de la variopinta multitud de decisiones con que los poderes públicos afectan la vida de los particulares.

Esta constatación elemental de que los datos personales que almacena la Administración son utilizados por sus autoridades y sus servicios, impide aceptar la tesis de que el derecho fundamental a la intimidad agota su contenido en facultades puramente negativas, de exclusión. Las facultades precisas para conocer la existencia, los fines y los responsables de los ficheros automatizados dependientes de una Administración pública donde obran datos personales de un ciudadano son absolutamente necesarias para que los intereses protegidos por el art. 18 CE, y que dan vida al derecho fundamental a la intimidad, resulten real y efectivamente protegidos. Por ende, dichas facultades de información forman parte del contenido del derecho a la intimidad, que vincula directamente a todos los poderes públicos, y ha de ser salvaguardado por este Tribunal, haya sido o no desarrollado legislativamente (STC 11/1981, fundamento jurídico 8º, y 101/1991, fundamento jurídico 2º).

FJ 8. Al desconocer estas facultades, y no responder a las peticiones deducidas por el Sr. Olaverri, la Administración del Estado hizo impracticable el ejercicio de su derecho a la intimidad, dificultando su protección más allá de lo razonable, y por ende vulneró el art. 18 de la Constitución. [...]

FJ 9. No es ocioso advertir que la reciente aprobación de la Ley Orgánica de regulación del tratamiento automatizado de los datos de carácter personal (LO 5/1992, de 29 octubre), no hace más que reforzar las conclusiones alcanzadas con anterioridad. La creación del Registro General de Protección de Datos, y el establecimiento de la Agencia de Protección de Datos, facilitarán y garantizarán el ejercicio de los derechos de información y acceso de los ciudadanos a los ficheros de titularidad pública, y además extienden su alcance a los ficheros de titularidad privada. Pero ello no desvirtúa el fundamento constitucional de tales derechos, en cuanto imprescindibles para proteger el derecho fundamental a la intimidad en relación con los ficheros automatizados que dependen de los poderes públicos. Ni tampoco exonera a las autoridades administrativas del deber de respetar ese derecho de los ciudadanos, al formar y utilizar los ficheros que albergan datos personales de éstos, ni del deber de satisfacer las peticiones de información deducidas por las personas físicas en el círculo de las competencias propias de tales autoridades.

---

[65] Convenio del Consejo de Europa para la protección de las personas con respecto al tratamiento automatizado de datos de carácter personal, hecho en Estrasburgo el 28 de enero de 1981, y ratificado el 27 de enero de 1984 (publicado en el BOE de 15 de noviembre 1985) —entrada en vigor de forma general y para España el 1 octubre 1985, tras haber sido ratificado por cinco de los Estados contratantes, de conformidad con lo establecido en su artículo 22.2—.

Por consiguiente, el otorgamiento del presente amparo implica el reconocimiento del derecho que asiste al Sr. Ola-verri a que el Gobernador civil le comunique sin demora la existencia de los ficheros automatizados de datos de carácter personal que dependen de la Administración Civil del Estado, sus finalidades, y la identidad y domicilio de la autoridad responsable del fichero. Igualmente, deberá comunicarle en forma inteligible aquellos datos personales que le conciernen, pero tan solo los que obren en aquellos ficheros sobre los que el Gobernador civil ostente las necesarias facultades.

Finalmente, el reconocimiento de estos derechos, derivados del art. 18 CE de conformidad con el Convenio del Consejo de Europa a la protección de datos personales de 1981, no obsta a que la autoridad administrativa deniegue, mediante resolución motivada, algún extremo de la información solicitada, siempre que dicha negativa se encuentre justificada por alguna excepción prevista por la Ley, incluido el propio Convenio Europeo de 1981.

La intimidad informática como derecho instrumental para el ejercicio de otros derechos fundamentales: la libertad sindical —STC 11/1998, de 13 de enero[66]—

La Sentencia resuelve el recurso de amparo promovido por don I.C.N. contra la Sentencia de la Sala de lo Social del Tribunal Superior de Justicia de Madrid, de 30 de junio de 1995, que revocó la dictada por el Juzgado de lo Social de Madrid, y que denegó la reclamación de restitución de retribución interpuesta por el ahora recurrente en amparo contra RENFE, por haber descontado retribuciones correspondientes a diversos días de paros parciales que el recurrente no secundó. La empresa basó dicho descuento en el criterio de su afiliación a CC.OO., dato que conocía por figurar en su nómina la clave para descontar la cuota sindical. El recurrente alega violación de sus derechos reconocidos, además de en el artículo 24.1 CE, en el artículo 18.4 CE en conexión con el artículo 28.1 CE.

FJ 4. [...] En lo que atañe a la queja constitucional relativa a la quiebra del derecho a la libertad sindical (art. 28.1 CE), debe indicarse, como ya se afirmó desde la STC 70/1982, que «el derecho a la libertad sindical que reconoce el art. 28 CE incluye como «contenido esencial» el derecho a que las organizaciones sindicales libremente creadas desempeñen el papel y las funciones que les reconoce el art. 7 CE, de manera que participen en la defensa y protección de los intereses de los trabajadores», afirmándose en la STC 23/1983 que «por muy detallado y concreto que parezca el enunciado del art. 28.1 CE a propósito del contenido de la libertad sindical, no puede considerársele como exhaustivo o limitativo, sino meramente ejemplificativo, con la consecuencia de que la enumeración expresa de los derechos concretos que integran el genérico de libertad sindical no agota, en absoluto, el contenido global de dicha libertad». Por su parte, la STC 254/1993 declaró con relación al art. 18.4 CE, que dicho precepto incorpora una garantía constitucional para responder a una nueva forma de amenaza concreta a la dignidad y a los derechos de la persona. Además de un instituto de garantía de otros derechos, fundamentalmente el honor y la intimidad, es también, en sí mismo, un derecho o libertad fundamental, el derecho a la libertad frente a las potenciales agresiones a la dignidad y a la libertad de la persona provenientes de un uso ilegítimo del tratamiento mecanizado de datos (fundamento jurídico 6º). La garantía de la intimidad, latu sensu, adopta hoy un entendimiento positivo que se traduce en un derecho de control sobre los datos relativos a la propia persona. La llamada libertad informática es así derecho a controlar el uso de los mismos datos insertos en un programa informático (habeas data) y comprende, entre otros aspectos, la oposición del ciudadano a que determinados datos personales sean utilizados para fines distintos de aquel legítimo que justificó su obtención (fundamento jurídico 7º).

Partiendo de estas premisas, en este caso debe tenerse en consideración que la afiliación del trabajador recurrente a determinado Sindicato, se facilitó con la única y exclusiva finalidad lícita de que la Empresa descontara de la retribución la cuota sindical y la transfiriera al Sindicato, de acuerdo con lo establecido en el art. 11.2 LOLS. Sin embargo, el dato fue objeto de tratamiento automatizado y se hizo uso de la correspondiente clave informática para un propósito radicalmente distinto: retener la parte proporcional del salario relativa al período de huelga.

Es más, aunque el responsable de la dependencia donde el recurrente presta servicios había participado que éste no se adhirió a la huelga, la Empresa procedió a la detracción sin llevar a cabo investigación alguna en punto a si el demandante efectivamente se sumó a los paros; simplemente presumió que ello fue así por el simple hecho de pertenecer a uno de los Sindicatos convocantes de la huelga, como viene a reconocer su representación procesal en

---

[66]   *Vid.* las SSTC 33/1998, de 11 de febrero; 35/1998, de 11 de febrero; 60/1998, de 16 de marzo; 94/1998, de 4 de mayo; 95/1998, de 4 de mayo; 124/1998, de 15 de junio. Como precursoras de esta línea jurisprudencial, *vid.* también las SSTC 292/1993, de 18 de octubre; 142/1993, de 22 de abril.

las alegaciones vertidas en este proceso y lo corrobora la circunstancia de que tan sólo el 1 por cien de los errores afectara a trabajadores afiliados a otros sindicatos o sin militancia sindical conocida.

Por tanto, estamos ante una decisión unilateral del Empresario que supone un trato peyorativo para el trabajador por razón de su adhesión a un Sindicato (art. 12 LOLS), que le pudiera perjudicar a causa de su afiliación sindical [art. 1.2 b) del Convenio núm. 98 de la OIT]. Paralelamente, la medida puede neutralizar la ventaja que para el Sindicato significa el régimen recaudatorio establecido en el art. 11.2 LOLS, en cuanto le asegura el ingreso puntual y regular de las cuotas sindicales.

FJ 5. Establecidas estas consideraciones con relación a la libertad sindical (art. 28.1 CE), y a la protección de los datos informáticos (art. 18.4 CE), es procedente desde la perspectiva constitucional, situar correctamente la relación de los citados arts. 18.4 y 28.1, respecto de la libertad sindical.

En efecto, el art. 18.4 en su último inciso establece las limitaciones al uso de la informática para garantizar el pleno ejercicio de los derechos, lo que significa que, en supuestos como el presente, el artículo citado es, por así decirlo, un derecho instrumental ordenado a la protección de otros derechos fundamentales, entre los que se encuentra, desde luego, la libertad sindical, entendida ésta en el sentido que ha sido establecido por la doctrina de este Tribunal, porque es, en definitiva, el derecho que aquí se ha vulnerado como consecuencia de la detracción de salarios, decidida por la empresa al trabajador recurrente por su incorporación a determinado Sindicato.

En suma, ha de concluirse que tuvo lugar una lesión del art. 28.1 en conexión con el art. 18.4 CE. Éste no sólo entraña un específico instrumento de protección de los derechos del ciudadano frente al uso torticero de la tecnología informática, como ha quedado dicho, sino que además, consagra un derecho fundamental autónomo a controlar el flujo de informaciones que conciernen a cada persona —a la privacidad según la expresión utilizada en la Exposición de Motivos de la Ley Orgánica Reguladora del Tratamiento Automatizado de Datos de Carácter Personal, pertenezcan o no al ámbito más estricto de la intimidad, para así preservar el pleno ejercicio de sus derechos. Trata de evitar que la informatización de los datos personales propicie comportamientos discriminatorios. Y aquí se utilizó un dato sensible, que había sido proporcionado con una determinada finalidad, para otra radicalmente distinta con menoscabo del legítimo ejercicio del derecho de libertad sindical.

FJ 6. En este caso la vulneración de derechos fundamentales no queda supeditada a la concurrencia de dolo o culpa en la conducta del sujeto activo, a la indagación de factores psicológicos y subjetivos de arduo control. Este elemento intencional es irrelevante y basta constatar la presencia de un nexo de causalidad adecuado entre el comportamiento antijurídico y el resultado lesivo prohibido por la norma. [...]

Contenido del derecho a la intimidad informática: su vinculación con el derecho a la intimidad y su necesaria regulación por Ley Orgánica —STC 292/2000, de 30 de noviembre[67]—

La Sentencia resuelve el recurso de inconstitucionalidad interpuesto por el Defensor del Pueblo contra algunos preceptos de la Ley Orgánica de Protección de Datos de Carácter Personal (LOPD, cuya Disposición final segunda les priva de la forma de Ley Orgánica) que, a su juicio, no respetan el contenido esencial de los derechos fundamentales al honor y a la intimidad personal y familiar así como del derecho de «libertad informática» (artículos 18.1 y 18.4 CE). Los preceptos impugnados disponen: «Los datos de carácter personal recogidos o elaborados por las Administraciones Públicas para el desempeño de sus atribuciones no serán comunicados a otras Administraciones Públicas para el ejercicio de competencias diferentes o de competencias que versen sobre materias distintas, salvo cuando la comunicación hubiere sido prevista por las disposiciones de creación del fichero o por disposición de superior rango que regule su uso, o cuando la comunicación tenga por objeto el tratamiento posterior de los datos con fines históricos, estadísticos o científicos» (artículo 21.1). «Lo dispuesto en los apartados 1 y 2 del art. 5 no será aplicable a la recogida de datos cuando la información al afectado impida o dificulte gravemente el cumplimiento de las funciones de control y verificación de las Administraciones Públicas o cuando afecte a la Defensa Nacional, a la seguridad pública o a la persecución de infracciones penales o administrativas» (artículo 24.1). «Lo dispuesto en el art. 15 y en el apartado 1 del art. 16 no será de aplicación si, ponderados los intereses en presencia, resultase que los derechos que dichos preceptos conceden al afectado hubieran de ceder ante razones de interés público o ante intereses de terceros más dignos de protección. Si el órgano administrativo responsable del fichero invocase lo dispuesto en este apartado, dictará resolución motivada e instruirá al afectado del derecho que le asiste a poner la negativa en conocimiento del Director de la Agencia de Protección de Datos o, en su caso, del órgano equivalente de las Comunidades Autónomas» (artículo 24.2).

FJ 4. Sin necesidad de exponer con detalle las amplias posibilidades que la informática ofrece tanto para recoger como para comunicar datos personales ni los indudables riesgos que ello puede entrañar, dado que una persona puede ignorar no sólo cuáles son los datos que le conciernen que se hallan recogidos en un fichero sino también si han sido trasladados a otro y con qué finalidad, es suficiente indicar ambos extremos para comprender que el derecho fundamental a la intimidad (art. 18.1 CE) no aporte por sí sólo una protección suficiente frente a esta nueva realidad derivada del progreso tecnológico.

Ahora bien, con la inclusión del vigente art. 18.4 CE el constituyente puso de relieve que era consciente de los riesgos que podría entrañar el uso de la informática y encomendó al legislador la garantía tanto de ciertos derechos fundamentales como del pleno ejercicio de los derechos de la persona. Esto es, incorporando un instituto de garantía «como forma de respuesta a una nueva forma de amenaza concreta a la dignidad y a los derechos de la persona», pero que es también, «en sí mismo, un derecho o libertad fundamental» (STC 254/1993, de 20 de julio, FJ 6). Preocupación y finalidad del constituyente que se evidencia, de un lado, si se tiene en cuenta que desde el anteproyecto del texto constitucional ya se incluía un apartado similar al vigente art. 18.4 CE y que éste fue luego ampliado al aceptarse una enmienda para que se incluyera su inciso final. Y más claramente, de otro lado, porque si en el debate en el Senado se suscitaron algunas dudas sobre la necesidad de este apartado del precepto dado el reconocimiento de los derechos a la intimidad y al honor en el apartado inicial, sin embargo fueron disipadas al ponerse de relieve que estos derechos, en atención a su contenido, no ofrecían garantías suficientes frente a las amenazas que el uso de la informática podía entrañar para la protección de la vida privada. De manera que el constituyente quiso garantizar mediante el actual art. 18.4 CE no sólo un ámbito de protección específico sino también más idóneo que el que podían ofrecer, por sí mismos, los derechos fundamentales mencionados en el apartado 1 del precepto.

FJ 5. [...] Este derecho fundamental a la protección de datos, a diferencia del derecho a la intimidad del art. 18.1 CE, con quien comparte el objetivo de ofrecer una eficaz protección constitucional de la vida privada personal y familiar, atribuye a su titular un haz de facultades que consiste en su mayor parte en el poder jurídico de imponer a terceros la realización u omisión de determinados comportamientos cuya concreta regulación debe establecer la Ley, aquella que conforme al art. 18.4 CE debe limitar el uso de la informática, bien desarrollando el derecho fundamental a la protección de datos (art. 81.1 CE), bien regulando su ejercicio (art. 53.1 CE). La peculiaridad de este derecho fundamental a la protección de datos respecto de aquel derecho fundamental tan afín como es el de la intimidad radica, pues, en su distinta función, lo que apareja, por consiguiente, que también su objeto y contenido difieran.

FJ 6. La función del derecho fundamental a la intimidad del art. 18.1 CE es la de proteger frente a cualquier invasión que pueda realizarse en aquel ámbito de la vida personal y familiar que la persona desea excluir del conocimiento ajeno y de las intromisiones de terceros en contra de su voluntad (por todas STC 144/1999, de 22 de julio, FJ 8). En cambio, el derecho fundamental a la protección de datos persigue garantizar a esa persona un poder de control sobre sus datos personales, sobre su uso y destino, con el propósito de impedir su tráfico ilícito y lesivo para la dignidad y derecho del afectado. En fin, el derecho a la intimidad permite excluir ciertos datos de una persona del conocimiento ajeno, por esta razón, y así lo ha dicho este Tribunal (SSTC 134/1999, de 15 de julio, FJ 5; 144/1999, FJ 8; 98/2000, de 10 de abril, FJ 5; 115/2000, de 10 de mayo, FJ 4), es decir, el poder de resguardar su vida privada de una publicidad no querida. El derecho a la protección de datos garantiza a los individuos un poder de disposición sobre esos datos. Esta garantía impone a los poderes públicos la prohibición de que se conviertan en fuentes de esa información sin las debidas garantías; y también el deber de prevenir los riesgos que puedan derivarse del acceso o divulgación indebidas de dicha información. Pero ese poder de disposición sobre los propios datos personales nada vale si el afectado desconoce qué datos son los que se poseen por terceros, quiénes los poseen, y con qué fin.

De ahí la singularidad del derecho a la protección de datos, pues, por un lado, su objeto es más amplio que el del derecho a la intimidad, ya que el derecho fundamental a la protección de datos extiende su garantía no sólo a la intimidad en su dimensión constitucionalmente protegida por el art. 18.1 CE, sino a lo que en ocasiones este Tribunal ha definido en términos más amplios como esfera de los bienes de la personalidad que pertenecen al ámbito de la vida privada, inextricablemente unidos al respeto de la dignidad personal (STC 170/1987, de 30 de octubre, FJ 4), como el derecho al honor, citado expresamente en el art. 18.4 CE, e igualmente, en expresión bien amplia del propio art. 18.4 CE, al pleno ejercicio de los derechos de la persona. El derecho fundamental a la protección de datos amplía la garantía constitucional a aquellos de esos datos que sean relevantes para o tengan incidencia en el ejercicio de cualesquiera derechos de la persona, sean o no derechos constitucionales y sean o no relativos al honor, la ideología, la intimidad personal y familiar a cualquier otro bien constitucionalmente amparado.

De este modo, el objeto de protección del derecho fundamental a la protección de datos no se reduce sólo a los datos íntimos de la persona, sino a cualquier tipo de dato personal, sea o no íntimo, cuyo conocimiento o empleo por terceros pueda afectar a sus derechos, sean o no fundamentales, porque su objeto no es sólo la intimidad individual, que para ello está la protección que el art. 18.1 CE otorga, sino los datos de carácter personal. Por consiguiente, también alcanza a aquellos datos personales públicos, que por el hecho de serlo, de ser accesibles al conocimiento de cualquiera, no escapan al poder de disposición del afectado porque así lo garantiza su derecho a la protección de datos. También por ello, el que los datos sean de carácter personal no significa que sólo tengan protección los relativos a la vida privada o íntima de la persona, sino que los datos amparados son todos aquellos que identifiquen o permitan la identificación de la persona, pudiendo servir para la confección de su perfil ideológico, racial, sexual, económico o de cualquier otra índole, o que sirvan para cualquier otra utilidad que en determinadas circunstancias constituya una amenaza para el individuo.

Pero también el derecho fundamental a la protección de datos posee una segunda peculiaridad que lo distingue de otros, como el derecho a la intimidad personal y familiar del art. 18.1 CE. Dicha peculiaridad radica en su contenido, ya que a diferencia de este último, que confiere a la persona el poder jurídico de imponer a terceros el deber de abstenerse de toda intromisión en la esfera íntima de la persona y la prohibición de hacer uso de lo así conocido (SSTC 73/1982, de 2 de diciembre, FJ 5; 110/1984, de 26 de noviembre, FJ 3; 89/1987, de 3 de junio, FJ 3; 231/1988, de 2 de diciembre, FJ 3; 197/1991, de 17 de octubre, FJ 3, y en general las SSTC 134/1999, de 15 de julio, 144/1999, de 22 de julio, y 115/2000, de 10 de mayo), el derecho a la protección de datos atribuye a su titular un haz de facultades consistente en diversos poderes jurídicos cuyo ejercicio impone a terceros deberes jurídicos, que no se contienen en el derecho fundamental a la intimidad, y que sirven a la capital función que desempeña este derecho fundamental: garantizar a la persona un poder de control sobre sus datos personales, lo que sólo es posible y efectivo imponiendo a terceros los mencionados deberes de hacer. A saber: el derecho a que se requiera el previo consentimiento para la recogida y uso de los datos personales, el derecho a saber y ser informado sobre el destino y uso de esos datos y el derecho a acceder, rectificar y cancelar dichos datos. En definitiva, el poder de disposición sobre los datos personales (STC 254/1993, FJ 7).

FJ 7. De todo lo dicho resulta que el contenido del derecho fundamental a la protección de datos consiste en un poder de disposición y de control sobre los datos personales que faculta a la persona para decidir cuáles de esos datos proporcionar a un tercero, sea el Estado o un particular, o cuáles puede este tercero recabar, y que también permite al individuo saber quién posee esos datos personales y para qué, pudiendo oponerse a esa posesión o uso. Estos poderes de disposición y control sobre los datos personales, que constituyen parte del contenido del derecho fundamental a la protección de datos se concretan jurídicamente en la facultad de consentir la recogida, la obtención y el acceso a los datos personales, su posterior almacenamiento y tratamiento, así como su uso o usos posibles, por un tercero, sea el Estado o un particular. Y ese derecho a consentir el conocimiento y el tratamiento, informático o no, de los datos personales, requiere como complementos indispensables, por un lado, la facultad de saber en todo momento quién dispone de esos datos personales y a qué uso los está sometiendo, y, por otro lado, el poder oponerse a esa posesión y usos.

En fin, son elementos característicos de la definición constitucional del derecho fundamental a la protección de datos personales los derechos del afectado a consentir sobre la recogida y uso de sus datos personales y a saber de los mismos. Y resultan indispensables para hacer efectivo ese contenido el reconocimiento del derecho a ser informado de quién posee sus datos personales y con qué fin, y el derecho a poder oponerse a esa posesión y uso requiriendo a quien corresponda que ponga fin a la posesión y empleo de los datos. Es decir, exigiendo del titular del fichero que le informe de qué datos posee sobre su persona, accediendo a sus oportunos registros y asientos, y qué destino han tenido, lo que alcanza también a posibles cesionarios; y, en su caso, requerirle para que los rectifique o los cancele.

FJ 8. Estas conclusiones sobre el significado y el contenido el derecho a la protección de datos personales se corroboran, atendiendo al mandato del art. 10.2 CE, por lo dispuesto en los instrumentos internacionales que se refieren a dicho derecho fundamental. [...] [*vid.* la Resolución 45/95 de la Asamblea General de las Naciones Unidas donde se recoge la versión revisada de los Principios Rectores aplicables a los Ficheros Computadorizados de Datos Personales; el Convenio para la Protección de las Personas respecto al Tratamiento Automatizado de Datos de Carácter Personal, hecho en Estrasburgo el 28 de enero de 1981 en el ámbito del Consejo de Europa, y al que han seguido diversas recomendaciones de la Asamblea del Consejo de Europa; en el ámbito comunitario, la Directiva 95/46, sobre

Protección de las Personas Físicas en lo que respecta al Tratamiento de Datos Personales y la Libre Circulación de estos datos, así como el artículo 8 de la Carta de Derechos Fundamentales de la Unión Europea].

Las opiniones políticas como datos personales —STC 76/2019, de 22 de mayo—

La Sentencia resuelve el recurso de inconstitucionalidad interpuesto por el Defensor del Pueblo contra el apartado 1 del artículo 58bis de la Ley Orgánica 5/1985, de 19 de junio, del régimen electoral general, incorporado por la disposición final tercera, apartado 2, de la Ley Orgánica 3/2018, de 5 de diciembre, de protección de datos personales y garantía de los derechos digitales, que autoriza a los partidos políticos a recopilar datos sobre las opiniones políticas de las personas en el marco de sus actividades electorales, por razones de interés público y con garantías adecuadas. Entiende el recurrente que dicho artículo vulnera el artículo 18.4 CE.

FJ 6. [...] d) [...][L]as opiniones políticas son datos personales sensibles cuya necesidad de protección es, en esa medida, superior a la de otros datos personales. Una protección adecuada y específica frente a su tratamiento constituye, en suma, una exigencia constitucional, sin perjuicio de que, como se ha visto, también represente una exigencia derivada del Derecho de la Unión Europea. Por tanto, el legislador está constitucionalmente obligado a adecuar la protección que dispensa a dichos datos personales, en su caso, imponiendo mayores exigencias a fin de que puedan ser objeto de tratamiento y previendo garantías específicas en su tratamiento, además de las que puedan ser comunes o generales.

FJ 7. [...] a) La primera tacha de inconstitucionalidad que se dirige a la disposición legal impugnada es que no especifica el interés público esencial que fundamenta la restricción del derecho fundamental. [...]
[...] [L]a legitimidad constitucional de la restricción del derecho fundamental a la protección de datos personales no puede estar basada, por sí sola, en la invocación genérica de un indeterminado "interés público". Pues en otro caso el legislador habría trasladado a los partidos políticos —a quienes la disposición impugnada habilita para recopilar datos personales relativos a las opiniones políticas de las personas en el marco de sus actividades electorales— el desempeño de una función que solo a él compete en materia de derechos fundamentales en virtud de la reserva de ley del art. 53.1 CE, esto es, establecer claramente sus límites y su regulación. [...]
Finalmente, debe precisarse que no es necesario que se pueda sospechar, con mayor o menor fundamento, que la restricción persiga una finalidad inconstitucional, o que los datos que se recopilen y procesen resultarán lesivos para la esfera privada y el ejercicio de los derechos de los particulares. Es suficiente con constatar que, al no poderse identificar con la suficiente precisión la finalidad del tratamiento de datos, tampoco puede enjuiciarse el carácter constitucionalmente legítimo de esa finalidad, ni, en su caso, la proporcionalidad de la medida prevista de acuerdo con los principios de idoneidad, necesidad y proporcionalidad en sentido estricto.
b) La segunda tacha de inconstitucionalidad que se dirige a la disposición legal impugnada es que no limita el tratamiento regulando pormenorizadamente las restricciones al derecho fundamental. La disposición legal impugnada solo recoge una condición limitativa del tratamiento de datos que autoriza: la recopilación de datos personales relativos a las opiniones políticas de las personas solo podrá llevarse a cabo "en el marco de sus actividades electorales". Se trata de una condición que apenas contribuye a constreñir el uso de la habilitación conferida. De una parte, el desarrollo de las actividades electorales no tiene por qué contraerse al proceso electoral, expresión que, en cambio, es la utilizada en el apartado 2 del art. 58 *bis* LOREG. De otra, los procesos electorales son relativamente frecuentes en nuestro sistema político. Más allá de la citada condición ("en el marco de sus actividades electorales"), la disposición legal impugnada carece de reglas sobre el alcance y contenido de los tratamientos de datos que autoriza. [...]
En realidad, las dos primeras tachas de inconstitucionalidad dirigidas contra el precepto impugnado están íntimamente relacionadas. La falta de reglas precisas y claras sobre los presupuestos y condiciones del tratamiento de datos personales relativos a las opiniones políticas tampoco contribuye a identificar la finalidad de la restricción del derecho fundamental que se reconoce a los partidos políticos, y viceversa. [...]

FJ 8. El tercer aspecto de la impugnación central, sobre el que versa la mayor parte de las alegaciones de las partes, gira en torno a la cuestión de si la norma impugnada ha previsto garantías adecuadas frente a la recopilación de datos personales que autoriza. El Defensor del Pueblo sostiene que no es el caso [...].
La cuestión solo puede tener una respuesta constitucional. La previsión de las garantías adecuadas no puede deferirse a un momento posterior a la regulación legal del tratamiento de datos personales de que se trate. Las garantías adecuadas deben estar incorporadas a la propia regulación legal del tratamiento, ya sea directamente o por remisión expresa y perfectamente delimitada a fuentes externas que posean el rango normativo adecuado. Solo ese entendi-

miento es compatible con la doble exigencia que dimana del art. 53.1 CE para el legislador de los derechos fundamentales: la reserva de ley para la regulación del ejercicio de los derechos fundamentales reconocidos en el capítulo segundo del título primero de la Constitución y el respeto del contenido esencial de dichos derechos fundamentales. Según reiterada doctrina constitucional, la reserva de ley no se limita a exigir que una ley habilite la medida restrictiva de derechos fundamentales, sino que también es preciso, conforme tanto a exigencias denominadas —unas veces— de predeterminación normativa y —otras— de calidad de la ley como al respeto al contenido esencial del derecho, que en esa regulación el legislador, que viene obligado de forma primaria a ponderar los derechos o intereses en pugna, predetermine los supuestos, las condiciones y las garantías en que procede la adopción de medidas restrictivas de derechos fundamentales. Ese mandato de predeterminación respecto de elementos esenciales, vinculados también en último término al juicio de proporcionalidad de la limitación del derecho fundamental, no puede quedar deferido a un ulterior desarrollo legal o reglamentario, ni tampoco se puede dejar en manos de los propios particulares.

El análisis realizado hasta ahora apoya la impugnación presentada por el Defensor del Pueblo, pero no la resuelve por completo, pues el abogado del Estado rechaza la tercera queja mencionada argumentando que las garantías adecuadas sí existen, y se deducen por una triple vía: en concreto, de la literalidad del precepto impugnado, del sentido de la enmienda de adición de la que trae causa el precepto impugnado, así como de las dos normas que regulan la protección de datos personales en España, la LOPDyGDD y el RGPD, tal como las ha concretado la Circular 1/2019. Debemos, pues, dar contestación a cada uno de esos argumentos.

Ninguna de las tres interpretaciones puede ser compartida, como se razona a continuación:

a) La lectura del apartado impugnado o del precepto legal en su totalidad, reproducido en el fundamento jurídico primero, permite descartar la primera de las interpretaciones, pues su redacción literal ni contiene ni especifica en forma alguna las imprescindibles garantías y se limita a reconocer que deben ofrecerse "garantías adecuadas", sin más precisiones. Esa falta de regulación por el legislador se erige, de hecho, en el presupuesto, y en la razón de ser, de la aprobación de la Circular 1/2019, de 7 de marzo, de la Agencia Española de Protección de Datos, pues, como se indica en su preámbulo, "[p]recisamente por la existencia de un alto riesgo para los derechos y libertades de las personas físicas estas garantías, al no haberse establecido por el legislador, deben identificarse por esta Agencia Española de Protección de Datos".

b) Tampoco se puede acoger la segunda interpretación avanzada por el abogado del Estado, pues convertiría el contenido o la justificación de las enmiendas de las que traen causa las disposiciones legales en parte integrante de su programa normativo a pesar de que ese contenido o esa justificación no se hubiera incorporado a su tenor literal. [...]

c) Las garantías adecuadas frente a la recopilación de datos personales relativos a las opiniones políticas de las personas tampoco se encuentran establecidas en el doble marco normativo que resulta aplicable, el Reglamento (UE) 2016/679 y la Ley Orgánica 3/2018; garantías que, según el abogado del Estado, la Circular 1/2019 solo habría codificado, sin innovarlas en ningún momento.

Las premisas lógicas para esta interpretación son el entendimiento de que el art. 58 *bis* LOREG suple la exigencia constitucional de establecer ella misma las garantías adecuadas, en primer lugar, con una remisión implícita a fuentes normativas externas, dado que resulta evidente que el precepto impugnado no contiene una cláusula de remisión expresa; y, en segundo lugar, que el citado precepto legal identifica implícitamente las normas a las que se remite, y tales normas son justamente el Reglamento (UE) 2016/679 y la Ley Orgánica 3/2018. Sin embargo, ambas premisas no pueden admitirse a la vista de los términos en los que está redactado el precepto impugnado. En cualquier caso, incluso de aceptar a efectos dialécticos las referidas premisas lógicas, su consecuencia, esto es, la interpretación de que el precepto impugnado contiene una remisión implícita al Reglamento (UE) 2016/679 y a la Ley Orgánica 3/2018 e integra su regulación incompleta con las garantías allí previstas, no sería compatible con nuestra doctrina constitucional sobre la reserva de ley que dimana del art. 53.1 CE. En efecto, como expondremos a continuación, la insuficiencia de la ley no puede ser colmada por vía interpretativa a partir de las pautas e indicaciones que se puedan extraer de los citados textos normativos (i). Tampoco puede ser colmada por el titular de una potestad normativa limitada como es la Agencia Española de Protección de Datos (ii) o mediante una interpretación conforme (iii). Finalmente, una remisión implícita como la pretendida tampoco resultaría coherente con el marco regulador europeo (iv), perspectiva que, como se dijo, no puede ser irrelevante para nuestro enjuiciamiento constitucional.

(i) Es evidente que si la norma incluyera una remisión para la integración de la ley con las garantías adecuadas establecidas en normas de rango inferior a la ley, sería considerada como una deslegalización que sacrifica la reserva de ley ex art. 53.1 CE, y, por este solo motivo, debería ser declarada inconstitucional y nula. La norma dispondría de una remisión en blanco para la determinación de un elemento, consistente en el nivel adecuado de garantías, que es imprescindible para mantener indemne el contenido esencial del derecho fundamental afectado y poder así controlar el respeto del principio de proporcionalidad.

Pero lo mismo ocurre si, como sostiene el abogado del Estado, la norma incluye una remisión para la integración de la ley con las garantías adecuadas establecidas en dos textos normativos sin mayores precisiones, esto es, sin reglas claras y precisas que delimiten efectiva y eficazmente las garantías adecuadas que se consideran aplicables; más aún, cuando tales textos normativos, por un lado, se componen de noventa y nueve artículos (el RGPD) y noventa y siete artículos, veintidós disposiciones adicionales, seis disposiciones transitorias, una disposición derogatoria única y dieciséis disposiciones finales (la LOPDyGDD), y, por otro lado, ninguna de ellas se refiere específicamente a las garantías adecuadas para la protección de la categoría especial de datos que son los relativos a las opiniones políticas de las personas. Eso dejaría la decisión en manos, no del legislador, sino exclusivamente a disposición de la determinación reglamentaria del Gobierno o bien, en ausencia de este último, del aplicador del derecho, el cual tendría que deducir por su cuenta cuáles de las garantías previstas en ambas normas de remisión resultan aplicables al tratamiento en cuestión. Todo ello supondría una insuficiencia manifiesta en el contenido mínimo exigible, en condiciones de certeza y previsibilidad, a la configuración legal del derecho fundamental a la protección de datos personales.

(ii) La insuficiencia legal que venimos analizando tampoco puede ser colmada, en ejercicio de sus potestades, por la Agencia Española de Protección de Datos. La agencia es la autoridad administrativa independiente a la que se encomienda la interpretación y aplicación de la normativa de protección de datos (arts. 57 y 58 RGPD y 44 y sigs. LOPDyGDD), y su potestad normativa, mediante la aprobación de circulares, está circunscrita al dictado de "disposiciones que fijen los criterios a que responderá la actuación de esta autoridad" en la aplicación de lo dispuesto en el Reglamento (UE) 2016/679 y en la Ley Orgánica 3/2018 (art. 55.1 LOPDyGDD). Por tanto, la circunstancia de que, con posterioridad a la interposición del presente recurso contra la ley, la presidencia de la Agencia Española de Protección de Datos haya aprobado la Circular 1/2019, de 7 de marzo, para abordar esa laguna, tal como se indicó anteriormente, no puede subsanar la insuficiencia constitucional de la que adolece el art. 58 *bis* LOREG introducido por la Ley Orgánica 3/2018 por lo que se refiere a la recopilación de datos personales relativos a las opiniones políticas en el marco de actividades electorales. Una interpretación distinta vaciaría de contenido el principio de reserva legal que consagra la Constitución y que de forma reiterada ha invocado nuestra jurisprudencia previa en materia de protección de datos personales.

(iii) La falta de previsión legal de un elemento cuya previsión es necesaria para que se pueda considerar que se respeta el contenido esencial, tampoco se puede superar con la técnica de la interpretación conforme, pues esta técnica, que viene impuesta por el principio de conservación de la ley, se aplica cuanto existen "varias interpretaciones posibles igualmente razonables" y permite descartar aquella o aquellas que darían lugar a que el precepto incurriera en inconstitucionalidad [SSTC 168/2016, de 6 de octubre, FJ 4 b); y 97/2018, de 19 de septiembre, FJ 7, por todas]. En el presente caso no estamos ante "varias interpretaciones posibles igualmente razonables", sino ante la insuficiencia de regulación detectada en una norma de desarrollo de un derecho fundamental.

(iv) Por último, debemos recordar que el Reglamento general de protección de datos establece las garantías mínimas, comunes o generales para el tratamiento de datos personales que no son especiales. En cambio, no establece por sí mismo el régimen jurídico aplicable a los tratamientos de datos personales especiales, ni en el ámbito de los Estados miembros ni para el Derecho de la Unión. Por ende, tampoco fija las garantías que deben observar los diversos tratamientos posibles de datos sensibles, adecuadas a los riesgos de diversa probabilidad y gravedad que existan en cada caso; tratamientos y categorías especiales de datos que son, o pueden ser, muy diversos entre sí. El reglamento se limita a contemplar la posibilidad de que el legislador de la Unión Europea o el de los Estados miembros, cada uno en su ámbito de competencias, prevean y regulen tales tratamientos, y a indicar las pautas que deben observar en su regulación. Una de esas pautas es que el Derecho del Estado miembro establezca "medidas adecuadas y específicas para proteger los intereses y derechos fundamentales del interesado" [art. 9.2 g) RGPD] y que "se ofrezcan garantías adecuadas" (considerando 56 RGPD). Es patente que ese establecimiento de medidas adecuadas y específicas solo puede ser expreso. Si la norma interna que regula el tratamiento de datos personales relativos a opiniones políticas, no prevé esas garantías adecuadas, sino que, todo lo más, se remite implícitamente a las garantías generales contenidas en el Reglamento general de protección de datos, no puede considerarse que haya llevado a cabo la tarea normativa que aquel le exige.

FJ 9. De lo anterior se concluye que la ley no ha identificado la finalidad de la injerencia para cuya realización se habilita a los partidos políticos, ni ha delimitado los presupuestos ni las condiciones de esa injerencia, ni ha establecido las garantías adecuadas que para la debida protección del derecho fundamental a la protección de datos personales reclama nuestra doctrina, por lo que se refiere a la recopilación de datos personales relativos a las opiniones políticas por los partidos políticos en el marco de sus actividades electorales.

De esta forma, se han producido tres vulneraciones del art. 18.4 CE en conexión con el art. 53.1 CE, autónomas e independientes entre sí, todas ellas vinculadas a la insuficiencia de la ley y que solo el legislador puede remediar, y redundando las tres en la infracción del mandato de preservación del contenido esencial del derecho fundamental que impone el art. 53.1 CE, en la medida en que, por una parte, la insuficiente adecuación de la norma legal impugnada a los requerimientos de certeza crea, para todos aquellos a los que recopilación de datos personales pudiera aplicarse, un peligro, en el que reside precisamente dicha vulneración y, por otra parte, la indeterminación de la finalidad del tratamiento y la inexistencia de "garantías adecuadas" o las "mínimas exigibles a la Ley" constituyen en sí mismas injerencias en el derecho fundamental de gravedad similar a la que causaría una intromisión directa en su contenido nuclear.

La afiliación política como dato público, no cubierto por el derecho a la intimidad —STC 83/2003, de 8 de mayo (*vid. supra* ARTÍCULO 18.1 CE)—

FJ 21. [...] Tampoco puede considerarse vulnerado el derecho fundamental a la protección de datos (art. 18.4 CE), que faculta a los ciudadanos para oponerse a que determinados datos personales sean utilizados para fines distintos de aquél legítimo que justificó su obtención (STC 94/1998, de 4 de mayo, FJ 4). Tal derecho persigue garantizar a las personas un poder de control sobre sus datos personales, sobre su uso y su destino, con el propósito de impedir su tráfico ilícito y lesivo para la dignidad y derecho del afectado (STC 292/2000, de 30 de noviembre, FJ 6). Pero ese poder de disposición no puede pretenderse con respecto al único dato relevante en este caso, a saber, la vinculación política de aquéllos que concurren como candidatos a un proceso electoral pues, como hemos dicho, se trata de datos publicados a los que puede acceder cualquier ciudadano y que por tanto quedan fuera del control de las personas a las que se refieren. La adscripción política de un candidato es y debe ser un dato público en una sociedad democrática, y por ello no puede reclamarse sobre él ningún poder de disposición.

La intimidad informática y el 'derecho al olvido' – STC 58/2018, de 4 de junio-

La Sentencia resuelve el recurso de amparo promovido por D.F.C. y M.F.C contra la Sentencia del Tribunal Supremo, de 15 de octubre de 2015, y la providencia del mismo Tribunal, de 17 de febrero de 2016, que inadmitió a trámite el incidente de nulidad interpuesto contra la primera. Ésta decretó la casación parcial de la Sentencia de la Sección Decimocuarta de la Audiencia Provincial de Barcelona de 11 de octubre de 2013, declarándola "sin valor ni efecto alguno en los pronunciamientos relativos a la supresión de los datos personales de las personas demandantes en el código fuente de la página web que contenía la información y de su nombre, apellidos o incluso iniciales, y a la prohibición de indexar los datos personales para su uso por el motor de búsqueda interno de la hemeroteca digital gestionada por la demandada". Entienden los recurrentes que el Tribunal Supremo vulneró sus derechos reconocidos en los artículos 18.1 y 18.4 CE.

FJ 5. [...] [S]e plantea en esta sede un conflicto entre, de un lado, los derechos al honor y a la intimidad (art. 18.1 CE) y a la protección de datos personales (art. 18.4 CE) y, de otro, el derecho a la libertad de información [art. 20.1 d) CE]. Pero este conflicto adopta, en este caso, matices singulares que tienen que ver con el modo en que la intimidad de las personas titulares de este derecho se ve expuesta con el uso de las tecnologías de la información, en particular con el uso de internet; con la forma en que las herramientas informáticas desarrolladas para facilitar el acceso a la información, como los buscadores, afectan singularmente a los datos personales de la ciudadanía; con el modo en que el transcurso del tiempo puede llegar a influir en los equilibrios entre derecho al honor y la intimidad (art. 18.1 CE) y las libertades informativas [art. 20.1. d) CE], haciendo nacer un "derecho al olvido" y con la intervención de los medios de comunicación, que también se sirven de las herramientas informáticas hoy disponibles, en el contexto de la garantía de las libertades informativas que, con el uso de aquellas herramientas, se transforman en libertades de alcance global, y que expanden su eficacia hacia atrás en el tiempo de un modo complejo. Hoy, la información periodística ya no es sólo la actualidad publicada en la prensa escrita o audiovisual, sino un flujo de datos sobre hechos y personas que circula por cauces no siempre sujetos al control de los propios medios de comunicación, y que nos permite ir hacia atrás en el tiempo haciendo noticiables sucesos que no son actuales. Las anteriores circunstancias exigen ajustar nuestra jurisprudencia sobre la ponderación de los derechos en conflicto.

Lo que plantean las personas recurrentes en amparo, a través de la invocación del artículo 18.1 y 4 CE, es el ejercicio del denominado jurisprudencialmente "derecho al olvido" (conclusiones del Abogado General asunto Niilo Jääskinen, de 25 de junio de 2013, en el asunto Google Spain, S.L. y Google Inc. c. Agencia Española de Protección de

Datos y Mario Costeja González y Sentencia del Tribunal de Justicia de 13 de mayo de 2014, en el asunto C 131/12 —asunto Google—).

Este es definido, exactamente bajo esta denominación, sólo en el artículo 17 del Reglamento (UE) 2016/679 del Parlamento Europeo y del Consejo de 27 de abril de 2016, relativo a la protección de las personas físicas en lo que respecta al tratamiento de datos personales y a la libre circulación de estos datos y por el que se deroga la Directiva 95/46/CE (Reglamento General de protección de datos), norma europea que entró en vigor el 25 de mayo de 2018. Se concreta como el derecho a obtener, sin dilación indebida, del responsable del tratamiento de los datos personales relativos a una persona, la supresión de esos datos, cuando ya no sean necesarios en relación con los fines para los que fueron recogidos o tratados; cuando se retire el consentimiento en que se basó el tratamiento; cuando la persona interesada se oponga al tratamiento; cuando los datos se hayan tratado de forma ilícita; cuando se deba dar cumplimiento a una obligación legal establecida en el Derecho de la Unión o de los Estados miembros; o cuando los datos se hayan obtenido en relación con la oferta de servicios de la sociedad de la información. En suma, en el Reglamento se viene a legislar de forma más clara el derecho a la supresión de los datos personales de una determinada base que los contuviera. Eso, y no otra cosa, es el derecho al olvido. Un derecho a la supresión de los datos personales, existente ya por obra de la Directiva 95/46/CE, estrechamente vinculado con la salvaguardia del derecho fundamental a la protección de datos personales frente al uso de la informática (art. 18.4 CE), y con la protección del artículo 8 de la Carta de los derechos fundamentales de la Unión Europea y del Convenio núm. 108 del Consejo de Europa para la protección de las personas con respecto al tratamiento automatizado de datos de carácter personal.

Así considerado, el derecho al olvido es una vertiente del derecho a la protección de datos personales frente al uso de la informática (art. 18.4 CE), y es también un mecanismo de garantía para la preservación de los derechos a la intimidad y al honor, con los que está íntimamente relacionado, aunque se trate de un derecho autónomo.

[...] Por tanto, si las libertades informáticas pueden definirse como derecho fundamental, también lo es, porque se integra entre ellas, el derecho al olvido. [...]

FJ 6. Este reconocimiento expreso del derecho al olvido, como facultad inherente al derecho a la protección de datos personales, y por tanto como derecho fundamental, supone la automática aplicación al mismo de la jurisprudencia relativa a los límites de los derechos fundamentales. [...]

En este caso, se identifica la libertad de información [art. 20.1 d) CE] como el derecho fundamental que podría actuar como límite del derecho de autodeterminación sobre los propios datos personales. Los datos personales cuya supresión se solicita por las personas recurrentes están contenidos en una noticia digitalizada, contenida en una hemeroteca digital, y la misma narraba, respecto de las personas recurrentes, que habían sido detenidas por su participación en un presunto delito de tráfico de drogas y que se había decretado su ingreso en prisión donde fueron médicamente atendidas por padecer el síndrome de abstinencia. El artículo, en el que no se encuentra ningún juicio de valor ni opinión, sino la mera exposición fáctica recién detallada, se incardina por lo tanto en el marco del derecho a comunicar libremente información veraz [art. 20.1 d) CE], que protege la difusión de hechos que merecen ser considerados noticiables por venir referidos a asuntos de relevancia pública que son de interés general por las materias a que se refieren o por las personas que en ellos intervienen. (STC 41/2011, de 11 de abril, FJ 2).

Una vez digitalizada la noticia, y vinculada a la hemeroteca digital de "El País", pudo ser enlazada a motores de búsqueda generales de internet, porque el editor del sitio de internet, esto es, Ediciones El País, no utilizó protocolos informáticos de exclusión aptos para excluir la información contenida en el sitio de los índices automáticos de los motores.

Las Sentencias de 4 de octubre de 2012, del Juzgado de Primera Instancia núm. 21 de Barcelona, y de 11 de octubre de 2013, de la Sección Decimocuarta de la Audiencia Provincial de Barcelona, resolvieron esa cuestión, en la línea de lo resuelto por la STJUE en el asunto Google. El razonamiento de ambos pronunciamientos, como se ha expuesto en los antecedentes, parte del presupuesto —fijado en la jurisprudencia del Tribunal de Justicia de la Unión Europea—, de que la actividad de los buscadores se califica como tratamiento automatizado de datos, aunque "se refieran únicamente a información ya publicada tal cual en los medios de comunicación" (STJUE en el asunto Google, § 28). Esta calificación sujeta a los motores de búsqueda y a los editores de sitios de internet, a las obligaciones derivadas en su día de la Directiva 95/46/CE, y posteriormente del Reglamento (UE) 2016/679. Y entre esas obligaciones están las vinculadas a la garantía de los derechos fundamentales, en particular la intimidad (art. 7 de la Carta de los derechos fundamentales de la Unión Europea: CDFUE) y la protección de datos personales (art. 8 CDFUE), lo que se traduce en calificar de excesiva la injerencia en esos derechos de la actividad realizada por los buscadores cuando se permite rastrear información sobre una persona introduciendo su nombre, porque ese "tratamiento permite a cualquier internauta obtener mediante la lista de resultados una visión estructurada de la información relativa a esta persona que puede hallarse en Internet, que afecta potencialmente a una multitud de aspectos de su vida privada, que, sin dicho motor, no se habrían interconectado o sólo podrían haberlo sido muy difícilmente y que le permite de este modo establecer un perfil más o menos detallado de la persona de que se trate" (STJUE en el asunto Google, §80).

A partir de ahí, las Sentencias de instancia fallan favorablemente a la desindexación de la noticia de los motores de búsqueda. Y esta cuestión no se controvierte en el presente recurso de amparo, porque la Sentencia del Tribunal Supremo no revoca esta medida protectora de los derechos de las personas recurrentes. El objeto de este recurso se limita, por tanto, al asunto referido a la indexación de la noticia en la hemeroteca digital de Ediciones El País, y al rechazo a ocultar los nombres de las personas recurrentes en amparo, u "oscurecerlos" a través del recurso al uso de sus iniciales. No estamos, por tanto, ante un nuevo conflicto con los motores de búsqueda de los que han ocupado al Tribunal Supremo (por todas, SSTS 1917/2016, de 21 de julio, 1618/2016, de 4 de julio, 210/2016, de 16 de marzo), sino ante un conflicto circunscrito al uso de nombres propios como criterio de búsqueda y localización de noticias en el entorno de una hemeroteca digitalizada. En este contexto, los derechos que colisionan son, de un lado, el derecho a la supresión de datos de una base informatizada (art. 18.4 CE), en relación mediata e instrumental con la garantía del derecho al honor y la intimidad de las personas a las que conciernen los datos (art. 18.1 CE) y las libertades informativas ex artículo 20.1 d) CE.

FJ 7. [...] b) [...] Tal y como se viene afirmando, la relevancia pública de la información viene determinada tanto por la materia de la misma como por la condición de la persona a que se refiere. Pero el carácter noticiable también puede tener que ver con la "actualidad" de la noticia, es decir con su conexión, más o menos inmediata, con el tiempo presente. La materia u objeto de una noticia puede ser relevante en sentido abstracto, pero si se refiere a un hecho sucedido hace años, sin ninguna conexión con un hecho actual, puede haber perdido parte de su interés público o de su interés informativo para adquirir, o no, un interés histórico, estadístico o científico. No obstante su importancia indudable, ese tipo de intereses no guarda una relación directa con la formación de una opinión pública informada, libre y plural, sino con el desarrollo general de la cultura que, obviamente, actúa como sustrato de la construcción de las opiniones. Por esa razón podría ponerse en duda, en estos casos, la prevalencia del derecho a la información [art. 20.1 d) CE] sobre el derecho a la intimidad de una persona (art. 18.1 CE) que, pasado un lapso de tiempo, opta por solicitar que estos datos e información, que pudieron tener relevancia pública en su día, sean olvidados. Por supuesto, cuando la noticia en cuestión ha sido digitalizada y se contiene en una hemeroteca, la afectación del derecho a la intimidad viene acompañada del menoscabo del derecho a la autodeterminación informativa (art. 18.4 CE).

Respecto de esto la STEDH de 10 de marzo de 2009, asunto Times Newspapers Ltd (núm. 1 y 2) c. Reino Unido, § 45, sostuvo que los archivos periodísticos que se publican en internet contribuyen de forma sustancial a la preservación y accesibilidad de las noticias y la información, constituyendo una fuente importante para la educación y la investigación histórica, particularmente en la medida en que la prensa proporciona dicha accesibilidad en la red de forma fácil y, generalmente, gratuita. En consecuencia —destacó la Corte— aunque la función principal de la prensa en una sociedad democrática es actuar como un vigilante de lo público —acudiendo a la conocida expresión "public watchdog"—, cumple igualmente una valiosa función secundaria al mantener y poner a disposición de los lectores los archivos que contienen noticias publicadas tiempo atrás. Sin embargo —terminó diciendo la Sentencia— el margen de apreciación reconocido a los Estados para ponderar los derechos fundamentales en conflicto es mayor respecto de los archivos de hechos pasados, que cuando la información concierne a hechos recientes. Especialmente, en el primer caso, el deber de la prensa de actuar conforme a los principios del periodismo responsable, asegurándose de la exactitud de la información histórica, debería ser más riguroso, dada la ausencia de la urgencia en divulgar el material a la comunidad de destinatarios. Por tanto, atendiendo a la jurisprudencia del Tribunal Europeo de Derechos Humanos, es preciso reconocer que la prensa, al poner a disposición del gran público sus bases de datos de noticias, desarrolla una doble función. Por un lado, la de garante de la pluralidad informativa que sustenta la construcción de sociedades democráticas, y, por otro, la de crear archivos a partir de informaciones publicadas previamente, que resulta sumamente útil para la investigación histórica. Y podríamos concluir que, si bien ambas desempeñan una función notable en la formación de la opinión pública libre, no merecen un nivel de protección equivalente al amparo de la protección de las libertades informativas, por cuanto una de las funciones es principal y la otra secundaria. Y estas consideraciones deben tener un efecto inmediato en el razonamiento, que nos lleve a buscar el equilibrio entre los derechos reconocidos en el artículo 20.1 d) CE y en el apartado cuarto del artículo 18 CE.

c) Por último, es preciso reconocer que la universalización de acceso a las hemerotecas, facilitado por su digitalización, es decir por su transformación en bases de datos de noticias, tiene un efecto expansivo sobre la capacidad de los medios de comunicación para garantizar la formación de una opinión pública libre. Poner a disposición del público un histórico de noticias como el que se contiene en las hemerotecas digitales, facilita que actores del tercer sector, organizaciones civiles, o ciudadanos individuales puedan actuar, trayendo de nuevo aquí la expresión utilizada por el Tribunal Europeo de Derechos Humanos, como "perros de guarda" de la sociedad (por todas, STEDH de 8 de noviembre de 2016, asunto Magyar Helsinki Bizottsag c. Hungría). Pero también garantiza que los medios de comunicación, la prensa, pueda jugar ese mismo papel, que Estrasburgo califica como indispensable (por todas, STEDH de 20 de mayo de 1999, asunto Bladet Tromsø y Stensaas c. Noruega, §§ 59 y 62, STEDH de 17 de diciembre de 2004, asunto Pedersen y Baadsgaard, § 71; STEDH de 7 de febrero de 2012, asunto Axel Springer AG c. Alemania, § 79), trayendo al presente hechos o declaraciones del pasado que puedan tener un impacto en el momento presente, y contribuyendo así a efectuar un control político difuso a través de la opinión publicada que impacta en la opinión pública.

No obstante, este efecto expansivo también supone un incremento del impacto sobre los derechos fundamentales de las personas que protagonizan las noticias incluidas en hemerotecas. Esta consideración conduce a la cita de la Sentencia del Tribunal de Justicia de la Unión Europea, de 13 de mayo de 2014, Google Spain S.L contra Agencia Española de Protección de Datos, asunto C-131/12" que, en su parágrafo 80, recuerda que "un tratamiento de datos personales como el controvertido en el litigio principal, efectuado por el gestor de un motor de búsqueda, puede afectar significativamente a los derechos fundamentales de respeto de la vida privada y de protección de datos personales cuando la búsqueda realizada sirviéndose de ese motor de búsqueda se lleva a cabo a partir del nombre de una persona física, toda vez que dicho tratamiento permite a cualquier internauta obtener mediante la lista de resultados una visión estructurada de la información relativa a esta persona que puede hallarse en Internet, que afecta potencialmente a una multitud de aspectos de su vida privada, que, sin dicho motor, no se habrían interconectado o sólo podrían haberlo sido muy difícilmente y que le permite de este modo establecer un perfil más o menos detallado de la persona de que se trate". Por tanto la universalización del acceso a las hemerotecas, como la universalización del acceso a la información a través de los motores de búsqueda, multiplica la injerencia en los derechos a la autodeterminación informativa (art. 18.4 CE) y a la intimidad (art. 18.1 CE) de los ciudadanos.

Tal y como argumenta el Tribunal de Justicia de la Unión Europea, los derechos de la persona citada en la noticia de prensa indexada, protegidos con arreglo a los artículos 7 y 8 de la Carta de los derechos fundamentales de la Unión Europea, pueden entrar en conflicto con el derecho de los internautas a acceder a la información disponible en la red o, en el caso que nos ocupa, con el derecho de los medios de comunicación a facilitar dicha información. Y el equilibrio de derechos, en la resolución de ese conflicto, puede depender "en supuestos específicos, de la naturaleza de la información de que se trate y del carácter sensible para la vida privada de la persona afectada y del interés del público en disponer de esta información, que puede variar, en particular, en función del papel que esta persona desempeñe en la vida pública" (asunto Google Spain S.L contra Agencia Española de Protección de Datos § 81). En esta necesidad de equilibrio entre las libertades informativas y el derecho a la autodeterminación informativa, es en la que hay que tener en cuenta el efecto del paso del tiempo sobre la función que desempeñan los medios de comunicación, y sobre la doble dimensión —estrictamente informativa o fundamentalmente investigadora— de esa función.

FJ 8. La aplicación de la doctrina expuesta a la presente demanda de amparo debe conducir a la estimación parcial del recurso, teniendo en cuenta las circunstancias particulares, y absolutamente circunscritas a este caso concreto, que han sido expuestas con detalle en los antecedentes.

a) Las personas recurrentes en amparo pretenden ejercitar el derecho al olvido respecto de una noticia que relata hechos veraces. No se ha discutido en todo el procedimiento que, efectivamente, en los años 80, fueron detenidas en el marco de una investigación policial por tráfico de drogas, por el que finalmente fueron condenadas (si bien como autoras del delito menos grave, entonces existente, de contrabando).

b) Sin embargo, la relevancia pública de la información, considerada desde la perspectiva de que es una noticia antigua, traída al momento presente por medio de la puesta a disposición en la hemeroteca digital de la misma, puede ser cuestionada. Es cierto que la materia de la noticia fue, y sigue siendo en buena media, de gran interés público, al abordar el tema de la drogadicción y el tráfico de estupefacientes, y eso confiere un interés objetivo a dicha información. Pero no lo es menos que las personas recurrentes en amparo ni eran entonces, ni son ahora personajes públicos. Y tampoco resulta indiferente que se revelen sobre ellas datos que inciden muy directamente sobre su honor y su intimidad.

[…] La noticia relata hechos pasados sin ninguna incidencia en el presente. No se trata de una noticia nueva sobre hechos actuales, ni de una nueva noticia sobre hechos pasados, que pueden merecer una respuesta constitucional distinta. Su difusión actual en poco contribuye al debate público. Por tanto, la retransmisión de la noticia en cuestión, transcurridos más de treinta años desde que los hechos ocurrieron, carece a día de hoy de toda relevancia para la formación de la opinión pública libre, más allá de la derivada de la publicación en la hemeroteca digital. De un lado, las personas recurrentes eran y son personas privadas, cuya relevancia pública sólo se derivó de su participación en los hechos noticiables. De otro lado, la noticia relata un suceso penal, sobre los que este Tribunal ha reiterado que revisten interés público, especialmente si entrañan una cierta gravedad o causan un impacto considerable en la opinión pública (por todas, STC 185/2002, de 14 de octubre, FJ 4). Sin embargo, en el caso de autos el delito relatado en la noticia ni fue particularmente grave ni ocasionó especial impacto en la sociedad de la época. En consecuencia, el transcurso de tan amplio margen de tiempo ha provocado que el inicial interés que el asunto suscitó haya desaparecido por completo. A la inversa, el daño que la difusión actual de la noticia produce en los derechos al honor, intimidad y protección de datos personales de las personas recurrentes reviste particular gravedad, por el fuerte descrédito que en su vida personal y profesional origina la naturaleza de los datos difundidos (participación en un delito, drogadicción). Este daño, por consiguiente, se estima desproporcionado frente al escaso interés actual que la noticia suscita, y que se limita a su condición de archivo periodístico.

c) Es esta condición de la noticia, y su inclusión en una hemeroteca, con la relevancia que este instrumento posee y que ha sido ya expuesta, la que conduce a la conclusión siguiente, referida al alcance de la estimación del amparo solicitado.

[...] A la hora de valorar el sacrificio requerido a la libertad de información [art. 20.1 d) CE], para asegurar el disfrute adecuado del derecho a la intimidad de las personas recurrentes en conexión con el derecho a la autodeterminación informativa (art. 18.1 y 4 CE), es necesario recordar la importancia de las hemerotecas digitales en el contexto de las actuales sociedades de la información. Esto significa que serán conducentes al restablecimiento del derecho al honor, a la intimidad y a la protección de los datos personales las medidas tecnológicas tendentes a limitar adecuadamente la difusión de la noticia, que garanticen, en lo que sea conciliable con dicha regla, la integridad de la hemeroteca y su accesibilidad en general.

Pues bien, la prohibición de indexar los datos personales, en concreto los nombres y los apellidos de las personas recurrentes, para su uso por el motor de búsqueda interno de "El País" debe ser considerada una medida limitativa de la libertad de información idónea, necesaria y proporcionada al fin de evitar una difusión de la noticia lesiva de los derechos invocados. La medida requerida es necesaria porque su adopción, y solo ella, limitará la búsqueda y localización de la noticia en la hemeroteca digital sobre la base de datos personales inequívocamente identificativos de las personas recurrentes. A este respecto debe tenerse en cuenta que los motores de búsqueda internos de los sitios web cumplen la función de permitir el hallazgo y la divulgación de la noticia, y que esa función queda garantizada aunque se suprima la posibilidad de efectuar la búsqueda acudiendo al nombre y apellidos de las personas en cuestión, que no tienen relevancia pública alguna. Siempre será posible, si existe una finalidad investigadora en la búsqueda de información alejada del mero interés periodístico en la persona "investigada", localizar la noticia mediante una búsqueda temática, temporal, geográfica o de cualquier otro tipo. Una persona integrante de lo que el Tribunal Supremo llama en su sentencia "audiencia más activa", puede acceder a la noticia por múltiples vías, si lo que le mueve es el interés público que pudiera tener dicha información en un contexto determinado. Ello da prueba de la idoneidad de la medida. Sin embargo, la disposición solicitada por las personas recurrentes impide que se pueda realizar un seguimiento ad personam del pasado de un determinado individuo, insistimos en ello, sin ninguna proyección pública, a través de una herramienta cuya finalidad es otra, y va dirigida a garantizar la formación de una opinión pública plural, no a satisfacer la curiosidad individual y focalizada. En este mismo sentido, la STEDH de 22 de abril de 2013, asunto Animal Defenders International c. Reino Unido [GC], § 124, establece que la disponibilidad de la información en otro medio de comunicación alternativo es clave en la valoración de la proporcionalidad de la injerencia. Y, en este caso, mutatis mutandis la noticia seguiría estando disponible en soporte papel, y en soporte digital, limitándose exclusivamente una modalidad muy concreta de acceso a la misma, por lo que seguirá sirviendo a la formación de la opinión pública libre, lo que asegura la proporcionalidad de la medida.

No merece la misma valoración la medida consistente en la supresión del nombre y apellidos o a la sustitución de éstos por sus iniciales en el código fuente de la página web que contiene la noticia. Una vez impedido el acceso a la noticia a través de la desindexación basada en el nombre propio de las personas recurrentes, la alteración de su contenido ya no resulta necesaria para satisfacer los derechos invocados por las personas recurrentes, pues la difusión de la noticia potencialmente vulneradora de éstos ha quedado reducida cuantitativa y cualitativamente, al desvincularla de las menciones de identidad de aquéllas. Esta limitación en la difusión de la noticia, que es lo que implica la protección de dichos derechos, se puede lograr sin necesidad de acordar su anonimización. Esta opción, que supondría una injerencia más intensa en la libertad de prensa que la simple limitación en la difusión, resulta por tanto innecesaria. Y, descartada la necesidad de la medida, huelga toda consideración en torno a la proporcionalidad en sentido estricto de la misma.

Titularidad del derecho a la intimidad informática —STC 17/2013, de 31 de enero—

La Sentencia resuelve el recurso de inconstitucionalidad interpuesto por el Letrado del Parlamento Vasco contra diversos preceptos de la Ley Orgánica 14/2003, de 20 de noviembre, de reforma de la Ley Orgánica 4/2000, de 11 de enero, sobre derechos y libertades de los extranjeros en España y su integración social; de la Ley 7/1985, de 2 de abril, reguladora de las bases del régimen local; de la Ley 30/1992, de 26 de noviembre, de régimen jurídico de las Administraciones públicas y del procedimiento administrativo común y de la Ley 3/1991, de 10 de enero, de competencia desleal. Se alega, entre otros motivos, que la Ley Orgánica 14/2003 vulnera el artículo 18.4 CE, en la medida en que, a efectos de combatir la inmigración ilegal, impone a los transportistas la obligación de comunicar a las autoridades españolas datos personales de las personas extranjeras que vayan a ser trasladada al territorio español (artículo 1.35), y que la regulación de la cesión de datos entre administraciones públicas, en particular, de la Dirección General de la Policía a los datos de inscripción padronal de personas extranjeras (art. 3.3 y 5), adolece de generalidad, inconcreción e inseguridad en relación con los límites relativos al ejercicio del derecho (artículo 1.40).

FJ 4. [...] [H]emos de recordar ahora que, como dispone el art. 3 LOEx, recogiendo el mandato constitucional contenido en el art. 13 CE, los extranjeros gozarán en España de los derechos y libertades reconocidos en el título I de la Constitución en los términos establecidos en los tratados internacionales, en la propia LOEx y en las leyes que regulen el ejercicio de cada uno de ellos. Así, encontrándose el derecho fundamental a la protección de datos reconocido en el art. 18.4 CE, es evidente que los extranjeros han de ser considerados titulares del mismo, tal como éste derecho fundamental ha sido reconocido por el legislador orgánico, el cual no distingue entre españoles y extranjeros en dicho reconocimiento. Debe recordarse, asimismo, que la Carta de los derechos fundamentales de la Unión Europea recoge, en su art. 8, el reconocimiento al derecho a la protección de datos, lo que también hace el Convenio núm. 108 del Consejo de Europa para la protección de las personas con respecto al tratamiento automatizado de los datos de carácter personal. En el mismo sentido la Directiva 1995/46/CE, de 24 de octubre, establece las condiciones en las que los Estados miembros han de garantizar la protección del derecho a la intimidad de las personas físicas, en lo que respecta al tratamiento de los datos personales.

Sentado así que los extranjeros gozan en España del derecho fundamental derivado del art. 18.4 CE en las mismas condiciones que los españoles, debe señalarse que con ello, evidentemente, no se impide el establecimiento de límites al mismo, limitación que ha de respetar su contenido constitucionalmente declarado y encontrar su fundamento en otros bienes o derechos constitucionalmente protegidos. [...] [*vid.* la STC 292/2000, de 30 de noviembre]

En conclusión, tal como establece nuestra doctrina, es claro que la Ley Orgánica de protección de datos no permite la comunicación indiscriminada de datos personales entre Administraciones públicas dado que, además, estos datos están, en principio, afectos a finalidades concretas y predeterminadas que son las que motivaron su recogida y tratamiento. Por tanto, la cesión de datos entre Administraciones públicas sin consentimiento del afectado, cuando se cedan para el ejercicio de competencias distintas o que versen sobre materias distintas de aquellas que motivaron su recogida, únicamente será posible, fuera de los supuestos expresamente previstos por la propia Ley Orgánica de protección de datos, si existe previsión legal expresa para ello [art. 11.2 a) en relación con el 6.1 LOPD] ya que, a tenor de lo dispuesto en el art. 53.1 CE, los límites al derecho a consentir la cesión de los datos a fines distintos para los que fueron recabados están sometidos a reserva de ley. Reserva legal que, como es obvio, habrá de cumplir con los restantes requisitos derivados de nuestra doctrina —esencialmente, basarse en bienes de dimensión constitucional y respetar las exigencias del principio de proporcionalidad— para poder considerar conforme con la Constitución la circunstancia de que la norma legal en cuestión no contemple, por tanto, la necesidad de contar con el consentimiento del afectado para autorizar la cesión de datos.

[...] La finalidad [...] [del derecho fundamental a la protección de datos personales] es garantizar a la persona un poder de disposición sobre el uso y destino de sus datos con el propósito de impedir su tráfico ilícito y lesivo para la dignidad y derecho del afectado, garantizando a los individuos un poder de disposición sobre esos datos, mientras que, para los poderes públicos, el derecho fundamental a la protección de los datos personales impone la prohibición de que se conviertan en fuentes de esa información sin las debidas garantías; y también el deber de prevenir los riesgos que puedan derivarse del acceso o divulgación indebidas de dicha información (STC 292/2000, FJ 6 in fine). [...]

2. Los límites del derecho

Límites del derecho a la intimidad informática —STC 292/2000, de 30 de noviembre (*vid. supra*)—

FJ 9. En cuanto a los límites de este derecho fundamental no estará de más recordar que la Constitución menciona en el art. 105 b) que la ley regulará el acceso a los archivos y registros administrativos «salvo en lo que afecte a la seguridad y defensa del Estado, la averiguación de los delitos y la intimidad de las personas» (en relación con el art. 8.1 y 18.1 y 4 CE), y en numerosas ocasiones este Tribunal ha dicho que la persecución y castigo del delito constituye, asimismo, un bien digno de protección constitucional, a través del cual se defienden otros como la paz social y la seguridad ciudadana. Bienes igualmente reconocidos en los arts. 10.1 y 104.1 CE (por citar las más recientes, SSTC 166/1999, de 27 de septiembre, FJ 2, y 127/2000, de 16 de mayo, FJ 3.a; ATC 155/1999, de 14 de junio). Y las SSTC 110/1984 y 143/1994 consideraron que la distribución equitativa del sostenimiento del gasto público y las actividades de control en materia tributaria (art. 31 CE) como bienes y finalidades constitucionales legítimas capaces de restringir los derechos del art. 18.1 y 4 CE. [...]

[...] [E]l Tribunal Europeo de Derechos Humanos, [...] refiriéndose a la garantía de la intimidad individual y familiar del art. 8 CEDH, aplicable también al tráfico de datos de carácter personal, reconociendo que pudiera tener límites como la seguridad del Estado (STEDH caso Leander, de 26 de marzo de 1987, §§ 47 y sigs.), o la persecución de infracciones penales (mutatis mutandis, SSTEDH, casos Z, de 25 de febrero de 1997, y Funke, de 25 de febrero de 1993), ha exigido que tales limitaciones estén previstas legalmente y sean las indispensables en una sociedad democrática, lo que implica que la ley que establezca esos límites sea accesible al individuo concernido por ella, que resulten previsibles las consecuencias que para él pueda tener su aplicación, y que los límites respondan a una necesidad social imperiosa y sean adecuados y proporcionados para el logro de su propósito (Sentencias del Tribunal Europeo de Derechos Humanos, caso X e Y, de 26 de marzo de 1985; caso Leander, de 26 de marzo de 1987; caso Gaskin, de 7 de julio de 1989; mutatis mutandis, caso Funke, de 25 de febrero de 1993; caso Z, de 25 de febrero de 1997).

FJ 11. [...] Justamente, si la Ley es la única habilitada por la Constitución para fijar los límites a los derechos fundamentales y, en el caso presente, al derecho fundamental a la protección de datos, y esos límites no pueden ser distintos a los constitucionalmente previstos, que para el caso no son otros que los derivados de la coexistencia de este derecho fundamental con otros derechos y bienes jurídicos de rango constitucional, el apoderamiento legal que permita a un Poder Público recoger, almacenar, tratar, usar y, en su caso, ceder datos personales, sólo está justificado si responde a la protección de otros derechos fundamentales o bienes constitucionalmente protegidos. Por tanto, si aquellas operaciones con los datos personales de una persona no se realizan con estricta observancia de las normas que lo regulan, se vulnera el derecho a la protección de datos, pues se le imponen límites constitucionalmente ilegítimos, ya sea a su contenido o al ejercicio del haz de facultades que lo componen. Como lo conculcará también esa Ley limitativa si regula los límites de forma tal que hagan impracticable el derecho fundamental afectado o ineficaz la garantía que la Constitución le otorga. Y así será cuando la Ley, que debe regular los límites a los derechos fundamentales con escrupuloso respeto a su contenido esencial, se limita a apoderar a otro Poder Público para fijar en cada caso las restricciones que pueden imponerse a los derechos fundamentales, cuya singular determinación y aplicación estará al albur de las decisiones que adopte ese Poder Público, quien podrá decidir, en lo que ahora nos interesa, sobre la obtención, almacenamiento, tratamiento, uso y cesión de datos personales en los casos que estime convenientes y esgrimiendo, incluso, intereses o bienes que no son protegidos con rango constitucional. [...]

Por esta razón, cuando la Constitución no contempla esta posibilidad de que un Poder Público distinto al Legislador fije y aplique los límites de un derecho fundamental o que esos límites sean distintos a los implícitamente derivados de su coexistencia con los restantes derechos y bienes constitucionalmente protegidos, es irrelevante que la Ley habilitante sujete a los Poderes Públicos en ese cometido a procedimientos y criterios todo lo precisos que se quiera, incluso si la Ley habilitante enumera con detalle los bienes o intereses invocables por los Poderes Públicos en cuestión, o que sus decisiones sean revisables jurisdiccionalmente (que lo son en cualquier caso, con arreglo al art. 106 CE). Esa Ley habrá infringido el derecho fundamental porque no ha cumplido con el mandato contenido en la reserva de ley (arts. 53.1 y 81.1 CE), al haber renunciado a regular la materia que se le ha reservado, remitiendo ese cometido a otro Poder Público, frustrando así una de las garantías capitales de los derechos fundamentales en el Estado democrático y social de Derecho (art. 1.1 CE). La fijación de los límites de un derecho fundamental, así lo hemos venido a decir en otras ocasiones, no es un lugar idóneo para la colaboración entre la Ley y las normas infralegales, pues esta posibilidad de colaboración debe quedar reducida a los casos en los que, por exigencias prácticas, las regulaciones infralegales sean las idóneas para fijar aspectos de carácter secundario y auxiliares de la regulación legal del ejercicio de los derechos fundamentales, siempre con sujeción, claro está, a la ley pertinente (SSTC 83/1984, de 24 de julio, FJ 4, 137/1986, de 6 de noviembre, FJ 3, 254/1994, de 15 de septiembre, FJ 5).

FJ 13. [...] [E]l derecho a consentir la recogida y el tratamiento de los datos personales (art. 6 LOPD) no implica en modo alguno consentir la cesión de tales datos a terceros, pues constituye una facultad específica que también forma parte del contenido del derecho fundamental a la protección de tales datos. Y, por tanto, la cesión de los mismos a un tercero para proceder a un tratamiento con fines distintos de los que originaron su recogida, aun cuando puedan ser compatibles con éstos (art. 4.2 LOPD), supone una nueva posesión y uso que requiere el consentimiento del interesado. Una facultad que sólo cabe limitar en atención a derechos y bienes de relevancia constitucional y, por tanto, esté justificada, sea proporcionada y, además, se establezca por Ley, pues el derecho fundamental a la protección de datos personales no admite otros límites.

De otro lado, es evidente que el interesado debe ser informado tanto de la posibilidad de cesión de sus datos personales y sus circunstancias como del destino de éstos, pues sólo así será eficaz su derecho a consentir, en cuanto facultad esencial de su derecho a controlar y disponer de sus datos personales. Para lo que no basta que conozca que tal cesión es posible según la disposición que ha creado o modificado el fichero, sino también las circunstancias de cada cesión concreta. Pues en otro caso sería fácil al responsable del fichero soslayar el consentimiento del interesado mediante la genérica información de que sus datos pueden ser cedidos. De suerte que, sin la garantía que supone el derecho a una información apropiada mediante el cumplimiento de determinados requisitos legales (art. 5 LOPD) quedaría sin duda frustrado el derecho del interesado a controlar y disponer de sus datos personales, pues es claro que le impedirían ejercer otras facultades que se integran en el contenido del derecho fundamental al que estamos haciendo referencia.

FJ 16. [...] [R]especto al derecho a la protección de datos personales cabe estimar que la legitimidad constitucional de la restricción de este derecho no puede estar basada, por sí sola, en la actividad de la Administración Pública. Ni es suficiente que la Ley apodere a ésta para que precise en cada caso sus límites, limitándose a indicar que deberá hacer tal precisión cuando concurra algún derecho o bien constitucionalmente protegido. Es el legislador quien debe determinar cuándo concurre ese bien o derecho que justifica la restricción del derecho a la protección de datos personales y en qué circunstancias puede limitarse y, además, es él quien debe hacerlo mediante reglas precisas que hagan previsible al interesado la imposición de tal limitación y sus consecuencias. Pues en otro caso el legislador habría trasladado a la Administración el desempeño de una función que sólo a él compete en materia de derechos fundamentales en virtud de la reserva de Ley del art. 53.1 CE, esto es, establecer claramente el límite y su regulación.

FJ 18. [...] [L]os motivos de limitación [del derecho reconocido en el artículo 18.4 CE contenido en los artículos 21.1, 24.1 y 24.2 de la Ley impugnada] adolecen de tal grado de indeterminación que dejan excesivo campo de maniobra a la discrecionalidad administrativa, incompatible con las exigencias de la reserva legal en cuanto constituye una cesión en blanco del poder normativo que defrauda la reserva de ley. Además, al no hacer referencia alguna a los presupuestos y condiciones de la restricción, resulta insuficiente para determinar si la decisión administrativa es o no el fruto previsible de la razonable aplicación de lo dispuesto por el legislador (SSTC 101/1991, FJ 3, y 49/1999, FJ 4). De suerte que la misma falta evidente de certeza y previsibilidad del límite que el art. 24.2 LOPD impone al derecho fundamental a la protección de los datos personales (art. 18.4 CE), y la circunstancia de que, además, se trate de un límite cuya fijación y aplicación no viene precisada en la LOPD, sino que se abandona a la entera discreción de la Administración Pública responsable del fichero en cuestión, aboca a la estimación en este punto del recurso interpuesto por el Defensor del Pueblo al resultar vulnerados los arts. 18.4 y 53.1 CE.

FJ 19. [...] [Se declara por tanto inconstitucional el artículo 21.1 de la Ley Orgánica impugnada en el inciso] «cuando la comunicación hubiere sido prevista por las disposiciones de creación del fichero o por disposición de superior rango que regule su uso», así como a la conjunción disyuntiva «o» para no privar de sentido al supuesto regulado en el inciso final del art. 24.1 LOPD y que no ha sido objeto de impugnación.

Asimismo, la estimación del recurso en lo tocante a los incisos impugnados del art. 24.1 y 2 LOPD, ha de reflejarse en nuestro fallo declarando inconstitucionales y nulos los incisos del apartado 1 recurridos, y extendiendo la declaración en el caso del apartado 2 a toda su literalidad, pues si son contrarias a la Constitución por lesivas del art. 18.4 CE las dos restricciones previstas en su primera frase de este 2 apartado del art. 24 LOPD, su nulidad priva de sentido alguno lo dispuesto en la segunda, por lo que la más elemental lógica jurídica aconseja la expulsión del ordenamiento jurídico de todo el apartado (art. 39.1 LOTC).

El límite del consentimiento: las pruebas biológicas —STC 135/2014, de 8 de septiembre[68]—

La Sentencia resuelve el recurso de amparo promovido por don I.P. contra la Sentencia de la Sala de lo Penal del Tribunal Supremo de 28 de junio de 2010, que denegó el recurso de casación interpuesto contra la Sentencia de la Sección Primera de la Audiencia Provincial de Burgos de 9 de marzo de 2009, que condenó al recurrente como autor de un delito de homicidio, otro de robo con violencia y otro de robo con fuerza en las cosas. El demandante atribuye a estas resoluciones la vulneración del derecho a la intimidad personal (artículo 18.1 CE) y del derecho a la «autodeterminación informativa» (artículo 18.4 CE), al haberse realizado por la policía un frotis bucal en la persona del recurrente, con la finalidad de confrontar las muestras biológicas obtenidas con otras halladas en una prenda encontrada en el lugar de los hechos, no contando para ello con un consentimiento eficaz ni tampoco autorización judicial.

FJ 2. [...] Nos encontramos [...] ante una diligencia practicada por la Policía, cuya única finalidad es la obtención de una pequeña cantidad de células de la lengua para practicar el referido análisis de ADN, sin que la misma tenga ninguna incidencia en la integridad física o suponga ningún riesgo para la salud física del afectado; no obstante, este Tribunal Constitucional ha afirmado que reconocimientos corporales, aun cuando por sus características e intensidad no supongan una intromisión en el derecho a la integridad física —nada ha sido alegado por el recurrente en relación con este derecho—, sí pueden conllevar una intromisión en el ámbito constitucionalmente protegido del derecho a la intimidad personal en razón de su finalidad, es decir, por lo que a través de ellos se pretende averiguar, cuando se trata de una información que afecta la esfera de la vida privada que el sujeto puede no querer desvelar (STC 199/2013, de 5 de diciembre, FJ 6, por todas). Desde esta perspectiva, en la anterior Sentencia (mismo fundamento jurídico), así como en las SSTC 13/2014, 14/2014, 15/2014, 16/2014, de 30 de enero, FJ 3, 23/2014, de 13 de febrero, FJ 2 y 43/2014, de 27 de marzo, FJ 2, concluimos que el análisis de la muestra biológica del demandante de amparo supone una injerencia en el derecho a la privacidad por los riesgos potenciales que de tal análisis pudieran derivarse. En estas Sentencias se recuerda la doctrina de este Tribunal en relación con el derecho a la intimidad, con particular atención a las resoluciones dictadas en esta materia de intervenciones o reconocimientos corporales (SSTC 207/1996, de 16 de diciembre; 196/2004, de 15 de noviembre; 25/2005, de 14 de febrero, y 206/2007, de 24 de septiembre), así como a determinados pronunciamientos del Tribunal Europeo de Derechos Humanos, que ponen de manifiesto que el derecho a la vida privada resulta ya comprometido por la mera conservación y almacenamiento de muestras biológicas y perfiles de ADN (STEDH de 4 de diciembre de 2008, caso S y Marper c. Reino Unido; y decisión de inadmisión de 7 de diciembre de 2006, caso Van der Velden c. Países Bajos). Merece reseñarse que en esta última decisión el Tribunal Europeo de Derechos Humanos, pese a rechazar la queja formulada en relación con la obtención de una muestra biológica de quien había sido condenado por un grave delito, aceptó que la obtención de una muestra bucal puede constituir una intromisión en la intimidad del demandante, dado que la sistemática retención de este material y el perfil de ADN excede del ámbito de la identificación neutra de caracteres tales como las huellas digitales y es suficientemente invasiva para considerarla una intromisión en la vida privada en los términos del art. 8.1 del Convenio europeo para la protección de los derechos humanos y de las libertades fundamentales (§ 2).

FJ 3. Sentado lo anterior y una vez acreditada la posible incidencia de este tipo de diligencias en el derecho a la intimidad personal del sometido a ellas, nos corresponde analizar si la injerencia en nuestro caso se ajustó a los parámetros delimitados por la jurisprudencia de este Tribunal Constitucional.

Así las cosas, lo primero que cabe afirmar es que hemos sostenido que el derecho fundamental a la intimidad personal otorga, cuando menos, una facultad negativa o de exclusión que imponen a terceros el deber de abstención de intromisiones salvo que estén fundadas en una previsión legal que tenga justificación constitucional y que sea proporcionada (SSTC 292/2000, de 30 de noviembre, FJ 16; 70/2002, de 3 de abril, FJ 10; 196/2004, de 15 de noviembre, FJ 2) o que exista un consentimiento eficaz que le autorice, pues corresponde a cada persona acotar el ámbito de intimidad personal y familiar que reserva al conocimiento ajeno (SSTC 83/2002, de 22 de abril, FJ 5, y 196/2006, de 3 de julio, FJ 5). Este consentimiento eficaz del sujeto particular permitirá la inmisión en su derecho a la intimidad, aunque debe tenerse en cuenta que se vulnerará el derecho a la intimidad personal cuando la penetración en el ámbito propio y reservado del sujeto «aún autorizada, subvierta los términos y el alcance para el que se otorgó el consentimiento, quebrando la conexión entre la información personal que se recaba y el objetivo tolerado para el que fue recogida» (SSTC 196/2004, de 15 de noviembre, FJ 2; 206/2007, de 24 de septiembre, FJ 5; y 70/2009, de 23 de marzo, FJ 2). En

---

[68]   *Vid.* también la STC 5/2005, de 17 de enero.

lo relativo a la forma de prestación de este consentimiento, hemos manifestado con carácter general, que éste no precisa ser expreso, admitiéndose también un consentimiento tácito (por todas, STC 173/2011, de 7 de noviembre, FJ 2).

FJ 4. Procede analizar en primer lugar, para poder determinar si el derecho a la intimidad del recurrente fue lesionado, si prestó su consentimiento para que se llevara a cabo la diligencia para la extracción de su ADN. El demandante ha manifestado que se le realizó el frotis bucal por la Policía sin que fuera informado expresamente de la prueba que se pretendía practicar y de la finalidad de la misma, no estando asistido además de intérprete ni abogado.

Sin embargo, su versión no queda respaldada a la vista de las actuaciones recibidas en este Tribunal, en las que consta el «acta de recogida de muestras biológicas» del recurrente, donde los funcionarios policiales intervinientes, luego de reseñar en la misma que proceden a la recogida de estas muestras del detenido a fin «de llevar a cabo los estudios pertinentes que permitan determinar su perfil genético y realizar los estudios comparativos necesarios, así como su cotejo en la base de datos de ADN», ponen de relieve que se le comunica la conveniencia de tomarle dichas muestras y se le informa que dicho acto se realiza únicamente con fines identificativos, «prestando su consentimiento libre y voluntariamente» firmando el acta sin objeción alguna. Así, el Tribunal Supremo al desestimar el motivo de impugnación planteado por la parte sobre esta cuestión, razonó que «el recurrente manifestó a la policía (folio 1.073) tener algún conocimiento del castellano, y que la naturaleza de la diligencia de obtención de saliva mediante un frotis era tan explícita en cuanto a la finalidad perseguida, que no debió presentar para él dificultad alguna de comprensión». Como se ha recordado antes y ha puesto de manifiesto el Ministerio Fiscal en sus alegaciones, la doctrina constitucional sobre el derecho a la intimidad ha admitido la legitimidad de intromisiones en tal derecho cuando, sin autorización judicial, concurriera el consentimiento del afectado. Con arreglo a esta doctrina, la Policía judicial podría proceder, de forma autónoma, a la toma directa de muestras y fluidos del cuerpo del sospechoso, siempre y cuando se obtuvieran mediante una intervención corporal leve (como, por ejemplo, la extracción de saliva mediante un frotis bucal), y el afectado prestara su consentimiento. El consentimiento actúa como fuente de legitimación constitucional de la injerencia en el ámbito de la intimidad personal y genética del afectado (STC 196/2006, FJ 5).

Hemos afirmando que para que el consentimiento pueda calificarse de eficaz debe ser libre y voluntario (STC 211/1996, de 7 de marzo), y además, como pre-condición de validez, para que el consentimiento pueda ser considerado como libre y voluntario, debe tratarse de un consentimiento informado (STC 37/2011, de 28 de marzo, FJ 5). Según se desprende de las actuaciones, en el caso que nos ocupa, el carácter informado del consentimiento es una consecuencia que derivaría de la finalidad de la propia diligencia de investigación: la obtención de una muestra biológica para el posterior análisis pericial de ADN es una diligencia de investigación criminal. Su fin es obtener información (perfiles identificadores) que permita el esclarecimiento de hechos delictivos, pasados o incluso futuros (mediante la conservación de los mismos en una base de datos). Esto es, precisamente, lo que sucedió en el presente caso. La obtención de la muestra se llevó a cabo en el marco de una investigación criminal con el fin de determinar la eventual participación del recurrente en los hechos objeto de imputación. El examen del contenido del acta policial de obtención de muestras biológicas permite constatar que el recurrente fue informado no solo del tipo de intervención corporal que se iba a practicar (un frotis bucal con un hisopo de algodón), sino también del fin de la diligencia. Así se reflejó documentalmente que su fin era llevar a cabo estudios de ADN que permitiesen determinar su perfil genético y realizar los estudios comparativos necesarios, así como su cotejo en la base de datos de ADN. Información que resultaba suficiente al precisar la finalidad de la diligencia que se iba a practicar. Al mismo tiempo se le informó que los perfiles genéticos del recurrente se cotejarían con los existentes en la base de datos de ADN.

En estas circunstancias se cumplió con la necesidad de información previa, por lo que el consentimiento fue informado y no hubo lesión del derecho a la intimidad (art. 18.1 y 4 CE). [...]

Constitucionalidad del Número de Identificación Fiscal —STC 143/1994, de 9 de mayo—

La Sentencia resuelve recurso de amparo interpuesto por el Consejo General de Colegios de Economistas contra la normativa reguladora del Número de Identificación Fiscal (Real Decreto 338/1990, de 9 de marzo, y Orden Ministerial de 14 de marzo de 1990, de desarrollo del anterior), por violación de una serie de derechos fundamentales. En concreto, sostiene la recurrente que la norma impugnada vulnera el derecho a la intimidad (artículo 18 CE), así como el artículo 18.4 CE, por la pretendida ausencia de garantías sobre el uso de la información obtenida a través de las operaciones identificadas con el NIF. Contra dicha normativa interpuso el Consejo recurso contencioso-administrativo, que en Sentencia de 7 de octubre de 1992 el Tribunal Supremo declaró inadmisible por falta de legitimación activa, aduciendo que el Consejo General de Colegios de Economistas de España ni tiene un interés directo, ni un interés legítimo, en la impugnación del Real Decreto y de la Orden reguladores del NIF.

FJ 7. [...] El Real Decreto 338/1990, lo mismo que su orden de desarrollo, forman parte de un conjunto normativo que introduce garantías suficientes frente al eventual uso desviado de la información que aquellas normas permiten recabar. En este marco destaca, en desarrollo del art. 18.4 CE, la Ley Orgánica de 29 de octubre de 1992, de regulación del tratamiento automatizado de los datos de carácter personal, que aparte, de las reglas generales sobre tratamiento de datos que no vienen ahora al caso, establece normas específicas para restringir el defecto que la parte imputa a la norma reglamentaria impugnada. En concreto, garantizándose la seguridad de los archivos (art. 9), imponiéndose un deber específico de secreto profesional, incluso después de finalizadas sus tareas al respecto, al «responsable del fichero automatizado y [a] quienes intervengan en cualquier fase del tratamiento de los datos de carácter personal» (art. 10) e impidiendo la transmisión de datos de carácter personal almacenados, con la excepción de que concurra el consentimiento del interesado, la autorización legal específica o la conexión y reconocida necesidad de la transmisión de datos para el logro de finalidades constitucionalmente relevantes (art. 11) en las condiciones dispuestas en la norma. Todas ellas como garantías para determinar el carácter proporcionado y razonable de la obligación de transmitir información fiscal puesto de manifiesto en la doctrina de este Tribunal (STC 110/1984, fundamento jurídico 4º). Estas reglas, obviamente, tienden a salvaguardar los valores inherentes a la intimidad personal y dejan vacía de contenido la queja de la corporación recurrente. En efecto, así contemplada, la norma impugnada no legítima por sí misma la manipulación o difusión de datos que no esté estrechamente conectada con la finalidad que autoriza su recogida, y, en consecuencia, el recurso de amparo adquiere un carácter cautelar que le es impropio. De producirse las infracciones denunciadas, existen medios de reacción suficientes frente a ellas, en la Ley citada, y, en último extremo, quedaría abierta la vía del recurso de amparo. Pero es claro que no alcanza esta eventualidad a invalidar una norma que ni la justifica ni la propicia.

La protección de datos económicos —STC 233/1999, de 16 de diciembre[69]—

La Sentencia resuelve tres recursos de inconstitucionalidad acumulados y cinco cuestiones de inconstitucionalidad también acumuladas contra la Ley 39/1988, de 28 de diciembre, reguladora de las Haciendas Locales. Los recurrentes denuncian, en lo que aquí interesa, que el art. 8.2 c) LHL, en virtud del cual las Administraciones tributarias del Estado, de las Comunidades Autónomas y de las Entidades locales, «en la forma que reglamentariamente se establezca», se comunicarán inmediatamente los hechos con trascendencia tributaria que se pongan de manifiesto en el ejercicio de las actuaciones inspectoras, vulnera los principios de seguridad jurídica y legalidad, dado que ésta es una materia que no puede quedar «relegada a una mera norma reglamentaria», sino que, por el juego conjunto de los artículos 18.4 y 81 de la CE, debe venir regulada por ley orgánica. Por las mismas razones, al amparo del artículo 39 LOTC, se solicita también la declaración de inconstitucionalidad «por conexión» del artículo 8.2 a) LHL, a tenor del cual las citadas Administraciones tributarias «se facilitarán toda la información que mutuamente se soliciten y, en su caso, se establecerá, a tal efecto, la intercomunicación técnica precisa a través de los respectivos Centros de Informática».

FJ 7. [...] Antes que nada debe apuntarse que el cuestionado art. 8.2 c) LHL ha sido modificado por el art. 18.4 de la Ley 50/1998, de 30 de diciembre, de Medidas Fiscales, Administrativas y del Orden Social. Dicha Ley, no obstante, se ha limitado a añadir que el deber de comunicación entre las Administraciones Tributarias de los distintos órdenes territoriales existe respecto de los hechos con trascendencia para los tributos «y demás recursos de derecho público» de cualquiera de ellas, alteración ésta de la LHL que, no suponiendo la derogación o modificación sustancial del precepto impugnado en el recurso de los Diputados, no hace desaparecer el objeto del proceso constitucional en este punto (SSTC 160/1987, 150/1990 y 385/1993, entre otras).

Aclarado lo anterior, la queja de los recurrentes debe ser rechazada. En primer lugar, conviene precisar que la vieja fórmula anglosajona a la que se alude en el recurso, identificable con el principio de «autoimposición de la comunidad sobre sí misma» a la que hemos aludido en otros pronunciamientos (STC 185/1995, fundamento jurídico 3º), se refiere claramente a la reserva de ley en el establecimiento de los tributos, que nuestra Constitución regula en los arts. 31.3 y 133. El precepto cuestionado, sin embargo, no regula la creación de un tributo o de sus elementos esenciales, sino que se limita a exigir que las Administraciones tributarias de los distintos niveles territoriales (Estado, Comunidades Autónomas y Corporaciones Locales) se comuniquen la información con trascendencia tributaria obtenida en el

---

[69] Sobre la cobertura de los datos económicos por el derecho a la intimidad, *vid.* SSTC 110/1984, de 26 de noviembre; 196/2004, de 15 de noviembre; 233/2005, de 26 de septiembre.

curso de las actuaciones de comprobación e investigación desarrolladas por sus respectivos servicios de inspección tributaria.

Dado que el soporte de la comunicación en estos casos será informático [lo cierto es que, como se ha dicho, el art. 8.2 a) LHL reclama el establecimiento de la intercomunicación técnica precisa para el trasvase de información «a través de los respectivos Centros de Informática»], los recurrentes entienden que resulta aplicable el art. 18.4 CE, en virtud del cual, la ley «limitará el uso de la informática para garantizar el honor y la intimidad personal y familiar de los ciudadanos y el pleno ejercicio de sus derechos».

Ciertamente, como ya hemos expresado en varias ocasiones, la información cuya transmisión se prevé en el precepto cuestionado —esto es, aquélla que tiene trascendencia tributaria— puede incidir en la intimidad de los ciudadanos (SSTC 110/1984, 45/1989, 142/1993; ATC 462/1996). Concretamente, hemos dicho que «no hay dudas de que, en principio, los datos relativos a la situación económica de una persona,… entran dentro de la intimidad constitucionalmente protegida» (ATC 462/1996, fundamento jurídico 3º). Tal circunstancia, sin embargo, no permite afirmar que la remisión que el art. 8.2 c) LHL hace al reglamento para la determinación del modo en que habrán de transmitirse los datos con trascendencia tributaria en poder de las Administraciones vulnere el citado art. 18.4 CE.

Dicho precepto, en efecto, como «respuesta a una nueva forma de amenaza concreta a la dignidad y a los derechos de la persona» (SSTC 254/1993, fundamento jurídico 6º; 11/1998, fundamento jurídico 4º; 60/1998, fundamento jurídico único; 124/1998, fundamento jurídico 2º; 126/1998, fundamento jurídico 2º), se limita a exigir la aprobación de una Ley que limite el uso de la informática. Y este es un mandato constitucional que, como decíamos en la STC 94/1998 (fundamento jurídico 4º) se ha cumplido con la Ley Orgánica 5/1992, de 29 de octubre, de regulación del tratamiento automatizado de los datos de carácter personal (y en fecha próxima con la Ley Orgánica 15/1999, de 13 de diciembre, de Protección de Datos de carácter personal, todavía no vigente, publicada en el BOE de 14 de diciembre), norma que, en lo que aquí interesa, regula específicamente la cesión de datos entre Administraciones Públicas en los arts. 11.2 e) y 19.

Por otro lado, aunque lleguemos a la conclusión de que los hechos con trascendencia tributaria que se pongan de manifiesto en el curso de las actuaciones inspectoras inciden en aspectos de la intimidad tutelada en el art. 18.1 CE, de aquí no cabe derivar tampoco que el art. 8.2 c) LHL transgreda el art. 81.1 CE. Como hemos señalado en reiteradas ocasiones, este precepto reclama ley orgánica para el desarrollo de los derechos fundamentales, esto es, como decíamos, entre otras muchas, en la STC 140/1986, para «la determinación de su alcance y límites en relación con otros derechos y con su ejercicio por las demás personas» (fundamento jurídico 5º). Y es evidente que el art. 8.2 c) LHL no pretende el desarrollo de los derechos a la intimidad o al honor tutelados en el art. 18 CE, sino que, como destaca el Abogado del Estado, se limita a establecer un deber de colaboración dimanante tanto del general deber de auxilio recíproco entre órganos estatales, autonómicos y locales, como del específico deber que establece el art. 8.1 LHL, no impugnado; un deber que, como hemos señalado reiteradas veces, «no es menester justificar en preceptos concretos» y que «se encuentra implícito en la propia esencia de la forma de organización territorial del Estado que se implanta en la Constitución» (STC 18/1982, fundamento jurídico 14). Un deber de comunicación en relación con una información cuya captación y archivo es, tal y como hemos venido exigiendo, «necesaria para el ejercicio de las potestades que les atribuye la Ley» y «adecuada para las legítimas finalidades previstas por ella» (STC 254/1993, fundamento jurídico 7º); cuyo conocimiento por las diversas Administraciones tributarias, en fin, es imprescindible para el adecuado cumplimiento del mandato constitucional recogido en el art. 31.1 CE (SSTC 110/1984 y 76/1990; AATC 642/1986 y 129/1990).

Posibilidad de limitar el derecho a la intimidad informática de las personas extranjeras —STC 17/2013, de 31 de enero (*vid. supra*)—

FJ 6. […] [L]a obligación de remisión de información que pesa sobre el transportista[70] se relaciona con lo dispuesto en convenios internacionales ratificados por España [en especial, arts. 4, 6 y 26.1.b) del Acuerdo relativo a la supre-

---

[70] En su redacción por el artículo 1.35 de la Ley Orgánica 14/2003, de 20 de noviembre, el artículo 66 LOEx disponía: «Obligaciones de los transportistas

1. Cuando así lo determinen las autoridades españolas respecto de las rutas procedentes de fuera del Espacio Schengen en las que la intensidad de los flujos migratorios lo haga necesario, a efectos de combatir la inmigración ilegal y garantizar la seguridad pública, toda compañía, empresa de transporte o transportista estará obligada, en el momento de finalización del embarque y antes de la salida del medio de transporte, a remitir a las autoridades españolas encargadas del control de entrada

sión gradual de los controles en las fronteras comunes, firmado en Schengen el 14 de junio de 1985 y al que España se adhirió por protocolo de 25 de junio de 1991 («BOE» de 30 de julio de 1991)], así como en la propia normativa comunitaria, aun cuando la misma sea, en algún caso, de fecha posterior a la Ley Orgánica 14/2003 (en tal sentido, Directiva 2001/51/CE del Consejo, de 28 de junio, por la que se completan las disposiciones del art. 26 del Convenio de aplicación del Acuerdo de Schengen y, posterior a la Ley Orgánica 14/2003, Directiva 2004/82/CE del Consejo, de 29 de abril de 2004, sobre la obligación de los transportistas de comunicar los datos de las personas transportadas). Así pues, lo establecido en el art. 66 LOEx viene a dar respuesta a compromisos asumidos por España en el ámbito de la Unión Europea entre los que se encuentra la asunción de determinadas obligaciones para los transportistas tendentes a combatir el fenómeno de la inmigración ilegal y a garantizar la seguridad de las fronteras exteriores de las partes firmantes del Acuerdo de Schengen. [...]

Así enmarcado el precepto cuestionado, podemos apreciar que, con arreglo a su tenor literal, la obligación de suministro de información que asumen los transportistas, respecto a las personas que transporten procedentes de fuera del espacio Schengen, se ha fijado por el legislador. De esta suerte, las autoridades españolas no tienen la capacidad de disponer discrecionalmente de dicha obligación sino, únicamente, la posibilidad de determinar el momento y las rutas respecto a las cuales esa obligación de suministro de información, ya previamente establecida, ha de hacerse efectiva. [...] Así, es posible apreciar que la limitación al derecho a la protección de datos personales deriva, no de la

---

la información relativa a los pasajeros que vayan a ser trasladados, ya sea por vía aérea, marítima o terrestre, y con independencia de que el transporte sea en tránsito o como destino final, al territorio español.

La información será comprensiva del nombre y apellidos de cada pasajero, de su fecha de nacimiento, nacionalidad, número de pasaporte o del documento de viaje que acredite su identidad.

2. Toda compañía, empresa de transporte o transportista estará obligada a enviar a las autoridades españolas encargadas del control de entrada la información comprensiva del número de billetes de vuelta no utilizados por los pasajeros que previamente hubiesen transportado a España, ya sea por vía aérea, marítima o terrestre, y con independencia de que el transporte sea en tránsito o como destino final, de rutas procedentes de fuera del Espacio Schengen.

Cuando así lo determinen las autoridades españolas, en los términos y a los efectos indicados en el apartado anterior, la información comprenderá, además, para pasajeros no nacionales de la Unión Europea, del Espacio Económico Europeo o de países con los que exista un convenio internacional que extienda el régimen jurídico previsto para los ciudadanos de los Estados mencionados, el nombre y apellidos de cada pasajero, su fecha de nacimiento, nacionalidad, número de pasaporte o del documento de viaje que acredite su identidad.

La información señalada en el presente apartado deberá enviarse en un plazo no superior a 48 horas desde la fecha de caducidad del billete.

3. Asimismo, toda compañía, empresa de transporte o transportista estará obligada a:

a) Realizar la debida comprobación de la validez y vigencia, tanto de los pasaportes, títulos de viaje o documentos de identidad pertinentes, como, en su caso, del correspondiente visado de los que habrán de ser titulares los extranjeros.

b) Hacerse cargo inmediatamente del extranjero que hubiese trasladado hasta la frontera aérea, marítima o terrestre correspondiente del territorio español, si a éste se le hubiera denegado la entrada por deficiencias en la documentación necesaria para el cruce de fronteras.

c) Tener a su cargo al extranjero que haya sido trasladado en tránsito hasta una frontera aérea, marítima o terrestre del territorio español, si el transportista que deba llevarlo a su país de destino se negara a embarcarlo, o si las autoridades de este último país le hubieran denegado la entrada y lo hubieran devuelto a la frontera española por la que ha transitado.

d) Transportar a los extranjeros a que se refieren los párrafos b) y c) de este apartado hasta el Estado a partir del cual le haya transportado, bien hasta el Estado que haya expedido el documento de viaje con el que ha viajado, o bien a cualquier otro Estado que garantice su admisión y un trato compatible con los derechos humanos.

La compañía, empresa de transportes o transportista que tenga a su cargo un extranjero en virtud de alguno de los supuestos previstos en este apartado deberá garantizar al mismo unas condiciones de vida adecuadas mientras permanezca a su cargo.

4. Lo establecido en este artículo se entiende también para el caso en que el transporte aéreo o marítimo se realice desde Ceuta o Melilla hasta cualquier otro punto del territorio español.»

Este precepto fue modificado por la Ley Orgánica 2/2009, que en lo que ahora importa ha modificó el segundo párrafo del apartado 1, de suerte que el mismo pasó a tener la siguiente redacción: «La información será transmitida por medios telemáticos, o, si ello no fuera posible, por cualquier otro medio adecuado, y será comprensiva del nombre y apellidos de cada pasajero, de su fecha de nacimiento, nacionalidad, número de pasaporte o del documento de viaje que acredite su identidad y tipo del mismo, paso fronterizo de entrada, código de transporte, hora de salida y de llegada del transporte, número total de personas transportadas, y lugar inicial de embarque. Las autoridades encargadas del control de entrada guardarán los datos en un fichero temporal, borrándolos tras la entrada y en un plazo de veinticuatro horas desde su comunicación, salvo necesidades en el ejercicio de sus funciones. Los transportistas deberán haber informado de este procedimiento a los pasajeros, estando obligados a borrar los datos en el mismo plazo de veinticuatro horas.»

decisión administrativa, la cual, por lo demás, se adoptará en los términos establecidos por el art. 17 del Real Decreto 557/2011, de 20 de abril, por el que se aprueba el Reglamento de la Ley Orgánica de derechos y libertades de los extranjeros, sino de lo establecido por el propio legislador orgánico. Tampoco, de acuerdo con nuestra doctrina (por todas, STC 110/1991, de 13 de mayo, FJ 3), ha de excluirse toda posibilidad de colaboración reglamentaria en la puesta en práctica de lo previamente establecido por dicho legislador, máxime en un ámbito, como el de los flujos migratorios, variable por su propia naturaleza, y teniendo en cuenta que, como ya hemos apreciado, esa decisión relativa al suministro de información no queda a la libre disposición de la autoridad administrativa, puesto que su contenido ya está determinado en la norma e igualmente sucede con las circunstancias y ámbitos, en términos de rutas de transporte, que han de concurrir para hacer posible su aplicación efectiva.

Por ello, y en cuanto a la idoneidad de la restricción del derecho fundamental a la protección de datos para el fin que persigue, debemos partir de la consideración de que el derecho fundamental a la protección de datos ha de cohonestarse con otras exigencias y prioridades, en muchos casos derivados de la condición de España como miembro de la Unión Europea, y no ha de equipararse, en este caso concreto, con una pretensión de anonimato del usuario del transporte frente al control de entrada ejercido por las autoridades competentes, el cual implica el ejercicio de una potestad pública inherente a la soberanía plena y exclusiva del Estado sobre su territorio. Al respecto, los mecanismos de policía administrativa a través del control de flujos migratorios responden a una finalidad legítima expresada en el evidente interés público que subyace en el adecuado control de los antes citados flujos migratorios y de la seguridad pública asegurando, al tiempo, el cumplimiento de lo dispuesto en las leyes, expresión de un interés general que, en cuanto predicable del conjunto de la comunidad, puede no siempre resultar compatible con los que corresponden a las personas singulares, pues es evidente que el respeto a las decisiones del legislador y su adecuada puesta en práctica redunda en beneficio de la comunidad. Así, es innegable que la medida prevista intenta evitar que se eludan las leyes que regulan la entrada, residencia y circulación de los extranjeros en España, esto es, persigue una finalidad, el aseguramiento de que la entrada y estancia de los extranjeros en España se hace con pleno respeto a la ley, a cuya relevancia, tanto desde la perspectiva constitucional como en relación con el cumplimiento de los compromisos asumidos con el resto de países de la Unión Europea, resulta innecesario referirse ya.

Además, examinada la cuestión controvertida desde la perspectiva de los invocados principios de finalidad y consentimiento, específicos del derecho fundamental a la protección de datos, tampoco éstos resultan violentados. Aun cuando los datos se recaben en el marco de una actividad que da derecho al usuario a una prestación de servicios consistente en su traslado hasta las fronteras del territorio español, lo cierto es que dichos datos no se obtienen para la realización de dicha prestación de servicios, sino que su obtención se regula en la Ley Orgánica de derechos y libertades de los extranjeros en razón de que, basándose en un hecho objetivo como la intensidad de los flujos migratorios, los mismos se consideran necesarios para el cumplimiento de finalidades vinculadas con la seguridad pública y el control de dichos flujos migratorios a fin de evitar la inmigración ilegal. De ahí que la recogida de datos a que hace referencia el precepto venga establecida, como ya hemos apreciado, en la propia Ley Orgánica de derechos y libertades de los extranjeros. Así esta última es la norma a cuyo amparo y para las finalidades legítimas previstas en la misma se reclama la información (art. 4 LOPD); información y posterior tratamiento y cesión a la cual, por lo demás, le será aplicable la legislación sobre protección de datos (art. 11.5 LOPD), en particular, el derecho a la información y la necesidad de cancelar los mismos cuando hubieran dejado de ser necesarios o pertinentes para la finalidad para la cual hubieran sido recabados (arts. 5 y 4.5 LOPD, respectivamente y, en el mismo sentido, art. 6 de la Directiva 2004/82/CE), lo que permite apreciar la existencia de garantías suficientes en orden a un eventual uso desviado de la información y que, por lo mismo, excluyen que se pueda apreciar aquí la denunciada infracción del art. 18.4 CE en cuanto no se afecta a su contenido esencial en lo relativo a los invocados principios de finalidad y consentimiento. Garantías que se confirman a la luz de lo dispuesto por el párrafo segundo del apartado 1, en la redacción que al mismo ha dado la Ley Orgánica 2/2009, en cuanto que el mismo, además de exigir expresamente la información a los pasajeros, dispone que los datos no se almacenen más de 24 horas, borrándolos tras la entrada.

FJ 7. Procede examinar ahora la disposición adicional quinta LOEx [...] introducida por el art. 1.40 de la Ley Orgánica 14/2003, de 20 de noviembre[71] [...].

---

[71]   «Disposición adicional quinta. Acceso a la información y colaboración entre Administraciones públicas.
1. En el cumplimiento de los fines que tienen encomendadas, y con pleno respeto a la legalidad vigente, las Administraciones públicas, dentro de su ámbito competencial, colaborarán en la cesión de datos relativos a las personas que sean consideradas interesados en los procedimientos regulados en esta Ley Orgánica y sus normas de desarrollo.

[...] [L]a cesión prevista en este párrafo primero se lleva a cabo de acuerdo con lo previsto en la Ley Orgánica de protección de datos, por lo que no puede estimarse que la misma vulnere el art. 18.4 CE, en la medida en que, además, se ajusta al marco establecido por el legislador orgánico al desarrollar su contenido, marco que no ha sido puesto en cuestión.

En cuanto al segundo párrafo de la disposición adicional impugnada, [...] en la medida en que han de tratarse de datos relacionados con un concreto procedimiento y que ya obran en poder de la Administración pública, no puede considerarse vulnerado el art. 18.4 CE. En todo caso, como ya hemos señalado, tal acceso solamente puede producirse cuando ese dato resulte necesario o pertinente en relación con la tramitación de un concreto expediente, lo que permite analizar o determinar en cada caso la conformidad del acceso con lo establecido en el régimen legal que le resulta de aplicación. [...]

La protección de datos bancarios —STC 96/2012, de 7 de mayo—

La Asociación de Usuarios de Bancos, Cajas de Ahorros y Seguros de España (ADICAE) presentó, el 10 de agosto de 2010, escrito de petición de diligencias preliminares de juicio ex artículo 256.1.6 de la Ley 1/2000, de 7 de enero, de enjuiciamiento civil (LEC), contra la sociedad BBVA (que dio lugar al procedimiento de diligencias preliminares núm. 1711-2010 del Juzgado de Primera Instancia núm. 87 de Madrid), con la finalidad de interponer demanda de consumo colectiva en ejercicio de la acción de cesación para la defensa de los intereses colectivos de consumidores y usuarios. Por Auto de 1 de septiembre de 2010, el Juzgado de Primera Instancia núm. 87 de Madrid acordó acceder a la solicitud de diligencias preliminares formulada por ADICAE, requiriendo a BBVA para que en el plazo de cinco días aportase al Juzgado, para su entrega a la parte actora, los listados en fichero electrónico de sus clientes personas físicas que hubieran contratado los referidos productos financieros, sin perjuicio de poder oponerse a esta medida dentro del mismo plazo. La entidad BBVA promovió incidente de nulidad de actuaciones, alegando lesión del derecho a la tutela judicial efectiva (artículo 24.1 CE), en relación con el derecho a la intimidad y a la protección de datos personales (artículo 18.1 y 4 CE), como consecuencia del requerimiento judicial de entrega de los datos personales de clientes de BBVA que hubiesen contratado los productos financieros en cuestión, para su traslado a la asociación ADICAE. Mediante providencia de 29 de noviembre de 2010 el Juzgado acordó no haber lugar a dicho incidente. Contra estas decisiones judiciales se presenta el presente recurso de amparo.

FJ 11. [...] [L]as resoluciones judiciales impugnadas han vulnerado el art. 18.4 CE. Y ello, porque una diligencia preliminar consistente en requerir a una entidad bancaria la entrega de datos personales de sus clientes, sin el previo consentimiento de éstos, para su posterior entrega a una asociación de consumidores que pretende iniciar un proceso para la defensa de los intereses colectivos de consumidores y usuarios, implica un claro límite en el derecho fundamental a la protección de datos de carácter personal (art. 18.4 CE) y, en consecuencia, no es suficiente la existencia de una genérica habilitación legal (ex art. 256.1.6 LEC), sino que dicha medida ha de adoptarse mediante resolución especialmente motivada, exteriorizando los elementos de juicio en los que se basa la resolución, de forma que las razones fácticas y jurídicas queden perfectamente expuestas y, además, debe someterse a un estricto juicio de proporcionalidad, como principio inherente del Estado de Derecho, cuya condición de canon de constitucionalidad tiene especial aplicación cuando se trata de proteger derechos fundamentales frente a limitaciones o constricciones que procedan de normas o resoluciones singulares (STC 85/1992, de 8 de junio, FJ 4). Sin embargo, nada de esto se ha hecho en las resoluciones jurídicas impugnadas.

Tal vulneración material del art. 18.4 CE implica, correlativamente, la lesión del derecho a la tutela judicial efectiva (art. 24.1 CE) de la entidad bancaria demandante de amparo que, cuando se opone al requerimiento de entrega de los ficheros informáticos con los datos personales de aquellos de sus clientes que hubieran suscrito determinados productos financieros, datos sobre los que tiene una obligación jurídica de custodia, no obtiene del órgano judicial

---

2. Para la exclusiva finalidad de cumplimentar las actuaciones que los órganos de la Administración General del Estado competentes en los procedimientos regulados en esta Ley Orgánica y sus normas de desarrollo tienen encomendadas, la Agencia Estatal de Administración Tributaria, la Tesorería General de la Seguridad Social y el Instituto Nacional de Estadística, este último en lo relativo al Padrón Municipal de Habitantes, facilitarán a aquéllos el acceso directo a los ficheros en los que obren datos que hayan de constar en dichos expedientes, y sin que sea preciso el consentimiento de los interesados, de acuerdo con la legislación sobre protección de datos.»

una respuesta fundada en una aplicación del ordenamiento jurídico conforme a la Constitución, de acuerdo con las exigencias de motivación y proporcionalidad anteriormente referidas.

Intimidad informática y teléfonos móviles —STC 115/2013, de 9 de mayo (*vid. supra* ARTÍCULO 18.3)—

FJ 4. [...] [L]a versatilidad tecnológica que han alcanzado los teléfonos móviles convierte a estos terminales en herramientas indispensables en la vida cotidiana con múltiples funciones, tanto de recopilación y almacenamiento de datos como de comunicación con terceros (llamadas de voz, grabación de voz, mensajes de texto, acceso a internet y comunicación con terceros a través de internet, archivos con fotos, videos, etc.), susceptibles, según los diferentes supuestos a considerar en cada caso, de afectar no sólo al derecho al secreto de las comunicaciones (art. 18.3 CE), sino también a los derechos al honor, a la intimidad personal y a la propia imagen (art. 18.1 CE), e incluso al derecho a la protección de datos personales (art. 18.4 CE), lo que implica que el parámetro de control a proyectar sobre la conducta de acceso a dicho instrumento deba ser especialmente riguroso, tanto desde la perspectiva de la existencia de norma legal habilitante, incluyendo la necesaria calidad de la ley, como desde la perspectiva de si la concreta actuación desarrollada al amparo de la ley se ha ejecutado respetando escrupulosamente el principio de proporcionalidad.

La utilización de datos de ADN —STC 199/2013, de 5 de diciembre[72]—

La Sentencia resuelve recurso de amparo interpuesto por O.G.S. contra la Sentencia de la Sala Segunda del Tribunal Supremo, de 14 de octubre de 2005, que desestimó el recurso de casación interpuesto por el demandante contra la Sentencia de la Sala de lo Penal de la Audiencia Nacional de 7 de abril de 2005, que le condenó como autor de un delito de daños terroristas. El recurrente considera que las resoluciones impugnadas han vulnerado, entre otros, sus derechos fundamentales a la intimidad personal (artículo 18.1 CE), porque habían convalidado un análisis de su perfil genético, ordenado por la Ertzaintza para confrontarlo con los restos biológicos de una prenda encontrada en el lugar donde se produjeron los hechos, no contando para ello con autorización judicial, y a la «autodeterminación informativa» (artículo 18.4 CE), por cuanto la Ertzaintza había incluido este perfil de ADN del recurrente en un fichero al margen de todo tipo de control, sin respetarse las garantías previstas en el ordenamiento para el tratamiento de este tipo de datos de naturaleza personal.

FJ 12. [...] [H]a de descartarse la lesión del derecho a la autodeterminación informativa reconocida en el art. 18.4 CE, la cual se habría producido, según el demandante de amparo al introducirse su perfil de ADN en una base de datos policial que carece del registro correspondiente en la Agencia de Protección de Datos y al margen del consentimiento del afectado o de resolución judicial que exige la Orden de 2 de septiembre de 2003, del Consejero Vasco de Interior, reguladora del fichero. [...]
Pues bien, de conformidad con la anterior doctrina, no cabe duda acerca de que el perfil de ADN del demandante de amparo obtenido a partir de su saliva identifica a la persona. Es más, en el caso sometido a nuestra consideración fue obtenido precisamente con fines identificativos y sólo identificativos a la vista de las regiones de ADN no codificante que fueron analizadas. Ahora bien, no puede decirse que en el indicado perfil genético (el obtenido con efecto identificativo neutral) se incorporen otro tipo de datos que puedan contribuir a configurar un perfil o caracterización de la persona en sus aspectos «ideológico, racial, sexual, económico o de cualquier otra índole, o que sirvan para cualquier otra utilidad que en determinadas circunstancias constituya una amenaza para el individuo» (STC 292/2000, acabada de citar), que es el ámbito de protección dispensada por el art. 18.4 CE.
En segundo lugar, ha de resaltarse que la identificación del demandante de amparo como la misma persona que portaba la prenda a modo de capucha al perpetrarse los hechos delictivos enjuiciados en el proceso a quo, no se produjo como consecuencia de la incorporación del perfil genético identificativo del demandante a una base de datos de personas sospechosas, sino que derivó de su comparación con los perfiles de ADN correspondientes a personas desconocidas que fueron obtenidos a partir de muestras biológicas halladas en vestigios de distintos hechos delictivos (vid el acta del juicio oral folio 131 de las actuaciones remitidas). En las resoluciones judiciales no se afirma que la condena del demandante de amparo traiga causa de la incorporación del perfil de ADN del demandante a una base de datos de sospechosos de haber cometido hechos delictivos, razón por la cual hemos de detener aquí nuestro aná-

---

[72]   *Vid.* también las SSTC 13-16/2014, de 30 de enero; 23/2014, de 13 de febrero; 43/2014, de 27 de marzo; 135/2014, de 8 de septiembre.

lisis, toda vez que de haberse producido tal hipotética inclusión se trataría de una actuación sin incidencia en el acto del poder público frente al que se demanda amparo.

Por lo demás nada impediría al demandante reaccionar contra esta pretendida e hipotética conservación de su perfil de ADN solicitando la eliminación del perfil de la base de datos a la que afirma que se incorporaron, lo que no consta haberse efectuado, de suerte que la lesión denunciada no sólo se construye sobre hechos no acreditados cumplidamente sino que tampoco se habrían agotado los remedios disponibles para lograr su reparación primero ante la Administración y luego, en su caso, ante la jurisdicción ordinaria en términos semejantes a los acontecidos en caso resuelto en la STEDH de 4 de diciembre de 2008, caso S y Marper c. Reino Unido.

En tercer lugar, ya hemos señalado que la obtención de los caracteres identificativos del demandante a partir del análisis de los sectores no codificantes de su ADN se produjo para una finalidad constitucionalmente legítima como es la investigación de un grave delito relacionado con actividad de violencia callejera en la que el demandante de amparo admitía haber participado y a la que ya nos hemos referido con anterioridad. Pues bien, «el derecho a la protección de datos no es ilimitado, y aunque la Constitución no le imponga expresamente límites específicos, ni remita a los Poderes Públicos para su determinación como ha hecho con otros derechos fundamentales, no cabe duda de que han de encontrarlos en los restantes derechos fundamentales y bienes jurídicos constitucionalmente protegidos, pues así lo exige el principio de unidad de la Constitución (SSTC 11/1981, de 8 de abril, FJ 7; 196/1987, de 11 de diciembre, FJ 6; y respecto del art. 18, la STC 110/1984, FJ 5)». Pero es que tampoco consta que el perfil haya sido utilizado para una finalidad distinta de aquella para la que se obtuvo, ni que haya sido objeto de cesión o tratamiento distinto de aquél para el que se obtuvo.

Acceso a la información contenida en el registro de profesionales que objetan a la práctica del aborto —STC 151/2014, de 25 de septiembre (*vid.* ARTÍCULO 16)—

FJ 7. [...] [R]esulta razonable que la Ley Foral prevea que pueden acceder al registro las personas titulares de la dirección del centro, de las direcciones médicas y de las direcciones de enfermería de los hospitales del Servicio Navarro de Salud, pues es a ellas a quienes corresponde velar por la debida organización y gestión de la prestación sanitaria que debe resultar garantizada y que da sentido al registro, quedando dicho acceso perfectamente especificado y acotado en el art. 5 de la Ley impugnada. Sin embargo, no podemos afirmar lo mismo respecto de la previsión según la cual también pueden acceder a los datos del registro aquellas personas «que autorice expresamente la persona titular de la Gerencia del Servicio Navarro de Salud-Osasunbidea, en ejercicio legítimo de sus funciones», pues tal previsión faculta un nuevo acceso, posesión y uso de los datos personales que contiene el registro en unos términos tan abiertos e indeterminados que supone un límite injustificado en el contenido constitucionalmente protegido del derecho fundamental a la protección de datos de carácter personal (art. 18.4 CE) de acuerdo con la doctrina anteriormente expuesta, y ello, con independencia de que las personas que accedan a los datos recogidos en el registro estén obligadas al secreto profesional previsto en el art. 10 LOPD, y de que el uso indebido de la facultad de acceso pueda acarrear la correspondiente responsabilidad administrativa, conforme a lo dispuesto en la Ley Orgánica de protección de datos de carácter personal, razones que nos llevan a declarar la inconstitucionalidad del inciso del art. 5 de la Ley Foral de Navarra 16/2010 en el que se prevé que pueden acceder a los datos del registro aquellas personas «que autorice expresamente la persona titular de la Gerencia del Servicio Navarro de Salud-Osasunbidea, en ejercicio legítimo de sus funciones».

Y ello, porque el derecho a la protección de los datos de carácter personal, que se deriva del art. 18.4 CE, garantiza a los individuos un poder de disposición sobre sus datos personales «que impone a los poderes públicos la prohibición de que se conviertan en fuentes de esa información sin las debidas garantías; y también el deber de prevenir los riesgos que puedan derivarse del acceso o divulgación indebidas de dicha información» (STC 292/2000, FJ 6), siendo elementos característicos de la definición constitucional del derecho fundamental a la protección de datos personales los derechos del afectado a consentir sobre la recogida y uso de sus datos personales y a saber de los mismos, «y resultan indispensables para hacer efectivo ese contenido el reconocimiento del derecho a ser informado de quién posee sus datos personales y con qué fin, y el derecho a poder oponerse a esa posesión y uso requiriendo a quien corresponda que ponga fin a la posesión y empleo de los datos. Es decir, exigiendo del titular del fichero que le informe de qué datos posee sobre su persona, accediendo a sus oportunos registros y asientos, y qué destino han tenido, lo que alcanza también a posibles cesionarios (STC 292/2000, FJ 6).

Así, la inconstitucionalidad del párrafo señalado trae causa en que el interesado debe ser informado, tanto de la posibilidad de cesión de sus datos personales, como del concreto destino de éstos, «pues sólo así será eficaz su derecho a consentir, en cuanto facultad esencial de su derecho a controlar y disponer de sus datos personales. Para lo que no basta que conozca que tal cesión es posible según la disposición que ha creado o modificado el fichero, sino también las circunstancias de cada cesión concreta. Pues en otro caso sería fácil al responsable del fichero soslayar el consentimiento del interesado mediante la genérica información de que sus datos pueden ser cedidos» (STC 292/2000, FJ 13), quedando así frustrado el derecho del interesado a controlar y disponer de sus datos personales que deriva del art. 18.4 CE y que concreta el art. 11.1 LOPD cuando prevé que los datos de carácter personal objeto del tratamiento «sólo podrán ser comunicados a un tercero para el cumplimiento de fines directamente relacionados con las funciones legítimas del cedente y del cesionario con el previo consentimiento del interesado», consentimiento que no será preciso cuando la cesión esté autorizada por una ley [art. 11.2 a) LOPD]

La intimidad informática en el ámbito laboral: justificación de la necesidad de ficheros informáticos —STC 202/1999, de 8 de noviembre—

La Sentencia resuelve recurso de amparo interpuesto por S.L.E. contra la Sentencia de la Sala de lo Social del Tribunal Superior de Justicia de Cataluña, de 14 de octubre de 1996, desestimatoria del recurso de suplicación interpuesto contra la Sentencia del Juzgado de lo Social núm. 22 de los de Barcelona, de 30 de enero de 1996. El recurso denuncia la existencia en la entidad crediticia Banco Hispanoamericano, S.A., en la que presta sus servicios, de una base de datos denominada de «absentismo con baja médica» en la que figuran los diagnósticos de las enfermedades que dieron origen a una situación de baja laboral por incapacidad temporal, sin consentimiento expreso de los afectados y sin que la entidad haya alegado en ningún momento un interés contractual suficiente. Dicha base de datos vulnera, en opinión del recurrente, los derechos fundamentales proclamados en el art. 18 CE, en especial en su apartado cuarto. La denuncia se extiende a la negativa a la cancelación de los datos obrantes en el fichero, así como al hecho de que puedan tener acceso a la base tanto los médicos de la empresa como un empleado de ésta adscrito al área de personal, que no goza de la condición de facultativo y que es quien proporciona la clave de entrada en el sistema, con lo que no quedaría garantizada la confidencialidad de los datos. Finalmente, pone de manifiesto que la base de datos en cuestión no está dada de alta en la Agencia de Protección de Datos, no existiendo, por tanto, persona responsable oficial del fichero.

FJ 4. A fin de elucidar la cuestión ahora planteada debemos comenzar precisando que el fichero automatizado de que trae causa el presente proceso constitucional no es un compendio de historiales clínico-sanitarios, esto es, de reseñas circunstanciadas de los datos y antecedentes relativos a la salud de los afectados, sino, sencillamente, una relación de partes de baja, como resulta del propio relato de hechos probados (apartado cuarto) de las Sentencias impugnadas. En ellos se consignan las correspondientes fechas de baja y alta laboral, el motivo de la baja (enfermedad común o accidente laboral), los días durante los cuales se prolongó la situación de incapacidad temporal y el diagnóstico médico. A la vista del contenido del fichero, forzoso resulta convenir que su mantenimiento no se dirige a la preservación de la salud de los trabajadores sino al control del absentismo laboral, lo que, por otra parte, resulta plenamente acorde con la denominación «absentismo con baja médica» que recibe el fichero. Consecuentemente, la creación y actualización del fichero, en los términos en que se ha llevado a efecto, no puede ampararse, frente a lo sostenido por la empresa, en la existencia de un interés general (art. 7.3 LORTAD y, por remisión, arts. 10.11 y 61 LGS), que justificaría la autorización por ley, sin necesidad del consentimiento del trabajador, para el tratamiento automatizado de los datos atinentes a su salud, ni tampoco en lo dispuesto en los arts. 22 y 23 de la Ley de Prevención de Riesgos Laborales, habida cuenta de que en el fichero en cuestión no se reflejan los resultados arrojados por la vigilancia periódica —y consentida por los afectados— del estado de salud de los trabajadores en función de los riesgos inherentes a su actividad laboral, sino tan sólo la relación de períodos de suspensión de la relación jurídico-laboral dimanantes de una situación de incapacidad del trabajador.

FJ 5. Dicho esto, y teniendo en todo momento presente que la concreta cuestión suscitada en el presente recurso de amparo se refiere a la conformidad con el art. 18 CE del tratamiento y conservación en el preciso soporte informático de los datos atinentes a la salud del trabajador, a que se acaba de hacer referencia, debemos señalar que la realización de dichas actividades prescindiendo del consentimiento expreso del afectado ha de calificarse como una medida inadecuada y desproporcionada que conculca por ello el derecho a la intimidad y a la libertad informática del titular de la información.

En efecto, conforme se ha apuntado con anterioridad, mediante la creación de la base de datos ahora discutida parece perseguirse un control más eficaz del absentismo laboral, según las facultades que al efecto reconoce al empresario la legislación vigente. En este sentido, lo primero que conviene advertir es que entre dichas facultades no figura la de proceder al almacenamiento en soporte informático de los datos atinentes a la salud de los trabajadores —y en concreto del diagnóstico médico— prescindiendo del consentimiento de éstos. Por otra parte, y con independencia de ello, lo verdaderamente relevante es que la medida adoptada por la empresa, sometida a los cánones establecidos para comprobar si una medida restrictiva de un derecho fundamental supera el juicio de proporcionalidad, no reviste la consideración de solución idónea, necesaria y proporcionada para la consecución del fin, en este caso, el control del absentismo laboral [SSTC 66/1995, fundamento jurídico 5º; 207/1996, fundamento jurídico 4º E) y 69/1999, fundamento jurídico 4º], pues no se trata de medida de suyo ponderada y equilibrada, ya que de ella no se derivan más beneficios o ventajas para el interés general o para el interés empresarial que perjuicios sobre el invocado derecho a la intimidad.

Al respecto, interesa recordar que, en desarrollo de lo previsto en el art. 18.4 CE, en la LORTAD se enuncian, entre otros principios generales de la protección de datos, la congruencia y racionalidad de su utilización, «en cuya virtud ha de mediar una nítida conexión entre la información personal que se recaba y trata informáticamente y el legítimo objetivo para el que se solicita y, en consecuencia, prohíbe tajantemente el uso de los datos para finalidades distintas de las que motivaron su recogida (aps. 1 y 2 del art. 4)» (STC 94/1998, fundamento jurídico 4º), así como su exactitud y puesta al día (art. 4.3). Esta regulación es sustancialmente coincidente con lo dispuesto en los arts. 5 y 7 del Convenio del Consejo de Europa de 28 de enero de 1981, para la protección de personas con respecto al tratamiento automatizado de datos de carácter personal, ratificado por España mediante Instrumento de 27 de enero de 1984, y en los arts. 6 y ss. de la Directiva 95/46/CE, de 24 de octubre de 1995, sobre protección de las personas físicas en lo que respecta al tratamiento de datos personales y a la libre circulación de estos datos. Pues bien, en este caso debemos afirmar que el expresado tratamiento informático —con vistas a su conservación— de los datos referidos a la salud de los trabajadores de que tenga conocimiento la empresa quiebra la aludida exigencia de nítida conexión entre la información personal que se recaba y el legítimo objetivo para el que fue solicitada.

La intimidad informática en el ámbito laboral: las cámaras de video-vigilancia —STC 29/2013, de 11 de febrero[73]—

La Sentencia resuelve recurso de amparo interpuesto por don A.T.F.N. contra la Sentencia de 5 de mayo de 2009 de la Sala de lo Social de Sevilla del Tribunal Superior de Justicia de Andalucía, que desestimó el recurso de suplicación interpuesto contra a la Sentencia de 5 de septiembre de 2007 del Juzgado de lo Social núm. 3 de Sevilla, y contra el Auto de 22 de septiembre de 2009 de la misma Sala que denegó la nulidad de la primera Sentencia citada. Entiende el recurrente que su derecho fundamental a la protección de datos fue vulnerado con la utilización no consentida ni previamente informada de las grabaciones con el fin, desconocido por el afectado, de controlar su actividad laboral.

FJ 5. [...] Está fuera de toda duda que las imágenes grabadas en un soporte físico, como ha ocurrido en el caso de autos, constituyen un dato de carácter personal que queda integrado en la cobertura del art. 18.4 CE, ya que el derecho fundamental amplía la garantía constitucional a todos aquellos datos que identifiquen o permitan la identificación de la persona y que puedan servir para la confección de su perfil (ideológico, racial, sexual, económico o de cualquier otra índole) o para cualquier otra utilidad que, en determinadas circunstancias, constituya una amenaza para el individuo (STC 292/2000, de 30 de noviembre, FJ 6), lo cual, como es evidente, incluye también aquellos que facilitan la identidad de una persona física por medios que, a través de imágenes, permitan su representación física e identificación visual u ofrezcan una información gráfica o fotográfica sobre su identidad.

En esa línea se manifiesta también la normativa rectora en la materia. El art. 3 a) de la Ley Orgánica de protección de datos de carácter personal (LOPD) concreta el concepto de «datos de carácter personal» como «cualquier información concerniente a personas físicas identificadas o identificables». La letra c) del mismo precepto define el «tratamiento de datos» como las «operaciones y procedimientos técnicos, de carácter automatizado o no, que permitan la recogida, grabación, conservación, elaboración, modificación, bloqueo y cancelación, así como las cesiones de datos que resulten de comunicaciones, consultas, interconexiones y transferencias». De acuerdo con tales definiciones, la captación de imágenes de las personas constituye un tratamiento de datos personales incluido en el ámbito de aplicación de la normativa citada. Así lo ha declarado con reiteración la Agencia Española de Protección de Datos. Por su parte, el artículo 5.1. f) del Real Decreto 1720/2007, de 21 de diciembre, por el que se aprueba el Reglamento de desarrollo de la Ley Orgánica 15/1999, de 13 de diciembre, de protección de datos de carácter personal, insiste

---

[73] Sobre la instalación de micrófonos y aparatos de grabaciones de imágenes en el lugar de trabajo, *vid.* también **ARTÍCULO 18.1** *supra* (SSTC 98/2000, de 10 de abril; y 186/2000, de 10 de julio, respectivamente).

en esa dirección y define los datos de carácter personal del siguiente modo: «Cualquier información numérica, alfabética, gráfica, fotográfica, acústica o de cualquier otro tipo concerniente a personas físicas identificadas o identificables». Todo ello ha sido perfilado, en lo estrictamente referido a la video-vigilancia, en la Instrucción 1/2006, de 8 de noviembre, de la Agencia Española de Protección de Datos, sobre el tratamiento de datos personales con fines de vigilancia a través de sistemas de cámaras o videocámaras.

En la misma dirección se pronuncia el artículo 2 a) de la Directiva 95/46/CE del Parlamento y del Consejo, de 24 de octubre de 1995, relativa a la protección de las personas físicas en lo que respecta al tratamiento de datos personales y a la libre circulación de estos datos, según el cual, a efectos de dicha Directiva, se entiende por dato personal «toda información sobre una persona física identificada o identificable (el 'interesado'); se considerará identificable toda persona cuya identidad pueda determinarse, directa o indirectamente, en particular mediante un número de identificación o uno o varios elementos específicos, característicos de su identidad física, fisiológica, psíquica, económica, cultural o social» (la misma regulación puede verse en el art. 2 del Reglamento CE núm. 45/2001 del Parlamento Europeo y del Consejo, de 18 de diciembre de 2000, relativo a la protección de las personas físicas en lo que respecta al tratamiento de datos personales por las instituciones y los organismos comunitarios y a la libre circulación de estos datos).

Estamos, en definitiva, dentro del núcleo esencial del derecho fundamental del art. 18.4 CE, que se actualiza aún de modo más notorio cuando, como en el caso a examen, nos adentramos en un ámbito —el de la video-vigilancia— que ofrece múltiples medios de tratamiento de los datos; sistemas, por lo demás, en auge y desarrollo exponencial, que se amplían y perfeccionan a un ritmo vertiginoso y que se añaden a otros más conocidos (circuitos cerrados de televisión, grabación por dispositivos webcam, digitalización de imágenes o, en particular, instalación de cámaras, incluidas las que se emplacen en el lugar de trabajo). Debe asegurarse, así, que las acciones dirigidas a la seguridad y vigilancia no contravengan aquel derecho fundamental, que tiene pleno protagonismo, por todo lo expuesto, en estos terrenos de la captación y grabación de imágenes personales que permitan la identificación del sujeto. En relación con el contrato de trabajo este protagonismo cobra, si cabe, mayor relevancia habida cuenta la coincidencia existente entre el locus de trabajo, que es donde pueden movilizarse por los trabajadores las garantías fundamentales, y los espacios físicos sujetos a control mediante sistemas tecnológicos.

FJ 7. [...] [E]s complemento indispensable del derecho fundamental del art. 18.4 CE «la facultad de saber en todo momento quién dispone de esos datos personales y a qué uso los está sometiendo» [STC 292/2000, FJ 7]. Por consiguiente, el Pleno del Tribunal ha señalado como elemento caracterizador de la definición constitucional del art. 18.4 CE, de su núcleo esencial, el derecho del afectado a ser informado de quién posee los datos personales y con qué fin. Ese derecho de información opera también cuando existe habilitación legal para recabar los datos sin necesidad de consentimiento, pues es patente que una cosa es la necesidad o no de autorización del afectado y otra, diferente, el deber de informarle sobre su poseedor y el propósito del tratamiento. Es verdad que esa exigencia informativa no puede tenerse por absoluta, dado que cabe concebir limitaciones por razones constitucionalmente admisibles y legalmente previstas, pero no debe olvidarse que la Constitución ha querido que la ley, y sólo la ley, pueda fijar los límites a un derecho fundamental, exigiendo además que el recorte que experimenten sea necesario para lograr el fin legítimo previsto, proporcionado para alcanzarlo y, en todo caso, respetuoso con el contenido esencial del derecho fundamental restringido (SSTC 57/1994, de 28 de febrero, FJ 6; 18/1999, de 22 de febrero, FJ 2, y en relación con el derecho a la protección de datos personales, STC 292/2000, FFJJ 11 y 16).

En aplicación de esa doctrina, concluimos que no hay una habilitación legal expresa para esa omisión del derecho a la información sobre el tratamiento de datos personales en el ámbito de las relaciones laborales, y que tampoco podría situarse su fundamento en el interés empresarial de controlar la actividad laboral a través de sistemas sorpresivos o no informados de tratamiento de datos que aseguren la máxima eficacia en el propósito de vigilancia. Esa lógica fundada en la utilidad o conveniencia empresarial haría quebrar la efectividad del derecho fundamental, en su núcleo esencial. En efecto, se confundiría la legitimidad del fin (en este caso, la verificación del cumplimiento de las obligaciones laborales a través del tratamiento de datos, art. 20.3 LET en relación con el art. 6.2 LOPD) con la constitucionalidad del acto (que exige ofrecer previamente la información necesaria, art. 5 LOPD), cuando lo cierto es que cabe proclamar la legitimidad de aquel propósito (incluso sin consentimiento del trabajador, art. 6.2 LOPD) pero, del mismo modo, declarar que lesiona el art. 18.4 CE la utilización para llevarlo a cabo de medios encubiertos que niegan al trabajador la información exigible.

En conclusión, no debe olvidarse que hemos establecido de forma invariable y constante que las facultades empresariales se encuentran limitadas por los derechos fundamentales (entre otras muchas, SSTC 98/2000, de 10 de abril, FJ 7, o 308/2000, de 18 de diciembre, FJ 4). Por ello, al igual que el interés público en sancionar infracciones administrativas resulta insuficiente para que la Administración pueda sustraer al interesado información relativa al fichero y sus datos, según dispone el art. 5.1 y 2 LOPD (STC 292/2000, de 30 de noviembre, FJ 18), tampoco el interés privado del empresario podrá justificar que el tratamiento de datos sea empleado en contra del trabajador sin una información previa sobre el control laboral puesto en práctica. No hay en el ámbito laboral, por expresarlo en otros términos, una razón que tolere la limitación del derecho de información que integra la cobertura ordinaria del derecho fundamental del art. 18.4 CE. Por tanto, no será suficiente que el tratamiento de datos resulte en principio lícito, por estar amparado por la Ley (arts. 6.2 LOPD y 20 LET), o que pueda resultar eventualmente, en el caso concreto de que se trate, proporcionado al fin perseguido; el control empresarial por esa vía, antes bien, aunque podrá producirse, deberá asegurar también la debida información previa.

FJ 8. En el caso enjuiciado, las cámaras de video-vigilancia instaladas en el recinto universitario reprodujeron la imagen del recurrente y permitieron el control de su jornada de trabajo; captaron, por tanto, su imagen, que constituye un dato de carácter personal, y se emplearon para el seguimiento del cumplimiento de su contrato. De los hechos probados se desprende que la persona jurídica titular del establecimiento donde se encuentran instaladas las videocámaras es la Universidad de Sevilla y que ella fue quien utilizó al fin descrito las grabaciones, siendo la responsable del tratamiento de los datos sin haber informado al trabajador sobre esa utilidad de supervisión laboral asociada a las capturas de su imagen. Vulneró, de esa manera, el art. 18.4 CE.

No contrarresta esa conclusión que existieran distintivos anunciando la instalación de cámaras y captación de imágenes en el recinto universitario, ni que se hubiera notificado la creación del fichero a la Agencia Española de Protección de Datos; era necesaria además la información previa y expresa, precisa, clara e inequívoca a los trabajadores de la finalidad de control de la actividad laboral a la que esa captación podía ser dirigida. Una información que debía concretar las características y el alcance del tratamiento de datos que iba a realizarse, esto es, en qué casos las grabaciones podían ser examinadas, durante cuánto tiempo y con qué propósitos, explicitando muy particularmente que podían utilizarse para la imposición de sanciones disciplinarias por incumplimientos del contrato de trabajo.

Por otra parte, más allá de que ese derecho a la información expresa y previa es el realmente determinante, podríamos no obstante añadir que tampoco había evidencia alguna de que aquélla fuera la finalidad del tratamiento de los datos, o uno de sus posibles objetos, pues ni siquiera estaban situados los aparatos de video-vigilancia dentro de las concretas dependencias donde se desarrollaba la prestación laboral, sino en los vestíbulos y zonas de paso públicos, según se indicó en los antecedentes de esta resolución al recoger el contenido de la Sentencia de 5 de septiembre de 2007, del Juzgado de lo Social núm.3 de Sevilla. En el mismo sentido apuntan, por lo demás, otros documentos que obran en las actuaciones, según los cuales la video-vigilancia respondía a una «medida de seguridad pública en un lugar tan abierto al público» (alegaciones de la propia universidad en el procedimiento ante la Agencia Española de Protección de Datos), y no por tanto a un fin declarado y específico de control de la actividad laboral. A la misma conclusión sobre el derecho de información del denunciante llegó la Agencia Española de Protección de Datos en su resolución 0987/2008, de 1 de septiembre; resolución que no podría condicionar nuestro juicio de constitucionalidad pero que, sin duda, resulta indicativa. [...][74]

---

[74]   La reciente STC 39/2016, de 3 de marzo, modifica esta doctrina para afirmar que la colocación por parte de la empresa de distintivos anunciando la instalación de cámaras de videovigilancia en el centro de trabajo satisface los requisitos de información sobre la existencia de dichas cámaras, con base en un criterio, no de estricta necesidad, sino de proporcionalidad. En el mismo sentido se pronuncia la STC de 18 de marzo de 2016. *Vid.* los votos particulares que a ambas Sentencias formulan Fernando Valdés Dal-Ré, al que se adhiere Adela Asua Batarrita, y Juan Antonio Xiol Ríos.

LOS DERECHOS DE LIBRE CIRCULACIÓN Y RESIDENCIA

Artículo 19. Los españoles tienen derecho a elegir libremente su residencia y a circular por el territorio nacional.
Asimismo, tienen derecho a entrar y salir libremente de España en los términos que la ley establezca. Este derecho no podrá ser limitado por motivos políticos o ideológicos.

INTRODUCCIÓN

Si el artículo 17 CE reconoce, como vimos, un derecho de libertad física de movimientos, el artículo 19 CE consagra como derechos fundamentales autónomos, aunque estrechamente relacionados, cuatro facetas distintas de la libertad personal: el derecho a entrar libremente en territorio nacional, a salir de él con igual libertad, a circular libremente por el mismo y a elegir libremente en él residencia (STC 72/2005, FJ 5), entendiendo por éste último el derecho a elegir la Comunidad Autónoma (SSTC 8/1986; 90/1989), la localidad y la dirección concreta donde fijar domicilio o residencia dentro del Estado (STC 28/1999, FJ 6)

Nos encontramos ante derechos cuya titularidad se restringe, por razones obvias, a las personas físicas y, según el tenor literal del artículo 19 CE, a las personas físicas de nacionalidad española. El artículo 19 CE es, en efecto, uno de los tres artículos de la Sección 1ª del Capítulo II del Título I de la Constitución, junto al artículo 23 CE, en lectura conjunta con el artículo 13.2 (derechos de participación en asuntos públicos) y el artículo 29 CE (derecho de petición), que la Constitución reserva a la población española. Pese a esta restricción literal, con todo, la titularidad de los derechos reconocidos en el artículo 19 CE no aparece blindada a nivel constitucional, como sí sucede con la titularidad de los derechos de participación en asuntos públicos reconocidos en el artículo 23 CE, sino que puede ser ampliada por ley a personas extranjeras (**TITULARIDAD DE LOS DERECHOS FUNDAMENTALES**). Lo interesante es que lo ha sido no sólo a nivel legislativo, sino incluso a nivel constitucional, siempre que se trate de personas que se encuentran ya dentro de territorio español (STC 72/2005, FJ 4), en línea con los artículos 12 y 13 del Pacto Internacional de los Derechos Civiles y Políticos de 1966 (artículo 10.2 CE). Todo ello al margen de los derechos de libre circulación y residencia en España que se derivan del Tratado de la Unión Europea de 7 de febrero de 1992 (aprobado por Ley Orgánica 10/1992, de 28 de diciembre) para las personas nacionales de un país de la Unión. El Tribunal

Constitucional ha admitido así a trámite y resuelto favorablemente recursos de amparo interpuestos con base en el artículo 19 CE por personas extranjeras inmersas en un procedimiento de expulsión. En palabras del Tribunal, «la referencia 'los españoles' que abre el art. 19 CE no puede ser entendida como equivalente a una norma de exclusión de los extranjeros del ámbito subjetivo de dicho derecho fundamental» (STC 242/1994, FJ 4). Antes bien, de una lectura conjunta de este precepto con el artículo 13.1 CE cabe concluir que también las personas extranjeras deben considerarse titulares del mismo. Lo mismo cabría decir del derecho a salir libremente de territorio español (SSTC 169/2001; 53/2002). No así del derecho de libre entrada en el mismo. Y es que el artículo 13.1 CE, al referirse a los derechos fundamentales de las personas extranjeras «en España», circunscribe su ámbito de aplicación a aquéllas que ya han entrado en nuestro país. Ello excluye a quienes se encuentran fuera de él, y circunscribe la titularidad del derecho a entrar en España tan sólo a las personas de nacionalidad española (STC 72/2005, FJ 6). Ni siquiera reconoce el artículo 19 CE un derecho fundamental de asilo. A éste se refiere el artículo 13.4 CE, que remite su regulación a la ley, y que en todo caso no reconoce un derecho fundamental. Lo cual no impide, claro está, que el legislador pueda ampliar la titularidad del derecho de entrada en España a personas extranjeras (*ibídem*, FJ 8). Es lo que lleva a cabo la Ley 12/2009, de 30 de octubre, reguladora del derecho de asilo y de la protección subsidiaria —**TITULARIDAD DE LOS DERECHOS FUNDAMENTALES**—. Por lo demás, el derecho de las personas españolas a entrar en territorio nacional debe considerarse ilimitado en virtud del artículo 3 del Protocolo 4 al CEDH, que reconoce el derecho de las personas nacionales de un país a no ser expulsadas de éste y a no verse privadas de la posibilidad de entrar en el mismo, y que se erige en criterio de interpretación del artículo 19 CE a través del artículo 10.2 CE.

Los derechos reconocidos en el artículo 19 CE están, ciertamente, sujetos a límites, límites que sólo pueden considerarse legítimos en la medida en que encuentren justificación constitucional suficiente, con base en el principio de proporcionalidad (STC 84/2013, FJ 6). Desde estas premisas, el Tribunal Constitucional ha considerado legítimas las restricciones al derecho a salir libremente del país impuestas, en conexión con el derecho de libertad reconocido en el artículo 17 CE, en el marco de un proceso penal, mediante la retirada cautelar del pasaporte (STC 169/2001). Lo son asimismo las que impone la Ley de Montes a la libertad de circulación, en atención a la protección de nuestra masa forestal (STC 84/2013, FJ 6), o las que se derivan de la orden de expulsión de una persona extranjera, siempre que ésta se base en una motivación ajustada a las circunstancias del caso concreto y previa audiencia a la persona en cuestión (SSTC 94/1993; 242/1994), en línea con los Protocolos 4 y 7 al CEDH. En este contexto la jurisprudencia del Tribunal Europeo de Derechos Humanos tiene en cuenta el arraigo de la persona en su país de residencia. Ha considerado así desproporcionada (contraria al derecho a la vida privada y familiar —artículo 8 CEDH—) la expulsión de personas extranjeras arraigadas en su país de residencia, hasta el punto de contar en él con lazos familiares, por la comisión de delitos menores (por todas STEDH de 22 de marzo de 2007, asunto *Maslov c. Austria*). Todo ello al margen de la prohibición de expulsión o de denegación de asilo a personas procedentes de países en que corran el riesgo de ser condenadas a pena de muerte, tortura o trato inhumano o degradante (por todas, STEDH de 6 de marzo de 2000, asunto *Jabari c. Turquía*; artículo 19 de la Carta de Derechos Fundamentales de la Unión Europea). Legítimas son también, en fin, las restricciones que para la libertad de elección de residencia se derivan de un acuerdo judicial de expropiación y desalojo de determinadas edificaciones (STC 160/1991, FJ 11); de una sanción civil (desahucio) impuesta como consecuencia del incumplimiento de los deberes inherentes a una relación jurídico-privada (STC 28/1999, FJ 8); de la medida cautelar consistente en la obligación de comparecer periódicamente ante el juzgado instructor, siempre que haya sido impuesta con arreglo a la ley y por auto judicial motivado (STC 85/1989, FJ 3); de la medida cautelar de residencia obligatoria en determinado lugar adoptada en procedimiento sancionador abierto a persona extranjera (STC 260/2007); o de la pena de alejamiento asociada a la condena por determinados delitos (STC 60/2010). Todo ello al margen de las limitaciones previstas para tiempos de crisis en el artículo 55.1 CE, y desarrolladas por la Ley Orgánica 4/1981, de 1 de junio, de los estados de alarma, excepción y sitio.

En definitiva, los poderes públicos pueden limitar el ejercicio los derechos reconocidos en el artículo 19 CE, pero no adoptar medidas que obstaculicen injustificadamente dicho ejercicio. De otro lado, el artículo 19 CE no se traduce en que las consecuencias jurídicas de la fijación de residencia hayan de ser las mismas en todo el territorio nacional. Antes bien, la libertad de elección de residencia abarca la «opción entre los beneficios y perjuicios, derechos, obligaciones y cargas que, materialmente o por decisión de los poderes públicos competentes, corresponden a los residentes en un determinado lugar o inmueble por el mero hecho de la residencia, derechos, obligaciones y cargas que pueden ser diferentes en cada caso, en virtud de circunstancias objetivas y de acuerdo con lo dispuesto en el ordenamiento» (STC 8/1986, FJ 3). Nada de lo cual puede entenderse como una restricción indebida del derecho a la libre elección de residencia. Ello es así a todos los niveles territoriales, incluido el autonómico (SSTC 90/1989; 210/2012). Por otro lado, nada impide tampoco al Estado legislar en el ámbito de sus competencias, muy especialmente en el ámbito de los artículos 139.1 CE y 149.1.1 CE, en términos que garanticen la libertad de circulación, a través, por ejemplo, del libre acceso a las actividades de servicios y su ejercicio (STC 150/2014). Se trata, en definitiva, del necesario equilibrio en que debe apoyarse la articulación de la libertad de circulación en el marco de un Estado políticamente descentralizado.

LEGISLACIÓN

Ley de Enjuiciamiento Criminal (artículo 530), Libro IV, Título VI (artículos 824-833); Código Penal (artículos 39, 48, 57); Ley Orgánica 4/1981, de 1 de junio, de los estados de alarma, excepción y sitio; Ley Orgánica 4/2000, de 11 de enero, sobre derechos y libertades de los extranjeros en España y su integración social; Ley Orgánica 4/2015, de 30 de marzo, de protección de la seguridad ciudadana; Ley 4/1985, de 21 de marzo, de Extradición Pasiva; Ley 3/2003, de 14 de mayo, sobre la orden europea de detención y entrega; Ley 12/2009, de 31 de octubre, reguladora del derecho de asilo y de la protección subsidiaria

BIBLIOGRAFÍA

BELDA PÉREZ-PEDRERO, E. (1997): «Los derechos a la libre elección de residencia y el libre desplazamiento», en *Parlamento y Constitución* 1, pp. 241-266; FERNÁNDEZ-MIRANDA ALONSO, F. (1991): «Artículo 19. Libertad de circulación y residencia», *Comentarios a la Constitución Española de 1978* (O. Alzaga Villaamil, ed.), Madrid: Cortes Generales - Editoriales de Derecho Reunidas (EDERSA), Tomo II, pp. 483-503; GARCÍA MACHO, R. (1991): «El derecho de asilo y del refugiado en la constitución española», *Estudios sobre la Constitución española: Homenaje al profesor Eduardo García de Enterría* (S. Martín-Retortillo Baquer, coord.), pp. 767-798; GARCÍA TREVIJANO, P. (1991): *Libertades de circulación, residencia, entrada y salida de España*, Madrid: Civitas; GOIZUETA VÉRTIZ, J. (2007): *El derecho a la libre circulación y residencia en la constitución española*, Valencia: Tirant lo Blanch; PIÑAR MAÑAS, J.L. (1980): «El derecho a la libertad de residencia y circulación de los extranjeros en territorio nacional», *RAP* 93, pp. 199-212; VIDAL FUEYO, C. (2006): «La STC 72/2005, en materia de libertad de entrada y residencia de los extranjeros en España», *TyRC* 18, pp. 429-441.

I. LA TITULARIDAD DE LOS DERECHOS DEL ARTÍCULO 19 CE

La titularidad de los derechos del artículo 19 CE por personas extranjeras: la expulsión de territorio estatal —STC 94/1993, de 22 de marzo (*vid. supra* TITULARIDAD DE LOS DERECHOS FUNDAMENTALES)[1]—

FJ 4. Las medidas que repercuten sobre la libre circulación de las personas deben fundarse en una Ley, y aplicarla en forma razonada y razonable (STC 85/1989, fundamento jurídico 3º). Cuando la medida consiste en la expulsión de un extranjero, siempre que éste se halle legalmente en el territorio nacional, el art. 13 PIDCP insiste en que se requiere «una decisión adoptada conforme a la ley».

Por consiguiente, para ser respetuosa con la libertad de circulación que el art. 19 CE reconoce a los extranjeros que se hallan legalmente en nuestro territorio, la decisión de expulsión o extrañamiento debe fundarse en alguno de los supuestos previstos por la Ley de Extranjería, u otro texto legal de igual valor, para adoptar esa grave medida. Asimismo, la conformidad con la ley de la medida de expulsión depende de si concurren realmente los hechos determinantes de la expulsión, que deben quedar acreditados en el procedimiento administrativo o, en caso de contencioso, ante el Tribunal que conozca de él; y también depende de que concurran razones que justifiquen que, en vez de imponer la multa que con carácter general prevé el art. 27 de la Ley de Extranjería, haya de imponerse la decisión de expulsión, indudablemente más gravosa. Finalmente, deben ser respetados el mínimo esencial de garantías de procedimiento que enuncia el art. 13 PIDCP, y los arts. 13, 19 y 24 de la Constitución, precepto este último que es plenamente aplicable a los extranjeros, como declararon las SSTC 99/1985, fundamento jurídico 2º, y 115/1987, fundamento jurídico 4º.

FJ 5. [...] Los funcionarios del Ministerio del Interior se aferraron a la circunstancia de que los permisos de residencia y de trabajo de la interesada habían expirado, e ignoraron las alegaciones de ésta de que había solicitado con ante-

---

[1] *Vid.* también las SSTC 99/1985, de 30 de septiembre; 116/1993, de 29 de marzo; 24/2000, de 31 de enero (*vid.* **ARTÍCULO 25**); 260/2007, de 20 de diciembre (FJ 5); 186/2013, de 4 de noviembre.

rioridad su renovación. En el proceso contencioso-administrativo quedó probado que la señora Venzón había instado varios meses antes la renovación de su permiso ante las autoridades laborales, quienes además lo había otorgado, aun cuando fuera unos días después de haber sido incoado el procedimiento gubernativo de expulsión. Resulta, pues, palmario que el motivo que dio lugar a la expulsión de la demandante de amparo no se adecuaba a la realidad, lo que lleva derechamente a la anulación de la resolución administrativa impugnada. La Administración no puede expulsar por carecer de la documentación preceptiva a quien ha instado su expedición sin haber resuelto previamente si tiene derecho o no a obtener el permiso de residencia, pues de lo contrario vulnera el derecho fundamental que el art. 19 CE otorga limitadamente a los extranjeros.

FJ 6. La anterior conclusión no prejuzga si la señora Venzón tiene derecho a continuar residiendo en España, ni tampoco cuál es la sanción adecuada al retraso en que incurrió al solicitar la renovación de sus permisos de trabajo y de residencia, pues tales cuestiones son ajenas a las planteadas en el presente recurso de amparo, y deberán ser resueltas por las autoridades competentes en aplicación de las leyes y de los tratados vigentes. Igualmente, la determinación de que las resoluciones impugnadas vulneraron el derecho fundamental de circulación de la actora hace innecesario pronunciarse acerca de las restantes alegaciones que realiza en su demanda de amparo.

La titularidad de los derechos del artículo 19 CE: el trámite de audiencia en los expedientes de expulsión de personas extranjeras —STC 242/1994, de 20 de julio

La Sentencia resuelve el recurso de amparo por don O.R.L. contra la Sentencia de la Audiencia Provincial de Huesca, que confirmó en apelación la recaída en causa seguida por procedimiento abreviado ante el Juzgado de lo Penal de Huesca, condenándole por los delitos de robo con fuerza en las cosas y utilización ilegítima de vehículo de motor, así como por una falta de daños, a las penas de un año de prisión menor, dos meses de arresto mayor y cinco días de arresto menor. Como medida sustitutiva de las penas impuestas, el fallo acordó la expulsión del condenado del territorio nacional, según lo establecido en el artículo 21.2 de la Ley Orgánica 7/1985, de 1 de julio, sobre Derechos y Libertades de los Extranjeros en España. Entiende el recurrente que la Sentencia recurrida vulnera sus derechos reconocidos en los artículos 19 y 24 CE.

FJ 4. Como primera aproximación, parece evidente que, como afirma el Ministerio Fiscal, la expulsión no puede ser calificada como pena. Al contrario que ésta, no se concibe como modalidad de ejercicio del ius puniendi del Estado frente a un hecho legalmente tipificado como delito, sino como medida frente a una conducta incorrecta del extranjero en el Estado en que legalmente reside puede imponerle en el marco de una política criminal, vinculada a la política de extranjería, que a aquél incumbe legítimamente diseñar. Por ello, es alternativa al cumplimiento de la verdadera pena, que en todo caso deberá cumplirse si el extranjero regresa a España, porque la expulsión, en sí misma, no satisface la responsabilidad penal o civil derivada del delito, siendo, de alguna manera una posibilidad de suspender la potestad estatal de hacer ejecutar lo juzgado, que se aplica al extranjero para salvaguardar los fines legítimos que el Estado persigue con ello.

No se trata de una pena, pero indiscutiblemente puede llegar a ser, de no aceptarse por el afectado, una medida restrictiva de los derechos de los extranjeros que se encuentran residiendo legítimamente en España, en este caso del derecho de permanecer en nuestro país, cuya relevancia constitucional se ha afirmado en la jurisprudencia de este Tribunal. [...]

En concreta relación con el derecho de residencia y desplazamiento de los extranjeros en nuestro país, la referencia «los españoles» que abre el art. 19 CE no puede ser entendida como equivalente a una norma de exclusión de los extranjeros del ámbito subjetivo de dicho derecho fundamental. Por el contrario, junto al art. 19 CE deben tenerse en cuenta «otros preceptos que determinan la posición jurídica de los extranjeros en España» (STC 94/1993, fundamento jurídico 2°)

FJ 6. Aplicando la doctrina al caso concreto, es claro que no se ha discutido en abstracto la legitimidad constitucional de la medida, puesto que su potencial impacto adverso sobre el derecho del extranjero a permanecer en nuestro país no permite calificarla como intrínsecamente arbitraria o desproporcionada respecto de los fines con ella perseguidos (que ni la Constitución ni los Tratados autorizan a tachar de ilícitos).

Ahora bien, precisamente porque la medida de que se trata afecta a la efectividad de un derecho constitucionalmente tutelado en los términos antes expuestos, no puede abandonarse su aplicación a una decisión discrecional de los órganos jurisdiccionales. Es preciso, además de comprobar el cumplimiento de los presupuestos que autorizan su aplicación —la condena en Sentencia firme por delito castigado con pena igual o inferior a la de prisión menor—

que los órganos judiciales valoren las circunstancias del caso, y la incidencia de valores o bienes con relevancia constitucional (como el arraigo del extranjero en España, o la unificación familiar, art. 39.1 CE), que deban ser necesariamente tenidos en cuenta para una correcta adecuación entre el derecho del extranjero a residir en nuestro país conforme a la Ley, y el interés del Estado en aplicar la medida de expulsión. Para lograr esta adecuada ponderación, y la salvaguardia de valores relevantes que puedan estar en juego, la audiencia del extranjero potencialmente sometido a la medida de expulsión resulta fundamental, y en estos términos ha de entenderse recogida en el art. 21.2 de la LO 7/1985, pues sólo con ella es posible exponer, discutir y analizar el conjunto de circunstancias en que la expulsión ha de producirse. Por esa razón se hace preciso que la audiencia tenga lugar en términos que, de forma clara e inequívoca, permitan a este requisito alcanzar la finalidad descrita. Y por esa razón, en este supuesto no cabe argumentar sólo sobre la base, más flexible, del art. 24 CE (valorando si el afectado tuvo o no una ocasión de defenderse al respecto). Es preciso comprobar si, además de ello, se le ofreció una oportunidad adecuada de exponer sus razones en favor o en contra de la expulsión, lo que otorga al derecho de audiencia una extensión material que sobrepasa el marco del art. 24 CE para introducirse en el ámbito de salvaguardia de la efectiva de otro derecho, constitucionalmente relevante, del ciudadano extranjero (el del art. 19 CE, en conexión con el art. 13 PIDCP).

FJ 7. En el caso es claro que se cometió una irregularidad formal, desde el momento en que la medida de expulsión se acordó en el propio cuerpo de una Sentencia que no era firme. Pero esta irregularidad por sí sola no bastaría para entender vulnerados los arts. 24 y 19 CE, si, además, no se deduce de ella la inadecuación del trámite de audiencia para el logro de los fines que hacen obligada su observancia.

Tanto en la instancia como en apelación el órgano judicial consideró que la exigencia de audiencia se habría cumplido porque, finalizado el trámite de conclusiones definitivas, el actor fue preguntado acerca de si tenía algo que añadir (art. 739 LECrim). Sin embargo, esta postura supone desconocer la función que cumple esta pregunta, como derecho «a la última palabra», y la audiencia específica que prevé el art. 21.2 LO 7/1985. La audiencia prevista en el art. 789 LECrim se circunscribe a posibilitar el ejercicio de la autodefensa frente al hecho punible imputado, mientras que la audiencia a la que se refiere el art. 21.2 LO 7/1985, claramente en un momento posterior, pretende formular alegaciones sobre la posibilidad de sustituir el cumplimiento de la pena privativa de libertad prevista por la expulsión del territorio nacional, a efectos de que el órgano judicial pueda efectuar la ponderación de valores en juego que es también presupuesto mismo de la legitimidad de la expulsión desde la perspectiva de los preceptos constitucionales, internacionales y de mera legalidad antes citados. Unas garantías que, como puede deducirse de todo lo dicho hasta ahora, sólo se entenderían cubiertas en el marco de una consulta específica sobre las medidas de expulsión, y de las razones que el afectado pueda oponer a su puesta en práctica. Por todo lo cual, procede estimar el presente motivo del recurso, al desconocer las resoluciones judiciales los derechos invocados por el demandante de amparo.

La permanencia de solicitantes de asilo en «dependencias adecuadas» en puestos fronterizos; titularidad del derecho de salir libremente de territorio español —STC 53/2002, de 27 de febrero—

La Sentencia resuelve el recurso de inconstitucionalidad interpuesto por el Defensor del Pueblo contra el artículo 5.7, párrafo tercero, de la Ley 5/1984, de 26 de marzo, reguladora del derecho de asilo y de la condición de refugiado, añadido por la Ley 9/1994, de 19 de mayo, que dice así: «Durante la tramitación de la admisión a trámite de la solicitud y, en su caso, de la petición de reexamen, el solicitante permanecerá en el puesto fronterizo, habilitándose al efecto unas dependencias adecuadas para ello».

FJ 4. [...] b) Durante el tiempo en que el solicitante de asilo permanece en «dependencias adecuadas» del puesto fronterizo rigen, por principio, los derechos fundamentales derivados de la dignidad de la persona que la Constitución reconoce a todas las personas sometidas a los actos de los poderes públicos españoles. Los solicitantes de asilo disfrutan, por tanto, del derecho a la libertad que el art. 17.1 CE reconoce a todas las personas (STC 115/1987, de 7 de julio, FJ 1). Lo relevante aquí no es la concreta ubicación territorial de las «dependencias adecuadas» a que se refiere el art. 5.7.3 LDA, y que será bien distinta según que la entrada en España sea por tierra, mar o aire. Lo determinante es, desde la perspectiva propia de los derechos fundamentales, la existencia de una situación legal de sometimiento de los solicitantes de asilo a un poder público español. Este es el criterio que resulta tanto de la jurisprudencia de este Tribunal (por todas: STC 21/1997, de 10 de febrero, FJ 3) como del art. 1 CEDH (relevante para la interpretación de nuestros derechos fundamentales, conforme al art. 10.2 CE) y de la jurisprudencia del Tribunal Europeo de Derechos Humanos (así, en un caso de retención de solicitantes de asilo en zona aeroportuaria, en la STEDH de 25 de junio de 1996, caso Amuur c. Francia). Dicho esto, desde ahora debemos advertir y destacar que la permanencia del solicitante de asilo en las «dependencias adecuadas» de frontera en ningún caso impide que ese mismo extranjero abandone aquel lugar de espera cuando lo considere conveniente, aunque no, por supuesto, para entrar incondicionalmente en España, ámbito éste en el que no disfruta del derecho fundamental a «entrar y salir libremente de España» (art. 19 CE), sólo reconocido constitucionalmente a los españoles.

Titularidad del derecho a entrar libremente en el país —STC 72/2005, de 4 de abril—

La Sentencia resuelve el recurso de amparo interpuesto por el Sr. R., ciudadano marroquí, contra la Resolución del Jefe de servicio del puesto fronterizo del puerto de Almería, de 26 de agosto de 2000, que denegó su entrada en territorio nacional y ordenó su retorno a su país, contra la Sentencia del Juzgado de lo Contencioso-Administrativo núm. 1 de Almería, de 26 de marzo de 2001, que desestimó el recurso contencioso-administrativo contra dicha Resolución, y contra la Sentencia de la Sección Primera de la Sala de lo Contencioso-Administrativo del Tribunal Superior de Justicia de Andalucía (Granada) de 30 de julio de 2001, que la confirmó en apelación. El 26 de agosto de 2000, el Sr. R. quiso entrar en España procedente de Nador (Marruecos). Entonces era aplicable la Ley Orgánica 4/2000, de 11 de enero, sobre derechos y libertades de los extranjeros en España y su integración social (antes de la reforma operada por la Ley Orgánica 8/2000, de 22 de diciembre), cuyo artículo 23.1 y 2 exigía, como requisito para entrar en España, la presentación de pasaporte y de visado, pudiendo éste ser sustituido por autorización de residencia o documento análogo. El Sr. R. presentó su pasaporte y un permiso de trabajo y residencia otorgado por la Subdelegación del Gobierno en Tarragona el 5 de junio de 2000, aunque reconoció que no había estado nunca en España, que un familiar había tramitado su regularización en España y se la había mandado por correo a Marruecos. Por esta razón, los funcionarios consideraron que el permiso de residencia no era válido y ordenó su retorno a Marruecos. Entiende el recurrente que esta resolución administrativa y su confirmación judicial vulneraron sus derechos reconocidos en el artículo 19 CE.

FJ 4. Y, ya en último término, hemos de examinar la alegada vulneración del art. 19 CE. Dos son los derechos reconocidos en este precepto constitucional que, en una inicial aproximación prima facie, podrían haber sido conculcados al ciudadano extranjero al que en frontera se le deniega la entrada en el territorio nacional y se le ordena el retorno al lugar de procedencia: el derecho a entrar en España y la libertad de residencia.

Debe destacarse, sin embargo, que ambos derechos, reconocidos en el mismo art. 19 CE son —como es evidente— dos derechos distintos con un contenido también diverso, sin perjuicio de su posible interrelación. Para quien está fuera de España —sin que sea necesario ahora hacer referencia a quién es titular de este derecho, cuestión que se tratará más adelante— el derecho a entrar en el territorio nacional protege la conducta consistente precisamente en pasar de estar fuera de nuestras fronteras a encontrarse en el territorio nacional. La libertad de residencia, por su parte, protege la conducta del individuo consistente en «elegir libremente su residencia en territorio español»: es «el derecho subjetivo y personal a determinar libremente el lugar o lugares donde se desea residir transitoria o permanentemente» en España (STC 28/1999, de 8 de marzo, FJ 7, que cita el ATC 227/1983, de 25 de mayo, FJ 2).

La concreta y pormenorizada redacción del art. 19 CE impone precisión en la tarea interpretativa de delimitar los ámbitos constitucionalmente protegidos por los mencionados derechos, no obstante la posible zona de intersección entre ellos, con el fin de separar las conductas protegidas y evitar su solapamiento.

El extranjero que —como el ahora recurrente en amparo— no ha estado nunca en España, no puede invocar la libertad de residencia —el derecho a elegir el lugar o lugares donde se desea residir transitoria o permanentemente en el territorio español— para amparar una conducta que se sitúa en el ámbito definido por el tipo de un derecho distinto: el de entrar en el territorio nacional. Para ese extranjero la circunstancia de encontrarse ya en España constituye un presupuesto lógico —y, en este caso, también cronológico— para que pueda entrar en juego la libertad de residencia en el territorio nacional. Mientras no se haya entrado en España no es posible ejercer el derecho a elegir en ella el lugar de residencia ni, por tanto, cabe aceptar que los eventuales impedimentos u obstáculos del poder público a las pretensiones del extranjero constituyan vulneraciones de la libertad de residencia garantizada por el art. 19 CE. En su caso, serán otros los derechos vulnerados. Cuestión distinta sería la derivada de la hipotética obtención, por un extranjero, porque el ordenamiento lo haya así previsto, de un permiso de residencia antes de entrar en España por no exigirse, en tal caso, como requisito para esa obtención, el encontrarse previamente en el territorio español. Esa hipótesis no cabe descartarla por completo, pero, de un lado, no es la del caso que nos ocupa, de otro, no se estaría entonces en presencia de un derecho de libertad de residencia ex art. 19 CE, sino de una simple autorización administrativa o, todo lo más, de ejercicio de un derecho legal y no constitucional y, finalmente, cuando se intentase ingresar en España no se estaría ejercitando ese derecho a residir, sino exactamente el derecho a entrar, aunque aquél, en ese supuesto, sirviese de apoyo a éste. [...]

Por eso, aunque la demanda de amparo se refiera, cuando cita el art. 19 CE, al derecho a residir en España, debe destacarse que el derecho que se pretendió ejercer por el ciudadano marroquí recurrente en amparo y cuya actuación fue impedida por la resolución administrativa que denegó la entrada en territorio nacional y ordenó el retorno fue, precisamente, el derecho a entrar en España, reconocido en el mismo precepto constitucional; lo que ha de llevarnos a abordar frontalmente la cuestión de si existe un derecho fundamental de los extranjeros a entrar en España. Debe advertirse, sin embargo, que la argumentación y la conclusión a la que se llegue, que se desenvuelven en un terreno muy general, ni afectan ni se proyectan sobre supuestos concretos en los que concurren circunstancias específicas que cualifican la situación, como son: el régimen jurídico del derecho de asilo (objeto de la específica regulación contenida en el art. 13.4 CE); el derecho a entrar en España de los ciudadanos de la Unión Europea, regulado por tratados internacionales y por otras normas que lo separan sustancialmente del régimen aplicable a los demás extranjeros; la situación de los extranjeros que ya estén residiendo legalmente en España y pretendan entrar en el territorio nacional después de haber salido temporalmente, situación ésta que no es la que plantea la demanda de amparo; y los supuestos de reagrupación familiar, también ajenos al caso objeto de este proceso constitucional.

FJ 5. El art. 19 CE reconoce a «los españoles» cuatro derechos fundamentales distintos: el derecho a elegir libremente su residencia, el derecho a circular por el territorio nacional, el derecho a entrar en España y el derecho a salir libremente del territorio nacional. A pesar de que el tenor literal del mencionado precepto constitucional aluda de forma expresa únicamente a los ciudadanos españoles como titulares de dichos derechos fundamentales, la jurisprudencia de este Tribunal ha declarado que de dicha regulación no puede extraerse la conclusión de que los extranjeros no puedan ser titulares de derechos fundamentales garantizados en la mencionada norma constitucional: «la dicción literal del art. 19 CE es insuficiente porque ese precepto no es el único que debe ser considerado; junto a él, es preciso tener en cuenta otros preceptos que determinan la posición jurídica de los extranjeros en España, entre los que destaca el art. 13 CE» [SSTC 94/1993, de 22 de marzo, FJ 2; 116/1993, de 29 de marzo, FJ 2; 242/1994, de 20 de julio, FJ 4, y 169/2001, de 16 de julio, FJ 4 a)], cuyo apartado 1 dispone que «los extranjeros gozarán en España de las libertades públicas que garantiza el presente Título en los términos que establezcan los tratados y la ley». [...] Nuestro punto de partida ha de ser, pues, la literalidad del art. 13.1 CE para recoger después los resultados que arroje una interpretación sistemática del precepto. El art. 13.1 CE sólo se refiere a las libertades públicas de los extranjeros «en España» y ello con una doble precisión: a) no se refiere a la totalidad de los derechos de los extranjeros en España, sino sólo a derechos fundamentales; y b) dentro de éstos no recoge todos sus derechos fundamentales sino principalmente aquéllos que, previstos para los españoles —los de los arts. 19, 23, etc.—, el art. 13.1 CE extiende a los extranjeros en España, pues buena parte de los demás —derecho a la vida, libertad religiosa, libertad personal, tutela judicial efectiva, etc.— corresponden a aquéllos sin necesidad de la extensión que opera el art. 13.1 CE, es decir, sin necesidad de tratado o ley que lo establezca.

FJ 6. Ya más concretamente, hemos de recordar que el art. 13.1 CE es el precepto que «en nuestra Constitución establece los límites subjetivos determinantes de la extensión de la titularidad de los derechos fundamentales a los no nacionales» [Declaración del Tribunal Constitucional de 1 de julio de 1992, FJ 3 b)]. La redacción del apartado 1 del art. 13 CE, que se refiere a los términos en que los extranjeros gozarán de los derechos del Título I CE «en España», pone de manifiesto que la regulación de dicho precepto constitucional no tiene como finalidad reconocer derechos, en general, a los miles de millones de ciudadanos extranjeros que se encuentran en otros países ni, en concreto, convertir en derecho fundamental la eventual expectativa de entrar en España de todos los extranjeros que están fuera de nuestro país y que se presenten en nuestras fronteras, sino, precisamente, regular la posición jurídica de los extranjeros que ya se encuentran en España. El sujeto de derechos al que se refiere la regulación del art. 13.1 CE no es el extranjero sin más, sino el extranjero en España, el que ya ha entrado en nuestro país, circunstancia ésta que actúa como presupuesto de la extensión de derechos que lleva a cabo el art. 13.1 CE.

Por eso, ya en su dicción literal, la regulación del art. 13.1 CE no se proyecta en concreto sobre uno de los derechos fundamentales —el derecho a entrar en España— que se reconocen en el art. 19 CE, lo que tiene como consecuencia que sólo sean titulares de este derecho fundamental los españoles, con las salvedades a que hemos aludido en el último párrafo del fundamento jurídico 4 y que no vienen a desvirtuar esta afirmación. El derecho fundamental del nacional a ser en todo momento aceptado por el propio Estado y, por tanto, a entrar en su país, es uno de los elementos esenciales de la nacionalidad y, en consecuencia, una de las diferencias jurídicas básicas en el estatuto personal del nacional y el extranjero, «tradicional binomio» que sólo progresivamente va siendo objeto de «parcial superación», por ahora, en el marco de «una naciente ciudadanía europea» [Declaración del Tribunal Constitucional de 1 de julio de 1992, FJ 3 a)].

Es claro, pues, que la literalidad del art. 13.1 CE, sin ninguna ambigüedad, no incluye el derecho a entrar en España como derecho fundamental de los extranjeros.

FJ 7. Y en el terreno de la interpretación sistemática, a la hora de aclarar en qué medida el art. 13.1 CE extiende a los extranjeros derechos fundamentales recogidos en el art. 19 CE, hemos de recordar no sólo que el art. 13.1 CE se remite expresamente a los tratados, sino también y sobre todo que el art. 10.2 CE establece un muy relevante criterio para la interpretación sistemática de la Constitución española al erigir en contexto de ésta en el campo de los derechos fundamentales los tratados y acuerdos internacionales sobre esa materia ratificados por España: la regulación contenida en éstos adquiere así «trascendencia interpretativa a estos efectos» (STC 242/1994, de 20 de julio, FJ 5).

Comenzaremos examinando el Pacto internacional de derechos civiles y políticos (PIDCP), de 16 de diciembre de 1966. A partir de la regulación contenida en sus arts. 12 y 13 ha declarado este Tribunal que los extranjeros que se hallen legalmente en España «tienen derecho a residir en España, gozan de la protección que brinda el art. 19 CE, aun cuando no sea necesariamente en idénticos términos que los españoles», y son titulares del derecho fundamental a no ser expulsados del territorio nacional, si no es en virtud de una causa legal aplicada razonablemente y con un mínimo esencial de garantías de procedimiento —en los términos dispuestos por el art. 13 PIDCP (SSTC 94/1993, de 22 de marzo, FFJJ 3 y 4; 242/1994, de 20 de julio, FFJJ 4 y 5; y 24/2000, de 31 de enero, FJ 4).

Conviene ahora prestar atención detenida a los derechos garantizados por los arts. 12 y 13 PIDCP y por otros tratados internacionales sobre la misma materia para utilizar su regulación como vía interpretativa adecuada que permita dar respuesta a la pregunta de si existe un derecho fundamental de los extranjeros a entrar en España. El art. 12 PIDCP reconoce a toda persona que se halle legalmente en el territorio de un Estado —por tanto, también a los extranjeros— el derecho a «circular libremente por él y a escoger libremente en él su residencia», así como el derecho de todos a «salir libremente de cualquier país, incluso del propio». También garantiza dicho precepto que nadie sea «arbitrariamente privado del derecho a entrar en su propio país». El art. 13 PIDCP, por su parte, reconoce, en los términos ya expuestos, el derecho del extranjero que se halle legalmente en el territorio de un Estado a ser expulsado sólo «en cumplimiento de una decisión adoptada conforme a la ley». El examen atento de los preceptos citados pone de manifiesto sin lugar a dudas que el derecho a entrar en un país sólo se reconoce en el Pacto internacional a los nacionales de ese país.

A la misma conclusión conduce la regulación de la Declaración universal de los derechos humanos (a la que remite expresamente el art. 10.2 CE), que reconoce a todos el derecho a salir de cualquier país, pero sólo garantiza el derecho a entrar en el país propio —«toda persona tiene derecho a salir de cualquier país, incluso del propio, y a regresar a su país»— (art. 13 DUDH); e, incluso, la regulación del Protocolo núm. 4 del Convenio europeo de derechos humanos (firmado, pero aún no ratificado por España), que también garantiza el derecho de quien se encuentre en situación regular en un Estado a circular libremente y a escoger su residencia, así como el derecho de toda persona a abandonar cualquier país (art. 2) y el de no ser expulsado «del Estado del cual sea ciudadano» (art. 3.1); pero el derecho a entrar sólo se reconoce con respecto «al territorio del Estado del cual [se] sea ciudadano» (art. 3.2). [...]

FJ 8. [...] [El derecho a la entrada en España] lo tienen con el carácter de derecho fundamental que garantiza el art. 19 CE tan sólo los españoles, pero —a diferencia de lo que sucedía con el sufragio pasivo en las elecciones municipales— el legislador puede otorgarlo a los extranjeros que cumplan los requisitos establecidos en la ley. Que de la Constitución no se derive un derecho fundamental de los extranjeros a entrar en España no significa, evidentemente, que el derecho del extranjero a entrar en nuestro país conforme a lo regulado por la ley carezca de protección: se tiene la protección que el ordenamiento dispensa a los derechos que concede la ley y, en concreto, sí que tienen los extranjeros —aunque no hayan entrado (en el sentido jurídico estricto) en España, sino que sólo se encuentren fácticamente en territorio español, en situación, por tanto, de «sometimiento... a un poder público español» [STC 53/2002, 27 de febrero, FJ 4 a)]— el derecho fundamental a la tutela judicial efectiva —art. 24.1 CE— (SSTC 99/1985, de 30 de septiembre, FJ 2, y 115/1987, de 7 de julio, FJ 4) para la defensa del derecho del que se consideren asistidos ante los Jueces y Tribunales españoles.

Procede, pues, declarar, que el derecho a entrar en España —«sólo reconocido constitucionalmente a los españoles» (STC 53/2002, de 27 de febrero, FJ 4), como ha expuesto este Tribunal en una afirmación incidental— no es derecho fundamental del que sean titulares los extranjeros con apoyo en el art. 19 CE, aunque, obviamente, quien esté de hecho en España puede solicitar la protección de ese derecho por los Jueces y Tribunales españoles, que deberán tutelarlo de acuerdo con las exigencias impuestas por el art. 24 CE, que sí recoge un derecho del que son titulares los extranjeros.

II. LÍMITES DE LOS DERECHOS DEL ARTÍCULO 19 CE

Conexión entre los artículos 17 y 19 CE: la libertad de salir del país y la retirada cautelar de pasaporte —STC 169/2001, de 16 de julio—

La Sentencia resuelve el recurso de amparo interpuesto por don A.F.S.M., de nacionalidad argentina, contra los Autos de 19 de abril y 31 de mayo de 1999 del Juzgado Central de Instrucción núm. 5 de la Audiencia Nacional, que denegaron su solicitud de modificación de la medida cautelar impuesta en procedimiento por conductas presuntamente constitutivas de delitos de terrorismo y genocidio cometidas en Argentina y Chile durante los regímenes militares, medida consistente en la libertad provisional con prohibición de abandonar el territorio español y retirada del pasaporte, y contra el Auto de 30 de julio de 1999 de la Sección Tercera de la Sala de lo Penal de la Audiencia Nacional, que confirmó dichas resoluciones.

FJ 3. [...] [S]e ha de precisar si nos encontramos ante un supuesto de afección del derecho a la libertad y seguridad personal protegido en el art. 17.1 CE o si, como sostiene alguna de las partes personadas, se trata de una medida que afecta a la libertad de circulación reconocida en el art. 19 CE sólo para los españoles, de modo que, la medida cautelar impuesta, al haber sido adoptada respecto de un nacional de otro país, no podría constituir violación alguna de este derecho fundamental.

FJ 4. Los argumentos que sustentan esta fundamentación desestimatoria de la pretensión se asientan en dos premisas que no pueden ser compartidas por este Tribunal: la absoluta exclusión de los nacionales de otros Estados del ámbito de protección del art. 19 CE y la autonomía de la prohibición de salida del territorio español y la retirada del pasaporte en cuanto medida limitativa de los derechos del demandante de amparo.
a) En primer término, el hecho de que el art. 19 CE no mencione expresamente a los extranjeros no significa que carezcan siempre y en todo caso del derecho a la libre circulación por el territorio español y, específicamente, que carezcan del derecho a salir del territorio español cuando han entrado en él de forma lícita [vid. STC 94/1993, de 22 de marzo] [...].
b) En el caso analizado, la prohibición de salida del territorio español y la consecuente retirada del pasaporte no constituye una medida autónoma, sino una de las garantías que integran la medida cautelar sustitutiva de la prisión provisional, esto es, la libertad provisional. En efecto, el Juzgado de Instrucción núm. 5 de la Audiencia Nacional dictó Auto de prisión provisional del recurrente, que fue sustituido por su libertad provisional con fianza, obligación apud acta de presentarse semanalmente ante el Juzgado y siempre que fuere llamado, designación de domicilio conocido, entrega del pasaporte y prohibición expresa de salida del territorio nacional sin autorización judicial. Tras alegar la ausencia de medios económicos, el Juzgado acordó la libertad provisional sin fianza, manteniendo el resto de las condiciones que garantizan la futura presencia del recurrente en el juicio. De modo que la determinación del derecho que resulta afectado no puede realizarse sin tener en cuenta la vinculación de la prohibición de salida del territorio español y la retirada del pasaporte con la libertad provisional y con la prisión provisional, pues aquélla se impuso como garantía que integra la libertad provisional adoptada como medida cautelar de carácter personal sustitutiva de la prisión provisional. [...]
Por consiguiente, la legitimidad constitucional de las resoluciones impugnadas ha de examinarse desde la óptica impuesta por el derecho a la libertad personal del art. 17.1 CE [...].

Los límites a la libertad de circulación: la Ley de montes —STC 84/2013, de 11 de abril—

La Sentencia resuelve el recurso de inconstitucionalidad interpuesto por el Consejo de Gobierno de La Rioja contra los artículos 50.1 y 54 bis de la Ley 43/2003, de 21 de noviembre, de montes, en la redacción dada por el artículo único, apartados 32 y 33, de la Ley 10/2006, de 28 de abril. En lo que aquí nos interesa, el artículo 54 bis de la Ley, que regula el uso de las pistas forestales y el acceso público al monte, establece una prohibición prácticamente absoluta de circulación motorizada. El recurso arguye que este artículo vulnera el derecho fundamental a la libertad de circulación.

FJ 6. [...] [P]rocede en primer lugar constatar que la limitación a la libre circulación que supone lo establecido en el precepto impugnado cumple con la reserva de ley que deriva del art. 53.1 CE, afirmada expresamente por este Tribunal respecto de un amplio elenco de derechos fundamentales y libertades públicas [entre otras, SSTC 169/2001, de 16 de julio, FJ 6; y 184/2003, de 23 de octubre, FJ 6 a)].

En lo que se refiere a su contenido material, en la STC 146/2006, de 8 de mayo, afirmamos que, como en los demás supuestos de limitación de derechos fundamentales, «constituye doctrina de este Tribunal la de que una medida de ese tipo debe sujetarse a parámetros de proporcionalidad en relación con la preservación de otros derechos o bienes constitucionales. Ha de tratarse así de una medida útil y necesaria para la protección de un bien constitucionalmente importante.» [FJ 2 b)]. [...]

Desde esta perspectiva, el precepto impugnado supera sin dificultades el juicio de proporcionalidad sobre la relación existente entre la medida adoptada, el resultado producido y la finalidad pretendida, según exige nuestra doctrina. Su objeto no es entorpecer de forma constitucionalmente ilegítima la libertad de circulación de las personas, sino limitar el uso de vehículos a motor en itinerarios que no están acondicionados para este tipo de tránsito, con la finalidad de proteger el patrimonio forestal. Por otra parte, tal limitación no está formulada en términos absolutos, sino que admite excepciones en función de diversas circunstancias, entre otras, la adecuación del vial, en cuya ponderación por la Administración autonómica cabe perfectamente incluir aspectos como el tipo de vehículo, la ubicación y características del monte, la estacionalidad, u otros factores que influyan en el riesgo de incendio forestal, lo que permite ajustar la aplicación en cada caso de la medida, bajo criterios de proporcionalidad.

Por tanto, lo establecido en el art. 54 bis.2 no puede considerarse desproporcionado en un país que, como hemos recordado en la reciente STC 49/2013, de 28 de febrero, es «uno de los de la Unión Europea con más masa forestal y que más incendios sufre anualmente» (FJ 12). La medida resulta ser así proporcionada a la finalidad perseguida, «en atención al bien jurídicamente protegido, dada la relevancia que la Constitución atribuye al medio ambiente al configurar en su art. 45 'un derecho de todos a disfrutarlo y un deber de conservación que pesa sobre todos, más un mandato de los poderes públicos para la protección' (STC 102/1995, de 26 de junio, FJ 4)» (STC 73/2000, de 14 de marzo, FJ 12).

Libre elección de residencia y la expropiación de viviendas —STC 160/1991, de 18 de julio (*vid.* ARTÍCULO 18.2)—

FJ 11. De lo hasta ahora dicho, y por las mismas razones, se deriva que no puede estimarse que se haya vulnerado el derecho de los recurrentes, reconocido en el art. 19 CE, a elegir libremente su residencia. Una Sentencia acordando la expropiación y desalojo de edificaciones para la construcción de un pantano conlleva necesariamente el traslado de los hasta entonces residentes en ellas, e impide la continuidad de su permanencia. Pero no impide que los que se vean desplazados elijan libremente su residencia, dentro de los límites que el ordenamiento imponga para defender los derechos de los demás, o los intereses generales, pues el derecho a la elección de residencia no es un derecho absoluto que habilite a ocupar cualquier vivienda o espacio, sino que, como el resto de los derechos, ha de ejercerse dentro del respeto a la ley y a los derechos de los demás, que, como expresa el art. 10.1 CE, «son fundamento del orden político y de la paz social».

Libre elección de residencia y sanción civil de desalojo de vivienda —STC 28/1999, de 8 de marzo—

La Sentencia resuelve el recurso de amparo interpuesto por don I.R. contra la Sentencia de la Audiencia Provincial de Valladolid por la que, con aplicación de lo dispuesto en el artículo 19 L.P.H., se acuerda privarle del uso del piso del que es cotitular durante el plazo de un año al haber provocado «una perturbación y deterioro en la convivencia de la Comunidad de Propietarios actora que excede de los límites normales y tolerables». Entiende el recurrente que dicha Sentencia vulnera su derecho fundamental a la libre elección de residencia.

FJ 6. El precepto que sirve de base a la sanción civil impuesta al demandante de amparo dispone: «Desatendido el requerimiento por el titular ocupante, la junta podrá instar y obtener judicialmente la privación del uso del piso o local a aquél y a quienes con él convivan. Dicha privación la fijará discrecionalmente el Juez por un plazo no superior a dos años, atendida la gravedad de la falta, sin que afecte a los restantes derechos dominicales y a las obligaciones derivadas del título».

Este precepto ha sido ya objeto de control por parte de este Tribunal [...], en la STC 301/1993, como respuesta a una cuestión de inconstitucionalidad en la que se planteaba la posible vulneración del derecho de propiedad (art. 33 CE)[2].

---

[2]   El Tribunal Constitucional declaró entonces que «el artículo cuestionado se refiere a un tipo de propiedad, el de la propiedad horizontal, en el que la necesidad de compaginar los derechos e intereses concurrentes de una pluralidad de propietarios y

FJ 7. El demandante de amparo pone en duda la constitucionalidad del precepto a partir, ahora, de un derecho fundamental enteramente distinto, la libertad de residencia reconocida en el art. 19 CE pero lo que entonces declarábamos no es irrelevante a nuestros efectos.

No hay dificultad alguna en entender que la libertad de residencia no tiene por qué limitarse al derecho a fijar la propia residencia en un determinado espacio de amplitud mayor al del domicilio (localidad, villa o pueblo). La libertad de residencia puede legítimamente extenderse a concreciones mucho más específicas, sin excluir siquiera el derecho a fijar la residencia en una vivienda concreta y determinada, siempre desde luego, y eso sí, que con ello no se vean afectados otros derechos subjetivos.

En efecto, la libertad de residencia, reconocida en el art. 19 CE, supone, ante todo, la libertad de habitar en un determinado lugar. Y, en este sentido, el domicilio es siempre, precisamente, lugar en el que se habita, si bien tal habitación, para determinar la existencia del domicilio, ha de hallarse cualificada por la presencia de determinadas notas. Cuáles sean esas notas dependerá de la concreta consideración del domicilio en cada caso, pudiendo hacer referencia, por ejemplo, a la habitualidad, como vendría a ser lo propio del concepto de domicilio del Código Civil (art. 40), a constituir el lugar donde se establece la sede jurídica de la persona o, en fin, a aquel donde se desarrolla la vida privada de la persona física, como es lo característico del concepto de domicilio cuya inviolabilidad está protegida por el art. 18 CE (STC 22/1984 ó 50/1995). En cualquier caso, lo que no puede discutirse es que el derecho a habitar en un determinado lugar, «el derecho subjetivo y personal a determinar libremente el lugar o lugares donde se desea residir transitoria o permanentemente» (ATC 227/1983, fundamento jurídico 2º) que el art. 19 CE proclama, implica el reconocimiento a su titular del poder de configurar esa residencia con los elementos propios del domicilio, con lo que resulta que es también un derecho a la libre elección del mismo.

Ahora bien, es claro que las libertades de circulación y residencia no confieren, como es natural, un poder jurídico omnímodo a favor de su titular, ya sea en orden a pasar por cualquier lugar, ya sea en orden a habitar en él. Así, la propiedad privada, en cuanto garantía institucional (art. 33.1 CE), constituye un primer y evidente condicionamiento al ejercicio de tales libertades. De este modo, en lo que aquí nos interesa, debe tenerse presente que, para habitar lícitamente en un lugar es necesario disfrutar de algún derecho, cualquiera que sea su naturaleza, que habilite al sujeto para la realización de tal uso del bien en el que pretende establecerse.

Por ello, el que la libre elección de domicilio forme parte del contenido de la libertad de residencia proclamada en el art. 19 CE, en modo alguno justifica conductas tales como «invadir propiedades ajenas o desconocer sin más legítimos derechos de uso de bienes inmuebles» (ATC 227/1983, fundamento jurídico 2º). Y es que el carácter instrumental que tienen los derechos al disfrute de un bien en relación con el derecho a la elección del domicilio, según hemos expuesto en el párrafo anterior, no debe alterar la consideración de que se trata de derechos privados, por más que sean los que permitan el desenvolvimiento de las relaciones y los ámbitos vitales garantizados por el derecho fundamental a la libertad de elección de residencia. Y como tales derechos privados deben ser tratados, sin que la protección de la personalidad y la autonomía privada que está en la base de su regulación implique que deban incorporarse al contenido de los derechos fundamentales protegibles en amparo. De esta manera, el derecho a la libre elección del domicilio no puede entenderse como derecho a fijar el domicilio en el concreto bien que uno desee, sin más, sino como un límite a los poderes públicos en orden a constreñir esa elección por razones distintas a las derivadas de la libre configuración de las relaciones civiles (art. 33 CE), del uso del suelo de acuerdo con el interés general (art. 47 CE) u otras que resulten constitucionalmente admisibles. Por eso hemos declarado que «nada tiene que ver ese derecho con la validez o no de la adquisición de un inmueble» (ATC 180/1984, fundamento jurídico 4º) o con las condiciones de la prórroga arrendaticia establecidas en la legislación de arrendamientos urbanos (AATC 227/1983 y 236/1985), pero también hemos afirmado que «la libertad de elección de residencia que atribuye a los españoles el art. 19 de la

---

ocupantes de los pisos, justifica, sin duda, la fijación, legal o estatutaria, de específicas restricciones o límites a los derechos de uso y disfrute de los inmuebles por parte de sus respectivos titulares» (FJ 3). En el mismo fundamento jurídico se concluía declarando que en el citado precepto «no se configura, en efecto, una expropiación forzosa —en el sentido constitucional del concepto— sino una específica sanción civil o, más precisamente, una obligación cuyo cumplimiento puede ser exigido por los órganos judiciales —que no ejercen potestad expropiatoria alguna— cuando se constate determinada conculcación del ordenamiento y basta con advertirlo así para concluir en que la regla legal no está afectada por los vicios de inconstitucionalidad que sugiere el Auto de planteamiento: la privación de uso se fundamenta en la comisión de un ilícito y no cabe echar en falta en su regulación, por lo tanto, ni la invocación de una causa expropiandi de utilidad pública o interés social —rigurosamente extravagante al supuesto— ni la previsión de una indemnización por la privación misma, que contradiría, como es obvio, el repetido alcance sancionador de la medida».

CE comporta la obligación correlativa de los poderes públicos de no adoptar medidas que restrinjan u obstaculicen ese derecho fundamental» (STC 8/1986, fundamento jurídico 3º).

En conclusión, los condicionamientos que pueda sufrir el derecho a la libre elección de domicilio derivados de la inexistencia o pérdida de los derechos privados que habiliten para el disfrute del bien en cuestión quedan, en principio, al margen de la protección constitucional del derecho a la libertad de residencia.

FJ 8. A partir de las anteriores consideraciones la demanda de amparo debe ser también desestimada desde la perspectiva de la libertad de residencia garantizada por la Constitución. No es irrelevante, a este respecto, la circunstancia de tratarse de una vivienda situada en un inmueble regido por la Ley de Propiedad Horizontal. Los ciudadanos son libres, frente a los poderes públicos, de fijar su propia residencia en una vivienda, de su propiedad, configurada en régimen de propiedad horizontal, pero, como dijimos en la STC 301/1993, en estos casos, «la necesidad de compaginar los derechos e intereses concurrentes de una pluralidad de propietarios y ocupantes de los pisos, justifica, sin duda, la fijación, legal o estatutaria, de específicas restricciones o límites a los derechos de uso y disfrute de los inmuebles por parte de sus respectivos titulares». Y añadimos en la citada Sentencia que el artículo de la LPH cuestionado supone «una abstracta previsión legal que liga una determinada consecuencia negativa (privación temporal del uso del piso) a la transgresión de un deber impuesto por la propia Ley en el seno de una relación jurídico-privada, consecuencia negativa que grava sobre el patrimonio del transgresor, a quien el órgano judicial puede privar del uso del inmueble (vivienda o local) durante un máximo de dos años».

De este modo, nos encontraríamos ante la privación de un derecho privado, el derecho de uso de una concreta vivienda, consecuencia del incumplimiento de deberes propios de una relación jurídico-privada, la derivada del régimen de propiedad horizontal, que aún cuando va a suponer un condicionamiento al derecho a la libre elección de domicilio no implica, por las razones antes expuestas, una restricción del contenido constitucionalmente protegido del derecho fundamental a la libertad de residencia. Máxime cuando la sanción civil impuesta, contemplada específicamente desde la perspectiva de la libertad de residencia, sólo incidiría sobre esta última en un grado extraordinariamente limitado: el ciudadano sigue siendo libre de fijar su residencia en cualquier lugar, con la única exclusión del concreto piso al que se refiere la medida en cuestión.

Libre elección de residencia y la orden a persona imputada de comparecer periódicamente ante el Juzgado instructor —STC 85/1989, de 10 de mayo—

La Sentencia resuelve el recurso de amparo promovido por don A.M.D. contra Auto de 24 de julio de 1987 de la Sección Primera de la Audiencia Nacional, que confirmó los dictados el 4 y 25 de junio de 1987 por el Juzgado Central de Instrucción núm. 3, manteniendo la situación de libertad provisional con fianza del recurrente, incluida la orden de comparecer periódicamente ante el Juzgado instructor. Alega el recurrente que dichos Autos vulneran derechos reconocidos en los artículos 14, 18.1, 19, 17.1 y 24.1 CE.

FJ 3. Carece también de relevancia la alegada infracción del derecho a la libre elección de residencia y circulación por el territorio nacional (art. 19 de la CE), pues, de una parte, como pone de manifiesto la Audiencia Nacional, la obligación de comparecer periódicamente ante el Juzgado instructor es mandato expreso del art. 530 de la LECrim, que exige la comparecencia apud acta de todo imputado en situación de libertad provisional. Y de otra parte, como este Tribunal ha dicho en supuestos similares al que nos ocupa (ATC 650/1984), la presentación ante el Juzgado, por ser una medida cautelar legalmente prevista, aunque ciertamente significa una restricción del derecho de libre elección de residencia, no constituye una vulneración al mismo aquella resolución judicial que, como ocurre en el presente caso, impone tal obligación dentro de los supuestos legales y en forma razonada en términos de Derecho. Todo ello sin olvidar que en este caso se ha permitido al recurrente efectuar la comparecencia ante el Juzgado de la ciudad por el elegida como lugar de residencia.

La medida cautelar de residencia obligatoria en determinado lugar en procedimientos sancionadores abiertos a personas extranjeras —STC 260/2007, de 20 de diciembre—

La Sentencia resuelve el recurso de inconstitucionalidad interpuesto por el Letrado Mayor del Parlamento Vasco contra diversos preceptos de la Ley Orgánica 8/2000, de 22 de diciembre, de reforma de la Ley Orgánica 4/2000, de 11 de enero, sobre derechos y libertades de los extranjeros en España y su integración social. En lo que aquí interesa, se impugna la medida cautelar prevista en el nuevo artículo 61 b) de la Ley Orgánica 4/2000 introducida por el apartado 54 del artículo 1 de la Ley Orgánica 8/2000, y en cuya virtud puede adoptarse, en el seno de procedimientos sancionadores en los que pueda proponerse la expulsión de la persona extranjera, la medida cautelar de residencia obligatoria en determinado lugar.

FJ 5. [...] El motivo de inconstitucionalidad alegado ha de ser desestimado. Efectivamente, debemos coincidir con el Abogado del Estado en que la medida cautelar, impuesta sobre el extranjero al que se ha incoado un expediente sancionador por la realización de determinadas conductas tipificadas por la propia Ley como infracciones graves o muy graves consistente en la obligación de residir en un lugar determinado, no afecta a la libertad personal, sino a la libertad de residencia y circulación proclamada por el art. 19 CE. En relación con estas libertades hemos afirmado (entre otras, SSTC 94/1993, de 22 de marzo, FJ 2 y 3; 116/1993, de 29 de marzo, FJ 2; 24/2000, de 30 de enero, FJ 4 y 169/2001, de 16 de julio, FJ 4.a) que los extranjeros pueden ser titulares de las mismas de acuerdo con lo establecido en los tratados internacionales y en las leyes españolas. La consecuencia de ello es que las personas que no poseen la nacionalidad española sólo tienen derecho a residir en España, y a circular dentro del territorio nacional cuando se lo otorga la disposición de una ley o de un tratado o la autorización concedida por una autoridad competente, puesto que «la libertad de circulación a través de las fronteras del Estado, y el concomitante derecho a residir dentro de ellas, no son derechos imprescindibles para la garantía de la dignidad humana (art. 10.1 CE, y STC 107/1984, FJ 3), ni por consiguiente pertenecen a todas las personas en cuanto tales al margen de su condición de ciudadano. De acuerdo con la doctrina sentada por la citada Sentencia, es pues lícito que las leyes y los tratados modulen el ejercicio de esos derechos en función de la nacionalidad de las personas, introduciendo tratamientos desiguales entre españoles y extranjeros en lo que atañe a entrar y salir de España, y a residir en ella» (STC 94/1993, de 22 de marzo, FJ 3). Ahora bien, el legislador no goza de absoluta libertad al configurar los derechos de los extranjeros en cuanto a su entrada y, por lo que ahora importa, permanencia en España. En tal sentido, como tiene declarado este Tribunal (SSTC 94/1993, de 22 de febrero, FJ 4; 116/1993, de 29 de marzo, FJ 2; 24/2000, de 31 de enero, FJ 4), los arts. 12 y 13 del Pacto internacional de derechos civiles y políticos, ratificados por España y parámetros de interpretación de los arts. 19 y 13 CE por imperativo de su art. 10.2, reconocen el derecho a la libre circulación de las personas que se hallan legalmente en el territorio del Estado, de forma que las Leyes y tratados que regulan la circulación de extranjeros en España deben respetar el grado de libertad que reconocen los arts. 12 y 13 del Pacto internacional a todas las personas que se hallan legalmente en el territorio del Estado y las medidas que repercuten sobre la libre circulación de las personas deben fundarse en una Ley, y aplicarla en forma razonada y razonable.

Estos requisitos concurren en el precepto examinado. En efecto, la medida cautelar impugnada consiste en una medida que se acuerda legítimamente en el marco de un procedimiento sancionador en materia de extranjería, en la que se incluye el establecimiento de los requisitos y condiciones exigibles a los extranjeros para su entrada y residencia en España, procedimiento que ha de ajustarse a lo dispuesto en la Ley Orgánica 8/2000 y en sus disposiciones de desarrollo y en la Ley 30/1992, de 26 de noviembre, de régimen jurídico de las Administraciones públicas y del procedimiento administrativo común y dirigida, como toda medida de esta naturaleza, a asegurar la eficacia de la resolución administrativa que sobre el fondo del asunto se adopte en supuestos de realización de conductas tipificadas como infracciones muy graves del art. 54 de la Ley, o algunas graves, como encontrarse irregularmente en territorio español por no haber obtenido o tener caducadas las pertinentes autorizaciones sin haber solicitado la renovación [art. 53 a)], encontrarse trabajando en España sin haber obtenido autorización de trabajo o autorización administrativa previa para trabajar[art. 53 b)], incurrir en ocultación dolosa o falsedad grave de los cambios que afecten a nacionalidad, estado civil o domicilio[art. 53 c)], incumplir las medidas impuestas por razones de seguridad pública [art. 53 d)], o participar en actividades contrarias al orden público de carácter grave [art. 53 f)]. Esta circunstancia no excluye, evidentemente, la necesidad de que la adopción de tal medida ha de encontrarse dentro de los anteriores supuestos legales y sea convenientemente razonada en términos de Derecho en función de las circunstancias del caso, así como tampoco su control por las vías administrativas y jurisdiccionales que resulten procedentes.

Libertad de circulación y pena de alejamiento —STC 60/2010, de 7 de octubre[3]—

La Sentencia resuelve la cuestión de inconstitucionalidad planteada por la Audiencia Provincial de Las Palmas sobre el artículo 57.2 del Código penal (CP), en redacción dada por la Ley Orgánica 15/2003, de 25 de noviembre, por posible

---

[3]   *Vid.* también las SSTC 139/2008, de 28 de octubre (inadmitiendo cuestión de inconstitucionalidad); 81/2010, de 3 de noviembre; 117/2010 a 119/2010, todas de 24 de noviembre.

infracción, entre otros preceptos[4], de la libertad de elegir residencia y a circular por el territorio nacional (artículo 19.1 CE)[5]. Éste impone como pena en los delitos relacionados con la violencia de género, y en combinación con el artículo 48.2 CP la «prohibición de aproximarse a la víctima, o a aquellos de sus familiares u otras personas que determine el juez o tribunal», que «impide al penado acercarse a ellos, en cualquier lugar donde se encuentren, así como acercarse a su domicilio, a sus lugares de trabajo y a cualquier otro que sea frecuentado por ellos, quedando en suspenso, respecto de los hijos, el régimen de visitas, comunicación y estancia que, en su caso, se hubiere reconocido en sentencia civil hasta el total cumplimiento de esta pena».

FJ 8. [...] Pues bien, al igual que en el caso de la pena de prisión, la que ahora nos ocupa es una pena que tiene por objeto la restricción de la libertad del penado, por más que no se refiera tanto a su manifestación de libertad deambulatoria (art. 17 CE), que es la que resulta afectada por aquélla (STC 136/1999, de 20 de julio, FJ 22), como a la relativa a la libertad de residencia y circulación por el territorio nacional (art. 19.1 CE). A la misma conclusión hemos llegado en relación con la medida cautelar que se concreta en la obligación de residir en un lugar determinado (STC 260/2007, de 20 de diciembre, FJ 5). En efecto, el ámbito vital consistente en fijar libremente el lugar donde estar de manera transitoria o permanente resulta, si no radicalmente suprimido, sí parcialmente limitado como consecuencia de la imposición de la prohibición de aproximarse a la víctima, a cualquier lugar donde se encuentre, así como de acercarse a su domicilio, a sus lugares de trabajo y a cualquier otro que sea frecuentado por ella, de manera que será la restricción de este derecho la que habrá de satisfacer las exigencias derivadas del principio de proporcionalidad. [...]

FJ 9. Como consecuencia del precepto impugnado sufren por tanto, una restricción inmediata los derechos a elegir libremente el lugar de residencia y a circular por el territorio nacional (art. 19.1 CE), pues son éstas las posiciones jurídicas del autor sobre las que opera directamente la prohibición de aproximación o, si se prefiere, las que constituyen su objeto. Asimismo, y en conexión con los anteriores, la imposición de esta pena puede incidir de manera indirecta o mediata en el libre desarrollo de la personalidad (art. 10.1 CE), ahora tanto del autor como de la víctima del delito, al restringir el espacio de autonomía respecto de la decisión de continuar o no la relación afectiva o de convivencia que este principio constitucional protege.

Sin embargo, de ello no se deriva sin más, como es obvio, la inconstitucionalidad de la norma penal impugnada, sino más bien su sujeción a un canon de control que, aunque no se agota en ellos (art. 53.1 CE), comprende la satisfacción por parte de la medida que incorpora de los dos presupuestos de constitucionalidad que resultan controvertidos en este proceso constitucional: de un lado, el consistente en perseguir una finalidad constitucionalmente legítima, en los términos que se expondrán a continuación, y, de otro, el relativo al cumplimiento del principio de proporcionalidad, cuya verificación exige, conforme a nuestra doctrina (STC 66/1995, de 8 de mayo, FFJJ 4 y 5; 55/1996, de 28 de marzo, FFJJ 6 y ss.; 161/1997, de 2 de octubre, FFJJ 8 y ss.; y 136/1999, de 20 de julio, FJ 23), comprobar sucesivamente el cumplimiento de los tres requisitos siguientes. En primer lugar, la medida debe ser idónea o adecuada para la consecución de los fines que persigue, o, según afirmamos en la STC 136/1999, de 20 de julio, la pena ha de ser «instrumentalmente apta para dicha persecución» (FJ 23). En segundo lugar, la medida debe ser también necesaria, de tal manera que no resulte evidente la existencia de medidas menos restrictivas de los principios y derechos consti-

---

4   La cuestión se refiere a la prohibición de indefensión (artículo 24.1 CE), a los principios de personalidad y de proporcionalidad de las penas (artículo 25.1 CE en relación con el artículo 9.3 CE), a los derechos a la intimidad familiar en relación con el libre desarrollo de la personalidad (artículos 18.1 y 10 CE), a contraer matrimonio (artículo 32 CE) y, como el condenado trabaja en el mismo centro que la víctima, al trabajo en la profesión elegida (artículo 35 CE).

5   El artículo 57.2 CP dispone: «*En los supuestos de los delitos mencionados en el primer párrafo del apartado 1 de este artículo [homicidio, aborto, lesiones, contra la libertad, de torturas y contra la integridad moral, la libertad e indemnidad sexuales, la intimidad, el derecho a la propia imagen y la inviolabilidad del domicilio, el honor, el patrimonio y el orden socioeconómico] cometidos contra quien sea o haya sido cónyuge, o sobre persona que esté o haya estado ligada al condenado por una análoga relación de afectividad aun sin convivencia, o sobre los descendientes, ascendientes o hermanos por naturaleza, adopción o afinidad, propios o del cónyuge o conviviente, o sobre los menores o incapaces que con él convivan o que se hallen sujetos a la potestad, tutela, curatela, acogimiento o guarda de hecho del cónyuge o conviviente, o sobre persona amparada en cualquier otra relación por la que se encuentre integrada en el núcleo de su convivencia familiar, así como sobre las personas que por su especial vulnerabilidad se encuentran sometidas a su custodia o guarda en centros públicos o privados se acordará, en todo caso, la aplicación de la pena prevista en el apartado 2 del artículo 48 por un tiempo que no excederá de diez años si el delito fuera grave o de cinco si fuera menos grave, sin perjuicio de lo dispuesto en el párrafo segundo del apartado anterior*».

tucionales que resultan limitados como consecuencia del art. 57.2 CP «para la consecución igualmente eficaz de las finalidades deseadas por el legislador» (loc. cit.). Y, finalmente, la medida debe ser proporcionada en sentido estricto, de modo que no concurra un «desequilibrio patente y excesivo o irrazonable» (loc. cit.) entre el alcance de la restricción de los principios y derechos constitucionales que resultan afectados, de un lado, y el grado de satisfacción de los fines perseguidos con ella por el legislador, de otro. [El Tribunal Constitucional entendió que la norma cuestionada satisface el principio de proporcionalidad]

III. EL ARTÍCULO 19 CE Y LA DESCENTRALIZACIÓN DEL PODER

Libertad de residencia y diferencias territoriales en beneficios y cargas (1) —STC 8/1986, de 21 de enero—

La Sentencia resuelve recurso de amparo interpuesto por doña M.M.D. contra los actos administrativos del Consorcio de Valencia-capital de la Contribución Territorial Urbana, por los que se asignaban nuevos valores catastrales a un inmueble de su propiedad, sito en aquella ciudad, en aplicación del Real Decreto 11/1979, de 20 de julio, con anterioridad a la revisión catastral en la mayor parte de los municipios de España. Contra los actos administrativos mencionados la recurrente interpuso recurso contencioso-administrativo ante la Audiencia Territorial de Valencia, que por Sentencia del 12 de diciembre del mismo año declaró la nulidad de los acuerdos recurridos en cuanto que contrarios al artículo 14 CE. Contra dicha Sentencia interpuso el Abogado del Estado recurso de apelación, que fue estimado por la Sala Tercera del Tribunal Supremo en Sentencia de 28 de enero de 1985. La recurrente denuncia la vulneración de sus derechos fundamentales reconocidos en los artículos 14 y 19 CE.

FJ 3. [...] La libertad de elección de residencia que atribuye a los españoles el art. 19 de la CE comporta la obligación correlativa de los poderes públicos de no adoptar medidas que restrinjan u obstaculicen ese derecho fundamental, pero ello no significa que las consecuencias jurídicas de la fijación de residencia hayan de ser, a todos los efectos, las mismas en todo el territorio nacional o, al menos, en un mismo municipio. La libertad de elección de la residencia implica, como es obvio, la de opción entre los beneficios y perjuicios, derechos, obligaciones y cargas que, materialmente o por decisión de los poderes públicos competentes, corresponden a los residentes en un determinado lugar o inmueble por el mero hecho de la residencia, derechos, obligaciones y cargas que pueden ser diferentes en cada caso, en virtud de circunstancias objetivas y de acuerdo con lo dispuesto en el ordenamiento. El hecho de que los residentes en una determinada zona del territorio nacional hayan de soportar obligaciones y cargas mayores que las de otros, lo que normalmente se corresponde con la atribución de mayores beneficios o de una situación de hecho más ventajosa, no limita o restringe su derecho a la libre elección de residencia, aun cuando no consideren legalmente exigibles las obligaciones que por razón de la residencia se les imponen.

Libertad de residencia y diferencias territoriales en beneficios y cargas (y 2) —STC 90/1989, de 11 de mayo—

La Sentencia resuelve recurso de amparo planteado por trabajadores agrícolas eventuales contra la denegación por órganos administrativos (INEM) y jurisdiccionales (Sentencia del Tribunal Central de Trabajo que la confirmó, revocando la de la Magistratura de Trabajo) del subsidio de desempleo, en aplicación de las normas reglamentarias (RD 2.298/1984, de 26 de diciembre, y RD 2.405/1985, de 27 de diciembre) que regulan ese subsidio para los trabajadores que residan en las Comunidades Autónomas de Andalucía y Extremadura, pero no en la de Murcia. Los recurrentes alegan vulneración de sus derechos fundamentales reconocidos en los artículos 14 y 19 CE.

FJ 5. [...] Los mandatos del art. 14 CE no implican forzosamente la uniformidad de las posiciones jurídicas de los ciudadanos en todo el territorio español, independientemente del municipio, provincia o Comunidad Autónoma en que residan; y la diversidad de situaciones jurídicas derivadas de las regulaciones y normas vigentes en las diferentes zonas del territorio nacional (sean estas normas de origen estatal, autonómico o local) no puede considerarse vulneración de la libertad de residencia, en tanto no impidan que el ciudadano opte por mantener su residencia en donde ya la tenga, o por trasladarla a un lugar distinto, lo que constituye el presupuesto jurídico necesario del trato diferente entre diversas regiones. Ciertamente, quien así lo haga habrá de asumir las consecuencias de su opción, habida cuenta de los «beneficios y perjuicios, derechos, obligaciones y cargas que, materialmente o por decisión de los poderes públicos competentes, corresponden a los residentes en un determinado lugar [...] por el mero hecho de la residencia» (STC 8/1986, fundamento jurídico 3.º); por lo que no cabe apreciar la vulneración del derecho reconocido en el art. 19 C. E.

Libertad de circulación y tributos autonómicos —STC 210/2012, de 19 de noviembre[6]—

La Sentencia resuelve el recurso de inconstitucionalidad promovido por el Presidente del Gobierno contra la Ley de la Asamblea de Extremadura 14/2001, de 29 de noviembre de 2001, reguladora del impuesto sobre depósitos de las entidades de crédito, en concreto contra su artículo 7.3, que permite minorar la carga tributaria de un tributo autonómico por la realización de determinadas inversiones en la Comunidad Autónoma. Esto, entiende el recurso, supone un obstáculo injustificado a la libertad de circulación, en este caso de capitales, y a la libertad de establecimiento.

FJ 9. [...] El art. 9 c) LOFCA, que es una concreción de los arts. 139.2 y 157.2 CE, establece que los tributos propios establecidos por las Comunidades Autónomas no podrán suponer obstáculo para la libre circulación de personas, mercancías, servicios y capitales, «ni afectar de manera efectiva a la fijación de residencia de las personas o a la ubicación de empresas y capitales dentro del territorio español, de acuerdo con lo establecido en el artículo segundo, uno, a), ni comportar cargas trasladables a otras Comunidades». El precepto remite así expresamente al art. 2.1 a) LOFCA, que establece que «el sistema de ingresos de las Comunidades Autónomas... deberá establecerse de forma que no pueda implicar, en ningún caso, privilegios económicos o sociales ni suponer la existencia de barreras fiscales en el territorio español.»

El art. 139.2 CE, como hemos reiterado, no impide la aprobación de cualquier norma que pueda afectar a la libertad de circulación, sino sólo de aquéllas que supongan una «fragmentación del mercado» (por todas, SSTC 32/1983, de 28 de abril, FJ 3; y 96/2002, de 25 de abril, FJ 11), en el sentido de que «las consecuencias objetivas de las medidas adoptadas impliquen el surgimiento de obstáculos que no guarden relación con el fin constitucionalmente lícito que aquéllas persiguen» (SSTC 37/1981, de 16 de noviembre, FJ 2; y 233/1999, de 16 de diciembre, FJ 26). Además, como hemos recordado en la STC 100/2012, de 8 de mayo, «no toda medida que incida sobre la circulación de bienes y personas por el territorio nacional puede catalogarse automáticamente como contraria al artículo 139.2 de la Constitución. En efecto, 'el que una medida determinada no sea, por sus efectos, ajena a la libre circulación de bienes por el territorio nacional, a la libertad de empresa y al derecho de propiedad privada, no significa que haya de entenderse que ex Constitutione es inaceptable' (STC 109/2003, de 5 de junio, FJ 15), habida cuenta que sólo lo será 'cuando persiga de forma intencionada la finalidad de obstaculizar la circulación o genere consecuencias objetivas que impliquen el surgimiento de obstáculos que no guarden relación y sean desproporcionados respecto del fin constitucionalmente legítimo que persigue la norma adoptada' (STC 109/2003, de 5 de junio, FJ 15).» (FJ 4).

En concreto sobre el art. 9 c) LOFCA, ya establecimos en la STC 168/2004, de 6 de octubre, (FJ 5) que «las actuaciones autonómicas revisten entidad suficiente para reputarlas vulneradoras de la libertad de circulación de personas y bienes cuando su incidencia sobre ésta implique el 'surgimiento de obstáculos que no guarden relación y sean desproporcionados respecto del fin constitucional lícito que persiguen' (SSTC 64/1990, de 5 de abril, FJ 5; 66/1991, de 22 de marzo, FJ 2; 233/1999, de 16 de diciembre, FJ 26; y 96/2002, de 25 de abril, FJ 11)», doctrina reiterada, en relación con el art. 9 c) LOFCA, en el ATC 456/2007, de 12 de diciembre, FJ 8. Este precepto, que como se ha constatado se refiere a medidas tributaras que puedan incidir en la libre circulación de personas, mercancías, servicios y capitales, debe interpretarse teniendo en cuenta, además de la doctrina constitucional citada, la jurisprudencia reiterada del Tribunal de Justicia de la Unión Europea que se refiere a las medidas tributarias adoptadas por los Estados miembros que puedan restringir u obstaculizar el ejercicio de dichas libertades fundamentales. Partiendo de que las citadas libertades constituyen derechos de acceso al mercado interior, con carácter general no es posible establecer medidas tributarias que obstaculicen dicho acceso, por ejemplo estableciendo una diferencia de trato entre residentes y no residentes sin justificación suficiente. En ese sentido, la Sentencia de 7 de septiembre de 2004 (Asunto C-319/02), Mannimen (apartados 22 y siguientes) consideró restrictiva de la libre circulación de capitales una norma en virtud de la cual el derecho de una persona sujeta al pago de impuestos en un Estado miembro a que se le conceda el crédito fiscal por los dividendos que percibe de sociedades anónimas se excluye cuando estas últimas no están establecidas en el mismo Estado; o la reciente Sentencia de 25 de octubre de 2012 (Asunto C-387/11), Comisión Europea c. Reino de Bélgica, Reino Unido de Gran Bretaña e Irlanda del Norte, (apartados 36 y siguientes), que declara contraria a la libertad de establecimiento la normativa del Reino de Bélgica que suponía una imposición de los rendimientos de capitales y de bienes muebles distinta en función de que éstos sean percibidos por sociedades de inversión belgas o extranjeras.

---

[6]   *Vid.* también la STC 100/2012, de 8 de mayo (FJ 4).

De esta manera, de acuerdo con la doctrina constitucional y del Tribunal de Justicia de la Unión Europea, el fin último de una norma como el art. 9 c) LOFCA es la protección del mercado interior, lo que en materia tributaria impide en particular establecer medidas que fragmenten dicho mercado estableciendo diferencias entre residentes y no residentes en una Comunidad Autónoma sin que ello encuentre una justificación adecuada. En consecuencia, las Comunidades Autónomas pueden establecer tributos o medidas tributarias siempre que las mismas no resulten contrarias a las libertades de circulación, lo que sucederá cuando además de suponer un obstáculo a la libre circulación, no pueda ser justificada o, pudiendo serlo, resulte desproporcionada en relación con su finalidad. [...]

A partir de lo anterior, puede ya descartarse que el impuesto sobre depósitos de las entidades de crédito suponga un obstáculo a la libertad de circulación, fundamentalmente porque, como hemos establecido ya, se trata de un impuesto que no grava transacciones, sino el volumen de los depósitos captados por los sujetos pasivos del impuesto, de manera que no es una medida susceptible de afectar a la circulación de capitales. En todo caso, la deducción contenida en el art. 7.3 que se reputa inconstitucional tampoco establece ninguna diferencia de trato entre residentes y no residentes en la Comunidad Autónoma, pues su aplicación no depende de dónde radique el domicilio social de la entidad bancaria, sino que se aplica por igual a todas las sucursales establecidas en Extremadura y por tanto sujetas al impuesto. [...]

La libertad de circulación y el artículo 139.2 CE —STC 150/2014, de 22 de septiembre[7]—

La Sentencia resuelve la cuestión de inconstitucionalidad planteada por la Sección Cuarta de la Sala de lo Contencioso-Administrativo del Tribunal Supremo respecto al inciso inicial del art. 30.2 de la Ley del Parlamento Vasco 18/1997, de 21 de noviembre, de colegios profesionales del País Vasco, por posible vulneración de los arts. 36 y 149.1.18, en relación con el art. 149.1.1 CE y con los arts. 1.3 y 3.2 de la Ley 2/1974, de 13 de febrero, de colegios profesionales.

FJ 3. Establecido el carácter básico de la norma estatal, la disputa competencial que encierra la presente cuestión de inconstitucionalidad ha de reputarse resuelta con la doctrina que este Tribunal ha establecido en la STC 3/2013, de 17 de enero, y reiterado en las posteriores SSTC 46/2013, 50/2013, ambas de 28 de febrero; 63/2013, de 14 de marzo; 89/2013, de 22 de abril; 123/2013, de 23 de mayo, y 201/2013, de 5 de diciembre. Aunque todas ellas se pronuncian sobre el art. 3.2 de la Ley 2/1974, en la redacción dada por el art. 5 de la Ley 25/2009, de 22 de diciembre, de modificación de diversas leyes para su adaptación a la Ley sobre el libre acceso a las actividades de servicios y su ejercicio, su doctrina resulta aquí aplicable en la medida en que, al pronunciarse sobre una norma autonómica similar al inciso ahora cuestionado, determinó que la exigencia de la colegiación obligatoria para el ejercicio de una determinada profesión, y en consecuencia sus excepciones, forma parte de la competencia estatal del art. 149.1.18 CE y constituye, además, una condición básica que garantiza la igualdad en el ejercicio de los derechos y deberes constitucionales ex art. 149.1.1 CE.

---

7   Sobre la conexión entre los artículos 19 y 139.1 y 149.1.1 CE, *vid.* las SSTC 118/1996, de 27 de junio, FJ 43 (constitucionalidad de la normativa estatal que regula las condiciones técnicas que habrán de observarse en la construcción de los ferrocarriles de transporte público, incluidos los de competencia exclusiva de una Comunidad Autónoma); 107/2014, de 26 de junio (que declara la validez de las disposiciones reglamentarias que regulan la evaluación y acreditación del profesorado universitario por una agencia estatal); 170/2014, de 23 de octubre, FJ 6 (constitucionalidad de la competencia estatal sobre obtención, expedición y homologación de títulos académicos y profesionales, pero inconstitucionalidad de la atribución al Ministerio de Justicia de la competencia para expedir los títulos acreditativos de la aptitud profesional, por no afectar la competencia ejecutiva autonómica a la igualdad de derechos en el territorio español —ni a la libertad de circulación—).

LOS DERECHOS A LA LIBERTAD DE EXPRESIÓN Y A LA INFORMACIÓN

Artículo 20. *1. Se reconocen y protegen los derechos:*
a) A expresar y difundir libremente los pensamientos, ideas y opiniones mediante la palabra, el escrito o cualquier otro medio de reproducción.
b) A la producción y creación literaria, artística, científica y técnica.
c) A la libertad de cátedra.
d) A comunicar o recibir libremente información veraz por cualquier medio de difusión. La ley regulará el derecho a la cláusula de conciencia y al secreto profesional en el ejercicio de estas libertades.
2. El ejercicio de estos derechos no puede restringirse mediante ningún tipo de censura previa.
3. La ley regulará la organización y el control parlamentario de los medios de comunicación social dependientes del Estado o de cualquier ente público y garantizará el acceso a dichos medios de los grupos sociales y políticos significativos, respetando el pluralismo de la sociedad y de las diversas lenguas de España.
4. Estas libertades tienen su límite en el respeto a los derechos reconocidos en este Título, en los preceptos de las leyes que lo desarrollen y, especialmente, en el derecho al honor, a la intimidad, a la propia imagen y a la protección de la juventud y de la infancia.
5. Sólo podrá acordarse el secuestro de publicaciones, grabaciones y otros medios de información en virtud de resolución judicial.

INTRODUCCIÓN

Desde la perspectiva de su conexión con el principio democrático participativo, los derechos que el artículo 20 CE reconoce, por lo demás en términos universales, se encuentran entre los que conforman el pilar axiológico que sustenta nuestro orden democrático, en estrecha conexión, como ya vimos, con la libertad ideológica (**ARTÍCULO 16**). Los derechos a la libre expresión de ideas, pensamientos, opiniones o juicios de valor (amparados o no por nuestra libertad ideológica); a la producción y creación literaria, artística, científica y técnica; a la libertad de cátedra; a transmitir y a recibir información veraz sobre hechos; todos estos derechos, junto con los demás reconocidos en el artículo 20 CE como instrumentales para el efectivo disfrute de los anteriores, son esenciales para el funcionamiento de nuestro sistema democrático, un sistema que descansa en la libre formación y el libre flujo de opiniones, de pensamiento crítico, de información.

La íntima conexión de los derechos reconocidos en el artículo 20 CE con nuestro sistema democrático se pone de manifiesto en la especial relevancia que su ejercicio adquiere en conexión con los derechos de participación política reconocidos en el artículo 23 CE (STC 136/1999). Y se pone de manifiesto en su prevalencia sobre los derechos de la personalidad reconocidos en el artículo 18.1 CE, que la Constitución recoge formalmente como sus límites (artículo 20.4 CE), pero cuyo disfrute se subordina en la práctica, y en línea de principio, al ejercicio de los primeros (STC 171/1990, entre muchísimas otras). La excepción es el disfrute de los derechos de la personalidad por parte de la juventud y la infancia, que es objeto de tutela reforzada (SSTC 153/1985; 87/1987, de 2 de junio; 197/1991; 134/1999). Más allá de estos casos, el Tribunal Constitucional ha afirmado la prevalencia de los derechos del artículo 20.1 CE, muy especialmente cuando nos encontramos ante su ejercicio por «profesionales de la información a través del vehículo institucionalizado de formación de la opinión pública que es la prensa, entendida en su más amplia acepción» (SSTC 165/1987, FJ 10; 176/1995, FJ 2). La cual desempeña una «función constitucional», como «parte del sistema de frenos y contrapesos en que consiste la democracia, según dijeron en 1812 las Cortes de Cádiz, para prevenir 'la arbitrariedad de los que nos gobiernan'» (STC 176/1995, FJ 2). De ahí que la Constitución prohíba la censura previa (artículo 20.2 CE) y que solo quepa el secuestro judicial de publicaciones, subordinado pues a autorización judicial (artículo 20.4 CE).

La prevalencia constitucional de los derechos a la expresión de ideas, a la información sobre hechos, a las libertades de creación artística, científica o de cátedra, no significa, ciertamente, que su disfrute se imponga siempre sobre el de los derechos de la personalidad. Antes bien, el ejercicio de los primeros está sujeto a parámetros de constitucionalidad que tienen en cuenta el respeto del disfrute de los segundos. En buena medida, estudiar los derechos del artículo 20 CE consiste en estudiar esos parámetros.

Así, el ejercicio de la libertad de expresión debe respetar el honor de terceras personas, así como su derecho a la propia imagen cuando nos encontramos en el contexto de las caricaturas (STC 23/2010). Ello se traduce en la obligación de no traspasar la línea socialmente tolerable del insulto, medida siempre en función del contexto en que se ejerza el derecho (SSTC 49/2001; 235/2002). También el derecho a la información debe respetar los derechos de la personalidad de terceras personas, en este caso el honor, la propia imagen y también la intimidad. Velar por el primero es el cometido del requisito constitucional de que la información transmitida debe ser veraz —el derecho al honor, recordemos, garantiza nuestra buena reputación, pero sólo en la medida en que ésta se construya sobre hechos ciertos—. De tutelar la intimidad y la propia imagen se encarga el requisito de la relevancia pública. El cual exige que, en la medida en que incida en la vida privada de una persona, o se apoye en la publicación de rasgos que permitan identificarla, toda información debe ser de conocimiento relevante para la colectividad social, hasta el punto de justificar, en un juicio de ponderación, la necesidad informativa de dicha intromisión en la intimidad y/o en la propia imagen. Todo ello teniendo en cuenta, no sólo el contenido de la información, sino también las circunstancias de la persona a que se refiere, el carácter más o menos público de la esfera de su vida y/o de la imagen de ella que se expone. Como también deben respetar los derechos al honor, a la intimidad y a la propia imagen las libertades creativas reconocidas en el artículo 20.1.b) (STC 43/2004; 51/2008) y la libertad de cátedra (artículo 20.1.c) CE).

Ahora bien, la relación entre los derechos de la personalidad y los reconocidos en el artículo 20 CE, el respeto que éstos deben a los primeros, se articula siempre partiendo de la base de la prevalencia constitucional de los segundos. Ello es posible gracias al amplio margen que los criterios que rigen dicha relación dejan a la flexibilidad interpretativa. El Tribunal Constitucional parte pues del papel democrático de la libertad de expresión al imponer a las opiniones el límite del insulto, ponderando siempre las circunstancias y el contexto en que dichas opiniones se han expresado. Esto es también así si nos encontramos dentro del ámbito laboral (STC 151/2004) o en el de la función pública, siempre atendiendo a los rasgos del sector de que se trate (STC 101/2003; 81/1983). Y lo hace dejando un amplio margen para el debate público (SSTC 107/1988, y otras citadas en la nota 3), para la crítica política (SSTC 112/2000, y otras citadas en la nota 23; 232/2002, y otras citadas en la nota 25), para la crítica institucional (SSTC 107/1988; 235/2002, y otras citadas en la nota 5; 20/1990 —**ARTÍCULO 16**—), incluso para las manifestaciones que, en forma de expresión de opiniones o de crítica científica, nieguen delitos de genocidio o afines, siempre que no los justifiquen, inciten o difundan ideas humillantes o racistas (STC 235/2007). El resultado es una doctrina casuística, consciente de la importancia democrática de la libertad de expresión y generalmente tuitiva de su ejercicio. Resulta por ello preocupante encontrar recientemente en ella excepciones notables, tendentes a introducir limitaciones a dicho ejercicio, incluso a definir el contenido del derecho a la libertad de expresión en términos restrictivos. Es el caso de la STC 177/2015, que avala la condena penal de los recurrentes en amparo por delito de injurias contra la Corona, por haber quemado una fotografía de los monarcas; y el es caso de la STC 112/2016, que avala una interpretación amplia del delito de enaltecimiento del terrorismo como límite del derecho a la libertad de expresión.

También constante es la jurisprudencia constitucional en su afirmación del papel democrático igualmente central, si no más, del derecho a la información. Parte el Tribunal de dicho papel al analizar la relevancia pública de información que afecte al derecho a la intimidad y/o al derecho a la propia imagen de terceras personas. Y parte de él al analizar también la veracidad de los hechos sobre los que la información recae, un criterio que también permite cierta flexibilidad de análisis. Ello es así porque la veracidad relevante en el marco del artículo 20.1.d) CE no es la verdad objetiva —suponiendo que ésta exista—. Información veraz no es sinónimo de información cierta. Es, antes bien, información transmitida de acuerdo con los parámetros de diligencia exigibles a las personas profesionales de la información (SSTC 61/2004 y las allí citadas). Lo que se exige es que toda información transmitida haya sido debidamente investigada y contrastada, de forma que pueda afirmarse que, en el mejor saber y entender profesional de quien la transmite, es cierta, aunque después resulte no serlo. Todo ello de cara a proteger el honor de terceras personas, sí, pero sin ralentizar la circulación de información con una exigencia rigurosa de certeza y exactitud. El requisito de la veracidad se traduce así, con la excepción puntual de los llamados reportajes neutrales (SSTC 232/1993; 136/1999; 136/2004), en un deber de diligencia en el contraste de la información difundida, lo cual deja margen para interpretar hasta qué punto ese deber se ha visto satisfecho en un caso concreto, una interpretación que generalmente será favorable al ejercicio del derecho a la información. Tanto es así que la satisfacción de este deber de diligencia absorbe la obligación de que la información sea «rectamente obtenida». En efecto, más allá del respeto debido a otros derechos fundamentales en la obtención de información, especialmente el derecho a la intimidad y/o a la propia imagen (STC 12/2012), las obligaciones que rigen la obtención de información quedan englobadas en dicho deber de diligencia, sin que el Tribunal otorgue relevancia constitucional al incumplimiento de obligaciones legales en dicha obtención. Este es, con alguna excepción, el caso de la obligación de respetar el secreto de sumario (STC 158/2003).

La legitimidad del ejercicio de los derechos a la libertad de expresión y a la información se rige, en definitiva, por parámetros distintos. Lo cierto, con todo, es que el ejercicio de ambos derechos suele ir de la mano, que lo más frecuente es que nos encontremos con que la transmisión de información va impregnada de opiniones, y que éstas giran en torno a un cierto contenido informativo, de forma que «en los casos reales que la vida ofrece, no siempre es fácil separar la expresión de pensamientos, ideas y opiniones de la estricta comunicación informativa» (STC 6/1988, FJ 5). Ello obliga a coordinar el análisis de la legitimidad de su ejercicio. Lo cual, según afirma el Tribunal Constitucional, aconseja atender al criterio de preponderancia, al elemento, informativo o de opinión, que aparece como preponderante (*ibídem*). No es éste, con todo, el criterio que el Tribunal suele seguir en la práctica. Lo habitual es más bien que priorice el análisis de la libertad de información, un derecho cuyos contornos aparecen mejor definidos que los de la libertad de expresión, y cuyo análisis resulta por tanto más fácil de estructurar. Suele así el Tribunal empezar analizando hasta qué punto la información que se transmite gira en torno a hechos veraces y de relevancia pública, para, una vez establecido esto, analizar la legitimidad del ejercicio de la libertad de expresión en función de su conexión con el interés informativo de esos hechos. La libertad de expresión tendrá así cobertura constitucional en la medida en que esté íntimamente conectada con el ejercicio legítimo del derecho a la información, en que venga a enriquecer la información sobre hechos veraces y con relevancia pública. La legitimidad de las expresiones que vayan más allá de estos hechos, o que no estén vinculadas a su interés informativo, se medirá con base en el criterio que rige para la libertad de expresión: ha de tratarse de opiniones que no menoscaben la reputación de la persona afectada más allá de límites que se estimen socialmente aceptables (STC 172/1990). Es más, será la libertad de expresión la que dé cobertura a la difusión de hechos que carezcan de contenido informativo, hechos que, por no ser veraces y/o por carecer de relevancia pública, no encajan dentro del ámbito del derecho a la información. La legitimidad de dicha difusión dependerá pues de que no menoscabe el honor de la persona afectada (STC 232/2002, FJ 3).

La prevalencia del derecho a la información se pone especialmente de manifiesto en el tratamiento jurídico de aquella información veraz que resulta no ser cierta. Nos encontramos aquí con información protegida por el derecho a la información, en cuanto que veraz, pero que puede al mismo tiempo, y en cuanto que incierta o inexacta, vulnerar el derecho al honor de la persona a que se refiere. En estos casos, la Constitución ampara la transmisión de información, sin que quepa exigir responsabilidades civiles o penales a quienes han participado en ella, en la medida en que se entienda que dicha información reúne el requisito de veracidad. La tutela del honor sólo se puede articular entonces a través de la propia lógica informativa, a través, en concreto, del llamado derecho de rectificación. Este consiste en la posibilidad de que la persona cuyo derecho al honor se ve afectado por la divulgación de hechos falsos pueda divulgar su versión de esos hechos a la mayor brevedad, en el mismo medio y con la misma relevancia con que se divulgó la versión controvertida. Una posibilidad que, si fuera preciso, puede ser implementada judicialmente, a través de un proceso, regulado en la Ley Orgánica 2/1984, de 26 de marzo, sujeto a plazos especialmente breves, en coherencia con las exigencias de la defensa del honor en clave informativa. Coherente con esa lógica informativa es también que el ejercicio del derecho de rectificación sea compatible con las acciones civiles y penales que puedan emprenderse para la tutela del honor. Y lo es que su ejercicio cuente con la predisposición favorable del Tribunal Constitucional, que salvo abuso manifiesto lo declara merecedor de tutela, aunque el medio de comunicación afectado niegue que la noticia controvertida sea merecedora de rectificación. Siempre le cabe al medio, dice el Tribunal, la posibilidad de reafirmarse públicamente en su versión original de los hechos. Todo lo cual beneficia el libre flujo informativo y, con él, a la ciudadanía democrática (STC 168/1986).

La exigencia de veracidad como requisito de diligencia protege, así y ante todo, el libre flujo de información. Las/os profesionales de la información cuentan, además, con la tutela del secreto profesional, un derecho instrumental al ejercicio del derecho a la información que en caso de litigio les permite no revelar sus fuentes informativas si no lo desean (artículo 20.1.d) CE). Lo cual no les exime de la obligación de acreditar la debida diligencia con que la información controvertida fue obtenida y contrastada previamente a su divulgación, de acreditar, en definitiva, la veracidad de la misma. La garantía del secreto profesional les otorga sólo la posibilidad de decidir si desvelan o no sus fuentes informativas con este fin, debiendo asumir, en su caso, las consecuencias de no hacerlo. El artículo 20.1.d) CE protege también la integridad de las/os profesionales de la información, no ya frente a posibles demandas de terceras personas, sino también frente al medio para el que trabajan, a través del derecho a la cláusula de conciencia, regulado en la Ley Orgánica 2/1997, de 19 de junio. Su objetivo es proteger la independencia ideológica de las/os profesionales de la información frente al medio. Para ello les reconoce la posibilidad de rescindir su contrato laboral, con derecho a la indemnización que les correspondería por despido improcedente, si se produce un cambio sustancial en la orientación informativa o en la línea ideológica del medio, o si éste pretende imponerles un traslado que implique una ruptura patente con su orientación profesional. Las condiciones para su ejercicio son que nos encontremos en el ámbito de una relación laboral, que el cambio de línea ideológica del medio sea sustancial, o la ruptura de orientación profesional patente, y que se trate de un/a profesional de la información cuya labor tenga contenido informativo o de opinión, susceptible de verse afectado por ese cambio de línea ideológica (STC 199/1999). Todo ello en aras de preservar la libertad informativa de dichas/os profesionales «frente a lo que históricamente se designaba como 'censura interna de la empresa periodística' ... reforzando las oportunidades de formación de una opinión pública no manipulada y paliando el 'efecto silenciador' que, por su propia estructura, puede producir el 'mercado' de la comunicación» (STC 225/2002, FJ 2.b).

La formación de una opinión pública libre es, en última instancia, el derecho en torno al cual gira el artículo 20 CE, el derecho respecto del que los demás no son sino instrumentales. En él desempeña pues un papel central el derecho a recibir información veraz. Este derecho no tiene, con todo, un contenido subjetivo de titularidad individual que pueda ser ejercido judicialmente frente a las/os profesionales de la información (STC 51/2007, FJ 9). Es más bien un derecho con una dimensión objetiva que vincula a los poderes públicos y les obliga a procurar la articulación de un espacio público de comunicación libre. La previsión constitucional de que la ley regule la organización y el control parlamentario de los medios de comunicación social dependientes del Estado, y el acceso a ellos en términos que respeten el pluralismo social y lingüístico de España (artículo 20.3 CE), da contenido a esta dimensión objetiva (*vid.* STC 86/2017). Lo cual, de un lado, no ha impedido al Tribunal Constitucional afirmar la prescindibilidad de la prensa pública (STC 86/1982), pero sí le ha llevado, de otro, a declarar inconstitucional la asignación de publicidad institucional a medios de comunicación con criterios de afinidad ideológica (STC 104/2014). También frente a los poderes públicos este derecho carece de contenido subjetivo prestacional, ejerciéndose más bien como un derecho de libertad, como un derecho a la libre elección de medio y versiones informativas (STC 168/1986, FJ 5). Pese a ello, el Tribunal afirmó que la existencia de televisión privada es una opción legislativa (STC 12/1982) y ha permitido al Estado mantener el control de la atribución de licencias de explotación de frecuencias y potencias, en cuanto que medio escaso de comunicación, y de la televisión por cable, en cuanto que servicio público (*vid*. nota 32). Donde no nos encontramos ante ninguno de estos dos supuestos, como en el caso de las redes locales de televisión por cable, el Tribunal ha reconocido el derecho a acceder a la gestión de medios de comunicación, un derecho que ante la inactividad del legislador en su regulación puede ejercerse de forma directa (STC 31/1994).

LEGISLACIÓN

Artículo 71 CE; Reglamento del Congreso de los Diputados, de 10 de febrero de 1982, artículo 10 y D.F. 5; Reglamento del Senado, de 3 de mayo de 1994, artículo 21; Código Penal, artículo 538; Ley Orgánica 4/1981, de 1 de junio, de los estados de alarma, excepción y sitio; Ley Orgánica 1/1982, de 5 de mayo, de protección civil del derecho al honor, a la intimidad personal y familiar y a la propia imagen; Ley Orgánica 2/1984, de 26 de marzo, reguladora del derecho de rectificación; Ley Orgánica 1/1996, de 15 de enero, de protección jurídica del menor; Ley Orgánica 2/1997, de 19 de junio, reguladora de la cláusula de conciencia de los profesionales de la información; Ley Orgánica 6/2001, de 21 de diciembre, de Universidades; Ley Orgánica 2/2006, de 3 de mayo, de Educación (modificada por la Ley Orgánica 8/2013, de 9 de diciembre, para la mejora de la calidad educativa); Ley 11/1982, de 13 de abril, de supresión del organismo autónomo Medios de Comunicación Social del Estado; Ley 11/1991, de 8 de abril, de organización y control de las emisoras municipales de radiodifusión sonora; Ley 17/2006, de 5 de junio, de la radio y la televisión de titularidad estatal; Ley 7/2010, de 31 de marzo, general de la comunicación audiovisual; Ley 9/2014, de 9 de mayo, general de telecomunicaciones; Real Decreto Legislativo 1/1996, de 12 de abril, por el que se aprueba el texto refundido de la Ley de Propiedad Intelectual (modificado por las Leyes 23/2006, de 7 de julio, 3/2008, de 23 de diciembre, y 21/2014, de 4 de noviembre); Real Decreto-ley 26/2018, de 28 de diciembre, por el que se aprueban medidas de urgencia sobre la creación artística y la cinematografía.

BIBLIOGRAFÍA

AGUILAR CALAHORRO, A. (2017): "El derecho fundamental a la comunicación 40 años después de su constitucionalización: expresión, televisión e internet", *RDP* 100, pp. 405-439; AA. VV. (1990): «Libertad de expresión y medios de comunicación», *Revista del Poder Judicial*, número especial XIII; AA.VV. (2002): *Las libertades de información y de expresión: actas de las VII Jornadas de la Asociación de Letrados del Tribunal Constitucional*, Madrid: CEPC; BALADIEZ ROJO, M. (2018): "Cámaras ocultas y periodismo. Una perspectiva constitucional", *RGDC* 28; BASTIDA FREIJEDO, F.J. (1990): *La libertad de antena*, Barcelona: Ariel; (2002): «La libertad de información en la doctrina del Tribunal de Justicia de las Comunidades Europeas», *La democracia constitucional: estudios en homenaje al profesor Francisco Rubio Llorente* (AA.VV.), Madrid: Congreso de los Diputados, pp. 573-592; BASTIDA, F. y VILLAVERDE, I. (1998): *Libertades de expresión e información y medios de comunicación*, Pamplona: Aranzadi; (1998) «El derecho a crear medios de comunicación y sus límites (Prontuario de jurisprudencia constitucional)», *Repertorio del Tribunal Constitucional*, Tomo IV, Madrid: Aranzadi, pp. 351-446; BEL MALLÉN, I. (2003): *Derecho de la información*, Madrid: Ariel; BOIX PALOP, A.

(2002): «Libertad de expresión y pluralismo en la red», *REDC* 65, pp. 133-180; (2016): "La construcción de los límites a la libertad de expresión en las redes sociales", *REP* 173, pp. 55-112; CABELLOS ESPIÉRREZ, M.A. (2018): "Opinar, enaltecer, humillar: respuesta penal e interpretación constitucionalmente adecuada en el tiempo de las redes sociales", *REDC* 112, pp. 45-85; CAPODIFERRO CUBERO, D. (2017): "La libertad de información frente a Internet", *RDP* 100, pp. 701-737; CAPSETA CASTELLA, J. (1998): *La cláusula de conciencia periodística*, Madrid: McGraw-Hill; CARRILLO LÓPEZ, M. (1987): *Los límites a la libertad de prensa en la Constitución de 1978*, Barcelona: PPU; (1993): *La cláusula de conciencia y el secreto profesional de los periodistas: una aproximación al estatuto jurídico de los periodistas*, Madrid: Civitas; (1997): «La Ley Orgánica de la cláusula de conciencia de los periodistas: una garantía atenuada del derecho a la información», *CDP* 2, pp. 177-194; Chinchilla Marín, M.C. (1991): «El servicio público, ¿una amenaza o una garantía para los derechos fundamentales? Reflexiones sobre el caso de la televisión», *Estudios sobre la Constitución española: Homenaje al profesor Eduardo García de Enterría* (Martín-Retortillo Baquer, S., coord.), Madrid: Civitas, pp. 943-972; CORREDERA Y ALFONSO, L y CONTINO HUESO, L., dirs. (2013): *Libertad de expresión e información en Internet: amenazas y protección de los derechos personales*, Madrid: CEPC; DE MIGUEL BÁRCENA, J. (2016): "Las transformaciones del derecho de la información en el contexto del ciberperiodismo", *REP* 173, pp. 141-168; DE VEGA, J.A. (1998): *Libertad de expresión. Información veraz. Juicios paralelos*, Madrid: Universitas; ESCOBAR, L. (2004): *Derecho de la información*, Madrid: Dyckinson; FERNÁNDEZ DE CASADEVANTE MAYORDOMO, P. (2017): "Del derecho a la información y sus límites: Especial atención a la reciente controversia En torno al uso de la cámara oculta en el periodismo de investigación", *REDF* 30, pp. 179-211; FERNÁNDEZ SARASOLA, I. (2019): "Libertad de expresión y tutela de la Corona: el caso de 'El Jueves'", *TyRC* 43, pp. 371-387; FERNÁNDEZ-MIRANDA CAMPOAMOR, A. (1990): *El secreto profesional de los periodistas*, Madrid: Tecnos; GARCÍA GUERRERO, J.L. (2007): «Una visión de la libertad de comunicación desde la perspectiva de las diferencias entre la libertad de expresión, en sentido estricto, y la libertad de información», *TyRC* 20, pp. 359-399; GARCÍA MORALES, M.J. (2013): «La prohibición de la censura en la era digital», *TyRC* 31, pp. 237-276; GONZÁLEZ ENCINAR, J.J. (2002): «Derecho y medios de comunicación. Hacia un cambio de paradigma», *La democracia constitucional: estudios en homenaje al profesor Francisco Rubio Llorente* (AA.VV.), Madrid: Congreso de los Diputados, pp. 593-606; GUTIÉRREZ GOÑI, L. (2003): *Derecho de rectificación y libertad de información: contenido constitucional, sustantivo y procesal de la LO 2/84 de 26 de marzo*, Barcelona: M. Bosh; HOFFMANN-RIEM, W. (2006): «La dimensión jurídico-objetiva de la libertad de información y comunicación», *REDC* 77, pp. 111-128; LIZÁRRAGA VIZCARRA, I. (2005): *El derecho de rectificación*, Cizur Menor (Navarra): Aranzadi; LLAMAZARES CALZADILLA, M.C. (1999): *Las libertades de expresión e información como garantía del pluralismo democrático*, Madrid: Civitas; LÓPEZ GUERRA, L. (1989): «Libertad de información y derecho al honor», Poder Judicial Extra 6, pp. 285-298; MAGDALENO ALEGRÍA, A. (2006): *Los límites de las libertades de expresión e información en el Estado social y democrático de derecho*, Madrid: Congreso de los Diputados; ORTEGA GUTIÉRREZ, D. (2017): "El derecho a la información: balance y cuestiones pendientes, *RDP* 100, pp. 671-699; QUADRA SALCEDO, T. de la (1988): «La cláusula de conciencia: un Godot Constitucional», *REDC* 22 y 23, pp. 53-88 y 45-69, resp.; POLO SABAU, J.R. (2002): *Libertad de expresión y derecho de acceso a los medios de comunicación*, Madrid: CEPC; RALLO LOMBARTE, A. (2017): "De la 'libertad informática' a la constitucionalización de nuevos derechos digitales (1978-2018)", *RDP* 100, pp. 639-669; REVENGA SÁNCHEZ, M. (2015): *Libertad de expresión y discursos del odio*, Madrid: Marcial Pons; RODRÍGUEZ BAHAMONDE, R. (1999): *El secreto de sumario y la libertad de información en el proceso penal*, Madrid: Dykinson; RODRÍGUEZ MOURILLO, G. (1991): «Libertad de expresión y derecho al honor: criterios jurisprudenciales para la resolución de los conflictos», *Estudios sobre la Constitución española: Homenaje al profesor Eduardo García de Enterría*

(Martín-Retortillo Baquer, S., coord.), Madrid: Civitas, pp. 893-906; ROJAS RIVERO, G.P. (2008): *Cláusula de conciencia y extinción del contrato*, Navarra: Thomson-Aranzadi; ROSADO IGLESIAS, G. (2005): «El estatuto jurídico de los periodistas», *CDP* 24, pp. 29-70; ROMERO COLOMA, A. (2000): *Libertad de información frente a otros derechos en conflicto: honor, intimidad y presunción de inocencia*, Madrid: Civitas; PIZZORUSSO, A. ed. (2005): *Libertad de manifestación del pensamiento y jurisprudencia constitucional*, Valencia: Tirant lo Blanch; SÁNCHEZ FERRIS, R. (2004): *Delimitación de las libertades informativas (fijación de criterios para la resolución de conflictos en sede constitucional)*, Valencia: Universitat de València; SÁNCHEZ FERRIS R. y CORREDOIRA Y ALFONSO, L. (2017): "La compleja configuración de un derecho-libertad poliédrico, el Derecho a la información: Referencias históricas", *RDP* 99, pp. 11-48; SÁNCHEZ GONZÁLEZ, S. (1992): *La libertad de expresión*, Madrid: Marcial Pons; SOLOZÁBAL ECHAVARRÍA, J.J. (1988): «Aspectos constitucionales de la libertad de expresión y el derecho a la información», *REDC* 23, pp. 139-155; (1992): «Acerca de la doctrina del Tribunal Constitucional en materia de libertad de expresión», *REP* 77, pp. 237-248; (1989): «Libertad de expresión, información y relaciones laborales», *REDC* 26, pp. 165-179; (1990): «Libertad de expresión y derecho a la información de los personajes públicos no políticos», *ADCP* 2, pp. 121-150; (1991): «La libertad de expresión desde la teoría de los derechos fundamentales», *REDC* 32, pp. 73-113; (2018): "La libertad de expresión, reconsiderada", RGDC 27; TERUEL LOZANO, G.M. (2018): "Cuando las palabras generan odio: límites a la libertad de expresión en el ordenamiento constitucional español", *REDC* 114, pp. 13-45; TORRES DEL MORAL, A. (2002): «Ampliaciones y minoraciones de la libertad de comunicación pública», *La democracia constitucional: estudios en homenaje al profesor Francisco Rubio Llorente* (AA.VV.), Madrid: Congreso de los Diputados, pp. 539-572; URÍAS MARTÍNEZ, J.P. (2009, 2ª ed): *Lecciones de derecho de la información*, Madrid: Tecnos; VILLAVERDE MENÉNDEZ, I. (1993): «Derecho a ser informado y el artículo 20.1 de la Constitución española», Estudios de derecho público en homenaje a Ignacio de Otto (U. Gómez Álvarez, coord..), Oviedo: Universidad de Oviedo; (1995): *Los derechos del público: el derecho a recibir información del artículo 20.1.d) de la constitución española de 1978*, Madrid: Tecnos; (2001): «Censura, secuestro y medidas cautelares en materia de libertad de información y expresión (A propósito de la STC 187/1999)», *RATC*, pp. 1951-1986; (2003): «Los derechos del público: la revisión de los modelos clásicos de 'proceso de comunicación pública'», *REDC* 68, pp. 121-150; VALLDECABRES ORTIZ, M.I. (2004): *Imparcialidad del juez y medios de comunicación*, Valencia: Tirant lo Blanch; VILLAVERDE MENÉNDEZ, I. (1993): «Derecho a ser informado y el artículo 20 de la Constitución española», *Estudios de derecho público en homenaje a Ignacio de Otto* (U. Gómez Álvarez, coord.), Oviedo: Universidad de Oviedo, pp. 545-582.

I. LOS DERECHOS A LA LIBERTAD DE EXPRESIÓN Y A COMUNICAR O RECIBIR LIBREMENTE INFORMACIÓN VERAZ POR CUALQUIER MEDIO DE DIFUSIÓN

Libertad de expresión y derecho a la información: contenido y delimitación —STC 6/1988, de 21 de enero—

La Sentencia resuelve el recurso de amparo interpuesto por don J.C.M. contra la Sentencia de la Sala Sexta del Tribunal Supremo de 22 de septiembre de 1986, revocatoria de la dictada por la Magistratura de Trabajo núm. 6 de Madrid en autos por despido seguidos en virtud de demanda del actor contra la Administración del Estado (Ministerio de Justicia). El recurrente, tras haber prestado servicios laborales en periódicos dependientes del extinto Organismo Autónomo Medios de Comunicación Social del Estado, pasó el 3 de febrero de 1981 a prestarlos en la Oficina de Prensa del Ministerio de Justicia, con la categoría profesional de Redactor, adscrito a la Subsecretaría del Ministerio y dependiendo directamente del Jefe de Gabinete de Prensa del mismo. El 20 de enero de 1985, y tras una conversación mantenida con el recurrente por persona o personas de la Agencia de noticias «Europa Press», ésta emitió un despacho que decía que el actor, «Redactor de la Oficina de Prensa del Ministerio de Justicia, declaró hoy a «Europa Press» que tiene la intención de dirigir próximamente un escrito al Subsecretario de Justicia», en el que expone su pre-

ocupación por la filtración de noticias desde ese Departamento a la Editorial PRISA («Promotora de Informaciones, S. A.») desde que el PSOE está en el poder. Esas noticias se refieren al desarrollo del ordenamiento jurídico, preparación y propuesta del ejercicio de la prerrogativa de gracia, relaciones con el Consejo General del Poder Judicial, ordenación del Ministerio Fiscal, Tribunal Supremo de Justicia, Tribunal Constitucional y Administración de Justicia en general. Por Resolución de la citada Subsecretaría de 12 de febrero de 1985, el recurrente fue despedido por la comisión de una falta muy grave de deslealtad y abuso de confianza y otra leve de ausencia al trabajo. Entiende el recurrente que la Sentencia recurrida vulneró sus derechos a la libertad de expresión y a la información (artículos 20.1.a) y d) CE).

FJ 5. Como hemos dicho antes, el recurrente funda su petición de amparo tanto en la libertad de expresión, consagrada por el art. 20.1 a) de la Constitución, como en el derecho a la información reconocido en el apartado 1 d) del mismo artículo; cita conjunta que obliga a dilucidar cuál de los dos derechos o libertades se encuentra en juego en el presente caso, pues es lo cierto que, aunque algunos sectores doctrinales hayan defendido su unificación o globalización, en la Constitución se encuentran separados. Presentan un diferente contenido y es posible señalar también que sean diferentes sus límites y efectos, tanto ad extra como ad intra, en las relaciones jurídicas, especialmente las de carácter laboral, en que quien ejerce el derecho fundamental se puede encontrar unido con otras personas. En el art. 20 de la Constitución la libertad de expresión tiene por objeto pensamientos, ideas y opiniones, concepto amplio dentro del que deben incluirse también las creencias y los juicios de valor. El derecho a comunicar y recibir libremente información versa, en cambio, sobre hechos o, tal vez más restringidamente, sobre aquellos hechos que pueden considerarse noticiables. Es cierto que, en los casos reales que la vida ofrece, no siempre es fácil separar la expresión de pensamientos, ideas y opiniones de la estricta comunicación informativa, pues la expresión de pensamientos necesita a menudo apoyarse en la narración de hechos y, a la inversa, la comunicación de hechos o de noticias no se da nunca en un estado químicamente puro y comprende, casi siempre, algún elemento valorativo o, dicho de otro modo, una vocación a la formación de una opinión. Ello aconseja, en los supuestos en que pueden aparecer entremezclados elementos de una y otra significación, atender, para calificar tales supuestos y encajarlos en cada uno de los apartados del art. 20, al elemento que en ellos aparece como preponderante. La comunicación informativa, a que se refiere el apartado d) del art. 20.1 de la Constitución, versa sobre hechos (Tribunal Europeo de Derechos Humanos, caso Lingens, Sentencia de 8 de julio de 1986) y sobre hechos, específicamente, «que pueden encerrar trascendencia pública» a efectos de que «sea real la participación de los ciudadanos en la vida colectiva», de tal forma que de la libertad de información —y del correlativo derecho a recibirla— «es sujeto primario la colectividad y cada uno de sus miembros, cuyo interés es el soporte final de este derecho» (STC 105/1983, de 23 de noviembre, fundamento jurídico 11).

Prevalencia, en línea de principio, de la libertad de expresión y del derecho a la información sobre los derechos de la personalidad: caso Comandante Patiño I —STC 171/1990, de 12 de noviembre[1]—

La Sentencia resuelve el recurso de amparo interpuesto por don Juan Luis Cebrián y la Sociedad mercantil anónima «Promotora de Informaciones, Sociedad Anónima», contra la Sentencia de la Sala Primera del Tribunal Supremo de 7 de marzo de 1988, que desestimó el recurso de casación promovido contra la Sentencia dictada por la Sala Segunda de lo Civil de la Audiencia Territorial de Madrid, en recurso de apelación contra la del Juzgado de Primera Instancia núm. 26 de Madrid, sobre protección del derecho al honor, invocando los derechos a comunicar libremente informa-

---

[1]   La ponderación de los derechos a la libertad de expresión y/o a la información, de un lado, y los derechos de la personalidad, de otro, con base en más abajo se especificarán, ha sido objeto de infinidad de Sentencias. *Vid.* por todas las SSTC 62/1982, de 15 de octubre; 51/1985, de 10 de abril; 104/1986, de 17 de julio; 156/1986, de 9 de diciembre; 165/1987, de 27 de octubre; 6/1988, de 21 de enero; 107/1988, de 8 de junio; 51/1989, de 22 de febrero; 121/1989, de 3 de julio; 105/1990, de 6 de junio; 143/1991, de 1 de julio; 171/1991 y 172/1991, ambas de 16 de septiembre; 181/1991, de 30 de septiembre; 197/1991, de 17 de octubre; 20/1992, de 14 de febrero; 40/1992, de 30 de marzo; 85/1992, de 8 de junio; 94/1994, de 21 de marzo; 219/1992, de 3 de diciembre; 223/1992, de 14 de diciembre; 227/1992, de 14 de diciembre; 240/1992, de 21 de diciembre; 123/1993, de 19 de abril; 178/1993, de 31 de mayo; 336/1993, de 15 de noviembre; 41/1994, de 15 de febrero; 47/1994, de 16 de febrero; 170/1994, de 7 de junio; 297/1994, de 14 de noviembre; 320/1994, de 28 de noviembre; 42/1995, de 13 de febrero; 76/1995, de 22 de mayo; 173/1995, de 21 de noviembre; 176/1995, de 11 de diciembre; STC 19/1996, de 12 de junio; 34/1996, de 11 de marzo; 138/1996, de 16 de septiembre; 190/1996, de 25 de noviembre; 204/1997, de 25 de noviembre; 200/1998, de 14 de octubre; 154/1999, de 13 de julio; 21/2000, de 31 de enero; 110/2000, de 5 de mayo; 297/2000, de 11 de diciembre; 46/2002, de 25 de febrero; 76/2002, de 8 de abril; 244/2007, de 10 de diciembre.

ción veraz y a la tutela judicial efectiva [artículo 20.1 d) y 24.1, respectivamente, de la Constitución]. Los familiares del Comandante don José Luis Patiño, piloto de la nave «Boeing» 727, que el día 19 de febrero de 1985 sufrió una grave catástrofe en la ladera del monte Oiz que ocasionó la muerte de 148 personas, entre ellas la suya, habían interpuesto demanda contra unas informaciones publicadas en «el País» referidas al Comandante, resultando condenado dicho medio, que recurre en amparo por entender vulnerado sus derechos a la libertad de expresión y a la información.

FJ 5. Dada su función institucional, cuando se produzca una colisión de la libertad de información con el derecho a la intimidad y al honor aquélla goza, en general, de una posición preferente y las restricciones que de dicho conflicto puedan derivarse a la libertad de información deben interpretarse de tal modo que el contenido fundamental del derecho a la información no resulte, dada su jerarquía institucional desnaturalizado ni incorrectamente relativizado (SSTC 106/1986 y 159/1986, entre otras).

Si cuando se ejerce el derecho a transmitir información respecto de hechos o personas de relevancia pública adquiere preeminencia sobre el derecho a la intimidad y al honor con los que puede entrar en colisión, resulta obligado concluir que en esa confrontación de derechos, el de la libertad de información, como regla general, debe prevalecer siempre que la información transmitida sea veraz, y esté referida a asuntos públicos que son de interés general por las materias a que se refieren, por las personas que en ellos intervienen, contribuyendo, en consecuencia, a la formación de la opinión pública. En este caso el contenido del derecho de libre información «alcanza su máximo nivel de eficacia justificadora frente al derecho al honor, el cual se debilita, proporcionalmente, como límite externo de las libertades de expresión e información» (STC 107/1988, FJ 2.º).

Ello significa que para indagar si en un caso concreto el derecho de información debe prevalecer será preciso y necesario constatar, con carácter previo, la relevancia pública de la información, ya sea por el carácter público de la persona a la que se refiere o por el hecho en sí en que esa persona se haya visto involucrada, y la veracidad de los hechos y afirmaciones contenidos en esa información. Sin haber constatado previamente la concurrencia o no de estas circunstancias no resulta posible afirmar que la información de que se trate está especialmente protegida por ser susceptible de encuadrarse dentro del espacio que a una prensa libre debe ser asegurado en un sistema democrático. Sólo tras indagar si la información publicada está especialmente protegida sería procedente entrar en el análisis de otros derechos —como el derecho a la intimidad o al honor—, cuya lesión, de existir, sólo deberá ser objeto de protección en la medida en que no esté justificada por la prevalencia de la libertad de información, de acuerdo a la posición preferente que por su valor institucional ha de concederse a esa libertad.

Tal valor preferente, sin embargo, no puede configurarse como absoluto, puesto que, si viene reconocido como garantía de la opinión pública, solamente puede legitimar las intromisiones en otros derechos fundamentales que guarden congruencia con esa finalidad, es decir, que resulten relevantes para la formación de la opinión pública sobre asuntos de interés general, careciendo a tal efecto legitimador, cuando las libertades de expresión e información se ejerciten de manera desmesurada y exorbitante del fin en atención al cual la Constitución le concede su protección preferente. De ello se deriva que la legitimidad de las intromisiones en el honor e intimidad personal requiere no sólo que la información cumpla la condición de la veracidad, sino también que su contenido se desenvuelva en el marco del interés general del asunto al que se refiere; de otra forma, el derecho de información se convertiría en una cobertura formal para, excediendo el discurso público en el que debe desenvolverse, atentar sin límite alguno y con abuso de derecho al honor y la intimidad de las personas, con afirmaciones, expresiones o valoraciones que resulten injustificadas por carecer de valor alguno para la formación de la opinión pública sobre el asunto de interés general que es objeto de la información.

El efecto legitimador del derecho de información, que se deriva de su valor preferente, requiere, por consiguiente, no sólo que la información sea veraz —requisito necesario directamente exigido por la propia Constitución, pero no suficiente—, sino que la información tenga relevancia pública, lo cual conlleva que la información veraz que carece de ella no merece especial protección constitucional.

El criterio a utilizar en la comprobación de esa relevancia pública de la información varía, según sea la condición pública o privada del implicado en el hecho objeto de la información o el grado de proyección pública que éste haya dado, de manera regular, a su propia persona, puesto que los personajes públicos o dedicados a actividades que persiguen notoriedad pública aceptan voluntariamente el riesgo de que sus derechos subjetivos de personalidad resulten afectados por críticas, opiniones o revelaciones adversas y, por tanto, el derecho de información alcanza, en relación con ellos, su máximo nivel de eficacia legitimadora, en cuanto que su vida y conducta moral participan del interés general con una mayor intensidad que la de aquellas personas privadas que, sin vocación de proyección pública, se ven circunstancialmente involucradas en asuntos de trascendencia pública, a las cuales hay que, por consiguiente, reconocer un ámbito superior de privacidad, que impide conceder trascendencia general a hechos o conductas que la tendrían de ser referidos a personajes públicos.

El valor preferente del derecho de información no significa, pues, dejar vacíos de contenido a los derechos fundamentales de las personas afectadas o perjudicadas por esa información, que ha de sacrificarse sólo en la medida en que resulte necesario para asegurar una información libre en una sociedad democrática, como establece el artículo 20.2 del Convenio Europeo de Derechos Humanos. Cuando el ejercicio del derecho de información no exija necesariamente el sacrificio de los derechos de otro, pueden constituir un ilícito las informaciones lesivas de esos derechos. Ello ocurre especialmente en aquellos casos en los que en la información se utilicen expresiones insultantes, insinuaciones insidiosas y vejaciones que solo puedan entenderse como meros insultos o descalificaciones dictadas, no por un ánimo o con una función informativa, sino con malicia calificada por un ánimo vejatorio o la enemistad pura y simple, o en relación a personas privadas involucradas en un suceso de relevancia pública, se comuniquen hechos que afecten a su honor o a su intimidad que sean manifiestamente innecesarios e irrelevantes para el interés público de la información. En tales casos cabe estimar que quien dispone del medio de comunicación lo utiliza no con una función informativa en sentido propio, amparada por la posición preferente, sino con una finalidad difamatoria o vejatoria, «en forma innecesaria y gratuita en relación con esa información» (STC 105/1990, FJ 8.º).

Titularidad universal del derecho a la información, pero prevalencia, en línea de principio, cuando es ejercido por profesionales de la información: el caso de las octavillas —STC 165/1987, de 27 de octubre—

La Sentencia resuelve el recurso de amparo interpuesto por don M.R.C. y don J.P.N. contra dos Sentencias de la Sala Segunda del Tribunal Supremo de 17 de marzo de 1986. La primera casó y anuló la de la Audiencia de Barcelona de 17 de diciembre de 1983, por la que se absolvió a ambos demandantes de los delitos de calumnia e injurias de los que eran acusados; la segunda condenó a don J.P.N. como autor de un delito de injurias graves y absolvió al otro demandado. Este es Presidente de la Asociación de Vecinos de Arrabal, la cual, siguiendo su línea de divulgación de los problemas referentes a algún vecino mediante comunicados a la opinión pública, difundió una nota informativa, sin firma, en apoyo del ocupante de un piso que iba a ser judicialmente lanzado del mismo, y en la que se habla de don J.S., propietario de dicho piso, como «una lacra de individuos sin escrúpulos», añadiendo «que con manos limpias», quiere quedarse con el piso. Don J.S. recurrió por delito de injurias graves contra don J.P.N., por estimar que éste, como Presidente de la Asociación, era responsable en concepto de director de la publicación.

FJ 10. […] La libertad de información es, en términos constitucionales, un medio de formación de opinión pública en asuntos de interés general, cuyo valor de libertad preferente sobre otros derechos fundamentales y entre ellos el derecho al honor, puesto de manifiesto por la STC 104/1986, de 17 de julio, viene determinado por su condición de garantía de la opinión pública, que es una institución constitucional al Estado democrático que los poderes públicos tienen especial obligación de proteger. Este valor preferente alcanza su máximo nivel cuando la libertad es ejercitada por los profesionales de la información a través del vehículo institucionalizado de formación de la opinión pública, que es la prensa, entendida en su más amplia acepción. Esto, sin embargo, no significa que la misma libertad no deba ser reconocida en iguales términos a quienes no ostentan igual cualidad profesional, pues los derechos de la personalidad pertenecen a todos sin estar subordinados a las características personales del que los ejerce, sino al contenido del propio ejercicio, pero sí significa que el valor preferente de la libertad declina, cuando su ejercicio no se realiza por los cauces normales de formación de la opinión pública, sino a través de medios, tan anormales e irregulares como es la difusión de hojas clandestinas, en cuyo caso debe entenderse, como mínimo, que la relación de preferencia que tiene la libertad de información respecto al derecho al honor se invierte a favor de este último, debilitando la eficacia justificadora de aquélla frente a lesiones inferidas a éste.

La misma inversión se produce si la información no se refiere a personalidades públicas que, al haber optado libremente por tal condición, deben soportar un cierto riesgo de una lesión de sus derechos a la personalidad, sino a personas privadas que no participan voluntariamente en la controversia pública, pues en este supuesto el derecho al honor alcanza su más alta eficacia de límite de las libertades reconocidas en el art. 20 de la Constitución, que le confiere el núm. 4 del mismo artículo.

A todo ello procede añadir que la libertad de información, al menos la que coincide en el honor de personas privadas, debe enjuiciarse sobre la base de distinguir radicalmente, a pesar de la dificultad que comporta en algunos supuestos, entre información de hechos y valoración de conductas personales y, sobre esta base, excluir del ámbito justificador de dicha libertad las afirmaciones vejatorias para el honor ajeno en todo caso innecesarias para el fin de la formación pública en atención al cual se garantiza constitucionalmente su ejercicio.

Los anteriores criterios de solución del conflicto entre la libertad de información y el derecho al honor conducen a la denegación del amparo solicitado, pues [...] las expresiones calificadas por la Sentencia recurrida de injuriosas se contienen en unas hojas anónimas y se dirigen contra una persona privada, siendo las mismas innecesarias para la formación de la opinión pública sobre los hechos a los que se refieren y, por tanto, el pretendido derecho a comunicar libremente información que se afirma vulnerado carece de las condiciones internas que legitiman su ejercicio por la consideración conjunta de haberse utilizado medios de comunicación irregulares, contener valoraciones de conducta que la jurisdicción ha calificado de injuriosas e infringir el principio de proporcionalidad, con la consecuencia de quebrantar ilegítimamente el limite externo del respeto al derecho al honor ajeno, establecido en el art. 20.4 de la Constitución.

Titularidad universal del derecho a la libertad de expresión, y titularidad cualificada por las y los profesionales de la información —STC 176/1995, de 11 de diciembre—

La Sentencia resuelve el recurso de amparo interpuesto por don D.C.B. contra la Sentencia que la Sección Tercera de la Audiencia Provincial de Barcelona de 11 de mayo de 1992, que condenó al recurrente como autor de un delito de injurias, por la adquisición de los derechos de edición y posterior publicación del álbum «Hitler=SS». Entiende el recurrente que dicha condena vulnera su derecho a la libertad de expresión.

FJ 2. [...] Los titulares de este derecho subjetivo en que se traduce al lenguaje jurídico la libertad de expresión en cualquiera de sus manifestaciones, derecho fundamental además con una más intensa protección por tal naturaleza, sus sujetos activos, somos todos los ciudadanos, sin ceder a la tentación de identificar el fin y los medios, la función y sus servidores. Ahora bien, existen algunos cualificados, como son en principio los periodistas que prestan un trabajo habitual y retribuido, profesional por tanto, en los medios de comunicación, como síntesis de la definición que encabeza el proyecto de Carta Europea. En tal sentido ha dicho este Tribunal que la protección constitucional de la libertad de expresión «alcanza un máximo nivel cuando... es ejercitada por los profesionales de la información a través del vehículo institucionalizado de formación de la opinión pública que es la prensa, entendida en su más amplia acepción» (STC 165/1987), donde se incluyen sus modalidades cinematográfica, radiofónica o televisiva, cuya actividad hemos calificado también como «función constitucional» (STC 76/1995) por formar parte del sistema de frenos y contrapesos en que consiste la democracia, según dijeron en 1812 las Cortes de Cádiz, para prevenir «la arbitrariedad de los que nos gobiernan».

Periodistas han de ser también los Directores de las publicaciones periódicas o agencias informativas, con derecho de veto sobre el contenido de todos los originales del periódico, tanto de redacción como de administración y publicidad, reverso negativo de la misión de mantener la orientación que se le asigna (arts. 34 y 37 Ley de Prensa). Pero no termina aquí el elenco. Viene a continuación el editor, que saca a la luz pública una obra, ajena por lo regular, valiéndose de la imprenta o cualquier otra modalidad de las artes gráficas, con un talante empresarial (arts. 16 y 5 Ley de Prensa), cuya facultad más importante, inherente a su condición, consiste en seleccionar los textos para publicarlos. Este grupo de personajes, más el impresor, son a su vez los eventuales autores de los delitos que se cometan por medio de la imprenta, grabado u otra forma mecánica de reproducción según indica el Código Penal vigente a la sazón (arts. 13 y 15) cuya constitucionalidad no hemos puesto nunca en entredicho.

1. El derecho a la libertad de expresión: artículo 20.1.a) CE

Contenido y destinatarios de la libertad de expresión —STC 56/1995, de 6 de marzo—

La Sentencia resuelve el recurso de amparo promovido por don M.I.L. y otros contra Sentencia de la Sala Primera del Tribunal Supremo, de 21 de mayo de 1992, por la que se declara no haber lugar al recurso de casación promovido contra la dictada por la Sección Primera de la Audiencia Provincial de Bilbao, de 30 de diciembre de 1989, desestimatoria de recurso de apelación interpuesto contra Sentencia del Juzgado de Primera Instancia de Durango, de 4 de enero de 1989. Entienden los recurrentes que las Sentencias impugnadas no reparan la lesión a su libertad de expresión cometida por el Acuerdo de expulsión del partido adoptado el día 13 de septiembre por la Asamblea nacional del PNV, así como por los Acuerdos previos del Euskadi Buru Batzar en los que se advertía a los afiliados del PNV de que la adhesión a las propuestas del Gipuzko Buru Batzar supondría su autoexclusión del partido.

FJ 5. A la misma conclusión desestimatoria debemos llegar respecto de la alegada vulneración de la libertad de expresión.

Este derecho, proclamado en el art. 20 CE es también en esencia, como la mayor parte de los derechos fundamentales, un derecho frente a los poderes públicos (ATC 673/1985). Sin embargo, este Tribunal ha reiterado que su contenido se extiende a las relaciones entre particulares y puede por tanto reivindicarse frente a este tipo de sujetos, aunque en este caso el contenido y ejercicio del derecho se someta a unos límites específicos (SSTC 120/1983, 88/1987, 126/1990, 286/1993).

Nada se opone, pues, al reconocimiento de un derecho a la libertad de expresión de los afiliados en el seno del partido político del que forman parte con los límites que puedan derivarse de las características de este tipo de asociaciones. De hecho, como hemos constatado anteriormente, el art. 3.2 f) de la Ley 21/1976, de Asociaciones Políticas, proclama entre los derechos de los asociados el de «manifestar su opinión». No obstante, [...] antes de analizar si se ha producido o no la lesión de ese derecho, debemos precisar si efectivamente ha habido un ejercicio o un intento de ejercicio de la libertad de expresión. [...]

Ciertamente, la práctica totalidad de las decisiones son fruto de opiniones e ideas de quienes las adoptan [...]. Sin embargo, lo protegido por la libertad de expresión del art. 20.1 a) CE, en supuestos como el aquí analizado, es la posibilidad de comunicar esas ideas y opiniones durante el proceso de adopción de la decisión, y, aunque en esta fase no puede excluirse la existencia de límites a la libre expresión de opiniones, pensamientos e ideas, la situación cambia de raíz en el momento en el que esas opiniones se transforman en decisiones y, más todavía, cuando se trata de decisiones jurídicas —siquiera sea negociales como en este caso— a las que pretenden anudarse efectos imperativos. En estos casos, esas decisiones no pueden pretender gozar de una inmunidad frente a todo control en atención a que en su origen hay una opinión o una idea que la decisión transmite o expresa. El canon de enjuiciamiento no es ya la libre expresión de ideas, opiniones o pensamientos, sino la conformidad o no con las disposiciones legales —o estatutarias— que regulan las decisiones adoptadas.

Ciertamente, no puede excluirse la existencia de actuaciones o comportamientos expresivos no realizados a través de la palabra oral o escrita en los que el componente simbólico o comunicativo de una idea o de un pensamiento predomine sobre el componente material. En estos casos la actuación deberá tenerse por una manifestación o expresión de pensamientos, ideas u opiniones y, en consecuencia, deberá entenderse integrada en la garantía del derecho consagrado en al art. 20.1 a) CE. Pero no es éste el supuesto que aquí examinamos, ya que el Acuerdo al que se anuda la expulsión tiene un evidente contenido de expresión verbal, sin embargo, lo que sucede es que en este caso dicho contenido no tiene como finalidad transmitir o comunicar ideas u opiniones, sino exteriorizar un acto de voluntad, manifestar externamente una decisión y, por ello, en rigor se sitúa al margen del ámbito protegido por la libertad de expresión que en nada puede verse afectada por las consecuencias que puedan derivarse de los acuerdos adoptados con infracción de preceptos legales o estatutarios.

La libertad de expresión en el marco del ejercicio de otros derechos —STC 174/2006, de 5 de junio—

La Sentencia resuelve el recurso de amparo interpuesto por doña J.C.L. y doña D.L.C. contra la Sentencia de la Sección Tercera de la Audiencia Provincial de Málaga, de 18 de octubre de 2003, confirmatoria de la de 22 de julio de 2003, dictada por el Juzgado de Instrucción núm. 7 de Málaga en juicio de faltas, Sentencias que condenaba a las demandantes de amparo, junto con otras dos personas, como responsables de una falta de injurias leves con publicidad prevista y penada en el artículo 620.2 CP. Los hechos traen causa del expediente académico abierto a un alumno del Instituto de Enseñanza Secundaria «Mediterráneo», de Málaga, al considerar una profesora que no procedía evaluarlo de una determinada asignatura. Conocido el hecho por la Asociación de Madres y Padres de Alumnos, las cuatro integrantes de su Junta Directiva confeccionaron un escrito, con el título «La Asociación de Padres y Madres del I.E.S. Mediterráneo contra la injusticia hacia nuestros hijos y la impunidad de las personas responsables», en el que se denuncia y critica la conducta de la profesora en cuestión hacia el alumno sancionado. También se considera probado que se pegaron carteles en el Instituto, que enviaron el escrito a la Federación de APAS de Andalucía y que autorizaron su publicación en la página web de la federación de asociaciones de padres de alumnos en internet, provocando igualmente la publicación de la noticia en diversos medios informativos. La profesora interpuso querella criminal por injurias, con el resultado antes indicado, contra las recurrentes. Entienden éstas que las Sentencias recurridas lesionan su derecho a la libertad de expresión, en conexión con su derecho a la educación (el derecho de los padres a intervenir en el control y gestión de los centros sostenidos con fondos públicos —artículo 27.7 CE—).

FJ 6. [...] La nota informativa se expide por la Junta directiva de la asociación de madres y padres de alumnos de un instituto, en relación con una cuestión muy detallada y específica, de carácter estrictamente educativo (la procedencia o no de evaluar a un concreto alumno en relación con una de las materias que integran el curriculum del segundo curso de bachillerato). Este es el contexto en el que se producen las calificaciones de la conducta de la profesora, por parte de la Junta directiva de la asociación de madres y padres de alumnos. Dichas calificaciones valoraban críticamente su actuación profesional en ese asunto específico y particular, por lo que no pueden considerarse descalificaciones personales de carácter general que repercutan sobre la consideración o dignidad individuales, sino críticas a una concreta actividad profesional de una persona que es una funcionaria pública y cuya actividad tiene una clara proyección pública atendiendo al puesto que ocupa y al servicio que presta; lo que determina, como anteriormente se expuso, que los límites permisibles a la crítica sean más amplios que cuando se refiere a particulares sin proyección pública alguna.

En definitiva, ese contexto determina no sólo que la crítica a la actuación de la profesora por parte de la Asociación era posible, sino que los límites de la misma eran más amplios, tanto en atención a los derechos fundamentales que pueden resultar concernidos y que confluyen junto a la libertad de expresión (derecho de asociación, derecho a la educación, libertad de información), como por referirse a una persona que es un funcionario público y que se encuentra en el ejercicio de su actividad profesional, lo que la hace «susceptible de ser sometida a la crítica y evaluación ajenas, únicas formas en ocasiones de calibrar la valía de esa actividad, sin que tal cosa suponga el enjuiciamiento de la persona que la desempeña y, en consecuencia, de su honorabilidad» (STC 151/2004, de 20 de septiembre, FJ 8).

De todo lo anterior puede deducirse que la conducta de las recurrentes se encontraba amparada en el legítimo ejercicio del derecho fundamental a la libertad de expresión, en conexión con el legítimo ejercicio de otros derechos fundamentales (el de asociación, art. 22 CE; el de educación en su vertiente de derecho de los padres a intervenir en el control y gestión de los centros sostenidos por la Administración con fondos públicos, art. 27.7 CE; y el de información, art. 20.1.d CE), por lo que las Sentencias recurridas, en cuanto imponen una sanción penal en un supuesto de ejercicio de un derecho fundamental, han vulnerado el derecho a la libertad de expresión (art. 20.1.a CE), por tratarse además de una reacción innecesaria y desproporcionada, con un efecto disuasorio o desalentador del ejercicio de dicha libertad y de los otros derechos con ella conectados (STC 185/2003, de 27 de octubre, FJ 7).

La libertad de expresión y sus límites: el respeto del derecho honor, los insultos y su contexto —STC 49/2001, de 26 de febrero—

La Sentencia resuelve el recurso de amparo promovido por don José María García, periodista deportivo, contra la Sentencia de la Sala Primera del Tribunal Supremo de 31 de enero de 1997, que pone fin al proceso judicial de protección civil del derecho al honor seguido contra don Ramón Mendoza Fontela. Alega el recurrente que en la Asamblea General Ordinaria y Extraordinaria de Socios del Real Madrid que tuvo lugar el 6 de octubre de 1991, con la asistencia de 740 compromisarios, su Presidente, el señor Mendoza Fontela, realizó graves descalificaciones contra él y contra su honor familiar, aun cuando no pronunciara en momento alguno su nombre. Además de la atribución al periodista de conexiones con empresas y personas que condicionarían su independencia,[2] y en cuanto a las manifestaciones contra el honor personal y familiar del recurrente, afirmó el Sr. Mendoza que «... a los padres de los demás cuando son personas decentes hay que dejarlos en paz, sobre todo si un padre es obrero como era este de Hauser and Menet, o el otro es un empresario que tuvo la gran tragedia de que lo secuestraran, o el padre de cualquiera de nosotros, sobre todo cuando se tiene un padre con una Cooperativa de Viviendas, La Familia Española, en Tres Cantos, que ha estado procesado por estafa en documento público.... De todas maneras, por favor, vamos a mantener un tono nosotros correcto, hemos dicho la verdad que está escrita en todas partes, cuando se hable de los padres te encuentras con tus padres también, si llama a este señor que está allí, el hijo del choricero, y yo he dicho que es mucho mejor ser hijo de choricero que hijo de un chorizo ¿comprende Vd.?, claro, claro...». Contra estas expresiones recurrió el Sr. García en tutela de su derecho al honor.

Se trata, en concreto, de las frases: «¿por qué esa hostilidad hacia el hecho de que DORNA contratara con nosotros? ¿es que acaso pretendía que el contrato lo hiciera otra empresa? ¿pretendía que lo hiciera, por ejemplo, UNIPUBLIC?, empresa a la que le unen estrechos vínculos, sí, a UNIPUBLIC, que es quien organiza la Vuelta Ciclista a España y otra serie de acontecimientos deportivos y que gestiona su publicidad. Le unen vínculos muy estrechos. ¿Cómo es posible que el profeta de la radio, el Juez único, inapelable, el pequeño gran hombre que se autoproclama limpio de corazón y que dice que habla con Dios cada vez que le van a meter en la cárcel? ¿cómo es posible que esté íntimamente unido a una empresa que vende deporte y vende publicidad? ¿ésa es su independencia? No, no lo es».

FJ 5. [...] [E]l honor, como objeto del derecho consagrado en el art. 18.1 CE, es un concepto jurídico indeterminado cuya delimitación depende de las normas, valores e ideas sociales vigentes en cada momento, y de ahí que los
órganos judiciales dispongan de un cierto margen de apreciación a la hora de concretar en cada caso qué deba
tenerse por lesivo del derecho fundamental que lo protege (SSTC 180/1999, de 11 de octubre; 297/2000, de 11 de
diciembre, F. 7). A pesar de ello este Tribunal no ha renunciado a definir el contenido constitucional abstracto del
derecho fundamental al honor, y ha afirmado que éste ampara la buena reputación de una persona, protegiéndola
frente a expresiones o mensajes que puedan hacerla desmerecer en la consideración ajena al ir en su descrédito o
menosprecio o al ser tenidas en el concepto público por afrentosas. Por ello las libertades del art. 20.1 a) y d) CE, ni
protegen la divulgación de hechos que, defraudando el derecho de todos a recibir información veraz, no son sino
simples rumores, invenciones o insinuaciones carentes de fundamento, ni dan cobertura constitucional a expresiones formalmente injuriosas e innecesarias para el mensaje que se desea divulgar, en las que simplemente su emisor
exterioriza su personal menosprecio o animosidad respecto del ofendido. Por contra el carácter molesto o hiriente
de una opinión o una información, o la crítica evaluación de la conducta personal o profesional de una persona o
el juicio sobre su idoneidad profesional, no constituyen de suyo una ilegítima intromisión en su derecho al honor,
siempre, claro está, que lo dicho, escrito o divulgado no sean expresiones o mensajes insultantes, insidias infamantes
o vejaciones que provoquen objetivamente el descrédito de la persona a quien se refieran.
Abundando en este concepto constitucional de honor, en íntima conexión con la dignidad de la persona —art. 10.1
CE— (STC 180/1999, FJ 5), hemos afirmado que el art. 18.1 CE otorga rango constitucional a no ser escarnecido o
humillado ante sí mismo o ante los demás (STC 85/1992, de 8 de junio, FJ 4). Ciertamente, como todos los derechos
constitucionales, el honor también se encuentra limitado, especialmente por los derechos a informar y a expresarse
libremente. Pero hemos reiterado en nuestra jurisprudencia que el art. 20.1 a) CE no garantiza un pretendido derecho
al insulto (STC 105/1990, de 6 de junio, FJ 8; 85/1992, de 8 de junio, FJ 4; 336/1993, de 15 de noviembre, FJ 5;
42/1995, de 13 de febrero, FJ 2; 173/1995, de 21 de noviembre, FJ 3; 176/1995, de 11 de diciembre, FJ 5; 204/1997,
de 25 de noviembre, FJ 2; 200/1998, de 14 de octubre, FJ 6; 134/1999, de 15 de julio, FJ 3; 11/2000, de 17 de enero,
FJ 7), pues la «reputación ajena», en expresión del art. 10.2 del Convenio Europeo de Derechos Humanos (SSTEDH,
caso Lingens, de 8 de julio de 1986, §§ 41, 43 y 45; caso Barfod, de 22 de febrero de 1989, §34; caso Castells, de 23
de abril de 1992, §§ 39 y 42; caso Thorgeir Thorgeirson, de 25 de junio de 1992, § 63 y sigs.; caso Schwabe, de 28
de agosto de 1992, §§ 34 y 35; caso Bladet Tromsø y Stensaas, de 20 de mayo de 1999, §§ 66, 72 y 73), constituye
un límite del derecho a expresarse libremente y de la libertad de informar (STC 297/2000, FJ 7). En suma, el derecho
al honor opera como un límite insoslayable que la misma Constitución (art. 20.4 CE) impone al derecho a expresarse
libremente [art. 20.1 a)], prohibiendo que nadie se refiera a una persona de forma insultante o injuriosa, o atentando
injustificadamente contra su reputación haciéndola desmerecer ante la opinión ajena[3].

FJ 7. Entrando ya en el examen de las circunstancias que concurren en el presente caso debe señalarse inicialmente
que no cabe dudar de la relevancia pública del tema tratado, que se refería al procesamiento del padre del recurrente
por una estafa cometida en la gestión de una cooperativa de viviendas. Al respecto hemos declarado que la crítica
legítima en asuntos de interés público ampara incluso aquéllas que puedan molestar, inquietar, disgustar o desabrir
el ánimo de una persona, pero hemos matizado que no puede estar amparado por la libertad de expresión quien, al

---

3   Quedan, por el contrario, amparadas por el libertad de expresión «aquellas manifestaciones que, aunque afecten al honor
      ajeno, se revelen como necesarias para la exposición de ideas u opiniones de interés público (por todas, SSTC 107/1988, de 8
      de junio, FJ 4; 171/1990, de 12 de noviembre, FJ 10; 204/2001, de 15 de octubre, FJ 4; 181/2006, de 19 de junio, FJ 5), y que
      además, en la medida en la que no quede ya excluida su legitimación por su gratuidad a tales efectos, no sean «formalmente
      injuriosas» (SSTC 107/1988, de 8 de junio, FJ 4; 105/1990, de 6 de junio, FJ 8; 200/1998, de 14 de octubre, FJ 5; 192/1999,
      de 25 de octubre, FJ 3), «absolutamente vejatorias» (SSTC 204/2001, de 15 de octubre, FJ 4; 174/2006, de 5 de junio, FJ 4).
      Así, «el derecho a la libertad de expresión, al referirse a la formulación de `pensamientos, ideas y opiniones´, sin pretensión
      de sentar hechos o afirmar datos objetivos, dispone de un campo de acción que viene sólo delimitado por la ausencia de ex-
      presiones indudablemente injuriosas o sin relación con las ideas u opiniones que se expongan y que resulten innecesarias para
      la exposición de las mismas (entre otras muchas, SSTC 105/1990, de 6 de junio, FFJJ 4 y 8; 204/1997, de 25 de noviembre,
      FJ 2; 134/1999, de 15 de julio, FJ 3; 6/2000, de 17 de enero, FJ 5; 11/2000, de 17 de enero, FJ 7; 110/2000, de 5 de mayo, FJ
      8; 112/2000, de 5 de mayo, FJ 6; 297/2000, de 11 de diciembre, FJ 7; 49/2001, de 26 de febrero, FJ 5; y 148/2001, de 15 de
      octubre, FJ 4; y STEDH de 23 de abril de 1992, Castells c. España, § 46)» (STC 181/2006, FJ 5)» (STC 9/2007, de 15 de enero,
      FJ 4).

criticar una determinada conducta, emplea expresiones que resultan lesivas para el honor de quien es objeto de la crítica, aun cuando ésta tenga un carácter público (STC 3/1997, FJ 6).

Tampoco ofrece duda en este caso el carácter de personaje con notoriedad pública del recurrente, quien disfrutaba de acreditada publicidad por su actividad profesional como popular periodista deportivo, cuyas emisiones radiofónicas gozaban de un alto índice de audiencia y cuyo contenido y estilo fueron en más de una ocasión objeto de pública controversia. En cuanto personaje con notoriedad pública, en el sentido que le hemos dado en nuestra jurisprudencia, podría ver el señor García Pérez limitado su derecho al honor con mayor intensidad que los restantes individuos como consecuencia, justamente, de la publicidad de su figura (SSTC 134/1999, de 15 de julio, FJ 7, y 192/1999, de 25 de octubre, FJ 7). Con todo hemos puntualizado que, cuando lo divulgado o la crítica vertida vengan acompañadas de expresiones formalmente injuriosas o se refieran a cuestiones cuya revelación o divulgación resulte innecesaria para la información y la crítica relacionada con el desempeño un cargo público, el desarrollo de una actividad profesional o la difusión de una determinada información, la persona afectada ha de ser considerada a todos los efectos un particular como otro cualquiera, que podrá hacer valer su derecho al honor o a la intimidad frente a esas opiniones, críticas o informaciones lesivas del art. 18 CE (SSTC 76/1995, de 22 de mayo; 3/1997, de 13 de enero; 134/1999, y SSTEDH, caso Sunday Times, de 26 de abril de 1979; caso Lingens, de 8 de julio de 1986; caso Schwabe, de 28 de agosto de 1992; caso Praeger y Oberschlick, de 26 de abril de 1995; caso Tolstoy Miloslavski, de 13 de julio de 1995; caso Worm, de 29 de agosto de 1997, y caso Fressoz y Roire, de 21 de enero de 1999), sin perjuicio de que sobre ella pese la carga de la prueba sobre el carácter injurioso, vejatorio o innecesario de la crítica a la que haya sido sometida (SSTC 192/1999, FJ 7; 112/2000, FJ 8).

Finalmente, la ponderación de las circunstancias exige en este caso una especial referencia al contexto en el que se produjeron las controvertidas manifestaciones del señor Mendoza Fontela, valorando su contenido, intensidad de las frases, su tono y su finalidad crítica (STC 85/1992, de 8 de junio, FJ 4). Como ha quedado registrado en los antecedentes de la Sentencia, las expresiones aquí enjuiciadas fueron pronunciadas durante el discurso que el señor Mendoza Fontela dirigió, como Presidente, a la Asamblea del Real Madrid, en el contexto de una fuerte polémica pública iniciada por el demandante de amparo, profesional de los medios de comunicación, y que tenía como objetivo desprestigiar al Presidente y a algunos miembros del club. Ha quedado asimismo acreditado que en el curso de esta controversia se llegaron a entablar otros procesos judiciales, al margen del que ha dado origen al presente recurso de amparo, en el que el demandante admitió haber calificado al señor Mendoza Fontela de «embustero», «mentiroso», «zafio», «histérico», «tonto», «descarado», «perjuro», «soberbio», «cobarde», «desvergonzado», «hortera» y «cantamañanas», y a uno de sus directivos de «choricero soriano».

Pues bien, de la lectura de la totalidad del discurso del señor Mendoza Fontela se deduce que la expresión «es mejor ser hijo de un choricero que de un chorizo» pretendía esencialmente defender ante los compromisarios del club el prestigio de éste frente a los reiterados ataques del periodista, quien había lanzado una campaña de desprestigio contra la institución y sus directivos, que extendió a los jugadores del equipo e incluso a familiares. En este concreto contexto, la expresión «hijo de chorizo» con la que el señor Mendoza Fontela aludió al demandante en su discurso (tras exponer que el padre de éste había sido procesado por estafa) realizando un juego de palabras con la expresión que previamente profirió el señor García Pérez para referirse a un dirigente del club («choricero soriano»), significó más una defensa de la entidad que aquél presidía y de sus representantes que a un ataque al honor del recurrente.

Ciertamente, fuera de este contexto la expresión podría reputarse formalmente denigratoria, y por ello no amparada por el art. 20.1 a) CE que, como se ha dicho, no reconoce un pretendido derecho al insulto, el cual sería por lo demás incompatible con la dignidad de la persona que se proclama en el art. 10.1 del Texto fundamental (STC 105/1990, FJ 8). Ahora bien, en el contexto de la polémica entablada entre ambos personajes y de la previa campaña difamatoria emprendida por el señor García Pérez, y atendiendo al conjunto del discurso del señor Mendoza Fontela, al sentido de la frase concreta y a su finalidad, las expresiones aquí enjuiciadas no pueden reputarse constitutivas de una intromisión ilegítima en el honor del recurrente, porque no transgredieron el legítimo ejercicio de la libertad de expresión.

Límites de la libertad de expresión y las críticas a las instituciones del Estado: las injurias a la Administración de Justicia —STC 107/1988, de 8 de junio—

La Sentencia resuelve el recurso de amparo promovido por don J.L.N.G. contra la Sentencia de la Sección Sexta de la Audiencia Provincial de Madrid, de 3 de abril de 1984, que le declaran autor de un delito de injurias graves a la Administración de Justicia, y la de la Sala Segunda del Tribunal Supremo, de 1 de diciembre de 1986, que declaró no haber lugar al recurso de casación contra la anterior. El hecho en que se apoyan las Sentencias recurridas es una entrevista concedida al periódico «Diario 16» por el demandante de amparo, objetor de conciencia al servicio militar, relativa a una condena que se le había impuesto por el delito de injurias al Ejército, en la que expresó, entre otras, las siguientes opiniones: «Es increíble que a mí me metan siete meses y que castiguen con un mes de arresto a un capitán de ilustre apellido que llamó cerdo al Rey» y «esto me confirma una idea que ya tenía arraigada: hay una gran parte de los Jueces que son realmente incorruptibles: Nada, absolutamente nada, puede obligarles a hacer justicia». Sostiene el recurrente que la condena vulnera su derecho a la libertad de expresión.

FJ 3. [...] Ciertamente, si el Juez penal hubiera calificado esas expresiones de injurias cometidas contra el derecho al honor de los concretos Jueces que dictaron la Sentencia objeto de la entrevista, nos encontraríamos ante una afirmación de hecho con la consecuencia de que la eficacia justificadora de la libertad ejercitada solamente podría operar de haberse aportado al proceso penal, con resultado positivo, la prueba de la veracidad de la imputación, pero éste no es el caso de autos, pues nos hallamos, según se deja dicho, ante la opinión de que existen Jueces que no administran justicia y, por tanto, ante un supuesto de ejercicio de la libertad de expresión, cuyo amparo depende de que se hayan o no añadido, en la manifestación de la idea u opinión, expresiones injuriosas desprovistas de interés público e innecesarias a la esencialidad del pensamiento o formalmente injuriosas.

Realizada esta comprobación, resulta indudable que la opinión del demandante de amparo incide negativamente en el prestigio de la institución pública a la que se refiere, siendo lógico y comprensible que la jurisdicción penal la haya considerado, muy acertadamente, injuriosa u ofensiva a la clase del Estado a la que se dirigió. A pesar de ello, teniendo en cuenta el contexto en que se producen —una entrevista periodística dirigida a la información pública—, su alcance de crítica impersonalizada en la que no se hacen imputaciones de hechos a Jueces singularizados, cuyo honor y dignidad personal no resultan afectadas y el interés público de la materia sobre la cual recae la opinión —el funcionamiento de la Administración de Justicia—, la jurisdicción penal debió entender, de haber realizado una correcta ponderación de los valores en conflicto, que la libertad de expresión se ejercitó en condiciones que, constitucionalmente, le confieren el máximo nivel de eficacia preferente y, en consecuencia, que la lesión inferida a la dignidad de clase determinada del Estado encuentra justificación en la protección que merece el ejercicio de dicha libertad, cuando, como ocurre en este caso, no traspasa los límites que se dejan anteriormente establecidos, aunque la opinión emitida merezca los calificativos de acerba, inexacta e injusta.

Las injurias a la Corona: entre la limitación y la delimitación del derecho —STC 177/2015, de 8 de junio (*vid.* ARTÍCULO 16)[4]—

FJ 2. b) [...] [T]anto este Tribunal como el Tribunal Europeo de Derechos Humanos han insistido en el significado central del discurso político desde el ámbito de protección de los arts. 20 CE y 10 del Convenio europeo para la protección de los derechos humanos y de las libertades fundamentales (CEDH), particularmente amparable cuando se ejerce por un representante político. Al respecto, el Tribunal Europeo de Derechos Humanos entiende que la libertad de expresión adquiere unos márgenes especialmente valiosos cuando se ejerce por una persona elegida por el pueblo (STEDH de 15 de marzo de 2011, caso Otegi c. España, §50), que representa a sus electores, señala sus preocupaciones y defiende sus intereses, estándole «permitido recurrir a una cierta dosis de exageración, o incluso de provocación, es decir, de ser un tanto inmoderado en sus observaciones» (caso Otegi c. España, § 54), por lo que en ese contexto el control debe ser más estricto (STEDH de 23 de abril de 1992, caso Castells c. España, § 42). Sin perjuicio de lo cual, el sujeto interviniente en el debate público de interés general debe tener en consideración ciertos límites y, singularmente, respetar la dignidad, la reputación y los derechos de terceros.

c) La libertad de expresión no es, en suma, un derecho fundamental absoluto e ilimitado, sino que tiene lógicamente, como todos los demás, sus límites, de manera que cualquier expresión no merece, por el simple hecho de serlo, protección constitucional, toda vez que el art. 20.1 a) CE «no reconoce un pretendido derecho al insulto» (SSTC 29/2009, de 26 de enero; 77/2009, de 23 de marzo, y 50/2010, de 4 de octubre). En consecuencia, este Tribunal ha declarado repetidamente que quedan fuera de la protección constitucional del art. 20.1 a) CE «las expresiones indudablemente injuriosas o sin relación con las ideas u opiniones que se expongan y que resulten innecesarias para la exposición de las mismas». Es decir, las que, «en las concretas circunstancias del caso sean ofensivas u oprobiosas».

---

4   *Vid.* los votos particulares a esta Sentencia. *Vid.* también STC 20/1990, de 15 de febrero (**ARTÍCULO 16**). Es también significativo que el 22 de diciembre de 2008 el Tribunal Constitucional inadmitiera a trámite por providencia el recurso presentado por

Por su parte, la jurisprudencia del Tribunal Europeo de Derechos Humanos ha afirmado que «[l]a tolerancia y el respeto de la igual dignidad de todos los seres humanos constituyen el fundamento de una sociedad democrática y pluralista. De ello resulta que, en principio, se puede considerar necesario, en las sociedades democráticas, sancionar e incluso prevenir todas las formas de expresión que propaguen, inciten, promuevan o justifiquen el odio basado en la intolerancia» (STEDH de 16 de julio de 2009, caso Féret c. Bélgica, § 64), del mismo modo que la libre exposición de las ideas no autoriza el uso de la violencia para imponer criterios propios.

d) Estos límites deben ser, no obstante, ponderados siempre con exquisito rigor. Esta regla, que es de obligada atención con carácter general, habida cuenta de la posición preferente que ocupa la libertad de expresión, lo es todavía más cuando dicha libertad entra en conflicto con otros derechos fundamentales, en particular el derecho al honor (art. 18 CE), y señaladamente con otros intereses de significada importancia social y política respaldados por la legislación penal. Cuando esto último sucede, como es el presente caso, esas limitaciones siempre han de ser «interpretadas de tal modo que el derecho fundamental [del art. 20.1 a) CE] no resulte desnaturalizado» (STC 20/1990, de 15 de febrero; FJ 4). Lo que, obliga entre otras consecuencias, «a modificar profundamente la forma de afrontar el enjuiciamiento de los delitos contra el honor en los que se halla implicado el ejercicio de la libertad de expresión», pues su posición preferente impone «la necesidad de dej[ar] un amplio espacio al disfrute de [dicha] libertad (SSTC 39/2005, de 28 de febrero, FJ 4, y 278/2005, de 7 de noviembre; FJ 4), y «convierte en insuficiente el criterio subjetivo del animus iniuriandi», tradicionalmente utilizado por la jurisprudencia penal para el enjuiciamiento de este tipo de delitos (SSTC 108/2008, de 22 de septiembre, FJ 3, y 29/2009, de 26 de enero, FJ 3). En definitiva, el Juez penal ha de tener siempre presente su contenido constitucional para «no correr el riesgo de hacer del Derecho penal un factor de disuasión del ejercicio de la libertad de expresión, lo que, sin duda, resulta indeseable en el Estado democrático» (SSTC 105/1990, de 6 de junio, FFJJ 4 y 8; 287/2000, de 11 de diciembre, FJ 4; 127/2004, de 19 de julio, FJ 4, y 253/2007, de 7 de noviembre, FJ 6, y STEDH, caso Castells, 23 de abril de 1992, § 46).

e) Así las cosas, el órgano judicial debe valorar, como cuestión previa a la aplicación del tipo penal y atendiendo siempre a las circunstancias concurrentes en el caso concreto, si la conducta que enjuicia constituye un ejercicio lícito del derecho fundamental a la libertad de expresión y, en consecuencia, se justifica por el valor predominante de la libertad de expresión. Pues «es obvio que los hechos probados no pueden ser a un mismo tiempo valorados como actos de ejercicio de un derecho fundamental y como conductas constitutivas de un delito» (por todas, últimamente, STC 89/2010, de 15 de noviembre, FJ 3). Por ese motivo, como también hemos repetido en múltiples ocasiones, «la ausencia de ese examen previo al que está obligado el Juez penal o su realización sin incluir en él la conexión de los comportamientos enjuiciados con el contenido de los derechos fundamentales y de las libertades públicas no es constitucionalmente admisible» (STC 29/2009, de 26 enero, FJ 3), y, por lo mismo, «constituye en sí misma una vulneración de los derechos fundamentales no tomados en consideración» (SSTC 299/2006, de 23 de octubre, FJ 3, y 108/2008, de 22 de septiembre, FJ 3). En suma, en casos como el presente, «no estamos en el ámbito de los límites al ejercicio del derecho, sino en el previo de la delimitación de su contenido» (SSTC 137/1997, de 21 de julio, FJ 2, y 127/2004, de 19 de julio). […]

FJ 3. Con arreglo a estos presupuestos nos corresponde dilucidar si, como defienden los demandantes de amparo, el hecho de quemar, en las circunstancias descritas, una fotografía de SS.MM. los Reyes es una conducta penalmente no reprochable por constituir un legítimo ejercicio de la libertad de expresión que garantiza la Constitución [art. 20.1 a) CE] o si, por el contrario, como declararon las Sentencias judiciales ahora recurridas y, a su vez, ha opinado también en el presente proceso constitucional el Ministerio Fiscal, dicha conducta tiene un contenido intrínsecamente injurioso y vejatorio que desborda los límites constitucionales de la libertad de expresión. Para ello será preciso analizar la concreta acción ejecutada por los recurrentes, atendiendo particularmente a los siguientes criterios:

a) En primer lugar, conviene subrayar la singular y reforzada protección jurídica que el legislador penal otorga a la Corona, al igual que hace con otras altas Instituciones del Estado, para defender el propio Estado Constitucional, pues así lo corrobora el hecho de que el delito de injurias a la Corona no figure en el título XI del Código penal, relativo a los delitos contra el honor, sino en el título XXI, dedicado precisamente a los delitos contra la Constitución. Por

---

un dibujante de la revista «El Jueves» contra la condena que les impuso la Audiencia Nacional por una viñeta de contenido sexual de los Príncipes de Asturias publicada en dicha revista. El fundamento es que los recurrentes no justificaron la «especial trascendencia constitucional» del recurso, como exige el artículo 50.1.b) de la Ley Orgánica 2/1979, de 3 de octubre, del Tribunal Constitucional, desde la reforma operada por la Ley Orgánica 6/2007, de 24 de mayo, no siendo ya suficiente afirmar la violación del derecho constitucional, cuya verosimilitud no fue cuestionada por el Tribunal.

consiguiente, en lo que ahora exclusivamente nos importa, el art. 490.3 del Código penal (CP) tipifica un delito de naturaleza pública, a cuyo través se protege el mantenimiento del propio orden político que sanciona la Constitución, en atención a lo que la figura del Rey representa. No obstante, el honor y la dignidad del monarca también forman parte del bien jurídico protegido por el precepto, siempre que la ofensa tenga que ver con el ejercicio de sus funciones o se produzca con ocasión de dicho ejercicio. Ahora bien, la protección penal que ofrece el art. 490.3 CP no implica que el Rey, como máximo representante del Estado y símbolo de su unidad, quede excluido de la crítica especialmente por parte de aquéllos que rechazan legítimamente las estructuras constitucionales del Estado, incluido el régimen monárquico. Y ello a pesar de la posición de neutralidad que el monarca ocupa en el debate político y del hecho de no estar sujeto a responsabilidad, pues tales circunstancias no pueden suponer un obstáculo al libre debate sobre su posible responsabilidad institucional o, incluso, simbólica, dentro de los límites del respeto a su reputación (caso Otegui c. España, § 56).

b) En segundo lugar, debe destacarse que la destrucción de un retrato oficial posee un innegable y señalado componente simbólico. Aunque las más genuinas formas de expresión consisten en manifestaciones orales o escritas, las personas pueden igualmente comunicar o expresar sus ideas y opiniones mediante conductas, hechos o comportamientos no verbales que, en tal consideración, son también manifestaciones de la libertad de expresión. En este sentido, la Constitución garantiza el derecho fundamental a expresar y difundir libremente los pensamientos, ideas u opiniones no sólo mediante la palabra o el escrito, sino también mediante «cualquier otro medio de reproducción» [art. 20.1 a) CE]. También el Tribunal Europeo de Derechos Humanos ha recordado que el art. 10 CEDH no protege sólo las ideas e información objeto de expresión, sino también la forma en que se plasman, por lo que su jurisprudencia en relación con tal precepto abarca las modalidades habituales de expresión (discurso oral y escrito), pero también otros medios menos obvios de expresión, como la exhibición de símbolos o la realización de conductas aptas para transmitir opiniones, ideas o información (por todas, STEDH de 21 de octubre de 2014, caso Murat Vural c. Turquía, §§ 44-51). Por ello, las personas también pueden manifestar sus ideas y opiniones mediante un lenguaje simbólico (symbolic speech), o bien mediante otras conductas expresivas (expressive conduct). El componente significativo o expresivamente inocuo de determinados símbolos, actitudes o conductas dependerá, pues, del contexto que integre las circunstancias del caso.

c) Por último interesa remarcar que, desde la perspectiva del derecho a la libertad de expresión, la formulación de críticas hacia los representantes de una institución o titulares de un cargo público, por desabridas, acres o inquietantes que puedan resultar no son más que reflejo de la participación política de los ciudadanos y son inmunes a restricciones por parte del poder público. Sin embargo, esa inmunidad no resulta predicable cuando lo expresado, aun de forma simbólica, solamente trasluce ultraje o vejación. De ahí, precisamente, la importancia de calibrar el significado de la conducta llevada a cabo por los demandantes, a fin de determinar si dicho comportamiento expresa un pensamiento crítico contra la Monarquía y los Reyes, —si bien exteriorizado a través de una puesta en escena caracterizada por la aspereza y la acritud— que merece la protección constitucional que brinda el art. 20.1 a) CE o, por el contrario, se trata de un acto que incita a la violencia o al odio hacia la Corona y la persona del monarca, instrumentado mediante una liturgia truculenta.

FJ 4. [...] Cuando una idea u opinión se manifiesta, como en el caso enjuiciado, mediante la destrucción de elementos con un valor simbólico, la conducta ha de ser examinada con arreglo a un canon de enjuiciamiento particularmente atento a las concretas circunstancias del caso. Un acto de destrucción puede sugerir una acción violenta y, en consecuencia, ser susceptible de albergar mensajes que no merecen protección constitucional. Pues, como es obvio, no es jurídicamente indiferente manifestar la protesta o el sentimiento crítico utilizando medios o instrumentos inocuos para la seguridad y dignidad de las personas, que hacerlo incitando a la violencia o al menosprecio de las personas que integran la institución simbolizada o sirviéndose del lenguaje del odio.

En la STC 136/1999, de 20 de julio, afirmamos que «no cabe considerar ejercicio legítimo de las libertades de expresión e información a los mensajes que incorporen amenazas o intimidaciones a los ciudadanos o a los electores, ya que como es evidente con ellos ni se respeta la libertad de los demás, ni se contribuye a la formación de una opinión pública que merezca el calificativo de libre» (FJ 15). Del mismo modo, la utilización de símbolos, mensajes o elementos que representen o se identifiquen con la exclusión política, social o cultural, deja de ser una simple manifestación ideológica para convertirse en un acto cooperador con la intolerancia excluyente, por lo que no puede encontrar cobertura en la libertad de expresión, cuya finalidad es contribuir a la formación de una opinión pública libre.

Es obvio que las manifestaciones más toscas del denominado «discurso del odio» son las que se proyectan sobre las condiciones étnicas, religiosas, culturales o sexuales de las personas. Pero lo cierto es que el discurso fóbico ofrece también otras vertientes, siendo una de ellas, indudablemente, la que persigue fomentar el rechazo y la exclusión de la vida política, y aun la eliminación física, de quienes no compartan el ideario de los intolerantes. [...]

Quemar en público, en las circunstancias descritas, la fotografía o la imagen de una persona comporta una incitación a la violencia contra la persona y la institución que representa, fomenta sentimientos de agresividad contra la misma y expresa una amenaza. [...]

Los hechos así expuestos avalan categóricamente el significado netamente incitador al odio, pues en el relato histórico de la Sentencia recaída en la instancia, expresamente aceptado por el Tribunal de apelación, no figura dato alguno que sustente la tesis que los demandantes esgrimen en pro del legítimo ejercicio del derecho de crítica hacia la institución monárquica. Y ello porque, al margen de la quema de la fotografía, aquéllos no profirieron ninguna expresión, discurso, mensaje u opinión de la que quepa inferir una censura u oposición políticamente articulada contra la Monarquía o los Reyes; lisa y llanamente actuaron con el propósito de incitar a la exclusión sirviéndose de una escenificación lúgubre y con connotaciones violentas.

Importa subrayar estas circunstancias porque las mismas cualifican el presente asunto, alejándolo significativamente del supuesto recientemente resuelto por la Sentencia del Tribunal Europeo de Derechos Humanos, de 15 de marzo de 2011 (caso Otegui c. España), en el que el referido Tribunal consideró que la conducta del recurrente estaba amparada por el derecho a la libertad de expresión (art. 10 CEDH). Los ahora recurrentes no eran representantes electos, ni formaban parte de ningún grupo parlamentario. Tampoco concurren, en el presente caso, las singulares circunstancias especialmente valoradas en la Sentencia citada, acerca del contexto en que se produjeron las declaraciones del entonces demandante (sospecha de torturas con motivo del cierre del diario «Egunkaria»). Pero —y esto es lo más importante— en aquel supuesto el recurrente expresó su opinión sobre un asunto sujeto al debate político, y sus manifestaciones, en palabras del propio Tribunal Europeo de Derechos Humanos, venían referidas a una cuestión de interés público en el País Vasco aunque fueran expuestas de manera provocativa y exagerada. Sin embargo, en el presente caso no concurre ninguna de las circunstancias indicadas, ni ninguna otra de similar naturaleza que permita reconducir la quema de los retratos al contexto de crítica política que los demandantes invocan. Por tanto, la acción merecedora de reproche penal ha de ser valorada conforme a su naturaleza intrínseca, es decir, como una muestra de exclusión de quienes los recurrentes identifican con la Corona. En estas condiciones, debemos concluir que la vertiente expresiva de la acción queda extramuros del legítimo ejercicio del derecho consagrado en el art. 20.1 a) CE.

FJ 5. [...] Por último, resulta oportuno abordar otros dos aspectos cuya importancia no es baladí. En primer lugar debe advertirse sobre el riesgo evidente de que el público presente percibiera la conducta de los recurrentes como una incitación a la violencia y el odio hacia la Monarquía y hacia quienes la representan. Aunque no consta que se produjeran incidentes de orden público, la connotación destructiva que comporta la quema de la fotografía de los Reyes es innegable y, por ello, tal acción pudo suscitar entre los presentes reacciones violentas e «incompatibles con un clima social sereno y minar la confianza en las instituciones democráticas» (STEDH de 16 de julio de 2009, caso Feret c. Bélgica § 77), o, en fin, avivar el sentimiento de desprecio o incluso de odio hacia los Reyes y la institución que representan, exponiendo a SS.MM. «a un posible riesgo de violencia» (STEDH de 8 de julio de 1999, caso Sürek c. Turquía § 62), pues, como ha advertido el Tribunal Europeo de Derechos Humanos, «la incitación al odio no requiere necesariamente el llamamiento a tal o cual acto de violencia ni a otro acto delictivo» (STEDH de 16 de julio de 2009, caso Feret c. Bélgica § 73).

Por otra parte, según doctrina del Tribunal Europeo de Derechos Humanos, la imposición de penas de prisión por infracciones cometidas en el ámbito del discurso político sólo es compatible con la libertad de expresión garantizada por el art. 10 del Convenio en circunstancias excepcionales, especialmente cuando se han lesionado gravemente otros derechos fundamentales, como en el supuesto de que se difunda un discurso de odio o de incitación a la violencia, como es el caso (STEDH de 15 de marzo de 2011, caso Otegi c. España, §§ 58 a 60, por remisión a los casos Bingöl c. Turquía, núm. 36141/2004, ap. 41, de 22 de junio de 2010, y, mutatis mutandis, Cumpănă y Mazăre c. Rumanía [GS], núm. 33348/1996, ap. 115, TEDH 2004-XI). En cualquier caso, en el presente supuesto la inicial pena de prisión fijada en aplicación de lo previsto en el art. 490.3 CP ha sido sustituida por multa de treinta meses a razón de una cuota diaria de 3 €, por lo que la cuantía final sería de 2700 €. Esta modalidad de sanción se estima proporcionada a la entidad del hecho y el propio Tribunal Europeo de Derechos Humanos no la ha considerado contraria al Convenio (STEDH en el caso Otegi c. España, §§ 58 a 60), pues aunque la multa no elimina la inscripción de la condena penal en el Registro de antecedentes penales (mutatis mutandis, SSTEDH de 26 de junio de 2007, caso Artun y Guvener c. Turquía, § 33, y de 19 de febrero de 2009, caso Martchenko c. Ucrania, § 52), sí mitiga notablemente sus efectos. Al margen de tal dato, no puede olvidarse que la cuantía de la pena resultante no deriva exclusivamente de la subsunción en el tipo penal de los hechos, sino también a la apreciación de la circunstancia agravante de ejecutar el hecho mediante disfraz (art. 22.2 CP), que obliga a imponer una pena superior por razones diversas a la calificación de la quema de la fotografía de los Reyes como un delito de injurias, en concreto, en tanto es una circunstancia que favorece la ejecución del delito y la impunidad de sus autores.

La libertad de expresión y la sanción penal de la difusión de ideas o doctrinas que nieguen o justifiquen delitos de genocidio —STC 235/2007, de 7 de noviembre—

La Sentencia resuelve la cuestión de inconstitucionalidad planteada por la Sección Tercera de la Audiencia Provincial de Barcelona, respecto al artículo 607, párrafo segundo, del Código penal, cuyo texto es el siguiente: «La difusión por cualquier medio de ideas o doctrinas que nieguen o justifiquen los delitos [de genocidio y afines] tipificados en el apartado anterior de este artículo, o pretendan la rehabilitación de regímenes o instituciones que amparen prácticas generadoras de los mismos, se castigará con la pena de prisión de uno a dos años». El órgano judicial cuestionante precisó que la duda de constitucionalidad se refería a la posible incompatibilidad del referido precepto con el derecho a la libertad de expresión.

FJ 4. Desde la primera ocasión en que este Tribunal tuvo que pronunciarse sobre el contenido constitucionalmente protegido de la libertad de expresión, venimos afirmando que «el art. 20 de la Constitución, en sus distintos apartados, garantiza el mantenimiento de una comunicación pública libre, sin la cual quedarían vaciados de contenido real otros derechos que la Constitución consagra, reducidas a formas hueras las instituciones representativas y absolutamente falseado el principio de legitimidad democrática que enuncia el art. 1.2 de la Constitución, y que es la base de toda nuestra ordenación jurídico-política. La preservación de esta comunicación pública libre sin la cual no hay sociedad libre ni, por tanto, soberanía popular, exige la garantía de ciertos derechos fundamentales comunes a todos los ciudadanos, y la interdicción con carácter general de determinadas actuaciones del poder» (STC 6/1981 de 16 de marzo, FJ 3, recogido, entre otras, en las SSTC/1990, de 15 de febrero; 336/1993, de 15 de noviembre; 101/2003, de 2 de junio; 9/2007, de 15 de enero). En sentido similar, el Tribunal Europeo de Derechos Humanos, desde la Sentencia Handyside c. Reino Unido, de 7 de diciembre de 1976, reitera que la libertad de expresión constituye uno de los fundamentos esenciales de una sociedad democrática y una de las condiciones primordiales de su progreso y del desarrollo de cada uno (SSTEDH Castells c. España, de 23 de abril de 1992, § 42, y Fuentes Bobo c. España, de 29 de febrero de 2000, § 43).

Los derechos garantizados por el art. 20.1 CE, por tanto, no son sólo expresión de una libertad individual básica sino que se configuran también como elementos conformadores de nuestro sistema político democrático. Así, «el art. 20 de la Norma fundamental, además de consagrar el derecho a la libertad de expresión y a comunicar o recibir libremente información veraz, garantiza un interés constitucional: la formación y existencia de una opinión pública libre, garantía que reviste una especial trascendencia ya que, al ser una condición previa y necesaria para el ejercicio de otros derechos inherentes al funcionamiento de un sistema democrático, se convierte, a su vez, en uno de los pilares de una sociedad libre y democrática. Para que el ciudadano pueda formar libremente sus opiniones y participar de modo responsable en los asuntos públicos, ha de ser también informado ampliamente de modo que pueda ponderar opiniones diversas e incluso contrapuestas» (STC 159/1986, de 16 de diciembre, FJ 6).

Consecuencia directa del contenido institucional de la libre difusión de ideas y opiniones es que, según hemos reiterado, la libertad de expresión comprende la libertad de crítica, «aun cuando la misma sea desabrida y pueda molestar, inquietar o disgustar a quien se dirige, pues así lo requieren el pluralismo, la tolerancia y el espíritu de apertura, sin los cuales no existe 'sociedad democrática'» (por todas, STC 174/2006, de 5 de junio, FJ 4). Por ello mismo hemos afirmado rotundamente que «es evidente que al resguardo de la libertad de opinión cabe cualquiera, por equivocada o peligrosa que pueda parecer al lector, incluso las que ataquen al propio sistema democrático. La Constitución —se ha dicho— protege también a quienes la niegan» (STC 176/1995, de 11 de diciembre, FJ 2). Es decir, la libertad de expresión es válida no solamente para las informaciones o las ideas acogidas con favor o consideradas inofensivas o indiferentes, sino también para aquellas que contrarían, chocan o inquietan al Estado o a una parte cualquiera de la población (STEDH De Haes y Gijsels c. Bélgica, de 24 de febrero de 1997, § 49).

Por circunstancias históricas ligadas a su origen, nuestro ordenamiento constitucional se sustenta en la más amplia garantía de los derechos fundamentales, que no pueden limitarse en razón de que se utilicen con una finalidad anticonstitucional. Como se sabe, en nuestro sistema —a diferencia de otros de nuestro entorno— no tiene cabida un modelo de «democracia militante», esto es, un modelo en el que se imponga, no ya el respeto, sino la adhesión positiva al ordenamiento y, en primer lugar, a la Constitución (STC 48/2003, de 12 de marzo, FJ 7). Esta concepción, sin duda, se manifiesta con especial intensidad en el régimen constitucional de las libertades ideológica, de participación, de expresión y de información (STC 48/2003, de 12 de marzo, FJ 10) pues implica la necesidad de diferenciar claramente entre las actividades contrarias a la Constitución, huérfanas de su protección, y la mera difusión de ideas e ideologías. El valor del pluralismo y la necesidad del libre intercambio de ideas como sustrato del sistema democrático representativo impiden cualquier actividad de los poderes públicos tendente a controlar, seleccionar, o determinar gravemente la mera circulación pública de ideas o doctrinas.

De ese modo, el ámbito constitucionalmente protegido de la libertad de expresión no puede verse restringido por el hecho de que se utilice para la difusión de ideas u opiniones contrarias a la esencia misma de la Constitución —y ciertamente las que se difundieron en el asunto que ha dado origen a la presente cuestión de inconstitucionalidad resultan repulsivas desde el punto de vista de la dignidad humana constitucionalmente garantizada— a no ser que con ellas se lesionen efectivamente derechos o bienes de relevancia constitucional. Para la moral cívica de una sociedad abierta y democrática, sin duda, no toda idea que se exprese será, sin más, digna de respeto. Aun cuando la tolerancia constituye uno de los «principios democráticos de convivencia» a los que alude el art. 27.2 CE, dicho valor no puede identificarse sin más con la indulgencia ante discursos que repelen a toda conciencia conocedora de las atrocidades perpetradas por los totalitarismos de nuestro tiempo. El problema que debemos tomar en consideración es el de si la negación de hechos que pudieran constituir actos de barbarie o su justificación tienen su campo de expresión en el libre debate social garantizado por el art. 20 CE o si, por el contrario, tales opiniones pueden ser objeto de sanción estatal punitiva por afectar a bienes constitucionalmente protegidos.

En ocasiones anteriores hemos concluido que «las afirmaciones, dudas y opiniones acerca de la actuación nazi con respecto a los judíos y a los campos de concentración, por reprobables o tergiversadas que sean —y en realidad lo son al negar la evidencia de la historia— quedan amparadas por el derecho a la libertad de expresión (art. 20.1 CE), en relación con el derecho a la libertad ideológica (art. 16 CE), pues, con independencia de la valoración que de las mismas se haga, lo que tampoco corresponde a este Tribunal, sólo pueden entenderse como lo que son: opiniones subjetivas e interesadas sobre acontecimientos históricos» (STC 214/1991, de 11 de noviembre, FJ 8). Esta misma perspectiva ha llevado al Tribunal Europeo de Derechos Humanos, en diversas ocasiones en las que se ponía en duda la colaboración con las atrocidades nazis durante la segunda guerra mundial, a señalar que «la búsqueda de la verdad histórica forma parte integrante de la libertad de expresión» y estimar que no le corresponde arbitrar la cuestión histórica de fondo (Sentencias Chauvy y otros c. Francia, de 23 de junio de 2004, § 69; Monnat c. Suiza, de 21 de septiembre de 2006, § 57).

FJ 5. Todo lo dicho no implica que la libre transmisión de ideas, en sus diferentes manifestaciones, sea un derecho absoluto. De manera genérica, se sitúa fuera del ámbito de protección de dicho derecho la difusión de las frases y expresiones ultrajantes u ofensivas, sin relación con las ideas u opiniones que se quieran exponer, y por tanto, innecesarias a este propósito (SSTC 204/1997, de 25 de noviembre; 11/2000, de 17 de enero, FJ 7; 49/2001, de 26 de febrero, FJ 5; 160/2003, de 15 de septiembre, FJ 4). En concreto, por lo que hace a las manifestaciones, expresiones o campañas de carácter racista o xenófobo, hemos concluido que el art. 20.1 CE no garantiza «el derecho a expresar y difundir un determinado entendimiento de la historia o concepción del mundo con el deliberado ánimo de menospreciar y discriminar, al tiempo de formularlo, a personas o grupos por razón de cualquier condición o circunstancia personal, étnica o social, pues sería tanto como admitir que, por el mero hecho de efectuarse al hilo de un discurso más o menos histórico, la Constitución permite la violación de uno de los valores superiores del ordenamiento jurídico, como es la igualdad (art. 1.1 CE) y uno de los fundamentos del orden político y de la paz social: la dignidad de la persona (art. 10.1 CE)» (STC 214/1991, de 11 de noviembre, FJ 8).

De este modo, el reconocimiento constitucional de la dignidad humana configura el marco dentro del cual ha de desarrollarse el ejercicio de los derechos fundamentales y en su virtud carece de cobertura constitucional la apología de los verdugos, glorificando su imagen y justificando sus hechos cuando ello suponga una humillación de sus víctimas (STC 176/1995, de 11 de diciembre, FJ 5). Igualmente, hemos reconocido que atentan también contra este núcleo irreductible de valores esenciales de nuestro sistema constitucional los juicios ofensivos contra el pueblo judío que, emitidos al hilo de posturas que niegan la evidencia del genocidio nazi, suponen una incitación racista (SSTC 214/1991, de 11 de noviembre, FJ 8; 13/2001, de 29 de enero, FJ 7). Estos límites coinciden, en lo esencial, con los que ha reconocido el Tribunal Europeo de Derechos Humanos en aplicación del apartado segundo del art. 10 del Convenio europeo de derechos humanos (CEDH). En concreto, viene considerando (por todas, Sentencia Ergogdu e Ince c. Turquía, de 8 de julio de 1999) que la libertad de expresión no puede ofrecer cobertura al llamado «discurso del odio», esto es, a aquél desarrollado en términos que supongan una incitación directa a la violencia contra los ciudadanos en general o contra determinadas razas o creencias en particular. En este punto, sirve de referencia interpretativa del Convenio la Recomendación núm. R (97) 20 del Comité de Ministros del Consejo de Europa, de 30 de octubre de 1997, que insta a los Estados a actuar contra todas las formas de expresión que propagan, incitan o promueven el odio racial, la xenofobia, el antisemitismo u otras formas de odio basadas en la intolerancia (SSTEDH Gündüz c. Turquía de 4 de diciembre de 2003, § 41; Erbakan c. Turquía, de 6 de julio de 2006).

Junto a ello, la regla general de la libertad de expresión garantizada en el art. 10 CEDH puede sufrir excepciones en aplicación del art. 17 CEDH, que no tiene parangón en nuestro ordenamiento constitucional. En su virtud, el Tribunal Europeo de Derechos Humanos consideró que no puede entenderse amparada por la libertad de expresión la negación del Holocausto en cuanto implicaba un propósito «de difamación racial hacia los judíos y de incitación al odio hacia ellos» (Decisión Garaudy c. Francia, de 24 de junio de 2003). En concreto, en esa ocasión se trató de diversos artículos dedicados a combatir la realidad del Holocausto con la declarada finalidad de atacar al Estado de Israel y al pueblo judío en su conjunto, de modo que el Tribunal tuvo en cuenta decisivamente la intención de acusar a las propias víctimas de falsificación de la historia, atentando contra los derechos de los demás. Posteriormente, ha advertido, obiter dicta, de la diferencia entre el debate todavía abierto entre historiadores acerca de aspectos relacionados con los actos genocidas del régimen nazi, amparado por el art. 10 del Convenio y la mera negación de «hechos históricos claramente establecidos» que los Estados pueden sustraer a la protección del mismo en aplicación del art. 17 CEDH (SSTDH Lehideux e Isorni c. Francia, de 23 de septiembre de 1998; Chauvy y otros c. Francia, de 23 de junio de 2004, § 69).

En este punto resulta adecuado señalar que, conforme a la reiterada jurisprudencia del Tribunal Europeo de Derechos Humanos, para invocar la excepción a la garantía de los derechos prevista en el art. 17 CEDH no basta con la constatación de un daño, sino que es preciso corroborar además la voluntad expresa de quienes pretenden ampararse en la libertad de expresión de destruir con su ejercicio las libertades y el pluralismo o de atentar contra las libertades reconocidas en el Convenio (STEDH Refah Partisi y otros c. Turquía, de 13 febrero 2003, § 98; Decisión Fdanoka c. Letonia, de 17 junio 2004, § 79). Sólo en tales casos, a juicio del Tribunal europeo, los Estados podrían, dentro de su margen de apreciación, permitir en su Derecho interno la restricción de la libertad de expresión de quienes niegan hechos históricos claramente establecidos, con el buen entendimiento de que el Convenio tan sólo establece un mínimo común europeo que no puede ser interpretado en el sentido de limitar las libertades fundamentales reconocidas por los ordenamientos constitucionales internos (art. 53 CEDH).

De esta manera, el amplio margen que el art. 20.1 CE ofrece a la difusión de ideas, acrecentado, en razón del valor del diálogo plural para la formación de una conciencia histórica colectiva, cuando se trata de la alusión a hechos históricos (STC 43/2004, de 23 de marzo), encuentra su límite en las manifestaciones vilipendiadoras, racistas o humillantes o en aquéllas que incitan directamente a dichas actitudes, constitucionalmente inaceptables. Como dijimos en la STC 214/1991, de 11 de noviembre, FJ 8, «el odio y el desprecio a todo un pueblo o a una etnia (a cualquier pueblo o a cualquier etnia) son incompatibles con el respeto a la dignidad humana, que sólo se cumple si se atribuye por igual a todo hombre, a toda etnia, a todos los pueblos. Por lo mismo, el derecho al honor de los miembros de un pueblo o etnia, en cuanto protege y expresa el sentimiento de la propia dignidad, resulta, sin duda, lesionado cuando se ofende y desprecia genéricamente a todo un pueblo o raza, cualesquiera que sean». Fundamentada en la dignidad (art. 10.1 y 2 CE) es, pues, el deliberado ánimo de menospreciar y discriminar a personas o grupos por razón de cualquier condición o circunstancia personal, étnica o social el que, en estos casos, priva de protección constitucional a la expresión y difusión de un determinado entendimiento de la historia o concepción del mundo que, de no ser por ello, podría encuadrarse en el ámbito constitucionalmente garantizado por el art. 20.1 CE.

FJ 6. [...] Aceptando, como no podía ser de otro modo, el carácter especialmente odioso del genocidio, que constituye uno de los peores delitos imaginables contra el ser humano, lo cierto es que las conductas descritas en el precepto cuestionado consisten en la mera transmisión de opiniones, por más deleznables que resulten desde el punto de vista de los valores que fundamentan nuestra Constitución. La literalidad del ilícito previsto en el art. 607.2 CP no exige, a primera vista, acciones positivas de proselitismo xenófobo o racista, ni menos aún la incitación, siquiera indirecta, a cometer genocidio, que sí están presentes, por lo que hace al odio racial o antisemita se refiere, en el delito previsto en el art. 510 CP, castigado con penas superiores. Las conductas descritas tampoco implican necesariamente el ensalzamiento de los genocidas ni la intención de descrédito, menosprecio o humillación de las víctimas. Lejos de ello, la literalidad del precepto, en la medida en que castiga la transmisión de ideas en sí misma considerada, sin exigir adicionalmente la lesión de otros bienes constitucionalmente protegidos, viene aparentemente a perseguir una conducta que, en cuanto amparada por el derecho a la libertad de expresión (art. 20.1 CE) e incluso eventualmente por las libertades científica [art. 20.1 b)] y de conciencia (art. 16 CE) que se manifiestan a su través (STC 20/1990, de 15 de febrero, FJ 5), constituye un límite infranqueable para el legislador penal.

En tal sentido, no estamos ante un supuesto de limitación de la libertad de expresión por parte del Código penal, sino que éste interfiere en el ámbito propio de la delimitación misma del derecho constitucional. Más allá del riesgo, indeseable en el Estado democrático, de hacer del Derecho penal un factor de disuasión del ejercicio de la libertad de expresión, del que hemos advertido en otras ocasiones (SSTC 105/1990, de 6 de junio, FFJJ 4 y 8; 287/2000, de 11 de diciembre, FJ 4; STEDH caso Castells, de 23 de abril de 1992, § 46), a las normas penales les está vedado invadir el contenido constitucionalmente garantizado de los derechos fundamentales. La libertad de configuración del legislador penal encuentra su límite en el contenido esencial del derecho a la libertad de expresión, de tal modo que, por lo que ahora interesa, nuestro ordenamiento constitucional no permite la tipificación como delito de la mera transmisión de ideas, ni siquiera en los casos en que se trate de ideas execrables por resultar contrarias a la dignidad humana que constituye el fundamento de todos los derechos que recoge la Constitución y, por ende, de nuestro sistema político.

FJ 8. Procede, por tanto, determinar si las conductas castigadas en el precepto sometido a nuestro control de constitucionalidad pueden ser consideradas como una modalidad de ese «discurso del odio» al que, como ha quedado expuesto anteriormente, alude el Tribunal Europeo de Derechos Humanos como forma de expresión de ideas, pensamientos u opiniones que no cabe incluir dentro de la cobertura otorgada por el derecho a la libertad de expresión. En lo que se refiere a la conducta consistente en la mera negación de un delito de genocidio la conclusión ha de ser negativa ya que dicho discurso viene definido —en la ya citada STEDH Ergogdu e Ince c. Turquía, de 8 de julio de 1999— como aquél que, por sus propios términos, supone una incitación directa a la violencia contra los ciudadanos o contra determinadas razas o creencias, lo que, como también ha quedado dicho, no es el supuesto contemplado en ese punto por el art. 607.2 CP. Conviene destacar que la mera difusión de conclusiones en torno a la existencia o no de determinados hechos, sin emitir juicios de valor sobre los mismos o su antijuridicidad, afecta al ámbito de la libertad científica reconocida en la letra b) del art. 20.1 CE. Como declaramos en la STC 43/2004, de 23 de marzo, la libertad científica goza en nuestra Constitución de una protección acrecida respecto a las de expresión e información, cuyo sentido finalista radica en que «sólo de esta manera se hace posible la investigación histórica, que es siempre, por definición, polémica y discutible, por erigirse alrededor de aseveraciones y juicios de valor sobre cuya verdad objetiva es imposible alcanzar plena certidumbre, siendo así que esa incertidumbre consustancial al debate histórico representa lo que éste tiene de más valioso, respetable y digno de protección por el papel esencial que desempeña en la formación de una conciencia histórica adecuada a la dignidad de los ciudadanos de una sociedad libre y democrática» (FJ 4).

La mera negación del delito, frente a otras conductas que comportan determinada adhesión valorativa al hecho criminal, promocionándolo a través de la exteriorización de un juicio positivo, resulta en principio inane. Por lo demás, ni tan siquiera tendencialmente —como sugiere el Ministerio Fiscal— puede afirmarse que toda negación de conductas jurídicamente calificadas como delito de genocidio persigue objetivamente la creación de un clima social de hostilidad contra aquellas personas que pertenezcan a los mismos grupos que en su día fueron víctimas del concreto delito de genocidio cuya inexistencia se pretende, ni tampoco que toda negación sea per se capaz de conseguirlo. En tal caso, sin perjuicio del correspondiente juicio de proporcionalidad determinado por el hecho de que una finalidad meramente preventiva o de aseguramiento no puede justificar constitucionalmente una restricción tan radical de estas libertades (STC 199/1987, de 16 de diciembre, FJ 12), la constitucionalidad, a priori, del precepto se estaría sustentando en la exigencia de otro elemento adicional no expreso del delito del art. 607.2 CP; a saber, que la conducta sancionada consistente en difundir opiniones que nieguen el genocidio fuese en verdad idónea para crear una actitud de hostilidad hacia el colectivo afectado. Forzar desde este Tribunal una interpretación restrictiva en este aspecto del art. 607.2 CP, añadiéndole nuevos elementos, desbordaría los límites de esta jurisdicción al imponer una interpretación del precepto por completo contraria a su tenor literal. En consecuencia, la referida conducta permanece en un estadio previo al que justifica la intervención del Derecho penal, en cuanto no constituye, siquiera, un peligro potencial para los bienes jurídicos tutelados por la norma en cuestión, de modo que su inclusión en el precepto supone la vulneración del derecho a la libertad de expresión (art. 20.1 CE).

FJ 9. Diferente es la conclusión a propósito de la conducta consistente en difundir ideas que justifiquen el genocidio. Tratándose de la expresión de un juicio de valor, sí resulta posible apreciar el citado elemento tendencial en la justificación pública del genocidio. La especial peligrosidad de delitos tan odiosos y que ponen en riesgo la esencia misma de nuestra sociedad, como el genocidio, permite excepcionalmente que el legislador penal sin quebranto constitucional castigue la justificación pública de ese delito, siempre que tal justificación opere como incitación indirecta a su comisión; esto es incriminándose (y ello es lo que ha de entenderse que realiza el art. 607.2 CP) conductas que aunque sea de forma indirecta supongan una provocación al genocidio. Por ello, el legislador puede, dentro de su libertad de configuración, perseguir tales conductas, incluso haciéndolas merecedoras de reproche penal siempre que no se entienda incluida en ellas la mera adhesión ideológica a posiciones políticas de cualquier tipo, que resultaría plenamente amparada por el art. 16 CE y, en conexión, por el art. 20 CE.

Para ello será necesario que la difusión pública de las ideas justificadoras entre en conflicto con bienes constitucionalmente relevantes de especial trascendencia que hayan de protegerse penalmente. Así sucede, en primer lugar, cuando la justificación de tan abominable delito suponga un modo de incitación indirecta a su perpetración. Sucederá también, en segundo lugar, cuando con la conducta consistente en presentar como justo el delito de genocidio se busque alguna suerte de provocación al odio hacia determinados en grupos definidos mediante la referencia a su color, raza, religión u origen nacional o étnico, de tal manera que represente un peligro cierto de generar un clima de violencia y hostilidad que puede concretarse en actos específicos de discriminación. Debe subrayarse que la incitación indirecta a la comisión de algunas de las conductas tipificadas en el art. 607.1 CP como delito de genocidio —entre las que se incluyen entre otras el asesinato, las agresiones sexuales o los desplazamientos forzosos de población— cometidas con el propósito de exterminar a todo un grupo humano, afecta de manera especial a la esencia de la dignidad de la persona, en cuanto fundamento del orden político (art. 10 CE) y sustento de los derechos fundamentales. Tan íntima vinculación con el valor nuclear de cualquier sistema jurídico basado en el respeto a los derechos de la persona permite al legislador perseguir en este delito modalidades de provocación, incluso indirecta, que en otro caso podrían quedar fuera del ámbito del reproche penal.

El entendimiento de la difusión punible de conductas justificadoras del genocidio como una manifestación del discurso del odio está, además, en absoluta consonancia con los textos internacionales más recientes. Así, el art. 1 de la Propuesta de Decisión Marco relativa a la lucha contra el racismo y la xenofobia, aprobada por el Consejo de la Unión Europea en reunión de 20 de abril de 2007, limita la obligación de los Estados miembros de adoptar medidas para garantizar que se castigue la apología pública, la negación o la trivialización flagrante de los crímenes de genocidio a los casos en los que «la conducta se ejecute de tal manera que pueda implicar una incitación a la violencia o al odio» contra el grupo social afectado.

Por lo demás, el comportamiento despectivo o degradante respecto a un grupo de personas no puede encontrar amparo en el ejercicio de las libertades garantizadas en el art. 20.1 CE, que no protegen «las expresiones absolutamente vejatorias, es decir, las que, en las concretas circunstancias del caso, y al margen de su veracidad o inveracidad, sean ofensivas u oprobiosas» (por todas SSTC 174/2006, de 5 de junio, FJ 4; 204/2001, de 15 de octubre, FJ 4; 110/2000, de 5 de mayo, FJ 8).

De ese modo, resulta constitucionalmente legítimo castigar penalmente conductas que, aun cuando no resulten claramente idóneas para incitar directamente a la comisión de delitos contra el derecho de gentes como el genocidio, sí suponen una incitación indirecta a la misma o provocan de modo mediato a la discriminación, al odio o a la violencia, que es precisamente lo que permite en términos constitucionales el establecimiento del tipo de la justificación pública del genocidio (art. 607.2 CP). Tal comprensión de la justificación pública del genocidio, y siempre con la reseñada cautela del respeto al contenido de la libertad ideológica, en cuanto comprensiva de la proclamación de ideas o posiciones políticas propias o adhesión a las ajenas, permite la proporcionada intervención penal del Estado como última solución defensiva de los derechos fundamentales y las libertades públicas protegidos, cuya directa afectación excluye la conducta justificativa del genocidio del ámbito de protección del derecho fundamental a la libertad de expresión (art. 20.1 CE), de manera que, interpretada en este sentido, la norma punitiva resulta, en este punto, conforme a la Constitución.

Libertad de expresión, discurso del odio y enaltecimiento del terrorismo —STC 112/2016, de 20 de junio—

La Sentencia resuelve el recurso de amparo interpuesto por don T.E.A. contra la Sentencia de la Sala de lo Penal del Tribunal Supremo de 14 de marzo de 2012, que declara no haber lugar al recurso de casación interpuesto contra la Sentencia de la Sección Primera de la Sala de lo Penal de la Audiencia Nacional de 3 de mayo de 2011, que condenó al recurrente como autor de un delito de enaltecimiento del terrorismo (artículo 578 CP), por haber participado como principal orador en un acto celebrado en recuerdo y loa de un responsable de ETA, asesinado treinta años antes. Entiende el recurrente que dichas Sentencias vulneran su derecho a la libertad de expresión (artículo 20.1.a) CE).

FJ 3. La concreta cuestión de la eventual incidencia que podría tener la sanción de un delito de enaltecimiento del terrorismo en el derecho a la libertad de expresión no ha sido todavía objeto de ningún pronunciamiento de este Tribunal mediante Sentencia. Ahora bien, por la similitud estructural que presentan ambos tipos penales y por su incidencia sobre el derecho fundamental invocado, resulta necesario recordar la doctrina establecida en la STC

235/2007, de 7 de noviembre, en la que se analiza la constitucionalidad de los tipos penales referidos a la negación y difusión de ideas que justifiquen el genocidio. [...]

Esta exigencia de que la sanción penal de las conductas de exaltación o justificación de actos terroristas o de sus autores requiere, como una manifestación del discurso del odio, una situación de riesgo para las personas o derechos de terceros o para el propio sistema de libertades como condición para justificar su compatibilidad con el estándar del derecho de la libertad de expresión por ser necesaria esa injerencia en una sociedad democrática también aparece en el contexto internacional y regional europeo tal como se acredita con la actividad desarrollada tanto por el Consejo de Europa como por la Unión Europea en favor de sancionar penalmente las manifestaciones de apoyo a los fenómenos terroristas o a sus autores.

En el marco del Consejo de Europa, cabe destacar la aprobación del Convenio del Consejo de Europa para la prevención del terrorismo, hecho en Varsovia el 16 de mayo de 2005 ("BOE" núm. 250, de 16 de octubre de 2009). El art. 5.1 de este Convenio, bajo la rúbrica "provocación pública para cometer delitos terroristas", establece que "[a] los efectos del presente Convenio, se entenderá por 'provocación pública para cometer delitos terroristas' la difusión o cualquier otra forma de puesta a disposición del público de mensajes con la intención de incitar a cometer delitos terroristas, cuando ese comportamiento, ya preconice directamente o no la comisión de delitos terroristas, cree peligro de que se puedan cometer uno o varios delitos." En el art. 5.2 se impone a los Estados parte, entre ellos España, la adopción de "las medidas necesarias para tipificar como delito, de conformidad con su derecho interno, la provocación pública para cometer delitos terroristas tal como se define en el apartado 1, cuando se cometa ilegal e intencionadamente".

El informe explicativo de este convenio destacó, en relación con la sanción penal de estas conductas, los riesgos derivados de una eventual limitación desproporcionada del derecho a la libertad de expresión, enfatizando que la jurisprudencia del Tribunal Europeo de Derechos Humanos —se citaba la STEDH de 20 de enero de 2000, asunto *Hogefeld c. Alemania*— había establecido que no puede quedar amparado bajo el legítimo ejercicio de este derecho la incitación a actos terroristas violentos, por lo que ciertas restricciones a los mensajes que puedan constituir una incitación indirecta a delitos terroristas violentos están en consonancia con el Convenio europeo para la protección de los derechos humanos y de las libertades fundamentales (§ 92 del informe explicativo). Igualmente se puso de manifiesto que en el origen de la definición de esta conducta de provocación pública están los documentos elaborados por el grupo de trabajo sobre apología del terrorismo del comité de expertos sobre terrorismo del Consejo de Europa (Codexter-Apologie), quien había propuesto centrarse, entre otras conductas, en las expresiones públicas de apoyo a actos terroristas o grupos (§§ 86 a 88 del informe explicativo); teniendo para ello presente tanto las opiniones de la Asamblea Parlamentaria del Consejo de Europa como del Comisionado para los Derechos humanos del Consejo de Europa que también habían sugerido que tal disposición podría cubrir, entre otras conductas, la difusión de mensajes de elogio al autor de un ataque terrorista (§ 95 del informe explicativo). De ese modo, se concluye en el informe explicativo que si bien finalmente en el art. 5.1 del Convenio se utiliza una fórmula genérica frente a otra más casuística, permite una cierta discreción a los países para definir este delito en relación con, por ejemplo, la conducta de difundir la idea de que un acto terrorista pueda resultar necesario y justificado (§§ 96 a 98 del Informe explicativo).

Por su parte, en el marco de la Unión Europea, si bien en la redacción originaria de la Decisión marco 2002/475/JAI del Consejo, de 13 de junio de 2002, sobre la lucha contra el terrorismo ("DOCE" núm. L 164, de 22 de junio de 2002), se limitaba a incluir en el artículo 4.1 la obligación de tipificar como delito la inducción a la comisión de delitos terroristas. Con ocasión de la nueva redacción dada a su art. 3.1 a) por la Decisión marco 2008/919/JAI del Consejo, de 28 de noviembre de 2008 ("DOUE" núm. L 330, de 9 de diciembre de 2008), ya se establece que se entenderá por "'provocación a la comisión de un delito de terrorismo' la distribución o difusión pública, por cualquier medio, de mensajes destinados a inducir a la comisión de cualesquiera de los delitos enumerados en el artículo 1, apartado 1, letras a) a h), cuando dicha conducta, independientemente de que promueva o no directamente la comisión de delitos de terrorismo, conlleve el riesgo de comisión de uno o algunos de dichos delitos".

FJ 4. El Tribunal Europeo de Derechos Humanos también ha tenido la ocasión de pronunciarse sobre la eventual tensión que se podría generar entre la sanción penal de este tipo de conductas y el derecho a la libertad de expresión. A esos efectos, la jurisprudencia del Tribunal Europeo de Derechos Humanos parte de la constatación de que este derecho no es ilimitado, en primer lugar, en aplicación del apartado segundo del art. 10 del Convenio europeo de derechos humanos (CEDH), conforme al cual, su ejercicio "podrá ser sometido a ciertas formalidades, condiciones, restricciones o sanciones previstas por la ley, que constituyan medidas necesarias, en una sociedad democrática, para la seguridad nacional, la integridad territorial o la seguridad pública, la defensa del orden y la prevención del delito, la protección de la salud o de la moral, la protección de la reputación o de los derechos ajenos, para impedir la divulgación de informaciones confidenciales o para garantizar la autoridad y la imparcialidad del poder judicial". Igualmente, también ha sostenido que la libertad de expresión puede sufrir excepciones, en segundo lugar, en aplicación del art. 17 CEDH, conforme al cual, ninguna de las disposiciones del Convenio "podrá ser interpretada en el sentido de que implique para un Estado, grupo o individuo, un derecho cualquiera a dedicarse a una actividad o a realizar un acto tendente a la destrucción de los derechos o libertades reconocidos en el presente Convenio o a limitaciones más amplias de estos derechos o libertades que las previstas en el mismo".

En concreto, por lo que se refiere a sanciones penales vinculadas a conductas de incitación o apología del terrorismo es reiterada la jurisprudencia del Tribunal Europeo de Derechos Humanos en el sentido de que podría resultar justificada una limitación de la libertad de expresión cuando pueda inferirse que dichas conductas supongan un riesgo para la seguridad nacional, la integridad territorial o la seguridad pública, la defensa del orden o la prevención del delito (por ejemplo, STEDH de 2 de octubre de 2008, as. *Leroy v. France*, § 43), bien sea como apoyo moral a la actividad —mediante el enaltecimiento de la propia actividad— (por ejemplo, SSTEDH de 16 de marzo de 2000, as. *Özgür Gündem c Turquía*, § 65; 7 de febrero de 2006, as. *Halis Dogan c Turquía*, § 37; 7 de marzo de 2006, as. *Hocao*ullari c Turquía*, § 39; 10 de octubre de 2006, as. *Halis Dogan c Turquía* —núm. 3—, § 35); o como apoyo moral a la ideología a través de la loa a quienes desarrollan esa actividad —mediante el enaltecimiento de sus autores— (por ejemplo, STEDH de 28 de septiembre de 1999, as. *Öztürk c Turquía*, § 66; 2 de octubre de 2008, as. *Leroy v. France*, § 43). En aplicación de esta doctrina han sido diversas las resoluciones bien de inadmisión (DDTEDH de 13 de noviembre de 2003, as. *Gündüz c Turquía* —num. 2—; de 16 de junio de 2009, as. *Bahceci y otros c Turquía*) bien de desestimación de la lesión del derecho a la libertad de expresión (SSTEDH de 25 de noviembre de 1997, as. *Zana c Turquía*; de 8 de julio de 1999, as. *Sürek c Turquía* —núms. 1 y 3—; 7 de febrero de 2006, as. *Halis Dogan c Turquía*; 7 de marzo de 2006, as. *Hocao*ullari c Turquía*; 10 de octubre de 2006, as. *Halis Dogan c Turquía* —núm. 3—; 2 de octubre de 2008, as. *Leroy v. France*) en supuestos en que quedaba acreditado que la condena penal se derivaba de conductas que eran concretas manifestación del discurso del odio por justificar el recurso a la violencia para la consecución de objetivos políticos.

En conclusión, tomando en consideración la jurisprudencia de este Tribunal sobre la incidencia de las manifestaciones del denominado discurso del odio en el derecho a la libertad de expresión —que está en línea con la preocupación que a nivel internacional y regional se ha desarrollado en relación con la necesidad de sancionar penalmente las conductas de provocación a la comisión de delitos terroristas y la eventual incidencia que ello podría tener sobre el derecho a la libertad de expresión y con la jurisprudencia del Tribunal Europeo de Derechos Humanos sobre el particular—, hay que concluir que la sanción penal de las conductas de enaltecimiento del terrorismo sancionadas en el art. 578 —"el enaltecimiento o la justificación por cualquier medio de expresión pública o difusión de los delitos comprendidos en los artículos 571 a 577 de este Código [delitos de terrorismo] o de quienes hayan participado en su ejecución"— supone una legítima injerencia en el ámbito de la libertad de expresión de sus autores en la medida en que puedan ser consideradas como una manifestación del discurso del odio por propiciar o alentar, aunque sea de manera indirecta, una situación de riesgo para las personas o derechos de terceros o para el propio sistema de libertades.

Por tanto, la labor de control de constitucionalidad que bajo la invocación del derecho a la libertad de expresión [art. 20.1 a) CE] debe desarrollarse en este procedimiento de amparo debe quedar limitada, sin entrar en aspectos de legalidad penal ordinaria referidos a la concreta aplicación del tipo penal, a verificar si en este caso las resoluciones judiciales impugnadas, al imponer la sanción penal al recurrente, han ponderado esa concreta exigencia, como elemento determinante delimitador de la constitucionalidad, de que la conducta desarrollada por el recurrente pudiera ser considerada una manifestación del discurso del odio, que incitaba a la violencia.

FJ 6. [...] [L]as resoluciones judiciales impugnadas, al condenar al recurrente como autor de un delito de enaltecimiento del terrorismo por su participación en ese homenaje, no han vulnerado su derecho a la libertad de expresión [art. 20.1 a) CE]. Su conducta no puede ser considerada como un legítimo ejercicio de este derecho, por ser manifestación del conocido como discurso del odio, al estar presentes todos los requisitos citados necesarios para ello: fue una expresión de odio basado en la intolerancia (el acto se publicitó mediante carteles pegados en las calles en los que se transcribía un texto atribuido a Argala que dice: "La lucha armada no nos gusta a nadie, la lucha armada es desagradable, es dura, a consecuencia de ellas se va a la cárcel, al exilio, se es torturado; a consecuencia de ella se puede morir, se ve uno obligado a matar, endurece a la persona, le hace daño, pero la lucha armada es imprescindible para avanzar"; con proyección de fotografías de miembros encapuchados de la banda terrorista; el recurrente pidió con ambigüedad calculada "una reflexión [para] escoger el camino más idóneo, el camino que más daño le haga al Estado, que conduzca a este pueblo a un nuevo escenario democrático"); manifestado a través de un nacionalismo agresivo; con inequívoca presencia de hostilidad hacia otros individuos. Es cierto que la Recomendación núm. R (97) 20 del Consejo de Europa de la que parte la jurisprudencia del Tribunal Europeo de Derechos Humanos es aplicable a la difusión a través de los medios de comunicación. Sin embargo, no puede obviarse en el presente caso dos ideas. Por una parte, los hechos cursaron en un acto público, lo que sin problemas puede entenderse como de eficacia perfectamente equiparable. Por otra, como reflejan las sentencias que antecedieron a ésta, el acto tuvo repercusión pública, apareciendo la noticia del homenaje en los medios de difusión, periódicos y noticiarios de televisión, dato que no podía ignorar el recurrente.

Además, puede afirmarse que hubo una instigación a la violencia. Ciertamente, el Tribunal Europeo de Derechos Humanos, Sentencia de 16 de julio de 2009, caso *Feret c Bélgica*, § 73, recuerda que "la incitación al odio no requiere necesariamente el llamamiento a tal o cual acto de violencia ni a otro acto delictivo". Parece claro, pues, que si los hechos implican tal incitación a la violencia, con mayor razón pueden incardinarse en dicho discurso (SSTEDH de 29 de abril 2008, caso *Kutlular c. Turquía*, § 49; de 16 de julio de 2009, caso *Feret c. Bélgica*, § 64; de 8 de julio de 1999, caso *Sürek c. Turquía*, § 62). Incitar supone siempre llevar a cabo una acción que *ex ante* implique elevar el riesgo de que se produzca tal conducta violenta. Desde esta última perspectiva, acciones como las que nos ocupan crean un determinado caldo de cultivo, una atmósfera o ambiente social proclive a acciones terroristas, antesala del delito mismo, singularmente si se tienen en cuenta las circunstancias en las que cursaron los hechos: fue un acto público, previamente publicitado mediante carteles pegados en las calles, en un contexto en el que la actividad terrorista seguía siendo un importante problema social. Por consiguiente, es incuestionable que, para un espectador objetivo, la conducta del recurrente era idónea para contribuir a perpetuar una situación de violencia.

El planteamiento efectuado no es ajeno a la jurisprudencia del Tribunal Constitucional. En efecto, tal como ya se ha expuesto anteriormente, la citada STC 235/2007, para entender como legítima la sanción de conductas de punición de justificación del genocidio, afirmó que "será necesario que la difusión pública de las ideas justificadoras entre en conflicto con bienes constitucionalmente relevantes de especial transcendencia que hayan de protegerse penalmente. Así sucede, en primer lugar, cuando la justificación de tan abominable delito suponga un modo de incitación indirecta a su perpetración. Sucederá también, en segundo lugar, cuando con la conducta consistente en presentar como justo el delito de genocidio se busque alguna suerte de provocación al odio hacia determinados en grupos definidos mediante la referencia a su color, raza, religión u origen nacional o étnico, de tal manera que represente un peligro cierto de generar un clima de violencia y hostilidad que puede concretarse en actos específicos de discriminación" (FJ 9). Es más, es claro que la justificación del genocidio *ex ante*, en determinado ambiente social, caracterizado por un rechazo generalizado de tales doctrinas, puede ser menos peligroso para bienes constitucionales que la conducta aquí objeto de consideración, llevada a cabo en un ambiente social en el que, patentemente, resultaba mucho más fácil que prendiera la llama. El contexto en el que acaecen los hechos no es jurídicamente irrelevante (STEDH *Sürek contra Turquía*, de 8 julio 1999, § 62).

Las resoluciones judiciales impugnadas, en su labor de interpretación y aplicación del art. 578 CP, han ponderado adecuadamente todas las circunstancias concurrentes en la conducta del demandante de amparo. Concluyen correctamente no solo la aplicación del tipo penal —sobre lo que nada tiene ahora que decir este Tribunal al no ser una cuestión controvertida en este recurso de amparo bajo la invocación del derecho a la legalidad sancionadora (art. 25.1 CE)—; sino, especialmente, que era una conducta que no quedaba amparada dentro del contenido constitucionalmente protegido de la libertad de expresión [art. 20.1 a) CE], que es el concretamente invocado en este amparo, al tratarse de una manifestación del discurso del odio que incitaba públicamente el uso de la violencia en la consecución de determinados objetivos políticos. Al respecto, no es ociosa la cita de STEDH de 8 julio 1999, caso *Sürek contra Turquía*, §§ 61-62, en la que se subraya que "allí donde las declaraciones litigiosas inciten al uso de la violencia con respecto a un individuo, un representante del Estado o una parte de la población, las autoridades nacionales gozan de un margen de apreciación más amplio en su examen de la necesidad de una injerencia en el ejercicio de la libertad de expresión". Aceptado, como aquí hemos hecho, la presencia de dicha incitación a la violencia en los hechos objeto de enjuiciamiento, se comprimen aún más los márgenes para apreciar el ejercicio legítimo del derecho invocado.

Voto particular que formula el Magistrado don Juan Antonio Xiol Ríos

4. [...] Si se pone en relación esta obligación de ponderación de los órganos judiciales penales con la circunstancia, también señalada, de que la legitimidad de la injerencia penal en el ejercicio de la libertad de expresión en este tipo de conductas queda estrictamente vinculada a que se acredite que supone una incitación, aunque sea indirecta, a la comisión de ilícitos penales, poniendo en riesgo los derechos de terceros o el propio orden constitucional, habría que haber concluido que en este caso las resoluciones judiciales impugnadas no habían hecho esa valoración previa. En efecto, partiendo de la base de que el art. 578 CP se sanciona "el enaltecimiento o la justificación por cualquier medio de expresión pública o difusión de los delitos comprendidos en los artículos 571 a 577 de este Código [delitos de terrorismo] o de quienes hayan participado en su ejecución", ambas resoluciones judiciales se han centrado, a mi juicio de manera evidente, en una labor estrictamente formal de interpretación y aplicación del citado precepto penal limitándose a constatar (i) que, conforme a su tenor literal, se sanciona, entre otras, la conducta de enaltecimiento de quienes hayan participado en la ejecución de delitos terroristas; y (ii) que la conducta desarrollada por el recurrente constituía el enaltecimiento de una persona que treinta años antes había formado parte de una organización terrorista. Sin embargo, a tenor de la amplia transcripción que se ha realizado en los antecedentes, no han llevado a cabo la labor de ponderación que les correspondía como garantes de los derechos fundamentales, ya que no han hecho un análisis previo de verificación acerca de (i) si la conducta desarrollada por el recurrente podría ser considerada un legítimo ejercicio de su derecho a la libertad de expresión, en atención a que no era susceptible de ser valorada como una incitación, aunque fuera indirecta, a la comisión de ilícitos penales; (ii) o, por el contrario, si no quedaba amparada por el ejercicio de ese derecho al poner de manifiesto que constituía un riesgo para los derechos de terceros o el orden constitucional derivado de su potencial efecto, aunque fuera indirecto, para incitar a la comisión de ilícitos penales.

5. [...] Considero que la reacción punitiva del Estado imponiendo una sanción penal privativa de libertad de un año y siete años de inhabilitación absoluta al demandante de amparo por la conducta que desarrolló en el homenaje a "Argala" no era necesaria ni proporcionada, desde la perspectiva del derecho a la libertad de expresión, por no poder ser considerada una incitación, aunque fuera indirecta, a la violencia terrorista. [...]
En conclusión, existe un conjunto de circunstancias en el caso que no permite concluir que la conducta del recurrente encierre un potencial lesivo de incitación a la comisión de ilícitos penales de tal relevancia que su castigo con una pena de prisión de un año y una larga condena de inhabilitación por siete años resulte necesario y proporcionado en una sociedad democrática que reconoce la libertad de expresión como un elemento institucional de primera magnitud en su sistema de valores. Por tanto, en mi opinión, debió haberse otorgado al recurrente el amparo solicitado por la vulneración de su derecho a la libertad de expresión.

El derecho a la propia imagen como límite de la libertad de expresión: el caso de las caricaturas —STC 23/2010, de 27 de abril—

La Sentencia resuelve el recurso de amparo promovido por HF Revistas, S.A. contra la Sentencia de 7 de marzo de 2006 de la Sala de lo Civil del Tribunal Supremo, que confirmó en casación la Sentencia de la Sección Decimotercera de la Audiencia Provincial de Madrid de 29 de febrero de 2000, que declaró que la publicación del reportaje titulado «La doble de Chabeli se desnuda», en el que se incluía la foto del rostro de la actora superpuesta sobre un cuerpo semidesnudo, supuso una intromisión ilegítima en el derecho a la propia imagen de doña Isabel Iglesias Presysler y condenó a la entidad recurrente al pago de una indemnización de cinco millones de pesetas. La recurrente entiende vulnerado su derecho a la libertad de expresión, por entender que la difusión del montaje fotográfico y los comentarios que han dado origen a la condena judicial constituyó un ejercicio legítimo de tal derecho fundamental.

FJ 4. [...] Si [...] el contenido positivo del derecho a la propia imagen delimita el alcance de la libertad de expresión, del mismo modo este derecho «se encuentra a su vez limitado por otros derechos y bienes constitucionales, en particular, por el derecho a la comunicación de información y a las libertades de expresión y creación artística» (SSTC 81/2001, de 26 de marzo, FJ 2; 139/2001, de 18 de junio, FJ 4). Esto obliga, en caso de conflicto, a efectuar una tarea de deslinde a través de la ponderación tópica de los bienes constitucionales en juego. Entre las circunstancias que deben tomarse en cuenta en ella destaca la determinación de la intensidad con la que se afecta al derecho a la propia imagen tomando en consideración su dimensión teleológica (SSTC 156/2001, de 2 de julio, FJ 6; 14/2003, de 28 de enero, FJ 5; 72/2007, de 16 de abril, FJ 3), cuya trascendencia viene también puesta de relieve por el hecho de que, con carácter general, en los casos de fotografías difundidas públicamente el canon de relevancia que permite la afectación sobre el derecho a la propia imagen ha de ser necesariamente más tenue que el que faculte a una intromisión en los derechos al honor o la intimidad, en la medida en que es también menor la consecuencia lesiva sobre la dignidad que tiene en sí misma la mera reproducción gráfica de la representación externa de una persona (ATC 176/2007, de 1 de marzo, FJ 2). Del mismo modo, debe valorarse la conducta previa del afectado por la difusión inconsentida de la propia imagen, «como ocurre cuando la propia —y previa— conducta de aquél o las circunstancias en las que se encuentre inmerso justifiquen el descenso de las barreras de reserva para que prevalezca el interés ajeno o el público que puedan colisionar con él» (SSTC 99/1994, de 11 de abril, FJ 5; 14/2003, de 28 de enero, FJ 5).

FJ 5. [...] [R]esulta relevante tomar en consideración el hecho de que la publicación que constituye el objeto de nuestro juicio es un montaje irónico elaborado a partir de una fotografía de la actora civil superpuesta sobre un cuerpo ajeno. En la medida en que del contexto de la revista se desprende que la composición perseguía una finalidad humorística mediante la manipulación de la imagen, puede calificarse de caricatura, pues debe entenderse por tal toda creación satírica realizada a partir de las facciones y el aspecto de alguien, deformando su realidad. Con la generalización de las nuevas tecnologías de tratamiento de la imagen, esta categoría, que tradicionalmente se había basado exclusivamente en la dimensión humorística del dibujo, se plasma cada vez con más frecuencia en la alteración de fotografías originales, aunque no pierde por ello su esencia de creación irónica basada en la reelaboración de la fisionomía del modelo que tiene por objeto.

En los casos en los que la caricatura se elabora mediante la distorsión de la imagen fotográfica de una persona, resulta evidente que se viene a afectar al derecho a la propia imagen de la persona representada, si bien tal afección puede venir justificada por el legítimo ejercicio de la libertad de expresión [art. 20.1 a) CE] o, incluso, de la libertad de creación artística [art. 20.1 b) CE].

Desde el punto de vista de la libertad de expresión, la caricatura constituye, desde hace siglos, una de las vías más frecuentes de expresar mediante la burla y la ironía críticas sociales o políticas que, en tanto que elemento de participación y control público, resultan inescindibles de todo sistema democrático, y coadyuvan a la formación y existencia «de una institución política fundamental, que es la opinión pública libre, indisolublemente ligada con el pluralismo político, que es un valor fundamental y un requisito del funcionamiento del Estado democrático» (STC 12/1982, de 31 de marzo, FJ 3).

Con frecuencia, «este tipo de sátira es una forma de expresión artística y crítica social que con su contenido inherente de exageración y distorsión de la realidad persigue naturalmente la provocación y la agitación» (STEDH Vereinigung Bildender Künstler c. Austria, de 25 enero de 2007, § 33) y cuando así suceda, el uso manipulativo de la imagen ajena podrá constituir un ejercicio legítimo del derecho a la libertad de expresión en cuanto contribuya al mantenimiento de una opinión pública crítica y plural, como «condición previa y necesaria para el ejercicio de otros derechos inherentes al sistema democrático» (SSTC 159/1986, de 16 de diciembre, FJ 6; 77/2009, de 23 de marzo, FJ 4). Sin embargo, el valor que para la formación de la opinión pública y la libre circulación de ideas puedan tener determinadas caricaturas, no implica que ésta sea la única finalidad imaginable de tales creaciones.

De ese modo, también resulta evidente que en ocasiones la manipulación satírica de una fotografía puede obedecer a intenciones que no gozan de relevancia constitucional suficiente para justificar la afectación del derecho reconocido en el art. 18.1 CE, por venir desvinculadas de los objetivos democráticos reseñados. De hecho, a menudo, como señalamos en la STC 176/1995, de 11 de diciembre, FJ 5, «el propósito burlesco, animus iocandi, se utiliza precisamente como instrumento del escarnio» y, sin duda, cabe imaginar la difusión de caricaturas comercializadas por mero objetivo económico o incluso creadas con la específica intención de denigrar o difamar a las personas representadas (cfr. STEDH Aguilera Jiménez y otros c. España, de 8 de diciembre de 2009, § 32 y ss.). En estos casos, la ausencia de un interés público constitucionalmente defendible priva de justificación a la intromisión en el derecho a la propia imagen, de tal modo que si se usa ésta sin consentimiento de su titular puede resultar lesionado el citado derecho fundamental garantizado en el art. 18.1 CE.

Así sucede también en el presente asunto, pues efectivamente, la difusión de la caricatura que ahora analizamos, con independencia del juicio que pudiera merecer su contraste con el derecho al honor de la afectada no puede entenderse como un ejercicio de crítica política o social a través de la sátira y el humor. [...]

Tanto las diversas instancias judiciales que han abordado el asunto, como el informe del Ministerio Fiscal en el presente recurso de amparo, coinciden en señalar que el fotomontaje tenía como única finalidad la de divertir al lector mediante la exhibición de un cuerpo femenino semidesnudo al que se le había añadido el rostro de doña Isabel Iglesias. Cabe concluir, por tanto, que la intención de la revista al utilizar la imagen de la actora era la de provocar, con un marcado sesgo sexista, la burla sobre su persona, a partir exclusivamente de su aspecto físico y obteniendo con ello un beneficio económico para la empresa periodística en cuestión. Difícilmente puede apreciarse interés público alguno en este uso de la imagen desvinculado de cualquier finalidad legítima de crítica política o social, de modo que la publicación de la fotografía manipulada en nada contribuye a la formación de una opinión pública libre.

La libertad de expresión en el contexto de la asistencia letrada —STC 235/2002, de 9 de diciembre[5]—

La Sentencia resuelve el recurso de amparo interpuesto por don A.J.G.C. contra el Acuerdo de la Sala de Gobierno del Tribunal Superior de Justicia de Andalucía, de 26 de septiembre de 2000, desestimatorio del recurso de alzada interpuesto contra el Acuerdo del Juzgado de Primera Instancia núm. 6 de Granada, de 15 de mayo de 2000, por el que se le impuso una multa como corrección disciplinaria por una falta de respeto al Juez. Esta se produjo en un juicio declarativo verbal en el que asistía como abogado a la parte actora, y en el que solicitó la admisión como prueba de una serie de documentos, solicitud que fue rechazada por el juez. El recurrente presentó recurso de reposición contra dicha decisión judicial, tachándola de «arbitraria, infundada, caprichosa, manifiestamente ilegal, y groseramente contraria a derecho por lo que deberá ser modificada», expresiones que fueron objeto de sanción. El recurrente entiende que ésta vulnera su libertad de expresión.

FJ 2. [...] En nuestra jurisprudencia se parte de que el ejercicio de la libertad de expresión en el seno del proceso judicial por los Letrados de las partes, en el desempeño de sus funciones de asistencia técnica, posee una singular cualificación, al estar ligado estrechamente a la efectividad de los derechos de defensa del art. 24 CE (STC 113/2000, de 5 de mayo, FJ 4). Consiste en una libertad de expresión reforzada cuya específica relevancia constitucional deviene de su inmediata conexión con la efectividad de otro derecho fundamental, el derecho a la defensa de la parte (art. 24.2 CE), y al adecuado funcionamiento de los órganos jurisdiccionales en el cumplimiento del propio y fundamental papel que la Constitución les atribuye (art. 117 CE). Por tales razones se trata de una manifestación especialmente inmune a las restricciones que en otro contexto habrían de operar (STC 205/1994, de 11 de julio, FJ 5).

Desde esta comprensión constitucional deben ser interpretados los arts. 448 y ss. LOPJ sobre la corrección disciplinaria de los Abogados que intervienen en los mismos. Lo dispuesto en tales preceptos no constituye sólo una regulación de la potestad disciplinaria atribuida a los Jueces o a las Salas sobre dichos profesionales, «que cooperan con la Administración de Justicia» —según el epígrafe del Libro V de la Ley Orgánica del Poder Judicial—, sino que incide, también, sobre la función de defensa que les está encomendada. De ahí que resulte preciso cohonestar dos exigencias potencialmente opuestas, pero complementarias: el respeto a la libertad del Abogado en la defensa del ciudadano y el respeto por parte del Abogado de los demás sujetos procesales, que también participan en la función de administrar justicia (SSTC 38/1998, de 9 de marzo, FJ 2; 205/1994, de 11 de julio, FJ 5). La primera exigencia aparece contemplada en el art. 437.1 LOPJ, al disponer que 'en su actuación ante los Jueces y Tribunales, los Abogados son libres e independientes, se sujetarán al principio de buena fe, gozarán de los derechos inherentes a la dignidad de su función y serán amparados por aquéllos en su libertad de expresión y defensa'. La segunda de las exigencias antes apuntadas requiere, en reciprocidad, el respeto por parte del Abogado de las demás personas que también participan en la función de administrar justicia y tiene como consecuencia el que, a tenor del art. 449.1 LOPJ, los Abogados y Procuradores puedan ser corregidos disciplinariamente ante los Juzgados y Tribunales 'cuando en su actuación forense faltasen oralmente, por escrito o por obra, al respeto debido a los Jueces y Tribunales, Fiscales, Abogados, Secretarios Judiciales o cualquier persona que intervenga o se relacione con el proceso' (STC 38/1988, de 9 de marzo, FJ 2; 157/1996, de 15 de octubre, FJ 5; 79/2002, de 8 de abril, FJ 6).

Asimismo hemos puntualizado que la especial cualidad de la libertad de expresión del Abogado en el ejercicio de defensa de su patrocinado debe valorarse en el marco en el que se ejerce y atendiendo a su funcionalidad para el logro de las finalidades que justifican su privilegiado régimen, sin que ampare el desconocimiento del respeto debido a las demás partes presentes en el procedimiento y a la autoridad e imparcialidad del Poder Judicial, que el art. 10.2 del Convenio Europeo de Derechos Humanos erige en límite explícito a la libertad de expresión.

FJ 4. [...] Para ello cabe señalar, en primer lugar, que «el bien tutelado en el art. 449.1 LOPJ no es el honor o la dignidad de la persona titular de un órgano judicial, sino el respeto debido al Poder Judicial en tanto que institución y, por tanto, al margen de las personas que eventualmente desempeñan la magistratura» (SSTC 157/1996, de 15 de octubre, FJ 2; 79/2002, de 8 de abril, FJ 2). Por tanto, tal como afirmamos en la STC 226/2001, de 26 de noviembre, FJ 3, el límite de la libertad de expresión en el ejercicio del derecho de defensa lo constituye, en este caso, el mínimo respeto debido a la

---

5   *Vid.* también las SSTC 288/1994, de 27 de octubre y 102/2001, de 23 de abril (ambas en el ejercicio de la defensa en vía administrativa en el contexto disciplinario militar); 184/2001, de 17 de septiembre; 117/2003, de 16 de junio; 65/2004, de 19 de abril; 22/2005, de 1 de febrero; 232/2005, de 26 de septiembre; 338/2006, de 11 de diciembre; 39/2009, de 9 de enero. En sentido contrario, *vid.* la STC 65/2015, de 13 de abril (las libertades de expresión e información no protegen las acusaciones de falta de probidad dirigidas contra el juzgador en un determinado proceso).

autoridad e imparcialidad del Poder Judicial, y para comprobar si aquél se ha franqueado habremos de atender principalmente al significado de las concretas expresiones utilizadas, en cuanto puedan revelar una intención de menosprecio en la plasmación de las ideas y conceptos a cuya expresión sirven en una compresión global del escrito enjuiciado [...]. En aplicación de tales criterios, este Tribunal ha entendido que falta al respeto, autoridad e imparcialidad del Poder Judicial una afirmación gratuita en la que se lanza una velada acusación de prevaricación contra un Juez (ATC 76/1998, 16 de marzo); o las manifestaciones gratuitas que no están referidas al concreto supuesto de hecho debatido en autos y que en nada pueden contribuir a la causa de su cliente (ATC 299/2000, de 13 diciembre); o expresiones efectivamente graves y descalificadoras que se formulan en términos que no son los habituales ni los propios de la crítica a un Juez o Magistrado (ATC 10/2000, de 11 de enero); o tildar una actuación judicial de «violenta, hostil, maleducada y grosera» (STC 226/2001, de 26 de noviembre, FJ 3). Por el contrario, ha considerado amparadas por la libertad de expresión en la defensa letrada la denuncia, en un recurso, de una vulneración del art. 24 CE con aseveraciones de especial gravedad y dureza, aunque en términos de estricta defensa (STC 157/1996, de 15 de octubre, FJ 5); o la crítica a la actuación procesal del Ministerio Fiscal en una causa, sin uso de expresiones insultantes o vejatorias (STC 113/2000, de 5 de mayo, FJ 6).

En el presente caso, [...] en el escrito del recurso interpuesto en su día por el Abogado que ahora demanda amparo se realiza una crítica dirigida básicamente a la providencia dictada por el Juzgado, expresada en términos, quizás, excesivamente enérgicos, pero aptos para manifestar las quejas por vulneración del derecho fundamental a la tutela judicial efectiva. Las expresiones «arbitraria» o «infundada», o los epítetos «caprichosa» o «groseramente contraria a derecho» utilizados para referirse a la resolución impugnada, no deben, al emplearse en términos de defensa, considerarse ni insultantes ni vejatorios para la Juzgadora, ni reveladores de un menosprecio hacia la función judicial, pues pretenden describir la vulneración que se denuncia y, en consecuencia, se amparan en la libertad de expresión del Letrado que, precisamente por su carácter específico, le permite una mayor «beligerancia en los argumentos» (STC 113/2000, de 5 de mayo, FJ 6) dada su conexión con el derecho de defensa de la parte.

2. El derecho a difundir y recibir libremente información veraz: artículo 20.1.d) CE

El derecho a difundir y a recibir información veraz, y la formación de una opinión pública libre —STC 168/1986, de 22 de diciembre (*vid.* ARTÍCULO 18.1)[6]—

FJ 2. Como este Tribunal ha puesto de relieve en anteriores decisiones (SSTC 105/1983, de 23 de noviembre, fundamento jurídico 11, y 13/1985, de 31 de enero, fundamento jurídico 2.°), el texto del art. 20.1 d) de la Constitución, distinto del que se refiere a la difusión de pensamientos, ideas y opiniones [art. 20.1 a)] reconoce dos derechos, íntimamente conectados, que en aras del interés de todos en conocer los hechos de actualidad que puedan tener trascendencia pública se concretan en la libre comunicación y recepción de información veraz, de tal manera que los sujetos de este derecho son no sólo los titulares del órgano o medio difusor de la información o los profesionales del periodismo o quienes, aun sin serlo, comunican una información a través de tales medios, sino, primordialmente, «la colectividad y cada uno de sus miembros». Al incluir estos derechos en el art. 20, la Constitución tiene en cuenta ciertamente la posición jurídica subjetiva de quienes comunican la información, pero protege también, con la garantía reforzada que otorga a los derechos fundamentales y libertades públicas, la facultad de cada persona y de la entera colectividad de acceder libremente al conocimiento, transmitido por los medios de comunicación, de los hechos de relevancia realmente acaecidos.

El derecho a recibir una información veraz es de este modo un instrumento esencial de conocimiento de los asuntos que cobran importancia en la vida colectiva y que, por lo mismo, condiciona la participación de todos en el buen funcionamiento del sistema de relaciones democráticas auspiciado por la Constitución, así como el ejercicio efectivo de otros derechos y libertades, como hemos recordado en nuestra reciente Sentencia de 12 de diciembre del presente

---

6   *Vid.* también las SSTC 6/1981, de 16 de marzo; 159/1986, de 16 de diciembre. Con todo, el derecho a recibir información veraz es, según el Tribunal Constitucional, un derecho genérico, de contenido objetivo, que «no puede ser ejercido por un particular cualquiera» (STC 51/2007, de 12 de marzo, FJ 9), careciendo por ende de contenido subjetivo que permita a cualquier persona reclamarlo como tal frente ante los tribunales de justicia. Esto es así frente a los medios de comunicación (*ibídem*). Y lo es también frente a los poderes públicos, los cuales se ven ciertamente vinculados por su contenido objetivo, pero frente a quienes el derecho se ejerce, como derecho de libertad de elección de elección de medio y versiones informativas, sin contenido prestacional, como se apunta en la STC 168/1986, de 22 de diciembre, FJ 5 (*vid. infra*).

año, dictada en el recurso de amparo núm. 57/84. Por ello, resultan menoscabados los derechos reconocidos en el art. 20.1 d) de la Constitución tanto si se impide comunicar o recibir una información veraz como si se difunde, se impone o se ampara la transmisión de noticias que no responden a la verdad, siempre que ello suponga cercenar el derecho de la colectividad a recibir, sin restricciones o deformaciones, aquéllas que sean veraces.

Los poderes públicos y la transmisión de información veraz como un derecho de titularidad privada —STC 244/2007, de 3 de diciembre (*vid*. ARTÍCULO 18)[7]—

FJ 3. [...] En el caso que nos ocupa, la información pretendidamente lesiva del derecho al honor fue emitida por quien ostentaba la condición de representante del poder público como Gobernador Civil de Guipúzcoa y en ejercicio de sus potestades públicas. En consecuencia, no cabe apreciar en el caso examinado la existencia de un conflicto entre el derecho al honor del recurrente y otros derechos fundamentales de los que carece el poder público en su actuación frente al ciudadano, singularmente —por lo que aquí nos concierne— el derecho a la información, dada la finalidad de las declaraciones efectuadas, orientadas a trasladar a la opinión pública, a través de los medios de comunicación convocados a la rueda de prensa, los resultados alcanzados en el desarrollo de la operación antiterrorista desplegada en fechas precedentes. El problema que suscita el presente enjuiciamiento es el de los límites que han de enmarcar el deber de los poderes públicos al informar de sus actuaciones sobre determinados asuntos que afectan a bienes cuya protección les está encomendada (medio ambiente, sanidad, seguridad pública, etc.), en tanto en cuanto tal información puede facilitar la libre difusión y recepción de información veraz (STC 178/1993, de 31 de mayo, FJ 4) entendida como garantía institucional de la existencia de una opinión pública libre (STC 171/2004, de 18 de octubre, FJ 2, entre muchas otras), aspecto éste que cobra singular relieve en el caso examinado, dado el especial compromiso que incumbe a los poderes públicos en el fomento y preservación de aquella garantía y dada la particular significación de la materia sobre la que versa la información difundida en relación con los valores de la convivencia democrática encarnados en la Constitución.

El derecho a comunicar y recibir información y la publicidad de las actuaciones judiciales —STC 56/2004, de 19 de abril[8]—

La Sentencia resuelve el recurso de amparo promovido por doña M.P.A.C. y otras/os contra los Acuerdos de la Sala de Gobierno del Tribunal Supremo de 12 y 25 de septiembre de 1995, que aprobaron las «Normas sobre acceso al Palacio sede del Tribunal Supremo», contra el Acuerdo del Pleno del Consejo General del Poder Judicial de 7 de febrero de 1996, que estimó parcialmente el recurso administrativo ordinario contra aquellos Acuerdos, y contra la Sentencia de la Sala Tercera del Tribunal Supremo de 9 de julio de 1999, que lo confirmó, por violación del derecho a comunicar y recibir información veraz.

FJ 3. Este Tribunal ya ha tenido oportunidad de pronunciarse sobre la relación existente entre el derecho a comunicar o recibir libremente información veraz [art. 20.1 d) CE] y el principio de publicidad de las actuaciones judiciales (art. 120.1 CE) con ocasión de un caso en el que se denegó la acreditación para acceder a las sesiones del juicio oral de un proceso de muy notable proyección pública a reporteros de la prensa escrita. Se dijo entonces que «el principio de la publicidad de los juicios garantizado por la Constitución (art. 120.1) implica que éstos sean conocidos más allá del círculo de los presentes en los mismos, pudiendo tener una proyección general. Esta proyección no puede hacerse efectiva más que con la asistencia de los medios de comunicación social, en cuanto tal presencia les permite adquirir la información en su misma fuente y transmitirla a cuantos, por una serie de imperativos de espacio, de tiempo, de distancia, de quehacer, etc., están en la imposibilidad de hacerlo. Este papel de intermediario natural desempeñado por los medios de comunicación social entre la noticia y cuantos no están, así, en condiciones de conocerla directamente, se acrecienta con respecto a acontecimientos que por su entidad pueden afectar a todos y por ello alcanzan una especial resonancia en el cuerpo social» (STC 30/1982, de 1 de junio, FJ 4). A lo que se añadía que «no resulta adecuado entender que los representantes de los medios de comunicación social, al asistir a las sesiones de un juicio público, gozan de un privilegio gracioso y discrecional, sino que lo que se ha calificado como tal es un derecho preferente atribuido en virtud de la función que cumplen, en aras del deber de información constitucionalmente garantizado» (ibidem).

---

7   *Vid*. también STC 69/2006, de 13 de marzo.
8   *Vid*. también las SSTC 57/2004, de 19 de abril; 159/2005, de 20 de junio.

El contenido del derecho a comunicar libremente información veraz comprende el proceso entero desde la obtención y elaboración de la noticia hasta su difusión, de forma tal que protege de forma específica a quienes «hacen de la búsqueda y difusión de la información su profesión» y les permite reaccionar frente a «cualquier perturbación de la libre comunicación social» (STC 6/1981, de 16 de marzo, FJ 4), que se ve directamente lesionada «en todos aquellos casos en que tal comportamiento —los actos de comunicación y de difusión— se ve impedido por vía de hecho o por una orden o consignación que suponga un impedimento para que la información sea realizada» (STC 105/1983, de 23 de noviembre, FJ 11). Por eso, si la noticia se obtiene en una fuente de información de acceso general, como son las audiencias públicas judiciales (con el límite objetivo que deriva de la cabida del recinto en que éstas tengan lugar), forma parte del contenido del derecho a la libertad de información que no se impida el acceso a la mencionada fuente. Cuestión distinta es la de qué actuaciones judiciales son públicas en este sentido y qué límites pueden imponerse a dicha publicidad, a lo que se hará referencia más adelante.

FJ 4. Las audiencias públicas judiciales son, pues, una fuente pública de información y, por eso, conforme acaba de exponerse, ha declarado este Tribunal, con respecto a los profesionales de la prensa escrita, que forma parte del contenido de su derecho a comunicar información la obtención de la noticia en la vista pública en que ésta se produce. La cuestión central que plantean los recurrentes es si cabe extender estas afirmaciones a los datos que se obtienen y se difunden por medios técnicos de captación óptica y difusión visual. Pues bien, en principio, nada distinto de lo declarado para los periodistas que cumplen su función mediante el escrito hay que decir para las informaciones que se valen de otros medios técnicos para obtener y transmitir la noticia, como los de grabación óptica, a través de cámaras fotográficas o de radiodifusión visual. El art. 20.1 d) CE garantiza el derecho a comunicar libremente información veraz «por cualquier medio de difusión», sin distinción entre las diferentes modalidades de éstos en lo que se refiere al contenido constitucionalmente garantizado del derecho. Por eso debe afirmarse que forma parte de dicho contenido tanto la utilización de esos cauces técnicos para la obtención y difusión de la noticia en la fuente informativa de acceso general (y las audiencias públicas judiciales lo son), como la instalación, instrumentalmente necesaria, de los aparatos técnicos precisos allí donde la noticia se produce. En esta línea, ha de destacarse que la imagen enriquece notablemente el contenido del mensaje que se dirige a la formación de una opinión pública libre.

Es evidente, no obstante, que la utilización de esos medios de captación y difusión visuales puede afectar de forma mucho más intensa que el reportaje escrito a otros derechos fundamentales de terceros y a bienes jurídicos constitucionalmente protegidos relativos a intereses colectivos, con los que el derecho a la libertad de información puede entrar en conflicto, que deberá resolverse conforme a las exigencias del principio de proporcionalidad y de la ponderación. En primera línea se sitúa, en este contexto, el derecho a la propia imagen (art. 18.1 CE) de quienes, de una u otra forma, intervienen en los procesos, que, sin duda, no tienen por qué ser personajes de relevancia pública. También los derechos al honor y a la intimidad personal y familiar (garantizados por el mismo art. 18.1 CE) pueden verse comprometidos por la toma y difusión de imágenes de quienes actúan en audiencias públicas judiciales de forma más grave que por la información que se produce a través del reportaje escrito o la grabación sonora. E, incluso, en determinadas circunstancias extremas, como destaca el Abogado el Estado, el derecho a la vida y a la integridad física y moral (art. 15 CE).

Y, por otra parte, no está excluido que la captación de imágenes en el proceso pueda producir una viva impresión en los que intervienen en el mismo. La instalación y utilización de cámaras de captación de imágenes puede, sin duda, suscitar efectos intimidatorios, por ejemplo, sobre los procesados en un juicio penal, sus defensores y los testigos, lo que podría ser suficiente para excluir la presencia de aquéllas (STC 65/1992, de 29 de abril, FJ 2). Por otra parte, en algunas circunstancias, la impresión de realidad que va asociada a la imagen visual podría favorecer especialmente el desarrollo de los que se han denominado «juicios paralelos», frente a los que «la Constitución brinda un cierto grado de protección… en la medida en que pueden interferir el curso del proceso» (ATC 195/1991, de 26 de junio, FJ 6). Y la simple instalación de los normalmente complejos medios técnicos necesarios para captar y difundir estos mensajes podría, por sus exigencias de tiempo y espacio, en determinados supuestos, perjudicar el ordenado desarrollo del proceso indispensable para la correcta administración de justicia. Si, como este Tribunal ya ha declarado, los derechos del art. 24 CE pueden constituir límites al ejercicio de la libertad de información (ATC 195/1991, de 26 de junio, FJ 6), es razonable afirmar que esos límites a los derechos del art. 20.1 d) CE podrán llegar tanto más lejos cuanto mayor sea el grado del perjuicio que éstos puedan suponer a los derechos de defensa; y que ese grado de perjuicio, sin duda, se intensifica en el caso de la captación y difusión de información visual.

Hay que reiterar, no obstante, que la circunstancia de que, en virtud de los peligros ciertos mencionados, las limitaciones del acceso a las audiencias públicas judiciales de medios de captación óptica puedan alcanzar más intensidad que las aplicables al reportaje escrito no significa que el acceso a la noticia, también con aquellos medios, y su elaboración y difusión esté ya excluido del contenido del derecho constitucionalmente garantizado por el art. 20.1 d) CE.

FJ 6. [...] Por lo que respecta a la regulación del apartado 1 de la norma impugnada hay que declarar que su contenido no vulnera el derecho fundamental invocado por los recurrentes. El precepto ordena al personal de seguridad que permita el acceso de los profesionales de los medios de comunicación a las audiencias públicas con sometimiento a las normas generales de seguridad, lo que, como es patente, nada tiene que ver con una restricción de la libertad de información. Por otra parte, la previsión de acreditaciones e identificaciones para los periodistas no sólo no limita el ejercicio de su derecho a informar, como ya se declaró en la citada STC 30/1982, de 1 de junio (FJ 4), sino que es un medio adecuado para que pueda ejercerse el derecho de acceso preferente a la audiencia que prevé ese apartado, en caso de escasez de espacio. Cuestión distinta es la de que en la aplicación del sistema puedan producirse concretas vulneraciones de la libertad de información, pero en este terreno el recurso tiene una carácter meramente cautelar.

Los recurrentes consideran vulnerado el derecho a la libertad de información por la norma que les impide acceder a actuaciones judiciales que no son públicas (diligencias de instrucción del proceso penal) y, en general, acceder como informadores a dependencias del Palacio del Tribunal Supremo distintas de las salas donde tienen lugar las audiencias públicas. La alegación debe también desestimarse. El derecho a la libertad de información es, precisamente, un derecho de libertad (SSTC 6/1981, de 16 de marzo, FJ 4; 105/1983, de 23 de noviembre, FJ 11; 220/1991, de 25 de noviembre, FJ 4) y no cabe extraer de él el efecto de que convierta en públicas fuentes de información que no lo sean, como ya ha tenido este Tribunal oportunidad de declarar, por ejemplo, con respecto a la enfermería de una plaza de toros, que no es una fuente de información de acceso general, por mucho que se sitúe en el entorno de un espectáculo público y que en ella estuvieran sucediendo acontecimientos de un supuesto interés informativo (STC 231/1988, de 2 de diciembre, FJ 8). Las actuaciones del sumario no tienen lugar en régimen de audiencia pública (art. 301 LECrim) y, conforme a esa regulación del Derecho positivo y a la jurisprudencia del Tribunal Europeo de Derechos Humanos, «el principio de publicidad no es aplicable a todas las fases del proceso penal, sino tan sólo al acto oral que lo culmina y al pronunciamiento de la subsiguiente Sentencia» (STC 176/1988, de 4 de octubre, FJ 2; y las Sentencias del Tribunal Europeo de Derechos Humanos que allí se citan), afirmaciones que en nada se ven modificadas por la invocación del derecho a la libertad de información, que incluye el derecho a que no se impida el acceso a la fuente de la noticia cuando aquélla es pública o de acceso general, pero no cuando no lo es.

El mismo razonamiento puede aplicarse a la pretensión de acceso como informadores a otras dependencias del Palacio del Tribunal Supremo, distintas de los recintos donde tienen lugar las actuaciones judiciales en régimen de audiencia pública. Los pasillos u otras dependencias de ese edificio no son fuentes de información de acceso general, pues más allá de los locales en los que se desarrollan las actuaciones públicas, el derecho de acceso tiene un carácter instrumental, es decir, paso para llegar a aquellos locales.

FJ 7. Con respecto a lo dispuesto por el apartado 3 de la norma sexta impugnada [...] la situación en la que había quedado el acceso a los juicios con cámaras fotográficas, de vídeo o televisión era la de una prohibición general que podía ser levantada «en cada caso» por «autorización» de la Sala de Justicia. Así pues, si no existía resolución autorizatoria de la Sala, los servicios de seguridad debían prohibir el acceso de esos medios técnicos de captación y difusión de información.

Pues bien, ha de entenderse que este régimen de prohibición general con reserva de autorización es incompatible con la normativa reguladora del ejercicio del derecho fundamental a la libertad de información actualmente vigente, que establece, conforme a lo que ya se ha expuesto, precisamente, una habilitación general con reserva de prohibición. A la ley está reservada la regulación de las excepciones a la publicidad del proceso (SSTC 96/1987, de 10 de junio, FJ 2; y 65/1992, de 29 de abril, FJ 2), que son, al mismo tiempo, para las actuaciones que se pueden celebrar en régimen de audiencia pública, límites de la libertad de información (ATC 195/1991, de 26 de junio, FJ 6). Mientras el legislador, de acuerdo con las exigencias del principio de proporcionalidad y de la ponderación, no limite con carácter general esta forma de ejercicio de la libertad de información, su prohibición o limitación en cada caso forman parte de la competencia que la Ley Orgánica del Poder Judicial y las distintas leyes procesales atribuyen a los Jueces y Tribunales para decidir sobre la limitación o exclusión de la publicidad de los juicios, competencia ésta que ha de ser también ejercida conforme al principio de proporcionalidad. En este sentido, podría, por ejemplo, admitirse la utilización de estos medios de captación y difusión de imágenes sólo antes, después y en las pausas de un juicio oral, según las circunstancias del caso; o aplicarse la solución que se conoce como pool; o imponerse la obligación de tratar a posteriori las imágenes obtenidas para digitalizar determinados ámbitos de las mismas, de forma tal que no sean reconocibles determinados rostros, etc.

No es compatible, pues, con la actual legislación reguladora del ejercicio de la libertad de información (art. 20.4 CE) el establecimiento de una prohibición general con reserva de autorización en cada caso del acceso de medios de captación y difusión de imágenes a las audiencias públicas, porque la utilización de tales medios forma parte del ámbito constitucionalmente protegido por el derecho a la libertad de información que no ha sido limitado con carácter general por el legislador. La eventual limitación o prohibición de tal utilización, inicialmente permitida, ha de realizarse de forma expresa en cada caso por el órgano judicial conforme a las exigencias a las que acaba de hacerse referencia. Procede, por ello, otorgar parcialmente el amparo solicitado por vulneración del derecho a comunicar libremente información veraz por cualquier medio de difusión [art. 20.1 d) CE] y anular en lo necesario las resoluciones impugnadas.

El derecho a recibir información y sus límites en el ámbito penitenciario —STC 11/2006, de 16 de enero[9]—

La Sentencia resuelve el recurso de amparo promovido por don J.K.A.B., interno en el centro penitenciario La Moraleja, de Dueñas (Palencia), contra el Auto de la Sección Primera de la Audiencia Provincial de Palencia, de 31 de julio de 2002, que desestimó el recurso de apelación contra el Auto de 14 de mayo de 2002 del Juzgado de Vigilancia Penitenciaria núm. 2 de Castilla-León, confirmatorio del Auto de 19 de abril de 2002, que desestimó su queja contra la retención por dicho centro de tres números de la revista «Kale Gorria».

FJ 9. [...] Pues bien, a la luz de las circunstancias concurrentes en el presente caso ha de concluirse que la medida de retención de un número concreto de una revista no sólo tiene cobertura legal (arts. 58 LOGP y 128 RP) y responde a finalidades constitucionalmente legítimas, es idónea para cumplir dichos propósitos y necesaria, sino que también resulta equilibrada, por lo que no puede apreciarse que haya sido lesionado del derecho del recurrente, interno en un centro penitenciario, a recibir libremente información [art. 20.1.d CE].

Como se ha señalado anteriormente, los objetivos perseguidos por el centro penitenciario al retener la revista «Kale Gorria» (proteger la seguridad y buen orden del centro penitenciario y contribuir al tratamiento individualizado del recurrente) son no sólo constitucionalmente legítimos, sino también obligados. No debe olvidarse que el recurrente cumple condena por la comisión de delitos relacionados con el terrorismo de la banda ETA, fenómeno de incuestionable gravedad «cuya realidad se remonta más de treinta años en el pasado, y en el que la legitimación del terror siempre se ha buscado por sus artífices desde el principio de equivalencia entre la naturaleza de las fuerzas enfrentadas, presentándose como única salida para la resolución de un pretendido conflicto histórico, inasequible a los procedimientos del Derecho», como advertimos en STC 5/2004, de 16 de enero, FJ 18.

Que la medida de retención afecte a una revista de circulación legal contra la que en ningún momento se han abierto diligencias por su posible ilicitud penal no es óbice, en contra de lo sostenido por el recurrente y por el Ministerio Fiscal, para que la medida cuestionada deba considerarse en este caso como ajustada al principio de proporcionalidad en sentido estricto, toda vez que dadas las especiales características del fenómeno terrorista y, como se ha señalado anteriormente, el hecho que en el pasado se haya constatado que publicaciones legales pueden ser utilizadas para enviar mensajes encubiertos, para alentar comportamientos concertados en el ámbito de los centros penitenciarios o incluso para señalar objetivos terroristas justifica que no resulte exigible explicar pormenorizadamente qué contenidos concretos de los números de la revista «Kale Gorria» retenidos al recurrente son susceptibles de poner en peligro las finalidades constitucionalmente legítimas que se pretenden conseguir con dicha medida.

A) El derecho a la información y sus contornos conceptuales: el requisito de la veracidad

El requisito de la veracidad y el derecho al honor —STC 61/2004, de 19 de abril[10]—

La Sentencia resuelve el recurso de amparo promovido por Editora de Medios de Castilla y León, S.A., don P.L.B.S. y don P.J.R.C. contra la Sentencia de la Sala Primera del Tribunal Supremo, de 19 de septiembre de 2000, que declaró no haber lugar al recurso de casación interpuesto contra la Sentencia dictada por la Sección Tercera de la Audiencia Provincial de Valladolid el 29 de abril de 1995, que confirmó en apelación la dictada por el Juzgado de Primera Instancia núm. 2 de Valladolid, de 30 de septiembre de 1994. El 23 de abril de 1993 el periódico «El Mundo de Valladolid»

---

9   *Vid.* también la STC 119/1996, de 8 de julio (la privación de aparatos de televisión en prisión está justificada y no vulnera el artículo 20 CE).

10   *Vid.*, además de las citadas en la Sentencia, SSTC 123/1993, de 19 de abril; STC 54/2004, de 15 de abril; 22/1995, de 30 de enero; 132/1995, de 11 de septiembre; 139/1995, de 26 de septiembre; 51/1997, de 11 de marzo; 282/2000, de 27 de noviembre; 21/2000, de 31 de enero; 46/2000, de 25 de febrero; 52/2000, de 25 de febrero; 158/2003, de 15 de septiembre; 171/2004, de 18 de octubre; 244/2007, de 10 de diciembre; 68/2008, de 23 de junio; 29/2009, de 26 de enero.

publicó un artículo sin firmar bajo el titular «Denuncian por acoso sexual a un guardia de seguridad de Canterac», en
el que se afirmaba que el Gerente de la Fundación Municipal de Deportes admitió en una reunión que este organismo
tenía noticias de denuncias sobre un guardia de seguridad del polideportivo municipal de Canterac por acoso sexual.
Se añadía que «la denuncia fue originariamente presentada por una monitora de natación del polideportivo Canterac
por entender que era objeto de una constante persecución por parte del citado guarda de seguridad». Éste demandó
a los hoy recurrentes por lesión de su derecho al honor, demanda que fue estimada por Sentencia de 30 de septiem-
bre de 1994. Esta considera que ni en el escrito de la queja presentado por la monitora, ni en la mencionada reunión
de la Fundación Municipal de Deportes se trató de la denuncia con ninguna connotación sexual, sino simplemente
laboral, siendo por tanto la información publicada inveraz. Afirma que el redactor de la noticia no comprobó su vera-
cidad antes de su publicación, pues acudió a dos fuentes divergentes, convirtiendo en hecho noticiable una de ellas,
los comentarios de la Concejala del Ayuntamiento, ayudándose de transcripciones del acta de la señalada reunión.
Concluye que la noticia es inveraz, no siendo posible «amparar la actitud (negligente y falseadora del redactor) bajo
el derecho a la información». Entienden los recurrentes que dicha Sentencia y las que la confirmaron vulneraron su
derecho a la información.

FJ 4. En la doctrina de este Tribunal sobre la veracidad se parte de que este requisito constitucional «no va dirigido
a la exigencia de una rigurosa y total exactitud en el contenido de la información, sino a negar la protección constitucional a los que trasmiten como hechos verdaderos, bien simples rumores, carentes de toda constatación, o bien
meras invenciones o insinuaciones sin comprobar su realidad mediante las oportunas averiguaciones propias de un
profesional diligente; todo ello sin perjuicio de que su total exactitud puede ser controvertida o se incurra en errores
circunstanciales que no afecten a la esencia de lo informado (SSTC 6/1988, de 21 de enero, 105/1990, de 6 de junio, 171/1990, de 12 de noviembre, 172/1990, de 12 de noviembre, 40/1992, de 30 de marzo, 232/1992, de 14 de
diciembre, 240/1992, de 21 de diciembre, 15/1993, de 18 de enero, 178/1993, de 31 de mayo, 320/1994, de 28 de
noviembre, 76/1995, de 22 de mayo, 6/1996, de 16 de enero, 28/1996, de 26 de febrero, 3/1997, de 13 de enero,
144/1998, de 30 de junio, 134/1999, de 15 de julio, 192/1999, de 25 de octubre). La razón de ello se encuentra en
que, como hemos señalado en muchas ocasiones, cuando la Constitución requiere que la información sea 'veraz'
no está tanto privando de protección a las informaciones que puedan resultar erróneas como estableciendo un deber
de diligencia sobre el informador a quien se le puede y debe exigir que lo que transmite como 'hechos' haya sido
objeto de previo contraste con datos objetivos (SSTC 6/1988; 28/1996; 52/1996, de 26 de marzo, 3/1997; 144/1998).
De este modo, el requisito de la veracidad deberá entenderse cumplido en aquellos casos en los que el informador
haya realizado con carácter previo a la difusión de la noticia una labor de averiguación de los hechos sobre los que
versa la información y la referida indagación la haya efectuado con la diligencia que es exigible a un profesional de
la información» (STC 21/2000, de 31 de enero, FJ 5; reiterada en las posteriores SSTC 46/2002, de 25 de febrero, FJ
6; 52/2002, de 25 de febrero, FJ 6; 148/2002, de 15 de julio, FJ 5)[11].
Hemos señalado asimismo que esa diligencia no puede precisarse *a priori* y con carácter general, pues depende de
las características concretas de la comunicación de que se trate por lo que su apreciación dependerá de las circunstancias del caso (SSTC 240/1992, de 21 de diciembre, FJ 7; 28/1996, de 26 de febrero, FJ 3, entre otras muchas). En
este sentido, hemos establecido algunos criterios que deben tenerse en cuenta para el cumplimiento de este requisito
constitucional, señalando que el nivel de diligencia exigible «adquirirá su máxima intensidad, 'cuando la noticia que
se divulga puede suponer por su propio contenido un descrédito en la consideración de la persona a la que la información se refiere' (240/1992, FJ 7; 178/1993, FJ 5; 28/1996, FJ 3; 192/1999, FJ 4). De igual modo ha de ser un criterio
que debe ponderarse el del respeto a la presunción de inocencia (SSTC 219/1992, de 3 de diciembre, FJ 5; 28/1996, FJ
3)» (STC 21/2000, de 31 de enero, FJ 6; reiterados en la STC 52/2002, de 25 de febrero, FJ 6). También debe valorarse
a efectos de comprobar si el informador ha actuado con la diligencia que le es constitucionalmente exigible cuál sea

---

[11]   Añade el Tribunal Constitucional que «el deber de diligencia en la comprobación razonable de la veracidad de la informa-
         ción no se satisface con la pura y genérica remisión a fuentes indeterminadas, que, en ningún caso, liberan al autor de la
         información del cumplimiento de dicho deber, pues, al asumir y transmitir a la opinión pública la noticia, también asume
         personalmente su veracidad o inveracidad, en cuanto que la obligación de contrastar la verosimilitud de la noticia es un deber
         propio y específico de cada informador, que es el que está ejerciendo el derecho a informar, y, por tanto, aquel al que incumbe
         no exceder sus límites, evitando la propagación de noticias que, aun procediendo de sedicentes fuentes bien informadas, no
         se ha preocupado de contrastar con diligencia razonable y resulten después ser lesivas del derecho al honor o a la intimidad
         personal, cuya falta de fundamento pudo comprobar si hubiera desplegado esa diligencia, que, a tal efecto, exige el ejercicio
         serio y responsable del fundamental derecho a comunicar información» (STC 172/1990, de 12 de noviembre, FJ 3).

el objeto de la información, pues no es lo mismo «la ordenación y presentación de hechos que el medio asume como propia» o «la transmisión neutra de manifestaciones de otro» (STC 28/1996). Sin descartar además la utilización de otros muchos criterios que pueden ser de utilidad a estos efectos, como son, entre otros, los que se aluden en la STC 240/1992, de 21 de diciembre, y se reiteran en la STC 28/1996, de 26 de febrero, en concreto, «el carácter del hecho noticioso, la fuente que proporciona la noticia, las posibilidades efectivas de contrastarla, etc.» (STC 21/2000, FJ 6). Finalmente, hemos afirmado que no es canon de la veracidad la intención de quien informa, sino su diligencia, de manera que la forma de narrar y enfocar la noticia no tiene que ver ya propiamente con el juicio de la veracidad de la información, por más que sí deba tenerse en cuenta para examinar si, no obstante ser veraz, su fondo y su forma pueden resultar lesivos del honor de un tercero (STC 192/1999, de 25 de octubre, FJ 6)[12].

FJ 5. [...] En el presente caso, la actividad probatoria desarrollada en el proceso a quo se dirigió básicamente a demostrar que la reclamación de la cual daba cuenta la noticia publicada no consistió en una denuncia por acoso sexual sino en una simple queja laboral, y de ello se dedujo que la información difundida fallaba en la «exactitud de su contenido» y se apartaba de la «verdad formal», concluyendo que se trataba de una información inveraz. De este modo, alegan, con razón los recurrentes, se hizo primar la verdad material de los hechos sobre la veracidad informativa, entendida como el cumplimiento del deber de diligencia que pesa sobre el informador.

FJ 6. [...] Hemos dicho en nuestra jurisprudencia que el concreto deber de diligencia del informador, cuyo cumplimiento permite afirmar la veracidad de lo informado, se sitúa en el amplio espacio que media entre la verificación estricta y exhaustiva de un hecho y la transmisión de suposiciones, simples rumores, meras invenciones, insinuaciones insidiosas, o noticias gratuitas o infundadas (por todas, STC 28/1996, de 26 de febrero, FJ 3). En el caso actual, quedó acreditado en el proceso que el periodista, antes de redactar la noticia, consultó directamente una copia del acta de la reunión de la Comisión de Personal de la Fundación Municipal de Deportes, que se cita literalmente en el artículo, donde se refleja en su apartado de «Ruegos y Preguntas» que uno de los asistentes puso en conocimiento de la Comisión la queja de la monitora de natación presentada por escrito, «en la que expone la constante persecución de que es objeto, por uno de los trabajadores de seguridad, Bonifacio, en la instalación de Canterac». Quedó asimismo probado que el redactor se puso en contacto con la Concejal del Ayuntamiento de Valladolid, quien declaró en el juicio no recordar si en la conversación con el periodista utilizó la expresión «sexual», pero consideró correcto el texto de la letra pequeña de la noticia.

Pues bien, estos datos permiten afirmar que la información publicada se elaboró a partir de los datos procedentes de fuentes informativas serias y solventes y no con la endeble base de simples rumores o más o menos fundadas sospechas impregnadas de subjetivismo (STC 154/1999, de 14 de septiembre, FJ 7). Como afirma el Ministerio Fiscal, si el periodista entendió que la persecución o acoso era de naturaleza sexual no fue porque se hizo eco de un rumor inconsistente o insidioso, sino porque se lo dijo alguien a quien, por el cargo que ostentaba y por la relación mantenida con la interesada, atribuía veracidad, no siendo constitucionalmente exigible una nueva contrastación de la información así obtenida con otras fuentes.

En efecto, no puede imputarse al informador una actitud negligente o falseadora por haber interpretado en un determinado sentido los datos recibidos, y concluir de ellos que se trató de una denuncia por acoso sexual, pues la narración del hecho o la noticia comporta una participación subjetiva de su autor, tanto en la manera de interpretar las fuentes que le sirven de base para la redacción de la misma como para escoger el modo de transmitirla; de modo que la noticia constituye generalmente el resultado de una reconstrucción o interpretación de hechos reales (STC 192/1999, de 25 de octubre, FJ 6). Por otra parte, tampoco es constitucionalmente aceptable estimar que el informador ha incumplido el deber de diligencia en el desempeño de su labor porque a posteriori se demuestre la inexactitud de su relato, pues el Ordenamiento del Estado democrático de Derecho ampara la información rectamente obtenida y difundida, aun cuando su total exactitud sea controvertible (STC 6/1986, de 21 de enero, FJ 5), como ocurre en el presente supuesto.

---

[12]   El Tribunal ha afirmado incluso que «lo relevante para la veracidad informativa no es que a posteriori se pruebe en un proceso la realidad de los hechos, sino el grado de diligencia observado para su comprobación con anterioridad a la publicación de aquéllos» (STC 68/2008, de 23 de junio, FJ 3.d), de lo que ha de concluirse que una información inveraz, en cuanto que obtenida sin la debida diligencia profesional, no tiene la protección del artículo 20.1.d) CE ni aunque resulte ser cierta —avalada, por ejemplo, por la verdad judicial—. El problema es que la difusión de hechos efectivamente ciertos no puede entenderse lesiva del derecho al honor, por lo que en estos casos nos encontraríamos en tierra de nadie, en una situación a la que no da cobertura ni el derecho al honor ni, según esta doctrina constitucional, el derecho a la información, razón por la que no existiría base jurídica para recabar la tutela judicial ni constitucional de ninguno de ellos.

El derecho a transmitir y recibir información veraz y el derecho de rectificación —STC 168/1986, de 22 de diciembre (*vid.* ARTÍCULO 18.1)[13]—

FJ 3. Aplicadas las ideas anteriores al caso que ahora nos ocupa, es claro que se habría producido la infracción que se denuncia en la presente queja de amparo si la Sentencia recurrida hubiera ordenado la publicación de una información o relato fáctico cuya falsedad o inexactitud le constara al órgano judicial o fuera manifiesta o, con mayor razón, si el Tribunal hubiera impuesto a los responsables del medio de comunicación afectado la obligación de desdecirse o negar la veracidad de la versión de los hechos inicialmente publicada, sin haber contrastado previamente su falta de veracidad o inexactitud, o bien, por último, si hubiese otorgado carta de autenticidad a la versión ofrecida por quien solicita la rectificación, sin haber procedido a una previa y adecuada investigación de la verdad.

En todos estos supuestos, el derecho de información, reconocido en el art. 20.1 d) de la Constitución, habría sido ciertamente desconocido o lesionado, no bastando, para soslayar tal violación, la necesidad de salvaguardar el derecho al honor de la persona perjudicada por la información, ya que, frente a lo que el ahora demandado sostiene, el conflicto entre ambos derechos fundamentales no puede resolverse otorgando prevalencia al proclamado en el art. 18.1 de la Constitución, sino que se impone siempre una ponderación entre uno y otro, sin olvidar que en esa ponderación el derecho de información, junto con el de libre expresión, garantiza la existencia de una opinión pública libre, condición necesaria a su vez para el recto ejercicio de todos, los demás derechos en que se fundamenta el sistema político democrático.

FJ 4. [...] [E]l legislador [...] ha diseñado, en garantía del ejercicio de este derecho, un procedimiento judicial urgente y sumario para exigir la publicación de la rectificación, en caso de que no se haya realizado voluntariamente en el plazo legal o haya sido denegada por el Director del medio de comunicación social requerido al efecto. La sumariedad del procedimiento verbal, de la que es buena muestra que sólo se admitan las pruebas pertinentes que puedan practicarse en el acto [art. 6, b)], exime sin duda al Juzgador de una indagación completa tanto de la veracidad de los hechos difundidos o publicados como de la que concierne a los contenidos en la rectificación, de lo que se deduce que, en aplicación de dicha Ley, puede ciertamente imponerse la difusión de un escrito de réplica o rectificación que posteriormente pudiera revelarse no ajustado a la verdad. Por ello, la resolución judicial que estima una demanda de rectificación no garantiza en absoluto la autenticidad de la versión de los hechos presentada por el demandante, ni puede tampoco producir, como es obvio, efectos de cosa juzgada respecto de una ulterior investigación procesal de los hechos efectivamente ciertos.

FJ 5. De acuerdo con las observaciones que se acaban de exponer, no hay duda de que la rectificación, judicialmente impuesta, en los términos que establece la Ley Orgánica 2/1984, de una información que el rectificante considera inexacta y lesiva de sus intereses, no menoscaba el derecho fundamental proclamado por el art. 20. 1 d) de la Constitución, ni siquiera en el caso de que la información que haya sido objeto de rectificación pudiera revelarse como cierta y ajustada a la realidad de los hechos.

En efecto, el simple disentimiento por el rectificante de los hechos divulgados no impide al medio de comunicación social afectado difundir libremente la información veraz ni le obliga a declarar que la información aparecida es incierta o a modificar su contenido, ni puede considerarse tampoco la inserción obligatoria de la réplica como una sanción jurídica derivada de la inexactitud de lo publicado. Por el contrario, la simple inserción de una versión de los hechos distinta y contradictoria ni siquiera limita la facultad del medio de ratificarse en la información inicialmente suministrada o, en su caso, aportar y divulgar todos aquellos datos que la confirmen o la avalen.

El ejercicio del derecho de rectificación tampoco limita el derecho de la colectividad y de los individuos que la componen a recibir libremente información veraz, pues no comporta una ocultación o deformación de la que, ofrecida con anterioridad, lo sea o pueda serlo. Aún más, como ya se ha dicho, la inserción de la rectificación interesada en la publicación o medio de difusión no implica la exactitud de su contenido, pues ni siquiera la decisión judicial que ordene dicha inserción puede acreditar, por la propia naturaleza del derecho ejercitado y los límites procesales en que se desenvuelve la acción de rectificación, la veracidad de aquélla. A todo ello cabe añadir que la divulgación de dos versiones diferentes de unos mismos hechos, cuya respectiva exactitud no ha sido declarada por ningún pronunciamiento firme de los órganos judiciales competentes, no restringe tampoco el derecho a recibir la información

---

13   *Vid.* también las SSTC 76/2002, de 8 de abril; 51/2007, de 12 de marzo; 99/2011, de 20 de junio. Según el Tribunal Constitucional, la prontitud de un medio en divulgar una rectificación es indicio de su compromiso con la búsqueda de la verdad, y con ella de la veracidad de la información publicada (*vid.* SSTC 171/1990, de 12 de noviembre; 40/1992 de 30 de marzo; 76/2002, de 8 de abril, FJ 4).

que sea veraz, es decir, a conocer cuál de aquellas dos versiones se adecúa a la realidad de lo acontecido, ya que debemos insistir en ello la investigación de la verdad y la declaración de los hechos ciertos siempre puede instarse y determinarse a posteriori mediante las acciones y procedimientos plenarios que el ordenamiento arbitra al efecto. La difusión de informaciones contrapuestas, que no hayan sido formalmente acreditadas como exactas o desacreditadas como falsas, con efectos de cosa juzgada, no puede lesionar, por lo expuesto, el derecho reconocido en el art. 20.1 d) de la Constitución, en su doble faceta de comunicar y recibir libremente información veraz. Antes bien, el derecho de rectificación, así entendido, además de su primordial virtualidad de defensa de los derechos o intereses del rectificante, supone, como apunta el Ministerio Fiscal, un complemento a la garantía de la opinión pública libre que establece también el citado precepto constitucional, ya que el acceso a una versión disidente de los hechos publicados favorece, más que perjudica, el interés colectivo en la búsqueda y recepción de la verdad que aquel derecho fundamental protege.

FJ 6. Por otra parte, contra lo que la recurrente alega, es evidente que los órganos judiciales competentes para conocer de las demandas de rectificación no se limitan a dar curso automáticamente a la pretensión formulada a voluntad del reclamante (no son «meros recipendiarios mudos de una reclamación», en expresión de la sociedad recurrente), sino que ejercen una función de control jurídico de la regularidad legal de la rectificación instada —de la que son buena muestra, por lo demás, tanto la Sentencia del Juzgado de Primera Instancia, contraria a la rectificación solicitada, como la Sentencia de la Sala Segunda de lo Civil de la Audiencia Territorial de Madrid, que en apelación revocó parcialmente aquélla—, ya que la inserción de la réplica sólo procede en la medida en que se pretenden rectificar hechos y no opiniones y cuando los hechos publicados afectan perjudicialmente a los intereses del demandante aludido por la información. La Ley confiere incluso a los Jueces y Tribunales la facultad de rechazar a límine la pretensión deducida, inadmitiendo toda demanda de rectificación manifiestamente improcedente (art. 5, párrafo segundo, de la Ley Orgánica 2/1984), lo que permite al órgano jurisdiccional no admitir a trámite o desestimar la rectificación de una información que, en el momento en que aquélla se solicita, aparece cierta de toda evidencia, o bien no imponer a la parte demandada la difusión de una versión que, también de manera palmaria o patente, carece de toda verosimilitud o no puede en modo alguno causar perjuicio al demandante. Que los órganos judiciales competentes puedan y deban realizar este tipo de control al enjuiciar la demanda de rectificación y a la vista, en su caso, del resultado de la prueba sumaria que se practique en el juicio no significa, sin embargo, que tengan la obligación de indagar exhaustivamente la verdad en el proceso verbal en el que se tutela el derecho de rectificación, ya que, aparte de que la sumariedad del procedimiento no lo permite, tampoco es una exigencia que se deduzca de lo dispuesto en el art. 20.1 d) de la Constitución, tal y como ha quedado razonado.

En consecuencia, la Sentencia de la Audiencia Territorial de Madrid que ordenó la publicación parcial en la revista «Tiempo» de la rectificación instada por don Luis García García, sin investigar previamente y de modo exhaustivo la veracidad de la información que le aludía perjudicialmente y que éste consideraba inexacta, ni la de los hechos referidos en el escrito de rectificación, no ha lesionado el derecho

El requisito de la veracidad y el secreto de sumario —STC 158/2003, de 15 de septiembre[14]—

La Sentencia resuelve el recurso de amparo promovido por don Pedro J. Ramírez y Unidad Editorial, S.A. contra la Sentencia de la Sala de lo Civil del Tribunal Supremo, de 15 de noviembre de 1998, que casó la dictada por la Sección Decimonovena de la Audiencia Provincial de Madrid con fecha 23 de mayo de 1994, que a su vez estimó el recurso de apelación interpuesto contra la Sentencia del Juzgado de Primera Instancia núm. 44 de Madrid, de 7 de septiembre de 1992, por la que se condenó a los recurrentes por intromisión ilegítima en el honor con la publicación del reportaje titulado «Quién es quién en el narcotráfico español», publicado en el periódico «El Mundo del Siglo XXI», al considerar que la información publicada no fue rectamente obtenida por proceder de un sumario en tramitación,

---

14   *Vid.* también las SSTC 185/2002, de 14 de octubre; 127/2003, de 30 de junio; 54/2004, de 15 de junio; 216/2006, de 3 de julio. Esta generosa doctrina constitucional para con la libertad de información allí donde está en juego el secreto de sumario encuentra alguna excepción. Así, la STC 6/1996, de 16 de enero, fue inusualmente rigurosa con la exigencia de veracidad en un caso en que estaba en juego el secreto sumarial, a todas luces con el objeto de evitar los llamados juicios paralelos por la prensa. Como afirmó Vicente Gimeno Sendra en su voto particular, «no parece que la vía para evitar los «juicios paralelos» deba consistir en exigir un imposible deber de diligencia al periodista, sino en garantizar el secreto (en nuestro país, «a voces») instructorio, evitando que se filtre a la prensa el resultado de las investigaciones sumariales que pongan en peligro la presunción de inocencia o el ius puniendi del Estado» (punto 4).

lo que supone un medio de obtención «torticero». Entienden los recurrentes que dicha Sentencia vulneró su derecho a transmitir información.

FJ 5. [...] Ciertamente, al hablar del requisito de la veracidad este Tribunal se ha referido en algunas ocasiones a la «información rectamente obtenida y difundida» (SSTC 6/1988, de 21 de enero, FJ 5; 3/1997, de 13 de enero, FJ 2; 178/1993, de 31 de mayo, FJ 5; 4/1996, de 16 de enero, FJ 4), o a la «información rectamente obtenida y razonablemente contrastada» (STC 123/1993, de 19 de abril, FJ 4), como aquélla que efectivamente es amparada por el Ordenamiento, por oposición a la que no goza de esta garantía constitucional por ser fruto de una conducta negligente, es decir, de quien actúa con menosprecio de la veracidad o falsedad de lo comunicado, o de quien comunica simples rumores o meras invenciones. En éstos y en otros pronunciamientos (SSTC 172/1990, de 12 de noviembre, FJ 3; 240/1992, de 21 de diciembre, FJ 7), la información «rectamente obtenida» se ha asociado a la diligencia observada en la contrastación o verificación de lo informado, que debe tener en cuenta, entre otros extremos, las circunstancias relativas a la fuente de información. Al respecto hemos declarado que cuando la fuente que proporciona la noticia reúne las características objetivas que la hacen fidedigna, seria o fiable (STC 154/1999, de 14 de septiembre, FJ 7), puede no ser necesaria mayor comprobación que la exactitud de la fuente (STC 178/1993, de 31 de mayo, FJ 5); por el contrario, la remisión a fuentes indeterminadas resulta insuficiente para dar por cumplida la diligencia exigible al informador (STC 21/2000, de 31 de enero, FJ 8).

Nuestra jurisprudencia ha vinculado, pues, la información «rectamente obtenida» con el requisito de la veracidad, referida ésta al deber de diligencia en la contrastación de la fuente de la información, pero nunca ha relacionado la exigencia de veracidad con la legítima obtención de la información, ni por tanto con el secreto de las diligencias sumariales (art. 301 LECrim). En el caso concreto, quedó acreditado que los autores del reportaje cumplieron con el deber de diligencia al contrastar la información publicada, que fue elaborada a partir de los datos procedentes de fuentes informativas serias y solventes, y no con la endeble base de simples rumores o más o menos fundadas sospechas impregnadas de subjetivismo (STC 154/1999, de 14 de septiembre, FJ 7). En consecuencia, no puede compartirse la afirmación del Tribunal Supremo de que la información enjuiciada en este proceso de amparo no fue rectamente obtenida al haberse conseguido por un medio «torticero». Como sostiene el Ministerio Fiscal, ello supondría introducir una limitación no prevista constitucionalmente al derecho a difundir información veraz, puesto que negaría tal carácter a la noticia publicada por el hecho de proceder de un sumario en tramitación. Debemos, pues, estimar que dicha información periodística fue veraz, en el sentido arriba indicado, al haber observado los periodistas la diligencia constitucionalmente exigible en la comprobación de sus fuentes de información, sin que quepa presumir su obtención irregular, ni haya constancia alguna en las actuaciones de que la obtención de la noticia se hubiera producido mediante una conducta reputada como ilícita, dado que en el proceso a quo no aparece acreditada la forma en que el medio de comunicación tuvo acceso a las diligencias sumariales.

B) Límites del derecho a la información

La relevancia pública como límite del derecho a la información y el derecho a la intimidad —STC 185/2002, de 14 de octubre[15]**—**

La Sentencia resuelve el recurso de amparo interpuesto por la entidad Cantábrico de Prensa, S.A. contra la Sentencia del Juzgado de Primera Instancia núm. 7 de los de Santander, de 12 de junio de 1992, que condenó a la sociedad editora del diario «Alerta» al pago de una indemnización resarcitoria en favor de una joven cuya intimidad se ha declarado vulnerada por la revelación, en dos reportajes publicados en dicho periódico, de su identidad y de ciertos aspectos de su vida privada relacionados con una agresión sexual de que fue objeto. Denuncia la entidad recurrente que dicha Sentencia y las que la ratificaron, dictadas por la Sección Segunda de la Audiencia Provincial de Santander (19 de enero de 1995) y por la Sala Primera del Tribunal Supremo en casación (21 de febrero de 2000), vulneraron su derecho a la información.

FJ 4. [...] No es primordial para resolver este recurso la cuestión de si la noticia fue, en este caso, veraz o no, pues la intimidad que la Constitución protege, y cuya garantía civil articula la repetida Ley Orgánica 1/1982, no es menos

---

[15]   *Vid.* también, y entre otras muchas, SSTC 231/1988, de 2 de diciembre; 76/1995, de 22 de mayo; 112/2000, de 5 de mayo; 297/2000, de 11 de diciembre; 83/2002, de 22 de abril; 121/2002, de 20 de mayo; 7/2014, de 17 de enero; 24/2019, de 25 de febrero.

digna de respeto por el hecho de que resulten veraces las informaciones relativas «a la vida privada de una persona o familia que afecten a su reputación y buen nombre» (art. 7.3 de dicha Ley Orgánica), ya que, tratándose de la intimidad, la veracidad no es paliativo, sino presupuesto, en todo caso, de la lesión (SSTC 197/1991, de 17 de octubre, FJ 2, y 115/2000, de 10 de mayo, FJ 7). Lo sustantivo, como hemos señalado antes, es determinar si los órganos judiciales que aquí intervinieron identificaron con corrección el ámbito de protección constitucional que para sí invocaron los demandantes en el proceso a quo y si tal valoración fue respetuosa, de otra parte, con la definición constitucional del derecho a la libertad de información. La respuesta, como ya anticipamos, no puede ser sino positiva.

Cuando la actividad informativa se quiere ejercer sobre ámbitos que pueden afectar a otros bienes constitucionales, como es, en este caso, la intimidad, es preciso, para que su proyección sea legítima, que lo informado resulte de interés público, pues sólo entonces puede exigirse de aquellos a quienes afecta o perturba el contenido de la información que, pese a ello, la soporten, en aras, precisamente, del conocimiento general y difusión de hechos y situaciones que interesan a la comunidad. Tal relevancia comunitaria, y no la simple satisfacción de la curiosidad ajena, es lo único que puede justificar la exigencia de que se asuman aquellas perturbaciones o molestias ocasionadas por la difusión de una determinada noticia, y reside en tal criterio, por consiguiente, el elemento final de valoración para dirimir, en estos supuestos, el eventual conflicto entre las pretensiones de información y de reserva (SSTC 171/1990, de 12 de noviembre, FJ 5; 20/1992, de 14 de febrero; y 121/2002, de 20 de mayo, FJ 4).

Pues bien, el análisis de lo afirmado en la demanda de amparo, y su contraste con el contenido de la información que ha dado lugar a la condena impugnada, permite concluir que con los reportajes reseñados fueron desvelados de forma innecesaria aspectos relevantes de la vida personal y privada de la joven agredida sexualmente que debieron mantenerse reservados, como lo son su propia identidad y la circunstancia de su virginidad. Al desvelarse de forma indirecta pero inequívoca su identidad (facilitando su edad, su nombre completo, las iniciales de sus apellidos y el número de la calle donde tenía su domicilio habitual), tales datos, como han puesto de relieve los órganos judiciales, permitieron perfectamente a sus vecinos, allegados y conocidos la plena identificación de la víctima, y con ello el conocimiento, con todo lujo de detalles, de un hecho tan gravemente atentatorio para su dignidad personal como haber sido víctima de un delito contra la libertad sexual, hecho éste sobre el que, como mínimo, ha de reconocerse a la víctima el poder de administrar su publicitación a terceros. En modo alguno puede exigirse a nadie que soporte pasivamente la difusión periodística de datos tan relevantes sobre su vida privada cuyo conocimiento es trivial e indiferente para el interés público. Porque es notorio que la identificación de la víctima de la agresión fue, en el sentido más propio de las palabras, irrelevante a efectos de la información que se quiso transmitir (que la persona detenida como supuesto autor de los hechos, tras ser identificada por la víctima, negaba la autoría que se le imputaba).

Ninguna duda hay en orden a la conveniencia de que la comunidad sea informada sobre sucesos de relevancia penal, y ello con independencia de la condición de sujeto privado de la persona o personas afectadas por la noticia (SSTC 178/1993, de 31 de mayo, FJ 4; 320/1994, de 28 de noviembre, FJ 5; 154/1999, de 14 de septiembre, FJ 4); más concretamente este Tribunal ha declarado que reviste relevancia o interés público la información sobre los resultados positivos o negativos que alcancen en sus investigaciones las fuerzas y cuerpos de seguridad del Estado, especialmente si los delitos cometidos entrañan una cierta gravedad o han causado un impacto considerable en la opinión pública, extendiéndose aquella relevancia o interés a cuantos datos o hechos novedosos puedan ir descubriéndose, por las más diversas vías, en el curso de las investigaciones dirigidas al esclarecimiento de su autoría, causas y circunstancias del hecho delictivo (SSTC 219/1992, de 3 de diciembre, FJ 4; 232/1993, de 12 de julio, FJ 4; 52/2002, de 25 de febrero, FJ 8; 121/2002, de 20 de mayo, FJ 4). Pero no cabe decir lo mismo en cuanto a la individualización, directa o indirecta, de quienes son víctimas de los mismos, salvo que hayan permitido o facilitado tal conocimiento general. Tal información no es ya de interés público por innecesaria para transmitir la información que se pretende. Y tampoco lo fue aquí, con la consecuencia, ya clara, de que su difusión comportó un daño o, cuando menos, una perturbación injustificada por carente, en rigor, de todo sentido. En definitiva, los datos que el reportaje enjuiciado revela sobre la joven agredida, en la medida en que permiten su completa identificación, exceden de cuanto puede tener trascendencia informativa en relación con la agresión sexual y su investigación judicial objeto del trabajo periodístico, y por ello ese contenido concreto de la información (el único que justifica el reproche que ha dado lugar a la condena civil impugnada) no merece la protección constitucional que otorga el art. 20.1 d) CE, tal como estimaron correctamente las Sentencias impugnadas.

La relevancia pública de la información ante el derecho a la propia imagen: la imagen accesoria de información sobre hechos noticiables —STC 72/2007, de 16 de abril[16]—

La Sentencia resuelve el recurso de amparo promovido por doña M.E.C., Sargento de la Policía de Madrid, contra la Sentencia de la Sala de lo Civil del Tribunal Supremo de 14 de marzo de 2003. La demandante demandó a la sociedad editora del periódico «Diario 16», su director y un fotógrafo, alegando intromisión en su derecho a la imagen, a consecuencia de la publicación en la portada del periódico «Diario 16», correspondiente al 2 de octubre de 1992, de una fotografía tomada durante una actuación profesional de auxilio a una comisión judicial para el desalojo de viviendas, fotografía que identificaba plenamente y en primer plano a la demandante, e ilustrada con el titular «Desalojo violento». En la información sobre el mismo desalojo aparecida en la página 27 del diario correspondiente al 9 de octubre de 1992, se incluyó una fotografía de los afectados en actitud de protesta, en la que se aprecia la utilización de la fotografía de la demandante que apareció en la portada del periódico del 2 de octubre. Mientras su demanda fue estimada en primera instancia y confirmada en apelación, la Sala de lo Civil del Tribunal Supremo casó y anuló la Sentencia recurrida, vulnerando, a juicio de la recurrente, su derecho a la propia imagen.

FJ 5. [...] [N]o se discute que la fotografía controvertida publicada en la portada del periódico reproduce de forma nítida el rostro de la demandante —aunque no aparece identificada por su nombre y apellidos— ni que la publicación de la imagen se produjo sin el consentimiento de la demandante. Ahora bien, como ya señalamos, el derecho a la propia imagen no es absoluto o incondicionado, de suerte que existen circunstancias que pueden determinar que la regla general conforme a la cual es al titular de este derecho a quien, en principio, corresponde decidir si permite o no la captación y difusión de su imagen por un tercero, ceda a favor de otros derechos o intereses constitucionalmente legítimos, lo que ocurrirá en los casos en los que exista un interés público en la captación o difusión de la imagen y este interés público se considere constitucionalmente prevalente al interés de la persona en evitar la captación o difusión de su imagen. Por ello, cuando el derecho a la propia imagen entre en colisión con otros bienes o derechos constitucionalmente protegidos, particularmente las libertades de expresión e información [art. 20.1 a) y d) CE], deberán ponderarse los distintos intereses enfrentados y, atendiendo a las circunstancias concretas de cada caso, decidir qué interés merece mayor protección, si el interés del titular del derecho a la imagen en que sus rasgos físicos no se capten o difundan sin su consentimiento o el interés público en la captación o difusión de su imagen (STC 156/2001, de 2 de julio, FJ 6). En este sentido ha de tenerse presente que el examen de la fotografía y del texto que la acompaña pone de manifiesto que estamos ante un documento que reproduce la imagen de una persona en el ejercicio de un cargo público —la propia demandante de amparo admite expresamente que por su condición de Sargento de la policía municipal de Madrid desempeña un cargo público— y que la fotografía en cuestión fue captada con motivo de un acto público (un desalojo por orden judicial, que para ser llevado a cabo precisó del auxilio de los agentes de la policía municipal, ante la resistencia violenta de los afectados), en un lugar público (una calle de un barrio madrileño), por lo que en modo alguno resulta irrazonable concluir, como se razona en la Sentencia impugnada, que concurre el supuesto previsto en el art. 8.2 a) de la Ley Orgánica 1/1982, de 5 de mayo, de protección civil del derecho al honor, a la intimidad personal y familiar y a la propia imagen.

Por otra parte, resulta asimismo incuestionable que la información que se transmite por el periódico es veraz y tiene evidente trascendencia pública. Además, la fotografía en cuestión (y pese a lo que se alega en la demanda de amparo) tiene carácter accesorio respecto de la información publicada y no refleja a la demandante realizando cosa distinta que no sea el estricto cumplimiento de su deber, como igualmente se explica en la Sentencia impugnada, por lo que tampoco resulta irrazonable concluir que concurre el supuesto previsto en el primer inciso del art. 8.2 c) de la Ley Orgánica 1/1982, de 5 de mayo.

En fin, aunque es cierto que la utilización de cualquier técnica de distorsión u ocultamiento del rostro de la demandante habría posibilitado que la noticia del desalojo violento hubiera llegado a los lectores de igual manera y sin merma alguna, como se sostiene en la demanda de amparo, no lo es menos que, tal como se afirma en la Sentencia recurrida en amparo, no estamos ante un caso concreto que exija el anonimato, sin perjuicio de que en otros pudiera exigirlo [último inciso del art. 8.2 c) de la Ley Orgánica 1/1982, de 5 de mayo]. En efecto, en contra de lo que se aduce por la demandante de amparo, no cabe apreciar que, en las circunstancias de este caso, existan razones de seguridad para ocultar el rostro de un funcionario policial por el mero hecho de intervenir, en el legítimo ejercicio de sus funciones profesionales,

---

[16]   *Vid.* también SSTC 83/2002, de 22 de abril; 139/2001, de 18 de junio; 208/2013, de 16 de diciembre; 176/2013, de 21 de octubre; 7/2014, de 27 de enero.

en una actuación de auxilio a una comisión judicial encargada de ejecutar una orden de desalojo, ante la decidida resistencia de los ciudadanos afectados. Debe rechazarse, pues, la pretendida vulneración del derecho fundamental a la propia imagen que se imputa a la Sentencia de 14 de marzo de 2003 de la Sala de lo Civil del Tribunal Supremo[17].

Los límites del derecho a la información: su método de obtención frente a los derechos a la intimidad y la propia imagen —STC 12/2012, de 30 de enero (*vid*. ARTÍCULO 18.1)—

FJ 7. [...] Las entidades recurrentes han alegado con insistencia la veracidad del contenido del reportaje, tanto en la vía judicial como en apoyo de su pretensión de impugnación en amparo de la Sentencia del Tribunal Supremo. Este argumento no puede acogerse, no sólo porque en la vía judicial previa no se ha controvertido en ningún momento la veracidad de la información divulgada alegando, por ejemplo, manipulación o alteración de los registros de imagen y sonido obtenidos, sino fundamentalmente porque este Tribunal viene reiterando que, cuando se afecta al derecho a la intimidad, lo determinante para resolver el conflicto de derechos es la relevancia pública de la información y no la veracidad del contenido de la información divulgada, en cuanto que, a diferencia de lo que sucede en las intromisiones en el honor, la veracidad no es paliativo sino presupuesto de la lesión de la intimidad (por todas, STC 185/2002, de 14 de octubre, FJ 4).

En cuanto al interés general del reportaje que alegan los recurrentes, resulta procedente señalar que, aun cuando la información hubiera sido de relevancia pública, los términos en que se obtuvo y registró, mediante el uso de una cámara oculta, constituyen en todo caso una ilegítima intromisión en los derechos fundamentales a la intimidad personal y a la propia imagen. En cuanto a la vulneración de la intimidad, hay que rechazar en primer lugar que tanto el carácter accesible al público de la parte de la vivienda dedicada a consulta por la esteticista/naturista, como la aparente relación profesional entablada entre dicha persona y la periodista que se hizo pasar por una paciente, tengan la capacidad de situar la actuación de la recurrente extramuros del ámbito del derecho a la intimidad de aquélla, constitucionalmente protegido también en relaciones de naturaleza profesional. La Sentencia del Tribunal Supremo impugnada señala correctamente que la relación entre la periodista y la esteticista/naturista se desarrolló en un ámbito indudablemente privado. No existiendo consentimiento expreso, válido y eficaz prestado por la titular del derecho afectado, es forzoso concluir que hubo una intromisión ilegítima en el derecho fundamental a la intimidad personal. Y en cuanto al derecho a la propia imagen, debemos alcanzar idéntica conclusión. En efecto, como apreció correctamente la Sentencia de la Sala de lo Civil del Tribunal Supremo, la persona grabada subrepticiamente fue privada del derecho a decidir, para consentirla o para impedirla, sobre la reproducción de la representación de su aspecto físico y de su voz, determinantes de su plena identificación como persona.

La Sentencia impugnada valora correctamente los datos que concurren en la presente situación, y concluye con la negación de la pretendida prevalencia de la libertad de información. Conclusión constitucionalmente adecuada, no sólo porque el método utilizado para obtener la captación intrusiva —la llamada cámara oculta— en absoluto fuese necesario ni adecuado para el objetivo de la averiguación de la actividad desarrollada, para lo que hubiera bastado con realizar entrevistas a sus clientes, sino, sobre todo, y en todo caso, porque, tuviese o no relevancia pública lo investigado por el periodista, lo que está constitucionalmente prohibido es justamente la utilización del método mismo (cámara oculta) por las razones que antes hemos expuesto.

Los requisitos de veracidad y relevancia pública en las ruedas de prensa: el reportaje neutral —STC 232/1993, de 12 de julio[18]—

La Sentencia resuelve el recurso de amparo promovido por don Juan Tomás de Salas Castellano contra la Sentencia de la Sala Primera del Tribunal Supremo, de 4 de junio de 1990, que declara no haber lugar al recurso de casación promovido contra la dictada por la Sala Segunda de lo Civil de la Audiencia Territorial de Madrid, de 15 de marzo, parcialmente estimatoria del recurso de apelación promovido contra la dictada el 9 de enero de 1986 por el Juzgado

---

17   Sí entiende el Tribunal Constitucional que vulnera el derecho a la propia imagen, por falta de relevancia pública, la publicación no consentida de imágenes de un personaje público para informar sobre cuestiones de su vida personal, como sus vacaciones (*vid*. SSTC 176/2013, de 21 de octubre; 19/2014, de 10 de febrero).

18   *Vid*. también las SSTC 134/1999, de 15 de julio; 297/2000, de 11 de diciembre; 76/2002, de 8 de abril; 54/2004, de 15 de junio; 53/2006, de 27 de febrero. Sobre la responsabilidad de quienes emiten declaraciones en rueda de prensa, *vid*. las SSTC 2/2001, de 15 de enero; 76/2002, de 8 de abril; 160/2003, de 15 de septiembre; 69/2006, de 13 de marzo; 244/2007, de 10 de diciembre.

de Primera Instancia núm. 9 de esa Capital en materia de protección del derecho al honor, a la intimidad y a la propia imagen. En el núm. 704 de la revista «Cambio 16», de la que era entonces Director el recurrente, se publicó un artículo titulado «El prepucio del Marqués», en el que dando cuenta de la presentación del libro «Las malas compañías», del que son coautores don Joaquín Giménez Arnau y don Mauricio López-Roberts, se publicó: «Entre otras consideraciones (el Sr. Giménez Arnau) contó algo que está en el sumario, pero que no ha sido aireado convenientemente: Que el administrador de los Urquijo, don D.M.H. … tenía la obligación de lavarle todos los días el prepucio al señor Marqués, que sufría en tan delicado sitio de un herpes pertinaz y molesto. Detalle que los Jueces deberán tener en cuenta a la hora de buscar móviles para el brutal asesinato». Don D.M.H. interpuso demanda de protección de los derechos al honor, a la intimidad y a la propia imagen contra el recurrente, contra don Joaquín Giménez Arnau y don Mauricio López-Roberts, y contra «Editorial Planeta S.A.», editora del mencionado libro. Entiende el recurrente que la condena resultante de ese proceso vulnera su derecho a la información.

FJ 3. [...] Ha de coincidirse con el recurrente en que con su demanda se plantea ante este Tribunal una cuestión novedosa que precisa de ciertas consideraciones específicas, a saber: cómo ha de ponderarse una información en aquellos casos en que un medio de comunicación se limita a dar cuenta de declaraciones o afirmaciones de terceros que resultan ser atentatorias contra los derechos del art. 18.1 CE. Ante supuestos de esta naturaleza se hacen necesarias ciertas modulaciones en la aplicación de los cánones generalmente observados para resolver la colisión entre los derechos garantizados en los arts. 18 y 20 CE, aunque tales modulaciones no afectan en absoluto al requisito de la relevancia pública, sino que se agotan en el contenido y alcance de la exigencia de veracidad.

[...] [E]n supuestos como el presente, el requisito de la veracidad opera respecto de dos hechos distintos —y en dos formas también distintas— y lo hace, además, en dos momentos sucesivos y frente a dos sujetos diversos: por un lado, y en primer lugar, respecto de la declaración atribuida por la revista a una persona; de otro lado, y en segundo término, respecto de lo por ésta declarado, correspondiendo en cada caso la posible responsabilidad en la que se incurra, respectivamente, al medio y al tercero. No obstante, la diversidad de hechos (declaración, por un lado, y contenido de la declaración, por otro) encuentra un punto de conexión en el requisito de la relevancia pública y un nuevo punto de divergencia en el tipo de veracidad exigible en cada caso.

El medio de comunicación ha de acreditar la veracidad del hecho de que determinada persona ha realizado determinadas manifestaciones, no bastando la observancia de un mínimo de diligencia en la contrastación de la noticia, como sucede, en general, cuando se informa sobre hechos o circunstancias de imposible constatación indiscutida; es exigible, además, una perfecta adecuación con la realidad, esto es, con el hecho mismo de la declaración. El tercero a quien se imputa la declaración ha de observar, por su parte, las exigencias comunes del requisito de la veracidad, es decir, un mínimo cuidado y diligencia en la averiguación de la verdad y de contrastación respecto a lo afirmado en la misma. Pero a ambos les es exigible por igual que lo por ellos difundido sea públicamente relevante. Si así acontece, la responsabilidad del medio sólo surgirá si resulta no ser cierto que el tercero ha declarado lo que se le atribuye, y la de éste vendrá únicamente condicionada por la mayor o menor diligencia observada en la averiguación de la verdad y contrastación de la noticia.

En definitiva, cuando un medio de comunicación divulga declaraciones de un tercero que suponen una intromisión en los derechos reconocidos por el art. 18.1 CE, tal divulgación sólo puede disfrutar de la cobertura dispensada por el art. 20.1 CE si, por un lado, se acredita la veracidad —entendida como verdad objetiva del hecho de las declaraciones del tercero— y, por otro, estas declaraciones (cuya veracidad, entendida como diligencia en la averiguación de la verdad, sólo es exigible a quien declara lo divulgado) se refieren a hechos o circunstancias de relevancia pública. Por tanto, supuestos como el ahora planteado no presentan, a efectos de la ponderación de los derechos fundamentales en presencia, otra singularidad que la relativa al ámbito en el que se desenvuelve el requisito de la veracidad y al contenido y alcance propios de ésta: la veracidad que debe acreditarse se refiere únicamente al hecho de la declaración —no a lo declarado— y ha de ser en todo caso sinónima de la verdad objetiva. Pues es obvio que las dificultades ínsitas a aquellos casos en que un medio de comunicación informa sobre hechos cuya veracidad estricta es por lo común punto menos que imposible, no concurren cuando el medio de comunicación se limita a dar cuenta de algo que suele ser tan fácilmente constatable como es el hecho de que alguien haya dicho lo que el medio se limita, sin más, a difundir.

FJ 4. [...] Tratándose de la concurrencia del requisito de la relevancia pública de la información, el medio de comunicación debía observar el mismo cuidado y diligencia que le es exigible cuando, lejos de reproducir declaraciones de un tercero, suministra informaciones propias. Y en ambos casos, si el contenido de la información es, en principio, lesiva del honor de una persona ha de guardarse de darle difusión, a menos que, de algún modo, evidencie que, por la conexión de la información con un hecho relevante —conexión que ha de hacerse patente—, aquella puede participar del interés social de éste. [...] En ese caso, la relevancia de la declaración satisface por sí sola las exigencias del art. 20.1 d) CE y no puede exigírsele al medio de comunicación que se abstenga de informar sobre lo dicho por quien convierte en noticia cuanto afirme o declare. Para ello es preciso, sin embargo, que el objeto de la información facilitada por el medio sea precisamente el hecho de la declaración, lo que no es el caso en el supuesto ahora enjuiciado, pues ni el artículo se centraba en las declaraciones del Sr. Giménez Arnau con ocasión de la presentación de su libro —sino en el contenido de las mismas—, ni éste es una personalidad pública que convierta en relevante cuanto pueda declarar.

Requisitos del reportaje neutral —STC 136/2004, de 13 de septiembre[19]—

La Sentencia resuelve el recurso de amparo promovido por doña Carmen Castellano contra la Sentencia del Tribunal Supremo de 19 de febrero de 1999, por la que se estimaba recurso de casación interpuesto por Ediciones Zeta, S.A. y don F.M.M. contra la Sentencia de 3 de mayo de 1995 de la Audiencia Provincial de Barcelona, que casa y anula, confirmando la dictada por el Juzgado de Primera Instancia núm. 26 de Barcelona el 7 de febrero de 1994, que desestimaba la demanda interpuesta por la recurrente sobre protección de derecho al honor, a la intimidad personal y familiar, y a la propia imagen. La revista «Interviú», en su núm. 815, publicó un artículo titulado: «Marido yo te doy…», y subtitulado: «Baza (Granada): Carmen Castellano, concejal del PP y abogada, coaccionó a su asistenta para que se casara con un presidiario». El artículo se basaba en las declaraciones tanto de doña M.D.A.F., en aquellas fechas asistenta de la recurrente, como de su madre y de su Abogado, y se completaba con los comentarios realizados por los autores del mismo, ilustrado con fotografías de los protagonistas mencionados. La citada asistenta cuenta en el artículo cómo la ahora recurrente le sugirió, a cambio de dinero y de un rápido divorcio, contraer matrimonio con un ciudadano alemán que se encontraba en prisión por delito de tráfico de drogas y que, en cierto modo, se vio obligada a casarse, pues al tener un hijo recién nacido, y estar reciente el divorcio de su anterior marido, necesitaba el dinero ofertado, pues trabajaba «explotada» para la recurrente, que le pagaba «una miseria».

FJ 2. El primer aspecto que se debe analizar en el presente recurso de amparo es el tipo de información debatida, es decir, si nos encontramos ante un reportaje de los denominados «neutrales», o si por el contrario, el artículo cuestionado es fruto de la elaboración periodística. Nuestra jurisprudencia ha caracterizado lo que denomina «reportaje neutral» en los siguientes términos: a) El objeto de la noticia ha de hallarse constituido por declaraciones que imputan hechos lesivos del honor, pero que han de ser por sí mismas, esto es, como tales declaraciones, noticia y han de ponerse en boca de personas determinadas responsables de ellas (SSTC 41/1994, de 15 de febrero, FJ 4, y 52/1996, de 26 de marzo, FJ 5). No hay, por tanto, reportaje neutral cuando no se determina quién hizo las declaraciones [STC 190/1996, de 25 de noviembre, FJ 4 b)]. b) El medio informativo ha de ser mero transmisor de las mismas, limitándose a narrarlas sin alterar la importancia que tengan en el conjunto de la noticia (STC 41/1994, de 15 de febrero, FJ 4). Por tanto, si se reelabora la noticia no hay reportaje neutral (STC 144/1998, de 30 de junio, FJ 5) y tampoco lo hay cuando es el medio el que provoca la noticia, dentro de lo que se denomina periodismo de investigación. Dicho de otra forma, el «reportaje neutral» ha de limitarse a reproducir algo que ya sea, de algún modo, conocido. c) En los casos de reportaje neutral propio la veracidad exigible se limita a la verdad objetiva de la existencia de la declaración, quedando el medio exonerado de responsabilidad respecto de su contenido (STC 232/1993, de 12 de julio, FJ 3). Por tanto, estaremos ante un reportaje neutral si el medio de comunicación se ha limitado a cumplir su función transmisora de lo dicho por otro, aunque él haya provocado esa información, siempre que no la manipule mediante su artero fraccionamiento en el seno de un reportaje de mayor extensión, interfiriendo en su discurrir con manifestaciones propias, componiéndolo con textos o imágenes cuyo propósito sea, precisamente, quebrar la neutralidad del medio de comunicación respecto de lo trascrito, de suerte que esa información haya dejado de tener su fuente en un tercero, para hacerla suya el medio de comunicación que la reproduce y difunde. Se trataría, pues, y esto es lo que importa, de supuestos en los que el medio, haya permanecido o no ajeno a la generación de la información, no lo ha sido respecto de la forma en la que lo ha transmitido al público (SSTC 41/1994, de 15 de febrero, FJ 5; 22/1995, de 30 de enero, FJ 4).

---

19   *Vid.* también las STC 36/1993, de 8 de febrero; 178/1993, de 31 de mayo; 76/2002, de 8 de abril; 54/2004, de 15 de abril; 136/2004, de 15 de abril; 171/2004, de 18 de octubre; 53/2006, de 27 de febrero; 139/2007, de 4 de junio.

Una vez recordada la doctrina de este Tribunal sobre la información denominada «neutral», y pasando a analizar la información origen del presente recurso, es claro que el artículo objeto de debate, no se corresponde con el mencionado «reportaje neutral» puesto que, sin perjuicio de que la fuente principal de la noticia esté constituida por las declaraciones efectuadas por terceros [...], y que se señale en el reportaje que la demanda de nulidad matrimonial interpuesta fue el documento del que se desprende la información difundida, no es menos cierto que el trato dado por los autores a la mencionada información, mediante los llamativos titulares y fotografías que acompañan a la noticia, así como los comentarios que glosan las declaraciones de los protagonistas, implican de manera indubitada que el medio de comunicación ha dejado su papel de neutralidad en la forma de trasmitir la información obtenida para pasar a un papel activo y determinante en cuanto a la elaboración y repercusión de la noticia originaria.

Derechos a la información, de participación política y reportaje neutral —STC 136/1999, de 20 de julio—

La Sentencia resuelve el recurso de amparo interpuesto por veintitrés miembros de la Mesa Nacional de Herri Batasuna contra los Autos de 6 de octubre de 1997, de la Sala Segunda del Tribunal Supremo y de la Sala Especial del Tribunal Supremo prevista en el art. 61 LOPJ, en incidente de recusación dimanante de causa especial, y contra la Sentencia de 29 de noviembre de 1997, dictada por la Sala Segunda del Tribunal Supremo en la citada causa especial, que les condenó como autores de un delito de colaboración con banda armada, sin concurrencia de circunstancias modificativas de la responsabilidad criminal, a la pena de siete años de prisión mayor y multa de 500.000 pesetas, con las accesorias de suspensión de cargo público y del derecho de sufragio pasivo durante el tiempo de la condena. Los recurrentes alegan que fueron condenados por el «acuerdo e intento» de difundir durante la campaña electoral una información veraz sobre un hecho de interés general y relevancia pública como son las propuestas de ETA para «lograr el final de la violencia» en el País Vasco, en concreto por el acuerdo e intento de difundir en los espacios electorales y actos públicos correspondientes a H.B.. de videocintas en las que ese mensaje era transmitido por miembros de ETA, encapuchados y con presencia de armas. La condena vulnera, a su juicio, sus derechos fundamentales a la libertad ideológica, a la libertad de expresión e información, a participar en asuntos públicos, a la legalidad penal (artículos 16, 20, 23 y 25 CE), además de los derechos procesales reconocidos en el artículo 24 CE.

FJ 15. [...] [N]o cabe considerar ejercicio legítimo de las libertades de expresión e información a los mensajes que incorporen amenazas o intimidaciones a los ciudadanos o a los electores, ya que como es evidente con ellos ni se respeta la libertad de los demás, ni se contribuye a la formación de una opinión pública que merezca el calificativo de libre. Como advierte la STC 171/1990 en su fundamento jurídico 6º, el valor especial que la Constitución otorga a las libertades de expresión e información «no puede configurarse como absoluto, puesto que, si viene reconocido como garantía de la opinión pública, solamente puede legitimar las intromisiones en otros derechos fundamentales que guarden congruencia con esa finalidad es decir, que resulten relevantes para la formación de la opinión pública sobre asuntos de interés general, careciendo de tal efecto legitimador, cuando las libertades de expresión e información se ejerciten de manera desmesurada y exorbitante del fin en atención al cual la Constitución le concede su protección preferente».

En suma, cabe concluir que, cuando esas libertades aparecen «conectad(as) a los procesos de formación y exteriorización de un poder político democrático (art. 23 CE)», deberá garantizarse la máxima libertad —y los mayores medios— para que los individuos y los grupos hagan llegar a los electores cualquier tipo de opiniones o informaciones «para que el ciudadano pueda formar libremente sus opiniones y participar de modo responsable en los asuntos públicos» (STC 157/1996, fundamentos jurídicos 5º y 6º); pero, por el mismo motivo, en este contexto deberá existir una especial cautela respecto de todo aquello que pueda limitar la libertad de opción de los ciudadanos y, muy especialmente durante los procesos electorales.

FJ 16. Ciertamente sería no sólo improcedente sino también vano intentar definir aquí, de forma abstracta y apriorística, qué mensajes o qué comunicaciones tienen carácter amenazante o intimidatorio, en el sentido de ser capaces de torcer la voluntad política e incluso el sentido del voto, y cuáles no. [...]

Con todo, aun teniendo muy presentes estas cautelas, no puede negarse la posibilidad de que existan mensajes que, aun sin hallarse incursos en alguno de los tipos penales de amenazas o coacciones, puedan considerarse intimidatorios, porque anuden, explícita o implícitamente, pero de modo creíble, la producción de algún mal grave o la realización o no realización de determinada conducta por parte del destinatario. Este tipo de mensajes no queda amparado por las libertades de expresión o de información.

[...] Esto no obstante, debe admitirse que no toda difusión de un mensaje intimidatorio queda excluida del ámbito de las libertades de expresión e información. Así, por ejemplo, como advierten los recurrentes, en ese ámbito podrá incluirse la comunicación de esos mensajes por parte de terceros mediante lo que doctrinalmente se ha calificado como reportaje neutral. Así, en la ya citada STC 159/1986 se otorgó el amparo al director del diario Egin que había publicado unos comunicados apologéticos del terrorismo, con el argumento de que el referido periódico se había limitado a «la mera reproducción de los comunicados (de ETA-militar) no acompañada de juicios de valor que demuestren que el periodista asume el contenido apologético de los mismos» (carácter apologético que, por otra parte, nadie discutió en el proceso). En esta Sentencia se declara que «no cabe duda que la erradicación de la violencia terrorista encierra un interés político y social de la máxima importancia, pero ello no autoriza, sin embargo, a alterar la esencia de un Estado democrático, el cual, para su existencia y desarrollo, presupone el sometimiento de las cuestiones relevantes para la vida colectiva a la crítica o aprobación de una opinión pública libremente constituida. En este sentido cabe afirmar que la lucha antiterrorista y la libertad de información no responden a intereses contrapuestos sino complementarios, orientados al aseguramiento del Estado democrático de Derecho» (fundamento jurídico 7º). [...]

FJ 17. [...] [N]o cabrá hablar de reportaje neutral cuando quien lo difunde no se limita a ser «un mero transmisor del mensaje», es decir, a comunicar la información, las opiniones ajenas o los hechos relacionados con el mismo, sino que utiliza el mensaje, no para transmitir una noticia, sino para darle otra dimensión; por ejemplo, si se trata de un comunicado de contenido político, para pedir el voto en favor de quien informa o incluso, aunque en menor medida, para buscar la adhesión de quienes reciben la comunicación a las opiniones de los emisores del mensaje. En estos supuestos la «finalidad informativa», constitucionalmente protegida (STC 138/1996, fundamento jurídico 31) queda en un segundo plano. La forma y el contexto en el que se transmite el mensaje puede «quebrantar la neutralidad» de quien lo transmite. Precisando la anterior razón de decidir respecto de supuestos como el aquí enjuiciado, puede afirmarse, todavía en una primera aproximación general, que, como queda dicho, cabe calificar de reportaje neutral, protegido por el art. 20 CE, la simple transmisión o reproducción de comunicados de una organización terrorista en los que ésta exponga sus objetivos y sus condiciones para declarar el fin de la actividad armada, incluso mediante la reproducción de la palabra y las imágenes de alguno de sus miembros con la parafernalia propia de la organización. Estos son hechos y opiniones que tienen un indudable interés público y, de otro lado, si los hechos y opiniones efectivamente se han producido, su difusión cumple con el requisito de la veracidad. Sin embargo, el mensaje deja de ser neutral cuando quien lo transmite lo utiliza para pedir el voto o el apoyo político de los ciudadanos a ese mensaje. Los mensajes electorales no pretenden informar, sino captar sufragios y, en consecuencia, no sólo pretenden que los ciudadanos formen su opinión en libertad, sino que acepten el mensaje que difunde y traduzcan ese beneplácito en la dación del voto. En estos casos puede afirmarse que el transmitente hace suyo el contenido del mensaje y, en consecuencia, no cabe hablar de «neutralidad» en su difusión.

FJ 20. [...] [C]onviene dejar claro ya en este momento que en el presente caso a diferencia de lo que ocurre en la STC 190/1996, aunque los mensajes objeto de sanción contenían elementos intimidatorios y los recurrentes no fueron condenados por el ejercicio lícito de las libertades de participación, de expresión y de información, sino por colaboración con banda armada, a partir de esta sola constatación no cabe excluir que el establecimiento de ciertos tipos penales o ciertas interpretaciones de los mismos pueda afectar a los citados derechos, siquiera sea indirectamente. Esto es así porque el hecho de que se expresen ideas, se comunique información o se participe en una campaña electoral de forma ilícita y, por consiguiente, sin la protección de los respectivos derechos constitucionales, no significa que quienes realizan esas actividades no estén materialmente expresando ideas, comunicando información y participando en los asuntos públicos. Precisamente por ello, una reacción penal excesiva frente a este ejercicio ilícito de esas actividades puede producir efectos disuasorios o de desaliento sobre el ejercicio legítimo de los referidos derechos ya que sus titulares, sobre todo si los límites penales están imprecisamente establecidos, pueden no ejercerlos libremente ante el temor de que cualquier extralimitación sea severamente sancionada. [...]

FJ 24. La exigencia de proporción de la reacción penal en relación con los derechos de información, expresión y participación política ha sido reconocida por este Tribunal en varias SSTC desde la 62/1982 hasta la 190/1996, pasando, por ejemplo, por la ya citada 85/1992 en la que, al otorgar el amparo contra una sanción penal excesiva impuesta por unas declaraciones insultantes y, por ende, no protegidas por el art. 20.1 CE, establecimos que «el criterio de la proporcionalidad, reconocido en Sentencias del más variado contenido (SSTC 62/1982, 35/1985, 65/1986, 160/1987, 6/1988, 209//1988, 37/1989, 113/1989, 178/1989 y 154/1990) tiene especial aplicación cuando se trata de proteger derechos fundamentales frente a limitaciones o constricciones, procedan éstas de normas o resoluciones singulares, y así lo declara la STC 37/1989, en la que se hace referencia a la reiterada doctrina según la cual la regla de la proporcionalidad de sacrificios es de observancia obligada al proceder a la limitación de un derecho fundamental, doctrina que nos conduce a negar legitimidad constitucional a las limitaciones o sanciones que incidan en el ejercicio de los derechos fundamentales de forma poco comprensible, de acuerdo con una ponderación razonada y proporcionada de los mismos» (fundamento jurídico 4°).

En esta misma línea, el Tribunal Europeo de Derechos Humanos ha establecido que una reacción desproporcionada contra unas declaraciones, aun cuando éstas no sean lícitas y merezcan una sanción, vulnera el derecho a la libertad de expresión por no resultar necesaria en una sociedad democrática (art. 10 CEDH, Sentencia del TEDH Tolstoy Miloslavsky, de 13 julio de 1995, § 51.). La desproporción resulta mayor cuando se trata de las declaraciones emanadas de un partido político, dado su papel esencial para asegurar el pluralismo y el adecuado funcionamiento de la democracia (Sentencia del TEDH Partido Socialista contra Turquía, 25 de mayo 1998, § 41). El Tribunal Europeo de Derechos Humanos ha subrayado que «la libertad de expresión, preciosa para todos, lo es particularmente para los partidos políticos y sus miembros activos» (Sentencias del TEDH de 30 de enero de 1998, § 46, caso Partido Comunista Unificado de Turquía y otros contra Turquía y, de 9 de junio de 1998, § 46, caso Incal contra Turquía). De ahí ha llegado a la conclusión de que las injerencias en la libertad de expresión de los miembros y dirigentes de los partidos políticos de la oposición exige de dicho Tribunal un control especialmente estricto (caso Castells contra España, ya citado, § 42 y caso Incal, § 46).

En este último supuesto, en el que un ejemplar de una octavilla presuntamente delictiva fue depositada en la comisaría de policía de la ciudad, pidiéndose autorización para distribuirla y, como toda respuesta, se impuso al recurrente una condena de seis meses y veinte días de cárcel, a una multa y a la retirada por quince días de su carnet de conducir, el Tribunal Europeo subraya la radicalidad de la injerencia, destacando que las autoridades pudieron exigir la modificación del contenido de la octavilla y alertando sobre el aspecto preventivo de la misma que, por sí sólo, plantea problemas desde la perspectiva del art. 10 del CEDH. En conclusión, la condena de prisión de seis meses y veinte días se entendió desproporcionada a la finalidad de defensa del orden público y, por supuesto, innecesaria en una sociedad democrática (caso Incal, §§ 56 a 58).

FJ 29. [...] El art. 20 de la CE, en sus distintos apartados, «garantiza el mantenimiento de una comunicación pública libre, sin la cual quedarían vaciados de contenido real otros derechos que la Constitución consagra, reducidas a formas hueras las instituciones representativas y absolutamente falseado el principio de legitimidad democrática que enuncia el art. 1.2 de la CE, y que es la base de toda nuestra ordenación jurídico-política». Desde esta premisa, enunciada en nuestra jurisprudencia por la STC 6/1981, fundamento jurídico 3°, hemos subrayado que la libertad para expresarse se encuentra especialmente reforzada cuando su ejercicio se asocia con la realización de otros derechos fundamentales, tales como la libertad ideológica (STC 30/1986) o los derechos de defensa y a la asistencia letrada (STC 157/1996), pero este reforzamiento es máximo cuando se trata de participar en los asuntos públicos, nervio del Estado democrático que nos hemos dado con la Constitución (SSTC 119/1990, fundamentos jurídicos 4° y 7°, y 119/1995, fundamentos jurídicos 2° y 3°). El principio de interpretación del Ordenamiento jurídico en el sentido más favorable al ejercicio y disfrute de los derechos fundamentales «es de especial relevancia en el proceso electoral, en donde se ejercen de manera efectiva los derechos de sufragio activo y pasivo que, por estar en la base de la legitimación democrática del ordenamiento político han de recibir un trato especialmente respetuoso y favorable» (STC 76/1987, fundamento jurídico 2°). La libertad que debe presidir la concurrencia de distintos programas y candidatos ante los ciudadanos, para solicitar su voto, justifica que la ley penal imponga límites contra cualquier conducta amenazante o intimidatoria. Pero, simultáneamente, esa misma libertad debe ser constreñida lo mínimo imprescindible, so pena de permitir una interferencia excesiva de los poderes públicos en el desarrollo del debate electoral, y que la subsiguiente votación no refleje fielmente «la opinión del pueblo en la elección del cuerpo legislativo» (art. 3 del Protocolo 1 al CEDH).

[...] La aplicación de un precepto que contempla una pena mínima de seis años y un día produce un claro efecto disuasorio del ejercicio de las libertades de expresión, comunicación y participación en la actividad pública, aunque las conductas sancionadas no constituyan ejercicio legítimo de las mismas.

d) Finalmente debe tenerse en cuenta que ese efecto disuasorio se refuerza en supuestos como el presente en el que la relativa indeterminación del precepto, aunque no plantee problemas desde el punto de vista de la taxatividad, puede crear alguna incertidumbre acerca de si la expresión de unas ideas, la comunicación de una información o la participación en una determinada actividad pública es lícita o, por el contrario, resulta muy severamente penada. Esta incertidumbre puede inhibir de modo natural el ejercicio de tales libertades, necesarias para el funcionamiento democrático de la sociedad y radicalmente imprescindibles cuando tal ejercicio se refiere a los partidos políticos y al momento en el que se dirigen a recabar la voluntad de los ciudadanos.

C) Derechos específicos de las/os profesionales de la información: la cláusula de conciencia y el secreto profesional

El derecho a la cláusula de conciencia —STC 225/2002, de 9 de diciembre[20]—

La Sentencia resuelve el recurso de amparo promovido por don F.E.J. contra la Sentencia de la Sala de lo Social del Tribunal Superior de Justicia de Madrid de 5 de mayo de 1998, dictada en recurso de suplicación contra la Sentencia del Juzgado de lo Social núm. 22 de Madrid de 24 de diciembre de 1997, recaída en autos iniciados en virtud de demanda de resolución del contrato por voluntad del trabajador, y que deniega el ejercicio por parte del recurrente de su derecho a la cláusula de conciencia. Las resoluciones impugnadas, pese a no cuestionar la posibilidad del actor de ejercitar el derecho a la cláusula de conciencia al existir una inobjetable mutación ideológica en la orientación del diario, entendieron que el periodista carecía de acción para solicitar la resolución contractual en el momento en que lo hizo, pues abandonó su puesto de trabajo antes de su demanda, lo que se considera inconciliable con la jurisprudencia sentada sobre el art. 50.1 a) de la Ley del Estatuto de los Trabajadores, que viene exigiendo, salvo en casos excepcionales, la persistencia de la relación laboral para que sea viable la declaración judicial constitutiva de la extinción del contrato de trabajo. Esta interpretación, entiende el recurrente, vulnera su derecho reconocido en el artículo 20.1.d) CE.

FJ 3. [...] [E]n el caso que ahora se examina resulta clara la concurrencia del supuesto de hecho que genera el derecho a la cláusula de conciencia: las Sentencias impugnadas declaran probado el «cambio ideológico» del diario en el que prestaba sus servicios el recurrente, cambio éste que se reflejó en la publicación de «artículos que provocan indignación en el trabajador» y que «no hay duda» que puede «dar lugar a una situación incómoda y angustiosa».
La cuestión se suscita respecto de si la extinción causal del contrato con indemnización por voluntad del profesional de la información, que es la modalidad del derecho a la cláusula de conciencia que ahora importa, puede provocarse por la mera decisión de aquél en una autotutela inmediata, aunque después haya de acudirse a los órganos jurisdiccionales para reclamar la indemnización, o si, por el contrario, es preciso mantener viva la relación laboral, permaneciendo en el puesto de trabajo en el momento de formular la demanda y mientras se sustancia el proceso. [...]

FJ 4. Ciertamente, la expresa dicción del art. 2.1 de la Ley Orgánica 2/1997, podría hacer pensar que la única vía para ejercitar el derecho a la cláusula de conciencia es la jurisdiccional: «los profesionales de la información tienen derecho a solicitar la rescisión de su relación jurídica con la empresa de comunicación en que trabajen...».
Pero la interpretación literal es un mero punto de partida. Y es de advertir que, salvo, como es obvio, en aquellos casos en los que el interesado pretenda ejercitar su derecho a la cláusula de conciencia a través de medios o procedimientos abierta y palmariamente contraindicados por la Ley Orgánica 2/1997, tendrá que partirse de la protección constitucional de toda decisión del periodista que resulte proporcionada y razonablemente inspirada en un propósito de preservación de su independencia para el desempeño de la función profesional informativa. Si no fuera de ese modo, los intereses jurídicamente protegibles que dan vida al derecho, no resultarían real, concreta y efectivamente garantizados (por todas, STC 11/1981, de 8 de abril).
Dicho en otros términos, la duda interpretativa respecto del procedimiento de ejercicio del derecho no puede desembocar en limitaciones que lo hagan impracticable, lo dificulten más allá de lo razonable o lo despojen de la necesaria protección. Y es que la cuestión relativa a la posibilidad de una dimisión previa, con posterior reclamación judicial de la indemnización —claramente viable en el origen histórico del derecho a la cláusula de conciencia—, no es sólo una cuestión procedimental o accesoria sino que afecta decisivamente al contenido del derecho, tal como deriva de los caracteres que la doctrina constitucional le viene reconociendo. Ya hemos señalado que el derecho a la cláusula de conciencia, reconocido precisamente en el art. 20.1 d) CE, guarda una íntima conexión con la libertad de información, que alcanza su máximo nivel cuando es ejercida por los profesionales de la información, dado que se hallan «sometidos a mayores riesgos», y tal libertad no integra solamente un derecho subjetivo de aquéllos, sino también una garantía de la formación de una opinión pública libre.
Y, por consecuencia, en ese doble sentido, el derecho a la cláusula de conciencia viene a «asegurar el modo de ejercicio de su fundamental libertad de información», respecto de la cual aquél tiene un carácter instrumental: a) en

---

20 Sobre la procedencia del cese de personal directivo de la televisión pública por razones ideológicas, *vid.* STC 190/2001, de 1 de octubre (**ARTÍCULO 16**).

cuanto derecho subjetivo del profesional de la información, el derecho a la cláusula de conciencia protege la libertad ideológica, el derecho de opinión y la ética profesional del periodista y, si esto es así, excluir la posibilidad del cese anticipado en la prestación laboral, es decir, obligar al profesional, supuesto el cambio sustancial en la línea ideológica del medio de comunicación, a permanecer en éste hasta que se produzca la resolución judicial extintiva, implica ya aceptar la vulneración del derecho fundamental, siquiera sea con carácter transitorio —durante el desarrollo del proceso—, lo que resulta constitucionalmente inadmisible —recuérdese que en el caso que se examina el cambio de la línea ideológica del periódico podía «dar lugar a una situación incómoda y angustiosa»—; b) por otra parte, y en cuanto la cláusula de conciencia no es sólo un derecho subjetivo sino una garantía para la formación de una opinión pública libre, ha de señalarse que la confianza que inspira un medio de comunicación es decir, su virtualidad para conformar aquella opinión, dependerá, entre otros factores, del prestigio de los profesionales que lo integran y que le proporcionan una mayor o menor credibilidad —piénsese que, en este caso, el demandante era Subdirector del periódico—, de suerte que la permanencia en el medio del profesional durante la sustanciación del proceso, puede provocar una apariencia engañosa para las personas que reciben la información. De todo ello deriva que los intereses constitucionalmente protegidos reclaman la viabilidad, aún no estando expresamente prevista en el art. 2.1 de la Ley Orgánica 2/1997, de una decisión unilateral del profesional de la información que extinga la relación jurídica con posibilidad de reclamación posterior del la indemnización, posibilidad ésta que, obviamente, ofrece el riesgo de que la resolución judicial entienda inexistente la causa invocada, con las consecuencias desfavorables que de ello derivan.

FJ 5. En el presente caso los órganos judiciales no tuvieron en cuenta lo que acaba de decirse. No pusieron en cuestión ni la mutación ideológica del diario, ni la afectación ideológica del periodista, ni siquiera el conducto utilizado, pero cerraron el paso a la cobertura prevista en la Ley Orgánica por razón de la decisión unilateral del Sr. Escobar de cesar en la actividad periodística previamente al ejercicio de la acción, justificándolo en una determinada jurisprudencia y en una incidencia o repercusión supuestamente menor del cambio ideológico que la propia de situaciones que suelen calificarse (en casos excepcionales planteados con ocasión del art. 50 LET) como de extrema gravedad o insostenibilidad. Desde la perspectiva constitucional, en cambio, la única realidad relevante, que debe encontrar acomodo y debida integración, radica en que no podía padecer el derecho fundamental del art. 20.1 d) CE. Y padeció, sin embargo, con aquella interpretación, pues, según se ha hecho notar, se ha causado perjuicio a quien —ante un conflicto de conciencia que ni siquiera aquellos órganos judiciales niegan— trató simplemente de buscar auxilio en las garantías inhibitorias mínimas que del derecho fundamental cabía deducir.

En consecuencia, conforme a lo antes expuesto, concluimos que acompaña la razón al recurrente, al que no le era exigible un comportamiento diverso. El periodista tiene derecho a preservar su independencia ante situaciones de mutación ideológica desde el momento en que la considere realmente amenazada, evitando conflictos con la empresa de comunicación (que legítimamente puede alterar su línea ideológica) y riesgos de incumplimiento que, de permanecer en ella, pudieran darse y provocarle perjuicios por razón de su legítima discrepancia ideológica con la nueva tendencia editorial. Está fuera de duda, por tanto, que esa protección tan básica como tajante ofrecida por el art. 20.1 d) CE incluye la inmediata paralización de la prestación laboral ante problemas de conciencia como los descritos, incluso con carácter previo al seguimiento de cauces jurisdiccionales y con independencia de cuáles sean los resultados del ejercicio posterior de dichas acciones. Y es que se debate en esos terrenos no ya la intensidad deseable en la tutela ofrecida por el derecho a la cláusula de conciencia, sino los niveles mínimos o elementales que hacen reconocible la cobertura constitucional examinada.

Titularidad del derecho a la cláusula de conciencia —STC 199/1999, de 8 de noviembre—

La Sentencia resuelve el recurso de amparo promovido por don A.D.L. contra la Sentencia del Juzgado de lo Social núm. 1 de Sevilla, de 10 de octubre de 1994, y contra la Sentencia de la Sala de lo Social de Sevilla del Tribunal Superior de Justicia de Andalucía, de 30 de junio de 1995, que confirma la primera. El recurrente prestaba servicios para la empresa Información y Prensa, S.A. (Diario 16) desde el año 1982, con categoría profesional de Jefe de Sección de Diseño, trazando las líneas del formato del diario según los criterios fijados por la Redacción respecto a la ubicación de las noticias y demás contenido del periódico, sin tener título de periodista ni haber escrito jamás en aquel diario. Invocando su derecho a la cláusula de conciencia, el recurrente solicitó la rescisión del contrato por cambio en la línea ideológica del periódico, denunciando el proceso de progresiva depuración y sustitución del personal a medida que, a su juicio, la línea inicial de aquél había ido derivando hacia intereses de tipo financiero. Dicho ejercicio le fue judicialmente denegado, con base en que el convenio colectivo aplicable limitaba el ejercicio del derecho a la cláusula de conciencia a los redactores del diario. Para el demandante, el ejercicio de este derecho fundamental no puede verse mediatizado por un convenio colectivo, sino que puede ser invocado por cualquier profesional de la información. En su caso concreto, defiende su pertenencia al personal de Redacción puesto que la Jefatura de la Sección de Diseño que él desempeña se encuentra organizativamente integrada en aquélla, al tiempo que insiste en que la ilustración y el diseño no son accesorios ni complementarios de la información, sino que componen con ella una sola unidad para hacer más comprensible, completa y atractiva la noticia.

FJ 4. El derecho a la cláusula de conciencia encuentra [...] su ámbito subjetivo de aplicación en las relaciones contractuales de los profesionales de la información con las empresas de comunicación para las que trabajan, con vistas a la garantía del ejercicio de su propia libertad informativa. La afectación del derecho de información del profesional como criterio de legitimación para la invocación de la cláusula impide en términos constitucionales la elaboración de un catálogo cerrado de funciones cuyos titulares pudieran reclamarla; máxime teniendo en cuenta la variedad de tareas en las que la libertad informativa puede verse involucrada en una sociedad en la que en la transmisión de noticias no juegan un papel esencial sólo las palabras sino tanto o más las imágenes, fotografías, presentaciones gráficas o de composición que contribuyen igualmente a la descripción del hecho, a destacar ciertos aspectos de él, a lograr un enfoque ideológico determinado o a dotarle de una mayor o menor relevancia informativa según los intereses del medio, tareas todas ellas en las que además habrá de considerarse la autonomía y creatividad propias con las que opere el profesional para poder concluir que se encuentra ejerciendo su derecho a transmitir información. En definitiva, tal como afirma el Ministerio Fiscal, la delimitación subjetiva del derecho no puede hacerse con abstracción de las funciones realizadas, como tampoco limitarse indebidamente a determinadas categorías profesionales excluyendo otras potencialmente susceptibles de ser integradas en la regulación de la cláusula.

Desde este punto de vista, ciertamente no es decisivo para la consideración de la queja suscitada en amparo constitucional que el recurrente fuera o no redactor del periódico tal como exigía el convenio colectivo, como tampoco le falta razón cuando alega en su interés que el diseño y presentación de la noticia no son accesorios ni complementarios sino que, por el contrario, forman con el contenido de aquélla una unidad dirigida a alcanzar ciertos objetivos en la transmisión del hecho. Sin embargo, como claramente se deduce sobre todo de la Sentencia del Juzgado de lo Social, no ha sido tanto el hecho de no ostentar la categoría profesional de Redactor sino la de Jefe de la Sección de Diseño nominalmente consideradas lo que, en última instancia ha determinado la desestimación de la pretensión del recurrente, sino el contenido de tales funciones ligado, en definitiva, a la finalidad del derecho a la cláusula de conciencia.

FJ 5. En el caso que ha dado origen a la demanda de amparo, el convenio recogía uno de los supuestos de hecho a los que tradicionalmente se ha vinculado la cláusula de conciencia, como es la posibilidad de resolver el contrato con derecho a una indemnización ante el cambio de línea ideológica del medio para el cual trabaja el profesional, en la medida en que aquél determina paralelamente una alteración en el contenido y presentación de las noticias que se trasmiten, dificultando o impidiendo el ejercicio de la libertad informativa del profesional en las condiciones pactadas inicialmente. Según acaba de decirse, a los efectos de la queja suscitada en amparo no es decisivo que el ámbito subjetivo de la previsión convencional se ciña a los redactores, limitación que no habría impedido a priori al recurrente la invocación de su derecho constitucional. Sin embargo, como también se ha puesto de relieve, las resoluciones judiciales no han atendido sólo a la denominación de la categoría profesional sino también a su contenido, concluyendo que en las funciones realizadas por el recurrente como Jefe de la Sección de Diseño no concurría la finalidad que justifica el reconocimiento del derecho a los profesionales de la información.

En efecto, como acertadamente se pone de manifiesto en las Sentencias recurridas, ni aparece acreditado que se haya producido un desvío del medio respecto de su línea ideológica originaria, ni por el trabajo del recurrente, limitado al maquetado del periódico según las instrucciones recibidas de la Redacción, podía quedar objetivamente afectada la transmisión de información relevante para la formación de la opinión pública.

Desde la perspectiva constitucional del derecho a la cláusula de conciencia la conclusión de las resoluciones judiciales no resulta, por tanto, lesiva de aquél. Frente a las alegaciones del recurrente debe recordarse que, a diferencia de lo que pueda ocurrir en los Ordenamientos jurídicos de otros países, la vinculación que nuestro art. 20.1 d) CE hace de aquel derecho al ejercicio de la libertad de información por parte del profesional frente a la empresa impide configurarlo como una mera facultad resolutiva del contrato ante discrepancias con la orientación informativa del medio cuando no afecta a dicho ejercicio. Siendo así, a los efectos del recurso de amparo resulta en primer lugar irrelevante la discrepancia que el demandante mantiene con los órganos judiciales respecto a si los cambios en ciertos contenidos del periódico constituyen o no una alteración de la orientación ideológica de aquél, ya que este Tribunal no sólo se encuentra vinculado por los hechos probados [art. 44.1 b) LOTC], sino que no es una tercera instancia competente para revisar el material probatorio ni para sustituir la conclusión de los órganos judiciales por la que en su propio interés propone el recurrente. Pero además, y sobre todo, lo cierto es que no consta tampoco que aquellos cambios hayan afectado, limitado o condicionado el ejercicio de la libertad de información del recurrente, puesto que en ningún momento se ha acreditado que sus funciones profesionales pudieran ser vehículo de aquélla. Falta en consecuencia el presupuesto básico para la invocación del derecho constitucional a la cláusula de conciencia, sin el cual la demanda de amparo queda limitada a las discrepancias con la inaplicación de un precepto del convenio colectivo, cuya interpretación no corresponde a este Tribunal en tanto no se encuentra involucrado ningún derecho fundamental.

El derecho al secreto profesional y la obligación de satisfacer el requisito de transmitir información veraz —STC 21/2000, de 31 de enero[21]—

La Sentencia resuelve el recurso de amparo promovido por don S.B.P. y por don F.L.B. contra el Auto de la Sección Segunda de la Audiencia Provincial de Madrid recaído en los recursos de apelación interpuestos contra el Auto dictado por el Juzgado de Instrucción núm. 5 de Madrid que se disponía el archivo de diligencias previas incoadas como consecuencia de haberse interpuesto diversas querellas por calumnias, entre otros, por los ahora recurrentes en amparo. Estas se dirigieron contra el director del Diario EL MUNDO y contra el autor de un reportaje publicado en él el 7 de septiembre de 1994, en el que se afirmaba que altos cargos del Ministerio de Defensa, mandos militares, y empresarios del sector de suministros habían pactado, de forma irregular y a cambio de comisiones millonarias, un contrato de 25.000 millones de pesetas. Los recurrentes entienden que al haberles imputado la comisión de un delito de cohecho activo sin haber aportado ningún elemento de prueba que pudiera corroborar dicha información se ha vulnerado su derecho al honor, sin que la publicación de dicha noticia pueda quedar amparada por el derecho a la información, ya que para ello sería requisito indispensable que la información transmitida fuera veraz, y en este supuesto consideran que este requisito no se ha cumplido, ya que el informador no ha aportado más elemento de prueba que la genérica remisión a diversos informantes cuya identidad no ha desvelado alegando secreto profesional.

FJ 8. La cuestión que nos corresponde enjuiciar es, pues, si la actividad de investigación desarrollada por el periodista debe considerarse suficiente para entender cumplido el requisito constitucional de la veracidad.

Si nos atenemos a los criterios antes expuestos nos encontramos con que en este caso el deber de diligencia debe exigirse «en su máxima intensidad», ya que la noticia que se divulga, al imputar la comisión de un delito, no sólo puede suponer un descrédito en la consideración de la persona a la que se refiere, sino que, además, incide en su derecho a la presunción de inocencia. Junto a estos datos debe tenerse en cuenta también que aunque la información difundida pueda considerarse de gran trascendencia —se está denunciado corrupción en el ámbito de la Administración pública— la utilidad social de la misma podía haberse conseguido de igual modo denunciado las irregularidades detectadas, pero sin dar como cierto un hecho —el del pago de las comisiones millonarias— que podía constituir un ataque al honor de las personas a las que se refería la información y sobre cuya veracidad no existía más prueba que las informaciones suministradas por fuentes indeterminadas.

A este criterio se añade que en la información publicada se aludía, además de a los altos cargos del Ministerio de Defensa, a los ahora recurrentes en amparo; personas que al no ostentar una posición con relevancia pública —son empresarios del sector de suministros, sin perjuicio de que se hayan podido ver implicados circunstancialmente en asuntos de trascendencia pública—, respecto de ellos el derecho a la información no alcanza la misma intensidad que el que este derecho tiene cuando el mismo incide sobre los llamados «personajes públicos» (por todas STC 28/1996).

Por otra parte debe tenerse también en cuenta en este caso que, al no haber desvelado el periodista la identidad de las personas que le confirmaron el hecho de que se habían pagado comisiones millonarias, el origen de la fuente de información es indeterminada y, respecto de este tipo de fuentes, este Tribunal ha señalado que «el deber de diligencia en la comprobación razonable de la veracidad de la información no se satisface con la pura y genérica remisión a fuentes indeterminadas, que, en ningún caso, liberan al autor de la información del cumplimiento de dicho deber» (STC 172/1990, FJ 3), pues la remisión a este tipo de fuentes, al no identificarse su origen, debe entenderse, en principio, insuficiente a efectos de dar por cumplida la diligencia propia del informador «lo cual, desde luego, no supone, en modo alguno, que el informador venga obligado a revelar sus fuentes de conocimiento, sino tan sólo a acreditar que ha hecho algo más que menospreciar la veracidad o falsedad de su información» (SSTC 123/1993, de 19 de abril, FJ 5; 6/1996, de 16 de enero, FJ 5).

---

[21] *Vid.* STC 24/2019, de 25 de febrero, sobre el derecho al secreto profesional y la averiguación de la licitud del proceso de obtención de la prueba

Todas estas consideraciones nos conducen a entender que el informador no actuó con la diligencia constitucionalmente exigible y, en consecuencia, al no poder quedar amparada su actuación por su derecho a la información, vulneró el derecho al honor de los ahora recurrentes en amparo al haberles imputado un hecho constitutivo de delito.

3. La imbricación de los derechos a la libertad de expresión y a la información frente al respeto de la ley y otros derechos, especialmente el honor, la intimidad, la propia imagen, y la protección de la juventud y de la infancia (artículo 20.4 CE)

El rango de ley y la necesaria motivación de las normas limitadoras de los derechos a la libertad de expresión y a la información —STC 52/1995, de 23 de febrero[22]—

La Sentencia resuelve el recurso de amparo interpuesto por AMAIKA, S.A. contra Resoluciones de la Jefatura Provincial de Comunicaciones que prohibieron la circulación postal de revistas de carácter pornográfico, y contra la Sentencia de la Sala Tercera del Tribunal Supremo, de 15 de julio de 1994, que las confirmó.

FJ 2. Ha de tenerse en cuenta que en el presente caso no nos encontramos ante una limitación directa de la libertad de expresión e información. La Administración no ha impedido de plano la distribución de las revistas controvertidas. No ha existido ni censura previa —que implicaría un control ex ante de su contenido— ni se han secuestrado las publicaciones —lo que hubiera supuesto su no distribución—. Ha cerrado el acceso a un servicio público, aunque, como éste no funciona como un monopolio, la empresa editora ha podido recurrir a medios privados de transporte y distribución, continuando la difusión de las revistas, si bien con el encarecimiento de costes que trae consigo el recurso a empresas privadas de transportes.

De lo dicho resulta evidente que, aunque no la hayan impedido, las Resoluciones administrativas impugnadas sí que han supuesto un obstáculo, objetivamente constatable, a la difusión de las revistas, y por tanto, es forzoso concluir que, al hacerlo así, las referidas resoluciones tienen un alcance restrictivo del derecho a la libertad de expresión, para el que resulta imprescindible, de acuerdo con la naturaleza del medio a través del cual se expresen dichas ideas y opiniones, que sea posible la difusión de éstas, permitiendo su acceso a terceros destinatarios de las mismas. El propio Texto constitucional se hace eco de esta vertiente del derecho considerado, al reconocer expresamente como contenido de éste la «difusión» de las ideas y opiniones y al articular explícitas garantías frente al secuestro de publicaciones. [...]

FJ 4. [...] [S]alvo en los casos de secuestro de publicaciones (art. 20.5 CE) no existe un requerimiento constitucional expreso que impida que sea la Administración la que en su caso adopte la medida restrictiva de que se trate, siempre y cuando exista un adecuado control jurisdiccional de su fundamentación, como sin duda sucede en el caso. La garantía formal descansa, pues, sobre el rango de la norma que autorice al poder público de que se trate —en este caso la Administración— a adoptar una medida con alcance restrictivo del derecho consagrado en el art. 20.1 a) CE. Una norma que ha de tener rango de Ley, según exige el art. 53.1 CE, que es la expresa muestra de la recepción en nuestro ordenamiento constitucional de la garantía generalizada en los Tratados internacionales a que se remite el art. 10.2 CE. [...]

FJ 5. Aunque ello bastaría para la estimación del amparo y la anulación de esas Resoluciones administrativas, es conveniente también explicitar un segundo defecto de las Resoluciones administrativas que el Ministerio Fiscal destaca, y es la referida a la falta de motivación y justificación de la medida adoptada. Como hemos dicho desde la STC 26/1981, la restricción del ejercicio de derechos fundamentales necesita encontrar una causa específica y el hecho o la razón que la justifique debe explicarse con el fin de que los destinatarios conozcan las razones por las cuales su derecho se sacrificó, siendo la motivación «un riguroso requisito del acto del sacrificio de los derechos». Exigencia constitucional no sólo del acto administrativo sino también de la decisión judicial que lo confirma que en casos como éste debe contener «un razonamiento suficiente en orden a determinar y concretar el exceso o extralimitación en el ejercicio del derecho fundamental», también para ponderar el principio de proporcionalidad del sacrificio en el ejercicio del derecho fundamental (STC 28/1993).

---

[22] *Vid.* también la STC 105/1983, de 23 de noviembre.

En el presente caso, las Resoluciones administrativas no motivaron en modo alguno la imposición de la medida denegatoria del acceso al servicio de Correos de las revistas. Muy al contrario, se limitaron a invocar el precepto que amparaba esta restricción. Así las cosas, ha de concluirse que dichas resoluciones han infringido el art. 20.1 a) CE pues, carentes de todo juicio de proporcionalidad, ignoran la eficacia del derecho fundamental, cuyo ejercicio sin restricciones ha de protegerse, salvo que cumplidamente se acredite, por parte de quienes defienden la legitimidad de las medidas restrictivas, la necesidad y proporcionalidad de éstas.

Libertad de expresión, respeto de la moral pública y protección de la infancia —STC 62/1982, de 15 de octubre— (*vid.* también SSTC 197/1991, de 17 de octubre; 134/1999, de 15 de julio —ARTÍCULO 18.1—)

La Sentencia resuelve los recursos de amparo acumulados interpuestos por don L. R. L. contra el Auto de 19 de septiembre de 1980 de la Audiencia Provincial de Salamanca, en causa procedente del Juzgado de Instrucción núm. 1 de Salamanca, y contra la Sentencia de la Sala Segunda del Tribunal Supremo de 29 de octubre de 1981. Don L.R.L., dueño de la empresa editorial «Loguez Ediciones», ordenó la publicación del libro titulado «A Ver», destinado a la educación sexual de los niños, siempre a través de sus padres o tutores, por cuya publicación fue procesado y condenado con otras dos personas por delito de escándalo público. El recurrente entiende que dicha condena vulneró su derecho a la libertad de expresión.

FJ 3. [...] Para determinar si el derecho a la libertad de expresión ha quedado o no vulnerado es preciso referirse a las siguientes cuestiones: En primer lugar, hay que examinar si el concepto de moral —que es el bien protegido por las resoluciones impugnadas— puede ser utilizado por el legislador y aplicado por los Tribunales como límite para el ejercicio del derecho a la libertad de expresión; en segundo término, si la respuesta es afirmativa, será necesario precisar en qué medida la moral puede constituir un límite de tal libertad; por último, habrá que concretar si tal medida ha quedado o no superada en el caso planteado, lo que exigirá precisar previamente el ámbito de la competencia del Tribunal Constitucional para entender de recursos de amparo contra resoluciones de órganos judiciales, dadas las peculiaridades que presenta tal supuesto.

A) Para resolver la primera cuestión enunciada —la moral como posible límite de la libertad de expresión—, hay que partir del art. 20.4 de la Constitución que dice así: «Estas libertades tienen su límite en el respeto a los derechos contenidos en este título, en los preceptos de las leyes que lo desarrollen y, especialmente, en el derecho al honor, a la intimidad, a la propia imagen y a la protección de la juventud y de la infancia».

De acuerdo con el precepto transcrito, en conexión con el 53.1 de la Constitución, la Ley puede fijar límites siempre que su contenido respete el contenido esencial de los derechos y libertades a que se refiere el art. 20. Queda así planteada la cuestión de determinar si la moralidad pública puede ser un límite establecido por el legislador, o si tal límite afectaría al contenido esencial de la libertad de expresión. Problema que puede resolverse fácilmente a partir del art. 10.2 de la Constitución, dado que tanto en la Declaración Universal de los Derechos Humanos, como en el Pacto Internacional de los Derechos Civiles y Políticos hecho en Nueva York el 16 de diciembre de 1966, y en el Convenio de Roma de 4 de noviembre de 1950, se prevé que el legislador puede establecer límites con el fin de satisfacer las justas exigencias de la moral (art. 29.2 de la Declaración), para la protección de la moral pública [art. 19.3 b) Convenio de Nueva York], para la protección de la moral (art. 10 Convenio de Roma). El principio de interpretación de conformidad con la Declaración Universal de Derechos Humanos y con los tratados y acuerdos internacionales ratificados por España (art. 10.2 de la Constitución), nos lleva así a la conclusión de que el concepto de moral puede ser utilizado por el legislador como límite de las libertades y derechos reconocidos en el art. 21 de la Constitución.

En relación con este punto el recurrente plantea la cuestión de que el Código Penal refleja un concepto de moral que es la propia de la religión católica, y afirma que la jurisprudencia que interpreta su art. 431 se refiere a esta particular moral con rechazo de toda concepción pluralista. Estamos, añade el actor, en una sociedad aconfesional y pluralista (arts. 16.3 y 1.1 de la Constitución) y por ello puede alegarse como vulnerado el art. 27.3 de la Constitución, en virtud del cual el libro «A Ver» se publica para aquéllos padres que deseen que sus hijos reciban la formación religiosa y moral que esté de acuerdo con sus propias convicciones.

Sin perjuicio de ulteriores precisiones, debe recordarse que, como ha declarado ya este Tribunal en reiteradas ocasiones, las normas preconstitucionales han de interpretarse de conformidad con la Constitución, por lo que cualquiera que fuera el concepto de moral que tomara en consideración el legislador anterior, es lo cierto que con posterioridad hay que partir de los principios, valores y derechos consagrados en la misma. Pero dicho lo anterior, es lo cierto, según hemos visto, que de acuerdo con la Constitución, y con la Declaración Universal, acuerdos y tratados ratificados por España, el concepto de moral puede ser utilizado por el legislador y aplicado por los Tribunales como límite del ejercicio de los derechos fundamentales y libertades públicas, como así lo ha hecho el legislador posconstitucional al regular en la Ley Orgánica 7/1980, de 5 de julio, la libertad religiosa (art. 3.1), y señalar como límite de su ejercicio «la protección del derecho de los demás al ejercicio de sus libertades y derechos fundamentales, así como la salvaguardia de la seguridad, de la salud y de la moralidad pública, elementos constitutivos del orden público protegido por la Ley en el ámbito de una sociedad democrática».

B) Una vez resuelta la primera cuestión enunciada, surge el problema de determinar en qué medida y con qué alcance puede ser delimitada la libertad de expresión por la idea de moral pública. Problema éste de difícil solución si se tiene en cuenta además que la moral pública —como elemento ético común de la vida social— es susceptible de concreciones diferentes según las distintas épocas y países, por lo que no es algo inmutable desde una perspectiva social. Lo que nos lleva a la conclusión de que la admisión de la moral pública como límite ha de rodearse de las garantías necesarias para evitar que bajo un concepto ético, juridificado en cuanto es necesario un minimun ético para la vida social, se produzca una limitación injustificada de derechos fundamentales y libertades públicas, que tienen un valor central en el sistema jurídico (art. 10 de la Constitución).

Planteada así la cuestión, para precisar tales garantías hemos de acudir al Convenio de Roma de 1950, dado el contenido del art. 10.2 de nuestra Constitución y la competencia reconocida por España a la Comisión y al Tribunal Europeo de Derechos Humanos. Pues bien, las garantías a las que nos referimos se deducen de los arts. 10.2 y 18, del mencionado Convenio, el primero de los cuales se refiere específicamente a la libertad de expresión, y el segundo —con carácter general— a las restricciones de los derechos y libertades de que trata el propio Convenio. [...]

D) [...] Se trata, por tanto, ahora de determinar, según también antes veíamos, si se han observado por las resoluciones impugnadas los dos tipos de garantías previstas en el Convenio de Roma: de una parte, que las medidas previstas por la Ley sean necesarias en una sociedad democrática para conseguir la protección de la moral, y, de otra, que su aplicación se haya efectuado con la finalidad para la cual ha sido prevista la medida. A continuación nos referimos a cada uno de estos puntos.

FJ 4. [...] [L]a Sentencia rescindente del Tribunal Supremo se fundamenta en la finalidad de protección a la moral, con especial referencia a la protección de la juventud y de la infancia. Afirmación que conviene igualmente, con toda evidencia, a la segunda Sentencia del Tribunal Supremo, dictada para sustituir a la rescindida, ya que da por reproducidos e incorporados a la misma los razonamientos contenidos en la Sentencia rescindente.

FJ 5. [...] De acuerdo con las ideas anteriores, para determinar si las medidas aplicadas eran necesarias para el fin perseguido, hemos de examinar si se han ajustado o si han infringido el principio de proporcionalidad. La Sala no ignora la dificultad de aplicar en un caso concreto un principio general del Derecho que, dada su formulación como concepto jurídico indeterminado, permite un margen de apreciación. El Tribunal entiende que debe respetar este margen de apreciación que corresponde a los jueces y tribunales, a quienes corresponde también la tutela general de los derechos fundamentales y libertades públicas, según vimos, pues lo contrario llevaría a que este Tribunal viniera a sustituir a la jurisdicción ordinaria. Entendemos que el recto funcionamiento de una sociedad democrática implica que cada institución asuma el cumplimiento de la función que le es propia, lo que nos lleva a la conclusión de que el Tribunal Constitucional ha de circunscribirse a determinar si el principio de proporcionalidad ha quedado infringido, desde la perspectiva del derecho fundamental y del bien jurídico que ha venido a limitar su ejercicio, por ser las medidas adoptadas desproporcionadas para la defensa del bien que da origen a la restricción.

Este Tribunal ha de limitarse por tanto a abordar la cuestión planteada desde la perspectiva constitucional. Y desde ella debe afirmar, partiendo del art. 20.4 de la Constitución y de la legislación postconstitucional como es la Ley 1/1982, de 24 de febrero, que la pornografía no constituye para el Ordenamiento jurídico vigente, siempre y en todos los casos, un ataque contra la moral pública en cuanto mínimo ético acogido por el Derecho, sino que la vulneración de ese mínimo exige valorar las circunstancias concurrentes y, entre ellas, muy especialmente tratándose de publicaciones, la forma de la publicidad y de la distribución, los destinatarios —menores o no— e incluso si las fotografías calificadas contrarias a la moral son o no de menores, y el texto en la parte que se califique así trata de actuaciones o no de menores, pues no cabe duda que cuando los destinatarios son menores —aunque no lo sean exclusivamente— y cuando éstos son sujeto pasivo y objeto de las fotografías y texto, el ataque a la moral pública, y por supuesto a la debida protección a la juventud y a la infancia, cobra una intensidad superior.

Por otra parte, para valorar la proporcionalidad de la pena cuando es de inhabilitación, debe tenerse en cuenta que la misma supone una restricción de la libertad de expresión por lo que su duración temporal habrá de ser limitada —de acuerdo con una fijación inicialmente confiada al arbitrio del legislador— y su contenido habrá de circunscribirse a la protección del bien o bienes jurídicos afectados.

FJ 6. [...] Las observaciones anteriores dan lugar a que no estimemos que la calificación como delito sea desproporcionada si se tiene en cuenta que tal calificación es necesaria en el Derecho español para poder acordar el comiso, según razona el Considerando cuarto de la Sentencia rescindente, medida que estimaron adecuada para la finalidad propuesta tanto la Audiencia Provincial como el Tribunal Supremo, y que este Tribunal no puede calificar de desproporcionada en cuanto se observa fácilmente que la consecución del fin comprende el comiso como medio útil, de entre las penas previstas en el Código Penal. No podemos tampoco estimar como desproporcionada la multa de 20.000 pesetas —que es la cantidad mínima prevista por el art. 431 del Código Penal— ni la pena de arresto mayor en su grado mínimo, máxime cuando el Código Penal contempla la aplicación de la remisión condicional de la condena inferior a un año, dejando en suspenso la ejecución de la pena (art. 92), sin que sobre el cumplimiento efectivo o no de la condena se haya efectuado manifestación alguna. Y por último, tampoco podemos afirmar que resulta desproporcionada la pena de inhabilitación impuesta, en cuanto es la mínima dentro del tipo, su duración temporal aunque amplia no excede del margen de apreciación que corresponde al arbitrio del legislador para la fijación de las penas, y su contenido no excede tampoco de la protección de los bienes jurídicos lesionados dentro de los límites que es necesario reconocer al margen de apreciación que corresponde al arbitrio judicial.

Libertad de expresión y derecho a la información frente a los derechos de la personalidad: caso Comandante Patiño II —STC 172/1990, de 12 de noviembre[23]—

La Sentencia resuelve el recurso de amparo interpuesto por don Pedro J. Ramírez y otros periodistas, y por la Entidad «Información y Prensa, Sociedad Anónima», contra Sentencia de la Sala Primera del Tribunal Supremo de 7 de marzo de 1988, que desestimó el recurso de casación interpuesto contra la Sentencia de la Sala Segunda de lo Civil de la Audiencia Territorial de Madrid, en los autos incidentales seguidos ante el Juzgado de Primera Instancia núm. 26 de Madrid, sobre protección del derecho al honor. Los familiares del Comandante don José Luis Patiño, piloto de la nave «Boeing» 727, que el 19 de febrero de 1985 sufrió una grave catástrofe en la ladera del monte Oiz, que ocasionó la muerte de 148 personas, entre ellas la suya, habían interpuesto demanda contra unas informaciones publicadas en «Diario 16», referidas al Comandante, resultando condenado dicho medio, que entiende vulnerado su derecho a la información.

FJ 3. [...] [E]n la práctica es frecuente y normal que en la información se incluyan elementos valorativos que no llegan a desnaturalizar el derecho a la información, siempre que el elemento preponderante de lo comunicado sea el informativo, debiéndose a este respecto señalar que la valoración de los hechos constituye también un elemento fundamental del derecho de información, en el que se incluye la actitud crítica, incluso enérgica o áspera, siempre que los términos en que se exteriorice no sean desmesurados o desproporcionados con la finalidad de oposición o repulsa que la misma pretende, no siendo, por ello, exigible que las informaciones difundidas por los medios de comunicación social, que no se limiten al simple comunicado de noticias, sean neutrales o estrictamente objetivas, ya que lo contrario equivaldría a limitar el principio de pluralismo más allá de lo que consiente su condición de valor esencial de la sociedad democrática, dejando reducida la libertad de información a inocua transmisión mecánica de hechos noticiables.
Esta mezcla de descripción de hechos y opiniones, que ordinariamente se produce en las informaciones, determina que la veracidad despliegue sus efectos legitimadores en relación con los hechos, pero no respecto de las opiniones que los acompañen o valoraciones que de los mismos se hagan, puesto que las opiniones, creencias personales o juicios de valor no son susceptibles de verificación y ello determina que el ámbito de protección del derecho de información quede delimitado, respecto de esos elementos valorativos, por la ausencia de expresiones injuriosas, que

---

[23]   En sentido contrario se resuelve el recurso de amparo que por razones semejantes interpuso el diario El País contra los familiares del Comandante Patiño —*vid. supra* STC 171/1990, de 12 de noviembre—. *Vid.* también, entre otras muchas, las SSTC 78/1995, de 22 de mayo; 297/2000, de 11 de diciembre; 99/2002, de 6 de mayo; 29/2009, de 26 de enero; 89/2010, de 15 de noviembre; 216/2013, de 19 de diciembre; 79/2014, de 28 de mayo.

resulten innecesarias para el juicio crítico, careciendo de sentido alguno introducir, en tales supuestos, el elemento de veracidad, puesto que, en todo caso, las expresiones literalmente vejatorias o insultantes quedan siempre fuera del ámbito protector del derecho de información.

También merece distinto tratamiento el requisito de la veracidad, según se trate del derecho al honor o del derecho a la intimidad, ya que, mientras la veracidad funciona, en principio, como causa legitimadora de las intromisiones en el honor, si se trata del derecho a la intimidad actúa, en principio, en sentido diverso. El criterio para determinar la legitimidad o ilegitimidad de las intromisiones en la intimidad de las personas no es el de la veracidad, sino exclusivamente el de la relevancia pública del hecho divulgado, es decir, que aun siendo verdadera su comunicación a la opinión pública resulte necesaria en función del interés público del asunto sobre el que se informa.

FJ 4. [...] En el FJ 10 de la Sentencia de apelación se declara probado que «el periódico «Diario 16», en su número correspondiente al día 23 de febrero de 1985 y bajo el titular: «El último vuelo del Comandante Patiño», publicó una semblanza personal de dicho Comandante en la que, invocando fuentes informativas no precisadas y aun reconociendo que era un gran piloto, se dedicaban al mismo frases tales como «era un cachondo mental», «era mal educado y grosero», «bebía demasiado para un Comandante de líneas aéreas que tiene que volar cada cuatro días, vivía con otra mujer, una azafata de Iberia, que se encuentra embarazada de siete meses», «la cerveza y algunos problemas económicos llevaban últimamente de cabeza a este hombre», «vapuleó a un compañero que no secundó el paro y se enfrentó a un pasajero agarrándolo por las solapas»: afirmando dicho diario, en su número correspondiente al día 24 de dicho mes y año, que los restos del Comandante Patiño estaban siendo analizados para descubrir si hay en ellos «huellas de alcohol y si el grado de alcoholismo, en caso de que exista, era superior al permitido» e insistiendo en la «enorme pasión por la cerveza» del Comandante fallecido, para concluir que dicho Comandante «no llevó a cabo la maniobra de aproximación de forma correcta»».

Es indudable que un accidente aéreo, de las trágicas consecuencias que tuvo el ocurrido el 19 de febrero de 1985 en las proximidades del aeropuerto de Sondica, es un hecho de relevancia pública y que su comunicación a la opinión pública autoriza, según la técnica periodística, a incluir en ella consideraciones sobre la personalidad del piloto y sobre las posibles causas del accidente, sin que errores circunstanciales que en la misma puedan haberse cometido conlleven quebrantamiento del deber de veracidad, siempre que no afecten a la esencia de lo informado, y, en tal sentido, puede aceptarse que la declaración de inveracidad parcial que hace la jurisdicción ordinaria en relación con los hechos y circunstancias del enfrentamiento personal que pudo haber tenido, según la información, con un compañero de profesión y con un pasajero no alcanza importancia suficiente para privar a dicha información de protección constitucional.

Pero también es indudable que, aun admitiéndolo así, la información, al margen de su veracidad o falsedad, lesionó de manera ilegítima el honor y la intimidad personal del piloto fallecido, puesto que, en el juicio que se hace sobre su personalidad, cuyo resultado global de descalificación moral, social y profesional es innegable, se incluyen expresiones y afirmaciones que exceden del ámbito en el que debe entenderse prevalente el derecho de información.

Apreciado en el contexto global de la información transmitida, debemos considerar constitucionalmente irreprochable el criterio del órgano judicial de incluir entre las expresiones que, por su literalidad, califica de intromisión ilegítima en el honor del Comandante Patiño, las de «cachondo mental» y «mal educado» grosero», puesto que exteriorizan un juicio personal del informador a cuya consideración judicial de formalmente vejatorias, ajenas al hecho del accidente aéreo y a la formación de una opinión pública sobre sus causas, nada tiene que objetar este Tribunal y tal consideración es mucho más notoria y de mayor gravedad respecto de la afirmación de que dicho piloto, hombre casado y con hijos, «vivía con otra mujer, una azafata de Iberia, que se encuentra embarazada de siete meses», puesto que tal afirmación, que de ser cierta podría quizá, en determinadas circunstancias, venir amparada en el derecho de información, si se refiriese a un personaje público, no puede en modo alguno encontrar justificación en el caso aquí debatido, pues se trata de una persona privada, cuya participación en un hecho de interés general ocurrido en el ejercicio de su profesión puede autorizar al informador a someter a crítica su personalidad como gestor del servicio público de transporte aéreo, pero no a entregar a la curiosidad de la opinión pública aspectos reservados de su vida privada más íntima, que en absoluto tienen la más mínima conexión con el hecho de la información, tanto más cuanto que se trate de una persona fallecida, cuya memoria, de acuerdo con el sentimiento social prevalente, merece el mayor respeto.

Por lo tanto, dichas expresiones y esa afirmación son exteriorizaciones comunicativas que, por su ausencia de relevancia pública, un sacrificio innecesario del honor e intimidad de una persona que no encuentra justificación en el valor preferente de la libertad de opinión y de información, por tanto, lesionan gratuitamente el derecho al honor e intimidad de la persona a la que se refieren (art. 18.1 de la Constitución y art. 7.3 y 7 de la LO 1/1982, de 5 de mayo). [...]

Libertad de expresión y derecho a la información frente a los derechos de la personalidad de personajes públicos —STC 112/2000, de 5 de mayo[24]—

La Sentencia resuelve el recurso de amparo interpuesto por la entidad Difusora de Información Periódica, S.A., y dos de sus periodistas contra la Sentencia de 21 de octubre de 1996, de la Sala Primera del Tribunal Supremo, que los condenó por violación del derecho al honor. La condena tiene en su origen un reportaje publicado en la revista Época, *anunciado en portada con el título «Falcon Crest socialista. Una turbia historia de amor, poder y dinero». En él se informa, con abundantes expresiones críticas, sobre hechos relativos a actividades de personajes públicos y a su aparente involucración en una trama de tráfico de influencias, pero también a otras personas que sin tener dimensión pública habían estado involucradas con dichos personajes.*

FJ 7. Cuando lo traído al conocimiento de este Tribunal es la narración de unos hechos en relación con los cuales se formulan juicios personales u opiniones sobre las conductas de quienes los protagonizan, los términos de nuestro examen deben tener en cuenta de consuno la información y las opiniones a las que aquélla sirve de soporte, comprobando, en el contexto del reportaje periodístico, que la primera es veraz y las segundas no contienen expresiones formal o manifiestamente injuriosas, que resultarían de todo punto inadmisibles (SSTC 171/1990 y 172/1990, ambas de 12 de noviembre, 223/1992, de 14 de diciembre, 4/1996, de 16 de enero, 57/1999, de 12 de abril). Cosa distinta es que las expresiones que deban enjuiciarse no sean ni formal ni manifiestamente injuriosas, sino que se trate de juicios, valoraciones, calificaciones o epítetos que puedan resultar molestos, hirientes, incluso de mal gusto y despectivos, que se entreveran en la información y que pueden versar sobre la persona misma del mentado, sobre su comportamiento o sobre acontecimientos de su vida privada personal o familiar, cuyo efecto deshonroso, de tenerlo, es sutil y provocado más por el modo irónico o mordaz con el que se expresan aquellas opiniones o cómo se revelan aquellos hechos relativos a su vida privada, que por ser formalmente injuriosas o vejatorias. Esta sutileza en la descalificación de una persona o en su humillación nos obliga a hacer un examen cauto de esas expresiones y de la forma en que se narran los hechos sobre los que se sustenta el juicio crítico, respecto del cual, además, debe distinguirse si se refieren a personajes públicos o con notoriedad pública y a simples particulares (SSTC 170/1994, de 7 de junio, 78/1995, de 22 de mayo, 46/1998, de 2 de marzo, 200/1998, de 14 de octubre), y el contexto en el que aquellas expresiones se vierten (SSTC 20/1990, de 15 de febrero, 85/1992, de 8 de junio, 76/1995, de 22 de mayo).
Por otra parte, la apelación al contexto de la crítica controvertida no puede servir para diluir las consecuencias vejatorias para un tercero que puedan seguirse de ésta. Y es que, en efecto, puede darse el caso de que el conjunto de la noticia sea veraz y goce de relevancia pública, y por contra, alguna de sus partes no reúna, según el caso y sus circunstancias, esas notas capitales para obtener la oportuna salvaguarda constitucional. Es aquí donde debe entrar en juego la pauta de la necesidad de dichas expresiones o informaciones, que debe ser un criterio fundado en razones objetivas y atendiendo a las singularidades del caso.

FJ 8. Ya hemos dicho en reiteradas ocasiones que los denominados personajes públicos o que poseen notoriedad pública, esto es y en ese orden, todo aquél que tenga atribuida la administración del poder público y aquellos otros que alcanzan cierta publicidad por la actividad profesional que desarrollan o por difundir habitualmente hechos y

---

24   *Vid.* también, entre otras, las SSTC 159/1986, de 16 de diciembre; 78/1995, de 22 de mayo (la crítica política y a personajes con relevancia pública no protege las opiniones injuriosas e innecesarias dentro de la crítica a su actuación); 192/1999, de 25 de octubre (la libertad de información cubre la publicación de reportajes sobre la concesión de un aparcamiento subterráneo que critican a un personaje público representativo sin injuriarlo ni referirse a cuestiones innecesarias); 110/2000, de 5 de mayo (los derechos a la libre expresión e información protegen las críticas no insultantes a un personaje público sobre un asunto de interés general con base en información veraz); 297/2000, de 11 de diciembre (los derechos a la libre expresión e información protegen las manifestaciones proferidas en el contexto de una polémica periodística, basadas en información veraz, sobre asuntos de interés público y personas con relevancia pública); 20/2002, de 28 de enero; 148/2002, de 15 de julio (las libertades de expresión e información protegen las críticas públicas a un Alcalde a un miembro de la policía local); 127/2004, de 19 de julio (la condena penal por injurias por expresiones proferidas en una discusión pública sobre asuntos de interés público y que atañe a personajes públicos, sin ponderar los derechos en juego, vulnera la libertad de expresión); 151/2004, de 20 de septiembre; 266/2005, de 24 de octubre (el derecho a la información no cubre la crítica mendaz a un funcionario en un

acontecimientos de su vida privada, pueden ver limitado su derecho al honor con mayor intensidad que los restantes individuos como consecuencia, justamente, de la publicidad de su figura (SSTC 134/1999, de 15 de julio, FJ 7, y 192/1999, de 25 de octubre, FJ 7). Con todo, en ninguno de los casos, cuando lo divulgado o la crítica vertida vengan acompañadas de expresiones formalmente injuriosas o se refieran a cuestiones cuya revelación o divulgación es innecesaria para la información y crítica relacionada con el desempeño del cargo público, la actividad profesional por la que el individuo es conocido o la información que previamente ha difundido, ese personaje es, a todos los efectos, un particular como otro cualquiera que podrá hacer valer su derecho al honor o a la intimidad frente a esas opiniones, críticas o informaciones lesivas del art. 18 CE (SSTC 76/1995, de 22 de mayo, 3/1997, de 13 de enero, 134/1999, y SSTEDH, caso Sunday Times, de 26 de abril de 1979; caso Lingens, de 8 de julio de 1986; caso Schwabe, de 28 de agosto de 1992; caso Praeger y Oberschlick, de 26 de abril de 1995; caso Tolstoy Miloslavski, de 13 de julio de 1995; caso Worm, de 29 de agosto de 1997, y caso Fressoz y Roire, de 21 de enero de 1999), sin perjuicio de que sobre dichas figuras públicas pese la carga de la prueba sobre el carácter injurioso, vejatorio o innecesario de la crítica a la que hayan sido sometidos.

Sin embargo, otro debe ser el canon para el caso de que la información y las opiniones que la acompañan tengan por objeto a una persona que no sea personaje público o carezca de notoriedad pública y más aún si se refieren a sucesos propios de su vida privada, carentes de toda relevancia pública, o, de estar implicados en un asunto dotado de tal relevancia, cuando lo narrado y, en consecuencia, las opiniones vertidas al hilo de lo que se narra nada tengan que ver con los sucesos de interés público en los que pudo verse implicado o afectado, o su conexión con los mismos es puramente circunstancial e irrelevante. Es aquí donde quien informa y opina, al hacerlo, deberá demostrar que, no obstante la condición privada del afectado, aquello que se dice del mismo es necesario e imprescindible para la crítica que se formula o la información que se da. De no hacerlo o de desprenderse palmariamente del reportaje periodístico la irrelevancia de la mención del ofendido, si lo dicho es vejatorio, se habrá vulnerado el derecho al honor del aludido. De otra forma, el derecho de crítica se convertiría en una cobertura formal para, excediendo el discurso público en el que debe desenvolverse, atentar sin límite alguno y con abuso de derecho al honor y la intimidad de las personas, con afirmaciones, expresiones o valoraciones que resulten injustificadas por carecer de valor alguno para la formación de la opinión pública sobre el asunto de interés general que es objeto de la información (SSTC 171/1990, de 12 de noviembre, y 320/1994, de 28 de noviembre).

Únicamente la veracidad de los hechos revelados y la relevancia pública que los mismos puedan tener, con arreglo a lo que este Tribunal ha definido como tal en reiteradísimas resoluciones, pueden imponer un límite tal a los derechos a la intimidad y honor del particular, que éste deba tolerar la divulgación de aquella información sobre su vida privada y que su conducta se pueda ver calificada de forma molesta o hiriente. Pero de modo alguno deberá soportar que esa divulgación se acompañe de expresiones formal o manifiestamente injuriosas o vejatorias; o que resulten innecesarias para lo que se desea comunicar, bien por irrelevantes o por la forma en la que se divulgan, ya que, como también hemos dicho, el tono mordaz, irónico o burlesco resulta inoportuno e inadecuado cuando arbitraria y gratuitamente tiene por objeto a un simple particular (STC 170/1994, de 12 de noviembre, FJ 4), que más que protagonista de los hechos narrados en el reportaje periodístico, que bien pueden ser veraces y dotados de relevancia pública, resulta ser su víctima.

FJ 9. Pues bien, es éste el caso que nos ocupa. Nadie discute la veracidad de la información divulgada ni la relevancia pública que puedan tener los hechos denunciados en el conjunto del reportaje periodístico en el que se ven involucrados tanto personajes públicos como con notoriedad pública (políticos nacionales y locales, Vicepresidente del Gobierno de la Nación, su secretario personal). Sin embargo, se revelan también ciertos acontecimientos de la vida privada de la Sra. Alarcón Torres, como son su relación extramatrimonial con alguien a quien se identifica como secretario personal de quien era el Vicepresidente del Gobierno de la Nación por aquellas fechas, el haber tenido

---

boletín de partido político); 174/2006, de 5 de junio; 77/2009, de 23 de marzo; 50/2010, de 4 de octubre (los derechos a la libre expresión e información cubren una emisión radiofónica en la que se apunta a la cercanía ideológica de quien era director de la agencia Europa Press el 23 de febrero de 1981 con los participantes en el intento de golpe de Estado de esa fecha); 41/2011, de 11 de abril (la libertad de expresión no cubre manifestaciones objetivamente injuriosas y vejatorias de la dignidad personal y de la reputación profesional, aunque se trate de personas que desempeñan una función pública, como agentes policiales, a quienes se imputó sin base fáctica la comisión de un grave delito de falsedad documental); 79/2014, de 28 de mayo (la libertad de expresión protege manifestaciones que si bien se sitúan en los límites de lo admisible por su marcado carácter hiriente y desmesurado, se enmarcan en un debate nítidamente público y de notorio interés sobre la actividad de dirigentes políticos en cuanto tales).

un hijo de esa relación, a cuyo nacimiento siguió el divorcio de la citada con su primer esposo, sin que se llegara a producir un segundo matrimonio de aquélla con el aludido secretario. Estos hechos, es decir, los atinentes a la Sra. Alarcón Torres, son, en realidad, irrelevantes en relación con el contexto y finalidad del reportaje, y resulta, por tanto, innecesaria su inclusión en él. Tales irrelevancia e innecesariedad son también predicables de las conjeturas que en el reportaje se formulan acerca de las intenciones y disposición del padre de la Sra. Alarcón Torres alentando dicha relación. [...]

Cierto es que el reportaje periodístico en el que se inserta el apartado dedicado a esos acontecimientos está alentado por una indudable finalidad informativa y crítica sobre determinados hechos, que pueden tener relevancia pública cuando menos por estar implicados en ellos personajes públicos y otras personas con relevancia política en una trama de relaciones e influencias en una localidad española. Sin embargo, la única razón por la que se incluye en la noticia el apartado dedicado a la Sra. Alarcón Torres es por el hecho de ser hija del principal protagonista de la trama narrada en el reportaje, y haber mantenido una relación sentimental con otro de los protagonistas de los acontecimientos, sin que se desprenda de la lectura de la información qué participación pudo haber tenido la ofendida en esa supuesta trama de irregulares maniobras económicas y políticas. La ya aludida irrelevancia de estos hechos a los fines del reportaje y la consecuente innecesariedad de dar noticia de los mismos, la forma sarcástica con la que se narran tales hechos, relativos a la expresada relación sentimental, las referencias a las expectativas que generó y sus consecuencias, y su apostilla con ciertas expresiones aparentemente asépticas, pero que pueden resultar hirientes y humillantes para quien ve revelada de esa manera y en esos términos su vida privada, suma a ese apartado del reportaje periodístico un resultado vejatorio, que atenta contra la dignidad de la mentada, dañando su imagen social y afectando negativamente a su reputación y buen nombre, lo que, como ya hemos dicho en otras ocasiones, constituye una incuestionable lesión del derecho al honor (SSTC 105/1990, FJ 8, 170/1994, FFJJ 3 y 4, 240/1992, de 21 de diciembre, FJ 8). Por todo ello procede la desestimación del amparo solicitado, en cuanto fundamentado en la supuesta vulneración del art. 20. 1 a) y d) CE.

La libertad de expresión como cobertura de manifestaciones que escapan al derecho a la información —STC 232/2002, 9 de diciembre—

La Sentencia resuelve el recurso de amparo interpuesto por don A.R.G., concejal del Ayuntamiento de Escalante, contra la Sentencia de la Audiencia Provincial de Santander de 30 de septiembre de 1999, que absolvió a doña N.P.S., entonces Teniente de Alcalde de ese Ayuntamiento, por las manifestaciones vertidas en un Pleno municipal, en que calificó al recurrente de «cacique» y de «ladrón» y le conminó a devolver «todo lo que había robado» a la corporación local. El recurrente estima que dichas manifestaciones, confirmadas en apelación, lesionaron su honor, ya que no se hicieron en el marco de la expresión de ideas políticas o ideológicas, siendo expresiones objetiva e intencionadamente injuriosas, no amparadas por el artículo 20.1 CE. Mantiene asimismo que el concejal de un pequeño pueblo no puede equipararse al político profesional, siendo más vulnerable en su honor. Doña N.P.S. argumenta, por su parte, que sus manifestaciones tenían una indudable naturaleza política, por lo que deben verse amparadas por la libertad de expresión.

FJ 3. [...] [N]uestra primera tarea consiste en determinar si las manifestaciones efectuadas por la Teniente de Alcalde en aquel momento se inscriben en la libertad de expresión o de información, o en ambas, porque los criterios para resolver el conflicto «entre los derechos y libertades en colisión varía notablemente según se trate de la libertad de expresión o de información, por un lado, o de la protección del derecho al honor, a la intimidad o a la propia imagen, por otro (por todas, SSTC 107/1988, de 8 de junio, FJ 2; 197/1991, de 15 de noviembre, FJ 2; 20/1992, de 17 de marzo, FJ 3; 223/1992, de 14 de diciembre, FJ 2; 46/2002, de 25 de febrero, FJ 4)» (STC 148/2002, de 15 de julio, FJ 4). En efecto, «este Tribunal ha venido diferenciando desde la STC 104/1986 entre la diversa amplitud de ejercicio de los derechos reconocidos en el art. 20.1 CE según se trate de libertad de expresión (en el sentido de la emisión de juicios personales y subjetivos, creencias, pensamientos y opiniones) y libertad de información (en cuanto a la narración de hechos). Con relación a la primera, al tratarse de la formulación de 'pensamientos, ideas y opiniones' [art. 20.1 a) CE], sin pretensión de sentar hechos o afirmar datos objetivos, hemos dicho que dispone de un campo de acción muy amplio, que viene delimitado sólo por la ausencia de expresiones intrínsecamente vejatorias (SSTC 107/1988, de 8 de junio, 105/1990, de 6 de junio, 171/1990 y 172/1990, ambas de 12 de noviembre, 85/1992, de 8 de junio, 134/1999, de 15 de julio, 192/1999, de 25 de octubre, y ATC 271/1995, de 4 de octubre) que resulten impertinentes e innecesarias para su exposición.... Por el contrario, cuando se suministra mera información sobre hechos, la protección constitucional se extiende únicamente a la información veraz. Requisito de veracidad que no puede, obviamente, exigirse de juicios o evaluaciones personales y subjetivas, sin perjuicio de que, como acaba de decirse, de venir aquella información acompañada de juicios de valor u opiniones, como sucede en el caso de autos, estas últimas deban someterse, además de a las exigencias de veracidad, al canon propio de la libertad de expresión, esto es, a la comprobación de si, en el contexto en que se emplean, poseen o no carácter deshonroso o vejatorio» (STC 297/2000, de 11 de diciembre, FJ 6).

Pues bien, es claro que los calificativos «cacique» y «cínico» constituyen juicios de valor y, por esto mismo, se inscriben en la libertad de expresión (STC 61/1998, de 17 de marzo, FJ 5) de la, entonces, Teniente de Alcalde de Escalante. Mayores dudas pueden plantearse respecto del apelativo «ladrón» y de la petición de que devolviere al Ayuntamiento «todo lo que había robado», en la medida en que encierran un juicio de valor («ladrón») pero relacionado con un contexto concreto, aunque indeterminado, cual es la corporación local. En otras ocasiones hemos puesto de manifiesto la dificultad que existe en deslindar pensamientos, ideas y opiniones, de un lado, y comunicación informativa, de otro, puesto que la expresión de la propia opinión necesita a menudo apoyarse en la narración de hechos y, a la inversa, la comunicación de hechos o noticias comprende casi siempre algún elemento valorativo, una vocación a la formación de una opinión (SSTC 6/1988, de 21 de enero, 107/1988, de 8 de junio, 143/1991, de 1 de julio, 190/1992, de 16 de noviembre, 336/1993, de 15 de noviembre, y 4/1996, de 16 de enero).

En el presente caso se realizaron estas controvertidas manifestaciones en un Pleno municipal, entre dos concejales y acompañadas de otros juicios de valor («cacique», «cínico»). De hecho la misma suerte habría corrido el apelativo «ladrón» si no se hubiera incardinado con el alegato de que el recurrente devolviera lo robado. Es este último dato el que permite inferir un hecho, cual es que se ha robado al Ayuntamiento. Sin embargo, esta afirmación está desprovista de una mínima concreción y se diluye en los restantes juicios de valor expuestos por doña Natividad Pérez Salazar. Esta falta de concreción del hecho relatado es lo que nos lleva a entender que dicha manifestación se realizó, como las anteriores, al amparo de la libertad de expresión, ya que no estamos ante la pretensión de difundir «hechos que puedan considerarse noticiables» (STC 19/1996, de 12 de junio, FJ 1).

Libertad de expresión, derecho a la información y cartas al director —STC 3/1997, de 13 de enero[25]—

La Sentencia resuelve el recurso de amparo promovido por don Juan Luis Cebrián y «Promotora de Informaciones, S.A.», contra la Sentencia de la Sala Primera del Tribunal Supremo de 20 de diciembre de 1993, que casó y anuló la de la Sección Decimosegunda de la Audiencia Provincial de Madrid, de 24 de diciembre de 1990, recaída en apelación de la del Juzgado de Primera Instancia núm. 26 de la misma capital, por intromisión ilegítima del derecho al honor. El objeto del litigio es una Carta al Director publicada por el diario El País el 8 de septiembre de 1984, bajo el título «El Yudo en los Juegos Olímpicos de Los Ángeles», a cuyo pie aparecía como autor y firmante «José L. Aguyó. Cinturón negro (primer dan) de yudo, Málaga», en la que se vertían críticas contra el comportamiento del presidente de la Federación Española de Yudo

FJ 3. [...] [A]l autorizar el medio de comunicación la publicación de un escrito ajeno cuyo autor se ha identificado previamente será éste quien asuma la responsabilidad que del mismo pueda derivarse si su contenido resulta lesivo del derecho al honor de una tercera persona. Sin embargo, la situación es muy distinta si el escrito ajeno es publicado sin que el medio conozca la identidad de su autor, pues en tal supuesto dicho escrito no constituye una acción que pueda ser separada de la de su publicación por el medio, conforme a la doctrina expuesta en nuestra STC 159/1986. De suerte que al autorizar la publicación del escrito pese a no conocer la identidad de su autor, ha de entenderse que el medio, por ese hecho, ha asumido su contenido. Lo que entraña una doble consecuencia: en primer lugar, que el ejercicio de las libertades que el art. 20.1 reconoce y garantiza habrá de ser enjuiciado, exclusivamente, en relación con el medio, dado que el redactor del escrito es desconocido. En segundo término, que al medio le corresponderá o no la eventual responsabilidad que pueda derivarse del escrito si su contenido ha sobrepasado el ámbito constitu-

---

Sobre la responsabilidad de los medios por los artículos de opinión en ellos divulgados, la STC 15/1993, de 18 de enero, aclaró: «Es evidente que los directores de los medios informativos no adquieren la misma responsabilidad por la publicación de los escritos elaborados por los profesionales que en ellos trabajan que por los contenidos de los enviados por los lectores a las secciones destinadas a recoger opiniones e informaciones en principio ajenas a la línea editorial de los medios. Ello no quiere decir que en estos supuestos los directores no puedan asumir responsabilidades, pero sí al menos que la diligencia profesional exigible a efectos de veracidad disminuye en relación al contenido de las informaciones elaboradas por los profesionales del medio» (FJ 2).

cionalmente protegido de la libertad de información y, en su caso, de la libertad de expresión, lesionando el honor de terceras personas o, por el contrario, lo ha respetado.

La libertad de expresión y el derecho a la información en el ámbito político —STC 232/2002, 9 de diciembre (*vid. supra*)[26]—

FJ 4. [...] Las polémicas manifestaciones de las que nos estamos ocupando se realizan entre dos políticos y en un Pleno municipal. Aunque fuera cierto que las personas dedicadas a la política en pequeños municipios ocupan una posición distinta a los políticos profesionales, como opina el recurrente en amparo, lo cierto es que «quienes tienen atribuido el ejercicio de funciones públicas son personajes públicos en el sentido de que su conducta, su imagen y sus opiniones pueden estar sometidas al escrutinio de los ciudadanos, los cuales tienen un interés legítimo, garantizado por el derecho a recibir información del art. 20.1 d) CE, a saber cómo se ejerce aquel poder en su nombre. En esos casos, y en tanto lo divulgado o criticado se refiera directamente al ejercicio de las funciones públicas, no puede el individuo oponer sin más los derechos del art. 18.1 CE» (STC 148/2001, de 27 de junio, FJ 6). Esta afirmación cobra especial vigencia en el marco del debate político, que se exterioriza, en el ámbito municipal, en los plenos de la corporación.

Es así cierto que «las personas que ostentan un cargo de autoridad pública, o las que poseen relieve político, ciertamente se hallan sometidas a la crítica en un Estado democrático. Pero como ha declarado este Tribunal, ello no significa en modo alguno que, en atención a su carácter público, dichas personas queden privadas de ser titulares del derecho al honor que el art. 18.1 CE garantiza (SSTC 190/1992, FJ 5, y 105/1990, FJ 8)» [STC 336/1993, de 15 de noviembre, FJ 5 a)]. También en este ámbito es preciso respetar la reputación ajena (art. 10.2 CEDH, SSTEDH caso *Lingens*, de 8 de julio de 1986, §§ 41, 43 y 45, y caso *Bladet Tromso y Stensaas*, de 20 de mayo de 1999, §§ 66, 72 y 73) y el honor, porque estos derechos «constituyen un límite del derecho a expresarse libremente y de la libertad de informar» (SSTC 297/2000, de 11 de diciembre, FJ 7, 49/2001, de 26 de febrero, FJ 5, y 76/2002, de 8 de abril, FJ 2).

En efecto, desde la STC 104/1986, de 17 de julio, hemos establecido que, si bien «el derecho a expresar libremente opiniones, ideas y pensamientos [art. 20.1 a) CE] dispone de un campo de acción que viene sólo delimitado por la ausencia de expresiones indudablemente injuriosas sin relación con las ideas u opiniones que se expongan y que resulten innecesarias para su exposición (SSTC 105/1990, de 6 de junio, FJ 4, y 112/2000, de 5 de mayo, FJ 6), no es menos cierto que también hemos mantenido inequívocamente que la Constitución no reconoce en modo alguno (ni en ese ni en ningún otro precepto) un pretendido derecho al insulto. La Constitución no veda, en cualesquiera circunstancias, el uso de expresiones hirientes, molestas o desabridas, pero de la protección constitucional que otorga el art. 20.1 a) CE están excluidas las expresiones absolutamente vejatorias; es decir, aquéllas que, dadas las concretas circunstancias del caso, y al margen de su veracidad o inveracidad, sean ofensivas u oprobiosas y resulten impertinentes para expresar las opiniones o informaciones de que se trate (SSTC 107/1988, de 8 de junio; 1/1998, de 12 de enero; 200/1998, de 14 de octubre; 180/1999, de 11 de octubre; 192/1999, de 25 de octubre; 6/2000, de 17 de enero; 110/2000, de 5 de mayo; y 49/2001, de 26 de febrero)» (STC 204/2001, de 15 de octubre, FJ 4).

---

[26]   *Vid.* también, en sentido semejante, las SSTC 148/2001, de 27 de junio (confirmación de la condena penal de un concejal por imputar reiterada y rotundamente a un funcionario la comisión de un delito grave); 28/2005, de 28 de febrero (confirmación de la condena a un concejal por una falta de injurias por proferir durante un Pleno municipal expresiones objetivamente insultantes y sin relevancia para el asunto que se trataba contra el director de una residencia de ancianos, sin que éste participara en dicho Pleno); 278/2005, de 7 de noviembre (confirmación, como no lesiva de la libertad de expresión, de la condena penal a un alcalde por realizar declaraciones sobre un tema de interés público, como son las obras de una carretera, pero vejando al comandante de la guardia civil); 226/2016, de 22 de diciembre (confirmación de la sanción de suspensión de militancia impuesta por el POSE a una militante por incurrir en lo que consideró crítica desleal al partido en la prensa —*vid.* **ARTÍCULO 22**—). En sentido contrario, *vid.* las SSTC 115/2004, de 12 de julio (vulneración de las libertades de expresión e información de una alcaldesa condenada penalmente por emitir un comunicado oficial, y declaraciones radiofónicas, denunciando presiones en materia de voto por parte del médico del pueblo); 9/2007, de 15 de enero (las críticas no injuriosas vertidas por un concejal a una funcionaria en un pleno municipal en un debate de interés público son ejercicio legítimo de la libertad de expresión); 89/2010, de 15 de noviembre (vulneración del derecho a la libertad de expresión de quien criticó y publicitó sus relaciones litigiosas con el alcalde de su localidad en época electoral y en relación con el ejercicio de sus funciones públicas); 160/2003, de 15 de septiembre; 216/2013, de 19 de diciembre; 79/2014, de 28 de mayo (la utilización de expresiones hirientes están protegidas por la libertad de expresión al enmarcarse en un debate público y de notorio interés sobre la actividad de dirigentes políticos en cuanto tales).

La aplicación de esta doctrina a la presente demanda de amparo conduce a su estimación. Las controvertidas manifestaciones realizadas en el Pleno municipal por parte de la, entonces, Teniente de Alcalde constituyen, indudablemente, un ataque a la reputación del recurrente de amparo. Ni siquiera la Sentencia de la Audiencia Provincial de Santander que absuelve a doña Natividad Pérez Salazar discute que «las expresiones reflejadas en los hechos probados son objetivamente injuriosas» y «que por su significado ha de presumirse la intención también injuriosa de su autora, intención que no se desvanece por la concurrencia de un *animus retorquendi*» (fundamento de Derecho 1). [...] La lesión es, si cabe, más flagrante, desde el momento en que las manifestaciones vertidas en el Pleno municipal no tenían otro objeto que atacar al recurrente en amparo y constituyen, por esto mismo, un ejercicio desmesurado y exorbitante de la libertad de expresión (*vid.* STC 11/2000, de 17 de enero, FJ 7). Como razona acertadamente el Ministerio Fiscal, si el Tribunal Constitucional amparara dichas declaraciones en la libertad de expresión, deformando lo señalado en su día en la STC 20/1990, de 15 de febrero, estaría constriñendo indebidamente, además del honor, la actividad política y el legítimo derecho de crítica del concejal recurrente en amparo sobre la actuación de los miembros del gobierno municipal.

Libertad de expresión y derecho a la información en el ámbito laboral —STC 151/2004, de 20 de septiembre[27]—

La Sentencia resuelve el recurso de amparo promovido por don F.A.G. contra la Sentencia de la Sala de lo Social del Tribunal Superior de Justicia de Castilla y León, de 14 de mayo de 2002, que confirmó en suplicación la del Juzgado de lo Social de Segovia, de 14 de enero de 2002. Don F.A.G., periodista, presta sus servicios en el periódico «El Norte de Castilla» en la edición de Segovia. Además de ello, fue contratado a tiempo parcial como profesor de la Facultad de Periodismo de la Universidad SEK de Segovia desde el día 1 de octubre de 1999. El 5 de agosto de 2001 publicó en el diario «El Norte de Castilla» un artículo bajo el título «PESADILLA SIN FIN», en el que vertía duras críticas contra la gestión del equipo rectoral de la Universidad SEK, por las que fue despedido. Denuncia el recurrente que dicho despido, y las sentencias judiciales que lo confirman, vulneran, entre otros, su derecho a transmitir información veraz.

FJ 7. [...] [H]a de comenzarse recordando que la celebración de un contrato de trabajo no implica en modo alguno la privación para una de las partes, el trabajador, de los derechos que la Constitución le reconoce como ciudadano, entre ellos el derecho a difundir libremente los pensamientos, ideas y opiniones [art. 20.1 a) CE], y cuya protección queda garantizada frente a eventuales lesiones mediante el impulso de los oportunos medios de reparación (por todas, SSTC 6/1988, de 21 de enero; 186/1996, de 25 de noviembre; o 20/2002, de 28 de enero). Lo que se ha justificado por cuanto las organizaciones empresariales no forman mundos separados y estancos del resto de la sociedad ni la libertad de empresa que establece el art. 38 del Texto constitucional legitima que quienes prestan servicios en aquéllas, por cuenta y bajo la dependencia de sus titulares, deban soportar despojos transitorios o limitaciones injustificadas de sus derechos fundamentales y libertades públicas, que tienen un valor central en el sistema jurídico constitucional. Las manifestaciones de «feudalismo industrial» repugnan al Estado social y democrático de Derecho y a los valores superiores de libertad, justicia e igualdad a través de los cuales ese Estado toma forma y se realiza (art. 1.1 CE; STC 88/1985, de 19 de julio, FJ 2). La efectividad de los derechos fundamentales del trabajador en el ámbito de las relaciones laborales debe ser compatible, por tanto, con el cuadro de límites recíprocos que pueden surgir entre aquellos y las facultades empresariales, las cuales son también expresión de derechos constitucionales reconocidos en los arts. 33 y 38 CE. Por esa razón es necesario modular, según los casos, el ejercicio de todos ellos.

Se ha declarado también, en segundo término, que el ejercicio del derecho reconocido en el art. 20.1 a) CE se encuentra sometido a los límites que el apartado 4 del mismo precepto establece (SSTC 126/1990, de 5 de julio; 106/1996, de 12 de junio; o 186/1996, de 25 de noviembre, entre otras) y, en particular, que cuando nos situamos en el ámbito de una relación laboral las manifestaciones de una parte respecto de la otra deben enmarcarse en las pautas de comportamiento que se derivan de la existencia de tal relación, pues el contrato entre trabajador y empresario genera un complejo de derechos y obligaciones recíprocas que condiciona, junto a otros, también el ejercicio del derecho a la libertad de expresión, de modo que manifestaciones del mismo que en otro contexto pudieran ser legítimas no tienen por qué serlo necesariamente en el marco de dicha relación (SSTC 120/1983, de 15 de diciembre; 6/1988, de 21 de enero; 4/1996, de 16 de enero; 106/1996, de 12 de junio; 1/1998, de 12 de enero; 20/2002, de 28 de enero; o 126/2003, de 30 de junio). De este modo, surge un «condicionamiento» o «límite adicional» en el ejercicio del

---

[27]   *Vid.* también las SSTC 6/1995, de 10 de enero; 125/2007, de 21 de mayo; 56/2008, de 14 de abril. Sobre la conexión entre el ejercicio de la libertad de expresión en el ámbito laboral y el de la libertad sindical, *vid.* **ARTÍCULO 28.**

derecho constitucional, impuesto por la relación laboral, que se deriva del principio de buena fe entre las partes en el contrato de trabajo y al que éstas han de ajustar su comportamiento mutuo (SSTC 106/1996, de 12 de junio; 1/1998, de 12 de enero; 90/1999, de 26 de mayo; 241/1999, de 20 de diciembre; o 20/2002, de 28 de enero), aunque se trate de un límite débil frente al que caracteriza la intersección del derecho fundamental con otros principios y derechos subjetivos consagrados por la Constitución (STC 241/1999, de 20 de diciembre).

De ahí que este Tribunal se haya referido, por ejemplo, al deber de secreto respecto de determinados datos de empresa que pueden quedar excluidos del conocimiento público, aunque no resulte ilimitado (entre otras, STC 213/2002, de 11 de noviembre), o al desarrollo de la prestación del trabajo en empresas de tendencia ideológica (SSTC 47/1985, de 27 de marzo; o 106/1996, de 12 de junio), y ha precisado también que los derechos fundamentales del trabajador no sirven incondicionalmente para imponer modificaciones contractuales (STC 19/1985, de 13 de febrero) ni para el incumplimiento de los deberes laborales (STC 129/1989, de 17 de julio). Pero, al mismo tiempo, hemos sentado que no cabe defender la existencia de un deber genérico de lealtad con un significado omnicomprensivo de sujeción del trabajador al interés empresarial, pues ello no es acorde con el sistema constitucional de relaciones laborales (SSTC 186/1996, de 25 de noviembre; 204/1997, de 25 de noviembre; 1/1998, de 12 de enero; 197/1998, de 13 de octubre; 241/1999, de 20 de diciembre; o 192/2003, de 27 de octubre), de modo que aunque la relación laboral tiene como efecto típico la supeditación de ciertas actividades a los poderes empresariales, no basta con la sola afirmación del interés empresarial para restringir los derechos fundamentales del trabajador, dada la posición prevalente que éstos alcanzan en nuestro ordenamiento en cuanto proyecciones de los núcleos esenciales de la dignidad de la persona (art. 10.1 CE) y fundamentos del propio Estado democrático (art. 1 CE).

Por último, en atención a lo anterior, este Tribunal ha puesto de relieve la necesidad de que las resoluciones judiciales, en casos como el presente, preserven el necesario equilibrio entre las obligaciones dimanantes del contrato para el trabajador y el ámbito —modulado por el contrato, pero en todo caso subsistente— de su libertad constitucional (SSTC 186/1996, de 25 de noviembre, y 186/2000, de 10 de julio). Pues dada la posición preeminente de los derechos fundamentales en nuestro ordenamiento, esa modulación sólo se producirá en la medida estrictamente imprescindible para el correcto y ordenado desenvolvimiento de la actividad productiva (STC 126/2003, de 30 de junio). Lo que entraña la necesidad de proceder a una ponderación adecuada que respete la definición y valoración constitucional del derecho fundamental y que atienda a las circunstancias concurrentes en el caso. Juicio que permitirá determinar si la reacción empresarial que ha conducido al despido del trabajador es legítima o, por el contrario, éste fue sancionado disciplinariamente por el lícito ejercicio de sus derechos fundamentales, en cuyo caso el despido no podría dejar de calificarse como nulo.

FJ 8. [...] Desde un punto de vista meramente semántico, la conclusión a la que se llega sin dificultad es que ninguna de las expresiones transcritas puede ser entendida, en sí misma, como gravemente ofensiva o vejatoria.

FJ 9. En segundo lugar, si se considera el significado de las expresiones en su secuencia y atendiendo al contexto en el que se produjeron, resulta coincidente que tales manifestaciones constituyeron una crítica o desaprobación pública por parte del trabajador respecto de la actuación de la Universidad SEK en el conflicto. Al reprochar públicamente a los gestores de aquélla su comportamiento en el mismo, con tales expresiones estaba haciendo valer sus propias posiciones en la controversia y censurando públicamente que la actitud de la empleadora podía afectar negativamente a la solución del conflicto, al buen fin del proyecto empresarial y al ambiente y dinámica de trabajo. Lo que se corrobora, además, con referencias expresas que el artículo realiza en ese sentido. Por ello, aun en la hipótesis de que su reacción pudiera calificarse de desabrida no cabe desconocer que el actor, al censurar públicamente que la gestión de los conflictos laborales se llevase a cabo de aquel modo, estaba defendiendo un interés específico, y los intereses que en su consideración correspondían a los trabajadores como miembro que era de ese colectivo, sin que el derecho fundamental a la libertad de expresión pueda estar condicionado por un deber de imparcialidad.

Se ha de tener en cuenta, por consiguiente, que la adopción de medidas disciplinarias podía razonablemente provocar reacciones dentro del colectivo de los trabajadores. Las personas responsables de la gestión de la entidad debían asumir el riesgo de que las opiniones, críticas o informaciones vertidas por los trabajadores pudieran llegar a resultarle molestas o hirientes, en la medida en que su labor gestora se encontraba sometida al escrutinio de quienes veían afectados con ella sus derechos laborales.

En este punto hay que insistir, singularmente, en la situación de conflicto laboral existente en la Universidad, al que venimos haciendo continua referencia. De suerte que la pública desaprobación expresada por el trabajador no puede ser aislada de la forma en que se estaban desarrollando los acontecimientos ni, en particular, de la situación de grave conflicto laboral, al que hacen referencia los hechos probados en el proceso judicial, con una alta litigiosidad y colisión de intereses contrapuestos, en cuyo contexto tuvieron lugar las referidas manifestaciones.

Y es que no cabe definir lo objetivamente ofensivo al margen por completo de las circunstancias y del contexto en el que se desarrolla la conducta expresiva (señaladamente, STC 106/1996, de 12 de junio), ni tampoco limitar la cobertura que ofrece la libertad de expresión a aquello que sea necesario, entendido en el sentido de imprescindible, adecuado y absolutamente pertinente, ni reducir su ámbito de protección a las expresiones previsibles o al uso en situaciones de acuerdo o avenencia, pues esa lectura de los márgenes de actuación del derecho fundamental supondría reducir el ámbito de la libertad de expresión a las ideas de corrección formal abstracta y utilidad o conveniencia, lo que constituiría una restricción no justificada de esos derechos de libertad de los ciudadanos e implicaría desatender, en contra de las posiciones de nuestra jurisprudencia, la libertad del sujeto y el entorno físico o de situación en el cual se produce su ejercicio.

Finalmente, no se puede obviar el hecho de que los destinatarios a los que el recurrente dirigió sus críticas (la Universidad SEK y sus gestores) revestían una incuestionable notoriedad pública. Hemos dicho que cuando se ejercita la libertad de expresión reconocida en el art. 20.1 a) CE, los límites permisibles de la crítica son más amplios si ésta se refiere a personas que, por dedicarse a actividades públicas, están expuestas a un más riguroso control de sus actividades y manifestaciones que si se tratase de simples particulares sin proyección pública alguna, pues, en un sistema inspirado en los valores democráticos, la sujeción a esa crítica es inseparable de todo cargo de relevancia pública (SSTC 159/1986, de 16 de diciembre; 3/1997, de 13 de enero, y 20/2002, de 28 de enero). En tal sentido hemos distinguido entre «personaje público», categoría reservada únicamente a quienes tengan atribuida la administración del poder público, y «personajes con notoriedad pública» (SSTC 134/1999, de 15 de julio; o 20/2002, de 28 de enero). En el presente caso, aun cuando los gestores de la Universidad no fueran personas investidas de «autoridad pública», no cabe dudar de que tienen una clara proyección pública atendiendo al puesto que ocupan o desempeñan y al servicio que la institución universitaria presta.

Sentado todo lo anterior, cabe concluir que las manifestaciones hechas por el trabajador guardaban relación con sus intereses laborales y, de otra parte, tanto si se consideran en sí mismas como en su contexto, no entrañaban una ofensa grave para la empleadora, ni eran vejatorias para sus gestores o trabajadores, aun cuando pudieran considerarse improcedentes o irrespetuosas. La intervención del actor en el conflicto supuso un legítimo ejercicio de su derecho fundamental a la libertad de expresión [art. 20.1 a) CE], en la medida en que se limitó a manifestar su desaprobación, disconformidad y crítica. Por tanto ha de estimarse que no fue legítima, por contraria al art. 20.1 a) CE, la decisión de la Universidad acordando el despido.

Libertad de expresión y derecho a la información en la función pública —STC 101/2003, de 2 de junio[28]—

La Sentencia resuelve el recurso de amparo promovido por don G.G-B.R. contra la de la Sección Primera de la Sala de lo Contencioso-Administrativo del Tribunal Superior de Justicia de Canarias, de 3 de marzo de 2000, contra la del Juzgado de lo Contencioso-Administrativo núm. 2 de Las Palmas de Gran Canaria, de 17 de noviembre de 1999, que anula la resolución de la Universidad de Las Palmas de Gran Canaria de 20 de mayo de 1999. Esta resolución sancionaba al recurrente como autor de una falta leve, por publicar un artículo titulado «Los Genios del Mar» en el que se vertían críticas contra la Universidad y sus cargos directivos con ocasión de las decisiones tomadas con respecto a la ubicación y planificación del «Campus del Mar».

FJ 4. [...] [H]a de recordarse la doctrina de este Tribunal sobre la libertad de expresión de los funcionarios que se inició con la STC 81/1983, de 10 de octubre, en la que se declaraba que si bien «en una primera etapa del constitucionalismo europeo... solía exigirse a los funcionarios públicos una fidelidad silente y acrítica respecto a instancias políticas superiores y, por consiguiente, una renuncia... al uso de determinadas libertades y derechos», tras la Constitución española de 1978 hay factores que «contribuyen a esbozar una situación del funcionario en orden a la libertad de opinión y a la de sindicación mucho más próxima a la del simple ciudadano» (FJ 2).

Además [...] ni todos los funcionarios cumplen los mismos servicios ni todos los cuerpos poseen un mismo grado de jerarquización ni de disciplina interna (FJ 2; doctrina reiterada en la STC 141/1985, de 22 de octubre, FJ 3), líneas éstas de argumentación en las que profundiza la STC 69/1989, de 20 de abril, que, tras reproducir las afirmaciones ya referidas, indica que «el ejercicio de los mencionados derechos constitucionales se encuentra sometido a deter-

---

28   *Vid.* también las SSTC 241/1999, de 20 de diciembre; 6/2000 de 17 de enero.

minados límites, algunos de los cuales son generales y comunes a todos los ciudadanos y otros, además, pueden imponerse a los funcionarios públicos en su condición de tales, ya sea en virtud del grado de jerarquización o disciplina interna a que estén sometidos, que puede ser diferente en cada cuerpo o categoría funcionarial, ya sea según actúen en calidad de ciudadanos o de funcionarios, ya en razón de otros factores que hayan de apreciarse en cada caso, con el fin de comprobar si la supuesta transgresión de un límite en el ejercicio de un derecho fundamental pone o no públicamente en entredicho la autoridad de sus superiores jerárquicos, y si tal actuación compromete el buen funcionamiento del servicio» (FJ 2).

De toda esta doctrina jurisprudencial derivan los criterios aplicables a la hora de juzgar las posibles extralimitaciones en la libertad de expresión por parte de un funcionario, como es el hoy demandante de amparo. En primer término, deben considerarse superados los tiempos en que era exigible una lealtad acrítica a los servidores públicos, que gozan del derecho reconocido en el art. 20.1 a) CE. En segundo lugar, que dadas las peculiaridades de la Administración pública es posible construir ciertos límites al ejercicio del citado derecho, límites que, sin embargo, dependerán de manera decisiva del tipo de funcionario de que se trate (SSTC 371/1993, de 13 de diciembre, FJ 4, y 29/2000, de 31 de enero, FJ 5). También tendrá relevancia el que la actuación tenga lugar en calidad de ciudadano o de funcionario y el que la misma ponga o no públicamente en entredicho la autoridad de sus superiores y comprometa el buen funcionamiento del servicio.

FJ 5. [...] a) Los vínculos jerárquicos del profesorado funcionario universitario son sensiblemente más débiles que los propios de otros cuerpos funcionariales. La intensidad de la disciplina impuesta a los funcionarios está en relación directa con la necesidad de la sujeción jerárquica como garantía de la eficacia (art. 103.1 CE) de la correspondiente estructura administrativa. No es ajena a esta consideración la peculiar naturaleza de las Universidades en el ámbito de las formas del Derecho de la organización administrativa, en el que aquéllas eran consideradas formalmente, por parte de la doctrina, como integrantes de la Administración institucional, conforme al modelo del establecimiento público, denominado frecuentemente en nuestro Derecho positivo como «organismo autónomo». En su estructura y organización, sin embargo, la Universidad se acerca más al modelo de las corporaciones pues se gobierna por la voluntad interna de sus miembros y se estructura conforme a modelos de representación democrática, en cuyo seno los vínculos de dependencia jerárquica de los profesores funcionarios, sin dejar de existir, son notoriamente más tenues que en el ámbito de otras formas organizativas de la Administración —arts. 27.10 CE; 2, 4 y 12 Ley Orgánica 11/1983, de 25 de agosto, de reforma universitaria, vigente a la sazón, y hoy arts. 2, 6.2 y 3 Ley Orgánica 6/2001, de 21 de diciembre, de Universidades. Como indica el Ministerio Fiscal y en relación con el objeto del artículo que dio lugar a la resolución sancionadora —concreción del emplazamiento del Campus del Mar—, la libertad de expresión del Catedrático aquí demandante ha de considerarse prácticamente idéntica a la de cualquier ciudadano.

b) Por otra parte, aunque la infracción disciplinaria litigiosa opera en el campo de la jerarquía administrativa, dado que en el debate procesal se ha introducido la cuestión relativa al derecho al honor del Rector de la Universidad, ha de indicarse que éste ostenta una posición institucional que incide en el ámbito de ese derecho, limitándolo, dado que se trata de un personaje público, que ocupa su puesto por elección —arts. 18 Ley Orgánica 11/1983 y 20 Ley Orgánica 6/2001— y debe responder ante sus electores, y ante la sociedad en general, por los detalles de su gestión en los asuntos que tiene encomendados. No se trata, con toda evidencia, de un simple funcionario sino un auténtico cargo público electivo sometido, por tanto, al escrutinio crítico de sus votantes y de la sociedad —la Universidad desarrolla funciones «al servicio de la sociedad» (art. 1.2 de las dos mencionadas Leyes Orgánicas). Las críticas del demandante de amparo, en la medida en que vayan dirigidas al Rector, afectan a una persona que tiene una obligación de soportarlas mayor que la de un ciudadano cualquiera: como declara la STC 110/2000, de 5 de mayo, FFJJ 3 y 8 '«las personas que ostentan un cargo de autoridad pública, o las que poseen relieve político, ciertamente se hallan sometidas a la crítica en un Estado democrático. Pero... ello no significa en modo alguno que, en atención a su carácter público, dichas personas queden privadas de ser titulares del derecho al honor que el art. 18.1 CE garantiza' (SSTC 105/1990, de 6 de junio, FJ 8; 190/1992, de 16 de noviembre, FJ 5; 336/1993, de 15 de noviembre, FJ 5, y 78/1995, de 22 de mayo, FJ 2)», aunque, desde luego, éste «se debilita, proporcionalmente, como límite externo de las libertades de expresión e información, en cuanto sus titulares son personas públicas, ejercen funciones públicas o resultan implicadas en asuntos de relevancia pública, obligadas por ello a soportar un cierto riesgo de que sus derechos subjetivos de la personalidad resulten afectados por opiniones o informaciones de interés general, pues así lo requieren el pluralismo político, la tolerancia y el espíritu de apertura, sin los cuales no existe sociedad democrática».

FJ 6. Y más concretamente, ha de indicarse que la resolución sancionadora que está en el origen de estos autos se dicta en razón de la publicación en el diario de Las Palmas de un artículo del demandante de amparo manifestando su opinión sobre un tema que, por un lado, se refiere a la organización de la Universidad de la que es Catedrático y, por otro, ha tenido una gran relevancia pública, dando lugar a un amplio debate. Y, precisamente en este clima, se publica el artículo litigioso que, se destaca, es la contestación a otro en el que se aludía a las soluciones propuestas por el demandante, aún sin citarlo por su nombre, para el emplazamiento del Campus del Mar.

Así las cosas, ha de concluirse que las expresiones contenidas en dicho artículo no pueden calificarse de insultantes o descalificadoras. Es cierto que el tono es muy crítico, pero no se exceden en ningún momento los límites establecidos por la jurisprudencia constitucional ya citada, de modo que puede decirse que nos encontramos ante expresiones de carácter estrictamente crítico, sin duda ácidas, pero que no llegan a ser formalmente injuriosas e innecesarias al objeto de la expresión o información (por todas, STC 110/2000, de 5 de mayo, FJ 9). [...] [E]stamos ante expresiones duras, pero que hay que considerar en su contexto de debate abierto, en el que, conviene recordarlo, se habían vertido ya descalificaciones hacia el recurrente. Tales críticas, o son indeterminadas sin que se pueda fijar con claridad el supuesto ofendido, o no revisten la gravedad que permitiría calificarlas de excesivas y no protegidas por la libertad de expresión.

Libertad de expresión y derecho a la información en el seno de los Cuerpos y Fuerzas de Seguridad del Estado —STC 81/1983, de 10 de octubre[29]—

La Sentencia resuelve el recurso de amparo interpuesto por don S.V.L., contra resoluciones de la Dirección de la Seguridad del Estado de 22 de febrero y 21 de junio de 1982, confirmadas por la Sentencia de la Sala de la jurisdicción contencioso-administrativa de la Audiencia Territorial de Zaragoza, de 9 de diciembre de 1982, que sancionaron al recurrente, Inspector del Cuerpo Superior de Policía, Secretario de Propaganda del Sindicato Provincial de la Unión Sindical de Policías de Zaragoza y miembro del Comité Provincial de dicho Sindicato, por la decisión del citado Comité de dar a conocer a la opinión pública, mediante nota de prensa difundida por Radio Zaragoza, el traslado a San Sebastián del funcionario Sr. G.M. En dicha nota de prensa se decía literalmente: «La U.S.P. denuncia públicamente estos hechos que ponen de manifiesto una vez más la incapacidad profesional de algunos mandos del Cuerpo Superior de Policía para resolver los problemas y representan por tanto un obstáculo para el normal funcionamiento de la Policía en una sociedad democrática». El recurrente entiende vulnerado su derecho a la libertad de expresión.

FJ 3. [...] La estructura interna del Cuerpo Superior de Policía, al que pertenece como inspector el recurrente, y la misión que el art. 104.1 CE atribuye, entre otras, a dicho Cuerpo, obligan a afirmar que la crítica a los superiores, aunque se haga en uso de la calidad de representante y autoridad sindical y en defensa de los sindicatos, deberá hacerse con la mesura necesaria para no incurrir en vulneración a ese respeto debido a los superiores y para no poner en peligro el buen funcionamiento del servicio y de la institución policial [...]. El normal funcionamiento del Cuerpo Superior de Policía exige que sus miembros estén «sujetos» en su actuación profesional a los principios de jerarquía y subordinación» [...], la garantía de la seguridad ciudadana y la protección de los derechos y deberes de los citados ciudadanos que el artículo 104.1 CE atribuye a las Fuerzas y Cuerpos de Seguridad, entre los que se encuentra el CSP, y esos bienes jurídicamente protegidos se pondrían en peligro si en el ejercicio de los derechos de libertad sindical y de libertad de expresión los funcionarios del citado Cuerpo que desempeñan puestos de responsabilidad sindical pudieran legítimamente realizar actos como los que merecieron la sanción del señor Villén.

II. LOS DERECHOS A LA LIBERTAD DE LIBERTAD DE CREACIÓN ARTÍSTICA, CIENTÍFICA Y LITERARIA (ARTÍCULO 20.1.b) CE) Y A LA LIBERTAD DE CÁTEDRA (ARTÍCULO 20.1.c) CE)

La libertad de creación científica y la investigación histórica —STC 43/2004, de 23 de marzo—

La Sentencia resuelve el recurso de amparo promovido por miembros de la familia Trías Sañer contra la Sentencia de la Sala de lo Civil del Tribunal Supremo de 8 de marzo de 1999, que casó la de la Sección Decimosexta de la Audiencia Provincial de Barcelona, de 17 de noviembre de 1997, recaída en el recurso de apelación instado contra la del Juzgado de Primera Instancia núm. 13 de Barcelona, de 20 de diciembre de 1996, en autos del juicio incidental por

---

29   *Vid.* también las SSTC 371/1993, de 13 de diciembre; 270/1994, de 17 de octubre; 127/1995, de 5 de julio; 213/2002, de 11 de noviembre; 272/2006, de 25 de septiembre; 38/2017, de 24 de abril.

intromisión en el derecho al honor. El origen del litigio fue la retransmisión por el canal «TV 3» de la Televisió de Cata-lunya, S.A., de un reportaje-documental titulado «Sumaríssim 477», dirigido y realizado por la periodista e historiadora doña María Dolors Genovés Morales, en el que se relataba la trayectoria vital y política de don Manuel Carrasco i Formiguera, político catalán, Diputado en las Cortes Constituyentes de 1931 y en las de la Segunda República, funda-dor del partido político Unió Democràtica de Catalunya. En dicho reportaje se narraban los acontecimientos de los años previos a la Guerra Civil y se entrevistaba a familiares de los aludidos en el reportaje como protagonistas, testigos o estudiosos de aquellos hechos. Se finalizaba con la narración y simulación del Consejo de Guerra al que en el año 1937 fue sometido el Sr. Carrasco i Formiguera en Burgos, en el que fue condenado a pena de muerte por un «delito de adhesión a la rebelión militar» y ejecutado por fusilamiento. En dos ocasiones se hizo mención a la participación en aquel Consejo de Guerra, como testigo, del Sr. Trias Bertrán, padre de los ahora recurrentes. El reportaje finalizaba señalando que los ocho testigos que depusieron en contra del Sr. Carrasco i Formiguera en aquel Consejo de Guerra, incluido el padre de los recurrentes, habían ocupado puestos de relevancia «en la Administración y prensa franquista» después de 1940. Entienden los recurrentes que el reportaje falseó hechos históricos. Para empezar, alegan, dicha condena se fundó sobre todo en los documentos que portaba el Sr. Carrasco i Formiguera cuando fue aprehendido, y no «exclusivamente» en los testimonios de los llamados a declarar en dicho Consejo, como se dice en el programa de televisión, que omite otros datos relevantes. Su padre, además, no fue testigo de cargo, habiendo declarado sólo ante el Instructor de la causa, a la que acudió previa citación judicial y no «voluntariamente» como se afirmó en el reportaje, ni declaró en la vista del Consejo de Guerra. Por último, se atribuye injustificadamente a su padre una falta de compasión que acrecienta su desmerecimiento en la opinión ajena. Entienden, en fin, que el reportaje vulnera el derecho al honor de su padre y, con él, su derecho al honor familiar (vid. voto particular).

FJ 5. En ocasiones anteriores nos hemos ocupado del derecho a la libertad de creación literaria, para afirmar que «no es sino una concreción del derecho —también reconocido y protegido en el apartado a) del mismo— a expresar y difundir libremente pensamientos, ideas y opiniones» (STC 153/1985, de 7 de noviembre, FJ 5). Ahora debemos hacer lo propio con el derecho a la creación y producción científica, ahondando en las referencias de nuestra jurispruden-cia al art. 20.1 b) CE (vid. SSTC 178/1989, de 2 de noviembre; 145/1993, de 16 de abril; y AATC 266/1983, de 8 de junio; 560/1983, de 16 de noviembre; 130/1985, de 27 de febrero; 271/1989, de 22 de mayo; 261/1993, de 22 de julio; y 202/1994, de 9 de junio), y refiriéndonos, en particular, a la historiografía.

Pues bien, es posible colegir que la libertad científica —en lo que ahora interesa, el debate histórico— disfruta en nuestra Constitución de una protección acrecida respecto de la que opera para las libertades de expresión e infor-mación, ya que mientras que éstas se refieren a hechos actuales protagonizados por personas del presente, aquélla, participando también de contenidos propios de las libertades de expresión e información —pues no deja de ser una narración de hechos y una expresión de opiniones y valoraciones y, en consecuencia, información y libre expresión a los efectos del art. 20.1 a) y d) CE— se refiere siempre a hechos del pasado y protagonizados por individuos cuya personalidad, en el sentido constitucional del término (su libre desarrollo es fundamento del orden político y de la paz social: art. 10.1 CE), se ha ido diluyendo necesariamente como consecuencia del paso del tiempo y no puede oponerse, por tanto, como límite a la libertad científica con el mismo alcance e intensidad con el que se opone la dignidad de los vivos al ejercicio de las libertades de expresión e información de sus coetáneos. Por lo demás, sólo de esta manera se hace posible la investigación histórica, que es siempre, por definición, polémica y discutible, por erigirse alrededor de aseveraciones y juicios de valor sobre cuya verdad objetiva es imposible alcanzar plena certidumbre, siendo así que esa incertidumbre consustancial al debate histórico representa lo que éste tiene de más valioso, respetable y digno de protección por el papel esencial que desempeña en la formación de una conciencia histórica adecuada a la dignidad de los ciudadanos en una sociedad libre y democrática.

Como dijimos en nuestra STC 214/1991, de 11 de noviembre, FJ 7, el «requisito de veracidad no puede, como es obvio, exigirse respecto de juicios o evaluaciones personales y subjetivas, por equivocados o mal intencionados que sean, sobre hechos históricos». A lo que, de otra parte, hemos añadido en nuestra STC 176/1995, de 11 de di-ciembre, FJ 2, que «la libertad de expresión comprende la de errar y otra actitud al respecto entra en el terreno del dogmatismo... La afirmación de la verdad absoluta, conceptualmente distinta de la veracidad como exigencia de la información, es la tentación permanente de quienes ansían la censura previa... Nuestro juicio ha de ser en todo mo-mento ajeno al acierto o desacierto en el planteamiento de los temas o a la mayor o menor exactitud de las soluciones propugnadas, desprovistas de cualquier posibilidad de certeza absoluta o de asentimiento unánime por su propia naturaleza, sin formular en ningún caso un juicio de valor sobre cuestiones intrínsecamente discutibles, ni compartir o discrepar de opiniones en un contexto polémico». Tanto más ha de ser esto así para las libertades de expresión e información inherentes al ejercicio de la libertad científica en el terreno histórico.

De un lado, porque, según acabamos de decir, la distancia en el tiempo diluye la condición obstativa de la personalidad frente al ejercicio de las libertades del art. 20 CE. De otro, porque el encuadramiento de una actividad en el ámbito de la investigación histórica y, por tanto, en el terreno científico supone ya de por sí un reforzamiento de las exigencias requeridas por el art. 20 CE en punto a la veracidad de la información ofrecida por el investigador, esto es, a su diligencia. Por todo ello, la investigación sobre hechos protagonizados en el pasado por personas fallecidas debe prevalecer, en su difusión pública, sobre el derecho al honor de tales personas cuando efectivamente se ajuste a los usos y métodos característicos de la ciencia historiográfica.

Como hemos dicho a propósito de la libertad de información, también la libertad científica comporta una participación subjetiva de su autor, tanto en la manera de interpretar las fuentes que le sirven de base para su relato como en la elección del modo de hacerlo (STEDH caso Lingens, de 8 de julio de 1986, § 41; SSTC 171/1990, de 12 de noviembre, FJ 5; 173/1995, de 21 de noviembre, FJ 2; 192/1999, de 25 de octubre, FJ 4; 297/2000, de 11 de diciembre, FJ 10). Este Tribunal ya ha dicho que la veracidad exigida constitucionalmente a la información no impone en modo alguno que se deba excluir, ni podría hacerse sin vulnerar la libertad de expresión del art. 20.1 a) CE, la posibilidad de que se investigue el origen o causa de los hechos, o que con ocasión de ello se formulen hipótesis al respecto, como tampoco la valoración de esas mismas hipótesis o conjeturas (STC 171/1990, de 12 de noviembre). Lo mismo debemos decir de la libertad científica del art. 20.1 b) CE.

FJ 6. La aplicación de esta doctrina conduce a la desestimación del amparo solicitado. Es indudable que el documental «Sumaríssim 477» es producto de una larga investigación histórica en la que se ha contado con las actas del proceso en el que se condenó al Sr. Carrasco i Formiguera, así como diversos testimonios que han ofrecido una reconstrucción y una valoración histórica de lo acaecido en 1937.

El hecho de que el objeto del reportaje verse sobre unos hechos ocurridos en la primera mitad del pasado siglo XX, y en el contexto de una guerra civil, refuerza la misma solución, dado que el largo tiempo transcurrido sirve, en lo que ahora interesa, para despersonalizar el protagonismo y también, por ello, el honor de quienes intervinieron en los hechos narrados.

Desde la perspectiva de la intención de quien participa en una narración y valoración de hechos históricos, y esto es destacado en el documental que se cuestiona en el presente recurso de amparo, hemos de afirmar que el objetivo de tales aportaciones no se dirige a atacar o mancillar el honor de alguien, sino a aportar una visión —sin ningún género de dudas, en parte subjetiva— de una persona (en el caso que nos ocupa, del Sr. Carrasco i Formiguera) o de un hecho histórico. Si la historia solamente pudiera construirse con base en hechos incuestionables, se haría imposible la historiografía, concebida como ciencia social. En su ámbito, los historiadores valoran cuáles son las causas que explican los hechos históricos y proponen su interpretación, y aunque tales explicaciones e interpretaciones sean en ocasiones incompatibles con otras visiones, no corresponde a este Tribunal decidir, por acción u omisión, cuál o cuáles deban imponerse de entre las posibles. Son los propios ciudadanos quienes, a la luz del debate historiográfico y cultural, conforman su propia visión de lo acaecido, que puede variar en el futuro. [...]

FJ 7. [...] Resulta evidente que el reportaje, a la hora de describir el Consejo de Guerra al que fue sometido el Sr. Carrasco i Formiguera y la participación en él de aquellos testigos entre los que se contaba el Sr. Trias Bertrán, narra hechos, al tiempo que emite valoraciones sobre los mismos y sus protagonistas. Por una parte, narra cómo se desarrolló el Consejo de Guerra, quiénes intervinieron en él, identificándoles con nombre, apellidos y profesión, y cuáles fueron sus declaraciones. Por otra parte, se dice que la intervención de los testigos en el sumario fue voluntaria, se afirma que la Sentencia a la pena capital tuvo su exclusivo fundamento en sus declaraciones, se califica su conducta señalando que no tuvieron compasión para con el acusado, y, finalmente, se indica que todos ellos prosperaron en el régimen franquista. Indudablemente estas últimas afirmaciones, con la excepción de la referencia a lo que deparó el futuro para los aludidos, constituyen juicios de valor expresados por la redactora del guión del reportaje al hilo del conjunto de hechos de los que en el mismo se dio cuenta.

Pues bien, en el caso de autos, incluso desde la perspectiva del canon de veracidad del derecho de libre información, se ha de reconocer que no cabe duda sobre la veracidad de la información divulgada, dada la evidente constancia, afirmada por el Juez de Primera Instancia, el Tribunal de apelación y el Tribunal Supremo, y que nadie en el proceso ha discutido, de que los hechos se sucedieron como fueron narrados en el reportaje y que las palabras leídas, atribuidas al padre de los demandantes de amparo, coinciden literalmente con parte de su declaración efectuada ante el Instructor de la causa incoada contra el político catalanista Sr. Carrasco i Formiguera; o sobre lo que el futuro deparó a los declarantes. Así pues, la discrepancia no lo es respecto de la certeza sobre estos concretos hechos, cuya realidad resulta indubitada a la vista de lo probado en las actuaciones del proceso civil del que trae causa este amparo, sino sobre si la valoración que de ellos se hace es tendenciosa y dirigida a mancillar el honor del Sr. Trias Bertrán al atribuirle, en último término, una decisiva intervención en el trágico final del Sr. Carrasco i Formiguera.

Partiendo de este dato, y dado que las afirmaciones reseñadas en el documental no evidencian por sí mismas ánimo de vejar al Sr. Trias Bertrán (o a los otros testigos), sino que se inscriben en la mentada libertad científica, procede declarar que no se ha producido lesión alguna en el derecho al honor del referido Sr. Trias Bertrán.

FJ 8. [...] La discusión histórica está abierta a la participación y a la réplica en su contexto propio y por sus medios característicos, pero no puede estarlo a la solución jurídica, cuya verdad no es, por definición, la que se persigue y construye con el método histórico. [...]

Los hijos del Sr. Trias Bertrán, que discrepan de algunas aseveraciones contenidas en el documental «Sumaríssim 477», pueden, sin la menor duda, iluminar acerca de cuál fue, a su juicio, la participación de su padre en el procesamiento del Sr. Carrasco i Formiguera, explicando los motivos que, en su opinión, le llevaron a implicarse en el mismo y contribuyendo así a enriquecer el debate histórico, pero tal pretensión no puede llevarles a impedir la emisión del documental.

La libertad de creación artística y literaria: las obras de ficción —STC 51/2008, de 14 de abril[30]—

La Sentencia resuelve el recurso de amparo promovido por doña A.A.M. contra la Sentencia de la Sala de lo Civil del Tribunal Supremo, de 12 de julio, dictada en el recurso de casación contra la Sentencia de la Sección Novena de la Audiencia Provincial de Madrid de fecha 22 de septiembre de 2000, que confirmó en apelación la Sentencia del Juzgado de Primera Instancia núm. 40 de Madrid, de 10 de septiembre de 1997. El origen del recurso se encuentra en el siguiente fragmento de la novela «Jardín de Villa Valeria» del escritor Manuel Vicent, editada por Santillana, S. A.: «Bajo los pinos había jóvenes que luego se harían famosos en la política. El líder del grupo parecía ser Pedro Ramón Moliner, hijo de María Moliner, un tipo que siempre intervenía de forma brillante. Era catedrático de industriales en Barcelona, aparte de militante declarado del PSOE. Tenía cuatro fobias obsesivas: los homosexuales, los poetas, los curas y los catalanes. También usaba un taparrabos rojo chorizo, muy ajustado a las partes. Solía calentarse jugueteando libidinosamente bajo los pinos con las mujeres de los amigos para después poder funcionar con la suya como un gallo». La demandante de amparo, viuda de la persona aludida en este pasaje, entiende que dicho fragmento, avalado por la Sentencia recurrida, vulnera el derecho al honor y la intimidad personal y familiar de su difunto marido.

FJ 5. Aunque ni en la resolución recurrida ni en ninguno de los pronunciamientos previos se ha reconocido ello expresamente, desde un punto de vista constitucional resulta evidente, como señala el Ministerio Fiscal, que el texto litigioso constituye un ejercicio del derecho fundamental a la producción y creación literaria. Si bien la demandante y algunas de las resoluciones previas han aludido en algún momento a las libertades de información y de expresión, el hecho de tratarse de un fragmento de una novela que cuenta con diversas ediciones permite encuadrarlo sin ningún género de dudas en este derecho fundamental específico, reconocido en la letra b) del art. 20.1 CE junto a la producción y creación artística, científica y técnica. Al igual que sucede con estas libertades, hasta el momento no han sido muchos los pronunciamientos de este Tribunal que se han referido específicamente al derecho a la producción y creación literaria. En la mayoría de los mismos nos hemos limitado a señalar la estrecha relación que existe entre tal derecho y la libertad de expresión. Así hemos considerado que la producción y creación literaria constituye una «concreción del derecho a expresar libremente pensamientos, ideas y opiniones» (SSTC 153/1985, de 7 de noviembre, FJ 5; y 43/2004, de 23 de marzo, FJ 5), una «faceta» de la libertad de expresión (ATC 152/1993, 24 de mayo, FJ 2), o un «ámbito» en que se manifiesta la libertad de pensamiento y expresión (ATC 130/1985, de 27 de febrero, FJ 2), manifestaciones todas ellas que llevan implícita la idea de que la libertad protegida por el art. 20.1 a) CE no es sólo la política, sino también la artística. Pero más allá de este hecho y de forma similar a como se ha reconocido respecto de la libertad de producción y creación científica (STC 43/2004, de 23 de marzo, FJ 5), la constitucionalización expresa del derecho a la producción y creación literaria le otorgan un contenido autónomo que, sin excluirlo, va más allá de la libertad de expresión.

---

[30] *Vid.* también la STC 35/1987, de 18 de marzo. Sobre la juventud e infancia como causa justificadora de la regulación por ley estatal de las salas especiales de exhibición cinematográfica, la filmoteca española y las tarifas de las tasas por licencia de doblaje, y sobre las competencias en la materia, así como para calificar los espectáculos teatrales y artísticos según la edad de los públicos y la temática o contenido, *vid.* las SSTC 153/1985, de 7 de noviembre; 87/1987, de 2 de junio.

Así, el objetivo principal de este derecho es proteger la libertad del propio proceso creativo literario, manteniéndolo inmune frente a cualquier forma de censura previa (art. 20.2 CE) y protegiéndolo respecto de toda interferencia ilegítima proveniente de los poderes públicos o de los particulares. Como en toda actividad creativa, que por definición es prolongación de su propio autor y en la que se entremezclan impresiones y experiencias del mismo, la creación literaria da nacimiento a una nueva realidad, que se forja y transmite a través de la palabra escrita, y que no se identifica con la realidad empírica. De ahí que no resulte posible trasladar a este ámbito el criterio de la veracidad, definitorio de la libertad de información, o el de la relevancia pública de los personajes o hechos narrados, o el de la necesidad de la información para contribuir a la formación de una opinión pública libre. Además hay que tener en cuenta que la creación literaria, al igual que la artística, tiene una proyección externa derivada de la voluntad de su autor, quien crea para comunicarse, como vino a reconocer implícitamente la STC 153/1985, de 7 de noviembre, FJ 5. De ahí que su ámbito de protección no se limite exclusivamente a la obra literaria aisladamente considerada, sino también a su difusión.

En el presente supuesto el carácter literario de la obra en la que se inserta el pasaje litigioso está fuera de toda duda. Aunque en la misma se hace referencia a personajes, lugares y hechos reales, el género novelístico de la obra y el hecho de no tratarse de unas memorias impiden desconocer su carácter ficticio y, con ello, trasladar a este ámbito las exigencias de veracidad propias de la transmisión de hechos y, por lo tanto, de la libertad de información. Es más, la propia libertad de creación literaria ampara dicha desconexión con la realidad, así como su transformación para dar lugar a un universo de ficción nuevo. En el caso concreto de la novela aquí analizada, las referencias a la generación a la que pertenece el personaje aludido en el pasaje litigioso y a su evolución durante la etapa de la transición política es evidente que no pretenden ser fidedignas, sino que pueden requerir de recursos literarios, como la exageración para cumplir la función que se persigue en la obra. Todo ello encuentra en el derecho a la creación literaria una cobertura constitucional. Y no sólo en el caso del autor del fragmento controvertido, sino también en el de la editorial que ha hecho posible su publicación, sin la cual la obra literaria pierde gran parte de su sentido. Al igual que sucede con los restantes derechos fundamentales, sin embargo, es evidente que el ejercicio del derecho a la creación y producción literaria también está sometido a límites constitucionales que este Tribunal ha ido perfilando progresivamente. Sin ir más lejos, el propio apartado 4 del art. 20 CE dispone que todas las libertades reconocidas en este precepto tienen su límite en el derecho al honor, a la intimidad, a la propia imagen y a la protección de la juventud y de la infancia. En cambio, y tal y como se desprende de la propia Sentencia recurrida, el buen gusto o la calidad literaria no constituyen límites constitucionales a dicho derecho. En cualquier caso, y dados los términos en que se ha desarrollado el presente proceso, nuestro análisis debe limitarse a los derechos reconocidos en el art. 18.1 CE, que son los que pretendidamente han sido vulnerados mediante el ejercicio del derecho a la producción y creación literaria.

FJ 7. Identificados y concretados los derechos fundamentales en conflicto, el control de la Sentencia recurrida debe limitarse a verificar, como se ha señalado anteriormente, si ha realizado una ponderación constitucionalmente adecuada de los mismos y si, en definitiva, ha vulnerado el derecho fundamental invocado en la demanda de amparo. Ciertamente, dicha Sentencia no ha identificado formalmente los derechos en conflicto, puesto que no ha hecho ninguna referencia explícita al derecho a la creación y producción literaria ejercitado con la publicación del fragmento litigioso. Pero tampoco ha realizado una valoración constitucionalmente reprochable de los mismos al considerar que la intromisión en el derecho al honor no ha tenido la suficiente entidad para lesionarlo. Y es que, como se ha señalado anteriormente, para llegar a esta conclusión la Sentencia recurrida ha tenido en cuenta aspectos como el contexto literario en que se inscribe dicho fragmento, el carácter secundario de las expresiones pretendidamente lesivas del derecho al honor o el que ninguno de los términos empleados puede considerarse en sí mismo vejatorio, argumentos todos ellos que denotan que materialmente no se ha desconocido la concurrencia de otros bienes jurídicos.

Desde una perspectiva constitucional —única que nos corresponde— y teniendo en cuenta el resultado alcanzado, no podemos más que coincidir con el parecer de la Sala de lo Civil del Tribunal Supremo, puesto que las circunstancias concretas del caso impiden considerar que se ha vulnerado el honor de la persona aludida en el pasaje litigioso. En efecto, tal y como se ha señalado en los fundamentos jurídicos precedentes, no puede desconocerse que dicho pasaje constituye un ejercicio del derecho fundamental a la producción y creación literaria [art. 20.1 b) CE] que, como tal, protege la creación de un universo de ficción que puede tomar datos de la realidad como puntos de referencia, sin que resulte posible acudir a criterios de veracidad o de instrumentalidad para limitar una labor creativa y, por lo tanto, subjetiva como es la literaria. Por otro lado, y como también se desprende de cuanto se ha señalado anteriormente, el párrafo litigioso, a pesar de identificar claramente a la persona pretendidamente ofendida, no puede considerarse lesivo de su honor, teniendo en cuenta su fallecimiento once años antes, que no nos encontramos ante un supuesto de sucesión procesal, y que, interpretado en su conjunto y en el contexto de una obra literaria que pretende describir la evolución de una determinada generación, el fragmento litigioso y, concretamente, las frases aparentemente vulneradoras de dicho honor no pueden considerarse ni en sí mismas vejatorias ni desmerecedoras de la reputación o consideración ajenas.

La libertad de cátedra —SSTC 217/1992, de 1 de diciembre y 179/1996, de 12 de noviembre (*vid.* ARTÍCULO 27)—

III. LA PROHIBICIÓN DE CENSURA PREVIA (ARTÍCULO 20.2 CE) Y EL SECUESTRO JUDICIAL DE PUBLICACIONES (ARTÍCULO 20.5 CE)

La prohibición de censura previa y el secuestro judicial de publicaciones —STC 187/1999, de 25 de octubre[31]—

La Sentencia resuelve recursos de amparo acumulados interpuestos por doña C.V.F. y Gestevisión Telecinco, S.A., contra el Auto de 15 de diciembre de 1993, del Juez de Instrucción núm. 17 de Madrid, que prohibió la emisión del programa de televisión «La máquina de la verdad», prevista para el siguiente día 16, y contra los de 27 de diciembre de 1993 y 1 de febrero de 1994, pronunciados respectivamente por el mismo Juez y por la Sección Decimosexta de la Audiencia Provincial de Madrid, confirmatorios en reforma y apelación del primero. Los Srs. García Obregón y Lequio di Assaba denunciaron a doña C.V.F. y otras personas, por las injurias y calumnias vertidas en el número de cierto semanario. A continuación se ordenó la apertura de diligencias indeterminadas, al tiempo que mediante Auto se denegaba la «medida cautelar de secuestro» de los ejemplares del número en cuestión, cuya práctica se había solicitado en la denuncia (artículo 3.2 Ley 62/1978). En el curso del sumario, mediante un escrito de los denunciantes, se puso en conocimiento del Juzgado instructor que les constaba que doña C.V.F. se proponía intervenir en el programa «La Máquina de la Verdad» de la cadena de televisión «Telecinco», que sería emitido al día siguiente de su grabación, y donde se iban a reproducir las declaraciones hechas a la revista. Interesaban los denunciantes que el Juez instructor librase oficio a Gestevisión Telecinco, S.A., como así hizo, «comunicándole la prohibición de difundir o proyectar el programa La Máquina de la Verdad», para evitar el incremento del perjuicio sufrido en los derechos al honor y a la intimidad personal y familiar. Los ahora recurrentes denuncian que la orden judicial de secuestro vulnera sus derechos a la libertad de expresión y a la información.

FJ 5. El ejercicio de la libertad de expresión y del derecho a la información no tiene otros límites que los fijados explícita o implícitamente en la Constitución, que son los demás derechos y los derechos de los demás. Por ello, se veda cualquier interferencia y como principal, en este ámbito, la censura previa (art. 20.2 CE), que históricamente aparece apenas inventada la imprenta, en los albores del siglo XVI y se extiende por toda Europa. En España, inicia esta andadura de libertad vigilada la pragmática de los Reyes Católicos de 8 de julio de 1502, seguida por otras muchas a lo largo de tres siglos que se recogerán a principios del XIX en la Novísima Recopilación. Dentro de tal contexto

---

[31]　*Vid.* también las SSTC 144/1987, de 23 de septiembre, FJ 3 («no cabe calificar de secuestro una actuación [el precintado de las instalaciones radiofónicas] que no se dirige contra publicaciones o grabaciones o cualquier otro soporte de una comunicación determinada, esto es, de un mensaje concreto, sino contra el instrumento capaz de difundir, directamente o incorporándolas a un soporte susceptible a su vez de difusión, cualquier contenido comunicativo. Es claro que en la medida en que el uso de instrumentos de este género puede resultar indispensable para la difusión eficaz de ideas o informaciones, su utilización está también protegida por los derechos fundamentales enunciados en los apartados a) y d) del art. 20 de nuestra Constitución y no puede ser limitada o entorpecida si no es en lo estrictamente necesario para salvaguardar el derecho ajeno o proteger otros bienes jurídicos cuya protección exija inexcusablemente esa limitación, pero en cuanto no exceda de esas fronteras, la autorización previa para emplearlas no es contraria a la Constitución, ni en el presente caso ha sido cuestionada su legitimidad»); 34/2010, de 19 de julio, FJ 6 ("resulta contrario a la habilitación legal, y consecuentemente a la Constitución, una medida cautelar que venga a impedir de manera definitiva o indefinida la difusión de una obra informativa sin el procedimiento declarativo específico correspondiente"); 86/2017, de 4 de julio, FJ 5 (no constituye censura previa la posibilidad, prevista en el artículo 116 de la Ley 22/2005, de 29 de diciembre, de comunicación audiovisual de Cataluña, de que el Consejo Audiovisual de Cataluña adopte "medidas cautelares en caso de una urgencia justificada para evitar que el incumplimiento de las obligaciones produzca un perjuicio grave e irreparable al pluralismo, a la libertad de comunicación o a los derechos de los ciudadanos", medidas que incluyen "la suspensión provisional de la eficacia de la licencia", en términos que el Tribunal Constitucional entiende proporcionados).

histórico se explica que, poco después, la Constitución de 1812 proclamara, como reacción obligada, la libertad «de escribir, imprimir y publicar… sin necesidad de licencia, revisión o aprobación alguna anterior a la publicación» (art. 371), interdicción que reproducen cuantas la siguieron en ese siglo y en el actual e inspira el contenido de la nunca derogada Ley de policía de imprenta de 26 de julio de 1883. Como censura, pues, hay que entender en este campo, al margen de otras acepciones de la palabra, la intervención preventiva de los poderes públicos para prohibir o modular la publicación o emisión de mensajes escritos o audiovisuales. La presión de ciudadanos o grupos de ellos para impedir esa difusión, aunque consiga obtener el mismo resultado, puede llegar a ser una intromisión en un derecho ajeno, con relevancia penal en más de un caso y desde más de un aspecto, pero no «censura» en el sentido que le da la Constitución.

Tampoco encaja en este concepto la que a veces ha dado en llamarse «autocensura», utilizada en algunos sectores —la cinematografía o la prensa—, en algunos países o en algunas épocas para regular la propia actividad y establecer corporativamente ciertos límites. Más lejos aún del concepto constitucionalmente proscrito está la carga, con su cara y reverso de derecho-deber, que permite e impone a los editores y directores un examen o análisis de texto y contenidos, antes de su difusión, para comprobar si traspasan, o no, los límites de las libertades que ejercen, con especial atención a los penales. Se trata de algo que, en mayor o menor grado, precede siempre a la conducta humana, reflexiva y consciente de que el respeto al derecho ajeno es la pieza clave de la convivencia pacífica. En tal sentido hemos dicho ya que la «verdadera censura previa» consiste en «cualesquiera medidas limitativas de la elaboración o difusión de una obra del espíritu, especialmente al hacerlas depender del previo examen oficial de su contenido» (STC 52/1983, fundamento jurídico 5°). Por ello el derecho de veto que al director concede el art. 37 de la Ley de Prensa e Imprenta de 18 de marzo de 1966 no puede ser identificado con el concepto de censura previa (SSTC 171/1990 y 172/1990). Tampoco lo es la autodisciplina del editor, cuya función consiste en elegir el texto que se propone publicar, asumiendo así los efectos positivos o negativos, favorables o desfavorables de esa opción, como puedan ser el riesgo económico y la responsabilidad jurídica (STC 176/1995)

La prohibición de todo tipo de censura previa, en el marco de la libertad de expresión no es sino garantía con el fin de limitar al legislador y evitar que, amparado en las reservas de ley del art. 53.1 y art. 81.1 CE, pudiera tener la tentación de someter su ejercicio y disfrute a cualesquiera autorizaciones, sea cual fuere su tipo o su carácter, aun cuando cimentadas en la protección de aquellos derechos, bienes y valores constitucionales jurídicos que, con arreglo a lo dispuesto en el art. 20.4 CE, funcionan como límite de aquella libertad en su doble manifestación. Este Tribunal ya ha dicho en reiteradas ocasiones que por censura previa debe tenerse cualquier medida limitativa de la elaboración o difusión de una obra del espíritu que consista en el sometimiento a un previo examen por un poder público del contenido de la misma cuya finalidad sea la de enjuiciar la obra en cuestión con arreglo a unos valores abstractos y restrictivos de la libertad, de manera tal que se otorgue el placet a la publicación de la obra que se acomode a ellos a juicio del censor y se le niegue en caso contrario. Y precisamente por lo tajante de la expresión empleada por la Constitución para prohibir estas medidas, debe alcanzar la interdicción a todas las modalidades de posible censura previa, aun los más «débiles y sutiles», que tengan por efecto, no sólo el impedimento o prohibición, sino la simple restricción de los derechos de su art. 20.1 (SSTC 77/1982, 52/1983, 13/1985, 52/1995, 176/1995).

El fin último que alienta la prohibición de toda restricción previa de la libertad de expresión en su acepción más amplia no es sino prevenir que el poder público pierda su debida neutralidad respecto del proceso de comunicación pública libre garantizado constitucionalmente (STC 6/1981). La censura previa, tal y como se ha descrito más arriba, constituye un instrumento, en ocasiones de gran sutileza, que permitiría intervenir a aquél en tal proceso, vital para el Estado democrático, disponiendo sobre qué opiniones o qué informaciones pueden circular por él, ser divulgadas, comunicadas o recibidas por los ciudadanos. Es aquí donde debe buscarse también la razón de que su interdicción deba extenderse a cuantas medidas pueda adoptar el poder público que no sólo impidan o prohíban abiertamente la difusión de cierta opinión o información, sino cualquier otra que simplemente restrinja o pueda tener un indeseable efecto disuasor sobre el ejercicio de tales libertades (SSTC 52/1983, fundamento jurídico 5°, 190/1996, fundamento jurídico 3°), aun cuando la ley, única norma que puede establecerlas, pretendiera justificar su existencia en la protección de aquellos derechos, bienes y valores que también conforme al art. 20.4 CE constitucionalmente se configuran como límites a las libertades de expresión e información en nuestro orden constitucional, limitando así al legislador que pudiera sentir tal tentación o veleidad al amparo de las reservas de ley previstas en los arts. 53.1 y 81.1 CE

Sin embargo, el rigor de la prohibición se dirige en principio con toda su intensidad a la tradicionalmente denominada censura «gubernativa» y no a la posibilidad de que un Juez o Tribunal, debidamente habilitado por la ley, adopte ciertas medidas restrictivas del ejercicio de las libertades de expresión e información como se verá más adelante. En efecto, una cabal interpretación del veto constitucional a la censura dentro del ámbito de la libertad de expresión en todas sus manifestaciones, y sobre todo con la permisión del secuestro judicial (apartados 1, 3 y 4 del art. 20.2 CE), permite concluir que aquél no se extiende a todos los posibles supuestos de medidas restrictivas de tales libertades, que, de ser adoptadas por una institución distinta de la judicial, merecerían la consideración de «censura previa» en el sentido material o amplio indicado en los párrafos precedentes. Las propias cualidades de la función jurisdiccional, que constitucionalmente desempeñan quienes componen el Poder Judicial, y el hecho mismo de ser los principales garantes de los derechos fundamentales de los individuos (art. 53.2 y art. 117.4 CE), cierra la posibilidad de que la Ley o, en su caso, los propios Jueces y Tribunales en ausencia o al margen de ley puedan someter a previa autorización judicial el ejercicio de tales libertades, esto es, imponer cualesquiera limitaciones preventivas de su ejercicio con carácter permanente, y respondiendo a criterios de oportunidad, constitutivas —ésas sí— de «censura previa» en su más evidente manifestación. Si la ley o, por su cuenta, un juez así lo hicieren, infringirían el art. 20.1 y 2 CE, y el segundo, a falta de ley habilitante, quedaría extramuros también del art. 24 CE.

FJ 6. No obstante, la propia Constitución legitima el secuestro de publicaciones, grabaciones y otros medios de información, aunque sólo podrá acordarse en virtud de una resolución judicial (art. 20.5 CE), prohibiendo por tanto implícitamente la existencia del llamado secuestro administrativo, como ya dijo este Tribunal con ocasión de enjuiciar a la luz de tal norma constitucional los arts. 12 y 64 de la Ley 14/1966, de 18 de marzo, de Prensa e Imprenta, que regulaban una medida semejante, cuya inconstitucionalidad declaró la STC 52/1983. Sin embargo, de esa prohibición no cabe deducir que la única medida cautelar que puedan adoptar los órganos judiciales y que afecte a medios de comunicación social, o a cualquier instrumento de divulgación de opiniones, ideas, creencias o informaciones, sea el secuestro, entendido éste como la puesta a disposición del órgano judicial que lo ha acordado del soporte material, sea éste un impreso, publicación, grabación o cualquier otro medio de difusión de mensajes, o, dicho en los términos de la STC 144/1987, el instrumento capaz de difundir, directamente o incorporándolas a un soporte susceptible a su vez de difusión, cualquier contenido comunicativo (fundamento jurídico 3°), con el fin que disponga la Ley que atribuya ese poder jurídico al Juez (SSTC 31/1994, 88/1995, 52/1995).

Es posible, desde luego, que la debida protección de los derechos fundamentales y otros bienes o valores jurídicos constitucionalmente protegidos, a los cuales apunta el art. 20.4 CE, constituya una necesidad tal que fundamente, desde la perspectiva constitucional, única importante aquí y ahora, la existencia de medidas de urgencia diferentes del secuestro que bien pudieran responder a una finalidad diversa, como sería la preservación de aquéllos frente al riesgo de sufrir daños inminentes e irreparables. La Constitución tan sólo, y no es poco, prohíbe que dichas medidas de urgencia puedan ser adoptadas por un poder público distinto al judicial, cuando impliquen un examen crítico del contenido del mensaje cuya difusión pueda negarse o restringirse, y, además, que dicha medida sólo quepa ser adoptada en los supuestos que una Ley permita por efecto de la pertinente resolución judicial motivada y recaída en un proceso ad hoc. Sin Ley que habilite para adoptar una tan severa medida, el Juez carece de cualquier potestad al respecto. En efecto, no cabe inducir de la letra del art. 20.5 CE un apoderamiento genérico a los Jueces y Tribunales para acordar secuestros o medidas equivalentes, como la enjuiciada, limitando el libre ejercicio de la libertad de expresión y el derecho a informar y a ser informado sin que, por otra parte, su pleno sometimiento al imperio de la Ley les permita actuar extramuros de ella, praeter legem, siempre a instancia de parte y nunca por iniciativa propia, ex officio.

Sin embargo, la raíz se encuentra en que la medida supone una gravísima restricción de tales libertades y derechos, cuya regulación está necesaria y únicamente deferida, por imperativo constitucional, a una Ley de rango orgánico (arts. 53.1 y 81.1 CE), aun cuando quizá convenga advertir desde ahora mismo que tampoco la Ley es libérrima para determinar en qué términos y con qué fines los jueces pueden acordar un secuestro de estas características, ya que el legislador ha de moverse dentro del perímetro infranqueable que le marca el debido respeto al contenido esencial de tales derechos fundamentales. Desde otra perspectiva, igualmente, y por las mismas razones de garantía, dichas medidas, sea el secuestro judicial de los soportes del mensaje o sean otras, por razones de urgencia, sólo podrán adoptarse en el curso de un proceso judicial en el que se pretendan hacer valer o defender, precisamente, los derechos y bienes jurídicos que sean límite de tales libertades, proceso que es el cauce formal inexcusable para la prestación de la tutela a la que está abocada la función jurisdiccional y donde ha de recaer la adecuada resolución judicial motivada, que deberá estribar la medida en la protección de tales derechos y bienes jurídicos, con severa observancia tanto de las garantías formales como de las pautas propias del principio de proporcionalidad exigibles en toda aplicación de medidas restrictivas de los derechos fundamentales (STC 62/1982, 13/1985, 151/1997, 175/1997, 200/1997, 177/1998, 18/1999).

FJ 7. En el presente caso, las medidas acordadas por el Juez y la Audiencia Provincial al amparo del art. 3.2 de la Ley 62/78 para la Protección Jurisdiccional de los Derechos Fundamentales de la Persona no forman parte de aquéllas que judicialmente se pueden adoptar para la investigación del delito denunciado, entre las que se cuenta, desde luego, el secuestro judicial de una publicación o cualquier otro soporte material de la información con el propósito de poner a disposición del juez con fines probatorios los objetos que hayan servido para la comisión del delito, a las cuales alude con detenimiento el art. 816 LECrim. Las medidas restrictivas que nos importan para esta Sentencia, establecidas en aquel precepto legal, cumplen una singular función que no consiste, o al menos no con carácter principal o exclusivo, en asegurar la existencia de las diversas piezas de convicción llevadas luego a juicio como pruebas preconstituidas como tampoco su propósito es asegurar la efectividad de la futura resolución judicial (ATC 1340/1987) y de ahí su singularidad como medida cautelar respecto de otras que puede adoptar el Juez en el transcurso de un proceso y en particular si es penal. Se trata más bien de evitar con dichas medidas que el eventual daño al honor, a la intimidad, a la propia imagen o cualesquiera otros bienes protegidos jurídicamente cuya presencia actúa como límite de la libertad de expresión (art. 20.1 y 4 CE) resulte irreversible o irreparable o aumente el ya sufrido. [...]

FJ 8. No hay razón para dudar de la constitucionalidad del art. 3.2 de la Ley 62/1978, en el que el Juez de Instrucción amparó su resolución prohibitiva, a pesar de la parquedad con la que establece los términos y circunstancias de semejante habilitación. [...]

FJ 9. Cumple ahora examinar si la resolución judicial que acordó la prohibición de la emisión de la edición del programa «La máquina de la verdad» en la que iba supuestamente a intervenir la Sra. de la Vera ha observado las exigencias que imponen el debido respeto a las libertades de expresión e información del art. 20.1 CE y las garantías derivadas de la tutela judicial efectiva (art. 24.1 CE), que asisten a los recurrentes en el presente amparo, y con arreglo a lo dicho en los fundamentos jurídicos precedentes.
El hecho de que la medida en tela de juicio, decretada por el Juez de Instrucción, afecte y restrinja tan severamente la libertad de expresión, prohibiendo su ejercicio en cierto tiempo, modo y lugar, y en mayor grado si afecta a terceros, como es el caso, en principio ajenos al proceso principal en el que se suscitó el incidente, no cabe duda de que exige de ésa, y de cualquier otra resolución judicial similar, una especial fundamentación (SSTC 26/1981, 8/1990, 12/1994, 50/1995, 170/1996, 17/1999). A este Tribunal le compete examinar la motivación de semejante prohibición de la emisión de un programa de televisión, trayendo ahora a colación lo que tantas veces hemos dicho respecto de la motivación de las resoluciones judiciales que acordaban la prisión provisional de un individuo. En esas ocasiones, con las que guardan una gran similitud las que ahora nos ocupan, ya que suponen también la temporal privación de derechos fundamentales, en este caso, del ejercicio de las libertades de expresión e información a través de un medio de difusión concreto y sobre determinados acontecimientos, hemos dicho que la falta de una motivación suficiente y razonable de la decisión judicial no supone sólo la lesión del art. 24.1 CE, sino y sobre todo de las libertades sustantivas afectadas, que en el caso de autos son las de expresión e información del art. 20.1 CE. Al respecto hemos advertido que en ocasiones es posible que la motivación de la resolución judicial sea suficiente a los efectos del derecho a la tutela judicial efectiva sin padecer indefensión (art. 24.1 CE), y, por el contrario, lesione el derecho fundamental sustantivo afectado. En estos casos, este Tribunal no ha de conformarse con que el órgano judicial exteriorice en su resolución judicial las razones jurídicas que han llevado a la decisión adoptada, lo que puede satisfacer sin más las exigencias del art. 24.1 CE, sino que es necesario un mayor esfuerzo expositivo del órgano judicial en la fundamentación de la medida limitativa de aquellas libertades, sin que esta exigencia deba confundirse ni con un razonar extenso ni con un razonar prolijo (por todas SSTC 158/1996, 151/1997, 175/1997 y 19/1999).
Ya dijimos en la STC 13/1985, respecto de un supuesto con cierto parecido a éste, que no puede considerarse fundada en Derecho «una resolución que no considera mínimamente la identidad efectiva del objeto cuya libre difusión se coarta. La apreciación de la necesidad de la limitación de un derecho fundamental [el del 20.1 d) CE] y el cálculo consiguiente de la proporcionalidad de la medida adoptada no pudieron ser enunciados en la mente del Juez a falta de un examen, ni siquiera mínimo, del objeto sobre el que recayó su prohibición, que constituye así una ablación del derecho a comunicar y a recibir información del artículo 20.1 d) de la Constitución, así como también un acto contrario al principio general de interdicción de la arbitrariedad (art. 9.3).» (fundamento jurídico 2º). [...]
Es cierto que los bienes sacrificados en esta ocasión han sido la libertad de expresión de la Sra. de la Vera, pero muy en particular el derecho a comunicar información veraz de la cadena de televisión «Telecinco». No lo es menos que medidas de urgencia como las dispuestas en el art. 3.2 de la Ley 62/1978, a pesar de su provisionalidad, su restricción temporal del ejercicio de aquellos derechos fundamentales, y sobre todo del segundo, pueden hacer perder valor e interés a la información que se deseaba transmitir, siendo la información en muchas ocasiones un bien perecedero, de manera que una medida de incluso breve duración puede tener unos efectos definitivos no deseados (Sentencias del TEDH caso Observer y Guardian, y The Sunday Times II, de 26 de abril de 1991). Por esta misma razón la moti-

vación de la medida debe ser aún más intensa si cabe, poniéndose de manifiesto, aunque sea sucintamente, en qué grado la irreversibilidad del daño al derecho al honor y a la intimidad personal y familiar es mayor que el que sufre la libertad de información cuando se prohíbe su ejercicio temporalmente, lo que nos lleva derechamente a examinar la ponderación hecha por el órgano judicial de los mentados derechos fundamentales [...].

FJ 13. En este sentido, cualquiera que fuere la condición de las personas involucradas como autores o víctimas en una información, existe un límite insalvable impunemente. No cabe duda de que la emisión de apelativos formalmente injuriosos en cualquier contexto, innecesarios para la labor informativa o de formación de la opinión que se realice, supone un daño injustificado a la dignidad de las personas, teniendo en cuenta que la Constitución no reconoce un pretendido derecho al insulto, que sería por lo demás incompatible con la dignidad de la persona que se proclama en el art. 10.1 del Texto Fundamental (STC 105/1990). En tal línea discursiva se hace obligado examinar la singularidad de este caso, partiendo sin vacilación alguna de la más amplia y deseable ejercicio de la libertad de expresión. Pero, también, sin esquivar los bienes que especialmente la Constitución sitúa como límites: la protección del derecho al honor, a la intimidad, a la propia imagen y de la juventud y de la infancia. Y aquí es donde no se puede olvidar que la realización del citado programa de televisión contaba como «protagonista» con la niñera o institutriz del hijo menor de la familia Lequio-Obregón. El canal por el que se iba a emitir dicho programa había anunciado que se revelarían facetas de la intimidad de la pareja y del comportamiento del padre de su hijo que, habida cuenta la posterior ruptura de la pareja, podrían sin duda perjudicar al menor. [...]

El Juez, con los elementos de juicio puestos a su disposición, hizo una ponderación razonable de los intereses y valores, bienes y derechos en juego. En efecto, no sólo tuvo en cuenta la buena marcha del proceso penal, sino también, como es natural, la protección a la intimidad del menor y, en definitiva, impidió que la institutriz repitiera las mismas informaciones, datos o hechos y opiniones que eran objeto de investigación por un supuesto delito de injurias, reiteración que era lógicamente presumible del contenido de las «cuñas» publicitarias, acordes con la naturaleza del programa. Era, en definitiva, una conducta continuada, con una identidad en sus elementos subjetivos y objetivos, de los hechos denunciados y perseguidos sumarialmente. Se trataba de las mismas personas, del mismo entorno familiar, de las mismas ocurrencias y de los mismos conceptos. La presunción rayana en la certeza de que así iba a transcurrir la emisión configura a su vez el peligro o riesgo cuya aparición justifica la fulminante intervención preventiva del Juez. La medida encaja en el presupuesto habilitante que contiene la norma legal, dada la singularidad del ámbito y de la actividad donde se produce, y por otra parte resulta necesaria y guarda la debida proporción con el efecto a conseguir, sin que sea imaginable otra distinta o de menor intensidad al respecto, desde la propia perspectiva del derecho a informar y a ser informados, vital para la existencia de la opinión pública en un sistema democrático. En definitiva, y como resumen, la prohibición al respecto, con un respaldo constitucional explícito y una configuración adecuada en la Ley, se adoptó por el Juez competente dentro de un proceso penal en decisión motivada, sin que pueda ser tachada de inadecuada o excesiva, arbitraria o desmesurada.

FJ 14. Hasta aquí la línea maestra de la secuencia de Autos pronunciados por el Juez de Instrucción y la Audiencia Provincial, donde se prohibió, en principio, la emisión del programa, veto que luego fue ratificado una y otra vez. Viene ahora a la palestra la otra línea derivada de la principal, secuela o hijuela de ella, cuyos trazos son las providencias y algún Auto que contienen un requerimiento judicial a la empresa para que remitiera copia de los soportes magnéticos donde se recogían las grabaciones del espacio y de los anuncios o «cuñas» publicitarias cuyas imágenes anticipaban su contenido más escandaloso, si bien parcialmente, pero aun así, elocuentemente indicativo, y hacían evidente que el programa estaba grabado ya, aunque quizá no montado todavía. Es esta una cuestión que, no por instrumental, carece de importancia. La tiene y mucha desde la doble perspectiva judicial y constitucional, como se verá a continuación, hasta el punto de que los demandantes denuncian en esta sede una eventual censura previa con base en tales requerimientos. En efecto, se nos dice que con ellos el Juez pretendía conocer el contenido de lo ya grabado, aun cuando tuviera un cierto y relativo carácter provisional, por no estar montado, para someter su emisión a licencia previa.

No es así, ni así se produjeron las decisiones en su secuencia cronológica y procesal. Cuando el Juez de Instrucción formuló el primer requerimiento, cuya naturaleza de orden o mandamiento resulta por lo demás obvia, ya había pronunciado la prohibición de emitir o poner en las ondas «La máquina de la verdad» y, por tanto, la finalidad de tal mandato no podía ser censurarlo, sino, al contrario, comprobar si la prohibición tenía el fundamento pretendido, presumido o sospechado, o carecía de tal, para en su caso levantarla. Creaba, pues, la posibilidad o eventualidad de abrir una puerta ya cerrada, autorizando lo prohibido. A su vez la Audiencia Provincial reiteró la petición por una razón semejante, para utilizarla como medio de prueba a la hora de ponderar, en apelación, el fundamento de la medida cautelar impugnada a los efectos de confirmarla o revocarla.

En consecuencia, no existe aquella ligazón entre la prohibición de emitir el programa de televisión y el ver las grabaciones requeridas por el Juez y la Audiencia, que, a juicio de los recurrentes, hacen de ellas una sutil censura previa. Las grabaciones no se pidieron para autorizar o no su emisión por razón de su contenido, sino para comprobar si, en efecto, había un peligro real, inminente y grave de que se causaran daños irreversibles al honor y a la intimidad personal y familiar de los denunciantes, o debía presumirse legítimo el ejercicio de las libertades de expresión e información de los recurrentes en este amparo, a expensas del resultado final que se alcanzase en el proceso penal por injurias y calumnias seguido inicialmente contra uno de ellos. Así pues, la eventual contemplación de los vídeos no tenía el propósito de someter a un juicio de oportunidad el levantamiento de la prohibición de emitir el programa, sino el de valorar la efectiva concurrencia de los datos objetivos que sirvieron en su momento al Juez y a la Audiencia para adoptar tal medida cautelar por razones de urgencia. En el caso que nos ocupa no es circunstancia baladí que tal fuera la finalidad del requerimiento, sin conexión alguna con la actividad investigadora en la instrucción sumarial respecto de los hechos pertinentes con influencia en el proceso penal en marcha.

IV. LA REGULACIÓN LEGISLATIVA DE LA ORGANIZACIÓN Y EL CONTROL PARLAMENTARIO DE LOS MEDIOS DE COMUNICACIÓN SOCIAL DEPENDIENTES DEL ESTADO, Y DEL ACCESO A DICHOS MEDIOS EN TÉRMINOS QUE RESPETEN EL PLURALISMO SOCIAL Y LINGÜÍSTICO DE ESPAÑA (ARTÍCULO 20.3 CE)

Prescindibilidad de la prensa pública —STC 86/1982, de 23 de diciembre—

La Sentencia resuelve el recurso de inconstitucionalidad promovido por 54 Senadores contra la Ley 11/1982, de 13 de abril, sobre supresión del Organismo autónomo «Medios de Comunicación Social del Estado».

FJ 4. La segunda alegación de inconstitucionalidad consiste en estimar que el art. 20.3 de la Constitución ha quedado infringido, por cuanto preceptúa que por Ley se regulará la organización y el control parlamentario de los medios de comunicación social dependientes del Estado con la finalidad, a juicio de los recurrentes, de que el derecho a la información, tanto activa como pasiva quede garantizada a los distintos grupos sociales y políticos significativos, sin que autorice en modo alguno la disolución de ese conjunto de medios (antecedente 1).

El Tribunal Constitucional no comparte esta interpretación del art. 20.3 de la Constitución, que no pretende congelar la situación existente en cuanto a los medios de prensa, como ya hemos expuesto, sino garantizar que la organización, gestión y control de los medios de comunicación social, que en cada momento dependan del Estado o de cualquier ente público, se ajustará a los criterios establecidos por el mencionado precepto, que no impide ni la supresión de Organismo autónomo «Medios de Comunicación Social del Estado», ni la enajenación de los medios de prensa actualmente integrados en el mismo.

La televisión privada como una opción legislativa —STC 12/1982, de 31 de marzo[32]—

La Sentencia resuelve el recurso de amparo promovido por la sociedad mercantil «Antena 3, S. A.», sobre el ejercicio del derecho a gestionar y explotar la transmisión de imágenes y sonidos a través de televisión.

FJ 6. Las consecuencias a las que hemos llegado en los apartados anteriores, a través de una interpretación objetiva de la Constitución, resultan corroboradas al utilizar los criterios de interpretación derivados del examen de los antecedentes y de los trabajos preparatorios del texto constitucional. El examen de esos antecedentes y textos demuestra que en nuestro ordenamiento jurídico se ha constitucionalizado el control parlamentario de la televisión pública estatal y que la llamada «televisión privada», en cuyo favor postula la sociedad Antena 3, S. A., no está necesariamente impuesta por el art. 20 de la Constitución. No es una derivación necesaria del art. 20, aunque, como es obvio, no está tampoco constitucionalmente impedida. Su implantación no es una exigencia jurídico-constitucional, sino una decisión política, que puede adoptarse, dentro del marco de la Constitución, por la vía de una Ley orgánica en la medida

---

[32]   *Vid.* también la STC 74/1982, de 7 de diciembre.

en que afecte al desarrollo de alguno de los derechos constitucionalizados en el art. 20 (art. 81 de la C. E.) y siempre que, al organizarla, se respeten los principios de libertad, igualdad y pluralismo, como valores fundamentales del Estado, de acuerdo con el art. 1 de la Constitución sea como resultante de las relaciones del conjunto, sea como factores operantes dentro de cada uno de los establecimientos que actúen en el medio, ya que la preservación de la comunicación pública libre, sin la cual no hay sociedad libre, ni soberanía popular, no sólo exige la garantía del derecho de todos los ciudadanos a la expresión del pensamiento y a la información, sino que requiere también la preservación de un determinado modo de producirse de los medios de comunicación social, porque tanto se viola la comunicación libre al ponerle obstáculos desde el poder, como al ponerle obstáculos desde los propios medios de difusión. Por ello, teniendo presente que el pluralismo político se encuentra erigido en uno de los valores fundamentales del Estado de Derecho que la Constitución crea y organiza, podemos decir que para que los medios de comunicación se produzcan dentro del orden constitucional, tienen ellos mismos que preservar el pluralismo.

La televisión local por cable —STC 31/1994, de 31 de enero[33]—

La Sentencia resuelve los recursos de amparo acumulados promovidos por «Lady Cocinas, S.A.» y «Teledimo, S.A.», contra sendas Resoluciones del Gobierno Civil de Huesca, de 28 de abril de 1989, por las que se requirió a las entidades demandantes el cese en las emisiones de televisión por cable y el desmontaje de sus instalaciones, por no adecuarse su funcionamiento a la Ley 31/1987, de 18 de diciembre, de Ordenación de las Telecomunicaciones (artículo 25 LOT) y constituir el ejercicio de esa actividad una infracción administrativa tipificada en la citada Ley (Título IV) como falta muy grave, así como contra las Sentencias de la Sala de lo Contencioso-Administrativo del Tribunal Superior de Justicia de Aragón, de 20 de julio de 1989, y de la Sala Tercera del Tribunal Supremo, de 21 de marzo y 28 de junio de 1990, que las confirmaron.

FJ 7. La Constitución al consagrar el derecho a expresar y difundir libremente los pensamientos, ideas y opiniones mediante la palabra, el escrito o cualquier otro medio de reproducción [art. 20.1 a) CE] y a comunicar o recibir libremente información veraz por cualquier medio de difusión [art. 20.1 d) CE], consagra también del derecho a crear los medios de comunicación indispensables para el ejercicio de estas libertades, si bien es cierto, como hemos tenido ocasión de señalar, que no se puede equiparar la intensidad de protección de los derechos primarios directamente garantizados por el art. 20 CE y los que son en realidad meramente instrumentales de aquéllos, de modo que respecto al derecho de creación de los medios de comunicación el legislador dispone, en efecto, de una mayor capacidad de configuración, debiendo contemplar, al regular dicha materia, otros derechos y valores concurrentes, siempre que no restrinja su contenido esencial. También lo es, asimismo, que en virtud de la configuración, constitucionalmente legítima, de la televisión como servicio público, cualquiera que sea la técnica empleada y el alcance de la emisión, los derechos a comunicar libremente el pensamiento y la información pueden resultar limitados en favor de otros derechos.

Pero lo que no puede el legislador es diferir sine die, más allá de todo tiempo razonable y sin que existan razones que justifiquen la demora, la regulación de una actividad, como es en este caso la gestión indirecta de la televisión local por cable, que afecta directamente al ejercicio de un derecho fundamental como son los reconocidos en el art. 20.1 a) y d) CE, pues la ausencia de regulación legal comporta, de hecho, como ha ocurrido en los supuestos que han dado lugar a los presentes recursos de amparo, no una regulación limitativa del derecho fundamental, sino la prohibición lisa y llana de aquella actividad que es ejercicio de la libertad de comunicación que garantizan los apartados a) y d) del art. 20.1 CE, en su manifestación de emisiones televisivas de carácter local y por cable. Ni la publicatio de la actividad de difusión televisiva permite en modo alguno eliminar los derechos de comunicar libremente el

---

[33]   Existe abundante jurisprudencia sobre esta cuestión (SSTC 47/1994, de 16 de febrero; 98/1994, de 11 de abril; 240/1994, de 20 de julio; 281/1994, de 17 de octubre; 307/1994, de 14 de noviembre; 12/1995, de 16 de enero; 47/1996, de 11 de marzo), y sobre otras conexas: la imposibilidad de recibir la atribución directa de frecuencias y potencias mediante recurso de amparo (SSTC 206/1990, de 17 de diciembre; 88/1995, de 6 de junio; 171/1997, de 14 de octubre); la constitucionalidad de la regulación de la radiodifusión y de la televisión por cable como un servicio público (SSTC 79/1982, de 20 de diciembre y 73/2014, de 8 de mayo, respectivamente); la regulación de las televisiones privadas (STC 127/1994, de 5 de mayo); la titularidad de la competencia para atribuir frecuencias y potencias de las emisoras de radiodifusión de frecuencia modulada (SSTC 26/1982, de 24 de mayo; 44/1982, de 8 de julio; 248/1988, de 20 de diciembre) y televisión por cable (STC 21/1988, de 18 de febrero); la constitucionalidad de la catalogación legislativa de competiciones o acontecimientos deportivos como de interés general y la adquisición de derechos de retransmisión en televisión abierta o de pago (STC 112/2006, de 5 de abril).

pensamiento y la información (STC 206/1990, fundamento jurídico 6º; 189/1991, fundamento jurídico 3º) ni, en lo que atañe a derechos fundamentales de libertad, puede el legislador negarlos por la vía de no regular el ejercicio de la actividad en que consisten, pues no es de su disponibilidad la existencia misma de los derechos garantizados ex Constitutione, aunque pueda modular de distinta manera las condiciones de su ejercicio, respetando en todo caso el límite que señala el art. 53.1 CE
Como ha señalado reiteradamente este Tribunal, los principios constitucionales y los derechos y libertades fundamentales vinculan a todos los Poderes Públicos (art. 9.1 y 53.1 CE) y son origen inmediato de derechos y obligaciones y no meros principios programáticos, no sufriendo este principio general de aplicabilidad inmediata más excepciones que las que imponga la propia Constitución expresamente o que la naturaleza misma de la norma impida considerarla inmediatamente aplicable (SSTC 15/1982, fundamento jurídico 9º; 254/1993, fundamento jurídico 6º). Cierto es que cuando se opera con la interpositio legislatoris es posible que el mandato constitucional no tenga, hasta que la regulación se produzca, más que un mínimo contenido que ha de verse desarrollado y completado por el legislador (SSTC 15/1982, fundamento jurídico 8º; 254/1993, fundamento jurídico 6º), pero de ahí no puede deducirse sin más que la libertad de comunicación ejercitada por las entidades demandantes de amparo no forma parte del contenido mínimo que consagra el art. 20.1 a) y d) CE, de modo que deba ser protegido por todos los Poderes Públicos y, en última instancia, por este Tribunal Constitucional a través del recurso de amparo.
El legislador ha demorado, hasta el presente, el desarrollo de la televisión local por cable con el consiguiente sacrificio del derecho fundamental. En efecto, dada la escasa complejidad técnica de la regulación de su régimen concesional en atención al soporte tecnológico empleado para la emisión y la ilegalidad sobrevenida que la Ley de Ordenación de las Telecomunicaciones supuso para una actividad que con anterioridad había recibido alguna cobertura jurídica por parte de la jurisprudencia (entre otras, SSTS de 17 de noviembre y 11 de diciembre de 1986; 21 de febrero, 6, 7, 10 y 13 de marzo, 21 de abril y 10 de julio de 1987), la prohibición absoluta que para las emisiones televisivas de carácter local y por cable implica la ausencia de regulación legal sin razones que lo justifiquen constituye un sacrificio del derecho fundamental desproporcionado respecto a los posibles derechos, bienes o intereses a tener en cuenta, que, en razón de la publicatio de la actividad de difusión televisiva, podrían dar cobertura suficiente a una limitación, pero en ningún caso a una supresión de la libertad de comunicación. Puesto que dichas emisiones, dado el soporte tecnológico empleado, no suponen el agotamiento de un medio escaso de comunicación, ya que difícilmente puede ser estimable la vía pública en este supuesto como un bien escaso, ni implican, por sí y ordinariamente, restricciones al derecho de expresión de los demás, toda vez que la existencia de una red local de distribución no impide el establecimiento de otras. Por ello, sin negar la conveniencia de una legislación ordenadora del medio, en tanto ésta no se produzca, no cabe, porque subsista la laguna legal, sujetar a concesión o autorización administrativa —de imposible consecución, por demás— el ejercicio de la actividad de emisión de televisión local por cable, pues ello implica el desconocimiento total o supresión del derecho fundamental a la libertad de expresión y de comunicación que garantiza el art. 20.1 a) y d) CE
En consecuencia, las Resoluciones administrativas impugnadas, que requirieron a las demandantes de amparo el cese en sus emisiones y el desmontaje de sus instalaciones por falta de una autorización administrativa han lesionado los derechos fundamentales de las recurrentes, y ello ha de llevar derechamente al otorgamiento del amparo solicitado.

El acceso de los medios de comunicación a publicidad institucional —STC 104/2014, de 23 de junio[34]—

La Sentencia resuelve el recurso de amparo promovido por Radio Castellón, S.A. contra la providencia de la Sección Quinta de la Sala de lo Contencioso-Administrativo del Tribunal Superior de Justicia de la Comunidad Valenciana, de 21 de septiembre de 2012, que inadmitió a trámite el incidente de nulidad de actuaciones formulado frente a la Sentencia de la misma Sala, de 22 de mayo, desestimatoria del recurso de apelación que impugnaba la Sentencia de 22 de junio de 2011 del Juzgado de lo Contencioso-Administrativo núm. 1 de Castellón, así como frente a la vía de hecho del Ayuntamiento de Castellón de la Plana que originó el antedicho recurso para la protección de derechos fundamentales. Entiende la recurrente que la asignación de decenas de miles de euros de publicidad institucional a otros medios de comunicación (Onda Cero y cadena COPE), con total exclusión de la cadena SER desde principios de 2008, no cuenta con justificación suficiente que permita descartar el riesgo y la sospecha de que una aplicación laxa en la adjudicación publicitaria persiga premiar o castigar líneas editoriales, máxime cuando la demandante es líder de audiencias en la provincia de Castellón, y estando implicados principios como la adecuada utilización del erario

---

34   *Vid.* también SSTC 130/2014, de 21 de julio; 147/2014, de 22 de septiembre; 160/2014, de 6 de octubre.

público, la independencia de los medios de comunicación y el derecho de todos los ciudadanos, sigan la tendencia ideológica que fuere, a recibir la información de sus instituciones públicas.

FJ 3. La publicidad institucional es una concreción de la comunicación pública que pone en relación a los poderes públicos con los ciudadanos a través de los medios de comunicación social. Desde la perspectiva constitucional, en el presente recurso de amparo poseen relevancia dos vertientes: a) el derecho de los ciudadanos a recibir la información de interés general que emane de los poderes públicos en condiciones de igualdad y no discriminación; b) los derechos de los medios de comunicación social con ocasión de la contratación y difusión de esa información pública. Empezando por la primera vertiente citada diremos que, en tanto que facilita la difusión y recepción de información objetiva y veraz sobre asuntos de interés general, la publicidad institucional puede contribuir a concretar el derecho de los ciudadanos a recibir información (STC 14/2003, de 28 de enero, FJ 8), que queda comprendido en el art. 20.1 d) CE, toda vez que no estamos ante una publicidad que procure intereses particulares, sino, antes al contrario, otros propósitos, institucionales, inscritos en el interés general. Adicionalmente, el derecho de acceso a esas informaciones queda atravesado por el art. 14 CE, pues no cabe concebir que la comunicación con los ciudadanos que emane de los poderes públicos, de interés también público, no se canalice a los miembros de la comunidad en términos de igualdad y no discriminación.

Las distintas partes del proceso judicial previo, así como la Sala de lo Contencioso-Administrativo del Tribunal Superior de Justicia de la Comunidad Valenciana, han hecho referencia a tales fines de la publicidad institucional y a los aludidos derechos de los destinatarios. Se refieren todos ellos, para subrayarlo, a la Ley 7/2003, de 20 de marzo, de publicidad institucional de la Comunidad Valenciana, y a la Ley 29/2005, de 29 de diciembre, de publicidad y comunicación institucional. Como prueban esas normas y en todo caso la Constitución garantiza, quedan vinculados el derecho de los ciudadanos a recibir información neutral, objetiva y veraz, y el deber de los poderes públicos de proporcionarla en materias de interés general. La comunicación pública, también la de carácter publicitario informativo, por tanto, enlaza con el art. 20.1 d) CE, ya que debe asegurar la relación de la Administración con los ciudadanos a través de políticas de comunicación que fomenten su información sobre la esfera pública, el debate social, su participación crítica en la res publica, la corresponsabilidad ciudadana y el control de la acción administrativa, evitando lo que se han denominado asentimientos pasivos y comportamientos aclamativos, impulsando la transparencia frente a las zonas de secreto, mejorando la imagen de las instituciones y fortaleciendo su identidad, así como la eficacia de los servicios públicos.

En suma, en tanto que la función de aquella publicidad alcanza a intereses de la colectividad y de las instituciones comunes, los ciudadanos tienen derecho a recibir una información neutral, objetiva y veraz [art. 20.1 d) CE] y no pueden sufrir una discriminación o trato desigual en el acceso a la misma (art. 14 CE), lo que, como es obvio, no excluye campañas publicitarias sectoriales, articuladas, por poner un ejemplo, en función de los perfiles de los destinatarios (jóvenes o colectivos en riesgo de discriminación, por ilustrar la idea con sencillos ejemplos).

FJ 4. Como se dijo, también están comprometidos en esta tipología de controversias los derechos de los medios de comunicación social con los que la Administración contrata la difusión de esa información pública. Estos derechos se concretan en el respeto a un trato igualitario y no discriminatorio en la asignación publicitaria y en la necesidad de evitar incidencias negativas en el ejercicio de su función informativa [arts. 14 y 20.1 a) y d) CE]. Desde ese prisma, deberá recordarse que los medios de comunicación operan en concurrencia competitiva y que la Administración debe afianzarla, factor que, como veremos a continuación, no es en absoluto ajeno ni indiferente a las decisiones de gasto público adoptadas en la asignación de recursos económicos de publicidad institucional entre los medios de comunicación.

En efecto, los derechos fundamentales concernidos imponen un reparto equitativo de la publicidad conforme a la legalidad vigente, con criterios de transparencia e igualdad, evitando conductas discriminatorias y asegurando de ese modo una eficaz garantía de la libertad y de la independencia de los medios, afianzando a tal fin los principios de objetividad, publicidad y libre concurrencia. No son extraños esos parámetros a la garantía del pluralismo, ni puede desconectarse éste de las necesidades de financiación de los medios de comunicación, pues un trato público peyorativo en la contratación, injustificado, voluntarista o selectivo (art. 14 CE, primer inciso), o discriminatorio por razón ideológica, de tendencia u opinión (segundo inciso del precepto), podría condicionar su independencia o incluso su propia supervivencia.

Los efectos asociados o derivados para la financiación de los medios de comunicación, garantizados con dichos principios de legalidad, transparencia e igualdad y no discriminación, tienen entonces una consecuencia (siquiera mediata) en el contenido primario del art. 20 CE, habida cuenta que este Tribunal ha declarado constante e invariablemente que las libertades allí consagradas entrañan «el reconocimiento y garantía de la posibilidad de existencia de una opinión pública libre, indisolublemente unida al pluralismo político propio del Estado democrático» (por todas, entre otras muchas, recientemente, STC 19/2014, de 10 de febrero, FJ 6).

FJ 5. Debe armonizarse con lo señalado en los fundamentos jurídicos anteriores la significación de otros mandatos constitucionales. Como es sabido, la Administración pública ha de actuar con objetividad y plena sumisión a la legalidad (arts. 103.1 y 106.1 CE) y sin asomo alguno de arbitrariedad (art. 9.3 CE). Como decíamos en la STC 114/2002, de 20 de mayo, y hemos reiterado en Sentencias posteriores (por ejemplo, STC 92/2009, de 20 de abril, FJ 3), la discrecionalidad característica de ciertas decisiones administrativas no excusa la exigencia a la Administración de demostrar que los hechos motivadores de sus decisiones son legítimos o, aún sin justificar su licitud, que no tienen una naturaleza contraria a los derechos fundamentales.

De ello se infiere que aquellos principios constitucionales rectores de la actuación administrativa quedarán definidos conforme a sus propios parámetros pero resultarán también delimitados ad casum por la cobertura propia de los derechos fundamentales concernidos, al punto que no podrá hablarse de una legítima decisión de la Administración cuando en ella sean desatendidos o sufran una merma que carezca de justificación constitucionalmente admisible. No rebate esa conclusión que existan márgenes legales para una actuación discrecional en el ámbito material de que se trate, pues de nuestra jurisprudencia se desprende la ineludible limitación de dicha discrecionalidad, incluso si la ley confiere espacios de libre decisión, en atención a los derechos constitucionales concurrentes (por ejemplo, SSTC 103/1989, de 8 de junio, FJ 6, y 145/2013, de 11 de julio, FJ 8, entre otras).

FJ 8. [...] Falta [...] una justificación que objetive la decisión y permita someterla a un juicio de razonabilidad y proporcionalidad. Y en ausencia de ello no está justificada la eliminación de Radio Castellón, S.A., del reparto equitativo de la publicidad institucional. Con ese trato desigual, el Ayuntamiento de Castellón de la Plana, sin razones aptas conocidas, limita a una parte muy representativa de ciudadanos la información que aquel ente público considera necesario transmitir, y a la recurrente sus fuentes previsibles de financiación, con los efectos aparejados ya descritos ex art. 20 CE.

[...] La garantía de la opinión pública libre, que de manera mediata queda con estas prácticas potencialmente comprometida, siquiera en algún modo incidida, obligaba a un examen diferente, integrador de todas las variables en juego, no solamente la económica, medida por lo demás en función del precio formal, sin proyección proporcional de costes en función del impacto mediático de la cuña publicitaria. [...]

Cabe concluir, por consiguiente, que es contrario al art. 14 CE la exclusión absoluta de la inserción de publicidad institucional en un medio de comunicación, particularmente relevante en función de su implantación y audiencia, sin justificación administrativa alguna que objetive la decisión de conformidad con la pluralidad de elementos concurrentes. La vía de hecho del Ayuntamiento, por tanto, resulta contraria al principio de igualdad (art. 14 CE).

La garantía del pluralismo en los medios –STC 86/2017, de 4 de julio (*vid.* también ARTÍCULO 25: nota 2)-

La Sentencia resuelve el recurso de inconstitucionalidad interpuesto por cincuenta diputados del Grupo Parlamentario Popular en el Congreso en relación con diversos preceptos de la Ley 22/2005, de 29 de diciembre, de comunicación audiovisual de Cataluña, por entender que vulneran, entre otros, los artículos 20.1.a), 20.1.d), 20.2, 20.3 y 25 CE.

FJ 5. [...] [S]e impugnan también en este primer bloque los artículos 40.4 y 55.4 a) de la Ley 22/2005. Establece el primero que "La afectación al pluralismo de los medios de comunicación puede comportar la imposibilidad de la prestación de la actividad audiovisual o la revocación del título habilitante", mientras que el segundo contempla como una de las posibles causas de denegación de renovación de la licencia, "La afectación de la garantía del pluralismo de acuerdo con lo establecido por la presente Ley".

Se impugnan también, en este primer bloque, el artículo 80 de la Ley 22/2005 ("principios básicos de la regulación de los contenidos audiovisuales") y el artículo 117 de la Ley 22/2005 (potestad reglamentaria del Consejo Audiovisual de Cataluña) en relación con el artículo 132 b) de la Ley 22/2005 que califica como infracción muy grave "el incumplimiento de los principios básicos de la regulación de los contenidos audiovisuales". [...] [L]a constatación del eventual incumplimiento de los principios básicos reguladores del audiovisual establecidos en el artículo 80 de la Ley 22/2005 —y la consecuente determinación de que se ha producido una infracción muy grave sancionable con el cese provisional de la actividad— puede requerir de la previa comprobación de los términos "en que dichos principios han sido definidos y explicitados mediante instrucción del Consejo Audiovisual de Cataluña y los términos en que han sido definidos y asumidos como deberes específicos a cargo de los prestadores de servicios audiovisuales en el marco de los acuerdos establecidos con el Consejo" [art. 132 b) de la Ley 22/2005]. Los principios básicos de regulación de los contenidos audiovisuales que contiene el artículo 80 de la Ley 22/2005 se configuran en el marco del ejercicio legítimo de los derechos fundamentales de libertad de expresión y de información ... y se somete(n) a los siguientes límites: "respetar la dignidad como rasgo esencial de la personalidad humana" [art. 80 a)], "no incitar al odio por motivos de raza, sexo, religión o nacionalidad" [art. 80 b)], "respetar el derecho a la no discriminación por razón de nacimiento, raza, sexo, religión, nacionalidad o cualquier otra condición o circunstancia personal o social" [art. 80 c)], "respetar los derechos de las personas reconocidos por la Constitución española, de modo particular los derechos fundamentales al honor, a la intimidad y a la propia imagen" [art. 80 d)], "no incitar al maltrato y a la crueldad hacia los animales ni a causar daños al medio ambiente o a los bienes históricos, patrimoniales y culturales" [art. 80 e)], "hacer una separación clara entre informaciones y opiniones, y respetar el principio de veracidad en la difusión de la información. Se entiende por información veraz la que es el resultado de una comprobación diligente de los hechos" [art. 80 f)] "hacer una separación clara entre publicidad y contenido editorial" [art. 80 g)], "respetar el deber de protección de la infancia y la juventud de acuerdo con los términos establecidos por la presente ley y la legislación aplicable en esta materia" [art. 80 h)] y "respetar los códigos deontológicos aprobados por los colegios profesionales de los trabajadores que prestan servicios en los medios de comunicación" [art. 80 i)]. [...]

b) [...] En lo concerniente a esta segunda cuestión —la de la afectación del pluralismo como posible detonante de la imposición de las medidas cuestionadas—, denuncian los recurrentes la inconstitucionalidad de los artículos 40.4, 55.4 a) y 116.1 a) de la Ley 22/2005 porque su aplicación conjunta puede determinar bien la no renovación de la licencia, bien la suspensión o el cese definitivo de la prestación de servicios como consecuencia de la afectación del pluralismo, lo que supone la introducción de un criterio novedoso que convierte al "pluralismo" no sólo en parámetro de acceso (ex ante) sino también de "continuidad" en la prestación del servicio (ex post), un requisito de mantenimiento de la actividad que condiciona el ejercicio de las libertades fundamentales reconocidas en el artículo 20.1 a) y d) CE.

[...] La preservación del pluralismo en los medios de comunicación social responde al objetivo de fomentar la formación libre de la opinión pública, fundamento de nuestra sociedad democrática; a la misión de garantizar la participación política de los ciudadanos; de coadyuvar, en definitiva, a la creación de un espacio público que refleje la diversidad social, cultural, política y lingüística, tal y como hemos manifestado de forma reiterada desde la temprana STC 12/1982, de 31 de marzo, FJ 6, en la que refiriéndonos a los medios de comunicación públicos dijimos que "para que se produzcan dentro del orden constitucional tienen ellos mismos que preservar el pluralismo" y en relación a la televisión privada, que su implantación debía respetar "los principios de libertad, igualdad y pluralismo, como valores fundamentales del Estado" (y en este sentido, SSTC 172/1990, de 12 de noviembre, FJ 2; 206/1990, de 17 de diciembre, FJ 6, y 127/1994, de 5 de mayo, FJ 6).

Una de las formas de garantizar el pluralismo, aunque no la única, es la de asegurar una presencia plural de medios, tanto públicos, como privados (pluralismo externo), lo que justifica, precisamente, la imposición de determinados límites y modulaciones al ejercicio de las libertades del artículo 20 CE evitando, así, la conformación, como consecuencia de concentraciones o modificaciones de la estructura accionarial, de un monopolio de opinión o "editorial" que atente contra la diversidad a que nos hemos referido. Desde esta perspectiva la alegación de los recurrentes (que admiten la existencia de este tipo de controles ex ante; esto es, antes de iniciar las emisiones, pero no ex post o una vez iniciada la actividad) no solo no tiene en cuenta el fin que persigue este tipo de regulaciones, sino que obvia que en el sistema liberalizado actual las licencias solo son necesarias para la prestación de un determinado tipo de servicios (los que utilizan el espectro radioeléctrico) mientras que el resto de prestadores de servicios inician su actividad tras efectuar una comunicación previa que, no solo admite, sino requiere, de un control ex post del cumplimiento de todas las prescripciones que, al respecto de los límites de titularidad de acciones y de concentraciones de capital, se contienen en la ley básica y en la Ley autonómica impugnada. Se trata, como ya adelantamos (en otro contexto regulatorio) en la citada STC 127/1994, "de impedir un monopolio privado de los medios de comunicación social no menos odioso, desde la perspectiva de la exclusión del ejercicio de los derechos de otros, que el monopolio público ya abandonado, en virtud del no descartable riesgo de abusos en el mercado a causa de posiciones dominantes y prácticas restrictivas de la competencia por singulares poderes económicos" (FJ 6).

Lo expuesto nos lleva a afirmar la constitucionalidad de los artículos 40.4, 55.4 a) y 116.1 a) y c) que, por otra parte, prevén supuestos muy diversos, pues no es lo mismo la revocación de la licencia (que comporta su extinción y el consecuente cese de la actividad); que la denegación de la renovación de la licencia (que implica que la licencia se ha extinguido por transcurso del plazo y se inicia un proceso de nueva adjudicación o renovación) o la adopción de una medida cautelar de suspensión cuando el incumplimiento de las obligaciones legales que ha sido determinante de la incoación de un procedimiento sancionador pueda causar un grave e irreparable perjuicio al pluralismo. Todas estas previsiones se adecúan, por otra parte, al marco regulador establecido en las bases estatales. Así, las reglas "para el mantenimiento de un mercado competitivo, transparente y plural" que se contienen en los artículos 36 y 37 de la Ley 7/2010 constituyen un límite infranqueable para los prestadores de servicios, cuyo incumplimiento determina la comisión de una infracción (artículo 57.9 y 13 Ley 7/2010) que puede comportar bien la revocación de la licencia, bien la extinción de la comunicación previa y el consecuente cese en la prestación de servicios según dispone el artículo 60.1 b) de la Ley 7/2010 para este tipo de infracciones. La Ley 7/2010 establece, por otra parte, diversas limitaciones a la posibilidad de ser titular de una licencia de comunicación audiovisual "por razones de orden público audiovisual", entre las que se encuentra la de haber sido sancionado con la revocación de la licencia o la privación de los efectos de la comunicación previa con anterioridad.

EL DERECHO DE REUNIÓN

Artículo 21. *1. Se reconoce el derecho de reunión pacífica y sin armas. El ejercicio de este derecho no necesitará autorización previa.*
2. En los casos de reuniones en lugares de tránsito público y manifestaciones se dará comunicación previa a la autoridad, que sólo podrá prohibirlas cuando existan razones fundadas de alteración del orden público, con peligro para personas o bienes.

INTRODUCCIÓN

El artículo 1.2 de la Ley Orgánica 9/1983, de 15 de julio, reguladora del derecho de reunión, define las reuniones tuteladas por dicha Ley Orgánica como «la concurrencia concertada y temporal de más de veinte personas, con finalidad determinada». Aunque, como sabemos, el contenido de un derecho fundamental no puede entenderse vinculado a la definición que del mismo se contenga en la norma legal que lo desarrolle, lo cierto es que, con excepción del límite mínimo de personas, cuestión sobre la que el Tribunal Constitucional no se ha pronunciado aún, este Tribunal ha venido definiendo el concepto constitucional de reunión en términos coincidentes con su definición legal, mencionando como sus elementos configuradores, al menos de las reuniones celebradas en espacios públicos, «el subjetivo —una agrupación de personas—, el temporal —su duración transitoria—, el finalístico —licitud de la finalidad— y el real u objetivo —lugar de celebración» (STC 85/1988, FJ 2).

Aunque el derecho fundamental de reunión puede ejercerse tanto en privado como en público, el Tribunal Constitucional ha centrado su atención en el ejercicio público del derecho, se lleve éste a cabo de forma estática (concentración) o dinámica (manifestación), y lo ha hecho ensalzando su papel democrático. Nos encontramos, en palabras del Tribunal, ante un «derecho autónomo intermedio entre los derechos de libre expresión y de asociación», que mantiene tan íntima conexión con ambos que puede considerarse «una manifestación colectiva de la libertad de expresión ejercitada a través de una asociación transitoria» (STC 85/1988, FJ 2). El derecho de reunión es así un derecho individual en cuanto a sus titulares y colectivo en su ejercicio, que actúa como «cauce del principio democrático participativo», y que para muchos grupos sociales «es, en la práctica, uno de los pocos medios de los que disponen para poder expresar públicamente sus ideas y reivindicaciones» (STC 236/2007, FJ 6). Es, por ello, y en cuanto a su titularidad, un derecho reconocido en términos universales, que impone al legislador el reconocimiento de un contenido mínimo a la persona en cuanto tal, cualquiera que sea la situación administrativa en que se encuentre (*ibídem*).

El contenido, o ámbito de cobertura, del derecho de reunión se encuentra en buena medida definido de forma explícita en el propio artículo 21 CE. Este dispone que el derecho sólo cubre las reuniones pacíficas y sin armas; y dispone también, como parte del contenido del derecho, que su ejercicio no requerirá autorización previa. Así lo ha confirmado el Tribunal Constitucional (SSTC 59/1990, FJ 5; 115/1987, FJ 2, respectivamente). Las excepciones son las reuniones realizadas por internos en un centro penitenciario, respecto de las que la Administración penitenciaria debe ponderar «en cada caso si el pretendido ejercicio de este derecho resulta compatible con la condición de presos en general, con el cumplimiento de su pena privativa de libertad, con la seguridad y buen orden del establecimiento, con la libertad de los demás presos con los que obligadamente conviven los peticionarios y con la correcta prestación por los funcionarios del centro penitenciario de sus restantes servicios y funciones» (SSTC 119/1996, FJ 2; 71/2008, FJ 5; 10/2009, FJ 6). También ha aclarado el Tribunal que, pese a no requerir autorización previa, el artículo 21 CE sólo cubre las reuniones en espacios de tránsito público celebradas previa notificación a la autoridad gubernativa (STC 59/1990, FJ 5). Y es que, en una sociedad democrática, los espacios de tránsito público son espacios de circulación tanto como de participación. La exigencia de comunicación previa está al servicio de compatibilizar ambos usos, de que los poderes públicos puedan «adoptar las medidas preventivas necesarias para lograr esa compatibilidad» (STC 66/1995, FJ 3).

Una vez dentro del ámbito del derecho de reunión, éste pasa a cubrir, no sólo la reunión física de personas, sino todos los medios que éstas decidan utilizar para hacer llegar a la ciudadanía el mensaje que desean expresar colectivamente, trátese de megafonía, mesas o estructuras desmontables que den cobijo a la reunión, como una *haima* (STC 195/2003, FJ 6). Distinto es el uso de instrumentos que no están al servicio de una reunión, como las mesas petitorias utilizadas para aglomerar en torno a ellas una «confluencia casual» de personas. La cual no puede calificarse de reunión en el marco del artículo 21 CE, al faltar el elemento de concurrencia concertada y «un cierto grado de vinculación subjetiva de cada persona interviniente en la reunión con los restantes que participan en ella» (STC 85/1988, FJ 2). Allí donde sí nos encontramos efectivamente ante el ejercicio del derecho de reunión, los medios utilizados como instrumentales al mismo gozan de la cobertura del artículo 21 CE.

Y allí donde nos encontramos ante el ejercicio del derecho de reunión, cualquier límite a dicho ejercicio, incluidos los impuestos a los medios instrumentales al mismo, están sujetos a los requisitos que derivan del artículo 21 CE y, en general, de la Constitución para la limitación de cualquier derecho fundamental por parte de los poderes públicos. Requisitos que, como en el caso de todos los derechos fundamentales, son los poderes públicos quienes tienen la carga de argumentar que concurren en cada caso concreto (STC 195/2003, FJ 7). Así, si al limitar un derecho fundamental los poderes públicos tienen la obligación de respetar, además de su contenido esencial, el principio de proporcionalidad en la persecución de un fin constitucional legítimo, en el ámbito del artículo 21 CE este fin se concreta en la preservación del orden público. Un orden público que la Constitución identifica con la preservación de personas y bienes (artículo 21.2 CE), y que debe entenderse, pues, no «como sinónimo de respeto a los principios y valores jurídicos y meta-jurídicos que están en la base de la convivencia social y son fundamento del orden social, económico y político», como es el caso en el contexto del artículo 16 CE, sino como «una situación de hecho, el mantenimiento del orden en sentido material en lugares de tránsito público» (STC 66/1995, FJ 3).

La Constitución, en definitiva, permite que el ejercicio pacífico o no violento, el único legítimo, del derecho de reunión, pueda limitarse allí donde existen razones fundadas para pensar que puede producirse una alteración del orden público material, siempre en términos proporcionales al fin de atajar dicha posible alteración. Un orden que no se altera simplemente por los inconvenientes habituales que el ejercicio del derecho de reunión trae consigo. Para que estemos ante una alteración del orden público, en el sentido del artículo 21 CE, es preciso que se produzca «una situación de desorden material en el lugar de tránsito público afectado, entendiendo por tal desorden material el que impide el normal desarrollo de la convivencia ciudadana en aspectos que afectan a la integridad física o moral de personas o a la integridad de bienes públicos o privados», como consecuencia, por ejemplo, de «colapsos circulatorios» que impidan el acceso a zonas determinadas por la ausencia de vías de circulación alternativas (STC 66/1995, FJ 3). Todo ello al margen de supuestos en que los poderes públicos han de ponderar el ejercicio del derecho de reunión con el de otros derechos fundamentales, como la libertad religiosa (STC 195/2003, FJ 8), o el derecho de participación en asuntos públicos (artículo 23 CE), cuya tutela engloba la prohibición del ejercicio del derecho de reunión en periodo de campaña electoral cuando no haya sido promovido por partidos, federaciones, coaliciones o agrupaciones, y su finalidad sea la captación de sufragios (artículo 50.2 y 3 LOREG —STC 170/2008—). Y todo ello al margen, asimismo, de los límites a que puede verse sometido el ejercicio del derecho de reunión en el ámbito de las relaciones laborales. Aquí, éste debe «compatibilizarse con los derechos y obligaciones que nacen de la relación de trabajo y, en particular, con los derechos del empresario en cuanto a la dirección y organización del trabajo y sobre los locales y útiles de la empresa» (STC 88/2003, FJ 10). La empresa puede pues prohibir legítimamente al ejercicio del derecho de reunión con base en pautas de razonabilidad relativas a la afectación del funcionamiento de la actividad empresarial —con base, hay que entender, en el principio de estricta necesidad—.

Así entendido, y como límite del derecho de reunión, el concepto de orden público es objeto de interpretación restrictiva, siempre en el marco de las circunstancias del caso en cuestión. Lo es con independencia de que el derecho lo ejerzan personas de nacionalidad española o extranjeras (STC 236/2007, FJ 6). Y lo es incluso cuando se trata de convocatorias para el ejercicio reiterado del derecho, ejercicio reiterado que, por sí mismo, no puede considerarse contrario al orden público (SSTC 284/2005; 301/2006; 193/2011; 24/2015, de 16 de febrero). Y es que, en definitiva, apelar a la alteración del orden público para limitar a priori el ejercicio del derecho de reunión no deja de equivaler a apelar a las posibles consecuencias, meramente hipotéticas, que tendrá dicho ejercicio. De ahí que los poderes públicos deban atajar ese hipotético peligro para el orden público en los términos menos restrictivos posibles para el derecho de reunión. Así, si para ello bastara con modificar alguna/s de las circunstancias en que estaba previsto su ejercicio, como el momento y/o el lugar, no estará justificado prohibirlo. Ello es así salvo que se trate de circunstancias cuya modificación haga perder sentido al ejercicio del derecho, por formar parte del contenido reivindicativo del mismo, en cuyo caso la prohibición de la reunión estaría justificada, sin necesidad de acudir a medidas sólo en apariencia menos restrictivas (STC 66/1995, FJ 5).

A la luz de lo anterior, llama la atención que el Tribunal Constitucional introdujera el criterio de que el derecho de reunión puede ser limitado con base en la existencia de un «peligro indirecto» para el orden público, un peligro que derivaría, no del ejercicio del derecho de reunión en sí, sino de las circunstancias asociadas a él, como las dificultades que hipotéticos obstáculos circulatorios podrían ocasionar para la entrada de servicios de emergencia en una determinada zona (STC 66/1995). La desproporción de limitar el ejercicio del derecho de reunión con base en un criterio doblemente hipotético ha llevado al Tribunal Constitucional, sin renunciar a esta doctrina, a mitigar sus efectos, sometiendo el criterio del «peligro indirecto» a interpretación restrictiva, favorable al ejercicio del derecho (STC 90/2006).

Favorable al ejercicio del derecho es también la interpretación de la relevancia constitucional de los plazos legalmente establecidos para su tutela, y del incumplimiento de los mismos. El derecho de reunión es uno de los cuatro derechos fundamentales, junto con el derecho de libertad (*habeas corpus*), el derecho al honor (derecho de rectificación) y el derecho de sufragio (amparos electorales), para cuya tutela nuestro ordenamiento prevé un procedimiento sujeto a plazos especialmente breves, de cara a evitar que su protección pierda su objeto. El cumplimiento de esos plazos, legalmente establecidos en la LO 9/1983, y en el artículo 122 de la Ley 29/1998, reguladora de la jurisdicción contencioso-administrativa, es pues importante, si no crucial, para el efectivo disfrute del derecho. Su incumplimiento, con todo, sólo tendrá relevancia constitucional, vulnerando no ya el precepto legal en cuestión, sino el propio artículo 21 CE, cuando con él se impida efectivamente el ejercicio del derecho, cuando dicho incumplimiento haya sido decisivo en convertirlo en imposible (SSTC 66/1995, FJ 2; 195/2003, FJ 10). La brevedad de los plazos legales previstos para resolver recursos interpuestos contra limitaciones del derecho de reunión no afectan, sin embargo, al recurso de amparo, llegando pues la Sentencia del Tribunal Constitucional cuando el reconocimiento del derecho difícilmente podrá tener efectos reparadores de su ejercicio (STC 170/2008, FJ 5).

LEGISLACIÓN

Código Penal, artículos 513 y 514; Ley Orgánica 4/1981, de 1 de junio, de los estados de alarma, excepción y sitio; Ley Orgánica 9/1983, de 15 de julio, reguladora del derecho de reunión; Ley Orgánica 4/2015, de 30 de marzo, de protección de la seguridad ciudadana.

BIBLIOGRAFÍA

CARRILLO, M. (1995): «La tutela jurisdiccional del derecho de reunión», *ADCP* 7, pp. 49-78; EMBID IRUJO, A. (1983): «El derecho de reunión y su protección», *RAP* 100-102, pp. 575-609; GAVARA DE CARA, J.C. (1997): *El sistema de organización del ejercicio del derecho de reunión y manifestación*, Madrid: McGraw-Hill; HINOJOSA, R. (1990): «La protección jurisdiccional del derecho de reunión en el ordenamiento español», *REDC* 28, pp. 177-204; LASAGABASTER HERRARTE, I. (2004): «El derecho de manifestación en la jurisprudencia reciente de los Tribunales Superiores de Justicia», *RVAP* 68, pp. 211-250; LÓPEZ GONZÁLEZ, J.L. (1995): *El derecho de reunión y manifestación en el ordenamiento constitucional español*, Madrid: Ministerio de Justicia; LÓPEZ PORTAS, M.B. (2016): "Una aproximación al derecho de reunión y manifestación a la luz de la llamada Ley Mordaza", *RGDC* 23; PULIDO QUECEDO, M. (2000): «Sobre el derecho de reunión (A propósito de la STC 42/2000)», *RATC*, pp. 1750-1753; SAINZ MORENO, F. (2002): «Reuniones y manifestaciones ante la sede de los Parlamentos», *CDP* 15, pp. 45-76; SOLOZÁBAL ECHAVARRÍA, J.J. (2001): «La configuración constitucional del derecho de reunión», *Parlamento y Constitución* 5, pp. 103-126; TORRES MURO, I. (1991): *El derecho de reunión y manifestación*, Madrid: Civitas.

I. CONTENIDO CONSTITUCIONAL DEL DERECHO DE REUNIÓN: EL ARTÍCULO 21.1 CE

Contenido y alcance del derecho del derecho de reunión —STC 85/1988, de 28 de abril—

La Sentencia resuelve el recurso de amparo promovido por la Asociación Asturiana de Defensa de la Vida (ADEVIDA) contra la Sentencia que confirmó la resolución de la Delegación del Gobierno en Asturias de 28 de mayo de 1987, declarando improcedente la tramitación de un escrito en que la recurrente le comunicaba la celebración de una reunión para recaudar fondos, por no ser de aplicación la normativa reguladora del derecho de reunión, sino la específica de las cuestaciones públicas.

FJ 2. [...] [E]l derecho de reunión, por el lugar en que se ejercita, comprende dos clases de reuniones que están sometidas a distinto régimen jurídico en el que intervienen matices diferenciadores y, por ello, en evitación de posibles confusiones, debemos adelantar que las consideraciones que aquí hagamos vienen específicamente referidas a las reuniones en lugares de tránsito público, dado que ésta es la calificación que corresponde a la aquí pretendida.

Históricamente, el derecho de reunión surge como un derecho autónomo intermedio entre los derechos de libre expresión y de asociación, que mantiene en la actualidad una tan íntima conexión doctrinal con ellos, que bien puede decirse, en una primera aproximación al tema, que el derecho de reunión es una manifestación colectiva de la libertad de expresión ejercitada a través de una asociación transitoria, siendo concebido por la doctrina científica como un derecho individual en cuanto a sus titulares y colectivo en su ejercicio, que opera a modo de técnica instrumental puesta al servicio del intercambio o exposición de ideas, la defensa de intereses o la publicidad de problemas o reivindicaciones, constituyendo, por lo tanto, un cauce del principio democrático participativo, cuyos elementos configuradores son, según la opinión dominante, el subjetivo —una agrupación de personas—, el temporal —su duración transitoria—, el finalístico —licitud de la finalidad— y el real u objetivo —lugar de celebración.

Respecto a dicha concepción, sólo corresponde aquí destacar como ideas relevantes en este recurso, que, en cuanto al elemento subjetivo, la agrupación de personas en el derecho de reunión viene caracterizada por la nota esencial de ser una concurrencia concertada en la cual existe un cierto grado de vinculación subjetiva de cada persona interviniente en la reunión con los restantes que participan en la misma y, respecto del elemento finalístico, que la finalidad de comunicación pública, en su consideración de elemento interno, común y consustancial a toda clase de reuniones en lugares públicos, en cuyo alcance y efectos no entramos, no es confundible con la concreta finalidad que tenga la reunión, respecto de la cual procede subrayar especialmente que se trata de un elemento externo al puro contenido del derecho de reunión, cuya función se reduce a legitimar el ejercicio de éste en atención a su licitud, de manera que no se incluye en el derecho fundamental aquellas reuniones que tengan una finalidad ilícita.

Estas dos notas esenciales que dejamos destacadas —concurrencia concertada y carácter externo del fin concreto de la reunión— son predicables del concepto de derecho de reunión reconocido en el art. 21 de la Constitución, pues la ausencia de definición del derecho en este precepto constitucional, que también concurre en los arts. 21 del Pacto de Derechos Civiles y Políticos de Nueva York, de 16 de diciembre de 1966, y 11 del Convenio Europeo para la Protección de los Derechos Humanos y de las Libertades Fundamentales de Roma, de 4 de noviembre de 1950, viene suplida en el art. 1 de la Ley Orgánica 9/1983, de 15 de julio, reguladora del Derecho de Reunión, cuyos términos permiten sostener que, en nuestro ordenamiento jurídico, son elementos delimitadores o definidores del derecho de reunión, entre otros, el concierto de las personas que reúnen y la presencia de un fin lícito que actúa como condición externa de la legitimidad del derecho.

FJ 3. La aplicación de las anteriores consideraciones doctrinales al caso debatido hacen forzoso reconocer, conforme a lo alegado por el Letrado del Estado, que una cuestación efectuada mediante la instalación de mesas petitorias en la vía pública no es, en sí misma considerada, una reunión. La preconstitucional calificación de las cuestaciones y suscripciones públicas como «Asociaciones de hecho de carácter temporal» efectuada por la Disposición adicional tercera de la Ley 191/1964, de 24 de diciembre, reguladora de las Asociaciones, no vincula —cualquiera que sea el sentido que haya de atribuirse a tal calificación— a este Tribunal Constitucional. En las cuestaciones, que suponen una actividad de los asociados o, en su caso, reunidos, proyectada hacia transeúntes o terceros ajenos a la asociación o reunión, no concurren los elementos del concepto de reunión. En especial, la mera aglomeración o confluencia casual de transeúntes en torno a una mesa petitoria carece del elemento subjetivo de toda reunión, consistente, según se deja dicho en el concierto mutuo para concurrir, en el saberse participantes en una reunión.

De ahí que cualquier limitación o impedimento de que la entidad solicitante de amparo pudiera ser objeto en lo relativo a cuestaciones mediante la instalación de mesas petitorias no afectaría directamente al derecho fundamental de reunión; las cuestiones que sobre tales limitaciones o impedimentos pudieran suscitarse serían cuestiones relativas a la aplicación de la legalidad ordinaria, y más concretamente de los preceptos aplicables del Decreto 1.440/1965, de 20 de mayo, dictado en desarrollo de la Ley 191/1964, o bien de la Orden del Ministerio del Interior de 8 de junio de 1978, sobre licencias para la ocupación temporal de la vía pública con quioscos, puestos o similares. [...]

Desde el punto de vista de la finalidad, la tesis de la demanda convierte el fin de la reunión en el contenido esencial del derecho, el cual reduce a la realización del objetivo de la reunión, olvidando que éste constituye, según se deja dicho, un elemento externo, cuya licitud funciona como condición legitimadora del ejercicio del derecho, pero no como contenido del mismo en el sentido de que cualquiera actividad lícita pueda ser realizada por el cauce del derecho de reunión al margen del régimen legal y reglamentario al cual esté sometida, pues ello entraña una inaceptable desnaturalización del derecho en la que se invierten los términos que lo relacionan con su finalidad, en cuanto que es la licitud del fin la que legitima la reunión y no el derecho de reunión con fin lícito el que legaliza, por su sola invocación, la actividad a través de la cual se cumple dicho fin. Con independencia del derecho a reunirse que tengan las personas que pretenden alcanzar una finalidad lícita determinada, la actividad a realizar para satisfacerla no queda, por ello, exenta de cumplir las condiciones de legalidad que les imponga el ordenamiento jurídico y no entenderlo así conduciría a la conclusión absurda de que el derecho de reunión suprime las potestades administrativas de intervención en las actividades privadas con sólo que un número suficiente de personas decidan realizarlas.

FJ 4. Todo ello nos lleva a apreciar que no ha existido violación alguna del derecho de reunión de la solicitante de amparo. En ningún momento le fue prohibida o impedida a la recurrente la celebración de reuniones, sino que solamente le fue recordada la normativa aplicable al fin perseguido —la cuestación pública—. [...]

Contenido del derecho de reunión y su titularidad por personas extranjeras: inconstitucionalidad del requisito de autorización previa —STC 115/1987, de 7 de julio (*vid*. TITULARIDAD DE LOS DERECHOS FUNDAMENTALES)[1]—

FJ 2. [...] La necesidad de una autorización administrativa previa, referida al ejercicio del derecho de reunión, no es un requisito puramente rituario o procedimental, sobre todo porque nuestra Constitución ha optado por un sistema de reconocimiento pleno del derecho de reunión, sin necesidad de autorización previa (art. 21.1). Esta libertad de reunión sin autorización se constituye así en una facultad necesaria «para que el derecho sea reconocible como pertinente al tipo descrito» (STC 11/1981, de 8 de abril); al imponerse la necesidad de autorización administrativa se están desnaturalizando el derecho de reunión, consagrado en la Constitución «sin supeditarlo a la valoración discrecional y al acto habilitante y de poder implícito de la Administración» (STC 32/1982, de 16 de junio).

Cuando ese acto habilitante es preciso en todo caso, se condicionan hasta tal punto las facultades que lo integran, que el pretendido derecho muda de naturaleza y no puede ser reconocido como tal. Las eventuales restricciones al derecho de reunión que se mencionan en el último inciso del precepto pueden ser válidas por si mismas desde la perspectiva de mera limitación de los derechos fundamentales, pero la tutela de otros bienes constitucionales no puede justificar la introducción, como paso previo al ejercicio del derecho de reunión, de una autorización receptiva previa.

Contenido democrático del derecho de reunión y su titularidad por personas extranjeras —STC 236/2007, de 7 de noviembre (*vid*. TITULARIDAD DE LOS DERECHOS FUNDAMENTALES)—

FJ 6. [...] La nueva redacción dada por la Ley impugnada al apartado 1 del art. 7 de la Ley Orgánica 4/2000 introduce una condición para su ejercicio por parte de los extranjeros: que éstos hayan obtenido la autorización de estancia o residencia en España. La Ley recurrida establece, pues, una distinción entre españoles y extranjeros ilegales que, a juicio de la entidad recurrente, sería contraria a la Constitución por ser el derecho de reunión un derecho derivado de la dignidad humana en relación con el cual el legislador no puede establecer diferencias entre españoles y extranjeros que no se encuentran legalmente en España.

Debemos, por tanto, determinar en primer lugar la conexión del derecho de reunión con la garantía de la dignidad humana. Como ha quedado dicho en el fundamento jurídico 3, con cita de la STC 91/2000, de 30 de marzo, tal determinación requiere partir del tipo abstracto de derecho y los intereses que básicamente protege (contenido esencial) para precisar después en qué medida es imprescindible para la dignidad de la persona, acudiendo para ello a la Declaración universal de derechos humanos y los demás tratados y acuerdos internacionales ratificados por España sobre las mismas materias. [...]

Nuestra STC 284/2005, de 7 de noviembre, recogiendo anteriores pronunciamientos del Tribunal (especialmente las SSTC 195/2003, de 27 de octubre, FFJJ 3 y 4; 196/2002, de 28 de octubre, FJ 4; 66/1995, de 8 de mayo, FJ 3), ha sintetizado el contenido y significado del derecho fundamental de reunión (art. 21 CE) del siguiente modo: «el derecho de reunión, según ha reiterado este Tribunal, es una manifestación colectiva de la libertad de expresión ejercitada a través de una asociación transitoria de personas, que opera a modo de técnica instrumental puesta al servicio del intercambio o exposición de ideas, la defensa de intereses o la publicidad de problemas y reivindicaciones, y cuyos elementos configuradores son el subjetivo —agrupación de personas—, el temporal —duración transitoria—, el finalista —licitud de la finalidad— y el real y objetivo —lugar de celebración (por todas, STC 85/1988). También hemos destacado en múltiples Sentencias el relieve fundamental que este derecho —cauce del principio democrático participativo— posee, tanto en su dimensión subjetiva como en la objetiva, en un Estado social y democrático de Derecho como el proclamado en la Constitución. Para muchos grupos sociales este derecho es, en la práctica, uno de los pocos medios de los que disponen para poder expresar públicamente sus ideas y reivindicaciones. La vinculación libertad de expresión-libertad de reunión ha sido igualmente destacada por el Tribunal Europeo de Derechos Humanos en muchas de sus Sentencias; señalando a este respecto que «la protección de las opiniones y de la libertad

---

[1]   *Vid*. también las SSTC 36/1982, de 16 de junio; 236/2007, de 7 de noviembre, FJ 6; 259/2007, de 20 de diciembre, FJ 4 —**TITULARIDAD DE LOS DERECHOS FUNDAMENTALES**—.

de expresarlas constituye uno de los objetivos de la libertad de reunión» (STEDH caso Stankov, de 13 de febrero de 2003, § 85), y afirmando que «la libertad de expresión constituye uno de los medios principales que permite asegurar el disfrute efectivo del derecho a la libertad de reunión y de asociación» (STEDH caso Rekvényi, de 20 de mayo de 1999, § 58)» (FJ 3). En el mismo sentido se ha pronunciado nuestra posterior STC 163/2006, de 22 de mayo, FJ 2.

De lo dicho debe destacarse la conexión entre el derecho de reunión y la libertad de expresión, reiterada por el Tribunal Europeo de Derechos Humanos (por todas, STEDH caso Partido de la Libertad y de la Democracia, de 8 de diciembre de 1999, § 37), y el carácter participativo de este derecho en una sociedad democrática, en tanto que instrumento para la difusión de ideas y reivindicaciones por parte de grupos sociales que a menudo no disponen de otros medios para expresarse ante los poderes públicos y ante la sociedad en general.

En cuanto a lo segundo, tanto la Declaración universal de derechos humanos como los principales tratados internacionales ratificados por España parecen vincular el derecho de reunión a la dignidad que «ha permanecer inalterada cualquiera que sea la situación en que la persona se encuentre» (STC 91/2000, de 30 de marzo, FJ 7). Así, en el primer texto se proclama que «Toda persona tiene derecho a la libertad de reunión y asociación pacíficas» (art. 20.1). Por su parte, el Pacto internacional de derechos civiles y políticos de 1966 (PIDCP) dispone en su art. 21: «Se reconoce el derecho de reunión pacífica. El ejercicio de tal derecho sólo puede estar sujeto a las restricciones previstas en la ley que sean necesarias en una sociedad democrática, en interés de la seguridad nacional, de la seguridad pública o del orden público, o para proteger la salud o la moral públicas o los derechos y libertades de los demás». Finalmente, el art. 11 del Convenio europeo para la protección de los derechos humanos y las libertades fundamentales (CEDH) establece en su apartado 1: «Toda persona tiene derecho a la libertad de reunión pacífica y a la libertad de asociación, incluido el derecho de fundar, con otras, sindicatos y de afiliarse a los mismos en defensa de sus intereses». Y en el apartado 2: «El ejercicio de estos derechos no podrá ser objeto de otras restricciones que aquellas que, previstas en la ley, constituyan medidas necesarias, en una sociedad democrática, para la seguridad nacional, la seguridad pública, la defensa del orden y la prevención del delito, la protección de la salud o de la moral, o la protección de los derechos y libertades ajenos. El presente artículo no prohíbe que se impongan restricciones legítimas al ejercicio de estos derechos para los miembros de las fuerzas armadas, la policía o de la Administración del Estado».

[...] A pesar de que nuestra jurisprudencia ha relativizado la dicción literal de los artículos que reconocen derechos en el título I de nuestra Carta Magna (así, por ejemplo, en la STC 94/1993, de 22 de marzo, FJ 2), ha extraído conclusiones de las expresiones utilizadas en los preceptos constitucionales, interpretándolas precisamente de conformidad con los textos internacionales llamados por el art. 10.2 CE. Así lo hemos hecho en relación con el derecho a la tutela judicial efectiva partiendo del art. 24.1 CE («Todas las personas tienen derecho»), que, interpretado de conformidad con los preceptos equivalentes de los textos internaciones, según exige el art. 10.2 CE, nos ha conducido a afirmar que se trata de un derecho de todas las personas, reconocido a los extranjeros, con independencia de su situación jurídica (SSTC 99/1985, de 30 de septiembre, FJ 2; 95/2003, de 22 de mayo, FJ 5). Y en relación con el derecho de reunión hemos afirmado que «El art. 21.1 de la Constitución afirma genéricamente que 'se reconoce el derecho de reunión pacífica y sin armas', sin ninguna referencia a la nacionalidad del que ejerce este derecho, a diferencia de otros artículos contenidos en el título I, donde se menciona expresamente a los 'españoles', y a diferencia también de otras Constituciones comparadas donde este derecho expresamente se reserva a los ciudadanos» (STC 115/1987, de 7 de julio, FJ 2).

Por el contrario, de las expresiones como «toda persona dependiente de su jurisdicción» (art. 1 CEDH) o «los individuos que se encuentren en su territorio y estén sujetos a su jurisdicción» (art. 2 PIDCP) no puede deducirse que los textos internacionales excluyan a los extranjeros ilegales de todos los derechos que los Estados se comprometen a garantizar, y así lo admite el Abogado del Estado. [...]

Ciertamente, el precepto enjuiciado establece una equiparación entre españoles y extranjeros en cuanto a la titularidad y el ejercicio del derecho de reunión, exigiendo sin embargo un requisito para los segundos, a saber, que éstos hayan obtenido la autorización de estancia o residencia en España. Podría entenderse pues que se trata de uno de los «condicionamientos adicionales» que, como se ha dicho, el legislador puede legítimamente establecer al ejercicio de un derecho que «la Constitución reconoce directamente a los extranjeros». Pero el precepto debatido no se limita a condicionar el ejercicio del derecho de reunión por parte de los extranjeros en situación irregular sino que impide radicalmente cualquier ejercicio del mismo a las personas que se encuentren en España en aquella situación.

Por último, el Abogado del Estado alega que de los límites establecidos por los mencionados tratados a los derechos en ellos reconocidos, tales como el «orden público», se podría deducir una justificación para que el legislador sujetara el ejercicio del derecho de reunión a la autorización de estancia o residencia de los extranjeros en España. Sin embargo, tampoco este argumento puede acogerse. El derecho de reunión, como todo derecho fundamental, tiene sus límites, por no ser un derecho absoluto e ilimitado de acuerdo con la Constitución (STC 36/1982, de 16 de junio,

FJ 6), y con los tratados internacionales. Pero dichos límites se imponen al ejercicio mismo del derecho, independientemente de quien lo ejerza. Así ocurre con el «orden público con peligro para personas o bienes», que figura en el art. 21.2 CE, y que se refiere a la seguridad ciudadana estrictamente (SSTC 36/1982, FJ 6), sin que quepa realizar una interpretación extensiva de dicho límite incluyendo en el mismo la regularidad de los extranjeros en España. Y ello porque «el principio de libertad del que [el derecho de reunión] es una manifestación exige que las limitaciones que a él se establezcan respondan a supuestos derivados de la Constitución y que en cada caso resulte indubitablemente probado que se ha traspasado efectivamente el ámbito de libertad constitucionalmente fijado» (STC 101/1985, de 4 de octubre, FJ 3). Así también lo ha entendido el Tribunal Europeo de Derechos Humanos, que ha defendido una interpretación estricta de los límites al derecho de reunión fijados en el art. 11.2 CEDH, de manera que solamente razones convincentes e imperativas pueden justificar las restricciones a esa libertad (STEDH caso Sidiropoulos, de 10 de julio de 1998, § 40). En concreto, en un caso en el que aquel Tribunal admitió la limitación del derecho de reunión con base en la defensa del orden público (art. 11.2 CEDH), rechazó que «la situación irregular de la demandante fuera suficiente para justificar la vulneración de su libertad de reunión dado ... que el hecho de protestar pacíficamente contra una legislación que se está infringiendo no constituye un fin legítimo de restricción de la libertad en el sentido del art. 11.2 [CEDH]» (STEDH caso Cissé, de 9 de abril de 2002, § 50).

En suma, la definición constitucional del derecho de reunión realizada por nuestra jurisprudencia, y su vinculación con la dignidad de la persona, derivada de los textos internacionales, imponen al legislador el reconocimiento de un contenido mínimo de aquel derecho a la persona en cuanto tal, cualquiera que sea la situación en que se encuentre. En este sentido, ya hemos declarado que «'el ejercicio del derecho de reunión y de manifestación forma parte de aquellos derechos que, según el art. 10 de la norma fundamental, son el fundamento del orden político y de la paz social', por lo que 'el principio de libertad del que es una manifestación exige que las limitaciones que a él se establezcan respondan a supuestos derivados de la Constitución y que en cada caso resulte indubitablemente probado que se ha traspasado efectivamente el ámbito de libertad constitucional fijado' (STC 101/1985)» (STC 59/1990, de 29 de marzo, FJ 4). El legislador orgánico puede fijar condiciones específicas para el ejercicio del derecho de reunión por parte de los extranjeros que se encuentran en nuestro país sin la correspondiente autorización de estancia o residencia, siempre y cuando respete un contenido del mismo que la Constitución salvaguarda por pertenecer a cualquier persona, independientemente de la situación en que se encuentre. [...]

Contenido del derecho de reunión: reuniones pacíficas y sin armas, celebradas previa notificación a la autoridad gubernativa —STC 59/1990, de 29 de marzo—

La Sentencia resuelve el recurso de amparo interpuesto por cuatro recurrentes contra la Sentencia dictada por el Tribunal Supremo (Sala Segunda), de 24 de octubre de 1987, que casó y anuló la Sentencia absolutoria dictada por la Audiencia de Huelva, y le condenó por delito de desórdenes públicos. Estos se produjeron el día 14 de enero de 1984 durante una pacífica manifestación convocada por la Federación estatal del Campo de Comisiones Obreras para protestar y hacer llegar a los poderes públicos su malestar por las normas dadas por el Gobierno sobre el subsidio de desempleo, y durante la cual irrumpieron en la calzada, dificultando la circulación de vehículos durante unas dos horas. Existe constancia de que los manifestantes dejaron el paso expedito a algunos que arguyeron razones de urgencia. Finalmente desalojaron la vía, obedeciendo al requerimiento de la Guardia Civil, disolviéndose sin incidentes y quedando totalmente despejada la carretera y normalizada la circulación vial.

FJ 5. De la exégesis del art. 21 de la Constitución queda suficientemente claro que dos son los límites o requisitos constitucionales que han de cumplir los ciudadanos que decidan manifestarse en una vía pública: que la reunión sea pacifica y que anuncien a la autoridad el ejercicio de su derecho.

El primero de los enunciados requisitos es de inexcusable cumplimiento en todo tipo de manifestación, pues el único derecho que la Constitución protege es el de reunión «pacifica y sin armas», constituyendo al propio tiempo, y junto con la infracción del orden público, el único motivo por el que la autoridad gubernativa puede prohibir la realización de una manifestación en un lugar de tránsito público, puesto que el número segundo del art. 21 tan sólo condiciona el ejercicio de dicho derecho a la circunstancia de que pueda inferirse la presunción de alteración del orden público «con peligro para personas o bienes». Por esta razón, toda manifestación en la que pudieran ejercerse, tanto violencias «físicas» (cfr. STDEH de 21 de junio de 1988, asunto «Plattform Arzte für das Leben»), como incluso «morales con alcance intimidatorio para terceros» (STC 2/1982), excede los límites del ejercicio del derecho de reunión pacifica y carece de protección constitucional, haciéndose acreedora de las sanciones previstas en nuestro ordenamiento.

La obligación de comunicar, previamente, a la Autoridad gubernativa la realización de la manifestación es, por el contrario, tan sólo exigible con respecto a las reuniones «en lugares de tránsito público» (art. 21.2). En la actualidad dicha comunicación se rige por los arts. 8 y siguientes de la L. O. 9/1983, de 15 de julio, reguladora del derecho de reunión, de cuyo régimen interesa destacar. En primer lugar, que no se trata de interesar solicitud de autorización alguna (art. 3, L. O. 9/1983), pues el ejercicio de este derecho fundamental se impone por su eficacia inmediata y directa (arts. 9.1 y 10.1 CE), sin que pueda conceptuarse como un derecho de configuración legal —sino tan sólo de efectuar una declaración de ciencia o de conocimiento a fin de que la Autoridad administrativa pueda adoptar las medidas pertinentes para posibilitar tanto el ejercicio en libertad del derecho de los manifestantes como la protección de los derechos y bienes de la titularidad de terceros, estando legitimada, en orden a asumir tales objetivos, a modificar las condiciones de ejercicio del derecho de reunión e incluso, a prohibirlas, previa la realización siempre del oportuno juicio de proporcionalidad y en esta última solución extrema siempre que concurra el único motivo que la Constitución contempla para sacrificar el ejercicio de este derecho fundamental: La existencia de razones fundadas de alteración de orden público, con peligro para personas o bienes; y en segundo lugar, que dicha actuación administrativa no es reconducible a ningún género de manifestación de autotutela, pues la imposición de condiciones gravosas o la prohibición del ejercicio de este derecho fundamental es inmediatamente revisable (art. 11 de la L. O. 9/1983), por una Autoridad independiente e imparcial, como lo son los órganos de Poder Judicial, a quienes la Constitución (art. 53.2), en materia de protección de derechos fundamentales, más que la última les ha otorgado «la primera palabra».

Contenido y alcance del derecho de reunión: los medios materiales para su ejercicio —STC 195/2003, de 27 de octubre[2]—

La Sentencia resuelve el recurso de amparo promovido por don E.J.M.C. contra la Sentencia de 7 de noviembre de 2001 de la Sala de lo Contencioso-Administrativo del Tribunal Superior de Justicia de Canarias, y contra la Resolución de 26 de octubre de 2001 de la Subdelegación del Gobierno en aquella capital, en la que se imponían modificaciones, limitaciones o prohibiciones (restricción del uso de megafonía y prohibición de la instalación de mesas informativas y de una tienda de campaña saharaui o haima) a los términos en que el demandante había proyectado y comunicado la celebración de una reunión-concentración, para el día 4 de noviembre de 2001 en la plaza de la Basílica de la Candelaria, sita en la localidad de Candelaria, en apoyo de la convocatoria de un referéndum de autodeterminación en el Sahara occidental. El recurrente se queja de la violación de su derecho de reunión, en conjunción con su derecho a la tutela judicial efectiva (artículo 24.1 CE), por las restricciones a su ejercicio, y porque éstas le fueron comunicadas fuera del plazo establecido en la Ley Orgánica 9/1983, lo que le impidió obtener la tutela de los Tribunales de justicia antes de la fecha prevista para la concentración.

FJ 5. Pues bien, [...] el acto que el demandante de amparo había programado para el domingo día 4 de noviembre de 2001 en la plaza de la Basílica de la Candelaria era, efectivamente, una reunión —en su modalidad estática o de concentración— en lugar de tránsito público de las que contempla el art. 21 CE, al concurrir en el proyecto los elementos subjetivo, temporal, finalista y real u objetivo configuradores del derecho reconocido en dicho precepto constitucional. Siendo esto así, el caso que aquí nos ocupa se aleja del enjuiciado en nuestra STC 85/1988, de 28 de abril, en la que este Tribunal excluyó del ámbito del derecho de reunión el proyecto de instalación de mesas petitorias en diversas localidades al objeto de llevar a cabo una cuestación. En el caso ahora examinado, por el contrario, no estamos ante una cuestación que pudiera atraer «a una mera aglomeración o confluencia causal en torno a una mesa petitoria», pues, con independencia de que en el lugar de la concentración se pretendiera la instalación temporal de mesas —para la recepción de adhesiones escritas— y la de una «hucha humanitaria», ello no obsta, sin embargo, a que el proyecto comunicado por el demandante contuviera todos los elementos antes reseñados que configuran el objeto del derecho de reunión, entre ellos —y más significativo por lo que aquí interesa— el subjetivo consistente en «la concurrencia concertada en la cual existe un cierto grado de vinculación subjetiva de cada persona interviniente en la reunión con los restantes que participan en ella» (STC 85/1988, de 28 de abril, FJ 2).

FJ 6. Despejadas las dudas que pudieran existir sobre la naturaleza del objeto del proyecto comunicado por el demandante, y puesto que, como alega el Abogado del Estado, nunca hubo una prohibición de la reunión-concentración,

---

[2]   *Vid.* STC 124/2005, de 23 de mayo (constitucionalidad de una sanción administrativa por infracción de tráfico cometida con un vehículo que no se probó que fuera, como se alegaba, medio o instrumento de una manifestación).

ni tampoco una modificación del proyecto en cuanto a su fecha, lugar y duración, nos corresponde determinar ahora si la instalación temporal de las mesas y de la *haima* o tienda de campaña y el uso de megafonía deben entenderse amparadas por el derecho de reunión, abstracción hecha, en este primer momento, de los límites constitucionales que puedan concurrir en su utilización.

Ciertamente, el art. 10 LODR (Ley Orgánica 9/1983, de 15 de junio, modificada por la Ley Orgánica 9/1999, de 21 de abril) contempla «la fecha, lugar, duración o itinerario» como los elementos de una posible propuesta gubernativa de modificación del proyecto de reunión o manifestación. Ahora bien, dada la íntima conexión histórica y doctrinal entre la libertad de expresión y el derecho de reunión —hasta el punto que puede decirse, como en nuestras SSTC 42/2000, de 14 de febrero, FJ 2, y 196/2002, de 28 de octubre, FJ 4, que el derecho de reunión en lugares de tránsito público es «una manifestación colectiva de la libertad de expresión, ejercitada a través de una asociación transitoria de personas que opera a modo de técnica instrumental puesta al servicio del intercambio o exposición de ideas, de la defensa de intereses, o de la publicidad de problemas o reivindicaciones»— ha de entenderse que los titulares del derecho del art. 21.1 CE, al amparo del mismo, están en condiciones de decidir libremente acerca de cuáles han de ser los instrumentos o vehículos materiales a través de los cuales tratan de hacer llegar su mensaje a los destinatarios. La posibilidad de emitir en el momento de la reunión mensajes escritos o verbales —amplificados por megafonía o no— por parte de los titulares del derecho de reunión es inescindible de éste, por lo que cualquier prohibición, limitación o imposición gubernativa sobre este punto ha de incidir de modo ineludible sobre el derecho de reunión, y ello con independencia de que, como en el caso, la imposición no afecte a la fecha, lugar, duración o itinerario de la manifestación. Lo cierto es que al fin de la emisión o intercambio de ideas, mensajes, reivindicaciones, aspiraciones, denuncias o adhesiones entre manifestantes y ciudadanos son imaginables una multiplicidad de medios materiales. Su libre utilización, siempre que no suponga una desnaturalización del contenido del derecho fundamental y a salvo los límites constitucionales a los que hemos hecho referencia y que inmediatamente analizaremos, debe considerarse amparada igualmente por el derecho del art. 21.1 CE.

Desde la perspectiva expuesta, hemos de considerar comprendida dentro del derecho de reunión, y al tiempo y lugar de la celebración de la concentración que se comunicó a la Subdelegación del Gobierno en Santa Cruz de Tenerife, la posibilidad de instalar mesas «para dejar constancia escrita de su adhesión al motivo de la concentración-manifestación» y también la de una tienda de campaña en la que se repartieran panfletos y fueran exhibidos fotografías y vídeos relacionados con el problema o reivindicación que se deseaba difundir. Como señala el Ministerio Fiscal, tales aspectos accesorios de la concentración estaban directamente relacionados con los fines del acto, aun cuando dichas instalaciones supusieran una temporal ocupación del espacio de tránsito público, como por lo demás sucede en toda reunión celebrada en lugares destinados a ese fin.

II. LÍMITES DEL DERECHO DE REUNIÓN: EL ARTICULO 21.2 CE

El peligro para el orden público —STC 59/1990, de 29 de marzo (*vid. supra*)[3]—

FJ 7. Constatado el cumplimiento de los requisitos específicos que, para el lícito ejercicio del derecho de reunión pacífica en vía pública, exige el art. 21 de la Constitución, tan sólo nos resta examinar si existen otros límites constitucionales que condicionan el libre ejercicio de dicho derecho y si tales límites fueron cumplidos o no por los manifestantes.

Para la Sentencia del Tribunal Supremo, dichas limitaciones estriban en el concepto de «paz pública», que ha de verse infringida mediante acciones que «propendan a intranquilizar a las gentes… o a perturbar o impedir el funcionamiento normal de los servicios públicos» (fundamento jurídico 1.º), las cuales se concretan, en nuestro caso, en un obstáculo al libre ejercicio del derecho a la libre circulación por parte de los usuarios de la carretera nacional, objeto de la ocupación (fundamento jurídico 3.º).

De los referidos bienes o intereses jurídicos hay que descartar, en el presente caso, que los recurrentes hayan alterado la «paz pública», pues, si se declara probado, tal como ya se ha adelantado, que los recurrentes se dirigieron «en pacífica manifestación» al lugar de comisión del delito y, una vez allí, no hubo necesidad de intervención alguna de

---

3   En el mismo sentido, *vid.* las SSTC 42/2000, de 14 de febrero; 110/2006, de 3 de abril; 163/2006, de 22 de mayo; 275/2006, de 25 de septiembre; 31/2007, de 12 de febrero.

las fuerzas de la Guardia Civil, difícilmente puede colegirse que la conducta de los manifestantes fuera contraria a la «paz pública».

Por lo tanto, el único bien constitucional protegible, que podrían haber infringido los manifestantes es el derecho a la libre circulación por el territorio nacional de los conductores que hubieron de soportar el transcurso de la manifestación. Este derecho subjetivo tiene también una dimensión constitucional al estar proclamado como derecho fundamental por el art. 19 y podría, por tanto, erigirse en un límite al derecho de manifestación, pues, de conformidad con lo dispuesto en el art. 11.2 del Convenio Europeo de Derechos Humanos, el ejercicio del derecho de reunión pacífica puede ser objeto de medidas restrictivas siempre que sean «necesarias, en una sociedad democrática, para la protección de los derechos y libertades ajenos», de entre los que hay que estimar incluido el derecho «a la libre circulación de los ciudadanos por el territorio nacional» (art. 19 CE). Pero lo que también resulta obligado dilucidar es si la exclusiva protección de dicho derecho es un límite suficiente para negar el libre ejercicio del derecho de reunión pacífica y, si aquella restricción alcanzó en la práctica el grado de intensidad suficiente para permitir el sacrificio del derecho contemplado en el art. 21 de la Constitución.

FJ 8. La contestación a la enunciada pregunta ha de merecer forzosamente una respuesta negativa, porque ni la exclusiva invocación del derecho a la libertad de circulación puede legitimar la negación del derecho de manifestación, ni la limitación de aquel derecho revistió una entidad suficiente para justificar el sacrificio del derecho fundamental de reunión pacífica. [...]

Naturalmente toda reunión en «lugar de tránsito» ha de provocar una restricción al derecho a la libertad de circulación de los ciudadanos no manifestantes, que se verán impedidos de deambular o de circular libremente por el trayecto y durante la celebración de la manifestación; pero esta restricción, conforme a lo preceptuado por el art. 21.2, no legítima por si sola a la Autoridad a prohibir la reunión pacífica, sino que se hace preciso que dicha reunión en el lugar de tránsito público altere el orden público y ponga en peligro la integridad de las personas o de los bienes. Aun admitiendo que la alteración al orden público se produce cuando injustificadamente se limita el derecho a la libre circulación, es evidente que la norma constitucional exige también la creación de una situación de peligro para las personas o sus bienes, situación de peligro que, tal y como ya se ha indicado, hay que estimar cumplida cuando de la conducta de los manifestantes pueda inferirse determinada violencia «física» o, al menos, «moral» con alcance intimidatorio para terceros.

Pero en el caso que nos ocupa, ninguna de las referidas situaciones de peligro se sucedieron en la conducta de los manifestantes. Antes al contrario, la sentencia de instancia afirmó que la ocupación de la carretera se efectuó «sin peligro en ningún caso para personas o bienes» (segundo «considerando»), lo que no pudo suceder de otra manera, pues, tal y como también declara probada la referida resolución judicial la ocupación de la carretera no fue total y absoluta, «sin que se haya acreditado que los jornaleros se hubieran opuesto a alguien que instara el paso, dejando en cualquier caso expedita la vía a quienes arguyeron razones de urgencia para hacerlo».

Por consiguiente, si no se ha probado que se impidiese el paso a quien lo solicitara, tampoco se ha podido probar la restricción del derecho a la circulación de los conductores, quienes, si permanecieron pasivos, fue, posiblemente, porque voluntariamente asumieron las molestias ocasionadas por los manifestantes, con lo que tampoco cabe hablar siquiera de infracción del «orden público», máxime cuando los recurrentes ejercitaban un derecho fundamental que también integra el concepto de «orden público».

Orden público y el ejercicio reiterado del derecho de reunión —STC 284/2005, de 7 de noviembre[4]—

La Sentencia resuelve el recurso de amparo promovido por el partido político Los Verdes Comunidad de Madrid contra la Sentencia de la Sala de lo Contencioso-Administrativo del Tribunal Superior de Justicia de Madrid, de 20 de septiembre de 2002, que desestimó el recurso interpuesto contra la Resolución de la Delegación del Gobierno en Madrid, de 16 de septiembre de 2002, prohibiendo una concentración.

FJ 6. En cuanto a la posibilidad de que la convocatoria reiterada de concentraciones constituya una situación de abuso de derechos fundamentales, que justificaría la decisión de prohibir la que es objeto de este procedimiento, conviene comenzar recordando que, sobre este particular, tanto en la Resolución de la Delegación del Gobierno en Madrid, como en la Sentencia del Tribunal Superior de Justicia, se razona en el sentido de que la reiteración en

---

4   *Vid.* también la STC 301/2006, de 23 de octubre.

el ejercicio del derecho de reunión puede suponer, en sí misma, una alteración del orden público porque rompe el equilibrio de todos los derechos afectados, y que la duodécima convocatoria con el mismo objeto que las anteriores, en el corto período de dos meses, supone un ejercicio abusivo del derecho de reunión que colisiona con los derechos, también susceptibles de protección, de quienes transitan, residen y trabajan en la zona.

Dichos razonamientos no pueden ser acogidos. La Constitución ha expresado con toda claridad en el art. 21.2 CE que las autoridades sólo podrán prohibir las reuniones en lugares de tránsito público y manifestaciones cuando existan razones fundadas de alteración del orden público, con peligro para personas o bienes, regla esta que ha sido reiteradamente interpretada por nuestra jurisprudencia en el sentido de que la concentraciones sólo puede prohibirse cuando existan razones fundadas para concluir que de llevarse a cabo se producirá una situación de desorden material en el lugar de tránsito público afectado, entendiendo por tal desorden material el que impide el normal desarrollo de la convivencia ciudadana en aspectos que afectan a la integridad física o moral de personas o a la integridad de bienes públicos o privados. Consecuentemente, sólo podrá entenderse afectado el orden público al que se refiere el mencionado precepto constitucional cuando el desorden externo en la calle ponga en peligro la integridad de personas o de bienes (por todas, STC 66/1995, de 8 de mayo, FJ 3). De este modo, solamente si la reiteración en el ejercicio del derecho fundamental provoca estos problemas de orden público, como puede suceder si se pretende la ocupación indefinida o excesivamente prolongada en el tiempo de un espacio de una manera que se ponga en peligro los bienes y derechos que a las autoridades corresponde proteger, es admisible la medida de la prohibición, como se admitió en el caso examinado en la STC 66/1995, de 8 de mayo.

Es patente que esto no es lo que sucede en el supuesto que nos ocupa, en el que nos hallamos ante una concentración de dos horas, a las seis de la tarde, y en una zona en la que no se interrumpe el tráfico rodado, al tratarse de un amplio espacio de uso peatonal, de modo que no puede considerarse que lesione ni las exigencias de orden público ni derecho constitucional alguno.

El orden público, la prohibición de cortar el tráfico y el ejercicio reiterado del derecho de reunión —STC 193/2011, de 12 de diciembre[5]—

La Sentencia resuelve el recurso de amparo promovido por Comisiones Obreras de Ceuta contra la Sentencia de la Sección Primera de la Sala de lo Contencioso-Administrativo del Tribunal Superior de Justicia de Andalucía, de 30 de junio de 2010, que desestimó el recurso contencioso-administrativo interpuesto contra la Resolución de la Delegación del Gobierno en Ceuta, de 23 de julio de 2010, que acordó limitar la duración de la manifestación comunicada, y que prohibió los cortes de tráfico durante su recorrido y el uso de megafonía más allá de los límites establecidos en las ordenanzas municipales.

FJ 5. Resumida así nuestra doctrina sobre este particular, se trata de precisar ahora si la prohibición de cortar el tráfico que impone la resolución de la Delegación del Gobierno en Ceuta, confirmada posteriormente por el Tribunal Superior de Justicia de Andalucía, supone la prohibición encubierta del ejercicio del derecho de reunión del sindicato demandante, tal como se alega en el recurso de amparo; o si, por el contrario, se trata de una limitación del derecho que responde a razones fundadas de que dicho ejercicio produce alteraciones del orden público con peligro para personas o bienes; o el sacrificio desproporcionado de otros valores y derechos constitucionales, para, finalmente, comprobar si se configura como una medida proporcionada desde el punto de vista constitucional.

Para realizar nuestro análisis es preciso partir de un dato fundamental: la resolución de la Delegación del Gobierno cuestionada no prohíbe la celebración de las manifestaciones convocadas en plazo sino que condiciona el modo de su celebración de forma tal que, al menos en una primera aproximación, no parece que el contenido de las ideas o las reivindicaciones que pretenden expresarse y defenderse mediante el ejercicio del derecho de manifestación y concentración pública se haya sometido a controles de oportunidad política o a juicios en los que se emplee como canon el sistema de valores que cimientan y dan cohesión al orden social en un momento histórico determinado, controles sobre el contenido del discurso reivindicativo proscrito por nuestra Constitución. En efecto, «al ponderar la aplicación [d]el límite del art. 21.2, los poderes públicos deben garantizar el ejercicio del derecho de reunión por parte de todos

---

5   La STC 42/2000, de 14 de febrero, estableció que el corte de tráfico realizado durante una manifestación y no previsto en la comunicación a la autoridad gubernativa queda con todo amparado por el artículo 21 CE, al no haber probado dicha autoridad que supusiera peligro para el orden público, por lo que la sanción administrativa impuesta a los convocantes vulneró su derecho de reunión.

en condiciones de igualdad y sin discriminación alguna en razón del contenido de los mensajes que los promotores de las concentraciones pretenden transmitir (salvo, claro es, que ese contenido infrinja la legalidad)» (por todas, STC 163/2006, de 22 de mayo, FJ 2). Decíamos, pues, que, en esta primera aproximación al caso que enjuiciamos, la limitación introducida por la Delegación del Gobierno no parece afectar a ese contenido sustancial (o material) del derecho de reunión en tanto que expresión colectiva de un determinado discurso, sino a lo que podríamos llamar sus circunstancias adjetivas (o formales) —relativas al modo, al lugar y al tiempo en que se ejerce el derecho— en uso de la facultad que otorga el art. 10 de la Ley Orgánica reguladora del derecho de reunión, de proponer modificaciones de fecha, lugar, duración o itinerario de la manifestación, como medidas tendentes, precisamente, a compatibilizar los derechos y bienes constitucionales implicados (STC 66/1995, de 8 de mayo, FJ 3).

Interesa también destacar que no todas las circunstancias que hemos venido en llamar «adjetivas» tienen la misma relevancia. Algunas de ellas inciden de manera inevitable en la propia esencia del derecho de manifestación y otras, en cambio, no resultan decisivas. Así, por ejemplo, la fecha de la manifestación afecta, de manera inevitable, al derecho de reunión cuando la convocatoria tiene como objeto conmemorar un hecho histórico o político que se celebra mundialmente en un día determinado —STC 96/2010, de 15 de noviembre, FJ 5 (en relación a la manifestación convocada por la «Plataforma 8 de marzo de Sevilla», en el día internacional de la mujer que coincidió con la jornada de reflexión electoral)—. También hemos considerado en reiteradas ocasiones que el lugar de celebración de la manifestación es un «elemento objetivo configurador del derecho de reunión [que] tiene en la práctica un relieve fundamental ya que está íntimamente relacionado con el objetivo de publicidad de las opiniones y reivindicaciones perseguido por los promotores por lo que ese emplazamiento condiciona el efectivo ejercicio del derecho» (STC 163/2006, de 22 de mayo, FJ 3, con cita de la STC 66/1995, de 8 de mayo, FJ 3) haciendo posible la visibilidad y la repercusión pública del mensaje manifestado. Será la naturaleza del lugar, o la estructura o patrón de las normales actividades que en él se realizan, los que dicten qué regulación de tiempo (duración), lugar y modo resulta razonable y compatible con el ejercicio de reunión.

De lo argumentado hasta este momento no puede sostenerse, como pretende el sindicato demandante de amparo, que la prohibición de cortar el tráfico rodado incida de forma decisiva en el ejercicio del derecho del art. 21 CE, de forma tal que pueda considerarse como una prohibición encubierta del mismo, pues ni se impide la celebración de la manifestación ni se modifican circunstancias adjetivas decisivas como pudieran ser el itinerario marcado (que transcurre entre las calles comprendidas entre la Delegación del Gobierno y el Palacio de la Asamblea; esto es, las instituciones ante las que los manifestantes quieren hacer valer sus reivindicaciones), el calendario de las manifestaciones (que forman parte de una campaña) o la hora de celebración, habiendo sido aceptada por el sindicato la reducción de la duración total de la marcha. La prohibición de cortar el tráfico no puede asimilarse, como parece deducirse del escrito de demanda, a una modificación del itinerario; ni tampoco a una prohibición absoluta de la marcha por implicar una disolución de la manifestación al llegar al cruce y la posterior (y nueva) concentración ante el Ayuntamiento (perspectiva ésta que supone una fragmentación artificial del problema). Se trata, como el propio sindicato demandante reconoce, de continuar la marcha bien por las aceras, bien cruzando por el paso establecido a tal efecto. En cualquier caso, y con la perspectiva apuntada —la de que estamos ante una modulación «adjetiva» del ejercicio del derecho de reunión, aparentemente no desvirtuadora del contenido esencial de derecho— debemos analizar ahora la existencia de razones fundadas que justifiquen la imposición de ese límite y su proporcionalidad, teniendo en cuenta que es a la autoridad gubernativa a quien corresponde motivar y aportar las razones que, desde criterios constitucionales de proporcionalidad, expliquen por qué el derecho de reunión ha de verse limitado. […]

Pues bien, sin necesidad de asumir en su integridad las conclusiones alcanzadas en la resolución gubernativa impugnada, las circunstancias fácticas puestas de relieve en la misma constituyen una motivación suficiente, y no meramente formal como sostiene el Fiscal, de las limitaciones del derecho de reunión acordadas por la Delegación del Gobierno puesto que, como señala el Tribunal Superior de Justicia de Andalucía, «la efectividad y diversidad de los daños producidos se vinculan en relación causa-efecto con los cortes de tráfico mencionados»; a lo que se añade la gravedad de su reiteración diaria, desde hace más de seis meses y la extensión temporal de los cortes de tráfico, que también se especifica en la resolución administrativa. Así, las limitaciones impuestas no se justifican en la resolución administrativa por «genéricas» dificultades de circulación, sino que se fundamentan en hechos y problemas concretos que, en este caso, adquieren una especial relevancia por la habitualidad o reiteración de las manifestaciones convocadas. Esta habitualidad comporta, en cierta forma, una ruptura de la «transitoriedad» implícita a la manifestación (como versión dinámica del derecho reconocido en el art. 21 CE); supone una prolongación y un incremento de intensidad en la ocupación del espacio público. En suma, si bien es cierto, como hemos señalado ya, que no toda interrupción del tráfico provoca per se una alteración del orden público (STC 163/2006, de 22 de mayo), debemos convenir con la Delegación del Gobierno en que la prolongación de esos cortes de tráfico como consecuencia de la convocatoria diaria de las manifestaciones en cuestión, durante varios meses, los días laborales y en horas punta, pueden constituir por su habitualidad y por la intensidad de afectación a otros bienes y derechos constitucionalmente protegibles —especialmente la libre circulación de personas—, una alteración del orden público —entendido como desorden material— que puede justificar la imposición de límites al ejercicio de aquel derecho.

Con ello no quiere decirse, y es preciso recalcar este punto, que el mero hecho de ejercer de forma reiterada el derecho de manifestación suponga un abuso o ejercicio extralimitado del mismo, como parece pretender la Delegación del Gobierno y, en este proceso, el Abogado del Estado. Hemos rechazado expresamente razonamientos similares —como que la reiteración en el ejercicio del derecho de reunión supone, en sí misma, una alteración del orden público porque rompe el equilibrio de todos los derechos afectados— porque «solamente si la reiteración en el ejercicio del derecho fundamental provoca estos problemas de orden público, como puede suceder si se pretende la ocupación indefinida o excesivamente prolongada en el tiempo de un espacio de una manera que se ponga[n] en peligro los bienes y derechos que a las autoridades corresponde proteger, es admisible la medida de la prohibición, como se admitió en el caso examinado en la STC 66/1995, de 8 de mayo» (SSTC 284/2005, de 7 de noviembre, FJ 6 y 301/2006, de 23 de octubre, FJ 4). En efecto, ni la reiteración en el ejercicio del derecho de reunión, legitima su prohibición sin la concurrencia de otras razones que la justifique; ni es admisible que la autoridad gubernativa se apoye en el argumento de la habitualidad para entender conseguido el objetivo de publicidad de las protestas, buscado por los manifestantes, negando la utilidad o la necesidad del derecho de manifestación, como argumenta el Abogado del Estado —aspecto éste al que también nos referimos en la citada STC 301/2006, FJ 4, en relación con el argumento de la Delegación del Gobierno de Madrid de que «la problemática surgida en torno a Sintel ya había sido objeto de numerosas manifestaciones»—, pues entonces sí se estaría afectando al contenido esencial del derecho de reunión.

Lo anterior no obsta, sin embargo, a que la reiteración o habitualidad en el ejercicio del derecho sí pueda configurarse como una variable que, en función de las características concretas del caso, coadyuve a la justificación de la imposición de condicionamientos o limitaciones al ejercicio del derecho de manifestación, tal como adelantábamos unas líneas más arriba. En definitiva, resulta evidente que si la Delegación del Gobierno en Ceuta hubiese prohibido las manifestaciones convocadas podríamos encontrarnos ante una medida desproporcionada y por tanto vulneradora del art. 21 CE. La situación, sin embargo, es diferente. En primer lugar, y es preciso reiterarlo, porque la autoridad gubernativa no ha impedido la celebración de las diversas manifestaciones convocadas en plazo, sino que la prohibición se circunscribe al corte de tráfico (en los dos cruces antes señalados). En segundo lugar, porque, contra lo sostenido por el sindicato CC OO de Ceuta, la prohibición de cortar el tráfico, no puede calificarse como una prohibición encubierta del ejercicio de su derecho pues, como vimos antes, se trata de una «circunstancia adjetiva» del derecho de manifestación de los convocantes que, en este caso en particular, no incide de forma inevitable en su contenido, afectando a su ejercicio. De hecho, los manifestantes no siempre han paralizado el tráfico en el desarrollo de la manifestación, como se deduce de los informes de la policía local, sin que el hecho de tener que circular por las aceras durante un tramo, o cruzar por el paso de viandantes vacíe de contenido el derecho de manifestación que invocan.

En conclusión, los hechos relacionados en la resolución gubernativa en conjunción con la habitualidad o reiteración del ejercicio del derecho por parte de los manifestantes, suponen una razón fundada, una motivación suficiente y concreta de las modulaciones del derecho de reunión y manifestación tendentes a evitar o intentar reparar el sacrificio desproporcionado de otros bienes constitucionales, en concreto, de la libertad de circulación del resto de ciudadanos no manifestantes. Sin olvidar que el sindicato demandante ha podido llevar a cabo su campaña de manifestaciones, entendemos que en este caso la Delegación del Gobierno ha realizado la ponderación casuística que le es exigible constitucionalmente, motivando suficientemente la adopción de la medida en cuestión por razón del sacrifico desproporcionado de la libertad de circulación que han venido asumiendo los vecinos de esa zona de Ceuta de forma prolongada e intensiva.

Sobre este aspecto, y en la misma línea, también se ha pronunciado el Tribunal Europeo de Derechos Humanos que, en su Sentencia de 6 de marzo de 2007, asunto Çiloğlu et alii c. Turquía, considera compatible con el art. 11 del Convenio europeo para la protección de los derechos humanos y las libertades fundamentales la disolución de una manifestación organizada por los demandantes, estimando, entre otros argumentos, que «la concentración en un lugar público, repitiéndose cada sábado por la mañana desde hacía más de tres años había adquirido un carácter casi permanente, que perturbaba así la circulación y causaba una alteración del orden público». Así pues, «en las circunstancias concretas de la causa y habida cuenta de la duración y el número de manifestaciones precedentes, las autoridades reaccionaron en el marco del margen de apreciación reconocido a los Estados en estas materia» por lo que no se produce la violación aducida del art. 11 del Convenio.

El ejercicio reiterado del derecho de reunión y su alegada pérdida de objeto —STC 24/2015, de 16 de febrero—

La Sentencia resuelve el recurso de amparo promovido por la Confederación Sindical de Comisiones Obreras de Andalucía contra la Resolución de la Subdelegación del Gobierno en Jaén, de 27 de febrero de 2014, que prohibió las manifestaciones convocadas por la recurrente para los días 10, 11, 12, 13, 17, 18 y 19 de marzo de 2014 en la localidad de Úbeda (Jaén), y contra la Sentencia de la Sala de lo Contencioso-Administrativo del Tribunal Superior de Justicia de Andalucía, de 7 de mayo de 2014, en procedimiento especial para la tutela del derecho de reunión, que confirmó dicha Resolución.

FJ 4. […] [S]e produce aquí —como antes se avanzó— una novedad respecto a los citados precedentes (que es la que justifica el pronunciamiento sobre el fondo; lo anterior no pasa de ser un recordatorio de nuestra doctrina). Esa novedad es que tanto la resolución de la Subdelegación del Gobierno en Jaén, objeto de este recurso de amparo, como el escrito de alegaciones presentado por el Abogado del Estado ante este Tribunal en defensa de aquélla, argumentan que no es tanto que esa reiteración constituya per se una alteración del orden público, sino que lo que verdaderamente produce esa repetición es que las nuevas manifestaciones carezcan de utilidad, pues —se dice— nada añaden al mensaje y a la reivindicación de los manifestantes, que ya habría tenido difusión y notoriedad debido a las anteriores marchas convocadas y celebradas con el mismo objeto.

El razonamiento no puede ser admitido. Ni la preceptiva neutralidad de los poderes públicos ante el ejercicio de los derechos fundamentales tolera controles sobre el contenido del mensaje a difundir, salvo que el mismo infrinja la legalidad (STC 163/2006, de 22 de mayo, FJ 2), ni el hecho de que la manifestación sea una técnica instrumental puesta al servicio de la exposición de ideas permite sostener que, lanzado el mensaje, el derecho de manifestarse para reivindicarlo pueda quedar consumido o agotado. Ni la manifestación persigue solamente ese propósito, pues sirve también, entre otros, para el intercambio de opiniones entre los manifestantes y, sobre todo, como cauce para la participación democrática de los ciudadanos en la vida pública [por todas, STC 90/2006, de 27 de marzo, FJ 2 a)], lo que vincula ese derecho con el principio democrático y el valor superior «pluralismo político» proclamados en el art. 1.1 CE, ni, tomando en consideración solamente esa finalidad ad extra, el razonamiento puede justificar la prohibición. La razón es bien simple: no estando limitada la libertad de expresión por este motivo [cfr. art. 20.1 a) CE], no puede estarlo tampoco el vehículo que, según el razonamiento de la Administración, se habría utilizado solamente para amplificar los pensamientos, ideas y opiniones que los asistentes quieren expresar y difundir.

La noción de peligro indirecto para el orden público —STC 66/1995, de 13 de mayo—

La Sentencia resuelve el recurso de amparo promovido por la Federación de Banca, Ahorro, Seguros y Oficinas de la Unión General de Trabajadores (FEBASO-UGT) contra la Sentencia de la Sección Novena de la Sala de lo Contencioso-Administrativo del Tribunal Superior de Justicia de Madrid, de 4 de junio de 1992, que resolvió el recurso contra la Resolución de la Delegación del Gobierno en Madrid, de 25 de mayo de 1992, que prohibió la celebración de una concentración convocada por la recurrente, por estimar que «el lugar elegido por los convocantes […] constituye una zona de elevadísima intensidad media en la circulación de vehículos», en la que la reunión programada «provocaría un total colapso de tráfico, que afectaría […] a ejes circulatorios esenciales» así como a la seguridad vial que «se integra en […] la seguridad pública y es fundamental para garantizar los servicios públicos esenciales en zona de paso y ejes de tránsito básicos para la ciudad (policía, bomberos, ambulancias…)», por todo ello concluye que «la realización de la concentración convocada […] va a incidir gravemente en la perturbación del tráfico y el orden público ciudadano […] concurriendo en consecuencia las razones previstas en el art. 10 de la Ley Orgánica 9/83», es decir, «razones fundadas de que puedan producirse alteraciones del orden público, con peligro para las personas o bienes».

FJ 3. […] [A]l igual que los demás derechos fundamentales, el derecho de reunión no es un derecho absoluto o ilimitado. El propio texto constitucional en su art. 21.2 establece explícitamente, como límite específico al ejercicio de ese derecho fundamental, que ese ejercicio no puede producir alteraciones del orden público con peligro para personas y bienes. La cuestión de fondo que aquí enjuiciamos es, precisamente, la de la corrección constitucional de la ponderación efectuada por la autoridad gubernativa, confirmada por e órgano judicial, entre el ejercicio del derecho de reunión —en su modalidad de concentración o reunión estática en lugar de tránsito público— y el referido límite constitucional, todo ello desde la perspectiva, propia del caso, de la repercusión de ese ejercicio en la circulación de vehículos por vías urbanas que soportan una importantísima densidad de tráfico.

El primer requisito impuesto por la Constitución para poder aplicar el límite del art. 21.2 es la existencia de «razones fundadas» de alteración del orden público. Para que pueda prohibirse una concentración no basta, pues, la mera sospecha o la posibilidad de que la misma produzca esa alteración, sino que quien adopta esta decisión debe poseer datos objetivos suficientes, derivados de las circunstancias de hecho concurrentes en cada caso, a partir de los que cualquier persona en una situación normal pueda llegar racionalmente a la conclusión, a través de un proceso lógico basado en criterios de experiencia, que la concentración producirá con toda certeza el referido desorden público —naturalmente, con toda la certeza o la seguridad que puede exigirse a un razonamiento prospectivo aplicado al campo del comportamiento humano—. En cualquier caso, como advierte correctamente la recurrente, si existen dudas sobre la producción de estos efectos, una interpretación sistemática del precepto constitucional lleva a la necesaria aplicación del principio de favor libertatis y a la consiguiente imposibilidad de prohibir la realización de la concentración.

En cuanto al contenido del límite previsto en el art. 21.2 CE, la «alteración del orden público con peligro para personas o bienes», debe advertirse de entrada que para delimitar su alcance no resulta ni necesario en la práctica ni correcto en el plano teórico, entrar a definir de modo abstracto y general el concepto de orden público. Esto es así porque el mentado precepto constitucional no se refiere genéricamente al orden público sin más, sino al orden público con peligro para personas o bienes y esta situación de peligro, como comprobaremos de inmediato, no es un elemento adjetivo que simplemente modula o califica externamente un concepto previo de orden público, sino un elemento sustantivo que define el contenido de ese concepto. Por otra parte, esta noción de orden público con peligro para personas o bienes debe analizarse en el contexto del precepto constitucional del que forma parte, es decir, como límite del derecho fundamental de reunión en lugares de tránsito público.

Desde esta perspectiva, para resolver la cuestión así acotada basta con señalar lo siguiente: primero, que, interpretado ese concepto de orden público con peligro para personas y bienes a la luz de los principios del Estado social y democrático de Derecho consagrado por la Constitución, debe entenderse que esa noción de orden se refiere a una situación de hecho, el mantenimiento del orden en sentido material en lugares de tránsito público, no al orden como sinónimo de respeto a los principios y valores jurídicos y metajurídicos que están en la base de la convivencia social y son fundamento del orden social, económico y político. El contenido de las ideas o las reivindicaciones que pretenden expresarse y defenderse mediante el ejercicio del derecho de manifestación y concentración pública no puede ser sometido a controles de oportunidad política ni a juicios en los que se emplee como canon el sistema de valores que cimentan y dan cohesión al orden social en un momento histórico determinado. Al ponderar la aplicación el límite del art. 21.2, los poderes públicos deben garantizar el ejercicio del derecho de reunión por parte de todos en condiciones de igualdad y sin discriminación alguna en razón del contenido de los mensajes que los promotores de las concentraciones pretenden transmitir (salvo, claro es, que ese contenido infrinja la legalidad).

En segundo lugar, y como consecuencia de lo dicho anteriormente, las concentraciones tan sólo pueden prohibirse, en aplicación del límite previsto en el art. 21.2 CE, cuando existan razones fundadas para concluir que de llevarse a cabo se producirá una situación de desorden material en el lugar de tránsito público afectado, entendiendo por tal desorden material el que impide el normal desarrollo de la convivencia ciudadana en aspectos que afectan a la integridad física o moral de personas o a la integridad de bienes públicos o privados. Estos son los dos elementos que configuran el concepto de orden público con peligro para personas y bienes consagrado en este precepto constitucional. Ciertamente, el normal funcionamiento de la vida colectiva, las pautas que ordenan el habitual discurrir de la convivencia social, puede verse alterado por múltiples factores, que a su vez pueden afectar a cuestiones o bienes tan diversos como la tranquilidad, la paz, la seguridad de los ciudadanos, el ejercicio de sus derechos o el normal funcionamiento de los servicios esenciales para el desarrollo de la vida ciudadana; sin embargo, sólo podrá entenderse afectado el orden público al que se refiere el mentado precepto constitucional cuando el desorden externo en la calle ponga en peligro la integridad de personas o de bienes.

Con todo, debe precisarse que ese peligro no es sinónimo de utilización de la violencia sobre personas o cosas por parte de quienes participan en las concentraciones. Las reuniones no pacíficas —y así deben considerarse cabalmente a aquellas en las que los participantes llevan a cabo actos violentos— ya resultan excluidas del derecho de reunión por el primer párrafo de este precepto. El párrafo segundo del art. 21 CE no delimita el contenido del derecho de reunión, sino que establece un límite a su ejercicio y otorga a los poderes públicos una facultad que, como veremos, estos deben ejercer proporcionadamente, de modo que, por ejemplo, antes de prohibir una concentración por esta causa, deben proponer las modificaciones que permitan el ejercicio del derecho. Si la cláusula «con peligro para personas o bienes» fuese sinónimo de reunión no pacífica no cabría otra alternativa que su prohibición, puesto que se trataría de una acción ajena o no integrada en el referido derecho. Así, pues, si se da, como debe darse, un contenido propio y específico al límite del derecho de reunión consagrado en el art. 21.2 CE y a la facultad por él atribuida a los poderes públicos, deberá concluirse que en su ámbito se incluyen los peligros para personas o bienes derivados de las acciones violentas que puedan derivarse de la celebración pacífica de la concentración, ya sea porque la misma cree situaciones que provoquen directamente esos peligros, ya porque imposibilite la realización de actividades tendentes a evitar o a paliar los citados peligros.

Aplicando estas premisas al caso de las concentraciones que afectan a la circulación de vehículos por las vías de tránsito público lo primero que cabe afirmar es que sólo en supuestos muy concretos podrá concluirse que la afectación del tráfico conlleva una alteración del orden público con peligro para personas o bienes. Es cierto que la paralización del tráfico con la finalidad primordial de alterar la paz pública no constituye un objeto integrable en el derecho de reunión en lugares de tránsito público, cuyo objeto, como hemos expuesto anteriormente, es el intercambio y la comunicación pública de ideas y reivindicaciones. Sin embargo, no es menos cierto que por su propia naturaleza el ejercicio de ese derecho requiere la utilización de los lugares de tránsito público y, dadas determinadas circunstancias, permite la ocupación, por así decir, instrumental de las calzadas. En suma, la celebración de este tipo de reuniones suele producir trastornos y restricciones en la circulación de personas y, por lo que aquí interesa, de vehículos que se ven impedidos de circular libremente por el lugar en el que se celebra la reunión (STC 59/1990). En una sociedad democrática, el espacio urbano no es sólo un ámbito de circulación, sino también un espacio de participación. Precisamente, para hacer compatibles estos dos usos de los lugares de tránsito público, el art. 21.2 CE ha establecido la exigencia de la comunicación previa al objeto de que los poderes públicos puedan adoptar las medidas preventivas necesarias para lograr esa compatibilidad. Concretamente desde la perspectiva del art. 21.2 CE, para poder prohibir la concentración deberá producirse la obstrucción total de vías de circulación que, por el volumen de tráfico que soportan y por las características de la zona —normalmente centros neurálgicos de grandes ciudades—, provoquen colapsos circulatorios en los que, durante un período de tiempo prolongado, queden inmovilizados vehículos y se impida el acceso a determinadas zonas o barrios de la ciudad por imposibilidad de que la autoridad gubernativa habilite vías alternativas de circulación. En estos supuestos de colapso circulatorio con inmovilización e imposibilidad de acceso a determinadas zonas por inexistencia de vías alternativas, como se dijo en la citada STC 59/1990, puede resultar afectado el orden público con peligro para personas o bienes si, por ejemplo, resulta imposibilitada la prestación de servicios esenciales con incidencia en la seguridad de personas o bienes, como son los servicios de ambulancias, bomberos, policía o urgencias médicas.

Así, pues, no cualquier corte de tráfico o invasión de calzadas producido en el curso de una manifestación o de una concentración puede incluirse en los límites del art. 21.2 CE. Para poder restringir el ejercicio del derecho de reunión deberán ponderarse, caso a caso, todas las circunstancias específicas concurrentes en cada una de las reuniones que pretendan llevarse a cabo al objeto de determinar si efectivamente existen razones fundadas para creer que el colapso circulatorio tendrá las características y los efectos antes descritos. Por ello no puede admitirse, como bien advierte la recurrente, la afirmación genérica de que determinadas calles o zonas de una ciudad no son idóneas para el ejercicio del derecho de manifestación o de reunión debido a la densidad de tráfico que circula por ellas por término medio. Para prohibir las reuniones no puede invocarse una genérica conflictividad circulatoria, ya que, incluso en esas zonas de densa circulación, pueden darse casos en los que las circunstancias específicas de las reuniones convocadas —por ejemplo, la hora, el carácter festivo del día, el previsible escaso número de asistentes o la garantía de no obstrucción prolongada de calzadas— lleven a la convicción de que no existen razones fundadas de que la reunión va a producir un colapso circulatorio que altere el orden público con peligro para personas o bienes.

Esa ponderación casuística corresponde hacerla a los poderes públicos y en especial a la autoridad gubernativa que, en el supuesto de que decida prohibir la concentración, dado que se trata de limitar el ejercicio de un derecho fundamental y en atención a lo establecido explícitamente en el art. 21.1 CE, que habla de la existencia de «razones fundadas», debe: a) motivar la Resolución correspondiente (STC 36/1982); b) fundarla, esto es, aportar las razones que le han llevado a la conclusión que de celebrarse se producirá la alteración del orden público proscrita, y c) justificar la imposibilidad de adoptar las medidas preventivas necesarias para conjurar esos peligros y permitir el efectivo ejercicio del derecho fundamental. La autoridad gubernativa debe arbitrar las medidas adecuadas para garantizar que las concentraciones puedan llevarse a cabo en los lugares y horas programados sin poner en peligro el orden público; desviando, por ejemplo, el tráfico por otras vías o prohibiendo la ocupación prolongada de las calzadas y disponiendo los instrumentos necesarios para hacer efectiva tal prohibición. Sólo podrá restringirse el ejercicio del derecho de reunión cuando estas medidas preventivas resulten imposibles de adoptar, o sean infructuosas para alcanzar el fin propuesto —por ejemplo, porque no permitan hacer accesible la zona afectada—, o sean desproporcionadas —por ejemplo, cuando los posibles itinerarios alternativos supongan retrasos o rodeos irrazonables. Por último, y en relación con lo que acaba de decirse, debe advertirse que incluso en los supuestos en los que existan razones fundadas de que una concentración puede producir alteraciones del orden público con peligro para personas y bienes, la autoridad gubernativa, aplicando criterios de proporcionalidad, antes de prohibirla deberá utilizar, si ello es posible, la facultad que le reconoce el art. 10 de la Ley Orgánica 9/1983 y proponer las modificaciones de fecha, lugar o duración al objeto de que la reunión pueda celebrarse.

Por último, y en relación con lo que acaba de decirse, debe advertirse que incluso en los supuestos en los que existan razones fundadas de que una concentración puede producir alteraciones del orden público con peligro para personas y bienes, la autoridad gubernativa, aplicando criterios de proporcionalidad, antes de prohibirla deberá utilizar, si ello es posible, la facultad que le reconoce el art. 10 de la Ley Orgánica 9/1983 y proponer las modificaciones de fecha, lugar o duración al objeto de que la reunión pueda celebrarse.

Es esta última, sin embargo, una facultad que la Administración no puede ejercer de forma totalmente discrecional (STC 36/1982), y que viene condicionada por la programación realizada por los promotores. Esto hará que, en ocasiones, la utilización de esta facultad de introducir modificaciones resulte vedada o, cuando menos, sometida a importantes condicionamientos. Por ejemplo, respecto a las alteraciones relativas al lugar de concentración o manifestación, la autoridad gubernativa deberá tener presente que este elemento objetivo configurador del derecho de reunión tiene en la práctica un relieve fundamental, ya que está íntimamente relacionado con el objetivo de publicidad de las opiniones y reivindicaciones perseguido por los promotores por lo que ese emplazamiento condiciona el efectivo ejercicio del derecho. En realidad, en ciertos tipos de concentraciones el lugar de celebración es para los organizadores la condición necesaria para poder ejercer su derecho de reunión en lugares de tránsito público, puesto que del espacio físico en el que se desenvuelve la reunión depende que el mensaje que se quiere transmitir llegue directamente a sus destinatarios principales. Esto acontece, por ejemplo, en los supuestos en los que los reunidos pretenden hacer llegar sus opiniones o sus reivindicaciones, no sólo a la opinión pública en general o a los medios de comunicación, sino muy particularmente a determinadas entidades o, mejor, a determinadas personas que ocupan cargos en las mismas. La posibilidad de realizar la concentración en un lugar próximo a la sede de las entidades afectadas y en un horario de trabajo se convierte, en estos casos, en factores determinantes a la hora de ejercer el derecho de reunión. Naturalmente, de ello no se infiere que, en estos supuestos, este tipo de concentraciones siempre deba poder celebrarse en los lugares programados por los organizadores, pero sí puede influir, como veremos, en la facultad de ofrecer alternativas por parte de la autoridad gubernativa.

Es más, incluso en los casos en los que los reunidos no pretendan comunicar sus opiniones a unos destinatarios específicos sino a la opinión pública en general, el lugar de la concentración no puede considerarse en absoluto indiferente y, en consecuencia, tampoco cabe hablar de discrecionalidad de la Administración al ofrecer lugares alternativos. Con ello no se trata sólo de afirmar que el lugar propuesto debe tener suficiente tránsito público como para garantizar la publicidad que constituye uno de los elementos esenciales del contenido del derecho, sino que ese lugar debe garantizar una repercusión pública —en número y características de los destinatarios, es decir, de quienes pueden tener noticia de la reunión, incluidos los medios de comunicación— que se aproxime al máximo a la que pretendan alcanzar los promotores en el lugar por ellos programado.

FJ 4. De la aplicación de las premisas sentadas en el fundamento precedente al caso enjuiciado cabe concluir que la Resolución de la autoridad gubernativa prohibiendo la concentración convocada resulta suficientemente motivada y fundada y que, a la luz de los hechos declarados probados, efectivamente concurrían en este supuesto las circunstancias que permiten adoptar tan grave medida de restricción del ejercicio del derecho fundamental consagrado en el art. 21 CE. La motivación de la Resolución se plasma en el Considerando cuarto en el que se alude a «la perturbación del tráfico y el orden público ciudadano [...] concurriendo en consecuencia las razones previstas en el art. 10 de la Ley Orgánica 9/1983». Es cierto que la mera perturbación del tráfico no puede ser motivo de suspensión de una concentración en aplicación del límite previsto en el art. 21.2 CE y que tampoco puede serlo la simple alteración del orden público puesto que, como hemos reiterado, el referido precepto constitucional exige que esa alteración entrañe peligro para personas o bienes; sin embargo, el art. 10 de la Ley Orgánica 9/1983, al que explícitamente se remite la Resolución, sí se refiere a esa situación de peligro y por ello mismo puede considerarse suficientemente motivada.

La fundamentación, por su parte, se basa en dos órdenes de razonamiento: primero, el «total colapso de tráfico» que se produciría no sólo en el lugar de concentración sino también en la Puerta del Sol, calle de Alcalá, Gran Vía y plaza de la Cibeles. El colapso derivaría necesariamente de la «elevadísima intensidad media en la circulación de vehículos» que posee esta zona de la ciudad y en la «realización de obras en la c/Carrera de San Jerónimo y zonas adyacentes». La segunda línea argumental se refiere a la necesidad de garantizar los servicios públicos esenciales (policía, bomberos, ambulancias...) relacionándolo con la seguridad vial y la seguridad pública.

Es cierto, que ni la seguridad vial —que, por otra parte, no se demuestra cómo se pondría aquí en peligro— ni la seguridad pública son, sin más, sinónimo de orden público sin peligro para personas o bienes; también es cierto que hubiera sido deseable un mayor desarrollo argumental demostrativo de que el colapso sería «total», como afirma la Resolución impugnada, es decir, con bloqueo prolongado de vehículos e imposibilidad de acceso a una amplia zona de la ciudad, y que este extremo se demostrase atendiendo por igual a las características genéricas de circulación de esa zona y a las circunstancias específicas de la concentración convocada —número previsible de personas, horario, etc.—, puesto que, como queda dicho, ninguna concentración puede prohibirse atendiendo solamente a las condiciones objetivas de tráfico que soportan las calles afectadas, sino que es necesario tener en cuenta las características que en cada caso concurren en la reunión convocada. Y, por otra parte, también hubiera sido preferible que se razonase con mayor detalle los efectos sobre los servicios esenciales afectados y cómo todo ello puede producir alteraciones del orden público con peligro para personas o bienes.

Sin embargo, si se lee atentamente la Resolución, se llega a la conclusión que la misma no carece de fundamentación suficiente puesto que, aunque se centra esencialmente en consideraciones de tipo genérico relativas al tráfico, no olvida en absoluto las circunstancias específicas de la concentración convocada —por ejemplo, se hace referencia a la hora de la celebración, a las obras que se estaban realizando en aquel momento en algunas calles, etc.

Lo mismo cabe decir respecto de la posibilidad de adoptar medidas alternativas que garantizasen la celebración de la concentración. Aunque de modo no explícito, se desprende claramente de la Resolución que la autoridad gubernativa consideró que éstas no hubieran resultado eficaces, primero, porque la amplitud de la zona afectada no permitía habilitar vías alternativas que impidiesen el bloqueo de vehículos y permitiesen el acceso —por otros itinerarios— a las zonas afectadas, evitando su aislamiento, y en segundo lugar, porque las características de la concentración hacían inviable la adopción de otras medidas tendentes a garantizar que los servicios de ambulancia, bomberos y similares podrían seguir prestándose.

Con todo, no basta con que la Resolución esté efectivamente motivada y fundada, sino que debe analizarse si el contenido de la misma es idóneo para justificar la prohibición en aplicación del límite previsto en el art. 21.2 CE. Para llevar a cabo este juicio, debemos partir de la declaración de hechos probados contenida en la Sentencia del Tribunal Superior de Justicia de Madrid. Es cierto, como señala la recurrente, que esta Resolución judicial comienza su razonamiento reconociendo la dificultad de determinar si la medida prohibitiva adoptada era necesaria, pero esta advertencia no se formula como resultado del proceso de enjuiciamiento sino, a su inicio, como apertura retórica para advertir que la dificultad de la cuestión hace necesario aplicar a su enjuiciamiento un complejo proceso de ponderación. Al final de ese proceso, al Tribunal no le cabe duda que debe desestimar el recurso contencioso-administrativo interpuesto, basándose para ello en el caos circulatorio que la concentración produciría dada la elevada densidad de circulación de la zona, y el día y hora elegidos por los promotores. Concretamente afirma que «el tráfico de la Plaza de Canalejas accede a través de tres calles que proceden de la Puerta del Sol y de las Plazas de Santa Ana y Jacinto Benavente, encauzándose su salida de aquella Plaza por las calles Sevilla y Carrera de San Jerónimo. La interrupción del tráfico por la calle Sevilla, con mucho, la de más anchura de todas las citadas, necesariamente ha de causar un notable incremento del tráfico en la zona al no poder abandonar la mencionada Plaza de Canalejas sino por la Carrera de San Jerónimo, mucho más estrecha que la calle Sevilla. [...]».

Si a estos datos añadimos otros también recogidos en las actuaciones, como la duración programada —dos horas y media—, el importante número previsible de asistentes a la concentración —que respondía a la convocatoria de dos centrales sindicales de la representatividad de FEBASO-UGT y FEBA-CC.OO. y tenía un objetivo tan previsiblemente movilizador como es el apoyo a la negociación del convenio de la banca privada— o la afectación directa no sólo de la vía en la que pretendía celebrarse la concentración sino de las calles adyacentes en una amplia extensión, no cabe duda que en el caso enjuiciado se dan las circunstancias que permiten restringir el ejercicio del derecho de reunión en lugares de tránsito público, ya que no existen dudas razonables de que la concentración hubiera producido un bloqueo total de la calzada, que por su duración, por la hora y el día elegidos y por las características del tráfico en la zona hubiera provocado un bloqueo de vehículos con imposibilidad de acceso de servicios esenciales a una zona importante de la ciudad y tampoco cabe duda que no podía exigirse en este caso la adopción de medidas preventivas (como la previsión de vías alternativas u otros medios que garantizasen la prestación de servicios tales como los de ambulancia, policía o bomberos), puesto que, dadas las circunstancias concurrentes en la concentración programada y la amplitud y las características de la zona afectada no era previsible que las mismas hubieran podido evitar los referidos efectos.

Llegados a este punto todavía debemos hacer una última precisión puesto que, como hemos apuntado anteriormente, la adopción de una medida tan drástica como la prohibición de celebrar una concentración debe ser sometida a un juicio de proporcionalidad, ya que sólo será constitucionalmente legítima si no existen otros medios de preservar el orden público sin un sacrificio tan importante del derecho de reunión. Concretamente, los demandantes de amparo afirman que en el presente caso la autoridad gubernativa antes de prohibir la concentración debía haber propuesto las modificaciones de fecha, lugar o duración a tenor de lo que establece el propio art. 10 de la LO 9/1983. A dar respuesta a esta tercera y última cuestión dedicaremos el próximo y también último fundamento jurídico.

FJ 5. Para comprobar si la medida impeditiva del ejercicio del derecho de reunión supera el juicio de proporcionalidad exigible, es necesario constatar si cumple los siguientes tres requisitos o condiciones: si tal medida era susceptible de conseguir el objetivo propuesto —la garantía del orden público sin peligro para personas y bienes—; si, además, era necesaria en el sentido de que no existía otra medida más moderada para la consecución de tal propósito con igual eficacia, y, finalmente, si la misma era proporcionada, en sentido estricto, es decir, ponderada o equilibrada por derivarse de ella más beneficios o ventajas para el interés general que perjuicios sobre otros bienes o valores en conflicto. Pues bien, no cabe duda que la prohibición de la celebración de la concentración permite alcanzar el fin perseguido —la protección del orden público con integridad de personas y bienes—. El problema se centra en determinar si cumple los otros dos requisitos enunciados, y, muy especialmente, el relativo a la necesidad de la medida o, más concretamente, a si la prohibición total del ejercicio del derecho resultaba imprescindible o cabía en este caso la adopción de medidas menos drásticas e igualmente eficaces para la consecución del fin perseguido, como la propuesta de la modificación de las circunstancias de celebración de la concentración, relativas al lugar, a la hora o al modo de realización de la misma prevista en el art. 10 de la Ley Orgánica 9/1983.
La respuesta a esta cuestión debe ser positiva, ya que, en este caso concreto, no podía exigirse a la autoridad gubernativa la propuesta de medidas menos restrictivas del derecho de reunión, puesto que, tal como plantearon la concentración sus promotores, toda propuesta de modificación del lugar o la hora hubiera desvirtuado el objetivo perseguido por los mismos. [...]
La autoridad gubernativa, sobre todo respecto de las concentraciones estáticas en lugares y en horarios que tienen un relieve especial para los convocantes puesto que son condición necesaria para que las opiniones y las reivindicaciones lleguen a sus destinatarios principales, ve muy reducida su facultad de proponer cambios respecto del lugar y hora, puesto que, como bien dicen los recurrentes, estas modificaciones pueden llevar en la práctica a desvirtuar o negar el ejercicio del derecho. En estos casos, la autoridad gubernativa, antes de prohibir la concentración, deberá ser especialmente diligente a la hora de proponer o arbitrar los medios necesarios para garantizar el ejercicio del derecho de reunión en el lugar y hora programados por los promotores. Sin embargo, como queda dicho, en el caso de autos concurren datos objetivos suficientes para concluir que esas medidas alternativas hubieran resultado infructuosas.

Voto particular que formula el Magistrado don Julio Diego González Campos

2. [...] [E]s evidente que no conduce al mismo resultado que el peligro para las personas y bienes derivado de la previsible alteración del orden público sea entendido como un peligro directo o sólo indirecto. Y ello se evidencia con claridad si nos situamos ante la situación debatida en el presente caso.
En efecto, es innegable que el normal desarrollo de la vida ciudadana en una parte de la ciudad —e incluso en una zona muy amplia si quedan afectados los principales ejes de circulación— puede quedar alterado como consecuencia de una manifestación o concentración. Pero también es preciso admitir, de un lado, que «en una sociedad democrática, el espacio urbano no es sólo un ámbito de circulación sino también un espacio de participación», como acertadamente se afirma en la Sentencia. De otro, que de esta situación no se deriva, por sí misma, una alteración del orden público que entrañe un peligro directo para «la integridad de las personas o de los bienes» (STC 59/1990, FJ 8.), que es el elemento sustancial exigido para que pueda operar el límite del art. 21.2 CE y restringirse el ejercicio del derecho fundamental. De manera que el eventual peligro se circunscribe, en realidad, a [...] la imposibilidad de que puedan seguir prestándose con eficacia los servicios de ambulancia, policía y bomberos, con posible riesgo para la integridad de personas y bienes.
Tal situación de peligro, ciertamente, puede producirse. Pero es preciso reconocer, en contrapartida, que el peligro para la integridad de las personas y bienes sólo posee un carácter indirecto o eventual; lo que implica, a mi parecer, una discutible ampliación del límite establecido en el art. 21.2 CE. Y, en todo caso, una vez admitida tal ampliación como ha hecho la Sentencia de la que discrepo, necesariamente habrá de requerir una mayor exigencia en orden a su control en esta sede constitucional. Pues si tal peligro indirecto puede ser evitado mediante la adopción de las oportunas medidas preventivas por parte de la autoridad administrativa, entre ellas la limitación del uso de una parte de la calzada por parte de los manifestantes, es evidente que dicha autoridad ha de ofrecer una mayor justificación de la imposibilidad de adoptar tales medidas.

3. [...] A) [...] [E]n el presente caso la autoridad gubernativa no [...] ofreció justificación alguna de que las posibles medidas alternativas fueran ineficaces o infructuosas, limitándose a señalar en el cuarto considerando de su resolución que la realización de la concentración convocada «va a incidir gravemente en la perturbación del tráfico y el orden público ciudadano, si se mantiene el itinerario comunicado», de la plaza de Canalejas.

Omisión que tampoco ha sido considerada por la Sentencia del Tribunal Superior de Justicia de Madrid. De suerte que el total silencio sobre la posibilidad de medidas alternativas que permitieran el ejercicio del derecho fundamental, por sí sólo, debiera haber conducido a la declaración de nulidad del acto que prohibía la celebración de la concentración y de la resolución judicial confirmatoria. Sin que a mi parecer pueda obviarse tal carencia estimando, como se ha hecho en la Sentencia de la que discrepo, que de la resolución gubernativa se desprende claramente que la autoridad consideró que tales medidas alternativas habrían de resultar ineficaces, dadas las circunstancias concurrentes; pues ello supone, lisa y llanamente, sustituir la necesidad de una justificación expresa y detallada por una simple motivación implícita, desnaturalizando así las exigencias que previamente se han expuesto en la Sentencia respecto a la resolución de la autoridad gubernativa, a la que corresponde, conviene recordarlo, «justificar la imposibilidad de adoptar las medidas preventivas» que permitan el ejercicio del derecho fundamental.

B) En segundo término, si nos ceñimos a la resolución gubernativa que ha denegado el ejercicio del derecho de reunión resulta significativo que la propia Sentencia de la que discrepo le haya reprochado no haber fundamentado con mayor detalle que el posible colapso de tráfico en Madrid fuera total así como sus efectos sobre los servicios esenciales afectados —de ambulancias, policía y bomberos— «y como todo ello puede producir alteraciones del orden público con peligro para personas o bienes». Por lo que no deja de sorprender que, a continuación, se considere suficiente la fundamentación, «aunque se centra esencialmente en consideraciones de tipo genérico relativas al tráfico», por el hecho de haberse referido a ciertas circunstancias específicas del lugar y el día y hora elegidos, así como a las obras que se estaban realizando en aquel momento en ciertas calles. [...]

De ello resulta, pues, que la concentración convocada por la recurrente de amparo fue prohibida únicamente por razón de su incidencia sobre el tráfico viario en la zona elegida para su celebración partiendo de una genérica consideración de tal circunstancia. Lo que mal se compadece, en ausencia de otras concretas razones justificativas, con el peligro para las personas y bienes que necesariamente requiere el límite del art. 21.2 CE. Pero ha de tenerse en cuenta, además, [...] el hecho notorio de ser «la Puerta del Sol» una zona de tráfico restringido en las horas previstas para la concentración. De suerte que en poco puede verse afectada la circulación procedente de la calle de Alcalá y con destino a la misma y si sólo la más limitada que desde dicha calle se dirige a la Carrera de San Jerónimo. En segundo lugar, la resolución gubernativa reconoce que la zona elegida para la concentración no es un eje esencial de tráfico en Madrid, sino las zonas adyacentes de Alcalá, Gran Vía y Cibeles; circunstancia que lógicamente obligaba a la autoridad gubernativa a justificar, lo que no hizo, por qué era imposible aislar y cerrar al tráfico, por tres horas, la mencionada plaza de Canalejas e incluso, si el número de los concentrados lo requería, una parte de la calzada de la calle de Alcalá en su confluencia con dicha plaza. [...]

Hacia una lectura restrictiva de la noción de peligro indirecto para el orden público —STC 90/2006, de 27 de marzo—

La Sentencia resuelve el recurso de amparo promovido por la Federación de Enseñanza de Comisiones Obreras y la Federación de Trabajadores de la Enseñanza de UGT contra la Sentencia de 19 de noviembre de 2002 del Tribunal Superior de Justicia de Madrid, Sala de lo Contencioso-Administrativo, que desestimó dos recursos contencioso-administrativos acumulados contra la Resolución de 7 de noviembre de 2002 de la Delegación del Gobierno en Madrid que limitó la manifestación convocada por los recurrentes a una concentración estática en la plaza de España.

FJ 4. En cuanto a la queja de carácter material o sustantivo, sobre el fondo de la Resolución de 7 de noviembre de 2002 del Delegado del Gobierno en Madrid que, según la demanda, suprimió parcialmente el ejercicio del derecho de reunión de los recurrentes en amparo sin justificarlo y sin proponer medidas alternativas, nuestro enjuiciamiento debe partir de las circunstancias que concurrían para determinar si efectivamente la resolución se basó en razones fundadas para acordar la supresión parcial del acto programado, si estaba motivada y si, además, no había medida alternativa que hubiera garantizado el ejercicio del derecho de reunión y era, por tanto, la restricción acordada proporcional a los fines perseguidos.

Comenzando, pues, por las circunstancias fácticas que concurrían, estamos ante una resolución gubernativa que se basó en el informe del Jefe de policía municipal del Ayuntamiento de Madrid. Este informe desaconsejó la manifestación programada por vías prioritarias de la capital, ya que la misma podía provocar un colapso circulatorio con peligro para personas y bienes. En el informe y, posteriormente, en la resolución gubernativa se tuvieron en cuenta la experiencia de la manifestación del 1 de diciembre de 2001, que había discurrido por la misma zona; el número de asistentes previsto (unas cincuenta mil personas); su duración de casi cinco horas (desde las 11:30 hasta las 16:00 h); y el día de la semana (sábado) de máxima afluencia a la zona comercial del centro. Estas circunstancias, junto con el informe policial y la experiencia previa, llevaron a la autoridad gubernativa a la conclusión de que la manifestación programada podría producir alteraciones de orden público por afectar a la circulación de vehículos por vías prioritarias de la capital. La Resolución del Delegado del Gobierno llegó, además, a la conclusión de que el colapso circulatorio que podría provocar la manifestación comunicada imposibilitaría la prestación de los servicios de ambulancia, urgencias médicas, policía o bomberos, con peligro para las personas y bienes, puesto que la manifestación programada colapsaría también las calles adyacentes a las vías por donde ésta debía transcurrir.

La posible limitación del derecho fundamental de reunión en lugares de tránsito público reconocida en el art. 21.2 CE, desarrollado por el art. 10 de la Ley Orgánica 9/1983, de 15 de julio, del derecho de reunión, requiere que existan razones fundadas de que su ejercicio implicará una alteración del orden público con peligro para personas o bienes. Este Tribunal ha reconocido la posible restricción del derecho fundamental de reunión «cuando dicha reunión en el lugar de tránsito público altere el orden público y ponga en peligro la integridad de las personas o de los bienes» (STC 59/1990, de 29 de marzo, FJ 8), aunque también en ocasiones ha admitido la restricción del ejercicio de este derecho fundamental cuando el peligro era sólo indirecto, es decir, ante la imposibilidad de que pudieran seguir prestándose con eficacia los servicios de ambulancia, policía y bomberos, con posible riesgo para la integridad de las personas (STC 66/1995, de 8 de mayo, FJ 4). La lectura de la Resolución de 7 de noviembre de 2002 del Delegado del Gobierno en Madrid y de la Sentencia de 19 de noviembre de 2002 del Tribunal Superior de Justicia de Madrid no deja lugar a dudas sobre el carácter pacífico de la manifestación comunicada, integrada por estudiantes y profesores, y sobre la naturaleza del peligro que originó la restricción impuesta. Las razones fundadas sobre la alteración del orden público con peligro para personas y bienes se basaron en el colapso circulatorio que la manifestación podría provocar con imposibilidad de prestación de los servicios de ambulancia, policía y bomberos.

Aun admitiendo que, en determinadas circunstancias, la autoridad gubernativa puede extender el límite impuesto por el art. 21.2 CE al ejercicio del derecho fundamental de reunión en lugares de tránsito público a supuestos donde el peligro para personas y bienes es sólo indirecto, la resolución gubernativa deberá motivarse detalladamente y no basarse en consideraciones genéricas sobre la posible alteración del orden público y, además, la resolución deberá justificar la imposibilidad de adoptar las medidas preventivas necesarias para conjurar esos peligros y permitir el efectivo ejercicio del derecho fundamental (SSTC 36/1982, de 16 de junio, FJ 8, y 66/1995, de 8 de mayo, FJ 3). Pues bien, en el caso que nos ocupa la resolución gubernativa no carece de motivación, pero, en vez de adoptar alguna medida preventiva que permitiera conjurar los peligros previstos, optó por hacer uso de la facultad contenida en el art. 10 de la Ley Orgánica 9/1983, de 15 de julio, del derecho de reunión, suprimiendo parcialmente el ejercicio del derecho de los recurrentes. [...]

[...] Para comprobar si la medida restrictiva del ejercicio del derecho de reunión supera el juicio de proporcionalidad exigible es necesario constatar si la misma cumple los tres requisitos siguientes: la idoneidad de la restricción para conseguir el objetivo propuesto, que era la garantía del orden público sin peligro para personas y bienes; la necesidad de la misma, en el sentido de que no existía otra medida más moderada para la consecución de tal propósito con igual eficacia; y, finalmente, si la misma era proporcionada en sentido estricto, es decir, ponderada o equilibrada por derivarse de ella más beneficios o ventajas para el interés general que perjuicios sobre otros bienes o valores en conflicto (SSTC 66/1995, de 8 de mayo, FJ 5; 265/2000, de 13 de noviembre, FJ 8).

Respecto al primer requisito ha de observarse de que no cabe duda que la restricción impuesta por la resolución impugnada permite alcanzar el objetivo perseguido, y de que resulta idónea para evitar el colapso circulatorio por vías principales de la capital con riesgo para personas y bienes derivado de la imposibilidad de acceso de los servicios de ambulancia, policía y bomberos.

Más problemático resulta determinar si cumple los otros dos requisitos, especialmente, el relativo a la necesidad de la restricción impuesta o el de si cabía adoptar alguna medida menos drástica para garantizar el orden público sin peligro para personas o bienes. Los demandantes de amparo cumplen con la carga de la prueba de proponer, como medida alternativa, un itinerario distinto que, según la demanda, hubiera sido menos restrictivo que la decisión finalmente adoptada (SSTC 103/2001, de 23 de abril, FJ 10, y 147/2001, de 27 de junio, FJ 4). Nuestro enjuiciamiento sobre la proporcionalidad de la restricción acordada por la resolución gubernativa debe contrastar ésta con la medida alternativa propuesta por los demandantes de amparo, consistente en un cambio de itinerario de la manifestación. Hemos de precisar que en el caso que nos ocupa el itinerario de la manifestación establecido por los organizadores, con inicio en la plaza de Callao, bajando por Gran Vía hasta llegar a plaza de España, donde debía concluir con un espectáculo musical, no estaba directamente relacionado con el objeto de la manifestación, que era mostrar su disconformidad con el proceso de tramitación del proyecto de Ley Orgánica de calidad de la educación, puesto que en esas vías principales no se sitúa ninguna de las sedes de las instituciones responsables del Ministerio de Educación. En conclusión, y a diferencia del supuesto enjuiciado por la STC 66/1995, de 8 de mayo, donde el itinerario comunicado resultaba esencial a efectos de demostrar la disconformidad de los asistentes frente a la sede de la mayoría de los bancos, la autoridad gubernativa bien pudo considerar como medida alternativa la modificación del itinerario desviándolo a calles próximas pero de menos trascendencia a efectos circulatorios para garantizar el derecho de reunión de los recurrentes. No podemos aceptar, por tanto, que la restricción impuesta fuese necesaria para garantizar el orden público por no ser posible acordar una medida alternativa más respetuosa con el derecho fundamental de reunión de los recurrentes.

Respecto el tercer requisito enunciado, tampoco podemos considerar proporcional en sentido estricto la supresión parcial del derecho de reunión de los recurrentes, en el sentido de que de la misma se derivasen más beneficios o ventajas para el interés general que perjuicios sobre otros bienes o valores en conflicto. La finalidad de la medida acordada por la resolución gubernativa era evitar el colapso circulatorio con posible peligro para personas o bienes derivado de la imposibilidad de garantizar la prestación de los servicios de ambulancia, policía y bomberos. Para el cumplimiento de esta finalidad la autoridad gubernativa acordó reducir una manifestación que iba a discurrir por plaza del Callao y Gran Vía hasta plaza de España a una concentración estática en esta última plaza, sin que los asistentes pudieran invadir la calzada para no obstaculizar el tráfico rodado en la zona. La fluidez del tráfico rodado en vías principales de Madrid no tiene mayor relevancia constitucional que el ejercicio del derecho de reunión, cuya relevancia fundamental como cauce de participación democrática en un Estado social y democrático de Derecho como el proclamado en la Constitución ha sido declarada por este Tribunal en múltiples Sentencias (STC 284/2005, de 7 de noviembre, FJ 3 y las allí citadas). Todo ello sin olvidar el efecto disuasorio del ejercicio del derecho de reunión en vía principales de nuestras ciudades que tendría el afirmar lo contrario.

Debemos, por tanto, concluir la procedencia de anular la Resolución de 7 de noviembre de 2002 del Delegado del Gobierno en Madrid y de la Sentencia de 19 de noviembre de 2002 del Tribunal Superior de Justicia de Madrid que la confirmó, cuya desproporción vulneró el derecho fundamental de reunión de los recurrentes, obviando la doctrina constitucional sobre la utilización del espacio urbano por la sociedad democrática, que no es sólo un ámbito de circulación, sino también un espacio de participación (SSTC 66/1995, de 8 de mayo, FJ 3; 42/2000, de 14 de febrero, FJ 4), bastando la mera declaración del derecho para satisfacer la pretensión de amparo ejercitada por los recurrentes.

El orden público, la protección de otros derechos fundamentales y la obligación de la autoridad gubernativa de justificar las restricciones al ejercicio del derecho de reunión —STC 195/2003, de 27 de octubre (*vid. supra*)[6]—

FJ 7. Tras las anteriores consideraciones hemos de resolver ya la cuestión relativa a si el derecho de reunión del demandante de amparo fue vulnerado como consecuencia de las diversas prohibiciones impuestas por la autoridad gubernativa; unas relacionadas con el uso la megafonía, pues se proscribió ésta durante la celebración de diversos actos litúrgicos previstos en la basílica adyacente al lugar de la reunión, impidiéndose durante el tiempo restante de la concentración que sobrepasara «los decibelios que permiten las Ordenanzas municipales»; otras impeditivas de las instalaciones proyectadas por el comunicante, como la de «mesas que impidan la libre circulación» y de una tienda de campaña.

Según hemos afirmado en reiteradas ocasiones, todo acto o resolución que limite derechos fundamentales ha de asegurar que las medidas limitadoras sean necesarias para conseguir el fin perseguido (SSTC 61/1982, de 13 de octubre, FJ 5; 13/1985, de 31 de enero, FJ 2), debiendo atender a la proporcionalidad entre el sacrificio del derecho y la situación en la que se halla aquél a quien se impone (STC 37/1989, de 15 de febrero, FJ 7) y, en todo caso, respetar su contenido esencial (SSTC 11/1981, de 8 de abril, FJ 10; 196/1987, de 11 de diciembre, FF JJ 4 a 6; 120/1990, de 27 de junio, FJ 8; 137/1999, de 19 de julio, FJ 6; 57/1994, de 28 de febrero, FJ 6). El demandante de amparo Sr. Méndez Cruz insiste en que las imposiciones gubernativas no están justificadas, al no concurrir riesgo para el orden público con peligro para personas y bienes, en el sentido de «un desorden material que impide el normal desarrollo de la convivencia ciudadana en aspectos que afectan a la integridad física o moral de las personas o a la integridad de bienes públicos o privados». Pero, como ya hemos advertido, se ha de tener presente que, además del límite establecido expresamente en el art. 21.2 CE en el que insiste el demandante, el ejercicio del derecho de reunión pacífica en lugar de tránsito public puede verse eventualmente sometido a restricciones necesarias para preservar otros derechos o bienes constitucionales, debiendo recordarse asimismo que si existieran dudas sobre si tal ejercicio en un caso determinado puede producir los efectos negativos contra el orden público con peligro para personas y bienes u

---

[6]   *Vid.* también STC 193/2011, de 12 de diciembre, FJ 7.

otros derechos y valores dignos de protección constitucional, aquéllas tendrían que resolverse con la aplicación del principio o criterio de favorecimiento del derecho de reunión (favor libertatis), sin que baste para justificar su modulación o prohibición la mera sospecha o la simple posibilidad de que se produzcan dichos resultados.

FJ 8. El demandante de amparo había proyectado que la reunión-concentración se prolongara durante un domingo, día festivo, desde las 9 a las 21:30 horas, en la plaza contigua a donde se alza una basílica en la que estaban igualmente previstos, para la misma fecha, diversos actos de culto religioso. Por ello, hemos de convenir en que la proscripción del uso de la megafonía impuesta por la autoridad gubernativa, circunscrita al tiempo de la celebración de los «oficios religiosos» y no absolutamente impeditiva del uso de aquel vehículo material de expresión para los congregados de la plaza, sino temporalmente limitativa de dicho uso, supuso una limitación adecuada y necesaria para la preservación del ejercicio otro derecho fundamental, en este caso, el derecho a la libertad religiosa, amparado por el art. 16.1 CE como manifestación religiosa de culto. Tal limitación observó igualmente las exigencias de la proporcionalidad en sentido estricto, pues los términos de la prohibición gubernativa no comprometieron el ejercicio del derecho de reunión en mayor intensidad de la que tendía a favorecer el ejercicio concurrente de otro derecho fundamental (SSTC 66/1995, de 8 de mayo, FJ 5; 55/1996, de 28 de marzo, FF JJ 7, 8 y 9; 270/1996, de 16 de diciembre, FJ 4; 37/1998, de 17 de febrero; FJ 8; 186/2000, de 10 de julio, FJ 6). La queja del demandante en este punto ha de ser, por tanto, desestimada.

Tampoco vulnera el art. 21 CE la imposición gubernativa de que el uso de la megafonía tuviera que acomodarse a los límites marcados en materia de ruido por las Ordenanzas municipales. Tal y como alega el Abogado del Estado, dichas normas se dirigen a la preservación de valores o bienes constitucionalmente protegidos, como son la conservación del medio ambiente adecuado para el desarrollo de la persona (art. 45 CE y STC 102/1995, de 26 de junio, FJ 7) o la protección de la salud frente a la denominada contaminación acústica (art. 43.1 CE y STC 119/2001, de 24 de mayo, FJ 5), sin que el contenido del derecho de reunión ampare actuaciones que comprometan los referidos valores constitucionales, que, de producirse, han de considerarse una extralimitación en su ejercicio, ni, por lo demás, concurra en el caso atisbo alguno de que los límites municipales sobre el ruido fueran a restringir, más allá de lo que es razonable o proporcionado, el uso de la megafonía como instrumento de expresión y difusión de ideas.

FJ 9. Un diferente juicio merecen, sin embargo, las quejas del demandante respecto de la prohibición gubernativa de instalar mesas y una tienda de campaña en el lugar de la concentración. Ha de recordarse que el ejercicio del derecho de reunión, por su propia naturaleza, requiere la utilización de lugares de tránsito público, y, como decíamos en la STC 59/1990, de 29 de marzo, «toda reunión en lugar de tránsito ha de provocar una restricción al derecho de la libertad de circulación de los ciudadanos no manifestantes, que se verán impedidos de deambular o de circular libremente por el trayecto y durante la celebración de la manifestación» (FJ 8). En una sociedad democrática, el espacio urbano no es sólo un ámbito de circulación, sino también un espacio de participación (STC 66/1995, FJ 3), y, por tanto, la prohibición de instalar mesas o una tienda de campaña por los reunidos, con virtualidad para la exposición e intercambio de mensajes e ideas, no puede justificarse en meras dificultades o simples molestias para la circulación de las personas que allí transiten, frente a lo que entiende el órgano judicial, como tampoco es asumible el razonamiento de éste según el cual son los titulares del derecho de reunión quienes tienen que «justificar suficientemente» la necesidad de la instalación de la tienda de campaña, «cuando ya disponían de otros medios para llamar la atención como la megafonía», pues es a la autoridad gubernativa a la que le corresponde motivar y aportar las razones que, desde criterios constitucionales de proporcionalidad, expliquen por qué tenía que quedar excluida o limitada la libertad que asiste a los titulares del derecho del art. 21.1 CE para elegir los instrumentos que consideren adecuados para la emisión de su mensaje.

De ahí que, en el punto relativo a la prohibición gubernativa de instalar mesas y una tienda de campaña saharaui o *haima* en el tiempo y lugar de la concentración, debamos concluir que se produjo una desproporcionada restricción del derecho fundamental de reunión pacífica en lugar de tránsito público. Con tal medida limitativa el demandante de amparo y las demás personas que se iban a concentrar se vieron privados de medios virtualmente eficaces para la emisión e intercambio de los mensajes e ideas cuya difusión era el fin legítimo de la manifestación, sin que la mera alusión a la «libre circulación» o a genéricas dificultades para la circulación de personas pueda tenerse como una razón fundada y proporcionada, justificativa de que de la prohibición deriven más beneficios o ventajas para el interés general o para la libre circulación de otros ciudadanos que perjuicios sobre el derecho fundamental comprometido con la prohibición.

El ejercicio del derecho de reunión en período electoral —STC 170/2008, de 15 de diciembre[7]—

La Sentencia resuelve el recurso de amparo promovido por don E.A.I. contra la Sentencia dictada por la Sala de lo Contencioso-Administrativo del Tribunal Superior de Justicia de Cataluña (Sección Segunda), con fecha de 26 de octubre de 2006, por la que se desestima el recurso especial de protección del derecho de reunión interpuesto contra la Resolución de la Dirección General de Seguridad Ciudadana de la Generalidad de Cataluña de 24 de octubre de 2006. Esta reproducía a su vez el Acuerdo adoptado por la Junta Electoral Provincial de Barcelona, desautorizando la celebración de la manifestación convocada por los Mossos d'Esquadra, por su posible incidencia en el proceso electoral ante la proximidad de las elecciones al Parlamento de Cataluña.

FJ 4. La aplicación de la citada doctrina y, en concreto, del principio o criterio de favorecimiento del derecho de reunión, así como la circunstancia de que, como ha reiterado este Tribunal, resulte insuficiente para justificar la modulación o prohibición del citado derecho la mera sospecha o la simple posibilidad de que se produzca la perturbación de otros bienes o derechos protegidos constitucionalmente (por todas, STC 163/2006, de 22 de mayo, FJ 2), conduce al otorgamiento del amparo al aquí recurrente por vulneración del art. 21 CE.

En efecto, hemos declarado que «[e]n rigor, en el ámbito de los procesos electorales, sólo en casos muy extremos cabrá admitir la posibilidad de que un mensaje tenga capacidad suficiente para forzar o desviar la voluntad de los electores, dado el carácter íntimo de la decisión del voto y los medios legales existentes para garantizar la libertad del sufragio» (STC 136/1999, de 20 de julio, FJ 16). Si esta aseveración se ha realizado en relación con manifestaciones llevadas a cabo por las propias formaciones políticas presentes en la contienda electoral, cuanto más cabe afirmarlo de una agrupación de personas que se reúnen con la finalidad del intercambio o exposición de ideas, la defensa de intereses o la publicidad de problemas y reivindicaciones, y no con la intención de la captación de sufragios, objetivo que, junto a la identificación de los sujetos que pueden realizar la campaña electoral, definen la misma (art. 50.2 de la Ley Orgánica del régimen electoral general: LOREG).

No cabe duda que las opiniones derivadas de ese intercambio, exposición, defensa o reivindicación pueden llegar a influir en el ciudadano, pero dicha situación sólo puede ser contemplada como «una mera sospecha o una simple posibilidad». De ahí que sólo cuando se aporten razones fundadas, en expresión utilizada por el art. 21.2 CE, sobre el carácter electoral de la manifestación, es decir, cuando su finalidad sea la captación de sufragios (art. 50.2 LOREG) y ésta no haya sido convocada por partidos, federaciones, coaliciones o agrupaciones, únicas personas jurídicas que pueden realizar campaña electoral junto a sus candidatos (art. 50.3 LOREG), podrá desautorizarse la misma con base en dicho motivo. De lo contrario, como apunta el Fiscal, podríamos llegar al absurdo de que durante la campaña electoral estuvieran absolutamente prohibidas todas las manifestaciones.

Debe tenerse presente que el principio del pluralismo político se encuentra fuertemente vinculado con el derecho de libertad de expresión del que, como ya hemos puesto de relieve, es manifestación colectiva el derecho de reunión, siendo éste, al igual que la mencionada libertad, un derecho que coadyuva a la formación y existencia «de una institución política, que es la opinión pública, indisolublemente ligada con el pluralismo político» (STC 12/1982, de 31 de marzo, FJ 3), de forma tal que se convierte en una condición previa y necesaria para el ejercicio de otros derechos inherentes al funcionamiento de un sistema democrático, como lo son precisamente los derechos de participación política de los ciudadanos. Como afirmaba la STC 101/2003, de 2 de junio, «sin comunicación pública libre quedarían vaciados de contenido real otros derechos que la Constitución consagra, reducidas a formas hueras las instituciones representativas y absolutamente falseado el principio de legitimidad democrática que enuncia el art. 1.2 CE, que es la base de toda nuestra ordenación jurídico-política (por todas STC 6/1981, de 16 de marzo; en el mismo sentido SSTC 20/1990, de 15 de febrero, y 336/1993, de 15 de noviembre)» (STC 9/2007, de 15 de enero, FJ 4).

No puede admitirse, por tanto, que la manifestación convocada por el Colectivo Autónomo de Trabajadores-Mossos d'Esquadra (CAT-ME) se prohíba por su «posible» incidencia en el proceso electoral. Y ello no sólo por las dudas que hace explícitas la propia Junta Electoral Provincial de Barcelona en su acuerdo, al utilizar la expresión «al poder tenir incidència sobre el procés electoral», sino porque en sí es dudoso que tenga capacidad suficiente para influir en las decisiones de los electores. Pues bien en tales circunstancias, debe favorecerse el ejercicio del derecho de reunión aún en detrimento de otros derechos, en especial los de participación política, no sólo por significarse como un

---

[7]   *Vid.* también las SSTC 37/2009 y 38/2009, ambas de 9 de febrero; 96/2010, de 15 de noviembre (inconstitucionalidad, por falta de justificación específica, de la prohibición de una manifestación no electoral —Plataforma 8 de marzo— prevista para la jornada de reflexión —8 de marzo).

derecho esencial en la conformación de la opinión pública, sino por la necesidad de su previo ejercicio para una configuración de la misma libre y sólida, base indispensable para el ejercicio de los mencionados derechos. Por este motivo, el ejercicio del derecho de reunión, del que el derecho de manifestación resulta una vertiente, debe prevalecer, salvo que resulte suficientemente acreditado por la Administración y, en su caso, por los Tribunales, que la finalidad principal de la convocatoria es la captación de sufragios.

Ejercicio del derecho de reunión en periodo electoral e interpretación favorable al mismo en el ámbito sancionador —STC 196/2002, de 28 de octubre[8]—

La Sentencia resuelve el recurso de amparo interpuesto por don A.E.M.L. contra la Sentencia de la Audiencia Provincial (Sección Primera) de Granada de 3 de octubre de 1998, que resuelve recurso de apelación interpuesto contra la dictada por el Juzgado de lo Penal núm. 1 de dicha ciudad el 20 de abril de 1998, que condenó al ahora solicitante de amparo como autor de dos delitos en materia electoral, ambos relacionados con el ejercicio del derecho de reunión (artículo 21 CE).

FJ 6. [...] [P]or lo que se refiere al primero de los actos de campaña electoral que se hallan en el origen de este proceso constitucional, se ha reprochado al entonces acusado no haber efectuado el oportuno preaviso de su celebración al órgano competente para ejercer las potestades gubernativas. Esto es, no haber dirigido la comunicación previa a la Junta Electoral Provincial (fundamentos segundo de la Sentencia de instancia y primero y segundo de la dictada en grado de apelación).

Al respecto, hemos de convenir con los órganos judiciales en la insuficiencia de la comunicación dirigida al Ayuntamiento de Huétor-Vega y posteriormente remitida a la Junta Electoral de Zona de Granada. Sin embargo, debemos subrayar algunos extremos que ponen de manifiesto la voluntad de cumplimiento de la normativa electoral en este punto por el ahora solicitante de amparo.

En tal sentido, interesa poner de manifiesto que el Ayuntamiento notificó al promotor del acto electoral, luego acusado y ahora recurrente en amparo, su propósito de poner en conocimiento de la Administración electoral, a través de la Junta Electoral de Zona, su intención de celebrar la reunión en un espacio de tránsito público. Parece razonable pensar que esta notificación generó en el solicitante la confianza legítima de que con ello se hacía efectiva la comunicación a la Administración electoral del acto que se pretendía celebrar, de modo que dicha Administración, a través de sus órganos competentes, podría ejercer las potestades gubernativas en la materia. Tal confianza en la actuación de los órganos de la Administración electoral podía asentarse además en las previsiones del art. 20.1 de la Ley 30/1992, de 26 de noviembre, de régimen jurídico de las Administraciones públicas y del procedimiento administrativo común (LPC), de aplicación al caso en virtud de la remisión que hace el art. 120 LOREG.

La exposición que precede pone de manifiesto una evidente voluntad de cumplimiento de los requisitos formales a los que se supedita, según la doctrina constitucional antes expuesta, el ejercicio del derecho de reunión. Ello sería suficiente, por sí solo, para otorgar el amparo puesto que el ius puniendi debe ser administrado teniendo en cuenta que la aplicación del tipo penal no debe resultar desalentadora del ejercicio del meritado derecho fundamental ni desproporcionada, ya que así lo impone la interpretación constitucionalmente conforme de los tipos penales (por todas, STC 2/2001, de 15 de enero, FJ 3). [...]

FJ 7. El segundo de los actos electorales se pretendía celebrar inicialmente en un recinto de titularidad municipal y, tras la negativa de la Junta Electoral Provincial, se llevó a cabo en un olivar anejo. También aquí se ha reprochado al acusado no haber dirigido la comunicación previa al citado órgano de la Administración electoral, a lo que vendría obligado, según se consigna en el fundamento segundo de la Sentencia de apelación, porque dicho olivar se encuentra «en las inmediaciones de tránsito público».

La remisión del art. 144.1 b) LOREG a la normativa relativa a las reuniones ha de entenderse hecha a la Ley Orgánica reguladora del derecho de reunión, cuyo art. 8, en desarrollo de lo dispuesto en el art. 21.2 CE, supedita la «celebración de reuniones en lugares de tránsito público y de manifestaciones» a la comunicación previa a la autoridad gubernativa. Consecuentemente, por razón de la ya indicada remisión, esta previsión integra el tipo del ilícito penal aquí implicado.

---

[8]   *Vid.* también las SSTC 18/1981, de 8 de junio; 42/2000, de 14 de febrero; 124/2005, de 23 de mayo; 110/2006, de 3 de abril; 31/2007, de 12 de febrero.

Pues bien, en la interpretación que del tipo han efectuado las resoluciones judiciales impugnadas se aprecia una quiebra del principio de legalidad penal, que si con carácter general incide en la esfera del derecho garantizado por el art. 25.1 CE [por todas, STC 64/2001, de 17 de marzo, FJ 4 a) y las resoluciones allí citadas] aquí afecta directamente al contenido de la libertad de reunión (art. 21 CE). [...]

En efecto, dichas resoluciones judiciales extienden el ámbito espacial de aplicación de un requisito formal a un supuesto no contemplado en la norma y deducen de lo que estiman su incumplimiento la realización de un tipo penal. Dicho de otro modo, la equiparación de un espacio abierto «en las inmediaciones de tránsito público» con los «lugares de tránsito público», a los que específica y exclusivamente se refieren los arts. 21.2 CE y 8 LODR, representa en esta ocasión una interpretación analógica in malam partem no acorde con el contenido del derecho fundamental ejercitado y que por ello ha de merecer el amparo de este Tribunal Constitucional.

Posible relevancia constitucional de la limitación extemporánea del ejercicio del derecho de reunión —STC 66/1995, de 13 de mayo (*vid. supra*)[9]—

FJ 2. [...] En relación con la facultad de la autoridad gubernativa que venimos analizando, este Tribunal ha declarado que el deber de comunicación previsto en el art. 8 de la Ley Orgánica 9/1983 no constituye una solicitud de autorización —pues el ejercicio de ese derecho fundamental se impone por su eficacia inmediata y directa, sin que pueda conceptuarse como un derecho de configuración legal—, sino tan sólo una declaración de conocimiento a fin de que la autoridad administrativa pueda adoptar las medidas pertinentes para posibilitar tanto el ejercicio en libertad del derecho de los manifestantes, como la protección de derechos y bienes de titularidad de terceros, estando legitimada en orden a alcanzar tales objetivos a modificar las condiciones del ejercicio del derecho de reunión e incluso a prohibirlo, siempre que concurran los motivos que la Constitución exige, y previa la realización del oportuno juicio de proporcionalidad. Igualmente hemos declarado que dicha actuación administrativa no es reconducible a ningún género de manifestación de autotutela, pues la imposición de condiciones excesivamente gravosas o la prohibición del ejercicio de este derecho es inmediatamente revisable (art. 11 de la Ley Orgánica 9/1983) por una autoridad independiente e imparcial, como son los órganos del Poder Judicial, a quienes, en materia de protección de derechos fundamentales, la Constitución ha otorgado «la primera palabra» (STC 59/1990).

No obstante, el hecho de que la comunicación no constituya una solicitud de autorización y que la Resolución gubernativa sea inmediatamente revisable en vía jurisdiccional, no significa que en todo caso la extemporaneidad de la Resolución produzca tan sólo una infracción de la legalidad ordinaria —que por supuesto la produce—, sino que puede entrañar una conculcación del derecho fundamental de reunión en lugares de tránsito público con evidente relieve constitucional. El cumplimiento del plazo no es, pues, ajeno al control jurisdiccional de la constitucionalidad de la medida prohibitiva y deberá aplicarse siempre que la Resolución gubernativa sea extemporánea, como garantía del referido derecho fundamental. Concretamente, ese retraso puede vulnerar el derecho consagrado en el art. 21 CE y tener, por tanto, trascendencia constitucional cuando, por ejemplo, responda a un ánimo dilatorio con el objetivo de impedir o entorpecer el ejercicio del derecho o cuando impida que los órganos judiciales se pronuncien con anterioridad a la fecha de celebración de la concentración programada por los organizadores. Al respecto debe tenerse en cuenta que la Ley Orgánica 9/1983, con el fin de garantizar la protección jurisdiccional de este derecho y el efectivo control de la decisión gubernativa por parte de los Tribunales de Justicia, ha establecido una estrecha vinculación entre el plazo previsto para adoptar la Resolución gubernativa (art. 10) y el mecanismo especialmente acelerado de control judicial de la misma (art. 11), en relación con la Ley 62/1978, de Protección Jurisdiccional de los Derechos Fundamentales de la Persona (art. 7.6). La brevedad de los plazos para interponer recurso (cuarenta y ocho horas) y para dictar la resolución judicial (improrrogable de cinco días) permite que, en algunos casos, la decisión gubernativa prohibiendo una reunión en lugares de tránsito público o modificando alguna de las circunstancias de la convocatoria pueda ser objeto de recurso contencioso-administrativo y obtener la correspondiente Resolución judicial revisora antes del día previsto para la celebración de la concentración. En tales supuestos no parece que pueda anudarse de forma necesaria y automática a la extemporaneidad, y a la consiguiente infracción legal, una vulneración del derecho de reunión.

En el caso aquí enjuiciado, ni la actora demuestra que la extemporaneidad responde a un ánimo dilatorio impeditivo o entorpecedor del ejercicio del derecho, ni dispone este Tribunal de elementos suficientes para llegar a esta conclusión, ni, finalmente, se impidió el ejercicio del control judicial previo a la fecha de la convocatoria prevista por los promotores de la concentración. [...]

---

9   *Vid.* también las SSTC 90/2006, de 27 de marzo; 24/2015, de 16 de febrero.

Ejemplo de relevancia constitucional de la limitación extemporánea del ejercicio del derecho de reunión —STC 195/2003, de 27 de octubre (*vid. supra*)—

FJ 10. El demandante de amparo considera que la extemporaneidad de la resolución gubernativa, determinante, según afirma, de la imposibilidad material de que pudiera obtener la tutela de su derecho de reunión ante los Tribunales de justicia, ha supuesto la vulneración conjunta de su derecho a la tutela judicial efectiva (art. 24.1 CE) y del mismo derecho de reunión. [...]

FJ 11. [...] Tras el examen de las actuaciones se comprueba que el demandante de amparo comunicó el día 20 de octubre de 2001 a la Subdelegación del Gobierno su proyecto de manifestación-concentración para el próximo domingo día 4 de noviembre; que el citado órgano gubernativo requirió el día 22 de octubre al Ayuntamiento de Candelaria para que emitiera en veinticuatro horas el informe a que se refiere el art. 9.2 LODR y que tal informe nunca fue recibido; que la Resolución gubernativa en la que se impusieron las medidas limitativas de la futura reunión fue dictada el 26 de octubre y notificada al demandante el siguiente 31; y que el recurso contencioso-administrativo ante la Sala correspondiente del Tribunal Superior de Justicia de Canarias se presentó el viernes 2 de noviembre de 2001. El recurrente y las demás partes fueron convocadas a audiencia ante el órgano judicial el día 6 de noviembre de 2001, y al siguiente día 7 —tres después de la fecha para la que se había programado la reunión— fue cuando se pronunció la Sentencia confirmatoria de la Resolución impugnada.

El art. 10 LODR establece que el plazo máximo en que, de forma motivada, debe adoptarse y ser notificada la resolución en la que la autoridad gubernativa imponga modificaciones sobre la reunión o manifestación es de setenta y dos horas, por lo que sin duda la resolución dictada por la Subdelegación del Gobierno en Santa Cruz de Tenerife y su notificación fueron extemporáneas, al demorarse en más de siete días sobre el vencimiento del plazo legal, teniendo lugar dicha notificación tan sólo dos días antes del domingo para el que estaba prevista la manifestación. Se dio, por tanto, una tardanza injustificada en la respuesta a la comunicación previa del demandante, tardanza que, por sí misma, comprometió la garantía jurisdiccional del derecho de reunión, y sin que a tal conclusión sea menester mayor indagación sobre un posible ánimo dilatorio.

Por otra parte —y a diferencia del supuesto que se enjuició en nuestra STC 66/1995—, la Sentencia del Tribunal Superior de Justicia de Canarias tan sólo fue pronunciada una vez transcurrida la fecha para la que se había proyectado la concentración: retraso éste al que, además de la Administración, vino a contribuir asimismo el órgano judicial en grado determinante, pues [...] es preciso reconocer que en el proceso no concurría óbice material o jurídico alguno para que el pronunciamiento judicial se hubiera anticipado a la fecha de la concentración; ello desde la obligación capital que incumbe a los juzgadores de interpretar los preceptos legales aplicables conforme a la Constitución y en orden a evitar que la garantía jurisdiccional del derecho fundamental, en este caso la preferente prevista en el art. 53.2 CE, deviniera en inefectiva e ilusoria por tardía, dado el contenido meramente declarativo de la sentencia que en tal situación se pronuncia.

El ejercicio del derecho de reunión en prisión —STC 10/2009, de 12 de enero—

La Sentencia resuelve el recurso de amparo promovido por don R.A.M. contra el Acuerdo sancionador de la Comisión Disciplinaria del Centro Penitenciario de Almería, de 17 de mayo de 2006, y contra los Autos del Juzgado Central de Menores de la Audiencia Nacional (con funciones de vigilancia penitenciaria), de 25 de julio y de 30 de octubre de 2006, que lo confirman. En ellos se impuso al recurrente la sanción de seis días de privación de paseos y actos recreativos comunes [artículo 111 e] del Reglamento penitenciario aprobado por Real Decreto 1201/1981: RP 1981], como autor de una falta grave consistente en desobedecer órdenes recibidas de autoridades o funcionarios [artículo 109 b) RP]. El recurrente desobedeció, en concreto, la orden de disolver una concentración convocada por él en el patio del establecimiento penitenciario en horario habitual de paseo.

FJ 6. Finalmente, el recurrente alega la vulneración del derecho a no sufrir discriminación y a las libertades de expresión y reunión (arts. 14, 20 y 21, en relación con el art. 25.2, CE), por haber sido sancionado como consecuencia de la concentración llevada a cabo en el patio del establecimiento penitenciario en horario normal y habitual de paseo, de corta duración, sin portar pancarta alguna, de forma silenciosa y pacífica, con aviso previo, siendo, además, disuelta motu proprio.

Huérfana de toda argumentación se presenta la vulneración del derecho a no sufrir discriminación, por lo que ha de ser desestimada sin más la denunciada lesión del art. 14 CE. De otra parte, como este Tribunal ya declaró en la reiteradamente citada STC 71/2008, ante una queja sustancialmente idéntica del ahora recurrente, «la invocación del derecho a la libertad de expresión resulta meramente retórica y debe reconducirse al derecho de reunión pacífica» (FJ 5). Centrada en estos términos la queja del recurrente en amparo, hay que comenzar por destacar, como advierten el Abogado del Estado y el Ministerio Fiscal, que el expediente disciplinario no se le ha incoado por el hecho de haber participado en una concentración en el patio del establecimiento penitenciario, sino por el hecho de haber desobedecido la orden verbal de disolución dada por los funcionarios de servicio, según consta en el relato de hechos del pliego de cargos y cuya desobediencia fue sancionada, según se ha dejado constancia en el fundamento jurídico 1. Ante idéntica queja del recurrente dijimos en la ya citada STC 71/2008 y hemos de reiterar ahora que «[E]n relación con el ejercicio de este derecho dentro de los centros penitenciarios por parte de los condenados a prisión, debe incidirse en que, estando previsto en el art. 25.2 CE que los derechos fundamentales de los internos queden expresamente limitados por la condena, el sentido de la pena y la ley penitenciaria, ya este Tribunal ha destacado que el ejercicio del derecho de reunión en el interior de las prisiones puede quedar limitado por razones de orden y seguridad constitucionalmente legítimas (STC 119/1996, de 8 de julio, FJ 2). A partir de ello, no cabe admitir la afirmación del recurrente de que las reuniones y concentraciones realizadas por internos dentro de centros penitenciarios no requieren de autorización previa, toda vez que no puede privarse a la Administración penitenciaria de que determine y pondere en cada caso si el pretendido ejercicio de este derecho resulta compatible con la condición de presos en general, con el cumplimiento de su pena privativa de libertad, con la seguridad y buen orden del establecimiento, con la libertad de los demás presos con los que obligadamente conviven los peticionarios y con la correcta prestación por los funcionarios del centro penitenciario de sus restantes servicios y funciones» (ibídem).

Como hicimos entonces, también debemos concluir ahora declarando que «habida cuenta de que el recurrente, junto con otros presos, se limitó a comunicar por medio de instancia entregada poco antes de su celebración que participaría en una concentración, pero sin posibilitar que la Administración determinara y ponderara las razones de orden y de seguridad del centro que pudieran verse afectadas, no cabe afirmar que fuera una conducta amparada por el legítimo ejercicio de este derecho» (ibídem).

El ejercicio del derecho de reunión en el ámbito laboral —STC 88/2003, de 19 de mayo[10]—

La Sentencia resuelve el recurso de amparo promovido por funcionarios del Servicio Municipal de Extinción de incendios y de la Policía Local de Valladolid del contra la Sentencia de la Sección Segunda de la Audiencia Provincial de Valladolid de 3 de noviembre de 1998, que los condenó como autores de una falta de allanamiento de domicilio de persona jurídico-pública del artículo 635 del Código penal (CP 1995), por haber ocupado la casa consistorial durante unas movilizaciones sindicales contra el Ayuntamiento. Los recurrentes alegan vulneración, entre otros, de su derecho de reunión.

FJ 10. Iniciando el análisis por el examen del derecho de reunión en el ámbito laboral, hemos de precisar que no nos encontramos ante un supuesto de ejercicio del genérico derecho de reunión pacífica y sin armas reconocido en el artículo 21.1 CE, ni tampoco del genérico derecho de reunión en lugares de tránsito público (art. 21.2 CE), sino ante una concreta manifestación del derecho de reunión que se enmarca en el contexto de las relaciones de trabajo, en particular, el derecho de asamblea de los trabajadores. Si bien este derecho encuentra su cobertura constitucional en el propio artículo 21.1 CE (SSTC 91/1983, de 7 de noviembre, FJ 3; 29/2000, de 31 de enero, FJ 5), hemos reconocido que el derecho de reunión «presenta especialidades cuando se ejercita en el ámbito laboral o del personal al servicio de las Administraciones públicas» (SSTC 18/1981, de 8 de junio; 91/1983, de 7 de noviembre; y 29/2000, de 31 de enero, FJ 5; AATC 869/1988, de 4 de julio, y 565/1989, de 27 de noviembre). Estas especialidades obedecen a su ejercicio en el centro de trabajo ante la posible afectación del funcionamiento de la actividad desarrollada en el mismo y la necesaria colaboración de la empresa o de la Administración para hacerlo efectivo, esto es, a la puesta a disposición de los trabajadores de un espacio donde ejercerlo. Por ello, el ejercicio de este derecho, «como el de todos y cada uno de los derechos constitucionales (STC 6/1988, de 21 de enero), ha de ajustarse a determinadas reglas y límites cuando se ejerce en el seno de la empresa, pues ha de compatibilizarse con los derechos y obligaciones que nacen de la relación de trabajo y, en particular, con los derechos del empresario en cuanto a la dirección y organización del trabajo y sobre los locales y útiles de la empresa» (ATC 869/1988, de 4 de julio, FJ 4).

---

[10]	*Vid.* también la STC 18/1981, de 8 de junio.

A garantizar dicha compatibilidad en el ámbito de las relaciones de trabajo prestadas a las Administraciones públicas en virtud de una relación administrativa o estatutaria se ordena la regulación contenida en los arts. 41, 42, y 43 de la Ley 9/1987, de 12 de junio, de órganos de representación, determinación de las condiciones de trabajo y participación del personal al servicio de las Administraciones públicas. En dichas normas, aplicables al caso que nos ocupa —a pesar de la inconstitucionalidad de la disposición final de dicha Ley por declarar básicos sus arts. 42.1 y 43.1 y la inaplicación de éstos en el País Vasco al resultar viciados de incompetencia, declaradas por nuestra STC 43/1996, de 14 de marzo—, se establece, sustancialmente, quiénes están legitimados para convocar la reunión (art. 41), la preferencia de su autorización fuera de las horas de trabajo y que, en todo caso, la misma no debe perjudicar la prestación de servicios (art. 42) y los requisitos para convocar la reunión —comunicación por escrito con antelación de dos días, indicación del lugar y hora de celebración, así como del orden del día (art. 43).

FJ 11. El examen de la legitimidad constitucional del ejercicio del derecho de reunión no se satisface, dada la naturaleza sustantiva del propio derecho invocado, con un mero juicio externo, que verse sobre la razonabilidad de las valoraciones efectuadas por el Tribunal que aplicó la sanción a los recurrentes, sino que requiere aplicar «inmediatamente a los hechos probados las exigencias dimanantes de la Constitución española para determinar si, al enjuiciarlos, han sido o no respetados» (STC 110/2000, de 5 de mayo, FJ 3).

Pues bien, en la declaración de hechos probados de la Sentencia de instancia no consta que no se comunicara con la antelación necesaria la celebración de la asamblea, ni el lugar y hora de la misma, ni su orden del día, lo que sería necesario para considerar ilícita su celebración. Por el contrario, sí aparece probada la falta de consentimiento del Alcalde para que siguiera celebrándose dicha asamblea por entender que se estaba produciendo una importante alteración del normal funcionamiento de los servicios y su advertencia de que a partir del cierre del Ayuntamiento podía incurrirse en el delito de allanamiento de domicilio de persona jurídica. La resolución leída por el Secretario del Ayuntamiento no deja resquicio de duda sobre la inequívoca voluntad del Alcalde en tal sentido. Teniendo en cuenta que es el titular del lugar de celebración de la asamblea, empresario o Administración pública, quien puede, en principio, valorar conforme a pautas de razonabilidad la afectación de su funcionamiento por la asamblea, y siendo dicha afectación el fundamento que puede legitimar la negativa a ceder ciertos espacios, no puede sostenerse que el mantenimiento de la asamblea en la sala de recepciones del Ayuntamiento de Valladolid tras ser comunicada la orden de desalojo del Alcalde constituya ejercicio legítimo del derecho de reunión de los funcionarios del servicio de extinción de incendios y policía local del citado municipio. Como afirmamos en la STC 91/1983, de 7 de julio, (FJ 3), el derecho de reunión no comprende de forma absoluta e incondicionada el derecho a que «un tercero deba poner a disposición de quienes lo ejercitan un local de su titularidad».

Pero aunque no pueda afirmarse que el ejercicio del derecho de reunión en el ámbito laboral haya sido legítimo, tampoco puede sostenerse que el supuesto es ajeno por completo a este derecho, dado el contexto de negociación colectiva y la finalidad de apoyar las reivindicaciones laborales en las materias citadas —complementos por peligrosidad, salidas a provincias, festivos—, así como el dato de la reunión efectiva de un numeroso grupo de funcionarios de los colectivos mencionados, el tácito consentimiento inicial del Alcalde y la ausencia de alteración del orden público. De otra parte, tampoco puede afirmarse con rotundidad que el presente supuesto se enmarque en un ámbito absolutamente ajeno a la libertad de acción sindical. En efecto, lo que en todo caso debe tenerse en cuenta es que el derecho de libertad sindical, en su vertiente individual, comprende el derecho de los afiliados a la actividad sindical (art. 2.1.d LOLS) y que el art. 12 de la Ley Orgánica de libertad sindical sanciona con la nulidad las decisiones unilaterales del empresario que contengan o supongan cualquier tipo de discriminación en el empleo o en las condiciones de trabajo por razón de adhesión o no a un sindicato, a sus acuerdos, o al ejercicio, en general, de actividades sindicales. Previsión legal que, de otro lado, recoge lo ya dispuesto en el art. 1.2.b del Convenio núm. 98 de la Organización Internacional del Trabajo, conforme al cual se protege al trabajador afiliado frente a todo acto empresarial que tenga por objeto perjudicarle de cualquier forma en razón de su afiliación o de su participación en actividades sindicales. [...]

El restablecimiento del derecho de reunión en casos de vulneración —STC 170/2008, de 15 de diciembre (*vid. supra*)—

FJ 5. Debe precisarse, finalmente, que la pretensión accesoria relativa a la publicación de esta Sentencia a costa de la Dirección General de Seguridad Ciudadana en diversos periódicos, así como su lectura en los informativos de mediodía y noche en la cadena pública TV3, no puede ser acogida.

Como ya dijimos en la STC 182/2005, de 4 de julio, FJ 8, alegada por el Abogado de la Generalidad, las pretensiones que la parte recurrente puede formular en su demanda son, en virtud de lo dispuesto en el art. 55.1 LOTC, que es el precepto que establece el contenido exclusivo de los pronunciamientos de las Sentencias de amparo, aquellas «que determinan la nulidad de la decisión, acto o resolución que haya impedido el pleno ejercicio del derecho o libertad protegidos, su reconocimiento de acuerdo con su contenido constitucional, o por fin, su restablecimiento para conservarlo en lo sucesivo; debiendo entenderse que quedan al margen de dicho recurso las pretensiones que no se dirijan a conseguir tales finalidades, porque planteen temas ajenos al contenido del mismo por exceso, y conducentes a declaraciones diversas, tratando de convertir al Tribunal Constitucional en una tercera instancia, con revisión de hechos o realizando declaraciones y valoraciones jurídicas u ordenando medidas sin apoyo cierto en los derechos o libertades que salvaguardan en pro de los ciudadanos las normas constitucionales antes indicadas (ATC 98/1981, de 30 de septiembre)».

Pues bien, ante un supuesto de vulneración del derecho de reunión (art. 21 CE) por desautorización de una manifestación, el restablecimiento del mencionado derecho únicamente se produce con la declaración de nulidad de la prohibición y su posterior ejercicio, lo cual pudo obrarse tras el periodo electoral, pero no con la publicación de la Sentencia estimatoria. Es cierto que el trascurso del tiempo pudo hacer perder fuerza a la finalidad de la convocatoria, que era la de influenciar en las negociaciones que en aquel momento se estaban llevando a cabo con el Departamento de Interior de la Generalidad de Cataluña, pero en cualquier caso no lo es menos que dicha pretensión reparadora no constituye función de este Tribunal.

EL DERECHO DE ASOCIACIÓN

Artículo 22. *1. Se reconoce el derecho de asociación.*
2. Las asociaciones que persigan fines o utilicen medios tipificados como delito son ilegales.
3. Las asociaciones constituidas al amparo de este artículo deberán inscribirse en un registro a los solos efectos de publicidad.
4. Las asociaciones sólo podrán ser disueltas o suspendidas en sus actividades en virtud de resolución judicial motivada.
5. Se prohíben las asociaciones secretas y las de carácter paramilitar.

INTRODUCCIÓN

El reconocimiento del derecho fundamental de asociación, entendida ésta como una unión o agrupación de personas que, además de voluntaria, es «estable y permanente, significándose con ello la voluntad de permanencia, al menos durante cierto tiempo, de esa agrupación para la consecución y realización de los fines asociativos propuestos» (STC 104/1999, FJ 2); el reconocimiento del derecho fundamental de asociación, decía, supone la superación del recelo del constitucionalismo decimonónico hacia el fenómeno asociativo, hacia lo que se percibía como expresión de voluntades corporativistas que podrían interponerse entre el individuo soberano y sus representantes en la esfera público-política. Hoy el derecho de asociación es objeto de reconocimiento pacífico, asumiéndose sin mayores controversias su naturaleza de derecho fundamental de titularidad individual y ejercicio colectivo, un derecho cuyo régimen jurídico se encuentra regulado en la Ley Orgánica 1/2002, de 22 de marzo, reguladora del derecho de asociación. Hoy se asume incluso la vinculación del derecho de asociación a la dignidad humana y al libre desarrollo de la personalidad, «por cuanto protege el valor de la sociabilidad como dimensión esencial de la persona y en cuanto elemento necesario para la comunicación pública en una sociedad democrática» (STC 236/2007, FJ 7). Se asume, en fin, la importancia que en democracia tiene la posibilidad de perseguir colectivamente intereses comunes, muy especialmente en sociedades diversas, donde a la dispersión de los intereses se suma la pervivencia de la desigualdad real entre colectivos sociales (artículo 9.2 CE).

En coherencia con lo anterior, el derecho de asociación se reconoce en términos universales, que atribuyen su titularidad a personas españolas y extranjeras con independencia de la situación administrativa en que éstas se encuentren. Aunque en un principio el Tribunal Constitucional admitía la posibilidad de introducir diferencias legislativas en la regulación de su ejercicio por unas y otras, siempre que no afectasen al contenido esencial del derecho (STC 115/1987, FJ 3), hoy parece tener más reservas en este sentido y apuntar más bien a la necesidad de una regulación homogénea (STC 236/2007, FJ 7 —**TITULARIDAD DE LOS DERECHOS FUNDAMENTALES**—). Titulares del derecho de asociación son también las personas jurídicas de naturaleza asociativa. Éstas no sólo pueden ser socias de otros entes asociativos, pudiendo incluso «constituir federaciones, confederaciones o uniones, previo el cumplimiento de los requisitos exigidos para la constitución de asociaciones, con acuerdo expreso de sus órganos competentes» (artículo 3.e) y f) Ley Orgánica 1/2002). Las asociaciones son también titulares del derecho de asociación en cuanto expresión del derecho de asociación de las personas físicas que las integran (STC 219/2001), y pueden como tales ejercer y hacer valer el derecho de asociación de sus socias/os (STC 24/1987). Ello es así en la medida en que sean efectivamente manifestaciones de una agrupación de personas, no el resultado de la puesta en común de capitales con objetivos patrimoniales (STC 23/1987, FJ 6). Tampoco son titulares del derecho de asociación las asociaciones de derecho público (*vid.* **TITULARIDAD DE LOS DERECHOS FUNDAMENTALES**), asociaciones «cuyo objeto sea el ejercicio de funciones públicas de carácter administrativo relativas a un sector de la vida social» (STC 67/1985, FJ 3). Lo anterior no obsta, con todo, a que las asociaciones mercantiles y jurídico-públicas sean titulares de un derecho legal, que no fundamental, de asociación, tal y como lo reconoce el artículo 3.e) y g) de la Ley Orgánica 1/2002. Esta posibilidad no está excluida por el artículo 22 CE, «cuyo número 3 se refiere a «las asociaciones constituidas al amparo de este artículo», de donde se deduce a sensu contrario que no se excluye la existencia de asociaciones que no se constituyan a su amparo» (STC 67/1985, FJ 3).

El artículo 22 CE reconoce un derecho genérico de asociación (STC 5/1996), de cuyo contenido o ámbito de cobertura se excluyen las asociaciones que persigan fines o utilicen medios delictivos (artículo 22.2 CE), así como las secretas y las paramilitares (artículo 22.5 CE). Su régimen jurídico aparece desarrollado en la Ley Orgánica 1/2002, de 22 de marzo, reguladora del derecho de asociación. El Tribunal Constitucional ha identificado cuatro facetas como integrantes del derecho genérico de asociación. Tres de ellas se ejercen frente a los poderes públicos, a saber, «la libertad de creación de asociaciones y de adscripción a las ya creadas; la libertad de no asociarse y de dejar de pertenecer a las mismas; y, finalmente, la libertad de organización y funcionamiento internos sin injerencias públicas» (STC 104/1999, FJ 4). La cuarta, que se ejerce *inter privatos*, «garantiza un haz de facultades a los asociados, considerados individualmente, frente a las asociaciones a las que pertenezcan o en su caso a los particulares respecto de las asociaciones a las cuales pretendan incorporarse» (*ibídem*). Todo ello sin perjuicio de que dentro de ese derecho genérico tengan cabida asociaciones con regímenes específicos, como las asociaciones deportivas (STC 67/1985), las cooperativas

(STC 96/1994), u otras que, en cuanto que especies del género asociación, pueden estar sujetas a requisitos adicionales (STC 135/2006). Es el caso de los partidos políticos (por todas, STC 48/2003, FFJJ 5-7), los sindicatos (**ARTÍCULO 28**), los colegios profesionales (STC 89/1989), o las asociaciones de juezas/jueces y fiscales (STC 24/1987).

En el marco del contenido genérico del derecho de asociación, la primera y la tercera de las facetas arriba mencionadas, las libertades de creación y adscripción y de organización frente a los poderes públicos, libertades que fueron conflictivas durante el siglo XIX, no presentan hoy en su ejercicio problemas de entidad. Donde éstos surgen lo hacen, fundamentalmente, en torno al proceso de inscripción registral previsto en el artículo 22.3 CE. Se parte aquí de que la inscripción en el registro de asociaciones tiene efectos de mera publicidad, no efectos constitutivos, lo que priva a la autoridad registral de poder sobre la existencia o no de las asociaciones. Es más, el Tribunal Constitucional ha aclarado que, aun en el marco de dichos efectos, la autoridad registral no puede incurrir en obstaculizaciones inmotivadas del pleno ejercicio del derecho de asociación, pues aunque el registro tenga meros efectos de publicidad, «es claro que la libertad de asociación no se realiza plenamente sino cuando se satisface la carga de la inscripción registral que la Constitución impone (art. 22.3) y que la Administración no puede denegar arbitraria o inmotivadamente» (STC 291/1993, FJ 2); como tampoco puede denegar arbitraria o inmotivadamente la inscripción registral de una modificación en sus estatutos (STC 219/2001, FJ 5). Corresponderá luego al poder judicial, bien revisar la denegación de inscripción registral, bien, como establece el artículo 22.4 CE, ordenar la disolución o suspensión de las actividades de una asociación (STC 115/1987, FJ 3), siempre igualmente de forma motivada, con base en un juicio de proporcionalidad.

Lo anterior no impide que el régimen específico de algunas asociaciones pueda prever especificidades en este terreno. Así, el artículo 3 de la Ley Orgánica 6/2002, de 27 de junio, de Partidos Políticos, atribuye efectos constitutivos al registro de estas asociaciones. El Tribunal Constitucional ha considerado que esta regulación es conforme al artículo 22 CE, en la medida en que los poderes que otorga a la administración registral son meramente formales, quedando el control sustantivo de la inscripción de partidos políticos en manos del poder judicial (STC 48/2003, FFJJ 20-21). Esa misma Ley Orgánica prevé causas específicas de disolución y suspensión judicial de las actividades de los partidos políticos, causas relacionadas con su conexión con banda armada y elementos terroristas, y que el Tribunal Constitucional considera igualmente conformes a la Constitución, siempre que su aplicación se atenga a criterios de proporcionalidad, y siempre en el respeto, no sólo del derecho de asociación, sino también de las libertades ideológicas y de expresión (SSTC 48/2003, FJ 9; 5/2004 —**ARTÍCULO 16**—).

Las facetas segunda y cuarta del contenido del derecho de asociación, a saber, la libertad de no asociarse y los derechos de las/os asociadas/os frente a las asociaciones a que pertenecen, suscitan problemas más contemporáneos. Es el caso de la dimensión negativa del derecho de asociación, de la libertad de no asociarse. En palabras del Tribunal Constitucional, el «reconocimiento y alcance de estas dos libertades —positiva y negativa— se encuentra en conexión con el tipo de Estado en cada tiempo y lugar. Así la libertad de asociarse supone la superación del recelo con que el Estado liberal contempló el derecho de asociación, y la libertad de no asociarse es una garantía frente al dominio por el Estado de las fuerzas sociales a través de la creación de Corporaciones o asociaciones coactivas que dispusieran del monopolio de una determinada actividad social» (STC 67/1985, FJ 3). La cuestión surge así, en concreto, en torno a la capacidad del Estado de «organizar su intervención en los diversos sectores de la vida social a través de la regulación de asociaciones privadas de configuración legal, a las que se confiere el ejercicio de funciones públicas de carácter administrativo relativas a todo un sector» (*ibídem*). Así articulada, esta intervención tiene una base asociativa, pero no integra el contenido del derecho de asociación reconocido en el artículo 22 CE. Pues bien, en el marco de su intervención en la vida social mediante asociaciones privadas de configuración legal, el Estado puede restringir el derecho de asociación en su dimensión negativa, el derecho a no asociarse, imponiendo la asociación obligatoria. Más allá de este terreno, el Tribunal Constitucional entiende que la asociación obligatoria es contraria al artículo 22 CE, sin perjuicio de la obligación de satisfacer compromisos contractuales en que se haya podido incurrir con la asociación a la que (ya) no se quiere pertenecer (STC 183/1989, FJ 3).

Incluso en el terreno de las asociaciones de creación legal que desempeñan una función pública, el Tribunal Constitucional ha afirmado la excepcionalidad de la asociación obligatoria (STC 244/1991), trátese de cámaras agrarias (STC 132/1989), cámaras de comercio (STC 107/1996), o de colegios profesionales (STC 89/1989), cuya existencia es por lo demás, objeto de reconocimiento constitucional como derecho fundamental de configuración legal (artículo 36 CE). La constitucionalidad de dicha asociación obligatoria se hace depender de tres requisitos: que nos encontremos ante un régimen excepcional, no ante la regla general en el terreno corporativo; que dicha obligatoriedad no afecte a la dimensión positiva del derecho de asociación, al derecho a asociarse libremente; y que, en cuanto que régimen excepcional, la adscripción obligatoria a una corporación encuentre «suficiente justificación, ya sea en disposiciones constitucionales, ya sea en las características de los fines de interés público que persigan, de las que resulte, cuando menos, la dificultad de obtener tales fines sin recurrir a la adscripción forzosa a un ente corporativo» (STC 113/1994, FJ 12). Ciertamente, aunque el Tribunal Constitucional «podrá identificar legítimamente aquellos supuestos en los que, prima facie, tal imposibilidad o dificultad no se presente» (*ibídem*), el legislador cuenta con un amplio margen en la apreciación de dicha dificultad. Así, en el contexto de las Cámaras Oficiales de Comercio, Industria y Navegación, el Tribunal afirmó que su labor se limita a analizar si «puede entenderse que, manifiestamente, resulte inexistente la dificultad para que la totalidad de los fines atribuidos a las Cámaras pueda obtenerse sin necesidad de la afiliación obligatoria» (STC 107/1996, FJ 11). Con base en este criterio el Tribunal ha afirmado la constitucionalidad de la afiliación obligatoria a las mencionadas Cámaras, no así a las cámaras agrarias (STC 132/1989). En la misma línea, ha considerado constitucional la adscripción forzosa a los Colegios de profesiones liberales (STC 123/1987), pero no de personal funcionario (STC 76/2003), en la medida en que la pertenencia a la función pública satisface ya los fines que justificarían la adscripción forzosa a dicho colegio.

La cuarta faceta del contenido del derecho de asociación identificada por el Tribunal Constitucional, la que se refiere a los derechos de las personas que son o aspiran a ser miembros de una asociación, no frente a los poderes públicos, sino frente a dicha asociación, pone sobre la mesa la posibilidad de que se produzcan conflictos en el seno del propio derecho de asociación. Pone sobre la mesa, en concreto, la posibilidad de que el ejercicio de este derecho a nivel individual pueda colisionar con su ejercicio colectivo a través de la asociación como persona jurídica. Es lo que sucede cuando una asociación se enfrenta con alguno de sus miembros o aspirantes a serlo en torno a la satisfacción de obligaciones o requisitos asociativos, pudiendo la primera decidir la expulsión o inadmisión del segundo. El Tribunal Constitucional resuelve estos casos atendiendo a hasta qué punto la asociación actúa en nombre de sus socias/os y del ejercicio por parte de éstas/os del derecho de asociación, de conformidad con lo consagrado en los estatutos de la misma (STC 218/1988), conformidad con los estatutos que está sujeta a revisión judicial (STC 96/1994) y, en su caso, por el Tribunal Constitucional. El límite es que dichos estatutos respeten la Constitución y el resto del ordenamiento jurídico, muy especialmente los derechos fundamentales de sus socias/os y aspirantes (ATC 254/2001). Nos encontramos, en definitiva, ante conflictos de derechos que se producen en el seno del propio derecho de asociación. Unos conflictos que nos llevan al terreno del ejercicio de los derechos fundamentales en relaciones entre particulares, y que ponen de manifiesto cómo ese ejercicio cobra especial sentido allí donde surgen focos de poder social, sea éste el poder empresarial, el de los medios de comunicación o, en este caso, el asociativo.

LEGISLACIÓN

Código Penal: artículos 515 a 521 y 571 a 580; Ley Orgánica 1/2002, de 22 de marzo, reguladora del derecho de asociación; Ley Orgánica 6/2002, de 27 de junio, de partidos políticos; Ley 74/1978, de 26 de diciembre, de Colegios Profesionales.

BIBLIOGRAFÍA

BERMEJO VERA, J. (1995): «La dimensión constitucional del derecho de asociación», *RAP* 136, pp. 119-148; BILBAO UBILLOS, J.M. (1997): *Libertad de asociación y derechos de los socios*, Valladolid: Universidad de Valladolid; ELVIRA PERALES, A. (2002): «Asociaciones y democracia interna», *La democracia constitucional: Estudios en homenaje al profesor Francisco Rubio Llorente* (AA.VV.), Madrid: Congreso de los Diputados, pp. 607-630; ESPARZA OROZ, M. (2004): *La ilegalización de Batasuna (El nuevo régimen jurídico de los partidos políticos)*, Cizur Menor: Aranzadi; FERNÁNDEZ FARRERES, G. (1987): *Asociaciones y Constitución*, Madrid: Civitas; GARCÍA MURCIA, J. (1991): «El derecho de sindicación y los colegios profesionales en la jurisprudencia constitucional», *REDC* 31, pp. 151-198; GÓMEZ MONTO-RO, J. (2004): *Asociación, Constitución, Ley (Sobre el contenido constitucional del derecho de asociación)*, Madrid: CEPC; GONZÁLEZ PÉREZ J. y FERNÁNDEZ FARRERES, G. (2002): *Derecho de asociación (Comentarios a la Ley Orgánica 1/2002, de 22 de marzo)*, Madrid: Civitas; LUCAS MURILLO DE LA CUEVA, E. (1996): *El derecho de asociación*, Madrid: Tecnos; OTTO Y PARDO, I. (1985): *Defensa de la Constitución y partidos políticos*, Madrid: CEC; MARTÍN MORAL, I. (2002): «El colegio profesional: una asociación constitucional», *RDP* 53, pp. 161-197; MARTÍN-RETORTILLO, L. (1996): *Los colegios profesionales a la luz de la Constitución*, Madrid: Civitas; PÉREZ ESCALONA, S. (2007): *El derecho de asociación y las asociaciones en el sistema constitucional español*, Cizur Menor: Aranzadi; SALVADOR COR-DERCH, P., ed. (1997): *Asociaciones, derechos fundamentales y autonomía privada*, Madrid: Civitas; TAJADURA TEJADA, J. (2004): *Partidos políticos y Constitución*, Madrid: Civitas; TO-RRES MURO, I. (1999): «Ley autonómica y derecho de asociación», *REDC* 55, pp. 263-285; VÍRGALA FORURÍA, E. (2002): «Los partidos políticos ilícitos tras la Ley Orgánica 6/2002», *TyRC* 10-11, pp. 203-261.

I. CONTENIDO Y ALCANCE DEL DERECHO DE ASOCIACIÓN

Contenido del derecho de asociación —STC 104/1999, de 14 de junio[1]—

La Sentencia resuelve el recurso de amparo interpuesto por la Asociación «Disminuidos Físicos de Aragón» contra la Sentencia de la Sala de lo Civil del Tribunal Supremo, que ratifica en casación la de la Audiencia Provincial de Zarago-za, que reconoció a determinadas personas la condición de socios desconociendo los Estatutos de la Asociación. Ésta entiende vulnerado su derecho de asociación.

FJ 2. El reconocimiento constitucional del derecho de asociación supone así la confirmación —y subsiguiente ga-rantía— de la libertad que tienen los ciudadanos para fundar y participar en asociaciones. Ese derecho a asociarse se plasma, no sólo en la libre elección de los fines asociativos, sino también en la disponibilidad de organizarse libremente, sin otro tipo de condicionamientos que los dimanantes de los límites mismos que al efecto prevea el Or-denamiento jurídico. El aspecto central de la libertad de asociación va a situarse, por tanto, en la amplitud y extensión de esos límites, en función de los cuales se concretará la efectividad del derecho y el alcance de la libertad consus-tancial a su ejercicio. Por ello, esa libertad de asociación, calificada como derecho fundamental en la Constitución dotado como tal de una más intensa protección previa y posterior, no tiene carácter absoluto y colinda con los demás derechos de la misma índole y los derechos de los demás, teniendo como horizonte último el Código Penal, en cuya virtud las asociaciones que persigan fines o utilicen medios tipificados como delito serán ilegales, según advierte al respecto el párrafo segundo del precepto constitucional invocado al principio. Ahora bien, el primer límite intrínseco de este derecho lo marca el principio de legalidad en cuya virtud los Estatutos sociales, como ejercicio de la potestad de autonomía han de acomodarse no sólo a la Constitución, sino también a las Leyes que, respetando el contenido

---

[1]   *Vid.* también SSTC 101/1991, de 13 de mayo; 244/1991, de 16 de diciembre; 56/1995, de 6 de marzo; 173/1998, de 23 de julio (FJ 8); 135/2006, de 27 de abril (FJ 2c).

esencial de tal derecho, lo desarrollen o lo regulen. Pues en este aspecto la asociación se presenta como una unión o agrupación de personas estable y permanente, significándose con ello la voluntad de permanencia, al menos durante cierto tiempo, de esa agrupación para la consecución y realización de los fines asociativos propuestos. Esa agrupación permanente se plasma, por tanto, en una estructura organizativa que los correspondientes Estatutos, según decimos, concretarán en virtud del correspondiente pacto asociativo. Resulta obvio, por otra parte, que el carácter estable y permanente de la asociación, reflejado en la existencia de una estructura organizativa, separa o distingue con nitidez a la asociación de la mera reunión, sin perjuicio de los puntos de conexión que entre ambos derechos o libertades, conceptual y prácticamente, es fácil constatar.

FJ 3. Deslindado de tal manera el ámbito de este litigio, conviene comenzar el discurso recordando nuestra doctrina principal sobre el derecho de asociación, pues a los limitados efectos que aquí interesan no parece necesario reiterar la ya abundante jurisprudencia constitucional sobre tal derecho, que está configurado, así, «como una de las libertades públicas capitales de la persona, al asentarse justamente como presupuesto en la libertad, viene a garantizar un ámbito de autonomía personal, y por tanto también el ejercicio con pleno poder de autodeterminación de las facultades que componen esa específica manifestación de la libertad» (STC 244/1991). Este lugar destacado de la libertad de asociación es también un componente esencial de las democracias pluralistas, pues sin ella no parece viable en nuestros días un sistema tal, del que resulta, en definitiva, uno de sus elementos estructurales como ingrediente del Estado Social de Derecho, que configura nuestra Constitución y, por su propia naturaleza, repele cualquier «interferencia de los poderes públicos» (STC 56/1995).
Ese contenido esencial o núcleo comprende tanto el derecho a asociarse como el de establecer la propia organización, que a su vez se extiende con toda evidencia a regular estatutariamente las causas y el procedimiento para la admisión y expulsión de socios. La actividad de las asociaciones, en éste y en cualquier aspecto, no conforma ciertamente un ámbito exento del control judicial que —una vez comprobada la legalidad de los Estatutos— tiene un alcance estrictamente formal y se polariza en dos datos y sólo en ellos, la competencia del órgano social actuante y la regularidad del procedimiento. Extramuros de tal fiscalización queda la decisión, que consiste en un juicio de valor y ofrece un talante discrecional, aun cuando haya de tener una base razonable, cuyas circunstancias sí pueden ser verificadas por el Juez, como hecho, dejando la valoración al arbitrio de quienes tengan atribuida tal misión en las normas estatutarias y así hemos dicho que «...el control judicial sigue existiendo pero su alcance no consiste en que el Juez pueda entrar a valorar», con independencia del juicio que ya hayan realizado los órganos de la asociación «... sino comprobar si existió o no una base razonable» para que aquéllos tomasen la correspondiente decisión... (STC 218/1988, fundamento jurídico 2°). [...]

FJ 4. Partiendo de esta situación y de la regulación parcial establecida en el citado art. 22 CE, este Tribunal ha venido destacando que el contenido fundamental de ese derecho se manifiesta en tres dimensiones o facetas complementarias: la libertad de creación de asociaciones y de adscripción a las ya creadas; la libertad de no asociarse y de dejar de pertenecer a las mismas; y, finalmente, la libertad de organización y funcionamiento internos sin injerencias públicas. Junto a este triple contenido, el derecho de asociación tiene también, según se dijo en la mencionada STC 56/1995, una cuarta dimensión, esta vez ínter privados, que garantiza un haz de facultades a los asociados, considerados individualmente, frente a las asociaciones a las que pertenezcan o en su caso a los particulares respecto de las asociaciones a las cuales pretendan incorporarse. [...]

Contenido del derecho de asociación y su titularidad por personas extranjeras: inconstitucionalidad de la suspensión administrativa de las asociaciones —STC 115/1987, de 7 de julio (*vid*. TITULARIDAD DE LOS DERECHOS FUNDAMENTALES)—

FJ 3. [...] El art. 8.2 de la Ley Orgánica 7/1985, de 1 de julio, establece: «El Consejo de Ministros, a propuesta del Ministro del Interior, previo informe del de Asuntos Exteriores, podrá acordar la suspensión de las actividades de las Asociaciones promovidas e integradas mayoritariamente por extranjeros, por un plazo no superior a seis meses, cuando atenten gravemente contra la seguridad o los intereses nacionales, el orden público, la salud o la moral pública o los derechos y libertades de los españoles». [...]
Debe admitirse que, de acuerdo a sus propios términos, el art. 22 de la Constitución, en contraste con otras Constituciones comparadas, reconoce también directamente a los extranjeros el derecho de asociación. En esta línea el art. 8 de la Ley Orgánica 7/1985 reconoce el derecho de asociación de los extranjeros y además también la aplicación a tal derecho de las mismas normas generales aplicables a los españoles. Al mismo tiempo y como única especialidad relevante establece esta posibilidad de suspensión administrativa, pero sólo cuando concurran determinadas

circunstancias. El problema también aquí es si el legislador ha respetado o no el contenido preceptivo del art. 22 de la Constitución. [...]

El derecho de asociación reconocido en las modernas Constituciones supone «la superación del recelo» con que el Estado liberal contempló el fenómeno asociativo (STC 67/1985, de 24 de mayo), de ahí que, en su vertiente positiva, garantice la posibilidad de los individuos de unirse para el logro de «todos los fines de la vida humana», y de estructurarse y funcionar el grupo así formado libre de toda indebida interferencia estatal.

La suspensión y disolución administrativas de las asociaciones han sido manifestaciones tradicionales de un sistema de fuerte control estatal, sobre todo, el movimiento asociativo, caracterizado en lo esencial por la discrecionalidad y la valoración de la acción del grupo con arreglo a criterios de oportunidad, y no de mera y estricta legalidad. En relación con la tradicional actitud estatal y a efectos de determinar hasta qué punto queda afectado el contenido esencial del derecho de asociación, la prohibición de disolución o suspensión administrativa de Asociaciones no aparece tanto, o no aparece sólo, como norma atributiva de competencias (que resuelve la opción entre la Administración o los Tribunales), sino como una norma de actuación que garantiza que sólo la Ley puede legitimar la intervención estatal en este área de libertad ciudadana. El que la decisión se adopte por un órgano judicial desde el momento inicial, y no se reduzca a un momento posterior de control judicial de la actividad administrativa, supone, de forma preceptiva, una garantía adicional muy importante, por ser la vía judicial la más adecuada para interpretar y aplicar las restricciones de los derechos fundamentales.

A estas razones responde el art. 22.4 de la Constitución, que establece que «las asociaciones sólo podrán ser disueltas o suspendidas en sus actividades en virtud de resolución judicial motivada». Se establece así una garantía del derecho de asociación no prevista en tales términos en los Tratados Internacionales suscritos por España en la materia. Este mandato del art. 22.4 constituye en puridad un contenido preceptivo del derecho de asociación que se impone al legislador en el momento de regular su ejercicio.

El problema así planteado es el de si el art. 13.1 de la Constitución habilita o no al legislador a establecer una excepción para los extranjeros de la regla contenida en el art. 22.4 de la Constitución. El art. 13.1 de la Constitución reconoce al legislador la posibilidad de establecer condicionamientos adicionales al ejercicio de derechos fundamentales por parte de los extranjeros, pero para ello ha de respetar, en todo caso, las prescripciones constitucionales, pues no se puede estimar aquel precepto permitiendo que el legislador configure libremente el contenido mismo del derecho, cuando éste ya haya venido reconocido por la Constitución directamente a los extranjeros, a los que es de aplicación también el mandato contenido en el art. 22.4 de la Constitución. Una cosa es, en efecto, autorizar diferencias de tratamiento entre españoles y extranjeros, y otra es entender esa autorización como una posibilidad de legislar al respecto sin tener en cuenta los mandatos constitucionales.

No cabe duda que el art. 8.2 de la Ley Orgánica 7/1985 establece una intervención administrativa que resulta totalmente incompatible con la garantía al derecho de asociación reconocida en el art. 22.4 de la Constitución también para los extranjeros. Por ello ha de admitirse, con el recurrente, la inconstitucionalidad del art. 8.2 de la Ley Orgánica 7/1985, de 1 de julio.

Contenido democrático del derecho de asociación y su titularidad por personas extranjeras —STC 236/2007, de 7 de noviembre (vid. TITULARIDAD DE LOS DERECHOS FUNDAMENTALES)[2]—

FJ 7. El Parlamento de Navarra impugna la redacción del art. 8 de la Ley Orgánica 4/2000, dada por el punto 6 del artículo primero de la Ley aquí impugnada, que dispone:

«Todos los extranjeros tendrán el derecho de asociación, conforme a las leyes, que lo regulan para los españoles y que podrán ejercer cuando obtengan autorización de estancia o residencia en España». [...]

[...] El derecho de asociación se encuentra [...] vinculado a la dignidad humana y al libre desarrollo de la personalidad por cuanto protege el valor de la sociabilidad como dimensión esencial de la persona y en cuanto elemento necesario para la comunicación pública en una sociedad democrática. Dado que se trata de un derecho cuyo contenido está unido a esa dimensión esencial, la Constitución y los tratados internacionales lo «proyectan universalmente» y de ahí que no sea constitucionalmente admisible la negación de su ejercicio a los extranjeros que carezcan de la correspondiente autorización de estancia o residencia en España. Ello no significa, como ya hemos dicho respecto del derecho de reunión, que se trate de un derecho absoluto, y por ello el legislador puede establecer límites a su ejercicio por parte de cualquier persona, siempre que respete su contenido constitucionalmente declarado.

---

[2] Sobre la constitucionalidad de esta ley, vid. también las SSTC 259/2007 a 265/2007, todas de 20 de diciembre.

[...] [L]as consideraciones realizadas hasta aquí conducen a la conclusión de que la nueva redacción dada al art. 8 de la Ley Orgánica 4/2000 por el art. 1, punto 6, de la Ley impugnada, al excluir cualquier ejercicio de este derecho por parte de los extranjeros que carecen de autorización de estancia o residencia en España ha vulnerado el art. 22 CE en su contenido constitucionalmente declarado por los textos a los que se refiere el art. 10.2 CE. En consecuencia, debe declararse inconstitucional el art. 8 de la Ley Orgánica 4/2000, de 11 de enero, en la redacción que le da el art. 1, punto 6, de la Ley Orgánica 8/2000, de 22 de diciembre, con los efectos que se expondrán en el fundamento jurídico 17.

Las asociaciones de derecho público —*vid. infra* IV. LA DIMENSIÓN NEGATIVA DEL DERECHO DE ASO-CIACIÓN—

1. El ejercicio colectivo del derecho de asociación

Las asociaciones como titulares del derecho de asociación —STC 219/2001, de 31 de octubre—

La Sentencia resuelve el recurso de amparo interpuesto por el Presidente de la Hermandad de Personal Militar en Situación Ajena al Servicio Activo, que denuncia la vulneración del derecho de asociación originada en la negativa del Ministerio del Interior a inscribir en el Registro de Asociaciones una modificación de los Estatutos aprobada por esa Hermandad, negativa confirmada por sendas Sentencias de la Sala de lo Contencioso-Administrativo de la Audiencia Nacional (26 de septiembre de 1992) y del Tribunal Supremo (30 de junio de 1997).

FJ 2. Antes de adentrarnos en el enjuiciamiento de los distintos motivos de amparo debemos prestar atención a varias circunstancias atinentes a la Hermandad recurrente y a las resoluciones supuestamente infractoras de los derechos fundamentales invocados. Hay que destacar, en primer lugar, que la Hermandad hoy recurrente se hallaba inscrita en el Registro de Asociaciones desde el 20 de julio de 1988 (núm. de registro nacional: 80.680; número de registro provincial: 8.961) si bien originariamente bajo la denominación de Hermandad de Personal Militar en la Reserva Transitoria. Luego tuvo lugar la modificación de los Estatutos de la Hermandad, acordada en Asamblea extraordinaria celebrada el 6 de octubre de 1990, lo que dio lugar a un «asiento de modificación» en la hoja registral, que daba cuenta de las modificaciones referidas. Sin embargo, este «asiento de modificación», que viene rubricado por el «Jefe de la Sección», se encuentra burdamente rayado con un aspa y luce a mano la palabra «nulo»; la certeza de las rayas y de la palabra adicionada resulta de la propia diligencia del Jefe de la Sección que hace constar que la copia testimoniada es copia literal del original. A esta anotación registral sigue una copia de los Estatutos de la Hermandad, en su versión inscrita en 1988, no en la modificada en 1990. En consecuencia, lo que hoy publica el Registro de Asociaciones, siquiera en una forma tan irregular como la descrita, no se corresponde con la realidad estatutaria de la Hermandad.

FJ 4. Precisados así los términos del debate, antes de proceder a su examen conviene señalar, con carácter previo, que quien denuncia la vulneración del art. 22 CE y solicita el amparo no es uno de los miembros de una asociación sino la asociación misma. [...]
[...] El caso que reclama nuestro juicio no exige que precisemos todos los contornos de la dimensión colectiva del derecho de asociación, pero sí procede identificar varios de sus rasgos generales. Lo primero, y más claro, es que no toda actividad de una asociación ya constituida está amparada por el art. 22 CE. También es claro que el art. 22 CE no dispone expresamente una tutela simétrica de los socios y de la asociación. En términos positivos podemos afirmar, avanzando en el camino señalado por las Sentencias arriba citadas, que una asociación ya constituida puede invocar directamente el art. 22 CE para defender su propia existencia conforme a la voluntad de sus asociados. En el caso que nos ocupa, la Hermandad recurrente (constituida en 1987) pretende la tutela constitucional respecto de una actuación asociativa cualificada, como es la promoción de la inscripción registral que prevé el propio art. 22.3 CE. Además, por medio de la inscripción fallida la Hermandad pretende que su existencia estatutaria —la que resulta de la Asamblea extraordinaria de 1990— coincida con su existencia pública, que es la que resulta de la hoja núm. 80.680 del Registro de Asociaciones. Estamos, entonces, ante un caso de defensa existencial de la Hermandad recurrente y donde, conforme a lo ya expuesto, la propia asociación puede pedir para sí la protección que garantiza el art. 22 CE.

Las asociaciones con fines mercantiles —STC 23/1987, de 23 de febrero—

La Sentencia resuelve el recurso de amparo interpuesto por la compañía mercantil «Larios S.A.» contra dos Sentencias de la Sala Primera del Tribunal Supremo, ambas de 30 e octubre de 1984. La primera casó la de la Audiencia Territorial

de Granada, de 27 de abril de 1982, que desestimaba una demanda contra la sociedad peticionaria del amparo; la
segunda decretó la nulidad del Acuerdo de la Junta general extraordinaria de dicha compañía que modificó el artículo
15 de sus Estatutos. La compañía entiende que ambas sentencias vulneran su derecho de asociación.

FJ 6. Queda por examinar la alegada violación del derecho de asociación reconocido en el art. 22 de la Norma suprema. Afirma la recurrente que ese derecho se extiende también a las sociedades mercantiles, por lo que sería aplicable
a éstas el derecho a la libertad de organizarse no ya en virtud de disposiciones de carácter legal sino de un precepto
constitucional. Consecuencia de ese derecho sería la libertad de modificar los Estatutos, respetando determinados
límites que no habrían sido traspasados en el Acuerdo objeto del proceso por lo que ese Acuerdo estaría también
protegido por el derecho fundamental consagrado en el art. 22 de la Constitución. Como se ve, el razonamiento de la
recurrente parte de una premisa que hay que considerar con carácter previo a entrar en el fondo de la cuestión, y que
consiste en afirmar que el término «asociación» usado en el citado art. 22 comprende tanto las uniones de personas
de finalidad no lucrativa como las de fines lucrativos, es decir, las sociedades, y, entre ellas, las anónimas. Podría
parecer, a primera vista, que nada se opone a esta interpretación, porque si bien es cierto que con nuestra terminología habitual el término «asociación» designa las uniones de personas con fines no lucrativos, también lo es que un
concepto amplio de asociación se encuentra en el Código Civil (arts. 35.2 y 36) al referirse a la «asociación de interés
particular», sean civiles, mercantiles o industriales. En el mismo sentido cabe aducir que entre otros ordenamientos
se ha reconocido esa extensión, incluso con un texto constitucional análogo al nuestro. Así, en Italia, la doctrina
dominante considera que art. 18 de su Constitución (análogo al 22 nuestro) aplicable a las sociedades mercantiles.
En la República Federal Alemana, en su Ley Fundamental, se reconoce el derecho de formar «asociaciones y sociedades»» (art. 9. 1), y tanto la doctrina como el Tribunal Constitucional Federal han considerado en diversos aspectos
las sociedades mercantiles cubiertas por ese precepto de la Ley Fundamental.
Sin embargo, y aun si admitiese esa apertura de fines del derecho fundamental de asociación, éste sólo podría
invocarse en aquellos casos en que realmente apareciese vulnerado el contenido de dicho derecho. Pero en las
sociedades mercantiles y, en particular, en las sociedades de capitales, cuya forma más característica es la sociedad
anónima, predomina frente a las relaciones derivadas de la unión de personas, las nacidas de la unión de capitales,
por lo que, sin excluir la posibilidad de que en determinados casos pueda producirse una lesión del derecho de asociación respecto a este tipo de sociedades, es necesario plantear en cada supuesto si el derecho de que se trata y que
se entiende lesionado es efectivamente de naturaleza asociativa o bien tiene un carácter preferentemente económico.
En el presente recurso la posibilidad o no de que un acuerdo social reduzca sin indemnización las facultades del
usufructuario, entre ellas la de suscripción preferente de nuevas acciones, y aumente consiguientemente las del nudo
propietario, plantea una cuestión que atañe sobre todo al contenido de derechos patrimoniales que se reconoce en
el art. 33.3 de la Constitución y cae por tanto fuera del derecho de asociación y del ámbito del recurso de amparo.

Legitimidad de las asociaciones para litigar en defensa de intereses asociativos —STC 24/1987, de 25 de febrero[3]—

La Sentencia resuelve el recurso de amparo interpuesto por la Asociación de Fiscales contra la Sentencia de la Sala
Quinta del Tribunal Supremo, de 8 de noviembre de 1985, que inadmitió por falta de legitimación activa el recurso
contencioso-administrativo interpuesto por dicha Asociación contra el Real Decreto 2344/1983, de 4 de agosto, en
virtud del cual se nombró Fiscal del Tribunal Supremo a un determinado miembro de la Carrera Fiscal. La Asociación
recurrente alega que la citada Sentencia vulnera sus derechos a la tutela judicial efectiva y de asociación (artículos
24.2 y 22.1 CE).

FJ 4. El derecho reconocido en el art. 22.1 de la Constitución garantiza la libertad de asociarse para la consecución de
fines lícitos a través de medios lícitos y, por tanto, la vulneración de ese derecho se producirá cuando se condiciona,
limita o impide ilegalmente el ejercicio de esa libertad.

---

3   *Vid.* también las SSTC 195/1992, de 16 de noviembre; 241/1992, de 21 de diciembre (las asociaciones pueden, como perso-
        nas jurídicas, ejercer la acción popular que el artículo 125 CE abre a «los ciudadanos»); 47/1990, de 20 de marzo; 252/2000,
        de 30 de octubre; 45/2004, de 23 de marzo; 73/2006, de 13 de marzo, FJ 5; 282/2006, de 9 de octubre; ATC 327/1997, de 1
        de octubre.

Las asociaciones legalmente constituidas tienen indudablemente, al igual que las demás personas jurídicas y las físicas, derecho a ejercitar entre los Jueces y Tribunales las acciones que les correspondan en defensa de sus derechos e intereses legítimos; pero este derecho no está integrado en el de asociación, sino en el de tutela judicial garantizado por el art. 24.1 de la Constitución y, en su consecuencia, la negativa judicial a acceder, por falta de presupuestos procesales, a la cuestión de fondo planteada podrá vulnerar este último derecho fundamental, pero no en este caso el de asociación cuando éste no constituye el objeto específico del proceso promovido[4].

2. El derecho de asociación en los conflictos entre una asociación y sus miembros o aspirantes a serlo

El poder disciplinario de las asociaciones —STC 218/1988, de 28 de noviembre[5]—

La Sentencia resuelve el recurso de amparo interpuesto por la Asociación «Círculo Mercantil», de La Línea de la Concepción, contra la Sentencia de la Audiencia Provincial de Cádiz que la condena a readmitir a tres socios expulsados conforme al artículo 19 de sus estatutos. Éste dispone: «los socios propietarios que cometan falta que, a juicio de la Directiva o expuesta a ésta por quince socios al menos, lastimen el buen nombre de la sociedad, perderán sus derechos total o parcialmente En ambos casos, el Presidente lo pondrá reservadamente en conocimiento del interesado. Si éste resolviese aceptar la resolución de la Directiva, no se dará cuenta en la Junta de las causas. De lo contrario se citará a una Asamblea General de socios, donde tendrá el socio en cuestión derecho a ser oído, ausentándose inmediatamente después del local. La decisión de la Directiva será válida si obtiene la aprobación de las dos terceras partes de los concurrentes en votación que será precisamente secreta». La Sentencia impugnada afirma que, pese al texto literal de este artículo, corresponde a los Tribunales determinar si existió esa falta grave y que, ante la inexistencia de la misma, los socios expulsados deben ser readmitidos. La Sociedad entiende que dicha Sentencia vulnera su derecho de asociación.

FJ 1. [...] Para examinar la cuestión planteada hay que partir de la indiscutible premisa de que el derecho de asociación, reconocido en el art. 22 de la Constitución, comprende no sólo el derecho a asociarse, sino también el de establecer la propia organización del ente creado por el acto asociativo dentro del marco de la Constitución y de las leyes que, respetando el contenido esencial de tal derecho, lo desarrollen o lo regulen (art. 53.1). En la actualidad esa regulación está contenida, en lo que aquí interesa, por normas preconstitucionales (Ley 191/1964 y Decreto 1.440/1965), pero que deben considerarse vigentes en cuanto no sean contrarias a los mandatos constitucionales y no estén, por tanto, derogadas por la Constitución. De acuerdo con esa legislación y, en particular, con los arts. 10 y 20 del mencionado Decreto el régimen de las asociaciones se determinará por los propios Estatutos y por los acuerdos válidamente adoptados por la Asamblea General y órganos directivos competentes dentro de sus respectivas competencias, pudiendo los socios impugnar ante los Tribunales los Acuerdos y actuaciones de la Asociación contrarios a la ley o a los estatutos. Nada hay que oponer a estas normas desde el punto de vista del derecho fundamental de asociación, pues en ellas se reconoce a las asociaciones la facultad de regular su propio régimen, la cual, como antes se ha dicho, forma parte del contenido de dicho derecho. El problema surge cuando se impugna un Acuerdo que no es contrario a la ley ni a los estatutos en cuanto se han cumplido los trámites previstos en ellos, pero que los socios afectados consideren que ha sido tomado aplicando erróneamente la norma estatutaria correspondiente. [...] La potestad de organización que comprende el derecho de asociación se extiende con toda evidencia a regular en los Estatutos las causas y procedimientos de la expulsión de socios. La asociación tiene como fundamento la libre voluntad de los socios de unirse y de permanecer unidos para cumplir los fines sociales, y quienes ingresan en ella se entiende que conocen y aceptan en bloque las normas estatutarias a las que quedan sometidos. Y en cuanto la asociación crea no sólo un vínculo jurídico entre los socios, sino también una solidaridad moral basada en la confianza recíproca y en la adhesión a los fines asociativos, no puede descartarse que los estatutos puedan establecer como causa de expulsión

---

[4]   Esa capacidad abstracta de las asociaciones para ejercitar acciones judiciales en defensa de sus intereses legítimos deberá concretarse en cada caso «mediante un vínculo o conexión entre la organización que acciona y la pretensión ejercitada» (STC 106/1991, de 13 de mayo, FJ 2), de forma que «exista un interés profesional o económico que sea predicable de las entidades asociativas recurrentes» (STC 52/2007, de 12 de marzo, FJ 3).

[5]   *Vid.* también las SSTC 96/1994, de 21 de marzo; 56/1995, de 21 de marzo, FJ 4; 104/1999, de 14 de junio; 42/2011, de 11 de abril; 226/2016, de 22 de diciembre (poder disciplinario de un partido político frente a lo que considera ejercicio desleal del derecho a la libertad de expresión).

una conducta que la propia asociación, cuya voluntad se expresa por los Acuerdos de sus órganos rectores, valores como lesiva a los intereses sociales. En el citado precepto se establece como supuesto de hecho para que se produzca la pérdida total o parcial de los derechos de los socios la comisión de una falta que «lastime el buen nombre de la entidad», es decir, que la haga desmerecer en su buena fama u opinión en el medio social en que actúa. La valoración de que ese perjuicio se ha producido se atribuye no a la Directiva o a quince socios sino, en último término, a la mayoría calificada de dos tercios de los socios en votación secreta y previa audiencia del interesado. Pues bien, en el caso presente los socios interesados ni siquiera esperaron a que se celebrase la Asamblea General e interpusieron la demanda ante el Juzgado de Distrito cuando no se habían agotado los trámites y garantías que los mismos estatutos establecen para estos supuestos, intentando así substituir la voluntad de la Asociación por la decisión judicial. Ahora bien, es de señalar que la actividad de las asociaciones no forma naturalmente una zona exenta del control judicial, pero los Tribunales, como todos los poderes públicos, deben respetar el derecho fundamental de asociación y, en consecuencia, deben respetar el derecho de autoorganización de las asociaciones que, como antes se ha dicho, forma parte del derecho de asociación. Ello supone que las normas aplicables por el Juez eran, en primer término, las contenidas en los estatutos de la asociación, siempre que no fuesen contrarias a la Constitución y a la ley. Y nada impide que esos estatutos establezcan que un socio puede perder la calidad de tal en virtud de un Acuerdo de los órganos competentes de la asociación basado en que, a juicio de esos órganos, el socio ha tenido una determinada conducta que vaya en contra del buen nombre de la asociación o que sea contraria a los fines que ésta persigue. Cuando esto ocurre, el control judicial sigue existiendo, pero su alcance no consiste en que el Juez pueda entrar a valorar, con independencia del juicio que ya han realizado los órganos de la asociación, la conducta del socio, sino en comprobar si existió una base razonable para que los órganos de las asociaciones tomasen la correspondiente decisión. Aplicando estos criterios al caso presente resulta que la Sentencia impugnada entiende que los socios expulsados no cometieron falta «grave» que supusiera poner en duda la honorabilidad de los miembros de la Junta Directiva. Pero, como admite la misma Sentencia, el artículo de los estatutos que finalmente se aplicó fue el 19, como ya se ha dicho, que recoge como causa de expulsión haber cometido falta que lastime el buen nombre de la entidad. Y la concurrencia de esta causa de expulsión es la que se deja al juicio de la Directiva y, en último término, de la Asamblea General de socios. El respeto al derecho de asociación exige que la apreciación judicial se limite en este punto a verificar si se han dado circunstancias que puedan servir de base a la decisión de los socios, como son declaraciones o actitudes públicas que trasciendan del interior de la entidad y puedan lesionar su buen nombre, dejando el juicio sobre esas circunstancias a los órganos directivos de la asociación tal y como prescriben sus estatutos.

FJ 2. [...] El acto de integración en una asociación no es un contrato en sentido estricto al que pueda aplicarse el art. 1.256 del CC, sino que consiste, como se ha dicho, en un acto por el cual el asociado acepta los estatutos y se integra en la unidad no sólo jurídica sino también moral que constituye la asociación. En el mismo orden de ideas, tampoco es aceptable la tesis del Ministerio Fiscal de que el derecho de asociación corresponde no sólo a la asociación, sino también a los socios, en el sentido de que si no se reconociese la posibilidad de estos de acceder a los Tribunales para impugnar acuerdos adoptados de acuerdo con los estatutos resultaría que los derechos de los asociados estarían sometidos a la voluntad unilateral y a la interpretación subjetiva de los órganos de la asociación. El derecho de los socios como miembros de la asociación consiste en el derecho a que se cumplan los estatutos, siempre que estos sean conformes a la Constitución y a las leyes. Y, como se ha dicho, dejar la valoración de una conducta en un supuesto determinado (en este caso, la valoración de que se haya producido un perjuicio al buen nombre de la entidad) al juicio del órgano supremo de gobierno de la Asociación y con las garantías que establece el citado art. 19 de sus Estatutos, valoración que los socios interesados, conviene recordarlo una vez más, no esperaron a que se llevase a cabo, entra en el contenido del derecho de asociación como elemento integrante de su derecho de autorregulación. Problema distinto, que no es necesario tratar aquí, porque no se ha planteado en el presente recurso, es si, en casos determinados, el Acuerdo de expulsión podría lesionar otros derechos del socio distintos del de asociación como, por ejemplo el derecho al honor, con las consiguientes posibilidades de reclamación por parte del afectado.

FJ 3. Lo dicho hasta ahora se refiere a lo que pudieran llamarse asociaciones puramente privadas. Una situación distinta surgiría si la expulsión del socio, por limitarse al supuesto que aquí interesa, se produjese en una asociación que, aun siendo privada, ostentase de hecho o de derecho una posición dominante en el campo económico, cultural, social o profesional, de manera que la pertenencia o exclusión de ella supusiese un perjuicio significativo para el particular afectado. Pero no es el caso en el recurso aquí examinado. El «Círculo Mercantil» de La Línea de la Concepción, que es el recurrente, tiene por objeto primordial, según el art. 1 de sus Estatutos, «la mejor aproximación y concordia entre las clases mercantiles e industriales, así como el proporcionar a sus socios distinciones y recreos lícitos, como medio de acentuar la convivencia social de los mismos». Ni de su objeto social, así expresado, ni del resto de los Estatutos, ni de las alegaciones de las partes, ni de los demás datos que constan en autos resulta elemento alguno del que pueda deducirse que esta Asociación ocupe una posición de predominio de forma que la pertenencia a ella suponga un quebranto objetivo de los intereses de los socios. Por ello debe concluirse que el Acuerdo de expulsión, válidamente adoptado, es una manifestación del derecho de asociación, y que la Sentencia impugnada, en cuanto no solamente examina la existencia de unos motivos no manifiestamente arbitrarios del citado Acuerdo sino que también, de manera expresa, entra a enjuiciar el acierto con que esos motivos han sido aplicados al caso presente por los órganos rectores de la asociación, substituyendo la valoración de éstos por la del Tribunal, vulnera el derecho de asociación reconocido en el art. 22 de la Constitución y por ello debe ser anulada.

Las sociedades cooperativas frente a sus socias/os —STC 96/1994, de 21 de marzo—

La Sentencia resuelve el recurso de amparo interpuesto por Sociedad Cooperativa Limitada de Viviendas Molnedo, contra la Sentencia de la Sala Primera del Tribunal Supremo de 31 de enero de 1992, confirmatoria de las dictadas por la Sección Segunda de la Audiencia Provincial de Burgos el 18 de julio de 1989 y por el Juzgado de Primera Instancia núm. 3 de Santander el 31 de julio de 1987. Las Sentencias anularon el Acuerdo social de expulsión de un socio cooperativista por comisión de falta grave, tras una nueva valoración de la conducta del socio expulsado. Este, en la reunión de la Junta General Extraordinaria de la Sociedad Cooperativa celebrada en octubre de 1984, calificó a los componentes de la Junta Rectora de «zorros, chupones, etc.», y puso en entredicho con palabras malsonantes su integridad moral, imputándoles estar lucrándose a costa de la Cooperativa. Entiende la recurrente que las Sentencias impugnadas infringen su poder de autoorganización, integrante del derecho de asociación, contraviniendo así la doctrina sentada en la STC 218/1988.

FJ 2. [...] C) Matización que es relevante en el presente caso, en atención a dos circunstancias particulares que aquí concurren. En primer lugar, en el supuesto de la STC 218/1988 la demandante de amparo era una Asociación (en concreto, un «Circulo Mercantil») que por su fin social estaba plenamente sujeta a la Ley 191/1964, de 24 de diciembre, de Asociaciones, en lo que no haya resultado derogada por la Constitución. En cambio, la recurrente en el presente caso es una Sociedad Cooperativa de Viviendas, que en cuanto tal no se halla regida por la mencionada Ley de Asociaciones de 1964 (art. 2) sino por la legislación específica de cooperativas, constituida en la actualidad básicamente por la Ley 3/1987, de 2 de abril, General de Cooperativas.

En segundo término, y sin necesidad de entrar a considerar la naturaleza y el régimen jurídico de las sociedades cooperativas, sí conviene al menos señalar, de un lado, que en las mismas existe una aportación económica por parte de los socios al capital social [arts. 14.2 e) y 34 y 35 de la Ley 3/1987], aportación que, en el caso de las Sociedades Cooperativas de viviendas, es el presupuesto para la adjudicación al socio de una de ellas. De otro, que esta legislación expresamente prevé la posibilidad de impugnación ante los Tribunales de los Acuerdos sociales, incluidos los de expulsión de los socios cooperativistas, sin limitación alguna en el conocimiento judicial (arts. 38.4 y 52 de la misma Ley 3/1987). Con la particularidad, conviene señalarlo, que el procedimiento para la impugnación de los Acuerdos sociales, según lo dispuesto en el art. 52.4 de la Ley General de Cooperativas, es el previsto, con ciertas salvedades, en el art. 70 de la Ley de Sociedades Anónimas.

FJ 3. En el presente caso, es de señalar que el Acuerdo social de expulsión afectaba a los derechos de un socio cooperativista, el Sr. Pérez Pellón, perteneciente a una Sociedad Cooperativa de viviendas. Lo que comportaba, dados los fines y las actividades de dicha Sociedad, no sólo la simple pérdida de la condición de socio o miembro de la Cooperativa, sino también de los derechos de contenido económico inherentes a tal condición, en relación con la adjudicación de las viviendas para cuya edificación fue constituida la Sociedad Cooperativa. [...]

Es claro, pues, que el Acuerdo de expulsión del Sr. Pérez Pellón, así como el correlativo de la adjudicación del piso a otro socio, entrañaban un perjuicio económico significativo para el primero. Lo que justifica que en el presente caso los Tribunales ostenten una plena cognitio de los referidos Acuerdos sociales, como garantía última de la conformidad a los Estatutos y a la Ley de los acuerdos de la Sociedad Cooperativa. Habiendo sido aplicados aquellos —y en particular, su art. 14 sobre la gradación de faltas— por los órganos judiciales en el ejercicio de su potestad jurisdiccional para considerar que las expresiones vertidas por el Sr. Pérez Pellón en la Asamblea General de Socios de la Cooperativa del 30 de octubre de 1984, no tenían la suficiente entidad para ser reputadas como faltas graves. Y es evidente, por último, que el control de dichos acuerdos por los órganos judiciales no se halla limitado por lo dispuesto en la Ley específica de esta modalidad de Asociaciones, la General de Cooperativas de 1987, como antes se ha dicho. Lo que lleva, en definitiva, a desestimar la primera de las quejas formuladas por el recurrente.

Derecho de autoorganización de las asociaciones —STC 104/1999, de 14 de junio (*vid. supra*)—

FJ 4. No hay duda alguna de que el régimen jurídico de la asociación, su «modo de ser» en el Derecho, viene determinado por los propios Estatutos y por los Acuerdos válidamente adoptados por la Asamblea general y los órganos directivos competentes. Tan unidos están entre sí estos aspectos, que la constitución de la asociación misma y la aprobación de los Estatutos sociales suelen fundirse en un sólo acto, mediante el que se establece el vínculo asociativo y se determina simultáneamente su contenido. De ahí que la potestad de organización que comprende el derecho de asociación se extiende con toda evidencia a regular los procedimientos de incorporación que los propios Estatutos establezcan, y así, en el presente caso, los propios de la Asociación recurrente, en su art. 16, señalan que la decisión corresponde a la Junta Directiva y que el candidato debe contar previamente con el apoyo de dos tercios de los socios del «Grupo Local».

Si toda asociación tiene como fundamento la libre voluntad de los socios de unirse y de permanecer unidos para cumplir los fines sociales, quienes pretendan ingresar en ella se entiende que han de conocer y aceptar en bloque las normas estatutarias a las cuales habrán de quedar sometidos. Pues bien, aquí y ahora, en el caso enjuiciado, no existe tal Acuerdo de la junta directiva de la asociación admitiendo como socios a los que afirmaban tener tal condición, sobre la base de que eran portadores de unos recibos firmados por uno de los miembros de ella y, si bien no estén desprovistos de significación alguna, esta nunca podría consistir en la inmediata investidura de la calidad de socio, sólo por su mera expedición y cobro, soslayándose así el procedimiento de admisión estatutariamente establecido y escamoteando el pronunciamiento del órgano social competente, según se ha dicho más arriba. Es claro que con una tal actuación se ha desenfocado el enjuiciamiento desplazándolo desde lo que debió ser su meollo o fondo, la interpretación de las normas estatutarias pertinentes, donde la Sentencia impugnada no llega a entrar, reduciéndolo a un mero problema de prueba de la condición de socio, para cuya solución el juzgador no sólo invade el ámbito del autogobierno asociativo sino que crea en realidad por analogía una regla extra-estatutaria, sin limitarse en este punto a «verificar si se han dado las circunstancias que puedan servir de base a la decisión «dejando el juicio sobre esas circunstancias a los órganos de la asociación tal y como prescriben sus estatutos» (SSTC 218/1988, fundamento jurídico 2º).

FJ 5. Las anteriores consideraciones llevan derechamente a la conclusión de que la Sentencia impugnada vulnera el derecho de asociación de la recurrente en amparo, por haber invadido la potestad autárquica que para organizarse a sí misma comprende ese derecho y por ello tampoco cabe aceptar la tesis del Ministerio Fiscal de que se está ante un problema de valoración de las pruebas y no, como efectivamente ocurre, ante una lesión del derecho fundamental de asociación. El derecho de los socios como miembros de la asociación consiste en el derecho a que se cumplan los estatutos, siempre que éstos sean conformes a la Constitución y a las leyes. Y, como se ha dicho, prescindir del cauce estatutario que establece los requisitos para la admisión de nuevos socios, sólo porque en esa aparente condición fueron satisfechas ciertas cuotas, afecta al contenido del derecho de asociación como elemento integrante de su derecho de autorregulación.

El derecho de autoorganización de las asociaciones y el límite de los derechos fundamentales de sus socias/os o aspirantes a serlo —ATC 254/2001, de 20 de septiembre—

El Auto inadmite el recurso de amparo interpuesto por la Comunidad de Pescadores de El Palmar (Valencia) contra la Sentencia de la Sala de lo Civil del Tribunal Supremo de 8 de febrero de 2001, que desestimó el recurso de casación interpuesto por dicha Comunidad contra la Sentencia de la Audiencia Provincial de Valencia de 24 de junio de 1999, que a su vez desestimó el recurso de apelación interpuesto contra la Sentencia de 5 de octubre de 1998 del Juzgado de Primera Instancia núm. 1 de Valencia, que estimó la demanda contra la inadmisión de candidaturas presentadas por mujeres para ingresar en dicha Comunidad. La recurrente sostiene que estas Sentencias vulneraron sus derechos a la tutela judicial efectiva (artículo 24.1 CE), a la igualdad y de asociación (artículos 14 y 22 CE).

FJ 4. Alega asimismo la recurrente en amparo que las Sentencias impugnadas han lesionado su derecho de asociación (art. 22 CE), al imponerle la admisión de cinco nuevas asociadas al margen de los procedimientos de ingreso aprobados por la Comunidad y sin tener en cuenta que el derecho a la igualdad ante la ley es oponible por los ciudadanos frente a los poderes públicos, mas no frente a una entidad asociativa privada como la Comunidad de Pescadores de «El Palmar», cuya creación, organización y funcionamiento se rige por disposiciones de los propios asociados, de conformidad con el principio de autonomía de la voluntad, consustancial al derecho de asociación, por lo que pueden legítimamente establecer los requisitos que consideren oportunos para poder formar parte de la Comunidad y determinar si los aspirantes a ingresar en la misma cumplen los requisitos exigidos para ello.

En respuesta a este alegato ha de afirmarse que el derecho a asociarse conlleva sin duda la potestad autoorganizatoria de las asociaciones privadas, libre en principio de injerencias del poder público (SSTC 218/1988. 244/1991, 185/1993 y 56/1995, por todas), pero debiendo precisarse que el ejercicio de esa potestad no puede suponer en ningún caso la lesión de derechos fundamentales de terceros. En efecto, es doctrina reiterada de este Tribunal que los derechos fundamentales no son derechos absolutos e ilimitados. Por el contrario, su ejercicio está sujeto tanto a límites establecidos directamente en la propia Constitución como a otros que puedan fijarse para proteger o preservar otros derechos fundamentales, valores o bienes constitucionalmente protegidos o intereses constitucionalmente relevantes (entre otras muchas, SSTC 1 1/1981. 2/1982, 91/1983, 22/1984, 110/1984, 77/1985, 159/1986, 120/1990, 181/1990 y 143/1994). Así lo hemos proclamado de manera expresa respecto del derecho de asociación en la STC 104/1999, de 14 de junio, en donde afirmamos (FJ 2) que «El reconocimiento constitucional del derecho de asociación supone así la confirmación y subsiguiente garantía de la libertad que tienen los ciudadanos para fundar y participar en asociaciones. Ese derecho a asociarse se plasma no sólo en la libre elección de los fines asociativos, sino también en la disponibilidad de organizarse libremente, sin otro tipo de condicionamientos que los dimanantes de los límites mismos que al efecto prevea el ordenamiento jurídico. El aspecto central de la libertad de asociación va a situarse, por tanto, en la amplitud y extensión de esos límites, en función de los cuales se concretará la efectividad del derecho y el alcance de la libertad consustancial a su ejercicio. Por ello, esa libertad de asociación, calificada como derecho fundamental en la Constitución, dotado como tal de una más intensa protección previa y no posterior, no tiene carácter absoluto y colinda con los demás derechos de la misma índole y los derechos de los demás, teniendo como horizonte último el Código Penal, en cuya virtud las asociaciones que persigan fines o utilicen medios tipificados como delito serán ilegales, según advierte al respecto el párrafo segundo del precepto constitucional invocado al principio. Ahora bien, el primer límite intrínseco de este derecho lo marca el principio de legalidad, en cuya virtud los Estatutos sociales, como ejercicio de la potestad de autonomía, han de acomodarse no sólo a la Constitución, sino también a las Leyes que, respetando el contenido esencial de tal derecho lo desarrollen o lo regulen».

De conformidad con esta doctrina no puede ampararse en la autonomía de la voluntad de las asociaciones privadas una decisión como la enjuiciada en las Sentencias recurridas en amparo, consistente en denegar u obstaculizar el ingreso a la Comunidad de Pescadores por razón de sexo, cuando esta Comunidad ocupa una posición privilegiada, al tener reconocida por el poder público la explotación económica en exclusiva de un dominio público, las aguas de la Albufera y su riqueza piscícola, de modo que sólo se puede ejercer la actividad pesquera en ese lugar si se es miembro de dicha Comunidad. Por consiguiente, el ingreso en la Comunidad de Pescadores de «El Palmar», en cuanto medio para el acceso al trabajo y al disfrute de una concesión administrativa, no puede regularse por normas o prácticas que, de forma directa o indirecta, discriminen a las mujeres. Al haberlo declarado así las Sentencias recurridas en amparo, no puede apreciarse que las mismas hayan incurrido en la invocada lesión del art. 22 CE, por lo que las quejas de la recurrente carecen también en este punto de relevancia constitucional [art. 50. 1.c) LOTC].

3. Las asociaciones con regímenes específicos

El derecho de asociación como derecho genérico —STC 5/1996, de 16 de enero—

La Sentencia resuelve recurso de amparo interpuesto por la Asociación Profesional de Gestores Intermediarios en Promociones de Edificaciones contra la Sentencia de la Audiencia Provincial de Granada, confirmatoria de la del Juzgado de Primera Instancia de Málaga, que declara la nulidad y extinción de dicha asociación, válidamente constituida con arreglo a la Ley que regula ese tipo asociativo e inscrita en los correspondientes Registros públicos, con base en las previsiones legales del Código Civil sobre la nulidad de contratos con causa ilícita. Esa ilicitud causal se basa que la Asociación es un Colegio Profesional encubierto, que incumple las exigencias de forma y contenido que para esa clase de corporaciones establece el artículo 36 CE. La recurrente entiende vulnerado su derecho de asociación.

FJ 6. El art. 22.1 CE reconoce el derecho de asociación sin referencia material alguna, de modo que este derecho se proyecta sobre la totalidad del fenómeno asociativo en sus muchas manifestaciones y modalidades (SSTC 67/1985, 23/1987 y 56/1995). Ahora bien, este reconocimiento genérico se complementa con otras determinaciones, expresivas de una viva voluntad histórica de reacción frente a un pasado inmediato de represión de las libertades públicas. Así, el art. 22 CE, lejos de ser una disposición de mero reconocimiento, es también la expresión de un estatuto mínimo y ordenado a la garantía de la existencia de determinadas asociaciones sin necesidad de la previa intermediación del legislador. Las asociaciones constituidas específicamente «al amparo de este artículo» (art. 22.3 CE) quedan, además, constitucionalmente protegidas en su existencia siempre que no sean secretas y de carácter paramilitar (art. 22.5 CE), o persigan fines o utilicen medios tipificados como delito (art. 22.2 CE), hasta el extremo de que su suspensión o disolución nunca podrá ser acordada —ni aún cautelarmente— por una autoridad gubernativa, sino, exclusivamente, por los Jueces y Tribunales, en virtud de una resolución motivada (art. 22.4 CE).

Obviamente, la garantía de este régimen constitucional mínimo no impide que el legislador, en el desarrollo legislativo de este derecho, pueda establecer ciertas condiciones y requisitos de ejercicio en relación con determinadas modalidades asociativas, o en atención a la distinta naturaleza de sus fines, siempre que los mismos no afecten al contenido esencial de este derecho fundamental.

El régimen genérico de las asociaciones como competencia estatal —STC 173/1998, de 23 de julio[6]—

La Sentencia resuelve el recurso de inconstitucionalidad promovido por el Presidente del Gobierno contra diversos preceptos de la Ley del Parlamento Vasco 3/1988, de 12 de febrero, de Asociaciones.

FJ 6. [...] [D]ebe tenerse en cuenta que la Comunidad Autónoma, al regular el régimen jurídico de las asociaciones sometidas a su competencia, no puede entrar a regular el desarrollo directo de los elementos esenciales del derecho fundamental de asociación. Este es un ámbito reservado al Estado ex. art. 81.1 CE y las normas que las Cortes Generales pueden dictar en su ejercicio constituyen un prius del que necesariamente debe partir la Comunidad Autónoma al regular, no el derecho de asociación en cuanto tal, sino el régimen de las asociaciones que surgen del ejercicio de ese derecho.

FJ 7. [...] Pues bien, uno de los criterios fundamentales que, junto a los ya mencionados, ha orientado la realización de esta tarea de definición sistemática ha sido la de reservar al Estado ex. art. 81.1 CE la regulación de los aspectos esenciales, el desarrollo directo del derecho fundamental considerado en abstracto o «en cuanto tal», en tanto que se atribuye la regulación de la «materia» sobre la que se proyecta el derecho al legislador ordinario, estatal o autonómico, con competencias sectoriales sobre la misma (SSTC 127/1994, 61/1997 y, en relación concretamente con el derecho de asociación, SSTC 67/1985 y 157/1992).

Ciertamente, esta pauta interpretativa no puede ser aplicada de forma mecánica, ya que con suma frecuencia resulta difícil distinguir dónde acaba el desarrollo del derecho en cuanto tal y dónde comienza la regulación de la materia sobre la que éste se proyecta. Como veremos de inmediato, esta dificultad es fácilmente observable cuando se pretende delimitar la regulación del derecho de asociación con respecto de la que es propia del régimen jurídico de las asociaciones creadas al amparo del mismo. Baste señalar, como ejemplo, que los límites y garantías que pueden establecerse desde la delimitación del derecho de asociación en su vertiente de libertad de autoorganización de las asociaciones forman un continuum con las reglas relativas a la organización interna de las asociaciones que pueden dictarse desde la regulación del régimen jurídico de esas asociaciones. En algunos casos, para determinar si una norma concreta se refiere al derecho en cuanto tal y, por ello, debe encuadrarse en el ámbito de la reserva de ley orgánica, deberá atenderse no sólo al objeto regulado, sino también al contenido de esa regulación e incluso a la intensidad y trascendencia de lo regulado en relación al contenido del derecho, ya que estas decisiones fundamentales puede considerarse que corresponden al legislador orgánico en su tarea que hemos calificado de «constituyente permanente».

Con todo, aun admitiendo que entre la regulación del derecho de asociación y la del régimen jurídico de las asociaciones existe una zona de difícil delimitación y que, en consecuencia, en algunos casos la inclusión en una u otra categoría dependerá del grado más o menos intenso de proximidad con uno u otro ámbito, este criterio ha de ser el punto de partida inexcusable para delimitar lo reservado a la ley orgánica y lo que corresponde a los títulos competenciales relacionados con la materia de asociaciones y muy especialmente lo que corresponde al legislador ordinario, sea estatal o autonómico, con competencias en estas materias. [...]

---

6   Sobre la distribución de competencias en materia de asociaciones, definiendo como competencia estatal la regulación de sus condiciones básicas, *vid.* también SSTC 133/2006 a 135/2006, todas de 27 de abril.

La posibilidad constitucional de regímenes específicos —STC 67/1985, de 24 de mayo[7]—

La Sentencia resuelve la cuestión de inconstitucionalidad formulada por la Sala de lo Contencioso-Administrativo de la Audiencia Nacional sobre los artículos 12.1, párrafo 2.º, 14.3 y 15 de la Ley 13/1980, de 31 de marzo, General de la Cultura Física y del Deporte, por su posible contradicción con los artículos 22, 53 y 81.1 CE, en el marco del recurso contencioso-administrativo seguido a instancia de don G.R.C. y otros contra acuerdos del Consejo Superior de Deportes, en los que se incluían informes desfavorables y se desestimaba la solicitud de creación de la Federación de Fútbol-Sala.

FJ 3. [...] C) El art. 22 de la Constitución contiene una garantía que podríamos denominar común; es decir, el derecho de asociación que regula el artículo mencionado se refiere a un género —la asociación— dentro del que caben modalidades específicas. Así en la propia Constitución (arts. 6 y 7), se contienen normas especiales respecto de asociaciones de relevancia constitucional como los partidos políticos, los sindicatos y las asociaciones empresariales. Por ello debe señalarse que la reserva de la Ley Orgánica en el art. 81.1 de la Constitución en orden a las leyes relativas «al desarrollo de los derechos fundamentales» se refiere en este caso a la Ley que desarrolle el derecho fundamental de asociación en cuanto tal, pero no excluye la posibilidad de que las leyes ordinarias incidan en la regulación de tipos específicos de asociaciones, siempre que respeten el desarrollo efectuado en la Ley Orgánica[8].

D) Problema distinto es el de determinar si estas leyes pueden establecer determinados requisitos —de verificación reglada por la Administración— para calificar una determinada asociación como del tipo correspondiente a la actividad de que se trate.

En relación con este punto, el Tribunal entiende que tal verificación reglada no va en contra del contenido esencial del derecho de asociación que debe respetar el legislador (art. 53.1 de la Constitución), en cuanto puede ser un requisito necesario para que una determinada asociación pase a estar regulada por el ordenamiento correspondiente.

FJ 4. [...] A) [...] De acuerdo con el texto de tales preceptos [artículos 11 y 12 de la Ley 13/1980, de 31 de marzo, General de la Cultura Física y el Deporte] [...], los particulares pueden constituir asociaciones deportivas con personalidad jurídica —clubs deportivos— no sometidos al régimen de la Ley 13/1980. La aprobación de los Estatutos y la inscripción cumple la función de un acto de calificación —con la consiguiente constancia registral— que da lugar a su reconocimiento legal a los efectos de la Ley 13/1980. Y no existe en tales preceptos una regulación que permita sostener que tal calificación excede de una verificación reglada del cumplimiento de los requisitos exigidos; antes al contrario, dada la función que cumple el acto de aprobación, resulta claro que el Consejo Superior de Deportes ha de efectuar una simple comprobación. [...]

B) [...] De acuerdo con la Ley de 31 de marzo de 1980, y dejando al margen su desarrollo reglamentario cuya constitucionalidad no puede ser enjuiciada en el marco de una cuestión de inconstitucionalidad (aun cuando sí puede serlo por los Tribunales de orden judicial), las Federaciones aparecen configuradas como asociaciones de carácter privado, a las que se atribuyen funciones públicas de carácter administrativo. [...]

C) [...] Partiendo de la configuración de las Federaciones españolas en la forma antes expuesta este precepto [el artículo 14.3 de la Ley 13/1980], no puede calificarse como contrario a la Constitución. Cuando el Estado utiliza la vía asociativa para atribuir a un determinado tipo de asociaciones el ejercicio de funciones públicas de carácter administrativo en un determinado sector de la vida social, puede limitar el número de asociaciones a las que atribuye el ejercicio de tales funciones, pues corresponde al Estado organizar tal ejercicio de la forma más conveniente para la consecución del interés general. Ello no es contrario al derecho de asociación —que puede ejercerse paralelamente para fines privados—, pues como antes decíamos [fundamento jurídico tercero, apartado B)], no forma parte del contenido de tal derecho el de constituir asociaciones cuyo objeto sea el ejercicio de funciones públicas de carácter administrativo en relación con un sector de la vida social.

D) [...] La configuración de las Federaciones españolas como un tipo de asociaciones a las que la Ley atribuye el ejercicio de funciones públicas, justifica que se exijan determinados requisitos para su constitución, dado que no se trata de asociaciones constituidas al amparo del art. 22 de la Constitución, que no reconoce el derecho de asociación para constituir asociaciones cuyo objeto sea el ejercicio de funciones públicas de carácter administrativo, según he-

---

7   *Vid.* también las SSTC 5/1981, de 13 de febrero (FJ 19); 45/1982, de 12 de julio; 173/1998, de 23 de julio.

8   Asimismo, la STC establece que «el legislador autonómico puede, sin duda, definir las asociaciones objeto de su regulación siempre que respete el concepto legal de asociación» [STC 173/1998, de 23 de julio, FJ 14 b)]

mos indicado reiteradamente. Por eso, dado que el derecho a constituir Federaciones españolas existe en la medida y con el alcance con que lo regula la Ley, no es inconstitucional que el legislador prevea determinados requisitos y fases para su constitución definitiva. Por ello el art. 15 [que establece en su número 1 que para constituir Federaciones españolas se precisará informe favorable del Pleno del Consejo Superior de Deportes, la aprobación por éste de sus Estatutos y la inscripción en el correspondiente registro; y en el número 2 añade que la inscripción de Federaciones que se constituyan a partir de la entrada en vigor de la Ley tendrán carácter provisional durante cuatro años y que transcurrido este plazo el Pleno del Consejo les otorgará su aprobación definitiva o acordará la cancelación de la inscripción] no es inconstitucional, y la interpretación de su contenido es una cuestión de mera legalidad ajena a la competencia de este Tribunal.

FJ 5. [...] Como hemos indicado ya anteriormente [fundamento jurídico tercero, apartado C)], el derecho de asociación que regula el art. 22 de la Constitución se refiere a un género —la asociación— dentro del cual caben modalidades específicas; debiendo añadirse, como hemos señalado en el apartado anterior, que el derecho de asociación reconocido en el mencionado precepto no comprende el de constituir asociaciones con objeto de ejercer funciones públicas con carácter administrativo.

De acuerdo con estas consideraciones, el desarrollo del derecho de asociación reservado a la Ley orgánica se refiere al género asociación, por lo que el art. 81 de la Constitución no se vulnera por el hecho de que existan leyes —como la Ley 13/1980— que incidan en el derecho de asociación reconocido en el art. 22 de la Constitución, siempre que respeten lo establecido en la Ley Orgánica que lo desarrolle, Ley que en este caso no ha sido aún promulgada después de la Constitución. [...]

La posibilidad de imponer requisitos adicionales para las asociaciones con regímenes específicos —STC 135/2006, de 27 de abril—

La Sentencia resuelve el conflicto positivo de competencia promovido por el Gobierno de la Generalidad de Cataluña contra diversos artículos del Real Decreto 1740/2003, de 19 de diciembre, sobre procedimientos relativos a asociaciones de utilidad pública.

FJ 5. [...] b) Distinto es el caso del art. 2.2, conforme al cual «la organización interna y el funcionamiento de las asociaciones deben ser democráticos, con pleno respeto al pluralismo». Como ya dijimos en la STC 173/1998, de 23 de julio, una previsión de este tipo excede la competencia del legislador autonómico que, en tanto que legislador ordinario, no puede «imponer como condición genérica para la constitución y el reconocimiento de una asociación como hace el artículo ahora examinado, un tipo global de organización interna de las asociaciones —por más que del modelo de organización democrática quepan diversas concreciones—» [FJ 13 c)]. Esta condición genérica, dijimos entonces, «constituye un desarrollo directo de un elemento esencial para definir la libertad de autoorganización de las asociaciones, por lo que solamente las Cortes Generales mediante Ley Orgánica tienen competencia para pronunciarse sobre si las asociaciones deben organizarse y funcionar democráticamente o, por el contrario, los estatutos de la asociación pueden establecer libremente otros modos de organización y funcionamiento» (ibidem).

Sin embargo, en este momento tenemos que realizar una valoración complementaria, consecuencia de que el art. 2.5 LODA, precepto de naturaleza orgánica (disposición final primera, 1), dispone que «la organización interna y el funcionamiento de las asociaciones deben ser democráticos, con pleno respeto al pluralismo«, afirmando la nulidad de pleno derecho de los pactos, disposiciones estatuarias o acuerdos que se opongan a tal principio. [...]

Así, inmediatamente se aprecia que mientras el art. 22 CE, regulador del derecho fundamental de asociación, nada dice sobre la exigencia de que tal derecho se deba materializar en asociaciones organizadas de modo democrático y funcionando en igual sentido (precisamente la STC 173/1998, FJ 8, reiterará que forma parte del derecho de asociación garantizado en el art. 22 CE la libertad de autoorganización), otros preceptos constitucionales reguladores de tipos singulares de asociación, como son los partidos políticos, las asociaciones empresariales o los sindicatos de trabajadores, disponen, ciertamente, que dicha estructura interna y funcionamiento sean de carácter democrático (arts. 6 y 7 CE). Lo propio se predica también de los colegios profesionales y de las organizaciones profesionales (arts. 36 y 52 CE).

Como consecuencia del diferente trato que la Constitución otorga en este punto a determinadas formas de asociación respecto de las asociaciones en general surgidas del ejercicio del derecho, cabría cuestionarse la constitucionalidad de la hipotética imposición por el legislador de la exigencia de estructura y funcionamiento democráticos a todas las asociaciones que configure, tengan o no relevancia pública, con la correspondiente limitación de su libertad de autoorganización. [...]

[...] [S]ólo el legislador orgánico puede excepcionar (con justificación constitucional suficiente y proporcionada), para asociaciones concretas, la libertad de autoorganización que, sin duda (STC 173/1998, FJ 8), se deriva del art. 22 CE. Lo que significa, pues, que esa excepción únicamente puede contenerse en la ley orgánica y nunca en la ley ordinaria (del Estado o de las Comunidades Autónomas), dado que supone la realización de una función de auténtica concreción constitucional que «solamente las Cortes Generales mediante Ley Orgánica tienen competencia» para desempeñar [STC 173/1998, FJ 13 c)]. Aquí, pues, no se está desarrollando de manera general y abstracta un derecho, sino determinándose una excepción, esto es, limitándose (o incluso suprimiéndose) de manera especial y concreta, para determinadas asociaciones, una libertad que se deriva del derecho reconocido en el art. 22 CE. En consecuencia, el art. 2.5 LODA hay que considerarlo como una excepción y no como una regla general.

En definitiva, si el constituyente quiso que determinadas asociaciones, por la relevancia de la funciones que se les reconocía, hubieran de tener de modo necesario una organización y funcionamiento democráticos, pero no impuso ese principio a cualquier otra asociación surgida del ejercicio del derecho fundamental de asociación, no cabe que el mismo sea establecido por las leyes de las Comunidades Autónomas, pues ello significaría que dichas leyes autonómicas podrían realizar el cometido de excepcionar reglas generales derivadas de la propia Constitución, función que sólo a la ley orgánica le está conferida y que, por lo dicho más atrás, no cabe entender que pueda estar incluida en la competencia autonómica de regulación del ejercicio del derecho.

A) Los partidos políticos (artículo 6 CE)

Los partidos políticos como asociaciones incluidas en el artículo 22 CE —STC 3/1981, de 2 de febrero[9]—

La Sentencia resuelve el recurso de amparo por violación del derecho de asociación interpuesto por los promotores del Partido Comunista de España (Marxista-Leninista) contra las decisiones del Ministerio del Interior, por las que se negó su inscripción en el Registro de Partidos Políticos.

FJ 1. El primer problema que plantea el presente recurso es decidir si el derecho a crear partidos políticos es susceptible de amparo en virtud del art. 22 de la Constitución, que consagra el derecho de asociación. La respuesta ha de ser afirmativa. Un partido es una forma particular de asociación y el citado art. 22 no excluye las asociaciones que tengan una finalidad política, ni hay base alguna en él para deducir tal exclusión. Otra cuestión distinta es que nuestra norma fundamental, siguiendo una tendencia del constitucionalismo posterior a la segunda guerra mundial, dedique un artículo, el 6, a los partidos políticos, como dedica otros artículos a distintas normas particulares de asociación que adquieren así relevancia constitucional. En el caso de los partidos, que es el que aquí interesa, tal relevancia viene justificada por la importancia decisiva que esas organizaciones tienen en las modernas democracias pluralistas, de forma que se ha podido afirmar por algunos Tribunales extranjeros que «hoy día todo Estado democrático es un Estado de partidos» o que éstos son «órganos casi públicos», o conceptos similares. También se encuentran opiniones análogas en amplios sectores de la doctrina. De acuerdo con esta corriente de ideas hay que interpretar el hecho de que el art. 6 imponga a los partidos la condición, que no se impone a las asociaciones en general, de que su estructura interna y funcionamiento deberán ser democráticos. Igual requisito se establece para otras asociaciones de relevancia constitucional como los sindicatos de trabajadores y las asociaciones empresariales (art. 7). Pero de ello, así como de la afirmación del mismo art. 6 de que la creación de Partidos Políticos y el ejercicio de su actividad son libres dentro del respeto a la Constitución y a la Ley, no se deriva que los ciudadanos no puedan invocar el derecho general de asociación para constituirlos, y que no puedan acudir en amparo a este Tribunal Constitucional, por violación del art. 22, si entienden que se les vulnera tal derecho. Lo que puede derivarse es la posibilidad de que existan normas específicas para esas asociaciones de relevancia constitucional, que en todo caso deberán respetar la Constitución y, particularmente, los derechos fundamentales y libertades públicas consagrados en ella. Pero ésta es una cuestión ajena al presente recurso.

FJ 2. Conclusiones parecidas se deducen de otro argumento formulado en las alegaciones para justificar un régimen jurídico peculiar de los partidos políticos; el que éstos, por razón de esa cierta función pública que tienen en las modernas democracias, gozan legalmente de determinados «privilegios» que han de tener como lógica contrapartida

---

[9]   *Vid.* también SSTC 10/1983, de 21 de febrero (FJ 3); 85/1986, de 25 de junio.

determinadas «limitaciones» no aplicables a las asociaciones en general. Nada de eso se opone a que el derecho a crearlos se ampare en el art. 22. Otra cosa es que para obtener dichos beneficios se les impongan condiciones especiales. Así, en nuestra legislación los partidos políticos tienen derecho a obtener ayuda financiera del Estado con motivo de su participación tanto en las elecciones generales como en las que afectan a las comunidades autónomas y a las corporaciones locales. Tienen también derecho a utilizar gratuitamente con fines electorales los medios de comunicación social de titularidad pública. Pero tales derechos no se les reconocen por su simple existencia como partidos sino en cuanto concurran a la manifestación de la voluntad popular. Para exigirlos es necesario que tomen parte en las elecciones; en las subvenciones públicas se tienen en cuenta el número de votos y escaños, y los mismos elementos se ponderan al determinar el grado de acceso a los medios de comunicación social. Precisamente porque esos derechos se conceden a un partido no por existir sino por servir de cauce de expresión a un sector del electorado gozan también de ellos las simples coaliciones o meras agrupaciones de electores[10].

Complementariedad de los artículos 6 y 22 CE —STC 56/1995, de 6 de marzo[11]—

La Sentencia resuelve recurso de amparo interpuesto por M.I.L. contra tres resoluciones judiciales a las que se imputa la vulneración, además del derecho a la libertad de expresión, del derecho de asociación reconocido en el artículo 22 en relación con el artículo 6 del Texto constitucional, al confirmar su expulsión del Partido Nacionalista Vasco. Alegan que la expulsión se llevó a cabo desconociendo su derecho a autoorganizarse en el seno del partido y a recobrar la soberanía absoluta sobre sus derechos cedidos a los órganos nacionales, según reconoce el referido art. 3 de los Estatutos del PNV.

FJ 3. [...] c) [...] [N]ada se opone a considerar que los requisitos constitucionales específicamente previstos respecto de los partidos políticos en preceptos de la Constitución situados fuera del art 22 —y en sus correspondientes concreciones legislativas—, integran también el contenido del derecho constitucional de asociación proclamado en el referido art. 22 CE. El derecho de asociación consagrado genéricamente en el primer apartado de este precepto es un derecho que se concreta en los distintos tipos de asociaciones que libremente pueden crearse, por lo que el mero hecho de que la Constitución regule aspectos específicos de las mismas en otros preceptos no supone necesariamente la consagración de un derecho de asociación distinto. En el supuesto que aquí nos ocupa, el hecho de que los partidos políticos figuren en el Título Preliminar de la Constitución responde únicamente a la posición y al relieve constitucional que los constituyentes quisieron atribuirles, pero esto no significa que al crear y participar en un partido se esté ejerciendo un derecho distinto del derecho de asociación. Los arts. 6 y 22 deben interpretarse conjunta y sistemáticamente, sin separaciones artificiosas y, en consecuencia, debe reconocerse que el principio de organización y funcionamiento interno democrático y los derechos que de él derivan integran el contenido del derecho de asociación cuando éste opera sobre la variante asociativa de los partidos políticos[12].

El derecho de asociación y la Ley de partidos políticos —STC 48/2003, de 12 de marzo (*vid.* ARTÍCULO 16 CE; *vid.* también ARTÍCULO 23 CE)[13]—

FJ 5. A la vista de las alegaciones que acaban de sintetizarse, la primera de las cuestiones a dilucidar en este proceso es si la regulación constitucional de los partidos políticos admite o no en nuestro ordenamiento un régimen legal

---

[10]   La creación de agrupaciones electorales no está, sin embargo, cubierta por el artículo 22 CE —*vid.* SSTC 85/2003, de 8 de mayo; 176/2003, de 10 de octubre; 99/2004, de 27 de mayo; 68/2005, de 31 de mayo; 110/2007, de 10 de mayo; 112/2007, de 10 de mayo; 43/2009, de 12 de febrero; 44/2009, de 12 de febrero; 126/2009, de 21 de mayo; 62/2011, de 5 de mayo—.

[11]   *Vid.*, en el mismo sentido, las SSTC 71/1995, de 11 de mayo; 75/1995, de 17 de mayo.

[12]   El Tribunal Constitucional desestimó el amparo con base, en primer lugar, en que el derecho de asociación no contiene la específica pretensión de participación democrática a través de una concreta organización territorial (confederal) del partido. En segundo lugar, la sanción no responde a una causa o decisión arbitraria, siendo así que el control jurisdiccional de las expulsiones «no consiste en que el Juez pueda entrar a valorar, con independencia del juicio que ya han realizado los órganos de la asociación, la conducta del socio, sino en comprobar si existió una base razonable para que los órganos de las asociaciones tomasen la correspondiente decisión» (STC 218/1988), debiendo ceñirse el control jurisdiccional, menos intenso en los aspectos sustantivos que en los procedimentales, a determinar si la decisión carece de toda razonabilidad a la luz de las disposiciones legales y estatutarias aplicables.

[13]   *Vid.* también las SSTC 199/1987, de 16 de diciembre; 5/2004, de 16 de enero; 68/2005, de 31 de marzo; 138/2012, de 20 de junio.

específico y distinto del que es propio de las asociaciones. En otras palabras, si los partidos, en tanto que especie del género asociación, no admiten más límites y controles que los previstos en la Constitución para las asociaciones (art. 22 CE) o si su reconocimiento constitucional en los términos del art. 6 CE implica la existencia de límites y condiciones adicionales, sean propiamente constitucionales o el resultado de una eventual habilitación al legislador orgánico por parte del constituyente. Al respecto ha de afirmarse que, en cuanto regulación del ejercicio de lo que en línea de partida hemos de considerar incluido en el derecho fundamental de asociación, la base constitucional de la Ley se encuentra, según alegan el Abogado del Estado y el representante del Senado, en los arts. 53.1 y 81.1 CE, en relación con los arts. 20, 22 y 23 CE. Debe precisarse que la posibilidad de la regulación de los partidos políticos fuera del texto de la Ley de asociaciones está incluso prevista en el art. 1.3 de ésta. Si no hay obstáculo constitucional alguno para la existencia de la Ley de asociaciones, mal puede haberlo para la de partidos políticos. Respecto de éstos, el art. 6 CE contiene unas exigencias de respeto a la Constitución y a la ley, no mencionadas en su especificidad en el art. 22 CE, aunque en todo caso a éstas les afecta la previsión genérica en el mismo sentido del art. 9.1 CE, lo que justifica, en impecables términos constitucionales, la inclusión en el ordenamiento de una Ley que regule los partidos políticos.

La cuestión aquí planteada nos lleva necesariamente a la vexata quaestio de la definición de los partidos políticos, instituciones que si en su momento se desenvolvieron frente al Estado en términos de contradicción y enfrentamiento, en la actualidad, con su reconocimiento y constitucionalización por el modelo de Estado democrático instaurado en Occidente tras la II Guerra Mundial, han incorporado a la estructura del ordenamiento, inevitablemente, una tensión característica que nace de su doble condición de instrumentos de actualización del derecho subjetivo de asociación, por un lado, y de cauces necesarios para el funcionamiento del sistema democrático, por otro.

Con toda claridad quedó ya dicho en la STC 3/1981, de 2 de febrero, que «un partido es una forma particular de asociación», sin que el art. 22 CE excluya «las asociaciones que tengan una finalidad política» (FJ 1). En ello no se agota, sin embargo, su realidad, pues el art. 6 de la Constitución hace de ellos expresión del pluralismo político e instrumento fundamental para la participación política mediante su concurso a la formación y manifestación de la voluntad popular. Les confiere, pues, una serie de funciones de evidente relevancia constitucional, sin hacer de ellos, sin embargo, órganos del Estado o titulares del poder público. Los partidos políticos, en efecto, «no son órganos del Estado… [y] la trascendencia política de sus funciones… no altera su naturaleza [asociativa], aunque explica que respecto de ellos establezca la Constitución la exigencia de que su estructura interna y su funcionamiento sean democráticos» (STC 10/1983, de 21 de febrero, FJ 3). Se trata, por tanto, de asociaciones cualificadas por la relevancia constitucional de sus funciones; funciones que se resumen en su vocación de integrar, mediata o inmediatamente, los órganos titulares del poder público a través de los procesos electorales. No ejercen, pues, funciones públicas, sino que proveen al ejercicio de tales funciones por los órganos estatales; órganos que actualizan como voluntad del Estado la voluntad popular que los partidos han contribuido a conformar y manifestar mediante la integración de voluntades e intereses particulares en un régimen de pluralismo concurrente. Los partidos son, así, unas instituciones jurídico-políticas, elemento de comunicación entre lo social y lo jurídico que hace posible la integración entre gobernantes y gobernados, ideal del sistema democrático. Conformando y expresando la voluntad popular, los partidos contribuyen a la realidad de la participación política de los ciudadanos en los asuntos públicos (art. 23 CE), de la que ha de resultar un ordenamiento integrado por normas que si en su procedimiento formal de elaboración han de ajustarse a la racionalidad objetivada del Derecho positivo, en su contenido material se determinan por el juego de las mayorías que en cada momento respalden las diferentes opciones ideológicas y políticas, conformadas y aglutinadas por los partidos a través de la concurrencia de sus programas de gobierno en los distintos procesos electorales.

La naturaleza asociativa de los partidos políticos, con todo cuanto ello implica en términos de libertad para su creación y funcionamiento, garantizada en nuestro Derecho con la protección inherente a su reconocimiento como objeto de un derecho fundamental, se compadece de manera natural con los cometidos que a los partidos encomienda el art. 6 de la Constitución. En la medida en que el Estado democrático constituido en el art. 1.1 CE ha de basarse necesariamente en el valor del pluralismo, del que los partidos son expresión principalísima mediante la configuración de una verdadera voluntad popular llamada a traducirse en voluntad general, es evidente que la apertura del ordenamiento a cuantas opciones políticas puedan y quieran nacer y articularse en la realidad social constituye un valor que sólo cabe proteger y propiciar. Para asegurar que aquella voluntad popular lo sea verdaderamente sólo puede operarse aquí desde el principio de libertad, impidiendo que al curso que lleva de la voluntad popular a la general del Estado le siga o se oponga, en movimiento de regreso, una intervención del poder público sobre aquélla que, con la desnaturalización de los partidos, pueda desvirtuarla en tanto que genuina voluntad del pueblo, titular de la soberanía (art. 1.2 CE).

La creación de partidos es, pues, libre (art. 6 CE), en los términos de la libertad garantizada, como derecho fundamental, por el art. 22 CE. En efecto, «la Constitución, en su deseo de asegurar el máximo de libertad e independencia de los partidos, los somete al régimen privado de las asociaciones, que permite y asegura el menor grado de control y de intervención estatal sobre los mismos. La disciplina constitucional en esta materia, tomada en su sustancia, se ha articulado sobre el reconocimiento de un derecho subjetivo público de los ciudadanos a constituir, bajo la forma jurídica de asociaciones, partidos políticos; con ello se reconoce y legitima la existencia de los partidos y se garantiza su existencia y su subsistencia. El partido, en su creación, en su organización y en su funcionamiento, se deja a la voluntad de los asociados fuera de cualquier control administrativo, sin perjuicio de la exigencia constitucional del cumplimiento de determinadas pautas en su estructura, actuación y fines» (STC 85/1986, de 25 de junio, FJ 2).

FJ 6. Los partidos políticos, sentado lo anterior, se cualifican, en tanto que asociaciones, por la relevancia constitucional de sus cometidos. Si éstos, como acaba de decirse, justifican el principio de libertad en cuanto a su constitución, explican también las condiciones específicas que el art. 6 CE les impone en relación al respeto a la Constitución y a la ley y a su estructura interna y funcionamiento. Su cualificación funcional no desvirtúa la naturaleza asociativa que está en la base de los partidos, pero eleva sobre ella una realidad institucional diversa y autónoma que, en tanto que instrumento para la participación política en los procesos de conformación de la voluntad del Estado, justifica la existencia de un régimen normativo también propio, habida cuenta de la especificidad de esas funciones. La relevancia constitucional de los partidos les viene dada por pretender un fin cualificado de interés público y de cuya aspiración se sirve el Estado para proveer a la integración de los procedimientos de formación de la voluntad general. La libertad característica de las asociaciones, y de la que los partidos también disfrutan, no puede ser para éstos tan omnímoda que a su amparo se desvirtúen como instrumentos para la consecución de sus fines constitucionales. [...]

FJ 7. La diversificación de regímenes normativos entre una disciplina general para las asociaciones comunes (actualmente contenida en la Ley Orgánica 1/2002, reguladora del derecho de asociación) y otra específica para las asociaciones cualificadas por la relevancia constitucional de su función política (la referida hoy en la Ley impugnada y antes en la Ley 54/1978, de partidos políticos) es plenamente conforme con los arts. 6 y 22 CE. [...]

Los partidos políticos y las limitaciones a su libertad de configuración de candidaturas electorales —STC 12/2008, de 29 de enero (*vid.* ARTÍCULO 14)[14]—

FJ 5. [...] Es evidente que la libertad de presentación de candidaturas por los partidos (que, por lo demás, en ésta como en sus demás actividades están sometidos a la Constitución y a la ley, como expresa el art. 6 CE) no es, ni puede ser absoluta. Ya el legislador, en atención a otros valores y bienes constitucionales protegidos, ha limitado esa libertad imponiéndoles determinadas condiciones para la confección de las candidaturas (referidas a la elegibilidad de los candidatos, a la residencia en algunos supuestos, o incluso a que tales candidaturas hayan de serlo mediante listas cerradas y bloqueadas). Esta nueva limitación del equilibrio por razón de sexo, pues, ni es la única, ni carece, por lo que acaba de verse, de fundamento constitucional.
La libertad de selección de candidatos por los partidos se ve ciertamente limitada en razón de todas estas exigencias. La que concretamente ahora estamos examinando también lo hace. Con todo, esa constricción de la libertad del partido resulta perfectamente constitucional por legítima, por razonablemente instrumentada y por no lesiva para el ejercicio de derechos fundamentales. En otras palabras, por satisfacer las exigencias constitucionales para limitar la libertad de los partidos y agrupaciones de electores para confeccionar y presentar candidaturas, que en sentido propio ni siquiera es un derecho fundamental, sino una atribución, implícita en la Constitución (art. 6 CE), que les confiere el legislador (expresamente apoderado por dicho artículo para efectuarla); legislador que goza de una amplia libertad de configuración (aunque no absoluta, claro está). La validez constitucional de estas medidas, como se acaba de decir, resulta clara. En primer lugar porque es legítimo el fin de la consecución de una igualdad efectiva en el terreno de la participación política (arts. 9.2, 14 y 23 CE). En segundo término, porque resulta razonable el régimen instrumentado por el legislador que se limita a exigir una composición equilibrada con un mínimo del 40 por 100 y sin imposición de orden alguno, contemplándose excepciones para las poblaciones de menos de 3.000 habitantes y una dilación en

---

14   *Vid.* también las SSTC 13/2009, de 19 de enero y 40/2011, de 31 de marzo, que resuelven sendos recursos de inconstitucionalidad, ambos interpuestos por diputados del Partido Popular, contra la Ley del Parlamento Vasco 4/2005, de 18 de febrero, para la igualdad de mujeres y hombres (en concreto contra sus artículos 7, párrafo segundo y 20.4 b), 5, 6 y 7, y las disposiciones finales segunda, apartado 2, cuarta y quinta), y contra el artículo 2 de la Ley del Parlamento de Andalucía 5/2005, de 8 de abril, por el que se modifica el artículo 23 de la Ley 1/1986, de 2 de enero, electoral de Andalucía, respectivamente, en la medida en que elevan la presencia mínima de mujeres legalmente requerida en sus respectivas elecciones autonómicas.

la efectividad de la Ley hasta 2011 para las inferiores a 5.000, y que, por tanto, solo excluye de los procesos electorales a aquellas formaciones políticas que ni tan siquiera aceptan integrar en sus candidaturas a ciudadanos de uno y otro sexo. En fin, porque es inocuo para los derechos fundamentales de quienes, siendo sus destinatarios, los partidos políticos, no son, por definición, titulares de los derechos fundamentales de sufragio activo y pasivo.

Respecto de la aducida vulneración del art. 6 CE en conexión con el art. 22 interesa señalar que aun cuando este Tribunal ha identificado cuatro facetas o dimensiones del derecho fundamental de asociación —libertad de creación de asociaciones y de adscripción a las ya creadas; libertad de no asociarse y de dejar de pertenecer a las mismas; libertad de organización y funcionamiento internos sin injerencias públicas; y, como dimensión inter privatos, garantía de un haz de facultades a los asociados individualmente considerados frente a las asociaciones a las que pertenecen o a las que pretendan incorporarse (STC 133/2006, de 27 de abril, FJ 3)—, el motivo impugnatorio que ahora nos ocupa no se refiere propiamente a ninguna de ellas sino más bien a la libertad de actuación externa. Por lo que hace a los ámbitos señalados, habida cuenta de que la normativa cuestionada no atañe a la vertiente individual del derecho fundamental, debemos descartar que produzca intromisión en las dos primeras dimensiones, libertades positiva y negativa de asociación, ni tampoco en la denominada «dimensión inter privatos» del derecho fundamental de asociación. Igualmente, como quiera que esa normativa no versa sobre ninguna faceta de la vida interna ordinaria de los partidos políticos, tampoco existe vulneración alguna de la dimensión relativa a la libertad de organización y funcionamiento internos.

Hechas estas precisiones únicamente nos resta añadir que la limitación de la libertad de actuación de las formaciones políticas que se plasma en la normativa controvertida no constituye una vulneración del art. 6, en conexión con el art. 22 CE. Como ya hemos señalado esa limitación no es en sí misma inconstitucional. Por lo demás, y en todo caso, el mandato de equilibrio entre sexos que se impone a los partidos, limitando una libertad de presentación de candidaturas que no les está atribuida por ser asociaciones, sino específicamente por ser partidos políticos, ha de considerarse que, incluso desde la perspectiva de que son asociaciones políticas, constituye una limitación proporcionada y, por tanto, constitucionalmente legítima, por las razones que se dieron más arriba y a las que nos remitimos.

B) Los sindicatos y las asociaciones empresariales (artículo 7 CE —*vid*. ARTÍCULO 28 CE—)

C) Los colegios profesionales (artículo 36 CE)

Derecho de asociación y colegios profesionales (artículo 36 CE) —STC 89/1989, de 11 de mayo—

La Sentencia resuelve la cuestión de inconstitucionalidad planteada por la Audiencia Nacional (Sala de lo Contencioso-Administrativo) en el proceso que resuelve la demanda presentada por el «Colegio de Oficiales de la Marina Mercante Española» (COMME) contra la Resolución tácita del Ministerio de Transportes, Turismo y Comunicaciones, que implicaba el Acuerdo de no considerar obligatoria la colegiación de Capitanes, Jefes y Oficiales de la Marina Mercante. La pretensión de que el Ministerio ordenara el cumplimiento de esa colegiación obligatoria había sido solicitada por el COMME desde 1981, hasta que, ante el silencio de la Administración, se formuló demanda en la Audiencia. Esta se funda en el artículo 3.2 de la Ley 2/1974, de 13 de febrero, sobre Colegios Profesionales; en la Ley 42/1977, de 8 de junio, que creó el Colegio de Oficiales de la Marina Mercante; y en los Estatutos de dicho Colegio, aprobados por Real Decreto 2.020/1988, de 31 de julio; normas que para ejercer la profesión exigen la incorporación al Colegio. Se cuestiona la constitucionalidad de estas normas.

FJ 4. El art. 36 de la CE no se refiere a la naturaleza jurídica de los Colegios Profesionales, manteniéndose por ello viva —y explicable— la preocupación de la doctrina en torno de aquélla. Puede afirmarse, sin embargo, que la inmensa mayoría se pronuncia en favor de una concepción mixta o bifronte que, partiendo de una base asociativa, nacida de la misma actividad profesional titulada (a esta se refieren casi todos los Colegios Profesionales), consideran los Colegios como corporaciones que cumplen a la vez fines públicos y privados, pero integrados siempre en la categoría o concepto de Corporación, al que, al hablar de las personas jurídicas, ya se refería el art. 35 del CC, que separa «las Corporaciones, Asociaciones y Fundaciones de interés público reconocidas por la Ley» de las «Asociaciones de interés particular, sean civiles, mercantiles o industriales…», distinguiendo así las Asociaciones de interés público, las Asociaciones de interés particular y las Corporaciones, siendo éstas siempre de carácter público o personas jurídicas públicas, porque, pese a la base común asociativa de todas las personas jurídicas, persiguen fines más amplios que las de simple interés particular o privado, concediéndoseles por ello legalmente ciertas atribuciones o potestades —

especie de delegación del poder público— para que puedan realizar aquellos fines y funciones, que no sólo interesan a las personas asociadas o integradas, sino a las que no lo están, pero que pueden verse afectadas por las actuaciones del ente.

No por eso, sin embargo, se ha llegado a concluir que esas Corporaciones se integran en la Administración, ni tampoco que puedan ser consideradas como entes públicos descentralizados, pero sí que es justamente por cumplir, al lado de los privados, fines públicos, por lo que se hace preciso la intermediación legal. Eso explica el reconocimiento legal de las Corporaciones a que se refiere el art. 35 C.c. y, adelantando el argumento, el mandado constitucional contenido en el texto del art. 36 CE: «La Ley regulará las peculiaridades propias del régimen jurídico de los Colegios Profesionales…».

FJ 5. Los Colegios Profesionales, en efecto, constituyen una típica especie de Corporación, reconocida por el Estado, dirigida no sólo a la consecución de fines estrictamente privados, lo que podría conseguirse con la simple asociación, sino esencialmente a garantizar que el ejercicio de la profesión —que constituye un servicio al común— se ajuste a las normas o reglas que aseguren tanto la eficacia como la eventual responsabilidad en tal ejercicio, que, en principio, por otra parte, ya ha garantizado el Estado con la expedición del título habilitante. Todo ello supone un conjunto normativo estatutario, elaborado por los miembros del Colegio y sancionado por el poder público, que permitirá, a la vez, la posibilidad de recursos y la legitimación para interponerlos, tanto por los colegiados como por personas ajenas al Colegio, pero no ajenas al ejercicio de la profesión, sean clientes, sean interesados extracontractuales, en su caso, es decir, según la profesión de que se trate.

Así es como la legislación vigente configura a los Colegios Profesionales. Estos son, según el art. 1 de la Ley 2/1974, de 13 de febrero, «Corporaciones de derecho público, amparadas por la Ley y reconocidas por el Estado, con personalidad jurídica propia y plena capacidad para el cumplimiento de sus fines». A lo que añade el art. 4.º que «la creación de Colegios Profesionales se hará mediante Ley, a petición de los profesionales interesados…». Estos preceptos han sido ratificados por la Ley 74/1978, de 26 de diciembre, y el Colegio de Oficiales de la Marina Mercante (cuya pretensión se actúa en el proceso originario) creado por la Ley 42/1977, de 8 de junio, que «agrupará (art. 1) por especialidades a todos los titulados universitarios de la carrera de Náutica». […]

La Constitución no ha modificado ni alterado esta concepción legal, pese a la novedad que supone en la historia constitucional haber introducido la nuestra una norma como la del art. 36. Antes bien reconoce y sanciona la intermediación de la Ley, con un importante matiz justificativo, al señalar «las peculiaridades propias del régimen jurídico de los Colegios Profesionales», con lo que parece ya distinguirlos de las restantes personas jurídicas y asociaciones, sean de interés público o privado. Únicamente —constitucionalizando la norma— ordena que «la estructura interna y el funcionamiento de los Colegios deberán ser democráticos», precepto este si aplicable o común a otras asociaciones (sindicatos y asociaciones empresariales —art. 7—, partidos políticos —art. 6— y organizaciones profesionales para la defensa de intereses económicos —art. 52—). Distinción que, por otra parte, resulta también de la comparación del art. 36 con los arts. 6 y 7, en cuanto estos dos últimos, y no el 36, sancionan la libertad de creación —y del ejercicio de la actividad— de los partidos, sindicatos y asociaciones empresariales.

Por consiguiente, cierto es que la CE, como antes se ha dicho, si bien constitucionaliza la existencia de los Colegios Profesionales, no predetermina su naturaleza jurídica, ni se pronuncia al respecto, pero hay que convenir que con su referencia a las peculiaridades de aquéllos y a la reserva de Ley, remitiendo a ésta su regulación (art. 36), viene a consagrar su especialidad —«peculiaridad»— ya reconocida, de otro lado, por la legislación citada. Es el legislador, por tanto, dentro de los límites constitucionales y de la naturaleza y fines de los Colegios, quien puede optar por una configuración determinada (STC 42/1986), dado, además, que la reserva legal citada no es equiparable a la que se prevé en el art. 53.1 CE respecto de los derechos y libertades en cuanto al respeto de su contenido esencial, puesto que en los Colegios Profesionales —en la dicción del art. 36— no hay contenido esencial que preservar (STC 83/1984), salvo una exigencia de estructura y funcionamiento democrático. Otra cosa es que el legislador, al hacer uso de la habilitación que le confiere el art. 36 CE, deberá hacerlo de forma tal que restrinja lo menos posible, y de modo justificado, tanto el derecho de asociación (art. 22) como el de libre elección profesional y de oficio (art. 35), y que al decidir, en cada caso concreto, la creación de un Colegio Profesional, en cuanto tal, haya de tener en cuenta que, al afectar la existencia de éste a los derechos fundamentales mencionados, sólo será constitucionalmente lícita cuando esté justificada por la necesidad de servir un interés público.

FJ 6. Por su parte, la doctrina de este Tribunal es ya reiterada en lo que se refiere a la calificación jurídica de los Colegios Profesionales a partir de la STC 23/1984,[15] en la cual, partiendo del pluralismo, de la liberad asociativa y de la existencia de entes sociales (partidos, sindicatos, asociaciones empresariales), se alude a la de otros entes de base asociativa representativos de intereses profesionales y económicos (arts. 36 y 52 CE), que pueden llegar a ser considerados como Corporaciones de derecho público en determinados supuestos. La STC 123/1987 se hace eco de esa doctrina y afirma su consideración de corporaciones sectoriales de base privada, esto es, corporaciones públicas por su composición y organización que, sin embargo, realizan una actividad en gran parte privada, aunque tengan delegadas por la ley funciones públicas, lo que lleva a afirmar que los Estatutos del Colegio constituyen una norma de organización ajena a la libertad de asociación de que trata el une 22 de la CE. Y, en fin, la STC 20/1988, de 18 de febrero, reitera esta calificación y configura los Colegios Profesionales como personas jurídico-públicas o Corporaciones de Derecho público cuyo origen, organización y funciones no dependen sólo de la voluntad de los asociados, sino también, y en primer término, de las determinaciones obligatorias del propio legislador, añadiendo que el sentido del art. 36 de la Constitución no es otro que el de singularizar a los Colegios Profesionales como entes distintos de las asociaciones que puedan libremente crearse al amparo del art. 22, remitiendo la Constitución a la Ley para que ésta regule las peculiaridades de aquéllos.

FJ 7. Las consideraciones expuestas permiten ya, fundamedamente, contradecir —y eliminar— las bases de las que se parte en el Auto que plantea la duda de constitucionalidad del art. 3.2 de la Ley 2/1974. Si los Colegios Profesionales, por su tradición, por su naturaleza jurídica y fines y por su constitucionalmente permitida regulación por Ley, no son subsumibles en la totalidad del sistema general de las asociaciones a las que se refiere el art. 22 CE, porque, aunque siendo en cierto modo asociaciones, constituyen una peculiar o especial clase de ellas, con reglas legales propias (art. 36), distintas de las asociaciones de naturaleza jurídico-privada, es claro que no puede serles aplicable el régimen de éstas. El art. 22 CE no prohíbe, por tanto, la existencia de entes que, siempre con la común base personal, exijan un específico tratamiento, o bien un suplemento de requisitos postulados por los fines que se persiguen. Es lógico que una conjunción de fines privados y públicos —como es el caso de los Colegios— impliquen también modalidades que no deben siempre verse como restricciones o limitaciones injustificadas de la liberad de asociación, sino justamente como garantía de que unos fines y otros puedan ser satisfechos.

Eso justifica que la CE, en su art. 36, haya querido desgajar o separar a los Colegios Profesionales del régimen general asociativo y que dicho precepto —como antes se ha indicado— no prevea que su «creación y ejercicio sean libres», como lo hace al referirse a los sindicatos y a los partidos (arts. 7 y 6 CE) y que establezca, asimismo, la reserva legal, lo que marca, por otra parte, su diferenciación con las «organizaciones profesionales» del art. 52 de la CE, dirigidas a la defensa y promoción de intereses económicos.

Y es que al cumplirse por los Colegios Profesionales otros fines específicos, determinados por la profesión titulada, de indudable interés público (disciplina profesional, normas deontológicas, sanciones penales o administrativas, recursos procesales, etc.), ello justifica innegablemente la opción deferida al legislador para regular aquellos Colegios y para configurarlos como lo hace la Ley 2/1974 y las normas complementarias citadas, que en nada vulneran el contenido de la norma constitucional (art. 36) habilitante, ni tampoco el art. 22, por las razones expuestas.

El derecho de asociación más allá de la existencia de colegios profesionales —STC 5/1996, de 16 de enero (*vid. supra*)—

FJ 10. [...] [E]l reconocimiento constitucional de los Colegios Profesionales ex art. 36 CE no puede ser concebido como un límite, en positivo, al derecho fundamental de asociación, aunque pueda configurar la legitimidad de un deber de colegiación. Por más, pues, que pretendan asemejarse los estatutos de la Asociación Profesional recurrente a los de un Colegio Profesional, en este caso el de Agentes de la Propiedad Inmobiliaria, es claro, que aquella Asociación privada no es, ni nunca podría ser, aunque lo pretendiese, un Colegio Profesional, por lo que la sola idea de calificarla como «Colegio Profesional encubierto», con el objeto de deducir de sus fundadores una voluntad fraudulenta que vicia de nulidad radical su pacto asociativo, decae en definitiva por sí misma, al presumir en los asociados

---

[15]   En esta STC el Tribunal Constitucional consideró conforme a la Constitución la exigencia de residencia como requisito para ser elegible a la Junta de Gobierno de un Colegio Profesional, en cuanto que no desproporcionado con el fin público del colegio de ordenación de la profesión de que se trate.

una imposible capacidad jurídica para investir a su Asociación Profesional de unos atributos y potestades públicas que la ley reserva exclusivamente a los Colegios Profesionales.

D) Las asociaciones profesionales de jueces y fiscales (artículo 127 CE)

Las asociaciones de fiscales como especie del género asociación —STC 24/1987, de 25 de febrero (*vid. supra*)—

FJ 3. La Sentencia recurrida niega legitimación activa a la Asociación de Fiscales para recurrir contra un Decreto que promueve a la categoría de Fiscal del Tribunal Supremo a un miembro de la Carrera Fiscal y lo hace, en lo que aquí interesa, con base en dos razonamientos consistentes, el primero, en que el acto de nombramiento se desenvuelve exclusivamente en el ámbito personal del nombrado y de aquellos Fiscales que pudieran considerarse lesionados por el mismo y, por tanto, no afecta a los intereses profesionales o económicos de los cuales hace depender el art. 32 de la Ley Jurisdiccional citada la legitimación activa de las Asociaciones y, el segundo, en que el nombramiento no es una disposición general; en virtud del primer razonamiento le niega la legitimación del art. 28.1 a) y por el segundo la del art. 28.1 b), ambos de la antedicha Ley de Jurisdicción Contencioso-Administrativa.

Dicha interpretación es claramente restrictiva y en tal sentido vulneradora del derecho fundamental de la Asociación demandante y ello porque, al margen de que el acto de nombramiento recurrido tenga una proyección sobre intereses personales que sólo cabe ejercitar al que sea titular de ellos, no puede desconocerse que dicho acto también incide directamente en el interés profesional de que la promoción de los Fiscales se lleve a efecto por el procedimiento que la Asociación estima haber sido desconocido por el Decreto recurrido, pues no puede ser extraño a este interés profesional el margen de discrecionalidad administrativa con que se realicen los ascensos y promociones en la Carrera Fiscal.

El interés en este caso es directo y legítimo, y al no entenderlo así la Sentencia recurrida ha interpretado los arts. 28 y 32 anteriormente citados, de los cuales éste no distingue entre actos y disposiciones, en sentido desfavorable a la efectividad del derecho normal de la tutela judicial efectiva, en los términos establecidos por el art. 24.1 de la Constitución y, por ello, ha vulnerado dicho derecho fundamental que compete a este Tribunal restablecer.

Esta conclusión se refuerza al considerar que la Asociación de Fiscales viene especialmente contemplada en un precepto específico de la Constitución —art. 127—, que prohíbe a los Fiscales pertenecer a partidos políticos o sindicatos y, por tanto, esa autorización constitucional especial para constituir asociaciones es el único cauce que tiene la Carrera Fiscal para defender sus intereses profesionales y ello es un argumento más para que su legitimación para promover procesos en defensa de dichos intereses deba potenciarse y entenderse en el sentido amplio que se deja razonado, concediéndola siempre que los actos y disposiciones contra los que recurra incidan perjudicialmente en sus legítimos intereses asociativos.

II. EL REGISTRO DE ASOCIACIONES (ARTÍCULO 22.3 CE)

El papel del registro de asociaciones —STC 291/1993, de 18 de octubre—

La Sentencia resuelve el recurso de amparo presentado por el Sr. R.R. contra la denegación por silencio administrativo de su solicitud de inscripción en el Registro de Asociaciones de la «Unión Democrática de Guardias Civiles», denegación confirmada judicialmente por sendas Sentencias de la Audiencia Nacional (de 5 de mayo de 1989) y del Tribunal Supremo (de 12 de marzo de 1990), y que el recurrente entiende que vulnera su derecho de asociación.

FJ 2. [...] El Registro existe, bien es cierto, a los «solos efectos de publicidad» (art. 22.3 de la Constitución) y la Administración carece por ello, al gestionarlo, de facultades que pudieran entrañar un control material (de «legalización» o «reconocimiento») sobre la asociación in fieri (STC 85/1986, fundamento jurídico 2º), pero nada de esto afecta directamente al juicio que merezca el proceder de la Administración. La autoridad encargada del Registro no «calificó» en modo alguno la asociación en cuestión; se limitó a omitir la actuación pedida —la inscripción registral— sin dar razón alguna para ello, sin aportar ningún fundamento para tal inacción, y semejante proceder impide ahora, como es lógico, que este Tribunal se pronuncie sobre los límites y el alcance de la facultad de calificación que pueda corresponder a la Administración del Registro, pues ello no podría hacerse sino a partir de conjeturas acerca de los motivos del rechazo tácito a la inscripción registral.

Para apreciar la inconstitucionalidad de tal proceder basta, en efecto, con advertir que la actuación administrativa supuso en este caso una obstaculización enteramente inmotivada del pleno ejercicio del derecho entonces invocado, pues es claro que la libertad de asociación no se realiza plenamente sino cuando se satisface la carga de la inscripción registral que la Constitución impone (art. 22.3) y que la Administración no puede denegar arbitraria o inmotivadamente. Sin duda que no en todo caso resultará obligada la inscripción y que además podría requerirse, antes de hacerla, la reparación de posibles defectos subsanables o incluso rechazarse la inscripción pedida (así se señaló ya para el Registro de Partidos Políticos en la STC 3/1981, fundamento jurídico 6º). Pero lo que no podrá hacer la autoridad encargada del Registro es denegar la inscripción sin resolución expresa y motivada, pues obrando así se viene a obstaculizar el ejercicio efectivo del derecho fundamental al margen de toda razón discernible para su titular y es doctrina reiterada de este Tribunal que toda limitación para el ejercicio de un derecho de este carácter no sólo ha de estar amparada por la Constitución y articulada debidamente en norma con rango de ley, sino ser también aplicada según criterios de racionalidad y proporcionalidad que exigen, inexcusablemente, una resolución expresa y motivada (STC 62/1982, fundamento jurídico 2º, por todas). Es patente que no lo hizo así, en el caso presente, la autoridad administrativa encargada del Registro de Asociaciones y basta con esta constatación para concluir que ello entrañó una indudable lesión del derecho fundamental de asociación entonces invocado por el Sr. Rosa Recuerda. La Administración tiene el deber de resolver siempre expresamente (STC 254/1993, fundamento jurídico 3º) según dispone hoy, con carácter general, el artículo 42.1 de la Ley 30/1992, de Régimen Jurídico de las Administraciones Públicas y del Procedimiento Administrativo Común. Lo que ahora hay que añadir es que el incumplimiento de tal deber genérico podrá entrañar lesión de un derecho fundamental si éste es de aquellos que exigen —como el de asociación— una determinada actuación positiva de la Administración para su plena efectividad (STC 77/1983, fundamento jurídico 3º).

La inscripción registral de modificaciones en los estatutos de las asociaciones —STC 219/2001, de 31 de octubre (*vid. supra*)—

FJ 5. [...] [E]l art. 22.3 CE establece, literalmente, que «las asociaciones constituidas al amparo de este artículo deberán inscribirse en un registro a los solos efectos de publicidad». Es cuestión indiscutida por las partes que la publicidad registral se extiende a las modificaciones estatutarias de la asociación. Máxime cuando, como ocurre en el presente caso, la modificación afecta a elementos tan esenciales como son el nombre y la composición subjetiva. Y es que sólo la continua correspondencia del Registro con la realidad permite cumplir el fin de publicidad a que se refiere el art. 22.3 CE.

Sentado lo anterior hay que precisar que la inscripción no es sólo una carga de la asociación ya creada, sino también una prestación debida por la Administración encargada del correspondiente Registro, a fin de que la libertad de asociación se realice plenamente. Se trata, incluso, de una prestación administrativa cuya realización defectuosa puede resultar lesiva del derecho de asociación. [...] [N]o sólo la omisión administrativa, sino también una denegación de inscripción infundada o arbitraria, puede lesionar el derecho de asociación de la Hermandad. Este es, por lo demás, el criterio seguido por el Tribunal Supremo en su Sentencia de 30 de junio de 1994, en relación con la inscripción de la Asociación de Usuarios de Viviendas Militares, y donde expresamente se daba continuidad a la doctrina de nuestra STC 291/1993. En el caso que nos ocupa no cabe discusión sobre la existencia de una restricción a la publicidad registral que pedía la Hermandad.

El registro como contenido no básico del derecho de asociación —STC 134/2006, de 27 de abril[16]—

La Sentencia resuelve el conflicto positivo de competencia promovido por el Gobierno de la Generalidad de Cataluña contra diversos artículos del Real Decreto 1740/2003, de 19 de diciembre, sobre procedimientos relativos a asociaciones de utilidad pública.

FJ 8. [...] [L]os preceptos de la Ley Orgánica del derecho de asociación aplicables a los Registros autonómicos y que no tienen carácter de ley orgánica han sido calificados por la disposición final primera, apartado 2, de esa misma Ley Orgánica como condiciones básicas que garantizan la igualdad de los españoles en el ejercicio del derecho fundamental de asociación (art. 149.1.1 CE, en relación con el art. 22.3 CE).

---

[16] *Vid.* también SSTC 133/2006 y 135/2006, ambas de 27 de abril, FJ 10.

[...] [E]l precepto no puede encuadrarse en la competencia atribuida al Estado por el art. 149.1.1 CE, puesto que este título competencial «sólo presta cobertura a aquellas condiciones que guarden una estrecha relación, directa e inmediata, con los derechos que la Constitución reconoce» (por todas, STC 228/2003, de 18 de diciembre, FJ 10, y las resoluciones allí citadas). Y es evidente que la custodia de la documentación que deben presentar las asociaciones de utilidad pública no guarda esa relación estrecha, directa e inmediata con ninguna de las facetas o dimensiones del derecho fundamental de asociación que este Tribunal ha identificado (por todas, SSTC 173/1998, de 23 de julio, FJ 8, y 109/1999, de 14 de junio, FJ 4). Distinto sería el caso de la obligación de custodia que se impusiese a la propia asociación, pero resulta innecesario que nos pronunciemos sobre aquello que no es sino una pura eventualidad: la imposición de la obligación de conservar la documentación a las asociaciones de utilidad pública, obligación que no forma parte del contenido normativo del precepto reglamentario discutido.

El registro de partidos políticos y su control formal (1) —STC 3/1981, de 2 de febrero (*vid. supra*)—

FJ 5. El Registro de Partidos Políticos es [...] un Registro cuyo encargado no tiene más funciones que las de verificación reglada, es decir, le compete exclusivamente comprobar si los documentos que se le presentan corresponden a materia objeto del Registro y si reúnen los requisitos formales necesarios. La verificación ha de hacerse al presentarse la documentación, que es cuando se inicia el expediente. Si se encontrasen defectos formales, éstos deben comunicarse a los solicitantes señalando en forma concreta cuáles son y en qué plazo han de subsanarse, sin que pueda la Administración señalar tales defectos pasado el plazo de veinte días en que ha de proceder a la inscripción, plazo que es preclusivo, pues a su expiración el partido adquiere la personalidad jurídica ex lege.

El registro de partidos políticos y su control formal (y 2) —STC 5/2004, de 29 de enero[17]—

La Sentencia resuelve el recurso de amparo interpuesto por Batasuna contra la Sentencia de la Sala Especial del artículo 61 LOPJ del Tribunal Supremo, de 27 de marzo de 2003, declarando su ilegalidad y, en consecuencia, disolución, por entender que vulnera, además de derechos procesales, sus libertades de expresión, ideológica y de asociación.

FJ 9. [...] En relación con lo que queda dicho, el régimen de libertad en el que en nuestro Ordenamiento se desenvuelve la creación de partidos políticos no permite un control inmediato en el tiempo de la satisfacción de esos requisitos. No cabe, en efecto, verificar en toda su extensión si lo que se constituye e inscribe como partido es propiamente tal. En ese trámite sólo es factible acreditar la concurrencia de una efectiva voluntad de constitución de un partido político y el cumplimiento de los requisitos de capacidad para constituirlo y de adopción de una estructura que permita un funcionamiento democrático. Pero las circunstancias que verdaderamente definen a la asociación como partido únicamente se acreditan una vez constituido, pues sólo entonces puede determinarse si se ajusta en su actividad a las funciones referidas en el art. 6 CE. Y sólo entonces puede constatarse si los fines definidores de su ideario político, en principio constitucionalmente libres, se persiguen por medios, no ya pacíficos, sino, antes aun, compatibles con las funciones constitucionales a las que los partidos sirven como instrumento. La constatación de ese extremo en el momento de la constitución del partido sólo sería imaginable a través de un juicio de intenciones que pugnaría groseramente con el régimen de libertad de creación de partidos garantizado por el art. 22 CE. [...]

El registro de partidos como requisito para su concurrencia a elecciones —STC 21/1983, de 22 de marzo—

La Sentencia resuelve el recurso de amparo interpuesto por el Partido de Recuperación y Unificación Comunista contra la Sentencia de la Audiencia Territorial de Madrid, de 13 de octubre de 1982, que confirmó el acuerdo de la Junta Electoral Provincial de Madrid, de 27 de septiembre de 1982, que rechazó su candidatura electoral por no aparecer inscrito en el Registro de Asociaciones Políticas dependiente del Ministerio del Interior. El Partido alega vulneración de su derecho de asociación.

FJ 2. [...] [E]l art. 30.3, a), del Real Decreto-ley 20/1977, de 18 de marzo, [...] dispone que podrán proponer candidaturas, entre otros, «las asociaciones.... inscritas en el Registro creado por la Ley reguladora del Derecho de Asociación Política»; como tal Ley posconstitucional no se ha promulgado, dicho Registro continúa siendo el creado por el Decreto 2281/1976, de 16 de septiembre. Al exigir el requisito de la inscripción, el Real Decreto-ley 20/1977

---

[17]   *Vid.* también SSTC 138/2012, de 20 de junio.

no está regulando ni el derecho de asociación ni el momento en que cada asociación política adquiere personalidad jurídica, sino que se limita a establecer, dentro de la ordenación del proceso electoral que constituye su objeto, la exigencia de un requisito razonable dentro de la publicidad que debe caracterizar la concurrencia y el desarrollo de cada contienda electoral. No obstante, es indudable que el art. 30.3, a), no es la única norma que debemos analizar y que debió en su día tener en cuenta la Junta, pues por encima de ella puede haber algún precepto constitucional contradictorio con ella que, por serlo y en virtud de la disposición derogatoria tercera de la Constitución, hubiera producido la derogación de tal norma preconstitucional y ésta es en concreto la tesis de los recurrentes, para quienes el art. 30.3, a), del Real Decreto-ley 20/1977 quedó derogado por el art. 22.3 de la Constitución efecto derogatorio que, según ellos, actuó también respecto al art. 2.° de la Ley 54/1978, de 4 de diciembre, que regula el momento en que adquieren personalidad los partidos políticos. Para resolver el presente recurso de amparo es necesario no confundir las dos cuestiones, esto es, la de la inscripción a efectos de publicidad en el proceso electoral y la del momento en que cada partido político adquiere personalidad. La Junta Electoral se limitó a verificar si el PRUC cumplía con el requisito de la inscripción registral, y al comprobar que no estaba inscrito y rechazar por ello su candidatura no sólo actuó, como es obvio, dentro de la legalidad [arts. 30.3, a), y 33.2.5.ª del Real Decreto-ley 20/1977], sino también dentro del marco constitucional, pues el art. 22.3 de la CE exige que las asociaciones constituidas a su amparo «deberán inscribirse en un registro a los solos efectos de la publicidad», por lo que la exigencia del requisito de la inscripción y la consecuencia jurídica de su incumplimiento contenidas en el Real Decreto-ley 20/1977 de normas electorales, lejos de ser contrarias al precepto constitucional citado, resultan perfectamente congruentes con el mismo y, por consiguiente, el acuerdo de 27 de septiembre de la Junta Electoral Provincial de Madrid debe ser reputado como ajustado a la Ley y a la Constitución. El anterior razonamiento es suficiente para denegar el amparo solicitado, tal como éste quedó delimitado en nuestro fundamento primero.

El registro de partidos políticos y el control de su denominación —STC 85/1986, de 25 de junio—

La Sentencia resuelve el recurso de amparo interpuesto por los promotores del Partido Comunista de Aragón, por violación entre otros de su derecho reconocido en el artículo 22 CE, contra la Resolución de 17 de octubre de 1980, de la Dirección General de Política Interior del Ministerio del Interior, que deniega su inscripción registral con esa denominación, por existir ya en Aragón un Partido Comunista, a saber, la circunscripción territorial del Partido Comunista de España.

FJ 2. […] [L]a adquisición de la calificación jurídica de partido, para respetar el precepto constitucional de libertad de fundación de partidos, no puede subordinarse a otros requisitos formales que a los ya previstos y con el alcance que establece el propio art. 22. Del mismo se deduce con toda claridad la función de mera publicidad del Registro de Asociaciones, y que tal Registro no puede controlar materialmente y decidir sobre la «legalización» o «reconocimiento» de las asociaciones y, en particular, de los partidos políticos. Del contexto del propio precepto se deriva, además, que los instrumentos para garantizar que los partidos se ajusten a la idea que de estos tiene la Constitución en cuanto a su sujeción al orden constitucional, su respeto de la legalidad, su estructura democrática y los demás requisitos generales que se exigen a todas las asociaciones, han de centrarse fundamentalmente en el momento de la actuación de éstos y por medio de un control judicial. Se trata además y, en todo caso, de límites marginales que parten de, y presuponen una amplísima libertad de constitución y de actuación de los partidos políticos.

FJ 3. […] Al afirmarse que el derecho de asociación se «reconoce» y no se concede, se cierra el paso a la discrecionalidad administrativa en el ejercicio del derecho de asociación política, y por ello, en el momento de la constitución del partido político. […]
[…] Como ha dicho la doctrina, la operación de registro es el presupuesto para el eventual control del partido, pero no la ocasión para el mismo. Es decir, el sistema de previa inscripción en un Registro público que impone la Ley 54/1978, sólo es constitucionalmente admisible con el alcance de un control formal externo y de naturaleza estrictamente reglada por parte de la autoridad administrativa. […]

FJ 4. […] De la actuación de la Administración y de las propias alegaciones del Letrado del Estado se deduce la creencia de que, ante el silencio de la Ley, debería reconocerse un «poder implícito» de control, no sólo formal, sobre los Estatutos de los partidos políticos, que incluiría también el de su denominación y la coincidencia o similitud de ésta con la de otro partido ya existente. Sin embargo, ni tal control resulta de la Ley, ni sería compatible con la Constitución un tipo de verificación que dejara un amplio margen de decisión a la Administración, como el que existiría en los casos de similitud o inducción a la confusión de la denominación elegida por los promotores de un partido respecto a la de otro ya inscrito, aunque una cuestión diferente sería la de la plena identidad o coincidencia de las denominaciones. Una de las consecuencias del pluralismo político es la posibilidad de que una misma corriente ideológica pueda tener diversas expresiones partidarias que, consecuentemente, lleven a denominaciones que pueden parcialmente coincidir, siempre, claro es, que no lleven a la confusión, especialmente de los electores. En el caso de los partidos políticos, lo que se protege es fundamentalmente a los terceros y frente a la posible confusión, de ahí que no sea aceptable la idea de una explotación en exclusiva de una ideología o de una determinada dirección política, lo que, en sí mismo, sería contrario al pluralismo.

La tutela de los posibles derechos de terceros, incluida la de los partidos de denominación similar, debe corresponder al orden jurisdiccional y no a la competencia administrativa, pues tal competencia, al operar a partir de un concepto jurídico indeterminado, podría tornarse en un verdadero control previo, en perjuicio de la libertad de constituir partidos políticos, y forzaría a los promotores de un partido el seguir un largo procedimiento administrativo y luego judicial para poder ejercer su derecho constitucionalmente reconocido.

En consecuencia, en esta fase de registro, la Administración carece de los amplios poderes de verificación que ha pretendido ejercer en el presente supuesto y, en función de ello, del poder de denegar la inscripción solicitada. Tiene razón la Audiencia Nacional cuando afirma que, transcurridos los veinte días de la presentación de los Estatutos en el Registro, debe entenderse no sólo adquirida la personalidad, sino obligada la inscripción con el nombre propuesto y relegados a su ulterior discusión o impugnación en la vía procedente los eventuales intereses o derechos de terceros respecto del nombre.

Ciertamente, un derecho de toda asociación y muy en particular del partido político, es el derecho al nombre que le permite cumplir una finalidad tan esencial como la propia identificación del grupo. Si un partido político ya inscrito se siente usurpado de ese derecho por otro partido posteriormente inscrito que intente utilizar un nombre similar que se preste a confusión, tiene vías jurisdiccionales abiertas para la defensa de ese derecho. En consecuencia, existen instrumentos judiciales adecuados que permiten asegurar el respeto a la legalidad, también en el tema específico de la denominación del partido político y la tutela de los legítimos derechos de los terceros, y tales vías judiciales no están impedidas por el hecho del registro. También en función de ello, la concesión del recurso de amparo a los promotores del Partido Comunista de Aragón debe ser entendida sin perjuicio de que los terceros interesados puedan plantear en sede judicial la cuestión de la denominación impugnada.

El registro de partidos políticos y su adquisición de personalidad jurídica —STC 48/2003, de 12 de marzo (*vid.* ARTÍCULO 16)—

FJ 20. [...] Por lo que respecta a la supuesta contradicción entre el art. 22.3 CE, que dispone que la inscripción de las asociaciones en el registro tendrá lugar «a los solos efectos de la publicidad» y el art. 3.2 LOPP que liga a dicha inscripción la adquisición de personalidad jurídica por parte de los partidos, hemos de partir de la idea de que la ratio de la prohibición de que el registro sirva a otros efectos que los de la publicidad reside en la tutela de la libertad de creación de asociaciones y partidos, con la que ninguna relación guarda el hecho de que se adquiera o no la personalidad jurídica. Por lo tanto, el legislador es libre de asociar o no el nacimiento de la personalidad jurídica a la inscripción en el registro sin que del art. 22.3 derive ningún impedimento para ello.

Ha de tenerse en cuenta, por otra parte, que el art. 6 CE proclama el principio de libre creación de partidos políticos. En cuanto acto de constitución de un ente asociativo, la creación o constitución del partido político ha de hallarse libre de toda traba u obstáculo que impida o dificulte de cualquier modo el mandato constitucional referido. Se trata con ello de evitar que los Poderes Públicos ejerzan control material alguno que suponga reconocimiento o legalización de la formación política que trata de constituirse al amparo de los arts. 6 y 22 CE. El principio constitucional de libre creación de partidos políticos veda, pues, cualquier injerencia de las autoridades administrativas que lo menoscabe o elimine.

Pues bien, se trata determinar si, al establecer el art. 3.2 LOPP que «Los partidos políticos adquieren personalidad jurídica por la inscripción en el Registro de Partidos Políticos», la Ley impugnada lleva a cabo un control material que suponga injerencia en el principio de libertad de creación de los partidos políticos y, con ello, vulneración del art. 6 CE. Ha de reconocerse que la personalidad jurídica del partido político que ha sido constituido mediante el acta fundacional (art. 3.1 LOPP) no se obtiene sino mediante el acto de inscripción en el mencionado Registro, bien producido de forma expresa, bien por el transcurso de veinte días sin acuerdo de suspensión de este plazo (art. 4.3 LOPP).

Ahora bien, el régimen diseñado por la Ley Orgánica 6/2002 en este concreto aspecto, en cuanto supedita la adquisición de personalidad jurídica del partido político a la previa inscripción en el Registro del Ministerio del Interior, no implica per se que haya de considerarse como un acto de injerencia de la Administración estatal contrario al principio constitucional de libertad de creación o constitución de partidos políticos. Para que ello ocurra y, por ende, pudiera prosperar la impugnación del Gobierno Vasco en este concreto extremo, sería menester que, por el modo en que el legislador regula el acto de inscripción y por las facultades que para ello atribuye al Ministerio del Interior, se apreciase que a este se le apodera de un efectivo control material sobre la procedencia o no de la inscripción solicitada y, por tanto, sobre la atribución de personalidad jurídica al partido, de tal manera que las facultades de dicho Departamento ministerial excedieran del estricto y limitado ámbito de la simple verificación reglada de los aspectos jurídico-formales de la documentación presentada a inscripción, tal como lo ha entendido la doctrina constitucional, pues como declaró la STC 85/1986, de 25 de junio, FJ 3, «el sistema de previa inscripción en un Registro público… sólo es constitucionalmente admisible con el alcance de un control formal externo y de naturaleza estrictamente reglada por parte de la autoridad administrativa», y la STC 3/1981, de 2 de febrero, FJ 5, estableció que cuando de la inscripción (constitutiva) se trata, únicamente es constitucionalmente admisible la verificación reglada, esto es, «comprobar si los documentos que se… presentan corresponden a materia objeto del Registro y si reúnen los requisitos formales necesarios».

Pues bien, partiendo de los requisitos formales exigidos por el art. 3.1 LOPP, y del régimen de inscripción contenido en la Ley impugnada (art. 4 y 5.1), ha de entenderse que no se confieren al Ministerio del Interior potestades discrecionales que le habiliten para proceder o no a la inscripción en el Registro del partido que lo solicita mediante la presentación de la documentación requerida al efecto, pues a la autoridad administrativa tan solo se le atribuye una actuación de constatación rigurosamente reglada, en cuanto contraída a los aspectos formales a través de los que se manifiesta el acto de constitución (acta fundacional y documentación complementaria), de tal manera que la suspensión del plazo de veinte días en el que ha de producirse el acto de inscripción tiene por exclusiva finalidad subsanar los defectos formales advertidos en aquella documentación, como pone de relieve el art. 5.1 LOPP. [...]

FJ 21. Con lo expuesto, sin embargo, no se agota el examen de este concreto motivo impugnatorio. La demanda del Gobierno Vasco aduce que el acto de inscripción puede ser denegado o retrasado por la Administración, en virtud de las facultades que se otorgan a ésta en el art. 5.1 de la propia Ley, relativo a los defectos formales, pero también, dice, a la denominación. Y de tal alegación extrae la consecuencia de que las previsiones de la Ley impugnada «se revelan contrarias a la configuración constitucional del derecho de asociación que, como derecho fundamental que es, goza de eficacia directa, sin necesidad de reconocimiento alguno por el poder público». Hemos de analizar, pues, el mencionado alegato.

Las facultades atribuidas al Ministerio del Interior para practicar la inscripción y, con ello, conferir personalidad jurídica al partido político, se limitan, en términos generales, a un mero acto de verificación reglada u objetivada, pues aquellas recaen tan sólo sobre el cumplimiento de los requisitos formales que deben observarse en la documentación presentada. Pero no es menos cierto, y así hemos de reconocerlo, que entre dichos requisitos que son exigibles para la constitución del partido, es decir, para que sus promotores puedan eficazmente otorgar el acta fundacional, se encuentra el de la denominación identificativa de aquel, tal como aparece regulada en el art. 3.1, párrafo 2, a cuyo tenor tal denominación no podrá incluir términos o expresiones que induzcan a error o confusión sobre su identidad ni tampoco podrá coincidir, asemejarse o identificarse —aun fonéticamente— con la de otro partido ya inscrito o disuelto o suspendido judicialmente, ni coincidir con la identificación de personas físicas o de entidades preexistentes o marcas registradas.

Pues bien, salvo en los supuestos de plena identidad de denominación entre partidos o entidades ya inscritas o disueltas judicialmente, en los demás casos citados, la determinación de semejanza o riesgo de confusión habilita al Ministerio para formular un juicio en el que goza de un amplio margen de determinación o apreciación que obstaculizaría o retrasaría la personalidad jurídica del partido. [STC 85/1986, de 24 de junio, FJ 4].

Siendo ello así, el precepto impugnado —art. 5.1 en relación con el art. 3.1, párrafo segundo, LOPP— requiere una interpretación que permita su compatibilidad con el ejercicio en libertad del derecho a constituir o crear partidos políticos y, en definitiva, que respete el mandato constitucional contenido en el art. 6 de la Norma fundamental. En efecto, ha de entenderse que, en cuanto atañe a la denominación del partido, las facultades atribuidas al Ministerio del Interior para suspender el plazo de inscripción únicamente podrán aplicarse cuando se compruebe de manera clara y manifiesta que concurre una plena coincidencia o identidad entre las formaciones políticas o entidades en contraste, de tal manera que los demás supuestos de semejanza o riesgo de confusión en virtud de la denominación, no habilitan para una eventual suspensión del plazo para la inscripción al amparo del art. 5.1 LOPP. Así entendido el precepto, en relación con el art. 3.1 no procede que apreciemos la pretendida inconstitucionalidad.

Por otra parte, el art. 3.1, en su segundo párrafo, prohíbe aquellas denominaciones «que sean contrarias a las leyes o los derechos fundamentales de las personas», sin ulteriores especificaciones. Entendida esta prescripción en sus literales términos, quedaría en manos de la autoridad administrativa el denegar o retrasar injustificadamente el ejercicio libre de constitución de partidos políticos, en cuanto mediante ella se le apodera con facultades que incluyen un amplio e impreciso margen de apreciación, lejos de la verificación reglada que a aquella corresponde en este ámbito. Por ello, y en línea con lo antes expuesto, solo ha de entenderse constitucional la transcrita determinación normativa cuando la contradicción con las leyes o con los derechos fundamentales sea palmaria, manifiesta o patente, no necesitada, por tanto de esfuerzo interpretativo alguno, de tal manera que se excluyan de la prohibición legal aquellos casos en que para apreciar la infracción, se precise, por la autoridad administrativa, de un cierto margen de apreciación en cuanto a la ilicitud de la denominación asignada al partido cuya inscripción y personificación jurídica se solicita. Así entendido el precepto no podemos apreciarlo contrario al art. 6 CE ni declarar, en consecuencia, la pretendida inconstitucionalidad del mismo.

III. LÍMITES DEL DERECHO DE ASOCIACIÓN: LA DISOLUCIÓN Y SUSPENSIÓN JUDICIAL DE LAS ASOCIACIONES (ARTÍCULO 22.4 CE)

El carácter judicial de la disolución y suspensión de las asociaciones como parte del contenido esencial del artículo 22 CE —STC 115/1987, de 7 de julio (vid. TITULARIDAD DE LOS DERECHOS FUNDAMENTALES)—

FJ 3. [...] El derecho de asociación reconocido en las modernas Constituciones supone «la superación del recelo» con que el Estado liberal contempló el fenómeno asociativo (STC 67/1985, de 24 de mayo), de ahí que, en su vertiente positiva, garantice la posibilidad de los individuos de unirse para el logro de «todos los fines de la vida humana», y de estructurarse y funcionar el grupo así formado libre de toda indebida interferencia estatal. La suspensión y disolución administrativas de las asociaciones han sido manifestaciones tradicionales de un sistema de fuerte control estatal, sobre todo, el movimiento asociativo, caracterizado en lo esencial por la discrecionalidad y la valoración de la acción del grupo con arreglo a criterios de oportunidad, y no de mera y estricta legalidad.

En relación con la tradicional actitud estatal y a efectos de determinar hasta qué punto queda afectado el contenido esencial del derecho de asociación, la prohibición de disolución o suspensión administrativa de Asociaciones no aparece tanto, o no aparece sólo, como norma atributiva de competencias (que resuelve la opción entre la Administración o los Tribunales), sino como una norma de actuación que garantiza que sólo la Ley puede legitimar la intervención estatal en este área de libertad ciudadana. El que la decisión se adopte por un órgano judicial desde el momento inicial, y no se reduzca a un momento posterior de control judicial de la actividad administrativa, supone, de forma preceptiva, una garantía adicional muy importante, por ser la vía judicial la más adecuada para interpretar y aplicar las restricciones de los derechos fundamentales.

A estas razones responde el art. 22.4 de la Constitución, que establece que «las asociaciones sólo podrán ser disueltas o suspendidas en sus actividades en virtud de resolución judicial motivada». Se establece así una garantía del derecho de asociación no prevista en tales términos en los Tratados Internacionales suscritos por España en la materia. Este mandato del art. 22.4 constituye en puridad un contenido preceptivo del derecho de asociación que se impone al legislador en el momento de regular su ejercicio.

Suspensión y extinción judicial de una asociación con base en normas civiles sobre nulidad de contratos con causa ilícita —STC 5/1996, de 16 de enero (vid. supra)—

FJ 7. En el caso presente, la asociación actora es una Asociación Profesional válidamente constituida con arreglo a lo dispuesto en la ley reguladora de esta particular modalidad asociativa (Ley 19/1977, de 1 de abril y Decreto 873/1977, de 22 de abril), aprobándose sus Estatutos por la autoridad administrativa competente, que ordenó las oportunas inscripciones en los registros públicos existentes al efecto.

Como tal Asociación Profesional de Gestores Intermediarios de Promociones de Edificaciones, entre los fines fundacionales contenidos en sus estatutos figuran, según se recoge en el relato de hechos probados de la Sentencia dictada en apelación, los propios del ejercicio de esa profesión, así como la defensa de los intereses profesionales comunes, el ejercicio de funciones de asesoramiento de carácter profesional a sus miembros, destacándose que dicha asociación carece de ánimo de lucro, que puede impartir cursillos y expedir diplomas acreditativos a sus miembros, y que para acceder a la condición de asociado es necesario dedicarse profesionalmente a la gestión de promociones de edificaciones y demostrar aptitudes para la gestión intermediaria.

A juicio de los órganos jurisdiccionales intervinientes en la vía previa a este proceso constitucional y, en particular, de la Sala de apelación, aunque de la lectura de los mencionados estatutos no se derivaba ilícito penal de clase alguna, cuestión ésta, por lo demás, sobre la que ya se había pronunciado el Juez penal ordenando el archivo de las actuaciones, sí se deducía que la verdadera intención subyacente a la constitución de la referida Asociación Profesional era la de «crear un verdadero Colegio Profesional, de manera indirecta» por lo que se habría producido «una vulneración constitucional, la del art. 36 CE, que exige una Ley para regular las peculiaridades propias de los Colegios Profesionales y el ejercicio de profesiones tituladas» (Sentencia de la Audiencia Provincial, fundamento jurídico 2º). A partir de esta constatación, la Sala consideró que existía una causa ilícita en la finalidad social lo que, por aplicación del art. 1.275 CC en relación con el art. 1.261 del mismo texto legal, conducía a la declaración de nulidad del contrato constitutivo y a la inexistencia de la asociación demandada. [...]

FJ 9. Aunque el derecho de asociación requiere, ciertamente, de una libre concurrencia de voluntades que se encauza al logro de un objetivo común, no es constitucionalmente correcto identificar, en todo caso y sin matización alguna, ese pacto asociativo con un contrato civil, trasladando analógicamente la teoría general del contrato al derecho de asociación, pues, si bien es cierto que la sociedad civil o las asociaciones de interés particular a que se refieren los arts. 35.2 y 36 del Código Civil son una modalidad asociativa, no lo es menos que el derecho de asociación, en tanto que derecho fundamental de libertad, tiene una dimensión y un alcance mucho más amplio, que sobrepasa su mera consideración iusprivatista.

En este sentido, no es necesario insistir acerca de las notorias diferencias existentes entre las sociedades civiles o mercantiles, sometidas, según su particular forma jurídica, a regímenes jurídicos diversos, de aquellas otras asociaciones —como la ahora actora— que persiguen fines extra commercium y cuya naturaleza es completamente distinta. Ni el pacto fundacional de estas últimas asociaciones se identifica plenamente con el concepto de contrato civil de sociedad, ni —como se dijo en la STC 218/1989— el acto de integración en una asociación es un «contrato en sentido estricto al que pueda aplicarse el art. 1.256 del Código Civil, sino que consiste [...] en un acto por el cual el asociado acepta los estatutos y se integra en la unidad no sólo jurídica sino también moral que constituye la asociación».

FJ 10. [...] Por todo ello, las Sentencias recurridas, por medio de una aplicación indebida de la ilicitud civil de la causa contractual a esa modalidad asociativa, han venido a vulnerar, innecesariamente, el derecho de asociación de la demandante de amparo, cercenando con ello su libre ejercicio, al objeto de salvaguardar, equivocadamente, las competencias jurídico-públicas de los Colegios Profesionales.

Disolución judicial de partidos políticos (1) —STC 3/1981, de 2 de febrero (*vid. supra*)—

FJ 9. Se ha alegado también la presunta inconstitucionalidad de los fines que persigue el partido cuya inscripción se solicita y de los medios propugnados en sus Estatutos para alcanzarlos. Tales alegaciones son aquí irrelevantes. Este Tribunal Constitucional no tiene competencia directa para decidir sobre la inconstitucionalidad de un partido político. Con arreglo al artículo 22.4 de la Constitución, las asociaciones sólo podrán ser disueltas o suspendidas en virtud de resolución judicial motivada. La misma Ley de Partidos Políticos aplicada por el Ministerio del Interior establece, en su art. 5, que la suspensión o disolución de los partidos políticos sólo podrá acordarse por decisión de la autoridad judicial competente, y entre las causas que justifican tal decisión figuran que la organización o actividades de aquéllos sean contrarias a los principios democráticos. Resulta, por tanto, que al Poder Judicial, y sólo a éste, encomienda la Constitución y también la legislación ordinaria la función de pronunciarse sobre la legalidad de un partido político. Precisamente la apelación al Poder Judicial, que puede decretar, como se acaba de decir, su suspensión provisional y, en último término, su disolución, constituye el medio con que cuenta el Estado para su defensa en el caso de que sea atacado por medio de un partido que, por el contenido de sus estatutos o por su actuación al margen de éstos, atente contra su seguridad.

Disolución judicial de partidos políticos (y 2) —STC 5/2004, de 29 de enero (*vid. supra*)[18]—

FJ 16. [...] Es evidente que la disolución de un partido político, justificada en la expresión de una determinada ideología supondría, al tiempo, una lesión del derecho a expresar libremente la ideología asumida por el partido, la infracción del derecho a participar de la ideología que libremente quiera asumirse y, finalmente, la conculcación del derecho a asociarse en función de una determinada comunión ideológica y con el fin de aglutinar alrededor de esa

---

[18]   *Vid.* también SSTC 138/2012, de 20 de junio.

opción, contribuyendo a su formación y manifestación, las voluntades de los ciudadanos en el ejercicio de su derecho de participación en los asuntos públicos. La libertad de asociación en partidos políticos es libertad para la creación de sujetos que concurren a la formación y manifestación de la voluntad popular y son instrumento fundamental para la participación política. Los partidos son medio cualificado para la articulación del pluralismo al que sirven de expresión y, en consecuencia, tienen en la libertad ideológica el fundamento necesario para la definición de su identidad política, verdadero referente para aquéllos a quienes se ofrece como pauta para la intervención en el proceso de formación de la voluntad popular. Y tienen también en la libertad de expresión, de manera no menos ineluctable, la garantía necesaria para que su participación en ese proceso no se vea desvirtuada o impedida. Si los partidos son asociaciones cualificadas por la relevancia constitucional de sus funciones y éstas se cifran en la expresión organizada del pluralismo político con el fin de asegurar la mejor correspondencia entre la voluntad de los ciudadanos y la voluntad general expresada en la ley, se sigue con naturalidad que la vulneración de los derechos fundamentales cuyo ejercicio es inherente al de la libertad de asociación política, adquiere una significación constitucional añadida, por cuanto transciende a aquellos derechos en particular, en la medida en que afecta a la libertad que los comprende. En otras palabras, infringir la libertad de creación de partidos políticos es conculcar los derechos para cuyo ejercicio en el ámbito de la formación de la voluntad popular se ha concebido aquella libertad. Con todo, por más que todas estas infracciones sean inseparables, la reconocida en el art. 22 CE (en relación con el art. 6 CE) conforma el contexto en el que concurren las libertades ideológica y de expresión, cuando su ejercicio no es estrictamente individual, sino organizado en partidos políticos. De ahí la posición de centralidad que, como alegan el Ministerio Fiscal y el Abogado del Estado, ha de concederse a la libertad de asociación en el examen de las quejas deducidas por el demandante. En el bien entendido, claro está, de que con ello no se ha de marginar, en absoluto, la consideración de las libertades ideológicas y de expresión, sino, por el contrario, integrar su contenido privativo en el más amplio de la libertad de asociación que les sirve de contexto y ámbito de ejercicio cualificado.

Disolución judicial de partidos políticos como medida no punitiva —STC 48/2003, de 12 de marzo (*vid.* ARTÍCULO 16; *vid.* también ARTÍCULO 23)[19]—

FJ 9. [...] El art. 9 de la Ley Orgánica 6/2002 establece, en sus apartados 2 y 3, los supuestos en los que «un partido político será declarado ilegal». El art. 10.2 de la Ley, por su parte, relaciona los casos en los que «la disolución judicial de un partido político será acordada por el órgano jurisdiccional competente». El Gobierno Vasco basa su impugnación en el presupuesto de que ambas medidas tienen carácter sancionador y sobre esa base alega una lesión del art. 25 CE. Es preciso recordar aquí que «los postulados del art. 25 CE no pueden aplicarse a ámbitos que no sean los específicos del ilícito penal o administrativo, siendo improcedente su aplicación extensiva o analógica, como resulta de las SSTC 73/1982, 69/1983 y 96/1988, a supuestos distintos o a actos por su mera condición de ser restrictivos de derechos, si no representan el efectivo ejercicio del ius puniendi del Estado o no tienen un verdadero sentido sancionador» (STC 239/1988, de 14 de diciembre, FJ 2; en el mismo sentido, STC 164/1995, de 13 de noviembre, FJ 4). La ilegalización y disolución de un partido político es, desde luego, una consecuencia jurídica gravosa para el partido mismo, para sus afiliados y, por extensión, también para sus simpatizantes y votantes. Ello no las convierte, sin más, en medidas punitivas, pues en otro caso habría que conceder, como alega el Abogado del Estado, que toda consecuencia jurídica desfavorable o la simple denegación de un beneficio encerraría un componente sancionador. [...] No basta, pues, la sola pretensión de constreñir al cumplimiento de un deber jurídico (como ocurre con las multas coercitivas) o de restablecer la legalidad conculcada frente a quien se desenvuelve sin observar las condiciones establecidas por el ordenamiento para el ejercicio de una determinada actividad. Es preciso que, de manera autónoma o en concurrencia con esas pretensiones, el perjuicio causado responda a un sentido retributivo, que se traduce en la irrogación de un mal añadido al que de suyo implica el cumplimiento forzoso de una obligación ya debida o la imposibilidad de seguir desarrollando una actividad a la que no se tenía derecho. El restablecimiento de la legalidad infringida deriva siempre en el perjuicio de quien, con su infracción, quiso obtener un beneficio ilícito, del que se ve privado. El carácter de castigo criminal o administrativo de la reacción del ordenamiento sólo aparece cuando, al margen de la voluntad reparadora, se inflige un perjuicio añadido con el que se afecta al infractor en el círculo de los bienes y derechos de los que disfrutaba lícitamente.

---

[19] Para la aplicación de la doctrina en casos concretos, *vid.* SSTC 6/2004, de 16 de enero; 112/2007, de 10 de mayo; 31/2009, de 29 de enero.

En el caso de los preceptos recurridos no se aprecia la concurrencia de un verdadero carácter de pena en la medida de disolución. Antes que a un fin propiamente retributivo, las causas de ilegalización y disolución previstas en la Ley responden a una finalidad de garantía de que su actuación respete las condiciones definidoras de los partidos políticos, en tanto que asociaciones cualificadas por la relevancia constitucional de sus funciones.

El control jurídico de esa vertiente definidora de la asociación como partido consistente en el respeto a las exigencias del ordenamiento jurídico democrático recogidas en el art. 6 CE ha de ser, por necesidad, un control a posteriori. De modo que, al faltar dichas exigencias y producirse una situación de quebranto del orden jurídico pluralista proclamado por la Constitución, se hace preciso restablecer la legalidad conculcada. No hay, por tanto, componente punitivo alguno. Estamos, pues, ante una sanción reparadora, que cabe incluir entre aquéllas a las que el propio Código penal niega el carácter de penas (art. 34), por lo que, tal y como anticipábamos, debemos desestimar las vulneración del principio non bis in idem.

IV. LA DIMENSIÓN NEGATIVA DEL DERECHO DE ASOCIACIÓN: EL DERECHO A NO ASOCIARSE Y SUS LÍMITES

El derecho a no asociarse y las asociaciones privadas de configuración legal con funciones públicas —STC 67/1985, de 24 de mayo (*vid. supra*)[20]—

FJ 3. [...] A) El art. 22 de la Constitución reconoce en su número 1 el derecho de asociación. Desde una perspectiva negativa declara ilegales las asociaciones que persiguen fines o utilicen medios tipificados como delito —número 2— y prohíbe las asociaciones secretas y de carácter paramilitar —número 5—. Desde una perspectiva positiva protege a las asociaciones de posibles interferencias del poder ejecutivo, al garantizar que sólo podrán ser disueltas o suspendidas en virtud de resolución judicial —número 4—. Por otra parte el número 3 del propio art. 22 establece que «las asociaciones constituidas al amparo de este artículo deberán inscribirse en un registro a los solos efectos de publicidad».

De acuerdo con el art. 10.2 de la Constitución, las normas relativas al derecho de asociación han de ser interpretadas de conformidad con la Declaración Universal de Derechos Humanos y los tratados y acuerdos internacionales sobre las mismas materias ratificados por España. Este criterio interpretativo permite afirmar que el derecho de asociación comprende tanto la libertad positiva de asociación como la negativa de no asociarse; en efecto, el art. 20.2 de la mencionada Declaración Universal establece que «nadie podrá ser obligado a pertenecer a una asociación», mientras que la libertad positiva se encuentra reconocida, dentro de ciertos límites, por el art. 22 del Pacto de Derechos Civiles y Políticos, y por el art. 11 del Convenio de Roma. El Tribunal ha tenido ya ocasión de referirse a este contenido de la libertad de asociación, en relación al cual ha declarado que «el derecho de asociación, reconocido por nuestra Constitución en su art. 22.1 comprende no sólo en su forma positiva el derecho de asociarse, sino también en su faceta negativa, el derecho de no asociarse (Sentencia 5/1981, de 13 de febrero, «Boletín Oficial del Estado» de 24 de febrero, fundamento jurídico 19).

B) El reconocimiento y alcance de estas dos libertades —positiva y negativa— se encuentra en conexión con el tipo de Estado en cada tiempo y lugar. Así la libertad de asociarse supone la superación del recelo con que el Estado liberal contempló el derecho de asociación, y la libertad de no asociarse es una garantía frente al dominio por el Estado de las fuerzas sociales a través de la creación de Corporaciones o asociaciones coactivas que dispusieran del monopolio de una determinada actividad social.

En conexión con lo anterior, debe señalarse que uno de los problemas que se plantea en el Estado social y democrático de Derecho es determinar en qué medida el Estado puede organizar su intervención en los diversos sectores de la vida social a través de la regulación de asociaciones privadas de configuración legal, a las que se confiere el ejercicio de funciones públicas de carácter administrativo relativas a todo un sector.

En concreto, por lo que aquí interesa, la configuración por la Ley de este tipo de asociaciones plantea el problema de determinar en qué medida es compatible con el derecho de asociación, para lo cual es necesario tener en cuenta los siguientes puntos:

a) En primer lugar, debe ponerse de manifiesto que la utilización generalizada de esta vía respondería a unos principios de carácter corporativo, aun cuando fuera de modo encubierto, incompatibles con el Estado social y demo-

---

[20]   *Vid.* también las SSTC 5/1981, de 13 de febrero (FJ 19); 45/1982, de 12 de julio.

crático de Derecho. Afirmación que no excluye la posibilidad de que se utilice excepcionalmente, siempre que se justifique su procedencia en cada caso por razones acreditativas de que constituye una medida necesaria para la consecución de fines públicos, y con los límites necesarios para que ello no suponga una asunción (ni incidencia contraria a la Constitución) de los derechos fundamentales de los ciudadanos.

b) Partiendo de lo anterior, el respeto al contenido esencial del derecho de asociación que impone al legislador el art. 53.1 de la Constitución exige que se respete la libertad negativa —libertad de no asociarse—, pues una asociación coactiva u obligatoria no sería una verdadera asociación. Y asimismo exige respeto a la libertad positiva de crear otras asociaciones con fines privados. También es de aplicación lo dispuesto en el art. 22.4 de la Constitución, en orden a que las asociaciones sólo podrán ser disueltas o suspendidas en sus actividades en virtud de resolución judicial motivada.

c) Concebida la asociación de configuración legal dentro de estos límites, se trataría de una asociación distinta de la prevista en el art. 22 de la Constitución, que no comprende el derecho de constituir asociaciones para el ejercicio de funciones públicas de carácter administrativo relativas a un sector de la vida social. Esta posibilidad no se encuentra excluida por el artículo mencionado, cuyo número 3 se refiere a «las asociaciones constituidas al amparo de este artículo», de donde se deduce a sensu contrario que no se excluye la existencia de asociaciones que no se constituyan a su amparo.

d) La peculiaridad de estas asociaciones, dado su objeto, puede dar lugar a que el legislador regule su constitución exigiendo los requisitos que estime pertinentes, dentro de los límites indicados; y ello porque el derecho de asociación reconocido en el artículo 22 no comprende el de constituir asociaciones cuyo objeto sea el ejercicio de funciones públicas de carácter administrativo relativas a un sector de la vida social.

FJ. 4 B) [...] Del conjunto de la Ley se deduce que la misma no configura a las Federaciones españolas como Corporaciones de carácter público integradas en la Administración, ni tampoco como asociaciones obligatorias, ya que las regula aparte de la organización administrativa, y no obliga a los clubs a pertenecer a ellas (arts. 3.4 y 12.2). Las Federaciones se configuran como instituciones privadas, que reúnen a deportistas y asociaciones dedicadas a la práctica de una misma modalidad deportiva (arts. 19 y 14) si bien se estimula la adscripción a la respectiva Federación en cuanto constituye un requisito para que los clubs deportivos puedan participar en competiciones oficiales y en cuanto canalizan la asignación de subvenciones. Y, por otra parte, la Ley no impide en absoluto la constitución de otras asociaciones formadas por deportistas y asociaciones dedicadas a la misma modalidad deportiva, con fines privados.

Excepcionalidad de las corporaciones de adscripción obligatoria y la Mutualidad Benéfica del Cuerpo de Policía Nacional —STC 244/1991, de 16 de diciembre[21]—

La Sentencia resuelve el recurso de amparo interpuesto por un miembro del extinto Cuerpo de Policía Nacional contra la denegación de baja del Colegio de Huérfanos de la Dirección General de la Policía y la Asociación Mutuo-Benéfica del Cuerpo de Policía Nacional, y su consecuente pertenencia obligatoria en el mismo que, entiende, vulnera su derecho de asociación en su dimensión negativa.

FJ 2. [...] La libertad de no asociarse es [...] una garantía adicional frente al peligro del dominio por el Estado de las fuerzas sociales a través de la creación de corporaciones o asociaciones coactivas que dispusieran del monopolio de una determinada actividad social. Pero a su vez no se puede negar al Estado social y democrático de Derecho una intervención en sectores de la vida social, también a través de la creación de entes con estructura asociativa cuando ello sea necesario para la consecución de determinados fines públicos, de relevancia constitucional que justifiquen esa limitación de la libre decisión de los privados. Del principio del pluralismo que inspira nuestro sistema constitucional, y que supone la más completa movilidad, autodeterminación y competición de los sujetos sociales, deriva la existencia de importantes límites constitucionales a las formas de asociacionismo obligatorio, que han de ser consideradas como excepcionales, y sólo posibles «siempre que se justifique su procedencia en cada caso por razones acreditativas de que constituye una medida necesaria para la consecución de fines públicos, y con los límites necesarios para que ello no suponga una asunción (ni incidencia contraria a la Constitución) de los derechos fundamentales de los ciudadanos» (STC 67/1985, fundamento jurídico 2.º b). Utilizando este criterio restrictivo, la jurisprudencia constitucional ha admitido la legitimidad, a efectos del art. 22 CE, de ciertas agrupaciones de carácter público que

---

[21] *Vid.* también STC 196/2005, de 18 de julio.

han impuesto determinadas obligaciones a los agrupados, ya sea de carácter meramente económico (STC 45/1982), ya sea de pertenencia obligatoria en sentido estricto (SSTC 67/1985, 89/1989 y 131/1989).

Como hemos dicho en la STC 132/1989, estas agrupaciones de tipo corporativo y de creación legal, pese a contar con una «base asociativa» no pueden incardinarse sin profundas modulaciones en el ámbito del art. 22 CE, aunque ello no supone que no existan límites al legislador a la hora de configurar el régimen jurídico de estas agrupaciones públicas, ya que sería contrario al ordenamiento constitucional la creación de este tipo de entes que supusieran una indebida restricción del ámbito de la libertad de asociación y del juego del pluralismo social. Ello implica, en la vertiente negativa del derecho de asociación, que la adscripción obligatoria ha de ser considerada como un tratamiento excepcional respecto del principio de libertad, que debe encontrar suficiente justificación bien en disposiciones constitucionales, bien, a falta de ellas, en las características de los fines de interés público que persigan y cuya consecución la Constitución encomienda a los poderes públicos. La afiliación forzosa ha de contar con una base directa o indirecta en los mandatos constitucionales, de forma que esa limitación de la libertad del individuo «sólo será admisible cuando venga determinada tanto por la relevancia del fin público que se persigue, como por la imposibilidad o al menos dificultad de obtener tal fin sin recurrir a la adscripción forzada a un ente corporativo» (fundamento jurídico 7.º).

Resulta necesario, en consecuencia, para que sea constitucionalmente admisible esa pertenencia obligatoria a una entidad de carácter asociativo, que sea necesaria para asegurar la consecución y tutela de determinados fines públicos, constitucionalmente relevantes, siempre que ello no viole al mismo tiempo un derecho o principio constitucionalmente garantizado (por ejemplo, la libertad ideológica o religiosa del art. 16.1 CE). Para responder a la denunciada violación de la lesión del derecho negativo de asociación, hemos de examinar, en consecuencia, si las dos entidades de referencia pueden ser calificadas jurídicamente como entidades de carácter asociativo, y si, de ser así, la pertenencia obligatoria a las mismas puede justificarse constitucionalmente por la relevancia constitucional del fin público que se persigue, y por la imposibilidad o especial dificultad de obtener tal fin sin la adscripción forzosa que en la demanda se impugna.

FJ 3. [...] El Colegio de Huérfanos de la Dirección General de la Policía tiene su origen en el Real Decreto de 14 de junio de 1921 que lo creó, y en la Orden del Ministerio de Gobernación de 9 de marzo de 1922 que estableció su Reglamento regulador y previó dentro de sus recursos una cuota a satisfacer por todos los funcionarios de los Cuerpos de Vigilancia y Seguridad del Ministerio de Gobernación. El examen de estas disposiciones permite comprobar que tal Colegio es una institución pública, creada por una disposición administrativa, con un objeto benéfico social específico, atender, como centro educativo, a la educación e instrucción de hijos de funcionarios, en principio en régimen de internado, estableciéndose un orden de preferencia para el ingreso en el Colegio de los hijos de funcionarios, con especial preferencia para los huérfanos. En contrapartida con estos eventuales beneficios, se impone a los funcionarios el pago obligatorio de determinadas cuotas. Ni formal ni materialmente ese Colegio se constituyó como una asociación, o sea, como una organización estable de varias personas para la gestión de interés común sobre una base consensual, ni tampoco la modificación que del Reglamento de ese Colegio, aprobado por Orden del Ministerio de Gobernación de 5 de abril de 1976, pese a la caracterización de los funcionarios cotizantes como «socios de número, con carácter obligatorio», permite hablar en relación con esta institución de una entidad de carácter asociativo. La pertenencia obligatoria a que se refiere el art. 5 a) de dicho Reglamento no puede ser considerada como la integración forzosa en una entidad de carácter asociativo, sino la colaboración forzosa como cotizante, y al mismo tiempo como eventual causante de beneficios, en una obra asistencial calificada expresamente como «institución benéfica de carácter particular». Falta, pues, la necesaria premisa fáctica de la pretensión actora, por no tratarse de una asociación, por lo que desde la perspectiva del art. 22 CE ha de excluirse que el rechazo de su petición de que se le reconociera el derecho a no contribuir con el 0,5 por 100 del importe íntegro de su sueldo, trienios y pagas extraordinarias, en concepto de cuota mensual a dicho Colegio de Huérfanos, haya desconocido su derecho fundamental a la libertad de asociación en la vertiente negativa. [...]

FJ 4. En cuanto a la Asociación Mutuo-Benéfica del Extinto Cuerpo de Policía Nacional, también tiene su origen en el Real Decreto de 14 de junio de 1921 [...]

La Asociación Mutual desde su creación es pues una entidad de previsión social, que tiene la finalidad de conceder prestaciones económicas [...] aunque dotada de una estructura mutualista y asociativa. [...]

La cuestionada afiliación obligatoria a la Asociación Mutuo-Benéfica, y el correspondiente deber de cotización a la misma, aseguran una finalidad pública, cumpliendo objetivos constitucionalmente impuestos a los poderes públicos (arts. 41 y 50 CE,), cuya persecución no puede dejarse a la asociación espontánea de los interesados, y que transciende de la esfera en que opera el libre fenómeno asociativo de los privados. [...] Esa pertenencia obligatoria, y la cuota correspondiente, es el instrumento necesario e imprescindible para el cumplimiento del fin público constitucionalmente relevante que se quiere perseguir mediante la creación de la asociación mutual, y ha de considerarse constitucionalmente justificada, de acuerdo a la doctrina de este Tribunal (SSTC 67/1985, fundamento jurídico 3.º; 89/1989, fundamento jurídico 7.º, y 139/1999, fundamento jurídico 2.º) la pertenencia obligatoria que el demandante cuestiona. Ello implica que la misma no vulnera el derecho a la libertad negativa de asociación reconocido en el art. 22.1 CE, por lo que la demanda de amparo ha de ser desestimada.

Requisitos constitucionales de la asociación obligatoria y las Cámaras oficiales de la Propiedad Urbana —STC 113/1994, de 14 de abril—

La Sentencia resuelve el recurso de amparo interpuesto por la entidad «Urbanización Costa de la Calma, S.A.», contra la Sentencia de la Sala de lo Contencioso-Administrativo del Tribunal Superior de Justicia de Baleares, de 3 de abril de 1990, que declaró conforme a Derecho la Resolución del Tribunal Económico-Administrativo Provincial, de 31 de marzo de 1989, desestimatoria de su reclamación contra diversas liquidaciones giradas por la Cámara Oficial de la Propiedad Urbana de Baleares en concepto de cuotas correspondientes al ejercicio de 1987. Entiende la recurrente que dicha Resolución y su confirmación judicial vulneran su derecho de asociación en su dimensión negativa.

FJ 12. De esta doctrina constitucional, reproducida in extenso, cabe extraer inicialmente tres criterios mínimos y fundamentales a la hora de determinar si una determinada asociación de creación legal, de carácter público y adscripción obligatoria, puede superar un adecuado control de constitucionalidad:
En primer lugar, no puede quedar afectada la libertad de asociación en su sentido originario, o positivo [lo que en la STC 132/1989 hemos llamado «límite externo», recogido anteriormente en el punto b de la STC 67/1985, fundamento jurídico 3º B)]. La adscripción obligatoria a una entidad corporativa no puede ir acompañada de una prohibición o impedimento de asociarse libremente.
En segundo lugar, el recurso a esta forma de actuación administrativa que es, al propio tiempo y antes que nada, una forma de agrupación social creada ex lege, incluida la previsión de adscripción forzosa, no puede ser convertida en la regla sin alterar el sentido de un Estado social y democrático de Derecho basado en el valor superior de libertad (art. 1.1 CE) y que encuentra en el libre desarrollo de la personalidad el fundamento de su orden político (art. 10.1 CE).
En tercer lugar, la adscripción obligatoria a estas Corporaciones públicas, en cuanto «tratamiento excepcional respecto del principio de libertad», debe encontrar suficiente justificación, ya sea en disposiciones constitucionales, ya sea en las características de los fines de interés público que persigan, de las que resulte, cuando menos, la dificultad de obtener tales fines sin recurrir a la adscripción forzosa a un ente corporativo. Ciertamente, este Tribunal Constitucional no puede erigirse en juez absoluto de dicha «dificultad», en cuya apreciación, por la propia naturaleza de la cosa, ha de corresponder al legislador un amplio margen de apreciación, pero sí podrá identificar legítimamente aquellos supuestos en los que, prima facie, tal imposibilidad o dificultad no se presente.

FJ 13. El régimen legal de las Cámaras oficiales de la Propiedad Urbana tal como regía en el supuesto que dio lugar al presente recurso de amparo no supera los criterios de constitucionalidad primeramente mencionados. [...]

FJ 14. En primer lugar, el régimen legal de las Cámaras de la Propiedad Urbana previsto en el art. 1 del RD 1.649/1977 no respeta la libertad de asociación en su sentido originario, positivo, o «externo», en la medida en que dispone taxativamente que las mismas «ostentan la representación única y exclusiva de la propiedad urbana». De este modo, el precepto, al establecer una especie de monopolio representativo del sector social de los propietarios urbanos, incumple de modo manifiesto el primero de los criterios de constitucionalidad a que antes nos referíamos, es decir, que la adscripción obligatoria a estos entes no imposibilite el paralelo y libre ejercicio del derecho de asociación.
Bien es cierto, sin embargo, que esta formulación, más allá de la aparente radicalidad de sus términos, acaso pudiera dar lugar a un esfuerzo de interpretación conforme a la Constitución, toda vez que la misma no contiene una prohibición expressis verbis de asociación. Pero este esfuerzo interpretativo, en definitiva, no sería conclusivo en la medida en que el régimen legal vigente en 1987 de la Cámaras de la Propiedad Urbana tampoco cumple el segundo de los indicados criterios de constitucionalidad.

FJ 15. Hemos señalado, en efecto, cómo estas excepciones al principio de libertad negativa de asociación, en cuanto tales, deben ser siempre excepcionales, pues «la utilización generalizada de esta vía respondería a unos principios de carácter corporativo, aun cuando fuera de modo encubierto, incompatibles con el Estado social y democrático de

Derecho» (STC 67/1985, fundamento jurídico 3º). En este caso, el encauzamiento a través de la figura de una Corporación de Derecho público de un interés social tan difuso hoy día, a diferencia de lo que era el caso en este país en la primera mitad del siglo, como lo es el de los propietarios de fincas urbanas, hace que esta opción deba ser vista como expresiva de una generalización de un modelo que sólo en cuanto puntual y particular puede ser considerado compatible con la Constitución.

FJ 16. No es posible, tampoco, encontrar un fundamento constitucional, directo o indirecto, en estas corporaciones de derecho público. Las mismas, en efecto, y sin necesidad de mayor desarrollo argumental, no pueden ampararse en el art. 36 CE, al no tratarse de Colegios Profesionales, ni en el art. 52 CE, que se refiere exclusivamente a «organizaciones profesionales», dentro de las cuales resulta imposible dar cabida a la propiedad urbana.

FJ 17. Finalmente a la misma conclusión hay que llegar a partir de la relevancia de los fines públicos perseguidos, o la dificultad de obtenerlos de otro modo podría justificar estas Corporaciones de Derecho público. El RD 1.649/1977, ciertamente, se refiere a los fines, que califica de «esenciales», de estas Cámaras, pero difícilmente cabe calificar de «públicos» a los mismos. Dice, en efecto, el art. 2 del Real Decreto:
«Son fines esenciales de las Cámaras: 1. La protección, defensa y representación de la propiedad urbana.- 2. La promoción, conservación, estudio y difusión de la propiedad urbana.- 3. El establecimiento y gestión de servicios en beneficio del sector.- 4. La colaboración con la Administración Pública en cuanto al ejercicio de sus funciones que afecten al propio sector.»
Como puede verse, y por lo que hace a los tres primeros apartados, en ningún caso puede hablarse de intereses que quepa calificar como públicos o, tan siquiera, generales; se trata, por el contrario, de intereses «sectoriales» de lo que, en abstracto, se califica como «la propiedad urbana». El cuarto de estos fines esenciales, ciertamente, se refiere a una genérica «colaboración con la Administración Pública en cuanto al ejercicio de sus funciones que afecten al sector». Pero tampoco la enumeración, mucho más casuística, de los «cometidos» de las Cámaras en el art. 11 del Real Decreto permite apreciar la relevancia pública de estos fines o la imposibilidad o dificultad de alcanzarlos mediante otros instrumentos; en particular, la letra m) de dicho precepto, al abordar este tipo de cometidos, se refiere a «ejercer las funciones que les sean encomendadas por la Administración en relación con la propiedad urbana y colaborar con la Administración mediante la realización de estudios, evacuación de consultas, emisión de informes, elaboración de estadísticas y otras actividades relacionadas con sus fines que puedan serles solicitadas o acuerden formular por propia iniciativa». El simple enunciado de estas tareas, siempre hipotéticas, de colaboración pone de manifiesto, sin necesidad de mayores consideraciones, la insuficiencia de las mismas, por muy respetables que éstas sean, para servir de fundamento a la estructuración de los intereses de este sector económico en forma de Corporación de Derecho público de adscripción y sostenimiento obligatorio.
En conclusión, el régimen legal de las Cámaras de la Propiedad Urbana previsto en el RD 1.649/1977, y aplicado al supuesto que dio lugar al presente recurso de amparo, quedó derogado en virtud de la Disposición derogatoria, apartado 3º, de la Constitución, como contrario a la libertad fundamental de asociación reconocida en el art. 22.1 CE, en conexión con los arts. 1.1 y 10.1 CE

El derecho a no asociarse y las obligaciones económicas para con una Asociación de Propietarios y Vecinos —STC 183/1989, de 23 de noviembre—

La Sentencia resuelve el recurso de amparo interpuesto por doña W.E.v.H. contra la Sentencia del Juzgado de Primera Instancia núm. 22 de Palma de Mallorca, de 29 de septiembre de 1987, que la condena junto a su esposo a abonar a la Asociación de Propietarios y Vecinos de la Costa d'en Blanes 29.000 pesetas. Esta Asociación se constituyó para fomentar el mejoramiento de Costa d'en Blanes, primordialmente en sus aspectos turísticos y urbanos, a través de una estrecha colaboración con el Ayuntamiento de la Villa de Calviá. Para ello el artículo 30 e) de sus Estatutos precisa que los socios vendrán obligados a aportar las cantidades que les correspondan al levantamiento de los gastos comunes, de acuerdo con los índices que se les asignen. Su artículo 32 establece que las personas que, pudiendo asociarse, no lo hicieran o cesaren, por su propia voluntad o por acuerdo de la Asamblea General, estarán obligadas a cumplir, entre otras, las obligaciones consignadas en el citado artículo 30 e). A juicio de la recurrente, la Sentencia vulnera su derecho de asociación en su dimensión negativa.

FJ 3. Como admiten sin disputa los comparecidos en este proceso constitucional, el derecho de asociación reconocido a todos en el art. 22 de la Constitución comprende no sólo el derecho a asociarse, sino también, en su faceta negativa, el derecho a no asociarse (SSTC 5/1981, 45/1982 y 67/1985). Por otra parte, pese a la ambigüedad de algunas de sus cláusulas estatutarias, no hay duda de que, por su forma de constitución e inscripción y por su objeto social, tal y como se define en los Estatutos, la Asociación de Propietarios y Vecinos de la Costa d'en Blanes es una entidad asociativa stricto sensu, a la que alcanza por entero el art. 22 de la Constitución. Ello significa no sólo que la actora y su esposo tienen derecho, derivado de ese precepto constitucional, a no pertenecer a la mencionada Asociación, sino también que, por tratarse de un derecho fundamental de carácter irrenunciable, cualquier cláusula obligacional que lo desconozca es nula y carece de eficacia (art. 1.255 del Código Civil), por infracción del art. 22 de la Constitución; ya que tal derecho fundamental no puede quedar condicionado o impedido por cargas reales o personales de ningún tipo, sin perjuicio, claro está, de las consecuencias que en el ámbito meramente contractual pueda tener la libre decisión personal de integrarse o no en una determinada Asociación y la de dejar de pertenecer a ella.

Pero una cosa es la obligación contractual de darse de alta y de permanecer en una Asociación y otra muy distinta la de asumir ciertas cargas económicas en favor de una Asociación constituida, se pertenezca o no a ella. Es del todo claro que esta última obligación ninguna relación guarda con el derecho constitucional de asociación, pues sólo una obligación civil constituida entre personas distintas, que no trae causa ni depende de la existencia de un vínculo asociativo entre las mismas. En consecuencia, el derecho de la demandante y de su esposo a no pertenecer a la Asociación de Propietarios y Vecinos de la Costa d'en Blanes no les exime del cumplimiento de las obligaciones contractuales de naturaleza primordial que, en su condición de titulares de un inmueble sito en la urbanización, hayan asumido en beneficio de aquella Asociación, siempre que tal cumplimiento no implique la pertenencia o integración en la misma como socios.

Colegios profesionales y derecho de asociación (artículo 36 CE) —STC 123/1987, de 15 de julio—

La Sentencia resuelve el recurso de amparo promovido por la Agrupación de Abogados Jóvenes del Real e Ilustre Colegio de Abogados de Zaragoza, así como por abogadas y abogados individuales, contra el Real Decreto 2090/1982, de 24 de julio, por el que se aprobó el Estatuto General de la Abogacía. Se le reprocha, en concreto, y en lo que aquí interesa, que su artículo 64.3 prohíbe que se constituyan «Agrupaciones de Abogados Jóvenes» al margen de los Colegios, de tal modo que «se está enmarcando obligatoriamente en los Colegios de Abogados a las Agrupaciones ya existentes en la fecha de entrada en vigor del Estatuto». Asimismo, su artículo 113 g) considera «faltas muy graves… la realización de actividades, constitución de asociaciones o pertenencia a éstas cuando tengan como fines o realicen funciones que sean propias de los Colegios o los interfieran en algún modo». Todo lo cual, entienden, vulnera el artículo 22 CE, en conjunción, en este último caso, del artículo 28.1 CE.

FJ 3. […] Para resolver el problema de fondo planteado, en torno al art. 64.3 del Estatuto de la Abogacía, no es impertinente recordar que la Constitución en su art. 36 ha reconocido e institucionalizado las corporaciones de profesionales, conocidas con el nombre de Colegios, estableciendo respecto de ellos una reserva de Ley y el mandato de que su estructura interna y su funcionamiento sean democráticos. De acuerdo con la legislación vigente, cuya legitimidad constitucional no ha sido puesta en duda, se trata de corporaciones de Derecho público, como han señalado entre otras la STC 23/1984, de 20 de febrero, y la STC 76/1983, de 5 de agosto. Puede considerarse, como algún relevante sector doctrinal dice, que son corporaciones sectoriales de base privada, esto es, corporaciones públicas por su composición y organización, que, sin embargo, realizan una actividad que en gran parte es privada, aunque tengan atribuidas por la ley o delegadas algunas funciones públicas. Desde este punto de vista, resulta claro que todo el Estatuto de los Colegios de Abogados, y en particular el art. 64.3, constituye una norma de organización de tales corporaciones, ajena a la libertad de asociación de que trata el art. 22 de la Constitución. El art. 64.3 del Estatuto es una norma de organización interna de los Colegios, que regula la actuación, en el seno de la corporación, de determinados sectores de colegiados, sometiendo, como es lógico, esa actuación intracolegial a la organización general del Colegio e impidiendo, razonablemente, que puedan convertirse en un Colegio dentro de otro o sustituir total o parcialmente a éste. Por ello, la norma discutida no vulnera el derecho de asociación de los Abogados. Regula una actividad intracolegial de determinados sectores del Colegio dentro de él, que tienen, en lo demás, plena libertad asociativa.

FJ 5. Atacan los recurrentes el apartado g) del art. 113 del Estatuto General de la Abogacía, por considerar que dicho precepto viola el derecho de asociación, reconocido en el art. 22 de la Constitución y el derecho de libre sindicación que reconoce el apartado 1.° del art. 28 del propio Texto constitucional. En punto a la primera parte de la denuncia —infracción de posible libertad de asociación— debemos coincidir con lo que señaló la Sentencia de la Sala Tercera del Tribunal Supremo, de 7 de junio de 1983, cuando observó que lo que este precepto sanciona son las actividades asociativas llevadas a cabo por los colegiados integrados en el Colegio de Abogados, cuando tienen por finalidad interferir los fines y funciones atribuidos exclusivamente a dichos Colegios, perturbándolos o creando corporaciones paralelas que tengan los mismos fines y funciones. Se trata, por consiguiente, de sancionar sólo la perturbación o el entorpecimiento del funcionamiento del Colegio, lo que en modo alguno impide y limita el derecho de asociación de los colegiados.

Tampoco puede encontrarse, en el precepto estatutario que se examina una violación del derecho de libertad sindical. A la vista de los arts. 28 y 36 de la Constitución, la colegiación para quienes ejercen profesiones tituladas no impide que puedan sindicarse, participando en la fundación de organizaciones sindicales o afiliándose a las ya existentes, sin perjuicio de que, en cuanto titulado, sea miembro de una corporación profesional.

La adscripción forzosa a colegios profesionales (artículo 36 CE) —STC 89/1989, de 11 de mayo (*vid. supra*)[22]—

FJ 8. [...] La colegiación obligatoria, como requisito exigido por la Ley para el ejercicio de la profesión, no constituye una vulneración del principio y derecho de liberad asociativa, activa o pasiva, ni tampoco un obstáculo para la elección profesional (art. 35 CE), dada la habilitación concedida al legislador por el art. 36. Pudo, por tanto, dicho legislador establecerla lícitamente, en razón a los intereses públicos vinculados al ejercicio de determinadas profesiones, como pudo no hacerlo si la configuración, esencia y fines de los Colegios fueran otros, acomodando requisitos y fines, estructura y exigencia garantizadoras, de acuerdo con el art. 36, y, por lo demás, con la naturaleza de los Colegios.

La misma consideración institucional y parecidas exigencias y requisitos son los seguidos en los países de nuestro entorno, e incluso, respecto a la colegiación obligatoria, en la jurisprudencia del Tribunal Europeo de Derechos Humanos, en resoluciones que el mismo Auto proponente y las panes citan, concretamente las Sentencias de 23 de junio de 1981 (asunto Le Compte) y 10 de febrero de 1983 (asuntos Alben y Le Compte), cuya cita es adecuada al caso presente. Como bien dice el Fiscal, el art. 22 se refiere al derecho de asociación de los individuos como ciudadanos y el 36 establece el marco supralegal de determinados ciudadanos en cuanto profesionales y deja a la Ley que imponga las condiciones necesarias para su ejercicio, y en atención, cabe añadir, a que dicho art. 36 ni ordena ni prohíbe la colegiación obligatoria, diferenciando los Colegios de otros entes con base asociativa. Se puede afirmar, pues, con aquellas Sentencias del Tribunal Europeo de Derechos Humanos, que la obligación de inscribirse los profesionales en el Colegio y someterse a su disciplina no supone una limitación injustificada, y menos una supresión del derecho garantizado en el art. 22 CE y reconocido en el 11 del Convenio Europeo de Derechos Humanos.

Porque, y esto es también respuesta a otro argumento del Auto de la Audiencia, la adscripción obligatoria no impide en modo alguno que los profesionales colegiados puedan asociarse o sindicarse en defensa de sus intereses, ya que no puede afirmarse fundadamente que exista incompatibilidad o contradicción constitucional interna entre los arts. 22, 28 y 36 de la CE, siendo así que dicha colegiación no impone límite o restricción al derecho de asociarse o sindicarse, participando —como se dijo en la STC 123/1987, fundamento jurídico 5.º, en la fundación de organizaciones sindicales o afiliándose a las ya existentes. Otra cosa es que las normas estatutarias del Colegio, que regulen su actividad, puedan incidir en organizaciones intracolegiales de base asociativa, problema que resolvió la Sentencia citada (fundamento jurídico 3.º), pero que aquí no se plantea.

FJ 9. El límite expreso que la Constitución, en su art. 36, impone a la regulación legal de los Colegios Profesionales es que su estructura interna y su funcionamiento sean democráticos. Esta exigencia, en la opinión del Auto proponente de la cuestión, choca con la regla de la colegiación obligatoria. Aunque esta objeción o duda de constitucionalidad (del art. 3.2 de la Ley 2/1974) se desarrolla escuetamente, parece indicarse en el Auto que la colegiación forzosa y la estructura democrática del Colegio son incompatibles o que hay una conexión automática entre esa estructura y asociacionismo, por un lado, y, de otro, entre estructuras autoritarias y corporativismo.

Justamente lo que hace la CE es no sólo constitucionalizar los Colegios, sino atemperarlos a los principios del Estado social y democrático, integrándolos en él, y permitiendo —con la mediación del legislador— esa otra forma de actuación social y colectiva compatible con la estatal y sus diversos poderes y funciones.

Si se parte, pues, como ha de partirse según los anteriores fundamentos, de la específica naturaleza y plurales fines de los Colegios, es evidente que la colegiación obligatoria es perfectamente compatible con la exigencia democrática

---

22   *Vid.* también las STC 35/1993, de 8 de febrero; 194/1998, de 1 de octubre. Sobre la regulación de la exigencia de colegiación obligatoria para el ejercicio de una determinada profesión, y de sus excepciones, como competencia estatal, *vid.* STC 229/2015, de 2 de noviembre (*vid.* también ATC 73/2016, de 12 de abril).

que la CE impone como requisito expreso, ya que esta exigencia constituye en sí misma un contrapeso, una compensación del deber del titulado de inscribirse y a la vez una garantía de que esa obligatoriedad estará sujeta al control democrático de los mismos colegiados.

No hay, pues, tampoco, contradicción con el art. 36 de la CE en cuanto a la colegiación obligatoria que prevé el art. 3.2 de la Ley 2/1974. Consecuentemente con todo lo expuesto, se impone la desestimación de la presente cuestión de inconstitucionalidad.

La posibilidad de regímenes diversos de colegiación profesional —STC 131/1989, de 17 de julio—

La Sentencia resuelve el recurso de amparo interpuesto por un médico especialista de neurología adscrito al Departamento de Medicina Interna en el hospital del INSALUD de Badajoz, contra la condena judicial al pago de cuotas colegiales que le fueron reclamadas por el Colegio Oficial de Médicos de Badajoz al que pertenece. El recurrente entiende que la colegiación obligatoria es inconstitucional, por lo que la reclamación de cuotas resulta improcedente, máxime al no haber ejercido nunca la medicina privadamente, sino como trabajador al servicio del INSALUD.

FJ 5. Por lo que atañe a la alegación relativa a la existencia de profesiones en las que para ejercer como tal no es precisa la colegiación, máxime cuando no se desarrolla ni ejercita en el ámbito privado, sino al servicio de una Administración Pública, tampoco cabe apreciar una discriminación contraria al art. 14 de la Constitución. Baste con señalar al respecto que, aun en la hipótesis extrema de que puedan existir profesiones tituladas cuyo ejercicio no venga condicionado o sujeto a la previa colegiación, por haberlo decidido así el legislador en atención a las características mismas de la profesión y a las funciones asignadas al correspondiente Colegio —posibilidad plenamente admisible desde la perspectiva de los arts. 36 y 22 de la Constitución, tal como ya se ha razonado anteriormente— ello evidencia, por sí mismo, que el tertium comparationis en que el actor trata de fundamentar la desigualdad que invoca no conduce a apreciar la existencia de una desigualdad de trato no razonable, por cuanto se refiere al régimen jurídico de profesiones distintas a la de Médico, lo que no permite entablar la comparación exigible a fin de apreciar la posible vulneración del derecho fundamental a la igualdad sin discriminaciones injustificadas o arbitrarias. Correspondiendo a la libertad de configuración del legislador la regulación que más adecuadamente atienda y se ajuste a «las peculiaridades propias del régimen jurídico de los Colegios profesionales y el ejercicio de las profesiones tituladas» (art. 36 de la Constitución), lo que habrá de hacerse por la necesidad de servir un interés público y restringiendo lo menos posible, y de modo justificado, tanto el derecho de asociación (art. 22) como el de libre elección profesional y de oficio (art. 35) (STC 89/1989, fundamento jurídico 5.º) el distinto tratamiento normativo, según los diversos Colegios y profesionales que agrupan, no habrán de tacharse en sí mismo de discriminatorio por desigual, pues esa desigualdad responde, precisamente, a las peculiaridades y singularidades propias de cada una de las profesiones que cuentan con una organización colegial. Si a ello se une el hecho de que, como señala el Ministerio Fiscal, incluso dentro del ámbito funcionarial, no todas las profesiones tienen un contenido igual o semejante en relación con su finalidad, por lo que la inexistencia de una reglamentación igual encuentra su fundamento y razonabilidad en el distinto grado o alcance del interés público afectado, y, de otra parte, se constata, como ya hemos hecho en el fundamento jurídico precedente, que la obligatoria colegiación de los Médicos en activo se justifica en una legítima decisión del legislador —quien puede, asimismo, exceptuar los casos en dicho requisito de la colegiación obligatoria no haya de exigirse— y en la concurrencia de valores y derechos constitucionales como la salud, la sanidad y la vida e integridad física de los ciudadanos que están en juego con ocasión del ejercicio de la profesión médica, fácilmente se puede concluir que ninguna discriminación contraria al art. 14 de la Constitución ha sufrido el actor como consecuencia de la adscripción o colegiación a la que, dada su condición de Médico en activo y en el ejercicio de la profesión, queda obligado.

La adscripción obligatoria a cámaras agrarias —STC 132/1989, de 18 de julio—

La Sentencia resuelve recursos de inconstitucionalidad y conflictos de competencias acumulados sobre diversas disposiciones estatales y autonómicas que regulan las Cámaras Agrarias, y que podrían vulnerar los preceptos constitucionales que rigen el régimen de las asociaciones (artículos 22 y 28 CE), y de las organizaciones profesionales en defensa de intereses económicos propios (artículo 52 CE).

FJ 4. [...] [A] partir, por lo menos, de 1919, las Cámaras Agrarias aparecen, en su evolución histórica, como Entidades en las que se destacan dos notas distintivas: su carácter público (que se traduce en su misma conceptuación, primero como establecimientos públicos y posteriormente, como Corporaciones de Derecho Público, así como en su creación y supresión ex lege y la regulación por los poderes públicos de su estructura, funciones y régimen de recursos), y la incorporación obligatoria de los profesionales agrarios, diversamente definidos. [...]

FJ 5. [...] Lo que se plantea, en lo que ahora importa, es si el art. 12.1 de la ley [catalana], que prevé que serán miembros de las Cámaras necesariamente todos los profesionales del sector agrario [junto con los artículos 13.1 f) y 19.1 h)] [...] resultan contrarios a la libertad de asociación, en su vertiente negativa (derecho a no asociarse), que reconoce el art. 22 CE; así como a la libertad de sindicación que reconoce el art. 28 CE

FJ 6. [...] [P]artiendo siempre de este principio general de libertad [artículo 1.1 CE], que configura el fenómeno asociativo como manifestación de decisiones autónomamente adoptadas por los individuos, no cabe excluir la intervención de los poderes públicos en este ámbito, para el cumplimiento de fines que se consideran de interés público. Esta intervención se ha producido históricamente en formas muy diversas, mediante la regulación, con mayor o menor intensidad, de determinadas agrupaciones para el cumplimiento de fines de interés público, en colaboración con las distintas Administraciones, pero sin integrarlas plenamente en ellas. Ello se ha realizado, por ejemplo, encomendando a asociaciones privadas libremente constituidas el ejercicio de funciones públicas, sometiéndolas en consecuencia a determinados requisitos (como fue el caso estudiado en nuestra STC 67/1985, referente a Federaciones Deportivas), bien establecido o creando específicamente agrupaciones de base asociativa para ejercer esas funciones, como sería el caso (con los matices propios), de los Colegios Profesionales, de las Cámaras Agrarias o de organizaciones de otro tipo.

En estos últimos supuestos, nos hallamos ante entidades que no han sido fruto de la libre decisión u opción de los afectados, para la obtención de fines autónomamente elegidos, sino fundamentalmente (y sin excluir forzosamente este último aspecto), de una decisión de los poderes públicos, sin que exista por tanto un pactum associationis original, que se ve sustituido por un acto de creación estatal; y tampoco habría una opción en favor de la persecución de fines o defensa de intereses libremente determinados, ya que el objeto de esas agrupaciones vendría definido por los intereses públicos para cuya defensa fueron creadas, y que son también fijados por el poder público. En el tipo de agrupaciones de que se trata —que han recibido la denominación genérica de Corporaciones públicas, con una mayor o menor amplitud— si bien cabe estimar la presencia de un cierto elemento o base asociativa (ya que sus integrantes no se encuentran sometidos a un régimen de tipo estatutario funcionarial, ni integrados en relaciones de jerarquía y subordinación, sino en posición de paridad), sólo en términos muy latos puede hablarse de que exista una asociación, en cuanto que ésta supone una agrupación libre para la obtención de fines, determinados, también libremente, por los miembros que la integran.

Como consecuencia de ello, estas agrupaciones de tipo corporativo y de creación legal no pueden incardinarse (pese a contar con una «base asociativa» en el sentido señalado), sin profundas modulaciones, en el ámbito de los arts. 22 y 28 CE. Con toda evidencia, en el caso de las Corporaciones Públicas (dentro de las que, según las leyes catalana y estatal se incluyen las Cámaras Agrarias), no puede predicarse la libertad positiva de asociación, pues su creación no queda a la discreción de los individuos (ya que, como señalamos en nuestra STC 67/1985 «no puede hablarse de un derecho a constituir asociaciones para el ejercicio de funciones públicas»), y tampoco les es aplicable la garantía del art. 22.4 en cuanto a su disolución o supresión, al constituirse como creaciones de los poderes públicos, y sujetas por tanto a la decisión de éstos en cuanto a su mantenimiento y configuración.

Ahora bien, ello no supone que no existan límites al legislador, derivados del art. 22.1, así como del art. 28 CE, a la hora de configurar el régimen jurídico de las Corporaciones Públicas, y más concretamente, y en lo que aquí nos concierne, de las Cámaras Agrarias. Pues, partiendo del principio general de libertad que inspira el ordenamiento constitucional, resultaría contrario al mismo que la creación de entes de tipo corporativo supusiera una indebida restricción del ámbito de la libertad de asociación, de la libertad de sindicación, y del juego del pluralismo social, económico y político, sustrayendo del mismo amplios sectores de la vida social. Los fines, pues a perseguir por las Entidades corporativas, y la actuación de éstas han de ser compatibles con la libre creación y actuación de asociaciones que persigan objetivos políticos, sociales, económicos o de otro tipo, dentro del marco de los derechos de asociación y de libre sindicación, sin que puedan suponer, por tanto, obstáculos o dificultades a esa libre creación y funcionamiento. Ello constituye, pues, un primer límite, que pudiéramos denominar externo, a la creación de entes de tipo corporativo, creación que resultará contraria a los mandatos constitucionales de los arts. 22 y 28 CE si en la práctica van a significar una indebida concurrencia con asociaciones fundadas en el principio de la autonomía de la voluntad, o si, con mayor motivo, van a impedir la creación o funcionamiento de este tipo de asociaciones.

FJ 7. Un segundo límite, relacionado evidentemente con el anterior, sería el representado —en el supuesto de entes corporativos que implicaran la adscripción forzosa de los componentes de un sector social determinado— por la vertiente negativa del derecho de asociación, esto es, el derecho a no asociarse. Ciertamente, y como se indicó más arriba, no puede extenderse el tratamiento del fenómeno asociativo que llevan a cabo el art. 22 (así como, en la vertiente sindical, el art. 28), de la Constitución a agrupaciones del tipo de los entes corporativos, que obedecen a supuestos distintos de los contemplados en ese artículo. Desde esta perspectiva no cabe excluir que el legislador, para obtener una adecuada representación de intereses sociales, o por otros fines de interés general, prevea, no sólo la creación de entidades corporativas, sino también la obligada adscripción a este tipo de entidades, de todos los integrantes de un sector social concreto, cuando esa adscripción sea necesaria para la consecución de los efectos perseguidos. Ahora bien, y reconocida esa posibilidad, debe tenerse en cuenta que ello supondría —ante el principio general de libertad que inspira nuestro sistema Constitucional— una restricción efectiva a las opciones de los ciudadanos a formar libremente las organizaciones que estimaran convenientes para perseguir la defensa de sus intereses, con plena autonomía y libertad de actuación; y por consiguiente, ha de considerarse la adscripción obligatoria a esas Corporaciones Públicas como un tratamiento excepcional respecto del principio de libertad, que debe encontrar suficiente justificación, bien en disposiciones constitucionales (así, en el art. 36 CE) bien, a falta de ellas, en las características de los fines de interés público que persigan y cuya consecución la Constitución encomiende a los poderes públicos, de manera que la afiliación forzosa cuente con una base directa o indirecta en los mandatos constitucionales [*vid.* SSTC 67/1985 y 89/1989]. [...] En consecuencia, tal limitación de la libertad del individuo afectado consistente en su integración forzosa en una agrupación de base (en términos amplios) «asociativa», sólo será admisible cuando venga determinada tanto por la relevancia del fin público que se persigue, como por la imposibilidad, o al menos dificultad, de obtener tal fin, sin recurrir a la adscripción forzada a un ente corporativo.

FJ 8. [...] Pues bien, en el caso que se examina, aun cuando efectivamente no cabe dudar de la importancia de las actividades y funciones que se atribuyen a las Cámaras Profesionales Agrarias catalanas, no resulta que su ejercicio exija la adscripción obligatoria de «todos los profesionales del sector agrario», como dispone el art. 12.1 de la Ley. Las funciones que se asignan a las Cámaras son, bien de prestación de servicios [apartado d) del parágrafo 1, art. 13] de información (apartado 1), de ejercicio de competencias administrativas que se deleguen en ellos [apartado c)], de fomento [apartado e) g) h) e i)], de representación y defensa procesal de intereses generales agrarios [apartado f)] y de consulta y colaboración respecto a la Generalidad [apartado a)]. Pero ninguno de ellos justifica la necesidad de la adscripción obligatoria en cuanto que pudieran ser ejercidas mediante técnicas que incidieran menos en la libertad negativa de asociación de los profesionales del sector agrario. Ciertamente la función consultiva exige —para que los informes que se evacúen recojan la gama más extensa posible de datos y pareceres— una amplia participación en las Cámaras de los profesionales agrarios; pero esa participación puede obtenerse mediante vías como la participación indirecta (mediante asociaciones y entidades representativas, como fue la técnica seguida en la Segunda República), o como la recogida en la vigente Ley estatal (elecciones entre profesionales, que serían electores, pero no miembros forzosos de las Cámaras). En cuanto al ejercicio de funciones administrativas delegadas, pudiera justificar la adscripción forzosa; pero la vaguedad e imprecisión con que se alude a ellos en el apartado c) impiden que pueda considerarse justificación bastante.

En consecuencia (e independientemente de lo que se dirá de la apreciación de la constitucionalidad del artículo desde la perspectiva competencial así como de su vigencia tras la aprobación de la Ley Estatal de Cámaras Agrarias que fija normas básicas respecto a éstas en todo el territorio nacional), no cabe estimar adecuado a lo dispuesto en el art. 22.1 C. E. el apartado 1.º del art. 12 de la Ley catalana 18/1985. [...]. Todo ello, insistimos, independientemente de la efectiva aplicabilidad de estos preceptos tras la posterior Ley de Bases de Cámaras Agrarias.

Afiliación obligatoria a las Cámaras Oficiales de Comercio, Industria y Navegación —STC 107/1996, de 12 de junio—

La Sentencia resuelve la cuestión de inconstitucionalidad promovida por la Sección Segunda de la Sala de lo Contencioso-Administrativo del Tribunal Superior de Justicia de Galicia en relación con los artículos 6, 12 y 13 de la Ley 3/1993, de 22 de marzo, Básica de las Cámaras Oficiales de Comercio, Industria y Navegación, por supuesta vulneración del artículo 22.1 CE. Las normas impugnadas imponen el pago del recurso cameral permanente a todas las personas físicas o jurídicas que hayan ejercido las actividades de comercio, la industria o la navegación a que se refiere el artículo 6 y, en tal concepto, hayan quedado sujetas al Impuesto de Actividades Económicas, lo que supone un régimen de adscripción forzosa a las Cámaras.

FJ 5. [...] [L]a atribución de funciones públicas, en principio, puede justificar la afiliación forzosa [...].

FJ 6. [L]a vigente Ley 3/1993 configura [a las Cámaras Oficiales de Comercio, Industria y Navegación] como «órganos consultivos y de colaboración con las Administraciones Públicas» —art. 1.1—, que «tienen como finalidad la representación, promoción y defensa de los intereses generales del comercio, la industria y la navegación» —art. 1.2— y que además de desarrollar el ejercicio de las competencias «que les puedan encomendar y delegar las Administraciones Públicas» —art. 1.2—, desempeñan funciones de carácter público-administrativo precisadas en su art. 2, cuya lectura pone de relieve que se trata de funciones de una clara concreción y que además operan de forma necesaria y con «carácter obligatorio» (art. 2.4), es decir, como «servicios mínimos obligatorios» (art. 24.3), bajo el control de la Administración tutelante y con sumisión a un riguroso régimen jurídico administrativo (art. 24.1 y 3).
Y además, se trata de funciones de clara relevancia constitucional: El asesoramiento de la Administración [art. 2.1 d)] aspira a conseguir la eficacia de la actuación de ésta (art. 103.1 CE), la proposición de reformas o medidas necesarias o convenientes [art. 2.1 c)] está en la línea de la colaboración de las organizaciones profesionales a que alude el art. 131.2 CE, la recopilación de costumbres, usos y prácticas [art. 2.1 b)] contribuye a la realización de las exigencias del principio de seguridad jurídica (art. 9.3 CE), la colaboración en las enseñanzas de Formación Profesional [art. 2.1 f)] responde no sólo a los imperativos del art. 40.2 CE, sino también a los de la promoción a través del trabajo (art. 35.1 CE), las actividades en el terreno del comercio exterior [art. 2.1 e)], «función propia» de las Cámaras art. 3.1, revisten una especial importancia en el marco de una economía de mercado (art. 38 CE), con clara transcendencia en la aspiración al pleno empleo que inspira el art. 40.1 CE, el arbitraje [art. 2.1 j)] contribuye a la fluidez de la tutela de los jueces y tribunales (art. 24 CE), etc. Y todo ello siempre en la línea de la participación ciudadana que con carácter general reclama el art. 9.2 CE, y más específicamente el art. 105 a) CE […]

FJ 7. La STC 179/1994 recoge el criterio de que la adscripción obligatoria a las Corporaciones Públicas, «en cuanto tratamiento excepcional respecto del principio de libertad, debe encontrar suficiente justificación, ya sea en disposiciones constitucionales, ya sea en las características de los fines de interés público que persigan, de las que resulte, cuando menos, la dificultad de obtener tales fines sin recurrir a la adscripción forzosa a un ente corporativo».
Y sobre esta base llega a la conclusión de que el régimen legal de las Cámaras que examina «no supera los criterios de constitucionalidad» que acaban de recogerse: «Ni las funciones consultivas, ni las certificantes, ni las de llevanza del censo de empresas ni, finalmente, las del apoyo y estímulo a la exportación son actividades cuyo cumplimiento no sea fácilmente atendible sin necesidad de acudir a la adscripción forzosa a una Corporación de Derecho Público», añadiendo, «por lo que respecta a la delegación de facultades administrativas» que «la vaguedad e imprecisión con que alude a ellas el art. 4 del Reglamento impiden que pueda considerarse justificación bastante (STC 132/1989, FJ 8.)».

FJ 9. […] La afiliación obligatoria a los entes corporativos se justifica, en lo que ahora importa, por las características de los fines de interés público que se persigan y de las que ha de resultar, cuando menos, la dificultad de obtener tales fines sin recurrir a aquella afiliación. […]
El criterio constitucional no se limita a indagar si hay o no dificultad para que una cierta actividad o función pueda desarrollarse sin la adscripción obligatoria, sino que, más profundamente, impone un estudio sobre si resulta o no difícil que los fines perseguidos, los efectos pretendidos puedan obtenerse, conseguirse sin la adscripción obligatoria. […] Siendo la dificultad para la obtención de ciertos fines un concepto jurídico indeterminado, la intensidad de este control ha de quedar matizada separando aquellos casos en los que de forma patente y manifiesta no se aprecie dificultad para conseguir unos efectos sin necesidad de la afiliación obligatoria —zona de certeza negativa del concepto jurídico indeterminado— y aquellos otros en los que tal dificultad pueda ofrecer duda —zona de incertidumbre o penumbra del concepto—: mientras que en aquéllos este Tribunal está plenamente habilitado para la destrucción de la presunción de constitucionalidad propia de la ley, en éstos, en cambio, ha de recordarse que el «Tribunal Constitucional no puede erigirse en Juez absoluto de dicha «dificultad», en cuya apreciación, por la propia naturaleza de la cosa, ha de corresponder al legislador un amplio margen de apreciación» (SSTC 113/1994 y 179/1994).

FJ 10. […] C) […] La Exposición de Motivos de la Ley, como ya se ha visto, justifica la asunción por las Cámaras de las funciones públicas que les atribuye «ante la imposibilidad de que fuesen desarrolladas eficazmente por una multiplicidad de asociaciones representativas de intereses muchas veces contrapuestos». […]
El legislador, en la Exposición de Motivos de la Ley aquí cuestionada, ha señalado, expresamente, que resulta imposible que las funciones atribuidas a las Cámaras puedan desarrollarse eficazmente sin la afiliación obligatoria, entendiendo que sólo con la plenitud subjetiva que deriva de ésta podrían obtenerse los fines a cuya efectividad aspira. Y así las cosas, este Tribunal, examinando los fines de seguridad jurídica perseguidos con la recopilación de costumbres y usos normativos mercantiles o de eficacia en la actuación administrativa a que se aspira con la función de asesora-

miento y sugerencia de reformas, o de promoción de la competitividad exterior pretendida con el Plan Cameral, no encuentra base para concluir que, manifiestamente, tales fines podrían obtenerse sin dificultad por una pluralidad de asociaciones o por la propia Administración precisamente en los mismos términos que se esperan de unas Cámaras dentro de las que conviven intereses, experiencias y conocimientos que abarcan todo el círculo de protagonistas de un importante sector de la vida económica.

No estamos, pues, en la zona de certeza negativa del concepto jurídico indeterminado que es la dificultad y dentro de la cual resulta lícita a este Tribunal la destrucción de la presunción de constitucionalidad de la ley, sino en la zona de incertidumbre o penumbra, en la que ha de reconocerse al legislador un «amplio margen de apreciación» (STC 113/1994).

FJ 11. En definitiva, sobre la base del protagonismo que el art. 52 CE encomienda a la ley respecto de las organizaciones profesionales (SSTC 113/1994 y 179/1994) y de las reservas con que en este ámbito opera el límite de la libertad negativa de asociación (STC 113/1994), el control que este Tribunal puede desarrollar en el terreno de la valoración de los hechos formulada por el legislador conduce a la conclusión de que no puede entenderse que, manifiestamente, resulte inexistente la dificultad para que la totalidad de los fines atribuidos a las Cámaras pueda obtenerse sin necesidad de la afiliación obligatoria.

Adscripción obligatoria a un colegio profesional de funcionarios —STC 76/2003, de 23 de abril[23]—

La Sentencia resuelve el recurso de amparo, avocado al Pleno, promovido por don J.C.M., Secretario de la Administración local con habilitación de carácter nacional, contra la Sentencia del Juzgado de Primera Instancia núm. 17 de Valencia, de 12 de abril de 2001, confirmada en apelación por Sentencia de la Sección Primera de la Audiencia Provincial de Valencia, de 5 de octubre, que le condenó al pago de la cantidad reclamada por el Colegio de Secretarios, Interventores y Tesoreros de Administración local con habilitación nacional de la provincia de Valencia en concepto de impago de cuotas colegiales.

FJ 5. En opinión del demandante de amparo, en este caso no está constitucionalmente justificada la exigencia de colegiación obligatoria, pues se trata de un colegio integrado exclusivamente por funcionarios públicos, que se rigen por su propia normativa en materia de función pública y que tienen encomendado el ejercicio de potestades y funciones públicas al servicio exclusivo de la Administración, que no pueden ejercerse privadamente, sin que pueda sustentarse aquella exigencia en los fines y funciones que se atribuyen a los Colegios Oficiales de Secretarios, Interventores y Tesoreros de Administración local con habilitación de carácter nacional (arts. 2 y 14 Real Decreto 1912/2000, de 24 de noviembre, por el que se aprueba los Estatutos Generales de la Organización Colegial de Secretarios, Interventores y Tesoreros de la Administración local), la cual sólo ha sido admitida excepcionalmente por este Tribunal cuando resulta imprescindible para el cumplimiento de fines públicos asignados al colegio profesional.

FJ 6. [...] b) Por lo que se refiere, en concreto, a la colegiación obligatoria de los funcionarios públicos o del personal que presta su servicio en el ámbito de la Administración pública, este Tribunal tuvo ya ocasión de declarar que «las exigencias establecidas con carácter general, como es el requisito de la colegiación obligatoria, pueden ceder o no ser de aplicación en casos… de que quienes ejerzan la profesión colegiada lo hagan únicamente como funcionarios o en el ámbito exclusivo de la Administración pública, sin pretender ejercer privadamente, con lo cual 'viene a privarse de razón de ser al sometimiento a una organización colegial justificada en los demás casos' (STC 69/1985, FJ 2)». En tales supuestos, «la Administración asumiría directamente la tutela de los fines públicos concurrentes en el ejercicio de las profesiones colegiadas que, con carácter general, se encomiendan a los colegios profesionales. Corresponde, pues, al legislador y a la Administración pública, determinar por razón de la relación funcionarial con carácter general, en qué supuestos y condiciones, al tratarse de un ejercicio profesional al servicio de la propia Administración e integrado en una organización administrativa y por tanto de carácter público, excepcionalmente dicho requisito, con el consiguiente sometimiento a la ordenación y disciplina colegiales, no haya de exigirse, por no ser la obligación

---

[23]   *Vid.* también las SSTC 96/2003, de 22 de mayo; 108/2003, de 2 de junio; 120/2003, de 16 de junio; 149/2003, de 14 de julio; 162/2003, de 15 de septiembre; 183/2003, de 20 de octubre; 210/2003, de 1 de diciembre; 216/2003, de 1 de diciembre; 217/2003, de 1 de diciembre; 226/2003, de 15 de diciembre; 227/2003, de 15 de diciembre; 21/2004, de 23 de febrero; 67/2004, de 19 de abril; 70/2004, de 19 de abril; 80/2004, de 5 de mayo; 90/2004, de 19 de mayo; 92/2004, de 19 de mayo; 141/2004, de 13 de septiembre; 96/2005, de 17 de enero; 7/2005, de 18 de abril; 110/2005, de 9 de mayo; 134/2005, de 23 de mayo; 150/2005, de 6 de junio; 198/2005, de 18 de julio; 200/2005, de 18 de julio; 201/2005, de 18 de julio.

que impone proporcionada al fin tutelado» (STC 131/1989, de 17 de julio, FJ 4; doctrina que reitera la STC 194/1998, FJ 3). Y al respecto se recuerda también que «la obligación de incorporación a un colegio para el ejercicio de la profesión se justifica no en atención a los intereses de los profesionales, sino como garantía de los intereses de sus destinatarios» (*ibidem*).

FJ 7. [...] La lectura de los fines esenciales de la organización colegial y la del elenco de funciones, plasmación de aquellos fines, que corresponden a los colegios (arts. 2 y 16 Real Decreto 1912/2000, de 24 de noviembre, por el que se aprueban los Estatutos Generales de la Organización Colegial de Secretarios, Interventores y Tesoreros de la Administración local), así como, más concretamente, la de los fines y funciones del Colegio de la provincia de Valencia (arts. 7 y 8 de sus Estatutos), conduce a concluir que, aun reconociendo su importancia y alcance, no presentan una relevancia tal en la ordenación del ejercicio de la profesión a fin de garantizar el correcto desempeño de la misma que permita identificar, al menos con la intensidad suficiente, la existencia de intereses públicos constitucionalmente relevantes que pudieran justificar en este caso la exigencia de la colegiación obligatoria. Obviamente, no alcanzan tal calificación los fines y funciones referidos a la representación de los intereses de los colegiados y de la profesión, pues, como ya se ha señalado, no son los fines relacionados con los intereses corporativos integrantes del colegio los que pueden justificar la exigencia de la colegiación obligatoria, ni tampoco las funciones que no trascienden del mero ámbito interno del colegio. E igual acontece, respecto a los fines y funciones que se proyectan en la actividad exterior del colegio, con los que son plasmación de un genérico e indeterminado deber de colaboración con las Administraciones públicas competentes para la ordenación de la profesión y el apoyo y mantenimiento de su correcto ejercicio por parte de los colegiados, con las referidas al estímulo e impulso de la formación y perfeccionamiento profesional de éstos y, en fin, con el largo elenco de funciones de prestación de servicios y de asesoramiento de muy diversa índole a distintos órganos públicos y a particulares. Tampoco cabe apreciar en el desempeño de tales fines y funciones la consecución y tutela de intereses públicos que pudieran justificar en este caso la exigencia de la colegiación obligatoria.

En este caso, por lo tanto, y a diferencia de otros que han sido objeto de la consideración de este Tribunal, la exigencia de colegiación obligatoria no se presenta como un instrumento necesario para la ordenación de la actividad profesional de los Secretarios, Interventores y Tesoreros de la Administración local con habilitación de carácter nacional a fin de garantizar el correcto desempeño de la misma y los intereses de quienes son los destinatarios de los servicios prestados por dichos profesionales, pues, de un lado, se trata de funcionarios públicos que ejercen su actividad profesional exclusivamente en el ámbito de la Administración pública que es la destinataria inmediata de sus servicios, y, de otro, es la propia Administración pública la que asume directamente la tutela de los intereses concurrentes en el ejercicio de la profesión y la garantía de que éste se ajuste a las reglas o normas que aseguren tanto su eficacia como la eventual responsabilidad en tal ejercicio.

Competencia estatal en materia de colegiación obligatoria —STC 3/2013, de 17 de enero[24]—

La Sentencia resuelve el recurso de inconstitucionalidad promovido por el Presidente de Gobierno contra el inciso «o para la realización de actividades propias de su profesión por cuenta de aquellas» del artículo 30.2 de la Ley del Parlamento de Andalucía 15/2001, de 26 de diciembre, de medidas fiscales, presupuestarias, de control y administrativas. El Estado invoca, entre otras, su competencia para regular la colegiación obligatoria (artículo 149.1.18 CE) y las excepciones a la misma (artículo 149.1.1 CE).

FJ 8. [...] El régimen de colegiación obligatoria, al igual que la creación de una profesión titulada, que vincule el ejercicio de determinadas atribuciones o competencias profesionales a la posesión de una titulación académica, constituye una limitación del derecho reconocido en el art. 35.1 CE (STC 194/1998, de 1 de octubre, FJ 5). Cumple, así, con el requisito que señalamos, entre otras, en nuestra STC 61/1997, de 20 de marzo, FJ 7 b), de la relación directa, inmediata y estrecha que debe guardar la regulación de una condición básica con el derecho o libertad constitucional afectado. Sin embargo, como quiera que el título competencial del art. 149.1.1 CE no garantiza un tra-

---

24   *Vid.* también, además de las SSTC 133/2006, de 27 de abril, y 13/2010, de 28 de junio (FJ 66), las SSTC 20/1988, de 18 de febrero; 46/2013 y 50/2013, de 28 de febrero; 63/2013, de 14 de marzo; 89/2013, de 22 de abril; 123/2013, de 23 de mayo; 144/2013, de 11 de julio; 201/2013, de 5 de diciembre; 150/2014, de 22 de septiembre; 229/2015, de 2 de noviembre; 62/2017, de 25 de mayo; 69/2017, de 25 de mayo; 82/2018, de 16 de julio.

tamiento homogéneo, ni impide un tratamiento divergente por el legislador autonómico de los derechos y libertades constitucionales, resulta necesario analizar si, además, la exigencia de colegiación forzosa y la determinación de las excepciones que puedan imponerse a la misma, puede considerarse una condición básica en los términos en que ésta ha sido definida por la doctrina constitucional.

Este Tribunal ha señalado que pueden ser condiciones básicas en el ejercicio de un derecho constitucional, tanto las que afectan a su contenido primario y posiciones jurídicas fundamentales —facultades elementales y límites esenciales— (STC 154/1988, de 21 de julio, FJ 3), como aquellos criterios que guardan una relación necesaria e inmediata con aquéllas (STC 61/1997, FJ 8). Pero, además, deben ser imprescindibles o absolutamente necesarias para asegurar la igualdad en el ejercicio del derecho (STC 173/1998, de 23 de julio, FJ 9).

La colegiación obligatoria no es una exigencia del art. 36 CE, tal y como pusimos de manifiesto en nuestra STC 89/1989, FJ 8 sino una decisión del legislador al que este precepto remite. Pero en la medida en que éste decide imponerla para el ejercicio de determinadas profesiones, se constituye en requisito inexcusable para el ejercicio profesional y, en consecuencia, un límite que afecta al contenido primario del derecho reconocido en el art. 35.1 CE. No estamos ante una condición accesoria, pues la obligación de colegiación es una de las que incide de forma más directa y profunda en este derecho constitucionalmente reconocido. Y es, además, un límite sustancial, que determina la excepción, amparada en el art. 36 CE, del derecho a la libertad de asociación para aquellos profesionales que, para poder hacer efectivo el derecho a la libertad de elección y ejercicio profesional, se ven obligados a colegiarse y, por tanto, a formar parte de una entidad corporativa asumiendo los derechos y deberes que se imponen a su miembros y a no abandonarla en tanto en cuanto sigan ejerciendo la profesión. […]

En conclusión, el inciso impugnado, al eximir de la colegiación obligatoria a los empleados públicos, cuando ejercen la profesión por cuenta de la Administración, establece una excepción no contemplada en la Ley estatal de colegios profesionales, tal y como se razonó en el fundamento jurídico 6 de esta resolución. Siendo competente el Estado para establecer la colegiación obligatoria, lo es también para establecer las excepciones que afectan a los empleados públicos a la vista de los concretos intereses generales que puedan verse afectados, motivo por el cual debemos declarar que el inciso impugnado ha vulnerado las competencias estatales, y, por tanto, su inconstitucionalidad.

EL DERECHO DE PARTICIPACIÓN EN ASUNTOS PÚBLICOS Y DE ACCESO A FUNCIONES Y CARGOS PÚBLICOS

Artículo 23. *1. Los ciudadanos tienen el derecho a participar en los asuntos públicos, directamente o por medio de representantes, libremente elegidos en elecciones periódicas por sufragio universal.*
2. Asimismo, tienen derecho a acceder en condiciones de igualdad a las funciones y cargos públicos, con los requisitos que señalen las leyes.

INTRODUCCIÓN

El artículo 23 CE reconoce tres derechos que articulan el estatuto jurídico de la ciudadanía a través de su participación en los poderes del Estado: el derecho a participar en asuntos públicos, directamente o por medio de representantes, el derecho a acceder en condiciones de igualdad a cargos públicos, y el derecho a acceder, igualmente en condiciones de igualdad, a las funciones públicas. Entre los tres articulan el núcleo duro del estatuto participativo de la ciudadanía democrática, un estatuto participativo en cuyo disfrute adquiere especial relieve el ejercicio de los derechos de comunicación reconocidos en el artículo 20 CE (STC 136/1999). Y un estatuto jurídico que la Constitución reserva a las personas físicas (STC 12/2008, FFJJ 3 y 7), fundamentalmente, aunque con excepciones, a las personas físicas de nacionalidad española. Esto último es así, no en virtud del artículo 23 CE, sino del artículo 13.2 CE. Ciertamente, el primero de estos artículos reconoce los tres derechos mencionados a «los ciudadanos». La cuestión es que el término «ciudadana/o» admite lecturas que le imbuyen un contenido, no formal, como sinónimo de nacionalidad, sino sustantivo, un contenido que lo pone en conexión con la capacidad de participación que caracteriza a la población en un sistema democrático. Y una capacidad de participación que puede, pero no tiene por qué, estar vinculada a criterios de nacionalidad, pudiendo depender de otros, como la vecindad. La conexión entre los derechos reconocidos en el artículo 23 CE y la nacionalidad viene de la mano, no del término «ciudadanos» utilizado por el primero, sino del artículo 13.2 CE. Es éste el que reserva expresamente la titularidad de los derechos reconocidos en el primero a las personas de nacionalidad española, excepto en el ámbito del derecho de sufragio activo y pasivo en las elecciones locales, donde dicha titularidad puede ampliarse por ley o tratado atendiendo a criterios de reciprocidad.

Modificar la titularidad de los derechos reconocidos en el artículo 23 CE nos obligaría pues a reformar, no el artículo 23 CE, sino el artículo 13.2 CE (DTC 1/1992). Lo cierto, con todo, es que el derecho de acceso a la función pública reconocido en el primera ha sido ampliado, no mediante una reforma del segundo, sino legislativamente, por la Ley 17/1993, de 23 de diciembre, derogada por la Ley 7/2007, de 12 de abril, del Estatuto Básico del Empleado Público (artículo 57). El cual, para adaptarlo al derecho de la Unión, en concreto al derecho a la libre circulación de trabajadoras/es dentro de los Estados miembros (artículos 12 y 39 TCE), reconoce como sus titulares a las personas nacionales de estos Estados. Las excepciones son las funciones que impliquen ejercicio de poder público o tengan por objeto salvaguardar los intereses del Estado o de las Administraciones públicas (STJE *Comisión c. Bélgica* —C-149/79, 17 de diciembre de 1980—). La restricción de la titularidad de los derechos reconocidos en el artículo 23 CE que opera el artículo 13.2 CE se entiende, pues, limitada a los de contenido político, y siempre adaptada a nuestra realidad europea, que no sólo promovió la reforma del artículo 13.2 CE, sino que impone una lectura de éste por encima incluso de lo que se desprende de su tenor literal. Por lo demás, ni el artículo 13.2 CE ni el artículo 23 CE impide que en el ámbito de las elecciones locales se introduzcan restricciones al ejercicio del derecho de sufragio de las personas españolas con base en la vecindad, algo que, sin ser exigencia constitucional, aparece respaldado por el artículo 140 CE, que se refiere a «los vecinos» como los votantes en el marco de estas elecciones (STC 153/2014).

Central en el artículo 23 CE es el derecho de participación en asuntos públicos. Se trata del derecho a participar en la toma de decisiones por las que se rige nuestra democracia. Nos encontramos ante el derecho de contenido político que actualiza el principio de soberanía popular, y que debe como tal ser objeto de interpretación favorable, no pudiendo su ejercicio verse impedido ni obstaculizado (STC 189/1993), más allá de allí donde lo esté por sentencia judicial. Su objeto es la participación política en sentido estricto, tanto directa como a través de representantes. Aunque ambas posibilidades parecen estar reconocidas literalmente en pie de igualdad, la Constitución recoge nítidamente un sistema de democracia representativa, donde la representación política, articulada a través del sufragio y con la intermediación de los partidos políticos (STC 48/2003), prevalece sobre los mecanismos de democracia directa. Como afirma el Tribunal Constitucional, «la participación en los asuntos públicos a que se refiere el art. 23 es en primera línea la que se realiza al elegir [...] los representantes del pueblo» (STC 119/1995, FJ 2), siendo y debiendo ser excepcionales, prosigue el Tribunal, los supuestos de participación directa «en un régimen de democracia representativa como el instaurado por nuestra Constitución, en el que 'priman los mecanismos de democracia representativa sobre los de participación directa'» (*ibídem*, FJ 3).

Trátese de participación directa o a través de representante, lo que el artículo 23.1 CE reconoce es un derecho de participación política en sentido estricto, un «derecho de participación política en el sistema democrático de un Estado social y democrático de Derecho, que consagra el art. 1 y es la forma de ejercitar la soberanía que el mismo precepto consagra que reside en el pueblo español» (STC 119/1995, FJ 2). Es lo que el Tribunal Constitucional ha llamado «democracia política» (*ibídem*, FJ 4). Esta se traduce, en la democracia representativa, en el derecho de sufragio. Por su parte, los mecanismos constitucionalmente previstos de participación política directa, así estrictamente entendida, serán aquellos a través de los cuales «la toma de decisiones políticas se realiza mediante un llamamiento directo al titular de la soberanía» (*ibídem*, FJ 3). Se trata, en concreto, del referéndum (artículos 92, 149.1.32, 151.1, 152.2, 167.3 y 168.3 CE), de la iniciativa legislativa popular (artículo 87.3 CE) y del denominado régimen de concejo abierto (artículo 140 CE). Ciertamente, no estamos ante una lista cerrada, por lo que cabe al legislador diseñar otros mecanismos de participación política directa, pero le cabe hacerlo atendiendo siempre al carácter excepcional de estos mecanismos en un sistema de democracia preferentemente representativa. Por lo demás, cualquier título participativo que no sea manifestación de la soberanía popular, se ejerza a través del voto (piénsese en las elecciones universitarias, sindicales, escolares, o a la Junta de Gobierno de un ente corporativo, como un Colegio de Abogados —*ibídem*, FJ 2—), o bien de forma directa, cualquier título participativo que no sea manifestación de la soberanía popular, decía, queda fuera del ámbito de tutela del artículo 23 CE. Se trata de mecanismos, no de democracia política, sino de lo que el Tribunal Constitucional ha llamado «democracia participativa» (*ibídem*, FJ 6), que no es objeto de reconocimiento como derecho fundamental en el artículo 23 CE, pero que los poderes públicos tienen en todo caso el mandato constitucional de fomentar (artículo 9.2 CE).

En el ámbito de los mecanismos de participación política en sentido estricto, el Tribunal Constitucional ha afirmado que la admisión a trámite de la iniciativa legislativa popular, comprendida dentro del artículo 23 CE, no puede erigirse en una barrera para el ejercicio de este derecho. Su admisión a trámite no puede ser más que un «acto reglado que tiene por objeto comprobar que la iniciativa cumple con los requisitos de forma y que no tiene por objeto materias excluidas» (STC 19/2015, FJ 2), con independencia del éxito que tenga después su tramitación parlamentaria (STC 213/2016). En lo que concierne al referéndum cubierto por el artículo 23 CE, el Tribunal lo ha distinguido de la consulta popular como manifestación de democracia participativa (artículo 9.2 CE). O mejor, ha identificado el primero como una especie de la segunda. Así, si las consultas populares recaban la opinión de cualquier colectivo mediante cualquier mecanismo, el referéndum es un llamamiento formal al pueblo titular de la soberanía a través de un procedimiento electoral desarrollado con todas las garantías jurisdiccionales específicas (STC 103/2008, FJ 2). Ello es así sin perjuicio de que ese llamamiento formal al pueblo pueda producirse en la figura, no del cuerpo electoral estatal, sino de otro territorialmente más reducido, como el autonómico o el local; y es así sin perjuicio de que en él se incluya también a sectores poblacionales que no forman parte de dicho cuerpo electoral, como personas menores o extranjeras residentes (STC 31/2015). Siempre que el cuerpo electoral a algún nivel territorial, se encuentre incluido en la convocatoria formal de consulta, estaremos ante una consulta referendaria —y ante la competencia exclusiva del Estado para convocarla (artículo 149.1.32 CE)—. El resultado de esta doctrina es una interpretación amplia del referéndum como especie del género consultas populares, en detrimento de las competencias autonómicas, y locales en la materia (artículo 71 del a Ley 7/1985, de 2 de abril, Reguladora de las Bases del Régimen Local), y de la fluidez de la convocatoria de mecanismos de democracia participativa.

El derecho a acceder a cargos públicos en condiciones de igualdad, el derecho de sufragio pasivo, se reconoce como complemento indispensable del derecho de sufragio activo, del derecho a participar en asuntos públicos a través de representantes, como instrumento al servicio de éste último, hasta el punto de que toda lesión del primero se traduce en una lesión también del segundo (STC 105/2012). En la conexión entre el derecho de sufragio activo y pasivo los partidos políticos desempeñan, junto con las agrupaciones de electoras/es, un papel central. Este no los convierte, con todo, en titulares del derecho de sufragio pasivo. Antes bien, su intervención se limita a canalizar la mencionada conexión entre sufragio activo y pasivo, en el bien entendido de que la titularidad del derecho de sufragio es en ambos casos individual, delimitada por el artículo 13.2 CE (STC 12/2008, FFJJ 3 y 7). Será, en consecuencia, individual el disfrute del haz de facultades que encierra el derecho de sufragio pasivo. Las cuales incluyen, además de la participación en un proceso electoral, el derecho a ser proclamada/o candidata/o, a ser proclamada/o candidata/o electa/o ante la concurrencia del número suficiente de votos, a acceder al cargo público correspondiente, a permanecer en dicho cargo, y a desempeñar las funciones correspondientes al mismo. Todas ellas son, como decía, facultades de un derecho de titularidad individual, sobre las que los partidos políticos carecen de capacidad de disposición. Lo cual permite que una persona electa con el aval de un partido cambie de formación política, en los conocidos como casos de transfuguismo (STC 5/1983).

Ahora bien, en la medida en que puedan acreditar interés legítimo, los partidos políticos sí tienen legitimidad para recurrir contra la no proclamación de candidaturas, o contra la no proclamación de candidatas/os electas/os, que se hubieran presentado bajo sus siglas a unos comicios (artículo 162.1.b) CE —STC 93/1989—). Pueden así interponer los llamados amparos electorales, recursos previstos para reaccionar contra la vulneración de los derechos de participación política y a acceder a cargos públicos electos, originada en la no proclamación de una candidatura presentada a unos comicios o en la no proclamación como electa de la candidatura que haya obtenido votos suficientes para serlo (artículos 49 y 109-117 de la LOREG, respectivamente). Como los demás recursos especiales previstos para proteger algún derecho fundamental concreto (el *habeas corpus*, el recurso judicial para ejercer el derecho de rectificación frente a lesiones al honor y el que tutela el derecho de reunión), estos recursos electorales están sometidos a plazos especialmente breves, calculados para garantizar que la tutela del derecho que con ellos se protege, en este caso el derecho de sufragio, conserve materialmente su razón de ser. A diferencia de los otros tres recursos especiales recién mencionados, lo característico de estos recursos electorales es que en ellos se somete a plazos perentorios la tutela del derecho de sufragio también ante el Tribunal Constitucional en amparo. Lo cual es imprescindible para que la controversia en torno a una candidatura o a los resultados electorales quede definitivamente resuelta en un plazo que permita hacer valer el principio democrático, para tutelar un derecho tan central en la articulación del sistema democrático como el de sufragio, garantizando que la voluntad popular es correctamente interpretada a tiempo para hacerla valer en sede representativa.

La centralidad democrática del derecho de participación política, junto a su íntima conexión con el derecho de sufragio pasivo, llevan al Tribunal Constitucional a favorecer en lo posible el ejercicio de éste último. Así, en la fase de proclamación de candidaturas, el Tribunal obliga a una lectura favorable a la subsanación de irregularidades (STC 86/2015), sin que quepa hablar de un derecho a la no proclamación de otras candidaturas (STC 60/2011). En la fase de proclamación de candidatas/os electas/os, atiende a la necesidad de respetar la voluntad ciudadana, limitándose a declarar la nulidad de votos y, en su caso, la necesidad de repetir elecciones, a aquellos casos en que dicha nulidad repercuta materialmente sobre los resultados electorales, y sólo en la medida en que lo haga (STC 105/2012). En materia de nulidad de papeletas, con todo, el Tribunal ha avalado una interpretación rigorista de la legislación electoral que permite declarar nula toda papeleta de voto que presente cualquier tipo de alteración, aunque de ella no se derive duda alguna sobre el sentido del voto (STC 167/2007). En el acceso a cargo público electo, el Tribunal ha sido flexible con la posibilidad de que las/os candidatas/os electas/os acaten la Constitución con base en formulas no previstas en la normativa aplicable, siempre que con ellas se exprese un compromiso sustantivo con el acatamiento efectivo de la Constitución (STC 74/1991). Y se ha mostrado tuitivo con el derecho individual de la persona electa a permanecer en su cargo aun después de haber cambiado de formación política (STC 5/1983), así como con su derecho a ejercer sus funciones representativas, como parte integrante del artículo 23 CE. Entiende así el Tribunal que constituye violación del artículo 23 CE: la inadmisión sin base jurídica de solicitudes formalmente correctas de preguntas, interpelaciones, proposiciones o mociones (STC 213/2014), de solicitudes de comparecencia, de información (STC 23/2015), con independencia de que el Gobierno proporcione luego o no la información requerida (STC 220/1991), o de enmiendas (STC 119/2011); la sanción impuesta con violación del artículo 25 CE por el desarrollo de actividad parlamentaria (STC 136/1989); la infracción de la inviolabilidad parlamentaria (STC 30/1997); la disolución indebida de un grupo parlamentario (STC 141/2007); u otras barreras injustificadas al desarrollo de la vida parlamentaria (*vid.* nota 15). En todos estos casos, la violación del derecho a ejercer un cargo público, cuando se produce, tiene su origen en el legislador, generalmente en la mesa del Congreso. Lo cual nos sitúa en el marco de actos sin valor de ley emanados del poder legislativo, recurribles en amparo ante el Tribunal Constitucional dentro del plazo de tres meses desde que sean firmes conforme a las normas internas de la Cámara en cuestión (artículo 42 LOTC). Para interponerlos están legitimadas, además de las personas físicas afectadas, los grupos parlamentarios que también lo estén, en la medida en que acrediten un interés legítimo (artículo 162.1.b) CE —STC 177/2002—).

Lo anterior, la actitud favorable al ejercicio de los derechos reconocidos en el artículo 23 CE, no significa que el derecho de acceso a cargo público no esté sujeto a límites. Lo estará en la medida en que haya sido restringido por sentencia judicial, sea penal o sea con base en la Ley Orgánica 6/2002, de 27 de junio, de partidos políticos, que el Tribunal Constitucional ha entendido conforme a la Constitución (STC 48/2003). Lo estará también allí donde una candidatura electoral, provenga de un partido político o de una agrupación de electoras y electores, venga a suceder a un partido político judicialmente ilegalizado, algo que el Tribunal Constitucional examina en atención a las circunstancias de cada caso concreto, con resultados diversos (STC 61/2011). Y lo estará donde la ilegalización de un partido político se traduzca en la disolución del grupo parlamentario o municipal correspondiente, entendiendo aquí el Tribunal que la pérdida de los beneficios asociados a un grupo parlamentario, con consiguiente integración en el grupo mixto, no constituye lesión del artículo 23 CE (STC 10/2013).

En los últimos años el Tribunal Constitucional ha tenido ocasión de pronunciarse sobre la función representativa que, con base en el artículo 23.2 CE desempeñan, no ya disputadas y diputados concretos, sino las cámaras representativas como tales, en su conjunto. Ha vinculado así al artículo 23.2 CE (y a través de él al artículo 23.1 CE) la extensión de la prohibición del mandato imperativo a los miembros de todas las cámaras representativas, incluidas/os las/os senadoras/es de designación autonómica, cuyo nombramiento no es por tanto susceptible de revocación (STC 123/2017). Ha vinculado también a la efectividad de éste artículo el carácter presencial del acto de investidura de un/a presidente/a del ejecutivo (STC 19/2019). Y ha vinculado a dicha efectividad, en fin, la obligación de las Mesas de admitir a trámite iniciativas parlamentarias con independencia de que su contenido pudiera ser inconstitucional. La única excepción, por lo demás cuestionable, la conforman las iniciativas que incurran en inconstitucionalidad "palmaria y evidente", "clara e incontrovertible", que las Mesas tienen obligación de identificar como tales y, como decía excepcionalmente, rechazar (SSTC 46/2018; 47/2018; vid. también STC 185/2016). De este modo el Tribunal Constitucional pretende expresar, con mayor o menor acierto, el compromiso constitucional con la efectividad sustantiva del derecho de sufragio. En contraste con este compromiso, sin embargo, resulta llamativo hasta qué punto el Tribunal se muestra tolerante con las carencias democráticas de nuestro sistema representativo. El Tribunal no ha encontrado constitucionalmente objetable, con base en el artículo 23 CE, además de en los artículos 1.1, 152.1 ó, en su caso, 68.3 CE, la reducción del carácter proporcional de nuestro sistema representativo, sea a través de la llamada barrera electoral, que en las elecciones autonómicas de Canarias se elevaba inicialmente al 20% de los votos válidamente emitidos en la circunscripción electoral insular correspondiente o al 3% del total (STC 72/1989, de 20 de abril), y que fue luego elevada, respectivamente al 30% y al 6% (Disposición Transitoria Primera de la Ley Orgánica 4/1996, de 30 de diciembre, de reforma del Estatuto de Autonomía de Canarias), o sea mediante la reducción del número de puestos representativos a cubrir (STC 15/2015, de 5 de febrero). Esta deferencia para con el margen con que cuenta el legislador en su labor de diseñar nuestro sistema electoral es expresiva de hasta qué punto el Tribunal sostiene la preponderancia del componente representativo en el ejercicio de la soberanía popular, en detrimento de su componente democrático.

En cuanto al derecho de acceso en condiciones de igualdad a la función pública, el Tribunal Constitucional ha aclarado que éste se concreta en los criterios de mérito y capacidad (artículo 103.3 CE), criterios que rigen no sólo en el acceso a la función pública, sino también, una vez dentro de la misma, en la provisión de puestos de trabajo (por todas STC 156/1998, FJ 3), y que serán en cada caso de concreción legal en atención a las necesidades del sector (STC 148/1986). En este sentido, el Tribunal Constitucional ha entendido constitucionalmente conforme la valoración en el acceso a la función pública de la capacidad técnica del personal interino, sin que dicha valoración pueda traducirse en una reserva en exclusiva de los puestos en cuestión a dicho personal salvo en circunstancias excepcionales, como puede ser la consolidación de una administración autonómica inicialmente puesta en marcha con este tipo de personal (STC 60/1994, FJ 5). Ha considerado igualmente conforme a la Constitución la valoración del conocimiento de la lengua co-oficial de una Comunidad Autónoma como mérito en el acceso a su función pública, siempre que la exigencia de ese conocimiento se module en atención a la función a desempeñar (STC 46/1991). Excepcionalmente, también la edad puede ser considerada como criterio de capacidad, o mejor como límite a la misma, para acceder a la función pública, siempre, de nuevo, que las características de la función a desempeñar lo justifiquen (STC 37/2004). De este modo, el criterio de mérito y capacidad sitúa el acceso a las funciones públicas al servicio de la ciudadanía, que es su destinataria. Entiende, en fin, el Tribunal, que el artículo 23.2 CE cubre la adjudicación de puestos de trabajo por libre designación, y si bien su regulación permite conceder a la administración un margen de valoración amplio, éste no justifica la asignación arbitraria, selectiva y sin suficiente publicidad de estos puestos (STC 221/2004).

LEGISLACIÓN

Reglamento del Congreso de los Diputados, de 10 de febrero de 1982; Reglamento del Senado, de 3 de mayo de 1994; Ley Orgánica 2/1989, de 18 e enero, reguladora de las distintas modalidades de referéndum; Ley Orgánica 3/1984, e 26 de marzo, reguladora de la iniciativa legislativa popular; Ley Orgánica 5/1985, de 19 de junio, del Régimen Electoral General; Ley Orgánica 6/2002, de 27 de junio, de partidos políticos; Ley Orgánica 8/2007, de 4 de julio, sobre financiación de los partidos políticos; Ley Orgánica 2/2018, de 5 de diciembre, para la modificación de la Ley Orgánica 5/1985, de 19 de junio, del Régimen Electoral General para garantizar el derecho de sufragio de todas las personas con discapacidad; Ley 7/2007, de 12 de abril, del Estatuto Básico del Empleado Público.

BIBLIOGRAFÍA

AA.VV. (2016): *REDF 27* (núm. monográfico: *La participación política de los extranjeros residentes*); AA.VV. (2018): *RGDC 26* (núm. extraordinario especial: *Participación y ciudadanía democrática. Posibilidades y límites en el marco de la democracia representativa*); ALÁEZ CORRAL, B. (2006): *Nacionalidad, ciudadanía y democracia. ¿A quién pertenece la Constitución?*, Madrid: CEPC; ÁLVAREZ VÉLEZ, M.I. (2016): "La participación directa de los ciudadanos en la Constitución española y las consultas populares en el ámbito estatutario", *RDP 96*, pp. 121-148; ARAGÓN REYES, M. (2000): «Democracia y representación. Dimensiones subjetiva y objetiva del derecho de sufragio», *Corts, Anuario de Derecho Parlamentario 9*, pp. 37-60; ARRUEGO RODRÍGUEZ, G. (2005): *Representación política y derecho fundamental*, Madrid: CEPC; AZPITARTE SÁNCHEZ, Miguel (2012): «Artículo 111. Iniciativa legislativa», *Comentarios al Estatuto de Autonomía para Andalucía* (P. Cruz Villalón y M. Medina Guerrero, dirs, J Pardo Falcón, coord.), Sevilla: Parlamento de Andalucía, pp. 1812-1825; BARRAT I ESTEVE, J. y FERNÁNDEZ RIVERA, F.M., coords. (2011): *Derecho de sufragio y participación ciudadana a través de las nuevas tecnologías*, Madrid: Civitas; BIGLINO CAMPOS, P. (1993): «Las facultades de los parlamentarios, ¿son derechos fundamentales?», *RCG 30*, pp. 53-100; BUENO ARMIJO, A. (2008): «'Consultas populares' y 'referéndum consultivo': una propuesta de delimitación conceptual y de distribución competencial», *RAP*, pp. 195-228; CAAMAÑO DOMÍNGUEZ, F. (1991): *El mandato parlamentario*, Madrid: Congreso de los Diputados; (1992): «Mandato parlamentario y derechos fundamentales», *REDC 36*, pp. 123-149; CARRASCO DURÁN, M. (2010): «El derecho de voto de los extranjeros en las elecciones municipales. Nuevas realidades», *Cuadernos de Derecho Local 22*, pp. 147-162; (2012): «Artículo 30. Participación política», *Comentarios al Estatuto de Autonomía para Andalucía*, (P. Cruz Villalón y M. Medina Guerrero, dirs, J Pardo Falcón, coord.), Sevilla: Parlamento de Andalucía, pp. 483-499; (2012): «Artículo 78. Consultas populares», *Comentarios al Estatuto de Autonomía para Andalucía*, (P. Cruz Villalón y M. Medina Guerrero, dirs, J Pardo Falcón, coord.), Sevilla: Parlamento de Andalucía, pp. 1278-1296; (2014): «La participación social en el procedimiento legislativo», *REP 89*, pp. 175-20; COSTA, P y ALÁEZ CORRAL, B. (2008): *Nacionalidad y Ciudadanía*, Madrid: Fundación Coloquio Jurídico Europeo; CUENCA GÓMEZ, P. (2018): "El derecho al voto de las personas con discapacidad intelectual y psicosocial. La adaptación de la legislación electoral española a la Convención Internacional de los Derechos de las personas con Discapacidad", *Derechos y Libertades* 38, pp. 171-202; DURBÁN MARTÍN, I. (2019): "El derecho de los parlamentarios a recabar documentación administrativa. Nuevas perspectivas jurisprudenciales a raíz de su creciente judicialización", *RDP* 104, pp. 157-195; EXPÓSITO, E. (2013): «Participación ciudadana en el gobierno local. Un análisis desde la perspectiva normativa», *RArAP* XIV pp. 361-401; FOSSAS ESPADALER, E. (1993): *El derecho de acceso a los cargos públicos*, Madrid: Tecnos; FRAILE ORTIZ, M. (1999): «Alcance del derecho de sufragio activo y pasivo de los extranjeros residentes en las ciudades de Ceuta y Melilla en las elecciones municipales», *CDP* 8, pp. 139-152; GARCÍA ROCA, J. (1999): *Cargos públicos representativos*, Pamplona: Aranzadi; GARRIDO LÓPEZ, C. (2000): «El diputado provincial como representante», *REDC* 60, pp. 115-138; (2018): "La utilidad del referéndum como acicate y contrapeso en las democracias representativas", *REP* 181, pp. 135-165; GUTIÉRREZ RODRÍGUEZ, F.J. (2005): «El derecho fundamental al debate parlamentario», *Corts, Anuario de Derecho Parlamentario* 16, pp. 251-261; HOLGADO GONZÁLEZ, M. (2017): "El estatuto jurídico-político del diputado: entre la lealtad al partido y la lealtad a su electorado", *REDC* 111, pp. 45-65; LASAGABASTER HERRARTE, I. (2009): «Reciprocidad y derechos fundamentales: en especial el derecho de voto de los extranjeros», *RVAP* 85, pp. 57-81; MATEOS CRESPO, J.L. (2019): "La implantación del 'voto rogado' en España: el prejudicial límite a la participación electoral de los españoles residentes en el extranjero a punto de enmendarse", *TyRC* 43, pp. 441-470; MASSO GARROTE, M.F. (1997): *Los derechos políticos de los extranjeros en el Estado nacional: los derechos de participación política y el derecho de acceso a funciones públicas*, Madrid: Colex; NARANJO DE LA CRUZ, R. (2017): "Elecciones municipales y derecho al voto de los extranjeros no comunitarios: estado de la cuestión y propuestas de reforma", *RDP* 99, pp. 81-122; PÉREZ ALBERDI, R. (2008): «Los derechos de participación en los estatutos de autonomía reformados recientemente» (Especial consideración al Estatuto de Autonomía para Andalucía)», *RDP*, pp. 181-205; PITKIN, H.F. (1967): *The Concept of Representation*, Berkeley-Los Angeles-London: University of California Press; PRESNO LINERA, M.A. (2003): *El derecho de voto*, Madrid: Tecnos; (2004): «El derecho de sufragio en los regímenes electorales», *CDP* 22-23, pp. 173-204; (2004): «La participación política como forma de integración», *Extranjería e inmigración: aspectos jurídicos y socioeconómicos* (M.A. Presno Linera, coord.), Valencia, Tirant, pp. 19-42; (2009): «El voto de los extranjeros en España y el voto de los españoles residentes en el extranjero», *REDC* 87, pp. 183-214; PULIDO QUECEDO, M. (1992): *El acceso a los cargos y funciones públicas. Un estudio del artículo 23.2 de la Constitución*, Madrid: Civitas; RAMIRO AVILÉS, M.A. (2008): «El derecho de sufragio activo y pasivo de los inmigrantes. Una utopía para el siglo XXI», *DyL* 18, pp. 97-124; RAZQUIN LIZARRAGA, M.M. (2018): "Límites del derecho de información de los diputados", *REDC* 113, pp. 37-69; RODRÍGUEZ RUIZ, B. (2015): «Participación y ciudadanía más allá del sufragio. Los derechos de participación de las personas extranjeras», *REP*, pp. 45-74; (2015 —ed.—): *Los derechos de participación de la población inmigrante asentada en Andalucía. Un análisis del marco jurídico y de la realidad social*, Granada: Comares; RODRÍGUEZ RUIZ, B. Y RUBIO MARÍN, R. (2007): «De paridad, igualdad y representación en el Estado democrático», *REDC* 81, pp. 87-122; eds. (2012): *The Struggle for Female Suffrage in Europe. Voting to Become Citizens*, Leiden-Boston: Brill; RODRIGUEZ-DRINCOURT ÁLVAREZ, J. (1999): «La nacionalidad como vía de integración de los inmigrantes extranjeros», *REP* 103, pp. 171-185; SÁENZ ROYO, E. (2016): "La regulación del referendo en el derecho comparado. Aportaciones para el debate en España", *REDC* 108, pp. 123-153; SÁNCHEZ FERRIS, R. (2017): "Reflexiones sobre una eventual reforma constitucional de los institutos de democracia directa y semidirecta", *RDP* 100, pp. 513-540; SANTOLAYA, P. y REVENGA, M. (2007): *Nacionalidad, extranjería y derecho de sufragio*, Madrid: CEPC; SEIJAS VILLADANGOS, E. (2000): «Representación política, partidos políticos y tránsfugas», *TyRC* 6, pp. 163-188; SOLANES CORELLA, A. (2008): «La participación política de las personas inmigrantes: cuestiones para el debate», *Derechos y Libertades* 18, pp. 67-95; TUR AUSINA, R. (2013): «Leyes de participación ciudadana: las experiencias canaria y valenciana», *RArAP* 14, pp. 203-232.

I. ARTÍCULO 23.1 CE: EL DERECHO CIUDADANO A PARTICIPAR EN ASUNTOS PÚBLICOS

El contenido político del derecho a participar en asuntos públicos —STC 119/1995, de 17 de julio—

La Sentencia resuelve el recurso de amparo promovido por don J.A.M. y otros contra el Acuerdo del Pleno del Ayuntamiento de Barcelona, de 12 de septiembre de 1989, que ratificó la aprobación provisional acordada por la Comisión de Gobierno del 12 de julio anterior del denominado «Plan Especial de desarrollo de un Parque Urbano en el Sector Piscinas y Deportes de Barcelona», así como contra las Sentencias confirmatorias del Tribunal Superior de Justicia de Cataluña (30 de julio de 1990) y del Tribunal Supremo (15 de diciembre de 1992), aprobación que tuvo lugar con omisión de la apertura de un segundo trámite de información pública (Reglamento de Planeamiento para el Desarrollo y Aplicación de la Ley sobre Régimen del Suelo y Ordenación Urbana, artículo 130). Alegan los recurrentes vulneración de su derecho de participación directa en los asuntos públicos (artículo 23.1 CE).

FJ 2. Así centrados los términos del debate, hay que empezar por recordar que, según el art. 23.1 CE, «los ciudadanos tienen derecho a participar en los asuntos públicos, directamente o por medio de representantes, libremente elegidos en elecciones periódicas por sufragio universal». La expresión «asuntos públicos» resulta aparentemente vaga y, a primera vista, podría llevar a una interpretación extensiva del ámbito tutelado por el derecho que incluyera cualquier participación en asuntos cuyo interés transcienda el ámbito de lo privado. Esta interpretación literalista de la expresión no es, desde luego, la única posible, y no parece tampoco la más adecuada cuando se examina el precepto en su conjunto y se conecta con otras normas constitucionales.

El art. 23.1 CE garantiza un derecho de participación que puede ejercerse de dos formas distintas, bien directamente, bien por medio de representantes. En relación con esta última posibilidad, la Constitución concreta que se trata de representantes elegidos en elecciones periódicas por sufragio universal, lo que apunta, sin ningún género de dudas, a la representación política, con exclusión de otros posibles representaciones de carácter corporativo, profesional, etc. Así lo viene entendiendo de forma constante y uniforme este Tribunal que, al realizar una interpretación conjunta de los dos apartados del art. 23 CE —y dejando ahora al margen el derecho de acceso a las funciones públicas—, ha afirmado que en ellos se recogen «dos derechos que encarnan la participación política de los ciudadanos en el sistema democrático, en conexión con los principios de soberanía del pueblo y de pluralismo político consagrados en el art. 1 de la Constitución» (STC 71/1989, fundamento jurídico 3.º): el derecho electoral activo y el derecho electoral pasivo, derechos que aparecen como «modalidades o vertientes del mismo principio de representación política» (*ibídem.*). «Se trata —hemos afirmado en nuestra STC 51/1984— del derecho fundamental, en que encarna el derecho de participación política en el sistema democrático de un Estado social y democrático de Derecho, que consagra el art. 1 y es la forma de ejercitar la soberanía que el mismo precepto consagra que reside en el pueblo español. Por eso, la participación en los asuntos públicos a que se refiere el art. 23 es en primera línea la que se realiza al elegir los miembros de las Cortes Generales, que son los representantes del pueblo, según el art. 66 de la Constitución y puede entenderse asimismo que abarca también la participación en el gobierno de las Entidades en que el Estado se organiza territorialmente, de acuerdo con el art. 137 de la Constitución» (fundamento jurídico 2.º). Asimismo, hemos venido reiterando que dicho precepto garantiza el derecho a que los representantes elegidos permanezcan en su cargo y puedan ejercer las funciones previstas en la Ley. Hay por tanto, una estrecha vinculación entre los derechos reconocidos en los apartados 1 y 2 del art. 23 CE y el principio democrático, manifestación, a su vez, de la soberanía popular (SSTC 32/1985, 149/1988, 71/1989, 212/1993 y 80/1994, entre otras).

Sobre esta base, este Tribunal ha rechazado la pretendida vinculación entre la condición de miembro de la Junta de Gobierno de una Facultad y el art. 23 CE (STC 212/1993), o entre este mismo precepto y la elección de representantes sindicales, pues «lo que ejercitan los trabajadores en los procesos electorales sindicales no es una parcela subjetivizada del derecho que regula el artículo 23.1 CE, sino un singular derecho, emanación del legislador, que se enmarca en las modalidades participativas de acceso de los trabajadores a la empresa» (STC 189/1993, fundamento jurídico 5.º). E igualmente ha concluido que los cargos de la Junta de Gobierno de un Colegio de Abogados no se encuentran incluidos entre los cargos públicos que contempla el art. 23.2 de la Constitución (STC 23/1984), y lo mismo cabe decir del Secretario de un Colegio público (STC 80/1994)[1].

---

[1] «Es jurisprudencia reiterada de este Tribunal (SSTC 18/1984, 48/1988 y 49/1988, entre otras), que las Cajas de Ahorros de fundación privada, aunque por su finalidad social y pública requieren intervención de esta naturaleza, no son entes públicos sino personas jurídicas privadas y sus miembros no tienen, por tanto, la consideración de titulares de cargos públicos a los

Esta conclusión es, por otra parte, la que se impone cuando el art. 23 CE se interpreta —tal y como exige el art. 10.2 de la misma Norma fundamental— de conformidad con la Declaración Universal de Derechos Humanos y los tratados y acuerdos internacionales sobre la materia ratificados por España. Como pusimos de relieve en nuestra STC 23/1984, la lectura del art. 22 de la referida Declaración y del art. 25 del Pacto Internacional de Derechos Civiles y Políticos de 1966 «acredita que el derecho de acceso a los cargos públicos que regulan el art. 23.2, interpretado en conexión con el 23.1 y de acuerdo con tales preceptos, se refiere a los cargos públicos de representación política, que son los que corresponden al Estado y a los entes territoriales en que se organiza territorialmente de acuerdo con el art. 137 de la Constitución —Comunidades Autónomas, Municipios y Provincias—» (fundamento jurídico 4.º).

FJ 3. Este entendimiento de la expresión «participar en los asuntos públicos», que hasta ahora hemos examinado desde la perspectiva del derecho de participación a través de representantes, es perfectamente trasladable (o más bien habría que afirmar que debe ser trasladado, puesto que nos movemos dentro del mismo precepto y no parece conveniente otorgar a una única expresión dos sentidos distintos) a la participación directa a la que igualmente se refiere el art. 23.1 CE. Aunque han sido menos las ocasiones en que este Tribunal ha tenido oportunidad de pronunciarse al respecto, en ellas ha afirmado que «la participación directa que en los asuntos públicos ha de corresponder a los ciudadanos es la que se alcanza a través de las consultas populares previstas en la propia Constitución (arts. 92, 149.1.32, 151.1, 152.2, 167.3 y 168.3)» (STC 63/1987, fundamento jurídico 5.º y ATC 399/1990, fundamento jurídico 2.º). Todos los preceptos enumerados se refieren a distintas modalidades de referéndum y, en última instancia, a lo que tradicionalmente se vienen considerando como formas de democracia directa, es decir a aquellos supuestos en los que la toma de decisiones políticas se realiza mediante un llamamiento directo al titular de la soberanía. Dentro de ellas habría que encuadrar también el denominado régimen de concejo abierto al que se refiere el art. 140 CE y, asimismo, este Tribunal ha vinculado con el art. 23.1 CE la iniciativa legislativa popular que establece el art. 87.3 CE (STC 76/1994 y AATC 570/1989 y 140/1992). Y aún si se admitiera que la Ley puede ampliar los casos de participación directa, los supuestos habrían de ser, en todo caso, excepcionales en un régimen de democracia representativa como el instaurado por nuestra Constitución, en el que «priman los mecanismos de democracia representativa sobre los de participación directa» (STC 76/1994, fundamento jurídico 3.º).

Fuera del art. 23 CE quedan cualesquiera otros títulos de participación que, configurados como derechos subjetivos o de otro modo, puedan crearse en el ordenamiento (ATC 942/1985), pues no todo derecho de participación es un derecho fundamental (SSTC 212/1993 y 80/1994). Para que la participación regulada en una Ley pueda considerarse como una concreta manifestación del art. 23 CE es necesario que se trate de una participación política, es decir, de una manifestación de la soberanía popular, que normalmente se ejerce a través de representantes y que, excepcionalmente, puede ser directamente ejercida por el pueblo, lo que permite concluir que tales derechos se circunscriben al ámbito de la legitimación democrática directa del Estado y de las distintas entidades territoriales que lo integran, quedando fuera otros títulos participativos que derivan, bien de otros derechos fundamentales, bien de normas constitucionales de otra naturaleza, o bien, finalmente, de su reconocimiento legislativo.

FJ 4. Es evidente que este entendimiento de la participación a que se refiere el art. 23.1 CE no agota las manifestaciones del fenómeno participativo que tanta importancia ha tenido y sigue teniendo en las democracias actuales y al que fue especialmente sensible nuestro constituyente. De hecho, el Texto constitucional es rico en este tipo de manifestaciones. En unos casos, se contiene un mandato de carácter general a los poderes constituidos para que promuevan la participación en distintos ámbitos: así, el art. 9.2 CE contiene un mandato a los poderes públicos para que faciliten «la participación de todos los ciudadanos en la vida política, económica, cultural y social», y el art. 48 establece la obligación de los poderes públicos de promover las condiciones para la participación de la juventud en el desarrollo político, social, económico y cultural. En otros casos, el constituyente ha previsto formas de participación en ámbitos concretos, algunas de las cuales se convierten en verdaderos derechos subjetivos, bien ex constitutione, bien como consecuencia del posterior desarrollo por parte del legislador; es el caso del art. 27, que en sus apartados 5 y 7 se refiere a la participación en la programación en la enseñanza y en el control y gestión de los centros sostenidos por la Administración con fondos públicos; del art. 105, según el cual la Ley regulará la audiencia de los ciudadanos en el procedimiento de elaboración de las disposiciones administrativas [apartado a)], y la garantía de la audiencia de los interesados en el procedimiento de producción de actos administrativos [apartado c)]; del art. 125, que prevé la

---

efectos del art. 23.2 de la Constitución» (STC 160/1990, de 18 de octubre, FJ 4). Tampoco tienen la consideración de cargos público-políticos, en el sentido del artículo 23 CE, los miembros de las fundaciones públicas (STC 167/2001, de 16 de julio).

participación de los ciudadanos en la Administración de Justicia mediante la institución del Jurado, y del art. 129, que en su apartado primero remite a la Ley el establecimiento de formas de participación de los interesados en la Seguridad Social y en la actividad de determinados organismos públicos, y en su apartado segundo recoge un mandato a los poderes públicos para que promuevan eficazmente formas de participación en la empresa. Diversas fórmulas de participación —bien directamente, bien a través de órganos establecidos al efecto— se recogen también en los arts. 51, 52 y 131.2 de la Constitución.

Se trata, como es fácil apreciar, de formas de participación que difieren no sólo en cuanto a su justificación u origen, sino también respecto de su eficacia jurídica que, por otra parte, dependerá en la mayoría de los casos de lo que disponga el legislador (aunque en su labor configuradora esté sometido a límites como los derivados de la interdicción de la arbitrariedad —art. 9.3 CE— y del derecho de igualdad —art. 14 CE—). No puede aceptarse, sin embargo, que sean manifestaciones del derecho de participación que garantiza el art. 23.1 de la Constitución, pues no sólo se hallan contempladas en preceptos diferentes de la Constitución, sino que tales preceptos obedecen a manifestaciones de una ratio bien distinta: en el art. 23.1 CE se trata de las modalidades —representativa y directa— de lo que en el mundo occidental se conoce por democracia política, forma de participación inorgánica que expresa la voluntad general, mientras que en los restantes preceptos a que se ha hecho alusión —si se exceptúa el jurado, cuya naturaleza no procede abordar aquí— se da entrada a correctivos particularistas de distinto orden.

FJ 5. Por otra parte, el hecho de que el art. 23.1 CE garantice un derecho cuyo ejercicio requiere la intervención del legislador no puede significar, obviamente, que cualquier forma de participación en asuntos de interés social, económico, profesional, etc. prevista en la Ley pase a integrarse en el ámbito constitucionalmente protegido por el mencionado precepto. La forma de razonar debe ser más bien la contraria: sólo cuando estamos en el ámbito de la participación política a que se refiere el art. 23.1 CE la violación de una concreta forma de participación legalmente prevista puede traducirse en una violación del derecho fundamental. Desde esta perspectiva debe de entenderse la afirmación de este Tribunal —recogida por los recurrentes su la demanda de amparo— de que el art. 23.1 CE no garantiza «un derecho a que los ciudadanos participen en todos los asuntos públicos, cualquiera que sea su índole y su condición, pues para participar en los asuntos concretos se requiere un especial llamamiento, o una especial competencia, si se trata de órganos públicos, o una especial legitimación si se trata de Entidades o sujetos de Derecho privado, que la Ley puede, en tal caso, organizar» (STC 51/1984, fundamento jurídico 2.1). Ese especial llamamiento, necesario para cualquier tipo de participación, debe ser además un llamamiento a intervenir directamente en la toma de decisiones políticas para que pueda considerarse como una facultad incluida en el ámbito constitucionalmente protegido del derecho de participación ex art. 23.1 CE

En consecuencia, para determinar si estamos o no ante un derecho de participación política, encuadrable en el art. 23.1 CE, habrá que atender, no sólo a la naturaleza y forma del llamamiento, sino también a su finalidad: sólo allí donde la llamada a la participación comporte, finalmente, el ejercicio, directo o por medio de representantes, del poder político —esto es, sólo allí donde se llame al pueblo como titular de ese poder— estaremos en el marco del art. 23.1 CE y podrá, por consiguiente, aducirse el derecho fundamental que aquí examinamos.

El derecho a la participación política directa: el referendum —STC 103/2008, de 11 de septiembre[2]—

La Sentencia resuelve el recurso de inconstitucionalidad interpuesto por el Presidente del Gobierno contra la Ley del Parlamento Vasco 9/2008, de 27 de junio, «de convocatoria y regulación de una consulta popular al objeto de recabar la opinión ciudadana en la Comunidad Autónoma del País Vasco sobre la apertura de un proceso de negociación para alcanzar la paz y la normalización política».

FJ 2. [...] El referéndum es un instrumento de participación directa de los ciudadanos en los asuntos públicos, esto es, para el ejercicio del derecho fundamental reconocido en el art. 23.1 CE. No es cauce para la instrumentación de cualquier derecho de participación, sino específicamente para el ejercicio del derecho de participación política, es decir, de aquella participación «que normalmente se ejerce a través de representantes y que, excepcionalmente, puede ser directamente ejercida por el pueblo» (STC 119/1995, de 17 de julio, FJ 3). Es, por tanto, una forma de democracia directa y no una mera manifestación «del fenómeno participativo que tanta importancia ha tenido y sigue teniendo

---

2   Sobre el ámbito de la comptencia estatal en materia de referéndum, *vid.* también SSTC 137/2015, de 11 de junio, FJ 4; 51/2017, de 10 de mayo, FJ 5 b); 90/2017, de 5 de julio, FJ 8.B.a); 114/2017, de 17 de octubre, FJ 3.

en las democracias actuales y al que fue especialmente sensible nuestro constituyente», que lo ha formalizado como «un mandato de carácter general a los poderes constituidos para que promuevan la participación en distintos ámbitos» (arts. 9.2 y 48 CE) o como un verdadero derecho subjetivo (así, por ejemplo, arts. 27.5 y 7, 105 y 125 CE). Las formas de participación no reconducibles a las que se conectan con el derecho fundamental reconocido en el art. 23.2 CE son «formas de participación que difieren [de aquéllas] no sólo en cuanto a su justificación u origen, sino también respecto de su eficacia jurídica que, por otra parte, dependerá en la mayoría de los casos de lo que disponga el legislador (aunque en su labor configuradora esté sometido a límites como los derivados de la interdicción de la arbitrariedad —art. 9.3 CE— y del derecho de igualdad —art. 14 CE). No puede aceptarse, sin embargo, que sean manifestaciones del derecho de participación que garantiza el art. 23.1 de la Constitución, pues no sólo se hallan contempladas en preceptos diferentes de la Constitución, sino que tales preceptos obedecen a manifestaciones de una ratio bien distinta: en el art. 23.1 CE se trata de las modalidades —representativa y directa— de lo que en el mundo occidental se conoce por democracia política, forma de participación inorgánica que expresa la voluntad general» (STC 119/1995, de 17 de julio, FJ 4), en la que no tienen cabida otras formas de participación en las que se articulan voluntades particulares o colectivas, pero no generales, esto es, no imputables al cuerpo electoral.

El referéndum es, por tanto, una especie del género «consulta popular» con la que no se recaba la opinión de cualquier colectivo sobre cualesquiera asuntos de interés público a través de cualesquiera procedimientos, sino aquella consulta cuyo objeto se refiere estrictamente al parecer del cuerpo electoral (expresivo de la voluntad del pueblo: STC 12/2008, de 29 de enero, FJ 10) conformado y exteriorizado a través de un procedimiento electoral, esto es, basado en el censo, gestionado por la Administración electoral y asegurado con garantías jurisdiccionales específicas, siempre en relación con los asuntos públicos cuya gestión, directa o indirecta, mediante el ejercicio del poder político por parte de los ciudadanos constituye el objeto del derecho fundamental reconocido por la Constitución en el art. 23 (así, STC 119/1995, de 17 de julio). Para calificar una consulta como referéndum o, más precisamente, para determinar si una consulta popular se verifica «por vía de referéndum» (art. 149.1.32 CE) y su convocatoria requiere entonces de una autorización reservada al Estado, ha de atenderse a la identidad del sujeto consultado, de manera que siempre que éste sea el cuerpo electoral, cuya vía de manifestación propia es la de los distintos procedimientos electorales, con sus correspondientes garantías, estaremos ante una consulta referendaria.

En tanto que instrumento de participación directa en los asuntos públicos, el referéndum es, junto con el instituto de la representación política, uno de los dos cauces de conformación y expresión de la voluntad general. Pero conviene destacar que se trata de un cauce especial o extraordinario, por oposición al ordinario o común de la representación política, pues no en vano el art. 1.3 CE «proclama la Monarquía parlamentaria como forma de gobierno o forma política del Estado español y, acorde con esta premisa, diseña un sistema de participación política de los ciudadanos en el que priman los mecanismos de democracia representativa sobre los de participación directa», siendo así que «el propio Texto constitucional, al regular las características de los instrumentos de participación directa, restrin[ge] su alcance y condiciones de ejercicio», de suerte que, en el caso de otra manifestación típica de la democracia directa, como es la iniciativa legislativa popular, su ejercicio «sobre determinadas materias, por lo delicado de su naturaleza o por las implicaciones que entrañan, qued[a] reservado a la mediación de los representantes políticos» (STC 76/1994, de 14 de marzo, FJ 3). Ello sin olvidar que, en todo caso, «el derecho a participar directamente en los asuntos públicos, como todos los derechos que la Constitución establece, no puede sino ejercerse en la forma jurídicamente prevista en cada caso. Lo contrario, lejos de satisfacer las exigencias de la soberanía popular, supondría la imposibilidad misma de la existencia del ordenamiento, a cuya obediencia todos —ciudadanos y poderes públicos— vienen constitucionalmente obligados (art. 9.1 CE)» (STC 76/1994, FJ 3).

En nuestro sistema de democracia representativa, en el que la voluntad soberana tiene su lugar natural y ordinario de expresión en las Cortes Generales (art. 66.1 CE) y las voluntades autonómicas en los respectivos Parlamentos de las Comunidades Autónomas, los mecanismos de participación directa en los asuntos públicos quedan restringidos a aquellos supuestos en los que la Constitución expresamente los impone (caso de la reforma constitucional por la vía del art. 168 CE y de los procedimientos de elaboración y reforma estatutarios previstos en los arts. 151.1 y 2 y 152.2 CE) o a aquellos que, también expresamente contemplados, supedita a la pertinente autorización del representante del pueblo soberano (Cortes Generales) o de una de sus Cámaras. [...]

Así, la participación directa del cuerpo electoral en el procedimiento legislativo se restringe al ejercicio de una facultad de iniciativa (art. 87.3 CE) sobre cuya suerte deciden con perfecta autonomía, y ajenas a todo mandato imperativo (art. 67.2 CE), las Cortes Generales, del mismo modo que la manifestación de su voluntad respecto de determinados asuntos de trascendencia política a través del referéndum sólo puede verificarse si media la oportuna autorización del Congreso de los Diputados (art. 92.2 CE), autorización que, por lo demás, es inexcusable por necesaria para que la voluntad expresada con la consulta sea efectivamente la del cuerpo electoral, órgano que sólo se manifiesta válida y legítimamente a través de un procedimiento con todas las garantías propias de los procesos electorales, entre ellas el concurso del Poder Judicial del Estado, sea en el ejercicio de la jurisdicción contencioso-electoral, sea con la participación de Jueces y Magistrados en la composición de las Juntas Electorales. Y dicho concurso sólo es posible, como es connatural a la configuración constitucional del Poder Judicial y al estatuto de los Jueces y Magistrados, de acuerdo con la regulación estatal establecida al efecto.

Rasgos del referéndum como especie del género 'consulta popular' —STC 31/2015, de 25 de febrero—

La Sentencia resuelve el recurso de inconstitucionalidad interpuesto por el Presidente del Gobierno contra los artículos 3 a 39; las Disposiciones Transitorias primera y segunda; y la Disposición Final primera de la Ley del Parlamento de Cataluña 10/2014, de 26 de septiembre, de consultas populares no referendarias y otras formas de participación ciudadana.

FJ 5. [...] Lo hasta aquí señalado permite extraer ya algunas consideraciones que han de servirnos para discernir si las consultas reguladas en la Ley autonómica impugnada participan de la naturaleza de los referendos:

a) El primero de sus rasgos definidores radica, pues, en que, a través del referéndum, se produce un llamamiento del poder público a la ciudadanía para ejercer el derecho fundamental de participación en los asuntos públicos reconocido en el art. 23.1 CE. El destinatario de la consulta es el conjunto de ciudadanos que tienen reconocido el derecho de sufragio activo en un determinado ámbito territorial o, lo que es lo mismo, el cuerpo electoral.

Ha quedado identificado de esta suerte el cuerpo electoral con el sujeto que expresa la voluntad del pueblo (SSTC 12/2008, de 29 de enero, FJ 10; y 31/2010, de 28 de junio, FJ 69), sin perjuicio de que, como aclaramos en la STC 13/2009, de 19 de enero, FJ 16, «el cuerpo electoral no se confunde con el titular de la soberanía, esto es, con el pueblo español (art. 1.2 CE). Este cuerpo electoral está sometido a la Constitución y al resto del Ordenamiento jurídico (art. 9.1 CE), en tanto que el pueblo soberano es la unidad ideal de imputación del poder constituyente y como tal fundamento de la Constitución y del Ordenamiento».

Conviene advertir que, dado que el cuerpo electoral tiene una adscripción territorial y presenta la composición determinada por el ordenamiento, no existe un único cuerpo de electores, en la medida en que una misma persona podrá formar parte de diversos cuerpos electorales en función de constituir la colectividad de cada uno de los distintos ordenamientos estatal, autonómico o local.

De modo distinto, las consultas no referendarias recaban, en cambio, la opinión de cualquier colectivo (STC 31/2010, de 28 de junio, FJ 69), por lo que articulan «voluntades particulares o colectivas, pero no generales, esto es, no imputables al cuerpo electoral» (STC 103/2008, de 11 de septiembre, FJ 2). Frente a las formas de participación política, en las que se interviene en cuanto ciudadano (uti cives), en las consultas populares no referendarias se participa a título individual (uti singulus) o como miembro de un colectivo, sea social, económico, cultural o de otra índole (uti socius).

b) Un segundo elemento ínsito en el concepto de referéndum estriba en que la opinión del cuerpo electoral se expresa por medio del sufragio emitido en el curso de un proceso electoral, a fin de que el resultado de la consulta pueda jurídicamente imputarse a la voluntad general de la correspondiente comunidad política y, de este modo, considerarse una genuina manifestación del derecho fundamental de participación política reconocido en el art. 23.1 CE.

No cabe olvidar que el derecho a participar directamente en los asuntos públicos, como todos los derechos que la Constitución establece, no puede sino ejercerse en la forma jurídicamente prevista en cada caso. Lo contrario, lejos de satisfacer la exigencias de la soberanía popular, supondría la imposibilidad misma de la existencia del ordenamiento jurídico, a cuya obediencia todos —ciudadanos y poderes públicos— vienen constitucionalmente obligados (STC 103/2008, de 11 de septiembre, FJ 2). Esa exigencia se encuentra implícitamente contenida en el art. 92.3 CE, al decir que una ley orgánica regulará las condiciones «y el procedimiento» de las distintas modalidades de referéndum previstas en la Constitución.

Por esta razón, el referéndum ha de realizarse de acuerdo con los procedimientos y con las garantías que permitan a los consultados expresar su opinión mediante votación, pues sólo mediante el voto puede formarse la voluntad del cuerpo electoral (SSTC 12/2008, de 29 de enero, FJ 10; y 103/2008, de 11 de septiembre, FJ 2). Solo a través del sufragio (y no por medio de otras fórmulas de exteriorización de la opinión, como el ejercicio del derecho de manifestación, la aportación de firmas, sondeos de opinión o encuestas, etc.) puede quedar acreditado que el resultado de la consulta sea la fidedigna expresión de la voluntad del cuerpo electoral, de modo que las exigencias del procedimiento de celebración de referéndum deben ser entendidas como medios orientados a un fin: garantizar la realidad y veracidad del juicio emitido por el cuerpo electoral.

FJ 8. [...] [U]n llamamiento a un cuerpo electoral más amplio que el configurado por la legislación electoral general [...] no por ello deja de ser una verdadera apellatio ad populum. La circunstancia de que la consulta pueda extenderse a menores de dieciocho años y a los nacionales de Estados miembros de la Unión Europea o de terceros Estados, no obsta para que sus resultados sean imputables al parecer de la ciudadanía de la Comunidad Autónoma y considerarse expresivos de su voluntad general en relación con los asuntos que se les planteen en cada caso. El cuerpo electoral conformado en el art. 5.1 de la Ley, aunque lo desborda, abarca al conjunto de la ciudadanía de la Comunidad Autónoma de Cataluña o del ente territorial local, cuyos sufragios no exteriorizan meras voluntades particulares o de colectivos sectoriales sino su voluntad general uti cives. En cualquier caso, los menores de 18 años son convocados en su condición «política» de catalanes y los extranjeros en cuanto «nacionales» de otros Estados, es decir, en la condición más genérica de ciudadanía que les es aplicable.

Participación política directa mediante la iniciativa legislativa popular —STC 19/2015, de 16 de febrero—

La Sentencia resuelve el recurso de amparo promovido por doña C.F.L. y otros contra el acuerdo de la Mesa del Parlamento de Cataluña de 27 de marzo de 2012, por el que se desestima la reconsideración de la resolución de 20 de marzo de 2012, por la que se acordó dejar sin efecto el acuerdo de 29 de noviembre de 2011 de admisión a trámite de la iniciativa legislativa popular «Per la igualtat d'oportunitats en el sistema educatiu català». Entienden los recurrentes que dicha resolución asume una interpretación de la legislación aplicable que vulnera sus derechos de participación política.

FJ 2. La jurisprudencia constitucional que puede resultar relevante para este caso, en relación con el derecho de participación política (art. 23.1 CE), puede resumirse en los siguientes aspectos:

a) El art. 23.1 CE reconoce el derecho de los ciudadanos a participar en los asuntos públicos, directamente o por medio de representantes. La Constitución, al establecer que la Monarquía parlamentaria es la forma de gobierno o forma política del Estado español (art. 1.3 CE), diseña un sistema de participación política de los ciudadanos en el que priman los mecanismos de democracia representativa. No obstante, también la Constitución reconoce concretos instrumentos de democracia directa como es la iniciativa legislativa popular (art. 87.3 CE; SSTC 119/1995, de 17 de julio, FJ 3, o 103/2008, de 11 de septiembre, FJ 2), cuyo ejercicio debe desarrollarse en la forma jurídicamente prevista en cada caso al ser un derecho de configuración legal (STC 76/1994, de 14 de marzo, FJ 3).

b) La iniciativa legislativa popular en el marco del ejercicio de las competencias autonómicas, una vez regulado su uso por los Estatutos y la legislación autonómica, también forma parte del derecho que tienen los ciudadanos a participar directamente en los asuntos públicos reconocido en el art. 23.1 CE, en la concreta configuración legal que le sea dada (ATC 428/1989, de 21 de julio, FJ 3).

c) La legislación autonómica configura los perfiles específicos de esta modalidad de iniciativa de los ciudadanos y, como sucede con otros derechos de configuración legal, no toda infracción de la ley autonómica reguladora de la iniciativa se traduce en una lesión del derecho fundamental. De ese modo, la vulneración del art. 23.1 CE no se deriva de la mera existencia de irregularidades en el procedimiento de tramitación con ocasión del ejercicio de la iniciativa, sino de «la presencia de una relación causal entre irregularidad procedimental y transgresión del contenido del derecho fundamental, de suerte que se haga evidente la imposibilidad de ejercicio de la iniciativa popular en virtud de obstáculos imprevisibles e insalvables» (ATC 140/1992, de 25 de mayo, FJ 2).

d) La iniciativa legislativa popular como instrumento de participación directa de los ciudadanos en la función legislativa, a través de la facultad de propuesta, y de comunicación con los representantes en el parlamento tiene también el sentido de buscar «forzar el debate político y obligar a que los distintos Grupos de la Cámara y esta misma tengan que tomar expresa posición sobre un asunto o tema determinado» (STC 40/2003, de 27 de febrero, FJ 7). Con independencia, por tanto, de que la propuesta prospere ante el Pleno, la función principal de este cauce de participación se habrá conseguido haciendo posible que los ciudadanos puedan conocer «lo que sus representantes piensan sobre una determinada materia, así como sobre la oportunidad o no de su regulación legal, y extraer sus propias conclusiones acerca de cómo aquéllos asumen o se separan de lo manifestado en sus respectivos programas electorales» (STC 124/1995, de 18 de julio, FJ 3). Por tanto, en la medida en que se incidiría sobre esta concreta finalidad de la iniciativa legislativa popular, «una decisión de inadmisión que no se ajustase a las causas legales al efecto establecidas entrañaría una vulneración del derecho fundamental consagrado en el art. 23.1 CE» (ATC 428/1989, de 21 de julio, FJ 3).

e) La decisión de la Mesa de la Cámara respecto de la admisión de la iniciativa es un acto reglado que tiene por objeto comprobar que la iniciativa cumple con los requisitos de forma y que no tiene por objeto materias excluidas. En ese sentido, al igual que se ha afirmado respecto de otras funciones calificadoras de la Mesa, se trata de un control estrictamente normativo y no de oportunidad, ya que cumplen la función jurídico-técnica de ordenar y racionalizar el funcionamiento de las Cámaras para su mayor eficiencia como foro de debate y participación de la cosa pública (STC 191/2013, de 18 de noviembre, FJ 3), que debe ejercerse respetando, además, la dimensión material del deber de motivación que exige motivar expresa, suficiente y adecuadamente la aplicación de las normas cuando pueda resultar de la misma una limitación al ejercicio de los derechos reconocidos en el art. 23 CE (STC 40/2003, de 27 de febrero, FJ 6).

f) En la medida en que así esté previsto normativamente, resulta posible que la Mesa de una Cámara, tras una inicial decisión de admisión a trámite de una propuesta legislativa, deje sin efecto la misma cuando el Gobierno ejerza una potestad de oposición vinculada a razones de impacto presupuestario de la iniciativa. Además, por afectar a las relaciones Parlamento-Gobierno, en esos casos el control que debe ejercer por este Tribunal en vía de amparo debe ser de una menor intensidad (STC 242/2006, de 24 de julio, FJ 6).

FJ 4. [...] [C]onforme a la normativa expuesta, se pone de manifiesto que la iniciativa legislativa popular es una forma más, junto con la iniciativa legislativa del gobierno y la de los grupos parlamentarios, de iniciar un procedimiento legislativo. Igualmente, esta normativa permite concluir que, aunque no exista una superior legitimación de este tipo de iniciativas por su origen, sin embargo la especificidad que supone su configuración como un instrumento de democracia directa dentro del desarrollo de los mecanismos de democracia representativa de la función legislativa determina significativas peculiaridades respecto de la regulación dispensada a otro tipo de iniciativas legislativas. De ese modo, la iniciativa legislativa popular cuenta en la Ley de iniciativa legislativa popular de Cataluña con una regulación específica y diferenciada del trámite de admisibilidad respecto de la dispensada por el Reglamento del Parlamento de Cataluña para las que provienen de la iniciativa de los grupos parlamentarios, ya que si bien comparten el órgano competente para decidir sobre la admisión —la Mesa del Parlamento— y el carácter estrictamente técnico y tasado de la valoración a realizar por este órgano de la cámara, difieren en cuanto a las causas de inadmisibilidad, que para una iniciativa legislativa popular son las establecidas en el art. 6.2 de la Ley de iniciativa legislativa popular de Cataluña, entre las que no aparece la disconformidad presupuestaria del Gobierno. Del mismo modo, una segunda peculiaridad establecida en la Ley de iniciativa legislativa popular de Cataluña radica en que el efecto de la decisión de admisión de la Mesa del Parlamento no implica su inmediata tramitación parlamentaria sino que, en coherencia con su carácter de instrumento de democracia directa, lo que abre es el plazo de recogida de firmas de apoyo ciudadano regulado en el capítulo III de la Ley de iniciativa legislativa popular de Cataluña, que culmina, si el número de firmas válidas es igual o superior a 50.000, con la comunicación a la Mesa del Parlamento de esa circunstancia. A partir de ello es cuando se perfecciona la proposición de ley derivada de una iniciativa legislativa popular y, sin necesidad de una ulterior decisión sobre admisibilidad de la Mesa del Parlamento, se procede a tramitación parlamentaria también con distintas peculiaridades, que ahora no resultan relevantes.

FJ 6. [...] Pues bien, tomando en consideración lo anteriormente expuesto, desde una perspectiva constitucional, único parámetro de control a que debe atenderse en esta jurisdicción de amparo, basta con poner de manifiesto que esa interpretación (de la Mesa del Parlamento) y las razones de eficiencia que la sustentan han supuesto una incidencia directa en el núcleo esencial del derecho a la participación de los ciudadanos en los asuntos públicos (art. 23.1 CE). Ha impedido, en los términos en que está legalmente establecido, el normal desarrollo de una campaña de recogida de firmas que permitiera dar a conocer las razones de la iniciativa y conciliar el apoyo popular necesario a que tenían derecho los recurrentes, como miembros de la comisión promotora de la iniciativa, una vez que la Mesa del Parlamento ya había acordado la apertura de ese trámite y, con ello, que pudiera a llegar a perfeccionarse esta iniciativa y, en su caso, que los ciudadanos pudieran conocer lo que sus representantes piensan sobre la materia objeto de la iniciativa, así como sobre la oportunidad o no de su regulación legal, y extraer sus propias conclusiones acerca de cómo aquéllos asumen o se separan de lo manifestado en sus respectivos programas electorales.

La iniciativa legislativa popular y su tramitación parlamentaria —STC 213/2016, de 15 de diciembre—.

La Sentencia resuelve recurso de inconstitucionalidad promovido por más de cincuenta diputados del Grupo Parlamentario Socialista en el Congreso contra la Ley 1/2013, de 14 de mayo, de medidas para reforzar la protección a los deudores hipotecarios, reestructuración de deuda y alquiler social, fruto de una iniciativa legislativa popular. El recurso se dirige, entre otras cuestiones, contra la presentación por el Grupo Parlamentario Popular de enmiendas al articulado de la proposición de ley original que, a su juicio, constituían una enmienda a la totalidad con texto alternativo, así como contra la decisión de la Mesa del Congreso de no someter a deliberación la propuesta de avocación al Pleno de esa iniciativa, que comportó la desaparición del texto original. Entiende el recurso que dichas actuaciones vulneran, entre otros, los artículos 23.1 y 23.2 CE.

FJ 4. i) [...] [D]ebemos recordar que si bien la materia y el objeto del procedimiento lo delimita el autor de la iniciativa legislativa, ello no obsta a que a través del ejercicio del derecho de enmienda los representantes de los ciudadanos puedan incidir en el texto de la iniciativa, rechazándolo (enmienda de totalidad con devolución del texto), alterándolo (enmienda de totalidad con proposición de texto alternativo) o modificándolo (enmiendas parciales de modificación, supresión o adición) (STC 136/2011, de 13 de septiembre, FJ 6). A ello ha de añadirse que, como ya dijimos en la STC 129/2013, de 4 de junio, "el principio democrático consagrado por nuestra Constitución (art. 1.1 CE) impone que la formación de la voluntad se articule a través de un procedimiento en el que opera el principio mayoritario y, por tanto, la consecución de una determinada mayoría como fórmula para la integración de voluntades concurrentes" [SSTC 136/2011, de 13 de septiembre, FJ 5; 176/2011, de 8 de noviembre, FJ 2 c), y 209/2012, 14 de noviembre, FJ 2].

Por lo tanto, el hecho de que el grupo parlamentario mayoritario hubiera presentado enmiendas, que no se entendieron por el órgano que tiene encomendada la función de calificación y admisión de las mismas como una enmienda a la totalidad con texto alternativo, y que se aprobasen las mismas, no comporta, por las razones aducidas por los recurrentes, vulneración constitucional alguna, sino que deriva del derecho de enmienda y del principio mayoritario, en los términos anteriormente señalados. [...]

iii) [...] Tampoco observamos una sustracción de los derechos derivados del ejercicio de la función representativa contenidos en el art. 23.2 CE, pues se ejercieron sin restricción, no sólo en el momento de la presentación y admisión de la iniciativa legislativa popular por la Mesa, sino que, una vez pasado el texto a la comisión parlamentaria, se presentaron enmiendas a los proyectos posteriormente acumulados y se abrió turno para la intervención en el debate, en la ponencia y en las subsiguientes fases de la tramitación en la Comisión de economía y competitividad del texto unificado propuesto. Recordemos finalmente, de nuevo, que estamos en presencia de un derecho de configuración legal, y que esa configuración corresponde a los Reglamentos parlamentarios, a los que compete regular y ordenar los derechos y atribuciones que ostentan sus miembros (STC 27/2000, de 31 de enero, FJ 4). Todo lo cual nos lleva a desestimar la alegación de los recurrentes, porque las facultades que reclaman como integrantes de su ius in officium, sencillamente no están reconocidas como tales en el Reglamento parlamentario, no existiendo tampoco cobertura legal alguna para la pretensión de los recurrentes de mantenimiento del texto íntegro que se presentó como iniciativa legislativa popular.

El derecho de participación en asuntos públicos y los partidos políticos —STC 48/2003, de 12 de marzo (*vid.* ARTÍCULO 16; *vid.* también ARTÍCULO 22 CE)[3]—

FJ 5. [...] Con toda claridad quedó ya dicho en la STC 3/1981, de 2 de febrero, que «un partido es una forma particular de asociación», sin que el art. 22 CE excluya «las asociaciones que tengan una finalidad política» (FJ 1). En ello no se agota, sin embargo, su realidad, pues el art. 6 de la Constitución hace de ellos expresión del pluralismo político e instrumento fundamental para la participación política mediante su concurso a la formación y manifestación de la voluntad popular. Les confiere, pues, una serie de funciones de evidente relevancia constitucional, sin hacer de ellos, sin embargo, órganos del Estado o titulares del poder público. Los partidos políticos, en efecto, «no son órganos del Estado... [y] la trascendencia política de sus funciones... no altera su naturaleza [asociativa], aunque explica que respecto de ellos establezca la Constitución la exigencia de que su estructura interna y su funcionamiento sean democráticos» (STC 10/1983, de 21 de febrero, FJ 3). Se trata, por tanto, de asociaciones cualificadas por la relevancia constitucional de sus funciones; funciones que se resumen en su vocación de integrar, mediata o inmediatamente, los órganos titulares del poder público a través de los procesos electorales. No ejercen, pues, funciones públicas, sino que proveen al ejercicio de tales funciones por los órganos estatales; órganos que actualizan como voluntad del Estado la voluntad popular que los partidos han contribuido a conformar y manifestar mediante la integración de voluntades e intereses particulares en un régimen de pluralismo concurrente. Los partidos son, así, unas instituciones jurídico-políticas, elemento de comunicación entre lo social y lo jurídico que hace posible la integración entre gobernantes y gobernados, ideal del sistema democrático. Conformando y expresando la voluntad popular, los partidos

---

3   *Vid.* también SSTC 199/1987, de 16 de diciembre; 5/2004, de 16 de enero; 68/2005, de 31 de marzo; 138/2012, de 20 de junio.

contribuyen a la realidad de la participación política de los ciudadanos en los asuntos públicos (art. 23 CE), de la que ha de resultar un ordenamiento integrado por normas que si en su procedimiento formal de elaboración han de ajustarse a la racionalidad objetivada del Derecho positivo, en su contenido material se determinan por el juego de las mayorías que en cada momento respalden las diferentes opciones ideológicas y políticas, conformadas y aglutinadas por los partidos a través de la concurrencia de sus programas de gobierno en los distintos procesos electorales.

Participación política a través de representantes: inconstitucionalidad de medidas que dificulten el ejercicio del derecho de sufragio activo —STC 189/1993, de 14 de julio—

La Sentencia resuelve el recurso de amparo promovido por la Federación de Comisiones Obreras del Metal y Sindicato de Metal de Comisiones Obreras de Ávila contra las Sentencias del Juzgado de lo Social de Ávila, de fecha 26 de junio de 1988, y de la Sala de lo Social del Tribunal Superior de Justicia de Castilla y León, de 2 de marzo de 1990. Denuncian las recurrentes que las citadas Sentencias vulneraron, entre otros, el principio de igualdad y los derechos fundamentales de participación política (artículos 14 y 23 CE), al estimar la constitucionalidad de la estipulación del incentivo especial por reducción del absentismo, previsto en el apartado 2, Anexo 10, del VI Convenio Colectivo para la empresa Nissan Motor Ibérica, S.A., Fábrica de Ávila, que computa como horas reales de absentismo las debidas al ejercicio, además del derecho de huelga, de elecciones de todo tipo.

FJ 5. [...] La posibilidad de ausentarse del trabajo para participar en las consultas electorales, mediante la concesión a los trabajadores de un permiso retribuido, aunque derive de una norma infraconstitucional, (el Real Decreto correspondiente que se dicta en ciertas convocatorias electorales al amparo del art. 37.3 ET), se configura como un acto de ejecución de un derecho fundamental. La importancia que el derecho de sufragio tiene en el sistema democrático justifica que los poderes públicos traten de favorecer la participación de quienes tienen mayores dificultades para votar, concretamente los trabajadores por cuenta ajena, mediante el establecimiento de un permiso retribuido para ejercerlo, sin que ello, como este Tribunal ha declarado en ATC 346/1991, sea arbitrario o discriminatorio. Es justificable que, a aquellos que por razón del trabajo por cuenta ajena no pueden disponer de la jornada completa para votar, se les habilite, bien que no sea preciso, un tiempo dedicado a la emisión del voto en el horario en que el trabajo ha de prestarse, compensando una gravosa situación. Habiéndose previsto dicha ventaja para hacer efectivo el ejercicio del derecho al sufragio, no se compadece bien con la índole de este derecho, que por convenio colectivo, contrato de trabajo o decisión unilateral del empresario se establezcan incentivos tendentes a contrarrestar o enervar la finalidad de la ventaja reconocida a los trabajadores.

Esta obstaculización se ha producido en el presente caso como consecuencia de la inclusión de las elecciones políticas en el porcentaje de absentismo para calcular el incentivo económico tantas veces citado, porque, al configurarse el permiso como un derecho o facultad adicional al sufragio pero integrado en el contenido de éste (SSTC 9/1988 y 51/1988), su uso, que no puede conllevar ninguna consecuencia perjudicial para el trabajador que ejerce tal derecho de ausentarse para votar, tiene sin embargo aquí repercusiones negativas para la totalidad de los trabajadores en cuanto que el cómputo del tiempo para votar junto con otras causas de inasistencia al trabajo puede determinar la pérdida de todo un incentivo económico de vencimiento anual, superados ciertos niveles de absentismo.

Todo ello, sin perjuicio de que el computo de tales ausencias puede llevar a dificultar la participación de los trabajadores en las consultas electorales, coaccionándoles al no ejercicio de su derecho de sufragio. No cabe argumentar, como hace la empresa que no se ha limitado para nada este derecho porque, de un lado, en la única consulta electoral —concretamente al Parlamento Europeo— hiciera uso del derecho al voto el 95 por 100 de los trabajadores, y, de otro, todos hayan percibido el plus, pues por encima de la nula repercusión practica, es lo cierto que se ha recortado su libertad para el ejercicio del derecho de sufragio ya que pesaba sobre ellos la eventual privación de dicho incentivo, lo que no es admisible desde el ámbito del derecho de sufragio activo. La cláusula paccionada, en cuanto integra dentro de las causas del índice de absentismo determinante de la adquisición o pérdida del incentivo la participación en los procesos electorales políticos, desde un punto de vista objetivo, olvida que el fomento de la productividad no puede nunca erigirse en obstáculo que dificulte la participación de los trabajadores en la vida política (art. 9.2 CE), por lo que, al erigirse en un estímulo de absentismo, ha de merecer el mayor reproche desde el prisma de las exigencias de todo sistema democrático y desde el subjetivo, que aquí interesa, constituye una vulneración del art. 23.1 CE.

El derecho de sufragio en las elecciones locales —STC 153/2014, de 25 de septiembre—

La Sentencia resuelve el recurso de inconstitucionalidad promovido por el Gobierno de Canarias contra el artículo único, apartados uno, veintiocho y cincuenta y cinco de la Ley Orgánica 2/2011, de 28 de enero, por la que se modifica la Ley Orgánica 5/1985, de 19 de junio, del régimen electoral general. El recurrente denuncia que las modificaciones impugnadas suponen la derogación del derecho de sufragio en las elecciones de los entes locales allí contemplados de las personas españolas residentes en el extranjero, por cuanto para poder ejercer el derecho de sufragio activo en dichos comicios se requiere la inscripción en el censo de españoles residentes en España. Ello, denuncia, vulnera el principio de igualdad del artículo 14 CE en conexión, principalmente, con los artículos 13 y 23 CE.

FJ 3. [...] a) [...] Hasta la modificación operada por la Ley Orgánica 2/2011 se ha venido reconociendo a los españoles residentes en el extranjero el derecho de sufragio activo en los distintos procesos electorales. Ha de dejarse constancia, no obstante, de las tendencias contemporáneas que buscan, en cierta medida, disociar la nacionalidad del derecho de sufragio en las elecciones locales y su progresiva vinculación a la residencia y a la vecindad, habida cuenta de la relevante importancia del fenómeno migratorio. Es por ello, que desde distintas instancias se ha considerado que dicha vinculación, a la vez que conduce a plantearse, por un lado, la posibilidad de reconocer y ampliar el derecho de sufragio de los extranjeros residentes en los distintos municipios en las elecciones locales, por otro lado, llevaría a restringir el de los españoles que no residen efectivamente en los mismos.

Sin que sea escasa la atención que la doctrina ha dedicado a este fenómeno, en el informe del Consejo de Estado, de 24 de febrero de 2009, que está en el origen de la reforma electoral de 2011, se destaca, en el caso de las elecciones municipales, la absoluta excepcionalidad del reconocimiento del derecho de voto a los nacionales residentes ausentes desde una perspectiva comparada del Derecho extranjero; asimismo, no han sido pocos los estudios e informes en los que se han puesto de manifiesto a lo largo de estos años las disfuncionalidades o distorsiones que ha provocado en algunos casos el voto de los españoles residentes en el extranjero que, incluso, en algunos municipios, superaban en su correspondiente inscripción censal a los residentes en sentido estricto.

Pues bien ha de recordarse que, según constante doctrina de este Tribunal acerca del alcance de la igualdad en la actividad del legislador, son precisas la concurrencia de una serie de circunstancias como la identidad de supuestos a los que se somete el juicio relacional o de contraste, así como la justificación objetiva y razonable que sustente un eventual trato desigual que, entonces, no podrá reputarse arbitrario, así: «este Tribunal tiene declarado, desde la STC 22/1981, de 2 de julio, recogiendo al respecto la doctrina del Tribunal Europeo de Derecho Humanos, que 'el principio de igualdad no implica en todos los casos un tratamiento legal igual con abstracción de cualquier elemento diferenciador de relevancia jurídica, de manera que no toda desigualdad de trato normativo respecto a la regulación de una determinada materia supone una infracción del mandato contenido en el art. 14 CE, sino tan sólo las que introduzcan una diferencia entre situaciones que puedan considerarse iguales, sin que se ofrezca y posea una justificación objetiva y razonable para ello, pues, como regla general, el principio de igualdad exige que a iguales supuestos de hecho se apliquen iguales consecuencias jurídicas y, en consecuencia, veda la utilización de elementos de diferenciación que quepa calificar de arbitrarios o carentes de una justificación razonable. Lo que prohíbe el principio de igualdad, en suma, son las desigualdades que resulten artificiosas o injustificadas por no venir fundadas en criterios objetivos y razonables, según criterios o juicios de valor generalmente aceptados. También es necesario, para que sea constitucionalmente lícita la diferencia de trato, que las consecuencias jurídicas que se deriven de tal distinción sean proporcionadas a la finalidad perseguida, de suerte que se eviten resultados excesivamente gravosos o desmedidos' (SSTC 200/2001, de 4 de octubre, FJ 4; y 88/2005, de 18 de abril, FJ 5, por todas)» (STC 84/2008, de 21 de julio, FJ 6). En virtud de dicha doctrina, [...] la decisión del legislador orgánico de 2011, que se enmarca en el seno de otras modificaciones del censo de españoles residentes ausentes, no se encuentra desprovista de justificación, pues como aparece expresamente en el preámbulo de la Ley Orgánica 2/2011, la modificación de los apartados controvertidos busca seguir la «recomendación del Consejo de Estado, para unir indefectiblemente el ejercicio del derecho de sufragio en elecciones municipales, locales y forales a la condición de vecino de un municipio, tal y como dispone el artículo 140 de la Constitución Española y, por tanto, figurar inscrito en el Censo de Españoles Residentes en España». No se advierte, en consecuencia, lesión de la igualdad por parte de los preceptos impugnados.

b) Se denuncia la vulneración de los arts. 13.1, 23.1, 53.1 CE «y los restantes que configuran el sistema democrático de nuestro Estado, en particular, el artículo 68.5».

El recurrente entiende que la justificación del derecho de sufragio de los españoles residentes ausentes se justifica en su condición de nacionales (art. 13.1 en conexión con el 23.1 CE), que se conforma como condición para la titularidad del derecho. Sin que pueda negarse la misma, añade, el legislador electoral ha conculcado el contenido esencial del art. 23.1 CE al conformar la inscripción de los españoles ausentes en el censo de españoles residentes como un requisito que otorga a dicho censo naturaleza constitutiva en contra de la doctrina de este Tribunal. A la luz de estas manifestaciones el recurrente afirma que no se puede dar primacía a la vecindad sobre la nacionalidad, puesto que el art. 140 CE hay que interpretarlo a la luz de otros preceptos constitucionales como el art. 68.5 que imponen el reconocimiento del derecho de sufragio de los españoles ausentes en todos los procesos electorales.

Cierto que los derechos de participación política no quedan restringidos al ámbito de las elecciones a las Cortes Generales, sino que se extienden a los entes territoriales en que se estructura el Estado, pues se «trata del derecho fundamental, en que encarna el derecho de participación política en el sistema democrático de un Estado social y democrático de Derecho, que consagra el art. 1 y es la forma de ejercitar la soberanía que el mismo precepto consagra que reside en el pueblo español. Por eso, la participación en los asuntos públicos a que se refiere el art. 23 es en primera línea la que se realiza al elegir los miembros de las Cortes Generales, que son los representantes del pueblo, según el art. 66 de la Constitución y puede entenderse asimismo que abarca también la participación en el gobierno de las Entidades en que el Estado se organiza territorialmente, de acuerdo con el art. 137 de la Constitución» (STC 51/1984, de 25 de abril, FJ 2). Pero indefectiblemente, dada la naturaleza de derecho de configuración legal que tiene el art. 23 CE, la participación ha de sustanciarse en los términos en que el precepto haya sido desarrollado por el legislador electoral (arts. 53.1 y 81.1 CE), siempre que dicho desarrollo no menoscabe el contenido esencial del derecho fundamental ni infrinja los preceptos constitucionales.

De acuerdo con ello, la Ley Orgánica 2/2011, al prever que para ejercer el sufragio en las elecciones municipales los electores deberán estar inscritos en el censo de españoles residentes en España, no ha alterado la naturaleza declarativa del censo electoral. En efecto, por este Tribunal se ha señalado «la conexión inescindible existente entre el derecho fundamental de sufragio y la inscripción censal, pues, dado que sólo tendrán la condición de electores, y podrán ser elegibles, los ciudadanos que figuren inscritos en el censo —y así lo reconoce la Ley vasca (arts. 2 y 4)—, la inclusión en éste constituye un requisito indispensable para el ejercicio del derecho de sufragio. Es cierto que se trata de dos derechos de naturaleza distinta —la inscripción censal es de naturaleza declarativa de la titularidad del derecho de voto y no constitutiva de la misma—, pero no existe un derecho a tal inscripción separado del de sufragio, y éste comprende el de ser inscrito en el censo» (STC 154/1988, de 21 de julio, FJ 3). Pero, siendo ello así, compete indudablemente al legislador electoral la determinación, en expresión de este mismo órgano de garantías constitucionales, de «quiénes pueden elegir» (STC 72/1984, de 14 de junio, FJ 4). [...]

La atribución por parte de la Constitución de los derechos de participación política a los ciudadanos españoles en los artículos 13.2 y 23.1 —con las excepciones a favor de los extranjeros que se disponen en el propio art. 13.2 CE— no es incompatible con la existencia en la propia Norma fundamental de preceptos que modulen su ejercicio en determinadas circunstancias, como lo es la vinculación del sufragio y la vecindad en las elecciones locales. En este sentido, el tenor del artículo es indudablemente claro cuando establece que «[l]os Concejales serán elegidos por los vecinos del municipio mediante sufragio universal, igual, libre, directo y secreto, en la forma establecida por la ley», elección que, como este Tribunal ha manifestado, hay que incardinar en el art. 23 CE: «el citado precepto exige que concejales y alcaldes sean elegidos democráticamente, como manifestación del derecho fundamental de participación en los asuntos públicos, consagrado en el art. 23 CE, en su doble vertiente de derecho a participar directamente o por representantes libremente elegidos y derecho de acceder en condiciones de igualdad a los cargos públicos. Los concejales son elegidos por sufragio universal, igual, libre directo y secreto en la forma establecida por la ley. El alcalde, por los concejales o por los vecinos. En definitiva, el art. 140 CE otorga una especial legitimación democrática al gobierno municipal, tanto en su función de dirección política, como de administración, que contrasta, sin duda, con el diseño que la propia Constitución establece para el Gobierno del Estado (art. 97 y 98 CE)» (STC 103/2013, de 25 de abril, FJ 6).

La claridad del precepto no puede ser desvirtuada, como pretende el recurrente, por la aplicación a las elecciones municipales de lo dispuesto en el párrafo segundo del art. 68.5 CE, en el sentido de que «[l]a ley reconocerá y el Estado facilitará el ejercicio del derecho de sufragio a los españoles que se encuentren fuera del territorio de España». A su juicio, a pesar de su ubicación sistemática, el tenor del precepto impone su aplicación a todos los procesos electorales. Ello no puede aceptarse, la localización del precepto en modo alguno es irrelevante, pues se ubica en el seno del título III, dedicado a las Cortes Generales, sin olvidar que, además como indica el Abogado del Estado, el art. 68 CE está destinado en exclusiva a las elecciones al Congreso de los Diputados. En este sentido, una cosa es que el régimen electoral de las elecciones locales sea régimen electoral general en los términos de la reserva del art. 81.1 CE y que dicho régimen electoral general exceda del ámbito de las elecciones generales o elecciones destinadas a la provisión de representantes en las Cortes Generales (STC 38/1983, de 16 de mayo, FJ 3) y otra bien distinta que las disposiciones constitucionales relativas a las elecciones de las Cortes Generales (en este caso, singularmente, del Congreso de los Diputados) puedan extenderse sin previsión expresa a otro tipo de procesos electorales, de similar forma a como la doctrina de este Tribunal ha venido entendiendo que las previsiones de la Constitución relativas a los representantes en las Cortes Generales y que conforman su estatus representativo no pueden extenderse sin la necesaria cobertura legal a los integrantes de otros órganos representativos [SSTC 36/1981, de 12 de noviembre, FFJJ 4 y 5; y 36/2014, de 27 de febrero, FJ 6 b)].

II. EL ARTÍCULO 23.2 CE: EL DERECHO A ACCEDER A CARGOS PÚBLICOS REPRESENTATIVOS EN CONDICIONES DE IGUALDAD

El derecho a acceder a cargos públicos en condiciones de igualdad (sufragio pasivo) y su conexión con el derecho de participación en asuntos públicos por medio de representante (sufragio activo) —STC 105/2012, de 11 de mayo[4]—

La Sentencia resuelve los recursos de amparo electorales promovidos por don A.S.H., en su condición de representante general de la candidatura Izquierda Unida de Asturias; por don F.G.M.; y por el Partido Socialista Obrero Español y don O.V.M. como representante electoral general de la candidatura de dicho partido. Todos ellos se interponen contra la Sentencia de la Sala de lo Contencioso-Administrativo del Tribunal Superior de Justicia de Asturias de 27 de abril, por la que se estima el recurso contencioso-electoral interpuesto contra el acuerdo de la Junta Electoral Provincial de Asturias de 10 de abril de 2012 sobre proclamación de electos. Dicha Sentencia anuló los 332 votos de los electores inscritos en el censo de electores residentes ausentes emitidos por correo, al haber dirigido la documentación electoral directamente a la junta electoral provincial, y no a la oficina consular a la que cada elector estuviese adscrito (artículo 75.4 LOREG). A juicio de los recurrentes, el órgano judicial ha efectuado una interpretación rigorista y formalista del citado precepto legal que no es conforme con los derechos de sufragio activo (del electorado inscrito en el censo de electores ausentes) y pasivo (del candidato cuya proclamación como electo fue anulada por la Sentencia recurrida) reconocidos en el artículo 23 CE.

FJ 6. [...] Como explícitamente se reconoce en la STC 24/1990, de 15 de febrero, existe una íntima conexión, en el caso de los cargos representativos, entre los derechos garantizados en los dos apartados del art. 23 CE, esto es, entre el derecho de sufragio activo y pasivo, la cual no puede desconocerse a la hora de interpretarlos, pues ambos derechos «son aspectos indisociables de una misma institución, nervio y sustento de la democracia: el sufragio universal, libre, igual, directo y secreto» (FJ 2), conforme al cual se realizan tanto las elecciones generales de las dos Cámaras que componen las Cortes Generales, como, en lo que aquí interesa, las de la Junta General del Principado de Asturias. Así lo viene entendiendo una constante y uniforme doctrina constitucional que, al realizar una interpretación conjunta del derecho de los ciudadanos a participar en los asuntos públicos por medio de representantes y del derecho a acceder en condiciones de igualdad a los cargos públicos representativos con los requisitos que señalen las leyes, ha afirmado que se trata de «dos derechos que encarnan la participación política de los ciudadanos en el sistema democrático, en conexión con los principios de soberanía del pueblo y del pluralismo político consagrados en el art. 1 CE», que se presuponen mutuamente y aparecen «como modalidades o variantes del mismo principio de representación política» (SSTC 71/1989, de 20 de abril, FJ 3; y 119/1995, de 17 de julio, FJ 2), lo que «permite concluir que tales derechos se circunscriben al ámbito de la legitimación democrática directa del Estado y de las distintas entidades territoriales que lo integran» (SSTC 119/1995, de 17 de julio FJ 3; y 153/2003, de 17 de julio, FJ 8).
También hemos afirmado que el derecho de sufragio pasivo que consagra el art. 23.2 CE, en relación con el apartado 1 del mismo precepto, tiene como contenido esencial asegurar que accedan al cargo público aquellos candidatos que los electores hayan elegido como sus representantes, satisfaciéndose por tanto, dicho derecho siempre que se mantenga la debida correlación entre la voluntad del cuerpo electoral y la proclamación de candidatos (STC 71/1989, de 20 de abril, FJ 4; doctrina que se reitera en la SSTC 153/2003, de 17 de julio, FJ 10; y 124/2011, de 14 de julio, FJ 2). De ello se sigue, como se declaró en la STC 26/1990, de 19 de febrero, que «la anulación o no cómputo de votos válidamente emitidos supone, sin duda, la negación del ejercicio y efectividad de ese derecho, no sólo a los votantes cuya voluntad queda suprimida e invalidada, sino también a los destinatarios o receptores de esos votos y, por ende, de la voluntad y preferencia de los electores», de modo que «[e]l mantenimiento, por tanto, de esa voluntad expresada en votos válidos debe constituir criterio preferente a la hora de interpretar y aplicar las normas electorales» (FJ 6). En el mismo sentido, este Tribunal ha tenido ocasión de señalar que «decretar indebidamente la nulidad de una

---

4   *Vid.* STC 154/1988, de 21 de julio sobre la necesaria unidad del censo electoral a nivel estatal.

votación supone privar de voto a los electores afectados y, en su caso, privar a un candidato de acceder a un escaño al que pudiera tener derecho» (STC 131/1990, de 16 de julio, FJ 2).

FJ 7. Asimismo, es menester recordar la especial relevancia que en el Derecho electoral tiene el principio de conservación de los actos válidamente celebrados, del que constituye una manifestación el preeminente principio de conservación de los votos válidos (STC 26/1990, de 19 de febrero, FJ 6), lo que conduce a conservar el resultado del ejercicio de los derechos fundamentales de los electores (art. 23.1 CE) en todos aquellos casos en que no se vea afectado por las supuestas o reales irregularidades apreciadas, es decir, conservando todos aquellos actos jurídicos válidos que implican el ejercicio del derecho de sufragio activo de los electores respectivos [SSTC 169/1987, de 29 de octubre, FJ 4; 24/1990, de 15 de febrero, FJ 6; 25/1990, de 19 de febrero, FJ 6; y 26/1990, de 19 de febrero, FJ 11 a)]. Junto a este principio de conservación de actos jurídicos consistentes en el ejercicio de los derechos fundamentales, ha de tenerse presente, también, otro criterio hermenéutico aplicado con reiteración por este Tribunal en orden a los derechos fundamentales, como es el de la necesaria proporcionalidad entre unos actos y sus consecuencias cuando éstas afectan al ejercicio de derechos fundamentales [SSTC 24/1990, de 15 de febrero, FJ 6; y 26/1990, de 19 de febrero, FJ 11 a)]. Y, en fin, como también ha señalado este Tribunal, en los procesos electorales resulta prioritaria la exigencia del conocimiento de la verdad material manifestada en las urnas por los electores, puesto que a través de las elecciones se expresa la voluntad popular fundamento mismo del principio democrático que informa la Constitución (SSTC 157/1991, de 15 de julio, FJ 4; 146/1999, de 27 de julio, FJ 4; 153/2003, de 17 de julio, FJ 7; y 124/2011, de 14 de julio, FFJJ 4 y 5).

FJ 9. [...] El análisis y la solución de la queja sometida a nuestro enjuiciamiento exigen que este Tribunal, desde la perspectiva que le es propia, efectúe un examen del mencionado art. 75 de la LOREG y, en especial, de su apartado 4. Examen que, como dijimos en la STC 148/1999, de 4 de agosto (FJ 3), no puede ser eludido bajo la consideración de que se trate de cuestiones de legalidad ordinaria, pues, en la medida en que en este caso la interpretación de los preceptos legales es determinante de la suerte del derecho fundamental cuestionado, nos corresponde comprobar que la interpretación de la legalidad electoral realizada por el órgano judicial se ajusta a la Constitución (en el mismo sentido, SSTC 24/1990, de 15 de febrero, FJ 2; 26/1990, de 19 de febrero, FJ 4; 131/1990, de 16 de julio, FJ 2; y 153/2003, de 17 de julio, FJ 5). Como dijimos en la citada STC 24/1990, de 14 de febrero, «su carácter de derecho de configuración legal no nos puede hacer olvidar que los derechos del art. 23 CE y, en particular, el del 23.2, son derechos fundamentales», no pudiendo «considerarse nunca ajeno a este Tribunal nada que concierna al ejercicio por los ciudadanos de los derechos que la Constitución les reconoce», debiendo, en su condición de «intérprete supremo de la Constitución», «revisar, si a ello es instado en vía de amparo, si la interpretación de la legalidad configuradora de los derechos fundamentales se ha llevado a cabo secundum Constitutionem y, en particular, si, dados los hechos apreciados por el órgano judicial, la aplicación de la legalidad ha podido afectar «a la integridad del derecho fundamental aquí comprometido» (FJ 2).

En esta misma línea de razonamiento, la STC 80/2002, de 8 de abril (FJ 4), recopilando anterior doctrina de este Tribunal, ha añadido la consideración de que el amparo solicitado en estos supuestos está ante todo al servicio de la preservación y protección de los derechos consagrados en el art. 23 CE y la determinación de si los mismos han sido o no respetados requiere también de una indagación de carácter sustantivo, que no se cumple, por tanto, con el simple reconocimiento de la razonable interpretación que hayan podido realizar las resoluciones judiciales impugnadas. De otro modo, toda interpretación de la legislación electoral que se tache de lesiva de un derecho fundamental de carácter sustantivo, como en este caso los derechos de sufragio activo y pasivo, sería indebidamente reconducida, como ya antes hemos señalado, al marco del derecho a la tutela judicial efectiva. En suma, en supuestos como el que ahora nos ocupa, «nos corresponde determinar, 'incluso, si la valoración jurídica de los hechos llevada a cabo por los órganos judiciales' ha ponderado adecuadamente los derechos fundamentales en juego» (STC 48/2000, de 24 de febrero, FJ 2; doctrina que reitera la STC 153/2003 de 17 de julio, FJ 5).

Los derechos que integran el art. 23 CE son de configuración legal, lo que supone que han de ejercerse en el marco establecido por la LOREG, que los desarrolla y concreta, cuyas previsiones deben ser cumplidas en cuanto constituyen garantía del correcto desarrollo de la elección, de modo que culmine con la proclamación de los candidatos que hayan sido preferidos por el cuerpo electoral (SSTC 74/1995, de 12 de mayo, FJ único; 26/2004, de 26 de febrero, FJ 6; 125/2011, de 14 de julio, FJ 3). Pero, siendo esto así, en modo alguno resulta ocioso traer a colación una reiterada doctrina constitucional sobre los criterios o principios hermenéuticos que operan y resultan de aplicación en los procesos electorales, como son, a los efectos que ahora interesan, los principios de interpretación más favorable a la efectividad de los derechos fundamentales, (en este caso, a los derechos de sufragio), de conservación de los actos electorales válidamente celebrados, de proporcionalidad y, en fin, de conocimiento de la verdad material manifestada por los electores en las urnas.

El principio de interpretación de la legalidad en el sentido más favorable a los derechos fundamentales ha sido reconocido reiteradamente por este Tribunal, tanto en términos generales, como a propósito de los derechos de sufragio activo y pasivo (SSTC 76/1987, de 25 de mayo, FJ 2; 24/1990, de 15 de febrero, FF JJ 2 y 6; 26/1990, de 19 de febrero, FF JJ 4 y 9; 87/1999, de 25 de mayo, FJ 3; 146/1999, de 27 de julio, FJ 6; y 153/2003, de 17 de julio, FJ 7). Respecto a estos derechos, hemos declarado que «la Constitución ha introducido un principio de interpretación del ordenamiento jurídico en el sentido más favorable al ejercicio y disfrute de los derechos fundamentales que ha de ser tenido en cuenta por todos los poderes públicos y muy especialmente por los órganos jurisdiccionales en su función de aplicación de las leyes. Esta consideración general es de especial relevancia en el proceso electoral, en donde se ejercen de manera efectiva los derechos de sufragio activo y pasivo que, por estar en la base de la legitimación democrática del ordenamiento político, han de recibir un trato especialmente respetuoso y favorable, sin perjuicio del necesario respeto a la legislación electoral y de la diligencia que los partícipes activos en las elecciones han de tener en su actuación para posibilitar un ordenado y fluido proceso electoral» (STC 76/1987, de 25 de mayo, FJ 2; doctrina que reitera la STC 24/1990, de 15 de febrero, FJ 2)[5].

Titularidad del derecho de sufragio pasivo (y activo) —Declaración 1/1992, de 1 de julio (*vid.* también TITU-LARIDAD DE LOS DERECHOS FUNDAMENTALES)—

La Declaración responde al requerimiento formulado por el Abogado del Estado, en nombre y representación del Gobierno del Estado, acerca de la existencia o inexistencia de contradicción entre el artículo 13.2 CE y el artículo 8 B, apartado 1, del Tratado Constitutivo de la Comunidad Económica Europea (en adelante TCCEE), en la redacción que resultaría del artículo G B, 10, del Tratado de la Unión Europea, según la cual «Todo ciudadano de la Unión que resida en un Estado miembro del que no sea nacional tendrá derecho a ser elector y elegible en las elecciones municipales del Estado miembro en el que resida, en las mismas condiciones que los nacionales de dicho Estado. Este derecho se ejercerá sin perjuicio de las modalidades que el Consejo deberá adoptar antes del 31 de diciembre de 1994, por unanimidad, a propuesta de la Comisión y previa consulta al Parlamento Europeo; dichas modalidades podrán establecer excepciones cuando así lo justifiquen problemas específicos de un Estado miembro».

FJ 3. [...] B) El segundo de los preceptos enunciados en el que podría quizá apreciarse una colisión con el futuro art. 8.B.1 del TCCEE es el art. 23 y más concretamente su apartado segundo que, en forma de elipsis, confiere a los «ciudadanos» el derecho de acceder a los cargos públicos, en condiciones de igualdad, con los requisitos que señalen las leyes. [...]

En cuanto que la interdicción de la discriminación se refiere, según la letra del artículo, sólo a los ciudadanos, es obvio que del mismo no se deriva prohibición alguna, ni de que el derecho otorgado a éstos por las leyes se extienda también a quienes no lo son, ni que al prever el modo de acceso a cargos o funciones públicas determinadas se establezcan condiciones distintas para los ciudadanos y los que no lo son.

En relación con el sufragio pasivo, el art. 23.2 no contiene, por tanto, ninguna norma que excluya a los extranjeros del acceso a cargos y funciones públicas. En efecto, no es el art. 23 el precepto que en nuestra Constitución establece los límites subjetivos determinantes de la extensión de la titularidad de los derechos fundamentales a los no nacionales. En nuestra Constitución dicha norma, atinente a este requisito de la capacidad, no es el art. 23, sino el art. 13, en cuyo primer párrafo se procede a extender a los extranjeros el ejercicio de todas las libertades públicas reconocidas en el Título I de la CE en los términos que establezcan los tratados y la ley. Esta extensión se ve exceptuada por la cláusula del art. 13.2, que excluye de ella determinados derechos reconocidos en el art. 23, restringidos, en consecuencia, únicamente a los españoles. Pero esa exclusión no deriva, por tanto, de las previsiones del art. 23, que por sí mismo no prohíbe que los derechos allí reconocidos puedan extenderse, por ley o tratado, a los ciudadanos de la Unión Europea. No cabe, por tanto, estimar que la previsión del futuro art. 8.B.1 del T.CE contradiga el art. 23 CE, haciendo necesario recurrir al procedimiento del art. 168 CE

---

5   El principio de interpretación favorable se aplica a las decisiones que limitan la participación en las campañas electorales y a la necesidad de que sean suficientemente razonadas (*vid.* STC 36/2003, de 25 de febrero).

Sobre la titularidad de los derechos del artículo 23 CE: «Participación y ciudadanía más allá del sufragio. Los derechos de participación de las personas extranjeras», Blanca Rodríguez Ruiz[6]

II. MODERNIDAD Y ESTADO-NACIÓN: ENTRE NACIONALIDAD Y CIUDADANÍA

Perfilar los contornos del concepto de ciudadanía dentro del Estado es una tarea siempre pendiente en el contexto de la modernidad. En términos modernos, la ciudadanía no tiene un perfil conceptual bien definido. Si partimos de la definición, ya clásica, que T. H. Marshall propusiera en su famosa conferencia «Ciudadanía y clase social» (1949), la ciudadanía moderna debe entenderse como «el estatus que se concede a los miembros de pleno derecho de una comunidad», una comunidad que la modernidad identifica con el Estado-Nación y un estatus que Marshall concreta en una serie de derechos y obligaciones iguales para todos, introduciendo lo que se ha venido a denominar la «ortodoxia de postguerra». En concreto, Marshall identificó tres dimensiones de la ciudadanía, cada una respaldada por una categoría de derechos: la dimensión civil, articulada mediante derechos que garantizan la independencia de los individuos en sus relaciones interpersonales; la dimensión [48] política, que concede a los individuos el estatus de partícipes en los designios del Estado, y la dimensión social, que nos permite compartir nuestra herencia social a través de derechos que garantizan un mínimo bienestar para todas/os, premisa para el disfrute de los derechos civiles y políticos, que sin la mediación de derechos sociales actúan como fuente de desigualdades.

Esta aproximación de Marshall a la ciudadanía moderna tiene una vertiente continuista y otra crítica. A esta última se hará referencia más adelante. En su vertiente continuista, la construcción marshalliana consolida el protagonismo de la igualdad como centro de gravedad del Estado y de la idea de identidad, de homogeneidad, como rasgo central de la ciudadanía dentro de él. La ciudadanía, en efecto, se concibe como el estatus de pertenencia a una comunidad, la Nación, que es una y única en cada Estado, rigiéndose dentro de este por un marco jurídico común que exige comportamientos uniformes y es fuente de iguales derechos y obligaciones. De este modo, se establece una relación triádica, de dependencia recíproca, entre los conceptos de Estado, Nación y Ciudadanía. El «Estado» se configura como «la entidad política que define quién es el ciudadano y que limita territorialmente su actividad». La «Nación» es la entidad simbólica que vincula culturalmente el territorio estatal con la ciudadanía, creando la lealtad necesaria entre ambos. Y la «Ciudadanía» es entendida como el estatuto homogéneo de pertenencia formal al Estado-Nación, desempeñando un papel mediador entre el individuo y la Nación, y entre el individuo y el Estado, como el vehículo que una y otro tienen para legitimarse. Todo ello dentro de un territorio cuyas fronteras (territorial closure) delimitan también los límites de la interacción social (social closure).

La tríada «Estado», «Nación» y «Ciudadanía» viene así a encapsular los valores socio-políticos de convivencia de las democracias modernas a modo de «Santísima Trinidad», imponiendo a modo de dogma la creencia de que abandonarla equivale a abandonar los valores de la Ilustración, y con ellos los valores de la modernidad política, para caer en el abismo del caos. Existe, con todo, tensión entre los elementos de esta tríada. Estado y Nación no son, como sabemos, conceptos necesariamente co-extensos. Ni tampoco la Ciudadanía se rige por la idea de homogeneidad que impregna la Nación y el Estado. Y es que la noción de Ciudadanía no se encuentra vinculada a los conceptos de Estado y de Nación por una razón de ser y una historia comunes, historia y razón de ser que estos últimos comparten como aliados circunstanciales en la consolidación de las formaciones políticas modernas. [49] La Ciudadanía discurre por derroteros históricos y políticos distintos. Mientras el Estado-Nación tiene su origen en la modernidad, la Ciudadanía, como status civitatis, de pertenencia a una ciudad, es un concepto pre-estatal y pre-moderno que se remonta a la Antigüedad y se introduce en la modernidad a través del Medievo. Mientras el Estado-Nación viene a culminar el proyecto absolutista de monopolización y centralización del poder soberano, legitimándolo mediante el expediente de desplazar la soberanía desde el monarca hacia la nación, en su pasado inmediato —medieval— la Ciudadanía tiene un contenido tan diverso y descentralizado como amplio fuere el número de «ciudades libres» en que se podía disfrutar de ese status civitatis. Mientras el Estado-Nación se construye en torno al principio de igualdad, la Ciudadanía se nutre de un «patrón republicano; un patrón que se caracteriza por la participación política, por el sentido de la identidad colectiva, por la desigualdad entre los sujetos» que viven en las ciudades. Mientras, en fin, como modelo liberal de organización política, el Estado-Nación trajo consigo «la libertad de los modernos», una libertad individual garantizada mediante derechos de defensa frente al monopolio del poder político, la ciudadanía encarna «la libertad de los antiguos», entendida como libertad de participación política vinculada a una identidad colectiva. Pese a todo, cuando el Estado-Nación vino a consolidar el proceso de tránsito, iniciado en el siglo XVI, de la ciudad al Estado, de la diversidad a la homogeneidad, de la ciudadanía a la soberanía, lo hizo incorporando como fuente de

---

6   Publicado en *Revista de Estudios Políticos*, núm. 169, pp. 45-74 —extracto (pp. 47-54; eliminadas notas a pie)—.

legitimación la noción republicana, participativa, de ciudadanía. El resultado fue la transformación de la ciudadanía en un término anfibológico. De un lado, el Estado-Nación la convirtió en sinónimo de nacionalidad, entendiéndola como el estatus formal, homogéneo, de pertenencia al Estado, en el que se erige en depositaria de la soberanía. De otro, la ciudadanía preservó su contenido sustantivo como capacidad de participar activamente en los designios de una comunidad política, ahora fuente de legitimación del Estado-Nación. Cada una de las dimensiones de la ciudadanía responde a dinámicas socio-políticas distintas, de corte respectivamente excluyente e incluyente: de demarcación de fronteras humanas en función de criterios identitarios y de integración mediante la participación de «toda [50] persona, con independencia de su identidad territorial, étnica, racional o personal, comprometida (en el doble sentido de afectada e implicada) con la «res pública», con los intereses colectivos». El resultado es que, aunque ambas aspiran a complementarse, su relación es fuente de tensiones conceptuales en nuestra comprensión de la ciudadanía. En efecto, la ciudadanía entendida en sentido sustantivo no es solo un concepto distinto del de ciudadanía formal o nacionalidad, sino que, a poco que ahondemos, se revela tanto como más restringido como más amplio que el segundo. Como más restringido se reveló ya en los orígenes del Estado-Nación. Al abrigo de la soberanía nacional, el pleno disfrute de la ciudadanía sustantiva a través del sufragio se limitó a una minoría de nacionales, el cuerpo electoral, titulares de una ciudadanía formal cualificada como «política» o «activa», quedando el resto reducido a la categoría de ciudadanas/os pasivas/os, de «protegidos», beneficiarias/os indirectas/os de la actividad de quienes ejercían la ciudadanía activa. La ciudadanía sustantiva se perfilaba así como una sub-especie de la formal. La posterior expansión del sufragio hasta convertirlo en universal, en el sentido de co-extenso con la nacionalidad, no es una exigencia conceptual del Estado-Nación, sino producto histórico de la evolución de nuestra comprensión del principio democrático. El pleno disfrute de la ciudadanía política activa sigue, por lo demás, reservado al cuerpo electoral que, como ha recordado nuestro Tribunal Constitucional, «no se confunde con el titular de la soberanía, esto es, con el pueblo español (art. 1.2 CE)» (STC 13/2009, de 19 de enero, FJ 16), siendo más bien una sub-especie dentro de la soberanía asociada a la nacionalidad.

Al mismo tiempo, y sobre todo, la ciudadanía sustantiva es también tendencialmente más amplia que la ciudadanía formal. Para empezar, no son pocos los ordenamientos que reconocen el derecho de sufragio a extranjeras/os residentes, generalmente solo a nivel local, operando un «fraccionamiento del cuerpo electoral». En virtud del Tratado de Maastricht de 1992, los ordenamientos de la Unión Europea reconocen el derecho de sufragio activo y pasivo en elecciones locales a nacionales de otros países de la Unión. Algunos, con los países nórdicos a la cabeza, abren esta posibilidad a nacionales de terceros Estados. Entre ellos se incluye España, atendiendo, en línea con [51] Portugal y la República Checa, a criterios de reciprocidad (art. 13.2 CE). Todo lo cual nos habla de la evolución hacia lo que se ha denominado «ciudadanía postnacional», basada en la residencia y en la diversidad, desvinculada de la homogeneidad nacional moderna y comprometida con la integración de los individuos en el espacio público mediante la gestión de la heterogeneidad y el conflicto inherentes a lo político.

Podría argumentarse que las elecciones locales no son expresión de soberanía, que su naturaleza es más administrativa que política. A este argumento se acogió nuestro Tribunal Constitucional en su Declaración 1/1991, de 1 de julio, para avalar la conformidad con el artículo 1.2 CE, atributivo de la soberanía nacional al pueblo español, de la extensión del derecho de sufragio pasivo a determinadas categorías de extranjeros en las elecciones locales, derivada de la ratificación del Tratado de Maastricht. La «atribución a quienes no son nacionales del derecho de sufragio en elecciones a órganos representativos solo podría ser controvertida, a la luz de aquel enunciado constitucional, si tales órganos fueran de aquéllos que ostentan potestades atribuidas directamente por la Constitución y los Estatutos de Autonomía y ligadas a la titularidad por el pueblo español de la soberanía» (DTC 1/1991, FJ 3. C). La doctrina ha subrayado la incoherencia de este razonamiento, su incongruencia con la jurisprudencia constitucional, por lo demás poco coherente, que de un lado deslinda autonomía territorial de soberanía (STC 4/1981, FJ 3), y de otro equipara las elecciones municipales a las generales en materia de representación política, como ejercicio de soberanía dentro del marco del artículo 1.2 CE (STC 10/1983, especialmente FJ 2). Esta última equiparación es, por lo demás, la postura preponderante en la doctrina constitucional comparada. El Consejo Constitucional francés (Decisión 82/146; vid. también [52] las Decisiones 92/308 y 92-312), el Tribunal Constitucional Federal alemán (BVerfGEE 83, 37 y 83, 60, ambas de 31 de octubre de 1990) y el Tribunal Constitucional austríaco (Decisión de 30 de junio de 2004), han incluido las elecciones locales en el ámbito de la soberanía popular como manifestaciones de ciudadanía sustantiva, expresión de voluntad (de fracciones) de una única nación o pueblo soberano —si bien con el resultado de negar el derecho de sufragio en dichas elecciones a residentes no nacionales de un país de la Unión—. Todo ello al margen de que algunos ordenamientos reconocen derechos de sufragio a residentes extranjeras/os en elecciones supra-locales: provinciales, regionales e incluso parlamentarias.

El derecho de sufragio, derecho ciudadano por antonomasia, aparece pues reconocido más allá de las fronteras de la nacionalidad. Pero es que, además, la ciudadanía sustantiva va más allá del derecho de sufragio y de los mecanismos de formación, directa o indirecta, de la voluntad soberana en un Estado democrático. Va más allá de lo que se ha llamado «democracia política», para abrazar lo que se ha denominado «democracia participativa» (STC 119/1995, FFJJ 4 y 6). Se trata de mecanismos que no aspiran a la formación de voluntad soberana, sino a hacer valer el principio democrático-participativo, principalmente a través de tres vías: garantizando el acceso ciudadano a información (piénsese en los derechos que conforman el principio de buena administración); permitiendo a la ciudadanía influir en la toma de decisiones, aunque sin participar en el proceso decisional (como los derechos de reunión y asociación), y permitiéndole participar en la toma de decisiones, mediante fórmulas de cogestión y participación directa (pensemos en los presupuestos participativos). Nada impide la apertura de dichos mecanismos a población extranjera, nada salvo la reducción de la ciudadanía a su dimensión formal, como mero sinónimo de nacionalidad.

A la vista de lo anterior, no debe extrañarnos que la ciudadanía pugne por desvincularse de la nacionalidad profundizando en su contenido democrático, por emprender una «civilización de la nacionalidad» que compense la [53] «nacionalización de la ciudadanía» típicamente moderna. Esta tendencia conecta con la vertiente crítica de la formulación marshalliana de la ciudadanía que más arriba se anunciaba. Y es que T. H. Marshall enfatizó el contenido sustantivo de la ciudadanía frente a una concepción formal que, por sí sola, encubre desigualdades sociales. De ahí su identificación de la ciudadanía con la titularidad de derechos, y de ahí que la expandiera más allá del terreno político, para hacerla abarcar los terrenos civil y, sobre todo, social. Ciertamente, Marshall analizó la ciudadanía desde una perspectiva liberal apegada al Estado-Nación. Las críticas a su teoría coinciden en subrayar que teoriza como universal un modelo que solo se ocupa de la ciudadanía de los varones trabajadores en los estados capitalistas; que no da cuenta del acceso a la ciudadanía de otros sectores sociales, como mujeres o esclavos; que no sirve para teorizar la ciudadanía en las sociedades multiculturales de principios del siglo XXI, ni para dar respuesta a la problemática que la definición liberal de la ciudadanía presenta para algunos colectivos, léanse minorías étnicas, religiosas, lingüísticas, nacionales, o una combinación de todas o algunas de ellas; o que su modelo no tiene en cuenta el fenómeno migratorio. Con todo, el énfasis en el contenido sustantivo de la ciudadanía, en sus dimensiones civil y, sobre todo, social, así como la vinculación de ambas al disfrute de derechos, nos proporciona el punto de partida desde el que construir una teoría gradual de la ciudadanía, entendida como la pertenencia a una comunidad plural y la capacidad de participar en ella en función del grado de afectación de las personas por las decisiones públicas que se adopten. Desde esta perspectiva, la ciudadanía deja de ser un estatus homogéneo para convertirse en una categoría graduable, una institución jurídica en cuyo núcleo duro coinciden nacionalidad y residencia, pero cuyo ámbito se expande más allá de dicha coincidencia, para abarcar, de un lado, a población nacional no residente y, de otro, a población extranjera residente, cuya ciudadanía se modula en función de las circunstancias de su residencia (de su nivel de afectación e implicación con las decisiones colectivas), a través del reconocimiento de derechos de sufragio en contextos determinados, y de otros derechos [54] de contenido participativo. Esto permite abrir los Estados democráticos contemporáneos a la pluralidad y la participación y, en el marco de ambas, al fenómeno migratorio.

El derecho a acceder a cargos públicos como derecho ciudadano, no de los partidos ni de las agrupaciones de electores: la exigencia legal de paridad en las listas electorales —STC 12/2008, de 29 de enero (*vid.* ARTÍCULO 14)[7]—

FJ 3. [...] El punto de partida de nuestro análisis se sitúa en el hecho de que el requisito del equilibrio electoral entre sexos tiene por únicos destinatarios directos a quienes pueden presentar candidaturas, esto es, de acuerdo con el art. 44.1 LOREG, exclusivamente a los partidos, federaciones y coaliciones de partidos y a las agrupaciones de electores.

---

[7]   *Vid.* también las SSTC 13/2009, de 19 de enero y 40/2011, de 31 de marzo, que resuelven sendos recursos de inconstitucionalidad, ambos interpuestos por diputados del Partido Popular, contra la Ley del Parlamento Vasco 4/2005, de 18 de febrero, para la igualdad de mujeres y hombres (en concreto contra sus artículos 7, párrafo segundo y 20.4 b), 5, 6 y 7, y las disposiciones finales segunda, apartado 2, cuarta y quinta), y contra el artículo 2 de la Ley del Parlamento de Andalucía 5/2005, de 8 de abril, por el que se modifica el artículo 23 de la Ley 1/1986, de 2 de enero, electoral de Andalucía, respectivamente, en la medida en que ambas Leyes elevan la presencia mínima de mujeres legalmente requerida en sus respectivas elecciones autonómicas.

No se trata, por tanto, en puridad, de una condición de elegibilidad/causa de inelegibilidad, por lo que no afecta inmediatamente al derecho de sufragio pasivo individual. Es una condición referida a partidos políticos y a agrupaciones de electores, esto es, a entidades jurídicas que no son sujetos de los derechos de sufragio activo y pasivo, cuya vulneración se denuncia. [...]

FJ 7. [...] Si los partidos, como ya se dijo mas atrás, no son sujetos del derecho fundamental de sufragio (pasivo o activo), sino sólo los ciudadanos, cuya ajenidad es patente respecto del partido que los presenta en sus candidaturas, un efecto similar puede predicarse, aunque con menor intensidad, de las agrupaciones de electores, que no están contempladas en la Constitución, y que son la reunión de sujetos individuales encaminada al solo fin de la presentación de candidaturas, esto es, de concurrir a la contienda electoral al margen de los partidos. No puede olvidarse que en el partido político se da una alteridad entre el partido en sí y sus candidaturas, mientras que las agrupaciones de electores se enlazan inexorablemente con las candidaturas que presentan. En todo caso, lo que aquí importa no es esa diferencia conceptual, estructural y organizativa entre partidos y agrupaciones. Lo determinante es que ni unos ni otras son titulares del derecho de sufragio pasivo. Los miembros de una agrupación de electores no ejercen el derecho de sufragio pasivo, como tampoco lo ejercen los miembros de los órganos de los partidos políticos competentes al efecto. Unos y otros sólo ejercen tal derecho si además de promover una candidatura se integran en ella. Los miembros de una agrupación de electores no candidatos ejercen el derecho de participación en los asuntos públicos lato sensu (art. 23.1 CE), pero no el específico derecho de participación consistente en concurrir como candidatos en unas elecciones. Este derecho no comprende la facultad de formar candidaturas con libertad plena, sino en las condiciones fijadas en la ley. Entre ellas es legítimo que figure el principio de composición equilibrada, que encuentra fundamento en el art. 9.2 CE.

Debemos plantearnos, además, si imponer a dichas agrupaciones que las candidaturas que presenten respeten la condición del equilibrio entre sexos podría entenderse que supone condicionar de algún modo la elegibilidad de los integrantes de las mismas.

Pues bien, es indudable que formalmente no hay una causa de inelegibilidad ni tampoco materialmente por el hecho de que se obligue a la agrupación a presentar candidaturas donde los ciudadanos que las compongan hayan de buscar el concurso de otras personas, atendiendo, además de a criterios de afinidad ideológica y política, al dato del sexo. Tal exigencia, encuadrada en el ámbito de libre disposición del legislador, encuentra fundamento en el art. 9.2 CE.

A quien pretende ejercer el derecho de sufragio pasivo a través de una agrupación no sólo se le exige no estar incurso en las causas de inelegibilidad previstas en la Ley electoral, sino también cumplir con otras condiciones que no afectan a su capacidad electoral stricto sensu, como por ejemplo, y en primerísimo lugar, la de concurrir con otras personas formando una lista. No cabiendo la candidatura individual, se obliga al sujeto a la búsqueda de compañía. Sin embargo, nadie diría que esa exigencia supone una vulneración material del derecho de sufragio pasivo; o que la soledad se convierte en una causa de inelegibilidad.

Que a la exigencia de concurrir en una lista se añada la de que ésta tenga una composición equilibrada en razón del sexo no cercena de manera intolerable las posibilidades materiales de ejercicio del derecho. Se trata de una condición que se integra con naturalidad en el ámbito disponible al legislador en sus funciones de configuración del derecho fundamental de participación política: se configura así un derecho de ejercicio colectivo en el seno de una candidatura cuya integración personal se quiere sea reflejo de la propia integración de la comunidad social, esto es, sexualmente equilibrada. [...]

En suma, las medidas impugnadas, en su aplicación a las agrupaciones de electores, por las razones expuestas y por las mismas apuntadas en el fundamento jurídico 5, desde la perspectiva de las limitaciones a la libertad de los partidos políticos en la confección y presentación de candidaturas, supera el canon de proporcionalidad por ser su fin legítimo de acuerdo con el art. 9.2 CE y resultar razonables y adecuadas a la finalidad perseguida.

Los inexistentes derechos a integrar una lista electoral (artículo 23.2 CE) y a una determinada composición de las mismas (artículo 23.1 CE) —STC 12/2008, de 29 de enero (*vid.* ARTÍCULO 14)—

FJ 9. [...] En cuanto al derecho de sufragio pasivo importa reiterar que el art. 23.2 CE no incorpora entre sus contenidos un pretendido derecho fundamental a ser propuesto o presentado, por las formaciones políticas, como candidato en unas elecciones (STC 78/1987, de 26 de mayo, FJ 3). Por tanto, no puede entenderse quebrantado el contenido esencial del derecho de sufragio pasivo, identificado en nuestra STC 154/2003, de 17 de julio, como la garantía de «que accedan al cargo público aquellos candidatos que los electores hayan elegido como sus representantes, satisfaciéndose, por tanto, dicho derecho siempre que se mantenga la debida correlación entre la voluntad del cuerpo electoral y la proclamación de los candidatos ... [ibidem; también, STC 185/1999, de 11 de octubre, FJ 2 c)]» [FJ 6 c)]. Nada hay en la disposición adicional segunda LOIMH que altere la correlación entre la voluntad del cuerpo electoral manifestada mediante el ejercicio del derecho de sufragio activo y los candidatos que hayan obtenido la confianza de los electores y, en cuanto tales, deban ser proclamados electos y acceder a los cargos públicos electivos. El principio de composición equilibrada es un instrumento al servicio de la igualdad de oportunidades en el ejercicio del derecho de sufragio pasivo pues informa la elaboración de las candidaturas; siendo ello así sólo cabría plantearse una eventual vulneración del contenido esencial del derecho fundamental proclamado en el art. 23.2 CE si su aplicación se efectuara en la fase de proclamación de candidatos electos, operando a partir de los resultados electorales.

En relación con el derecho de sufragio activo, del mismo modo que del art. 23.2 CE no cabe inferir la exigencia de un determinado sistema electoral, o de un determinado mecanismo de atribución de los cargos representativos objeto de elección en función de los votos obtenidos (STC 75/1985, de 21 de junio, FJ 4), tampoco del art. 23.1 CE puede derivarse un derecho subjetivo de los ciudadanos a una concreta composición de las listas electorales. La afirmación de que nadie ostenta un derecho fundamental a ser presentado como candidato en unas elecciones (STC 78/1987, de 26 de mayo, FJ 3) encuentra su natural correlato en la constatación de que tampoco nadie puede pretender ser titular del derecho fundamental a que las formaciones políticas enumeradas en el art. 44 LOREG presenten a terceras personas como candidatos. El derecho de sufragio activo recogido en el art. 23.1 CE se ejerce por los ciudadanos mediante la elección, a través del sufragio libre, igual, directo y secreto, entre las opciones presentadas para su consideración por las formaciones políticas habilitadas al efecto por la legislación electoral, sin que forme parte de ese derecho la facultad de otorgar la condición de candidato a quien no fue propuesto como tal por los partidos políticos, agrupaciones de electores o federaciones de partidos. No cabe, por consiguiente, apreciar contradicción alguna entre la disposición adicional segunda LOIMH y los arts. 14 y 23.1 CE.

FJ 10. Finalmente, en cuanto a la queja, que ha de entenderse referida al apartado 1 del art. 23 CE sobre la fragmentación del cuerpo electoral, no se aprecia que las medidas controvertidas quiebren la unidad de la categoría de ciudadano o entrañen un riesgo cierto de disolución del interés general en un conjunto de intereses parciales o por categorías. Como ya hemos apuntado, el principio de composición equilibrada de las candidaturas electorales se asienta sobre un criterio natural y universal, como es el sexo. Pues bien, debemos añadir ahora que las previsiones de la disposición adicional segunda LOIMH no suponen la creación de vínculos especiales entre electores y elegibles, ni la compartimentación del cuerpo electoral en función del sexo. Los candidatos defienden opciones políticas diversas ante el conjunto del electorado y, caso de recibir el respaldo de éste, lo representarán también en su conjunto y no sólo a los electores de su mismo sexo.

No cabe atender, pues, al argumento de los recurrentes de que el requisito de la paridad perjudica a la unidad del pueblo soberano en la medida en que introduce en la categoría de ciudadano —«una e indivisible» para los Diputados recurrentes— la divisoria del sexo. Baste decir que el cuerpo electoral no se confunde con el titular de la soberanía, esto es, con el pueblo español (art. 1.2 CE), aunque su voluntad se exprese a través de él. Este cuerpo electoral está sometido a la Constitución y al resto del Ordenamiento jurídico (art. 9.1 CE), en tanto que el pueblo soberano es la unidad ideal de imputación del poder constituyente y como tal fundamento de la Constitución y del Ordenamiento. Las causas determinantes de la condición de elector no afectan, por tanto, a esta unidad ideal, sino al conjunto de quienes, como ciudadanos, están sometidos al Ordenamiento español y no tienen, en cuanto tales, más derechos que los que la Constitución les garantiza, con el contenido que, asegurado un mínimo constitucional indisponible, determine el legislador constituido.

Pues bien, las mismas razones que nos llevan a descartar que las previsiones legales controvertidas introduzcan una nueva causa de inelegibilidad limitativa del ejercicio del derecho de sufragio pasivo o establezcan un vínculo más estrecho entre electores y elegibles en función del sexo que compartan introduciendo una división inaceptable en la unidad del pueblo soberano, conducen directamente a descartar la existencia de la vulneración del art. 68.5 CE denunciada por los Diputados que han interpuesto el recurso de inconstitucionalidad núm. 5653-2007.

El derecho a acceder a cargos públicos y el recurso de amparo electoral contra la proclamación de candidaturas: la subsanación de irregularidades —STC 86/2015, de 7 de mayo[8]—

La Sentencia resuelve el recurso de amparo electoral promovido por la representante de la candidatura de Ciudadanos-Partido de la Ciudadanía contra la Sentencia núm. 179/2015 de 4 de mayo de 2015 del Juzgado de lo Contencioso-Administrativo núm. 1 de Guadalajara, estimatoria del recurso contencioso-electoral interpuesto por el Partido Socialista Obrero Español contra el acuerdo de la junta electoral de zona de Sigüenza de proclamación de la candidatura núm. 2 de Ciudadanos-Partido de la Ciudadanía en la circunscripción electoral de Cantalojas. Entiende la recurrente que dicha Sentencia vulneró el derecho de sufragio pasivo de dicho partido, al haber anulado la proclamación de la candidatura presentada por esta formación política a las elecciones al municipio de Cantalojas (Guadalajara), debido a una irregularidad en su composición, sin que se le hubiera advertido de dicha irregularidad y otorgado el correspondiente trámite de subsanación.

De acuerdo con una reiterada doctrina constitucional, en los escritos de presentación de candidaturas se han de cumplir las condiciones y requisitos previstos en el art. 46 de la Ley Orgánica del régimen electoral general (LOREG), determinando su incumplimiento la no proclamación de las candidaturas defectuosamente presentadas (art. 47.4 LOREG). No es menos cierto, sin embargo, que entre el eventual incumplimiento de las condiciones legalmente impuestas al formular el escrito de presentación de candidaturas y el acto mismo de proclamación por las juntas electorales de quienes merezcan legalmente la condición de candidatos ha de mediar el examen de oficio, por parte de las juntas electorales, de los escritos en los que las candidaturas se incorporan, examen exigido por el legislador a fin de que, de advertirse irregularidades en estos escritos, sean las mismas puestas de manifiesto a los representantes de las candidaturas para su posible subsanación en el plazo de cuarenta y ocho horas (art. 47.2 LOREG). Así pues, del sistema de la LOREG deriva tanto el que no pueden proclamarse candidaturas que hayan incurrido en irregularidades al ser presentadas, como el que estas irregularidades, si fueran subsanables, han de ser puestas en conocimiento de los representantes de las candidaturas afectadas para que por éstos se proceda a su reparación. Busca con ello la LOREG, como hemos tenido ocasión de poner de manifiesto en no pocas resoluciones, el que por la Administración electoral se colabore con las candidaturas y con los candidatos mismos —garantizando así la efectividad del derecho de sufragio pasivo— mediante un examen de oficio que permita, con independencia de las denuncias que pudieran formular los representantes de otras candidaturas, identificar y advertir para su posible reparación los defectos que fueran apreciables en los escritos de presentación de los candidatos. Así se expresa legalmente, en definitiva, el interés público no sólo en el correcto desarrollo, desde sus inicios, del procedimiento electoral, sino en la misma efectividad del derecho fundamental de los ciudadanos (art. 23.2 CE) que, a través de las vías dispuestas por la Ley, quieran presentarse ante el cuerpo electoral recabando los sufragios necesarios para acceder a las instituciones representativas.

Deriva de lo expuesto que si por la Administración electoral se incumple este deber legal en orden al examen de los requisitos de presentación de candidaturas, no dándose ocasión a los interesados para la reparación de unos defectos que después llevan al rechazo de aquéllas, se habrá ignorado, con ello, una garantía dispuesta por la Ley para la efectividad, como queda dicho, del derecho de sufragio pasivo, que resultará así afectado negativamente en la medida en que se desconozca por una Junta electoral o se atienda sólo imperfectamente la referida exigencia legal. No empaña esta conclusión, ni la consideración general que se acaba de hacer sobre la afectación del derecho reconocido en

---

8   *Vid.* también las SSTC 84/2003, de 8 de mayo; 162/2011 y 163/2011, de 2 de noviembre; 164/2011, 165/2011, 168/2011, 169/2011, 170/2011, todas de 3 de noviembre (insuficiencia del número de firmas de electores que exige la LOREG —de forma constitucionalmente conforme— para avalar las candidaturas presentadas por partidos políticos, federaciones o coaliciones que no hubieran obtenido representación en ninguna de las Cámaras en la anterior convocatoria electoral); SSTC 96/2007 y 97/2007, de 8 de mayo; 100/2007 y 104/2007, de 8 de mayo; 105/2007 y 108/2007, de 10 de mayo; 127/2007, de 22 de mayo (sobre listas electorales no paritarias); 27/1996, de 15 de febrero, 48/2000 y 49/2000, de 24 de febrero (sobre la obligación de subsanar las candidaturas presentadas en idioma bable/asturiano); 26/2004, de 26 de febrero (sobre la posibilidad de presentar candidaturas por correo). *Vid.* también la STC 154/1993, de 3 de mayo, en aplicación en este contexto del principio de *favor libertatis* (interpretación indebida de causa de inhabilitación especial). Existe, por lo demás, abundante jurisprudencia en esta misma línea. *Vid.* las SSTC 28/1986, de 20 de febrero; 73/1986, de 3 de junio; 60/1987, de 20 de mayo; 67/1987, de 21 de mayo; 72/1987, de 23 de mayo; 80/1987, de 27 de mayo; 82/1987, de 27 de mayo; 168/1989, de 16 de octubre; 204/1989, de 4 de diciembre; 112/1991, de 20 de mayo; 158/1991, de 15 de julio; 73/1995, de 12 de mayo; 93/1999, de 27 de mayo; 149/1999, de 4 de agosto; 86/2003, de 8 de mayo.

el art. 23.2 CE, el hecho de que, en estos casos, el resultado finalmente gravoso para candidaturas y candidatos —la denegación de su proclamación— se llegue a producir por no haberse reparado un defecto fruto de la ignorancia o de la negligencia de quienes presentaron la candidatura sin cumplir, en todos sus extremos, las prevenciones legales. En este específico procedimiento, no ha querido la Ley dejar la suerte de las candidaturas a la merced de la sola diligencia o de la información bastante de quienes la integran o representan, introduciendo un deber de examen de oficio para la Administración que, al operar como garantía del derecho, no puede ser desconocido sin daño para éste. La ineficacia jurídica del acto de presentación de la candidatura (art. 47.4 LOREG) procederá entonces, ciertamente, de un defecto en el que incurrieron quienes la presentaron, más no quiere la Ley que tal irregularidad depare aquella sanción sin que antes se haga posible, mediante su identificación y advertencia de oficio, la oportuna reparación (STC 59/1987, de 19 de mayo, FJ 3; doctrina reiterada, entre otras muchas, en las SSTC 86/1987, de 25 de junio, FJ 4; 24/1989, de 28 de febrero, FJ 6; 95/1991, de 29 de mayo, FJ 2; 175/1991, de 10 de octubre, FJ 2; 114/2007, de 8 de junio, FJ 3, y 115/2007, de 8 de junio, FJ 4).

FJ 5. La aplicación de la doctrina constitucional expuesta al caso ahora considerado ha de conducir, como a continuación se razonará, a la estimación del presente recurso de amparo.

En efecto, según resulta del examen de las actuaciones, la formación política demandante de amparo —Ciudadanos-Partido de la Ciudadanía — presentó una candidatura a las elecciones al municipio de Cantalojas (Guadalajara) a celebrar el próximo día 24 de mayo de 2015, integrada por cinco candidatos más un suplente. Sin embargo, al tratarse de un municipio con población superior a 100 pero inferior a 250 habitantes y no estar sometido al régimen de concejo abierto, la candidatura no podía contener más de cinco candidatos [art. 184 a) LOREG]. Por lo tanto, la candidatura de la recurrente en amparo incurría en la irregularidad de estar integrada por un candidato más del número legalmente previsto para el municipio en la que se presentaba. Irregularidad que no fue identificada, ni, en consecuencia, advertida de oficio para su posible subsanación, por la Junta Electoral, que procedió a la proclamación de dicha candidatura. Impugnada su proclamación, fue anulada por el Juzgado de lo Contencioso-Administrativo núm. 1 de Guadalajara al vulnerar el art. 184 a) LOREG, por incluir más de cinco candidatos.

Es cierto que el órgano judicial debió apreciar, como así lo hizo, la irregularidad en la que la Junta Electoral había incurrido al proclamar, sin reparos, una candidatura que en cuanto al número de componentes infringía el art. 184 a) LOREG, pero la apreciación de dicha irregularidad administrativa no debió llevar a anular su proclamación, pues tal decisión, a la vista de la doctrina constitucional expuesta en torno al sistema diseñado por la LOREG y la omisión en la que incurrió la propia Junta Electoral al no advertir de oficio el defecto en el que incurría la candidatura y permitir su subsanación, ha entrañado, pese a lo que tuvo de formal restablecimiento de la legalidad quebrada, un desconocimiento de las garantías previstas por el legislador en el art. 47.2 LOREG, en cuya virtud las irregularidades en las que puedan incurrir las candidaturas presentadas deben ser apreciadas por la Administración y advertidas de oficio para su oportuna subsanación, con la consiguiente afectación del derecho de sufragio pasivo de la demandante de amparo.

El hecho notorio de que la LOREG no prevea dicho trámite de subsanación, sino con carácter previo a la proclamación de candidaturas, no puede en modo alguno llevar a la conclusión de que los defectos, en su día subsanables, como en el que ha incurrido en este caso la candidatura de la recurrente en amparo, devengan definitivos e irreparables tan sólo por el irregular funcionamiento de la Administración electoral, que debió advertirlo y no lo hizo, en el momento en el que la Ley prevé para ello, ya que no puede pesar sobre los partícipes en el procedimiento electoral un resultado tan gravoso para sus derechos fundamentales, que se originó en la falta de diligencia debida por los poderes públicos en la garantía de su plena efectividad (STC 73/1986, de 17 de junio, FJ 2, por todas).

El derecho a acceder a cargos públicos y el amparo contra la proclamación de otras candidaturas —STC 60/2011, de 5 de mayo[9]—

La Sentencia resuelve el recurso de amparo promovido por la coalición electoral Independents-Independientes contra la Sentencia del Juzgado de lo Contencioso-Administrativo núm. 1 de Alicante, estimatoria del recurso contencioso electoral interpuesto por el partido Iniciativa Independiente, que antes integraba la mencionada coalición, contra la

---

[9]   *Vid.* también las SSTC 103/1991, de 13 de mayo; 104/1991, de 13 de mayo; 106/1991, de 13 de mayo; 70/1995, 71/1995, de 11 de mayo; 72/1995, de 12 de mayo, 75/1995, de 17 de mayo.

resolución de la Junta Electoral de Zona de Denia, que denegó la proclamación de las candidaturas municipales presentadas por dicho partido para las circunscripciones de Xaló y El Verger.

FJ 4. [...] Debemos matizar que no cabe hablar de un derecho fundamental «a la no proclamación» de una candidatura, máxime cuando el propio recurrente admite que se trata de un derecho de configuración legal. En su caso, el derecho fundamental en juego es el que corresponde a los electores a no padecer error ni confusión en las candidaturas, para preservar su derecho al voto; existiendo al respecto pronunciamientos abundantes, tanto desestimatorios (SSTC 160/1989, de 10 de octubre, FJ 2; 71/1995, de 11 de mayo, FJ 3; y 72/1995, de 12 de mayo, FJ 6) como estimatorios (SSTC 107/1991, de 13 de mayo, FJ 3; y 113/1991, de 20 de mayo, FJ 4) en casos de similitud en la denominación, pudiendo afirmar que nuestra doctrina es casuística. Sin embargo, el presente caso no es un supuesto de conflicto de denominaciones o símbolos, dado que existe conformidad en que dicha cuestión ya fue resuelta por resolución de la Junta Electoral Central de 14 de abril de 2011, sino que versa sobre la autorización a un partido para presentación de candidaturas en demarcaciones concurrentes con la coalición, siendo enjuiciable el procedimiento en que ésta se obtuvo (con vulneración de un derecho fundamental) y sus ulteriores consecuencias (discordancia de voluntad del elector y sufragio activo).

En la STC 187/2007, de 10 de septiembre, FJ 4 (reiterado en SSTC 188/2007, de 10 de septiembre, FJ 4; 192/2007, de 10 de septiembre, FJ 4; y 193/2007, de 10 de septiembre, FJ 4) dijimos respecto del «art. 44.1 b) LOREG, que permite la presentación de candidaturas o listas de candidatos a 'las coaliciones electorales constituidas según lo dispuesto en el apartado siguiente', de conformidad con el cual '[L]os partidos y federaciones que establezcan un pacto de coalición para concurrir conjuntamente a una elección deben comunicarlo a la Junta competente, en los diez días siguientes a la convocatoria. En la referida comunicación se debe hacer constar la denominación de la coalición, las normas por las que se rige y las personas titulares de sus órganos de dirección y coordinación'. Finalmente el apartado 3 del mencionado precepto impide que los partidos federados o coaligados puedan 'presentar candidaturas propias en una circunscripción si en la misma concurren, para idéntica elección, candidatos de las federaciones o coaliciones a las que pertenecen'. [...]

[...] [L]a declaración unilateral de desvinculación por parte de un partido integrante de una coalición carece de eficacia suficiente como para desligarle de su compromiso de participación en la vida político-electoral en la forma acordada, no tanto porque se dispone del correspondiente procedimiento legal (administrativo y judicial) de desvinculación, ni por la obligación inter privatos de estar a lo pactado (pacta sunt servanda), sino porque mediante la presentación de candidaturas, los partidos, federaciones, coaliciones y agrupaciones participan de manera original y principal, como pieza esencial de articulación del derecho fundamental al acceso a los cargos públicos en condiciones de igualdad, y por ende, como consecuencia del art. 44.2 LOREG, en el inherente derecho fundamental de los ciudadanos a la participación en los asuntos públicos mediante sus representantes; y a su vez, de la proclamación de candidaturas se derivan consecuencias para los electores y elegibles inmediatas, como la certeza y veracidad de la campaña electoral, o mediatas, como la exactitud y regularidad formal y material del ulterior escrutinio. Por ello, en pro de la fidelidad y precisión en el ejercicio de los derechos de sufragio pasivo y activo, viene legalmente exigida la inscripción registral, a la cual habrá que atender prioritariamente. En definitiva, la mutación unilateral y no registrada de los acuerdos electorales de una coalición puede resultar en detrimento cualitativo y cuantitativo de la participación ciudadana en los asuntos públicos (art. 23 CE), garantizada mediante el registro, por mor de la seguridad jurídica (art. 9.3 CE).

El derecho a acceder a cargos públicos y el derecho a la información en periodo electoral —STC 136/1999, de 20 de julio (*vid.* ARTÍCULO 20)—

FJ 14. Los derechos de participación en los asuntos públicos (art. 23.1 CE) y de acceso a los cargos públicos (art. 23.2 CE), que en la parte de su contenido que afecta a las dos vertientes del principio de representación política forman un «todo inescindible» (entre otras, SSTC 5/1983, fundamento jurídico 4°, y 24/1990, fundamento jurídico 2°), poseen, no sólo un contenido prestacional y una función de garantía de institutos políticos como el de la opinión pública libre, sino también un contenido de derecho de libertad que se concreta, en lo que aquí interesa, en la posibilidad constitucional protegida de ofrecer a los ciudadanos, sin interferencias o intromisiones de los poderes públicos, los análisis de la realidad social, económica o política y las propuestas para trasformarla que consideren oportunas. Los bienes jurídicos que este particular aspecto de los derechos del art. 23 CE pretende garantizar o, mejor, los valores y principios constitucionales que pretende hacer efectivos son, entre otros, la legitimidad democrática del sistema político, el pluralismo político y la formación de la opinión pública libre. Con estos derechos se trata de asegurar a las personas que participan como actores en la actividad pública, y a los partidos y grupos en los que aquéllas se integran, la posibilidad de contribuir a la formación y expresión de la opinión pública libre, poniendo a disposición de los ciudadanos en general y de los electores en particular una pluralidad de opciones políticas para que puedan formar sus propias opiniones políticas y, en el momento electoral, para que puedan elegir libremente los programas que estimen más adecuados. Precisamente por ello, por ser esos los bienes jurídicos tutelados por esta vertiente de los derechos de participación, puede afirmarse que queda fuera del ámbito constitucionalmente protegido por estos derechos la difusión de programas o mensajes que por su contenido, debidamente contextualizado, resulten amenazantes o intimidatorios, especialmente cuando esos efectos se producen durante los procesos electorales como consecuencia de la difusión de mensajes que pretenden decantar el sentido del voto hacia las opciones mantenidas por quienes los transmiten por temor a sufrir daños o perjuicios. En estos supuestos, que luego precisaremos en la medida en que ello es posible, el ejercicio de los derechos de participación política, lejos de contribuir a la formación y expresión de una opinión pública libre, se convierte en un elemento de distorsión de esa opinión y de esa participación, con lo que no puede gozar de la protección atribuida a los referidos derechos fundamentales.

El derecho a acceder a cargos públicos y el amparo contra la proclamación de candidaturas electas: las papeletas de voto nulas —STC 167/2007, de 18 de julio[10]—

La Sentencia resuelve el recurso de amparo electoral promovido por doña M.F.J.R., que concurrió como candidata a concejal del Ayuntamiento de Zahara de la Sierra en la lista presentada por el Partido Popular, contra el Acuerdo de la Junta electoral de zona de Arcos de la Frontera, de 12 de junio de 2007, de proclamación de candidatos electos a concejales del Ayuntamiento de Zahara de la Sierra (Cádiz), y contra la Sentencia de la Sala de lo Contencioso-Administrativo del Tribunal Superior de Justicia de Andalucía, de 27 de junio de 2007, que lo confirmó. La demandante denuncia la lesión de su derecho a acceder a cargos públicos, en conexión con el derecho a participar en asuntos públicos por medio de representantes, resultado de la declaración de nulidad, en aplicación del artículo 96.2 LOREG, de una papeleta de voto emitida en el distrito único, sección 1, mesa B, a favor de la candidatura del Partido Popular, en la que se había escrito: «Zapatero, Zapatero multiplícate por cero Shin Chan».

FJ 6. [...] En este contexto hemos de poner ahora de manifiesto, antes de proseguir el enjuiciamiento de la queja de la actora, que la denunciada infracción de la legislación electoral afecta en este caso, como se refleja en el expediente electoral, al resultado final de la elección, requisito para poder apreciar la existencia de una lesión real y efectiva del derecho de sufragio pasivo, pues, de serle sumado a la candidatura del Partido Popular el voto en liza, le correspondería a la demandante un puesto de concejal en detrimento de la candidatura del Partido Socialista Obrero Español, que obtendría un puesto de concejal menos de los atribuidos en el Acuerdo de proclamación de electos [SSTC 185/1999, de 11 de octubre, FJ 4 c); 153/2003, de 17 de julio, FJ 3; 154/2003, de 17 de julio, FFJJJ 6 c) y 8; 135/2004, de 5 de agosto, FJ 4 c)].

FJ 7. El marco normativo configurador de la declaración de nulidad de las papeletas de voto viene constituido por el art. 96 de la Ley Orgánica del régimen electoral general, precepto ubicado en su título I, que tiene por objeto, como indica su rúbrica, las «Disposiciones comunes para las elecciones por sufragio universal» y, más concretamente, en el supuesto que aquí y ahora interesa, por el apartado 2 del citado precepto, a cuyo tenor: «En el caso de elecciones al Congreso de los Diputados, al Parlamento Europeo, a los Ayuntamientos y Cabildos Insulares serán también nulos los votos emitidos en papeletas en las que se hubiera modificado, añadido, señalado o tachado nombres de los candidatos comprendidos en ella o alterado su orden de colocación, así como aquellas en las que se hubiera producido cualquier otro tipo de alteración».

Este Tribunal ha tenido ocasión de pronunciarse tanto con carácter general sobre las normas reguladoras del régimen de nulidad de los votos como, más concretamente, sobre las específicas previsiones del art. 96.2 LOREG, cuya doctrina procede ahora traer a colación:

a) En relación con las normas reguladoras de la nulidad de los votos ha declarado que éstas «han de ser formuladas en términos precisos, con determinación detallada de todas las reglas especiales y de las posibles exclusiones, sin que sea preciso acudir a interpretaciones más o menos complejas sobre la aplicabilidad de cada precepto». Esta exigencia

---

10   *Vid.* también las SSTC 168/2007 a 170/2007, todas de 18 de julio; 187/2007 a 194/2007, todas de 10 de septiembre. Sobre el azar como método de resolución de empates en la proclamación de candidaturas electas, *vid.* STC 125/2011, de 14 de julio.

de precisión y claridad en la redacción de aquellas normas encuentra su justificación en que su aplicación inmediata ha de ser efectuada normalmente por los componentes de las mesas electorales, integradas por ciudadanos designados por sorteo y que constituyen una Administración electoral no especializada (STC 153/2003, de 17 de julio, FJ 6).

b) Asimismo, por lo que se refiere más concretamente al supuesto regulado en el art. 96.2 LOREG, este Tribunal ha declarado que el citado precepto recoge el llamado principio de inalterabilidad de la lista electoral, y que lo hace de forma tal que robustece la exigencia de rigor que dicho principio implica en relación a como aparecía enunciado en la precedente legislación electoral. En efecto, en tanto que el art. 64.2 b) del Real Decreto-ley 20/1977, de 18 de marzo, sobre normas electorales, establecía que sólo era nulo «el voto para el Congreso emitido en papeleta en la que se hubiera modificado o tachado nombres de los comprendidos en ella o alterado su orden de colocación», el art. 96.2 LOREG ha introducido una cláusula general de cierre —«cualquier otro tipo de alteración»— y ha sumado otros participios —«añadido», «señalado»—, a los enunciados en aquel precepto, que ponen de manifiesto la «finalidad de enfatizar la prohibición de señales o manipulaciones de cualquier tipo en las papeletas de voto, precisamente por su carácter de papeletas que incorporan listas bloqueadas y cerradas en las que no es menester indicación alguna del elector al emitir el sufragio» (STC 165/1991, de 19 de julio, FJ 3; doctrina que reiteran las SSTC 115/1995, de 10 de julio, FJ 5; 153/2003, de 17 de julio, FJ 7).

En esta línea de razonamiento el Tribunal ha destacado también en la primera de las Sentencias antes mencionadas, frente a la redacción del art. 96.2 LOREG, la mayor flexibilidad del tenor del art. 96.3 LOREG, que establece las normas de nulidad de votos para el Senado, según el cual «serán nulos los votos emitidos en papeletas en las que se hubieran señalado más de tres nombres en las circunscripciones provinciales, de dos en las circunscripciones insulares de Gran Canarias, Mallorca y Tenerife y en las poblaciones de Ceuta y Melilla y de uno en el resto de las circunscripciones insulares». Así se declaró en aquella Sentencia que las previsiones específicas del art. 96.3 LOREG respecto de los votos nulos en las elecciones al Senado «viene[n] lógicamente condicionad[as] por la necesidad de que el elector marque con cruces los candidatos elegidos de entre los presentes en una única lista» y «[l]as circunstancias en las que se produce la emisión del voto por papeleta al Senado, con razonables posibilidades de rayas, cruces o tachaduras en virtud de errores, no son las mismas que en las demás elecciones y, por lo que aquí atañe, que en las locales» (ibidem).

Precisamente con base en que en el caso de las elecciones al Congreso de los Diputados, al Parlamento Europeo, a los Ayuntamientos y Cabildos insulares, a las que se refiere el art. 96.2 LOREG, las papeletas de votación incorporan listas bloqueadas y cerradas en las que no es menester indicación alguna del elector al emitir el sufragio, a diferencia de las elecciones al Senado a las que se refiere el art. 96.3 LOREG, el Tribunal ha justificado que «haya de ser también distinto el rigor con el que se enjuicie la presencia de marcas, escritos o tachaduras en una y otra clase de papeletas», afirmando «que la existencia constatada de marcas o tachaduras en las papeletas a las elecciones locales permite la aplicación razonada a las mismas por la Administración electoral y por los órganos de la jurisdicción contencioso-electoral de la nulidad prevista en el art. 96.2 LOREG, una vez atendidas y ponderadas las circunstancias de cada caso» (STC 165/1991, de 19 de julio, FJ 3). Ahora bien, hemos precisado que, si bien a la hora de aplicar las causas de nulidad del art. 96.2 LOREG no se debe caer en el automatismo, tampoco es posible eludir la existencia de adiciones, modificaciones, señales o marcas en las papeletas, negándoles todo valor (STC 153/2003, de 17 de julio, FJ 9). Distinguiendo los dos supuestos recogidos en el art. 96.2 LOREG, en la STC 153/2003, de 17 de julio, hemos dicho que «[P]arece patente que, cuando el precepto examinado se refiere a la modificación, adición, señal o tachado de los nombres de los candidatos o a la alteración de su orden, su presupuesto está conformado por las papeletas que incluyen la lista de candidatos de cada formación, en relación con las cuales puede producirse de manera patente tales operaciones. Ahora bien, en su cláusula de cierre ('aquellas en las que se hubiera producido cualquier otro tipo de alteración') quedan comprendidas las variaciones de toda índole que afecten a las papeletas» (FJ 7).

c) El Tribunal ha declarado también que el entendimiento de cuándo procede y cuándo no la aplicación de lo dispuesto en el art. 96.2 LOREG configura normalmente un juicio de estricta legalidad electoral, que no puede ser revisado por este Tribunal una vez comprobado que la interpretación seguida por el órgano judicial ordinario no es arbitraria, irrazonada e irrazonable (STC 165/1991, de 19 de julio, FJ 3; doctrina que reitera la STC 115/1995, de 10 de julio, FJ 5).

d) Finalmente, por lo que se refiere a los concretos pronunciamientos de este Tribunal en relación con la interpretación y aplicación del art. 96.2 LOREG por las juntas electorales y los órganos judiciales, ha entendido que no puede considerarse como una interpretación y aplicación irrazonada e irrazonable del citado precepto legal la decisión de la Administración electoral de estimar como una alteración de la lista electoral determinante de su nulidad papeletas de voto en las que aparecen rayados los nombres de varios candidatos mediante diversas líneas cruzadas (STC 156/1991, de 15 de julio, FJ 2); la declaración de nulidad de votos emitidos en papeletas señaladas con un aspa al lado de los candidatos, que contengan frases escritas o que presenten interlineados y recuadros (STC 165/1991, de 19 de julio, FJ 3); o, en fin, la declaración de nulidad de papeletas garabateadas (STC 115/1995, de 10 de julio, FJ 5). Asimismo, pese a que la enumeración de supuestos de nulidad del art. 96.2 LOREG no es ad exemplum, sino tasada, ha estimado que está «implícito o sobreentendido en todos ellos, y también en el resto del articulado aplicable [de la LOREG], el que en las papeletas de voto deben figurar, como es obvio, candidatos proclamados en la circunscripción y que cuando así no sea el sufragio —en realidad inexistente— queda viciado total y absolutamente» (STC 167/1991, de 19 de julio, FJ 4). Finalmente, el Tribunal también ha declarado aplicables los supuestos de nulidad de los votos del art. 96.2 LOREG a los emitidos por correspondencia por los residentes ausentes que viven en el extranjero en elecciones locales (art. 190 LOREG) y, en consecuencia, ha estimado que resulta lesiva del derecho a acceder en condiciones de igualdad a los cargos públicos con los requisitos que señalen las leyes (art. 23.2 CE) la consideración como válidos y, por consiguiente, la no anulación de tres votos emitidos por residentes ausentes que viven en el extranjero sin acomodarse a las previsiones del art. 190 LOREG, ya que en las papeletas de voto, no sólo se incluían las siglas de la candidatura a la que se otorgaba el voto, sino, además, el nombre de un candidato que no era el cabeza de lista (STC 153/2003, de 17 de julio, F J 10).

FJ 8. En el presente caso, en el que de nuevo se vuelve a plantear la interpretación conforme al texto constitucional del art. 96.2 LOREG, hemos de reiterar la precedente doctrina constitucional, y, ante las numerosas dudas que está suscitando la aplicación e interpretación de aquel precepto y la diversidad de soluciones que vienen siendo adoptadas por la Administración electoral y los órganos jurisdiccionales, a la hora de aplicar el criterio general en el apartado c) del fundamento jurídico precedente, insistir en la necesidad de preservar y exigir el principio de inalterabilidad de las listas electorales en los supuestos a los que se refiere el art. 96.2 LOREG con el rigor con el que ha sido configurado por el legislador en la redacción que ha dado a dicho precepto, que, como este Tribunal ha declarado en la STC 165/1991, de 19 de julio, pone de manifiesto la «finalidad de enfatizar la prohibición de señales o manipulaciones de cualquier tipo en las papeletas de voto, precisamente por su carácter de papeletas que incorporan listas bloqueadas y cerradas en las que no es menester indicación alguna al emitir el sufragio» (FJ 3). De modo que la existencia de cualesquiera modificaciones, adiciones, señales, marcas, tachaduras o cualquier otro tipo de alteración o determinación en las papeletas de voto ha de conducir a la aplicación de la declaración de nulidad prevista en el art. 96.2 LOREG. Es a la Administración electoral, en primer término, y, en caso de impugnarse su decisión, a los órganos jurisdiccionales, a quienes corresponde la aplicación de los supuestos del art. 96.2 LOREG, la cual, como es obvio y no puede ser de otra forma, ha de razonarse y motivarse en cada supuesto atendiendo a las circunstancias que concurran en el mismo. En este sentido hemos asimismo de reiterar que la aplicación del citado precepto legal se configura normalmente y en principio como un juicio de estricta legalidad electoral, que puede ser revisado por este Tribunal si la interpretación seguida por el órgano judicial ordinario es arbitraria, irrazonada e irrazonable y, además, cuando se aduzca en la demanda de amparo un derecho fundamental distinto al de la tutela judicial efectiva (art. 24.1 CE), por la posible vulneración de ese otro derecho fundamental invocado y, de manera específica, por el derecho fundamental, de carácter sustantivo a acceder en condiciones de igualdad y conforme a lo dispuesto en las Leyes a determinado cargo público (art. 23.2 CE). En efecto, el recurso de amparo ahora planteado está ante todo al servicio de la preservación y protección de tal derecho fundamental y la determinación de si se ha respetado requiere también por nuestra parte una indagación de carácter sustantivo, que no se cumple, por tanto, con el simple reconocimiento de la razonable interpretación que puedan exhibir las resoluciones administrativas y judiciales impugnadas [SSTC 185/1999, de 11 de octubre, FJ 3; 135/2004, de 17 de julio, FJ 4 d)]. Desde la perspectiva constitucional que nos ocupa, más en concreto, desde el ámbito del art. 23 CE, es premisa insoslayable de la conformidad a la Constitución de cualquier interpretación del art. 96.2 LOREG que la interpretación en cuestión ha de efectuarse de tal modo que los contenidos, requisitos y límites que establece la Ley Orgánica del régimen electoral general no se vean enervados o alterados por aquella interpretación, pues si así fuera quedaría en manos del intérprete y no del legislador la fijación de los contornos del derecho de acceso a los cargos públicos en condiciones de igualdad (art. 23.2 CE; SSTC 74/1995, de 12 de mayo, FJ único; 146/1999, de 27 de julio, FJ 2; 155/2003, de 17 de julio, FJ 4).

Así hemos declarado en la STC 153/2003, de 17 de julio, que no resulta admisible desde la perspectiva de los derechos fundamentales reconocidos en el art. 23 CE la interpretación judicial que conduce a que se deban computar como votos válidos los emitidos en papeletas que, por incurrir en algunas de las incorrecciones recogidas en el art. 96.2 LOREG, deberían haber dado lugar a la declaración de su nulidad, cuando como consecuencia del cómputo de aquellos votos se altere el resultado final de la elección. En sustento de esta afirmación razonábamos que «el derecho de acceso a los cargos públicos es un derecho de mediación legal que encuentra su regulación fundamental en la Ley Orgánica 5/1985, de 19 de junio, del régimen electoral general, la cual articula, en palabras de su preámbulo, 'el procedimiento de emanación de la voluntad mayoritaria del pueblo en las diversas instancias representativas en que se articula el Estado español', y en tal sentido, desde la perspectiva del derecho de sufragio pasivo, es obligado integrar en este derecho la exigencia de que las normas electorales sean cumplidas en cuanto constituyen garantía del correcto desarrollo de la elección de modo que culmine con la proclamación de los candidatos que hayan sido preferidos por el cuerpo electoral (STC 71/1989, de 20 de abril, FJ 3)» (STC 153/2003, FJ 8).

El rigor que ha de observarse, en los términos expuestos, en la exigencia del principio de inalterabilidad de las listas electorales plasmado, a los efectos que aquí y ahora interesan, en el art. 96.2 LOREG, en modo alguno puede suponer el desconocimiento de la vigencia en las distintas fases del proceso electoral de los principios de conservación de actos válidamente celebrados, de interpretación más favorable a la plenitud del derecho de sufragio y de conocimiento de la verdad material manifestada en las urnas por los electores. Ahora bien, la necesidad de cohonestar el principio de inalterabilidad de las listas electorales con los principios de conservación de actos válidamente celebrados, de interpretación más favorable a la plenitud del derecho de sufragio y de conocimiento de la verdad material manifestada en las urnas por los electores tampoco puede hacerse a costa del principio de inalterabilidad de las listas electorales con el rigor y la intensidad con el que ha sido configurado por el legislador en el art. 96.2 LOREG, de modo que, en un orden lógico, a aquellos principios debe preceder el respeto a la inalterabilidad de la candidatura en la emisión del sufragio.

FJ 9. En el supuesto que ahora nos ocupa la papeleta de voto en liza emitida en el distrito único, sección 1, mesa B, de Zahara de la Sierra a favor de la candidatura presentada por el Partido Popular, contiene la siguiente frase manuscrita: «Zapatero, multiplícate por cero Shin Chan». Al margen del severo y tajante reproche del que se hace merecedora la forma en que se ha ejercido en este caso el derecho de sufragio, sin la seriedad precisa que requiere su trascendental y nuclear papel en una sociedad democrática y sin el respeto debido a quien ostenta la presidencia del Gobierno de la Nación, se trata de una papeleta de voto en la que el elector, al ejercer su sufragio en las elecciones locales, con infracción del principio de inalterabilidad de las listas electorales establecido en el art. 96.2 LOREG, ha desatendido la prohibición de efectuar cualquier tipo de modificación, señal, manipulación, adición, marca, tachadura o cualquier otra clase de alteración o determinación en las papeletas de voto, al tratarse precisamente de papeletas que incorporan listas bloqueadas y cerradas en las que no es menester realizar indicación alguna al emitir el sufragio, por lo que, en aplicación del mencionado art. 96.2 LOREG, debió declararse la nulidad de la referida papeleta de voto. El elector, al actuar del modo como lo ha hecho, contraviniendo aquella prohibición, se ha apartado por razones únicamente a él imputables de las precisas reglas que en la legislación electoral regulan el ejercicio del voto en las elecciones locales, meridianamente claras a la hora de determinar la forma en que ha de ejercerse el voto, que excluyen cualquier tipo de señal o manipulación en las papeletas.

Sentado cuanto antecede ha de descartarse que las resoluciones administrativa y judicial impugnadas, al negar validez a esa papeleta de voto, hayan infringido el art. 96.2 LOREG y lesionado, como consecuencia de dicha decisión, el derecho de la demandante de amparo al acceso a los cargos públicos en condiciones de igualdad y con los requisitos que señalen las leyes (art. 23.2 CE).

El derecho de sufragio pasivo y el amparo contra la proclamación de candidatas/os electas/os: la nulidad materialmente relevante —STC 105/2012, de 11 de mayo (*vid. supra*)—

FJ 16. El examen de este motivo de amparo requiere traer a colación la doctrina de este Tribunal a favor de una interpretación sistemática, finalista y con dimensión constitucional del alcance de los posibles pronunciamientos recogidos en el art. 113 LOREG sobre la nulidad de la proclamación de electos o de la elección celebrada, que requiere su integración «en la voluntad manifiestamente conservadora de los actos electorales válidamente celebrados» y «en la necesidad de conservar el ejercicio de los derechos fundamentales de los electores (art. 23.1 CE), en todos aquellos casos en que no se vean afectados por las supuestas o reales irregularidades apreciadas, es decir, conservando aquellos actos jurídicos válidos que aquí implican el ejercicio de otros tantos derechos fundamentales de sufragio activo (art. 23.1 CE) de los electores respectivos, que no habrían variado con o sin infracción electoral». Esta interpretación conservadora o restrictiva del art. 113 LOREG en su conjunto viene impuesta «por exigencias constitucionales derivadas no sólo del tan invocado principio de conservación de actos jurídicos consistentes en el ejercicio de derechos fundamentales, sino también por otros criterios hermenéuticos aplicados con reiteración por este Tribunal en orden a los derechos fundamentales, como es el de la necesaria proporcionalidad entre unos actos y sus consecuencias jurídicas cuando éstas afectan a derechos fundamentales», así como el de la obligada «interpretación de la legalidad favorable a los derechos fundamentales» (STC 24/1990, de 15 de febrero, FJ 6). En el caso que nos ocupa, esta interpretación finalista e integradora viene exigida desde una recta intelección del art. 23 CE para que se conserve, en su caso, por una parte, la efectividad del derecho de sufragio activo y, en consecuencia, de los votos válidos del resto del electorado de la mesa electoral del censo de electores residentes ausentes en la circunscripción de occidente y, por otra parte, para la efectividad del derecho de acceso al cargo público (art. 23.2 CE) de quien se ha visto privado del escaño si los votos anulados y controvertidos carecieran de incidencia sobre el resultado electoral.

En aplicación de esta doctrina, la STC 24/1990, de 15 de febrero, confirmó la procedencia de repetir las elecciones, al quedar acreditado en el caso concreto la importancia decisiva de los votos controvertidos en la adjudicación del escaño (FJ 8). A esa misma conclusión se llegó en la STC 131/1990, de 16 de julio, una vez constatado que la diferencia de votos entre los contendientes al escaño al Senado era de 7 y el número de votos invalidados de 217 (FJ 6). Por el contrario, la STC 26/1990, de 19 de febrero, acordó la improcedencia de la nueva convocatoria, al haber confirmado que «en ningún caso, y bajo ninguna hipótesis, la orientación de los votos de sentido desconocido podría alterar el resultado final» (FJ 9). Igualmente se concluyó la no relevancia del cómputo de los votos invalidados en la STC 166/1991, de 19 de julio. A esos efectos, se argumentó que se ajustaba a unas reglas del cálculo lógico imparciales para cada una de las partes la operación consistente en tomar en cuenta el número de votos controvertidos y la diferencia entre cocientes para, a la vista de ello, proceder a dilucidar si es razonablemente probable que los votos desconocidos pudieran haber alterado decisivamente esa diferencia, computando los votos probablemente obtenidos por las candidaturas a la luz del porcentaje obtenido en la circunscripción (FJ 2). En la citada STC 166/1991, se indicaba que «cabría también, por ejemplo, tomar como cifra porcentual la de los sufragios conseguidos en las papeletas válidas de las Mesas cuestionadas» (FJ 3). [...][11]

Por tanto, en aplicación de la doctrina constitucional expuesta, debe concluirse, conforme a una lectura constitucional ex art. 23 CE del art. 113.2 d) LOREG, que el órgano judicial, tras declarar la concurrencia de una irregularidad invalidante, tiene la obligación de verificar su relevancia en la atribución de escaños, de modo tal que no procederá una nueva convocatoria electoral cuando el resultado no se altere. Ese juicio de relevancia, además, para los casos en que se trate de irregularidades cuantificables consistentes en la existencia de un número cierto de votos de destino desconocido debe realizarse acudiendo a criterios de probabilidad o técnicas de ponderación estadística para comprobar que no puede excluirse que su cómputo hubiera alterado el resultado.

FJ 20. [...] [E]ste Tribunal debe ratificarse en su apreciación de que hay garantías estadísticas sólidas para concluir que el cómputo de los votos controvertidos en la circunscripción occidental no ha resultado determinante del resultado final de la elección y, por tanto, que no resultaba procedente una nueva convocatoria electoral.

Los partidos políticos y los amparos electorales —STC 93/1989, de 22 de mayo[12]—

La Sentencia resuelve el recurso de amparo interpuesto por la Federación de Partidos de Alianza Popular contra la Sentencia de la Audiencia Territorial de Bilbao de 14 de julio de 1987, denunciando que ésta no ha apreciado un error de cuenta que la Junta Electoral de Zona reconoce ha padecido, sin la posibilidad temporal de subsanarlo, y que la Sala hubiera podido apreciar de practicar el recuento solicitado por la parte recurrente. La negativa a efectuar dicho recuento supuso para la Federación recurrente la pérdida de un concejal, lo que vulnera el derecho reconocido en el artículo 23.1 CE, al resultar alterada la verdadera representación votada por el electorado de Bilbao.

FJ 1. [...] [E]n cuanto a esta última reclamación, la queja hay que entenderla formulada respecto al derecho al acceso a los cargos públicos (art. 23.2 CE) en la persona del candidato del partido denunciado, pues solamente en beneficio de sus candidatos está legitimado un partido para recurrir en amparo, lo que no puede hacer, en cambio, en defensa del derecho a la participación política (art. 23.1 CE) de los ciudadanos que votan en unas elecciones.

El acceso a cargos públicos y las barreras electorales —STC 72/1989, de 20 de abril[13]—

La Sentencia resuelve el recurso de amparo promovido por don G. T. R. contra el Acuerdo de la Junta Electoral de Zona de Las Palmas de proclamación de candidatos al Parlamento de la Comunidad, en el cual se excluyó del reparto de

---

11   *Vid.* también las SSTC 79/1989, de 4 de mayo; 25/1990, de 19 de febrero; 27/1990, de 22 de febrero.
12   La STC 36/1990, de 1 de marzo, subrayó que los partidos políticos pueden interponer recursos contra la vulneración de los derechos reconocidos en el artículo 23 CE, no como titulares de los mismos, sino en la medida en que ostenten un interés legítimo en hacer valer el derecho en cuestión.
13   *Vid.* STC 265/1993, de 26 de julio, sobre la constitucionalidad del cómputo de votos en blanco para el cálculo de la barrera de 3%:

escaños a dicha coalición por no haber obtenido el mínimo de votos que se establece en el art. 8.2 del Estatuto de Autonomía de Canarias —3 por 100 de los válidos emitidos en la región o el 20 por 100 de los válidamente emitidos en la respectiva circunscripción electoral—.

FJ 2. [...] Lo que realmente pretende el recurrente, ante el hecho de no haber superado ninguno de los dos porcentajes mínimos de votos establecido, con carácter alternativo, en la expresada regla legal, es que este Tribunal sustituya el sistema electoral canario por el previsto en la Ley Electoral General para la elección de Parlamentario de las Cortes Generales, con fundamento en un juicio comparativo del que obtiene la conclusión de que este último es más adecuado al sistema de representación proporcional, pero tal planteamiento olvida que, de acuerdo con la Sentencia citada, «el principio democrático de la igualdad se encuentra abierto a las fórmulas electorales más diversas y ello porque se trata de una igualdad ante la Ley, o como el mismo art. 23.2 de la Constitución establece, de una igualdad referida a las condiciones legales en que el conjunto de un proceso electoral se desarrolla, por lo que la igualdad, por tanto, no prefigura un sistema electoral y excluye otros, sino que ha de verificarse dentro del sistema electoral que sea libremente determinado por el legislador, impidiendo las diferencias discriminatorias, pero a partir de las reglas de tal sistema y no por referencia a cualquier otro». [...]

FJ 3. [...] [N]o resulta inconveniente dejar aquí constancia de que la regla del porcentaje mínimo del 20 por 100 de los votos emitidos en la circunscripción electoral, establecida en el art. 8.2 del Estatuto Canario, no merece, en modo alguno, las calificaciones de exorbitante o contrario al sistema electoral y adecuada a las peculiaridades geográficas y claramente la de plenamente razonable y adecuada a las peculiaridades geográficas y poblaciones del archipiélago canario, e incluso de pieza necesaria de su régimen electoral, puesto que, organizado éste sobre las circunscripciones de las islas de Hierro, Fuerteventura, Gran Canaria, La Gomera, Lanzarote, La Palma y Tenerife —art. 8.4 del Estatuto—, con la indudable finalidad de conformar el Parlamento con representaciones políticas de los ciudadanos de cada una de esas islas, dicho porcentaje del 20 por 100 insular asegura tal finalidad legal al actuar como correctivo del 3 por 100 regional, ya que de no estar así previsto algunas de dichas circunscripciones electorales no podrían alcanzar representación parlamentaria, dado que su número de votantes, e incluso de electores, no es suficiente para superar el 3 por 100 de los votos válidos emitidos en la Región, como así se comprueba con los datos contenidos en el acta remitida por la Junta Electoral, conforme a la cual dicho 3 por 100 en las elecciones aquí contempladas fue equivalente a 20.068 votos válidos, siendo que la isla de Hierro tiene 5.197 electores; la de Fuerteventura, 20.459, de los cuales votaron 15.251, y la de la Gomera, 12.389.

Todo ello hace evidente que la regla de un porcentaje mínimo, además de no vulnerar el derecho a acceder en condiciones de igualdad a las funciones públicas, reconocido en el art. 23.2 de la Constitución. en conexión con el 14 del propio texto fundamental, constituye previsión legal, no sólo razonable, sino imprescindible para asegurar que las diversas zonas del territorio de las Comunidades Autónomas tengan representación en sus Asambleas Legislativas —art. 152.2 de la Constitución.

El acceso a cargos públicos y el carácter proporcional de nuestro sistema representativo —STC 15/2015, de 5 de febrero—

La Sentencia resuelve el recurso de inconstitucionalidad promovido por más de cincuenta Senadores del Grupo Parlamentario Socialista contra la Ley 4/2014, de 21 de julio, de reforma de la Ley 5/1986, de 23 de diciembre, Electoral de Castilla-La Mancha, que reduce a 33 el número de diputados en el parlamento autonómico.

FJ 6. [...] [Q]ueda por examinar lo que bien cabe llamar el núcleo de este recurso, esto es, la supuesta vulneración por la Ley 4/2014, al fijar en 33 el número de diputados de las Cortes de Castilla-La Mancha, de lo prescrito en el art. 152.1 CE; de conformidad con este, las asambleas legislativas de las Comunidades Autónomas habrán de ser elegidas «con arreglo a un sistema de representación proporcional». Esta aducida infracción constitucional conllevaría, de confirmarse, la transgresión, también, del art. 10.2 EACM, en cuyo párrafo primero se reitera tal exigencia de proporcionalidad para la elección de las Cortes de la Comunidad Autónoma. No así, sin embargo, la vulneración del art. 68 CE, que los recurrentes también citan, precepto cuyo número 3 impone atender a criterios de representación proporcional en la ordenación, estrictamente, de las elecciones al Congreso de los Diputados. Hay que recordar que, conforme a reiterada doctrina constitucional, la exigencia de proporcionalidad ex art. 152.1 CE pesa sobre las normas reguladoras de las elecciones a las asambleas legislativas de todas las Comunidades Autónomas, no sólo de aquellas que se constituyeron —lo que no fue el caso de la Comunidad Autónoma de Castilla-La Mancha— con arreglo al art. 151 de la propia norma fundamental (STC 197/2014, FJ 6, y jurisprudencia allí citada).

Como hemos dicho en el fundamento jurídico 3 que antecede, sólo si fuera de apreciar tal infracción del principio constitucional de proporcionalidad (art. 152.1 CE) sería asimismo constatable la vulneración tanto del pluralismo político como del derecho a acceder a los cargos públicos —al de diputado, en el caso presente— en condiciones de igualdad (arts. 1.1 y 23.2 CE). Estas últimas exigencias constitucionales, invocadas también en la demanda, nada predeterminan, en sí mismas, sobre el sistema electoral para la integración, en lo que aquí hace al caso, de las asambleas legislativas de las Comunidades Autónomas pero, si la proporcionalidad que impone aquel art. 152.1 CE hubiera sido ignorada por la Ley 4/2014, sí sería ya obligado apreciar que también habrían sido contradichos el principio del pluralismo político y la regla que enuncia el derecho a acceder, en condiciones de igualdad, al cargo de diputado. No es dudoso que aquel principio y esta regla encuentran una de sus garantías en la proporcionalidad cuando esta última viene impuesta por la Constitución o, en general, por el bloque de la constitucionalidad. [...]

FJ 8. En general, toda reducción del número de representantes a elegir en una circunscripción electoral no favorecerá, más bien al contrario, la mayor proporcionalidad del sistema electoral de que se trate, según ya advertimos, con cita de anteriores pronunciamientos, en la STC 197/2014 [FJ 7 a)]. En ello cabe inicialmente convenir, a reserva de lo que se dirá, con lo que en la demanda se aduce. Dijimos también en aquella Sentencia que la menor proporcionalidad en principio asociada a la disminución del número de puestos a cubrir (de escaños, en este caso) no es un efecto jurídico determinado sólo, de manera directa y necesaria, por las normas que asignen diputados a cada circunscripción; observamos que una importancia no menor tendrán —para restringir o, incluso, para favorecer la proporcionalidad— elementos o variables ajenos a toda predeterminación jurídica; sobre todo, el número de candidaturas presentadas y el grado mayor o menor de concentración o dispersión entre ellas del sufragio de los electores.

En atención a lo que acaba de ser recordado, y por lo que de inmediato se dirá, no es posible compartir la censura de inconstitucionalidad que la demanda dirige contra la Ley 4/2014. Se alza tal reproche, en efecto, a partir de un planteamiento preventivo o hipotético que es inidóneo, como tal, para pedir la invalidación de cualquier Ley y sobre la base, además, de un entendimiento errado de lo que impone la exigencia constitucional de proporcionalidad para la elección de las asambleas legislativas de las Comunidades Autónomas (art. 152.1 CE):

a) Las bases argumentales de este recurso, como ya ocurriera con el dirigido contra la Ley Orgánica 2/2014, son en muy buena medida preventivas o cautelares, construidas como están a partir de lo que se presenta al modo de prognosis del sentido del sufragio por venir mediante extrapolaciones o ejercicios de proyección de anteriores resultados electorales sobre unos comicios futuros. Un planteamiento de este género es, en general, y conforme a una muy reiterada jurisprudencia constitucional, inconducente para instar la declaración de inconstitucionalidad de una ley y no ha de servir ahora para llevar a este Tribunal a la convicción de que la norma impugnada deparará la supresión o abolición de la proporcionalidad que exige el art. 152.1 CE tan sólo por haber reducido, en los términos dichos, el número de diputados de las Cortes de Castilla-La Mancha [STC 197/2014, FJ 7 c) y jurisprudencia allí citada]. Este carácter preventivo del recurso se muestra, muy en particular, a propósito de lo que con profusión en él se llaman «barreras electorales», calificadas de desmedidas, para el acceso de las distintas candidaturas al procedimiento de asignación de escaños. Como ya dijo la STC 197/2014, en el fundamento jurídico recién citado, por barrera electoral o cláusula de exclusión se ha de entender la fijación normativa de un determinado porcentaje de sufragios para acceder a la fase de adjudicación de escaños; es de todo punto evidente que la Ley 4/2014 ni establece límite alguno de este tipo a la proporcionalidad ni modifica el establecido en el art. 17 a) de la Ley 5/1986, electoral de Castilla-La Mancha (un 3 por 100 de los votos válidos emitidos en la circunscripción). Lo que los Senadores recurrentes llaman aquí «barreras electorales» no son tales, sino —hemos de reiterar— unos hipotéticos umbrales porcentuales para la obtención, según los varios «escenarios» que anticipan, del último escaño en liza conforme a la regla d'Hondt; ello sobre la base de estimaciones conjeturales, ajenas a cualquier determinación excluyente del legislador y dependientes más bien, como prospecciones o simulaciones que son, del número de candidaturas que lleguen a concurrir y de la mayor o menor concentración o dispersión sobre ellas del futuro sufragio de los electores. En nada de ello —dijimos en la STC 197/2014 y reiteramos ahora— puede basarse el aserto de que la Ley impugnada habría constreñido la proporcionalidad por vía del establecimiento de una barrera electoral excesiva.

En definitiva, y como también advertimos en la STC 197/2014, el grado, incierto hoy, en que la proporcionalidad pueda llegar a contraerse a resultas de lo dispuesto en esta Ley no es algo que quepa enjuiciar, en abstracto, por este Tribunal Constitucional.

b) No es sólo, sin embargo, que la Ley impugnada se tache de contraria a la proporcionalidad que la Constitución y el Estatuto de Autonomía de Castilla-La Mancha imponen sobre la base, de todo punto insuficiente, de unos hipotéticos resultados electorales futuros que están, sin embargo, por entero en manos de los electores. Se trata además, y en relación con ello, de que el recurso muestra un entendimiento de lo exigido por los arts. 152.1 CE y 10.2 EACM y, en general, por las normas del bloque de la constitucionalidad referidas a la representación proporcional, que no se compadece, según constante jurisprudencia de este Tribunal, con el recto sentido de tales preceptos. Bastará para ilustrar lo dicho con remitirnos a nuestra jurisprudencia al respecto y en especial, una vez más, a la tan citada STC 197/2014 [FJ 7 b)]; en ella recordamos que las exigencias constitucionales en punto a la proporcionalidad han de ser vistas como imperativos de tendencia que orientan, pero no conforman, la libertad de configuración del legislador (ATC 240/2008, de 22 de julio, FJ 2), cuyo insuprimible y amplio margen de autodeterminación no ha de quedar comprometido en pos de la consecución de un apenas concebible sistema «puro» de representación proporcional (STC 75/1985, de 21 de junio, FJ 5). Observamos también entonces que las reglas constitucionales referidas a la proporcionalidad no pueden interpretarse como imperativos de resultados y sí, con carácter bastante más limitado, como mandatos al legislador para establecer una condición de posibilidad de la proporcionalidad misma. Mandatos de alcance negativo, precisamos en aquella Sentencia, que se cifran, por lo pronto, en la interdicción de la aplicación pura y simple de un criterio mayoritario o de mínima corrección; esto conlleva la necesaria conformación de las circunscripciones electorales en modo tal que no se impida de iure toda posible proporcionalidad, en el grado y extensión que sea, para la conversión de votos en escaños. Junto a ello, en la prohibición, también, de la desfiguración por ley de lo que hemos llamado «esencia» de la proporcionalidad mediante límites directos de la misma, como las barreras electorales o cláusulas de exclusión que, vista su entidad, llegasen a resultar desmedidas o exorbitantes para la igualdad de oportunidades entre candidaturas. Concluimos en aquella ocasión que, si límites como estos no hubieran sido transgredidos, no podría ya este Tribunal erigirse en juez del grado, mayor o menor, suficiente o no, según estimaciones políticas, de la proporcionalidad auspiciada por determinado sistema electoral, en cada una de sus piezas y en la conjunción de todas ellas, pues, si tal hiciera, ocuparía el lugar que corresponde al legislador.

La jurisprudencia recién recordada conduce derechamente a rechazar que la Ley 4/2014 haya quebrantado la exigencia constitucional de proporcionalidad por haber reducido hasta 33 el número de representantes en las Cortes de Castilla-La Mancha y disminuido, con ello, el número de escaños a cubrir en cada circunscripción electoral. Con independencia de que aquella reducción de la dimensión de la Cámara lo ha sido, como es patente, dentro de los límites fijados por la Ley Orgánica 2/2014 (cuya inconstitucionalidad, por esta causa, excluimos en la STC 197/2014), es ahora obligado constatar que la específica disminución del número de escaños a elegir en cada una de las circunscripciones que de tal reducción se sigue en modo alguno impide toda posible proporcionalidad —en el grado y extensión que sea— del sistema electoral para la integración de las Cortes de la Comunidad Autónoma. Compete al legislador determinar el número de escaños asignados a cada circunscripción (STC 45/1992, de 2 de abril, FJ 5) o condicionar su determinación; decisión ésta que no debe hacerse en modo tal que se impida de iure toda posible proporcionalidad —cuando la Constitución la exija— en el procedimiento de conversión de votos en escaños. Pero si la configuración de las circunscripciones —su magnitud, por lo que aquí interesa— no imposibilita, en sí misma, tal posible despliegue de la proporcionalidad no podrá ya censurarse la opción legislativa en términos jurídico-constitucionales, so pena de convertir la legítima crítica política en argumento de inconstitucionalidad; en ello incurre a menudo la demanda al calificar, por ejemplo, de «poco creíble y poco fiable» esta reforma de la Ley electoral.

El acceso a cargos públicos representativos y la posibilidad de acatar la Constitución con base en fórmulas no previstas en la normativa aplicable —STC 74/1991, de 8 de abril (*vid.* también ARTÍCULO 16)[14]—

La Sentencia resuelve el recurso de amparo promovido por don J.L.A.E., don J.L.E.U. y don F.I.I.S. contra la decisión del Presidente del Senado de 2 de octubre de 1990, que deniega a los actores la adquisición de la condición plena de Senadores por estimar inválida la fórmula de promesa de acatamiento a la Constitución que emplearon. Entienden los recurrentes que dicha decisión ha vulnerado su derecho reconocido en el artículo 23.2 CE, en relación con el artículo 21 de la Declaración Universal de los Derechos Humanos y el artículo 25 del Pacto Internacional de Derechos Civiles y Políticos.

FJ 4. [...] Para responder a esa cuestión también se ha de tener en cuenta la doctrina sentada en la ya citada STC 119/1990, tanto en su fundamento jurídico 4.° como en su fundamento jurídico 7.°, a los que no cabe calificar, como con alguna ligereza se hace, como meros obiter dicta de la decisión que llevó al otorgamiento del amparo no sólo anulando la resolución parlamentaria, sino también declarando que los entonces recurrentes habían adquirido la condición plena de Diputados mediante la prestación de la promesa de acatamiento a la Constitución por el empleo de la fórmula por ellos utilizada.

---

14 *Vid.* también las SSTC 101/1983, de 18 de noviembre; 122/1983, de 26 de diciembre; 8/1985, de 25 de enero, 119/1990, de 21 de junio.

No puede admitirse como argumento relevante el presentado por los actores, el de que la obligación reglamentaria es exclusivamente la de prestar el juramento o promesa, siendo accidental la previsión de una concreta fórmula, ya que tan ritualista es el hecho mismo de exigir el acatamiento solemne de la Constitución como el prever una concreta fórmula. Son aceptables los argumentos de la representación del Senado sobre las ventajas de la existencia de una fórmula juramental, que en modo alguno es una excepción insólita en el caso del Senado, ya que tanto la seguridad jurídica como la necesidad de dotar de solemnidad al requisito formal permiten establecer una fórmula como la contenida en el art. 11.3 RS Cuestión distinta es la de la aplicación en el caso concreto del precepto [...].

FJ 5. Como hemos dicho en la STC 119/1990, no cabe prescindir en absoluto de cuanto de ritual ha de haber siempre en toda celebración solemne, aun cuando la Constitución se opone «a un entendimiento exageradamente ritualista de esa obligación», de modo que la norma que establece la obligación debe ser interpretada siempre de manera que se maximalice, en lo posible, la eficacia de los derechos fundamentales, dado el mayor valor de los mismos (fundamento jurídico 4.°).

Lo decisivo es que el acatamiento a la Constitución haya sido incondicional y pleno, y ha de valorarse si tal incondicionalidad y plenitud subsiste en la fórmula empleada por los actores. Para ello ha de tenerse en cuenta que el art. 11.3 RS, en cuanto a la fórmula de realización del juramento, contiene dos fases, una de pregunta («¿juráis o prometéis acatar la Constitución?»), lo que se hizo en este caso por el Presidente del Senado, y una segunda parte en la que el Senador electo se acerca a la Presidencia para hacer la declaración y ha de contestar «sí, juro» o «sí, prometo». En el presente caso los tres Senadores electos recurrentes lo hicieron, aunque hicieron preceder a esa declaración la frase «por imperativo legal», que es la razón que el Presidente del Senado utilizó para considerar no realizada la fórmula de acatamiento. Desde luego, hubo emisión de la fórmula, aunque de una manera desviada, a consecuencia de ese añadido introducido. Demanda como alegaciones se esfuerzan, desde sus respectivas posiciones, en analizar el contenido del añadido a la fórmula utilizada por los recurrentes. en un caso para demostrar que existió acatamiento y en otro para justificar que la fórmula estaba viciada y, en consecuencia, era improcedente.

El acatamiento a la Constitución, como instrumento de integración política y de defensa constitucional, exige una clara manifestación formal de voluntad, pero no entraña una prohibición de representar o perseguir ideales políticos diversos de los encarnados por la Constitución, siempre que se respeten las reglas del juego político democrático y el orden jurídico existente, y no se intente su transformación por medios ilegales (STC 122/1983). La naturaleza misma de la función representativa, con un evidente substrato democrático producto de las elecciones, refuerza la idea de interpretación flexible de los requisitos formales, haciendo prevalecer, pues, los derechos de participación y representación sobre una exigencia formalista o rigorista de los requisitos, que no guarde proporción alguna con la finalidad perseguida al establecerlos y con la trascendencia misma del requisito.

El *favor libertatis*, que debe presidir la interpretación del alcance de los requisitos establecidos para el ejercicio de los derechos fundamentales, adquiere un particular relieve en relación con el derecho reconocido en el art. 23.2 CE (SSTC 24/1990, 25/1990, 26/1990 y 27/1990), como ha sido también puesto de relieve por el Tribunal Europeo de Derechos Humanos con referencia a la interpretación de los requisitos para acceder a puestos representativos (Sentencia de 2 de marzo de 1987, asunto Mathieu-Mohin y Clerfayt), en relación con la libre expresión de la opinión del pueblo en la elección del cuerpo legislativo.

En una institución como el acatamiento, la forma, el «rito» no tiene una dimensión meramente adjetiva, sino que transciende de ésta para proyectarse sobre el vínculo ético y moral que implica; esa tensión entre el compromiso querido por el ordenamiento y el vínculo ético-moral de quien lo manifiesta obliga a buscar una concordancia práctica entre ambos mediante una interpretación no excesivamente ritual ni rigorista del cumplimiento del requisito, y así es la práctica parlamentaria en muchos países, y la que se corresponde también con la tradición parlamentaria española que generó un auténtico uso de manifestar reservas o explicaciones de distinta naturaleza a la emisión del juramento o promesa.

La dimensión ética que posee el acatamiento no puede llevar a excluir a priori la posibilidad de prácticas de esta naturaleza, ya sea en el momento de prestar juramento, ya sea, sin solución de continuidad, tras haberlo prestado. Esta posibilidad tiene, sin embargo, como límite el que su formulación desnaturalice o vacíe de contenido el acatamiento mismo, mediante fórmulas que supongan un fraude a la Ley o priven de sentido al propio acatamiento. En esa tensión entre la salvaguardia del alcance de un compromiso ético y el respeto al contenido mismo del acatamiento es donde hemos de situarnos para valorar la regularidad o no del acatamiento realizado por los recurrentes.

FJ 6. [...] Cumplida la fórmula reglamentaria, el agregar a la misma la expresión «por imperativo legal» en el momento mismo de prestar juramento o promesa de acatamiento, debe necesariamente ser entendido como un acatamiento, o sea, como una respuesta afirmativa a la pregunta formulada por el Presidente de la Cámara. Los propios recurrentes afirman en su demanda que han cumplido la obligación que se les imponía en cuanto que han prestado promesa de acatar la Constitución en los términos solemnes que el Reglamento de la Cámara exigía, pese a la anteposición de esa expresión «por imperativo legal», que no implica una condición, reserva o limitación, sino sólo el «precisar que su acatamiento no es resultado de una decisión espontánea, sino simple voluntad de cumplir un requisito que la Ley les impone» (STC 119/1990, fundamento jurídico 7.°). El añadido inicial a la fórmula de acatamiento no tiene así relevancia suficiente para vaciar de contenido el compromiso que adquirieron los recurrentes de respeto a la Constitución y de sujeción al modelo democrático que la misma representa. [...]

El artículo 23 CE y el carácter presencial de la representación política —STC 19/2019, de 12 de febrero[15]—

La Sentencia resuelve la impugnación por parte del gobierno del Estado, al amparo de los artículos 161.2 CE y 76 y 77 de la LOTC, de la resolución del presidente del Parlamento de Cataluña de 22 de enero de 2018 por la que se proponía la investidura de don Carles Puigdemont i Casamajó como candidato a presidente del Gobierno de la Generalitat de Cataluña, así como la resolución del mismo presidente de 25 de enero de 2018, por la que se convocaba sesión plenaria el 30 de enero de 2018, a las 15:00 horas, en la parte que se refiere a la inclusión en el orden del día del debate del programa y votación de investidura del diputado don Carles Puigdemont i Casamajó.

FJ 4. [...] Ni la Constitución ni el Estatuto de Autonomía de Cataluña establecen expresamente que el candidato a la presidencia de la Generalitat deba comparecer de forma presencial ante la Cámara para poder celebrar la sesión de investidura. Esta exigencia, sin embargo, se encuentra implícita en estas normas. Así lo imponen, por una parte, la naturaleza parlamentaria de este procedimiento y, por otra, la propia configuración del procedimiento de investidura.
A) El ejercicio de las funciones representativas ha de desarrollarse, como regla general, de forma personal y presencial.
a) El ejercicio personal del cargo público representativo es una exigencia que deriva del propio carácter de la representación que se ostenta, que corresponde únicamente al representante, no a terceros que puedan actuar por delegación de aquel. Las funciones que integran el ius in officium han de ser ejercidas, como regla general, personalmente por el cargo público, pues su delegación en un tercero rompe el vínculo entre representantes y representados y afecta por ello al derecho que consagra el artículo 23.1 CE. Estos cargos públicos, aunque representan al pueblo en su conjunto, obtienen un mandato que es producto de la voluntad de quienes los eligieron (STC 119/1990, de 21 de junio, FJ 7), por lo que el respeto de esta voluntad exige que las funciones representativas se ejerzan personalmente por quien ha sido elegido, salvo excepciones justificadas en la necesidad de salvaguardar un bien constitucional merecedor de mayor protección. El artículo 79.3 CE, al establecer que el voto de los senadores y diputados es personal e indelegable, expresa este principio. Por ello, aunque este precepto constitucional —por el contexto normativo en el que se sitúa y por su misma dicción— resulta de aplicación únicamente al Congreso de los Diputados y al Senado, no a las cámaras legislativas de las Comunidades Autónomas (STC 179/1989, de 2 de noviembre, FJ 6), el principio constitucional que contiene —el carácter personal e indelegable del oficio representativo—, al operar sobre una concreta manifestación del derecho fundamental que consagra el artículo 23.1 CE, determina que las facultades inherentes al ejercicio de la representación política no puedan ser objeto de delegación. Por esta razón, los parlamentarios deben, como regla general, ejercer las funciones propias de su ius in officium de forma personal.
b) De igual modo, y también como regla general, las actuaciones parlamentarias han de ejercerse de modo presencial. La presencia de los parlamentarios en las cámaras y en sus órganos internos es un requisito necesario para que puedan deliberar y adoptar acuerdos. En relación con las Cortes Generales, el artículo 79 CE, en su apartado primero, establece que "[p]ara adoptar acuerdos, las Cámaras deben estar reunidas reglamentariamente y con asistencia de la mayoría de sus miembros" y su apartado segundo, que "[d]ichos acuerdos, para ser válidos, deberán ser aprobados por la mayoría de los miembros presentes...". Asimismo, el artículo 60.3 EAC, cuando regula el funcionamiento del Parlamento de Cataluña, requiere que se encuentre reunido "con la presencia" de la mayoría absoluta de los diputados y prescribe, además, que la mayoría exigida para adoptar los acuerdos se conforme por los votos de los diputados "presentes". Por otra parte, los reglamentos de las cámaras disponen que los parlamentarios tienen el deber de "asistir" a las reuniones del pleno de la cámara y a la de las comisiones a las que pertenezcan. Así lo establece, en lo que hace al caso que ahora se enjuicia, el propio Reglamento del Parlamento de Cataluña en su artículo 4.1. Este deber de asistencia determina, por tanto, que los parlamentarios tienen el deber de comparecer en persona ante la Cámara para poder participar en las sesiones parlamenta-

---

15   *Vid.* también STC 45/2019, de 27 de marzo.

rias. Por esta razón, el Reglamento del Parlamento de Cataluña, cuando regula los debates, solo contempla la posibilidad de que el orador pueda hablar desde la tribuna o desde el escaño (art. 85.3); no prevé la posibilidad de participar en ausencia. Por lo demás, no solo los parlamentarios tienen el deber de acudir a la cámara. La comparecencia presencial es, en principio, exigible a cualquiera que sea llamado a comparecer ante el parlamento. Por este motivo, el artículo 110 CE, expresando un principio de alcance general, establece que "[l]as Cámaras y sus comisiones pueden reclamar la presencia de los miembros del Gobierno", y el mismo principio contiene el artículo 73.2 EAC, al atribuir esta misma potestad al Parlamento de Cataluña.

Las normas citadas son expresión, en definitiva, de un principio del que se deriva el carácter presencial de la actividad parlamentaria. En los procedimientos parlamentarios la interacción entre los presentes es un elemento esencial para que la cámara pueda formar su voluntad. La formación de la voluntad de las cámaras solo puede realizarse a través de un procedimiento en el que se garantice el debate y la discusión —solo de este modo se hace efectivo el pluralismo político y el principio democrático— y para ello es esencial que los parlamentarios asistan a las sesiones de la cámara. El proceso de comunicación que precede y determina la decisión parlamentaria es un proceso complejo en el que el voto que conforma la decisión final se decide atendiendo a múltiples circunstancias de entre las que no deben descartarse aquellas que pueden surgir de la interrelación directa e inmediata entre los representantes. Por ello, para que la voluntad de la cámara se pueda formar debidamente, es preciso que los parlamentarios se encuentren reunidos de forma presencial, pues solo de este modo se garantiza que puedan ser tomados en consideración aspectos que únicamente pueden percibirse a través del contacto personal. Esta exigencia no admite otra excepción que la que pueda venir establecida en los reglamentos parlamentarios respecto a la posibilidad de votar en ausencia cuando concurran circunstancias excepcionales o de fuerza mayor, y para ello será necesario que el voto realizado sin estar presente en la cámara se emita de tal modo que se garantice que expresa la voluntad del parlamentario ausente y no la de un tercero que pueda actuar en su nombre.

La actuación de forma presencial es, por tanto, necesaria para que los órganos colegiados, en general, puedan formar debidamente su voluntad, pero, además, en el caso de los órganos colegiados de carácter representativo es, como se expondrá más adelante, una garantía del correcto ejercicio del derecho de participación política. En consecuencia, la necesaria presencia de los parlamentarios en la cámara para que el órgano pueda adoptar acuerdos deriva de su propia función constitucional, pues sus decisiones solo podrán considerarse expresivas de la voluntad general si se adoptan respetando las exigencias formales esenciales que garantizan la correcta formación de la voluntad de la asamblea y una de estas exigencias es, como se acaba de señalar, que las actuaciones parlamentarias se efectúen, como regla general, de forma presencial.

B) La naturaleza del acto de investidura exige que este procedimiento no pueda celebrarse sin la presencia en la cámara del candidato.

El artículo 67 EAC, al regular la elección del presidente de la Generalitat, se limita a establecer que "[e]l Presidente o Presidenta de la Generalitat es elegido por el Parlamento de entre sus miembros" (art. 67.2 EAC) y a prever como causa de cese en este cargo la aprobación de una moción de censura o la denegación de una cuestión de confianza (art. 67.5 EAC). Este precepto no dispone expresamente, como sí lo hace el artículo 99.2 CE, al regular la investidura del presidente del Gobierno de la Nación, que el candidato tenga que exponer su programa político y solicitar a la Cámara su confianza. No obstante, de ello no cabe deducir que la investidura del presidente de la Generalitat no haya de ser también una investidura programática. El artículo 152.1 CE, al definir el sistema institucional básico de las comunidades autónomas, configura un sistema de gobierno de carácter parlamentario que, como es propio de estos sistemas de gobierno, se basa en una relación fiduciaria entre el ejecutivo y la asamblea. Esto supone que la elección del presidente de la Generalitat ha de serlo mediante una investidura análoga a la establecida por la Constitución para la Presidencia del Gobierno de la Nación. Es, por tanto, una exigencia constitucional que el candidato a presidente de la Generalitat comparezca ante la Cámara para defender su programa de gobierno y solicitar su confianza. Por esta razón, aunque el artículo 67 del EAC no establezca expresamente este trámite, implícitamente, al referirse a la "investidura" (art. 67.3), lo está reconociendo, pues, por las razones expuestas, este término ha de aludir necesariamente a una investidura programática; única que tiene cabida en nuestro ordenamiento constitucional. Por ello, tanto el artículo 149 RPC como el artículo 4 de la Ley 13/2008, de la Presidencia de la Generalitat y del Gobierno, prevén este tipo de investidura.

La cuestión que ahora debe resolverse es si esta actuación ha de llevarla a cabo personalmente el candidato y, además, si debe hacerlo de forma presencial, acudiendo a la sede del Parlamento, pues el artículo 149 RPC, al desarrollar el artículo 67 EAC, no establece expresamente esta exigencia. Como se acaba de exponer, las actuaciones parlamentarias han de realizarse, con carácter general, de forma personal y presencial. Por ello, para poder apreciar que es constitucionalmente admisible celebrar una sesión de investidura en la que el candidato no estuviera presente sería preciso que existiera un bien o valor constitucional que justificara en este supuesto limitar el principio que exige, con carácter general, que las actuaciones parlamentarias se realicen de forma presencial. En este caso no solo no existe ningún bien o valor constitucional que justifique la excepción de este principio, sino que, además, como se expondrá a continuación, la propia naturaleza de este procedimiento impide que pueda celebrarse una sesión de investidura en la que el candidato no compareciera ante la Cámara para defender personal y presencialmente su programa de gobierno.

a) La actuación del candidato en la sesión de investidura (la presentación de su programa de gobierno y la solicitud de la confianza, así como la intervención en el debate) tiene carácter personalísimo. El procedimiento de investidura exige que sea el propio candidato el que defienda su programa, pues la Cámara otorga su confianza no a un programa de gobierno, sino a un candidato. La Cámara elige a quien va a ser el presidente de la Generalitat y el programa de gobierno no es más que un instrumento en el que se apoya el candidato para solicitar su investidura. Por ello es esencial en este procedimiento que sea el candidato propuesto quien defienda ante el Parlamento su programa, pues solo mediante su intervención en este acto los diputados pueden contar con los elementos de juicio necesarios para otorgarle o no su confianza. La intervención del candidato en la sesión de investidura es un elemento imprescindible para que la Cámara pueda formar correctamente su voluntad. No cabe, por tanto, que otro diputado pueda sustituirle ni actuar en su nombre en este procedimiento. El artículo 67.8 EAC expresa este principio al establecer que la moción de confianza no puede plantearla quien sustituya o supla al presidente, lo que conlleva que la solicitud de la confianza parlamentaria ha de hacerse de forma personal.

b) La sesión de investidura no puede celebrarse sin la presencia del candidato en el Parlamento. La comparecencia a través de medios telemáticos menoscabaría el desarrollo de este procedimiento parlamentario en el que la interacción entre el candidato y los otros diputados es esencial para su recto desenvolvimiento. Tales medios podrían permitir que el candidato expusiera su programa de gobierno e interviniera a distancia en el debate, pero no podrían garantizar el correcto desarrollo del procedimiento de investidura. La comparecencia del candidato a través de medios telemáticos conllevaría que la sesión de investidura se celebrase simultáneamente en dos lugares distintos: en la sede del Parlamento y en el lugar donde se encontrara el candidato. Este desdoblamiento determinaría que quienes participan en este acto no pudieran percibir directamente todo lo que sucede en él, lo que puede afectar al desarrollo de la sesión de investidura. La transmisión de la sesión celebrada en el Parlamento podría no recoger íntegramente lo que está sucediendo en la Cámara (las intervenciones espontáneas de los diputados, sus gestos u otras reacciones que pudieran tener). De igual modo, la transmisión de la intervención del candidato podría no mostrar todo lo que está ocurriendo en el lugar desde donde el candidato realiza su intervención (al encontrarse fuera del Parlamento, podría contar, por ejemplo, con apoyos de los que no dispondría si hubiera comparecido personalmente ante la Cámara) lo que podría afectar a la forma de realizar su intervención e, incluso, a su contenido. En todo caso, aunque los medios telemáticos empleados permitieran reproducir íntegramente lo que está sucediendo en los dos lugares en los que estuviera teniendo lugar la sesión de investidura, estos instrumentos no podrían garantizar que la sesión parlamentaria se estuviera desarrollando del mismo modo que si el candidato hubiera comparecido personalmente ante la Cámara. Una comparecencia telemática no equivale a una comparecencia presencial. Como se ha expuesto anteriormente, el procedimiento parlamentario, expresión de la democracia misma, exige interacción entre presentes. Las actitudes o reacciones del candidato en la exposición del programa de investidura podrían no ser las mismas que las que tendría si estuviera defendiendo su programa de gobierno personalmente ante la Cámara. Asimismo, la ausencia del candidato puede conllevar que el debate posterior no se efectúe con la fluidez y espontaneidad propias de un debate presencial. Todas estas circunstancias pueden tener influencia en el desarrollo de la sesión parlamentaria y, en definitiva, en la formación de la voluntad de la Cámara.

FJ 5. La exigencia de que la función parlamentaria se ejerza en un determinado espacio físico —la sede del Parlamento— no tiene solo como finalidad garantizar que los parlamentarios puedan ejercer su función representativa en un lugar en el que no puedan ser perturbados, sino que cumple también una función simbólica, al ser ese el único lugar en el que el sujeto inmaterial que es el pueblo se hace presente ante la ciudadanía como unidad de imputación y se evidencia la centralidad de esta institución. Como establece el artículo 55 EAC, el Parlamento representa al pueblo de Cataluña, ejerce la potestad legislativa, aprueba los presupuestos de la Generalitat, controla la acción política y de gobierno y es "la sede donde se expresa preferentemente el pluralismo político y se hace público el debate político". Desde esta perspectiva, no es irrelevante que el candidato a la Presidencia del Gobierno de la Generalitat acuda en persona a la sede del Parlamento para solicitar a la Cámara su confianza. Esta exigencia cumple la importante función de hacer visible la diferente posición institucional en la que se halla el candidato en relación con el Parlamento al hacer patente la posición de sometimiento a la voluntad del pueblo de Cataluña en la que se encuentra el aspirante a presidir la Generalitat. Por todo ello, ha de concluirse que una investidura en la que el candidato no compareciera presencialmente ante la Cámara para solicitar su confianza sería contraria al bloque de la constitucionalidad al vulnerar los principios que derivan del artículo 99.2 CE y en el caso examinado también del artículo 67 EAC y del artículo 149 RPC, pues, aunque estas normas no establezcan expresamente el carácter presencial de la investidura, esta exigencia es inherente a la naturaleza de este procedimiento. En relación con la vulneración de artículo 149 RPC ha de señalarse que, como ha declarado el Tribunal, los reglamentos de las cámaras pueden considerarse un parámetro de constitucionalidad (STC

132/2013, de 5 de junio, FJ 3, entre otras muchas). La jurisprudencia constitucional les ha atribuido este carácter en aquellos supuestos en los que pueden ser considerados como normas interpuestas entre la Constitución y las leyes y, por ello, en tales casos, son condición de la validez constitucional de estas últimas (SSTC 226/2004, de 29 de noviembre, FJ 2; 227/2004, de 29 de noviembre, FJ 2; 136/2011, de 13 de septiembre, FJ 6, y 132/2013, de 5 de junio, FJ 3). De igual modo hay que atribuirles esta condición cuando estas normas, en desarrollo directo de un precepto constitucional o estatutario, regulen un procedimiento parlamentario, aunque este procedimiento, como ocurre en este caso, no tenga carácter legislativo. Lo relevante a estos efectos es que la decisión acordada por la cámara traiga causa directa e inmediata de la propia Constitución o del estatuto de autonomía. Por ello, los artículos 149 y 150 RPC, al desarrollar el procedimiento de elección del presidente de la Generalitat previsto en el artículo 67.2 EAC, constituyen un parámetro de control de la constitucionalidad de esta actuación parlamentaria.

FJ 6. La investidura no presencial comporta, además, una vulneración de los derechos de los parlamentarios reconocidos en el artículo 23 CE.- La celebración de una sesión de investidura en la que el candidato a la presidencia no compareciera presencialmente ante la cámara para defender su programa de gobierno y solicitar su confianza sería lesiva, además, de los derechos que consagra el artículo 23 CE. Como ha señalado el Tribunal, el derecho de los parlamentarios a ejercer su cargo público (art. 23.2 CE) y el correlativo derecho de los ciudadanos a participar en las funciones públicas a través de sus representantes (art. 23.1 CE) pueden resultar vulnerados si no se respetan las normas ordenadoras de los procedimientos parlamentarios y tales normas inciden en aspectos que forman parte del núcleo de la función representativa [en este sentido, entre otras muchas, SSTC 38/1999, de 22 de marzo, FJ 2; 27/2000, de 31 de enero, FJ 4; 57/2011, de 3 de mayo, FJ 2; 114/2017, FJ 6 a), y 27/2018, de 5 de marzo, FJ 4].
Es jurisprudencia constitucional reiterada que la inobservancia del procedimiento parlamentario puede determinar la inconstitucionalidad de la decisión si la formalidad de la que se prescinde constituye un elemento necesario para que la cámara pueda formar adecuadamente su voluntad. Esta doctrina la ha establecido el Tribunal en relación con los vicios del procedimiento legislativo, pero es aplicable a cualquier procedimiento parlamentario a través del cual la cámara ejerza las funciones que como órgano constitucional o estatutario le corresponden. La voluntad del parlamento debe formarse con los elementos de juicio necesarios para que su decisión se considere debidamente adoptada. De este modo, no solo se garantiza la constitucionalidad y oportunidad de la decisión, sino, además, el correcto ejercicio del derecho de participación política que consagra el artículo 23 CE. La función primordial de toda asamblea parlamentaria es representar a la ciudadanía y esta función solo se cumple cabalmente si los elegidos por el cuerpo electoral para realizarla se atienen a los procedimientos que el ordenamiento dispone y respetan las reglas y principios que conforman estos procedimientos. Como ha señalado la jurisprudencia del Tribunal, "[l]a democracia parlamentaria no se agota, ciertamente, en formas y procedimientos, pero el respeto a unas y otros está, sin duda, entre sus presupuestos inexcusables" [SSTC 109/2016, de 7 de junio, FJ 5 c); 114/2017, de 17 de octubre, FJ 6, y 27/2018, de 5 de marzo]. Todo ello sin perjuicio de que, como ha quedado expuesto, la exigencia de la presencia de los parlamentarios en la Cámara tiene un importante contenido material, al ser un elemento esencial para el correcto desarrollo del debate parlamentario y, en definitiva, una garantía del principio democrático (art. 1.1 CE).
De acuerdo con la jurisprudencia constitucional, el núcleo de la función representativa lo constituyen aquellas funciones que solo pueden ejercer los titulares del cargo público por ser la expresión del carácter representativo de la institución (STC 169/2009, de 9 de julio, FJ 3, y 107/2016, de 7 de junio, entre otras muchas). La participación en el procedimiento de investidura es, con toda evidencia, una de estas funciones. La elección del presidente de la Generalitat corresponde al Parlamento de Cataluña (arts. 152.1 CE y 67.2 EAC), por lo que los diputados, al participar en ese procedimiento, están ejerciendo las funciones representativas propias de su cargo. Por ello, el derecho fundamental que consagra el artículo 23.2 CE les garantiza que puedan ejercer tales funciones sin perturbaciones ilegítimas y de conformidad con la ley (SSTC 5/1983, de 4 de febrero, FJ 3; 10/1983, de 21 de febrero, FJ 2; 28/1984, de 28 de febrero, FJ 2; 32/1985, de 6 de marzo, FJ 3; 161/1988, de 20 de septiembre, FJ 6; 40/2003, de 17 de febrero, FJ 2; 1/2015, de 19 de enero, FJ 3, y 27/2018, de 5 de marzo, FJ 2).
Como se acaba de señalar, una de las formalidades necesarias del procedimiento de investidura es que el candidato comparezca personalmente ante la cámara para solicitar su confianza. La celebración de este debate en ausencia del candidato privaría a este procedimiento de los elementos necesarios para que pudiera cumplir su finalidad —aportar a la cámara elementos de juicio necesarios para que pueda valorar si el candidato merece o no su confianza— y por esta razón, al afectar a una garantía necesaria para asegurar el correcto ejercicio de la función representativa, vulneraría el derecho de los diputados a ejercer su cargo público sin perturbaciones ilegítimas y de conformidad con lo previsto en la ley y en los principios constitucionales (SSTC 10/2018, de 5 de febrero, FJ 5, y 27/2018, de 5 de marzo, FJ 5), lo que conllevaría también la lesión del derecho de los ciudadanos a participar en los asuntos públicos a través de sus representantes, reconocido en el artículo 23.1 CE (SSTC 161/1988, de 20 de septiembre, FJ 6; 181/1989, de 3

de noviembre, FJ 4; 205/1990, de 13 de diciembre, FJ 4; 177/2002, de 14 de octubre, FJ 3; 40/2003, de 27 de febrero, FJ 2; 1/2015, de 19 de enero, FJ 3; 10/2018, de 5 de febrero, FJ 3, y 27/ 2018 de 5 de marzo, FJ 3, entre otras muchas).

El derecho a permanecer en cargos públicos representativos como derecho ciudadano, no de los partidos políticos —STC 5/1983, de 4 de febrero[16]—

La Sentencia resuelve el recurso de amparo formulado por don M.A.B.P. contra acuerdos del Ayuntamiento de Andújar, y contra resoluciones judiciales que lo confirman, sobre el cese del recurrente en el cargo de Concejal y Alcalde con base en el artículo 11.7 de la Ley de Elecciones Locales, por haber sido expulsado del partido en cuyas listas concurrió a las elecciones. Alega el recurrente vulneración del artículo 23.2 CE

FJ 3. Para resolver la cuestión de enjuiciamiento prioritario aludida, resulta necesario precisar si el art. 11.7 de la Ley de Elecciones Locales, en cuanto comprende el supuesto planteado de expulsión de un partido político, es o no compatible con la Constitución, pues en lo que sea incompatible habrá quedado derogado por la misma de acuerdo con su disposición derogatoria núm. 3, sin que debamos aquí determinar si la compatibilidad o incompatibilidad es o no total, sino tan sólo en cuanto es procedente para la resolución del presente recurso de amparo. [...]
El derecho a acceder a los cargos públicos comprende también el derecho a permanecer en los mismos, porque de otro modo el derecho fundamental quedaría vacío de contenido; derecho a permanecer en condiciones de igualdad, «con los requisitos que señalen las leyes», que será susceptible de amparo en la medida en que las leyes establezcan una causa de remoción que viole un derecho fundamental diferente, dentro de los comprendidos en el ámbito del recurso, o que no se ajuste a las condiciones de igualdad que preceptúa el propio art. 23.2.

FJ 4. [...] El mencionado precepto 11.7 dice así:
«Tratándose de listas que representen a partidos políticos, federaciones o coaliciones de partidos, si alguno de los candidatos electos dejare de pertenecer al partido que le presentó, cesará en su cargo y la vacante será atribuida en la forma establecida en el número anterior. El que así accediere ocupará el puesto por el tiempo que restare de mandato.» El precepto transcrito, que se refiere al cese en el cargo de Concejal y no en el de Alcalde, plantea en el presente recurso dos cuestiones en orden a su compatibilidad o incompatibilidad con el art. 23.2: en primer lugar, la relativa a si la expulsión de un partido político puede producir el cese en el cargo público de concejal o si tal causa de remoción es contraria a algún derecho fundamental o libertad pública susceptible de amparo; y, en segundo término,

---

[16] En el mismo sentido, *vid.* las SSTC 10/1983, de 21 de febrero; 16/1983, de 10 de marzo; 20/1983, de 15 de marzo; 28/1983, de 21 de abril; 29/1983 y 30/1983, ambas de 26 de abril; 28/1984, de 28 de febrero. Más allá de la circunstancia de la expulsión de un partido político, *vid.* SSTC 167/1991, de 19 de julio (no cabe usar, en unas elecciones locales, las papeletas de la lista electoral que un partido presenta en un municipio para votar por el mismo partido en otro municipio); 151/2017, de 21 de diciembre (inconstitucionalidad del artículo 197.1.a) LOREG en la medida en que, cuando entre quienes proponen una moción de censura municipa haya quien ha dejado de pertenecer al grupo político al que se adscribió al inicio de su mandato, obliga a que se incremente en igual número la mayoría absoluta necesaria para proponer moción de censura municipal). El Tribunal Constitucional ha subrayado que «el art. 23.2 CE comprende el derecho a no ser removido si no es en virtud de una causa legal» (STC 298/2006, de 23 de octubre, FJ 6 —con referencia a la STC 28/1984, de 28 de febrero; *vid.* también ATC 813/1985, de 20 de noviembre—). Como subraya la STC 185/1993, de 31 de mayo, «la Constitución española protege a los representantes que optan por abandonar un determinado grupo político y [...] de dicho abandono no puede en forma alguna derivarse la pérdida del mandato representativo» (FJ 5). Y es que «puede decirse que son primordialmente los representantes políticos de los ciudadanos quienes dan efectividad a su derecho a participar en los asuntos públicos. De suerte que el derecho del art. 23.2 CE, así como, indirectamente, el que el art. 23.1 CE reconoce a los ciudadanos, quedaría vacío de contenido, o sería ineficaz, si el representante político se viese privado del mismo o perturbado en su ejercicio» (SSTC 38/1999, de 22 de marzo, FJ 2; 203/2001, de 15 de octubre, FJ 2; 177/2002, de 14 de octubre, FJ 3; 40/2003, de 27 de febrero, FJ 2; y 169/2009, de 9 de julio, FJ 2) (STC 114/2014, de 7 de julio, FJ 4). Asimismo, la conexión entre los derechos reconocidos en los artículos 23.1 y 23.2 CE determina que, en una lectura constitucionalmente conforme del artículo 196 a) de la LOREG, solo puedan acceder a la alcaldía quienes encabecen la lista electoral o, en caso de vacante, quienes les siguen en la lista, no quienes han accedido a la condición de concejal por designación de su partido para cubrir dicha vacante (STC 125/2013, de 23 de mayo; *vid.* también las SSTC 31/1993, de 26 de enero; 185/1993, de 31 de mayo); o que no quepa elegir a la alcaldía a quien formalmente ha renunciado a candidarse como alcalde (STC 147/2013, de 6 de agosto; 81/1994, de 14 de marzo; *vid* con todo la STC 214/1998, de 11 de noviembre). Sobre la designación del Presidente de la Diputación Foral de Navarra por el

si el prever una causa específica de cese para unos miembros de la Corporación se ajusta o no a las condiciones de igualdad en la permanencia en el cargo público. A continuación nos referimos separadamente a cada una de ellas: a) [...] [El artículo 23.1 CE] consagra el derecho de los ciudadanos a participar en los asuntos públicos por medio de representantes libremente elegidos en elecciones periódicas, lo que evidencia a nuestro juicio que los representantes dan efectividad al derecho de los ciudadanos a participar —y no de ninguna organización como el partido político—, y que la permanencia de los representantes depende de la voluntad de los electores que la expresan a través de elecciones periódicas, como es propio de un Estado democrático de derecho, y no de la voluntad del partido político. En definitiva, y sin perjuicio de las incompatibilidades que pueda regular la Ley, el cese en el cargo público representativo al que se accede en virtud del sufragio no puede depender de una voluntad ajena a la de los electores, y eventualmente a la del elegido.

Los partidos políticos, tal y como establece el art. 6 CE, ejercen funciones de trascendental importancia en el Estado actual, en cuanto expresan el pluralismo político, concurren a la formación y manifestación de la voluntad popular y son instrumento fundamental para la participación política. Pero, sin perjuicio de lo anterior, lo cierto es que el derecho a participar corresponde a los ciudadanos, y no a los partidos, que los representantes elegidos lo son de los ciudadanos y no de los partidos, y que la permanencia en el cargo no puede depender de la voluntad de los partidos sino de la expresada por los electores a través del sufragio expresado en elecciones periódicas.

Lo dispuesto en el art. 23.1 es, sin duda alguna, aplicable a los Concejales que, de acuerdo con el art. 140 de la Constitución «serán elegidos por los vecinos del municipio mediante sufragio universal, igual, libre y secreto, en la forma establecida por la Ley», por lo que debe afirmarse que el art. 11.7 de la Ley de Elecciones Locales, en cuanto otorga a los partidos políticos la posibilidad de crear por su voluntad —mediante la expulsión— el presupuesto de hecho que da lugar al cese en el cargo público va contra la Constitución y, en concreto, contra el derecho a permanecer en el cargo público de su art. 23.2, al prever una causa de extinción o cese contraria a un derecho fundamental susceptible de amparo como es el regulado en su art. 23.1.

b) [...] La Ley de Elecciones Locales regula la elección de concejales por un sistema de listas cerradas y bloqueadas, de forma tal que cada elector —art. 11.2— dará su voto a una sola lista, sin introducir en ella modificación alguna ni alterar en la misma el orden de colocación de los candidatos. El art. 14 de la Ley regula la presentación de las candidaturas o listas, que podrán proponer los partidos y federaciones, las coaliciones de los mismos con fines electorales y los electores de cada municipio en número no inferior al que se detalla en el precepto, que prevé la posibilidad de que las listas incluyan nombres de candidatos independientes «pudiendo figurar tal condición» (art. 14.4).

La exposición anterior nos permite ya detectar que el art. 11.7 establece una desigualdad en la permanencia en el cargo de concejal según la lista en la que se encontraran los elegidos y el carácter con el que estuvieran. Así, los candidatos propuestos —y elegidos— en listas presentadas por los electores, no cesan en su cargo cualquiera que sea la relación de los proponentes con el elegido, y cualquiera que sea la voluntad de los primeros; asimismo, los independientes que figuren en las listas propuestas por los partidos, federaciones o coaliciones, conste o no tal condición que, por tanto, pueda ser o no ser conocida por los electores, no pierden tampoco el cargo cualquiera que sea su relación con las coaliciones, federaciones o partidos que les presentaron y la voluntad de éstos. El cese en el cargo sólo se produce si el elegido pertenece a algún partido, es propuesto por el mismo en la correspondiente lista y después deja de pertenecer al mismo.

[...] [C]omo ya hemos visto la desigualdad que introduce el art. 11.7 de la Ley 39/1978, en cuanto la expulsión del partido provoca el cese en el cargo de concejal, es contraria a derechos fundamentales reconocidos por la norma fundamental susceptible de amparo y, por tanto, la igualación no puede producirse más que por la vía de entender derogado en tal extremo el mencionado precepto por ser incompatible en este punto con el art. 23.2 CE.

FJ 5. [...] Sentado lo anterior, se advierte en seguida que al cese en el cargo de Alcalde acordado por los Concejales, como consecuencia de entender aplicable el 11.7 sin modificación alguna, no le son aplicables las consideraciones expuestas en cuanto al cargo de Concejal, dado que aquí el cese se produce por los electores. Por ello no se puede afirmar que se haya violado un derecho fundamental susceptible de amparo, ya que no puede entenderse que ha

partido político, federación de partidos, agrupación o coalición electoral que cuente con mayor número de escaños, *vid.* STC 15/2000, de 20 de enero. Distinto es el caso de la designación de las/os Senadoras/es que han de representar a una Comunidad Autónoma en la Alta Cámara (STC 76/1989, de 27 de abril). *Vid.* también las SSTC 53/1982, de 22 de julio; 23/1983, de 25 de marzo; 45/1983, de 25 de mayo; 51/1984, de 25 de abril; 63/1987, de 20 de mayo; 36/1990, de 1 de marzo; 71/1994, de 3 de marzo; 298/2006, de 23 de octubre.

quedado vulnerado el derecho de los ciudadanos a participar en los asuntos públicos por medio de representantes elegidos por sufragio universal, puesto que la elección de Alcalde es de segundo grado. [...]

Voto particular que formulan los Magistrados don Ángel Latorre Segura y don Luis Díez-Picazo y Ponce de León

3. [...] El precepto en cuestión (artículo 23.1 CE) consagra el derecho de los ciudadanos a elegir representantes, pero nada dice del derecho de éstos. Y ello es congruente con su origen y su significación que no hace más que consagrar un principio básico de la democracia, según el cual la soberanía nacional pertenece al pueblo que la ejerce directamente (en referéndum, por ejemplo, o en el ámbito municipal en concejo abierto) o mediante representantes libremente elegidos y renovables en elecciones periódicas. Que a diferencia de otras Constituciones la nuestra configura este principio como un derecho fundamental, siguiendo el ejemplo del art. 25 del Pacto de Derechos Civiles y Políticos de 1966 y del art. 48.1 de la Constitución portuguesa, supone que los ciudadanos podrán exigir su protección por la vía de amparo; pero no cambia sustancialmente el alcance del principio. Otros problemas, como son los que provoca la incidencia que en el sistema tradicional de la democracia representativa tiene el actual «Estado de partidos», el papel de éstos en el funcionamiento de la actual democracia, reconocido expresamente en el art. 6 de nuestra Constitución, como advierte también la Sentencia, nos parecen demasiado complejos y delicados para ser resueltos mediante interpretación extensiva de un precepto como el 23, cuyo texto no da base suficiente para que un representante (en este caso un Concejal) alegue como propio un derecho fundamental sólo reconocido explícitamente para los electores.

4. Respecto a [...] si se ha violado en el caso presente el principio de igualdad, principalmente porque el cese como Concejal se aplica a los elegidos para tal cargo que sean miembros de partidos políticos y no a los que puedan figurar en los mismos como independientes incluso no citando la condición de tales (art. 15.4 de la Ley de Elecciones Locales), conviene recordar que el principio de igualdad se vulnera cuando se trata desigualmente a personas que se encuentran en situaciones iguales, pero en este caso la situación de los dos tipos de Concejales no es igual. El que se ha presentado como miembro de un partido lo ha sido teniendo en cuenta, aparte de sus aptitudes personales, su pertenencia al partido, conociendo tanto éste como el candidato las consecuencias que ello podía acarrear en caso de que dejase de pertenecer a él; el independiente, aunque sea propuesto por un partido y figure en sus listas, es propuesto sólo por sus aptitudes personales y tanto el partido como el candidato saben que las futuras relaciones entre ambos no afectarán a su permanencia en el cargo. Que los electores pueden desconocer si un candidato es o no independiente es un hecho que atañe a los ciudadanos y no a los Concejales, que conocían perfectamente su propia situación y las condiciones de ella.

Prohibición de mandato imperativo y revocación del mandato de senadoras/es elegidos por asambleas legislativas autonómicas —STC 123/2017, de 2 de noviembre (*vid.* también STC 141/2017, de 30 de noviembre)—

La Sentencia resuelve el recurso de inconstitucionalidad promovido por más de cincuenta Senadores del Grupo Parlamentario Popular contra algunos apartados del artículo único de la Ley 10/2016, de 28 de octubre, de modificación de la Ley 9/2010, de 7 de julio, de la Generalitat Valenciana, de designación de senadores en representación de la Comunitat Valenciana, así como contra su disposición transitoria única. Se denuncia, entre otras cuestiones, que la posibilidad de que Les Corts revoquen el "nombramiento" de las/os senadoras/es por ellas designadas/os con base en el artículo 69.5 CE vulnera el artículo 23 CE.

FJ 6. [...] La prohibición del mandato imperativo se establece, como hubo ya ocasión de recordar, para todos los miembros de las Cortes Generales, sin distinción, porque todos ellos concurren por igual a la representación general del pueblo español, que en el Senado se realiza como "Cámara de representación territorial" [art. 66.1 y 69.1 CE y STC 40/1981, FJ 1 d)], y lo contrario infringiría, por lo demás, la igualdad de posición de unos representantes y otros, garantizada, en general, por el artículo 23.2 CE (entre otras, SSTC 32/1985, FJ 3, y 32/2017, de 27 de febrero, FJ 4). En las alegaciones de Les Corts se da también a entender a este respecto que la jurisprudencia constitucional habría reconocido una supuesta potestad de libre remoción por sus electores de los titulares de cargos representativos de elección indirecta o en segundo grado, pero esta interpretación es muy inexacta, tanto en términos generales (los elegidos de aquel modo siguen siendo representantes populares: STC 108/2006, de 3 de abril, FJ 2) como si se entiende específicamente referida, según cabe colegir, a algún pasaje de la antes citada STC 5/1983. [...] Ni en el caso resuelto por aquella Sentencia ni en cualesquiera otras resoluciones del Tribunal hay fundamento alguno para sostener lo que es, en definitiva y por cuanto se ha razonado, constitucionalmente insostenible: la libre remoción de un miembro de las Cortes Generales. [...]

FJ 7. A las infracciones constitucionales que han quedado argumentadas se ha de añadir la del artículo 23.2 CE, de conformidad con el cual los ciudadanos tienen derecho, en lo que ahora importa, a acceder en condiciones de igualdad a los cargos públicos, con los requisitos que señalen las leyes, derecho que, conforme a jurisprudencia constitucional constante y antes referida [fundamento jurídico 2 B) a)] protege también al titular del cargo (representativo, en lo que aquí interesa) para mantenerse en el mismo y ejercerlo sin perturbaciones ilegítimas. La misma doctrina constitucional reitera que este derecho fundamental es, como declara el último inciso del precepto constitucional, de configuración legal, lo que está muy lejos de significar, desde luego, que el derecho mismo consienta cualesquiera ordenaciones legislativas [en tal sentido, SSTC 8/1985, de 25 de enero, FJ 4; 32/1985, FJ 3, y 298/2006, FJ 7]. El artículo 23.2 CE resultará violado si la legalidad a la que remite es, a su vez, contraria a la Constitución y, en especial, a la naturaleza de la representación política (entre otras, SSTC 141/2007, de 18 de junio, FJ 3; 32/2017, de 27 de enero, FJ 4) y no otra cosa es de ver en este caso. Los preceptos enjuiciados comportan todos ellos, por incursos en inconstitucionalidad competencial o sustantiva, o de ambos tipos, una perturbación ilegítima en el ejercicio del cargo de senador, así como, por obra específicamente del artículo 14 bis, la inconstitucional posibilidad de remover del escaño a su titular, medidas todas que infringen también lo dispuesto en el artículo 23.2 CE.

El derecho a ejercer cargos públicos y las funciones representativas que les son propias en condiciones de igualdad —STC 40/2003, de 27 de febrero[17]—

---

[17]   En el marco de este derecho, el Tribunal Constitucional ha declarado que la sanción de actividad parlamentaria con violación del artículo 25 CE vulnera el artículo 23 CE (STC 136/1989, de 19 de julio), que también lo vulnera el que las horas de asistencia como concejal/a a plenos municipales se computen como no trabajadas a efectos de despido por absentismo (STC 125/2018, de 26 de noviembre), o que la inviolabilidad parlamentaria forma parte del artículo 23.2 CE (STC 30/1997, de 24 de febrero; *vid.* también las SSTC 210/2005, de 18 de julio; 129/2006, de 24 de abril; 192/2011, de 12 de diciembre. Existe, por lo demás, abundante jurisprudencia constitucional sobre la incidencia de la regulación de la vida parlamentaria y de los grupos parlamentarios en el contenido del derecho a ejercer cargo público en condiciones de igualdad: SSTC 76/1988, de 26 de abril; 30/1993, de 25 de enero; 44/1995, de 13 de febrero; 118/1995, de 17 de julio; 223/2006, de 6 de julio; 361/2006, de 18 de diciembre; 9/2012, de 18 de enero; 30/2012, de 1 de marzo; 246/2012, de 20 de diciembre; 191/2013, de 18 de noviembre. La hay también sobre la incidencia que en el contenido de este derecho tiene la interpretación del Reglamento de la cámara en cuestión: SSTC 32/1985, de 6 de marzo; 226/2004 y 227/2004, de 29 de noviembre; 199/2016, de 28 de noviembre; 224/2016 y 225/2016, de 19 de diciembre; 79/2017, de 5 de junio. Sobre la incidencia del funcionamiento de la vida parlamentaria sobre ese derecho, *vid.* SSTC 161/1988, de 20 de septiembre; 118/1988, de 20 de junio; 214/1990, de 20 de diciembre; 220/1991, de 25 de noviembre; 40/2003, de 27 de febrero; 203/2001, de 15 de octubre; 57/2011, de 3 de mayo; 200/2014 a 202/2014, de 18 de diciembre; 1/2015, de 19 de enero; 23/2015, de 16 de febrero (inadmisión de solicitud de información); STC 32/2017, de 27 de febrero (denegación de documentación solicitada para fiscalización de la idoneidad de personas designadas como miembros de Consejo de Gobierno autonómico); 114/2017, de 17 de octubre; 10/2018, de 5 de febrero; 27/2018, de 5 de marzo; 41/2019 y 42/2019, de 27 de marzo (acuerdos que suprimieron trámites esenciales del procedimiento legislativo); 12/2019, de 28 de enero (dilación de los trabajos de una Comisión parlamentaria que impide a sus miembros el ejercicio de sus funciones representativas); 23/1990, de 15 de febrero; 38/1999, de 22 de marzo; 242/2006, de 24 de julio; 34/2018, de 12 de abril; 44/2018, de 26 de abril; 139/2018, de 17 de diciembre; 17/2019, e 11 de febrero (inadmisión de iniciativa 124/2018, de 14 de noviembre (rechazo de iniciativas de control por gobierno en funciones); 81/1991, de 22 de abril (denegación de petición de sesión extraordinaria del pleno sobre interposición de recurso de inconstitucionalidad); 225/1992, de 14 de diciembre; 107/2001, de 23 de abril; 208/2003, de 1 de diciembre; 89/2005, de 18 de abril; 78/2006, de 13 de marzo; 74/2009, de 23 de marzo; 190/2009, de 28 de septiembre; 33/2010, de 19 de julio; 44/2010, de 26 de julio; 27/2011 y 29/2011, de 14 de marzo; 213/2014, de 18 de diciembre; 212/2016, de 15 de diciembre; 11/2017, de 30 de enero; 139/2017, de 29 de noviembre; 4/2018, de 22 de enero (inadmisión de interpelaciones, preguntas, solicitudes de comparecencia, propuestas de resolución u otras iniciativas parlamentarias); 39/2008, de 10 de marzo (participación en comisión de investigación); 141/2007, de 18 de junio; 6/2017, de 19 de junio, y SSTC citadas en la nota 16 (constitución de grupo parlamentario); 169/2009, de 9 de julio; 20/2011, de 14 de marzo; 43/2011, de 11 de abril; 48/2011 y 49/2011, de 13 de abril; 52/2011 y 53/2011, de 28 de abril; 54/2011 a 56/2011, de 3 de mayo; 70/2011 a 72/2011 de 17 de mayo; 76/2011 y 77/2011, de 27 de mayo; 81/2011 a 87/2011, de 6 de junio; 90/2011 a 94/2011, de 13 de junio; 95/2011 a 98/2011, de 17 de junio; 100/2011 a 103/2011, de 20 de junio; 112/2011 a 116/2011, de 4 de julio; 129/2011 a 131/2011, de 18 de julio; 14/2012, de 6 de febrero; 117/2012, de 4 de junio (privación a concejales no adscritos del derecho al voto en comisiones informativas); 88/2012, de 7 de mayo (rechazo de creación de comisión parlamentaria sobre asunto de interés general); 107/2016 a 109/2016, de 7 de junio (la observancia del procedimiento establecido en un reglamento parlamentario para el ejercicio de las funciones representativas —en el caso para la admisión de peticiones de reconsideración de una decisión de la Cámara— es exigencia respaldada por el artículo 23.2 CE). Sobre la introducción de enmiendas en el procedimiento legislativo como parte del ejercicio de funciones representativas, el Tribunal Constitucional ha establecido que debe respetarse una

La Sentencia resuelve el recurso de amparo promovido por don L.B.R. y otros Diputados del Grupo Parlamentario Popular del Parlamento Vasco contra el Acuerdo de la Mesa del Parlamento Vasco de 28 de noviembre de 2000, confirmado por posterior Acuerdo de 11 de diciembre de 2000, por el que se inadmitió a trámite una proposición no de ley del Grupo Parlamentario Popular sobre requerimiento al Tribunal Vasco de Cuentas Públicas en relación con la no presentación por el Gobierno Vasco del Proyecto de Ley de presupuestos generales de la Comunidad Autónoma para el ejercicio de 2001. Entienden los recurrentes que dichos Acuerdos vulneran sus derechos fundamentales a la participación en los asuntos públicos y al acceso a los cargos públicos (artículo 23.1 y 2 CE).

FJ 2. [...] [L]a cuestión suscitada se contrae a determinar si la decisión de la Mesa del Parlamento Vasco de no admitir a trámite la proposición no de ley presentada por el Grupo Parlamentario Popular ha vulnerado el derecho de sus miembros a acceder en condiciones de igualdad a las funciones y cargos públicos con los requisitos que señalen las Leyes (art. 23.2 CE), en relación con el derecho de los ciudadanos a participar en los asuntos públicos (art. 23.1 CE). Su resolución requiere, en primer término, traer a colación la doctrina constitucional sobre los mencionados derechos fundamentales en conexión con la potestad de las Mesas de las Cámaras de calificar y admitir o no a trámite las iniciativas parlamentarias, recogida y perfilada recientemente en las SSTC 38/1999, de 22 de marzo (FFJJ 2 y 3); 107/2001, de 23 de abril (FJ 3); 203/2001, de 15 de octubre (FFJJ 2 y 3); y 177/2002, de 14 de octubre (FJ 3).

a) De conformidad con la referida doctrina constitucional, el art. 23.2 CE, que reconoce el derecho de los ciudadanos «a acceder en condiciones de igualdad a las funciones y cargos públicos, con los requisitos que señalen las leyes», no sólo garantiza el acceso igualitario a las funciones y cargos públicos, sino también que los que hayan accedido a los mismos se mantengan en ellos y los desempeñen de conformidad con lo que la ley disponga (SSTC 5/1983, de 4 de febrero, FJ 3; 10/1983, de 21 de febrero, FJ 2; 26/1984, de 28 de febrero, FJ 2; 32/1985, de 6 de marzo, FJ 3; y 161/1988, de 20 de septiembre, FJ 6, entre otras). Esta garantía añadida resulta de particular relevancia cuando, como ocurre en el presente caso, la petición de amparo es deducida por los representantes parlamentarios en defensa del ejercicio de sus funciones, ya que en tal supuesto resulta afectado el derecho de los ciudadanos a participar en los asuntos públicos a través de sus representantes, reconocido en el art. 23.1 CE (SSTC 161/1988, de 20 de septiembre, FJ 6; 181/1989, de 3 de noviembre, FJ 4; 205/1990, de 13 de diciembre, FJ 4; y 177/2002, de 14 de octubre, FJ 3).

En una línea jurisprudencial que se inicia con las SSTC 5/1983, de 4 de febrero, y 10/1983, de 21 de febrero, este Tribunal ha establecido una directa conexión entre el derecho de los parlamentarios ex art. 23.2 CE y el que la Constitución atribuye a los ciudadanos a participar en los asuntos públicos (art. 23.1 CE), pues «puede decirse que son primordialmente los representantes políticos de los ciudadanos quienes dan efectividad a su derecho a participar en los asuntos públicos. De suerte que el derecho del art. 23.2, así como, indirectamente, el que el art. 23.1 CE reconoce a los ciudadanos, quedaría vacío de contenido, o sería ineficaz, si el representante político se viese privado del mismo o perturbado en su ejercicio» (SSTC 38/1999, de 22 de marzo, FJ 2; 107/2001, de 23 de abril, FJ 3.a; 203/2001, de 15 de octubre, FJ 2; y 177/2002, de 14 de octubre, FJ 3).

Ahora bien, ha de recordarse asimismo, como inequívocamente se desprende del inciso final del propio art. 23.2 CE, que se trata de un derecho de configuración legal y esa configuración corresponde a los Reglamentos parlamentarios, a los que compete fijar y ordenar los derechos y atribuciones propios de los parlamentarios, los cuales, una vez creados, quedan integrados en el estatuto propio de su cargo, con la consecuencia de que podrán sus titulares, al amparo del art. 23.2 CE, reclamar la protección del ius in officium que consideren ilegítimamente constreñido o ignorado por actos del poder público, incluidos los provenientes del propio órgano en el que se integren y, en concreto, hacerlo ante este Tribunal por el cauce del recurso de amparo, según lo previsto en el art. 42 de nuestra Ley Orgánica (SSTC 161/1988, de 20 de septiembre, FJ 7; 38/1999, de 22 de marzo, FJ 2; 27/2000, de 31 de enero, FJ 4; 107/2001, de 23 de abril, FJ 3 a); 203/2001, de 15 de octubre, FJ 2; y 177/2002, de 14 de octubre, FJ 3).

Sin embargo, hemos precisado que no cualquier acto del órgano parlamentario que infrinja la legalidad del ius in officium resulta lesivo del derecho fundamental, pues sólo poseen relevancia constitucional, a estos efectos, los derechos o facultades atribuidos al representante que pertenezcan al núcleo de su función representativa parlamentaria, como son indudablemente, el ejercicio de la función legislativa o de control de la acción de Gobierno, siendo vulnerado el art. 23.2 CE si los propios órganos de las Asambleas impiden o coartan su práctica o adoptan decisiones que con-

---

«conexión mínima de homogeneidad con el texto enmendado» (SSTC 119/2011, de 5 de julio; 136/2011, de 13 de septiembre, FJ 8; 176/2001, de 8 de noviembre, FJ 2 d; 120/2014, de 17 de julio, FJ 6), que en leyes de contenido heterogéneo «ha de entenderse de modo flexible que atienda también a su funcionalidad» (STC 209/2012, FJ 4 b); 132/2013, FJ 3; 120/2014, de 17 de julio, FJ 6).

traríen la naturaleza de la representación o la igualdad de representantes. Tales circunstancias imponen a los órganos parlamentarios una interpretación restrictiva de todas aquellas normas que puedan suponer una limitación al ejercicio de aquellos derechos o atribuciones que integran el estatuto constitucionalmente relevante del representante público y a motivar las razones de su aplicación, bajo pena, no sólo de vulnerar el derecho fundamental del representante de los ciudadanos a ejercer su cargo (art. 23.2 CE), sino también de infringir el de éstos a participar en los asuntos públicos (art. 23.1 CE. SSTC 38/1999, de 22 de marzo, FJ 2; 107/2001, de 23 de abril, FJ 3.a; 203/2001, de 15 de octubre, FJ 2; 177/2002, de 14 de octubre, FJ 3; y ATC 118/1999, de 10 de mayo).

b) En relación con la incidencia del ius in officium del cargo parlamentario en las decisiones que adoptan las Mesas de las Cámaras en el ejercicio de su potestad de calificación y de admisión a trámite de los escritos y documentos a ellas dirigidas, este Tribunal ha declarado, en los extremos que a este recurso de amparo interesa, que ninguna tacha de inconstitucionalidad merece la atribución a las Mesas parlamentarias, estatales o autonómicas, de la función de control de la regularidad legal de los escritos y documentos parlamentarios, sean éstos los dirigidos a ejercer el control de los respectivos Ejecutivos, o sean los de carácter legislativo, siempre que tras ese examen de la iniciativa a la luz del canon normativo del Reglamento parlamentario no se esconda un juicio sobre la oportunidad política en los casos en que ese juicio esté atribuido a la Cámara parlamentaria en el correspondiente trámite de toma en consideración o en el debate plenario. Pues, en efecto, el órgano que sirve de instrumento para el ejercicio por los ciudadanos de la soberanía participando en los asuntos públicos por medio de representantes es la Asamblea Legislativa, no sus Mesas, que cumplen la función jurídico-técnica de ordenar y racionalizar el funcionamiento de las Cámaras para su mayor eficiencia, precisamente, como tal foro de debate y participación en la cosa pública. De modo que a la Mesa le compete, por estar sujeta al ordenamiento jurídico, en particular a la Constitución y a los Reglamentos parlamentarios que regulan sus atribuciones y funcionamiento, y en aras de la mencionada eficacia del trabajo parlamentario, verificar la regularidad jurídica y la viabilidad procesal de las iniciativas, esto es, examinar si las iniciativas cumplen los requisitos formales exigidos por la norma reglamentaria.

No obstante, el Reglamento parlamentario puede permitir o, en su caso, establecer, incluso, que la Mesa extienda su examen de las iniciativas más allá de la estricta verificación de sus requisitos formales, siempre, claro está, que los escritos y documentos girados a la Mesa, sean de control de la actividad de los Ejecutivos o sean de carácter legislativo, vengan, justamente, limitados materialmente por la Constitución, el bloque de la constitucionalidad o el Reglamento parlamentario pertinente. De modo que si la legalidad aplicable no impone límite material alguno a la iniciativa, la verificación de su admisibilidad ha de ser siempre formal, cuidando únicamente la Mesa de que la iniciativa en cuestión cumpla con los requisitos de forma que le exige esa legalidad (SSTC 38/1999, de 22 de marzo, FJ 3; 177/2002, de 23 de abril, FJ 3.b; 203/2001, de 15 de octubre, FJ 3; y 177/2002, de 14 de octubre, FJ 3).

En suma, al margen de los supuestos indicados, cuya razonabilidad y proporcionalidad como límite del derecho del parlamentario pueden ser apreciadas en todo caso por este Tribunal, la Mesa de la Cámara al decidir sobre la admisión de las iniciativas no podrá en ningún caso desconocer que son manifestación del ejercicio del derecho del parlamentario que las formula y que, por ello, cualquier rechazo arbitrario o no motivado causará lesión de dicho derecho y consiguientemente, según hemos indicado, del fundamental del Diputado a desarrollar sus funciones sin impedimentos ilegítimos (STC 203/2001, de 15 de octubre, FJ 3; que reitera, STC 177/2002, de 14 de octubre, FJ 3). Finalmente, ha de tenerse presente también el principio de interpretación más favorable a la eficacia de los derechos fundamentales, que ha sido afirmado por este Tribunal en concreto en relación con el art. 23.2 CE, especialmente cuando este precepto se proyecta sobre el ejercicio del derecho de sufragio, que conlleva que al revisar los actos relativos al ejercicio de dicho derecho fundamental los actores jurídicos opten por la interpretación de la legalidad más favorable a la eficacia de tales derechos (STC 177/2002, de 14 de octubre, FJ 3).

El artículo 23 CE y el control material de constitucionalidad de las iniciativas parlamentarias por parte de las mesas —STC 46/2018, de 26 de abril (vid. también STC 47/2018, de 26 de abril)—

La Sentencia resuelve el recurso de amparo promovido por diputados del Grupo Parlamentario Socialista del Parlamento de Cataluña contra dos acuerdos de la Mesa del Parlamento de Cataluña de 4 de octubre de 2017. El primero calificó y admitió a trámite la solicitud de comparecencia ante el Pleno del Parlamento del Presidente de la Generalitat de Cataluña, a petición del Grupo Parlamentario de Junts pel Sí y del Grupo Parlamentario de la Candidatura d'Unitat Popular Crida Constituent, con objeto de valorar los resultados del referéndum del día 1 de octubre y sus efectos, de acuerdo con el artículo 4 de la Ley de referéndum de autodeterminación; el segundo desestimó la petición de reconsideración que formularon los diputados recurrentes contra el primero. Entienden los recurrentes que dichos acuerdos vulneran el artículo 23 CE.

FJ 4. [...] El Tribunal ha sostenido que "[e]n el contenido del derecho enunciado en el art. 23.2 CE no se encuentra lo que habría que llamar 'derecho fundamental a la constitucionalidad' de las iniciativas parlamentarias o, incluso, de los acuerdos o normas a que aboquen", pues tal contenido "no solo difuminaría los contornos del derecho instituido en aquel precepto, sino que alteraría al propio tiempo la propia configuración del recurso de amparo e incluso, acaso, el entero sistema de nuestra jurisdicción constitucional" (SSTC 107/2016, FJ 3, 108/2016, FJ 3, y 109/2016, FJ 4, todas ellas, de 7 de junio). Por ello, de acuerdo con la jurisprudencia que se acaba de citar, no vulnera el derecho fundamental que consagra el referido precepto constitucional que las Mesas admitan a trámite iniciativas cuyo contenido pudiera no ser conforme a la Constitución, ni siquiera en los casos en los que las contradicciones en las que pudieran incurrir fueran palmarias y evidentes.

La inconstitucionalidad "palmaria y evidente" se ha considerado un supuesto en el que, por excepción, la Mesa puede inadmitir la iniciativa sin vulnerar por ello el derecho al ius in officium de los parlamentarios que la promueven (SSTC STC 95/1994, de 21 de marzo, FJ 2; 10/2016, de 1 de febrero, FJ 4; 107/2016 , FJ 3, 108/2016, FJ 3, y 109/2016, FJ 4, y ATC 24/2017, de 14 de febrero, FJ 10). Ahora bien, como acaba de indicarse, este supuesto, que se refiere únicamente a la facultad de la Mesa de rechazar iniciativas parlamentarias, es excepcional, pues afecta al ejercicio del derecho de iniciativa de los parlamentarios y esta facultad integra al núcleo mismo de la representación (STC 124/1995, de 18 de julio, FJ 3). Por esta razón, solo en aquellos casos en los que la contradicción con la Constitución sea clara e incontrovertible podrá inadmitirse la iniciativa por este motivo sin vulnerar por ello el derecho fundamental que consagra el artículo 23.2 CE. En los demás, la inadmisión de la iniciativa fundada en su supuesta inconstitucionalidad conlleva una restricción injustificada del derecho de los parlamentarios a promover iniciativas parlamentarias que es incompatible con el referido derecho fundamental al ejercicio de su cargo que les garantiza el citado artículo 23.2 CE.

Por el contrario, en aquellos supuestos en los que la Mesa admita a trámite una iniciativa esta decisión no podrá, en principio, considerarse lesiva del derecho ius in officium de los parlamentarios aunque incurra en evidentes infracciones constitucionales (SSTC107/2016, FJ 3; 108/2016, FJ 3, y 109/2016, FJ 4), pues, por manifiestas que sean las vulneraciones de la Constitución que pueda contener, su admisión a trámite ni impide a los parlamentarios el ejercicio de su cargo público ni conlleva una restricción del mismo, ya que, como regla general, la inconstitucionalidad de la iniciativa admitida a trámite no incide en el ejercicio de sus funciones representativas.

FJ 5. Distinto es el caso en el que la decisión de la Mesa de admitir a trámite una propuesta constituya un incumplimiento manifiesto de lo resuelto por el Tribunal Constitucional. Todos los poderes públicos, incluidas las Cámaras legislativas, están obligados "al cumplimiento de lo que el Tribunal Constitucional resuelva" (art. 87.1 LOTC) al ser esta "la consecuencia obligada de la sumisión a la Constitución de todos los poderes públicos" (art. 9.1 CE) [STC 185/2016, de 3 de noviembre, FJ 10; ATC 24/2017, de 14 de febrero, FJ 9; también AATC 123/2017, de 19 de septiembre, FJ 8, y 6/2018, de 30 de enero, entre otras resoluciones]. El debido respeto a las resoluciones del Tribunal Constitucional y, en definitiva, a la Constitución que incumbe a todos los ciudadanos y cualificadamente a los cargos públicos les impide participar en un procedimiento parlamentario que tenga como objeto tramitar una iniciativa que de forma manifiesta desobedezca una decisión de este Tribunal. Es, por tanto, el incumplimiento patente de este deber lo que determina que la Mesa, al admitir la propuesta, incurra en las referidas vulneraciones constitucionales, no el contenido material de la iniciativa.

El incumplimiento de respetar lo resuelto por este Tribunal por parte de la Mesa tiene una incidencia directa en el ius in officium de los miembros de la Cámara, pues si los parlamentarios participan en la tramitación de una iniciativa que contraviene de modo manifiesto un pronunciamiento de este Tribunal infringen también el deber de acatar la Constitución (art. 9.1 CE) y de cumplir lo que este Tribunal resuelva (art. 87.1 LOTC). Por el contrario, si cumplen su deber constitucional de respetar lo resuelto por este Tribunal y no participan en ese procedimiento están desatendiendo las funciones representativas inherentes a su cargo. Esta disyuntiva supone condicionar el ejercicio de este derecho fundamental a que los parlamentarios violen el referido deber constitucional y esta condición no puede entenderse conforme con el artículo 23.2 CE, que garantiza a los cargos públicos el legítimo ejercicio de sus funciones. Por otra parte, la participación en esos procedimientos, aunque sea para votar en contra, supondría otorgar a la actuación de la Cámara una apariencia de legitimidad democrática que no cabe atribuirle sin menoscabar su propia función constitucional.

Por ello, la salvaguarda de los bienes constitucionales protegidos conlleva que la tramitación de iniciativas que incumplan manifiestamente las decisiones del Tribunal Constitucional vulnere no solo el artículo 87.1 LOTC y el artículo 9.1 CE, sino también el artículo 23 CE, pues en relación con esa concreta iniciativa los parlamentarios no podrían ejercer legítimamente las funciones representativas propias de su cargo.

FJ 6. Para poder apreciar que la Mesa de la Cámara, al admitir a trámite la iniciativa, ha incumplido el deber constitucional de acatar la resuelto por este Tribunal (arts. 9.1 CE y 87.1 LOTC) y, por este motivo, ha vulnerado el derecho al ius in officium de los parlamentarios, no es suficiente con que el objeto de la misma pueda ser contraria a la jurisprudencia constitucional. Es más, ni siquiera es necesario. Lo determinante a estos efectos es que la decisión de admitirla a trámite conlleve incumplir lo decidido por el Tribunal y que la Mesa sea consciente de que al tramitarla puede estar incumpliendo su deber constitucional de acatar lo resuelto por este Tribunal. Por ello, para que pueda considerarse que existe este incumplimiento es preciso que la Mesa tramite la iniciativa a sabiendas de que existe una resolución de este Tribunal que le impide darle curso. Así sucede, entre otros supuestos, en los casos en los que la resolución contenga una expresa decisión de la que se derive esa consecuencia (por ejemplo, traiga causa de un acto o una norma cuya eficacia se encuentre suspendida al amparo del art. 161.2 CE o infrinja una medida cautelar o cualquier otro pronunciamiento que este Tribunal haya podido adoptar en el ejercicio de su jurisdicción) o cuando sea aplicación de un acto o norma anterior que haya sido declarado inconstitucional.

FJ 7. En el presente caso concurren las circunstancias excepcionales para apreciar que la Mesa del Parlamento de Cataluña, al admitir a trámite la iniciativa parlamentaria, ha incumplido su deber constitucional de acatar lo resuelto por este Tribunal (arts. 9.1 CE y 87.1 LOTC) y ha vulnerado por ello el ius in officium de los diputados recurrentes (art. 23.2 CE) e indirectamente el derecho de los ciudadanos a participar en los asuntos públicos a través de sus representantes (art. 23.1 CE). La vulneración de este derecho fundamental determina, en efecto, la de los derechos de los ciudadanos de Cataluña a participar, mediante la representación política, en los asuntos públicos (art. 23.1 CE) y afecta a la función propia del Parlamento de Cataluña, pues este ostenta la representación del pueblo de Cataluña (art. 55.1 del Estatuto de Autonomía de Cataluña) y no la de determinadas fuerzas políticas, aunque sean mayoritarias. [...]

Legitimidad de los grupos parlamentarios para reivindicar el derecho a ejercer funciones representativas —STC 177/2002, de 14 de octubre[18]—

La Sentencia resuelve recursos de amparo acumulados promovidos por los Portavoces del Grupo Parlamentario Socialista en el Congreso de los Diputados contra los Acuerdos de la Mesa del Congreso, de 3 de septiembre y de 14 de octubre de 1997, que decidieron la inadmisión a trámite de la solicitud de comparecencia del Presidente de Telefónica de España, S.A., y de 8 de septiembre y 6 de octubre de 1998, que decidieron la inadmisión a trámite de la solicitud de comparecencia del Presidente de ENDESA, ambas formuladas por el mencionado grupo parlamentario. Entienden los recurrentes que dichas decisiones vulneraron los derechos reconocidos en el artículo 23.2 CE.

FJ 1. [...] Como cuestión previa al examen del fondo del asunto planteado, es preciso hacer alguna referencia a la condición en la que recurren los dos Portavoces que han interpuesto cada una de las dos demandas de amparo. En ninguna de ellas se especifica si lo hacen en nombre propio o en el del grupo parlamentario al que representan. Tampoco ninguna de las partes comparecidas ha efectuado objeción alguna al respecto. No obstante, el primero de los escritos de alegaciones presentado por el Sr. Eguiagaray Ucelay contiene una referencia a la legitimación de los grupos parlamentarios para recurrir en amparo, dándose entender que la demanda se interpone por el Grupo Parlamentario Socialista en el Congreso. Ningún inconveniente hay para apreciarlo así, conforme a lo afirmado en la STC 81/1991, de 22 de abril, FJ 1, donde hicimos expresa referencia a este tema. En efecto, dijimos entonces que «los Grupos Parlamentarios ostentan una representación institucional de los miembros que los integran que les otorga capacidad procesal ante este Tribunal para defender las eventuales vulneraciones de los derechos fundamentales de dichos miembros que tengan relación con el ejercicio de su cargo representativo. Lo cual no constituye además ninguna excepción, sino que entra dentro de la flexibilidad procesal con que este Tribunal ha interpretado en todo momento la legitimación para interponer recurso de amparo, en el sentido de entender que no sólo la posee la persona directamente afectada [arts. 162.1 b) CE y 46.1 a) LOTC], sino también aquellos entes que representan intereses legítimos de personas que por sí mismas ostentan tal legitimación», entre los que se encuentran los referidos grupos. De hecho, este Tribunal ha admitido a trámite varios recursos de amparo en los que el recurrente era directamente un grupo parlamentario en tanto en cuanto el mismo actuaba en nombre de los derechos de sus miembros (SSTC 4/1992, de 13 de enero; 95/1994, de 21 de marzo; 41/1995, de 13 de febrero; 118/1995, de 17 de julio).

---

[18]   *Vid.* también las SSTC 36/1990, de 1 de marzo; 64/2002, de 11 de marzo; 10/2016, de 1 de febrero.

Límites al derecho a acceder a cargos públicos: las candidaturas que suceden a un partido judicialmente ilegalizado —STC 61/2011, de 5 de mayo[19]—

La Sentencia resuelve el recurso de amparo promovido por la Agrupación Electoral Independiente de Zalduondo y por su único candidato, don G.F.F.V., contra la Sentencia de la Sala Especial del artículo 61 LOPJ del Tribunal Supremo de 2 de mayo de 2011, que anuló la proclamación de su candidatura, lo que, entiende, vulnera diversos derechos fundamentales, entre ellos el derecho a acceder a cargos públicos.

FJ 9. Una vez más, por lo tanto, debe este Tribunal enjuiciar una queja de amparo que, con cita del derecho fundamental a acceder en condiciones de igualdad a las funciones o cargos públicos con los requisitos que señalen las leyes (art. 23.2 CE), aduce el menoscabo de tal derecho por una indebida o incorrecta aplicación de lo prevenido en el art. 44.4 LOREG, precepto sobre cuya interpretación y aplicación conformes a la Constitución y, en concreto, al derecho fundamental de referencia existe ya abundante y detallada jurisprudencia constitucional, iniciada por la STC 85/2003, de 8 de mayo, a la que han seguido las SSTC 176/2003, de 10 de octubre; 99/2004, de 27 de mayo; 68/2005, de 31 de marzo; 110/2007, de 10 de mayo y 44/2009, de 12 de febrero. Esta muy consolidada doctrina constitucional, que de inmediato recordaremos en síntesis, es la que aquí hemos de seguir, como es obvio, sin que para ello sea obstáculo el hecho de que la versión originaria del art. 44.4 (introducido en la LOREG por la Ley Orgánica 6/2002, de 27 de junio, de partidos políticos) haya sido objeto de alguna modificación menor —en lo que a las agrupaciones de electores afecta— por obra de la reciente Ley Orgánica 3/2011, de 28 de enero. En lo relativo —cabe reiterar— a tales agrupaciones, el vigente enunciado del art 44.4 sigue estableciendo, como en su versión primera, que las mismas «no podrán presentar candidaturas que, de hecho, vengan a continuar o suceder la actividad de un partido político declarado judicialmente ilegal y disuelto, o suspendido», añadiendo el precepto —de nuevo como en su versión primera— que «[a] estos efectos, se tendrá en cuenta la similitud sustancial de sus estructuras, organización y funcionamiento, de las personas que los componen, rigen, representan, administran», adicionándose ahora a este último elenco de sujetos —única novedad, en lo que aquí importa, del precepto reformado— el inciso «o integran cada una de las candidaturas». El resto de los criterios legales a tener en cuenta figuraban ya en la redacción inicial de la disposición, que imponía también, como ahora, tener en cuenta la similitud sustancial «de la procedencia de los medios de financiación o materiales, o de cualesquiera otras circunstancias relevantes que, como su disposición a apoyar la violencia o el terrorismo, permitan considerar dicha continuidad o sucesión». Si se tiene en cuenta que la necesaria atención a las personas que, en palabras del precepto, «integran cada una de las candidaturas» está, desde un principio, presente en nuestra jurisprudencia sobre este asunto —aunque, como se recordará de inmediato, no de manera exclusiva ni, desde luego, prioritaria—, se comprenderá bien que la parcial modificación legislativa de esta disposición no puede afectar, en modo alguno, a las pautas que hemos ido estableciendo sobre su entendimiento general y, en particular, sobre su interpretación y aplicación conformes a la Constitución. Acerca de tales pautas interpretativas se impone ahora un sucinto recordatorio.

FJ 10. En el fundamento jurídico 24 de la STC 85/2003, de 8 de mayo, resolución que inaugura esta línea jurisprudencial, dejamos ya dicho que, vista la obvia «diversidad ontológica» entre partido y agrupación de electores, el repetido art. 44.4 LOREG podría llegar a ser considerado como una pura y simple restricción del derecho de sufragio pasivo de quienes hubieran sido miembros o candidatos electorales del partido declarado luego ilegal y disuelto, entendimiento no conciliable con la Constitución, pues los derechos fundamentales de tales personas, y entre ellos el enunciado en el art. 23.2 CE, no pueden ser constreñidos o limitados por la sola circunstancia de que el partido político con el que se comprometieron resultase, más tarde, ilegalizado, supuesto en el cual, puntualizamos, «[l]a disolución del partido se convertiría en una suerte de 'causa de inelegibilidad parcial'». En definitiva —añadimos entonces—, «[s]e castigaría al particular y se le castigaría a partir de un juicio de intenciones», algo que, ciertamente, suscitaría «reparos fundados de inconstitucionalidad», toda vez que «la disolución de un partido político no comporta la privación del derecho de sufragio, activo o pasivo, de quienes fueron sus promotores, dirigentes o afiliados» (FJ 23; en términos análogos, STC 99/2004, de 27 de mayo, FJ 14). Añadimos en la misma Sentencia, de inmediato, que tales posibles reparos de constitucionalidad eran, con todo, superables a través de una interpretación conforme a la Constitución del precepto legal, interpretación que permitiría ver en él no una causa restrictiva, sin más, del derecho de sufragio

---

19   *Vid.*, además de las citadas en la Sentencia, las SSTC 112/2007, de 10 de mayo; 43/2009, de 12 de febrero; 62/2011, de 5 de mayo; 138/2012, de 26 de marzo.

pasivo, sino un mecanismo de garantía institucional con el que se pretende evitar la desnaturalización de las agrupaciones electorales como instrumentos de participación ciudadana, desnaturalización que vendría dada por su utilización fraudulenta para hacer las veces de un partido político y, en concreto, del que mereció la disolución judicial. Como señalamos en esta misma STC 85/2003, de 8 de mayo, (FFJJ 25 y 26) y hemos reiterado en otras (SSTC 99/2004, de 27 mayo, FJ 15, y 110/2007, de 10 de mayo, FJ 11), semejante desnaturalización de las agrupaciones electorales se verificaría siempre que las mismas, implicadas en una trama o estructura para la elusión de la disolución judicial del partido, se mantuvieran en el tiempo más allá de la ocasión electoral en la que encuentran justificación, subsistiendo así como partido de hecho, o, en otra hipótesis, se concertaran entre sí alrededor de una entidad común que las articulase como elementos constitutivos de una realidad distinta, un partido político de facto, en definitiva, para obviar las consecuencias de la disolución de otro al que se pretende dar continuidad de manera fraudulenta. En cualquiera de estas hipótesis —añadimos ahora—, la agrupación de electores, espontánea y efímera por definición, se desvelaría como una simple simulación, al amparo de la cual, de modo fraudulento, se buscaría reactivar («continuar o suceder», en palabras del art. 44.4 LOREG) el partido disuelto y otorgar una apariencia de legalidad —en fraude de Sentencia— a sus actividades públicas. Sólo así entendido, el art. 44.4 no es contrario a la Constitución y ello pese a la constricción que sin duda establece en el ejercicio del derecho ex art. 23.2 CE, pues tal limitación está al servicio, y así se justifica, de impedir que las agrupaciones hagan las veces de los partidos políticos declarados ilegales y por ello disueltos, prosiguiendo con las conductas que determinaron tal disolución.

La interpretación conforme a la Constitución del art. 44.4 LOREG exige, como es obvio, una aplicación del mismo que se acomode consecuentemente a este entendimiento constitucional, aplicación cuyos pasos y pautas hemos ido estableciendo también en la jurisprudencia cuyas líneas básicas —conocidas y observadas también por el Tribunal Supremo— venimos recordando:

a) Para llegar a la aplicación del art. 44.4 LOREG, con el consiguiente sacrificio del derecho fundamental afectado, es preciso, ante todo, que se acredite de manera suficiente la existencia de una trama defraudatoria o de un designio defraudador (SSTC 85/2003, de 8 de mayo, FFJJ 25 y 26; 68/2005, de 31 de marzo, FJ 11; 110/2007, de 10 de mayo, FJ 14, y 44/2009, de 12 de febrero, FJ 14) que desvele la intención de servirse de las agrupaciones de electores para reconstruir el partido ilegal y disuelto, acreditación que resulta inexcusable, pues —vale reiterar— lo que la norma persigue aquí no es la exclusión sin más —que sería inconstitucional— de determinados ciudadanos del ejercicio del sufragio pasivo en virtud de su historia política, sino la desfiguración instrumental de las agrupaciones para la sucesión o continuación de las actividades del partido disuelto. [...]

b) No basta con lo anterior, sin embargo, para aplicar a una agrupación electoral, o a varias de ellas, la norma restrictiva que aquí consideramos, pues, constatada aquella trama defraudatoria, será preciso examinar si la misma se ha materializado y en qué casos. Esto es, en qué agrupaciones de electores se encarna aquel designio de sortear la resolución judicial de disolución de un partido político (SSTC 85/2003, de 8 de mayo, FJ 28; 68/2005, de 31 de marzo, FJ 13; 110/2007, de 10 de mayo, FJ 15, y 44/2009, de 12 de febrero, FJ 16). Otro tanto hemos exigido que quede acreditado cuando se aduce la sucesión entre una coalición electoral y un partido disuelto (STC 126/2009, de 21 de mayo, FFJJ 8 y 10), si bien tal hipótesis plantea una problemática por completo diversa a la que aquí nos ocupa. Nuestra jurisprudencia, a estos efectos, impone y practica, en todo caso, la consideración tanto de posibles elementos o indicios de carácter objetivo (denominaciones o símbolos de las agrupaciones, por ejemplo, o apoyos por ellas recibidos) como de otros personales o, si se quiere, subjetivos, esto es, referidos a la vinculación con el partido disuelto de quienes integren la candidatura de la agrupación a la que se atribuye por quien demanda el designio de restaurar o de cooperar a restaurar el partido disuelto. Elementos «objetivos» y «subjetivos» pueden, en concurrencia o por separado, ser libremente valorados por el juzgador a estos efectos, sin más límites que los de carácter general ya reseñados y los que, en concreto, puntualiza nuestra jurisprudencia en orden a la trascendencia a dar, en cada caso, a los datos de carácter subjetivo para no incurrir en exclusiones desproporcionadas del derecho de sufragio pasivo (número de personas afectadas o comprometidas en cada candidatura, posición que ocupen en la misma, mayor o menor proximidad en el tiempo de su compromiso con el partido disuelto, etc.). Lo que importa subrayar ahora es, en todo caso, que los indicios que así podemos llamar «subjetivos» son sólo de consideración pertinente para confirmar o desechar que determinada agrupación de electores se integra en la operación fraudulenta previamente acreditada, nunca para dar por sentada —por sí solos— la operación misma. Pretender lo contrario supondría —vale repetir— excluir del sufragio pasivo, en este procedimiento judicial, a determinadas personas por el único e inconstitucional motivo de haber sido miembros o candidatos del partido disuelto. La constatación de la trama fraudulenta es, por tanto, premisa o condición necesaria para tal escrutinio ulterior sobre la composición de las candidaturas de las agrupaciones. A partir de la simple integración personal de estas candidaturas no cabe —en otras palabras— inducir, sin fundamento objetivo alguno, la verificación de aquel designio defraudador.

Límites al derecho a ejercer un cargo público: la disolución de grupos municipales como consecuencia de la ilegalización de un partido político —STC 10/2013, de 28 de enero—

La Sentencia resuelve el recurso de amparo promovido por concejales del Ayuntamiento de Pasaia, integrantes del grupo político Pasaiako Eusko Abertzale Ekintza/Acción Nacionalista Vasca contra el Auto de 19 de enero de 2010 de la Sala Especial del Tribunal Supremo del artículo 61 de la Ley Orgánica del Poder Judicial, por el que se desestima el recurso de reposición interpuesto contra el Auto de 16 de julio de 2009, que acordaba la disolución de los grupos municipales de ANV/EAE.

FJ 3. […] De todo ello es posible deducir, como punto de partida para nuestro análisis, que, dentro del núcleo del art. 23 CE, se encuentra el derecho a constituir grupos políticos, a permanecer en los cargos públicos representativos y a ejercerlos sin perturbaciones ilegítimas, todo ello, claro está, dentro de los términos que establezcan las leyes o, en su caso, los reglamentos parlamentarios. Es decir, no se trata de unas facultades absolutas, sino de unos derechos de configuración normativa que, por ello mismo, encuentran su límite en las prescripciones legales y reglamentarias que regulan su ejercicio.

Pues bien, la disolución del grupo municipal que pretende la resolución recurrida en amparo, no presenta una naturaleza penal ni sancionadora que hiciese exigible el principio de taxatividad propio de lo sancionador (STC 5/2004, de 16 de enero, FJ 9), y encuentra suficiente cobertura legal.

Primero, en Ley Orgánica 6/2002, de 27 de junio, de Partidos Políticos, en cuyo artículo 12.2 ordena a la Sala sentenciadora «asegurar, en trámite de ejecución de sentencia, que se respeten y ejecuten todos los efectos previstos por las leyes para el supuesto de disolución de un partido político». Entre estos efectos se encuentra, de manera elemental y como exigencia natural de su material realización, que se impida cualquier eficacia futura de actuaciones realizadas por el partido ilegalizado antes de su disolución, para que la eliminación de su actividad, que exige el artículo 12.1 a) de la Ley Orgánica de partidos políticos, sea real y no resulte burlada.

Y segundo, en lo dispuesto en el art. 73.3 de la Ley de bases del régimen local que, al determinar que «[a] efectos de su actuación corporativa, los miembros de las corporaciones locales se constituirán en grupos políticos … con excepción de aquéllos que no se integren en el grupo político que constituya la formación electoral por la que fueron elegidos o que abandonen su grupo de procedencia, que tendrán la consideración de miembros no adscritos». Del texto literal reproducido destacan dos cosas: a) que son los partidos políticos o, en su caso, las agrupaciones de electores (que la Ley define conjuntamente como «formación electoral») los que constituyen los grupos políticos municipales; y b) que los concejales no están obligados a integrarse sin remedio en el grupo político constituido por el partido en cuyas listas resultaron elegidos, ni a permanecer en aquel, pero si no se integran o lo abandonan quedan inexorablemente en la condición de no adscritos. Por lo tanto, existen unas prescripciones legales que hacen una previsión concreta y expresa directamente aplicable al caso de los recurrentes, ya que la formación electoral de la que procedían y que es la que constituyó el grupo municipal ha desaparecido, lo que es suficiente para entender que la ejecución realizada, está fundada en derecho.

Por otro lado, de la eficacia conjunta de los preceptos antes examinados y de sus efectos resulta que la disolución del grupo municipal de ANV se realizó por el Tribunal Supremo en ejecución de su Sentencia de 22 de septiembre de 2008, dictada por la Sala Especial del Tribunal Supremo en los Autos acumulados 5/2008 y 6/2008, sin lesión del derecho a la tutela judicial efectiva (art. 24.1 CE) y, además, de manera respetuosa con el derecho reconocido en el art. 23 CE a los recurrentes. La disolución del grupo municipal afecta, indudablemente, a determinadas facultades de los concejales electos, si bien en este caso, por un lado, se mantiene a aquellos en el mandato representativo de los votantes y, por otro, no se excluye ni su participación en el proceso de toma de decisiones (normativas o no) del consistorio, ni su capacidad de control del ejercicio del poder municipal y fiscalización del gasto, siendo las prerrogativas alegadas por los recurrentes relativas al uso de despachos, locales, prioridades, etc. accidentales a la función representativa. En este sentido, la STC 169/2009, de 9 de julio, FJ 4, señaló que «ni la consideración de estos diputados provinciales como miembros no adscritos de la corporación, con la consiguiente supresión del grupo mixto, ni las consecuencias que de ello se derivan respecto de estos extremos de su régimen jurídico, vulneran, por tanto, el derecho de los recurrentes a ejercer su ius in officium». De igual manera, en la STC 117/2012, de 4 de junio, FJ 3, dijimos, reiterando la doctrina sentada en la STC 20/2011, FJ 4, «que entre las funciones que pertenecen al núcleo inherente a la función representativa que constitucionalmente corresponde a los miembros de una corporación municipal se encuentran la de participar en la actividad de control del gobierno municipal, la de participar en las deliberaciones del Pleno de la corporación y la de votar en los asuntos sometidos a votación en este órgano, así como el derecho a obtener la información necesaria para poder ejercer las anteriores funciones. Ninguna de estas facultades se ve necesariamente comprometida como consecuencia de la imposibilidad de constituirse en grupo mixto o de integrarse en algún otro grupo político (STC 169/2009, FJ 3)». Y en particular que, «como hemos advertido en la STC 169/2009, FJ 4, la pérdida de los beneficios económicos y de la infraestructura asociada al grupo político como la imposibilidad de tener portavoz y consecuentemente, de formar parte, en su caso, de la junta de portavoces, son limitaciones que, con carácter general, no pueden considerarse lesivas de los derechos que consagra el art. 23 CE». Todo ello nos condujo a concluir que «ni la consideración como concejales no adscritos, con la consiguiente imposibilidad de formar parte de ningún grupo político municipal, ni las consecuencias que de ello se derivan, vulneran el derecho de los recurrentes a ejercer su ius in officium, por lo que, en este punto, ha de rechazarse la pretendida lesión de los derechos garantizados por el art. 23 CE».

Por lo demás, las concretas vulneraciones que pudieren producirse en el futuro como consecuencia de los concretos actos de aplicación del reglamento orgánico de cada corporación no pueden ser objeto ahora de enjuiciamiento, ya que se trata de una eventualidad aún no producida, por lo que un pronunciamiento nuestro en tal sentido resultaría meramente retórico y preventivo. De igual manera, deben descartarse las críticas que los recurrentes hacen al régimen procesal y sustantivo aplicado, ya que el recurso de amparo no es el instrumento adecuado para la impugnación de las leyes que se estimen inconstitucionales.

Límites al ejercicio de cargo público: la autonomía parlamentaria y las resoluciones del Tribunal Constitucional —STC 185/2016, de 3 de noviembre (vid. también ARTÍCULO 25: STC 215/2016, de 15 de diciembre)—

La Sentencia resuelve el recurso de inconstitucionalidad interpuesto por el Gobierno vasco contra la Ley Orgánica 15/2015, de 16 de octubre, de reforma de la Ley Orgánica 2/1979, de 3 de octubre, del Tribunal Constitucional, para la ejecución de las resoluciones del Tribunal Constitucional como garantía del Estado de Derecho, por entender que vulnera el artículo 23 CE.

FJ 10. c) [...] [E]ste Tribunal tiene declarado que "la autonomía parlamentaria no puede erigirse en razón para soslayar el cumplimiento de las resoluciones del Tribunal Constitucional", sin que la admonición a cumplir sus resoluciones suponga "en modo alguno una restricción ilegítima" de aquella autonomía "ni comprometa el ejercicio del derecho de participación de los representantes políticos garantizado por el art. 23 CE", pues "es la consecuencia obligada de la sumisión a la Constitución de todos los poderes públicos (art. 9.1 CE)". En este sentido, hemos señalado también que la interpretación de las disposiciones reglamentarias de las Cámaras, que no pueden contradecir el imperio de la Constitución como norma suprema, ha de cohonestarse con el debido cumplimiento de las resoluciones del Tribunal Constitucional, al que vienen obligados todos los poderes públicos (art. 87.1 LOTC), de modo que aquella interpretación no entre en contradicción con los pronunciamientos del Tribunal Constitucional (ATC 170/2016, FF JJ 6, 7 y 8).

III. ACCESO A LAS FUNCIONES PÚBLICAS EN CONDICIONES DE IGUALDAD

Alcance del derecho a la igualdad en el acceso a las funciones públicas —STC 281/1993, de 27 de septiembre—

La Sentencia resuelve el recurso de amparo promovido por doña E.O.G. y otras/os contra Sentencia de la Sección Sexta de la Sala de lo Contencioso-Administrativo del Tribunal Superior de Justicia de Madrid, de 31 de mayo de 1990, desestimatoria del recurso contencioso-administrativo contra la base cuarta de la convocatoria para la provisión de siete plazas de Administrativos de la plantilla de personal laboral del Ayuntamiento de Leganés (Madrid), aprobadas en sesión del Pleno de 30 de julio de 1987. Entienden las/os recurrentes que dicha base puntuaba en exceso los años de servicio prestado en el Ayuntamiento de Leganés, contraviniendo el derecho de acceso a las funciones públicas en condiciones de igualdad.

FJ 2. [...] [H]a de coincidirse con el Ministerio Fiscal en que el derecho fundamental reconocido en el art. 23.2 de la Constitución no es aplicable en los supuestos de contratación de personal laboral por parte de las Administraciones Públicas, de manera que el trato discriminatorio denunciado sólo podría conculcar el principio general de igualdad establecido en el art. 14 de la Constitución, del que el art. 23.2 CE no es sino, de acuerdo con reiterada jurisprudencia de este Tribunal, una concreción específica en relación con el ámbito de los cargos y funciones públicos. [...]

Alcance del derecho a la igualdad en el acceso a las funciones públicas: la provisión de puestos de trabajo vacantes —STC 156/1998, de 13 de julio—

La Sentencia resuelve el recurso de amparo promovido por don J.C.F.F. contra la Sentencia dictada por la Sala de lo Contencioso-Administrativo (Sección Segunda) del Tribunal Superior de Justicia de Castilla-La Mancha, de 22 de septiembre de 1995, confirmando la Orden de la Consejería de Administraciones Públicas de la Junta de Comunidades de Castilla-La Mancha, de 13 de diciembre de 1993 que resolvía definitivamente el concurso de traslados convocado por Orden de 4 de mayo de 1993 para la provisión de puestos de trabajo vacantes reservados a funcionarios pertenecientes al Cuerpo de Guardería Forestal de la Administración de la Junta de Comunidades de Castilla-La Mancha. Denuncia el demandante que su exclusión de dicho concurso de traslado, por no tener la condición de funcionario de esa Administración Autonómica, vulnera sus derechos reconocidos en los artículos 14 y 23.2 CE

FJ 3. Es doctrina de este Tribunal que el art. 23.2 constituye una manifestación específica del principio de igualdad en el ámbito de la función pública, por lo que, salvo que concurra alguna de las discriminaciones específicamente proscritas por el genérico principio de igualdad, cuando se alegan simultáneamente la infracción del art. 14 y 23.2, es este último precepto constitucional el que debe resultar de aplicación. De ahí que, como en este caso no concurre la salvedad indicada, procede únicamente examinar si ha producido la vulneración del derecho fundamental que consagra el art. 23.2.

De igual modo conviene señalar que este Tribunal viene reiterando que el derecho a acceder en condiciones de igualdad a la función pública es un derecho que actúa no sólo en el momento de acceso a la función pública, sino también durante la vigencia de la relación funcionarial y por ello se ha afirmado que este derecho resulta también aplicable a la provisión de puestos de trabajo (SSTC 75/1983, 15/1988, 47/1989, 192/1991, 200/1991, 293/1993, 365/1993, 87/1996). No obstante, también se ha sostenido que el rigor con el que operan los principios constitucionales que se deducen de este derecho fundamental (el acceso en condiciones de igualdad a la función pública —art. 23.2 CE— de acuerdo con los principios de mérito y capacidad —art. 103.3 CE—) no es el mismo según se trate del inicial ingreso en la función pública o del ulterior desarrollo o promoción de la carrera administrativa, ya que en el supuesto de provisión de puestos de trabajo entre personas que ya han accedido en condiciones de igualdad a la función pública —y, por tanto, que ya han acreditado el mérito y capacidad— cabe manejar otros criterios que no guarden relación con estos principios en atención a una mayor eficacia en la prestación de los servicios o a la protección de otros bienes constitucionales (SSTC 192/1991, 200/1991, 293/1993, 365/1993, 87/1996).

Resulta, por tanto, que al ser constitucionalmente legítimo que en materia de provisión de puestos de trabajo puedan valorarse criterios independientes de los que, en sentido estricto, derivarían del principio de igualdad que consagra el art. 23.2, y encontrarnos, por otra parte, ante un derecho que es de configuración legal (SSTC 24/1990, 25/1990, 26/1990, 149/1990), es al legislador al que corresponde determinar en qué casos pueden tomarse en consideración esos otros criterios; criterios que, como se han indicado, siempre que se encuentren justificados en la mejor prestación de los servicios o en la protección de otros bienes constitucionales y no introduzcan discriminaciones personales constitucionalmente proscritas, serán compatibles con el derecho fundamental que garantiza el art. 23.2 CE

Los criterios de mérito y capacidad —STC 148/1986, de 25 de noviembre[20]—

La Sentencia resuelve el recurso de amparo promovido por don A.P.L. y otros impugnando una Sentencia de la Sala Tercera del Tribunal Supremo confirmatoria de Orden ministerial de 10 de enero de 1983 en relación con la integración de Profesores Agregados de Universidad en el Cuerpo de Catedráticos, en cuanto que la misma había incurrido en lesión directa del derecho de acceso a la función pública (artículo 23.2 CE).

FJ 8. [...] Es indudable que, aunque [...] [el] art. 103.3 no es, por sí solo, invocable en amparo, la interpretación sistemática de la CE lleva a considerar, cuando se alega en conexión con el 23.2 y por la relación recíproca que existe entre ambos, que este último precepto «impone la obligación de no exigir para el acceso a la función pública requisito o condición alguna que no sea referible a los indicados preceptos de mérito y capacidad» (STC 50/1986, de 23 de abril)[21].

---

[20]   *Vid.* también las SSTC 148/1986, de 25 de noviembre; 215/1991, de 14 de noviembre; 10/1998, de 13 de enero; 16/1998, de 16 de enero; 28/1998, de 27 de enero; 178/1998, de 14 de septiembre (las infracciones legales en el acceso a la función pública no constituyen necesariamente vulneración del artículo 23.2 CE; *y vid.* SSTC 166/2001, de 16 de julio; 138/2000 de 29 de mayo); 18/1987, de 16 de febrero; STC 87/2008, de 21 de julio; 121/2008, de 15 de octubre; 131/2008 a 133/2008, 136/2008 y 138/2008 todas de 27 de octubre; 130/2009, de 1 de julio; 131/2017, de 13 de noviembre (sobre la obligación de hacer una interpretación de la legislación aplicable conforme al artículo 23.2 CE). *Vid.,* ATC 119/2018, de 13 de noviembre, sobre los criterios de mérito y capacidad y el alcance de las acciones afirmativas en el sector público.

[21]   Impone también una interpretación no formalista de dichos requisitos: *vid.* STC 206/1988, de 7 de noviembre.

Esta consideración no altera, sin embargo, la identidad propia del precepto contenido en el art. 103.3, pues en esta disposición se contiene una regla para la adjudicación de puestos y funciones, no para la delimitación subjetiva del ámbito de aplicación de las convocatorias que se abren para su provisión, y así han de entenderse los casos en que este Tribunal no ha considerado ilegítimas, en sí mismas, las pruebas de carácter restringido (STC 50/1986, de 23 de abril, y ATC 13/1983, de 12 de enero). En su virtud, el art. 103.3 no significa que todos cuantos se consideren capaces y con méritos puedan pretender ser aspirantes a una cierta función o a la provisión de una vacante, sino que, delimitado el círculo de aspirantes por una norma no disconforme con el art. 23.2 de la CE, la resolución del procedimiento de selección habrá de guiarse sólo por aquellos criterios de mérito y capacidad. [...]

FJ 9. El derecho fundamental reconocido en el art. 23.2 tiene como contenido específico que no se produzcan acepciones o pretericiones ad personam en el acceso a las funciones públicas. Como ha declarado este Tribunal en la STC 50/1986, de 23 de abril, «lo que, como conexión del principio general de igualdad, otorga el art. 23.2 a todos los españoles es un derecho de carácter puramente reaccional para impugnar ante la jurisdicción ordinaria y, en último término, ante este Tribunal toda norma o toda aplicación concreta de una norma que quiebre la igualdad. La remisión que el propio precepto hace a las Leyes obliga a entender, en consonancia con los datos que ofrece la experiencia, que la igualdad se predica sólo de las condiciones establecidas para el acceso a todo cargo o función, no a todos ellos, y que, por lo tanto, pueden ser distintos los requisitos o condiciones que los ciudadanos deben reunir para aspirar a los distintos cargos o funciones, sin que tales diferencias (posesión de determinadas titulaciones, edades mínimas o máximas, antigüedad mínima en cada empleo o función, etc.) puedan ser consideradas lesivas de la igualdad. La exigencia que así considerada deriva del art. 23.2 CE es la de que las reglas de procedimiento para el acceso a los cargos y funciones públicas y, entre tales reglas, las convocatorias de concursos y oposiciones se establezcan en términos generales y abstractos y no mediante referencias individualizadas y concretas como ya dijimos en nuestra STC 42/1981, de 22 de diciembre, pues tales referencias son incompatibles con la igualdad». [...]

FJ 10. Es obvio que lo anterior no significa que la regla del art. 23.2 no opere como límite a la acción del legislador. En este sentido, resultaría contrario al derecho enunciado en este precepto, en primer lugar cualquier reserva, explícita o encubierta, de funciones públicas ad personam y, en segundo, la alteración del régimen jurídico establecido para la provisión de determinadas plazas funcionariales por medio de una Ley singular.

El derecho a acceder a la función pública en condiciones de igualdad y las llamadas pruebas específicas o restringidas: la situación del personal interino —STC 60/1994, de 28 de febrero[22]—

La Sentencia resuelve el recurso de amparo promovido por doña M.J.A.P. contra la de la Sala de lo Contencioso-Administrativo del Tribunal Superior de Justicia de Murcia, de 23 de enero de 1991, que desestimó el recurso contencioso formulado contra las Órdenes de la Consejería de Administración Pública e Interior de la Región de Murcia, de 24 de mayo y de 27 de junio de 1988, sobre convocatoria para provisión de distintos puestos de trabajo de la citada Administración regional. Dichas Órdenes establecen las bases de la convocatoria para el ingreso en diversos puestos de trabajo, entre otros, el de Letrado asesor de la citada Comunidad Autónoma. En el anexo 1.8 de la Orden se incluye, en el concepto «otros requisitos», la exigencia de «haber prestado servicios un mínimo de dos años en asesoramiento y defensa en juicio de las Administraciones Central o Autonómica». Este, entiende la recurrente, vulnera su derecho a la igualdad en el acceso a la función pública (artículos 14 y 23.2 CE).

FJ 5. [...] Para resolver la cuestión planteada es preciso recordar la doctrina que este Tribunal ha elaborado al respecto. La STC 42/1981 declaró que la exigencia de una capacidad técnica para desempeñar una función no es contraria al principio de igualdad siempre que la diferencia impuesta en razón de la capacidad técnica sea adecuada a la naturaleza de las tareas propias a realizar y se establezca con carácter general.
En la STC 67/1989 se estableció que la desproporcionada valoración de los servicios prestados a una Administración pública en las bases de una convocatoria, al ser tenidos en cuenta tanto en fase de concurso como de oposición y de manera determinante del resultado final, lesionaba la igualdad de trato que de todos los ciudadanos reclama el art. 23.2 CE a la hora de acceder a las funciones públicas, y como se dijo en la STC 302/1993, la solución no podía

---

22   *Vid.* también las SSTC 185/1994, de 20 de junio (*vid.* el voto particular que formula José Gabaldón López); STC 281/1993, de 27 de septiembre; 229/1994, de 18 de julio; 16/1998, de 26 de enero; 30/2008, de 25 de febrero; 86/2016, de 28 de abril.

ser otra, puesto que el citado art. 23.2 CE determina, en primer lugar, una libertad de acceso de los ciudadanos a dichas funciones públicas, que sólo puede ser exceptuada por muy excepcionales razones objetivas como son aquí las derivadas de la construcción del Estado autonómico y la consolidación de unas Administraciones emergentes, inicialmente aún no dotadas de una función pública propia; y, además, que ese acceso se ordene de manera igualitaria en la convocatoria mediante normas abstractas y generales con el fin de preservar la igualdad ante la Ley de los ciudadanos, todo lo cual obliga al legislador y a la Administración a elegir reglas fundadas en criterios objetivos y presididos por los cánones de mérito y capacidad que el art. 103.3 dispone; del mismo modo que las Comisiones que resuelvan los concursos y las Administraciones convocantes deben preservar y custodiar estos cánones en la fase de aplicación de la Ley.

La STC 27/1991 resolvió que la convocatoria de «pruebas específicas» de acceso a la función pública de las Comunidades Autónomas andaluza y canaria, sólo aptas para quienes estuvieran prestando servicios en esas Administraciones, y en las que se consideraba mérito el tiempo efectivo de servicios prestados como personal contratado e interino no era inconstitucional, siempre y cuando que ese carácter «específico» no supusiera una restricción a las exigencias de mérito y capacidad, es decir, que no fuera un «título de legitimación exclusivo». Se agrega aquí una justificación que consistía en que estas pruebas fueran unas medidas contempladas con carácter transitorio y excepcional para resolver una situación singular derivada del proceso «único e irrepetible» de organización del Estado autonómico. En este sentido se afirma el carácter excepcional de dicho sistema de acceso que, por una sola vez, ha de coexistir con el común de la convocatoria libre, procedimiento que, en lo sucesivo, deberá utilizar la Administración autonómica a fin de permitir el libre acceso a quienes no mantienen con ella relación alguna.

En conclusión, se afirma el carácter excepcional de los sistemas que no sean de libre acceso respecto a quienes no tengan relación funcionarial alguna. A partir de aquí, la convocatoria de pruebas restringidas o específicas, requiere una justificación en cuanto son una excepción a lo que es normal sistema de acceso a las funcionarios de carrera. Si los servicios prestados a una Administración sólo muy excepcionalmente pueden justificar oposiciones no abiertas a todos los ciudadanos, nada impide en cambio que aquéllos sean tomados en cuenta y valorados como mérito, por la propia experiencia que supone en la función en quienes han desempeñado anteriormente puestos iguales o afines a los que se ofrecen en la convocatoria.

FJ 6. [...] Es indudable, como señala la Comunidad demandada, que la consideración de los servicios prestados no es ajena al concepto de mérito y capacidad, pues el tiempo efectivo de servicios puede poner de manifiesto la aptitud o capacidad para desarrollar una determinada función pública, y puede suponer unos méritos que pueden ser reconocidos y valorados. No surgiría ningún problema si se considerasen los servicios prestados, no como un requisito necesario para poder participar en el concurso, sino como un mérito a valorar en una fase posterior del concurso, pues ello no puede estimarse como desproporcionado, arbitrario o irrazonable. El problema surge cuando el citado requisito se considera en la Orden como presupuesto o requisito excluyente o sine quo non para que los aspirantes puedan participar en el concurso, por cuanto implica que, en principio, se excluye a potenciales candidatos al acceso a la Función Pública y se les veda la posibilidad de que pudieran mostrar su capacidad y mérito.

En efecto, con la anterior regla se descartan ya inicialmente a unos aspirantes del concurso, lo que produce una restricción previa y una desigualdad de trato por la única razón de la necesaria existencia de un período previo de servicios administrativos, y esta sola circunstancia no puede considerarse razonable o imprescindible en esta fase previa del concurso, puesto que es en el momento de valoración de los méritos cuando procedería la valoración de esta circunstancia.

Los criterios de mérito y capacidad y las lenguas co-oficiales —STC 46/1991, de 28 de febrero—

La Sentencia resuelve el recurso de inconstitucionalidad interpuesto por el presidente del Gobierno contra el artículo 34 de la Ley del Parlamento de Cataluña 17/1985, de 23 de julio, de la Función Pública de la Administración de la Generalidad. Este artículo establece, en referencia al personal al servicio de la misma, que «en el proceso de selección deberá acreditarse el conocimiento de la lengua catalana en su expresión oral y escrita». El recurso entiende que dicho precepto contradice el principio de cooficialidad de las lenguas y el derecho de acceso a la función pública en condiciones de igualdad del artículo 23.2 CE, en conexión con el artículo 14 CE, y con el principio del artículo 139.1 CE, que establece que los españoles tienen los mismos derechos y obligaciones en cualquier parte del territorio del Estado.

FJ 1. [...] En esta breve y compleja argumentación se entremezclan, sin la debida distinción, dos cuestiones diferentes. Por un lado, la relativa a si la exigencia del conocimiento del catalán para el ingreso en la función pública al servicio de la Generalidad de Cataluña significa introducir un factor de discriminación en perjuicio de los españoles residentes en cualquier parte del territorio nacional que no posean conocimientos de la lengua catalana; y, por otro lado, la cuestión de si introduce un requisito para el acceso a la función pública contrario a los principios de mérito y capacidad del art. 103.3 CE y, por ello, en el derecho de acceso en condiciones de igualdad a la función pública del art. 23.2 CE

FJ 2. [...] Naturalmente, el establecimiento de un régimen de cooficialidad lingüística en una parte del territorio del Estado no contradice el principio de igualdad de los españoles en todo el territorio nacional, recogido por el art. 139.1 CE, ya que tal principio no puede ser entendido como una rigurosa y monolítica uniformidad del ordenamiento de la que resulte que en cualquier parte del territorio se tengan los mismos derechos y obligaciones, puesto que con la debida reserva respecto de la igualdad en las condiciones básicas del ejercicio de los derechos y libertades (art. 149.1.1 CE), «la potestad legislativa de que las Comunidades Autónomas gozan da a nuestro ordenamiento una estructura compuesta, por obra de la cual puede ser distinta la posición jurídica de los ciudadanos en las distintas partes del territorio nacional» (STC 37/1981, FJ 2°).
De lo expuesto, resulta claro que la exigencia de conocimiento del catalán para el acceso a la función pública de la Administración de la Generalidad no es discriminatoria desde la vertiente de la igualdad de los españoles en todo el territorio nacional. Cuestión distinta, que analizaremos en seguida, es la de si esa exigencia comporta un factor de discriminación personal entre quienes tienen conocimientos de catalán y quienes no los tienen en cuanto al derecho a la igualdad en el acceso a la función pública (art. 23.2 CE, en relación con el art. 14 CE).

FJ 3. [...] [E]l inciso impugnado del art. 34 de la Ley catalana 17/1985, al establecer la exigencia de conocimiento del catalán, parte de los principios constitucionales de mérito y capacidad para el acceso a la función pública (art. 103.3 CE). Y dentro de estos principios es donde se sitúa el requisito de conocimiento del catalán. [...] El propio principio de mérito y capacidad supone la carga para quien quiera acceder a una determinada función pública de acreditar las capacidades, conocimientos e idoneidad exigibles para la función a la que aspira. Por lo que la exigencia del conocimiento del idioma que es oficial en el territorio donde actúa la Administración a la que se aspira a servir es perfectamente incluible dentro de los méritos y capacidades requeridos. No debe entenderse la exigencia de conocimiento del catalán un requisito ad extra, independiente del mérito y capacidad acreditadas, sino, al igual que cualquier otro conocimiento o condición exigida para el acceso a la función pública, una exigencia con cuya acreditación se da satisfacción a dichos principios constitucionales, en la medida en que se trata de una capacidad y un mérito que, según el art. 34 de la Ley catalana 17/1985, ha de acreditarse y valorarse en relación con la función a desempeñar, y por tanto guarda la debida relación con el mérito y capacidad, tal como impone el art. 103 CE (STC 27/1991, FJ 4).
La razonabilidad de valorar el conocimiento del catalán como requisito general de capacidad, aunque variable en su nivel de exigencia, viene justificada por diversos motivos. En primer lugar debemos mencionar el carácter del catalán como lengua de la Administración de la Generalidad, junto con el castellano, ambas de uso preceptivo (art. 5 Ley catalana 7/1983); que son válidas y eficaces las actuaciones administrativas hechas en catalán (art. 7.1 Ley catalana 7/1983); y que los particulares gozan del derecho de usar el catalán en sus relaciones con la Administración (art. 8 de la Ley 7/1983 y STC 82/1986, FJ 3). Además, se trata de un requisito justificado y equitativo también en función de la propia eficacia de la Administración autónoma (art. 103.1 CE), por lo que resulta constitucionalmente lícito exigir, en todo caso, un cierto nivel de conocimiento de la lengua catalana, que resulta imprescindible para que el funcionario pueda ejercer adecuadamente su trabajo en la Administración autonómica, dado el carácter cooficial del idioma catalán en Cataluña (art. 3.2 CE y art. 3.2 EAC) y dada también la extensión del uso del catalán en todo el territorio de la Comunidad Autónoma.

FJ 4. Cuestión distinta, como subraya el representante del Parlamento de Cataluña, es la de la proporcionalidad de esa exigencia, en función del tipo y nivel de la función o puesto a desempeñar, que viene impuesta por el art. 23.2 CE, pues sería contrario al derecho a la igualdad en el acceso a la función pública, exigir un nivel de conocimiento del catalán sin relación alguna con la capacidad requerida para desempeñar la función de que se trate. Ciertamente una aplicación desproporcionada del precepto legal podría llevar a resultados discriminatorios, contrarios tanto al art. 14 como al 23.2 CE. Pero ello no resulta directamente del precepto impugnado, que entendido en sus propios términos, no es objetable desde el punto de vista constitucional.
El Abogado del Estado reconoce en su escrito de interposición del recurso que en realidad no cuestiona tanto la constitucionalidad del precepto como la constitucionalidad de la aplicación del mismo, que entiende debería estar supeditada a un criterio de razonabilidad y proporcionalidad. Pero como ha afirmado este Tribunal en otras ocasiones (por todas la STC 58/1982, FJ 2), no sirve como argumento de la inconstitucionalidad de una norma el que en su aplicación o desarrollo puedan producirse extralimitaciones. Estas caben en la aplicación o desarrollo de cualquier

norma legal y frente a ello el art. 23.2 CE permite impugnar ante la jurisdicción ordinaria, y en último término ante este Tribunal en vía de amparo, las normas reglamentarias o aplicaciones de las mismas que quiebren la igualdad (STC 50/1986, FJ 4). Por consiguiente, en tanto que en las concretas convocatorias de los concursos u oposiciones de acceso a los Cuerpos y Escalas o plazas de la Función Pública de la Generalidad no se utilice la exigencia de conocimiento del catalán de manera irrazonable y desproporcionada impidiendo el acceso a su función pública de determinados ciudadanos españoles, no se vulnerará la igualdad reconocida por el art. 23.2 CE. En todo caso, se trata de meras hipótesis, no basadas en evidencia fáctica alguna, y que en absoluto desvirtúan la constitucionalidad del inciso final del art. 34 de la Ley catalana 17/1985.

El derecho de acceder a la función pública: la edad como límite —STC 37/2004, de 11 de marzo—

La Sentencia resuelve la cuestión de inconstitucionalidad promovida por la Sala de lo Contencioso-Administrativo del Tribunal Superior de Justicia de Aragón respecto del art. 135 b), último inciso, del Real Decreto-Legislativo 781/1986, de 18 de abril, que aprueba el texto refundido de las disposiciones legales vigentes en materia de régimen local, en la medida en que dicha disposición imponía un límite de edad máximo a los aspirantes a ocupar puestos de la función pública local (no exceder de la edad en que falten menos de diez años para la jubilación forzosa determinada por la legislación básica en materia de función pública), y éste pudiera contrariar lo previsto en el artículo 23.2 CE.

FJ 4. [...] [El artículo 23.2 CE] garantiza a los ciudadanos una situación jurídica de igualdad en el acceso a las funciones públicas, con la consiguiente imposibilidad de establecer requisitos para acceder a las mismas que tengan carácter discriminatorio. Otorga «un derecho de carácter puramente reaccional para impugnar ante la justicia ordinaria, y, en último extremo, ante este Tribunal Constitucional toda norma o aplicación concreta de una norma que quiebre la igualdad» (SSTC 138/2000 de 29 de mayo, FJ 6, y 166/2001, de 16 de julio, FJ 2, que evocan las SSTC 50/1986, de 23 de abril, FJ 4; 148/1986, de 25 de noviembre, FJ 9; 193/1987, de 9 de diciembre, FJ 5; 200/1991, de 13 de mayo, FJ 2; 293/1993, de 18 de octubre, FJ 4; 353/1993, de 29 de noviembre, FJ 6). El art. 23.2 CE consagra, por sí sólo, la inmediata interdicción de requisitos de acceso que tengan carácter discriminatorio o de referencias individualizadas y concretas [SSTC 50/1986, de 23 de abril, FJ 4; 67/1989, de 18 de abril, FJ 2; 27/1991, de 14 de febrero, FJ 4; 353/1993, de 29 de noviembre, FJ 6; 73/1998, de 31 de marzo, FJ 3 b); 138/2000, de 29 de mayo, FJ 5 b)].
En la STC 96/2002, de 25 de abril, señalábamos que «la valoración que se realice en cada caso [del principio de igualdad en la Ley] ha de tener en cuenta el régimen jurídico sustantivo del ámbito de relaciones en que se proyecte». Y, en lo que afecta al derecho de acceso a las funciones públicas, es la propia Constitución la que dispone, en su art. 103.3, que el acceso a la función pública debe atenerse a los principios de mérito y capacidad. Por eso hemos señalado anteriormente y debemos ahora reiterar que, en lo que aquí interesa, «el art. 23.2 CE impone la obligación de no exigir para el acceso a la función pública requisito o condición alguna que no sea referible a los indicados conceptos de mérito y capacidad, de manera que pueden también considerarse violatorios del principio de igualdad todos aquéllos que, sin esa referencia, establezcan una diferencia entre los ciudadanos [SSTC 50/1986, de 23 de abril, FJ 4; 148/1986, de 25 de noviembre, FJ 8; 73/1998, de 31 de marzo, FJ 3 b)]» (STC 138/2000, de 29 de mayo, FJ 5.b). Como se desprende de una reiterada doctrina (compuesta, además de las ya citadas, por las SSTC 67/1989, de 18 de abril, FJ 2 ss.; 27/1991, de 14 de febrero, FJ 4; y 99/1999, de 31 de mayo, FJ 4), el art. 23.2 CE «no priva al legislador de un amplio margen de libertad 'en la regulación de las pruebas de selección de funcionarios, y en la determinación de los méritos y capacidades que se tomarán en consideración', pero establece límites positivos y negativos a dicha libertad que resultan infranqueables. En positivo, se obliga al legislador a implantar requisitos de acceso a funciones públicas que, 'establecidos en términos de igualdad, respondan única y exclusivamente a los principios de mérito y capacidad' (STC 185/1994, FJ 3; SSTC 293/1993; 353/1993 ó 363/1993, entre otras) y, como consecuencia, desde una perspectiva negativa, se proscribe que dicha regulación de las condiciones de acceso a funciones públicas, 'se haga en términos concretos e individualizados', que equivalgan a una verdadera y propia acepción de personas (STC 185/1994, FJ 4 y las que en ella se citan)» (STC 269/1994, de 3 de octubre, FJ 5).

FJ 6. El derecho de acceso en condiciones de igualdad a las funciones públicas no prohíbe que el legislador pueda tomar en consideración la edad de los aspirantes, o cualquier otra condición personal. En efecto, «en cuanto la edad es en sí un elemento diferenciador será legítima una decisión legislativa que, atendiendo a ese elemento diferenciador, y a las características del puesto de que se trate, fije objetivamente límites de edad que suponga, para los que la hayan rebasado, la imposibilidad de acceder a estos puestos» (STC 75/1983, de 3 de agosto, FJ 3).
Ahora bien, nuestra doctrina ha afirmado que corresponde a los órganos del Estado demandados en el procedimiento constitucional la carga de ofrecer los argumentos que el diferente tratamiento legal posea (SSTC 68/1982, de 22 de

noviembre; 75/1983, de 3 de agosto, FJ 5). O, dicho ahora desde la perspectiva del art. 23.2 CE, en la medida en que las normas de acceso a la función pública local incorporan un requisito relacionado con la edad, que no guarda relación con los principios de mérito y capacidad constitucionalmente establecidos (art. 103.3 CE), deben argumentar su razonabilidad en este proceso constitucional.

Los argumentos ofrecidos por el Abogado del Estado y el Fiscal General del Estado son, en buena medida, complementarios. El primero mantiene, partiendo de una perspectiva que podríamos denominar subjetiva, que no es inconveniente que se establezcan carreras administrativas que tengan una duración razonable, lo que se vería asegurado con una norma como la cuestionada ante este Tribunal, ya que garantiza que se prolongarán, en condiciones normales, durante diez años. El Fiscal General del Estado, que centra su argumentación en una visión objetiva de los altos puestos de la Administración (como son los referidos a la inspección de tributos), estima que no es inconstitucional una previsión como la que ahora enjuiciamos porque se limita a asegurar que su provisión se realice de forma estable. Ninguno de los motivos aducidos puede considerarse razonable, desde una perspectiva constitucional. Para llegar a una conclusión distinta habría que considerar que la pretensión de que el vínculo funcionarial tenga una mínima duración en el ámbito local encuentra una explicación razonable. No lo es, en absoluto, que tal exigencia pueda derivarse del régimen jurídico de los derechos pasivos de tal tipo de funcionarios (previsto, por cierto, en una normativa —Real Decreto 480/1993, de 2 de abril— aprobada varios años después del precepto legal enjuiciado), porque restringe, indebidamente, el derecho de acceso a aspirantes que pueden presentar, potencialmente, mayores méritos y capacidad.

Tampoco puede justificarse una disposición como la contenida en el último inciso del art. 135 b) del Real Decreto Legislativo 781/1986 en la conveniencia de que determinadas plazas sean cubiertas de forma estable por el simple motivo de que el legislador la ha referido a toda la función pública local. En nuestra STC 75/1983, de 3 de agosto, hemos señalado que puede ser justificable que la provisión de determinadas plazas de la función pública contenga exigencias específicas de edad derivadas de las peculiaridades de los concretos puestos a cubrir. Pero tal posibilidad no opera cuando, como es aquí el caso, la norma se aplica de forma indiferenciada a todos los funcionarios públicos locales. No es del caso examinar o prejuzgar ahora si sería constitucionalmente lícito el establecimiento de un requisito máximo de edad para el acceso general a la función pública como el ahora enjuiciado; lo que resulta evidente es que la norma cuestionada, relativa con carácter general a quienes prestan sus servicios en la Administración local, contraviene el art. 23.2 CE.

El derecho de acceso a las funciones públicas, cuestiones de legalidad ordinaria y puestos de libre designación —STC 221/2004, de 29 de noviembre—

La Sentencia resuelve el recurso de amparo promovido por don F.R.G. contra la Sentencia de la Sala de lo Contencioso-Administrativo del Tribunal Superior de Justicia de Cataluña de 30 de julio de 2001, desestimatoria del recurso contencioso-administrativo formulado contra la denegación de adjudicación de puesto de trabajo en la División de Escoltas de la Policía de la Generalidad Mossos d'Esquadra. A siete de los nuevos cabos no se les destinó a ninguna de las plazas ofrecidas, sino que por libre designación fueron adscritos a puestos de trabajo en la División de Escoltas y en el Área de Información del departamento, que no habían sido hechos públicos a los demás aspirantes. Entiende el recurrente que dicha designación vulnera su derecho de acceso a las funciones públicas en condiciones de igualdad.

FJ 3. [...] [N]o es este proceso constitucional vía adecuada para examinar las cuestiones de legalidad ordinaria relativas a la selección de la norma aplicable al procedimiento que debía haberse seguido para adjudicar a los nuevos cabos sus primeros destinos en esa categoría. [...] No es necesario entrar en ese análisis, sino que basta centrar la perspectiva de enjuiciamiento en el específico juicio de igualdad al que remite el art. 23.2 CE.

Dicho precepto constitucional «no consagra un pretendido derecho fundamental al estricto cumplimiento de la legalidad en el acceso a los cargos públicos, por lo que sólo cuando la infracción de las normas o bases del proceso selectivo implique, a su vez, una vulneración de la igualdad entre los participantes, cabe entender que se ha vulnerado esta dimensión interna y más específica del derecho fundamental que reconoce el art. 23.2 CE, lo que de suyo exige la existencia de un término de comparación sobre el que articular un eventual juicio de igualdad [SSTC 115/1996, de 25 de junio, FJ 4; 73/1998, de 31 de marzo, FJ 3 c); y 138/2000, de 29 de mayo, FJ 6 c)]» (STC 107/2003, de 2 de junio, FJ 4). Por otra parte, entre las específicas garantías que la jurisprudencia de este Tribunal ha ido situando en el contenido de este derecho fundamental, se encuentra la del derecho a la igualdad en la aplicación misma de la ley: «el derecho proclamado en el art. 23.2 CE incorpora también el derecho a la igualdad en la aplicación misma de la ley, de tal modo que, una vez garantizada la vinculación de la propia Administración a lo dispuesto en las normas reguladoras del procedimiento selectivo, ha de quedar también excluida toda diferencia de trato en el desarrollo del referido procedimiento. En todos los momentos del proceso selectivo... la Administración está objetivamente obligada a dispensar a todos un trato igual. Las 'condiciones de igualdad' a las que se refiere el art. 23.2 CE se proyectan, por tanto, no sólo en relación con las propias 'leyes', sino también con su aplicación e interpretación [por todas, SSTC 10/1998, de 13 de enero, FJ 5, y 73/1998, de 31 de marzo, FJ 3 c)]» (STC 107/2003, de 2 de junio, FJ 4). [...]

FJ 4. La resolución administrativa expresa por la que se denegó la solicitud del Sr. Ros de que se le adjudicara un destino en la División de Escoltas, la Sentencia del Tribunal Superior de Justicia impugnada y las alegaciones de la Abogada de la Generalidad de Cataluña explican la adjudicación de los destinos en la División de Escoltas y en el Área de Información a los cabos que habían pertenecido a las mismas como mozos con el argumento de que esos puestos de trabajo se proveen por libre designación, conforme a lo dispuesto en las normas que regulan esas plazas. Sin embargo, el régimen legal del procedimiento de libre designación puede servir de apoyo a un «cierto margen de valoración» —amplio, sin duda— «a la hora de apreciar las aptitudes de los candidatos para desempeñar un determinado puesto de trabajo» (STC 235/2000, de 5 de octubre, FJ 12), pero no puede justificar que dichos destinos se adjudicaran sin previa publicidad entre todos los aspirantes y que fueran ofrecidos sólo a unos y no a otros de entre quienes habían accedido a la categoría de cabo. La mencionada publicidad está prescrita como regla general por la legislación de la función pública reguladora de ese específico procedimiento de adjudicación de puestos de trabajo: art. 20.1 c) [con anterioridad, art. 20.1 b)] de la Ley 30/1984, de 2 de agosto, de medidas para la reforma de la función pública; art. 47 b) de la Ley catalana 17/1985, de 23 de julio, de la función pública de la Administración de la Generalidad; art. 33.3 de la Ley catalana 10/1994, de 11 de julio, de la Policía de la Generalidad, Mossos d'Esquadra; art. 19 del Decreto 111/1996, de 2 de abril, por el que se aprueba el Reglamento de provisión de puestos de trabajo del cuerpo de Mozos de Escuadra; art. 94 del Decreto 123/1997, de 13 de mayo, por el que se aprueba el Reglamento general de provisión de puestos de trabajo y promoción profesional de los funcionarios de la Administración de la Generalidad de Cataluña; y art. 3.2 del Decreto 169/2001, de 26 de junio, por el que se aprueba el Reglamento de provisión de puestos de trabajo del cuerpo de Mozos de Escuadra. Las tres últimas normas citadas no son aplicables, por su fecha, al presente caso, pero vienen a mantener, reiterándola, la exigencia de publicidad.
Conforme a la jurisprudencia de este Tribunal, una vez que ya se ha accedido a la función pública, otros bienes merecedores de protección (que cabe aceptar que concurren en las tareas que desempeña la División de Escoltas) pueden justificar una modulación en la valoración de los principios de mérito y capacidad en sucesivos procesos selectivos, como sucede, por ejemplo, cuando se utiliza el sistema de libre designación para la provisión de puestos de trabajo (por todas, STC 235/2000, de 5 de octubre, FFJJ 12-13). Lo que no puede admitirse, sin embargo, es la vulneración de la igualdad de oportunidades entre los participantes, la dimensión «más específica del derecho que reconoce el art. 23.2 CE» (STC 107/2003, de 2 de junio, FJ 4), que se deriva de la circunstancia de que la mayor parte de éstos quedaran, por ausencia de publicidad, excluidos incluso de la misma posibilidad de concurrir al procedimiento por el que serían adjudicados dichos destinos en la División de Escoltas y el Área de Información.
Y es que la jurisprudencia citada ha considerado, en efecto, que en los casos de libre designación, la publicidad de las convocatorias es precisamente garantía de la igualdad de oportunidades (STC 235/2000, de 5 de octubre, FJ 12), subrayando que el contenido del principio de igualdad «queda suficientemente cubierto con la garantía de la publicidad de las correspondientes convocatorias». Distinto es el supuesto del nombramiento de funcionarios eventuales (art. 20.2 de la Ley 30/1984, de 2 de agosto, de medidas para la reforma de la función pública) al que se refiere la STC 235/2000, de 5 de octubre, FJ 3, u otros regímenes singulares que ahora no importan.

FJ 5. En definitiva, ha de concluirse que la adjudicación de los destinos por libre designación, realizada sin introducir publicidad para los demás aspirantes a la provisión de esos concretos puestos de trabajo en la División de Escoltas y en el Área de Información, con la consiguiente eliminación de la posibilidad de concurrir en condiciones de igualdad, al menos, al procedimiento de selección que debía concluir con la decisión discrecional sobre la adjudicación de esos destinos caracterizados por notas de singularidad, vulneró el art. 23.2 CE [...].
[...] «Ahora bien, el citado art. 55.1 de nuestra Ley Orgánica, relativo a los pronunciamientos de los fallos estimatorios del amparo constitucional, permite una cierta flexibilidad en su aplicación, mediante la incorporación de modulaciones al alcance de tales pronunciamientos en función de las circunstancias presentes en cada caso». [STC 111/2003, de 16 de junio].
Y es necesario hacer uso de ese margen de flexibilidad ahora para evitar la declaración de nulidad de una adjudicación de destinos de 84 funcionarios que tuvo lugar a finales de 1995 y la consiguiente retroacción de actuaciones que llevaría a repetir una actuación administrativa que ya no es posible reiterar en condiciones mínimamente equivalentes

a las de entonces, por la previsible alteración de las circunstancias funcionariales y personales (desde los ascensos hasta los cambios de domicilio relevantes para expresar las preferencias de destino) de quienes participaron en aquel procedimiento. Por otra parte, esta modulación de los efectos de la Sentencia debe servir para evitar eventuales perjuicios en las situaciones jurídicas de quienes —junto con el recurrente en amparo— participaron en aquel procedimiento de adjudicación de destinos, a los que no es imputable la vulneración del derecho fundamental causada por la Administración.

Por ello, para el restablecimiento del recurrente en la integridad del derecho fundamental vulnerado [art. 55.1 c) LOTC] procede que la Administración de la Generalidad adopte alguna medida de compensación sustitutoria con finalidad reparadora.

EL DERECHO A LA LEGALIDAD SANCIONADORA

Artículo 25. 1. *Nadie puede ser condenado o sancionado por acciones u omisiones que en el momento de producirse no constituyan delito, falta o infracción administrativa, según la legislación vigente en aquel momento. 2. Las penas privativas de libertad y las medidas de seguridad estarán orientadas hacia la reeducación y reinserción social y no podrán consistir en trabajos forzados. El condenado a pena de prisión que estuviere cumpliendo la misma gozará de los derechos fundamentales de este Capítulo, a excepción de los que se vean expresamente limitados por el contenido del fallo condenatorio, el sentido de la pena y la ley penitenciaria. En todo caso, tendrá derecho a un trabajo remunerado y a los beneficios correspondientes de la Seguridad Social, así como al acceso a la cultura y al desarrollo integral de su personalidad. 3. La Administración civil no podrá imponer sanciones que, directa o subsidiariamente, impliquen privación de libertad.*

INTRODUCCIÓN

El artículo 25 CE reconoce tres derechos que despliegan su eficacia en el ámbito sancionador. El primero, reconocido en su primer apartado, es el derecho de legalidad sancionadora. Su objeto es consagrar como derecho subjetivo la regla moderna *nullum crimen nulla poena sine lege*, regla que a su vez concreta tanto el principio de seguridad jurídica como el de separación de poderes en materia sancionadora, y que puede resumirse en la clásica triple exigencia de que toda pena o sanción tiene que descansar en *lex scripta, lex praevia* y *lex certa.* Ello es así tanto en el terreno estrictamente penal como en el de las sanciones administrativas. El contenido de este derecho consiste en garantizar que nadie, con independencia de su nacionalidad (SSTC 24/2000; 236/2007), pueda ser objeto de pena o sanción administrativa salvo con base en norma previa que defina, con un grado de certeza que garantice su previsibilidad, las conductas punibles o sancionables y sus sanciones, norma que ha de tener rango de ley (STC 24/2004, FJ 2.a). Este derecho, que abarca el ámbito penal y el administrativo sancionador, no cubre otros supuestos de restricción de derechos que no sean expresión de la potestad sancionadora del Estado por la comisión de actos ilícitos, administrativos o penales, como las medidas constrictivas previstas en forma de multas como medio de ejecución forzosa de actos administrativos (STC 239/1988; *vid.* también STC 215/2016). Se trata de un derecho, en fin, que se aplica tanto a la conducta sancionable como a su sanción correspondiente, pero no a la regulación del proceso por el que ésta última debe ser impuesta (SSTC 229/2003, FJ 5; 191/2009, para procesos de extradición).

Así delimitado su objeto, el principio de legalidad sancionadora contiene dos dimensiones, una material y otra formal, que son tan inescindibles como complementarias. «La primera, de orden material y alcance absoluto, [...] se traduce en la imperiosa exigencia de predeterminación normativa de las conductas ilícitas y de las sanciones correspondientes» (STC 25/2002, FJ 4). Con ella se garantiza que una norma previa determine «con suficiente grado de certeza las conductas que constituyen infracción y el tipo y grado de sanción del que puede hacerse merecedor quien la cometa» (*ibídem*). Lo cual no sólo impide la imposición de penas previas a una condena penal (STC 23/1986). Impide la retroactividad de las normas penales y de su aplicación judicial, concretando así como derecho fundamental el principio de irretroactividad de las normas sancionadoras no favorables que recoge el artículo 9.3 CE. El principio que se deduce de éste *a contrario sensu*, la retroactividad de las normas sancionadoras favorables, no se incluye, sin embargo, dentro del contenido del artículo 25 CE, no existiendo pues un derecho fundamental a dicha retroactividad (STC 20/2003). La cual, en todo caso, no puede aplicarse de forma selectiva a preceptos concretos de una norma, debiendo antes bien hacerse valer respecto de la totalidad de la misma (STC 131/1986).

La exigencia de ley cierta, por su parte, obliga a que tanto la norma sancionadora como su interpretación hagan suficientemente previsible su aplicación a supuestos concretos. Y aunque ello deja margen para la integración jurisprudencial de una norma, excluye las llamadas «normas penales en blanco» (STC 100/2003 —nota 10—). Como excluye la llamada analogía *in peius* (STC 120/2005), y la interpretación extensiva de otro tipo penal *in malam partem*. Ésta existe, según el Tribunal Constitucional, allí donde la aplicación de la norma carece «de tal modo de razonabilidad que resulte imprevisible para sus destinatarios, sea por apartamiento del tenor literal del precepto, sea por la utilización de pautas valorativas extravagantes en relación con el ordenamiento constitucional, sea por el empleo de modelos de interpretación no aceptados por la comunidad jurídica, comprobado todo ello a partir de la motivación expresada en las resoluciones recurridas» (STC 185/2000). La exigencia de ley cierta garantiza que, además de ser suficientemente previsible, dicha regulación (STC 136/1999) y la interpretación que de ella se haga en el momento de su aplicación (SSTC 127/2001; 30/2013) se atengan al principio de proporcionalidad entre la sanción y la conducta a la que se aplica. El Tribunal Constitucional deja aquí, con todo, a la ley y a su intérprete cierto margen de discrecionalidad, limitándose a controlar e impedir evidentes excesos (*ibídem*). Ello es así salvo que se trate de sanciones que limitan algún derecho fundamental además del reconocido en el artículo 25 CE (STC 136/1999), que el Tribunal somete a un control de proporcionalidad más estricto.

La dimensión formal del principio de legalidad penal, por su parte, «se refiere al rango necesario de las normas tipificadoras de aquellas conductas y reguladoras de estas sanciones, por cuanto, como este Tribunal ha señalado reiteradamente, el término 'legislación vigente' contenido en dicho art. 25.1 CE es expresivo de una reserva de Ley en materia sancionadora (por todas, STC 42/1987, FJ 2)» (STC 25/2002, FJ 4). Esa reserva de ley tiene un alcance distinto en el ámbito penal y en el administrativo sancionador. En el primero, el Tribunal Constitucional ha afirmado que la reserva de ley rige en términos absolutos, debiendo además dicha ley tener rango de orgánica en la medida en que en ella se establezcan penas privativas de libertad (artículo 81.1 CE en relación con el artículo 17.1 CE — STC 24/2004—). Con todo, el carácter absoluto de dicha reserva no se extiende a todos los aspectos relativos a la descripción del ilícito, pudiendo sus términos complementarse con lo dispuesto en leyes extrapenales y reglamentos administrativos, siempre que el Tribunal entienda que dicha labor de complementación se ha realizado en términos que no diluyen la garantía de certeza y seguridad jurídica de los tipos penales (STC 24/2004).

En el ámbito administrativo sancionador, por su parte, la dimensión formal del derecho a la legalidad sancionadora tiene «una eficacia relativa o limitada [...] que no excluiría la colaboración reglamentaria en la propia tarea de tipificación de las infracciones y atribución de las correspondientes sanciones», una remisión, pues, a un reglamento, o a un Decreto-Ley, «pero sí que tales remisiones hicieran posible una regulación independiente y no claramente subordinada a la Ley [...], sin una previa determinación de los elementos esenciales de la conducta antijurídica en la propia Ley» (STC 25/2002, FJ 4).

Dentro del contenido del derecho a la legalidad penal, y fruto del principio de proporcionalidad que informa el contenido de dicho derecho, el Tribunal Constitucional ha incluido el principio de culpabilidad, que «comporta que la responsabilidad penal es personal, por los hechos y subjetiva: que sólo cabe imponer una pena al autor del delito por la comisión del mismo en el uso de su autonomía personal» (STC 59/2008, FJ 11). Y ha incluido el principio que se conoce como *ne bis in idem*, por el que se prohíbe la duplicidad de sanciones por un mismo hecho, siempre que concurra identidad del sujeto, hecho y fundamento (STC 177/1999; 236/2007, FJ 14). Tiene también este principio una doble dimensión, material y formal o procesal. La primera impide la acumulación de sanciones por una misma conducta ilícita, impuestas de forma simultánea o sucesiva, en un mismo proceso o en varios, en el ámbito penal y/o en el administrativo sancionador, siempre que estemos ante la triple identidad a que arriba se apuntaba. La segunda, complementaria e instrumental respecto de la anterior, impide la acumulación de procesos en torno a una misma conducta ilícita; todo ello de cara a impedir que se imponga una doble sanción a un mismo sujeto por los mismos hechos (STC 154/1990; 177/1999, FJ 4).

En un principio, el Tribunal estableció que «la interdicción del bis in idem no puede depender del orden de preferencia que normativamente se hubiese establecido entre los poderes constitucionalmente legitimados para el ejercicio del derecho punitivo y sancionador del Estado, ni menos aún de la eventual inobservancia, por la Administración sancionadora, de la legalidad aplicable», inobservancia que no justificaría la imposición posterior de una sanción penal (177/1999, FJ 4). Sin embargo, la STC 2/2003 modificó esta doctrina. Entiende desde entonces el Tribunal que, allí donde la sanción administrativa se impone sin respetar la prioridad legal del orden jurisdiccional penal, el enjuiciamiento penal de los hechos sancionados no vulnera el principio *ne bis in idem*, siempre que la condena impuesta al sujeto afectado tome «en consideración la sanción administrativa impuesta para su descuento de la pena en fase de ejecución de la Sentencia penal». En estos casos, «no hay ni superposición ni adición efectiva de una nueva sanción», ya que «el derecho reconocido en el art. 25.1 CE en su vertiente sancionadora no prohíbe el «doble reproche aflictivo», sino la reiteración sancionadora de los mismos hechos con el mismo fundamento padecida por el mismo sujeto» (FJ 6). Y es que, prosigue el Tribunal, «la interdicción de doble procedimiento sancionador sólo se incumple si los dos procedimientos han sido sustanciados con las debidas garantías, de modo que un primer procedimiento (administrativo sancionador) tramitado sin respetar la prioridad legal del orden jurisdiccional penal no impide un segundo procedimiento sancionador» (FJ 8). Todo ello con independencia de los efectos de predeterminación de la condena penal que pueda tener la existencia de una sanción administrativa previa, cuya absorción en dicha condena viene exigida como condición de garantía del principio *ne bis in idem* y, con él, del derecho a la legalidad sancionadora (*vid.* voto particular de Pablo García Manzano; *vid.* también la STEDH de 30 de mayo de 2002, asunto *W.F. c. Austria*).

El segundo apartado del artículo 25 CE garantiza la situación jurídica de las personas condenadas a penas privativas de libertad. Dispone, en concreto, que dichas penas y medidas de seguridad estarán orientadas a la reeducación y reinserción social; que el ingreso en prisión no suspende la titularidad de derechos fundamentales, ni limita su disfrute más allá de lo expresamente dispuesto en la ley penitenciaria, en el fallo condenatorio y en el sentido de la pena, algo que el Tribunal Constitucional ha confirmado en el marco del derecho fundamental concretamente afectado (*vid.* **ARTÍCULOS 15, 18, 20, 21, 27**); que no cabe la imposición de trabajos forzados; y, en fin, que las personas reclusas tienen derecho a un trabajo remunerado, con los correspondientes beneficios de la Seguridad Social, así como al desarrollo integral de su personalidad, incluido el acceso a la cultura.

Respecto del objetivo de la reeducación y reinserción social, el Tribunal Constitucional ha aclarado que no estamos ante un derecho fundamental, reivindicable como tal a nivel subjetivo (STC 41/2012), sino ante un principio que debe inspirar la legislación penitenciaria y el funcionamiento de la Administración creada por ella, un principio más que una y otra no pueden desconocer, pero que no invalida otros fines válidos de la norma punitiva. No cabe pues calificar de inconstitucional toda medida privativa de libertad que parezca inadecuada para garantizar dicha reeducación y reinserción, trátese de una medida de internamiento en un centro penitenciario (STC 19/1988), o en un centro para personas con enfermedades psíquicas, siempre que ésta cuente con suficientes garantías de control y revisión judicial (STC 24/1993). Por otro lado, y en íntima conexión con el principio de reeducación y reinserción social, las personas reclusas sí tienen un derecho subjetivo al acceso a un trabajo remunerado y sus correspondientes beneficios de la Seguridad Social. Este no es, con todo, un «derecho subjetivo perfecto», sino un derecho prestacional que implica, de un lado, la obligación de la administración penitenciaria de crear la organización necesaria para proporcionar a todas las personas internas un puesto de trabajo y, de otro, el derecho de éstas a una actividad laboral retribuida o puesto de trabajo, siempre dentro de las posibilidades de dicha organización (STC 17/1993, FJ 2). Sólo cabe, pues, hacer valer este derecho como derecho subjetivo en la medida en que «existiera un puesto de trabajo adecuado disponible en la prisión y al mismo tuviera derecho el solicitante de amparo dentro del orden de prelación establecido, para el caso de que no existan puestos de trabajo remunerados para todos» (*ibídem*, FJ 3).

El artículo 25.3 CE, en fin, prohíbe a la administración civil imponer penas privativas de libertad, ni directamente ni de forma subsidiaria, penas que sólo pueden ser impuestas en un proceso judicial con todas las garantías. De ahí, con todo, no se sigue siempre y necesariamente la inconstitucionalidad de la conversión en privación de libertad de una pena de multa (STC 19/1988), ni de que la administración penitenciaria ordene el internamiento en una celda de aislamiento como medida disciplinaria de una persona reclusa, y por lo tanto ya privada de libertad (STC 2/1987). Como tampoco se aplica esta prohibición al ámbito de la administración militar. En efecto, el Tribunal Constitucional ha reconocido que la singularidad del régimen disciplinario militar permite a dicha administración imponer sanciones privativas de libertad (STC 73/2010). Y ha abordado la cuestión de hasta qué punto dicha singularidad es también aplicable a la Guardia Civil, como instituto de naturaleza bifronte: fuerza de seguridad del Estado dependiente del Ministerio del Interior, de un lado y, de otro, «instituto armado de naturaleza militar» dependiente del Ministerio de Defensa en el desempeño de misiones de carácter militar (artículo 9 b) de la Ley Orgánica 2/1986, de 13 de marzo, de Fuerzas y Cuerpos de Seguridad), en el marco de las cuales está sometido al régimen disciplinario de las Fuerzas Armadas (artículo 15.1 de la Ley Orgánica 2/1986). De ahí que el Tribunal Constitucional haya especificado que la imposición en el ámbito de la Guardia Civil de sanciones privativas de libertad depende de que éstas sean impuestas «por la Administración militar, no solamente en sentido formal, sino en un sentido material, es decir, siempre y cuando la actuación objeto de sanción se haya desenvuelto estrictamente en el ejercicio de funciones materialmente calificables como militares y no en el ámbito propio de las fuerzas y cuerpos de seguridad del Estado» (STC 73/2010).

LEGISLACIÓN

Ley Orgánica 10/1995, de 23 de noviembre, del Código Penal; Ley de Enjuiciamiento Criminal (aprobada por Real Decreto de 14 de septiembre de 1882); Ley 1/1979, de 26 de diciembre, General Penitenciaria; Ley Orgánica 2/1986, de 13 de marzo, de Fuerzas y Cuerpos de Seguridad; Ley Orgánica 8/1998, de 2 de diciembre, de Régimen Disciplinario de las Fuerzas Armadas.

BIBLIOGRAFÍA

AA.VV. (2000): *El principio de legalidad. Actas de las V Jornadas de la Asociación de Letrados del Tribunal Constitucional*, Madrid: CEC; AGUILERA MORALES, M. (2006): «El *ne bis in idem*: un derecho fundamental en el ámbito de la Unión Europea», *REDE* 20, pp. 479-531; DOMÉNECH PASCUAL, G. (2006): «Los derechos fundamentales a la protección penal», *REDC* 78, pp. 333-372; FERRERES COMMELLA, V. (2002): *El principio de taxatividad en materia penal y el valor normativo de la jurisprudencia*, Madrid: Civitas; GARCÍA ALBERO, R. (1995): *«Non bis in idem» material y concurso de leyes penales*, Barcelona: Bosch; GARCÍA-PABLOS MOLINA, A. (2001): «Ilícito penal e ilícito administrativo: crítica al régimen del poder sancionatorio de la Administración en España», *ADH* 2, pp. 365-396; GERPE LANDÍN, M. (1991): «Principio de legalidad y remisiones normativas en materia penal», *RJC*, pp. 73-88; GONZÁLEZ NAVARRO, F. (1991): «Poder domesticador del Estado y derechos del recluso», *Estudios sobre la Constitución española: Homenaje al profesor Eduardo García de Enterría* (S. Martín-Retortillo Baquer coord.), Madrid: Civitas, pp. 1054-1198; HUERTA TOCILDO, S. (1993): «El derecho fundamental a la legalidad penal», *REDC* 39, pp. 81-113; LAMARCA PÉREZ, C. (1987): «Legalidad penal y reserva de ley en la Constitución española», *REDC* 20, pp. 99-135; PUNSET BLANCO, R. (1992): «Las garantías material y formal del derecho a la legalidad en la jurisprudencia del Tribunal Constitucional», *ADCP* 4, pp. 101-118; RUIZ ROBLEDO, A. (2004): *El derecho fundamental a la legalidad punitiva*, Valencia: Tirant lo Blanch; URÍAS MARTÍNEZ, J.P. (2001): «El valor constitucional del mandato de resocialización», *REDC* 63, pp. 43-78.

I. EL PRINCIPIO DE LEGALIDAD SANCIONADORA

Contenido del derecho a la legalidad penal: sus dimensiones formal y material —STC 24/2004, de 24 de febrero[1]—

La Sentencia resuelve la cuestión de inconstitucionalidad planteada por el Juzgado de lo Penal de Tortosa (Tarragona) respecto del primer inciso del artículo 563 de la Ley Orgánica 10/1995, del Código penal, que tipifica como delito «la tenencia de armas prohibidas», castigándolo con una pena de prisión de uno a tres años, por posible vulneración, en lo que aquí interesa, de los artículos 25 y 81.1 CE.

---

[1]   *Vid.* también las SSTC 105/1988, de 8 de junio; 136/1989, de 19 de julio; 62/1992, de 15 de octubre; 372/1993, de 13 de diciembre; 83/1995, de 5 de junio; 24/1996, de 13 de febrero; 50/1996, de 26 de marzo; 234/1997, de 18 de diciembre; 194/2000, de 19 de julio; 167/2001, 16 de julio; 229/2003, de 18 de diciembre; 51/2005, de 14 de marzo; 283/2006, de 9 de octubre; 124/2010, de 29 de noviembre (aplicación del principio de legalidad penal a un caso de internamiento en un centro para personas con discapacidad mental); 185/2014, de 6 de noviembre; 3/2015 y 4/2015, ambas de 19 de enero; (interpretación constitucionalmente conforme del precepto impugnado que no fuerza su tenor literal) 146/2015, de 25 de junio.

FJ 2. [...] a) El derecho a la legalidad penal, como derecho fundamental de los ciudadanos, incorpora en primer término una garantía de orden formal, consistente en la necesaria existencia de una norma con rango de ley como presupuesto de la actuación punitiva del Estado, que defina las conductas punibles y las sanciones que les corresponden. Esta garantía formal, como recordábamos en la STC 142/1999, de 22 de julio, FJ 3, implica que sólo el Parlamento está legitimado para definir los delitos y sus consecuencias jurídicas y vincula el principio de legalidad al Estado de Derecho, «esto es, a la autolimitación que se impone el propio Estado con el objeto de impedir la arbitrariedad y el abuso de poder, de modo que expresa su potestad punitiva a través del instrumento de la ley y sólo la ejercita en la medida en que está prevista en la ley».

También hemos señalado desde nuestras primeras resoluciones —STC 15/1981, de 7 de mayo, FJ 7— que del art. 25.1 CE se deriva una «reserva absoluta» de Ley en el ámbito penal. Y que, de conformidad con lo dispuesto en el art. 81.1 CE en relación con el art. 17.1 CE, esa ley ha de ser orgánica respecto de aquellas normas penales que establezcan penas privativas de libertad. En palabras de la STC 118/1992, de 16 de septiembre, FJ 2, «la remisión a la Ley que lleva a cabo el art. 17.1 de la CE ha de entenderse como remisión a la Ley orgánica, de manera que la imposición de una pena de privación de libertad prevista en una norma sin ese carácter constituye una vulneración de las garantías del derecho a la libertad y, por ello, una violación de ese derecho fundamental (SSTC 140/1986, 160/1986 y 127/1990)».

b) Junto a la garantía formal, el principio de legalidad comprende una serie de garantías materiales que, en relación con el legislador, comportan fundamentalmente la exigencia de predeterminación normativa de las conductas y sus correspondientes sanciones, a través de una tipificación precisa dotada de la adecuada concreción en la descripción que incorpora. En este sentido hemos declarado —como recuerda la STC 142/1999, de 22 de julio, FJ 3— «que el legislador debe hacer el máximo esfuerzo posible en la definición de los tipos penales (SSTC 62/1982, 89/1993, 53/1994 y 151/1997), promulgando normas concretas, precisas, claras e inteligibles (SSTC 69/1989, 34/1996 y 137/1997). También hemos señalado que la ley ha de describir ex ante el supuesto de hecho al que anuda la sanción y la punición correlativa (SSTC 196/1991, 95/1992 y 14/1998). Expresado con otras palabras, el legislador ha de operar con tipos, es decir, con una descripción estereotipada de las acciones y omisiones incriminadas, con indicación de las simétricas penas o sanciones (SSTC 120/1994 y 34/1996), lo que exige una concreción y precisión de los elementos básicos de la correspondiente figura delictiva; resultando desconocida esta exigencia cuando se establece un supuesto de hecho tan extensamente delimitado que no permite deducir siquiera qué clase de conductas pueden llegar a ser sancionadas (STC 306/1994)». Todo ello orientado a garantizar la seguridad jurídica, de modo que los ciudadanos puedan conocer de antemano el ámbito de lo prohibido y prever, así, las consecuencias de sus acciones (STC 151/1997, de 29 de septiembre, FJ 3).

c) Ambos aspectos, material y formal, son inescindibles y configuran conjuntamente el derecho fundamental consagrado en el art. 25.1 CE. Por tanto, aunque la garantía formal se colmaría con la existencia de una norma con rango de ley (ley orgánica cuando se prevean penas privativas de libertad), cualquiera que fuera su contenido (aunque fuera absolutamente indeterminado o se limitara a remitirse a instancias normativas inferiores, de forma que fueran éstas quienes definieran de facto lo prohibido bajo amenaza penal), esa cobertura meramente formal resulta insuficiente para garantizar materialmente que sea el Parlamento —a través de mayorías cualificadas, en su caso— quien defina las conductas punibles con suficiente grado de precisión o certeza para que los ciudadanos puedan adecuar sus comportamientos a tales previsiones.

d) Finalmente, también hemos afirmado que la reserva de ley en materia penal no se extiende «a todos los aspectos relativos a la descripción o configuración de los supuestos de hecho penalmente ilícitos» (STC 118/1992, de 16 de septiembre, FJ 2) y que «el legislador no viene constitucionalmente obligado a acuñar definiciones específicas para todos y cada uno de los términos que integran la descripción del tipo» (STC 89/1993, de 12 de marzo, FJ 3).

FJ 3. [...] Si bien conforme a la doctrina de este Tribunal, la reserva de ley en materia penal no excluye la posibilidad de que sus términos se complementen con lo dispuesto en leyes extrapenales y reglamentos administrativos, en el presente supuesto tal posibilidad debe agotarse en el Real Decreto 137/1993, de 29 de enero (o la norma que en el futuro lo sustituya) sin que pueda considerarse constitucionalmente admisible, a los efectos de la configuración del tipo penal, la incorporación al mismo de lo prohibido mediante órdenes ministeriales, conforme a lo previsto en la anteriormente transcrita disposición final cuarta del mismo. En primer lugar, porque tal proceder carecería de cobertura legal, ya que la Ley Orgánica 1/1992 faculta al Gobierno para reglamentar la prohibición, no al Ministro del Interior. Y, sobre todo, porque de lo contrario, por esa vía se diluiría de tal modo la función de garantía de certeza y seguridad jurídica de los tipos penales, función esencial de la reserva de ley en materia penal, que resultaría vulnerado el art. 25.1 CE. En esta línea, la STC 341/1993, de 18 de noviembre, FJ 10, declara la inconstitucionalidad del inciso final del art. 26 j) de la Ley Orgánica de protección de la seguridad ciudadana, que calificaba como infracciones leves de la seguridad ciudadana, entre otras, la transgresión de las obligaciones y prohibiciones establecidas «en las reglamentaciones específicas o en las normas de policía dictadas en ejecución de las mismas», entendiendo que «Una tal remisión a normas infralegales para la configuración incondicionada de supuestos de infracción no es... conciliable con lo dispuesto en el art. 25.1 de la Constitución». Por tanto, todas aquellas armas que se introduzcan en el catálogo de los arts. 4 y 5 mediante una Orden ministerial no podrán considerarse armas prohibidas a los efectos del art. 563 CP, por impedirlo la reserva formal de ley que rige en material penal.

FJ 4. [...] Dado que el tipo se configura esencialmente en torno a un elemento normativo, por definición ello implica la referencia a normas cuyo posible conocimiento resulta indispensable para poder precisar el significado y alcance de dicho elemento y cuyo contenido pasa a integrar el tipo penal, contribuyendo a la configuración del hecho punible. Ahora bien, para que la utilización de elementos de tal índole sea constitucionalmente admisible las normas extrapenales han de ser fácilmente identificables de acuerdo con los criterios de integración del propio Ordenamiento jurídico. En el presente supuesto, puede afirmarse que la definición de la conducta típica se complementa, como ha sido tradicional en nuestro ordenamiento, con la normativa extrapenal contenida en el Reglamento de armas que define cuáles son las armas prohibidas, lo cual colma la exigencia de predeterminación normativa.

Por otra parte, esa llamada a la normativa extrapenal está justificada en atención al bien jurídico protegido por la norma penal —que, conforme a la interpretación doctrinal y jurisprudencialmente más extendida es la seguridad ciudadana (y, mediatamente, la vida y la integridad física de las personas), ante el peligro que para la misma representa la tenencia incontrolada de armas— y parece necesaria a la vista del objeto de la prohibición, dada la complejidad técnica y la evolución del mercado de las armas, al que se incorporan sin cesar nuevos tipos y modelos o se perfeccionan los existentes, lo que hace imprescindible la adecuación de la normativa a esa evolución y justifica la remisión a la legislación administrativa, para delimitar lo que en cada momento se considera prohibido, sin necesidad de una constante actualización de la norma penal, que tiene una pretensión de relativa permanencia en el tiempo (STC 120/1998, de 15 de junio, FJ 5).

[...] La única cuestión controvertida es, en realidad, si la norma penal define el núcleo esencial de la prohibición, de modo que la norma remitida se limite a completar con carácter instrumental y de forma subordinada a la ley el contenido de la misma, quedando salvaguardada la función de garantía del tipo penal. El órgano judicial entiende que ello no es así, porque el art. 563 CP, en el inciso cuestionado permite que cualquier arma que la ley ordinaria o el reglamento al que la ley se remite decidieran prohibir pase a integrar el tipo delictivo, por el mero hecho de estar prohibida en la normativa administrativa, sin ninguna otra exigencia adicional que justifique el recurso a la sanción penal.

FJ 5. [...] Ahora bien, tal aproximación al tipo penal, en la que la vinculación del contenido normativo del precepto al Reglamento de armas es absoluta e incondicionada, pese a constituir una interpretación posible del mismo, a la vista de su tenor literal, no excluye otras, que tengan en cuenta criterios sistemáticos, valorativos y teleológicos, atendiendo especialmente a cuál es el bien jurídico a cuya protección se orienta la norma, y a cuáles son los instrumentos de protección de dicho bien jurídico en el conjunto del Ordenamiento jurídico. [...]

FJ 7. [...] [E]xisten otras posibilidades interpretativas, apuntadas en la aplicación judicial del precepto cuestionado que, desde el respeto al tenor literal del mismo y a partir de los criterios interpretativos al uso en la comunidad científica y de los principios limitadores del ejercicio del ius puniendi (pautas que, conforme a nuestra jurisprudencia, han de presidir la interpretación conforme a la Constitución de toda norma penal; por todas, SSTC 137/1997, de 21 de julio, FJ 7; 189/1998, de 28 de septiembre, FJ 7; 42/1999, de 22 de marzo, FJ 4; 170/2002, de 30 de septiembre, FJ 12; 13/2003, de 28 de enero, FJ 3) permiten restringir su ámbito de aplicación, diferenciándolo del ilícito administrativo y haciéndolo compatible con las exigencias derivadas del principio de legalidad (art. 25.1 CE). Ciertamente, es deseable que el legislador trace de forma más precisa esa delimitación; ahora bien, las carencias detectadas en el precepto resultan superables de acuerdo con las pautas que a continuación se establecen.

La interpretación constitucionalmente conforme ha de partir de que el art. 563 CP en su primer inciso no consagra una remisión ciega a la normativa administrativa, cualquiera que sea el contenido de ésta, sino que el ámbito de la tipicidad penal es distinto y más estrecho que el de las prohibiciones administrativas.

Tal reducción del tipo se alcanza, en primer lugar, en el plano de la interpretación literal o gramatical, a partir del concepto de armas, excluyendo del ámbito de lo punible todos aquellos instrumentos u objetos que no lo sean (aunque su tenencia esté reglamentariamente prohibida) y que no tengan inequívocamente tal carácter en el caso concreto. Y, según el Diccionario de la Real Academia, son armas aquellos «instrumentos, medios o máquinas destinados a ofender o a defenderse», por lo que en ningún caso será punible la tenencia de instrumentos que, aunque en abstracto y con carácter general puedan estar incluidos en los catálogos de prohibiciones administrativas, en el caso concreto no se configuren como instrumentos de ataque o defensa, sino otros, como el uso en actividades domésticas o profesionales o el coleccionismo.

En segundo lugar, y acudiendo ahora a los principios generales limitadores del ejercicio del ius puniendi, la prohibición penal de tener armas no puede suponer la creación de un ilícito meramente formal que penalice el incumplimiento de una prohibición administrativa, sino que ha de atender a la protección de un bien jurídico (la seguridad ciudadana y mediatamente la vida y la integridad de las personas, como anteriormente señalamos) frente a conductas que revelen una especial potencialidad lesiva para el mismo. Y además, la delimitación del ámbito de lo punible no puede prescindir del hecho de que la infracción penal coexiste con una serie de infracciones administrativas que ya otorgan esa protección, por lo que, en virtud del carácter de ultima ratio que constitucionalmente ha de atribuirse a la sanción penal, sólo han de entenderse incluidas en el tipo las conductas más graves e intolerables, debiendo acudirse en los demás supuestos al Derecho administrativo sancionador, pues de lo contrario el recurso a la sanción penal resultaría innecesario y desproporcionado.

La concreción de tales criterios generales nos permite efectuar nuevas restricciones del objeto de la prohibición, afirmando que la intervención penal sólo resultará justificada en los supuestos en que el arma objeto de la tenencia posea una especial potencialidad lesiva y, además, la tenencia se produzca en condiciones o circunstancias tales que la conviertan, en el caso concreto, en especialmente peligrosa para la seguridad ciudadana. Esa especial peligrosidad del arma y de las circunstancias de su tenencia debe valorarse con criterios objetivos y en atención a las múltiples circunstancias concurrentes en cada caso, sin que corresponda a este Tribunal su especificación. Esta pauta interpretativa resulta acorde, por lo demás, con la línea que, generalmente, viene siguiendo el Tribunal Supremo en la aplicación del precepto en cuestión.

El artículo 25.1 CE y la prohibición de la analogía *in peius* —STC 120/2005, de 10 de mayo—

La Sentencia resuelve el recurso de amparo promovido por don C.F.B. contra la Sentencia de la Sección Quinta de la Audiencia Provincial de Barcelona de 19 de julio de 2002, por la que se revocó la Sentencia absolutoria dictada por el Juzgado de lo Penal núm.14 de Barcelona, de 16 de enero de 2002, en procedimiento seguido por delito contra la hacienda pública sobre la base de variar la calificación de los hechos atribuidos al actor, sustituyendo la de simulación de negocio por la de fraude de Ley tributaria. Entiende el recurrente que con ella se ha vulnerado su derecho a la legalidad penal dada la ausencia de sanción de tal conducta en el ordenamiento tributario.

FJ 4. [...] Las anteriores consideraciones conducen a que, para resolver si en el presente caso se ha producido o no una vulneración del derecho del actor a la legalidad penal por motivo de la utilización por la Audiencia Provincial del concepto de fraude de ley tributaria, necesariamente debamos plantearnos con carácter previo la cuestión de si dicha noción resulta o no compatible con el mencionado derecho. Pues bien: a esta cuestión ya se dio respuesta negativa en la STC 75/1984, de 27 de junio, FFJJ 5 y 6, al afirmar que, siendo el indicado derecho una «garantía de la libertad de los ciudadanos... no tolera... la aplicación analógica in peius de las normas penales o, dicho en otros términos, exige su aplicación rigurosa, de manera que sólo se puede anudar la sanción prevista a conductas que reúnen todos los elementos del tipo descrito y sean objetivamente perseguibles. Esta exigencia se vería soslayada, no obstante, si, a través de la figura del fraude de Ley, se extendiese a supuestos no explícitamente contenidos en ellas la aplicación de normas que determinan el tipo o fijan condiciones objetivas para la perseguibilidad de las conductas, pues esta extensión es, pura y simplemente, una aplicación analógica... pues es evidente que si en el ámbito penal no cabe apreciar el fraude de Ley, la extensión de la norma para declarar punible una conducta no descrita en ella implica una aplicación analógica incompatible con el derecho a la legalidad penal». Dicho de otra manera: la utilización de la figura del fraude de ley —tributaria o de otra naturaleza— para encajar directamente en un tipo penal un comportamiento que no reúne per se los requisitos típicos indispensables para ello constituye analogía in malam partem prohibida por el art. 25.1 CE.

El artículo 25.1 CE y la interpretación extensiva de un tipo penal —STC 185/2000, de 10 de julio[2]—

La Sentencia resuelve los recursos de amparo acumulados promovidos por don J.E.P., don A.A.N. y don J.A.B.S. contra la Sentencia de la Sala de lo Penal del Tribunal Supremo de 12 de febrero de 1997, que casó la dictada por la Sección Segunda de la Audiencia Provincial de Alicante de 16 de marzo de 1995, condenándolos como autores de un delito de quiebra fraudulenta, del que habían sido absueltos por la Audiencia. Según consta en la Sentencia, el mencionado delito es el previsto en el artículo 520 del Código Penal, texto refundido de 1973, vigente cuando sucedieron los hechos enjuiciados, si bien la pena es la que corresponde dentro del marco del artículo 260 del vigente Código Penal de 1995, conforme a las previsiones de su artículo 2.2 del mismo. Entienden los recurrentes que la Sentencia recurrida vulnera, entre otros, su derecho a la legalidad penal.

FJ 4. [...] Pues bien, en el presente caso y como señala el Ministerio Fiscal, no es posible apreciar que la Sentencia recurrida realice una interpretación extensiva o analógica de las normas reguladoras de la autoría en los tipos penales por haber subsumido los hechos en el art. 520 del Código Penal (texto refundido de 1973). [...] [S]ólo puede hablarse de una aplicación analógica o extensiva in malam partem, vulneradora del principio de legalidad penal, cuando «dicha aplicación carezca de tal modo de razonabilidad que resulte imprevisible para sus destinatarios, sea por apartamento del tenor literal del precepto, sea por la utilización de pautas valorativas extravagantes en relación con el ordenamiento constitucional, sea por el empleo de modelos de interpretación no aceptados por la comunidad jurídica, comprobado todo ello a partir de la motivación expresada en las resoluciones recurridas (SSTC 137/1997, 151/1997, 225/1997, 232/1997, 236/1997, 56/1998, 189/1998 y 43/1999)», como se recuerda en la STC 142/1999, de 22 de julio, FJ 4. En este caso, basta la lectura de la Sentencia impugnada para comprobar que la Sala de lo Penal del Tribunal Supremo ha hecho una aplicación razonada de las normas del Código Penal reguladoras de la autoría, vigentes en las fechas de realización de los hechos, en relación con el tipo penal aplicado y con base en una reiterada línea jurisprudencial, sin que haya aplicado retroactivamente el art. 15 bis del Código Penal (texto refundido de 1973), incorporado al mismo por la Ley Orgánica 8/1983, de 25 de junio, precepto al que hacen referencia los recurrentes. Por ello no cabe apreciar vulneración, desde la expuesta perspectiva constitucional, en la interpretación y aplicación que de las normas sobre la autoría, en relación con el delito tipificado en el art. 520 del citado Código Penal, efectuó dicha Sentencia de la Sala de lo Penal del Tribunal Supremo.

El artículo 25.1 CE y la interdicción de penas previas a una condena penal —STC 23/1986, de 14 de febrero[3]—

La Sentencia resuelve el recurso de amparo interpuesto por don J.G.B. contra Sentencia del Juez de Peligrosidad y Rehabilitación Social de Palma de Mallorca, de fecha 28 de enero de 1984, confirmada por la Sentencia dictada el 28 de septiembre de 1984 por la Sala de Peligrosidad y Rehabilitación de la Audiencia Nacional, por la que, después de declarar su peligrosidad social (en el marco del supuesto 8.° del art. 2 de la Ley de Peligrosidad y Rehabilitación Social), se impuso al expedientado el internamiento en establecimiento de trabajo por tiempo de seis meses a un año, la incautación de efectos y una multa de 20.000 pesetas, además de la prohibición de residir en Baleares durante seis meses y sumisión a la vigilancia de los delegados durante un año. Sostiene el recurrente que la declaración de peligrosidad social y subsiguientes medidas de seguridad constituyen una transgresión del derecho fundamental a ser condenado o sancionado exclusivamente en caso de comisión de delito, falta o infracción administrativa (artículo

---

[2]   *Vid.* también, además de las citadas en la Sentencia, y entre otras, las SSTC 111/1993, de 25 de marzo; 130/1997, de 15 de julio; 185/2000, de 10 de julio; 120/2005, de 10 de mayo; 283/2006, de 9 de octubre. También en esta línea, la STC 50/2018, de 10 de mayo, declara inconstitucional la Ley del Parlamento de Cataluña 4/2006, de 31 de marzo, ferroviaria, en cuanto que introduce una interpretación extensiva de los artículo 550 y 556 CP, disponiendo que las conductas contempladas en ellos sean consideradas punibles si si realizan contra empleadas/os del servicio de ferrocarriles, a quienes atribuye, a efectos administrativos, el carácter de agentes de la autoridad (FJ 5). *Vid.* también la STC 90/2018, de 6 de septiembre. En cuanto a la capacidad sancionadora de las Comunidades Autónomas, la STC 218/2013, de 19 de diciembre, aclaró que éstas pueden "adoptar normas administrativas sancionadoras cuando tengan competencia sobre la materia sustantiva de que se trate, debiendo acomodarse las disposiciones que dicten a las garantías constitucionales dispuestas en este ámbito del Derecho administrativo sancionador (art. 25.1 CE), y no introducir divergencias irrazonables y desproporcionadas al fin perseguido respecto del régimen jurídico aplicable en otras partes del territorio (art. 149.1.1 CE; SSTC 87/1985, de 16 de julio, FJ 8, y 196/1996, de 28 de noviembre, FJ 3)" (FJ 5).

[3]   *Vid.* también la STC 21/1987, de 19 de febrero.

25.1 CE), siendo sólo posibles las medidas postdelictuales. Entiende además vulnerado el principio ne bis in idem, ya que la medida se impone por hechos constitutivos de delito que son también objeto de sanción penal.

FJ 1. [...] Este planteamiento cuestiona, en términos generales, la constitucionalidad de toda medida de seguridad que no subsiga, en su imposición, a la condena penal por razón del delito; y adquiere en el caso actual una relevancia especial al estar integrado el supuesto de estado peligroso del art. 2.8.° de la Ley de Peligrosidad y Rehabilitación Social en un «tipo de hecho» propio del campo de la pena. Se está contemplando en el mencionado precepto «hechos» ya recogidos y sancionados por el Código Penal en su art. 344. Se entronca la cuestión con el principio de legalidad penal consagrado en el art. 25.1 de la Constitución, a cuyo tenor ha de entenderse que no caben medidas de seguridad sobre quien no haya sido declarado culpable de la comisión de un ilícito penal, y, en el caso, dada la identidad de tipos definidos en los arts. 2.8.° y 344 mencionados, con el principio ne bis in idem, principio que aunque no aparezca constitucionalmente consagrado de manera expresa, nada impide reconocer su vigencia en nuestro ordenamiento, como hemos dicho últimamente en la Sentencia del 27 de noviembre de 1985 (publicada en el «Boletín Oficial» del 17 de diciembre) porque el principio en cuestión está íntimamente unido a los de legalidad y tipicidad de las infracciones recogidos en el art. 25.1 de la Constitución. La imposición de medidas de seguridad con anticipación a la punición de la conducta penal y la concurrencia sobre un mismo hecho de pena y medida de seguridad son, pues, contrarias al principio de legalidad penal, ya que por un lado no cabe otra condena —y la medida de seguridad lo es— que la que recaiga sobre quien haya sido declarado culpable de la comisión de un ilícito penal, y por otro lado, no es posible sin quebrantar el principio non bis in idem, íntimamente unido al de legalidad, hacer concurrir penas y medidas de seguridad sobre tipos de hecho igualmente definidos, y ello aunque se pretenda salvar la validez de la concurrencia de penas y medidas de seguridad diciendo que en un caso se sanciona la «culpabilidad» y en el otro la «peligrosidad».

El artículo 25.1 CE y el control constitucional de la aplicación de sanciones penales —STC 127/2001, de 4 de junio[4]—

La Sentencia resuelve el recurso de amparo promovido por doña A.A.A. y don M.G.M.M. contra el Auto de 20 de diciembre de 1996, el Auto de 19 de julio de 1997, y la Sentencia 1/1997, de 28 de octubre de 1997, de la Sala Segunda del Tribunal Supremo. Ésta última condenó a los recurrentes como autores de un delito continuado de falsedad en documento mercantil. Denuncian los recurrentes que su condena vulneró su derecho a la legalidad penal.

FJ 4. [...] Precisando nuestro canon de control de constitucionalidad, cabe hablar de aplicación analógica o extensiva in malam partem, vulneradora de aquel principio de legalidad, cuando dicha aplicación carezca de tal modo de razonabilidad que resulte imprevisible para sus destinatarios, sea por apartamiento del tenor literal del precepto, sea por la utilización de pautas valorativas extravagantes en relación con el ordenamiento constitucional, sea por el empleo de modelos de interpretación no aceptados por la comunidad jurídica, comprobado todo ello a partir de la motivación expresada en las resoluciones recurridas (SSTC 137/1997, de 21 de julio, FJ 7[5]; 151/1997, de 29 de septiembre,

---

4   *Vid.*, además de las citadas en la Sentencia, las SSTC 111/1993, de 25 de marzo; 241/1993, de 12 de julio; 274/1994, de 17 de octubre; 219/1997, de 4 de diciembre; 150/1997, de 29 de septiembre; 118/2001, de 21 de mayo; 120/2005, de 10 de mayo; STC 48/2006, de 13 de febrero; 123/2007, 125/2007 y 126/2007, todas de 4 de junio; 104/2011, de 20 de junio; 146/2015, de 25 de junio; 150/2015, de 6 de julio.

5   Según esta Sentencia, «el derecho a la legalidad sancionadora debe partir del respeto judicial y, en su caso, administrativo a las palabras de la norma, al significado literal o textual del enunciado que transmite la proposición normativa, pues el legislador expresa el mensaje normativo con palabras y con palabras es conocido por sus destinatarios. Este respeto no garantiza siempre una decisión sancionadora acorde con las garantías esenciales de seguridad jurídica o de interdicción de la arbitrariedad, pues, entre otros factores, el lenguaje es relativamente vago y versátil, las normas no necesariamente abstractas y se remiten implícitamente a una realidad normativa subyacente, y dentro de ciertos límites (por todas, STC 111/1993), el propio legislador puede potenciar esa labilidad para facilitar la adaptación de la norma a la realidad (ya en la STC 62/1982; recientemente, STC 53/1994). Debe perseguirse, en consecuencia, algún criterio añadido que, a la vista de los valores de seguridad y de legitimidad en juego, pero también de la libertad y la competencia del Juez en la aplicación de la legalidad (SSTC 89/1983, 75/1984, 111/1993), distinga entre las decisiones que forman parte del campo de decisión legítima de éste y las que suponen una ruptura de su sujeción a la ley. Este criterio no puede quedar constituido por la mera interdicción de la arbitrariedad, el error patente o la manifiesta irrazonabilidad, canon de delimitación de ciertos contenidos del derecho a la tutela judicial efectiva, pues, amén de desconocer que la contenida en el art. 25.1 CE es una manifestación de aquel derecho que por su trascendencia

FJ 4; 225/1997, de 15 de diciembre, FJ 4; 232/1997, de 16 de diciembre, FJ 2; 126/1997, de 22 de diciembre, FJ 4; 56/1998, de 16 de marzo, FJ 8; 189/1998, de 28 de septiembre, FJ 7; 25/1999, de 8 de marzo, FJ 3; 42/1999, de 22 de marzo, FJ 4; 142/1999, de 22 de julio, FJ 4; 174/2000, de 26 de junio, FJ 2; 185/2000, de 10 de julio, FJ 4; 195/2000, de 24 de julio, FJ 4; 278/2000, de 27 de noviembre, FJ 11).

A ello hay que añadir que «aunque en alguna medida pudiera considerarse que toda interpretación y aplicación incorrecta de un tipo sancionador puede equivaler a una sanción de conductas situadas fuera de los supuestos previstos en la norma» lo primero que debe advertirse es que resulta «ajena al contenido propio de nuestra jurisdicción la interpretación última de los tipos sancionadores» (SSTC 137/1997, FJ 7 y 151/1997, FJ 4).

FJ 6. El núcleo básico de la impugnación efectuada se centra en la ilegitimidad constitucional, desde las exigencias dimanantes del art. 25.1 CE, de calificar la conducta de los recurrentes como simulación de documentos de modo que induzca a error sobre su autenticidad (art. 302.9 del Código Penal de 1973).

Antes de aplicar a la subsunción efectuada en el presente caso el canon constitucional de certeza y previsibilidad descrito en el fundamento jurídico 4, ha de advertirse que, como dijimos en la STC 160/1997 (FJ 4), resulta de lo limitado de nuestro control el que «este Tribunal, en algunos casos, pueda llegar a entender que interpretaciones de la legalidad ordinaria distintas de las que en el caso sometido a su consideración se hicieron acaso hubieran respondido más plenamente a los valores incorporados a los preceptos constitucionales y, muy en particular a los relativos a los derechos fundamentales, lo que puede llevarle a sentirse distanciado respecto de la solución alcanzada». Así, ciertamente, podría discutirse si la interpretación y aplicación del art. 302.9 efectuada por la Sala Segunda en el presente caso es la que mejor responde a las exigencias de seguridad jurídica, la más apegada al tenor literal del precepto o la llevada a cabo con pautas metodológicas y valorativas más acordes con las exigencias de la comunidad científica, cuestión en la que este Tribunal no puede entrar pues como observábamos en la Sentencia antes citada «una cosa es la garantía de los derechos fundamentales tal como le está encomendada, y otra necesariamente muy distinta la de la máxima irradiación de los contenidos constitucionales en todos y cada uno de los supuestos de interpretación de la legalidad; esto último puede no ocurrir sin que ello implique siempre la vulneración de un derecho fundamental».

El artículo 25.1 CE y la proporcionalidad de las penas —STC 136/1999, de 20 de julio (*vid.* ARTÍCULO 20; *vid* también ARTÍCULO 23)—

FJ 21. Pues bien, la sanción impuesta a los recurrentes ha sido impugnada por éstos desde la doble perspectiva que acabamos de apuntar de la legalidad y la proporcionalidad de esta medida. [...]

---

aparece constitucionalmente diferenciada, una resolución judicial condenatoria que no adolezca de esos defectos puede, no obstante, resultar imprevisible para el ciudadano —y, como se ha dicho, no permitirle «programar sus comportamientos sin temor a posibles condenas por actos no tipificados previamente» (STC 133/1987, fundamento jurídico 5º)— y constituir una manifestación de la ruptura del monopolio legislativo —y administrativo, con la subordinación y limitación que le es propia— de determinación de las conductas ilícitas.

La seguridad jurídica y el respeto a las opciones legislativas de sanción de conductas sitúan la validez constitucional de la aplicación de las normas sancionadoras desde el prisma del principio de legalidad tanto en su respeto al tenor literal del enunciado normativo, que marca en todo caso una zona indudable de exclusión de comportamientos, como en su razonabilidad. Dicha razonabilidad habrá de ser analizada desde las pautas axiológicas que informan nuestro texto constitucional (SSTC 159/1986, 59/1990, 111/1993) y desde modelos de argumentación aceptados por la propia comunidad jurídica. Sólo así podrá verse la decisión sancionadora como un fruto previsible de una razonable administración judicial o administrativa de la soberanía popular. A ese contexto de criterios y valores es al que nos hemos referido en otras ocasiones como habilitador de la utilización de conceptos jurídicos indeterminados en las normas sancionadoras —determinables «en virtud de criterios lógicos, técnicos o de experiencia» (SSTC 69/1989, 214/1989, 116/1993, 26/1994, 306/1994, 184/1995)—. Dicho de otro modo, no sólo vulneran el principio de legalidad las resoluciones sancionadoras que se sustenten en una subsunción de los hechos ajena al significado posible de los términos de la norma aplicada. Son también constitucionalmente rechazables aquellas aplicaciones que por su soporte metodológico —una argumentación ilógica o indiscutiblemente extravagante— o axiológico —una base valorativa ajena a los criterios que informan nuestro ordenamiento constitucional— conduzcan a soluciones esencialmente opuestas a la orientación material de la norma y, por ello, imprevisibles para sus destinatarios. A fin de aplicar el canon descrito en este fundamento jurídico debe partirse, en principio, de la motivación explícita contenida en las resoluciones recurridas» (FJ 7).

Advierten en primer lugar que el tipo penal del art. 174 bis a) del Código Penal de 1973 es en exceso abierto e inde-terminado[6], aunque posteriormente centran sus reproches de inconstitucionalidad únicamente en la ausencia de la constitucionalmente necesaria concreción judicial del mismo (STC 151/1997). Con ello, dicen, no sólo se vulnera el principio de legalidad penal, sino también las libertades antes citadas y muy especialmente la libertad de expresión, ya que, según establece el art. 10.2 del CEDH, su limitación sólo puede producirse cuando existe Ley previa que así lo habilite. [...]

Comenzaremos, pues, nuestro enjuiciamiento con el examen de las alegaciones relativas a la proporcionalidad del precepto aplicado, aunque en este contexto alguna referencia habremos de hacer al principio de taxatividad y previsi-bilidad de dicho precepto. Conviene advertir al respecto que el derecho a la legalidad penal opera, en primer lugar y ante todo, frente al legislador. Es la ley, en una primera instancia, la que debe garantizar que el sacrificio de los derechos de los ciudadanos sea el mínimo imprescindible y que los límites y restricciones de los mismos sean pro-porcionados. Por ello, en tanto una condena penal pueda ser razonablemente entendida como aplicación de la ley, la eventual lesión que esa aplicación pueda producir en los referidos derechos será imputable al legislador y no al Juez.

FJ 23. El juicio de proporcionalidad respecto al tratamiento legislativo de los derechos fundamentales y, en concreto, en materia penal, respecto a la cantidad y calidad de la pena en relación con el tipo de comportamiento incriminado, debe partir en esta sede de «la potestad exclusiva del legislador para configurar los bienes penalmente protegidos, los comportamientos penalmente represibles, el tipo y la cuantía de las sanciones penales, y la proporción entre las conductas que pretende evitar y las penas con las que intenta conseguirlo. En el ejercicio de dicha potestad el legislador goza, dentro de los límites establecidos en la Constitución, de un amplio margen de libertad que deriva de su posición constitucional y, en última instancia, de su específica legitimidad democrática [...]. De ahí que, en concreto, la relación de proporción que deba guardar un comportamiento penalmente típico con la sanción que se le asigna será el fruto de un complejo juicio de oportunidad que no supone una mera ejecución o aplicación de la Constitución, y para el que ha de atender no sólo al fin esencial y directo de protección al que responde la norma, sino también a otros fines legítimos que pueda perseguir con la pena y a las diversas formas en que la misma opera y que podrían catalogarse como sus funciones o fines inmediatos a las diversas formas en que la conminación abs-tracta de la pena y su aplicación influyen en el comportamiento de los destinatarios de la norma —intimidación, eliminación de la venganza privada, consolidación de las convicciones éticas generales, refuerzo del sentimiento de fidelidad al ordenamiento, resocialización, etc.— y que se clasifican doctrinalmente bajo las denominaciones de prevención general y de prevención especial. Estos efectos de la pena dependen a su vez de factores tales como la gravedad del comportamiento que se pretende disuadir, las posibilidades fácticas de su detección y sanción y las percepciones sociales relativas a la adecuación entre delito y pena (STC 55/1996, fundamento jurídico 6º)» (STC 161/1997, fundamento jurídico 9º).

El juicio que procede en esta sede de amparo, en protección de los derechos fundamentales, debe ser por ello muy cauteloso. Se limita a verificar que la norma penal no produzca «un patente derroche inútil de coacción que convierte la norma en arbitraria y que socava los principios elementales de justicia inherentes a la dignidad de la persona y al Estado de Derecho» (STC 55/1996, fundamento jurídico 8º) o una «actividad pública arbitraria y no respetuosa con la dignidad de la persona» (STC 55/1996, fundamento jurídico 9º) y, con ello, de los derechos y libertades funda-mentales de la misma. «Lejos [pues] de proceder a la evaluación de su conveniencia, de sus efectos, de su calidad o perfectibilidad, o de su relación con otras alternativas posibles, hemos de reparar únicamente, cuando así se nos demande, en su encuadramiento constitucional. De ahí que una hipotética solución desestimatoria ante una norma penal cuestionada no afirme nada más ni nada menos que su sujeción a la Constitución, sin implicar, por lo tanto, en absoluto, ningún otro tipo de valoración positiva en torno a la misma» (SSTC 55/1996, fundamento jurídico 6º y 161/1997, fundamento jurídico 9º).

---

[6]   «1. Será castigado con las penas de prisión mayor y multa de 500.000 a 2.500.000 pesetas el que obtenga, recabe o facilite cualquier acto de colaboración que favorezca la realización de las actividades o la consecución de los fines de una banda armada o de elementos terroristas o rebeldes. 2. En todo caso, son actos de colaboración la información o vigilancia de per-sonas, bienes o instalaciones, la construcción, cesión o utilización de alojamientos o depósitos, la ocultación o traslados de personas integradas o vinculadas a bandas armadas o elementos terroristas o rebeldes, la organización o asistencia a prácticas de entrenamiento y cualquier otra forma de cooperación, ayuda o mediación, económica o de otro género, con las actividades de las citadas bandas o elementos».

Expresando ahora en síntesis lo que desarrollamos extensamente en las dos Sentencias que acabamos de citar, cabe afirmar la proporcionalidad de una reacción penal cuando la norma persiga la preservación de bienes o intereses que no estén constitucionalmente proscritos ni sean socialmente irrelevantes, y cuando la pena sea instrumentalmente apta para dicha persecución. La pena, además, habrá de ser necesaria y, ahora en un sentido estricto, proporcionada. [...]

Desde la perspectiva constitucional sólo cabrá calificar la norma penal o la sanción penal como innecesarias cuando, «a la luz del razonamiento lógico, de datos empíricos no controvertidos y del conjunto de sanciones que el mismo legislador ha estimado necesarias para alcanzar fines de protección análogos, resulta evidente la manifiesta suficiencia de un medio alternativo menos restrictivo de derechos para la consecución igualmente eficaz de las finalidades deseadas por el legislador» (STC 55/1996, fundamento jurídico 8º). Y sólo cabrá catalogar la norma penal o la sanción penal que incluye como estrictamente desproporcionada «cuando concurra un desequilibrio patente y excesivo o irrazonable entre la sanción y la finalidad de la norma a partir de las pautas axiológicas constitucionalmente indiscutibles y de su concreción en la propia actividad legislativa» (STC 161/1997, fundamento jurídico 12; en el mismo sentido STC 55/1996, fundamento jurídico 9º).

FJ 27. Respecto de los bienes o intereses que el precepto examinado pretende proteger debe admitirse que, en efecto, desde nuestro específico control constitucional, tienen suficiente entidad como para justificar la previsión de un precepto sancionador. Como dijimos en la STC 199/1987, fundamento jurídico 4º, el terrorismo constituye una manifestación delictiva de especial gravedad, que pretende instaurar el terror en la sociedad y alterar el orden constitucional democrático, por lo que ha de admitirse que cualquier acto de apoyo al mismo comporta una lesión, al menos potencial, para bienes jurídicos individuales y colectivos de enorme entidad, a cuya defensa se dirige el tipo analizado. No puede negarse en abstracto la posibilidad de que el Estado limite mediante el establecimiento de sanciones penales el ejercicio de los derechos fundamentales para garantizar bienes tan relevantes como la vida, la seguridad de las personas o la paz social que son puestos en peligro por la actividad terrorista. Así lo admite el art. 10.2 del CEDH y así lo reconoce el Tribunal Europeo de Derechos Humanos en numerosas resoluciones (por todas, Sentencia de 25 de noviembre de 1997, §§ 49 y 50, caso Zana).

Tampoco cabe dudar de la idoneidad de la sanción prevista. Se trata de una medida que, con toda seguridad, puede contribuir a evitar la realización de actos de colaboración con una organización terrorista y cooperar así a la consecución de los fines inmediatos de la norma.

Más problemas suscita, sin embargo, el juicio de necesidad de la medida y, sobre todo, de proporcionalidad en sentido estricto de la pena mínima que este precepto obliga a imponer.

FJ 28. Los demandantes de amparo alegan, como queda dicho, que ante la simple remisión de unas cintas de vídeo y magnetofónicas a unos organismos públicos para su difusión, la primera y única reacción de los poderes públicos, salvo la inicial prohibición de su emisión, fue la de sancionar a todos los miembros de la dirección de la asociación política a siete años de prisión. Afirman, sin mayor argumentación, que existían otras posibles medidas alternativas, como el secuestro judicial, la negativa de las radios y televisiones públicas a emitir los mensajes o la intervención de las Autoridades previstas en la legislación electoral, que hubieran entrañado un menor sacrificio de sus libertades de información, expresión y participación política. [...]

Al enjuiciar el presente caso desde la perspectiva que acabamos de apuntar deben tenerse presente dos datos interrelacionados de notable relieve: en primer lugar, que lo que se sanciona penalmente no es un ejercicio legítimo de los derechos proclamados en los arts. 20 y 23 CE, de modo que no estamos en un ámbito directamente tutelado por esos derechos constitucionales y, en consecuencia, la protección frente a sacrificios innecesarios o excesivos es sin duda menor, y, en segundo lugar, que lo que se sanciona es una actividad calificada por quien tiene competencia para ello de colaboración con banda armada al tratarse de conductas que, aunque sólo se hallen en una fase inicial de ejecución, tienden a promocionar los métodos terroristas de una banda armada y a la organización en sí misma considerada. En estas circunstancias, atendiendo a la importancia de los bienes que se pretenden tutelar con el precepto penal, así como a la falta de argumentación de los recurrentes y al concreto control de constitucionalidad reservado a este Tribunal en este ámbito, no cabe concluir que la reacción penal resulta innecesaria y que las medidas no penales tendrían un grado de «funcionalidad manifiestamente similar».

FJ 29. Nuestra decisión ha de ser diferente en relación con el juicio estricto de proporcionalidad, que es el que compara la gravedad del delito que se trata de impedir —y, en general, los efectos benéficos que genera la norma desde la perspectiva de los valores constitucionales— y la gravedad de la pena que se impone —y, en general, los efectos negativos que genera la norma desde la perspectiva de los valores constitucionales—. La norma que se ha aplicado a los recurrentes no guarda, por su severidad en sí y por el efecto que la misma comporta para el ejercicio de las libertades de expresión y de información, una razonable relación con el desvalor que entrañan las conductas sancionadas. [...] c) En la relativización de la gravedad de los comportamientos sancionados y en los costes sociales de la norma penal incide el hecho de que la misma se aplica a la expresión de ideas e informaciones por parte de los dirigentes de una asociación política legal en el seno de una campaña electoral y dirigida a la petición del voto de los ciudadanos. Hemos reiterado que la difusión de estas ideas e informaciones y este modo de participación en la actividad política no constituye un ejercicio lícito de las libertades de expresión, de información y de participación política y, por ello, no están tuteladas por esos derechos constitucionales y por ello pueden ser objeto de sanción penal; sin embargo, también hemos señalado que es indudable que las conductas incriminadas son actividades de expresión de ideas e informaciones y constituyen una forma de participación política y, en consecuencia, una sanción penal desproporcionada puede producir efectos de desaliento respecto del ejercicio lícito de esos derechos. En suma, aun admitiendo la legitimidad del recurso a la vía penal, la pena no puede proyectarse con la dureza que el tipo previene sobre la universalidad de los componentes del órgano dirigente de una asociación política que, si bien extralimitándose, han actuado en un ámbito en el que las formaciones políticas deben operar con la mayor libertad sin más limitaciones que las estrictamente necesarias para preservar la libertad de los ciudadanos. [...] La aplicación de un precepto que contempla una pena mínima de seis años y un día produce un claro efecto disuasorio del ejercicio de las libertades de expresión, comunicación y participación en la actividad pública, aunque las conductas sancionadas no constituyan ejercicio legítimo de las mismas.

El artículo 25 CE y el principio de culpabilidad —STC 59/2008, de 14 de mayo (*vid.* ARTÍCULO 14)—

FJ 11. En el marco de la argumentación del cuestionamiento de la norma ex art. 14 CE, se encuentran dos alegaciones que se expresan como de contrariedad de la misma al principio de culpabilidad penal. La primera se sustenta en la existencia de una presunción legislativa de que en las agresiones del hombre hacia quien es o ha sido su mujer o su pareja femenina afectiva concurre una intención discriminatoria, o un abuso de superioridad, o una situación de vulnerabilidad de la víctima. La segunda objeción relativa al principio de culpabilidad, de índole bien diferente, se pregunta si no se está atribuyendo al varón «una responsabilidad colectiva, como representante o heredero del grupo opresor».

a) No puede acogerse la primera de las objeciones. El legislador no presume un mayor desvalor en la conducta descrita de los varones —los potenciales sujetos activos del delito en la interpretación del Auto de cuestionamiento— a través de la presunción de algún rasgo que aumente la antijuridicidad de la conducta o la culpabilidad de su agente. Lo que hace el legislador, y lo justifica razonablemente, es apreciar el mayor desvalor y mayor gravedad propios de las conductas descritas en relación con la que tipifica el apartado siguiente. No se trata de una presunción normativa de lesividad, sino de la constatación razonable de tal lesividad a partir de las características de la conducta descrita y, entre ellas, la de su significado objetivo como reproducción de un arraigado modelo agresivo de conducta contra la mujer por parte del varón en el ámbito de la pareja.

Tampoco se trata de que una especial vulnerabilidad, entendida como una particular susceptibilidad de ser agredido o de padecer un daño, se presuma en las mujeres o de que se atribuya a las mismas por el hecho de serlo, en consideración que podría ser contraria a la idea de dignidad igual de la las personas (art. 10.1 CE), como apunta el Auto de planteamiento. Se trata de que, como ya se ha dicho antes y de un modo no reprochable constitucionalmente, el legislador aprecia una gravedad o un reproche peculiar en ciertas agresiones concretas que se producen en el seno de la pareja o entre quienes lo fueron, al entender el legislador, como fundamento de su intervención penal, que las mismas se insertan en ciertos parámetros de desigualdad tan arraigados como generadores de graves consecuencias, con lo que aumenta la inseguridad, la intimidación y el menosprecio que sufre la víctima.

b) Tampoco puede estimarse la segunda objeción. Cierto es que «la Constitución española consagra sin duda el principio de culpabilidad como principio estructural básico del Derecho penal» [STC 150/1991, de 4 de julio, FJ 4 a); también SSTC 44/1987, de 9 de abril, FJ 2; 150/1989, de 25 de septiembre, FJ 3; 246/1991, de 19 de diciembre, FJ 2] como derivación de la dignidad de la persona [STC 150/1991, FJ 4 b)], y que ello comporta que la responsabilidad penal es personal, por los hechos y subjetiva: que sólo cabe imponer una pena al autor del delito por la comisión del mismo en el uso de su autonomía personal. La pena sólo puede «imponerse al sujeto responsable del ilícito penal» [STC 92/1997, de 8 de mayo, FJ 3; también, STC 146/1994, de 12 de mayo, FJ 4 b)]; «no sería constitucionalmente legítimo un derecho penal 'de autor' que determinara las penas en atención a la personalidad del reo y no según la culpabilidad de éste en la comisión de los hechos» [STC 150/1991, FJ 4 a)]; y no cabe «la imposición de sanciones por el mero resultado y sin atender a la conducta diligente» del sujeto sancionado, a si concurría «dolo, culpa o ne-

gligencia grave y culpa o negligencia leve o simple negligencia» [SSTC 76/1990, de 26 de abril, FJ 4 a); 164/2005, de 20 de junio, FJ 6], al «elemento subjetivo de la culpa» (STC 246/1991, de 19 de diciembre, FJ 2).
Que en los casos cuestionados que tipifica el art. 153.1 CP el legislador haya apreciado razonablemente un desvalor añadido, porque el autor inserta su conducta en una pauta cultural generadora de gravísimos daños a sus víctimas y porque dota así a su acción de una violencia mucho mayor que la que su acto objetivamente expresa, no comporta que se esté sancionando al sujeto activo de la conducta por las agresiones cometidas por otros cónyuges varones, sino por el especial desvalor de su propia y personal conducta: por la consciente inserción de aquélla en una concreta estructura social a la que, además, él mismo, y solo él, coadyuva con su violenta acción.

El plazo de prescripción de la pena y su interrupción —STC 12/2016, de 1 de febrero[7]—

La Sentencia resuelve recurso de amparo promovido por don J.B.L.R. contra los Autos de 20 de diciembre de 2013 y 17 de febrero de 2014, del Juzgado de lo Penal núm. 4 de Huelva en la ejecutoria núm. 445-2008, así como contra el Auto de 2 de mayo de 2014 de la Audiencia Provincial de Huelva (Sección Tercera), desestimatorio del recurso de apelación interpuesto frente a los anteriores, que rechazaron la solicitud formulada por el demandante de declaración de la prescripción de las penas de tres años y dos años que le habían sido impuestas por Sentencia firme que devino ejecutoria el 31 de julio de 2008. Entiende el recurrente que las resoluciones judiciales impugnadas infringen su derecho a la tutela judicial efectiva (artículo 24.1 CE) en relación con el derecho a la libertad y a la legalidad penal (artículos 17.1 y 25.1 CE).

FJ 4. El art. 134 del Código penal en la redacción entonces vigente para su aplicación al presente caso, decía textualmente: "El tiempo de la prescripción de la pena se computará desde la fecha de la sentencia firme, o desde el quebrantamiento de la condena, si ésta hubiese comenzado a cumplirse".
El precepto parte lógicamente de lo que constituye el presupuesto natural para que pueda entrar en juego el instituto de la prescripción, que no es otro que el transcurso del tiempo sin que haya empezado a ejecutarse la pena impuesta, independientemente de la razón de esa tardanza, sea por elusión de la orden judicial o huida de la justicia, sea por posposición del inicio de la ejecución por otras razones, incluidas las previstas en la ley. El inicio del cumplimiento de la pena es por tanto la primera causa natural de interrupción de la prescripción, cuando por alguna razón se hubiera producido una tardanza. Tardanza a computar a partir de la fecha de la sentencia firme, fecha que, como explicita el art. 134 CP, determina el arranque del plazo de la prescripción. En caso de quebrantamiento de la pena que ya estaba cumpliéndose, vuelve a entrar en juego el cómputo de los plazos a efectos de la eventual prescripción.
Este Tribunal, en su STC 97/2010, de 15 de noviembre, FJ 4, ya descartó que la suspensión de la ejecución de la pena durante la tramitación de una solicitud de indulto —como también de un recurso de amparo— despliegue un efecto interruptor sobre el plazo señalado a la prescripción de la pena, poniendo de relieve la carencia de específica previsión legal al efecto, en la medida en que el art. 134 CP se limita a indicar como dies a quo para el cómputo del plazo de prescripción de la pena la fecha en que la Sentencia deviene firme o bien aquélla en que la condena es quebrantada.
De acuerdo con la citada STC 97/2010, "la contemplación de nuevas causas interruptivas de la prescripción de las penas distintas a las recogidas en los preceptos legales reguladores de dicho instituto no es un supuesto que, lógicamente, teniendo en cuenta los precedentes del Código penal de 1995, pudiera haber pasado inadvertido al legislador al regular dicha materia, lo que 'desde la obligada pauta de la interpretación en el sentido de la mayor efectividad del derecho fundamental y de la correlativa interpretación restrictiva de sus límites' (SSTC 19/1999, de 22 de enero, FJ 5; 57/2008, de 28 de abril, FJ 6), permite entender que si el legislador no incluyó aquellos supuestos de suspensión de ejecución de la pena como causas de interrupción de la prescripción de las mismas fue sencillamente porque no quiso hacerlo. En todo caso, y al margen de problemáticas presunciones sobre la intención del legislador, el dato negativo de la no previsión de esa situación es indudable y, a partir de él, no resulta constitucionalmente aceptable una interpretación de los preceptos legales aplicables que excede de su más directo significado gramatical." (FJ 5).
La doctrina anterior es reiterada, entre otras, en las SSTC 109/2013, de 6 de mayo, 152/2013, de 9 de septiembre, 187/2013, de 4 de noviembre, 192/2013, de 18 de noviembre, 49/2014, de 7 de abril, y 63/2015, de 13 de abril, en las que se insiste en que en el ámbito de ejecución de la pena no cabe hablar de otras formas de interrupción de la

---

[7]   *Vid.* también SSTC 14/2016, de 1 de febrero; 12/2018, de 5 de marzo, sobre el cómputo del plazo de prescripción de delitos conexos.

prescripción de la pena o de supuestos de reinicio del cómputo del plazo distinto al del quebrantamiento de condena; el actual Código penal no contempla otras causas de interrupción, a diferencia del anterior Código penal de 1973 que contemplaba la comisión de un nuevo delito como causa interruptiva (SSTC 97/2010, de 15 de noviembre, FJ 4; 109/2013, de 6 de mayo, FJ 4; 187/2013, de 4 de noviembre, FJ 4; 192/2013, de 18 de noviembre, FJ 4, y 49/2014, de 7 de abril, FJ 3).

De ahí que este Tribunal haya determinado, desde la perspectiva constitucional aludida y bajo la vigencia del citado tenor del art. 134 CP, que los actos de emplazamiento o las órdenes concernientes a la ejecución de la pena, en tanto no determinen el inicio de su cumplimiento, in natura o como sustitutivo, carezcan de relevancia interruptora de la prescripción (STC 187/2013, de 4 de noviembre, FJ 4, con cita de la STC 109/2013, de 6 de mayo, FJ 5; y posteriores; y, de forma particular, la STC 63/2015, FJ 5). Precisamente por apreciar que se trataba de supuestos de cumplimiento sustitutivo, tal y como había adelantado este Tribunal en STC 109/2013, de 6 de mayo, FJ 5, destacó la STC 81/2014, de 28 de mayo, FJ 3, in fine, y reiteró la STC 180/2014, de 3 de noviembre, FFJJ 2 y 3, que la doctrina establecida en la STC 97/2010, de 15 de noviembre, no resulta directamente trasladable a aquellos supuestos de paralización de la ejecución natural de la pena derivados de cuantas formas alternativas de cumplimiento reconoce expresamente el legislador, dada su diferente naturaleza jurídica y efectos. Tal es el caso de la suspensión y la sustitución de las penas privativas de libertad previstas en los arts. 80 y ss. CP, figuras que han sido calificadas como formas de cumplimiento sustitutivas o alternativas a la pena de prisión (SSTC 109/2013, de 6 de mayo, FJ 5, y 63/2015, de 13 de abril, FJ 5).

FJ 5. En el presente caso, se otorga efecto interruptivo de la prescripción de la pena a aquellas decisiones judiciales que sucesivamente denegaron al demandante un cumplimiento alternativo a la prisión, en las diversas modalidades legalmente previstas y progresivamente solicitadas por éste. Asimismo, a las órdenes de busca y captura para su detención e ingreso en prisión, que devinieron de imposible ejecución hasta que se constató su presencia en el centro penitenciario de Huelva, por orden cursada en diferente procedimiento. En ningún momento se inició, por tanto, la ejecución de las penas de prisión cuya prescripción es objeto del presente amparo.

[...] Las distintas y sucesivas resoluciones que denegaron al demandante cada forma de cumplimiento alternativo se limitaron a decidir sobre su solicitud, sin comportar en momento alguno una efectiva ejecución de las penas de prisión impuestas al recurrente en amparo. Por tal motivo, el razonamiento judicial que vino a entender interrumpida la prescripción de estas penas por el mero dictado de las referidas decisiones judiciales se basa en una hipótesis ajena al art. 134 CP. De igual modo, los argumentos postulados en ambas instancias judiciales como "de refuerzo", tales como la escasa solidez de lo interesado en cada ocasión o la prontitud en la respuesta judicial, no guardan conexión con el tenor del criterio legalmente aplicable, que no admite dudas sobre el inicio del plazo de prescripción y sobre el eventual reinicio del cómputo en supuesto de quebrantamiento, que no es el caso.

[...] Afirmar, como hace la Audiencia Provincial que "[c]on todas estas resoluciones, provocadas por las peticiones del propio penado, se interrumpe la prescripción, que no puede ni comprenderse ni computarse de manera mecanicista como mero transcurso del tiempo, sino que necesita de la inacción procesal para desplegar sus efectos", supone crear ex novo una causa de interrupción no prevista en la norma. Dicha interpretación deviene arbitraria por opuesta a la legalidad aplicable y lesiona, en tal medida, el art. 25.1 CE. Desatiende a su vez el canon de motivación exigible (art. 24.1 CE), que debe comenzar por respetar el contenido del precepto penal. Repercute, en último término, en el derecho a la libertad personal del demandante (art. 17.1 CE).

El artículo 25 CE y la potestad sancionadora de la administración —STC 77/1983, de 3 de octubre—

La Sentencia resuelve el recurso de amparo interpuesto por don T.G.R., contra el Acuerdo del Gobierno Civil de Cádiz, de 22 de octubre de 1981, que impuso al recurrente una sanción pecuniaria por desórdenes públicos, como autor de una llamada anónima, sanción que fue confirmada por Sentencia de la Sala de lo Contencioso-Administrativo de la Audiencia Territorial de Sevilla de fecha 14 de julio de 1982. Con anterioridad, el Juzgado de Instrucción núm. 1 de Cádiz había absuelto al demandante del delito de desórdenes públicos, por no entender probado que fuese autor de esa llamada. Entiende el recurrente que la sanción administrativa vulneró su derecho a la legalidad penal.

FJ 2. [...] No cabe duda que en un sistema en que rigiera de manera estricta y sin fisuras la división de los poderes del Estado, la potestad sancionadora debería constituir un monopolio judicial y no podría estar nunca en manos de la Administración, pero un sistema semejante no ha funcionado nunca históricamente y es lícito dudar que fuera incluso viable, por razones que no es ahora momento de exponer con detalle, entre las que se pueden citar la conveniencia de no recargar en exceso las actividades de la Administración de Justicia como consecuencia de ilícitos de gravedad menor, la conveniencia de dotar de una mayor eficacia al aparato represivo en relación con ese tipo de ilícitos y la conveniencia de una mayor inmediación de la autoridad sancionadora respecto de los hechos sancionados. Siguiendo esta línea, nuestra Constitución no ha excluido la existencia de una potestad sancionadora de la Administración, sino que, lejos de ello, la ha admitido en el art. 25, apartado 3.°, aunque, como es obvio, sometiéndole a las necesarias cautelas, que preserven y garanticen los derechos de los ciudadanos.

Debe, pues, subrayarse que existen unos límites de la potestad sancionadora de la Administración, que de manera directa se encuentran contemplados por el art. 25 de la Constitución y que dimanan del principio de legalidad de las infracciones y de las sanciones. Estos límites, contemplados desde el punto de vista de los ciudadanos, se transforman en derechos subjetivos de ellos y consisten en no sufrir sanciones sino en los casos legalmente prevenidos y de autoridades que legalmente puedan imponerlas.

FJ 3. Colocados de lleno en la línea a la que hemos llegado en el apartado anterior, podemos establecer que los límites que la potestad sancionadora de la Administración encuentra en el art. 25.1 de la Constitución son: a) la legalidad, que determina la necesaria cobertura de la potestad sancionadora en una norma de rango legal, con la consecuencia del carácter excepcional que los poderes sancionatorios en manos de la Administración presentan; b) la interdicción de las penas de privación de libertad, a las que puede llegarse de modo directo o indirecto a partir de las infracciones sancionadas; c) el respeto de los derechos de defensa, reconocidos en el art. 24 de la Constitución, que son de aplicación a los procedimientos que la Administración siga para imposición de sanciones, y d) finalmente, la subordinación a la Autoridad judicial.

La subordinación de los actos de la Administración de imposición de sanciones a la Autoridad judicial, exige que la colisión entre una actuación jurisdiccional y una actuación administrativa haya de resolverse en favor de la primera. De esta premisa son necesarias consecuencias las siguientes: a) el necesario control a posteriori por la Autoridad judicial de los actos administrativos mediante el oportuno recurso; b) la imposibilidad de que los órganos de la Administración lleven a cabo actuaciones o procedimientos sancionadores, en aquellos casos en que los hechos puedan ser constitutivos de delito o falta según el Código Penal o las leyes penales especiales, mientras la Autoridad judicial no se haya pronunciado sobre ellos; c) la necesidad de respetar la cosa juzgada.

La cosa juzgada despliega un efecto positivo, de manera que lo declarado por Sentencia firme constituye la verdad jurídica y un efecto negativo, que determina la imposibilidad de que se produzca un nuevo pronunciamiento sobre el tema.

El principio de legalidad en el ámbito sancionador administrativo: sus dimensiones material y formal —STC 25/2002, de 11 de febrero[8]—

La Sentencia resuelve el recurso de amparo promovido por la sociedad mercantil Hispano-Francesa de Energía Nuclear, S.A. (HIFRENSA) contra la Sentencia de 19 de diciembre de 1996 de lo Contencioso-Administrativo del Tribunal Supremo, que desestimó el recurso contencioso-administrativo interpuesto contra el Acuerdo del Consejo de Ministros de 7 de febrero de 1992, confirmatorio de su Acuerdo de 3 de mayo de 1991, por el que se impuso a la recurrente una multa de setenta millones de pesetas. Ésta denuncia la vulneración del principio de legalidad sancionadora y del principio de tipicidad de las infracciones administrativas, pues la multa se impuso en aplicación de los artículos 91 a 93 de la Ley 25/1964, modificados por el artículo 2 d) y la Disposición Adicional segunda de la Ley 15/1980, preceptos que incumplirían la garantía formal y material exigida por el artículo 25.1 CE: la primera, porque el artículo 91 de la Ley 25/1964 se limita a enunciar que la infracción de preceptos legales y reglamentarios sobre «registro y comunicación de datos» será sancionada gubernativamente, remitiendo para su tipificación a una norma infralegal,

---

8   *Vid.*, además de las citadas en la Sentencia, las SSTC 2/1987, de 21 de enero; 182/1990, de 15 de noviembre; 40/1991, de 25 de febrero; 219/1991, de 25 de noviembre; 93/1992, de 11 de junio; 6/1994, de 17 de enero; 45/1994, 15 de febrero; 120/1994, de 25 de abril; 253/1994, de 19 de septiembre; 323/1994, de 1 de diciembre; 117/1995, de 17 de julio; 145/1995, de 3 de octubre; 184/1995, de 12 de diciembre; 188/1996, de 25 de noviembre; 4/1997, de 13 de enero; 133/1999, de 15 de julio; 276/2000, de 16 de noviembre; 26/2002, de 11 de febrero; 75/2002, de 8 de abril; 50/2003, de 17 de marzo; 100/2003, de 2 de junio; 161/2003, de 15 de septiembre; 129/2003, de 30 de junio; 193/2003, de 27 de octubre; 16/2004, de 23 de febrero; 25/2004, de 26 de febrero; 26/2005, de 14 de febrero; 54/2005, de 14 de marzo; 129/2005, 23 de mayo; 210/2005, de 18 de julio; 297/2005, de 21 de noviembre; 98/2006, de 27 de marzo; 129/2006, de 24 de abril; 233/2006, de 17 de julio; 229/2007, de 5 de noviembre; 35/2010, de 19 de abril; 144/2011, de 26 de septiembre; 90/2012, de 7 de mayo; 127/2012, de 18 de junio; 156/2012, de 17 de septiembre; 175/2012, de 15 de octubre; 107/2013, de 6 de mayo; 145/2013, de 11 de julio. Sobre el requisito de *lex certa* aplicado a la interpretación de la norma sancionadora, o al juicio de subsunción que la aplica a un caso concreto, *vid.* SSTC 219/2016 a 220/2016, de 19 de diciembre; 12/2018, de 8 de febrero.

el Plan básico de emergencia nuclear (PBEN), regulado en la Orden Ministerial de 29 de marzo de 1989; la segunda, porque la regulación de las sanciones impuestas incumpliría la garantía de lex certa y de la correspondencia necesaria entre las sanciones y las infracciones, omitiendo cualquier criterio de graduación.

FJ 4. [...] [I]mporta recordar nuestra consolidada jurisprudencia sobre las exigencias del art. 25.1 de la Constitución en el ámbito sancionador administrativo. Para ello, debemos comenzar señalando que el derecho fundamental enunciado en aquel precepto incorpora la regla *nullum crimen nulla poena sine lege*, extendiéndola incluso al ordenamiento sancionador administrativo, y comprende una doble garantía. La primera, de orden material y alcance absoluto, tanto por lo que se refiere al ámbito estrictamente penal como al de las sanciones administrativas, refleja la especial trascendencia del principio de seguridad en dichos ámbitos limitativos de la libertad individual y se traduce en la imperiosa exigencia de predeterminación normativa de las conductas ilícitas y de las sanciones correspondientes. La segunda, de carácter formal, se refiere al rango necesario de las normas tipificadoras de aquellas conductas y reguladoras de estas sanciones, por cuanto, como este Tribunal ha señalado reiteradamente, el término «legislación vigente» contenido en dicho art. 25.1 CE es expresivo de una reserva de Ley en materia sancionadora (por todas, STC 42/1987, de 7 de abril, FJ 2).
A partir de ahí, hemos precisado que la garantía material contenida en aquel precepto tiene un alcance absoluto, como se afirma en la Sentencia citada, de manera que la norma punitiva aplicable ha de permitir predecir con suficiente grado de certeza las conductas que constituyen infracción y el tipo y grado de sanción del que puede hacerse merecedor quien la cometa (SSTC 219/1989, de 21 de diciembre, FJ 2; 116/1993, de 29 de marzo, FJ 3; 153/1996, de 30 de septiembre, FJ 3). Por el contrario, la reserva de Ley en este ámbito tendría una eficacia relativa o limitada (SSTC 101/1988, de 8 de junio, FJ 3; 29/1989, de 6 de febrero, FJ 2; 177/1992, de 2 de noviembre, FJ 2), que no excluiría la colaboración reglamentaria en la propia tarea de tipificación de las infracciones y atribución de las correspondientes sanciones, pero sí que tales remisiones hicieran posible una regulación independiente y no claramente subordinada a la Ley (SSTC 83/1984, de 24 de julio, FJ 4; 42/1987, FJ 2; 3/1988, de 21 de enero, FJ 9). Lo que el art. 25.1 CE prohíbe, hemos matizado, es la remisión de la Ley al Reglamento sin una previa determinación de los elementos esenciales de la conducta antijurídica en la propia Ley (SSTC 305/1993, de 25 de octubre, FJ 3; 341/1993, de 18 de noviembre, FJ 10.b; 116/1999, de 17 de junio, FJ 16; 60/2000, de 2 de marzo, FJ 3).

FJ 5. [...] Desde el punto de vista de la garantía material contenida en el art. 25.1 CE, exigible también a normas preconstitucionales (STC 116/1993, FJ 3) como la aquí examinada, hemos declarado que no vulnera la exigencia de *lex certa* la remisión que el precepto que tipifica las infracciones realice a otras normas que impongan deberes y obligaciones concretas de ineludible cumplimiento, de forma que su conculcación se asuma como elemento definidor de la infracción sancionable misma, siempre que sea asimismo previsible, con suficiente grado de certeza, la consecuencia punitiva derivada de aquel incumplimiento o transgresión (SSTC 219/1989, FJ 5; 116/1993, FJ 3)[9]. Por lo tanto, el art. 25.1 CE no excluye que la norma de rango legal contenga remisiones a normas reglamentarias, siempre que en aquélla queden suficientemente determinados los elementos esenciales de la conducta antijurídica (de tal manera que sólo sean infracciones las acciones u omisiones subsumibles en la norma con rango de ley) y la naturaleza y límites de las sanciones a imponer (SSTC 3/1988, de 21 de enero, FJ 9; 341/1993, de 18 de noviembre, FJ 10; 60/2000, de 2 de marzo, FJ 3). Como ha expresado concisamente la reciente STC 132/2001, de 8 de junio, el art. 25.1 CE proscribe toda habilitación reglamentaria vacía de contenido material propio (FJ 5)[10].
[...] Pues bien, ningún reproche puede realizarse ex art. 25.1 CE a la remisión que el art. 91 de la Ley 25/1964 hace a normas reglamentarias para integrar el tipo legal de infracción administrativa, pues no puede entenderse que la remisión que efectúa dicha norma a «preceptos legales y reglamentarios» sobre «registro y comunicación de datos» y «condiciones de seguridad técnica o sanitaria del personal» impidiera al interesado conocer las conductas sancionables.
La conclusión anterior hace asimismo inviable la queja por vulneración de la garantía formal del art. 25.1 CE. En efecto, hemos declarado que la reserva de ley contenida en este precepto constitucional prohíbe dejar a la potestad reglamentaria, por entero y *ex novo*, la definición de las conductas susceptibles de sanción (STC 60/2000, FJ 4), circunstancia que no se da en el presente supuesto, pues, incluso prescindiendo de que se trataba de una normativa

---

9   *Vid.* también SSTC 69/1989, de 20 de abril; 305/1993, de 25 de octubre; 109/1994, de 11 de abril; 111/1994, de 11 de abril.
10   No cabe así la remisión legislativa de la calificación de las infracciones como leves, graves o muy graves a un órgano administrativo (STC 252/2006, de 25 de julio, FJ 4). *Vid.* también SSTC 115/2012, de 4 de julio; 166/2012, de 1 de octubre; 10/2015, de 2 de febrero.

preconstitucional (SSTC 15/1981, de 7 de mayo, FJ 7; 42/1987, de 7 de abril, FJ 3; y 177/1992, de 1 de diciembre, FJ 3), ha de subrayarse que la norma legal, como hemos afirmado, tipifica los elementos esenciales de la conducta por la que fue sancionada la entidad demandante de amparo. [...]

FJ 6. Descartada la queja por vulneración del principio de tipicidad de las infracciones, debemos examinar ahora la relativa a la predeterminación normativa de las sanciones, garantizada asimismo por el art. 25.1 CE [...]
[...] [H]emos afirmado que la exigencia material absoluta de predeterminación normativa afecta no sólo a la tipificación de las infracciones, sino también a la definición y, en su caso, graduación o escala de las sanciones imponibles y, como es lógico, a la correlación necesaria entre actos o conductas ilícitas tipificadas y las sanciones consiguientes a las mismas, de manera que el conjunto de las normas punitivas aplicables permita predecir, con suficiente grado de certeza, el tipo y el grado de sanción determinado del que puede hacerse merecedor quien cometa una o más infracciones concretas (STC 219/1989, de 21 de diciembre, FJ 4; 61/1990, de 29 de marzo, FJ 3). Con base en este canon, hemos reprobado explícitamente en otros pronunciamientos la técnica utilizada por la Disposición adicional segunda de la Ley 15/1980, que modificó el art. 93 de la Ley 25/1964, dado que en ella no se establece graduación alguna de las sanciones en función de las infracciones, sino un límite máximo de aquéllas en función del órgano que las impone, dejando a éste un amplísimo margen de apreciación en la fijación del importe de la multa que puede imponer al infractor, a quien no se garantiza mínimamente la seguridad jurídica. Esta técnica legislativa en sí misma infringe directamente el art. 25.1 CE al encomendar por entero a la discrecionalidad judicial o administrativa el establecimiento de la correspondencia necesaria entre los ilícitos y las sanciones (STC 207/1990, de 17 de diciembre, FJ 2), y por ello su aplicación en el presente caso vulneró el derecho a la legalidad sancionadora de la demandante. Y así lo ha entendido también el propio Tribunal Supremo en las Sentencias de 8 de enero de 1998 y de 2 de diciembre de 1999, relativas precisamente a la aquí examinada Disposición adicional segunda de la Ley 15/1980[11].

FJ 7. De lo anterior se concluye que la sanción impuesta a la entidad recurrente en base a la Ley 25/1964 (arts. 92 y 93), y a la Disposición adicional segunda de la Ley 15/1980, infringió el principio de legalidad de las sanciones y por ello los Acuerdos del Consejo de Ministros de 7 de febrero de 1992 y de 3 de mayo de 1991, así como la Sentencia del Tribunal Supremo de 19 de diciembre de 1996 que los confirmó, vulneraron el derecho de la demandante a la legalidad sancionadora (art. 25.1 CE). En consecuencia, procedente será el otorgamiento del amparo solicitado, declarando la nulidad de las resoluciones administrativas y de la Sentencia impugnada en el presente recurso, lo que hace innecesario el examen de las restantes quejas formuladas en la demanda.

El principio de legalidad sancionadora y la interpretación y aplicación de la norma aplicada —STC 30/2013, de 11 de febrero[12]—

La Sentencia resuelve el recurso de amparo promovido por doña A.F.M. contra la resolución sancionadora de 24 de noviembre de 2008, dictada por el Ayuntamiento de Madrid, así como frente a la Sentencia de 10 de enero de 2011 del Juzgado de lo Contencioso-Administrativo núm. 23 de Madrid y el Auto de 26 de enero de 2011 del mismo órgano judicial, que confirman dicha resolución. Esta se basa en que, ante el requerimiento de la Administración para que se

---

[11] «Resumiendo nuestra doctrina en esta materia, en el fundamento jurídico 6 de la STC 113/2002, de 9 de mayo, hemos puesto de relieve que «la necesidad de que la ley predetermine suficientemente las infracciones y las sanciones, así como la correspondencia entre unas y otras, no implica un automatismo tal que suponga la exclusión de todo poder de apreciación por parte de los órganos administrativos a la hora de imponer una sanción concreta. Así lo ha reconocido este Tribunal al decir en su STC 207/1990, de 17 de diciembre, FJ 3, que el establecimiento de dicha correspondencia 'puede dejar márgenes más o menos amplios a la discrecionalidad judicial o administrativa'; lo que en modo alguno puede ocurrir es que quede 'encomendada por entero a ella', ya que ello equivaldría a una simple habilitación en blanco a la Administración por norma legal vacía de contenido material propio, lo cual, como hemos dicho anteriormente (con cita de la STC 42/1987), contraviene frontalmente las exigencias constitucionales.»» STC 100/2003, de 2 de junio, FJ 4. No se acomodaba a estas exigencias el artículo 13.1 del Decreto 3632/1974, de 20 de diciembre, que establecía para las infracciones muy graves en materia alimentaria multas de 2.500.000 de pesetas «en adelante» (STC 29/1989, de 6 de febrero), pero sí el artículo 89.1 de la Ley de Extremadura 8/1990, de 21 de diciembre, de caza, de acuerdo con el cual las infracciones leves son sancionadas con multa de entre 5.000 y 50.000 pesetas, «pudiendo llevar implícita la retirada de licencia o imposibilidad de obtenerla por un plazo de uno a dos años» (STC 14/1988, de 22 de enero) —*vid.* STC 100/2003, de 2 de junio, FJ 4—.

[12] *Vid.* también las SSTC 218/2005, de 12 de septiembre; 45/2013, de 25 de febrero; 21/2015, 26 de febrero; 54/2008, de 14 de abril

identificara al conductor responsable de una infracción de tráfico, doña A.F.M., como titular del vehículo, comunicó el nombre, apellidos y domicilio del supuesto responsable, datos que la Administración consideró insuficientes, al considerar indispensable la comunicación del número del documento nacional de identidad o del permiso de conducir del responsable para cumplimentar la identificación requerida. Por ello sancionó por incumplimiento del deber de identificación del conductor responsable de la infracción a la recurrente, quien entiende que dicha sanción vulnera el principio de legalidad sancionatoria.

FJ 3. La resolución sancionadora originaria del presente recurso de amparo, se basó, según se ha expuesto en los antecedentes, en que los datos aportados sobre la identidad del conductor se consideraron insuficientes para entender cumplido el deber que recoge el art. 72.3 de la Ley sobre tráfico, circulación de vehículos a motor y seguridad vial. Al igual que ocurría en el caso resuelto en la STC 111/2004, de 12 de julio, no existe en el expediente administrativo constancia de actuación administrativa alguna tendente a comunicar con la persona identificada por la demandante que se hubiera frustrado por el desconocimiento del número del documento nacional de identidad o del permiso de conducir, lo que revela que, al menos en las circunstancias del caso, la escueta motivación del acto administrativo no responde a una argumentación lógica que permitiera subsumir la conducta de la recurrente en el tipo aplicado. En efecto, ni la norma —en la redacción vigente el momento de los hechos— exigía expresamente que se facilitaran esos concretos datos ni, conforme a los modelos de argumentación aceptados por la comunidad jurídica, cabe extraer tal exigencia del tenor de la misma, una vez que se había indicado a la Administración el nombre, dos apellidos y domicilio del conductor, lo que, en principio y sin que las circunstancias concurrentes permitieran presumir otra cosa, parece, por una parte, que supone una respuesta congruente con el deber de identificar a una persona impuesto en la Ley de seguridad vial y, por otra, que es suficiente con la finalidad de la exigencia legal, que es la de permitir a la Administración dirigir eventualmente contra esa persona un procedimiento sancionador.

Por tanto, con remisión a lo argumentado en la STC 111/2004, de 12 de julio, procede otorgar el amparo solicitado, recordando que la posibilidad de que se produzca una vulneración del art. 25.1 CE como consecuencia de las pautas interpretativas empleadas para la subsunción de la conducta en el tipo de la infracción ha sido expresamente contemplada por este Tribunal, recientemente recordado en la STC 70/2012, de 16 de abril, FJ 5, en la que, precisamente con remisión a la STC 111/2004, de 12 de julio, FJ 3, se reiteraba que «la validez constitucional de la aplicación de las normas sancionadoras depende tanto del respeto al tenor literal del enunciado normativo, que marca en todo caso una zona indudable de exclusión de comportamientos, como de su previsibilidad (SSTC 151/1997, de 29 de septiembre, FJ 4; y 236/1997, de 22 de diciembre, FJ 3), hallándose en todo caso vinculadas por los principios de legalidad y de seguridad jurídica. De este modo, no sólo vulneran el principio de legalidad las resoluciones sancionadoras que se sustenten en una subsunción de los hechos ajena al significado posible de los términos de la norma aplicada; son también constitucionalmente rechazables aquellas aplicaciones que por su soporte metodológico —una argumentación ilógica o indiscutiblemente extravagante—, o axiológico —una base valorativa ajena a los criterios que informan nuestro ordenamiento constitucional—, conduzcan a soluciones esencialmente opuestas a la orientación material de la norma y, por ello, imprevisibles para sus destinatarios».

La irretroactividad de las normas sancionadoras desfavorables —STC 20/2003, de 10 de febrero[13]—

La Sentencia resuelve el recurso de amparo promovido por don J.G.R. contra la Sentencia de la Sección Primera de la Audiencia Provincial de Ciudad Real de 31 de diciembre de 1998, por la que se desestima el recurso de apelación contra la Sentencia de 22 de abril de 1998, del Juzgado de lo Penal núm. 2 de Ciudad Real, que condenó al recurrente como autor, entre otros, de un delito de omisión del deber de socorro con la atenuante de embriaguez no habitual. El recurrente argumenta que dichas Sentencias vulneraron diversos derechos constitucionales, entre ellos el derecho a la legalidad penal.

FJ 4. En cuanto a la vulneración del derecho a la legalidad penal el recurrente la fundamenta en que, a pesar de que expresó en un principio su conformidad con que era más beneficiosa la aplicación del Código penal de 1995 para el delito de omisión del deber de socorro, posteriormente, tras modificarse la solicitud de pena por las acusaciones, manifestó su preferencia por la aplicación del Código penal de 1973, que entendía más favorable. El Ministerio Fiscal,

---

[13]   Sobre la interdicción de retroactividad de normas sancionadoras no favorables, *vid.* también la STC 150/1989, de 25 de septiembre (aplicación retroactiva norma sancionatoria penal)

por su parte, considera que la cuestión relativa a cuál de los Códigos es más beneficioso para el reo es en este caso concreto de mera legalidad ordinaria, al margen de que el recurrente fue efectivamente oído sobre la aplicación de la norma penal más favorable.

En relación con este extremo hay que señalar, ante todo, que la cuestión planteada no se basa en que no se haya aplicado retroactivamente una norma penal favorable, sino, al contrario, en el hecho de que se haya aplicado retroactivamente una norma que el recurrente considera más gravosa, lo que habría implicado la vulneración del derecho a la irretroactividad de las normas penales desfavorables. En este sentido, el canon aplicable no ha de ser el relativo a la retroacción de la norma penal más favorable —que, como ha reiterado este Tribunal, aunque pueda entenderse comprendido a contrario sensu en el art. 9.3 CE, no está implícito en el derecho a la legalidad penal del art. 25.1 CE, por lo que no es susceptible de invocación en amparo (por todas, STC 30/1998, de 28 de enero, FJ 7)[14]—, sino el relativo a la irretroactividad de las normas penales más graves a hechos cometidos previamente a su entrada en vigor, que sí está incluido en la garantía constitucional de la legalidad penal del art. 25.1 CE (por todas, SSTC 43/1997, de 10 de marzo, FJ 5, o 21/1993, de 18 de enero, FJ 4). En todo caso, hay que recordar que, como este Tribunal ha reiterado, la determinación de qué Ley es la más favorable al acusado es una cuestión de legalidad ordinaria (por todas, STC 200/2000, de 24 de julio, FJ 3). De este modo, sólo existirá vulneración del derecho invocado si se hace aplicación de una norma penal cuya entrada en vigor sea posterior al hecho enjuiciado, cuando resulte imprevisible concluir que dicha norma era más beneficiosa para el acusado.

Aplicando la doctrina expuesta al presente recurso, y si se tienen en cuenta los marcos penales previstos en cada una de las normas penales para el delito de omisión del deber de socorro y a la totalidad de sus previsiones sobre la aplicación de sustitutivos penales o eventuales beneficios penitenciarios aplicables al caso, no cabe concluir que resultara imprevisible considerar más beneficioso para el recurrente la aplicación del Código penal de 1995, en lo referido al delito de omisión del deber de socorro. Al margen de ello, además, la previsibilidad exigida se podría derivar del hecho de que el propio recurrente, cuando se planteó este extremo como cuestión previa en la vista oral, se pronunció a favor de la aplicabilidad del Código penal de 1995 como norma más favorable. En efecto, sólo tras la modificación de la solicitud de pena en las calificaciones definitivas de las acusaciones, y a la vista de su elevación, fue cuando el recurrente se pronunció en contra de la aplicación del Código de 1995. Por tanto, la aplicación retroactiva que hicieron las resoluciones impugnadas de las previsiones del Código penal de 1995 al delito de omisión del deber de socorro, como más favorables para el acusado, no supusieron la vulneración aducida por el recurrente. Por otra parte, tampoco puede prosperar la alegación de que el Código penal de 1995 se ha aplicado contra la voluntad del recurrente, ya que, en la medida en que al recurrente se le dio la posibilidad de manifestarse sobre la norma penal que consideraba más beneficiosa, se cumplió debidamente con lo establecido en la disposición transitoria segunda de la Ley Orgánica 10/1995, de 23 de noviembre, por la que se aprueba el Código penal, cuya exigencia sólo alcanza a la obligación de que el reo sea oído y no a que se respete su voluntad sobre cuál deba ser la norma penal aplicable.

La irretroactividad de las normas sancionadoras no favorables y la aplicación de normas completas —STC 131/1986, de 29 de octubre—

La Sentencia resuelve el recurso de amparo interpuesto por don X contra Sentencia de la Audiencia Provincial de La Coruña, dictada en apelación contra la pronunciada por el Juzgado de Instrucción núm. 3 de la misma capital, condenatoria por delito de estafa.

FJ 2. [...] El principio de retroactividad de la ley penal más favorable no concede derecho de carácter constitucional susceptible de amparo, según han declarado las SSTC 8/1981, de 30 de marzo, y 15/1981, de 7 de mayo, pero es que, además, dicho principio supone la aplicación íntegra de la ley más beneficiosa, incluidas aquellas de sus normas parciales que puedan resultar perjudiciales en relación con la ley anterior, que se desplaza en virtud de dicho prin-

---

14 *Vid.* también SSTC 14/1981, de 29 de abril; 68/1982, de 13 de mayo; 122/1983, de 26 de octubre; 51/1985, de 10 de abril; 131/1986, de 29 de octubre; 196/1991, de 17 de octubre; 38/1994, de 17 de enero; 177/1994, de 10 de junio; 99/2000, de 10 de abril; 85/2006, de 27 de marzo; sobre los efectos de la declaración de inconstitucionalidad de una norma sancionadora y la constitucionalidad de los efectos retroactivos favorables de la que viene a sustituirla, *vid.* SSTC 38/1997, de 27 de febrero; 62/1997 y 63/1997, ambas de 7 de abril; 129/1997, de 14 de julio.

cipio, siempre que el resultado final, como es obvio, suponga beneficio para el reo, ya que en otro caso la ley nueva carecería de esa condición de más beneficiosa que justifica su aplicación retroactiva.

No es aceptable, por tanto, y así lo ha dicho este Tribunal en el Auto 369/1984, de 24 de junio, utilizar el referido principio para elegir, de las dos leyes concurrentes, las disposiciones parcialmente más ventajosas, pues en tal caso, el órgano judicial sentenciador no estaría interpretando y aplicando las leyes en uso correcto de la potestad jurisdiccional que le atribuye el art. 117.3 de la CE, sino creando con fragmentos de ambas leyes una tercera y distinta norma legal con invasión de funciones legislativas que no le competen.

Ámbito de aplicación del artículo 25.1 CE —STC 239/1988, de 14 de diciembre[15]—

La Sentencia resuelve los recursos de amparo promovidos por don J.D.E. contra Resoluciones del Jefe del Servicio Territorial de Barcelona de la Dirección General de Arquitectura y Vivienda del Departamento de Política Territorial y Obras Públicas de la Generalidad de Cataluña, de fechas 28 de diciembre de 1984 y 31 de enero de 1986, que impusieron al actor sendas multas de 15.000 y 40.000 pesetas. Sostiene el recurrente que se ha vulnerado su derecho fundamental a la legalidad sancionadora (artículo 25.1 CE), por no existir una Ley previa que estableciera dichas multas.

FJ 2. Las citadas infracciones que con base en el art. 25.1 de la Constitución denuncia el recurrente, están referidas a la potestad sancionadora de la Administración y su análisis resulta innecesario en el presente caso, por faltar el presupuesto sancionador que sirve de base a las exigencias constitucionales del citado precepto. Los postulados del art. 25.1 de la Constitución no pueden extenderse a ámbitos que no sean los específicos del ilícito penal o administrativo, siendo improcedente su aplicación extensiva o analógica como resulta de las SSTC 73/1982, de 2 de diciembre; 69/1983, de 26 de julio, y 96/1988, de 26 de mayo, a supuestos distintos o a actos, por su mera condición de ser restrictivos de derechos, si no representan el efectivo ejercicio del ius puniendi del Estado o no tienen un verdadero sentido sancionador, como es el caso de las multas coercitivas, previstas como medio de ejecución forzosa de los actos administrativos por los arts. 104 c) y 107 de la Ley de Procedimiento Administrativo (LPA).

En dicha clase de multas, cuya independencia de la sanción queda reflejada en el párrafo 2 del indicado art. 107 de la LPA, no se impone una obligación de pago con un fin represivo o retributivo por la realización de una conducta que se considere administrativamente ilícita, cuya adecuada previsión normativa desde las exigencias constitucionales del derecho a la legalidad en materia sancionadora pueda cuestionarse, sino que consiste en una medida de constreñimiento económico, adoptada previo el oportuno apercibimiento, reiterada en lapsos de tiempo y tendente a obtener la acomodación de un comportamiento obstativo del destinatario del acto a lo dispuesto en la decisión administrativa previa. No se inscriben, por tanto, estas multas en el ejercicio de la potestad administrativa sancionadora, sino en el de la autotutela ejecutiva de la Administración, previstas en nuestro ordenamiento jurídico con carácter general por el art. 102 de la LPA cuya constitucionalidad ha sido expresamente reconocida por este Tribunal (SSTC 22/1984, de 17 de febrero; 137/1985, de 17 de octubre, y 144/1987, de 23 de septiembre), y respecto de la que no cabe predicar el doble fundamento de la legalidad sancionadora del art. 25.1 CE a que se refiere la STC 101/1988, de 8 de junio, esto es: de la libertad (regla general de la licitud de lo no prohibido) y de seguridad jurídica (saber a qué atenerse), ya que, como se ha dicho, no se castiga una conducta realizada porque sea antijurídica, sino que se constriñe a la realización de una prestación o al cumplimiento de una obligación concreta previamente fijada por el acto administrativo que se trata de ejecutar, y mediando la oportuna conminación o apercibimiento.

Consecuentemente, el planteamiento de la suficiente cobertura legal en relación con las multas coercitivas, como respecto a los demás medios de ejecución forzosa del art. 104 de la LPA es únicamente reconducible al ámbito de la sumisión de la Administración a la ley en el marco del general principio de legalidad proclamado ciertamente en los arts. 9.3 y 103 de la Constitución, pero sin el carácter de un correlativo derecho fundamental susceptible de amparo,

---

[15] Como ha aclarado el Tribunal Constitucional, el artículo 25.1 CE «hace referencia a la necesaria predeterminación normativa de las conductas ilícitas y de sus correspondientes sanciones, refiriéndose exclusivamente a las normas penales o sancionadoras sustantivas y no a las procesales (SSTC 341/1993, de 18 de noviembre, FJ 9.b; 141/1998, de 29 de junio, FJ 3), no incluyendo entre sus garantías el derecho de la parte a ser enjuiciado por unas determinadas normas procesales, lo que afectaría —en su caso— a los derechos consagrados en el art. 24 CE» (STC 229/2003, de 18 de diciembre, FJ 5). Sí es de aplicación el artículo 25.1 CE a la legislación penal de menores, si bien adaptado a sus especiales características, más correctoras que retributivas de conductas ilícitas, y por ende abiertas a una mayor flexibilidad (STC 36/1991, de 14 de febrero, FFJJ 7-8). Sobre la inaplicación del artículo 25.1 CE a la ilegalización de partidos políticos, vid. 48/2003, de 12 de marzo (vid. **ARTÍCULO 23**).

y como tal únicamente residenciable en sede judicial ante los órganos de la jurisdicción contencioso-administrativa, conforme a la función revisora que les atribuye el art. 106 CE.

Medidas coercitivas de carácter no sancionador: la Ley Orgánica 15/2015, de reforma de la Ley Orgánica 2/1979, del Tribunal Constitucional —STC 215/2016, de 15 de diciembre[16]—

La Sentencia resuelve el recurso de inconstitucionalidad interpuesto por el Gobierno de la Generalitat de Cataluña contra la Ley Orgánica 15/2015, de 16 de octubre, de reforma de la Ley Orgánica 2/1979, de 3 de octubre, del Tribunal Constitucional, para la ejecución de las resoluciones del Tribunal Constitucional como garantía del Estado de Derecho. Entre otros vicios de inconstitucionalidad, entiende que el nuevo artículo 92.4.a) LOTC, que faculta al Tribunal para imponer multas coercitivas, vulnera los arts. 9.3, 25 y 165 CE, al no establecer parámetro alguno de gradación de las multas ni de los plazos para reiterarlas. Y entiende que la medida de suspensión en sus funciones de autoridades o empleados públicos recogida en el art. 92.4 b) LOTC vulnera los arts. 25 y 161.1 CE, por no satisfacer las exigencias del principio de legalidad penal y exceder del ámbito de la jurisdicción constitucional.

FJ 8. [...] a) Las garantías que la Constitución prevé para los actos de contenido punitivo —recordamos en la STC 185/2016, FJ 13— no resultan sin más exigibles, de acuerdo con una reiterada doctrina constitucional, a los actos restrictivos de derechos (SSTC 34/2003, de 25 de febrero, FJ 2, y 181/2014, de 6 de noviembre, FJ 5). En efecto, este Tribunal tiene declarado en relación con el principio de legalidad en materia penal que "los postulados del art. 25 CE no pueden aplicarse a ámbitos que no sean los específicos del ilícito penal o administrativo, siendo improcedente su aplicación extensiva o analógica ... a supuestos distintos o a actos por su mera condición de ser restrictivos de derechos, si no representan el efectivo ejercicio del ius puniendi del Estado o tienen un verdadero sentido sancionador" (STC 48/2003, de 12 de marzo, FJ 9, y doctrina allí citada).

A los efectos que ahora interesan, en la STC 185/2016 sintetizamos la referida doctrina constitucional en los términos que a continuación se reproducen:

"[P]ara determinar si una consecuencia jurídica tiene o no carácter punitivo habrá que atender, ante todo, a la función que tiene encomendada en el sistema jurídico. De modo que si tiene una función represiva y con ella se restringen derechos como consecuencia de un ilícito, habremos de entender que se trata de una pena o sanción en sentido material, pero si en lugar de la represión concurren otras finalidades justificativas deberá descartarse la existencia de una pena, por más que se trate de una consecuencia gravosa. Así, hemos negado la existencia de una función retributiva porque las medidas impugnadas tenían la finalidad de constreñir a la realización de una prestación o al cumplimiento de una obligación concreta (STC 239/1988, de 14 de diciembre, FJ 2), perseguían la simple aplicación del ordenamiento por la Administración competente (STC 181/1990, de 14 de noviembre, FJ 4) o, en fin, tenían como único objetivo restablecer la legalidad conculcada (STC 199/1991, de 3 de junio, FJ 3). No basta, pues, la sola pretensión de constreñir al cumplimiento de un deber jurídico ... o de restablecer la legalidad conculcada frente a quien se desenvuelve sin observar las condiciones establecidas por el ordenamiento para la ejecución de una determinada actividad. Es preciso que, de manera autónoma o en concurrencia con esas pretensiones, el perjuicio causado responda a un sentido retributivo, que se traduce en la irrogación de un mal añadido al que de suyo implica el cumplimiento forzoso de una obligación ya debida o la imposibilidad de seguir desarrollando una actividad a la que no se tenía derecho. En fin, el carácter penal o administrativo sancionador de la reacción del ordenamiento sólo aparece cuando, al margen de la voluntad reparadora, se inflige un perjuicio añadido con el que se afecta al infractor en el círculo de los bienes y derechos de los que disfrutaba lícitamente (STC 48/2003, FJ 9; en el mismo sentido, SSTC 331/2006, de 20 de noviembre, FJ 4; 121/2010, de 29 de noviembre, FJ 7; 39/2011, de 31 de marzo, FFJJ 2 y 3, y 17/2013, de 31 de enero, FJ 12)" (FJ 13).

b) Debemos, en consecuencia, indagar en la verdadera naturaleza de las multas coercitivas previstas en el art. 92.4 a) LOTC a efectos de afirmar o descartar su carácter punitivo, para lo que es determinante, como quedó recogido en la STC 185/2016, "la función o finalidad que pretenda conseguirse con aquella medida [STC, por todas, 181/2014, FJ 6; SSTED de 21 de febrero de 1984, asunto Öztürk, serie A, núm. 73 (53 y 70); de 22 de

---

[16]   *Vid.* los votos particulares que a las SSTC 185/2016 y 215/2016 formulan Adela Asúa Batarrita, Fernando Valdés Dal-Re y Juan Antonio Xiol Ríos. Sobre el carácter no sancionatorio de la articulación de un sistema de definición, identificación mediante inspección, e inclusion en un Registro, de las viviendas deshabitadas, *vid.* SSTC 16/2018, de 22 de febrero (FJ 9); 32/2018, de 12 de abril (FJ 9); 43/2018, de 26 de abril (FJ 5).

mayo de 1990, asunto Weber, Serie A, núm. 177 (31-33); y de 27 de agosto de 1991, asunto Demicoli, Serie A, núm. 210 (33)]" (ibídem).

Algunos rasgos externos de las multas coercitivas pudieran conferirles cierta apariencia sancionadora. Así, en la medida en que consisten en la imposición de una obligación de pago a la persona responsable del incumplimiento de la resolución del Tribunal, inciden negativamente sobre su patrimonio, de forma que, al igual que las sanciones pecuniarias, aquella medida se puede traducir en la restricción de un derecho. Ahora bien, esta circunstancia no basta por sí sola para afirmar su naturaleza sancionadora, pues no es suficiente a tales efectos con que la reacción del Estado ante el incumplimiento de una obligación legal consista en un acto restrictivo de derechos (STC 276/2000, de 16 de noviembre, FJ 3, con cita de la STC 239/1988, FJ 2, y ATC 323/1996, de 11 de noviembre, FJ 6). También podría abundar en esa apariencia sancionadora su finalidad disuasoria del incumplimiento de las resoluciones del Tribunal Constitucional, pero tampoco ello es determinante de su carácter sancionador. Una cosa, como ya hemos tenido ocasión de declarar, "es que las sanciones tengan, entre otras, una finalidad disuasoria, y otra bien distinta que toda medida con una finalidad disuasoria de determinados comportamientos sea una sanción ... pues resulta claro que la función disuasoria de una figura jurídica no determina sin más su naturaleza sancionadora" (STC 164/1995, FJ 4; en el mismo sentido STC 276/2000, FJ 4).

El carácter sancionador de una medida restrictiva de las características de la que ahora merece nuestra atención depende, además de la función que a través de su imposición pretenda conseguirse, si hallamos en ella la presencia de la "finalidad represiva, retributiva o de castigo", que hemos venido destacando como característica de las sanciones, de modo que, si por el contrario, aquella medida careciese de tal función represiva no tendría una verdadera naturaleza sancionadora (SSTC 164/1995, FJ 4, y 276/2000, FFJJ 3 y 4 y doctrina allí citada).

Pues bien, este Tribunal ha venido negando con carácter general la existencia de una función retributiva, propia de las sanciones, en aquellas medidas, entre otras, que tienen la finalidad de constreñir a la "realización de una prestación o al cumplimiento de una obligación concreta" (STC 239/1988, FJ 2; doctrina reproducida, entre otras, SSTC 164/1995, FJ 4; 276/2000, FJ 4; 48/2003, FJ 9, y 185/2016, FJ 13). Así, por lo que respecta en particular a las multas coercitivas en el ámbito administrativo, ha declarado que "[e]n dicha clase de multas ... no se impone una obligación de pago con un fin represivo o retributivo por la realización de una conducta que se considere administrativamente ilícita, cuya adecuada previsión normativa desde las exigencias constitucionales del derecho a la legalidad en materia sancionadora pueda cuestionarse, sino que consiste en una medida de constreñimiento económico adoptada previo el oportuno apercibimiento, reiterada en lapsos de tiempo y tendente a obtener la acomodación de un comportamiento obstativo del destinatario del acto a lo dispuesto en la decisión administrativa previa. No se inscriben, por tanto —continúa diciendo el Tribunal— en el ejercicio de la potestad administrativa sancionadora, sino en el de la autotutela ejecutiva de la Administración ... respecto de la que no cabe predicar el doble fundamento de la legalidad sancionadora del art. 25.1 CE ... esto es: de la libertad (regla general de la licitud de lo no prohibido) y de seguridad jurídica (saber a qué atenerse), ya que, como se ha dicho, no se castiga una conducta realizada porque sea antijurídica, sino que se constriñe a la realización de una prestación o al cumplimiento de una obligación concreta previamente fijada por el acto administrativo que se trata de ejecutar, y mediando la oportuna conminación o apercibimiento" (STC 239/1988, FJ 2).

La reseñada doctrina constitucional resulta de aplicación, por la identidad sustancial que presentan unas y otras medidas, a las multas coercitivas previstas en el art. 92.4 a) LOTC, que obedecen también a una función coercitiva, disuasoria o de estímulo respecto a la obligación de todos los ciudadanos y poderes públicos de cumplir las resoluciones del Tribunal Constitucional (arts. 9.1 CE y 87.1 LOTC), tendente a la modificación del comportamiento de quien incumple una resolución del Tribunal Constitucional, estando obligado a su cumplimiento. De modo que no se trata de una medida sancionadora en sentido propio, pues no se impone con una finalidad represiva o retributiva por la realización de una conducta antijurídica, sino como coerción o estímulo para el cumplimiento de un deber jurídico o, lo que es lo mismo, como disuasión para su incumplimiento. Así pues, por más que la medida controvertida tenga una consecuencia gravosa para la persona a la que se le imponga, no responde a una finalidad propiamente represiva, retributiva o de castigo, características definidoras de las medidas punitivas, sino a la finalidad de garantizar la efectividad y el cumplimiento de las resoluciones del Tribunal Constitucional. [...]

[...] d) A juicio de los Abogados de la Generalitat la horquilla de las cuantías fijada por el legislador para las multas coercitivas en el art. 92.4 a) LOTC resulta desproporcionada en relación con la capacidad económica de los sujetos que pueden ser multados; en concreto, a la vista de los salarios que actualmente perciben las autoridades o empleados públicos, siendo, por otra parte, muy superior a las establecidas para otras multas en la Ley reguladora de la jurisdicción contencioso-administrativa: LJCA [arts. 48.7 a) y 112].

Esta apelación genérica a la proporcionalidad requiere advertir que este principio no constituye en nuestro ordenamiento un canon de constitucionalidad autónomo, cuya alegación pueda producirse de forma aislada respecto de otros preceptos constitucionales. Es, si se quiere decir así, un principio que cabe inferir de determinados preceptos constitucionales, siendo en el ámbito de los derechos fundamentales en el que normalmente y de forma muy particular resulta aplicable, y como tal opera como un criterio de interpretación que permite enjuiciar las posibles vulneraciones de concretas normas constitucionales. En otras palabras, desde la perspectiva del control de constitucionalidad que nos es propio, no puede invocarse de forma autónoma y aislada el principio de proporcionalidad, ni cabe analizar en abstracto si una determinada actuación de un poder público o una determinada prescripción normativa resulta desproporcionada o no. Si se aduce la existencia de desproporción, debe alegarse primero y enjuiciarse después en qué medida ésta afecta al contenido de los preceptos constitucionales invocados: sólo cuando la desproporción suponga vulneración de estos preceptos cabrá declarar la inconstitucionalidad (SSTC 66/1996, de 28 de marzo, FJ 3; 136/1999, de 20 de julio, FJ 22, y 60/2010, de 7 de octubre, FJ 7).

Pues bien, en el recurso no se anuda a la denunciada desproporción de la horquilla de las cuantías de las multas coercitivas la infracción de precepto constitucional alguno, de manera que su existencia se alega de forma autónoma y aislada, pretendiéndose de este Tribunal un análisis abstracto del precepto impugnado, lo que, de acuerdo con la doctrina que se acaba de reseñar, ha de conducir, sin más, a su desestimación. A mayor abundamiento, las razones que el recurrente aduce resultan insuficientes para tildar de desproporcionada aquella horquilla, pues, de un lado, el ámbito subjetivo de aplicación del precepto no se circunscribe a las autoridades o empleados públicos, sino que abarca también a los particulares que pudieran incumplir las resoluciones del Tribunal, de modo que no cabe afirmar a priori, en atención al criterio de los salarios de aquéllos, que los importes fijados han de resultar siempre, imperiosa y necesariamente, desproporcionados. De otro lado, el hecho de que esos importes sean superiores a los establecidos para ciertas multas en la Ley reguladora de la jurisdicción contencioso-administrativa no dice nada sobre la constitucionalidad del precepto impugnado en el aspecto que ahora nos ocupa, ya que es obvio que la citada disposición legal no puede operar como parámetro de constitucionalidad de la Ley Orgánica del Tribunal Constitucional.

En definitiva, desde la perspectiva constitucional que nos es propia, no cabe reprochar en este caso al legislador que en su libertad de configuración se haya excedido al fijar la horquilla del importe de las multas coercitivas, atendida la relevancia del deber jurídico cuyo cumplimiento pretende garantizar con esta medida, que ha de revestir, a la vez, entidad suficiente para resultar realmente disuasoria de su incumplimiento. Será con ocasión de que el Tribunal decida imponer, de acuerdo con las previsiones legales, multas coercitivas a quien o quienes incumplan sus resoluciones, cuando habrá de determinarse, en atención a las particulares circunstancias que concurran en cada caso, el concreto importe de las multas, que, como es obvio, habrá de respetar el principio de proporcionalidad.

FJ 10. [...] b) Sobre la naturaleza punitiva o no de la medida de suspensión de funciones del art. 92.4 b) LOTC nos hemos pronunciado en la STC 185/2016, en la que descartamos como elemento concluyente a tales efectos su consideración como sanción en la legislación disciplinaria en materia de función pública o su previsión como pena en el Código penal, "ya que justamente de lo que se trata ahora es de dilucidar si la concreta medida de suspensión de funciones, que el legislador orgánico ha puesto a disposición del Tribunal, tal y como aparece configurada en el art. 92.4 b) LOTC, tiene o no naturaleza punitiva"; esto es, "lo que hemos de enjuiciar es su cuestionada viabilidad constitucional como potestad conferida al Tribunal para garantizar la ejecución de sus resoluciones". En este sentido afirmamos que, "en principio, en modo alguno cabe descartar que una misma institución o medida pueda obedecer o atender a finalidades diferentes y pueda presentar, en consecuencia, una distinta naturaleza jurídica" (FJ 14). [...]

c) Pese a que la medida en cuestión constituye una consecuencia jurídica gravosa para la autoridad o empleado público al que se le aplique, excluimos su carácter sancionador y afirmamos su directa vinculación a la ejecución de las resoluciones del Tribunal, con base en los siguientes razonamientos que en su literalidad procede reproducir: "La función de la medida no es la de infligir un castigo ante un comportamiento antijurídico o ilícito, como podría ser la desatención de la obligación de todos los poderes públicos y los ciudadanos de cumplir las resoluciones del Tribunal Constitucional, consecuencia de la sujeción de todos a la Constitución y al resto del ordenamiento jurídico (art. 9.1 CE). Para la exigencia de las responsabilidades penales que pudieran derivarse del incumplimiento de aquella obligación, el legislador ha previsto otro tipo de medida como es la deducción del oportuno testimonio de particulares [art. 92.4 d) LOTC], que el preámbulo de la Ley Orgánica 15/2015, manifestando la voluntad del legislador, refiere como medida distinta a la que ahora nos ocupa.

El legislador orgánico del Tribunal Constitucional, en ejercicio de la amplia habilitación que le confiere la reserva de ley del art. 165 CE, ha configurado en el art. 92.4 b) LOTC la medida de suspensión de funciones de las autoridades o empleados públicos como una medida para facilitar la plena ejecución de las resoluciones del Tribunal Constitucional mediante la remoción de quien obstaculiza su debida observancia, esto es, la autoridad o empleado público que siendo responsable de su cumplimiento, sin embargo, se muestra renuente al mismo y persiste en esta actitud. Aquella remoción necesaria para que cese el obstáculo al cumplimiento de la resolución permitirá al Tribunal adoptar las medidas necesarias y pertinentes en cada caso para garantizar su efectividad. Así pues, por más que la medida de suspensión controvertida tenga una consecuencia gravosa para la autoridad o empleado público al que se le imponga durante el tiempo preciso para asegurar la observancia de los pronunciamientos del Tribunal, no responde a una finalidad propiamente represiva, retributiva o de castigo, características de las medidas punitivas, sino a la finalidad de garantizar la efectividad y cumplimiento de las resoluciones del Tribunal Constitucional, al que todos los poderes públicos y ciudadanos están obligados.

No hay, por tanto, componente punitivo alguno en la medida de suspensión en sus funciones de las autoridades o empleados públicos prevista en el art. 92.4.b) LOTC. Se trata, por el contrario, de una medida que el legislador ha concebido, en el ejercicio de su libertad de configuración, directamente vinculada a la ejecución efectiva de las resoluciones del Tribunal Constitucional, en garantía, por consiguiente, de uno de los componentes esenciales de su función jurisdiccional, que únicamente se puede adoptar previo cumplimiento de los requisitos y condiciones que dispone el citado art. 92.4 b) LOTC. Al margen de la finalidad justificativa apuntada, no cabe apreciar en la configuración que el legislador orgánico ha hecho de la medida de suspensión en sus funciones de las autoridades o empleados públicos del art. 92.4.b) LOTC una pretensión de causar un perjuicio añadido en el círculo de sus bienes y derechos como consecuencia de la realización de una supuesta conducta ilícita" (FJ 15).

Aplicación del artículo 25.1 CE a las órdenes de expulsión de personas extranjeras —STC 24/2000, de 31 de enero[17]—

La Sentencia resuelve el recurso de amparo promovido por don J.Y. contra el Auto del Juzgado de Instrucción núm. 12 de Madrid de 4 de abril de 1997, que desestima el recurso de reforma interpuesto contra el Auto del mismo Juzgado de 17 de marzo de 1997, que autorizó la expulsión del recurrente del territorio español.

FJ 3. [...] En efecto, este Tribunal tiene establecido que la orden de expulsión decretada por la autoridad gubernativa competente no es una pena, pero sí una sanción administrativa que, como tal sanción, ha de encontrar cobertura en la legislación de extranjería, por imperativo del art. 25.1 CE (SSTC 94/1993, de 22 de marzo, y 116/1993, de 29 de marzo) y respetar el derecho de defensa, dándose audiencia al extranjero antes de acordar la expulsión (STC 242/1994, de 20 de julio), al igual que sucede con la medida judicial de internamiento preventivo previo a la expulsión (SSTC 140/1990, de 20 de septiembre, 96/1995, de 19 de junio, y 182/1996, de 12 de noviembre).

Sin embargo, en el presente caso no nos hallamos todavía ante una orden de expulsión, sino ante una resolución judicial que resulta necesaria para que la Administración pueda llevar a efecto la expulsión de un extranjero «encartado», de conformidad con el primer párrafo del art. 21.2 de la Ley Orgánica 7/1985, de 1 de julio, sobre derechos y libertades de los extranjeros en España, de modo que si la Administración decreta finalmente la expulsión, ésta surta efectos inmediatos, al no resultar necesario esperar a la celebración del juicio penal. Tal autorización de expulsión, por tanto, no puede ser calificada como una «sanción» sustitutiva de la sanción penal, a diferencia de lo que sucede con la expulsión del extranjero «condenado» (prevista en el segundo párrafo de dicho artículo, que ha de entenderse modificado por el art. 89.1 del nuevo Código Penal) medida que tampoco es una pena, sino «una posibilidad de suspender la potestad estatal de hacer ejecutar lo juzgado, que se aplica al extranjero para salvaguardar los fines legítimos que el Estado persigue con ello» (STC 242/1994, de 20 de julio, FJ 2), y sin que el extranjero ostente derecho alguno a la sustitución de la pena privativa de libertad por la medida de expulsión prevista en el art. 21.2, segundo párrafo, de la Ley Orgánica 7/1985 (STC 203/1997, de 25 de noviembre, y ATC 33/1997, de 10 de febrero), ni viceversa; es decir, tampoco tiene derecho a que, en lugar del expediente de expulsión, se siga el procedimiento judicial hasta su terminación por Sentencia. [...]

---

[17]   La STC 145/2006, de 8 de mayo, entendió, por su parte, que la sustitución de una pena de prisión ya en avanzado estado de ejecución por la de la expulsión del territorio español vulnera el derecho a la tutela judicial efectiva.

Aplicación del artículo 25.1 CE a los procesos de extradición —191/2009, de 28 de septiembre[18]—

La Sentencia resuelve el recurso de amparo promovido por don D.D.R. contra el Auto de la Sección Cuarta de la Sala de lo Penal de la Audiencia Nacional de 19 de abril de 2005, recaído en expediente de orden europea de detención y entrega, por el que se accede a la entrega a Francia del demandante para ejecución de una pena de prisión de veinte años de prisión. El recurrente considera que se ha vulnerado su derecho a la legalidad penal, por haberse ignorado la concurrencia de las causas de denegación contempladas en el artículo 12.2 b) y c) de la Ley 3/2003, de 14 de marzo, sobre la orden europea de detención y entrega (LOEDE), que el recurrente entiende fundadas en el principio de ne bis in idem (vid. infra), y por accederse a la entrega estando prescrito el delito por el que se solicitó.

FJ 3. Como ha sido ya puesto de manifiesto el recurrente sitúa el núcleo de sus quejas en el derecho a la legalidad penal recogido en el art. 25.1 CE, que entiende vulnerado por la Audiencia Nacional al haber accedido a la entrega sin atender a las causas de denegación de la entrega basadas en la existencia de un procedimiento penal en España por los mismos hechos y en la prescripción, respectivamente previstas en los arts. 12.2 b) y c) y 12.2 i) LOEDE. Siguiendo el planteamiento del Ministerio Fiscal, antes de abordar cada uno de ambos motivos por separado, debemos reconducir las mismas a su correcta sede de enjuiciamiento, que ha de ser el derecho a la tutela judicial efectiva (art. 24.1 CE), descartando de antemano que pueda en el presente caso quedar concernido el derecho a la legalidad penal. En este sentido hemos de recordar que lo esencial para el examen de amparo no es la denominación del derecho fundamental especificado como lesionado, sino que lo decisivo es que la queja haya sido correctamente planteada. Como hemos reiterado en múltiples ocasiones, «este Tribunal no está vinculado por las erróneas invocaciones de los preceptos constitucionales llevadas a cabo por los recurrentes ... al solicitante de amparo no se le exige tanto que la invocación del derecho supuestamente vulnerado se lleve a cabo mediante la concreta identificación del precepto constitucional donde se proclama, ni tampoco mencionando su nomen iuris, cuanto que se acote suficientemente el contenido del derecho constitucional violado, permitiendo así un pronunciamiento del Tribunal sobre la infracción aducida» (STC 229/2003, de 18 de diciembre, FJ 2); en este sentido la imprecisión de los recurrentes en la calificación jurídica de su queja en modo alguno constituye un obstáculo para su enjuiciamiento bajo el marco constitucional adecuado, al resultar clara y perfectamente delimitada en la demanda la infracción aducida y las razones en las que la misma se asienta (por todas, SSTC 136/2005, de 23 de mayo, FJ 2; 91/2006, de 27 de marzo, FJ 2).

En efecto, tal como se recuerda en la STC 30/2006, de 30 de enero, en el proceso extradicional —así como, ciertamente, en el de euroorden— no se decide acerca de la hipotética culpabilidad o inocencia del sujeto reclamado, ni se realiza un pronunciamiento condenatorio, sino simplemente se verifica el cumplimiento de los requisitos y garantías previstos en las normas para acordar la entrega del sujeto afectado. Se trata, pues, de un proceso sobre otro proceso penal previamente iniciado e incluso concluido sólo que a falta de la ejecución en otro Estado (STC 30/2006, FJ 4, citando asimismo las SSTC 141/1998, de 29 de junio, FJ 3; 156/2002, de 23 de julio, FJ 3; 292/2005, de 10 de noviembre, FJ 3). Con esta perspectiva ambas quejas, fundadas, en esencia, en que la decisión de entrega infringe los requisitos contemplados en la legalidad extradicional —más concretamente, en la Ley 3/2003, que regula el procedimiento de euroorden—, deben ser encauzadas desde el derecho a la tutela judicial efectiva (art. 24.1 CE), pues, como afirmamos en la STC 83/2006, de 13 de marzo, FJ 5, las cuestiones relativas al principio de legalidad extradicional recogido en el art. 13.3 CE no hallan acomodo en el art. 25.1 CE, puesto que el mismo se refiere exclusivamente a las normas penales o sancionadoras administrativas sustantivas, careciendo de tal naturaleza el procedimiento de entrega, tal como ya hemos tenido ocasión de exponer.

Ciertamente no puede excluirse totalmente la posibilidad de que en un procedimiento extradicional pueda verse lesionado el derecho a la legalidad penal; por el contrario, en resoluciones anteriores de este Tribunal atinentes al procedimiento de extradición hemos atendido bajo tal nomen iuris diversos motivos de amparo, habiendo, en algunos de esos casos, otorgado el amparo por vulneración del citado derecho. No obstante ello habrá de tener lugar únicamente cuando los requisitos legales habilitantes de la entrega e indebidamente aplicados por el órgano judicial guarden una directa relación con el haz de garantías que contempla el derecho fundamental recogido en el art. 25.1 CE, tal como acontece en el caso paradigmático de la exigencia de doble incriminación (STC 162/2000, de 12 de junio, FJ 6; 82/2006, de 13 de marzo, FJ 10). No es ése el caso en la demanda objeto de nuestro enjuiciamiento, no guardando ninguna de las circunstancias legales concernidas relación con el derecho a la legalidad penal.

---

[18]   *Vid.* también las SSTC 227/2001, de 26 de noviembre; 156/2002, de 23 de julio; 293/2006, de 10 de octubre. El ATC 4/2019, de 29 de enero, rechaza que el artículo 25.2 CE (orientación de las penas a la reeducación y reinserción social) pueda servir de base para negar una solicitud de extradición (*vid.* también ATC 10/2019, de 14 de febrero).

El artículo 25.1 CE y el principio *ne bis in idem*: sus dimensiones material y procesal —STC 177/1999, de 11 de octubre[19]—

La Sentencia resuelve el recurso de amparo promovido por don J.M.L.P. contra la Sentencia de 3 de octubre de 1994 de la Sección Décima de la Audiencia Provincial de Barcelona, que confirmó en apelación la dictada el 1 de marzo de 1994 por el Juzgado de lo Penal núm. 22 de Barcelona, y que le condenó como autor de un delito contra la salud pública y el medio ambiente previsto en el artículo 347 bis del Código Penal de 1973. El recurrente le imputa la violación del derecho fundamental a la legalidad penal y sancionadora, en su vertiente de derecho a no ser sancionado doblemente por unos mismos hechos (ne bis in idem), alegando que los hechos constitutivos de la mencionada conducta delictiva son los mismos que previamente fueron objeto de la sanción administrativa de multa impuesta por Resolución firme del Presidente de la Junta de Aguas de la Generalidad de Cataluña de 19 de octubre de 1990, por la infracción administrativa menos grave del artículo 108 f) de la Ley de Aguas 29/1985, de 2 de agosto, y artículo 316 g) del Reglamento del Dominio Público Hidráulico, aprobado por Real Decreto 849/1986, de 11 de abril. Se aduce, además, que esta duplicidad de reproches, penal y administrativo, no puede entenderse subsanada mediante el expediente, acogido en la Sentencia del Juzgado de lo Penal, de deducir de la pena de multa la cantidad abonada como multa administrativa.

FJ 3. Hechas las anteriores precisiones, procede recordar la jurisprudencia de este Tribunal sobre el principio ne bis in idem que, desde la STC 2/1981, ha sido considerado como parte integrante del derecho fundamental al principio de legalidad en materia penal y sancionadora (art. 25.1 CE). En el fundamento jurídico 4º de aquella Sentencia se declaró que «El principio general de derecho conocido por non bis in idem supone, en una de sus más conocidas manifestaciones, que no recaiga duplicidad de sanciones —administrativa y penal— en los casos en que se aprecie la identidad del sujeto, hecho y fundamento sin existencia de una relación de supremacía especial de la Administración —relación de funcionario, servicio público, concesionario, etc...— que justificase el ejercicio del ius puniendi por los Tribunales y a su vez de la potestad sancionadora de la Administración». Posteriormente, en la STC 159/1987 (fundamento jurídico 3º), se declaró que dicho principio impide que, a través de procedimientos distintos, se sancione repetidamente la misma conducta, pues «semejante posibilidad entrañaría, en efecto, una inadmisible reiteración en el ejercicio del ius puniendi del Estado e, inseparablemente, una abierta contradicción con el mismo derecho a la presunción de inocencia, porque la coexistencia de dos procedimientos sancionadores para un determinado ilícito deja abierta la posibilidad, contraria a aquel derecho, de que unos mismos hechos, sucesiva o simultáneamente, existan y dejen de existir para los órganos del Estado (Sentencia 77/1983, de 3 de octubre, fundamento jurídico cuarto)». Esta dimensión procesal del principio ne bis in idem cobra su pleno sentido a partir de su vertiente material. En efecto, si la exigencia de lex praevia y lex certa que impone el art. 25.1 de la Constitución obedece, entre otros motivos, a la necesidad de garantizar a los ciudadanos un conocimiento anticipado del contenido de la reacción punitiva o sancionadora del Estado ante la eventual comisión de un hecho ilícito, ese cometido garantista devendría inútil si ese mismo hecho, y por igual fundamento, pudiese ser objeto de una nueva sanción, lo que comportaría una punición desproporcionada de la conducta ilícita.

Desde esta perspectiva sustancial, el principio de ne bis in idem se configura como un derecho fundamental del ciudadano frente a la decisión de un poder público de castigarlo por unos hechos que ya fueron objeto de sanción, como consecuencia del anterior ejercicio del ius puniendi del Estado. Por ello, en cuanto derecho de defensa del ciudadano frente a una desproporcionada reacción punitiva, la interdicción del bis in idem no puede depender del orden de preferencia que normativamente se hubiese establecido entre los poderes constitucionalmente legitimados para el ejercicio del derecho punitivo y sancionador del Estado, ni menos aún de la eventual inobservancia, por la Administración sancionadora, de la legalidad aplicable, lo que significa que la preferencia de la jurisdicción penal sobre la potestad administrativa sancionadora ha de ser entendida como una garantía del ciudadano, complementaria de su derecho a no ser sancionado dos veces por unos mismos hechos, y nunca como una circunstancia limitativa de la garantía que implica aquel derecho fundamental.

---

[19]   *Vid.* también las SSTC 24/1984, de 23 de febrero; 32/1984, de 8 de marzo; 62/1984, de 21 de mayo; 159/1985, de 27 de noviembre; 66/1986, de 26 de mayo; 23/1986, de 14 de febrero; 21/1987, de 19 de febrero; 112/1990, de 18 de junio; 234/1991, de 16 de diciembre; 270/1994, de 17 de octubre; y 204/1996, de 16 de diciembre; 152/2001, de 2 de julio; 159/2003, de 15 de septiembre; 48/2007, de 12 de marzo.

FJ 4. Así las cosas, la perspectiva que en sus Sentencias condenatorias han considerado los órganos judiciales ha sido la meramente procedimental en que cristaliza la vertiente procesal del ne bis in idem, desatendiendo a su primordial enfoque sustantivo o material, que es el que cumple la función garantizadora que se halla en la base del derecho fundamental en juego. Es cierto, y así lo hemos de reconocer, que los preceptos de nuestro Ordenamiento jurídico en que se recoge la prohibición de bis in idem, se hallan formulados con una visión esencialmente procedimental, como lo pone de relieve el aquí específicamente aplicable art. 112 de la Ley 29/1985, de 2 de agosto, de Aguas, a cuyo tenor: «En los supuestos en que las infracciones pudieran ser constitutivas de delito o falta, la Administración pasará el tanto de culpa a la jurisdicción competente y se abstendrá de proseguir el procedimiento sancionador mientras la autoridad judicial no se haya pronunciado. La sanción de la autoridad judicial excluirá la imposición de multa administrativa», a lo que se añade la vinculación de la Administración, en su eventual ulterior actuación, a los hechos probados que declare la sentencia de la jurisdicción penal.

Ahora bien, tal perspectiva no es la única ni la más esencial desde el punto de vista de la función garantizadora que cumple el derecho fundamental aquí concernido. En efecto, hemos de reiterar que la articulación procedimental del ne bis in idem (recogido con carácter general en el art. 133 de la Ley 30/1992, y desarrollado en los arts. 5 y 7 del Real Decreto 1398/1993, de 4 de agosto, por el que se aprobó el Reglamento del Procedimiento para el ejercicio de la Potestad Sancionadora), se orienta, esencialmente, no tan sólo a impedir el proscrito resultado de la doble incriminación y castigo por unos mismos hechos, sino también a evitar que recaigan eventuales pronunciamientos de signo contradictorio, en caso de permitir la prosecución paralela o simultánea de dos procedimientos —penal y administrativo sancionador— atribuidos a autoridades de diverso orden. A impedir tales resultados se encamina la atribución prioritaria a los órganos jurisdiccionales penales del enjuiciamiento de hechos que aparezcan, prima facie, como delitos o faltas, atribución prioritaria que descansa en la exclusiva competencia de este orden jurisdiccional para depurar y castigar las conductas constitutivas de delito, y no en un abstracto criterio de prevalencia absoluta del ejercicio de su potestad punitiva sobre la potestad sancionadora de las Administraciones públicas, que encuentra también respaldo en el texto constitucional.

De lo anterior se desprende que, en el ámbito constitucional cuya determinación nos incumbe, a la hora de tutelar adecuada y eficazmente el derecho fundamental a no ser doblemente castigado (ne bis in idem) que ostentan los ciudadanos y garantiza el art. 25.1 CE, la dimensión procesal antes referida no puede ser interpretada en oposición a la material, en tanto que esta última atiende no al plano formal, y en definitiva instrumental, del orden de ejercicio o actuación de una u otra potestad punitiva, sino al sustantivo que impide que el sujeto afectado reciba una doble sanción por unos mismos hechos, cuando existe idéntico fundamento para el reproche penal y el administrativo, y no media una relación de sujeción especial del ciudadano con la Administración[20].

Hemos de concluir, por lo expuesto, que irrogada una sanción, sea ésta de índole penal o administrativa, no cabe, sin vulnerar el mencionado derecho fundamental, superponer o adicionar otra distinta, siempre que concurran las tan repetidas identidades de sujeto, hechos y fundamento. Es este núcleo esencial el que ha de ser respetado en el ámbito de la potestad punitiva genéricamente considerada, para evitar que una única conducta infractora reciba un doble reproche aflictivo.

El principio *ne bis in idem* y la identidad de fundamento: la expulsión de personas extranjeras condenadas por delito sancionado con pena privativa de libertad superior a un año —STC 236/2007, de 7 de noviembre (*vid.* TITULARIDAD DE DERECHOS FUNDAMENTALES)—

FJ 14. [...] Según el Parlamento navarro, el precepto impugnado[21] vulneraría la dimensión material o sustantiva del principio (SSTC 154/1990, de 15 de octubre, FJ 3; 177/1999, de 11 de octubre, FJ 3) por cuanto establece que el mismo sujeto puede ser objeto de una sanción penal y de una sanción administrativa con base en un mismo fundamento,

---

[20]   Sobre este aspecto, *vid.* también las SSTC 159/1985, de 27 de noviembre; 234/1991, de 10 de diciembre; 14/1999, de 22 de febrero; 180/2004, de 2 de noviembre; 188/2005, de 4 de julio.

[21]   Se impugna el punto 50 del artículo 1 de la Ley 8/2000, que da nueva redacción a los apartados 2 y 8 del artículo 57 (antes 53) de la Ley Orgánica 4/2000. El artículo 57.2 dispone: «Asimismo constituirá causa de expulsión, previa tramitación del correspondiente expediente, que el extranjero haya sido condenado, dentro o fuera de España, por una conducta dolosa que constituya en nuestro país delito sancionado con pena privativa de libertad superior a un año, salvo que los antecedentes penales hubieran sido cancelados». El artículo 57.8 dispone: «Cuando los extranjeros, residentes o no, hayan sido condenados por conductas tipificadas como delitos en los arts. 312, 318 bis, 515.6, 517 y 518 del Código Penal, la expulsión se llevará a efecto una vez cumplida la pena privativa de libertad».

ya que la única causa de expulsión contemplada en el mismo es la comisión del propio hecho delictivo, que ya fue sancionado penalmente. Concurriría, pues, el presupuesto de aplicación de la interdicción constitucional de incurrir en bis in idem, es decir, una identidad de sujeto, hecho y fundamento, tal y como hemos venido afirmando en nuestra jurisprudencia (por todas, STC 2/2003, de 16 de enero, FJ 5).

Al margen [...] de la naturaleza de la expulsión prevista en el art. 57.2 de la Ley Orgánica 4/2000, lo determinante para rechazar la impugnación del precepto es la falta de identidad entre el fundamento de aquella medida y el fundamento de la sanción penal prevista en el mismo, que como se ha dicho constituye el presupuesto de aplicación de la interdicción constitucional de incurrir en bis in idem. [...] [L]as dos medidas no responden a un mismo fundamento porque persiguen la protección de bienes o intereses jurídicos diferentes. En este sentido, hemos declarado que la exigencia de un fundamento diferente requiere «que cada uno de los castigos impuestos a título principal estuviesen orientados a la protección de intereses o bienes jurídicos diversos, dignos de protección cada uno de ellos en el sentir del legislador o del poder reglamentario (previa cobertura legal suficiente) y tipificados en la correspondiente norma legal o reglamentaria (respetuosa con el principio de reserva de ley). O, expresado en los términos de la STC 234/1991, de 10 de diciembre, no basta 'simplemente con la dualidad de normas para entender justificada la imposición de una doble sanción al mismo sujeto por los mismos hechos, pues si así fuera, el principio ne bis in idem no tendría más alcance que el que el legislador (o en su caso el Gobierno, como titular de la potestad reglamentaria) quisieran darle. Para que la dualidad de sanciones sea constitucionalmente admisible es necesario, además, que la normativa que la impone pueda justificarse porque contempla los mismos hechos desde la perspectiva de un interés jurídicamente protegido que no es el mismo que aquel que la primera sanción intenta salvaguardar o, si se quiere, desde la perspectiva de una relación jurídica diferente entre sancionador y sancionado' (FJ 2)» (STC 188/2005, de 4 de julio, FJ 5).

En el precepto enjuiciado, la condena y la expulsión están orientados a la protección de intereses o bienes jurídicos diversos pues ya hemos precisado que la pena se impone en el marco de la política criminal del Estado, mientras la expulsión del territorio nacional ha sido acordada en el marco de la política de extranjería, que son dos ámbitos que atienden a intereses públicos netamente diferentes (ATC 331/1997, de 3 de octubre, FJ 6). Es decir, sin mayores matices, podemos convenir en que el fundamento de la pena reside en la protección de bienes jurídicos a través de los efectos preventivos asociados a su naturaleza aflictiva. En cambio, la medida de expulsión obedece a objetivos propios de la política de extranjería que, en todo caso, están relacionados con el control de los flujos migratorios de cara a procurar una integración y convivencia armónicas en el territorio del Estado.

En efecto, la expulsión contemplada en el precepto impugnado consiste en una medida que se acuerda legítimamente por parte del Estado español en el marco de su política de extranjería, en la que se incluye el establecimiento de los requisitos y condiciones exigibles a los extranjeros para su entrada y residencia en España, que no es un derecho fundamental del que aquéllos sean titulares con fundamento en el art. 19 CE (STC 72/2005, de 4 de abril, FJ 8). De ahí que la misma Ley Orgánica 4/2000 establezca los requisitos para la entrada en el territorio español (art. 25), así como las causas de prohibición de dicha entrada, que son las «legalmente establecida[s] o en virtud de convenios internacionales en los que sea parte España» (art. 26.1, redactado conforme a la Ley Orgánica 8/2000). Al respecto, merece destacarse la normativa europea relativa al estatuto de los nacionales de terceros países residentes de larga duración (Directiva 2003/109/CE, del Consejo, de 25 de noviembre de 2003), que autoriza a los Estados miembros a denegar dicho estatuto por motivos de orden público o de seguridad pública mediante la correspondiente resolución, tomando en consideración «la gravedad o el tipo de delito contra el orden público o la seguridad pública» (art. 6). Asimismo, la normativa europea relativa al reconocimiento mutuo de las decisiones en materia de expulsión de nacionales de terceros países (Directiva 2001/40/CE del Consejo, de 28 de mayo de 2001), contempla la expulsión basada en una amenaza grave y actual para el orden público o la seguridad nacionales que puede adoptarse en caso de «condena del nacional de un tercer país por el Estado miembro autor a causa de una infracción sancionable con una pena privativa de libertad de al menos un año» (art. 3). Es, por tanto, lícito que la Ley de extranjería subordine el derecho a residir en España al cumplimiento de determinadas condiciones, como la de no haber cometido delitos de cierta gravedad. Conclusión que se ve corroborada por la jurisprudencia del Tribunal Europeo de Derechos Humanos que, sin dejar de recordar que los Estados europeos deben respetar los derechos humanos plasmados en el Convenio de Roma, no ha dejado de subrayar la amplia potestad de que disponen los poderes públicos para controlar la entrada, la residencia y la expulsión de los extranjeros en su territorio (SSTEDH caso Abdulaziz, 28 de mayo de 1985; caso Berrehab, 21 de junio de 1988; caso Moustaquim, 18 de febrero de 1991, y caso Ahmut, de 28 de noviembre de 1996: ATC 331/1997, de 3 de octubre, FJ 4).

Dimensión material del principio *ne bis in idem*: su aplicación en un mismo proceso —STC 154/1990, de 15 de octubre[22]—

La Sentencia resuelve el recurso de amparo interpuesto por don M.G.N. contra sendas Sentencias de la Audiencia Provincial de Lugo de 23 de marzo de 1987, y de la Sala Segunda del Tribunal Supremo de 22 de abril de 1988. La primera condenó al recurrente (que penetró armado, junto con otra persona, en un establecimiento para robar y, tras diversos incidentes sangrientos, en el momento de la fuga obligó a dos personas a que los acompañaran, dejándolas libres unas horas después) por un delito con violencia en las personas del artículo 501.4 del Código Penal, por causar lesiones y tomar rehenes para la fuga y por delitos de detención ilegal del artículo 480 en relación con el 481, ambos del Código Penal. Entiende el recurrente que un mismo hecho delictivo ha sido considerado constitutivo de más de un delito y, en consecuencia, ha sido objeto de más de una condena.

FJ 3. […] Según consolidada jurisprudencia constitucional, que se inicia en la STC 2/1981, ha de entenderse implícitamente incluido el principio non bis in idem en el art. 25 CE, como íntimamente vinculado a los principios de legalidad y de tipicidad de las infracciones, principio que se configura como un derecho fundamental del sancionado. Este principio ha venido siendo aplicado fundamentalmente para determinar una interdicción de duplicidad de sanciones administrativas y penales respecto a unos mismos hechos, pero ello no significa que sólo incluya la incompatibilidad de sanciones penal y administrativa por un mismo hecho en procedimientos distintos correspondientes a ordenes jurídicos sancionadores diversos. El principio non bis in idem es aplicable también dentro de un mismo proceso o procedimiento, a una pluralidad de sanciones principales ante una identidad de sujetos, hechos o fundamentos, objeto o causa material y acción punitiva. Se impide sancionar doblemente por un mismo delito, desde la misma perspectiva de defensa social, o sea que por un mismo delito recaiga sobre un sujeto una sanción penal principal doble o plural, lo que también contradiría el principio de proporcionalidad entre la infracción y la sanción, que exige mantener una adecuación entre la gravedad de la sanción y la de la infracción. Esa adecuación lleva al legislador a calificar el delito en un determinado nivel de gravedad fijando unas sanciones proporcionales a tal calificación, dentro de los que habrán de actuar los criterios de graduación, pero aplicada una determinada sanción a una especifica infracción, la reacción punitiva ha quedado agotada. Dicha reacción ha tenido que estar en armonía o consonancia con la acción delictiva, y la correspondiente condena ha de considerarse como «autosuficiente» desde una perspectiva punitiva, por lo que aplicar otra sanción en el mismo orden punitivo representaría la ruptura de esa proporcionalidad, una reacción excesiva del ordenamiento jurídico al infringirse al condenado una sanción desproporcionada respecto a la infracción que ha cometido.

FJ 4. […] La retención de dos personas por el recurrente ha sido considerada por el órgano de instancia constitutiva de dos tipos distintos de delito y, en función de ello, de tipos distintos de condena. En principio se trata de una interpretación de la Ley penal, en este caso de los preceptos que establecen la pena aplicable al tipo y la graduación de la misma, y el único modo de discernir la existencia del error que se dice patente debería llevar a este Tribunal al examen de los hechos para su subsunción en el tipo legal y la determinación de la pena a imponer, en consecuencia, de acuerdo con los preceptos del Código Penal, esta tarea incumbe a los Tribunales penales sin que como ha dicho la STC 89/1983, este Tribunal, al examinar si se ha respetado el principio de legalidad contenido en el art. 25.1 CE, pueda sustituir al Juez o Tribunal ordinario en esa subsunción y determinación una vez verificada la existencia de la previsión legal, de la sanción aplicada y la no manifiesta irrazonabilidad de la resolución sancionadora.

Sin embargo, en el presente caso la irrazonabilidad de la resolución sancionadora resulta manifiesta para el propio Tribunal Supremo, que ha admitido la existencia de un error en la Sentencia de la Audiencia Provincial consistente en que un mismo hecho «la privación a dos personas de su libertad ambulatoria, ha servido, primeramente, para subsumir la depredación violenta, en cuyo curso se cometió, en el núm. 4 del art. 501, caracterizando dicho atentado a la libertad como toma de rehenes y, a continuación, para considerar también perpetrados dos delitos de detención ilegal, imponiéndose al procesado, por el primero, una pena de once años de prisión mayor, y por cada uno de los otros dos, una pena de doce años y un día de reclusión menor».

---

[22]   *Vid*. también las SSTC 159/1985, de 27 de noviembre, FJ 3; 94/1986, de 8 de julio, FJ 4; 154/1990, de 15 de octubre; 201/1996, de 9 de diciembre; 203/1996 y 204/1996, ambas de 16 de diciembre; STC 221/1997, de 4 de diciembre; 180/2004, de 2 de noviembre; 188/2005, de 4 de julio; 334/2005, de 20 de diciembre; 48/2007, de 12 de marzo; 189/2013, de 7 de noviembre.

Es decir, por unos mismos hechos tipificados como un único delito, robo con tomo de rehenes, se ha impuesto una sanción duplicada, como si de varios delitos se tratara. El Tribunal Supremo admite que la solución elegida por el Tribunal de instancia «supone un gravísimo perjuicio para el reo», con infracción «al menos formal» del principio non bis in idem garantizado por el art. 25.1 CE, así como que no han sido debidamente respetados en la Sentencia recurrida los principios de humanidad y proporcionalidad.

Resulta indubitado, por consiguiente, que la Sentencia de instancia ha incurrido en infracción del derecho fundamental del recurrente al non bis in idem, al no haber aplicado el órgano de instancia, como destaca el Ministerio Fiscal, el principio de especialidad rector del concurso de normas (art. 501 CP).

De acuerdo con el Tribunal Supremo, una vez impuesta al hoy solicitante de amparo la condena correspondiente al art. 50L4 del Código Penal, solución ésta la más favorable para el reo de acuerdo a la doctrina de la propia Sala Segunda del Tribunal Supremo, habían de entenderse los hechos cometidos como constitutivos de un solo delito de robo con violencia en las personas, por toma de «rehenes». Por ello carecerían de autonomía a efectos de sanción penal las dos detenciones ilegales que fueron objeto a su vez, con gravísimo perjuicio para el reo, de dos graves penas adicionales, llegándose así a un resultado condenatorio manifiestamente desproporcionado en la opinión razonada del Tribunal Supremo.

No habiendo sido posible al Tribunal Supremo, constreñido por los límites del recurso de casación, tutelar adecuadamente este derecho fundamental (para lo que no bastaría el eventual indulto de las dos condenas indebidamente impuestas), corresponde a este Tribunal llevar a cabo esa tarea mediante la anulación de la Sentencia condenatoria en la parte que vulnera el derecho fundamental reconocido en el art. 25.1 CE, o sea en cuanto a las penas impuestas por la detención ilegal y de las que el Tribunal Supremo solicitaba el indulto.

Matices en la construcción jurisprudencial del principio *ne bis in idem*: posibilidad de que una sanción penal absorba una previa sanción administrativa firme —STC 2/2003, 16 de enero[23]—

La Sentencia resuelve el recurso de amparo promovido por don J.Y.H. contra la Sentencia del Juzgado de lo Penal de El Ferrol (A Coruña) de 29 de junio de 1999 y contra la Sentencia de la Sección Primera de la Audiencia Provincial de A Coruña de 20 de enero de 2000. El demandante alega la vulneración del principio ne bis in idem, integrante del artículo 25 CE, por cuanto había sido sancionado por los mismos hechos en vía administrativa antes de dictarse sentencia condenatoria en el proceso penal.

FJ 3. Desde la STC 2/1981, de 30 de enero, hemos reconocido que el principio *non bis in idem* integra el derecho fundamental al principio de legalidad en materia penal y sancionadora (art. 25.1 CE) a pesar de su falta de mención expresa en dicho precepto constitucional, dada su conexión con las garantías de tipicidad y de legalidad de las infracciones. Así, hemos declarado que este principio veda la imposición de una dualidad de sanciones «en los casos en que se aprecie la identidad del sujeto, hecho y fundamento» (STC 2/1981, FJ 4; reiterado entre muchas en la STC 204/1996, de 16 de diciembre, FJ 2).

a) La garantía de no ser sometido a *bis in idem* se configura como un derecho fundamental (STC 154/1990, de 15 de octubre, FJ 3), que, en su vertiente material, impide sancionar en más de una ocasión el mismo hecho con el mismo fundamento, de modo que la reiteración sancionadora constitucionalmente proscrita puede producirse mediante la sustanciación de una dualidad de procedimientos sancionadores, abstracción hecha de su naturaleza penal o administrativa, o en el seno de un único procedimiento (por todas, STC 204/1996, de 16 de diciembre, FJ 2). De ello deriva que la falta de reconocimiento del efecto de cosa juzgada puede ser el vehículo a través del cual se ocasiona (STC 66/1986, FJ 2), pero no es requisito necesario para su producción (STC 154/1990, FJ 3). La garantía material de no ser sometido a *bis in idem* sancionador, que, como hemos dicho, está vinculada a los principios de tipicidad y legalidad de las infracciones (STC 204/1996, FJ 2), tiene como finalidad evitar una reacción punitiva desproporcionada (STC 177/1999, de 11 de octubre, FJ 3), en cuanto dicho exceso punitivo hace quebrar la garantía del ciudadano de previsibilidad de las sanciones, pues la suma de la pluralidad de sanciones crea una sanción ajena al juicio de proporcionalidad realizado por el legislador y materializa la imposición de una sanción no prevista legalmente.

b) En el mismo orden de consideraciones, [...] este Tribunal ha ubicado en el ámbito del derecho a la tutela judicial efectiva la garantía consistente en la interdicción de un doble proceso penal con el mismo objeto. Así, en la STC 159/1987, de 26 de octubre, declaramos la imposibilidad de proceder a un nuevo enjuiciamiento penal si el primer

---

23   *Vid.* también las SSTC 229/2003, de 18 de diciembre.

proceso ha concluido con una resolución de fondo con efecto de cosa juzgada, ya que «en el ámbito… de lo definitivamente resuelto por un órgano judicial no cabe iniciar —a salvo del remedio extraordinario de la revisión y el subsidiario del amparo constitucional— un nuevo procedimiento, y si así se hiciera se menoscabaría, sin duda, la tutela judicial dispensada por la anterior decisión firme» (FJ 2), pues, además, con ello se arroja sobre el reo la «carga y la gravosidad de un nuevo enjuiciamiento que no está destinado a corregir una vulneración en su contra de normas procesales con relevancia constitucional» (FJ 3). […]

Hasta ahora este Tribunal sólo ha reconocido de manera expresa autonomía al derecho a no ser sometido a doble procedimiento sancionador cuando se trata de un doble proceso penal (STC 159/1987, de 26 de octubre), de modo que la mera coexistencia de procedimientos sancionadores —administrativo y penal— que no ocasiona una doble sanción no ha adquirido relevancia constitucional en el marco de este derecho (STC 98/1989, de 1 de junio).

c) Este Tribunal también ha dotado de relevancia constitucional a la vertiente formal o procesal de este principio, que, de conformidad con la STC 77/1983, de 3 de octubre (FJ 3), se concreta en la regla de la preferencia o precedencia de la autoridad judicial penal sobre la Administración respecto de su actuación en materia sancionadora en aquellos casos en los que los hechos a sancionar puedan ser, no sólo constitutivos de infracción administrativa, sino también de delito o falta según el Código penal. En efecto, en esta Sentencia (FJ 2) declaramos que, si bien nuestra Constitución no ha excluido la existencia de una potestad sancionadora de la Administración, sino que la ha admitido en el art. 25.3, dicha aceptación se ha efectuado sometiéndole a «las necesarias cautelas, que preserven y garanticen los derechos de los ciudadanos». Entre los límites que la potestad sancionadora de la Administración encuentra en el art. 25.1 CE, en lo que aquí interesa, se declaró la necesaria subordinación de los actos de la Administración de imposición de sanciones a la Autoridad judicial. De esta subordinación deriva una triple exigencia: «a) el necesario control a *posteriori* por la Autoridad judicial de los actos administrativos mediante el oportuno recurso; b) la imposibilidad de que los órganos de la Administración lleven a cabo actuaciones o procedimientos sancionadores, en aquellos casos en que los hechos puedan ser constitutivos de delito o falta según el Código penal o las leyes penales especiales, mientras la Autoridad judicial no se haya pronunciado sobre ellos; c) la necesidad de respetar la cosa juzgada».

FJ 6. […] El órgano judicial penal tomó en consideración la sanción administrativa impuesta para su descuento de la pena en fase de ejecución de la Sentencia penal, tanto en lo referido al tiempo de duración de la privación del carné de conducir como en lo que atañe a la cuantía de la multa, e intentó impedir cualquier otro efecto de la resolución administrativa sancionadora poniendo en conocimiento de la Administración la resolución penal. De modo que no puede sostenerse que materialmente el recurrente haya sufrido exceso punitivo alguno.

Desde la perspectiva material del derecho fundamental garantizado en el art. 25.1 CE, el núcleo esencial de la garantía en él contenida reside en impedir el exceso punitivo en cuanto sanción no prevista legalmente; de modo que, ni de la infracción de una regla procesal (la no suspensión del expediente administrativo —art. 7.1 y 2 RPS), ni de la eventual falta de reconocimiento del efecto de cosa juzgada de la resolución sancionadora, deriva con carácter automático la lesión de la prohibición de incurrir en *bis in idem* sancionador. En el caso no puede afirmarse que se hayan impuesto dos sanciones al recurrente, una en vía administrativa y otra en vía penal, pues materialmente sólo se le ha impuesto una sanción. […]

Atendiendo a los límites de nuestra jurisdicción de amparo, una solución como la adoptada en este caso por el órgano judicial no puede considerarse lesiva de la prohibición constitucional de incurrir en bis in idem sancionador, dado que la inexistencia de sanción desproporcionada en concreto, al haber sido descontada la multa administrativa y la duración de la privación del carné de conducir, permite concluir que no ha habido una duplicación —bis— de la sanción constitutiva del exceso punitivo materialmente proscrito por el art. 25.1 CE. Frente a lo sostenido en la STC 177/1999, de 11 de octubre (FJ 4), no basta la mera declaración de imposición de la sanción si se procede a su descuento y a evitar todos los efectos negativos anudados a la resolución administrativa sancionadora para considerar vulnerado el derecho fundamental a no padecer más de una sanción por los mismos hechos con el mismo fundamento. En definitiva, hemos de precisar que en este caso no hay ni superposición ni adición efectiva de una nueva sanción y que el derecho reconocido en el art. 25.1 CE en su vertiente sancionadora no prohíbe el «doble reproche aflictivo», sino la reiteración sancionadora de los mismos hechos con el mismo fundamento padecida por el mismo sujeto. […]

FJ 8. El recurrente se queja de la reapertura de un procedimiento sancionador —de carácter penal— una vez que ya había sido sancionado por los mismos hechos, por lo que hemos de examinar si la apertura o reanudación de un ulterior procedimiento sancionador —administrativo o penal— vulnera la prohibición constitucional de incurrir en *bis in idem*. Como ya hemos señalado en el FJ 3 b), este Tribunal sólo ha reconocido de modo expreso autonomía al derecho a no ser sometido a un doble procedimiento sancionador cuando se trata de un doble proceso penal. Sin embargo, tanto el art. 14.7 PIDCP, como el art. 4 del Protocolo 7 CEDH, protegen al ciudadano no sólo frente a la ulterior sanción —administrativa o penal—, sino frente a la nueva persecución punitiva por los mismos hechos una vez que ha recaído resolución firme en el primer procedimiento sancionador, con independencia del resultado —absolución o sanción— del mismo. Esta prohibición dirigida al Estado de no someter a los ciudadanos a un doble o ulterior procedimiento sancionador por los mismos hechos con el mismo fundamento, una vez que ha recaído resolución firme en un primer procedimiento sancionador —administrativo o penal, constituye uno de los límites al ejercicio de la potestad sancionadora del Estado que la Constitución impone como inherente al derecho a ser sancionado en el marco de un procedimiento sancionador sustanciado con todas las garantías (art. 24.2 CE) en relación con el derecho a no ser sancionado si no es en las condiciones estatuidas por la ley y la Constitución (art. 25.1 CE). Poderosas razones ancladas en el principio de seguridad jurídica (art. 9.3 CE) y en el valor libertad (art. 1.1 CE) fundamentan dicha extensión de la prohibición constitucional de incurrir en *bis in idem*.

[...] La interdicción constitucional de apertura o reanudación de un procedimiento sancionador cuando se ha dictado una resolución sancionadora firme, no se extiende a cualesquiera procedimientos sancionadores, sino tan sólo respecto de aquéllos que, tanto en atención a las características del procedimiento —su grado de complejidad— como a las de la sanción que sea posible imponer en él —su naturaleza y magnitud— pueden equipararse a un proceso penal, a los efectos de entender que el sometido a un procedimiento sancionador de tales características se encuentra en una situación de sujeción al procedimiento tan gravosa como la de quien se halla sometido a un proceso penal. Dos son las razones que avalan esta limitación. De un lado, la lógica que impone el principio de proporcionalidad, en cuanto criterio de ponderación del contenido de los derechos fundamentales. De otro, la necesariamente matizada traslación de las garantías del proceso justo al ámbito del procedimiento administrativo sancionador. Como tiene declarado este Tribunal, las garantías procesales constitucionalizadas en el art. 24.2 CE son de aplicación al ámbito administrativo sancionador «en la medida necesaria para preservar los valores esenciales que se encuentran en la base del precepto, y la seguridad jurídica que garantiza el art. 9 de la Constitución»; de modo que la traslación de las garantías del proceso justo al procedimiento sancionador no conlleva su aplicación literal «sino con el alcance que requiere la finalidad que justifica la previsión constitucional» (STC 18/1981, de 8 de junio, FJ 2; reiterado entre otras en STC 14/1999, de 22 de febrero, FJ 3), y se condiciona a que se trate de garantías que «resulten compatibles con la naturaleza del procedimiento administrativo sancionador» (STC 14/1999, de 22 de febrero, FJ 3).

De otra parte, hemos de reiterar que, como resulta del párrafo segundo del art. 4 del Protocolo 7 CEDH y de nuestra jurisprudencia (STC 159/1987, de 26 de octubre), la interdicción de doble procedimiento sancionador sólo se incumple si los dos procedimientos han sido sustanciados con las debidas garantías, de modo que un primer procedimiento tramitado sin respetar la prioridad legal del orden jurisdiccional penal no impide un segundo procedimiento sancionador.

Voto particular que suscribe el Magistrado don Pablo García Manzano

7. Afirma la Sentencia de la mayoría que no se da en este caso el *bis* o reiteración sancionadora porque en la Sentencia penal se tomó en consideración la multa administrativa y la privación temporal de la autorización para conducir vehículos, al absorber en la pena estas sanciones ya impuestas por la Administración de tráfico, y se razona a este respecto (FJ 6) que «no basta la mera declaración de imposición de la sanción si se procede a su descuento y a evitar todos los efectos negativos anudados a la resolución administrativa sancionadora para considerar vulnerado el derecho fundamental a no padecer más de una sanción por los mismos hechos con el mismo fundamento». He de insistir en el criterio mantenido por la STC 177/1999, a cuyo tenor se produce también en este caso una superposición o adición de otra sanción distinta, como son las penas impuestas en la Sentencia condenatoria. Con independencia de que es sumamente cuestionable que la jurisdicción penal tenga facultades para invalidar o dejar ineficaces resoluciones administrativas firmes, incluidos los antecedentes que de las mismas se derivan, lo cierto es que el Sr. Yáñez recibió dos resultados punitivos: la multa administrativa y la privación temporal del carnet de conducir, y la multa penal y la pena de privación de dicha autorización administrativa. No es ocioso señalar que, por otra parte, esta operación de absorción o compensación efectuada por la Sentencia penal firme puede conducir a un resultado de cierta predeterminación de la principal pena configurada como alternativa para el delito de conducción ilegal. En efecto si ésta se conmina con pena de arresto de ocho a doce fines de semana o multa, el órgano judicial puede verse abocado a imponer, sin real margen de apreciación, la sanción pecuniaria para en ella realizar la indicada absorción

II. EL ARTÍCULO 25.2 CE Y LA ORIENTACIÓN DE LAS PENAS PRIVATIVAS DE LIBERTAD A LA REEDUCACIÓN Y REINSERCIÓN SOCIAL

El inexistente derecho fundamental a orientación de las penas privativas de libertad a la reeducación y a la reinserción social —STC 41/2012, de 29 de marzo[24]—

La Sentencia resuelve el recurso de amparo promovido por don J.F.G.L. contra el Auto de la Sala de lo Penal de la Audiencia Nacional de 7 de junio de 2006, que desestima el recurso de súplica interpuesto contra el Auto de 4 de mayo de 2006, por el que se aprueba el licenciamiento definitivo del recurrente para el día 19 de septiembre de 2018, de conformidad con la doctrina sentada por el Tribunal Supremo conforme al criterio de la Sentencia, de 28 de febrero, de su Sala Segunda. Según dicha Sentencia, en caso de penas acumuladas la redención de penas por el trabajo ha de computarse sobre cada pena y no sobre el límite máximo de cumplimiento que pudiera haberse fijado. Entiende el recurrente que se han vulnerado, junto a sus derechos fundamentales a la igualdad en la aplicación de la ley, a la libertad personal, a la tutela judicial efectiva, y a un proceso con todas las garantías (artículos 14, 17, 24.1 y 24.2 CE), su derecho a la legalidad de las infracciones y sanciones (artículo 25.1 y 2 CE).

FJ 10. La misma suerte desestimatoria debe seguir la queja plasmada en el último motivo de amparo de la demanda, según la cual el nuevo criterio de cómputo de las redenciones que le ha sido aplicado deja sin efecto práctico las redenciones y la libertad condicional, lo cual vulneraría el art. 25.2 CE en cuanto prevé que las penas privativas de libertad y las medidas de seguridad estarán orientadas hacia la reeducación y reinserción social, por cuanto «niega el carácter incentivador y reinsertador de las redenciones al no tener ninguna plasmación como beneficio penitenciario».

Como con acierto destacan el Abogado del Estado y el Ministerio Fiscal en este extremo, el art. 25.2 CE no expresa un derecho fundamental del ciudadano susceptible de ser invocado en amparo, sino más bien un mandato dirigido al legislador para orientar la política penal y penitenciaria con objeto de que configure las sanciones penales para que cumplan estos fines de reinserción establecidos en la Constitución, sin que se deriven derechos subjetivos del mismo (por todas, SSTC 88/1998, de 21 de abril, FJ 3; 204/1999, de 8 de noviembre, FJ 3; y 120/2000, de 10 de mayo, FJ 4; y ATC 279/2000, de 29 de noviembre, FJ 4). En tal sentido, es evidente que el nuevo criterio de cómputo de las redenciones dificulta objetivamente la posibilidad de reducir automáticamente el cumplimiento efectivo de la pena en determinados supuestos, singularmente aquellos en los que la duración de las penas acumuladas supera en mucho, aritméticamente, los límites máximos de cumplimiento legalmente establecidos. Pero tal criterio no impide que los penados puedan cumplir su condena con arreglo a las previsiones de la legislación penitenciaria vigente que, a través del sistema de individualización científica, la previsión de clasificación en diversos grados, los permisos ordinarios y extraordinarios de salida, las comunicaciones personales, los regímenes de cumplimiento en semilibertad y la posibilidad de obtener la libertad condicional, incluso de forma anticipada, constituyen un elenco de medidas que favorecen y posibilitan la reeducación y reinserción social, si su conducta penitenciaria y su evolución muestra que se hallan en condiciones de hacer vida honrada en libertad.

Desde luego, no puede el interno alegar tal efecto en su caso, pues la simple lectura de las actuaciones que aporta con la demanda pone de relieve que las penas que le fueron impuestas sumaban cuarenta y ocho años y cinco meses de privación de libertad y su licenciamiento definitivo ha sido fijado para una fecha en la que llevará extinguidos algo más de veintiocho años de privación efectiva de libertad (teniendo en cuenta el tiempo que ya disfrutó de libertad condicional).

Alcance del objetivo de la reeducación y reinserción social —STC 19/1988, de 16 de febrero[25]—

La Sentencia resuelve la cuestión de inconstitucionalidad promovida por el Juzgado de Instrucción núm. 9 de Madrid sobre el artículo 91 del Código Penal (imposición de pena de privación de libertad de hasta seis meses en caso de

---

24   *Vid.* también la STC 2/1987, de 21 de enero; sobre este tema, *vid.* las SSTC 39/2012 a 57/2012, 59/2012; 61/2012, 62/2012, 64/2012 a 69/2012, todas de 29 de marzo; 108/2012, de 21 de mayo; 113/2012 y 114/2012, de 24 de mayo.

25   *Vid.* también las SSTC 28/1988, de 23 de febrero; 150/1991, de 4 de julio (conformidad con el artículo 25.2 CE de la previsión legal de la reincidencia como circunstancia agravante de la responsabilidad penal); STC 55/1996, de 18 de marzo y 88/1996, de 22 de mayo (ambas sobre la conformidad con el objetivo de la reeducación y reinserción social de la punición de las conductas irrepetibles: la objeción de conciencia); 161/1997, de 2 de octubre y 234/1997, de 18 de diciembre.

insolvencia para satisfacer pena de multa). Entiende dicho Juzgado que la norma vulnera, además de los artículos 1.1, 9.2, 14 y 17 CE, el artículo 25.2 y 25.3 CE.

FJ 9. Tras afirmar el órgano judicial que suscita la cuestión que «una pena de estas características sólo puede estar encaminada a desempeñar una función expiativa», ya que «por su duración es inidónea para cumplir los fines de reeducación y reinserción social que señala a las privativas de libertad el art. 25.2 de nuestra Constitución», se concluye apuntando que el art. 91 del Código Penal «al hacer recaer los efectos desocializadores de la privación de libertad sobre los estratos más desfavorecidos de la sociedad podría contravenir los principios de organización social» que se dicen contenidos en el art. 9.2 de la misma Constitución. Se exponen así, a partir de la interpretación conjunta de lo dispuesto en los arts. 25.2 y 9.2 de la Constitución, dos nuevos fundamentos de la presente duda de constitucionalidad.

El primer argumento, concluyente en el aserto de que la medida a que puede dar lugar la aplicación del precepto cuestionado contradiría el enunciado inicial del art. 25.2 de la Constitución, no puede ser aceptado por este Tribunal. Dispone allí la Norma fundamental, en efecto, que «las penas privativas de libertad y las medidas de seguridad estarán orientadas hacia la reeducación y la reinserción social», pero de esta declaración constitucional no se sigue ni el que tales fines reeducadores y resocializadores sean los únicos objetivos admisibles de la privación penal de la libertad ni, por lo mismo, el que se haya de considerar contraria a la Constitución «la aplicación de una pena que pudiera no responder exclusivamente a dicho punto de vista» (Auto de la Sala Primera, de 19 de noviembre de 1986, Asunto 780/86). Puede aceptarse de principio que las penas cortas privativas de libertad —y las medidas a ellas asimiladas por la ley, como ésta que consideramos— se prestan con dificultad mayor a la consecución de los fines aquí designados por la Constitución, pero, con independencia de que la posible frustración de tal finalidad habría de apreciarse atendiendo tanto a la duración de cada medida concreta como a su modo de cumplimiento, esta sola posibilidad no puede llevar a la invalidación del enunciado legal. La reeducación y la resocialización —que no descartan, como hemos dicho, otros fines válidos de la norma punitiva— han de orientar el modo de cumplimiento de las privaciones penales de libertad en la medida en que éstas se presten, principalmente por su duración, a la consecución de aquellos objetivos, pues el mandato presente en el enunciado inicial de este art. 25.2 tiene como destinatarios primeros al legislador penitenciario y a la Administración por él creada, según se desprende de una interpretación lógica y sistemática de la regla, y sin perjuicio de que la misma pueda resultar trascendente a otros efectos, de innecesaria consideración ahora. No cabe, pues, en su virtud, descartar, sin más, como inconstitucionales todas cuantas medidas privativas de libertad —tengan o no el carácter de «pena»— puedan parecer inadecuadas, por su relativamente corta duración, para cumplir los fines allí impuestos a la Ley y a la Administración penitenciarias.

El objetivo de la reinserción social y el internamiento de personas con enfermedad psíquica que hubieren cometido un delito —STC 24/1993, de 21 de enero[26]—

La Sentencia resuelve la cuestión de inconstitucionalidad promovida por el Juzgado de Primera Instancia e Instrucción núm. 2 de Gandía (Valencia) sobre el artículo 8.1 del Código Penal, que dispone el internamiento judicial, de las personas enajenadas que hubieren cometido un hecho legalmente sancionado como delito, en uno de los establecimientos destinados a dichas personas, del cual no podrá salir sin previa autorización del mismo órgano judicial. Entiende el Juzgado cuestionante que dicho precepto podría vulnerar, además de los artículos 14, 17 y 24 CE, el artículo 25.2 CE.

FJ 5. [...] En cuanto a la alegada desproporción entre las medidas de seguridad —especialmente el internamiento— y la finalidad terapéutica y de aseguramiento del enajenado que aquéllas deberían perseguir, la simple lectura del precepto cuestionado permite comprobar lo infundado de esta pretendida vulneración constitucional. La pluralidad de medidas que en él se contemplan tiene precisamente como objetivo permitir la adecuación de esas medidas a los distintos grados de remisión que vaya experimentando la enfermedad. La redacción actual del precepto cuestionado permite, con una correcta aplicación judicial del mismo, que el internamiento o cualquier otra de las medidas de seguridad previstas en ningún caso sea arbitrario o desproporcionado. Así, de una parte, faculta al Tribunal sentenciador, desde el principio o durante el tratamiento, para elegir o sustituir la medida que estime más adecuada al estado del acusado y, de otra parte, también corresponde al Tribunal penal, a través de los sucesivos controles, de oficio o a instancia de parte, controlar la evolución de la enfermedad a efectos de mantener, sustituir o eliminar las medidas

---

[26]   Sobre estos casos de internamiento en como supuestos de privación de libertad, *vid.* **ARTÍCULO 17 CE.**

de seguridad adoptadas. Ciertamente, el legislador no ha establecido una correlación estricta entre los diversos tipos de medidas de seguridad y los grados de remisión de la peligrosidad y de la enfermedad. Ha dejado esta tarea a los Jueces y Tribunales. Sin embargo, de este dato no deriva vulneración alguna del principio de legalidad penal. Primero, porque la adaptación de las medidas a la evolución de la peligrosidad no se deja a la total discrecionalidad del órgano judicial sino que viene impuesta por la Ley y, segundo, porque, por la misma naturaleza de los fines perseguidos por la adaptación, resulta prácticamente imposible establecer con carácter general y abstracto una correlación automática entre tipos de medidas y grados de remisión. Es cierto que el legislador hubiera podido establecer medidas concretas para asegurar con mayores garantías la constante adaptación de las medidas de seguridad a la evolución de los enajenados (mediante, por ejemplo, la exigencia de controles periódicos...). Con todo no cabe duda que la redacción actual del art. 8.1 del Código Penal resulta garantía suficiente desde el punto de vista del principio de legalidad. Lo mismo cabe afirmar respecto de la indeterminación temporal de las medidas de seguridad y, en especial, de la de internamiento. En primer lugar, debe advertirse, como ya se hizo en la STC 112/1988, que el precepto cuestionado no consagra una privación de libertad indefinida en el tiempo y dejada a la plena disponibilidad del órgano judicial competente. Esta privación de libertad ha de respetar las garantías que la protección del referido derecho fundamental exige, interpretadas de conformidad con los tratados y acuerdos internacionales sobre la materia ratificados por España (art. 10 CE) y, en concreto, con el Convenio para la Protección de los Derechos Humanos y de las Libertades Fundamentales. Y a este respecto es preciso recordar que, entre las condiciones mínimas que debe cumplir una medida de internamiento, aparte las anteriormente mencionadas (justificación plena de la enajenación mediante informes médicos y que ésta revista un carácter o amplitud que aconseje el internamiento), destaca la de que el internamiento no puede prolongarse válidamente cuando no subsista el trastorno mental que dio origen al mismo. En consecuencia, resulta obligado el cese del internamiento, mediante la concesión de la autorización precisa, cuando conste la curación o la desaparición del estado de peligrosidad que motivó el mismo, correspondiendo al Tribunal penal realizar los pertinentes controles sucesivos a tal fin (STC 112/1988). De otra parte, es preciso reiterar que la nueva redacción del art. 8.1 del Código Penal hace posible, como antes se dijo, adecuar las medidas de seguridad adoptadas al grado de remisión de la enfermedad, al prever en su párrafo tercero que el Tribunal sentenciador pueda sustituir el internamiento por otro tipo de medidas que se estimen más adecuadas al estado mental del interesado.

Ciertamente, también en este caso el legislador hubiera podido prever mecanismos —como los controles periódicos, antes mencionados—, para garantizar el cese inmediato de las privaciones de libertad y, en general, de las distintas medidas de seguridad en el momento mismo en el que la peligrosidad remitiera o desapareciera. Sin embargo, la redacción actual del precepto es suficiente garantía, ya que impone claramente a los órganos judiciales la eliminación de esas medidas en el momento en que dejan de ser necesarias.

La prohibición de trabajos forzados —STC 116/2002, de 20 de mayo—

La Sentencia resuelve el recurso de amparo promovido por don J.A.R.V. contra el Auto del Juzgado de Vigilancia Penitenciaria de Bilbao, de 12 de marzo de 1998, que desestimó el recurso de reforma interpuesto contra Auto del mismo Juzgado, de 16 de febrero de 1998, resolutorio del recurso de alzada contra el Acuerdo de la Comisión Disciplinaria del Centro Penitenciario de Nanclares de la Oca de 8 de enero de 1998, que lo sancionó con 15 días de privación de paseos y actos recreativos comunes, como autor de una falta grave prevista en el artículo 109 b) del Reglamento penitenciario. Entiende el recurrente que dichas resoluciones vulneran su derecho a no ser sometido a trabajos forzados.

FJ 5. En relación con el art. 25 CE, se alegan dos presuntas vulneraciones: una relacionada con el principio de legalidad recogido en el apartado 1 y otra con el apartado 2 en cuanto establece que «nadie puede ser sometido a trabajos forzados». Aunque en la demanda no se desarrolle, debe entenderse que la primera de las alegaciones parte de la comprensión de que no puede constituir infracción la negativa a realizar un trabajo que se considera «forzado», porque tal tipificación sería contraria a la Constitución, lo que permite subsumir esta denuncia en la vulneración del art. 25.2 CE. Pues bien, esta alegación no tiene tampoco fundamento; se afirma en la demanda que del art. 25.2 CE se deduce que el trabajo en prisión es un derecho del interno, no una obligación, y que lo contrario será tanto como admitir los trabajos forzados, prohibidos por el precepto constitucional. Frente a ello cabe decir que lo que la Administración penitenciaria exigió al recurrente fue, sencillamente, la limpieza que por turno le correspondía de parte de las zonas comunes de su módulo, prestación contemplada en el art. 29 de la Ley Orgánica general penitenciaria (LOGP). [...]

Es cierto que el art. 25.2 CE ordena que «Las penas privativas de libertad y las medidas de seguridad estarán orientadas hacia la reeducación y reinserción social y no podrán consistir en trabajos forzados»; pero considerar que la orden de limpiar parte de las zonas comunes del módulo de prisión es un trabajo forzado, como afirma el recurrente, pugna con el más elemental sentido común, máxime cuando las únicas razones que alega el recurrente cuando así se le ordena son que «no quería realizar ningún tipo de trabajo porque no puedo obtener beneficio, no redimo», o que «yo no limpio porque no he trabajado en la vida, ni voy a trabajar», según consta en los partes disciplinarios, sin ninguna referencia a quebrantamiento alguno de su dignidad, ni a lo desmesurado de la prestación que se le impone.

El derecho de las personas reclusas a un trabajo remunerado —STC 17/1993, de 18 de enero—

La Sentencia resuelve el recurso de amparo interpuesto por don C.F.O. contra Resolución de la Dirección del Centro Penitenciario de Bonxe (Lugo) y Autos y providencia del Juzgado de Vigilancia Penitenciaria de La Coruña sobre trabajo remunerado, que denegaron el derecho del recurrente, recluso en el mencionado Centro Penitenciario, a un trabajo remunerado y a los correspondientes beneficios de la Seguridad Social a que se refiere el artículo 25.2 CE

FJ 2. La naturaleza y contenido del indicado derecho al trabajo penitenciario y a los beneficios de la Seguridad Social que establece el art. 25 CE ha sido ya objeto de examen por este Tribunal, que ha afirmado que dicho reconocimiento constitucional no supone su configuración como un verdadero derecho subjetivo perfecto del interno frente a la Administración, pero tampoco como una mera declaración dirigida a destacar la obligación positiva de la Administración Penitenciaria de procurar al interno el efectivo disfrute de ese derecho, pues también aquí hay una exigencia complementaria de la garantía fundamental de la participación en esa actividad de prestación de la Administración. En el derecho al trabajo del interno predomina así su carácter de derecho a prestación en cuanto que para hacerlo efectivo exige la organización de un sistema de prestación, habiendo de distinguirse en él, como ha dicho la STC 172/1989, dos aspectos: la obligación de crear la organización prestacional en la medida necesaria para proporcionar a todos los internos un puesto de trabajo y el derecho de éstos a una actividad laboral retribuida o puesto de trabajo dentro de las posibilidades de la organización penitenciaria existente (fundamento jurídico 2º). En el primero debe verse antes que nada una obligación de la Administración Penitenciaria de cumplir la obligación prestacional en la medida necesaria para proporcionar a todos los internos un puesto de trabajo, y aunque también pueda reconocerse una titularidad subjetiva del interno es ésta desde luego de eficacia limitada a las posibilidades materiales y presupuestarias del propio establecimiento, y por ello para el interno es un derecho de aplicación progresiva, no pudiendo pretenderse, conforme a su naturaleza, su total exigencia de forma inmediata (SSTC 82/1986 y 2/1987). De este modo, «el derecho a un trabajo remunerado y a los beneficios correspondientes a la Seguridad Social, que el art. 25.2 de la CE reconoce a quienes se encuentran cumpliendo condena de prisión, son derechos que se insertan en los fines de reeducación y reinserción social a los que por exigencia constitucional deben orientarse las penas privativas de libertad y, en tal sentido, son derechos de aplicación progresiva, cuya efectividad se encuentra en función de los medios que la Administración Penitenciaria tenga en cada momento, no pudiendo, por tanto, ser exigidos en su totalidad de forma inmediata en el caso de que realmente exista imposibilidad material de satisfacerlos» (AATC 256/1988 y 95/1989).

Es en el segundo aspecto, partiendo ya de la existencia de un puesto de trabajo adecuado e idóneo, cuando el derecho del interno a ocuparlo adquiere plena consistencia y eficacia, es decir, se configura como «una situación jurídica plenamente identificable con un derecho fundamental del interno, con la doble condición de derecho subjetivo y elemento esencial del ordenamiento jurídico» (SSTC 25/1981 y 163/1986), exigible frente a la Administración Penitenciaria en las condiciones legalmente establecidas (art. 26.2 e), Capítulo Segundo de la Ley General Penitenciaria, art. 182.2 d) y Capítulo Cuarto del Título III del Reglamento Penitenciario), tanto en vía jurisdiccional como, en su caso, en sede constitucional a través del recurso de amparo (STC 172/1989, fundamento jurídico 3º). «Tales derechos alcanzan relevancia constitucional únicamente si se acredita que en el Centro Penitenciario en el que se cumpla la condena existe puesto de trabajo a cuya adjudicación se tenga derecho dentro del orden de prelación establecido —el cual no podrá ser arbitrario o discriminatorio—, pese a lo cual la autoridad judicial no adopta las medidas adecuadas para compeler a la Administración a que lo satisfaga» (AATC 256/1988 y 95/1989).

FJ 3. Por consiguiente, sólo cabría otorgar el amparo solicitado si existiera un puesto de trabajo adecuado disponible en la prisión y al mismo tuviera derecho el solicitante de amparo dentro del orden de prelación establecido, para el caso de que no existan puestos de trabajo remunerados para todos. A tal respecto, no se ha acreditado ni desde luego consta en las actuaciones que ni en el Centro Penitenciario de Bonxe, ni en el Centro Penitenciario de cumplimiento del Puerto de Santa María existieran ni existan puestos de trabajo para todos los que en él cumplen pena privativa de libertad, lo que no ha permitido aún la estructura y condiciones de esos centros penitenciarios. Por consiguiente, el recurrente no tiene un derecho, que este Tribunal pueda protegerle y garantizarle, a obtener un concreto puesto de trabajo, al no haber alegado ni acreditado la existencia de puestos de trabajo disponibles ni que en su concesión se haya dejado de respetar el orden de prelación establecido, o se haya aplicado el mismo de una forma arbitraria o discriminatoria.

III. EL ARTÍCULO 25.3 CE Y LAS SANCIONES IMPUESTAS POR LA ADMINISTRACIÓN CIVIL

Alcance del artículo 23.3 CE: la conversión de una pena de multa en pena privativa de libertad —STC 19/1988, de 16 de febrero (*vid. supra*)—

FJ 5. [...] A la misma conclusión negadora de la inconstitucionalidad ab initio de la medida enjuiciada se ha de llegar si se considera lo dispuesto por la propia Constitución en su art. 25.3, precepto en el que se previene que «la Administración Civil no podrá imponer sanciones que, directa o subsidiariamente, impliquen privación de libertad». Es cierto que el argumento a contrario que de lo dispuesto en el art. 25.3 se puede hacer derivar, no ha de resultar en este proceso concluyente, pues en dicha disposición no se ha pronunciado tanto la Constitución, de modo implícito, sobre el concreto expediente que es en los procedimientos sancionadores, la conversión en privación de libertad de la multa impagada cuanto sobre la privación misma de libertad por la Administración Civil, medida que, en cualquiera de sus formas concebibles, se ha querido excluir por la Norma fundamental. No cabe desconocer, sin embargo, que lo que el precepto citado hace evidente es que el constituyente consideró el llamado por la doctrina «arresto sustitutorio», existente en el ordenamiento preconstitucional, y que sólo decidió excluirlo en el caso contemplado en esa disposición, para reforzar así la prohibición —sin más excepción que la implícitamente alusiva a la Administración Militar— de que la libertad pudiera resultar afectada por una sanción dictada al margen del procedimiento judicial y sin la plenitud de garantías, por lo tanto, que impone el art. 24 de la misma Constitución. Por ello, aunque lo dispuesto en el art. 25.3 no permita resolver, sin ulteriores contrastes con otras normas constitucionales, la duda planteada por el juzgador a quo, se debe ahora destacar que la conversión en privación de libertad de la pena de multa, contemplada y prohibida para un supuesto concreto por la Constitución, no ha sido excluida como tal, de modo genérico, por las normas constitucionales que ordenan, en este art. 25, los límites del Derecho sancionador.

El artículo 23.3 CE y las sanciones disciplinarias —STC 2/1987, de 21 de enero (*vid. ARTÍCULO 15*)—

FJ 3. Una segunda línea argumental contenida en los recursos de amparo se refiere al órgano y al procedimiento seguidos para la imposición de la sanción. Al parecer del recurrente, por la naturaleza y por la gravedad de la sanción, ésta debería haberse decidido en un proceso con todas las garantías resuelto por un Tribunal independiente e imparcial, citando como base de su argumentación, tanto el art. 25.3 de la Constitución que prohíbe imponer sanciones a la Administración Civil que directa o subsidiariamente impliquen privación de libertad, como el art. 24.2 de la Constitución en relación con el art. 6 del Convenio de Roma. Estos argumentos, aunque responden a una misma finalidad, deben ser examinados de forma separada, habiéndose de contemplar, en primer lugar, la alegación de infracción del art. 25.3 de la Constitución, pues de admitirse tal infracción de ella se derivaría ya de por sí la plena aplicación del artículo 25.2 al supuesto planteado.

El art. 25.3 de la Constitución prescribe, ciertamente, que la «Administración Civil no podrá imponer sanciones que, directa o indirectamente, impliquen privación de libertad», pero esta prevención constitucional no puede dejar de ponerse en relación, para comprenderla rectamente, con el contenido del derecho fundamental garantizado en el art. 17.1 de la misma Constitución reconocido también en el art. 5.1 del Convenio de Roma, que preservan el común status libertatis que corresponde, frente a los poderes públicos, a todos los ciudadanos. Tal status sin embargo, queda modificado en el seno de una situación especial de sujeción como la presente, de tal manera que, en el ámbito de la institución penitenciaria, la ordenación del régimen al que quedan sometidos los internos no queda limitado por el ámbito de un derecho fundamental que ha perdido ya, en ese ámbito específico, su contenido propio, según claramente se deriva, por lo demás de lo dispuesto en el apartado segundo de este citado art. 25. La libertad que es objeto del derecho fundamental resultó ya legítimamente negada por el contenido del fallo de condena, fallo que, por lo mismo, determinó la restricción temporal del derecho fundamental que aquí se invoca.

Así lo ha reconocido también la Comisión de Estrasburgo cuando ha afirmado que las condiciones normales de la vida en prisión «no constituyen una privación de libertad con independencia de la libertad de acción de que el prisionero pueda gozar dentro de la prisión. De este modo las medidas disciplinarias aplicables contra el que está cumpliendo una Sentencia no pueden considerarse constitutivas de privación de libertad, porque tales medidas son tan sólo modificaciones de su detención legal», por lo que tales medidas «no están cubiertas por los términos del art. 5.1» (Dec. Adm. Com. Ap. 7754/1977, de 9 de mayo de 1977). Al estar ya privado de su libertad en la prisión, no puede considerarse la sanción como una privación de libertad, sino meramente como un cambio en las condiciones de su prisión; como ha dicho nuestra doctrina «no es sino una mera restricción de la libertad de movimientos dentro del establecimiento añadida a una privación de libertad impuesta exclusivamente por Sentencia judicial».

Tampoco pueden considerarse privación de libertad las consecuencias indirectas que las sanciones disciplinarias, del tipo que sean, puedan tener en la pérdida de beneficios de remisión de penas, pues ello no supone ninguna «privación de libertad» sobre y por encima de la originaria impuesta por el Tribunal, y además la pérdida de remisión no viene impuesta por la Junta, sino que tiene su origen en la pérdida de uno de los requisitos legales que la normativa legal establece para poder obtener el beneficio de la remisión de pena.

En consecuencia la imposición por la Junta de Régimen y Administración de la prisión de Basauri de las sanciones aquí recurridas, no supone una infracción del artículo 25.3 de la Constitución.

El artículo 25.3 CE y la administración militar —STC 73/2010, de 18 de octubre[27]—

La Sentencia resuelve la cuestión interna de inconstitucionalidad planteada por la Sala Segunda del Tribunal Constitucional, en relación con el artículo 10.1 y 2 de la Ley Orgánica 11/1991, de 17 de junio, de Régimen Disciplinario de la Guardia Civil, por posible vulneración del artículo 25.3 CE, por incluir dicho régimen disciplinario penas de arresto privativas de libertad.

FJ 3. Para resolver las dudas de constitucionalidad de los preceptos analizados debemos comenzar recordando que la Constitución, en su art. 25.3, establece que «la Administración civil no podrá imponer sanciones que, directa o subsidiariamente, impliquen privación de libertad». En relación con este precepto, hemos señalado que la Constitución reconoce la singularidad del régimen disciplinario militar, y que del mismo se deriva, a sensu contrario, que la denominada Administración militar pueda imponer sanciones que, directa o subsidiariamente, impliquen privaciones de libertad (STC 21/1981, de 15 de junio, FJ 8). No obstante, la posibilidad de que se puedan aplicar penas privativas de libertad sin la participación inmediata de la autoridad judicial debe considerarse como una posibilidad excepcional, justificada por la especial naturaleza y función de la Administración militar y las Fuerzas Armadas, dentro de la regla general de intervención judicial. En este sentido, aunque hemos reconocido las peculiaridades que presenta la acción disciplinaria en el ámbito militar, en el que la subordinación jerárquica y la disciplina constituyen valores primordiales, lo que incide en las garantías del procedimiento disciplinario (STC 44/1983, de 24 de mayo, FJ 1), también hemos dicho que «[n]o cabe desconocer, sin embargo, que los derechos fundamentales responden a un sistema de valores y principios de alcance universal que subyacen a la Declaración Universal y a los diversos convenios internacionales sobre Derechos Humanos, ratificados por España, y que, asumidos como decisión constitucional básica, han de informar todo nuestro ordenamiento jurídico. Por ello, una vez aprobada la Constitución, el régimen disciplinario militar ha de incorporar este sistema de valores y, en consecuencia, en aquellos casos en que la sanción disciplinaria conlleva una privación de libertad, el procedimiento disciplinario legalmente establecido ha de responder a los principios que dentro del ámbito penal determinan el contenido básico del derecho a la defensa, de modo que este derecho no se convierta en una mera formalidad, produciéndose, en definitiva, indefensión» (STC 21/1981, FJ 10).

FJ 4. Los términos de la regulación cuestionada determinan que hayamos de precisar qué naturaleza presenta la sanción de arresto contemplada en el art. 10.1 y 2 de la Ley Orgánica 11/1991, así como, en atención al doble carácter de las funciones que puede desempeñar la Guardia Civil, la naturaleza de dicho instituto, ya que puede resultar relevante a la hora de llevar a cabo el juicio de constitucionalidad del precepto cuestionado, en la medida en que de ella depende su exclusión o no de la prohibición que el art. 25.3 CE dirige a la Administración civil para imponer sanciones que, directa o subsidiariamente, impliquen privación de libertad.

Por lo que se refiere al primer aspecto, hemos señalado reiteradamente que la sanción de arresto domiciliario no es una simple restricción de la libertad, sino una verdadera privación de aquélla (entre otras, SSTC 31/1985, de 5 de marzo, FJ 3, y 14/1999, de 22 de febrero, FJ 9), pues entre la libertad y la detención no existen zonas intermedias (STC 61/1995, de 19 de marzo, FJ 4). Y ese carácter de sanción privativa de libertad no lo pierde ni siquiera en el caso de que se imponga sin perjuicio del servicio, porque la persona no recupera su situación de libertad porque se le autorice a acudir a su trabajo habitual, ya que, como dijimos en la STC 56/1997, de 17 de marzo, FJ 10, «es algo que se compadece con dificultad con los presupuestos de un orden político que se comprende a sí mismo como un régimen de libertades (art. 10.1 CE)». Si esto es así en relación con el arresto domiciliario, tanto más debe serlo en cuanto al que tiene lugar en establecimiento disciplinario.

---

[27]   *Vid.* también la STC 122/2010, de 29 de noviembre.

En relación con el otro aspecto, hay que partir de que la Guardia Civil, como ha recogido tradicionalmente su norma-tiva, se ha caracterizado por la naturaleza «mixta» de sus funciones, habiéndosele encomendado históricamente al citado Cuerpo funciones, tanto de naturaleza militar, como otras estrictamente policiales. Asimismo, su dependencia administrativa ha sido dual, dependiendo del Ministerio del Interior en ejercicio de las funciones policiales y del Ministerio de Defensa cuando llevan a cabo misiones de carácter militar, según prevé el art. 9 b) de la Ley Orgánica 2/1986, de 13 de marzo, de fuerzas y cuerpos de seguridad del Estado. Este doble carácter queda recogido en dicha Ley, cuyo preámbulo, no obstante, centra la actuación del instituto en el ejercicio de funciones propiamente policia-les de mantenimiento del orden y de la seguridad pública, «sin perjuicio de realizar en determinadas circunstancias misiones de carácter militar», asignándole como su auténtica misión en la sociedad actual la «garantía del libre ejer-cicio de los derechos y libertades reconocidos por la Constitución y la protección de la seguridad ciudadana», todo ello dentro del conjunto de las fuerzas y cuerpos de seguridad.

Esta peculiar naturaleza jurídica de la Guardia Civil, que ha sido definida en su normativa específica como un «ins-tituto armado de naturaleza militar» [art. 9 b) de la Ley Orgánica 2/1986] no ha contribuido a aclarar qué régimen disciplinario debía regir para sus miembros. El legislador no ha querido que dicho régimen sea el aplicable al Cuerpo Nacional de Policía, de suerte que el art. 15.1 de la Ley Orgánica 2/1986, apelando a la naturaleza militar de la Guardia Civil como circunstancia diferenciadora entre ésta y las otras fuerzas y cuerpos de seguridad del Estado, remite a su normativa específica a efectos disciplinarios. No obstante, ante la ausencia de esa normativa específica, los miembros de aquélla se han visto sometidos en un principio al régimen disciplinario previsto para los miembros de las Fuerzas Armadas. A esta situación se refirió este Tribunal en la STC 194/1989, de 16 de noviembre, señalando que la «previsión legislativa contenida en el art. 15.1 de la Ley Orgánica 2/1986 y antes en el art. 38.2 de la Ley Orgánica 6/1980, no puede quedar indefinidamente incumplida, dando pie para una aplicación transitoria, pero también indefinida, del régimen disciplinario militar. El legislador debe ser fiel a su propósito, zanjando de una vez por todas indefiniciones legislativas sobre la especificidad a estos efectos de la Guardia Civil, y regulando la materia disciplinaria de dicho instituto armado de un modo directo y positivo y no, como hasta ahora, por medio de técnicas de exclusión y de remisión».

Esta situación se prolonga hasta la entrada en vigor de la Ley Orgánica 11/1991, de 17 de junio, de régimen discipli-nario de la Guardia Civil, norma que supuso un primer paso esencial para poder establecer un régimen disciplinario propio de los miembros de la Guardia Civil, consolidándose lo que ya se había apuntado por el legislador en la Ley Orgánica 2/1986: que la Guardia Civil, definida como instituto armado de naturaleza militar, por las funciones que realiza se integraba en las fuerzas de seguridad del Estado (art. 9 de la Ley Orgánica 2/1986), teniendo la considera-ción de fuerza armada únicamente, de manera excepcional, en el cumplimiento de las misiones de carácter militar que se le encomienden (art. 7.3 de la Ley Orgánica 2/1986). Esta definición de la Guardia civil como cuerpo pertene-ciente a las fuerzas de seguridad del Estado, se plasma también en la Ley Orgánica 11/1991 que, si bien contempla la dependencia del Ministerio de Defensa para el desempeño de funciones militares, establece la dependencia del Ministerio del Interior en el desarrollo de las funciones policiales. En suma, la citada Ley Orgánica 11/1991, desglosó el régimen disciplinario de la Guardia Civil del de las Fuerzas Armadas separando, definitivamente, la normativa disciplinaria de aquel instituto armado.

La Ley Orgánica 12/2007 da un paso más en esta línea, pues regula el régimen disciplinario específico de la Guardia Civil en su condición de fuerza de seguridad del Estado, mientras que en las actuaciones de carácter militar que pue-da desempeñar, la somete al régimen disciplinario de las Fuerzas Armadas, como queda establecido en su disposición adicional sexta, que da nueva redacción al art. 15.1 de la Ley Orgánica 2/1986.

FJ 5. Llegados a este punto, ya estamos en situación de determinar si es conforme al art. 25.3 CE que los miembros de la Guardia Civil en el desempeño de funciones no militares puedan ser sancionados con arresto. En efecto, la singu-laridad de la potestad disciplinaria de la Administración militar tiene reconocimiento constitucional en el propio art. 25.3 (STC 74/2004, de 22 de abril, FJ 6), ya que, en ese ámbito, el valor primordial que la subordinación jerárquica y la disciplina tienen hace que el procedimiento disciplinario no pueda quedar sometido a las garantías procesales generalmente reconocidas para los procedimientos judiciales, pues su razón de ser reside en la prontitud y rapidez de la reacción frente a las infracciones de la disciplina militar (SSTC 21/1981, de 15 de junio, FJ 9; y 44/1983, de 24 de mayo, FJ 1). En esta misma línea, hemos recordado la imposibilidad de aplicar en tal contexto (en virtud de la remisión del art. 10.2 CE) las garantías de los arts. 5 y 6 del Convenio Europeo de Derechos Humanos (CEDH), pues España, al ratificar dicho Convenio, y de conformidad con el art. 64 del mismo, se ha reservado la aplicación de tales preceptos en la medida en que fueran incompatibles con las disposiciones que, en relación con el régimen discipli-nario de las Fuerzas Armadas, se contienen en el Código de Justicia Militar (STC 21/1981, FJ 10); y, posteriormente, en la Ley Orgánica 12/1985, de 27 de noviembre, del régimen disciplinario de las Fuerzas Armadas (de acuerdo con la modificación de la reserva, de 24 de septiembre de 1986). También hemos dicho que, a pesar de ello, no puede extraerse la conclusión de que los procedimientos militares disciplinarios puedan moverse absolutamente al margen de toda garantía constitucional, pues, como ya expusimos anteriormente al referirnos a la previsión del art. 25.3 CE, el régimen de dichos procedimientos ha de incorporar una serie de valores y principios de alcance universal, que han sido asumidos constitucionalmente y deben informar todo nuestro Ordenamiento jurídico.

Por otra parte, la inicial exclusión de las garantías de los arts. 5 y 6 CEDH debe ser actualmente objeto de matización en relación con el régimen disciplinario de la Guardia Civil contenido en la Ley Orgánica 11/1991, merced a la interpretación realizada por el Tribunal Europeo de Derechos Humanos sobre la reserva formulada por España en cuanto a la aplicación de dichos preceptos, órgano que, como tenemos dicho, es el competente para interpretar y aplicar el Convenio Europeo de Derechos Humanos (STC 21/1981, FJ 9). En efecto, en la Sentencia del Tribunal Europeo de Derechos Humanos de 2 de noviembre de 2006 (caso Dacosta Silva c. España) se advierte que el objeto de la reserva española era el régimen disciplinario de las Fuerzas Armadas, regido por el Código de Justicia Militar vigente en el momento de la reserva y, posteriormente, por la Ley Orgánica 12/1985, de 27 de noviembre, que España comunicó al Consejo de Europa en 1986, por lo que difícilmente puede sostenerse que la reserva española sea aplicable a una norma posterior, como es la Ley Orgánica 11/1991, que tiene por particular objeto el régimen disciplinario de la Guardia Civil, en tanto que régimen específico y, en consecuencia, diferente del aplicable a las fuerzas armadas. En concreto, el Tribunal Europeo de Derechos Humanos recuerda que la reserva había y ha tenido siempre por objeto el «régimen disciplinario de las fuerzas armadas», y que si desde 1991 la Guardia Civil, como «fuerza y cuerpo de seguridad del Estado» y no como «fuerza armada», tiene por imperativo legal (recordado por la doctrina de este Tribunal) un régimen disciplinario específico, distinto del de las Fuerzas Armadas, y regido por una ley orgánica propia, «la reserva no puede en consecuencia extenderse a una norma que tiene por finalidad una segregación del objeto reflejado en la reserva», pues es una pretensión contraria al CEDH que no puede ser aceptada (§ 37).

Como consecuencia de lo anterior, y de acuerdo con la previsión del art. 10.2 CE, en consonancia con lo que dispone el art. 25.3 CE, el procedimiento disciplinario aplicable a la Guardia Civil, en su consideración de fuerza de seguridad del Estado (esto es, fuera de su actuación como fuerza armada), ha de quedar sujeto a las determinaciones de los arts. 5 y 6 CEDH, y, en concreto, en lo que aquí nos interesa, a la del art. 5.1 a), conforme al cual, la privación de libertad ha de derivar de una Sentencia judicial, debiendo ser impuesta por un Tribunal competente que goce de independencia con respecto a la Administración y en un procedimiento seguido con las debidas garantías.

Pues bien, la interpretación del art. 10.1 y 2 de la Ley Orgánica 11/1991 ha de partir de estas premisas, conforme a las cuales, podemos llegar a la conclusión de que el art. 25.3 CE no permite a las autoridades o mandos de la Guardia Civil a que se refiere el art. 19 de la Ley Orgánica 11/1991 imponer sanciones que impliquen privación de libertad cuando se trate de actuaciones desarrolladas dentro del ámbito de las funciones policiales que la ley les encomienda. O dicho de otro modo, el art. 25.3 CE no permite, a la luz de la singular configuración de la Guardia Civil que, previendo el art. 10.1 y 2 de la Ley Orgánica 11/1991 para la misma categoría de infracciones sanciones de diferente naturaleza jurídica —que pueden ser de contenido económico, referidas a la carrera de los sancionados, y otras privativas de libertad—, se imponga una sanción de arresto sin que haya quedado acreditado y motivado en la resolución sancionadora que la infracción ha sido cometida en el ejercicio de una función militar.

En definitiva, para que la previsión legal cuestionada de una sanción privativa de libertad pueda ampararse en el art. 25.3 CE, debe quedar acreditado que la sanción de arresto ha sido impuesta por la Administración militar, no solamente en sentido formal, sino en sentido material, es decir, siempre y cuando la actuación objeto de sanción se haya desenvuelto estrictamente en el ejercicio de funciones materialmente calificables como militares y no en el ámbito propio de las fuerzas y cuerpos de seguridad del Estado.

Por tanto, debemos concluir que el art. 10.1 y 2 de la Ley Orgánica 11/1991, de 17 de junio, de régimen disciplinario de la Guardia Civil, sólo resulta acorde con la Constitución si se interpreta en el sentido de que la imposición de las sanciones privativas de libertad (según el procedimiento previsto en la Ley) procede cuando la infracción ha sido cometida en una actuación estrictamente militar y así se motive en la resolución sancionadora.

LOS DERECHOS A LA EDUCACIÓN Y A LA LIBERTAD DE ENSEÑANZA

Artículo 27. 1. *Todos tienen el derecho a la educación. Se reconoce la libertad de enseñanza.*
2. La educación tendrá por objeto el pleno desarrollo de la personalidad humana en el respeto a los principios democráticos de convivencia y a los derechos y libertades fundamentales.
3. Los poderes públicos garantizan el derecho que asiste a los padres para que sus hijos reciban la formación religiosa y moral que esté de acuerdo con sus propias convicciones.
4. La enseñanza básica es obligatoria y gratuita.
5. Los poderes públicos garantizan el derecho de todos a la educación, mediante una programación general de la enseñanza, con participación efectiva de todos los sectores afectados y la creación de centros docentes.
6. Se reconoce a las personas físicas y jurídicas la libertad de creación de centros docentes, dentro del respeto a los principios constitucionales.
7. Los profesores, los padres y, en su caso, los alumnos intervendrán en el control y gestión de todos los centros sostenidos por la Administración con fondos públicos, en los términos que la ley establezca.
8. Los poderes públicos inspeccionarán y homologarán el sistema educativo para garantizar el cumplimiento de las leyes.
9. Los poderes públicos ayudarán a los centros docentes que reúnan los requisitos que la ley establezca.
10. Se reconoce la autonomía de las Universidades, en los términos que la ley establezca.

INTRODUCCIÓN

Los derechos a la educación y a la libertad de enseñanza, reconocidos en el artículo 27 CE, se incardinan entre los derechos cuya misión es poner las bases para la construcción de la ciudadanía activa de los individuos, de su identidad como sujetos democráticos. La libertad ideológica, la libertad de expresión, en sus dimensiones individual y colectiva (derecho de reunión), los derechos a la información, de asociación, de participación política, al igual que el derecho a la huelga y a la libertad sindical; el reconocimiento de todos estos derechos parte de la premisa de que sus titulares tienen formación suficiente para ejercerlos de forma autónoma, formación en cuyo desarrollo la educación juega un papel central. Y junto a ella lo hace también la libertad de enseñanza que, como veremos, se sitúa al servicio de la primera. De ahí que el Tribunal Constitucional haya afirmado la inequívoca vinculación del derecho a la educación con la dignidad humana, dada su innegable trascendencia para el pleno y libre desarrollo de la personalidad (STC 236/2007, FJ 8).

El artículo 27 CE no se limita a reconocer los derechos a la educación y a la libertad de enseñanza, sino que desciende a especificar una serie de detalles del contenido de uno y de otro. Lo hace, con todo, sin observar una sistemática precisa, sin ánimo de trazar ya desde la Constitución un perfil bien definido de uno y otro derecho, sino más bien con el ánimo aparente de adelantarse a posibles controversias en torno al mismo, en términos que denotan hasta qué punto la educación es, desde sus inicios, uno de los temas irresueltos en nuestra democracia. Así, partiendo de la conexión entre la educación y el respeto de los principios democráticos (artículo 27.2), y del carácter obligatorio y gratuito de la enseñanza básica (artículo 27.4), este artículo reconoce, no sólo el derecho a recibirla (artículo 27.1), sino el derecho a recibirla con base en una programación general, y en la participación de todos los sectores afectados (artículo 27.5), sectores (profesores, madres y padres y, en su caso, alumnado) a quienes se reconoce el *derecho* a intervenir en el control y gestión de los centros sostenidos por la Administración con fondos públicos, en los términos que la ley establezca; lo cual para madres, padres y alumnas/os forma parte del derecho a la educación (artículo 27.7). Y reconoce, no sólo el derecho de madres y padres a que sus hijas/os sean educadas/os en los principios democráticos, sino a que reciban la formación religiosa y moral que esté de acuerdo con sus propias convicciones (artículo 27.3). Al mismo tiempo, y como parte del derecho a la libertad de enseñanza (artículo 27.1), se reconoce tanto la libertad de creación de centros docentes, en el marco de los principios constitucionales (artículo 27.5 y 6), como el derecho de dichos centros a recibir ayuda pública, siempre que reúnan los requisitos que la ley establezca (artículo 27.9). Todo ello bajo inspección de los poderes públicos y sujeto a su homologación, para garantizar el cumplimiento de las leyes (artículo 27.8). El artículo 27.10 CE reconoce, en fin, el derecho a la autonomía universitaria, de nuevo con remisión a los términos que la ley establezca. No menciona el artículo 27 CE, por el contrario, la libertad de cátedra, que es objeto de reconocimiento explícito en el ámbito del artículo 20.1.c) CE, y que hay que entender también incluida dentro del contenido de la libertad de enseñanza.

Este complejo artículo 27 CE nos asoma así, de un modo más impresionista que sistemático, al contenido de los derechos a la educación y a la libertad de enseñanza. En relación con el primero, el Tribunal Constitucional ha afirmado desde el principio su contenido prestacional, expresado en el artículo 27.4 CE. Es éste un contenido cuya efectividad los poderes públicos tienen la obligación constitucional de procurar, mediante la programación general de la enseñanza (artículo 27.5 CE) y mediante un sistema legal de ayudas a centros docentes (artículo 27.9 CE). Y es un contenido que tiene una dimensión subjetiva de la que son titulares tanto las personas españolas como las extranjeras residentes, con independencia de su situación administrativa (STC 236/2007, FJ 8). Esta dimensión subjetiva está presente en el derecho a recibir una educación, trátese de la básica, obligatoria y gratuita (artículo 27.4), de la no obligatoria, también incluida en el artículo 27.1 CE, o trátese incluso de educación en un centro para alumnas/os con necesidades educativas especiales, según lo previsto en la ley, si bien el ingreso en estos centros está subordinado a una decisión administrativa razonada, no siendo necesariamente elección de los/as padres/madres del alumnado (STC 10/2014). La dimensión subjetiva del derecho a la educación se extiende al ámbito penitenciario, aunque para las personas reclusas el ejercicio del «derecho queda sujeto a las 'modulaciones y matices' (STC 175/2000, ya citada) derivadas de su situación de sujeción especial» (STC 140/2002, FJ 5).

Hasta aquí llega el contenido subjetivo, directamente reivindicable, del derecho fundamental a la educación, hasta el acceso a una educación, sin más concreciones. Éstas, las condiciones concretas para el ejercicio del derecho a la educación en situaciones determinadas, son ya de configuración legal. De configuración legal es el derecho de madres y padres a elegir la educación que desean para sus hijas/os (STC 38/2007, FJ 5 —*vid*. **ARTÍCULO 16**—). Ciertamente, este derecho conlleva el de elegir centro docente, pero éste debe ejercerse dentro del marco de la normativa elaborada al efecto, la cual puede, en caso de insuficiencia de plazas, elaborar criterios de selección, siempre que se trate de criterios objetivos que impidan selecciones arbitrarias (STC 77/1985, de 27 de junio). Lo anterior implica que madres y padres tampoco tienen un derecho subjetivo a que sus hijas/os «reciban educación en la lengua de preferencia de sus progenitores en el Centro docente público de su elección» (STC 195/1989, FJ 3). Antes bien, el Tribunal Constitucional ha afirmado que el derecho de madres y padres a elegir el tipo de educación que habrán de recibir sus hijas e hijos «se limita, de acuerdo con nuestra doctrina, al reconocimiento prima facie de una libertad de los padres para elegir centro docente (ATC 382/1996, FJ 4) y al derecho de los padres a que sus hijos reciban una formación religiosa y moral que esté de acuerdo con sus propias convicciones, art. 27.3 CE» (STC 133/2010, FJ 5 b). Más allá de estos contenidos, el derecho a optar por una lengua educativa, o una plaza en un centro determinado, «sólo existe en consecuencia en la medida en que haya sido otorgado por la Ley» (*ibídem*). Lo cual no obsta para que el legislador de una Comunidad Autónoma con lengua co-oficial, al promover un sistema de inmersión lingüística en dicha lengua, pueda apoyarse en el artículo 27 CE, en conjunción con los artículos 3 y 14 CE (STC 337/1994). Fuera del ámbito del derecho a la educación reconocido en el artículo 27 CE queda, por lo demás, la opción de madres y padres de educar a sus hijas/os en casa, conocida, en terminología anglosajona, como *homeschooling* (STC 133/2010). Y es que el derecho a la educación es un derecho-deber que, como tal, obliga a madres y padres a escolarizar a sus hijas/os en edad de cursar enseñanza obligatoria (*vid.* también STC 260/1994).

De configuración legal es también el derecho de madres, padres y, en su caso, del alumnado, de participar en el control y gestión de centros docentes, derecho que la ley debe desarrollar en términos que respeten el mandato constitucional, sin restringir ni limitar innecesariamente las posibilidades de ejercicio del derecho (artículo 27.7 CE —STC 5/1981, FJ 19—). Y lo es también la percepción de ayudas públicas. Así, aunque la existencia de un sistema de becas forma parte del contenido del derecho a la educación, no existe un derecho fundamental a recibirlas, ni a la adopción de un sistema de becas determinado (STC 212/2005). Como tampoco existe un derecho de los centros educativos a recibir ayudas públicas (STC 86/1985), de forma que si bien es cierto que sobre los poderes públicos pesa la obligación constitucional de prestar dichas ayudas (artículo 27.9 CE), esa obligación no se traduce en un derecho fundamental con una dimensión subjetiva directamente reivindicable, sino que debe articularse mediante el diseño legislativo de un sistema sujeto a criterios concretos, como es el caso del régimen de conciertos (STC 77/1985, FJ 11). Asimismo, y en fin, si bien el derecho a la educación se puede hacer valer, no sólo frente a los poderes públicos, sino también en el ámbito laboral, no funciona aquí como un derecho prestacional, cuyo ejercicio tiene que ser facilitado por la empresa, sino como un derecho de libertad, a cuyo ejercicio ésta no puede legítimamente oponerse (STC 129/1989) —salvo, hay que entender, con base en el juicio de estricta necesidad que rige la limitación de derechos en el ámbito laboral—.

La libertad de enseñanza, también reconocida en el artículo 27.1 CE como derecho autónomo, se encuentra estrechamente vinculada al derecho a la educación, como instrumental para su disfrute. Al igual que el derecho a transmitir información está al servicio del derecho a recibirla (artículo 20.1.d) CE), y al igual que el derecho a acceder a cargos públicos lo está del derecho de participación en asuntos públicos de quienes no acceden a dichos cargos, a través del mandato representativo (artículo 23 CE), la libertad de enseñanza está al servicio del derecho a recibir una educación basada en el respeto de los principios democráticos. Entendida «como una proyección de la libertad ideológica y religiosa y del derecho a expresar y difundir libremente los pensamientos, ideas u opiniones» (STC 5/1981, FJ 7), la libertad de enseñanza «implica, de una parte, el derecho a crear instituciones educativas (artículo 27.6) y, de otra, el derecho de quienes llevan a cabo personalmente la función de enseñar, a desarrollarla con libertad dentro de los límites propios del puesto docente que ocupan» (*ibídem*), lo que se conoce como libertad de cátedra (artículo 20.1.c) CE). La combinación de ambos derechos sienta las bases para el ejercicio del derecho de madres y padres a elegir la formación religiosa y moral que desean para sus hijas e hijos (artículo 27.3 CE).

En lo que concierne al derecho a crear centros docentes, su contenido abarca la creación del centro en sí. Ésta no incluye, como hemos visto, un derecho subjetivo a la percepción de ayudas concretas de los poderes públicos que hagan posible dicha creación. Sí incluye, por otro lado, el derecho de cada centro a diseñar su ideario propio, en materia moral y religiosa y más allá (STC 5/1981, FJ 8), así como el derecho a asumir su dirección, garantía a su vez de dicho ideario (STC 77/1985, FJ 20). Este derecho se ha extendido a la posibilidad de optar por un sistema de educación diferenciada por sexos, avalado por el Tribunal Constitucional, que ha avalado asimismo la obligatoriedad de incluir a los centros que lo sigan en el sistema de conciertos (SSTC 31/2918; 74/2018). Todo ello en una interpretación formalista de la Constitución que ignora las premisas sobre las que descansa la discriminación por razón de sexo, la urgencia democrática de erradicarla y el papel que en ello corresponde jugar a la educación (*vid.* el voto particular de M. Luisa Balaguer Callejón a la STC 31/2018).

En todos sus aspectos, a todos sus niveles, y tanto en el sector público como en privado, cuente éste o no con fondos públicos, la libertad de enseñanza está sujeta a límites (STC 176/2015). Estos no son sólo restricciones negativas, de respeto de otros derechos o principios constitucionales, sino también prescripciones de tipo positivo, que ponen la libertad de enseñanza al servicio de los derechos y principios democráticos de convivencia, como dispone el artículo 27.2 CE (STC 5/1981, FJ 8). Para hacer valer estos límites, no es inconstitucional sujetar el ideario del centro a un sistema de autorización (*ibídem*).

Respecto de la libertad de cátedra (artículo 20.1.c) CE), en cuanto que especie del género libertad de enseñanza, el Tribunal Constitucional ha aclarado que abarca todos los niveles educativos, no sólo el universitario, y que su ejercicio viene modulado en función de que nos encontremos en la enseñanza pública o en la privada. Así, mientras en la primera la libertad de cátedra «habilita al docente para resistir cualquier mandato de dar a su enseñanza una orientación ideológica determinada», siendo «incompatible con la existencia de una ciencia o doctrina oficiales» (*ibídem*), en la enseñanza privada la libertad de cátedra aparece modulada por el ideario propio del centro educativo (*ibídem*, FJ 10). La armonización de los derechos que se encuentran aquí en juego, cuales son la libertad de enseñanza en sus dos vertientes, de libertad de creación de centros docentes y de libertad de cátedra, así como el derecho de madres y padres a elegir el tipo de educación que desean para sus hijas/os, la armonización de estos derechos, decía, es una labor necesariamente delicada, que no admite soluciones predefinidas, y que en todo caso no puede ser objeto de valoración administrativa dentro del trámite de autorización de un centro docente determinado (STC 77/1985, FJ 10). La constitucionalidad de la opción legislativa por una solución más favorable a uno u otro de esos derechos debe ser valorada, no porque se acerque más o menos a un determinado ideal de armonización de los derechos concernidos, sino por la interdicción constitucional de los excesos a favor de alguno/s de ellos en detrimento de otro/s. Ello se pone de manifiesto en las SSTC 5/1981 y 77/1985, que afirman la conformidad constitucional de opciones diversas en este punto.

Pese a abarcar todos los niveles educativos, el ejercicio del derecho a la libertad de cátedra viene también modulado en función del nivel en que nos encontremos. Así, a medida que ascendemos en la escala educativa, y a medida que, con ese ascenso, disminuye el grado de concreción de los planes de estudios establecidos por la autoridad competente, se incrementa también la capacidad de quien ejerce la docencia para determinar el contenido de su enseñanza (STC 5/1981, FJ 9). Una capacidad que abarca, efectivamente, dicho contenido, pero no, o no con la misma intensidad, la elección de las asignaturas objeto de docencia. Ello es así incluso a nivel universitario, donde ésta es una competencia de los Departamentos, con el límite de que no pueden hacer de ella un ejercicio injustificado (STC 176/1996). Como tampoco abarca la libertad de cátedra la elección del sistema que se vaya a seguir para la evaluación de los contenidos impartidos, elección que forma parte de la capacidad de autoorganización de los centros docentes a todos los niveles, incluido el universitario, donde además entra en juego la autonomía universitaria (STC 217/1992).

El artículo 27 CE concluye con el reconocimiento como derecho fundamental de la autonomía universitaria. Se trata de un derecho fundamental de configuración legal (STC 26/1987), cuyos titulares son las universidades (STC 183/2011). Es por ello un derecho fundamental singular, el único que tiene a personas jurídicas como únicos titulares, si bien su «contenido esencial» está formado por todos los elementos necesarios para el aseguramiento de la libertad académica» (STC 26/1987, FJ 4), conectando así su disfrute por quienes integran una comunidad universitaria con el ejercicio de los derechos individuales reconocidos en el artículo 27 CE. Más allá de este contenido esencial, la autonomía universitaria está sujeta a los límites derivados del ejercicio de otros derechos fundamentales, y a los que le sean impuestos por los poderes públicos, así como a las limitaciones propias del servicio público que desempeña. En efecto, la propia «existencia de un sistema universitario nacional exige la existencia de instancias coordinadoras» (*ibídem*). Atender a las exigencias del servicio público universitario justifica que las estructuras básicas de las universidades sean susceptibles de regulación por ley, al menos en cuanto al marco general y siempre en términos razonables, pudiendo limitarse así una de las potestades que integran el contenido esencial de su autonomía como es «la creación de estructuras específicas que actúen como soporte de la investigación y la docencia» (SSTC 87/2014, FJ 7; 156/1994). Y es que la autonomía universitaria se proyecta internamente «en la autoorganización de los medios de que dispongan las Universidades para cumplir y desarrollar las funciones que, al servicio de la sociedad, les han sido asignadas», y la adopción de actos administrativos en el marco de esa capacidad autoorganizativa; pero no se proyecta externamente en lo que concierne a cuáles han de ser dichos medios, como el número de centros con que cuenta cada universidad (STC 106/1990, FJ 7) o como la determinación de la edad de jubilación de su profesorado (STC 44/2016 —*vid*. nota 14), cuetiones que deben ser determinadas por los poderes públicos. La autonomía universitaria tampoco abarca, en fin, el derecho a la creación de universidades privadas, ubicable más bien en el artículo 27.6 CE (STC 223/2012).

LEGISLACIÓN

LO 8/1985, de 3 de julio, reguladora del derecho a la educación; LO 6/2001, de 21 de diciembre, de Universidades; LO 2/2006, de 3 de mayo, de educación; LO 8/2013, de 9 de diciembre, para la mejora de la calidad educativa; Ley 4/2019, de 7 de marzo, de mejora de las condiciones para el desempeño de la docencia y la enseñanza en el ámbito de la educación no universitaria.

BIBLIOGRAFÍA

AA.VV. (1983): «Alcance y significado de los derechos fundamentales en el ámbito de la educación», *REDC* 7; AA.VV. (1998): *Cuadernos Constitucionales de la Cátedra Fadrique Furió Ceriol* 22/23 (monográfico sobre autonomía universitaria y libertad de cátedra); ALBERTÍ ROVIRA, E. (1995): «El régimen lingüístico de la enseñanza (Comentarios a la STC 337/1.994, de 23 de diciembre)», *REDC* 44, pp. 247-261; ASÍS ROIG, A. de (1990): «Autonomía universitaria y derechos fundamentales», *ADH* 7, pp. 23-59; BARNES VÁZQUEZ, J. (1984): «La educación en la Constitución española de 1978. Una reflexión conciliadora», *REDC* 12, pp. 23-65; BORRAJO INIESTA, I. (2002) «El derecho a la educación en libertad: esquema de interpretación», *La democracia constitucional: Estudios en homenaje al profesor Francisco Rubio Llorente*, Madrid: Congreso de los Diputados, pp. 657-670; CÁMARA VILLAR, G., (2002): «El derecho a la educación», *Comentario a la Constitución socio-económica de España* (C. Molina Navarrete, J.L. Monereo Pérez, y M.N. Moreno Vida, coords.), Granada: Comares, pp. 979-1034; (2002): «La autonomía universitaria en España», *La democracia constitucional: Estudios en homenaje al profesor Francisco Rubio Llorente*, Madrid: Congreso de los Diputados, pp. 671-704; CASTILLO CÓRDOVA, L. (2006): *Libertad de cátedra en una relación laboral con ideario: hacia una interpretación armonizadora de las distintas libertades educativas*, Valencia: Tirant lo Blanch; CONTRERAS MAZARIO, J. M. (1992): *La enseñanza de la religión en el sistema educativo*, Madrid: CEC; DÍAZ REVORIO, F. J. (1998), «El derecho a la educación», *Parlamento y Constitución* 2, pp. 267-305; (2002): «Comunidades Autónomas y educación», *Revista Jurídica de Castilla-La Mancha* 32, pp. 85-130; EMBID IRUJO, A. (1985): *Las libertades de la enseñanza*, Madrid: Tecnos; (1985): «La jurisprudencia del Tribunal Constitucional sobre la enseñanza», *REDC* 15, pp. 181-203; «Minorías sociales y derecho a la educación», *REDA* 123, pp. 375-394; EXPÓSITO GÓMEZ, E. (1995): *La libertad de cátedra*, Madrid: Tecnos; FERNÁNDEZ RODRÍGUEZ, T.R. (1982): La autonomía universitaria: ámbito y límites, Madrid: Civitas; FERNÁNDEZ-MIRANDA Y CAMPOAMOR, A., (1988): *De la libertad de enseñanza al derecho a la educación. Los derechos educativos en la Constitución española*, Madrid: CEURA; FERNÁNDEZ-MIRANDA CAMPOAMOR, A. y SÁNCHEZ NAVARRA. A.J. (1996): «Artículo 27: Enseñanza», *Comentarios a la Constitución Española de 1978* (O. Alzaga Villamil ed.), Madrid: Cortes Generales-EDERSA, Tomo III, pp. 157-272; LEGUINA VILLA, J. (1991): «La autonomía universitaria en la jurisprudencia del Tribunal Constitucional», Estudios sobre la Constitución Española. Homenaje al Profesor Eduardo García de Enterría, Madrid: Civitas, pp. 1199-1212; LOPEZ JURADO, F. (1991): *La autonomía universitaria como derecho fundamental*, Madrid: Civitas; LOZANO, B. (1995): *La libertad de cátedra*, Madrid: UNED-Marcial Pons; NAVAS SÁNCHEZ, M.M. (2019): "¿Diferenciar o segregar por razón de sexo? A propósito de la constitucionalidad de la educación diferenciada por sexo y su financiación pública. Comentario a la STC 31/2018 y conexas", *TyRC* 43, pp. 473-498; OLIVER ARAUJO, J. (1991): «Alcance y significado de la autonomía universitaria según la doctrina del Tribunal Constitucional», *RDP* 33, pp. 77-98; REDONDO GARCÍA, M. (2003): *Defensa de la constitución y enseñanza básica obligatoria*, Valencia: Tirant lo Blanch, SALAZAR BENÍTEZ, O. (2016): "Educación diferenciada por razón de sexo y derecho a la educación. Sobre la inconstitucionalidad de la reforma del artículo 84.3 de la Ley Orgánica de Educación", *REDC* 106, PP. 451-478; SALGUERO, M. (1997): *Libertad de cátedra y derechos de los centros educativos*, Barcelona: Ariel; SATORRAS FIORETTI, R.M. (1998): *La libertad de enseñanza en la Constitución Española*, Madrid: Marcial Pons; SOSA WAGNER, F. (2004): *El mito de la autonomía universitaria*, Madrid: Civitas; TORRES MURO, I. (2002): «La autonomía universitaria en la jurisprudencia constitucional española», *La democracia constitucional: Estudios en homenaje al profesor Francisco Rubio Llorente*, Madrid: Congreso de los Diputados, pp. 705-752; (2005): *La autonomía universitaria: aspectos constitucionales*, Madrid: CEPC; VIDAL PRADO, C. (2001): *La libertad de cátedra: un estudio comparado*, Madrid: CEPC; (2017): "El diseño constitucional de los derechos educativos ante los retos presentes y futuros", *RDP* 100, pp. 739-766;. (2017): *El derecho a la educación en España*, Madrid: Marcial Pons; VILLAR EZCURRA, J.L. (1979): «El derecho a la educación como servicio público», *RAP* 88, pp. 155-207.

I. EL DERECHO A LA EDUCACIÓN

El derecho a la educación y su contenido prestacional (artículos 27.1, 27.4 y 27.9 CE) —STC 86/1985, de 10 de julio—

La Sentencia resuelve el recurso de amparo interpuesto por el Ministerio Fiscal contra la Sentencia de la Sala Tercera del Tribunal Supremo de 24 de enero de 1985, que estimó en parte los recursos contencioso-administrativos interpuestos contra tres Ordenes del Ministerio de Educación y Ciencia de 16 de mayo de 1984, sobre régimen de subvenciones a Centros docentes.

FJ 3. [...] El derecho de todos a la educación, sobre el que en buena parte giran las consideraciones de la resolución judicial recurrida y las de quienes hoy la impugnan, incorpora así, sin duda, junto a su contenido primario de derecho de libertad, una dimensión prestacional, en cuya virtud los poderes públicos habrán de procurar la efectividad de tal derecho y hacerlo, para los niveles básicos de la enseñanza, en las condiciones de obligatoriedad y gratuidad que demanda el apartado 4.° de este art. 27 de la norma fundamental. Al servicio de tal acción prestacional de los poderes públicos se hallan los instrumentos de planificación y promoción mencionados en el núm. 5 del mismo precepto, así como el mandato, en su apartado 9.° de las correspondientes ayudas públicas a los Centros docentes que reúnan los requisitos que la Ley establezca.

El citado art. 27.9, en su condición de mandato al legislador, no encierra, sin embargo, un derecho subjetivo a la prestación pública. Esta, materializada en la técnica subvencional o de otro modo, habrá de ser dispuesta por la Ley —exigencia que, como antes decimos, invocada en la vista por la defensa de los demandados, no fue argüida en el recurso contencioso-administrativo ni tomada en cuenta por el Tribunal a quo—, Ley de la que nacerá, con los requisitos y condiciones que en la misma se establezcan, la posibilidad de instar dichas ayudas y el correlativo deber de las administraciones públicas de dispensarlas, según la previsión normativa.

El que en el art. 27.9 no se enuncie como tal un derecho fundamental a la prestación pública y el que, consiguientemente, haya de ser sólo en la Ley en donde se articulen sus condiciones y límites, no significa, obviamente, que el legislador sea enteramente libre para habilitar de cualquier modo este necesario marco normativo. La Ley que reclama el art. 27.9 no podrá, en particular, contrariar los derechos y libertades educativas presentes en el mismo artículo y deberá, asimismo, configurar el régimen de ayudas en el respeto al principio de igualdad. Como vinculación positiva, también, el legislador habrá de atenerse en este punto a las pautas constitucionales orientadoras del gasto público, porque la acción prestacional de los poderes públicos ha de encaminarse a la procuración de los objetivos de igualdad y efectividad en el disfrute de los derechos que ha consagrado nuestra Constitución (arts. 1.1, 9.2, y 31.2, principalmente). Desde esta última advertencia, por lo tanto, no puede, en modo alguno, reputarse inconstitucional el que el legislador, del modo que considere más oportuno en uso de su libertad de configuración, atienda, entre otras posibles circunstancias, a las condiciones sociales y económicas de los destinatarios finales de la educación a la hora de señalar a la Administración las pautas y criterios con arreglo a los cuales habrán de dispensarse las ayudas en cuestión. No hay, pues, en conclusión, y como dijimos en el fundamento undécimo de nuestra Sentencia de 27 de junio, un deber de ayudar a todos y cada uno de los Centros docentes, sólo por el hecho de serlo, pues la Ley puede y debe condicionar tal ayuda, de conformidad con la Constitución, en la que se enuncia, según se recordó en el mismo fundamento jurídico, la tarea que corresponde a los poderes públicos para promover las condiciones necesarias, a fin de que la libertad y la igualdad sean reales y efectivas.

Pero, justamente porque el derecho a la subvención no nace para los Centros de la Constitución, sino de la Ley, la Sentencia impugnada, al modificar las condiciones y criterios para la subvención, no ha incurrido, sólo por ello, y sea cual sea la corrección constitucional de su juicio (en la que no podemos entrar por las razones antes expuestas, pero que en modo alguno resulta vinculante para este Tribunal), en vulneración alguna de derecho fundamental, inexistente en nuestro ordenamiento como pretensión subjetiva a la prestación pública en favor de los Centros docentes privados. Tampoco, desde otra consideración, se ha deparado en ella, como en la demanda se dice, discriminación alguna, jurídicamente relevante, en disfavor de los Centros que ostentaban las condiciones hoy invalidadas. [...]

La existencia de un sistema de becas como parte del contenido del derecho a la educación (artículos 27.1, 27.4 y 27.5 CE) —STC 212/2005, de 21 de julio[1]—

La Sentencia resuelve el conflicto positivo de competencia promovido por el Consejo Ejecutivo de la Generalidad de Cataluña frente a la Orden de 1 de julio de 1996, del Ministerio de Educación y Cultura, por la que se conceden ayudas de educación especial para el curso 1996-1997.

FJ 4. Las distintas leyes orgánicas que han regulado la enseñanza en sus diversas modalidades y niveles han incidido en la necesidad de la existencia de un sistema de ayudas o subsidios para garantizar el acceso a aquélla.

En la STC 188/2001, de 20 de septiembre, FJ 4, examinamos el articulado de dichas leyes orgánicas [arts. 26.3 de la Ley Orgánica 11/1983, de 25 de agosto, de reforma universitaria; 6.1 g) de la Ley Orgánica 8/1985, de 3 de julio, de regulación del derecho a la educación; y 66.1 de la Ley Orgánica 1/1990, de 3 de octubre, de ordenación general del sistema educativo, poniendo de relieve la conexión existente entre dicho sistema de ayudas y subsidios y el derecho a la educación (art. 27 CE), concluyendo entonces que «tanto la legislación orgánica como la normativa reglamentaria configuran las becas como un elemento nuclear del sistema educativo dirigido a hacer efectivo el derecho a la educación, permitiendo el acceso de todos los ciudadanos a la enseñanza en condiciones de igualdad a través de la compensación de las condiciones socioeconómicas desfavorables que pudieran existir entre ellos, lo que determina que los poderes públicos estén obligados a garantizar su existencia y real aplicación» (STC 188/2001, FJ 4).

En este momento, la Ley Orgánica 10/2002, de 23 de diciembre, de calidad de la educación, que ha derogado buena parte de los preceptos orgánicos antes citados (disposición derogatoria única), mantiene la relevancia antes señalada de las ayudas a la enseñanza. Así, dicha Ley Orgánica dedica una parte del capítulo III de su título preliminar a las «becas y ayudas al estudio», de modo que su art. 4.1 establece que «para garantizar las condiciones de igualdad en el ejercicio del derecho a la educación y para que todos los estudiantes, con independencia de su lugar de residencia, disfruten de las mismas oportunidades, el Estado, con cargo a sus presupuestos generales, establecerá un sistema general de becas y ayudas al estudio destinado a superar los obstáculos de orden socioeconómico que, en cualquier parte del territorio, impidan o dificulten el acceso a la enseñanza no obligatoria o la continuidad de los estudios a aquellos estudiantes que estén en condiciones de usarlas con aprovechamiento». Y el mismo precepto, a continuación, también prevé que «con cargo a los Presupuestos Generales del Estado se establecerán ayudas al estudio que compensen las condiciones socioeconómicas desfavorables de los alumnos que cursen enseñanzas de los niveles obligatorios».

De la legislación orgánica aludida se desprende que el sistema de becas constituye un instrumento esencial para hacer realidad el modelo de «Estado social y democrático de derecho» que nuestra Constitución impone (art. 1.1), determinando en consecuencia que los poderes públicos aseguren que la igualdad de los individuos sea real y efecti-

---

[1]   Sobre la vinculación con el derecho a la educación de la objeción de conciencia a la asignatura *Educación para la ciudadanía, vid.* las SSTC 28/2014, de 24 de febrero, 41/2014, de 24 de marzo y 57/2014, de 5 de mayo, en las que se inadmite la demanda de amparo por falta de legitimación de las/os recurrentes, que carecían de interés legítimo por no cursar sus hijas/os respectivos la citada asignatura en el momento de interponer el recurso, así como por falta de agotamiento de la vía judicial previa —*vid.* **ARTÍCULO 16**. Sobre el fondo de la cuestión, *vid.* por todas las SSTS de 22 de febrero de 2009 (Sala Tercera)—.

va (art. 9.2 CE). De este modo se garantizan también la dignidad de la persona y el libre desarrollo de la personalidad (art. 10.1 CE) que suponen la base de nuestro sistema de derechos fundamentales.

No es otra, en definitiva, la finalidad buscada por el legislador orgánico, que en relación con este punto ha señalado en el preámbulo de la Ley Orgánica 10/2002 que el derecho a la educación se garantiza, «entre otras medidas mediante un sistema de becas y ayudas que remueva los obstáculos de orden económico que impidan o dificulten el ejercicio de dicho derecho», sistema que ha de tener especial significación cuando se trata, como en este caso, de ayudas públicas a discapacitados, los cuales pueden precisar de especiales medidas de orden compensatorio.

Contenido y titularidad del derecho a la educación (artículo 27.1, 4 y 5 CE y artículo 13.2 CE) —STC 236/2007, de 7 de noviembre (*vid.* TITULARIDAD DE LOS DERECHOS FUNDAMENTALES)[2]—

FJ 8. [...] El examen del apartado impugnado[3] debe hacerse leyéndolo conjuntamente con el apartado 1 del art. 9 de la Ley Orgánica 4/2000, objeto también de una nueva redacción por el art. 1, punto 7 de la Ley recurrida, cuya inconstitucionalidad no se ha denunciado. Este precepto dispone: «Todos los extranjeros menores de dieciocho años tienen derecho y deber a la educación en las mismas condiciones que los españoles, derecho que comprende el acceso a la enseñanza básica, gratuita y obligatoria, a la obtención de la titulación académica correspondiente y al acceso al sistema de becas y ayudas». El apartado 1 del art. 9 no exige pues la condición de «residente» para ejercer el derecho a la educación cuando se trate de la enseñanza básica, a la que pueden acceder todos los extranjeros menores de dieciocho años. Por el contrario, el apartado impugnado sí exige aquel requisito cuando se trate de la educación no obligatoria, sin hacer ninguna referencia a la edad.

De acuerdo con la legislación educativa vigente (Ley Orgánica 2/2006, de 3 de mayo, de educación), existe una coincidencia entre la enseñanza básica y la enseñanza obligatoria, pues la primera, que comprende la educación primaria y la educación secundaria obligatoria (art. 3.1), «es obligatoria y gratuita para todas las personas» (art. 4.1), mientras el bachillerato, la formación profesional de grado medio, las enseñanzas profesionales de las artes plásticas y diseño de grado medio y las enseñanzas deportivas de grado medio «constituyen la educación secundaria postobligatoria» (art. 3.4). Según esta legislación, la enseñanza básica se desarrolla, de forma regular, entre los seis y los dieciséis años de edad, si bien los alumnos tendrán derecho a permanecer en régimen ordinario cursando la enseñanza básica hasta los dieciocho años de edad (art. 4.2). Dentro de la enseñanza básica, la etapa de educación secundaria obligatoria comprende cuatro cursos que se seguirán ordinariamente entre los doce y los dieciséis años de edad (art. 22.1). La obtención del título de graduado en educación secundaria obligatoria permitirá acceder a la educación secundaria postobligatoria (art. 31.2), en concreto, al bachillerato, a la formación profesional de grado medio, a los ciclos de grado medio de artes plásticas y diseño, a las enseñanzas deportivas de grado medio y al mundo laboral (art. 31.2).

Por otra parte, la expresión «extranjeros residentes» equivale a la obtención de «la autorización de [estancia o] residencia en España», que figura en los anteriores preceptos examinados. Así se deduce de los arts. 30 bis, 31 y 32 de la Ley Orgánica 4/2000, modificada por la Ley Orgánica 8/2000, que definen legalmente las situaciones de residencia temporal y residencia permanente, ambas reservadas a quienes «se encuentren en España y sean titulares de una autorización para residir».

Aclarados estos extremos, el enjuiciamiento del precepto recurrido debe comenzar examinando el contenido del derecho a la educación constitucionalmente garantizado, específicamente en su dimensión prestacional, y después comprobar si es constitucionalmente legítima la exclusión de la educación no obligatoria de aquéllos que no ostentan la condición de residentes en España. [...]

Como ha señalado este Tribunal, la estrecha conexión de todos los preceptos incluidos en el art. 27 CE «autoriza a hablar, sin duda, en términos genéricos, como denotación conjunta de todos ellos, del derecho a la educación, o incluso del derecho de todos a la educación, utilizando como expresión omnicomprensiva la que el mencionado artículo emplea como fórmula liminar» (STC 86/1985, de 10 de julio, FJ 3).

---

2   *Vid.* también la STC 155/2015, de 9 de julio.

3   Se trata del apartado 7 del artículo primero de la Ley Orgánica 8/2000, de 22 de diciembre, de reforma de la Ley Orgánica 4/2000, de 11 de enero, sobre derechos y libertades de los extranjeros en España y su integración social, que da una nueva redacción al apartado 3 del artículo 9 de la Ley Orgánica 4/2000. El precepto dispone: «Los extranjeros residentes tendrán derecho a la educación de naturaleza no obligatoria en las mismas condiciones que los españoles. En concreto, tendrán derecho a acceder a los niveles de educación y enseñanza no previstos en el apartado anterior y a la obtención de las titulaciones que correspondan al caso, y al acceso al sistema público de becas y ayudas».

El art. 27 CE presenta una similitud significativa con el art. 26 de la Declaración universal de derechos humanos, cuyo primer apartado dispone: «Toda persona tiene derecho a la educación. La educación debe ser gratuita, al menos en lo concerniente a la instrucción elemental y fundamental. La instrucción elemental será obligatoria. La instrucción técnica y profesional habrá de ser generalizada; el acceso a los estudios superiores será igual para todos, en función de los méritos respectivos». El segundo apartado establece que «La educación tendrá por objeto el pleno desarrollo de la personalidad humana y el fortalecimiento del respeto a los derechos humanos y a las libertades fundamentales; favorecerá la comprensión, la tolerancia y la amistad entre todas las naciones todos los grupos étnicos o religiosos; y promoverá el desarrollo de actividades de las Naciones Unidas para el mantenimiento de la paz.»

El Pacto internacional de derechos civiles y políticos sólo se refiere al compromiso de los Estados de «respetar la libertad de los padres y, en su caso, de los tutores legales, para garantizar que los hijos reciban la educación religiosa y moral que esté de acuerdo con sus propias convicciones» (art. 18.4). El derecho a la educación, como tal, se recoge en el art. 13 del Pacto internacional de derechos económicos, sociales y culturales (PIDESC). En su primer apartado dispone que «Los Estados Partes en el presente Pacto reconocen el derecho de toda persona a la educación», mientras en el segundo establece que «Los Estados Partes en el presente Pacto reconocen que, con objeto de lograr el pleno ejercicio de este derecho: a) La enseñanza primaria debe ser obligatoria y asequible a todos gratuitamente; b) La enseñanza secundaria, en sus diferentes formas, incluso la enseñanza secundaria, técnica y profesional, debe ser generalizada y hacerse accesible a todos, por cuantos medios sean apropiados y, en particular, por implantación de la enseñanza gratuita; c) La enseñanza superior debe hacerse, igualmente, accesible a todos sobre la base de la capacidad de cada uno, por cuantos medios sean apropiados, y en particular, con la implantación progresiva de la enseñanza gratuita; d) Debe fomentarse e intensificarse, en la medida de lo posible, la educación fundamental para aquellas personas que no hayan recibido o terminado el ciclo completo de instrucción primaria; e) Se debe proseguir activamente el desarrollo del sistema escolar en todos los ciclos de la enseñanza, implantar un sistema adecuado de becas y mejorar continuamente las condiciones del Cuerpo docente».

Finalmente, el art. 2 del Protocolo adicional al Convenio para la protección de los derechos humanos y de las libertades fundamentales, de 20 de marzo de 1952 (Instrumento de ratificación de 2 de noviembre de 1990, BOE de 12 de enero de 1991), establece: «A nadie se le puede negar el derecho a la educación. El Estado, en el ejercicio de las funciones que asuma en el campo de la educación y de la enseñanza, respetará el derecho de los padres a asegurar esta educación y esta enseñanza conforme a sus convicciones religiosas y filosóficas».

De las disposiciones transcritas se deduce la inequívoca vinculación del derecho a la educación con la garantía de la dignidad humana, dada la innegable trascendencia que aquélla adquiere para el pleno y libre desarrollo de la personalidad, y para la misma convivencia en sociedad, que se ve reforzada mediante la enseñanza de los valores democráticos y el respeto a los derechos humanos, necesarios para «establecer una sociedad democrática avanzada», como reza el preámbulo de nuestra Constitución. […]

Nuestra jurisprudencia |vid. supra SSTC 212/2005, de 21 de julio, FJ 4, y 86/1985, FJ 3], no limita, por tanto, la dimensión prestacional del derecho consagrado en el art. 27.1 CE a la educación básica, que debe ser obligatoria y gratuita (art. 27.4 CE), sino que esa dimensión prestacional deberán hacerla efectiva los poderes públicos, garantizando «el derecho de todos a la educación mediante una programación general de la enseñanza» (art. 27.5 CE).

Por su parte, al interpretar el art. 2 del Protocolo adicional al Convenio europeo de derechos humanos, el Tribunal Europeo de Derechos Humanos ha puesto de manifiesto que los trabajos preparatorios del Convenio confirman que las partes contratantes «no reconocen un derecho a la instrucción que les obligaría a organizar a su cargo, o a subvencionar, una enseñanza de una forma o a un nivel determinados». Pero el Tribunal aclara que de ello no se deduce que en ese artículo no se consagre un «derecho», y que el Estado no tenga una obligación positiva de asegurar, en virtud del art. 1 CEDH, el respeto de tal derecho «a toda persona dependiente de la jurisdicción de un Estado contratante» (STEDH caso relativo a ciertos aspectos del régimen lingüístico en Bélgica, de 23 de julio de 1968, § 3). En esa misma resolución, el Tribunal precisa, sin embargo, que el Protocolo no obliga a los Estados a crear un sistema de enseñanza, sino únicamente a «garantizar a las personas bajo la jurisdicción de las Partes Contratantes el derecho a utilizar, en principio, los medios de instrucción que existan en un momento determinado».

Según ha declarado el Tribunal Europeo de Derechos Humanos, el art. 2 del Protocolo forma un todo ya que el primer párrafo reconoce un «derecho fundamental» de todos a la educación, sobre el cual se asienta el derecho de los padres al respeto de sus convicciones religiosas y filosóficas, consagrado en el segundo párrafo. A pesar de afirmar su carácter negativo, el Tribunal reconoce que el derecho a la educación tiene dos manifestaciones prestacionales, puesto que al prohibir el Protocolo adicional «negar el derecho a la instrucción», los Estados contratantes garantizan a cualquiera que dependa de su jurisdicción «un derecho de acceso a los establecimientos escolares que existan en un momento dado» y «la posibilidad de obtener el reconocimiento oficial de los estudios realizados» (STEDH caso Kjeldsen, de 7 de abril de 1976, § 52).

De las disposiciones constitucionales relativas al derecho a la educación, interpretadas de conformidad con la Declaración universal de derechos humanos y los tratados y acuerdos internacionales referidos, se deduce que el contenido constitucionalmente garantizado de ese derecho, en su dimensión prestacional, no se limita a la enseñanza básica, sino que se extiende también a los niveles superiores, aunque en ellos no se imponga constitucionalmente la obligatoriedad y la gratuidad.

Por otra parte, también de las disposiciones examinadas y de su recta interpretación se obtiene que el derecho a la educación garantizado en el art. 27.1 CE corresponde a «todos», independientemente de su condición de nacional o extranjero, e incluso de su situación legal en España. Esta conclusión se alcanza interpretando la expresión del art. 27.1 CE de acuerdo con los textos internacionales citados, donde se utilizan las expresiones «toda persona tiene» o «a nadie se le puede negar» el derecho a la educación. Según se ha visto, el acceso a los establecimientos escolares y el derecho a utilizar, en principio, los medios de instrucción que existan en un momento determinado, debe garantizarse, de acuerdo con el art. 1 CEDH, «a toda persona dependiente de la jurisdicción de un Estado contratante». Esta expresión contenida en el art. 1 CEDH, interpretada conjuntamente con el art. 14 CEDH (SSTEDH caso Irlanda contra Reino Unido, de 18 de enero de 1978, § 238; caso Príncipe Hans-Adams II de Lichtenstein, de 12 de julio de 2001, § 46), debe entenderse que incluye también a aquellas personas no nacionales que se encuentren en una situación irregular o ilegal.

La supresión de la residencia para el derecho a la educación no obligatoria no entrañaría, como alega el Abogado del Estado, una discriminación en perjuicio de los extranjeros regulares, puesto que aquéllos que carezcan de autorización para residir pueden ser expulsados siguiendo los procedimientos legalmente establecidos, pero mientras se encuentren en territorio español no pueden ser privados de este derecho por el legislador.

En conclusión, el contenido constitucionalmente declarado por los textos a los que se refiere el art. 10.1 CE del derecho a la educación garantizado en el art. 27.1 CE incluye el acceso no sólo a la enseñanza básica, sino también a la enseñanza no obligatoria, de la que no pueden ser privados los extranjeros que se encuentren en España y no sean titulares de una autorización para residir. El precepto impugnado impide a los extranjeros menores de dieciocho años sin autorización de estancia o residencia acceder a la enseñanza secundaria postobligatoria, a la que sin embargo pueden acceder, según la legislación educativa vigente, aquéllos que hayan obtenido el título de graduado en educación secundaria obligatoria, normalmente a la edad de dieciséis años. Ese derecho de acceso a la educación no obligatoria de los extranjeros menores de edad forma parte del contenido del derecho a la educación, y su ejercicio puede someterse a los requisitos de mérito y capacidad, pero no a otra circunstancia como la situación administrativa del menor. Por ello, debemos declarar la inconstitucionalidad del inciso «residentes» del art. 9.3 de la Ley Orgánica 4/2000, de 11 de enero, en la redacción dada por el art. 1, punto 7, de la Ley Orgánica 8/2000, de 22 de diciembre.

Derecho a la educación y participación de madres, padres y, en su caso, alumnado, en el control y gestión de centros docentes sostenidos con fondos públicos (artículo 27.1 y 7 CE) —STC 5/1981, de 13 de febrero— (*vid.* también STC 174/2006, de 5 de junio —ARTÍCULO 20—)⁴

La Sentencia resuelve el recurso de inconstitucionalidad promovido por sesenta y cuatro Senadores contra varios preceptos de la Ley Orgánica 5/1980, de 19 de junio, por la que se regula el Estatuto de Centros Escolares. Se cuestiona así la conformidad de sus artículos 15, 18 y 34 con los artículos 16.1 y 2, 20.1 b) y c) y 27.1 y 7 CE, en cuanto que reconoce «el derecho de los propietarios de los centros a establecer un ideario al que no señalan limitaciones en su alcance, por lo que puede invadir y limitar la libertad ideológica y religiosa de los profesores y su derecho a la producción, creación e investigación literaria, artística, científica y técnica y la comunicación de sus resultados; puede invadir y limitar también los derechos de los padres de los alumnos reconocidos en la Constitución y la libertad ideológica de sus alumnos».

FJ 14. El art. 34 de la LOECE [...] establece un sistema único de intervención de padres, profesores, personal no docente y, en su caso, alumnos en el control y gestión de los centros docentes privados, con independencia de que éstos estén sostenidos o no con fondos públicos, aunque, para este último supuesto prescribe también la existencia

---

4   *Vid.* también la STC 31/2018, de 10 de abril, FJ 5.

(apartado 3 d) de una Junta Económica, con la función de intervenir en el control y supervisar la gestión económica del centro. [...]

[*vid.* FJ 15 sobre la inconstitucionalidad de la remisión al reglamento de materias reservadas a la ley].

FJ 17. [...] Los apartados 2 y 3 b) del art. 34 son constitucionalmente inobjetables en cuanto referidos a los centros privados no sostenidos por fondos públicos, pero no reúnen, en cambio, los requisitos mínimos indispensables para entenderlos adecuados a la Constitución cuando han de ser utilizados como regulación del derecho que ésta otorga a los diversos estamentos componentes de la comunidad educativa para intervenir en el control y gestión de los centros sostenidos con fondos públicos, concepto, por lo demás, al que el legislador no ha dotado de la concreción necesaria para que resulte jurídicamente utilizable.

En esta situación, la inconstitucionalidad de los preceptos analizados sólo se da, pues, respecto de determinado género de centros de los que únicamente en el apartado 3 d) se hace mención específica. Procede, pues, declarar la inconstitucionalidad pura y simple de este precepto y la inconstitucionalidad referida sólo a los centros privados sostenidos con fondos públicos de los restantes preceptos del mismo art. 34, apartados 2 y 3 b), que en el presente recurso se impugnan.

FJ 18. [...] El derecho a intervenir en el control y gestión de los centros sostenidos con fondos públicos habrá de realizarse, como indica el art. 27.7 de la CE, «en los términos que la Ley establezca», remisión que se concreta correctamente en el art. 18.1 de la LOECE al puntualizar éste que tal participación se realizará «en los órganos colegiados» del centro. [...]

FJ 19. Ahora bien: el art. 18.1 no se limita a señalar que la intervención formulada en el art. 27.7 de la Constitución se ha de realizar en los órganos colegiados de gobierno del centro, sino que [...] establece imperativamente («existirá») la necesidad de que en cada centro haya una asociación de padres de alumnos «a través de la que ejercerán su participación en los órganos colegiados». [...]

[...] [E]l derecho de participación reconocido por la Constitución en el art. 27.7 está formulado sin restricciones ni condicionamientos y [...] la remisión a la Ley que haya de desarrollarlo (que es la presente Ley Orgánica) no puede en modo alguno entenderse como una autorización para que ésta pueda restringirlo o limitarlo innecesariamente, y como esto es lo que indebidamente hace el art. 18.1 de la LOECE al exigir el cauce asociativo, hay que declarar que tal precepto es inconstitucional, y que los padres podrán elegir sus representantes y ser ellos mismos elegidos en los órganos colegiados de gobierno del centro por medio de elecciones directas sin que tal elección haya de realizarse a través del cauce asociativo y debiendo interpretarse en este sentido los arts. 26.1 A.d), 26.1 B.d), 28.1 in fine y 18.2 b), todos ellos de la Ley impugnada.

El derecho de padres y madres de menores a que sus hijas/os reciban la enseñanza religiosa y moral acorde con sus convicciones (artículo 27.3 CE)[5] —SSTC 38/2007, de 15 de febrero (FJ 5); y 128/2007, de 4 de junio; y 31/2018, de 10 de abril (FJ 6) (*vid.* ARTÍCULO 16)—

Derecho a la educación y participación del profesorado en el control y gestión de centros docentes (artículo 27.7 CE): el caso del profesorado de religión en centros públicos —STC 47/1990, de 20 de marzo—

La Sentencia resuelve recurso de amparo interpuesto por la Asociación de Profesores de Religión de Centros estatales contra la Instrucción del Subsecretario de Educación y Ciencia de 3 de junio de 1986, por la que se prohíbe que los Profesores de Religión de Centros públicos estatales puedan ser candidatos al cargo de Director de sus respectivos Centros, y contra Sentencia de la Sala Quinta de lo Contencioso-Administrativo del Tribunal Supremo de 13 de octubre de 1987 por la que, en apelación, se declara inadmisible el recurso contencioso-administrativo interpuesto por la recurrente contra la mencionada Instrucción. Alega la Asociación recurrente vulneración de los derechos fundamentales de los Profesores de Religión en Centros públicos reconocidos en los artículos 14, 23.2[6] y 27.7 CE.

---

[5]   *Vid.* también SSTC 88/1983, de 27 de octubre; 82-84/1986, de 26 de junio; 123/1988, de 23 de junio; 31/2010, de 16 de julio, FJ 24; 15/2013, de 31 de enero; 48/2013, de 28 de febrero.

[6]   *Vid.* también las SSTC 82/1986, de 26 de junio; 19/1990, de 12 de febrero.

FJ 8. [...] Con independencia de que el derecho reconocido en el art. 27.7 de la Constitución está regulado en la Ley Orgánica 8/1985, de 3 de julio, del Derecho a la Educación (LODE), y no en el mencionado Acuerdo, no es dudoso que en el ámbito del recurso de amparo la jurisdicción de este Tribunal debe limitarse a comprobar si las disposiciones impugnadas han vulnerado o no el contenido de aquel derecho fundamental según resulta de su definición por la Constitución, siendo aquí indiferente si el legislador estatal ha cumplido o no los compromisos derivados de aquel Acuerdo internacional, pero incluso si se entendiese que este Acuerdo, en cuanto forma parte del ordenamiento interno, puede desarrollar válidamente en algún aspecto el art. 27.7 de la Constitución, y que así lo ha hecho efectivamente, la alegación de la parte recurrente tampoco podría ser acogida, ya que en realidad dicho Acuerdo no establece que los Profesores de Religión tengan derecho a acceder al cargo de Director de los Centros públicos de enseñanza. Y tampoco podría entenderse infringido el art. 23.2 de la Constitución en virtud de aquel razonamiento, toda vez que el citado art. 3 del Acuerdo con la Santa Sede no incorpora un criterio igualatorio entre los Profesores de Religión y los restantes Profesores del Centro, en lo que concierne a la posibilidad de ser candidatos a ocupar el cargo de Director. El citado art. 3 dispone sólo que «los Profesores de Religión formarán parte, a todos los efectos, del claustro de Profesores de los respectivos Centros», pero ello no quiere decir que hayan de tener los mismos derechos que los demás Profesores, a otros efectos que no sean los de formar parte del claustro y, por consiguiente, de ejercer las funciones propias de los miembros del claustro. Incluso si se entendiera, mediante una interpretación no ajustada al tenor de aquel precepto, y a todas luces excesiva, que se ha pretendido igualar los derechos de los Profesores de Religión y de los restantes Profesores en todos los aspectos de la gestión de los respectivos Centros, tampoco de ello resultaría una lesión de los arts. 23.2 y 27.7 de la Constitución, pues nada impediría al Estado establecer ciertos requisitos generales y objetivos para acceder al cargo de Director, tales como, por ejemplo, que los candidatos deban ser Profesores del Centro con al menos un año de permanencia en el mismo y tres de docencia, según exige el art. 37.2 de la Ley Orgánica del Derecho a la Educación o, en su caso, que tuvieran destino definitivo en el Centro. En resumidas cuentas, este último requisito no es incompatible con el criterio igualatorio que deriva del art. 3 del Acuerdo entre el Estado y la Santa Sede sobre enseñanza y asuntos culturales.

La libertad de elección de centro docente (artículo 27.1 CE) —STC 77/1985, de 27 de junio—

La Sentencia resuelve el recurso previo de inconstitucionalidad promovido por don José María Ruiz Gallardón, como Comisionado de 53 Diputados del Congreso, contra el texto definitivo del proyecto de Ley Orgánica reguladora del Derecho a la Educación (LODE).

FJ 5. Del análisis del primer motivo de inconstitucionalidad, relativo a la elección de Centro, aducido en el recurso, parece derivarse que la contradicción entre los arts. 20.2 y 53 del proyecto de Ley impugnado, y lo dispuesto en el art. 27.1 de la CE resultaría, sobre todo, más que del mandato directamente deducible de los términos del propio texto de ambos artículos, de la interpretación y consiguiente aplicación que los recurrentes presumen se dará a los mismos por parte de la Administración educativa. Procede, por tanto, examinar tanto la adecuación a la CE de la norma directamente deducible del texto de ambos preceptos, como la posibilidad o inevitabilidad de que sea interpretada en forma contraria al citado art. 27.1 de la CE

Por lo que se refiere a sus términos expresos, los preceptos impugnados constituyen un mandato a los Centros públicos (art. 20.2) y concertados (art. 53), para que, caso de insuficiencia de plazas, apliquen unos criterios prioritarios de selección, atendiendo a la situación económica de la unidad familiar, proximidad del domicilio y existencia de hermanos matriculados en el Centro.

Debe destacarse que en ninguno de los preceptos mencionados se hace referencia a adscripciones forzosas de alumnos, ni a su destino, por la Administración a Centro determinado. El término utilizado es el de «admisión», que supone la existencia de una solicitud previa del interesado. Teniendo en cuenta las previsiones del art. 20.1 —no impugnado—, en el sentido de que una programación adecuada de los puestos escolares garantizará «la posibilidad de escoger Centro docente», y del art. 4 —tampoco impugnado— en el de que padres y tutores tendrán derecho «a escoger Centro docente distinto de los creados por los poderes públicos», no resulta que los artículos impugnados vengan a contradecir esas posibilidades de elección, ya que, como se ha dicho, los criterios previstos no lo son para una adscripción o destino forzoso de los alumnos a Centros determinados, sino para una selección por carencia de plazas, y, por tanto, inevitable, sobre solicitudes preexistentes, indicando los criterios a que deben someterse los Centros públicos o concertados en tal caso.

Desde esta perspectiva, no se aprecia razón alguna para estimar la alegada inconstitucionalidad. La selección de acuerdo con los criterios previstos se produce en un momento distinto y forzosamente posterior al momento en que padres y tutores, en virtud de sus preferencias, han procedido a la elección de Centro. Los recurrentes no niegan la competencia del legislador para establecer criterios ordenadores, ni aducen que los criterios establecidos para seleccionar, de entre todas las solicitudes de admisión presentadas en función de las preferencias educativas de padres y tutores, aquellas que pueden ser atendidas resulten arbitrarias. Únicamente señalan, sin mayor fundamentación, que «el criterio de proximidad geográfica no sería enteramente el más racional». Sí se indica que, como consecuencia de la aplicación de esos criterios, cabe la posibilidad de que algún alumno, que prefiera un Centro determinado en razón de su ideario, se vea desplazado por otro que quizás tenga un interés menor por el mismo; pero de la eventual intensidad, mayor o menor, de las preferencias no puede deducirse, o debe instrumentarse jurídicamente, un derecho constitucionalmente reconocido a ocupar preferentemente una plaza en un Centro docente.

Como se deriva de los términos literales de los preceptos impugnados, la selección en ellos prevista se realizará, en su caso, entre las solicitudes formuladas, partiendo, pues, de una elección previa y no sustituyéndola en modo alguno, de forma que los criterios prioritarios señalados no reemplazan en ningún momento a la elección de padres o tutores. Por ello no se «destina», frente a lo que indican los recurrentes, a ningún solicitante a otro Centro. De las disposiciones impugnadas no resulta traba alguna para la elección inicial de Centro, ni, caso de insuficiencia de plazas, se prescinde de la voluntad expresada por padres o tutores al respecto, ya que la adjudicación de plazas se lleva a cabo entre aquellos que ya han manifestado su preferencia y realizado su elección por un Centro determinado. Por ello, y sin necesidad de entrar en el análisis del contenido del derecho indicado a la elección de Centro, más bien podría decirse que tal derecho se ve reforzado por las disposiciones impugnadas, al establecer criterios objetivos que impiden, caso de insuficiencia de plazas, una selección arbitraria por parte de los Centros públicos y concertados. [...]

El rendimiento escolar como requisito de admisión en centros escolares (artículo 27.5 CE) —STC 31/2018, de 10 de abril (*vid.* ARTÍCULO 16)—

FJ 8. El último aspecto recurrido por los diputados impugnantes es el párrafo introducido por la LOMCE en el artículo 84.2 LOE, referido a la admisión de alumnos en centros públicos y privados concertados. Dicho párrafo es del siguiente tenor:

"No obstante, aquellos centros que tengan reconocida una especialización curricular por las Administraciones educativas, o que participen en una acción destinada a fomentar la calidad de los centros docentes de las descritas en el art. 122 bis, podrán reservar al criterio del rendimiento académico del alumno o alumna hasta un 20 por ciento de la puntuación asignada a las solicitudes de admisión a enseñanzas postobligatorias. Dicho porcentaje podrá reducirse o modularse cuando sea necesario para evitar la ruptura de criterios de equidad y de cohesión del sistema."

[...] [L]a tacha concreta de inconstitucionalidad se refiere [...] a la infracción del artículo 27.5 CE, que atribuye a los poderes públicos la potestad de programación general de la enseñanza, que resultaría violentado por el hecho de atribuir a los centros docentes la facultad de ponderar ese factor de "rendimiento académico".

El establecimiento de unos criterios generales de admisión del alumnado ha sido analizado por este Tribunal desde la perspectiva del derecho de los padres a la elección de centro docente, como vertiente específica del derecho a la educación, aunque ello no significa que no esté vinculado también con la libertad de creación de centros docentes reconocida en el artículo 27.6 CE. Desde aquel punto de vista, hemos indicado en nuestra STC 77/1985, FJ 5 que el establecimiento de criterios de selección refuerza el derecho a la elección de centro, "al establecer criterios objetivos que impiden, en caso de insuficiencia de plazas, una selección arbitraria por parte de los Centros públicos y concertados". En ese sentido, con carácter general, la introducción de un criterio adicional de selección de alumnos limita las facultades de los centros docentes en el proceso de admisión. Por otro lado, no parece desproporcionado, ni desconectado teleológicamente de la finalidad de la norma, que el criterio de rendimiento académico sea tenido en cuenta precisamente en los centros que tengan reconocida la especialización curricular o que participen en una acción destinada a fomentar la calidad de los centros docentes. Una vez aceptada la existencia de ese tipo de centros, que los recurrentes no cuestionan, no resulta inaceptable en el plano constitucional que en tales centros se añada el rendimiento académico del solicitante a los criterios generales de selección del alumnado. Con ello se posibilita lograr un mejor cumplimiento de los objetivos perseguidos con la creación de esos establecimientos educativos, protegiendo simultáneamente a los alumnos con menor rendimiento frente a un posible fracaso escolar.

Derecho a la educación, competencias del Estado y derechos lingüísticos (artículos 3 y 27.1 CE) (1) —STC 87/1983, de 27 de octubre[7]—

La Sentencia resuelve los conflictos positivos de competencia acumulados, planteados, el primero por el Gobierno del Estado frente a la Orden del Departamento de Educación del Gobierno vasco, de 11 de mayo de 1982, sobre la regulación de la enseñanza en el ciclo medio de Educación General Básica, fijación de sus objetivos; y el segundo por el Gobierno vasco frente al Real Decreto 1765/1982, de 24 de julio, sobre horario de enseñanzas mínimas del ciclo medio de Educación General Básica.

FJ 4. Sentado esto, procede entrar en la primera de las cuestiones objeto del debate, que consiste en determinar si la competencia estatal para fijar las enseñanzas mínimas entraña también la competencia para establecer los horarios mínimos que han de dedicarse a tales enseñanzas. Para solucionar este primer problema, es preciso tener en cuenta la finalidad de la competencia estatal relativa a las enseñanzas mínimas, que es con toda evidencia conseguir una formación común en un determinado nivel de todos los escolares de Enseñanza General Básica, sea cual sea la Comunidad Autónoma a que pertenezcan, lo que deriva, como ya se ha dicho, de los arts. 27 y 149.1.30 de la Constitución. La homologación del sistema educativo a que se refiere el primero de los artículos citados y la regulación de las condiciones de obtención, expedición y homologación de títulos académicos y profesionales y normas básicas para el desarrollo del art. 27, a fin de garantizar el cumplimiento de las obligaciones de los poderes públicos en esta materia que atribuye al Estado en competencia exclusiva el art. 149.1.30 son los medios que la Constitución prevé para obtener ese nivel mínimo de homogeneidad en la formación de los escolares. Pero difícilmente puede conseguirse esa finalidad si no se fijan no sólo las enseñanzas mínimas sino también los horarios que se consideren necesarios para su enseñanza efectiva y completa. [...] La conclusión es, por tanto, que la competencia para fijar las enseñanzas mínimas lleva aparejada como medio natural para su ejercicio efectivo la de fijar los horarios mínimos, aunque esta última no se recoja explícitamente ni en el Estatuto de Centros Escolares ni tampoco aún en el Real Decreto 3195/1980, de 30 de diciembre, sobre transferencia de servicio en la materia al Gobierno vasco. Este último, citado expresamente por el Gobierno vasco, tiene además poca relevancia en el presente caso, pues los Decretos de Transferencias no atribuyen ni reconocen competencias, sino que se refieren a los medios materiales y humanos necesarios para ejercerlos, como ya ha declarado este Tribunal en otras ocasiones.

FJ 5. [...] El Gobierno vasco hace particular hincapié en el hecho de la cooficialidad del castellano y el euskera, en efecto todos los habitantes de Euskadi tienen el derecho a conocer y usar ambas lenguas (art. 6.1 del Estatuto). Ello supone, naturalmente, que ambas lenguas han de ser enseñadas en los centros escolares de la Comunidad con la intensidad que permita alcanzar ese objetivo [...] |artículo 3 CE]. [...] El Gobierno ha fijado unos horarios mínimos para todo el territorio nacional, y en materia lingüística los ha fijado sólo con relación al castellano, ya que al referirse a enseñanzas mínimas en todo el Estado se ha limitado correctamente a regular la enseñanza de la única lengua que es oficial en todo su territorio y que, por tanto, debe enseñarse en todo él con arreglo de unos mismos criterios concernientes tanto al contenido como a los horarios mínimos; mientras que la regulación de la enseñanza de otras lenguas oficiales corresponde a las respectivas instituciones autonómicas. Pero de las veinticinco horas semanales lectivas que normalmente comprende el horario escolar en el ciclo medio de Enseñanza General Básica, el horario mínimo fijado por el Real Decreto impugnado ocupa sólo dieciséis horas. Quedan, pues, a disposición de la Comunidad Autónoma nueve horas, más de un tercio de las veinticinco horas señaladas, lo que parece razonable para poder organizar en ese tiempo las enseñanzas de euskera, así como completar, ampliar o adaptar las enseñanzas mínimas en la forma que estime conveniente.

Derecho a la educación, competencias del Estado y derechos lingüísticos (artículos 3 y 27.1 CE) (y 2) —STC 14/2018, de 20 de febrero[8]—

La Sentencia resuelve el recurso de inconstitucionalidad interpuesto por la Generalitat de Cataluña contra la Ley Orgánica 8/2013, de 9 de diciembre, para la mejora de la calidad educativa (LOMCE), que introduce en la Ley Orgánica de Educación (LOE) la Disposición adicional trigésimo-octava, por la que se reserva al Estado la capacidad de decidir

---

[7]   *Vid.* también STC 14/2013, de 31 de enero.
[8]   *Vid.* también STC 30/2018, de 22 de marzo.

sobre la escolarización de alumnas/os en centros privados cuando la Alta Inspección de Educación compruebe que la programación anual de la Administración educativa competente no garantiza una oferta docente razonable sostenida con fondos públicos en que el castellano sea lengua vehicular. El Ministerio de Educación, Cultura y Deporte asume los gastos de escolarización privada por cuenta de la Administración educativa correspondiente, a quien los repercutirá hasta que adopte medidas adecuadas para garantizar los derechos lingüísticos individuales.

FJ 10. a) [...] Es consolidada doctrina que corresponde al Estado velar por el respeto de los derechos lingüísticos en el sistema educativo y, en particular, "el de recibir enseñanza en la lengua oficial del Estado" (SSTC 6/1982, de 22 de febrero, FJ 10; 337/1994, FJ 10, y 31/2010, FJ 24), doctrina que halla su reflejo en el artículo 150.1 d) LOE (no modificado por la LOMCE), que atribuye a la Alta Inpección de Educación, entre otras, la función de "[v]elar por el cumplimiento de las condiciones básicas que garanticen la igualdad de todos los españoles en el ejercicio de sus derechos y deberes en materia de educación, así como de sus derechos lingüísticos, de acuerdo con las disposiciones aplicables". En este marco, lo que debemos discernir en este proceso se circunscribe únicamente a determinar si la específica modalidad de intervención estatal en la escolarización de alumnos diseñada en los tres últimos párrafos de la disposición adicional trigésima octava.4 c) LOE se concilia con el poder de vigilancia conferido al Estado o si, por el contrario, desborda los límites de lo constitucionalmente admisible. [...]

b) [...] Los contornos y límites de la alta inspección del Estado han quedado delimitados con nitidez por la jurisprudencia constitucional. Comenzando por la noción acuñada en la temprana STC 6/1982, de 22 de febrero, la alta inspección "por definición actúa en un espacio fronterizo entre dos administraciones: la estatal y la de las Comunidades Autónomas" (FJ 3). El sistema de controles no se agota con los que enuncia la Constitución, sino que ha de ser completado con aquellos que pueden definir los estatutos de autonomía y las leyes orgánicas; la alta inspección educativa, prevista en ley orgánica, puede ser considerada —a condición de que su posterior regulación reglamentaria no exceda esa configuración orgánica— como un procedimiento lícito de control en la segunda de las afecciones indicadas (FJ 7). Las competencias estatales derivadas de los artículos 27 y 149.1.1 y 30 CE constituyen "facultades de un contenido estrictamente normativo que no cabe —por vía de inspección— extender a otras competencias ejecutivas que no sean las de fiscalización del cumplimiento de los contenidos normativos (es decir, 'la alta inspección'); y las inherentes a dicha fiscalización" (FJ 8). La posterior STC 32/1983, de 28 de abril, resume así esta idea central: "la alta inspección recae 'sobre la correcta interpretación de las normas estatales, así como de las que emanan de las asambleas comunitarias, en su indispensable interrelación'...). Así entendida, la alta inspección constituye una competencia estatal de vigilancia, pero no un control genérico e indeterminado que implique dependencia jerárquica de las Comunidades Autónomas respecto a la Administración del Estado, sino un instrumento de verificación o fiscalización que puede llevar en su caso a instar la actuación de los controles constitucionalmente establecidos en relación con las Comunidades Autónomas, pero no a sustituirlos convirtiendo a dicha alta inspección en un nuevo y autónomo mecanismo directo de control" [FJ 2; asimismo, SSTC 42/1983, de 20 de mayo, FJ 3 D), y 22/2012, de 16 de febrero, FJ 3]. La STC 194/1994, de 23 de junio, abunda en la misma idea, precisando que "la noción de 'alta inspección' no puede perfilarse genéricamente, haciendo abstracción de la naturaleza de las actividades sobre las que ha de proyectarse. Pero, en cualquier caso, y como principio interpretativo básico 'no pueden vaciarse, so pretexto de la alta inspección, las competencias transferidas' ... al amparo de esta genérica noción y sin matiz o condicionamiento alguno, inspección o control se han hecho equivaler indebidamente a asunción directa y exclusiva por el Estado de una competencia de ejecución que incumbiría desarrollar a la Comunidad Autónoma" (FJ 4).

Resulta de particular relevancia para este proceso reseñar que este Tribunal ha examinado asimismo la constitucionalidad de las concretas funciones y actividades atribuidas a la alta inspección, bajo una premisa común: comprobar si "la alta inspección se mantiene dentro de su carácter de función de garantía y verificación del cumplimiento de las competencias estatales y comunitarias, bien entendido que si es cierto que la alta inspección 'debe discernir las posibles disfunciones en el ámbito de las respectivas competencias del Estado y la Comunidad' ... también lo es que no debe convertirse ... en un control tutelar de la acción administrativa de la propia Comunidad" (STC 32/1983, FJ 3). Así, las funciones de la alta inspección consistentes en la "supervisión" o el "análisis" en modo alguno suponen un control, tutela o superioridad jerárquica o el ejercicio de una actividad limitadora de alguna competencia de la Comunidad, sino tan sólo el desarrollo de una actividad de tipo informativo o de comprobación (STC 32/1983, FJ 3), del mismo modo que los actos de comprobación precisos para la específica misión de la alta inspección no pueden ser actuaciones de la función ejecutiva autonómica, por definición (STC 6/1982, FJ 10). [...]

d) [...] En fin, el principio de autonomía impone otros dos límites a la configuración legislativa de mecanismos de coordinación o control, comunes para los entes locales y las Comunidades Autónomas:

En primer lugar, la intervención administrativa ha de estar suficientemente objetivada o determinada en normas de rango legal [...]

En segundo lugar [...] la exigencia de requerimiento previo, encerrada en la garantía constitucional de la autonomía local, ha de estarlo también en las garantías competenciales y de autonomía de las Comunidades Autónomas [...].

FJ 11. El modo en que ha sido diseñado el procedimiento regulado en los tres últimos párrafos del apartado c) de la disposición adicional trigésima octava.4 LOE no supera el juicio de constitucionalidad, porque ni se compadece con los límites específicamente marcados por este Tribunal a la competencia estatal sobre la alta inspección ni cumple ninguna de las dos exigencias comunes que se desprenden de la doctrina general sobre controles.

a) Desde la primera perspectiva, la intervención directa de la alta inspección en la escolarización de los alumnos en el territorio de la Comunidad Autónoma de Cataluña desborda de modo manifiesto la función de comprobación, fiscalización o verificación que hemos considerado adecuada al marco constitucional, para penetrar de lleno, precisamente, en la indebida asunción directa y exclusiva por el Estado de una competencia de ejecución propia de la Comunidad Autónoma. [...]

b) Desde la segunda perspectiva, el mandato de predeterminación normativa no puede considerarse satisfecho. En la LOE, el derecho a recibir enseñanza en castellano no es absoluto e incondicionado, sino que se configura "dentro del marco de la programación educativa", y el procedimiento de escolarización decidido por el Estado se activa a partir de la comprobación del "supuesto de hecho que determina el nacimiento de la obligación financiera", un presupuesto fáctico al que la disposición examinada no dota del mínimo grado de objetividad exigible, pues la alta inspección de educación entra en juego cuando tal programación educativa no garantice, a su juicio, una oferta docente "razonable" sostenida con fondos públicos. Algo parecido sucede con la extinción de la obligación financiera así nacida, que se produce cuando la Administración educativa adopte medidas "adecuadas" para garantizar los derechos lingüísticos individuales, aunque al menos en esta fase extintiva la disposición legal enuncia las medidas que no serán consideradas adecuadas. [...]

A ello se une que el procedimiento se diseña sin establecer un mecanismo previo de intercambio de información tendente a la siempre deseable solución de diferencias por vía de cooperación, y sin articular modalidad alguna de requerimiento previo a la Comunidad Autónoma, a la que solo se otorga "audiencia" en el seno de un procedimiento ya iniciado. [...]

En suma, con el mismo énfasis hemos de reiterar una vez más que corresponde al Estado velar por el respeto de los derechos lingüísticos en el sistema educativo, pero también que tal función ha de desplegarse sin desbordar las competencias que constitucionalmente le están reservadas y sin soslayar los límites y exigencias que ha fijado la jurisprudencia constitucional.

Derecho a la educación y a la libre elección de centro y derechos lingüísticos (artículo 27.1 CE) —STC 195/1989, de 27 de noviembre[9]—

La Sentencia resuelve el recurso de amparo presentado por don A.P. contra la negativa tácita de la Administración educativa de la Generalidad Valenciana, y contra las sentencias de la jurisdicción contencioso-administrativa que la confirmaron, a su solicitud de que se le abonasen los gastos de transporte y comedor escolar a que se veía obligado a hacer frente por estar situado el Colegio «Censal», en el que su hijo sigue estudios en valenciano, lejos del domicilio familiar. El recurrente denuncia la vulneración de su derecho a escoger libremente el Centro en que ha de seguir estudios su hijo y del principio de igualdad, en cuanto que, por haber escogido un Centro en el que la enseñanza se imparte exclusivamente en valenciano, es objeto de un trato discriminatorio frente a aquellos padres cuyos hijos reciben enseñanza en Centros en los que se utiliza el castellano como lengua educativa.

FJ 3. [...] Ninguno de los múltiples apartados del artículo 27 de la Constitución —ni el primero, al reconocer a todos el derecho a la educación, ni el segundo o el séptimo, en los que aparecen expresamente mencionados los padres de los alumnos, prescribiendo aquél la garantía por parte de los poderes públicos «del derecho que asiste a los padres para que sus hijos reciban la formación religiosa y moral que esté de acuerdo con sus propias convicciones» y

---

9   *Vid.* también las SSTC 55/1989, de 23 de febrero, FJ 2; 106/1990, de 6 de junio, FJ 6; 156/1994, de 23 de mayo, FJ 2; 47/2005, de 3 de marzo, FJ 5; y 206/2011, de 19 de diciembre, FJ 5; 87/2014, de 29 de mayo, FJ 4.

previendo éste la intervención de los padres en «el control y administración de todos los Centros sostenidos por la Administración con fondos públicos, en los términos que la Ley establezca»— incluye, como parte o elemento del derecho constitucionalmente garantizado, el derecho de los padres a que sus hijos reciban educación en la lengua de preferencia de sus progenitores en el Centro docente público de su elección. Este derecho tampoco resulta, a diferencia de lo que puede apuntarse en la demanda, de su conjunción con el art. 14 de la Constitución, pues, proyectada a este área, la prohibición de trato injustificadamente desigual que en él se establece supone, sin duda, que no puede prevalecer en el disfrute del derecho a la educación discriminación alguna basada en la lengua, pero no implica ni puede implicar que la exigencia constitucional de igualdad de los españoles ante la Ley sólo puede entenderse satisfecha, como el recurrente pretende, cuando los educandos reciban la enseñanza —en este caso, general básica— íntegramente en la lengua preferida por sus padres —en este caso, el valenciano— en un Centro docente público de su elección.

Al mismo resultado conduce la interpretación del art. 27 de la Constitución a la luz de la Declaración Universal de Derechos Humanos y los tratados y acuerdos internacionales sobre la misma materia ratificados por España que el actor propone y el art. 10.2 de la Norma fundamental ordena. Al referirse el art. 28 de la citada Declaración al derecho preferente de los padres «a escoger el tipo de educación que habrá de darse a sus hijos», e imponer los arts. 13.3 y 18.4 de los Pactos Internacionales de Nueva York sobre Derechos Económicos, Sociales y Culturales y sobre Derechos Civiles y Políticos a los Estados parte, la obligación de respetar la libertad o el derecho de los padres a que sus hijos reciban «la educación religiosa y moral que esté de acuerdo con sus propias convicciones», en términos similares a los utilizados por el art. 2 del Protocolo Adicional al Convenio Europeo para la Protección de los Derechos Humanos y Libertades Fundamentales (por lo demás no ratificado por España) que, tras proclamar que «a nadie se puede negar el derecho a la instrucción» añade que el Estado «respetará el derecho de los padres a asegurar esta educación y esta enseñanza conforme a sus convicciones religiosas y filosóficas». No puede decirse, por tanto, que recojan estos textos de modo expreso y en los términos deseados por el actor el derecho que, a su juicio, asiste a los padres a que sus hijos reciban educación en la lengua que aquéllos prefieran en el Centro docente público que elijan. No está demás señalar aquí que, precisamente a propósito del art. 2 del citado Protocolo Adicional, en relación con el art. 14 de dicho Convenio, que prohíbe discriminaciones basadas, entre otras condiciones, en la lengua, el Tribunal Europeo de Derechos Humanos ha hecho notar que la conformación de ambos preceptos no tiene «por efecto garantizar a los hijos o a sus padres el derecho a una instrucción impartida en la lengua de su elección», añadiendo que «interpretar estos dos artículos como si se reconocieran a toda persona dependiente de la jurisdicción de un Estado el derecho a ser instruido en la lengua de su elección, conduciría a resultados absurdos, ya que todos podrían así reivindicar una instrucción impartida en cualquier lengua, en cualquiera de los territorios de los Partes Contratantes» (STEDH de 23 de julio de 1968. Caso relativo a ciertos aspectos del régimen lingüístico en Bélgica).

El derecho de los padres a elegir para sus hijos centros en los que la educación obligatoria, como es el caso en el presente recurso, se imparta en una lengua que no es la oficial del Estado, sino cooficial en la Comunidad Autónoma de la que forman parte, sólo existe en consecuencia en la medida en que haya sido otorgado por la Ley. [...]

Derecho a la educación y derechos lingüísticos (artículos 3 y 27.1 CE) —STC 337/1994, de 23 de diciembre[10]—

La Sentencia resuelve la cuestión de inconstitucionalidad planteada por la Sala Tercera del Tribunal Supremo sobre los artículos 14.2 («Los niños tienen derecho a recibir la primera enseñanza en su lengua habitual, ya sea ésta el catalán o el castellano. La Administración debe garantizar este derecho y poner los medios necesarios para hacerlo efectivo. Los padres o los tutores pueden ejercerlo en nombre de sus hijos instando a que se aplique»), 14.4 («Todos los niños de Cataluña, cualquiera que sea su lengua habitual al iniciar la enseñanza, deben poder utilizar normal y correctamente el catalán y el castellano al final de sus estudios básicos»), 15, primer inciso («no se puede expedir el certificado de grado de la enseñanza general básica a ningún alumno que, habiendo empezado esta enseñanza después de publicada la presente Ley, no acredite al terminarla que tiene un conocimiento suficiente del catalán y del castellano») y 20 («Los Centros de Enseñanza deben hacer de la lengua catalana vehículo de expresión normal, tanto en las actividades internas, incluyendo las de carácter administrativo, como en las de proyección externa») de la Ley 7/1983, de 18 de abril, del Parlamento de Cataluña, sobre Normalización Lingüística.

---

[10]   *Vid.* también las SSTC 141/2013, de 11 de julio; 158-160/2013, de 26 de septiembre.

FJ 11. Aunque no exista un derecho a la libre opción de la lengua vehicular de enseñanza, ello no implica que los ciudadanos carezcan de derecho alguno frente a los poderes públicos desde la perspectiva del derecho a la educación que el art. 27 a todos garantiza. Máxime si las actuaciones de normalización lingüística vienen a incidir sobre un presupuesto tan esencial a dicho derecho fundamental como es la lengua en la que ha de impartirse la educación. En efecto, aun cuando la finalidad a alcanzar sea el dominio de la lengua castellana y de la lengua propia de la Comunidad Autónoma al término de los estudios, es evidente que quienes se incorporan al sistema educativo en una Comunidad Autónoma donde existe un régimen de cooficialidad lingüística han de recibir la educación en una lengua en la que puedan comprender y asumir los contenidos de las enseñanzas que se imparten; ya que en otro caso podrían quedar desvirtuados los objetivos propios del sistema educativo y afectada la plenitud del derecho a la educación que la Constitución reconoce. En particular y desde la perspectiva del art. 27 CE, pero también desde la relativa al art. 14 CE, resulta esencial que la incorporación a la enseñanza en una lengua que no sea la habitual se produzca bajo el presupuesto de que los ciudadanos hayan llegado a dominarla, cuando menos en la medida suficiente para que su rendimiento educativo no resulte apreciablemente inferior al que hubieran alcanzado de haber recibido la enseñanza en su lengua habitual.

La Ley catalana 7/1983, de 18 de abril, responde plenamente a estas exigencias por cuanto su art. 14.2 garantiza el derecho a iniciar la incorporación al sistema educativo en la lengua habitual; a la vez que prescribe medidas para que la lengua catalana «sea utilizada progresivamente a medida que todos los alumnos la vayan dominando» [art. 14.5 b)] [...] Consecuentemente, ello exige que los poderes autonómicos, para lograr la plena adaptación e integración de los estudiantes al sistema educativo, han de ofrecerles los medios de apoyo pedagógico adecuados que faciliten, tanto en el ciclo inicial de los estudios no universitarios como en los posteriores, el previo conocimiento de la lengua cooficial en la Comunidad Autónoma distinta del castellano.

De otro lado, respecto a quienes ya han cursado estudios en una Comunidad Autónoma donde sólo el castellano es materia obligatoria y pasan a integrarse en los Centros educativos de otra Comunidad donde existe un régimen de cooficialidad lingüística, del mencionado principio se deriva una exigencia adicional para los poderes autonómicos: la de establecer medidas de carácter flexible en la ordenación legal de las enseñanzas para atender estas especiales situaciones personales. Pues, de lo contrario, es claro que podría quedar afectada la continuidad de los estudios en todo el territorio del Estado por razón de la lengua, con evidente vulneración del derecho a la educación garantizado por el art. 27 de nuestra Norma fundamental.

FJ 14. Respecto a la enseñanza en los Centros educativos de las lenguas que son cooficiales en una Comunidad Autónoma, ha de recordarse previamente que [...] del reconocimiento de la cooficialidad del castellano y de la lengua propia de una Comunidad se deriva el mandato para los poderes públicos, estatal y autonómico, de incluir ambas lenguas cooficiales como materia de enseñanza obligatoria en los Planes de Estudio, a fin de asegurar el derecho, de raíz constitucional y estatutaria, a su utilización. Correspondiendo al Estado «regular la enseñanza de la única lengua que es oficial en todo su territorio», el castellano, mientras que «la regulación de la enseñanza de otras lenguas oficiales corresponde a las respectivas instituciones autonómicas» (STC 87/1983, fundamento jurídico 5º). [...]

FJ 17. [...] [E]n relación con el ámbito de la enseñanza hemos declarado que tanto el Estado como las Comunidades Autónomas tienen el deber de asegurar el conocimiento tanto del castellano como de las lenguas propias de aquellas Comunidades que tengan otra como oficial, deber del que hemos dicho que no deriva sólo del Estatuto sino de la misma Constitución (SSTC 87/1983, fundamento jurídico 5º y 88/1983, fundamento jurídico 4º). Y es evidente que este deber de los poderes públicos —con las consiguientes obligaciones que necesariamente se derivan para los particulares en el ámbito de la enseñanza en las Comunidades Autónomas donde existe un régimen de cooficialidad lingüística— no puede estar en oposición con las consecuencias antes mencionadas que también se desprenden del art. 3 CE respecto al uso por aquellos de las lenguas oficiales en sus relaciones con los poderes públicos, ni éstas pueden llegar a desvirtuar aquellas obligaciones. De manera que si el catalán ha de constituir materia de enseñanza obligatoria en la Comunidad Autónoma de Cataluña, por ser lengua cooficial en su territorio —como expresamente admite el Auto de planteamiento de la cuestión— no cabe excluir ulteriormente sin incurrir en contradicción un resultado que se deriva de la enseñanza de esta lengua, como es su «conocimiento suficiente» al finalizar la Enseñanza General Básica. Por lo que ha de estimarse que el primer inciso del art. 15 de la Ley 7/1983 no vulnera el art. 3.1 y 2 CE

FJ 21. [...] [N]ingún reproche puede merecer que en los Centros docentes radicados en Cataluña la lengua catalana haya de ser vehículo de expresión «normal» tanto en las actividades internas como en las de proyección exterior.

En efecto, el catalán, lengua propia de Cataluña, es lengua oficial en el territorio de la Comunidad Autónoma en virtud del art. 3.2 CE y el art. 3 del EAC y, en lo que aquí interesa, es también la lengua de la Generalidad y de la

Administración territorial catalana, de la Administración local y de las demás corporaciones públicas dependientes de la Generalidad (art. 5.1 de la Ley 7/1983). Lo que indudablemente incluye a la Administración educativa, de la que dependen los Centros docentes radicados en Cataluña en virtud de la competencia asumida en el art. 15 del EAC. Además, como se ha puesto de relieve por los intervinientes en este proceso constitucional, la mencionada Ley tiene como objetivo, perfectamente legítimo (SSTC 69/1983, 7461989 y 46/1991), el desarrollo del art. 3 del EAC «para llevar a cabo la normalización del uso de la lengua catalana en todos los ámbitos y garantizar el uso normal y oficial del catalán y del castellano» (art. 1.1). Por tanto, el deber que se contiene en el precepto cuestionado se vincula directa y exclusivamente con la finalidad de normalización del uso del catalán, que deben asumir y hacer realidad los Centros docentes situados en Cataluña; y el adjetivo «normal», que emplea el art. 20 de la Ley en relación con los fines que ésta pretende alcanzar, sólo indica el carácter de lengua usual o habitual que se quiere otorgar al catalán en las actividades oficiales de los Centros docentes.

De este modo, el significado del precepto impugnado, considerado en sí mismo y en el contexto de la Ley 7/1983, no entraña en modo alguno que el catalán haya de ser utilizado como lengua única en las relaciones de los ciudadanos con los Centros docentes situados en Cataluña, ni en las de estos con aquellos, con el consiguiente desconocimiento o exclusión del castellano. Pues hemos declarado que en los territorios dotados de un estatuto de cooficialidad lingüística, los particulares pueden emplear cualquiera de las lenguas oficiales, a su elección, «en las relaciones con cualquier poder público radicado en dicho territorio, siendo el derecho de las personas al uso de una lengua oficial un derecho fundado en la Constitución y el respectivo Estatuto de Autonomía» (STC 82/1986, fundamento jurídico 3º); facultad de elección que se reconoce expresamente en el art. 8.1 de la Ley de Normalización Lingüística en Cataluña y que no se desconoce en el precepto cuestionado, no sólo por la necesaria conexión entre ambos preceptos de la misma Ley, sino también porque el adjetivo «normal» que utiliza el art. 20 excluye la idea de deber o imposición que justificaría la duda sobre su constitucionalidad. El mandato que contiene el art. 20 de la Ley 7/1983, de 18 de abril, no resulta, pues, incompatible con el carácter cooficial del castellano en la Comunidad Autónoma de Cataluña, ni con el derecho a usarlo por quienes mantengan cualquier tipo de relación con los Centros docentes allí situados, ya se trate de los alumnos o de sus padres y familiares. Por lo que ha de estimarse que el art. 20 de la Ley 7/1983, de 18 de abril, no es contrario al art. 3.1 y 2 CE

De otra parte, no se llega a una conclusión distinta del contraste de dicho precepto constitucional en conjunción con los arts. 9.2 y 14 CE. Aun teniendo la Ley aquí considerada como objetivo principal la normalización del uso de la lengua catalana en todos los ámbitos, no cabe olvidar que también está dirigida a «garantizar el uso normal y oficial del catalán y del castellano» (art. 1.1 de la Ley, con referencia al art. 3 del EAC); y los particulares, como se acaba de indicar, pueden utilizar la lengua de su elección en sus relaciones con los Centros educativos. Por lo que no cabe entender que el precepto cuestionado sea contrario al derecho de igualdad que la Constitución reconoce ni al mandato de promover las condiciones para que la igualdad sea efectiva (art. 9.2 CE). Resultado negativo al que también conduce el contraste del precepto cuestionado con el art. 27.2 CE, ya que no cabe considerar que el uso normal y habitual del catalán en las actividades de los Centros docentes de lugar a la creación de un «entorno idiomático forzado» y distinto del familiar, que pueda afectar al pleno desarrollo de la personalidad humana como objetivo del derecho constitucional a la educación. Pues basta observar que si el catalán es lengua cooficial en Cataluña y lengua usual en la sociedad catalana, difícilmente cabe imputar al Centro docente, en atención al uso normal y habitual del catalán, la creación de un entorno que no es distinto al de la propia sociedad a la que sirve.

Derecho a la educación y escolarización obligatoria (artículos 27.1, 27.2, 27.3, 27.4 y 27.5 CE) —STC 260/1994, de 3 de octubre—

La Sentencia resuelve siete recursos de amparo interpuestos por la Generalidad de Cataluña, como institución tutelante de siete menores, contra respectivos Autos dictados por la Sección Primera de la Audiencia Provincial de Barcelona, de 21 de mayo de 1992, promovidos contra los dictados por el Juzgado de Primera Instancia núm. 19 de Barcelona, de 6 de noviembre de 1991, en los autos de Jurisdicción voluntaria seguidos a instancia del nombrado apelante por oposición a la declaración de desamparo y asunción de tutela legal realizada por Resolución de la Dirección General de Atención a la Infancia de la Generalidad de Cataluña. Los Autos recurridos estimaron la oposición de los padres de los menores, miembros de la comunidad «Niños de Dios», a las medidas de protección adoptadas por la Generalidad respecto a ellos, concretadas en la declaración de desamparo y asunción de la tutela legal realizada por la Dirección General de Atención a la Infancia. La Generalitat entiende que dichos Autos vulneran los apartados 1, 2, 3, 4 y 5 del el artículo 27 CE, en conexión con el artículo 15 CE.

FJ 2. [...] Entre las razones esgrimidas por la Generalidad para fundamentar su apreciación de que la situación de los menores exigía la asunción de la tutela figuraba la relativa a la no escolarización de los niños, pero también otras tales como las referidas a la pertenencia de sus padres a una secta religiosa.

[...] Ciertamente, la Generalidad contrae su demanda de amparo a la sola denuncia de la supuesta vulneración del derecho de los menores a la educación, sin cuestionar el acierto judicial en la apreciación y ponderación de las demás circunstancias personales y familiares invocadas en el proceso a quo para fundamentar su pretensión de asunción de la tutela. Ello no obstante, es de observar que lo debatido en aquellos procesos no era únicamente la cuestión relativa a la escolarización de los menores, sino, con mayor amplitud, la procedencia o improcedencia de la actuación de los mecanismos de la tutela legal, razón por la cual el problema de la escolarización necesariamente se diluía, hasta confundirse, con el resto de las circunstancias objeto de debate. Y, por lo mismo, las resoluciones judiciales que ahora se impugnan se han limitado, en congruencia con los términos de aquel debate, a declarar la improcedencia de la pretensión de la Generalidad y, en consecuencia, a restituir a los padres de los menores la plena potestad sobre los mismos.

Quiere esto decir que los Autos impugnados [...] no han impedido la escolarización de los menores —único supuesto en el que tal derecho podría entenderse conculcado—, sino que, simplemente, se han limitado a rechazar que la situación escolar de los menores justifique la asunción de su tutela por la Generalidad. La situación escolar, por tanto, no es, para la Audiencia, circunstancia que, en el caso, justifique las medidas administrativas de tutela, y correspondiente desposesión de la patria potestad, adoptadas por la Generalidad, sin que ello signifique, sin embargo, que se prive a los niños de su derecho a la educación.

Con la privación de la tutela no ve cercenadas o anuladas la Generalidad sus facultades en orden al aseguramiento de la debida escolarización de los menores, ni éstos su derecho a ser escolarizados, pues los Autos recurridos se limitan a dejar sin efecto la declaración de desamparo y la asunción de la tutela, sin que en modo alguno se desprenda de sus partes dispositivas que la Generalidad no pueda servirse de los instrumentos de los que legalmente está dotada para hacer efectiva la escolarización a la que todo menor tiene derecho y a cuya verificación vienen obligados quienes de ellos son responsables. Sólo en el caso de que efectivamente se impidiera el ejercicio de aquel derecho habría que entender vulnerado el derecho invocado por la actora, lo que no se deduce de los supuestos de autos.

Derecho a la educación y *homeschooling* (artículos 27.1, 27.2, 27.3, 27.4, 27.5 y 26.6 CE) —STC 133/2010, de 2 de diciembre—

La Sentencia resuelve el recurso de amparo presentado por dos padres y dos madres contra la Sentencia de la Audiencia Provincial de Málaga que confirmó en apelación la dictada por el Juzgado de Primera Instancia núm. 2 de Coín, mediante la que se ordenaba la escolarización en el ciclo escolar básico de los hijos menores de los demandantes de amparo, que recibían enseñanza en su propio domicilio. Los demandantes argumentan que la libertad para decidir que sus hijos reciban la enseñanza básica en su propio hogar se encuentra protegida por el derecho de todos a la educación y la libertad de enseñanza, y por el derecho de los padres a que sus hijos reciban una formación religiosa y moral que esté de acuerdo con sus propias convicciones (artículo 27.1 y 3 CE), sin resultar incompatible con los mandatos en virtud de los cuales la educación tendrá por objeto el pleno desarrollo de la personalidad humana en el respeto a los principios democráticos de convivencia y a los derechos y libertades fundamentales (artículo 27.2 CE), y la enseñanza básica será obligatoria y gratuita (artículo 27.4 CE).

FJ 5. [...] [E]l amparo ha de ser rechazado por dos razones, siendo la primera de ellas la de que la invocada facultad de los padres de elegir para sus hijos una educación ajena al sistema de escolarización obligatoria por motivos de orden pedagógico no está comprendida, ni siquiera prima facie, en ninguna de las libertades constitucionales que la demanda invoca y que el art. 27 CE reconoce.

a) No lo está, en primer lugar, en la libertad de enseñanza (art. 27.1 CE) de los padres, que habilita a éstos, como a cualquier persona, a enseñar a otros, en este caso a sus hijos, tanto dentro como fuera del sistema de enseñanzas oficiales. En lo que respecta a la enseñanza que se desarrolla al margen de este último, las resoluciones impugnadas y las normas que éstas aplican no impiden en modo alguno que los recurrentes enseñen libremente a sus hijos fuera del horario escolar. Por lo que atañe a la enseñanza básica, la libertad de enseñanza de los padres encuentra su cauce específico de ejercicio, por expresa determinación constitucional, en la libertad de creación de centros docentes (art. 27.6 CE). La libertad de enseñanza de los padres se circunscribe en este contexto, por tanto, a la facultad de enseñar a los hijos sin perjuicio del cumplimiento de su deber de escolarización, de una parte, y a la facultad de crear un centro docente cuyo proyecto educativo, sin perjuicio de la inexcusable satisfacción de lo previsto en el art. 27.2, 4, 5 y 8 CE, se compadezca mejor con sus preferencias pedagógicas o de otro orden.

b) La facultad invocada por los recurrentes tampoco está comprendida, en segundo lugar, en el derecho de todos a la educación (art. 27.1 CE), que, dejando ahora a un lado su dimensión prestacional, no alcanza a proteger en su condición de derecho de libertad la decisión de los padres de no escolarizar a sus hijos. Efectivamente, en lo que respecta a la determinación por los padres del tipo de educación que habrán de recibir sus hijos, ese derecho constitucional se limita, de acuerdo con nuestra doctrina, al reconocimiento prima facie de una libertad de los padres para elegir centro docente (ATC 382/1996, de 18 de diciembre, FJ 4) y al derecho de los padres a que sus hijos reciban una formación religiosa y moral que esté de acuerdo con sus propias convicciones (art. 27.3 CE), un derecho éste que, pese a la apodíctica afirmación realizada en tal sentido por los recurrentes, no se ve comprometido en el presente supuesto, en el que las razones esgrimidas por los padres para optar por la enseñanza en casa no se refieren en modo alguno al tipo de formación moral o religiosa recibida por sus hijos, sino a razones asociadas al «fracaso escolar de la 'enseñanza oficial'» e imputadas a la «asistencia obligatoria a esos centros oficiales, ya sean públicos o privados». Más allá de este doble contenido, el derecho a la educación en su condición de derecho de libertad no alcanza a proteger, siquiera sea prima facie, una pretendida facultad de los padres de elegir para sus hijos por razones pedagógicas un tipo de enseñanza que implique su no escolarización en centros homologados de carácter público o privado.

FJ 6. [...] Frente a las alegaciones realizadas por los recurrentes en su escrito de demanda, esta conclusión se ve apoyada por una interpretación del art. 27 CE «de conformidad con la Declaración Universal de los Derechos Humanos y los tratados y acuerdos internacionales sobre las mismas materias ratificados por España» (art. 10.2 CE).

a) Es cierto, por un lado, que el art. 26.3 de la Declaración Universal de los Derechos Humanos reconoce genéricamente el «derecho preferente» de los padres a «escoger el tipo de educación que habrá de darse a sus hijos», pero esta formulación no debe entenderse en el marco del art. 26 de la Declaración como un derecho general del cual el derecho reconocido en nuestro art. 27.3 CE operaría como especie, sino como una formulación genérica de este último que, por lo demás, ha de interpretarse sistemáticamente en relación con el art. 26.1 de la Declaración Universal de los Derechos Humanos, que dispone que la «instrucción elemental será obligatoria».

b) La conclusión acerca del alcance del art. 27 CE alcanzada en el fundamento jurídico anterior se corresponde con una interpretación sistemática de este precepto en relación con otros instrumentos internacionales como el Pacto Internacional de Derechos Civiles y Políticos, cuyo art. 18.4 reconoce «la libertad de los padres y, en su caso, de los tutores legales, para garantizar que los hijos reciban la educación religiosa y moral que esté de acuerdo con sus propias convicciones», o el Pacto Internacional de Derechos Económicos, Sociales y Culturales, cuyo art. 13.3 reconoce el derecho de los padres o tutores a «escoger para sus hijos o pupilos escuelas distintas de las creadas por las autoridades públicas ... y hacer que sus hijos o pupilos reciban la educación religiosa o moral que esté de acuerdo con sus propias convicciones».

c) A la misma conclusión se llega en atención al art. 2 del Protocolo adicional al Convenio europeo para la protección de los derechos humanos y de las libertades fundamentales (CEDH), que reconoce el derecho de los padres a asegurar que la educación y enseñanza de sus hijos resulte «conforme a sus convicciones religiosas y filosóficas», sin que, de acuerdo con su interpretación por parte del Tribunal Europeo de Derechos Humanos, éstas puedan amparar cualquier consideración independientemente de cuál sea su naturaleza (cfr., entre otros, caso Kjeldsen, Sentencia de 7 de diciembre de 1976).

d) Finalmente, a pesar de que en su art. 14 la Carta de los Derechos Fundamentales de la Unión Europea reconoce el «derecho de los padres a garantizar la educación y la enseñanza de sus hijos conforme a sus convicciones religiosas, filosóficas y pedagógicas», esta última precisión debe entenderse referida a aquellas opciones pedagógicas que resulten de convicciones de tipo religioso o filosófico, puesto que el art. 14 de la Carta de los Derechos Fundamentales de la Unión Europea «se inspira tanto en las tradiciones constitucionales comunes a los Estados miembros como en el artículo 2 del Protocolo Adicional al CEDH», sin que la referencia a las convicciones pedagógicas se encuentre entre las ampliaciones de este último precepto reconocidas en las explicaciones elaboradas bajo la autoridad del Praesidium de la Convención que redactó la Carta y actualizadas bajo la responsabilidad del Praesidium de la Convención Europea, y que, conforme establece la propia Carta el preámbulo y en su art. 52.7, han de servir a una interpretación genérica de los derechos por ella reconocidos.

FJ 7. Además de por esta razón, el amparo solicitado debe desestimarse por un segundo motivo: incluso en el supuesto de que la decisión de no escolarizar a los hijos propios se entendiera en el caso de autos motivada por razones de orden moral o religioso y, en esa medida, encontrara acomodo en el contenido en principio protegido por el art. 27.3

CE, que es la disposición constitucional a la que los recurrentes adscriben principalmente la posición jurídica que invocan, la imposición del deber de escolarización de los niños de entre seis y dieciséis años (arts. 9.2 LOCE y 4.2 LOE), a cuya efectividad sirven las resoluciones judiciales recurridas, constituye un límite incorporado por el legislador que resulta constitucionalmente viable por encontrar justificación en otras determinaciones constitucionales contenidas en el propio art. 27 CE y por no generar una restricción desproporcionada del derecho controvertido.

a) El art. 27.4 CE dispone que la enseñanza básica será obligatoria, pero no precisa que ésta deba configurarse necesariamente como un periodo de escolarización obligatoria, de tal manera que la decisión del legislador de imponer a los niños de entre seis y dieciséis años el deber de escolarización en centros docentes homologados —y a sus padres el correlativo de garantizar su satisfacción—, lejos de ser una operación de pura ejecución constitucional, es una de las posibles configuraciones del sistema entre las que aquél puede optar en ejercicio del margen de libre apreciación política que le corresponde en virtud del principio de pluralismo político. No obstante, esta configuración legislativa se compadece con el mandato en virtud del cual los poderes públicos deben «garantiza[r] el derecho de todos a la educación mediante la programación general de la enseñanza» (art. 27.5 CE), responde a la previsión de que «inspeccionarán y homologarán el sistema educativo para garantizar el cumplimiento de las leyes» (art. 27.8 CE), y, por lo que aquí más interesa, encuentra su justificación en la finalidad que ha sido constitucionalmente atribuida a la educación y al sistema diseñado para el desarrollo de la acción en la que ésta consiste, que «tendrá por objeto el pleno desarrollo de la personalidad humana en el respeto a los principios democráticos de convivencia y a los derechos y libertades fundamentales» (art. 27.2 CE). La educación a la que todos tienen derecho y cuya garantía corresponde a los poderes públicos como tarea propia no se contrae, por tanto, a un proceso de mera transmisión de conocimientos [cfr. art. 2.1 h) LOE], sino que aspira a posibilitar el libre desarrollo de la personalidad y de las capacidades de los alumnos [cfr. art. 2.1 a) LOE] y comprende la formación de ciudadanos responsables llamados a participar en los procesos que se desarrollan en el marco de una sociedad plural [cfr. art. 2.1 d) y k) LOE] en condiciones de igualdad y tolerancia, y con pleno respeto a los derechos y libertades fundamentales del resto de sus miembros [cfr. art. 2.1 b), c) LOE].

b) Este objetivo, complejo y plural, es el que, conforme al art. 27.2 CE, ha de perseguir el legislador y el resto de los poderes públicos a la hora de configurar el sistema de enseñanza dirigido a garantizar el derecho de todos a la educación, y el mandato de su consecución es el principio constitucional al que sirve la imposición normativa del deber de escolarización en el marco de la enseñanza básica obligatoria (arts. 9.2 LOCE y 4.2 LOE). Un principio, por lo demás, que no solo opera como directriz que la Constitución impone a los poderes públicos, y muy singularmente al legislador (arts. 27.2, 4, 5 y 8 CE), sino que integra el contenido de la dimensión prestacional del derecho de los niños a la educación (art. 27.1 CE). Incluso en el caso de que la decisión de los padres de no escolarizar a sus hijos pretendiera ampararse en el ejercicio del derecho reconocido en el art. 27.3 CE, la imposición normativa del deber de escolarización y la garantía jurisdiccional de su efectividad encontrarían justificación constitucional en el mandato dirigido a los poderes públicos por el art. 27.2 CE y en el derecho a la educación que el art. 27.1 CE reconoce a todos, incluidos los hijos de los ahora recurrentes en amparo (STC 260/1994, de 3 de octubre, FJ 2 in fine).

FJ 8. Además de encontrar justificación en otras determinaciones constitucionales contenidas en el propio art. 27 CE, la imposición de la escolarización obligatoria no genera una restricción desproporcionada del derecho alegado, tal y como este canon de control de la constitucionalidad de los límites a los derechos fundamentales ha sido interpretado por este Tribunal (recientemente, STC 60/2010, de 7 de octubre, FFJJ 9 y 12 y ss).

a) En primer lugar, los recurrentes no niegan que la configuración de la enseñanza básica como un periodo de escolarización obligatoria en centros docentes homologados represente una medida adecuada o congruente respecto de la satisfacción de la finalidad que le es propia [...].

b) [...] [S]e aduce, sin embargo, que la imposición de «la escolarización obligatoria como sinónimo de enseñanza obligatoria no supera el juicio de indispensabilidad», toda vez que «del análisis de las legislaciones de países de nuestro entorno sociocultural se deduce claramente que existen reglas que permiten conciliar, de mejor manera, los distintos intereses en juego. Medidas que, sin descartar la opción educativa del homeschooling», o enseñanza en el propio hogar, «establecen controles periódicos sobre la evaluación formativa del niño así como un seguimiento de los contenidos que se transmiten». Acaso pudiera convenirse en que esta medida alternativa, consistente en sustituir la obligación de escolarización por el establecimiento de controles administrativos sobre los contenidos de la enseñanza dispensada a los niños en el domicilio y de evaluaciones periódicas de los resultados efectivamente obtenidos desde la perspectiva de su formación, constituye un medio menos restrictivo que la imposición del deber de escolarización de cara a la satisfacción de la finalidad consistente en garantizar una adecuada transmisión de conocimientos a los alumnos. Sin embargo, según hemos indicado ésta no es la única finalidad que deben perseguir los poderes públicos a la hora de configurar el sistema educativo en general y la enseñanza básica en particular, que han de servir también a la garantía del libre desarrollo de la personalidad individual en el marco de una sociedad democrática y a la formación de ciudadanos respetuosos con los principios democráticos de convivencia y con los derechos y libertades fundamentales, una finalidad ésta que se ve satisfecha más eficazmente mediante un modelo de enseñanza básica en el que el contacto con la sociedad plural y con los diversos y heterogéneos elementos que la integran, lejos de tener lugar de manera puramente ocasional y fragmentaria, forma parte de la experiencia cotidiana que facilita la escolarización. En definitiva, la medida propuesta como alternativa en la demanda de amparo quizás resulte menos restrictiva desde la perspectiva del derecho de los padres reconocido en el art. 27.3 CE, pero en modo alguno resulta igualmente eficaz en punto a la satisfacción del mandato que la Constitución dirige a los poderes públicos en el art. 27.2 CE y que constituye, al tiempo, el contenido del derecho a la educación reconocido en el art. 27.1 CE. Por lo demás, el Tribunal Europeo de Derechos Humanos ha reconocido que la apreciación de que estos objetivos no pueden «ser satisfechos en la misma medida por la educación en el propio domicilio, incluso en el caso de que ésta permitiera a los niños la adquisición del mismo nivel de conocimientos que proporciona la educación primaria escolar … no es errónea y que cae dentro del margen de apreciación que corresponde a los Estados signatarios en relación con el establecimiento y la interpretación de las normas concernientes a sus correspondientes sistemas educativos» (caso Konrad v. Alemania, Decisión de admisibilidad de 11 de septiembre de 2006, núm. 35504-2003).

c) Los recurrentes en amparo también cuestionan que el deber de escolarización en centros educativos oficiales satisfaga el principio de proporcionalidad en sentido estricto, por entender que «las ventajas que se obtienen con la limitación del derecho [no son] superiores a los inconvenientes que se producen en este caso para los titulares de la libertad de enseñanza», teniendo en cuenta que en él «los padres, lejos de hacer dejación de sus deberes, se esfuerzan por ofrecer a sus hijos una formación más específica e individualizada». Este planteamiento también ha de ser rechazado por las tres razones siguientes. En primer lugar, es de observar que la demanda de amparo centra de nuevo el foco de atención exclusivamente en los efectos de la enseñanza proporcionada a sus hijos desde el punto de vista de la simple transmisión de conocimientos, obviando cualquier consideración acerca del mejor cumplimiento que razonablemente cabe esperar por parte del sistema de escolarización obligatoria de los complejos fines que el art. 27.2 CE atribuye a la educación a la que, por otra parte, los niños tienen derecho de acuerdo con el art. 27.1 CE. En segundo término, el alcance de la restricción operada por la decisión de configurar la enseñanza básica como un periodo de escolarización obligatoria en el contenido protegido por el derecho de los padres reconocido en los arts. 27.1 y 3 CE ha de ser en todo caso relativizado en la medida en que, según se ha advertido ya, no impide a éstos influir en la educación de sus hijos, y ello tanto fuera como dentro de la escuela: dentro de ella porque los poderes públicos siguen siendo destinatarios del deber de tener en cuenta las convicciones religiosas particulares, y también fuera de ella porque los padres continúan siendo libres para educar a sus hijos después del horario escolar y durante los fines de semana, de modo que el derecho de los padres a educar a sus hijos de conformidad con sus convicciones morales y religiosas no resulta completamente desconocido. Según ha reconocido el Tribunal Europeo de Derechos Humanos, la «escolarización obligatoria en el ámbito de la educación primaria no priva a los padres demandantes de su derecho a 'ejercer sobre sus hijos las funciones de educadores propias de su condición parental, ni a guiar a sus hijos hacia un camino que resulte conforme con sus propias convicciones religiosas o filosóficas' (véase, mutatis mutandis, Kjeldsen, Busk Madsen y Pedersen v. Dinamarca, cit., pp. 27-28, apartado 54; Efstratiou v. Grecia, Sentencia de 18 de diciembre de 1996, Repertorio de Sentencias y Decisiones, 1996-VI, p. 2359, apartado 32)» (Caso Konrad v. Alemania, Decisión de admisibilidad de 11 de septiembre de 2006, núm. 35504-2003). Pero, sobre todo —y ésta es la tercera de las razones señaladas—, debemos excluir que la restricción de este último derecho resulte manifiestamente excesiva en tanto que los padres pueden ejercer su libertad de enseñanza a través del derecho a la libre creación de centros docentes (art. 27.6 CE). Efectivamente, era ésta, y no la que representa el incumplimiento del deber legal de escolarizar a sus hijos, la opción constitucional abierta a los recurrentes como vía de plasmación de su distinta orientación educativa, y ello por más que en su articulación debiera garantizarse en todo caso, como no podría ser de otra manera en virtud del art. 27, apartados 2, 5 y 8 CE, el respeto, «[d]entro del marco de los principios constitucionales, [de] los derechos fundamentales, del servicio a la verdad, a las exigencias de la ciencia y a las restantes finalidades necesarias de la educación mencionadas, entre otros lugares, en el art. 27.2 de la Constitución y en el art. 13.1 del Pacto Internacional sobre Derechos Económicos, Sociales y Culturales y, en cuanto se trate de centros que, como aquellos a los que se refiere la Ley que analizamos, hayan de dispensar enseñanzas regladas, ajustándose a los mínimos que los poderes públicos establezcan respecto de los contenidos de las distintas materias, número de horas lectivas, etc.» (STC 5/1981, de 13 de febrero, FJ 8).

FJ 9. La Constitución española no prohíbe al legislador democrático configurar la enseñanza básica obligatoria (art. 27.4 CE) como un periodo de escolarización de duración determinada (cfr. arts. 9.2 LOCE y 4.2 LOE) durante el cual quede excluida la opción de los padres de enseñar a sus hijos en su propio domicilio en lugar de proceder a escolarizarlos. Según se ha comprobado, esa configuración legislativa no afecta en el caso presente a los derechos constitucionales de los padres (art. 27.1 y 3 CE), e incluso en el caso de que así lo hiciera habría de considerarse una medida proporcionada que encuentra justificación en la satisfacción de otros principios y derechos constitucionales (art. 27.1 y 2 CE). Con todo, ésta no es una opción que venga en todo caso requerida por la propia Constitución que, efectivamente, no consagra directamente el deber de escolarización, ni mucho menos otros aspectos más concretos de su régimen jurídico como, por ejemplo, la duración del periodo sobre el que ha de proyectarse o las circunstancias excepcionales en las que dicho deber pueda ser dispensado o verse satisfecho mediante un régimen especial. Quiere ello decir que, a la vista del art. 27 CE, no cabe excluir otras opciones legislativas que incorporen una cierta flexibilidad al sistema educativo y, en particular, a la enseñanza básica, sin que ello permita dejar de dar satisfacción a la finalidad que ha de presidir su configuración normativa (art. 27.2 CE) así como a otros de sus elementos ya definidos por la propia Constitución (art. 27.4, 5 y 8 CE). Sin embargo, la de cuáles deban ser los rasgos de esa regulación alternativa del régimen de la enseñanza básica obligatoria para resultar conforme a la Constitución es una cuestión cuyo esclarecimiento en abstracto excede las funciones propias de este Tribunal Constitucional, que no debe erigirse en un legislador positivo.

Derecho a la educación y decisión administrativa de escolarización de persona menor en centro especial: principio de proporcionalidad (artículo 27.1 y 3 CE) —STC 10/2014, de 27 de enero (*vid.* ARTÍCULO 18.1)—

FJ 3. En lo que respecta a la determinación por los padres del tipo de educación que habrán de recibir sus hijos, este Tribunal Constitucional ha afirmado que «este derecho constitucional se limita, de acuerdo con nuestra doctrina, al reconocimiento prima facie de una libertad de los padres para elegir centro docente (ATC 382/1996, de 18 de diciembre, FJ 4) y al derecho de los padres a que sus hijos reciban una formación religiosa y moral que esté de acuerdo con sus propias convicciones, art. 27.3 CE» [STC 133/2010, de 2 de diciembre, FJ 5 b)] [*vid. supra.* SSTC 86/1985, de 10 de julio, FJ 3; 5/1981, de 23 de febrero, FJ 8]. [...]

FJ 4. [...] [D]ebemos tener presente el marco normativo específico sobre el derecho a la educación de las personas con discapacidad, constituido por el art. 27 CE, que reconoce el derecho de todos a la educación, el art. 14 CE que prohíbe «discriminación alguna» por «cualquier circunstancia o condición personal» y el art. 49 CE que, sin reconocer derechos fundamentales, sí ordena a los poderes públicos realizar una política de integración de los discapacitados. Estos preceptos, como este Tribunal ha venido afirmando desde la temprana STC 38/1981, de 23 de noviembre, FJ 4, han de ser interpretados, en virtud del art. 10.2 CE, a la luz de lo dispuesto en los tratados internacionales que España haya celebrado sobre la materia.

En este sentido, cobra especial relevancia la Convención sobre los derechos de las personas con discapacidad de 13 de diciembre de 2006, ratificada por el Estado español mediante instrumento de ratificación publicado en el «BOE» el 21 de abril de 2008, que parte como principio de «la necesidad de promover y proteger los derechos humanos de todas las personas con discapacidad, incluidas aquellas que necesitan un apoyo más intenso» [preámbulo, letra j)]. Respecto del derecho a la educación, su art. 24.1 les reconoce expresamente el mismo a las personas discapacitadas, indicando que para «hacer efectivo este derecho sin discriminación y sobre la base de la igualdad de oportunidades, los Estados Partes asegurarán un sistema de educación inclusivo a todos los niveles», debiendo garantizar dichas partes, según el art. 24.2, entre otras medidas, que «las personas con discapacidad no queden excluidas del sistema general de educación», «se hagan los ajustes razonables en función de las necesidades individuales», «se preste el apoyo necesario a las personas con discapacidad, en el marco del sistema general de educación, para facilitar su formación efectiva», «se faciliten medidas de apoyo personalizadas y efectivas en entornos que fomenten al máximo el desarrollo académico y social, de conformidad con el objetivo de la plena inclusión» [letras a), c), d) y e), respectivamente]. En el art. 2 de la Convención se prohíben todas las formas de discriminación de estas personas, entre ellas «la denegación de ajustes razonables», entendiendo por éstos «las modificaciones y adaptaciones necesarias y adecuadas que no impongan una carga desproporcionada o indebida, cuando se requieran en un caso particular, para garantizar a las personas con discapacidad el goce o ejercicio, en igualdad de condiciones con las demás, de todos los derechos humanos y libertades fundamentales».

En nuestro ordenamiento la Ley Orgánica 2/2006, de 3 de mayo, de educación, también prevé en su art. 74.1 que «la escolarización del alumnado que presenta necesidades educativas especiales se regirá por los principios de normalización e inclusión y asegurará su no discriminación y la igualdad en el acceso y la permanencia en el sistema educativo», de forma que la escolarización de estas personas en unidades o centros de educación especial «sólo se llevará a cabo cuando sus necesidades no puedan ser atendidas en el marco de las medidas de atención a la diversidad de los centros ordinarios». Dicha norma dispone, por otra parte, que la valoración de las necesidades educativas de este alumnado se realizará «por personal con la debida cualificación y en los términos que determinen las Administraciones educativas», correspondiendo a éstas últimas «promover la escolarización en la educación infantil del alumnado que presente necesidades educativas especiales» (art. 74.2 y 4).

De la normativa anterior se desprende como principio general que la educación debe ser inclusiva, es decir se debe promover la escolarización de los menores en un centro de educación ordinaria, proporcionándoseles los apoyos necesarios para su integración en el sistema educativo si padecen algún tipo de discapacidad. En definitiva, la Administración educativa debe tender a la escolarización inclusiva de las personas discapacitadas y tan sólo cuando los ajustes que deba realizar para dicha inclusión sean desproporcionados o no razonables, podrá disponer la escolarización de estos alumnos en centros de educación especial. En este último caso, por respeto a los derechos fundamentales y bienes jurídicos afectados, en los términos que hemos expuesto anteriormente, dicha Administración deberá exteriorizar los motivos por los que ha seguido esta opción, es decir por qué ha acordado la escolarización del alumno en un centro de educación especial por ser inviable la integración del menor discapacitado en un centro ordinario.

FJ 5. [...] En el presente caso, no podemos afirmar que la citada resolución, que ha supuesto una decisión relevante relacionada con la educación del menor, haya vulnerado sus derechos fundamentales a la educación e igualdad por el déficit de motivación referido por la parte demandante y el Fiscal, pues de la consideración del expediente educativo del alumno en su conjunto se puede deducir sin dificultad que dicha resolución sí justifica la decisión de que el alumno continúe escolarizado en un centro de educación especial, ponderando sus especiales necesidades educativas, y lo hace mediante un razonamiento que supera el juicio de proporcionalidad exigido por nuestra doctrina en aquellos casos en los que la actuación cuestionada de los poderes públicos afecta a un derecho fundamental sustantivo (por todas SSTC 173/1995, de 21 de noviembre, FJ 2 y 96/2012, de 7 de mayo, FJ 10). [...]

En definitiva, la lectura de la resolución de 13 de octubre de 2011 impugnada, integrada con el conjunto del expediente, al que se atiene (en particular, al nuevo informe psicopedagógico realizado al alumno en septiembre de 2011), permite concluir que se exteriorizaron en la misma las razones que condujeron a la decisión de escolarización adoptada en un centro de educación especial y que éstas, además, son coherentes con la finalidad principal que se pretende, que el menor satisfaga adecuadamente sus necesidades educativas especiales, siendo respetuosas con los criterios previstos legalmente para la aplicación de este tipo de resoluciones, quedando, en consecuencia, acreditada su proporcionalidad.

FJ 6. Por otra parte, las Sentencias dictadas por el Juzgado de lo Contencioso- Administrativo núm. 1 de Palencia y por la Sala de lo Contencioso-Administrativo del Tribunal Superior de Justicia de Castilla y León, sede de Valladolid, de 9 de marzo y 26 de octubre de 2012, a las que se imputan no haber corregido las lesiones constitucionales de la Administración educativa, integran una respuesta, no solamente motivada y fundada en Derecho, sino además coherente y respetuosa con los derechos a la educación inclusiva de las personas con discapacidad y a su no discriminación por razón de esta circunstancia. [...]

Derecho a la educación en el ámbito penitenciario (artículo 27.1 CE) —STC 140/2002, de 3 de junio—

La Sentencia resuelve el recurso de amparo interpuesto por don L.M.O., interno en el Centro Penitenciario de El Dueso, contra el Auto de la Audiencia Provincial de Cantabria de 3 de noviembre de 2000 por el que se le denegaba el derecho a disponer de ordenador en su celda, derecho que había visto reconocido anteriormente cuando se hallaba en la prisión de Daroca, por Auto firme de 3 de junio de 1997 del Juzgado de Vigilancia Penitenciaria de Zaragoza. Alega el recurrente que el Auto recurrido vulnera su derecho a la educación reconocido en el artículo 27.1 CE, al limitar su tiempo de estudio.

FJ 5. [...] Como ya hemos señalado (SSTC 81/2000, de 27 de marzo, y 175/2000, de 26 de junio) «las personas recluidas en centros penitenciarios gozan de los derechos fundamentales... a excepción de los constitucionalmente restringidos» [*vid.* **ARTÍCULO 17**].

Es claro que los internos en un centro penitenciario gozan del derecho a la educación —art. 27.1 CE— y así lo reconocen los arts. 55 y siguientes LOGP. Pero tal derecho queda sujeto a las «modulaciones y matices» (STC 175/2000, ya citada) derivadas de su situación de sujeción especial, que obliga a «acatar las normas de régimen interior reguladoras de la vida del establecimiento» [art. 4.1 b) LOGP].

Desde luego, no puede desconocerse la relevancia que la utilización de medios informáticos tiene hoy en el ámbito educativo, pero esto no autoriza a alterar las reglas de la «vida del establecimiento» y que tienen por finalidad mantener el buen orden y adecuado desarrollo de aquélla, en lo que ahora importa, en materia de ordenadores —art. 129.2 RP—, para los que las normas de régimen interior, ciertamente de un alcance territorial general, establecen la necesidad de depositarlos en la Sala de Informática o en los lugares habilitados al efecto.

Y, en último término, será de indicar que no se ha privado al demandante de amparo de la posibilidad de utilizar el ordenador, sino que meramente se le ha limitado, puesto que, si no en su celda, puede usarlo en el local señalado para tal fin, lo que constituye una modulación del derecho a la educación establecida con la mencionada finalidad de «garantizar y velar por la seguridad y el buen orden regimental del centro (SSTC 57/1994, 129/1995, 35/1996)» (STC 119/1996, de 8 de julio, FJ 4).

El derecho a la educación y su contenido prestacional en el ámbito laboral (artículo 27.1 CE) —STC 129/1989, de 17 de julio—

La Sentencia resuelve el recurso de amparo presentado por dos miembros del personal no sanitario de la Ciudad Sanitaria «Virgen del Rocío» de Sevilla, matriculados como alumnos oficiales en la Facultad de Derecho de la Universidad de Sevilla desde el curso académico 1983/84, y adscritos, desde entonces hasta abril de 1986, al turno fijo de noche. El recurso se dirige contra la Sentencia de la Sala Primera del Tribunal Central de Trabajo de 22 de mayo de 1987, que confirmó su separación, desde el 20 de abril de 1986, del turno fijo de noche a raíz de su supresión, y su posterior asignación a los turnos rotatorios de mañana, tarde y noche, asignación que ha perturbado la regular prosecución de sus estudios de derecho, con vulneración de su derecho a la educación.

FJ 4. [...] Ahora bien, la existencia de un derecho como éste [el derecho de preferencia en la elección del turno de trabajo] ha sido negada por el Tribunal Central de Trabajo en una decisión basada en una interpretación de las normas legales que no resulta contraria a la Constitución. [...]

FJ 5. En el presente caso, resulta claro que la dirección hospitalaria no ha limitado de forma directa el ejercicio del derecho a la educación de la persona, es decir, no ha tratado de impedir ni prohibir que los dos empleados suyos que aquí recurren sigan realizando sus estudios. Únicamente les ha denegado, lo que era materia de concesión discrecional suya, las ventajas de gozar, frente a los demás trabajadores, del beneficio particular de un turno fijo de noche. No estamos, pues, ante una limitación del derecho a la educación de los actores, sino ante la denegación de una pretensión suya tendente a obtener un derecho, y también una ventaja, como extraíble directamente de un derecho de libertad. Admitir tal derecho y tal ventaja equivaldría a condicionar la organización productiva en su estructuración al ejercicio de derechos fundamentales de su personal fuera del tiempo de trabajo.

Pues bien, aparte de que, como en el relato de la demanda consta y en la documentación que la acompaña se confirma, la supresión por la Dirección de la Ciudad Sanitaria del turno fijo de noche en el servicio de mantenimiento no impidió a los recurrentes matricularse, al igual que venían haciéndolo anteriormente, como alumnos oficiales en los cursos correspondientes de la licenciatura de Derecho en la Universidad de Sevilla y como tales proseguir sus estudios, es lo cierto que el sistema académico ofrece en el nivel universitario diversas posibilidades que no se contraen a la que los actores parecen presentar como única; sin que, en todo caso, sea posible integrar en el art. 27.1 de la Constitución, so capa de la dimensión prestacional que junto al contenido primario de libertad ha identificado en el derecho a la educación este Tribunal (STC 86/1985, de 10 de julio, fundamento jurídico 3.º), el derecho constitucional del trabajador a exigir del empleador, con entera subordinación de su autonomía organizatoria, la disposición de los turnos de trabajo de modo tal que resulten compatibles no ya con la educación —en este caso universitaria— del trabajador, sino más concretamente con la dedicación requerida por una determinada opción académica —asistencia a clases teóricas y prácticas como alumnos oficiales en la Facultad de Derecho de la Universidad de Sevilla— elegida por el trabajador de entre otras posibles, aun cuando la modalidad elegida resulte difícilmente ajustable al régimen de jornada de trabajo o a los criterios o necesidades organizatorias del empleador.

Desde el art. 27.1 de la Constitución no puede imponerse al empresario o empleador la obligación de satisfacer de forma incondicionada la pretendida compatibilidad de la asistencia a clases del trabajador o empleado con el cumplimiento de las obligaciones derivadas de la relación de dependencia hasta el punto de que, de no hacerlo, el derecho fundamental a la educación del trabajador sufriría un padecimiento que, de no ser reparado jurisdiccionalmente, podría someterse a conocimiento de este Tribunal en sede de amparo. Entenderlo así sería tanto como desplazar sobre el empleador la carga prestacional del derecho a la educación, que sólo sobre los poderes públicos pesa, y hacer responsable a aquél del deber positivo de garantizar la efectividad del derecho fundamental, que sólo a éstos corresponde, conviniendo, en fin, el derecho fundamental a la educación en una imprevisible cláusula justificativa del incumplimiento por parte del trabajador de sus obligaciones laborales, cualesquiera que sean las medidas organizatorias que el empleador considere pertinente implantar, sustituyéndolas por otras hipotética e inaceptablemente derivadas de la norma constitucional que reconoce el derecho a la educación.

Consecuentemente, en las dificultades que, tan sólo derivadas de su relación de servicio, hayan podido encontrar en este caso los actores para hacer compatible la asistencia como alumnos oficiales a las clases impartidas en la Facultad de Derecho de la Universidad de Sevilla con el cumplimiento de la jornada de trabajo en la Ciudad Sanitaria «Virgen del Rocío», no cabe apreciar, por las razones expuestas, la vulneración del derecho a la educación garantizado en el art. 27.1 de la Constitución, ni desde este precepto hay, por tanto, tacha constitucional que oponer a la Sentencia del Tribunal Central de Trabajo de 22 de mayo de 1987, que razonablemente consideró que no se había producido la violación del derecho a la educación de los recurrentes.

II. LA LIBERTAD DE ENSEÑANZA

Contenido y límites de la libertad de enseñanza, en especial de la libertad de creación de centros docentes (artículo 27.1 y 6 CE) —STC 5/1981, de 13 de febrero (*vid. supra*)—

FJ 7. La libertad de enseñanza que explícitamente reconoce nuestra Constitución (art. 27.1) puede ser entendida como una proyección de la libertad ideológica y religiosa y del derecho a expresar y difundir libremente los pensamientos, ideas u opiniones que también garantizan y protegen otros preceptos constitucionales (especialmente arts. 16.1 y 20.1 a). Esta conexión queda, por lo demás, explícitamente establecida en el art. 9 del Convenio para la protección de los derechos humanos y de las libertades fundamentales firmado en Roma en 4 de noviembre de 1950, en conformidad con el cual hay que interpretar las normas relativas a derechos fundamentales y libertades públicas que nuestra Constitución incorpora, según dispone el artículo 10.2.

En cuanto que la enseñanza es una actividad encaminada de modo sistemático y con un mínimo de continuidad a la transmisión de un determinado cuerpo de conocimientos y valores, la libertad de enseñanza, reconocida en el art. 27.1 de la CE implica, de una parte, el derecho a crear instituciones educativas (art. 27.6) y, de otra, el derecho de quienes llevan a cabo personalmente la función de enseñar, a desarrollarla con libertad dentro de los límites propios del puesto docente que ocupan (art. 20.1 c). Del principio de libertad de enseñanza deriva también el derecho de los padres a elegir la formación religiosa y moral que desean para sus hijos (art. 27.3). Se trata en todos los casos de derechos que tienen límites necesarios que resultan de su propia naturaleza, con independencia de los que se producen por su articulación con otros derechos o de los que, respetando siempre su contenido esencial, pueda establecer el legislador.

Aunque la libertad de creación de centros docentes (art. 27.6) incluye la posibilidad de crear instituciones docentes o educativas que se sitúan fuera del ámbito de las enseñanzas regladas, la continuidad y sistematicidad de la acción educativa justifica y explica que la libertad de creación de centros docentes como manifestación específica de la libertad de enseñanza haya de moverse en todos los casos dentro de límites más estrechos que los de la pura libertad de expresión. Así, en tanto que ésta (art. 20.4 de la CE) está limitada esencialmente por el respeto a los demás derechos fundamentales y por la necesidad de proteger a la juventud y a la infancia, el ejercicio de la libertad de creación de centros docentes tiene la limitación adicional, impuesta en el mismo precepto que la consagra, del respeto a los principios constitucionales que, como los del Título Preliminar de la Constitución (libertad, igualdad, justicia, pluralismo, unidad de España, etc.), no consagran derechos fundamentales, y la muy importante, derivada del art. 27.2 de la CE, de que la enseñanza ha de servir determinados valores (principios democráticos de convivencia, etc.) que no cumplen una función meramente limitativa, sino de inspiración positiva.

Es claro, por último, que cuando en el ejercicio de esta libertad se acomete la creación de centros docentes que han de impartir enseñanzas regladas, e insertos, por tanto, en el sistema educativo, los centros creados, además de orientar su actividad, como exige el apartado segundo del art. 27, hacia el pleno desarrollo de la personalidad humana en el respeto a los principios democráticos de convivencia y a los derechos y libertades fundamentales, con las precisiones y matizaciones que de algunos aspectos de este enunciado hace el Pacto Internacional de Derechos Económicos, Sociales y Culturales (art. 13), se han de acomodar a los requisitos que el Estado imponga para los centros de cada nivel.

FJ 8. El derecho que el art. 34 de la LOECE reconoce a los titulares de los centros privados para «establecer un ideario educativo propio dentro del respeto a los principios y declaraciones de la Constitución», forma parte de la libertad de creación de centros, en cuanto equivale a la posibilidad de dotar a éstos de un carácter u orientación propios. Esta especificidad explica la garantía constitucional de creación de centros docentes que, en otro caso, no sería más que una expresión concreta del principio de libertad de empresa que también la Constitución (art. 38) consagra.

Como derivación de la libertad de creación de centros docentes, el derecho de los titulares de éstos a establecer un ideario educativo propio se mueve dentro de los límites de aquella libertad ya aludidos de manera sumaria en el apartado anterior. Es precisamente la existencia de estos límites la que hace indispensable que, como señala en su escrito el Abogado del Estado, el establecimiento de un ideario propio del centro haya de entenderse sometido al sistema de autorización reglada a que la Ley (art. 33) sujeta la apertura y funcionamiento de los centros privados, pues el establecimiento de ideario en cuanto determina el carácter propio del centro, forma parte del acto de creación.

El derecho a establecer un ideario propio como faceta del derecho a crear centros docentes, tiene los límites necesarios de este derecho de libertad. No son límites que deriven de su carácter instrumental respecto del derecho de los padres a elegir el tipo de formación religiosa y moral que desean para sus hijos, pues no hay esta relación de instrumentalidad necesaria, aunque sí una indudable interacción. El derecho de los padres a decidir la formación religiosa y moral que sus hijos han de recibir, consagrado por el art. 27.3 de la Constitución, es distinto del derecho a elegir centro docente que enuncia el art. 13.3 del Pacto Internacional de Derechos Económicos, Sociales y Culturales, aunque también es obvio que la elección de centro docente sea un modo de elegir una determinada formación religiosa y moral[11].

Tratándose de un derecho autónomo, el derecho a establecer un ideario no está limitado a los aspectos religiosos y morales de la actividad educativa. Dentro del marco de los principios constitucionales, del respeto a los derechos fundamentales, del servicio a la verdad, a las exigencias de la ciencia y a las restantes finalidades necesarias de la educación mencionadas, entre otros lugares, en el art. 27.2 de la CE y en el art. 13.1 del Pacto Internacional sobre Derechos Económicos, Sociales y Culturales y, en cuanto se trate de centros que, como aquellos a los que se refiere la Ley que analizamos, hayan de dispensar enseñanzas regladas, ajustándose a los mínimos que los poderes públicos establezcan respecto de los contenidos de las distintas materias, número de horas lectivas, etc., el ideario educativo propio de cada centro puede extenderse a los distintos aspectos de su actividad. No se trata, pues, de un derecho ilimitado ni lo consagra como tal el art. 34 de la LOECE, que explícitamente sitúa sus límites en el respeto a los principios y declaraciones de la Constitución. Este precepto sería, efectivamente, inconstitucional, como el recurrente pretende, si no señalase limitaciones al alcance del ideario, pero mediante esa referencia a los principios y declaraciones de la Constitución los establece de manera genérica y suficiente, y no puede ser tachado de inconstitucionalidad.

Libertad de enseñanza y derecho a la dirección de centros privados (artículos 27.1 y 27.6 CE) —STC 77/1985, de 27 de junio (*vid. supra*)[12]—

FJ 20. Con respecto al titular del Centro, es forzoso reconocer la existencia de un derecho de los titulares de Centros docentes privados a la dirección de los mismos, derecho incardinado en el derecho a la libertad de enseñanza de los titulares de dichos Centros. Aparte de que el acto de creación o fundación de un Centro no se agota en sí mismo, sino que tiene evidentemente un contenido que se proyecta en el tiempo y que se traduce en una potestad de dirección del titular, cabe recordar que el cuarto y último párrafo del art. 13 del Pacto Internacional de Derechos Económicos, Sociales y Culturales de 1966, ratificado por España, señala expresamente que «nada de lo dispuesto en este artículo se interpretará como una restricción de la libertad de los particulares para establecer y dirigir instalaciones de enseñanza», incluyendo así el concepto de «dirección» en un texto con el valor interpretativo que le atribuye el art. 10.2 de la C. E. Este derecho, por otra parte, no se confunde con el de fijar un carácter propio del Centro; sino por el contrario es más bien una garantía de éste último, aparte de que tenga otros contenidos.

El contenido esencial del derecho a la dirección puede precisarse, de acuerdo con la doctrina de este TC (STC 11/1981, de 8 de abril), tanto desde el punto de vista positivo como desde una delimitación negativa. Desde la primera perspectiva, implica el derecho a garantizar el respeto al carácter propio y de asumir en última instancia la responsabilidad de la gestión, especialmente mediante el ejercicio de facultades decisorias en relación con la propuesta de Estatutos y nombramiento y cese de los órganos de dirección administrativa y pedagógica y del profesorado. Desde el punto de vista negativo, ese contenido exige la ausencia de limitaciones absolutas o insalvables, o que lo despojen de la necesaria protección. De ello se desprende que el titular no puede verse afectado por limitación alguna que,

---

[11]   *Vid.* también STC 179/1996, de 12 de noviembre.
[12]   Sobre la distribución de competencias en materia de becas, *vid.* STC 188/2001, de 20 de septiembre.

aun respetando aparentemente un suficiente contenido discrecional a sus facultades decisorias con respecto a las materias organizativas esenciales, conduzca en definitiva a una situación de imposibilidad o grave dificultad objetiva para actuar en sentido positivo ese contenido discrecional.

Por ello, si bien caben, en su caso, limitaciones a tal derecho de dirección, habría de dejar a salvo el contenido esencial del mismo a que nos acabamos de referir. Una de estas limitaciones es la que resulta de la intervención estatal, respaldada constitucionalmente por el art. 27.9 de la CE, para el caso de Centros con respecto a los cuales los poderes públicos realizan una labor de ayuda, particularmente a través de la financiación total o parcial de la actividad, al disponer que «los poderes públicos ayudarán a los Centros docentes que reúnan los requisitos que la Ley establezca» con lo que, a salvo, repetimos, lo arriba dicho sobre el contenido esencial del derecho en cuestión, supone la posibilidad de establecer condicionamientos y limitaciones legales del mismo respecto a dichos Centros.

Libertad de creación de centros docentes y universidades privadas —STC 176/2015, de 22 de julio—

La Sentencia resuelve el recurso de inconstitucionalidad promovido por setenta y un diputados del Grupo Parlamentario Popular contra algunos artículos de la Ley Orgánica 6/2001, de 21 de diciembre, de Universidades, en la redacción dada por la Ley Orgánica 4/2007, de 12 de abril.

FJ 2. El primero de los preceptos impugnados es el art. 27.1 LOU, en la redacción dada a éste por el art. único, apartado 26, de la Ley Orgánica 4/2007, de 12 de abril, y que es la siguiente:

«1. Las normas de organización y funcionamiento de las universidades privadas establecerán sus órganos de gobierno y representación, así como los procedimientos para su designación y remoción, asegurando en dichos órganos, mediante una participación adecuada, la representación de los diferentes sectores de la comunidad universitaria de forma que propicie la presencia equilibrada entre mujeres y hombres. En todo caso, las normas de organización y funcionamiento de las universidades privadas deberán garantizar que las decisiones de naturaleza estrictamente académica se adopten por órganos en los que el personal docente o investigador tenga una representación mayoritaria. Igualmente, deberán garantizar que el personal docente o investigador sea oído en el nombramiento del Rector.»

Los parlamentarios recurrentes consideran, en síntesis, que esta norma vulnera el derecho fundamental a la libertad de creación de centros docentes del art. 27.6 CE, en su manifestación o vertiente de libertad organizativa o de dirección, puesto que introduce restricciones en su funcionamiento que sólo resultan admisibles, conforme a la doctrina de este Tribunal, en relación con aquellos centros privados sostenidos con fondos públicos, por así exigirlo el art. 27.7 CE, supuesto que no resulta aplicable a este caso. Tampoco explica la intervención prevista en el precepto cuestionado el derecho a la autonomía universitaria (art. 27.10 CE), cuyo ejercicio no exige un modelo de organización gestionario o autogestionario, como vendría a ser éste. Y ya en concreto, se alega que la «imposición» de que se propicie la presencia equilibrada entre hombres y mujeres en los órganos de gobierno de las universidades privadas, puede resultar contraria al principio de mérito y capacidad y, con ello, al derecho a la igualdad del art. 14 CE. [...]

[...] [E]l derecho fundamental del art. 27.6 CE, que no distingue en función del nivel educativo y por tanto ampara también, como tenemos dicho, la creación de universidades tanto públicas como privadas [SSTC 223/2012, de 29 de noviembre, FFJJ 6 y 8; 131/2013, de 5 de junio, FJ 10; 141/2013, de 11 de julio, FJ 5; 159/2013, de 26 de septiembre, FJ 5, y 160/2013, de 26 de septiembre, FJ 5], no es un derecho absoluto sino que el legislador puede actuar regulando las condiciones de su ejercicio, siempre y cuando respete su contenido esencial. El propio art. 27 CE contiene dos de esas limitaciones, las de los apartados 7 (al que se refiere la demanda) y 9 (analizado en el pasaje transcrito de la STC 77/1985), pero ambas no agotan, cabe insistir, las posibilidades de modulación en el funcionamiento del centro docente, público o privado. Sin olvidar además, que la libertad de creación referida ha de enmarcarse siempre, por mor del propio enunciado constitucional, «dentro del respeto a los principios constitucionales» (art. 27.6 CE).

Debe tenerse en cuenta además, que todas las universidades sin distinción, también por tanto las de titularidad privada (art. 3.2 LOU), realizan un «servicio público de educación superior» a través de las funciones que les asigna la Ley Orgánica de universidades en su art. 1.2: la «creación, desarrollo, transmisión y crítica» de la ciencia, la técnica y la cultura, así como la preparación para el ejercicio de actividades profesionales; funciones todas que han de prestar siempre «al servicio de la sociedad». Ello explica también que la ley de reconocimiento de las universidades privadas, exigida por el art. 4.1 LOU, venga precedida por la fijación por el Gobierno estatal de «los requisitos básicos necesarios para la creación y reconocimiento de las universidades públicas y privadas ... siendo, en todo caso, necesaria para universidades públicas y privadas la preceptiva autorización que, para el comienzo de sus actividades, otorgan las Comunidades Autónomas una vez comprobado el cumplimiento de los requisitos normativamente establecidos (art. 4.4 LOU)» [STC 223/2012, de 29 de noviembre, FJ 10]. El control del Estado, sin embargo, no se agota únicamente en ese acto inicial de reconocimiento, sino que se proyecta también en su funcionamiento, como sucede con los preceptos de la LOU que ahora se enjuician.

[S]obre el contenido esencial del derecho fundamental del art. 27.6 CE, señalamos en la misma STC 77/1985, FJ 20, que el mismo resulta predicable también «de los titulares de Centros docentes privados a la dirección de los mismos»; constituye expresión del «derecho a la libertad de enseñanza de los titulares de dichos Centros» (públicos o privados); y ofrece un carácter dinámico porque «el acto de creación o fundación de un Centro no se agota en sí mismo, sino que tiene evidentemente un contenido que se proyecta en el tiempo y que se traduce en una potestad de dirección del titular». […]

Partiendo de estas consideraciones, no cabe apreciar que las exigencias incorporadas por el art. 27.1 LOU/2007 entrañen conculcación del derecho a la libertad organizativa de los titulares de universidades privadas:

a) La del primer inciso, al disponer que las normas de organización y funcionamiento de cada universidad preverán la representación de «los diferentes sectores de la comunidad universitaria» en sus órganos de gobierno y representación, aparece como una regla inclusiva que beneficia a todos sin distinción y que, precisamente por ello, tiene por finalidad evitar discriminaciones o en su caso la imposición de decisiones que puedan afectar a cualquiera de esos colectivos (profesores, alumnos, personal de administración y servicio, etc.), sin contar con su parecer ni permitir expresarse en el proceso de toma de decisiones dentro de tales órganos. Se adopta en este aspecto, sustancialmente, el mismo modelo que rige para las universidades públicas conforme al art. 13 de la misma LOU (en la redacción dada a este último por el art. único, 10, de la Ley Orgánica 4/2007), sin que quepa encontrar motivos que justifiquen su no aplicabilidad a centros de titularidad privada.

b) Otro tanto cabe decir del segundo inciso, colofón del anterior, que refiere la necesidad de que dicha participación adecuada de todos los sectores, «propicie la presencia equilibrada entre mujeres y hombres».

Con esta medida, el legislador traslada a este ámbito de la educación universitaria, el principio que la Ley Orgánica 3/2007, de 22 de marzo para la igualdad efectiva de mujeres y hombres, incorporó como parámetro de actuación tanto en el sector público [arts. 16; 26.1 c); 27.3 e); 51 d); 52 a 54], incluyendo el educativo en todos sus niveles [art. 24.2 d)]; como en el sector privado [arts. 50.4; 75]. De acuerdo con su disposición adicional primera: «A los efectos de esta Ley, se entenderá por composición equilibrada la presencia de mujeres y hombres de forma que, en el conjunto a que se refiera, las personas de cada sexo no superen el sesenta por ciento ni sean menos del cuarenta por ciento». […]

En el presente caso, lo que pretende el art. 27.1 LOU según la Ley Orgánica 4/2007 —y también el art. 13—, es corregir la situación de desigualdad histórica de la mujer en la toma de decisiones dentro de los órganos de gobierno y representación de las instituciones universitarias, sin que se justifique excluir de esta medida a las universidades privadas. El dispositivo indica que las normas de organización de éstas tienen que «propiciar» la composición equilibrada entre mujeres y hombres, lo que presupone lógicamente que dentro del correspondiente colectivo exista un número de mujeres y hombres suficiente como para permitir la efectividad de la medida.

Cumplido este presupuesto queda a criterio de cada universidad, a falta de una indicación concreta en la LOU sobre el concreto porcentaje de equilibrio que debe alcanzarse, decidir si toman como referencia el que contiene la disposición adicional primera de la Ley Orgánica 3/2007 antes indicado (porcentaje que, ahí se señala, es vinculante «a los efectos de esta ley») u otro más cercano a la paridad.

El objetivo así trazado por la norma en examen, pues, no quiebra la igualdad. Tampoco los principios de mérito y capacidad que alega la demanda, pues dejando aparte que estos se recogen en el art. 103.3 CE para el acceso —y promoción— en la función pública (últimamente, SSTC 165/2013, de 26 de septiembre, FJ 8; 215/2013, de 19 de diciembre, FJ 6; 38/2014, de 11 de marzo, FJ 6; y 111/2014, de 26 de junio, FFJJ 1, 2; y 5), es lo cierto que el artículo cuestionado no hace desprecio de esas cualidades, que han de darse por cumplidas en quienes entran a formar parte de los órganos de gobierno y representación; es decir, «operando siempre desde el presupuesto de la capacidad y el mérito suficientes de unos y otras» (STC 13/2009, FJ 5).

c) El tercer y cuarto incisos del art. 27.1 LOU según la Ley Orgánica 4/2007, garantizan que el personal docente e investigador tenga una participación efectiva en determinados aspectos del funcionamiento de las universidades privadas, de un lado porque las decisiones «de naturaleza estrictamente académica» han de adoptarse en órganos donde aquellos tengan una representación mayoritaria; y de otro lado porque, en todo caso, han de ser «oídos» en el nombramiento del Rector.

Los recurrentes admiten que resulta «difícilmente cuestionable» la conveniencia de una formación y experiencia académica e investigadora en quienes adoptan ese tipo de decisiones, pero entienden que no debe concederse tal prerrogativa a un colectivo «no siempre fácil de delimitar». Con esta línea de razonamiento, sin embargo, no percibimos la incidencia que tal previsión puede tener con el ejercicio de la libertad de creación y funcionamiento de centros docentes (art. 27.6 CE), bajo la que se ha articulado esta primera queja de inconstitucionalidad del recurso, dado que no se defiende siquiera que deba ser el titular del Centro quien adopte las decisiones «estrictamente académicas» o que elija a la máxima autoridad a espaldas de la comunidad universitaria.

No ofrece duda que quienes están en mejor condición de ponderar las causas y las consecuencias que puede deparar cada una de las medidas que se tomen en el ámbito «estrictamente académico», son quienes imparten clases en la universidad, así como el personal investigador, aunque no sea docente, por lo que su representación en los órganos de decisión se encuentra plenamente justificada. No puede compartirse la tesis de la demanda acerca de una eventual dificultad para identificar a los miembros de dicho personal, pues todos y cada uno de quienes lo componen han de estar unidos al centro mediante vínculo contractual de prestación de servicios o becas de investigación, de todo lo cual deben guardar cumplido registro, además de su conocimiento y control por las autoridades de los centros adscritos a la universidad.

Esta exigencia, en fin, sirve al principio de libertad académica que la propia LOU garantiza para las universidades privadas, «manifestada en las libertades de cátedra, de investigación y de estudio» (art. 6.5); en orden a la mejor prestación del «servicio público de educación superior» al que antes nos referimos.

Por último, en cuanto a la regla de que deba ser «oído» el personal docente e investigador en el nombramiento del Rector, solo cabe indicar que se trata de un precepto que en modo alguno condiciona dicho nombramiento al establecerse simplemente la necesidad de una previa audiencia cuyo resultado no tiene carácter vinculante.

La libertad de creación de centros docentes y la ayuda de los poderes públicos (artículo 27.1, 6 y 9 CE) —STC 77/1985, de 27 de junio (*vid. supra*)—

FJ 11. […] [E]l precepto constitucional que se expresa en los términos «los poderes públicos ayudarán a los Centros docentes que reúnen los requisitos que la Ley establezca» no puede interpretarse como una afirmación retórica, de manera que quede absolutamente en manos del legislador la posibilidad de conceder o no esa ayuda, ya que, como señala el art. 9 de la CE, «los poderes públicos están sujetos a la Constitución» y, por ello, los preceptos de ésta —expuestos o no, como en este caso, en forma imperativa— tienen fuerza vinculante para ellos.

Ahora bien, tampoco puede aceptarse el otro extremo, esto es, el afirmar, como hacen los recurrentes, que del art. 27.9 de la CE se desprende un deber de ayudar a todos y cada uno de los Centros docentes sólo por el hecho de serlo, pues la remisión a la Ley que se efectúa en el art. 27.9 de la CE puede significar que esa ayuda se realice teniendo en cuenta otros principios, valores o mandatos constitucionales. Ejemplos de éstos podrían ser el mandato de gratuidad de la enseñanza básica (art. 27.4 de la CE), la promoción por parte de los poderes públicos de las condiciones necesarias para que la libertad y la igualdad sean reales y efectivas (arts. 1 y 9 de la CE) o la distribución más equitativa de la renta regional y personal (art. 40.1 de la CE). El legislador se encuentra ante la necesidad de conjugar no sólo diversos valores y mandatos constitucionales entre sí, sino también tales mandatos con la insoslayable limitación de los recursos disponibles. Todo ello, desde luego, dentro de los límites que la Constitución establece.

Pues bien, el art. 47.1 de la LODE viene a establecer un procedimiento para la ayuda a determinados Centros docentes, al que denomina «régimen de conciertos», y al que podrán acogerse determinados Centros privados que reúnan las condiciones que la Ley señala. Más concretamente, el régimen específico de conciertos se prevé para los Centros privados que impartan la educación básica.

Esta especificación no supone, en los términos del artículo impugnado, que se excluya en forma alguna toda ayuda estatal al resto de los Centros privados, esto es, a los que impartan enseñanzas de un nivel distinto del básico. […] Incluso, la disposición adicional tercera del proyecto prevé la posibilidad de que se acojan al régimen de conciertos, mediante acuerdos singulares, «los Centros privados de niveles no obligatorios que en la fecha de promulgación de esta Ley estén sostenidos total o parcialmente con fondos públicos».

La disposición impugnada, pues, lejos de oponerse a lo previsto en el art. 27.9 de la CE, viene precisamente a cumplir sus mandatos en lo que se refiere a un sector determinado de Centros, sin que el hecho de que en ella no se trate de otras vías de ayuda económica o de otra clase a otro tipo de Centros suponga impedir su concesión a los poderes públicos del Estado o de las Comunidades Autónomas, o contradecir los preceptos constitucionales. […]

FJ 12. […] Con respecto a la vulneración argüida por los recurrentes, de lo previsto en los apartados 1 y 6 del art. 27 de la CE, de los que resulta un reconocimiento de la libertad de enseñanza y —como una de sus manifestaciones— de la libertad de creación de Centros docentes, la regulación de un módulo económico para los Centros concertados no coarta ni limita esa libertad, sino que, más bien al contrario, contribuye a crear un mecanismo que favorece su ejercicio, puesto que se ofrece a quienes crean Centros docentes privados de enseñanza básica la posibilidad de optar por una financiación pública, sin que se impida, por otro lado, que se mantengan al margen del régimen de conciertos, si así lo prefiriesen. Por análogas razones no resulta que el art. 49.3 de la LODE vulnere la libertad de empresa reconocida en el art. 38 de la CE, pues la creación de empresas educativas resultaría, por el contrario, favorecida por la posibilidad de opción para acogerse o no al régimen de conciertos.

[Sobre la constitucionalidad de la preferencia en materia de conciertos por los Centros docentes constituidos como sociedad cooperativa (artículo 48.3); de la extensión del régimen de conciertos a «los Centros privados de niveles no obligatorios que en la fecha de promulgación de esta Ley estén sostenidos total o parcialmente con fondos públicos» (D.A. 3ª), y de la excepción del régimen general de designación de Directores de Centros sostenidos con fondos públicos y de composición del Consejo Escolar a «los titulares de Centros actualmente autorizados, con menos de diez unidades, que, ostentando la doble condición de figurar inscritos en el registro de Centros como personas físicas y ser Directores de los mismos, se acojan al régimen de conciertos» (D.A. 4ª), vid. FFJJ 30, 31 y 32, respectivamente].

Libertad de creación de centros docentes: la educación diferenciada por sexos y su financiación pública (artículos 14, 27.1, 27.2, 27.4, 27.6, 27.9 CE)[13] —STC 31/2018, de 10 de abril (vid. ARTÍCULO 16)—

FJ 4. Los recurrentes impugnan, en primer lugar, los párrafos segundo y tercero del artículo 84.3 LOE, en la nueva redacción dada al mismo por la LOMCE. El precepto dice así:

"En ningún caso habrá discriminación por razón de nacimiento, raza, sexo, religión, opinión o cualquier otra condición o circunstancia personal o social.

No constituye discriminación la admisión de alumnos y alumnas o la organización de la enseñanza diferenciadas por sexos, siempre que la enseñanza que impartan se desarrolle conforme a lo dispuesto en el artículo 2 de la Convención relativa a la lucha contra las discriminaciones en la esfera de la enseñanza, aprobada por la Conferencia General de la UNESCO el 14 de diciembre de 1960.

En ningún caso la elección de la educación diferenciada por sexos podrá implicar para las familias, alumnos y alumnas y centros correspondientes un trato menos favorable, ni una desventaja, a la hora de suscribir conciertos con las Administraciones educativas o en cualquier otro aspecto. A estos efectos, los centros deberán exponer en su proyecto educativo las razones educativas de la elección de dicho sistema, así como las medidas académicas que desarrollan para favorecer la igualdad."

[…] [L]os impugnantes cuestionan el modelo educativo consistente en la aplicación de un sistema que diferencia por sexos, ya sea en la admisión de los alumnos y alumnas, ya sea en la organización de la enseñanza. Consideran, en primer lugar, que es inconstitucional por incurrir en una discriminación prevista en el artículo 14 CE. Añaden después que, aunque fuera constitucional, las Administraciones educativas deberían poder denegar el concierto a quienes desarrollaran ese tipo de educación pues vulnera los artículos 14, 9.2 y 27.2 CE.

Con carácter previo al análisis de cada uno de los argumentos expresados en el recurso, es preciso conceptualizar la educación diferenciada por sexos. Si se tratara de una determinada concepción de la vida o cosmovisión con un contenido filosófico, moral o ideológico, ello situaría el análisis constitucional de la impugnación en la perspectiva del derecho de los padres a que sus hijos reciban la formación religiosa y moral acorde con sus propias convicciones (artículo 27.3 CE), con el contenido y los límites que le son inherentes. Pero la separación entre alumnos y alumnas en la admisión y organización de las enseñanzas responde a un modelo concreto para el mejor logro de los objetivos perseguidos comunes a cualquier tipo de enseñanza. Por lo tanto, se trata de un sistema meramente instrumental y de carácter pedagógico, fundado en la idea de optimizar las potencialidades propias de cada uno de los sexos. Así se desprende del artículo 84.3 LOE, que impone a los centros que opten por ese modelo la obligación de exponer las razones educativas de la elección de dicho sistema, lo que excluye de principio que la implantación del modelo pueda responder a otro tipo de motivaciones ajenas a las educativas.

El análisis del modelo, tal y como exponen los recurrentes, ha de efectuarse concretando, en primer lugar, si resulta posible desde la perspectiva constitucional una fórmula pedagógica que escolariza separadamente a los alumnos y a las alumnas y, en segundo lugar, si dicha fórmula permite alcanzar los objetivos que nuestra Constitución asigna a la educación, que se concretan en "el pleno desarrollo de la personalidad humana en el respeto a los principios democráticos de convivencia y a los derechos y libertades fundamentales (artículo 27.2 CE)".

---

[13]   Vid. también la STC 74/2018, de 5 de junio, que declara que la denegación del régimen de concierto educativo a colegios con un régimen de educación diferenciada por sexos vulnera los derechos reconocidos en los artículos 27.1, 27.3 y 27.9 CE, en conexión con los reconocidos en los artículos 14 y 16 CE.

a) Comenzando por el primero de los motivos impugnatorios, los recurrentes reprochan al precepto cuestionado que incurre en una discriminación prohibida por el artículo 14 CE, en su segundo inciso —"sin que pueda prevalecer discriminación alguna por razón de ... sexo"—. Entienden que la norma impugnada permite una diferencia de trato que no resulta suficientemente justificada. La vulneración constitucional que se denuncia se circunscribe, por tanto, a la eventual lesión del artículo 14 en relación con el artículo 27 CE.

[...] Adentrándonos ya en el estudio de la compatibilidad del precepto cuestionado con los derechos fundamentales de nuestra Constitución, [...] es necesario ponderar, en primer lugar, si nos encontramos aquí en el supuesto de hecho explicitado en el inciso del artículo 14 CE que proscribe la discriminación por razón de sexo. Desde una perspectiva estrictamente literal del mismo, la separación de los alumnos por sexos en el proceso educativo institucionalizado constituye una diferenciación jurídica entre niños y niñas, en concreto en cuanto al acceso al centro escolar. Sin embargo, responde a un modelo o método pedagógico que es fruto de determinadas concepciones de diversa índole que entienden que resulta más eficaz un modelo de educación de esta naturaleza que otros. En la medida en que la Constitución reconoce la libertad de enseñanza (artículo 27.1 CE), resulta conforme a ella cualquier modelo educativo que tenga por objeto el pleno desarrollo de la personalidad humana y el respeto a los principios y a los derechos y libertadas fundamentales que reconoce el artículo 27.2 CE.

[...] Por otro lado, desde el punto de vista de la cobertura constitucional de la educación diferenciada, hemos de recordar que se trata de una opción pedagógica de voluntaria adopción por los centros y de libre elección por los padres y, en su caso, por los alumnos. Como tal, forma parte del ideario educativo o carácter propio de los centros docentes que opten por tal fórmula educativa. [... vid. STC 5/1981...]. El artículo 84.3 LOE indica que el sistema de educación diferenciada deberá ser incorporado al proyecto educativo del centro que lo emplee. De acuerdo con el artículo 121.1 LOE, el proyecto educativo recogerá los "valores, los objetivos y las prioridades de actuación. Asimismo, incorporará la concreción de los currículos establecidos por la Administración educativa que corresponde fijar y aprobar al Claustro, así como el tratamiento transversal en las áreas, materias o módulos de la educación en valores y otras enseñanzas". En síntesis, en términos del artículo 121.6 LOE "el proyecto educativo de los centros privados concertados, que en todo caso deberá hacerse público, será dispuesto por su respectivo titular e incorporará el carácter propio al que se refiere el artículo 115 de esta Ley". En suma, la opción por un determinado modelo pedagógico forma parte del derecho al ideario o carácter propio del centro.

El ideario puede ser considerado en gran medida, aunque no sólo, como punto de convergencia que posibilita el ejercicio del derecho de creación de centros y el derecho de los padres a elegir el tipo de educación que desean para sus hijos, poniendo en conexión oferta y demanda educativa. Como pusimos de manifiesto en la STC 5/1981, el derecho de los titulares de centros privados a establecer un ideario propio, con los límites establecidos en el artículo 27.2 CE a los que más tarde se hará alusión, "forma parte de la libertad de creación de centros en cuanto equivale a la posibilidad de dotar a estos de un carácter u orientación propios. Esta especificidad explica la garantía constitucional de creación de centros docentes que, en otro caso, no sería más que una expresión concreta del principio de libertad de empresa que también la Constitución consagra".

La existencia de un ideario educativo es una derivación o faceta, por tanto, de la libertad de creación de centros docentes y se mueve dentro de los límites de dicha libertad. Como expusimos en nuestra STC 5/1981, la libertad de enseñanza, reconocida en el artículo 27.1 de la Constitución implica el derecho a crear instituciones educativas (artículo 27.6), aunque dentro de determinados límites, más estrechos que los de la pura libertad de expresión, con la que la libertad de enseñanza tiene cierto paralelismo, pues "en tanto que (aquella) ... (artículo 20.4 de la Constitución) está limitada esencialmente por el respeto a los demás derechos fundamentales, y por la necesidad de proteger a la juventud y a la infancia, el ejercicio de la libertad de creación de centros docentes tiene la limitación adicional, impuesta en el mismo precepto que la consagra, del respeto a los principios constitucionales que, como los del título preliminar de la Constitución (libertad, igualdad, justicia, pluralismo, unidad de España...) no consagran derechos fundamentales". Además, existe la limitación "muy importante, derivada del artículo 27.2 de la Constitución, de que la enseñanza ha de servir determinados valores (principios democráticos de convivencia...) que no cumplen una función meramente limitativa, sino de inspiración positiva". Dentro de esos límites para la creación de centros docentes se encuentra, por último, respecto de aquellos que han de impartir enseñanzas regladas, el de que, "además de orientar su actividad, como exige el apartado segundo del artículo 27 hacia el pleno reconocimiento de la personalidad humana en el respeto a los principio democráticos de convivencia y a los derechos y libertades fundamentales, con las precisiones y matizaciones que de algunos aspectos de este enunciado hace el Pacto Internacional de Derechos Económicos, Sociales y Culturales (art. 13), se han de acomodar a los requisitos que el Estado imponga a los centros de cada nivel".

[...] Sobre el derecho a establecer un ideario propio de los centros docentes confluyen, pues, dos perspectivas: de un lado, se trata de una faceta, aspecto o vertiente del derecho a crear centros docentes, que debe conceptuarse como un derecho de libertad, con los límites que como tal le son inherentes, a los que más adelante nos referiremos. Además, el derecho al ideario está conectado con el derecho de los padres a elegir el tipo de formación religiosa y moral que desean para sus hijos, aunque entre ambos no existe relación de instrumentalidad necesaria, que no excluye, empero, la existencia de "una indudable interacción" entre ellos. [...] Esa falta de identidad, que no impide una indudable conexión, entre el derecho al ideario y el derecho de los padres a la elección de centro escolar se encuentra ejemplificada en el asunto resuelto por este Tribunal en la STC 133/2010, de 2 de diciembre, FJ 5, en la que descartábamos que ese derecho de los padres se proyectara sobre un modelo pedagógico concreto.

[...] En este sentido, resulta claro que el carácter propio o ideario no sería aceptable si tiene un contenido incompatible por sí mismo con los derechos fundamentales o si, sin vulnerarlos frontalmente, incumple la obligación, derivada del artículo 27.2 de la Constitución, de que la educación prestada en el centro tenga por objeto el pleno desarrollo de la personalidad humana en el respeto a los principios democráticos de convivencia, y a los derechos y libertades fundamentales en su concreta plasmación constitucional, pues estos han de inspirar cualquier modelo educativo, público o privado.

Estas dos son las perspectivas que asumen los recurrentes cuando indican en su recurso que establecer diferencias entre grupos sociales, como la que supone la educación por separado de niños y niñas, conlleva un riesgo muy alto de considerar a uno de ellos como inferior, y añaden que este Tribunal ha exigido que cualquier diferencia que se realice en estos ámbitos deba tener una especial justificación para que no sea considerada sospechosa (STC 147/1995, de 16 de octubre, FFJJ 2 y 6). Para los recurrentes, la separación en las aulas sería discriminatoria por no existir en este caso esa justificación reforzada, pues las meras razones basadas en el diferente grado de maduración de niños y niñas no serían suficientes a estos efectos. Pero ya hemos expresado que la educación diferenciada no puede ser considerada discriminatoria, siempre que se cumplan las condiciones de equiparabilidad entre los centros escolares y las enseñanzas a prestar en ellos a que se refiere la Convención de 1960, lo que en nuestro caso está fuera de toda duda, pues está garantizado el puesto escolar en todos los casos; y la programación de las enseñanzas que corresponde a los poderes públicos ex artículo 27.5 CE, así como la forma esencial de prestación de las mismas, no hacen distinción alguna entre centros mixtos, centros femeninos y centros masculinos. Si alguna diferencia de trato indebida existiera sólo sería atribuible al centro escolar en la que se produjera, y no sería imputable al modelo en sí. Por lo tanto, no se cumple la premisa de la que parten los recurrentes, la de que la educación diferenciada implica una discriminación. Por ello, no resulta necesario adentrarse en el análisis propuesto en el recurso, según el cual esa discriminación no estaría suficientemente justificada.

Como conclusión, el sistema de educación diferenciada es una opción pedagógica que no puede conceptuarse como discriminatoria. Por ello, puede formar parte del derecho del centro privado a establecer su carácter propio, en los términos que hemos expuesto precedentemente.

b) Sentada esa primera conclusión, es preciso detenerse ahora en la impugnación que los recurrentes realizan del último párrafo del artículo 84.3 LOE en la redacción del mismo operada por la LOMCE, que plantean con carácter subsidiario para el caso de que este Tribunal no considere que la educación diferenciada contradice frontalmente la prohibición de discriminación contemplada en el artículo 14 CE. El párrafo ahora cuestionado es el siguiente:

"En ningún caso la elección de la educación diferenciada por sexos podrá implicar para las familias, alumnos y alumnas y centros correspondientes un trato menos favorable, ni una desventaja, a la hora de suscribir conciertos con las Administraciones educativas o en cualquier otro aspecto. A estos efectos, los centros deberán exponer en su proyecto educativo las razones educativas de la elección de dicho sistema, así como las medidas académicas que desarrollan para favorecer la igualdad."

Los recurrentes consideran que esa previsión vulnera los artículos 14, 9.2 y 27.2 CE.

[...] En realidad, lo que se postula en la demanda es que el hecho de prestar educación diferenciada no es un dato neutro a la hora de la suscripción de los conciertos educativos o en relación con "cualquier otro aspecto", de modo que las Administraciones educativas habrán de diferenciar entre aquellos centros que imparten educación mixta de aquellos otros que optan por una educación diferenciada, de modo que se impida a estos últimos acceder a los conciertos. Este Tribunal ha descartado la existencia de un derecho constitucional a ser tratado de forma diferenciada, pues el artículo 14 no ampara la falta de distinción entre supuestos desiguales, ni tampoco un derecho a imponer diferencias de trato. En suma, no existe un derecho fundamental a la singularización normativa. En los términos de la STC 241/2000, de 16 de octubre, FJ 5, "el artículo 14 CE reconoce el derecho a no padecer discriminaciones, pero no ampara la falta de distinción entre supuestos desiguales (SSTC 86/1985, de 10 de julio, FJ 3; 2/1987, de 21 enero, FJ 3; 136/1987, de 22 de julio, FJ 6; 19/1988, de 16 de febrero, FJ 6; 308/1994, de 21 de noviembre, FJ 5; 36/1999, de 22 de marzo, FJ 3)". De este modo, sólo en el caso de que el régimen de educación diferenciada fuera inconstitucional, podría objetarse la opción del legislador de tratar de manera igualitaria ambos modelos pedagógicos en el ámbito de los conciertos educativos.

La financiación pública de los centros educativos privados responde, esencialmente, a lo dispuesto en tres preceptos constitucionales: en primer lugar, a lo establecido en el artículo 27.9 CE, a tenor del cual "los poderes públicos ayudarán a los centros docentes que reúnan los requisitos que la Ley establezca"; en segundo lugar, a la previsión del artículo 27.4 CE, según el cual " la enseñanza básica es obligatoria y gratuita" y, por último, al artículo 9.2 CE, que indica que "corresponde a los poderes públicos promover las condiciones para que la libertad y la igualdad del individuo y de los grupos en que se integra sean reales y efectivas; remover los obstáculos que impidan o dificulten su plenitud y facilitar la participación de todos los ciudadanos en la vida política, económica, cultural y social".

De esta forma, si bien el anclaje constitucional de la financiación pública se encuentra, básicamente, en el artículo 27.9 CE, no puede obviarse que el apartado cuarto de ese mismo precepto constitucional impone la gratuidad en la educación básica, que hemos considerado un derecho de prestación (STC 86/1985, de 10 de julio, FJ 3). [...]

Por otro lado, esa gratuidad garantizada constitucionalmente no puede referirse exclusivamente a la escuela pública, negándola a todos los centros privados, ya que ello implicaría la obligatoriedad de tal enseñanza pública, al menos en el nivel básico, impidiendo la posibilidad real de elegir la enseñanza básica en cualquier centro privado. Ello cercenaría de raíz, no solo el derecho de los padres a elegir centro docente, sino también el derecho de creación de centros docentes consagrado en el artículo 27.6 CE, cuyo contenido esencial hemos precisado, últimamente, en la STC 176/2015, de 22 de julio, FJ 2, recogiendo lo expuesto en nuestra STC 77/1985, de 27 de junio, FFJJ 9 y 20. En este sentido, la financiación pública de los centros privados sirve al contenido prestacional consagrado en el artículo 27.4 CE.

Ello no quiere decir, obviamente, que cualquier centro privado haya de ser financiado públicamente en los niveles obligatorios. Como expusimos en la STC 86/1985, de 10 de julio "el derecho a la educación —a la educación gratuita en la enseñanza básica— no comprende el derecho a la gratuidad en cualesquiera centros privados, porque los recursos públicos no han de acudir, incondicionalmente, allá donde vayan las preferencias individuales". De este modo, una vez justificada la inexistencia de recursos públicos para financiar en cada caso el centro privado de que se trate, los poderes públicos podrán aplicar los criterios establecidos en la norma legal dictada en desarrollo del artículo 27.9 CE, para priorizar el alcance de esa financiación.

El concierto es el modelo adoptado por el legislador para dar cumplimiento a la obligación contemplada en el artículo 27.9 CE, aunque también cabrían otras fórmulas de ayuda distintas. [...]

[...] [E]l artículo 116 LOE, no impugnado por los recurrentes, establece que "los centros privados que ofrezcan enseñanzas declaradas gratuitas en esta Ley y satisfagan necesidades de escolarización, en el marco de lo dispuesto en los artículos 108 y 109, podrán acogerse al régimen de conciertos en los términos legalmente establecidos, sin que la elección de centro por razón de su carácter propio pueda representar para las familias, alumnos y alumnas y centros un trato menos favorable, ni una desventaja, a la hora de suscribir conciertos con las Administraciones educativas o en cualquier otro aspecto". La referencia al artículo 108 trae a colación, en particular, el "derecho de los padres o tutores … a escoger centro docente tanto público como distinto de los creados por los poderes públicos".

Fijado el marco en el que debemos movernos, hemos de dar respuesta ahora a la concreta impugnación formulada en la demanda. Para ello, hemos de partir necesariamente de la conclusión, a la que hemos llegado precedentemente, de que el modelo pedagógico de educación diferenciada no es discriminatorio per se. Por otro lado, si impidiera la consecución de los objetivos consagrados en el artículo 27.2 CE, centrados en "el pleno desarrollo de la personalidad humana en el respeto a los principios democráticos de convivencia y a los derechos y libertades fundamentales", la conclusión sería, no la imposibilidad de ayudar a los centros que practicaran esa fórmula pedagógica, sino la inconstitucionalidad del modelo, pues, como dijimos en la STC 5/1981, de 13 de febrero, FJ 7, el artículo 27.2 CE no opera como un mero límite externo, sino que impone que "la enseñanza haya de servir determinados valores (principios democráticos de convivencia, etc.) que no cumplen una función meramente limitativa, sino de inspiración positiva". Dichos valores son los que indubitadamente nacen del propio texto constitucional, teniendo en cuenta que son ajenos a ellos los principios o reglas que nuestra Constitución ha dejado abiertos a la dialéctica democrática y cuya determinación concreta se remite a la libre acción del legislador.

El modelo de educación separada o diferenciada tampoco contradice en sí mismo la obligación de los poderes públicos de promover activamente la igualdad en los términos del artículo 9.2 CE, especialmente teniendo en cuenta que el artículo 84.3 LOE obliga a los centros que apliquen ese modelo pedagógico a exponer en su proyecto educativo "las medidas académicas que desarrollan para favorecer la igualdad", lo que garantiza que dichos centros adopten una serie acciones positivas encaminadas a la promoción de valores. [...] En los términos de la STC 12/2008, de 29 de enero, FJ 4, "el artículo 9.2 CE expresa la voluntad del constituyente de alcanzar no sólo la igualdad formal sino también la igualdad sustantiva, al ser consciente de que únicamente desde esa igualdad sustantiva es posible la realización efectiva del libre desarrollo de la personalidad; por ello el constituyente completa la vertiente negativa de proscripción de acciones discriminatorias con la positiva de favorecimiento de esa igualdad material ... Este precepto constitucional, por tanto, encomienda al legislador la tarea de actualizar y materializar la efectividad de la igualdad". De esta forma, el artículo 9.2 CE habilita y mandata al legislador para llevar a cabo fórmulas tendentes a hacer efectiva la igualdad material, en este caso entre mujeres y hombres. Pero ni le impone la adopción de medidas concretas, ni tampoco le exige acordar ningún género de prohibiciones, como sería en este caso la de otorgar un concierto, sino que sólo le faculta, in genere, para "promover, remover y facilitar". En el plano concreto de la educación, [...] existe una obligación positiva de fomento de aquellas formulas metodológicas que contribuyan a la eliminación de los estereotipos sexistas.

Pero de esa obligación positiva no se desprende en modo alguno una prohibición de ayuda a los centros docentes que utilicen como método pedagógico la educación diferenciada. No existe dato alguno que permita llegar a la conclusión de que dicho sistema, en cuanto tal, no sirve a los fines exigidos constitucionalmente, y en particular, a la conclusión de que no está inspirado en los principios democráticos de convivencia o en los derechos y libertades fundamentales, o de que no cumple los objetivos marcados por las normas generales.

Por lo tanto, dado que no existe ningún elemento que conduzca a imputar a la educación diferenciada una incapacidad estructural para el logro de los objetivos educativos marcados constitucionalmente, lo determinante será el análisis de cada centro en particular. Para garantizar la promoción de esos valores, objetivos o principios, junto al ejercicio de la función general de inspección educativa que corresponde a los poderes públicos, resulta suficiente la cautela establecida en el artículo 83.4 de la ley, que impone a los centros concertados que eduquen diferenciadamente, y sólo a estos, la obligación de "exponer en su proyecto educativo las razones educativas de la elección de dicho sistema, así como las medidas académicas que desarrollan para favorecer la igualdad".

En consecuencia, y dado que las ayudas públicas previstas en el artículo 27.9 CE han de ser configuradas "en el respeto al principio de igualdad" (STC 86/1985, FJ 3), sin que quepa justificar un diferente tratamiento entre ambos modelos pedagógicos, en orden a su percepción, la conclusión a la que ha de llegarse es la de que los centros de educación diferenciada podrán acceder al sistema de financiación pública en condiciones de igualdad con el resto de los centros educativos; dicho acceso vendrá condicionado por el cumplimiento de los criterios o requisitos que se establezcan en la legislación ordinaria, pero sin que el carácter del centro como centro de educación diferenciada pueda alzarse en obstáculo para dicho acceso.

Voto particular que formula la Magistrada doña María Luisa Balaguer Callejón

[...] 1. La educación diferenciada por sexos, que segrega a niños y niñas en el acceso al sistema educativo y en la organización de las enseñanzas, no tiene cabida en el marco de la Constitución de 1978, por lo que el artículo 84.3 LOE y la disposición transitoria segunda LOMCE, debieron ser declarados inconstitucionales, y que, por lo tanto, debió estimarse el recurso en relación con estos preceptos.

1.1. [...] [M]ientras que no existen pruebas de que las diferencias biológicas se traduzcan en diferencias a la hora de adquirir y desarrollar conocimientos o enseñanzas institucionalizadas, sí existen suficientes pruebas para defender que la segregación por sexos potencia los estereotipos de género que atentan directamente contra la igualdad material, erigida esta en principio constitucional reconocido en el artículo 9.2 de la Constitución Española de 1978. Las diferencias de rendimiento académico entre los sexos, que conocen y ponen de manifiesto algunos estudios, han de ser vinculadas a condicionantes culturales y sociales, al modo en que se elaboran las pruebas en que se basan tales estudios y, sobre todo, a la autopercepción que los niños y las niñas tienen de sí mismos, y que procede de su socialización, y no a diferencias biológicas o "naturales" que tengan consecuencias cognitivas indefectibles. Es la socialización, con su sesgo predominantemente patriarcal, la que determina las diferencias de rendimiento; lo que debería llevarnos a la consideración de que no es posible sostener un modelo educativo que refuerza los estereotipos, e incide en que las "diferencias cognitivas", no sean superadas.

La diferencia en la forma de enseñar, resulta así un procedimiento pedagógico que no es inocuo, sino que producirá resultados de perpetuación de roles y estereotipos que tenderán a ahondar en la desigualdad en lugar de reducirla. No en vano la cuestión del acceso a la educación de las mujeres, de los contenidos de dicha educación, y del método de enseñanza de las niñas, es un tema de referencia constante en la literatura constitucionalista desde sus orígenes, y, obvio es decirlo, también en la literatura feminista desde que fuera necesario contestar las tesis segregacionistas de Rousseau plasmadas en Emilio, lo que, en la primera hora, hicieron Condorcet o Mary Wollstonecraft, siguiendo a Locke.

Sobre una base tan poco justificada y tan limitadamente argumentada como la que contiene la Sentencia, no puede sustentarse la constitucionalidad de los preceptos objeto del recurso. El Tribunal estaba llamado a valorar, sin necesidad de entrar en otras consideraciones, si este modelo de escolarización tiene cabida en un sistema educativo que ha de respetar el artículo 14 CE, en relación con los artículos 27 y 9.2 CE. Este último obliga a los poderes públicos, por tanto, también a la administración educativa, y al legislador que diseña el sistema educativo, a promover las condiciones para que la libertad y la igualdad del individuo sean reales y efectivas, así como a remover los obstáculos que impidan o dificulten su plenitud. Y, a mi juicio, la respuesta debiera haber sido totalmente negativa, sin necesidad de entrar a valorar si la segregación por sexo en la escuela es un sistema pedagógico, o el decantado de una cosmovisión más amplia.

Al no hacerlo así, la Sentencia retrocede en el tiempo, para dar carta de naturaleza constitucional, como nunca antes se había hecho, a normas que, en materia de igualdad, vuelven a un momento anterior al año 1970, en que se implantó en el Estado la educación mixta preconstitucional. Y no sólo eso sino que obvia que los debates en las Cortes Constituyentes en torno al artículo 27 CE, tremendamente complejo en su elaboración, concluyeron con la exclusión de la gratuidad obligatoria del acceso a cualquier ideario educativo. Así, la Sentencia formula una interpretación que, no sólo desatiende el contexto contemporáneo en que debe ser interpretada la Constitución como "árbol vivo" que es (STC 198/2012), sino que rompe desde la exégesis uno de los pactos fundamentales que permitieron dar redacción final al artículo 27 CE. [...]

1.2. [...] Resulta evidente que los centros educativos privados que establecen un sistema de admisión o de organización de las enseñanzas diferenciadas por sexo, recurren para ello a una categoría sospechosa de ser discriminatoria, de las que contempla el artículo 14 CE. Y, para justificar que ese criterio no puede ser considerado como discriminatorio, no es posible aceptar los argumentos que contiene la Sentencia.

Como ha dicho este Tribunal en la STC 2/2017, de 16 de enero, "para hacer efectiva la cláusula de no discriminación por razón de sexo del artículo 14 CE, este Tribunal ha establecido un canon mucho más estricto y riguroso que el de la mera razonabilidad que, desde la perspectiva genérica del principio de igualdad, se exige para la justificación de la diferencia normativa de trato. En efecto, como ha tenido ocasión de declarar este Tribunal (SSTC 233/2007, de 5 de noviembre, FJ 5; 66/2014, de 5 de mayo, FJ 2, y 162/2016, de 3 de octubre, FJ 4), 'a diferencia del principio genérico de igualdad, que no postula ni como fin ni como medio la paridad y sólo exige la razonabilidad de la diferencia normativa de trato, las prohibiciones de discriminación contenidas en el artículo 14 CE implican un juicio de irrazonabilidad de la diferenciación establecida ex constitutione, que imponen como fin y generalmente como medio la parificación, de manera que sólo pueden ser utilizadas excepcionalmente por el legislador como criterio de diferenciación jurídica, lo que implica la necesidad de usar en el juicio de legitimidad constitucional un canon mucho más estricto, así como un mayor rigor respecto a las exigencias materiales de proporcionalidad'". Y si los anteriores argumentos sirven para controlar el ajuste constitucional de medidas adoptadas en el ámbito laboral, con más razón deben servir para asegurar que niños y niñas disfruten del derecho a la educación obligatoria, de que son titulares, sin que exista sombra de duda sobre el respeto, en el seno del sistema educativo, y concretamente en los centros escolares que imparten la enseñanza que reciben, al principio de no discriminación por razón de sexo.

La libertad de cátedra (artículos 27.1 y 20.1.c) CE) —STC 5/1981, de 13 de febrero (*vid. supra*)—

FJ 9. [...] Aunque tradicionalmente por libertad de cátedra se ha entendido una libertad propia sólo de los docentes en la enseñanza superior o, quizá más precisamente, de los titulares de puestos docentes denominados precisamente «cátedras» y todavía hoy en la doctrina alemana se entiende, en un sentido análogo, que tal libertad es predicable sólo respecto de aquellos profesores cuya docencia es proyección de la propia labor investigadora, resulta evidente, a la vista de los debates parlamentarios, que son un importante elemento de interpretación, aunque no la determinen, que el constituyente de 1978 ha querido atribuir esta libertad a todos los docentes, sea cual fuere el nivel de enseñanza en el que actúan y la relación que media entre su docencia y su propia labor investigadora.

Se trata, sin embargo, como en principio ocurre respecto de los demás derechos y libertades garantizados por la Constitución, de una libertad frente al Estado o, más generalmente, frente a los poderes públicos, y cuyo contenido se ve necesariamente modulado por las características propias del puesto docente o cátedra cuya ocupación titula para el ejercicio de esa libertad. Tales características vienen determinadas, fundamentalmente, por la acción combinada de dos factores: la naturaleza pública o privada del centro docente en primer término, y el nivel o grado educativo al que tal puesto docente corresponde, en segundo lugar.

En los centros públicos de cualquier grado o nivel la libertad de cátedra tiene un contenido negativo uniforme en cuanto que habilita al docente para resistir cualquier mandato de dar a su enseñanza una orientación ideológica determinada, es decir, cualquier orientación que implique un determinado enfoque de la realidad natural, histórica o social dentro de los que el amplio marco de los principios constitucionales hacen posible. Libertad de cátedra es, así, noción incompatible con la existencia de una ciencia o doctrina oficiales.

Junto a este contenido puramente negativo, la libertad de cátedra tiene también un amplio contenido positivo en el nivel educativo superior que no es necesario analizar aquí. En los niveles inferiores, por el contrario, y de modo en alguna medida gradual, este contenido positivo de la libertad de enseñanza va disminuyendo puesto que, de una parte, son los planes de estudios establecidos por la autoridad competente, y no el propio profesor, los que determinan cuál haya de ser el contenido mínimo de la enseñanza, y son también estas autoridades las que establecen cuál es el elenco de medios pedagógicos entre los que puede optar el profesor (art. 27.5 y 8) y, de la otra y sobre todo, éste no puede orientar ideológicamente su enseñanza con entera libertad de la manera que juzgue más conforme con sus convicciones. En un sistema jurídico político basado en el pluralismo, la libertad ideológica y religiosa de los individuos y la aconfesionalidad del Estado, todas las instituciones públicas y muy especialmente los centros docentes, han de ser, en efecto, ideológicamente neutrales. Esta neutralidad, que no impide la organización en los centros públicos de enseñanzas de seguimiento libre para hacer posible el derecho de los padres a elegir para sus hijos la formación religiosa y moral que esté de acuerdo con sus propias convicciones (art. 27.3 de la CE), es una característica necesaria de cada uno de los puestos docentes integrados en el centro, y no el hipotético resultado de la casual coincidencia en el mismo centro y frente a los mismos alumnos, de profesores de distinta orientación ideológica cuyas enseñanzas se neutralicen recíprocamente. La neutralidad ideológica de la enseñanza en los centros escolares públicos regulados en la LOECE impone a los docentes que en ellos desempeñan su función una obligación de renuncia a cualquier forma de adoctrinamiento ideológico, que es la única actitud compatible con el respeto a la libertad de las familias que, por decisión libre o forzadas por las circunstancias, no han elegido para sus hijos centros docentes con una orientación ideológica determinada y explícita.

FJ 10. En los centros privados, la definición del puesto docente viene dada, además de por las características propias del nivel educativo, y en cuanto aquí interesa, por el ideario que, en uso de la libertad de enseñanza y dentro de los límites antes señalados, haya dado a aquél su titular. Cualquier intromisión de los poderes públicos en la libertad de cátedra del profesor sería así, al mismo tiempo, violación también de la libertad de enseñanza del propio titular del centro. La libertad de cátedra del profesorado de estos centros es tan plena como la de los profesores de los centros públicos, y ni el art. 15 de la LOECE ni ningún otro precepto de esta Ley la violan al imponer como límite de la libertad de enseñanza de los profesores el respeto al ideario propio del centro. [...]

La tensión entre el ideario de los centros docentes privados y la libertad de enseñanza de su profesorado ante a las administraciones públicas (artículo 27.1 y 6 CE) —STC 77/1985, de 27 de junio (*vid. supra*)—

FJ 10. [...] El sometimiento del establecimiento del ideario o carácter propio del Centro al sistema de autorización aparece expresamente reconocido en la Sentencia 5/1981, de 13 de febrero («Jurisprudencia Constitucional», tomo I, pág. 73), en cuyo fundamento jurídico octavo, párrafo 2.°, se dice que «es precisamente la existencia de estos límites la que hace indispensable que, como señala el Abogado del Estado, el establecimiento de un ideario propio del Centro haya de entenderse sometido al sistema de autorización reglada a que la Ley (art. 33) sujeta a la apertura y funcionamiento de los Centros privados». Sin embargo, en el art. 22.2 del proyecto de LODE no aparece que la autorización recaiga exclusivamente sobre la adecuación del carácter propio del Centro a los principios que deben inspirar la educación según el art. 27.2 de la CE, sino que también versaría sobre la forma en que se articula el derecho a establecer ese carácter propio con los derechos de los diversos miembros de la comunidad escolar. Es evidente que si la autorización está condicionada a que la Administración verifique si se da en esa articulación el respeto debido al conjunto de tales derechos, no puede tratarse de una autorización estrictamente reglada, como la que prevé para otros supuestos el artículo 23 del proyecto (análogo al 33 de la LOECE), y que la Administración invadiría así la delicada labor de delimitar un conjunto de derechos constitucionales en presencia, labor que sólo corresponde a las jurisdicciones competentes. Ello no impide que, dado que el carácter propio ni es secreto (art. 22.3 del proyecto de LODE) ni podría serlo, se arbitren los medios legales de publicidad (dentro o fuera del registro al que se refiere el art. 13 del proyecto de LODE) que se consideren oportunos para que ese carácter propio pueda ser conocido por las autoridades del Estado (y no sólo por los miembros de la comunidad educativa a los que se refiere el art. 22.3 del proyecto de LODE), para que aquéllas puedan velar por la defensa jurisdiccional de los derechos fundamentales.

En consecuencia de todo lo anteriormente dicho, la exigencia de esa autorización vulnera el derecho a la libertad de enseñanza y a la libertad de creación de Centros docentes (art. 27.1 y 6 de la CE), en cuanto de dichos preceptos nace el derecho del titular a establecer el carácter propio, sin que pueda admitirse la injerencia de una autorización administrativa, que en realidad encubriría el ejercicio de una función jurisdiccional que no le corresponde, y que sería incompatible con el respeto a dichos derechos fundamentales.

También por vía de conexión y de acuerdo con el art. 39.1 de la LOTC procede declarar la inconstitucionalidad de la disposición transitoria cuarta del proyecto de LODE, por cuanto exige el mismo tipo de autorización respecto al carácter propio de los Centros docentes privados actualmente autorizados que en cumplimiento de la legislación anteriormente vigente, hubieren depositado ante la Administración la definición de su dicho carácter propio.

FJ 29. [...] [L]a prohibición de ser titulares de Centros privados [artículo 21.2 del proyecto] dirigida a diversos destinatarios [a las personas que presten servicios en la Administración educativa estatal, autonómica o local; a quienes tengan antecedentes penales por delitos dolosos; a quienes hayan sido privados de ese derecho por Sentencia judicial firme; a las personas jurídicas en las que las personas recién mencionadas desempeñen cargos rectores, o sean titulares del 20 por 100 o más del capital social, siguiendo precedentes existentes en la legislación española anterior] [...] se encuentra suficientemente justificada como para excluir su inconstitucionalidad.

La tensión entre el ideario de los centros docentes privados, la libertad de enseñanza de su profesorado y el derecho a la educación de padres y madres del alumnado: constitucionalidad del protagonismo del primero en la LOECE (artículo 27.1 CE) —STC 5/1981, de 13 de febrero (*vid. supra*)—

FJ 9. La inadecuación del art. 15 de la LOECE a la Constitución la fundamenta el recurrente en el argumento de que, al señalar el «respeto al ideario propio del centro» como límite de la libertad de enseñanza de los profesores, se subordina la libertad que a éstos concede la Constitución al derecho que a los titulares de los centros otorga la Ley, sin procurar la necesaria articulación entre ambos. [...]

FJ 10. [...] Problema bien distinto es el que suscita la posible colisión entre el ejercicio de la libertad de enseñanza por el titular del centro al dotar a éste de un ideario propio y la libertad de enseñanza que, dentro de los límites de dicho ideario, y en desarrollo del art. 27.1 de la Constitución, concede la Ley a los profesores de los centros privados. La enseñanza y, sobre todo, la enseñanza en los niveles regulados por la LOECE, tiene exigencias propias que son incompatibles con una tendencia expansiva de cualquiera de estas dos libertades, cuya articulación recíproca será tanto más fácil cuanto mayor conciencia se tenga de estas limitaciones que dimanan de su propio concepto.

La existencia de un ideario, conocida por el profesor al incorporarse libremente al centro o libremente aceptada cuando el centro se dota de tal ideario después de esa incorporación, no le obliga, como es evidente, ni a convertirse en apologista del mismo, ni a transformar su enseñanza en propaganda o adoctrinamiento, ni a subordinar a ese ideario las exigencias que el rigor científico impone a su labor. El profesor es libre como profesor, en el ejercicio de su actividad específica. Su libertad es, sin embargo, libertad en el puesto docente que ocupa, es decir, en un determinado centro y ha de ser compatible, por tanto, con la libertad del centro, del que forma parte el ideario. La libertad del profesor no le faculta por tanto para dirigir ataques abiertos o solapados contra ese ideario, sino sólo para desarrollar su actividad en los términos que juzgue más adecuados y que, con arreglo a un criterio serio y objetivo, no resulten contrarios a aquél. La virtualidad limitante del ideario será, sin duda, mayor en lo que se refiere a los aspectos propiamente educativos o formativos de la enseñanza, y menor en lo que toca a la simple transmisión de conocimientos, terreno en el que las propias exigencias de la enseñanza dejan muy estrecho margen a las diferencias de idearios.

La fórmula utilizada por el art. 15 de la LOECE, cuyo sentido es coincidente con el de las fórmulas adoptadas por los Tribunales Constitucionales de otros países europeos al resolver situaciones más o menos análogas, fórmulas a las que el propio recurrente se refiere en su escrito, no es, por tanto, contraria a la Constitución.

Es evidente que la diferencia de criterio entre el titular del centro y el profesor que en él presta sus servicios puede dar origen a conflictos cuya solución habrá de buscarse a través de la jurisdicción competente y, en último término y en cuanto haya lesión de derechos fundamentales o libertades públicas de este mismo Tribunal por la vía de amparo y no mediante el establecimiento apriorístico de una doctrina general.

FJ 11. Es también claro en el mismo orden de ideas que las actividades o la conducta lícita de los profesores, al margen de su función docente en un centro dotado de ideario propio, pueden ser eventualmente consideradas por el titular de éste como una violación de su obligación de respetar tal ideario o, dicho de otro modo, como una actuación en exceso del ámbito de libertad de enseñanza que la LOECE (art. 15) les otorga y, en consecuencia, como un motivo suficiente para romper la relación contractual entre el profesor y el centro. Sólo la jurisdicción competente y también, en último término, este mismo Tribunal a través del recurso de amparo, podrán resolver los conflictos que así se produzcan, pues aunque ciertamente la relación de servicio entre el profesor y el centro no se extiende en principio a las actividades que al margen de ella lleve a cabo, la posible notoriedad y la naturaleza de estas actividades, e incluso su intencionalidad, pueden hacer de ellas parte importante e incluso decisiva de la labor educativa que le está encomendada.

FJ 12. La declaración de inconstitucionalidad del art. 18 que el recurrente pretende se apoya en la limitación que la existencia de un ideario propio impone a la participación de los padres de alumnos en el control y gestión del centro. Como es obvio, esta pretendida inconstitucionalidad se daría sólo, de existir, en los centros privados sostenidos con fondos públicos, que son los únicos en los que, pudiendo estar dotados de un ideario propio, hay también un derecho constitucionalmente garantizado a los padres de alumnos para intervenir en su gestión y control «en los términos que la Ley establezca».

La amplísima libertad que la Constitución deja en este punto al legislador ordinario, limitada sólo por la necesidad de respetar el «contenido esencial» del derecho garantizado (art. 53.1), haría ya en sí misma imposible considerar esta regulación legal como no adecuada a la Constitución. A mayor abundamiento es claro, sin embargo, que al haber elegido libremente para sus hijos un centro con un ideario determinado están obligados a no pretender que el mismo siga orientaciones o lleve a cabo actividades contradictorias con tal ideario, aunque sí puedan pretender legítimamente que se adopten decisiones que, como antes se indicaba respecto de la libertad de enseñanza que la Ley otorga a los profesores de este género de centros, no puedan juzgarse, con arreglo a un criterio serio y objetivo, contrarias al ideario.

La tensión entre el ideario de los centros docentes privados y los derechos de otros miembros de la comunidad escolar: constitucionalidad de la puesta en valor de los segundos en la LODE (artículo 27.1 CE) —STC 77/1985, de 27 de junio (vid. supra)[14]—

FJ 7. Los recurrentes imputan al art. 22.1 del proyecto el invertir la relación entre el ideario y los derechos de los Profesores, padres y alumnos ya establecido por el TC y el restringir el contenido del ideario, en contra de la doctrina establecida por el propio TC, a los aspectos morales y religiosos, desvirtuando su contenido organizativo y pedagógico. Este reproche de inconstitucionalidad se funda en una serie de argumentos, algunos de los cuales se centran en los términos literales del precepto impugnado, y otros en la interpretación o sentido del mismo que necesariamente resulta a la luz de otros artículos del proyecto, que utiliza la expresión «carácter propio» del Centro, omitiendo el término «ideario»; el art. 4 que omite incluir el derecho de los padres a escoger «el tipo de educación que deseen para sus hijos», y los arts. 3, 4 c) y 6.1 c), que omiten el deber de Profesores, padres y alumnos de respetar el ideario del Centro. [...]

La tesis esencial mantenida por los recurrentes y señalada ya en su escrito inicial de interposición del recurso de inconstitucionalidad, consiste en que el art. 22.1 vulnera el contenido esencial del derecho a establecer y desarrollar el ideario del Centro, interpretado de acuerdo con la Sentencia de este TC de 13 de febrero de 1981. [...]

FJ 9. En cuanto al hecho de que el art. 22.1, mencione los derechos de los miembros de la comunidad escolar, Profesores, padres y alumnos, omitiendo el deber de éstos de respetar el ideario del Centro, no tiene por qué suponer, ni que tal deber no exista (o no tenga virtualidad limitante) ni que se produzca una inversión de la relación general establecida en ocasiones anteriores por el TC en supuestos de conflicto o concurrencia entre los derechos de los citados miembros de la comunidad escolar y los del titular del Centro. Sobre el primer aspecto, la no expresión por parte del legislador de un límite a un derecho constitucional expresamente configurado como tal no significa sin más su inexistencia, sino que ese límite puede derivar directamente del reconocimiento constitucional o legal, o de ambos a la vez, de otro derecho que pueda entrar en colisión con aquél. El no señalamiento expreso de los límites,

---

14   Sobre la conformidad constitucional de las funciones del Consejo Escolar en materia de designación y cese de la Dirección del Centro; contratación y despido del profesorado; resolución de asuntos graves en materia de disciplina del alumnado; aprobación, a propuesta de su titular, del presupuesto del Centro; aprobación y evaluación de la programación general del Centro que con carácter anual elaborará el equipo directivo; aprobación, a propuesta de su titular, del reglamento de régimen interior del Centro, vid. FFJJ 22-27.

derivados de los derechos del titular del Centro, a los derechos de los padres, alumnos y Profesores, no significa que éstos sean ilimitados, ni que deje de producirse una articulación recíproca entre todos ellos, sino únicamente que el legislador no ha estimado oportuno explicitar normativamente la correlación entre diversos derechos, correlación cuyo alcance se desprende de la misma existencia de esos derechos. Por otro lado, cabe recordar que el derecho del titular del Centro no tiene carácter absoluto y está sujeto a límites y a posibles limitaciones, quedando siempre a salvo, de acuerdo con el art. 53.1 de la CE, su contenido esencial. En algunos aspectos puede que el respeto a los derechos de padres, Profesores y alumnos, garantizados en el título preliminar del proyecto que se impugna, suponga una restricción del derecho del titular a fijar el carácter propio. En otros, sin embargo, el ejercicio por el titular de su derecho a establecer el carácter propio del Centro actúa necesariamente como límite de los derechos que ostentan los demás miembros de la comunidad escolar —Profesores, padres y alumnos—, pues de otro modo, no sólo quedaría privado de todo contenido real el derecho a establecer el carácter propio del Centro, sino que se vería también defraudado el derecho de los padres a escoger para sus hijos la formación religiosa y moral acorde con sus propias convicciones, respecto del cual, como ya dijimos (Sentencia 5/1981), el derecho a establecer el carácter propio no es puramente instrumental, pero con el que se encuentra, como también dijimos, en estrecha conexión. Ello hace que en el caso concreto de los Profesores, como se afirma en la misma Sentencia, «la libertad del Profesor no le faculta, por tanto, para dirigir ataques abiertos o solapados contra ese ideario —en el proyecto de LODE «carácter propio»—, sino sólo para desarrollar su actividad en los términos que juzgue más adecuados y que, con arreglo a un criterio serio y objetivo, no resulten contrarios a aquél» (J.C., tomo I, página 76); pero el carácter propio del Centro tampoco le obliga «a convertirse en apologista del mismo, ni a transformar su enseñanza en propaganda o adoctrinamiento ni a subordinar a ese ideario las exigencias que el rigor científico impone a su labor (J.C., tomo I, pág. 76). Es decir, en suma, la existencia del carácter propio del Centro obliga al Profesor a una actitud de respeto y de no ataque a dicho carácter. Que el proyecto impugnado no contenga en forma expresa ese deber de los Profesores no puede considerarse como una causa de invalidez de la Ley, ya que las relaciones recíprocas entre los derechos en juego resultan de la propia Constitución, por lo que no es necesario explicarlos. Respecto de los padres, como se dice en la misma Sentencia, «al haber elegido libremente para sus hijos un Centro con un ideario determinado están obligados a no pretender que el mismo siga orientándose o lleve a cabo actividades contradictorias con tal ideario, aunque sí pueden pretender legítimamente que se adopten decisiones que... no puedan juzgarse, con arreglo a un criterio serio y objetivo, contrarias al ideario» (J.C., tomo I, página 77). [...]

FJ 21. [...] [El] derecho a intervenir en el control y gestión de todos los Centros sostenidos por la Administración con fondos públicos, en los términos que la Ley establezca, que reconoce en favor de padres, Profesores y, en su caso, los alumnos, el art. 27.7 de la CE, y en lo que particularmente aquí nos interesa, en relación con las posibles colisiones de este derecho con el derecho a la dirección del Centro correspondiente al titular del mismo [...] debe considerarse como una variedad del de participación [...]. Por ello, este derecho puede revestir, en principio, las modalidades propias de toda participación, tanto informativa como consultiva, de iniciativa, incluso decisoria, dentro del ámbito propio del control y gestión, sin que deba limitarse necesariamente a los aspectos secundarios de la administración de los Centros. Se deja así por la CE a la libertad de configuración del legislador la extensión de esta participación, con los límites consistentes en el respeto del contenido esencial del derecho garantizado (STC 5/1981, FJ 15) y de otros mandatos constitucionales. Más concretamente, el límite máximo del derecho a la intervención en el control y gestión de los Centros sostenidos con fondos públicos estaría, en lo que aquí concierne, en el respeto al contenido esencial de los derechos de los restantes miembros de la comunidad escolar y, en este caso, del derecho del titular a la creación y dirección del Centro. [...]

Libertad de cátedra frente a autonomía universitaria (artículo 27.1 y 10 CE) —STC 217/1992, de 1 de diciembre[15]—

La Sentencia resuelve el recurso de amparo presentado por profesores de la facultad de derecho de la Universidad de Sevilla contra, entre otros, el artículo 129.2.d) de los Estatutos de esta Universidad, aprobados por Decreto 148/1988, de 5 de abril de la Junta de Andalucía, y la Sentencia de la Sección Segunda de la Sala Tercera del Tribunal Supremo de 30 de noviembre de 1989. El artículo atribuye a los Departamentos la fijación del temario sobre el que versarán

---

15   Sobre la capacidad de las Comunidades Autónomas para regular las asociaciones de alumnas/os y de madres y padres de alumnas/os como parte de sus competencias en materia educativa, *vid.* STC 173/1998, de 23 de julio, FJ 15.

los exámenes parciales y finales, lo que, entienden los recurrentes, vulnera su derecho fundamental a la libertad de cátedra.

FJ 2. [...] [S]i bien resulta evidente que la libertad de cátedra se traduce, como ya dijo este Tribunal tempranamente (STC 5/1981, fundamento jurídico 7º), en el derecho de quienes llevan a cabo personalmente la función de enseñar, a desarrollarla con libertad dentro de los límites del puesto docente que ocupan, no puede ya decirse lo mismo respecto a que ese derecho fundamental comprenda también la función de examinar o valorar los conocimientos adquiridos por los alumnos en la materia o disciplina sobre la que versan las enseñanzas.

Con todo, antes de entrar en el análisis de esta última cuestión, conviene recordar que la libertad de cátedra, en cuanto libertad individual del docente, es en primer lugar y fundamentalmente, una proyección de la libertad ideológica y del derecho a difundir libremente los pensamientos, ideas y opiniones de los docentes en el ejercicio de su función. Consiste, por tanto, en la posibilidad de expresar las ideas o convicciones que cada profesor asume como propias en relación a la materia objeto de su enseñanza, presentando de este modo un contenido, no exclusivamente pero sí predominantemente, negativo.

Esta dimensión personal de la libertad de cátedra, configurada como derecho de cada docente, presupone y precisa, no obstante, de una organización de la docencia y de la investigación que la haga posible y la garantice. La autonomía reconocida constitucionalmente a la Universidad (art. 27.10 CE) tiene, entre otras, esta finalidad primordial. [...] [*vid. infra*]

Sin embargo, aunque la organización y el funcionamiento de las Universidades constituya la base y la garantía de la libertad de cátedra (ATC 42/1992), esto no significa que los centros docentes queden desapoderados de las competencias legalmente reconocidas para disciplinar la organización de la docencia (ATC 457/1989) y que no puedan regular la prestación del servicio público de la educación superior del modo que juzguen más adecuado (ATC 817/1985), siempre que respeten, claro es, el contenido esencial de la referida libertad de cátedra. La regulación de la función examinadora entra cabalmente en esa facultad de autoorganización de los centros docentes sin que con ello se vulnere la libertad de cátedra.

FJ 3. Los recurrentes apelan a que la tradición universitaria «siempre ha incluido el derecho a elaborar un programa y el derecho a elaborar el programa o temario a exigir a los alumnos que prácticamente son los mismos». Con independencia de la exactitud o no de tal afirmación, es evidente que ese «derecho» a elaborar el temario a exigir a los alumnos, en el ejercicio de una función, no ya de enseñar, sino de valorar o enjuiciar los conocimientos necesarios para alcanzar una determinada titulación, no puede ser subsumido o englobado en la libertad de cátedra. Siendo perfectamente deslindable la labor de enseñar y la función de examinar, sin que ésta sea consecuencia necesaria de aquélla, nada justifica que el derecho a la libertad de cátedra —en cuanto «libertad individual del docente, a quien depara un espacio intelectual resistente a ingerencias compulsivas impuestas externamente» (ATC 457/1989)— alcance o se extienda también a esa función examinadora, en el sentido de corresponder ineludiblemente a quien examina —y con cobertura en una pretendida libertad de cátedra— la fijación del temario sobre el que deba versar la prueba o examen.

Como hemos dicho en el fundamento jurídico precedente, este Tribunal ya ha afirmado que la libertad de cátedra —con el contenido y alcance vistos— no desapodera en modo alguno a los centros docentes de las competencias legalmente reconocidas para disciplinar la organización de la docencia dentro de los márgenes de autonomía que se les reconozcan, autonomía que en el caso de la Universidad, alcanza un alto nivel en beneficio, precisamente, del derecho que protege el art. 20.1.c) de la misma; y es que, si bien el servicio público de la educación no puede organizarse, ciertamente, de manera que violente ninguna de las libertades que la norma fundamental garantiza, entre las que debe mencionarse especialmente aquella a la que se refiere el art. 20.1.c) de la CE, es claro que los poderes públicos y, en el caso concreto, las Universidades, en uso de la autonomía que se les reconoce, pueden organizar la prestación de ese servicio y, en particular, el modo de controlar el aprovechamiento de los estudiantes de la forma que juzguen más adecuada. En el ATC 457/1989 ya se concluyó que «la libertad de cátedra no puede identificarse, obvio es decirlo, con el derecho de su titular a autorregular íntegramente y por sí mismo la función docente en todos sus aspectos, al margen y con total independencia de los criterios organizativos de la dirección del centro universitario» (fundamento jurídico 3º).

En consecuencia, en el supuesto que nos ocupa, lo cierto es que el mero hecho de que los Estatutos de la Universidad de Sevilla, de acuerdo con las funciones que les encomienda la Ley Orgánica 11/1983, de 25 de agosto, de Reforma Universitaria (art. 8), atribuyan a los Departamentos la fijación del temario sobre el que habrán de versar tanto los exámenes parciales como los finales, no puede estimarse contrario ni lesivo del derecho a la libertad de cátedra de los docentes de dicha Universidad.

Más sobre la libertad de cátedra frente a la autonomía universitaria (artículos 27.1 y 27. 10 CE) —STC 176/1996, de 12 de noviembre—

La Sentencia resuelve el recurso de amparo promovido por la Universidad Politécnica de Madrid y doña M.D.G. contra la Sentencia de 3 de noviembre de 1993, de la Sala de lo Contencioso-Administrativo del Tribunal Superior de Justicia de Madrid. El Consejo de Departamento de Química y Análisis Agrícola de dicha Universidad aprobó, el 9 de julio de 1990, los criterios generales y las asignaciones particulares de docencia para el curso académico 1990-1991. Entre otros acuerdos, se estableció un sistema de evaluación y calificación conjunta del alumnado, a fin de garantizar la homogeneidad de conocimientos. Asimismo, se asignó a la profesora doña M.D.G., la docencia de la disciplina de «Bioquímica», que, alega la recurrente, no forma parte del área de conocimiento de «Química Agrícola y Edafología» a la que pertenece por razón de sus titulaciones académicas y del puesto funcionarial del que es titular. Contra dichos acuerdos, la citada profesora, una vez agotada la vía administrativa, promovió recurso jurisdiccional. El Tribunal Superior de Justicia de Madrid estimó parcialmente su pretensión, entendiendo que la asignación de docencia en Bioquímica a la recurrente se ajustaba a derecho, pero no la prohibición de examinar por sí misma al alumnado del único grupo de Bioquímica. Doña M.D.G. entiende que dicha Sentencia vulnera su derecho a la libertad de cátedra; la Universidad Politécnica de Madrid, por su parte, entiende que vulnera su derecho a la autonomía universitaria.

FJ 7. Ahora bien, aun reconociendo que la libertad de cátedra no ampara un pretendido derecho de los docentes a elegir entre las distintas asignaturas que se integran en un área de conocimiento, en función de su mayor calificación profesional, y que la organización de la docencia es materia de la competencia de los Departamentos Universitarios, no cabe descartar que, en ocasiones, el derecho fundamental del art. 20.1.c) de la Constitución, pueda resultar vulnerado como consecuencia de decisiones arbitrarias por las que se relegue a los profesores, con plena capacidad docente e investigadora, obligándoseles injustificadamente a impartir docencia en asignaturas distintas a las que debieran de corresponderles por su nivel de formación. Sin embargo, en el caso presente, no puede apreciarse que el Departamento despojase arbitrariamente a la demandante de amparo del núcleo fundamental de sus funciones docentes, ni tampoco cabe descartar que su decisión obedeciese a razones coyunturales de organización de la docencia. En efecto, consta en el Acuerdo impugnado, junto a otras motivaciones anteriormente expuestas, que la profesora que venía impartiendo la disciplina de Bioquímica iba a causar baja por maternidad, siendo la demandante de amparo el único miembro del Departamento con conocimientos y experiencia acreditada sobre esa materia y, por tanto, el que reunía condiciones más idóneas para poder sustituirla. Este último extremo —negado por la actora—, fue objeto de prueba en el proceso judicial precedente, alcanzando la Sala de lo Contencioso-Administrativo la convicción de que, en efecto, la profesora ahora demandante era la única del Departamento con experiencia en esa disciplina. Siendo ello así, no puede considerarse que la adjudicación de la docencia aprobada por el Departamento sea arbitraria, carente de toda justificación o que obedeciese a la sola finalidad de privar a la demandante del pleno ejercicio de su derecho a la libertad de cátedra, por lo que, la demanda de amparo ha de ser desestimada.

III. LA AUTONOMÍA UNIVERSITARIA

La autonomía universitaria como derecho fundamental —STC 26/1987, de 27 de febrero[16]—

La Sentencia resuelve el recurso de inconstitucionalidad interpuesto por el Gobierno Vasco contra determinados preceptos de la Ley Orgánica 11/1983, de 25 de agosto, de Reforma Universitaria.

FJ 4. [...] [E]l fundamento y justificación de la autonomía universitaria que el art. 27.10 de la Constitución reconoce, está, y en ello hay conformidad de las partes, en el respeto a la libertad académica, es decir, a la libertad de enseñanza, estudio e investigación. La protección de estas libertades frente a injerencias externas constituye la razón de ser de la autonomía universitaria, la cual requiere, cualquiera que sea el modelo organizativo que se adopte, que la libertad de ciencia sea garantizada tanto en su vertiente individual cuanto en la colectiva de la institución, entendida

---

[16]   Sobre las competencias del Estado en cuestiones atinentes a la autonomía universitaria, *vid.* SSTC 235/1991, de 12 de diciembre.

ésta como la correspondiente a cada Universidad en particular y no al conjunto de las mismas, según resulta del tenor literal del art. 27.10 (se reconoce la autonomía «de las Universidades») y del art. 3.1 de la LRU («Las Universidades están dotadas de personalidad jurídica y desarrollan sus funciones en régimen de autonomía y de coordinación entre ellas»). [...]

a) Respecto del primer punto, [la conceptualización de la autonomía universitaria como derecho fundamental] lo primero que hay que decir es que derecho fundamental y garantía institucional no son categorías jurídicas incompatibles o que necesariamente se excluyan, sino que buena parte de los derechos fundamentales que nuestra Constitución reconoce constituyen también garantías institucionales, aunque, ciertamente, existan garantías institucionales que, como por ejemplo la autonomía local, no están configuradas como derechos fundamentales. Podría, pues, eludirse el tema para dar respuesta a las impugnaciones concretas que hace el recurso, porque lo que la Constitución protege desde el ángulo de la garantía institucional es el núcleo básico de la institución, entendido, siguiendo la Sentencia de este Tribunal 32/1981, de 28 de julio, como preservación de la autonomía «en términos recognoscibles para la imagen que de la misma tiene la consciencia social en cada tiempo y lugar». Y no es sustancialmente distinto lo protegido como derecho fundamental, puesto que, reconocida la autonomía de las Universidades «en los términos que la Ley establezca» (art. 27.10 de la CE), lo importante es que mediante esa amplia remisión, el legislador no rebase o desconozca la autonomía universitaria mediante limitaciones o sometimientos que la conviertan en una proclamación teórica, sino que respete «el contenido esencial» que como derecho fundamental preserva el artículo 53.1 de la Constitución.

Ahora bien, como las partes marcan las diferencias entre uno y otro concepto como barrera más o menos flexible de disponibilidad normativa sobre la autonomía universitaria, es preciso afirmar que ésta se configura en la Constitución como un derecho fundamental por su reconocimiento en la Sección 1.ª del Capítulo Segundo del Título I, por los términos utilizados en la redacción del precepto, por los antecedentes constituyentes del debate parlamentario que llevaron a esa conceptuación y por su fundamento en la libertad académica que proclama la propia LRU.

La ubicación de la autonomía universitaria entre los derechos fundamentales es una realidad de la que es preciso partir para determinar su concepto y el alcance que le atribuye la Constitución. Es cierto que no todo lo regulado en los arts. 14 a 29 constituyen derechos fundamentales y que en el propio art. 27 hay apartados —el 8 por ejemplo— que no responden a tal concepto. Pero allí donde, dentro de la Sección 1.ª, se reconozca un derecho, y no hay duda que la autonomía de las Universidades lo es, su configuración como fundamental es precisamente el presupuesto de su ubicación. El constituyente, que en otros preceptos de la Constitución se remite a los derechos fundamentales por su colocación sistemática en la misma [arts. 53.2 y 161.1 b)] para dotarlos de especial protección, no podía desconocer la significación de ese encuadramiento. Mas no es sólo el marco constitucional en que se sitúa la autonomía universitaria lo que conduce a su consideración como derecho fundamental, sino que hay otros argumentos que avalan la misma conclusión:

El sentido gramatical de las palabras con que se enuncia —«se reconoce»— es más propio de la proclamación de un derecho que del establecimiento de una garantía. Y esta interpretación se refuerza a través de la evolución del Texto constitucional en las Cortes Constituyentes. En el Anteproyecto de la Constitución el art. 28.10 (equivalente al actual 27.10) estaba redactado en la siguiente forma: «La ley regulará la autonomía de las Universidades.» Esta redacción inicial se modificó en virtud de determinadas enmiendas para dar paso a la redacción actual, cuya justificación para algunos de los enmendantes (Minoría catalana y UCD) fue la siguiente:

«En la redacción del Anteproyecto la autonomía de las Universidades no se reconoce como un derecho y queda simplemente supeditada a la medida en que quiera reconocerse por Ley. Esto nos parece un grave inconveniente que debe ser enmendado en el debate de la Comisión.»

Esta breve referencia a la elaboración del art. 27.10 pone de manifiesto que los constituyentes tuvieron plena conciencia del alcance que suponía el reconocimiento de la autonomía de las Universidades como un derecho.

Finalmente a la misma conclusión conduce la consideración del fundamento y sentido de la autonomía universitaria. Como dice la propia Ley de Reforma Universitaria en su preámbulo y en su articulado (art. 2.1, no impugnado) y es opinión común entre los estudiosos del tema, la autonomía universitaria tiene como justificación asegurar el respeto a la libertad académica, es decir, a la libertad de enseñanza y de investigación. Más exactamente, la autonomía es la dimensión institucional de la libertad académica que garantiza y completa su dimensión individual, constituida por la libertad de cátedra. Ambas sirven para delimitar ese «espacio de libertad intelectual» sin el cual no es posible «la creación, desarrollo, transmisión y crítica de la ciencia, de la técnica y de la cultura» [art. 1.2 a) de la LRU] que constituye la última razón de ser de la Universidad. Esta vinculación entre las dos dimensiones de la libertad académica explica que una y otra aparezcan en la Sección de la Constitución consagrada a los derechos fundamentales y libertades públicas, aunque sea en artículos distintos: la libertad de cátedra en el 20.1 c) y la autonomía de las Universidades en el 27.10.

Hay, pues, un «contenido esencial» de la autonomía universitaria que está formado por todos los elementos necesarios para el aseguramiento de la libertad académica. [...] El art. 27.10 de la Constitución reconoce la autonomía universitaria «en los términos que la ley establezca». La ley regulará, por tanto, la autonomía universitaria en la forma que el legislador estime más conveniente, dentro del marco de la Constitución y del respeto a su contenido esencial en particular, y al analizar la impugnación de un precepto desde este punto de vista, lo que habrá de determinarse primordialmente es si se invade o no ese contenido esencial, sin que sea necesario justificar la competencia del legislador.

Naturalmente que esta conceptuación como derecho fundamental con que se configura la autonomía universitaria, no excluye las limitaciones que al mismo imponen otros derechos fundamentales (como es el de igualdad de acceso al estudio, a la docencia y a la investigación) o la existencia de un sistema universitario nacional que exige instancias coordinadoras; ni tampoco las limitaciones propias del servicio público que desempeña y que pone de relieve el legislador en las primeras palabras del artículo 1 de la LRU. Más, aunque la doten de peculiaridades que han de proyectarse en su regulación, ni aquellas limitaciones ni su configuración como servicio público desvirtúan su carácter de derecho fundamental con que ha sido configurada en la Constitución para convertirla en una «simple garantía institucional», como dice el Abogado del Estado, pretendiendo con ello que es «mucho mayor el poder conformador de las normas que regulan la institución». El derecho fundamental no afecta al poder normativo en mayor medida que el respeto a su contenido esencial que impone el art. 53.1 de la Constitución, perfectamente compatible con el servicio público que desempeña.

Titularidad del derecho a la autonomía universitaria —STC 183/2011, de 21 de noviembre—

La Sentencia resuelve el recurso de amparo promovido por el Consejo General de Colegios Oficiales de Aparejadores y Arquitectos Técnicos contra la Sentencia de la Sala de lo Contencioso-Administrativo del Tribunal Supremo de 9 de marzo de 2010, y contra su Auto de 20 de julio de 2010, que desestima el incidente de nulidad promovido contra dicha Sentencia. Se reprocha a ésta que no anulara la denominación «graduado o graduada en ingeniería de edificación», contenida en el apartado segundo del acuerdo del Consejo de Ministros de 14 de diciembre de 2007, que da lugar a confusión con la profesión de arquitecto/a técnica/o, y que lo hiciera, en concreto, sin motivar la restricción que para la autonomía universitaria supone la imposición de dicha denominación.

FJ 6. [...] [T]itulares del derecho a la autonomía universitaria (art. 27.10 CE) son las Universidades, por lo que la legitimación para la defensa de dicha autonomía sólo a ellas les asiste a través del recurso de amparo (SSTC 26/1987, de 27 de febrero, FJ 4, y 235/1991, de 12 de diciembre, FJ 1; y ATC 17/1990, de 15 de enero, FJ 3), habiéndose de excluir, por tanto, la posibilidad de que otros entes distintos a las Universidades puedan, en el ámbito de este proceso constitucional, pretender que se les otorgue el amparo frente a una determinada resolución con fundamento en la pretendida vulneración de la autonomía universitaria.

Contenido de la autonomía universitaria (1) —STC 106/1990, de 6 de junio[17]—

La Sentencia resuelve cuestiones de inconstitucionalidad planteadas por la Sala de lo Contencioso-Administrativo del Tribunal Superior de Justicia de Canarias respecto de los artículos 2, 4, Disposición Adicional y Disposiciones Transitorias de la Ley Territorial 5/1989, de 4 de mayo, de Reorganización Universitaria de Canarias.

FJ 6. [...] Esta concreción de la autonomía universitaria —que el Legislador no puede desconocer introduciendo limitaciones o sometimientos a las Universidades que conviertan su autonomía en una simple proclamación teórica— se ha materializado con la aprobación de la LRU, que, básicamente en su art. 3, ha precisado el conjunto de facultades que dotan de contenido a la autonomía universitaria, sin que tal concreción haya sido cuestionada y sin que quepa advertir en ella infracción constitucional alguna por insuficiente atribución de poderes a las Universidades para hacer efectiva y real su autonomía.

---

[17]   *Vid.* también la STC 44/2016, de 14 de marzo (el derecho a la autonomía universitaria no incluye la capacidad de las universidades de determinar la edad de jubilación de su profesorado).

FJ 7. […] a) La autonomía universitaria no incluye el derecho de las Universidades a contar con unos u otros concretos centros, imposibilitando o condicionando así las decisiones que al Estado o a las Comunidades Autónomas corresponde adoptar en orden a la determinación y organización del sistema universitario en su conjunto y en cada caso singularizado, pues dicha autonomía se proyecta internamente, y ello aun con ciertos límites, en la autoorganización de los medios de que dispongan las Universidades para cumplir y desarrollar las funciones que, al servicio de la sociedad, les han sido asignadas o, dicho en otros términos, la autonomía de las Universidades no atribuye a éstas una especie de «patrimonio intelectual», resultante del número de centros, Profesores y alumnos que, en un momento determinado, puedan formar parte de las mismas, ya que su autonomía no está más que al servicio de la libertad académica en el ejercicio de la docencia e investigación, que necesariamente tiene que desarrollarse en el marco de las efectivas disponibilidades personales y materiales con que pueda contar cada Universidad, marco éste que, en última instancia, viene determinado por las pertinentes decisiones que, en ejercicio de las competencias en materia de enseñanzas universitarias, corresponde adoptar al Estado o, en su caso, a las Comunidades Autónomas.

b) Es cierto que la readscripción de centros de una Universidad a otra distinta trae como consecuencia que la relación estatutaria, que vincula a los Profesores que prestan sus servicios en esos centros con la Universidad a la que pertenecen antes de la readscripción, se sustituya por otra relación de idéntica naturaleza con la Universidad a la cual esos centros se adscriben, pero también es cierto que el argumento según el cual dicha sustitución no puede realizarse sin la voluntad de los Profesores afectados por ella sólo sería esgrimible por éstos, puesto que su incidencia sólo puede referirse al interés personal de cada Profesor que, en su caso, podrá defender, según su voluntad, los derechos que a tal efecto les conceda la Constitución y el ordenamiento jurídico, tal y como han hecho los Profesores promoventes de los recursos contencioso-administrativos que han dado origen a las cuestiones de inconstitucionalidad núms. 2492, 2535 y 2593 de 1989 y 251 de 1990, aquí acumuladas. En su consecuencia, la pérdida de Profesores que se produce por la segregación de los centros en los que prestan sus servicios y su correlativa incorporación a otra Universidad no es, en sí misma lesiva de la autonomía universitaria; problema distinto es si puede predicarse lo mismo de la readscripción de centros en virtud de otros argumentos, lo cual examinaremos en su momento oportuno, y

c) Tampoco desde la consideración de la autonomía económica y financiera de las Universidades cabe formular objeción de inconstitucionalidad a la readscripción de centros prevista en la Ley canaria.

Contenido de la autonomía universitaria (y 2) —STC 223/2012, de 29 de noviembre[18]—

La Sentencia resuelve el recurso de inconstitucionalidad promovido por el Presidente del Parlamento de Andalucía en representación de dicha Cámara contra algunos preceptos de la Ley Orgánica 6/2001, de 21 de diciembre, de universidades, a los que imputa la violación, entre otros, del artículo 27.10 CE.

FJ 6. […] [L]a creación de centros universitarios privados y el establecimiento de su régimen jurídico no es manifestación de la autonomía universitaria consagrada en el art. 27.10 CE, sino del art. 27.6 de la Norma Fundamental, en cuanto reconoce a «las personas físicas y jurídicas la libertad de creación de centros docentes, dentro del respeto a los principios constitucionales». En lógica consecuencia, la Ley Orgánica de universidades ha dispuesto en su art. 5.1 que la creación de estos centros docentes se hará «con sometimiento a lo dispuesto en esta ley y en las normas que, en su desarrollo, dicten el Estado y las Comunidades Autónomas en el ámbito de sus respectivas competencias», para prescribir, a continuación, en el apartado cuarto, su integración en las universidades privadas como centros propios o su adscripción a las universidades públicas o privadas. A este último supuesto responde el art. 11 LOU que configura el régimen de adscripción a las universidades de este tipo de centros.

Siendo la autonomía universitaria un derecho de configuración legal (STC 26/1987, de 27 de febrero, FJ 4), el legislador no ha incluido en la potestad autonormadora que integra la autonomía universitaria la aprobación del régimen jurídico de los centros universitarios —que por emanar del art. 27.6 CE corresponde al legislador estatal y autonómico— en cuanto conformación de los mismos, sino que le atribuye la decisión de su adscripción, que sí forma parte ineludible de la autonomía universitaria, pues «no puede sostenerse que el texto aprobado por el claustro, según el cual "la adscripción de estos centros (los que dependen de instituciones públicas o privadas) así como su desvinculación se ajustará a lo previsto en la legislación vigente y deberá contar con la aprobación de la junta de gobierno y del

---

18   *Vid.* también la STC 131/2013, de 5 de junio, FJ 8 b); sobre la conformidad con el artículo 27.10 CE, en combinación con el artículo 23 CE, de la regulación de la elección al cargo de Rector en la LO 6/2001, de 21 de diciembre, de Universidades, vid. STC 192/2012, de 29 de octubre.

consejo social", infrinja dicha legalidad vigente, pues ésta se asume expresamente, y la condición fijada, de que la adscripción cuente con la aprobación de la universidad en la que se integra el centro, resulta una exigencia ineludible de la autonomía universitaria» (STC 55/1989, de 23 de febrero, FJ 10).

Pero es que, además, de la lectura del vigente art. 11.3 LOU no puede deducirse que exista lesión de la autonomía universitaria. Así, por un lado, la conformación de los centros docentes adscritos corresponde a los legisladores estatal y autonómico, como expresión de la función delimitadora de la libertad de creación de centros docentes consagrada en la Norma Suprema (art. 27.6 CE), y dentro de ella el legislador estatal ha determinado el régimen jurídico de dichas estructuras docentes, integrado fundamentalmente, además de por las normas estatales y autonómicas, por el convenio de adscripción. Por otro lado el convenio, del que el legislador no preconfigura contenido alguno, contiene el régimen jurídico de cada centro en particular y las condiciones bajo las cuales se sustancia la adscripción del centro a una universidad y, por tanto, es resultado de la libertad negociadora de las partes que lo suscriben y, en consecuencia, de la autonomía universitaria. El convenio es, en definitiva, el instrumento normativo que contiene, en esencia, el régimen de cada centro docente adscrito, manteniendo la universidad plena capacidad de decisión en aquellos aspectos que libremente hayan decidido las partes que lo suscribieron, y sin perjuicio de las remisiones que los citados convenios puedan hacer a las normas estatutarias universitarias. Así entendido el vigente art. 11.3 LOU (art. 11.2 en el momento de su impugnación), han de descartarse los reproches de inconstitucionalidad que realiza el recurrente.

Límites a la autonomía universitaria (1) —STC 156/1994, de 25 de abril[19]—

La Sentencia resuelve el recurso de amparo promovido por la Universidad de Alicante contra la Sentencia de la Sala Tercera (Sección Séptima) del Tribunal Supremo de 13 de junio de 1991, que estimó el recurso de apelación promovido contra la dictada por la Sala de lo Contencioso-Administrativo (Sección Primera) del Tribunal Superior de Justicia de la Comunidad Valenciana, de 22 de abril de 1990, contra el Acuerdo del Consejo de la Generalidad Valenciana, de 23 de noviembre de 1987, sobre modificación de determinados artículos de los Estatutos de la Universidad de Alicante.

FJ 2. [...] Una de esas «normas básicas», en principio admisibles aunque no pueden ser rígidas ni tan concretas o amplias que reduzcan injustificadamente la autonomía organizativa de las Universidades (STC 26/1987), es el RD 2.360/84, que, en su art. 4.1, dispone que el número de Catedráticos y Profesores Titulares necesarios para la constitución de un Departamento no puede ser inferior a doce con dedicación a tiempo completo. [...]

FJ 3. No es posible aceptar la conclusión de que el establecimiento del límite mínimo de Catedráticos y Profesores Titulares a tiempo completo necesario para crear un Departamento, fijado por aquel Real Decreto, infringe la autonomía universitaria. Sin duda, el Gobierno podía haber sido más flexible al establecer ese tipo de límites o, incluso, haber decidido no fijar ninguno, de manera que todas las Universidades, y en concreto las de nueva creación, tuvieran más libertad para adaptar la estructura de los Departamentos a sus propias circunstancias. Pero de esa consideración no se desprende la inconstitucionalidad del art. 4.1 del RD 2.360/84. En primer término, porque, siendo el Departamento una «estructura básica», no cabe eliminar la posibilidad de que se establezcan ciertos límites por quien tiene la responsabilidad última del servicio público universitario, entendido como sistema nacional. Y en segundo lugar, porque el límite mínimo establecido, aunque pueda parecer riguroso, deja una amplia autonomía a las Universidades para establecer no sólo cómo, sino, sobre todo, qué Departamentos crear, encontrando al tiempo explicación en la conveniencia de no multiplicar en exceso las estructuras internas (con las consiguientes secuelas burocráticas) de las Universidades, así como en la de asegurar un nivel mínimo de docentes e investigadores en todo Departamento, requisito esencial habida cuenta de las importantes funciones atribuidas a los Departamentos. Por último, no se acierta a comprender de qué manera la fijación de un límite semejante afecta a la libertad académica —de estudio, docencia e investigación—, que —no debe olvidarse— constituye la razón de ser de la autonomía universitaria.

[19] *Vid.* también las SSTC 187/1991, de 3 de octubre; 155/1997, de 29 de septiembre (sobre la constitucionalidad de las limitaciones a la autonomía universitaria para regular Planes de Estudio, procedentes del Acuerdo entre el Estado español y la Santa Sede sobre Enseñanza y Asuntos Culturales, de 3 de enero de 1979 —ARTÍCULO 16—); 103/2001, de 23 de abril (sobre la constitucionalidad de la modificación de las «directrices generales comunes» de los planes de estudio de los títulos de carácter

[...] Y en el caso se pone de manifiesto, en relación con una estructura básica como es el Departamento, una determinación general que exige un número de Profesores, y que aunque limite en ese punto la autonomía de creación y configuración del Departamento, no excede de las posibilidades normativas que al Gobierno reconocía la citada Sentencia (fundamento jurídico 7º a) ya que dentro de aquel límite, se conserva «un elevado margen de flexibilidad» que permite a la Universidad configurar este órgano dentro de sus propias características; como en definitiva señala esa Sentencia para admitir la existencia de normas básicas en la configuración de los límites de la autonomía universitaria.

Límites a la autonomía universitaria (y 2) —STC 87/2014, de 29 de mayo—

La Sentencia resuelve la cuestión de inconstitucionalidad planteada por el Juzgado de lo Contencioso-Administrativo núm. 6 de Bilbao, en relación con el artículo 18.2 de la Ley 3/2004, de 25 de febrero, del sistema universitario vasco por posible vulneración del artículo 27.10 CE. Ese artículo impone la designación por sorteo público de los miembros de la comisión llamada a seleccionar su personal docente e investigador contratado permanente «sobre una lista que contenga al menos un número tres veces mayor del número de componentes de la comisión».

FJ 7. En efecto, cuando este Tribunal ha considerado la autonomía universitaria ex art. 27.10 CE lo ha hecho siguiendo un mismo esquema. En primer lugar, verifica que la actividad administrativa en presencia es expresión de uno de los ámbitos que según la ley orgánica correspondiente integran el contenido esencial del derecho fundamental y a continuación analiza si el límite que se impone a las universidades en ese ámbito encuentra justificación en alguna de las limitaciones especificadas en la configuración general definida en el fundamento jurídico 4 a) de la STC 26/1987, con especial atención a las que derivan del servicio público que desempeña la universidad, limitaciones estas fundadas, como expresamente destacamos en la STC 187/1991, de 3 de octubre, en «que la Universidad constituye, como se dice en el art. 1.1 LRU, un servicio público cuya prestación afecta a los intereses generales de la entera sociedad española y no sólo a los intereses de la comunidad universitaria». [...]
Esto es, atender a las exigencias del servicio público universitario justifica que el legislador que tenga esta materia entre sus responsabilidades puede regir, al menos en cuanto al marco general, las estructuras organizativas básicas de las universidades, limitando así una de las potestades que integran el contenido esencial de su autonomía como es «la creación de estructuras específicas que actúen como soporte de la investigación y la docencia». [...]

FJ 9. Sin entrar en su mayor o menor efectividad, pues ello supondría un juicio de oportunidad que no corresponde a este Tribunal, lo relevante es que la medida prevista en el art. 18.2 de la Ley del sistema universitario vasco persigue aumentar la objetividad e imparcialidad en el funcionamiento de uno de los elementos centrales del servicio público de enseñanza superior como es la selección de su profesorado, procurando disminuir el riesgo cierto de decisiones interesadas derivado de la estrecha conexión entre la comunidad universitaria y algunos de los candidatos a participar en esos procesos de selección, que pueden incluso pertenecer a ella. En todo caso, hacer prioritario este mayor grado de objetividad e imparcialidad como valores constitucionales, aparte de reforzar uno de los principios que según el art. 103.1 CE han de presidir siempre la actividad de las Administraciones públicas, entre las que se cuentan las universidades, contribuye a la realización concreta de los objetivos principales fijados para el servicio público de enseñanza superior en la Ley del sistema universitario vasco, cuya exposición de motivos comienza diciendo que «el sistema universitario vasco, que es dinámico y complejo, ambiciona alcanzar mayores niveles de calidad e internacionalización». [vid. STC 131/2013, de 5 de junio, FJ 8b)]. [...]
Por otra parte, esta previsión legislativa, lejos de impedirla, mantiene una intensa intervención de las universidades en la selección de su profesorado contratado, cumpliéndose así con otras de las exigencias que nuestra doctrina impone para que una limitación al derecho fundamental a la autonomía universitaria sea constitucionalmente lícita (STC 156/1994, de 23 de mayo). En efecto, del régimen legal aplicable, conformado por la Ley Orgánica de universidades y la Ley del sistema universitario vasco, resulta que será la universidad quien acuerde cuándo convoca una determinada plaza, quien establezca las bases reguladoras conforme a las que se adjudicará la misma y quien designe a los profesores que integren el ámbito dentro del cual se verificará el sorteo público que arrojará los concretos miembros

---

oficial, y los de acuerdos del Consejo de Universidades que denegaron la homologación de sendos títulos oficiales aprobados por la Universidad Politécnica de Madrid); STC 74/2019, de 22 de mayo (inconstitucionalidad de supeditar la introducción de nuevas enseñanzas de Grado en centros de educación superior privados a que no introduzcan duplicidad con las enseñanzas existentes en los centros universitarios públicos).

de la comisión de selección. Constatamos, por tanto, que la normativa legal vigente prevé la participación de la universidad en la selección del profesorado contratado y que la contempla con una extensión que es suficiente para que pueda gestionar directamente sus intereses en la materia y el precepto cuestionado se explica plenamente por la configuración de la enseñanza superior como servicio público.

IV. DERECHO A LA EDUCACIÓN Y ESTADO AUTONÓMICO

Delimitación de la competencia del Estado —STC 5/1981, de 13 de febrero (*vid. supra*)[20]—

FJ 28. [...] Como reiteradamente se ha indicado a lo largo de esta Sentencia, el sistema educativo del país debe estar homologado (art. 27.8 de la Constitución) en todo el territorio del Estado; por ello y por la igualdad de derechos que el art. 139 de la Constitución reconoce a todos los españoles es lógico que sea competencia exclusiva del Estado «la regulación de las condiciones básicas» que garanticen a todos los españoles la igualdad en el ejercicio de sus derechos constitucionales, así como, ya en el campo educativo, la regulación de las «normas básicas para el desarrollo del art. 27 de la Constitución» (art. 149.1.30.° de la CE). Consecuencia de todo lo anterior es la declaración contenida en la Disposición Adicional número dos de la LOECE en la que se declara que «en todo caso y por su propia naturaleza corresponde al Estado: a) la ordenación general del sistema educativo», etcétera. [...]

En efecto: a) Los poderes públicos no podrán realizar las funciones de inspección y homologación del sistema educativo (arts. 27.8 y 149.1.30.° de la Constitución) si no existe en el correspondiente órgano de la Administración un registro público de centros debidamente identificado (art. 6 de la LOECE); b) La ordenación general de los centros docentes del sistema exige su clasificación tanto en relación con su titular (art. 8, que define quién es el titular y qué son centros públicos y privados), como en función del nivel de docencia que imparten (art. 9), así como una denominación genérica de los centros públicos en atención a dichos niveles (art. 22); c) Dentro de esta misma línea temática, el art. 13 garantiza en determinadas condiciones «plenas facultades académicas» a los centros y el art. 14 establece sin discriminaciones los límites de una cierta autonomía de los centros más allá de las exigencias marcadas por las Leyes. El art. 39 afecta de manera esencial al derecho fundamental que todos los ciudadanos tienen a la educación (art. 27.1 de la Constitución). De nada serviría reconocer este derecho en el texto constitucional si luego fuese posible sancionar arbitrariamente a los alumnos dentro de los centros por supuestas faltas de disciplina cuya consecuencia última pudiera ser la expulsión del centro; con ello se imposibilitaría o al menos se dificultaría el ejercicio real de ese derecho fundamental. Eso es lo que trata de evitar el artículo 39 de la LOECE, y por lo mismo su inclusión en la Ley orgánica es muy oportuna, ya que otorga una garantía al citado derecho fundamental sin la cual el desarrollo normativo del mismo podría ser ineficaz.

Puesto que la intervención de algunos alumnos («en su caso», dice el artículo 27.7 de la Constitución) en el control y gestión de los centros sostenidos por la Administración con fondos públicos es un derecho fundamental que debe

---

[20]   Existe abundante jurisprudencia constitucional sobre distribución de competencias en materia educativa. *Vid.*, además de las incorporadas al texto principal, las SSTC 6/1982, de 22 de febrero (sobre inspección educativa); 77/1985, de 27 de junio, FFJJ 14-18 (sobre el carácter básico de la normativa estatal en materia de educación incluida en la LODE); 137/1986, de 6 de noviembre (sobre la regulación de los órganos de gobierno de las Ikastolas); STC 337/1994, FFJJ 18-19 (sobre materia lingüística); 147/1992, de 16 de octubre (sobre enseñanzas no regladas y creación del Instituto catalán de nuevas profesiones); 134/1997, de 17 de julio (sobre régimen de promoción y funcionamiento de Centros de Enseñanza para el personal de las Fuerzas Armadas); 131/1996, de 11 de julio (sobre creación y reconocimiento de Universidades y Centros universitarios); 31/2010, de 28 de junio, FJ 20 (sobre las competencias asumidas por el Estatuto de Autonomía de Cataluña sobre educación); 111/2012, de 24 de mayo, 25/2013, de 31 de enero y 27/2014, de 13 de febrero (sobre competencias en materia de formación profesional); 184/2012, de 17 de octubre, 212-214/2012, de 14 de noviembre; 6/2013, de 17 de enero y 47-48/2013, de 28 de febrero y 162/2013, de 26 de septiembre (sobre la constitucionalidad de la Ley Orgánica 10/2002, de 23 de diciembre, de calidad de la educación y su desarrollo reglamentario); 207/2012, de 14 de noviembre (sobre la regulación estatal de la prueba de acceso a estudios universitarios); 24/2013, de 31 de enero y 24/2014, de 13 de febrero (sobre enseñanzas comunes de la educación primaria); 213/2013, de 19 de diciembre (sobre acceso a cuerpos docentes y su adquisición de nuevas especialidades); 2/2014, de 16 de enero (sobre las enseñanzas comunes del bachillerato); 17/2014, de 30 de enero (sobre formación para el ejercicio de la docencia en la educación secundaria obligatoria, el bachillerato, la formación profesional y las enseñanzas de régimen especial); 107/2014, de 26 de junio (sobre la regulación estatal del procedimiento para la obtención de la evaluación y certificación del personal docente e investigador universitario por la Agencia Nacional de Evaluación de la Calidad y Acreditación); 170/2014, de 23 de octubre (sobre la regulación estatal del acceso a la abogacía y procuraduría de los tribunales).

ser desarrollado por la LOECE al tratar de la misma intervención constitucionalmente reconocida también a los profesores y a los padres (vide supra, párrafos II, 14, sgs.), es claro que la participación de los alumnos a la que se refiere el art. 38 de la LOECE no puede ser aquella intervención «en el control y gestión» de los centros a que alude el art. 27.7 de la CE, y que, por consiguiente, se trata aquí de una materia conexa por extensión con el art. 27.7 de la Constitución. La presencia de este art. 38 en la Ley Orgánica de Centros no es inconstitucional, pero como en él se regula una materia conexa y no estrictamente vinculada al desarrollo de un derecho fundamental, sobre ella podrán legislar las Comunidades Autónomas catalana y vasca (o cualesquiera otras que en el futuro tengan sus mismas competencias en materia educativa), siendo sus Leyes aplicables en tal materia con preferencia a las del Estado.

LOS DERECHOS A LA LIBERTAD SINDICAL Y A LA HUELGA

Artículo 28. 1. Todos tienen derecho a sindicarse libremente. La ley podrá limitar o exceptuar el ejercicio de este derecho a las Fuerzas o Institutos armados o a los demás Cuerpos sometidos a disciplina militar y regulará las peculiaridades de su ejercicio para los funcionarios públicos. La libertad sindical comprende el derecho a fundar sindicatos y a afiliarse al de su elección, así como el derecho de los sindicatos a formar confederaciones y a fundar organizaciones sindicales internacionales o afiliarse a las mismas. Nadie podrá ser obligado a afiliarse a un sindicato.
2. Se reconoce el derecho a la huelga de los trabajadores para la defensa de sus intereses. La ley que regule el ejercicio de este derecho establecerá las garantías precisas para asegurar el mantenimiento de los servicios esenciales de la comunidad.

INTRODUCCIÓN

El artículo 28 CE reconoce dos derechos distintos, aunque estrechamente relacionados entre sí, el derecho a la libre sindicación y el derecho a la huelga. Se trata de dos derechos individuales de ejercicio colectivo, cuyo objetivo es dar cobertura jurídica a las actividades que las personas trabajadoras por cuenta ajena desarrollan de forma coordinada con el fin de granjearse una posición de contrapoder frente al poder, jurídico y real, que la empresa empleadora tiene sobre ellas.

El primero de ellos, el derecho a la libre sindicación, aparece reconocido en el artículo 28.1 CE como un derecho de libertad, como el derecho a que ni los poderes públicos (STC 23/1983; 235/1988) ni el poder empresarial (STC 134/1994) interfieran en el ejercicio de las actividades de los sindicatos. Estos son, al igual que los partidos políticos, una especie dentro del género asociación (STC 152/2008), que al igual que aquéllos son objeto de reconocimiento constitucional específico a nivel institucional, esta vez en el artículo 7 CE, y esta vez también como derecho fundamental específico en el artículo 28.1 CE. Se trata de un derecho reconocido en términos universales, cuya titularidad se extiende pues a las personas de nacionalidad española y a las extranjeras residentes en nuestro territorio, con independencia de su situación administrativa (STC 236/2007, FJ 9), pero cuyo ejercicio está reservado a las personas trabajadoras por cuenta ajena, no teniendo acceso a él las personas trabajadoras autónomas, jubiladas o pensionistas, ni las empresarias (STC 98/1985, FJ 2; *vid.* también ATC 113/1984). Su titularidad puede, con todo, ser limitada o exceptuada por ley a las Fuerzas o Institutos armados y demás Cuerpos sometidos a disciplina militar, y admite además peculiaridades en la regulación de su ejercicio por las/os funcionarias/os públicas/os (Ley 7/2007, de 12 de abril, del Estatuto Básico del Empleado Público), si bien, en la medida en que les sea reconocida, el derecho tiene rango de fundamental también para esos colectivos (STC 273/1994; 152/2008). Y es que nos encontramos, en este y en otros aspectos, ante un derecho de configuración legal, la configuración de cuyo contenido aparece en su legislación de desarrollo, en concreto en la Ley Orgánica 11/1985, de 2 de agosto, de Libertad Sindical. Titulares del derecho, al menos de buena parte de su contenido, son también los sindicatos. Como tales, éstos pueden hacerlo valer ante los tribunales de justicia, siempre, eso sí, que exista un vínculo específico que los una con la pretensión ejercitada, sin que puedan los sindicatos erigirse en «guardianes abstractos de la legalidad, cualesquiera que sean las circunstancias en que ésta pretenda hacerse valer» (STC 202/2007).

El contenido del derecho a la libertad sindical es, ante todo, el que aparece enunciado en el artículo 28.1 CE. Éste incluye el derecho a fundar sindicatos, sin más límites que los derivados de los arts. 7 y 22 CE, y sin estar sometido a autorización administrativa alguna. Por ello, puntualiza el Tribunal Constitucional, «la obligación legal de depositar sus estatutos «en la oficina pública establecida al efecto» que dispone el art. 4.1 LOLS se exige únicamente —como el propio precepto señala— para «adquirir la personalidad jurídica y plena capacidad de obrar»», fruto de «la necesidad de establecer un sistema de reconocimiento» de los sindicatos como personas jurídicas (STC 121/1997, FJ 9). El artículo 28.1 CE especifica también, como parte del contenido de la libertad sindical, el derecho de cada persona trabajadora a afiliarse al sindicato de su elección y, en su dimensión negativa, a no afiliarse a ninguno, opción ésta de la que pueden derivarse consecuencias jurídicas negativas, que serán legitimas sólo en la medida en que no entrañen presión o coacción tendente a la afiliación sindical (STC 68/1982). E incluye el derecho de los sindicatos a formar o afiliarse a confederaciones u organizaciones sindicales internacionales.

Pero la libertad sindical va más allá del contenido explícitamente previsto en el artículo 28.1 CE. Por detallado o concreto que éste parezca, «no puede considérsele como exhaustivo o limitativo, sino meramente ejemplificativo», no agotando «en absoluto, el contenido global o total de dicha libertad» STC 23/1983, FJ 2). En una lectura sistemática de la Constitución, interpretada a su vez a la luz de los tratados internacionales suscritos por España (artículo 10.2 CE), muy especialmente de los Convenios 87 y 98 de la Organización Internacional del Trabajo, de 9 de julio de 1948 y 1 de julio de 1949, respectivamente, el Tribunal Constitucional ha aclarado que el contenido de la libre sindicación va más allá del tenor literal del artículo 28.1 CE. En concreto, cubre también la capacidad de los sindicatos, una vez fundados, de organizar su administración y sus actividades, y de formular su programa de acción, llevando a cabo las actividades que les son propias, dentro del marco constitucional y sin intromisiones indebidas de los poderes públicos ni de las empresas. Un marco constitucional en el que los sindicatos son objeto de mención especial (artículo 7 CE) «como piezas económicas y sociales indispensables para la defensa y promoción de» los intereses de las personas trabajadoras (STC 70/1982, FJ. 5). De ahí que se les reconozca capacidad para representar a las personas trabajadoras, incluida la de promover en su nombre los procedimientos de negociación colectiva y de conflicto colectivo que la Constitución consagra como derechos en el artículo 37 CE. De este modo, y siempre que el sindicato tenga «una relación directa con el objeto del litigio, por su notoria implantación en el centro de trabajo o marco general al que el conflicto se refiera», dicha capacidad no puede limitarse al comité de empresa (*ibídem*, FJ 6). Es más, la constitucionalización de los sindicatos, que no de los comités de empresa, conduce a la conclusión de que sólo el acceso a los procedimientos de negociación y de conflicto colectivo por parte de los primeros recibe, además de la tutela del artículo 37 CE, la tutela reforzada del artículo 28.1 CE (STC 118/1983). Ello es así con independencia de que haya personas trabajadoras afectadas por la negociación o el conflicto colectivo que no estén afiliadas a ese sindicato, quienes se benefician pues pasivamente del ejercicio de la libertad sindical por parte de otras/os, y quienes pueden, es más, participar activamente en dichas actividades en ejercicio de su libertad sindical, aun no perteneciendo al sindicato en cuestión. En palabras del Tribunal Constitucional, «el art. 28.1 CE no puede ser entendido de modo tal que quede en todo caso fuera de su ámbito de tutela la actividad sindical de aquellos trabajadores que siguiendo una actividad no declarada ilícita programada o promovida por asociaciones sindicales o en las que éstas tengan un particular interés no estén afiliados a las mismas» (STC 134/1994, FJ 4.c).

Los derechos reconocidos en el artículo 37 CE, la negociación colectiva y la incoación de conflictos colectivos, incluida la huelga, integran, junto con las facultades expresamente mencionadas en el artículo 28.1 CE, lo que el Tribunal Constitucional considera el contenido esencial del derecho a la libertad sindical, en cuanto que «medios de acción que contribuyen a que el sindicato pueda desenvolver la actividad a que es llamado por el art. 7 de la CE» (STC 9/1988, FJ 2). El contenido de este derecho va, con todo, más allá de ese núcleo esencial, abarcando todos los medios de acción necesarios para la defensa, protección y promoción de los intereses de las personas trabajadoras (STC 213/2002), como la participación institucional (STC 9/1988, FJ 2, citando la STC 39/1986), o la promoción de elecciones sindicales y presentación en ellas de candidaturas (STC 76/2001). En cuanto que son de creación infraconstitucional, estos medios son disponibles para quien los crea, siempre dentro del respeto al contenido esencial del derecho, pero en la medida en que están reconocidos deben ser respetados como parte integrante del derecho. Esto es tanto más así en la medida en que su ejercicio se apoye en el de otro derecho fundamental, como la intimidad informática (STC 11/1998), o los derechos a la información y a la libertad de expresión (STC 213/2002). Ahora bien, no todo incumplimiento de cualquier precepto referido a aquel contenido adicional, por insignificante que sea, integra el núcleo de la libertad sindical a efectos de la admisión del recurso de amparo, pues, como señala la STC 51/1988, «… tal violación se dará cuando tales impedimentos u obstaculizaciones existan y no obedezcan a razones atendibles de protección de derechos e intereses constitucionalmente previstos que el autor de la norma legal o reglamentaria ha podido tomar en consideración» (STC 30/1992, FJ 5 —vid. nota 4—). Así, el derecho de los trabajadores afiliados a la audiencia previa del delegado sindical en casos de despidos (artículo 10.3.3 de la Ley Orgánica de libertad sindical) no es subsumible en el contenido constitucional de la libertad sindical (ibídem). Tampoco lo es la existencia de la figura de un/a delegado/a sindical, aunque puedan serlo algunas de sus atribuciones que, en esa medida, deben estar reconocidas a toda organización sindical (STC 61/1989 —vid. nota 4—).

Dentro del ejercicio de las funciones propias de los sindicatos, el Tribunal Constitucional ha avalado la legitimidad constitucional del concepto de 'mayor representación sindical' y, con él, de las diferencias de trato entre sindicatos que se derivan de su aplicación, siempre que puedan considerarse justificadas (STC 98/1985). La conexión entre el derecho a la igualdad y la libertad sindical rige también la prohibición de que para un/a trabajador/a puedan derivarse consecuencias negativas del ejercicio de su libertad sindical (STC 90/2008). En todo caso, el ejercicio de este derecho, como el de todos los derechos fundamentales, está sujeto a límites, los cuales están sujetos a su vez a los criterios que rigen las limitaciones de derechos fundamentales en el ámbito empresarial (SSTC 76/2001; 17/2005).

El artículo 28.2 CE, por su parte, reconoce el derecho a la huelga, otro derecho de titularidad individual y ejercicio colectivo (STC 11/1981, FJ 11), reconocido en términos universales, del que son pues titulares las personas españolas y extranjeras con independencia de la regularidad de su situación administrativa (STC 259/2007), y cuyo objetivo es empoderar a las personas trabajadoras por cuenta ajena, incluidas las que trabajan como empleadas públicas (Ley 7/2007, de 12 de abril, del Estatuto Básico del Empleado Público), frente al poder empresarial. Casi cuatro décadas después de su reconocimiento constitucional, el contenido del derecho a la huelga sigue encontrando su principal fuente de desarrollo en el Real Decreto-Ley 17/1977, de 4 de marzo, de relaciones de trabajo, en normativa, pues, preconstitucional, y en la STC 11/1981, que resolvió el recurso de inconstitucionalidad contra dicho Real Decreto-Ley.

El Tribunal Constitucional aclaró ya entonces que nos encontramos, no ante un derecho de libertad, en relación con cuyo disfrute el Estado debe permanecer neutral, sino ante un derecho fundamental que debe ser garantizado en su ejercicio por los poderes públicos (STC 11/1981, FJ 9). Tras ofrecernos una definición del concepto constitucional de contenido esencial de los derechos fundamentales (*ibídem*, FJ 8), el Tribunal definió el del derecho a la huelga como «una cesación del trabajo, en cualquiera de las manifestaciones o modalidades que puede revestir» (*ibídem*, FJ 10), y que en todo caso implica «la voluntad deliberada de los huelguistas de colocarse provisionalmente fuera del marco del contrato de trabajo» (*ibídem*, FJ 12), de desligarse temporalmente de sus obligaciones jurídico-contractuales, pero manteniendo su relación jurídico-laboral. La cual sólo queda en suspenso, con suspensión del derecho de salario, pero también con limitación del ámbito de libertad de la empresa, que no puede sustituir a las/os huelguistas por otras/os trabajadoras/es, en atención a un principio de proporcionalidad y sacrificios mutuos entre trabajadoras/es y empresa (*ibídem*, FJ 10; STC 33/2011).

A nivel individual, este contenido comprende la capacidad de cada trabajador/a por cuenta ajena de decidir si desea sumarse a una huelga ya convocada, y de hacerlo incluso cuando con dicha huelga se están reivindicando intereses que van más allá de los de quienes trabajan en su empresa, para abarcar a los de toda una categoría de trabajadoras/es, o intereses sindicales más amplios (STC 11/1981, FJ 21). Su ejercicio colectivo comprende la facultad de declarar una huelga y elegir su modalidad, siempre dentro de los límites legales, que a su vez deben respetar dicho contenido esencial (*ibídem*). El cual comprende su «convocatoria o llamada, el establecimiento de las reivindicaciones, la publicidad o proyección exterior, la negociación y, finalmente, la decisión de darla por terminada» (*ibídem*, FJ 11), facultades todas ellas que corresponden tanto a las/os trabajadoras/es como a sus representantes y a las organizaciones sindicales con implantación en el ámbito laboral al que se extiende la huelga. Fuera del ámbito de cobertura del artículo 28.2 CE queda la cesación del trabajo llevada a cabo, no por personas trabajadoras por cuenta ajena como medida de presión sobre su empresa, sino por otras personas, como trabajadoras/es autónoma/os, o con otros fines, como las «perturbaciones en la producción de bienes y de servicios o en el normal funcionamiento de estos últimos que se introducen con el fin de presionar sobre la Administración Pública o sobre los órganos del Estado para conseguir que se adopten medidas gubernativas o que se introduzca una nueva normativa más favorable para los intereses de una categoría» (*ibídem*, FJ 12).

Los sindicatos son también titulares del derecho a la huelga. Existe, en efecto, una íntima relación entre el derecho a la huelga y la libertad sindical, siendo la huelga una de las medidas de conflicto colectivo previstas en el artículo 37.2 CE que pueden adoptar los sindicatos. Como medida de empoderamiento de las personas trabajadoras frente al poder empresarial, con todo, y al igual que la libertad sindical, la huelga es objeto de reconocimiento como derecho fundamental autónomo y de protección reforzada, superior a la que merecen las medidas de conflicto colectivo que pueda adoptar la empresa al amparo del artículo 37 CE, como el cierre patronal (STC 11/1981, FJ 22). Esa protección encuentra sus límites en las llamadas huelgas abusivas, huelgas que rompen con el principio de proporcionalidad y sacrificios mutuos que arriba se señalaba, porque puedan tener un efecto multiplicador sobre personas o sectores que no están en huelga (*ibídem*, FJ 10). Además el ejercicio del derecho a la huelga puede estar legítimamente sujeto a condiciones, como la obligación de preavisar a la empresa (*ibídem*, FJ 15), de adoptar medidas de seguridad de las personas cuando sean necesarias, de mantener y preservar materiales e instalaciones de trabajo (*ibídem*, FJ 20), o de asegurar el funcionamiento de los servicios esenciales de la comunidad.

La condición de garantizar el mantenimiento de los servicios esenciales de la comunidad, como límite del ejercicio derecho a la huelga, aparece prevista en el propio artículo 28.2 CE. El Tribunal Constitucional ha declarado que asegurar su cumplimiento debe ser misión de una tercera parte, imparcial en el conflicto, y ha afirmado la constitucionalidad de que dicho papel se atribuya a la autoridad gubernativa (STC 11/1981, FJ 18), siempre que se entienda como autoridad política, no administrativa, ya que ésta carece de la neutralidad y la autoridad democrática necesarias para arbitrar en la limitación de derechos fundamentales (STC 296/2006). Esto es tanto más así cuanto que por servicios esenciales el Tribunal ha entendido, no las actividades industriales y mercantiles de las que derivarían prestaciones vitales y necesarias para la vida de la comunidad, sino las dirigidas a la satisfacción de intereses esenciales para el disfrute de bienes constitucionalmente protegidos. La noción de servicio esencial está así vinculada, no a la naturaleza de la actividad en sí, sino a la de los intereses que con ella se satisfacen y a la vinculación de éstos con bienes constitucionales. Sólo el disfrute de estos bienes puede justificar una limitación del alcance del ejercicio del derecho a la huelga, limitación cuya intensidad y cuya extensión territorial y temporal deben justificarse en una decisión motivada con base en el principio de proporcionalidad (SSTC 123/1990; 183/2006), sin que en ningún caso pueda privarse de sentido al ejercicio del derecho a la huelga. Dentro del mantenimiento de los servicios esenciales encajan pues las medidas necesarias para garantizar la seguridad de personas y bienes y el mantenimiento de las instalaciones para permitir la reanudación de la actividad empresarial tras la huelga, pero no el ejercicio del derecho al trabajo de quienes no la secunden, ni la conveniencia de que la actividad empresarial no quede paralizada con motivo de cese temporal del trabajo (STC 80/2005, FJ 5). La concreción en cada caso de los servicios esenciales es un aspecto del contenido del derecho a la huelga que resiente especialmente la falta de desarrollo legislativo del art. 28.2 CE, dada la conflictividad que deriva de la falta de criterios explícitamente establecidos al efecto por ley, algo que el Tribunal Constitucional lamenta de forma expresa (SSTC 123/1990, FJ 4; 45/2016, FJ 4 —*vid*. nota 24—).

LEGISLACIÓN

Ley Orgánica 4/1981, de 1 de junio, de los estados de alarma, excepción y sitio; Ley Orgánica 11/1985, de 2 de agosto, de libertad sindical; Ley Orgánica 9/2015, de 28 de julio, de Régimen de Personal de la Policía Nacional; Ley 7/2007, de 12 de abril, del Estatuto Básico del Empleado Público; Real Decreto-Ley 17/1977, de 4 de marzo, sobre relaciones de trabajo;

BIBLIOGRAFÍA

BALAGUER CALLEJÓN, M.L. (1997): «El derecho fundamental a la huelga», *Estudios de derecho público en homenaje a Juan José Ruiz-Rico*, Madrid: Tecnos, pp. 773-810; BAYLOS GRAU, A. (2005): *Estudios sobre la huelga*, Madrid: Bomarzo; BLANCO ESTEVE, A. (1991): «La huelga de los funcionarios públicos», *Estudios sobre la Constitución Española. Homenaje al Profesor Eduardo García de Enterría*, Madrid: Civitas, 1991, pp. 2.619-2.668. CARMONA CONTRERAS, A. (2000): *La conflictiva relación entre libertad sindical y negociación colectiva*, Madrid: Tecnos; DÍEZ SÁNCHEZ, J.J. (1990): *El derecho de huelga de los funcionarios públicos*, Madrid: Civitas; FERNÁNDEZ LÓPEZ, M.F. (1992): «El contenido esencial de la libertad sindical y la negociación colectiva: una aproximación clásica a un antiguo problema», *REDT* 54, pp. 593-612; MARTÍN VALVERDE, A. (1986): «Los límites del derecho a la huelga en la Administración pública», *REDC* 18, pp. 21-50; MATÍA PRIM, J. et al. (1982): *Huelga, cierre patronal y conflictos colectivos*, Madrid: Civitas; PALOMEQUE LÓPEZ, M.C. (1991): *Los derechos laborales en la Constitución española*, Madrid: CEC; SOTO ROJA, S. De (1999): *La libertad sindical negativa*, Madrid: Civitas; VALDÉS DAL RE, F. (1993): «Poderes del empresario y derechos de la persona del trabajador», *Estudios de derecho público en homenaje a Ignacio de Otto* (U. Gómez Álvarez, coord..), Oviedo: Universidad de Oviedo, pp. 511-544; (2002): «Derecho de huelga e interés comunitario: los criterios de solución a un conflicto entre derechos fundamentales», *La democracia constitucional: Estudios en homenaje al profesor Francisco Rubio Llorente*, Madrid: Congreso de los Diputados, pp. 753-782.

I. EL ARTÍCULO 28.1 CE: LA LIBERTAD SINDICAL

Contenido de la libertad sindical: las obligaciones negativas de los poderes públicos —STC 23/1983, de 25 de marzo—

La Sentencia resuelve el recurso de amparo promovido por la Confederación Nacional del Trabajo (CNT) contra la Resolución de 2 de abril de 1981 del Instituto de Mediación, Arbitraje y Conciliación (IMAC) y las Sentencias de la Sala de lo Contencioso-Administrativo de la Audiencia Nacional de 8 de octubre de 1981 y la Sala Tercera del Tribunal Supremo de 3 de febrero de 1982, que la confirman. En dicha Resolución el IMAC publicó los resultados de las elecciones a representantes de los trabajadores en las empresas, pero sin incluir el dato de la abstención, que había propugnado el sindicato recurrente. Alega la CNT que ello vulnera el principio de imparcialidad y no injerencia de la Administración en el funcionamiento, organización y tácticas de los sindicatos, garantizados por el artículo 28.1 CE, además de suponer un trato discriminatorio respecto de los demás sindicatos (artículo 14 CE).

FJ 2. [...] Antes de seguir adelante conviene precisar que, desde luego, en el ámbito del derecho a la libertad sindical, consagrado en el precepto constitucional referido, se comprende, sin ninguna duda, el derecho a que la Administración Pública no se injiera o interfiera en la actividad de las organizaciones sindicales y a no ser éstas discriminadas entre sí por parte de aquélla de modo arbitrario o irrazonable.

A este respecto, es de destacar que por muy detallado y concreto que parezca el enunciado del art. 28.1 de la CE, a propósito del contenido de la libertad sindical, no puede considerársele como exhaustivo o limitativo, sino meramente ejemplificativo, con la consecuencia de que la enumeración expresa de los derechos concretos que integran el genérico de libertad sindical no agota, en absoluto, el contenido global o total de dicha libertad.

Por otro lado, no puede olvidarse tampoco que, de acuerdo con el art. 10.2 de la propia CE, las normas relativas a los derechos fundamentales y a las libertades que la misma reconoce han de interpretarse de conformidad con la Declaración Universal de Derechos Humanos y los tratados y acuerdos internacionales sobre dichas materias ratificados por España y que entre ellos está el Pacto de Derechos Económicos y Sociales de 1966 (art. 8.°) y la Carta Social Europea de 1961 (art. 5.°). Además España ha ratificado el Convenio 87 de la Organización Internacional del Trabajo (OIT) en el cual, tras declarar que las organizaciones de trabajadores (y de empresarios) «tienen el derecho de redactar sus estatutos y reglamentos administrativos, el de elegir libremente sus representantes, el de organizar su administración y sus actividades y el de formular su programa de acción», señala con todo énfasis que «las autoridades públicas deberán abstenerse de toda intervención que tienda a limitar este derecho o a entorpecer su ejercicio legal». Los sindicatos tienen, por tanto, el derecho a ejercer libremente sus actividades y a aprobar y poner en práctica sus programas de actuación y, correlativamente, a que los poderes públicos y, en concreto, la Administración, no se interfiera en tales actividades o entorpezca la ejecución de aquellos programas.

Contenido de la libertad sindical: las obligaciones negativas de las empresas —STC 134/1994, de 9 de mayo[1]—

La Sentencia resuelve el recurso de amparo interpuesto por don J.M.H. contra la Sentencia de 22 de julio de 1991 del Juzgado de lo Social núm. 4 de Granada, que confirmó la sanción impuesta al recurrente, representante de los trabajadores, por no comunicar a éstos la opinión contraria del empleador —la Administración militar— a la celebración de un paro de cinco minutos el 12 de febrero de 1991. El recurrente entiende vulnerada su libertad sindical.

FJ 4. c) Desde un punto de vista individual, las facultades que, en su vertiente organizativa y de actividad, integran el derecho de libertad sindical tienen, en principio, como titulares a los afiliados a los sindicatos. A ellos les corresponde el derecho de afiliarse o de no afiliarse al sindicato y, una vez que hayan optado por la afiliación, el de participar en la actividad sindical. Sin embargo, este derecho no ha de ser entendido en modo tal que se excluya en todo caso de la titularidad del derecho de actividad sindical a los trabajadores no afiliados a un sindicato. En la medida en que el sindicato tiene entre sus principales tareas y medios la de implicar en la acción sindical no sólo a los que ya son miembros del sindicato, sino al mayor número de trabajadores afectados e implicados en el mismo interés protegido en cada caso por el sindicato, no resultaría admisible que ante una misma actividad organizada o promovida por un sindicato los afiliados al mismo que la siguieran estuviesen cubiertos por la garantía del art. 28.1 CE y, en cambio, los trabajadores que no estuvieran afiliados, siguiendo la misma actividad y realizando los mismos actos, carecieran de esta cobertura. Cuando una actividad de un sindicato tiene proyección externa y se dirige a todos los trabajadores, afiliados y no afiliados, el derecho constitucional a la libertad de acción sindical debe proteger a todos los trabajadores que participen en la misma. En realidad, de no entenderse así el alcance del art. 28.1 CE, no sólo se dejaría desprotegidos a los trabajadores, sino que, indirectamente, se afectaría de forma grave a los propios sindicatos y a las funciones que la Constitución les reconoce, puesto que las actividades no declaradas ilícitas dirigidas a todos los trabajadores —que son, sin duda, las de mayor relieve—, podrían verse frustradas al no ofrecer a todos los destinatarios la referida garantía constitucional.

En suma, el art. 28.1 CE no puede ser entendido de modo tal que quede en todo caso fuera de su ámbito de tutela la actividad sindical de aquellos trabajadores que siguiendo una actividad no declarada ilícita programada o promovida por asociaciones sindicales o en las que éstas tengan un particular interés no estén afiliados a las mismas. La represalia o sanción frente a esas conductas vulneraría el art. 28.1 CE. El propio legislador lo ha entendido así, al incluir en la sanción de nulidad los actos o normas que supongan discriminación «por razón de la adhesión... a sus acuerdos (del sindicato) o al ejercicio en general de actividades sindicales» (art. 12 LOLS), y también en términos análogos se ha pronunciado anteriormente este Tribunal (SSTC 38/1981 y 197/1990).

d) El derecho reconocido en el art. 28.1 CE, como derecho de libertad que es, se ve vulnerado por la injerencia ilícita no sólo de la Administración (SSTC 23/1983, 143/1991 y 75/1992), sino también del propio empresario, el cual debe abstenerse de toda interferencia en el ejercicio del derecho de libertad sindical y, por supuesto, de adoptar represalias

---

[1]   Así, la STC 83/1982, de 22 de diciembre, reconoció al recurrente el derecho a ejercitar sus funciones de representación de los trabajadores mientras se sustancia el recurso de casación interpuesto por la empresa contra la Sentencia de Magistratura Provincial de Trabajo número 1 de Valencia, de 23 de mayo de 1979 que lo declaró improcedente.

contra los trabajadores que legítimamente ejerzan la actividad sindical. Por ello la conducta que consiste en la intromisión ilícita en el ámbito del derecho fundamental se ha de considerar radicalmente nula (STC 38/1981).

Como sucede con todos los derechos, el de libertad sindical no es un derecho ilimitado. Entre los derechos y bienes constitucionalmente protegidos que deben tenerse presentes al delimitar su contenido figuran, sin duda, derechos de los empleadores y otros bienes de índole económica y empresarial, sin embargo, al realizar esta operación debe tenerse muy presente que la actividad sindical de representación y defensa de los intereses de los trabajadores es una actividad caracterizada por la autotutela de esos intereses; no puede olvidarse que los sindicatos se hallan objetivamente en una posición dialéctica de contrapoder respecto de los empleadores y que la defensa de sus objetivos no se basa en fórmulas de composición de intereses o de colaboración, sino de autodefensa en la que no cabe abogar por la existencia de un genérico deber de lealtad con un significado omnicomprensivo de sujeción del trabajador al interés empresarial, ni caben tampoco, en consecuencia, genéricas interferencias del empleador en el desarrollo de esas actividades sindicales (SSTC 120/83; en este mismo sentido, entre otras 23/1983).

FJ 5. [...] Es indudable que el derecho de actividad sindical que incluye el derecho a difundir la realización de actividades sindicales pacíficamente y por medios lícitos, ha de comprender necesariamente el derecho a no difundir las opiniones de los empleados contrarias a las mismas. En otros términos, el derecho de actividad sindical recogido en el art. 28.1 CE contiene el derecho a difundirlas e invitar a la participación en las mismas, y ese derecho ha de poder ejercerse sin injerencia ilegítima alguna, como en este caso lo es el de pretender, infundadamente, que se comunique a los trabajadores la opinión contraria del empleador.

[...] Si el empleador consideraba que el paro en cuestión era ilícito podía hacer llegar esta opinión a los trabajadores por los más diversos medios a su alcance, pero es claro que no podía obligar a un trabajador o a un representante electivo de los mismos a transmitir su opinión contraria a la legalidad del paro. La orden en sí supone una intromisión ilegítima en la actividad sindical. A partir de ahí, no se puede reprobar la postura del trabajador que se negó a cumplir esa orden lesiva a su derecho fundamental. Por ello mismo, la sanción por su incumplimiento no puede ser considerada sino como una represalia ilegítima frente al trabajador que se resistió a tal intromisión, por lo que tal sanción no puede considerarse sino afectada de nulidad radical, lo cual ha de llevarnos ahora a declarar la misma y, en consecuencia, a contradecir el pronunciamiento de la Sentencia ahora recurrida.

La libertad sindical y su contenido representativo: la acción sindical —STC 70/1982, de 29 de noviembre—

La Sentencia resuelve el recurso de amparo interpuesto por UGT contra las Sentencias de la Magistratura de Trabajo número 2 de Madrid, de 29 de septiembre de 1981, y del Tribunal Central de Trabajo, de 5 de enero de 1982. Ambas le niegan legitimación para iniciar un procedimiento de conflicto colectivo, sobre la base de que los conflictos colectivos sólo pueden ser iniciados por los representantes de los trabajadores, lo cual exige, entiende, que lo hagan las personas u órganos que de acuerdo con la ley ostentan la representación en sentido estricto, una representación que debe extenderse a la totalidad de los trabajadores. Alega UGT violación de su libertad sindical.

FJ 2. Como ha sido autorizadamente señalado, aunque la institución de la representación, en el curso de su larga elaboración ha determinado una gran variedad de teorías y de opciones, en la actualidad el fenómeno representativo se suele entender sobre la base genérica de la actuación de una persona en el lugar de otro, producida por virtud de lo dispuesto por la voluntad del representado o por la Ley. Sin embargo, esta formulación no se puede considerar como totalmente satisfactoria y es preciso introducir en ella algunas matizaciones, de manera que, al lado de la representación que tiene su base en la voluntad individual y aquella otra que deriva directamente de la Ley, pueda situarse la representación institucional, que realiza lo que algunos autores han llamado acertadamente la persona jurídica representativa. Existe una representación institucional explícita, cuando la relación institucional se produce de modo voluntario, de manera que la adhesión a una institución comporta una aceptación de su sistema jurídico y, por tanto, de su sistema representativo y una representación implícita cuando el ordenamiento jurídico confiere a un ente la defensa y gestión de los derechos e intereses de categorías o grupos de personas.

FJ 3. El derecho constitucional de libertad sindical comprende no sólo el derecho de los individuos a fundar sindicatos y a afiliarse a los de su elección, sino asimismo el derecho a que los sindicatos fundados —y aquellos a los que la afiliación se haya hecho— realicen las funciones que de ellos es dable esperar, de acuerdo con el carácter democrático del Estado y con las coordenadas que a esta institución hay que reconocer, a las que se puede sin dificultad denominar «contenido esencial» de tal derecho. Por ello, hay que entender que el derecho que reconoce el art. 28 de la CE es el derecho a que las organizaciones sindicales libremente creadas desempeñen el papel y las funciones que a los sindicatos de trabajadores reconoce el art. 7 de la Constitución, de manera que participen en la defensa y protección de los intereses de los trabajadores. De aquí se desprende que su función no es únicamente la de representar a sus miembros, a través de los esquemas del apoderamiento y de la representación del Derecho privado. Cuando la Constitución y la Ley les invisten con la función de defender los intereses de los trabajadores les legitiman para ejercer aquellos derechos que, aun perteneciendo en puridad a cada uno de los trabajadores ut singulus, sean de necesario ejercicio colectivo. Por eso, ya reconoció la Sentencia de este Tribunal de 8 de abril de 1981, España, a través de la Federación de Trabajadores de Sanidad, carece de legitimación para promover el procedimiento especial de conflicto colectivo, pues a su juicio, de acuerdo con lo dispuesto en el art. 18 del Decreto-ley de 4 de marzo de 1977, sólo pueden iniciar dicho proceso los representantes de los trabajadores en su ámbito correspondiente, por sí mismos o a instancia de sus representados, debiendo, además, tenerse en cuenta que de acuerdo con el art. 65.1 del Estatuto de los Trabajadores se reconoce esa condición al comité de empresa y todo ello por ser necesario, a juicio del mencionado Tribunal, que la formulación del conflicto se haga precisamente por la representación de todos los trabajadores afectados, sin que le sea permitido plantearla sólo a una parte de los mismos, toda vez que la solución que al asunto se le dé, tiene que afectar necesariamente al conjunto, de manera que, si fuera de otro modo, quedarían afectados por la solución personas que no habían intervenido en el proceso, ni por sí mismos, ni representados, estimando además el referido Tribunal que en el presente caso no se había acreditado que la Unión General de Trabajadores de España representara al colectivo de trabajadores por existir otras centrales sindicales con influencia en el centro de trabajo y sin participación en el trámite.

FJ 5. La conclusión mencionada en el apartado anterior la obtiene el Tribunal Central de Trabajo, partiendo de unas coordenadas que son de estricta legalidad ordinaria y cuya corrección formal desde ese punto de vista no puede ser puesta en tela de juicio. Sin embargo, la legalidad ordinaria debe ser reinterpretada a la luz de los preceptos constitucionales, entre los cuales tienen hoy singular relevancia el art. 7 que consagra los sindicatos de los trabajadores como instrumentos que contribuyen a la defensa y promoción de los intereses económicos y sociales que le son propios, el art. 28 que reconoce el derecho de sindicación y de libertad sindical y el art. 37 que reconoce el derecho a la negociación colectiva y a la adopción de medidas de conflicto colectivo. Dado el planteamiento a que estos preceptos conducen, se hace necesario concluir que dentro del ámbito de actuación de los sindicatos de trabajadores considerados como piezas económicas y sociales indispensables para la defensa y promoción de sus intereses (art. 7 de la CE) y dentro del marco del derecho definido en el art. 28 de la Constitución, hay que entender que los sindicatos tienen genéricamente capacidad para representar a los trabajadores y por ende pueden promover los procedimientos de conflicto colectivo, que tengan por objeto la reinterpretación de un convenio colectivo, pues resulta obvio que quienes pueden intervenir en la negociación de un convenio, deben poder plantear un conflicto sobre el mismo.

Ello significa que, en contra de lo que la resolución aquí recurrida afirma, hay que reconocer capacidad y poder de representación al sindicato y no limitar tales condiciones al comité de empresa en virtud de una interpretación acaso demasiado literal de los preceptos legales y en todo caso no conforme con el espíritu y las exigencias de la Constitución.

FJ 6. Reconocida la capacidad y el poder de representación en términos generales del sindicato como entidad, para promover un conflicto colectivo del tipo de que en este asunto se discute, se hace preciso señalar que no basta con la simple condición de entidad sindical para que en cada caso concreto la relación jurídica procesal pueda quedar regularmente trabada. Ha de tratarse como es obvio de un sindicato al cual pueda reconocérsele una relación directa con lo que es objeto del litigio por su notoria implantación en el centro de trabajo o marco general al que el conflicto se refiera aunque a él no estén afiliados la totalidad de los trabajadores afectados por la resolución. De esta suerte está legitimado para promover el conflicto colectivo de interpretación de un convenio e intervenir en él el mismo sindicato que intervino en su negociación y cualquier otro que por su implantación en el ámbito del conflicto tenga una relación directa con el objeto discutido. En el presente caso tal condición no puede negarse a la Unión General de Trabajadores de España, dado que, en cualquier caso, la otra parte litigante, con quien había mantenido la relación preprocesal y la relación procesal misma, nunca discutía esta condición, sino que, al revés, en virtud de sus concluyentes actos se la reconoció.

Libertad sindical y negociación colectiva —STC 118/1983, de 13 de diciembre[2]—

La Sentencia resuelve el recurso de amparo interpuesto por miembros del Comité de Empresa y por la empresa Thenaisie Provote, S. A., contra la Sentencia del Tribunal Central de Trabajo, de 31 de marzo de 1982, que afirma la validez de un Convenio Colectivo que los recurrentes entienden inválido.

FJ 3. [...] Planteado de esta forma el debate procesal en el recurso de amparo, la contradicción se ha centrado sobre el mayor o menor grado de autonomía en la contratación colectiva y la facultad de disposición de los derechos laborales que asiste a las partes negociadoras, resultando que mientras los demandantes estiman posible dicha disposición con compensación adecuada, que consideran existente en su caso al garantizarse el empleo en una situación de crisis, y piensan que la Ordenanza Laboral puede ser derogada por el convenio a tenor de la disposición transitoria 2.ª del Estatuto de los Trabajadores, la parte demandada advierte que ningún convenio puede contener cláusulas contrarias a la Ley o que constituyan abuso del derecho y que la mayoría del Comité no puede disponer de los derechos adquiridos por los trabajadores salvo mandato expreso de éstos, estimando, finalmente, el Ministerio Fiscal que cualquiera que sea la solución adecuada afecta sólo a un problema de legalidad como es la relación entre Convenio y Ordenanza.

Esta Sala no puede, sin embargo, pronunciarse sobre tales argumentaciones si previamente no se lleva a cabo una correcta delimitación del objeto del presente recurso, partiendo de los arts. 53.2 de la C. E. y 41 de la Ley Orgánica del Tribunal Constitucional que reservan el proceso de amparo a las vulneraciones de los derechos y libertades reconocidos en los arts. 14 a 29 de la Constitución, así como a la objeción de conciencia del art. 30. Esta precisión obliga a quien pretende acudir al Tribunal Constitucional a plantear el recurso por la infracción concreta de tales específicos derechos y libertades y no por la presunta contradicción con algún principio general que pueda ser extraído del texto constitucional, que sólo podrá ser alegado en el amparo, en la medida en que aparezca recogido, y con el alcance y límites con que lo sea, por alguno de dichos preceptos, y conduce en el momento actual a la necesidad de preguntarse cuál es el concreto derecho afectado por la Sentencia impugnada.

Atendiendo al supuesto de hecho planteado, tal derecho no podría ser otro que el consagrado en el art. 37.1 de la Constitución con arreglo al cual «la Ley garantizará el derecho a la negociación colectiva laboral entre los representantes de los trabajadores y empresarios, así como la fuerza vinculante de los convenios», siendo presumiblemente esta última la atacada al negarse validez a una cláusula del convenio resultado de aquél. Según puede deducirse de la demanda, la vulneración de este precepto constitucional originaría al tiempo la infracción del art. 28.1 de la Constitución por no ser la negociación colectiva más que un corolario de la libertad sindical que tal artículo reconoce.

Así definido el objeto del proceso, es tal consecuencia la que no puede acogerse en nuestro caso. No habría inconveniente, a los meros efectos dialécticos, en considerar vulnerado el derecho a la negociación colectiva, pero lo que no resulta posible es afirmar, sin otras precisiones adicionales, que toda infracción del art. 37.1 de la C. E. lo es también del art. 28.1, de forma que aquélla fuera siempre objeto del amparo constitucional, pues ello supone desconocer tanto el significado estricto de este último precepto como la posición del primero ajena a los derechos y libertades que conforme a la Constitución y a la Ley Orgánica del Tribunal son susceptibles de amparo.

FJ 4. Prescindiendo de otras cuestiones atinentes a la relación entre los preceptos constitucionales citados, que no interesa abordar ahora por no ser necesario para la resolución del recurso, el problema planteado es el del alcance subjetivo del derecho reconocido en el art. 28.1 de la CE en su relación con el 37.1, o, dicho de otra manera, si el derecho de libertad sindical ampara no sólo la legítima actuación del Sindicato o también la de otros sujetos a quienes la práctica o la legalidad vigente atribuyen igualmente funciones sindicales.

---

[2]   *Vid.* también las SSTC 208/1993, de 28 de junio; 4/1983, de 28 de enero; STC 37/1983, de 11 de mayo; 45/1984, de 27 de marzo; 73/1984, de 27 de junio; 98/1985, de 29 de julio; 108/1989, de 8 de junio; 184/1991, de 30 de septiembre, FJ 4; 173/1992, de 29 de octubre, FJ 3; 105/1992, de 1 de julio, FJ 5, 208/1993, de 28 de junio; 80/2000, de 27 de marzo; 225/2001, de 26 de noviembre (la firma de acuerdos bilaterales de un empresario con sus trabajadores para evitar el sistema de retribución pactado por convenio colectivo vulnera la libertad sindical); 119/2014, de 16 de julio. Ésta última declara constitucionales las restricciones a la fuerza vinculante de los convenios colectivos y al derecho a la negociación colectiva —y en conexión con ésta a la liberad sindical— introducidas por la Ley 3/2012, de 6 de julio, de medidas urgentes para la reforma del mercado laboral (prioridad aplicativa los convenios de empresa sobre los convenios colectivos), argumentando que «no existe un modelo constitucional predeterminado de negociación colectiva», y que se trata de restricciones justificadas, razonables y proporcionadas (FJ 6 –vid. voto particular de Fernando Valdés Dal-Ré, al que se adhieren Adela Asua Batarrita y Luis Ignacio Ortega Álvarez, especialmente el punto II.C; *vid.* también SSTC 8/2015, de 22 de enero; 140/2015, de 22 de junio—).

La Constitución Española ha partido, en la institucionalización de los derechos colectivos laborales, de un amplio reconocimiento de los titulares de aquéllos aludiendo a la consagración de un monopolio del sindicato, de forma que si el derecho de huelga se atribuye a los trabajadores (art. 28.2), el de conflictos lo es a los trabajadores y empresarios (art. 37.2) y el de negociación a los representantes de éstos (art. 37.1). Pero si este punto de partida permite en nuestro ordenamiento positivo la existencia de un sistema sindical dual en el que la acción sindical, entendida en cuanto actividad dirigida a la representación y defensa de los intereses de los trabajadores puede ser ejercida, sin entrar ahora en otras posibilidades, tanto por el sindicato como por el Comité de Empresa, ello no significa ni que exista una indefinición constitucional ni una identidad entre todos los sujetos susceptibles del ejercicio de funciones sindicales. Por el contrario, el art. 7 de la norma fundamental constitucionaliza al sindicato no haciendo lo mismo con el Comité de Empresa, que es creación de la Ley y sólo puede encontrar, como dijera la Sentencia de este Tribunal núm. 37/1983, de 11 de mayo («Boletín Oficial del Estado» de 20 de mayo), una indirecta vinculación con el art. 129.2 de la Constitución[3].

La constitucionalización del sindicato ofrece, como no podía ser menos, su influencia en el problema aquí debatido, porque, atribuyendo el art. 7 a tal organización la función de contribuir a la defensa y promoción de los intereses de los trabajadores, le atribuye consiguientemente el ejercicio de aquéllos derechos necesarios para el cumplimiento de tal función y que constituyen manifestación ineludible de la libertad sindical reconocida en el art. 28.1 de la CE, en su vertiente colectiva, de forma que el impedimento o la obstaculización a tal ejercicio constituye no sólo vulneración del precepto constitucional que consagra cada concreto derecho, sino también del propio art. 28.1. De más está señalar que lo mismo no puede ser predicado del Comité de Empresa que, en la medida en que la Ley le atribuya el papel de representante a que se refiere el art. 37.1 de la CE, podrá ver vulnerado su derecho a la negociación pero no al de libertad sindical, pues ésta no alcanza a cubrir constitucionalmente la actividad sindical del Comité.

Si desde el punto de vista de los miembros del Comité de Empresa demandantes no es posible reconducir la infracción denunciada a alguno de los derechos o libertades susceptibles de amparo constitucional, otro tanto sucede atendiendo al empresario también recurrente, con relación al cual, la demanda de amparo se limita a invocar la libertad de empresa reconocida en el art. 38 de la Constitución, excluido del ámbito de los derechos protegidos por el recurso. Todo ello conduce a la imposibilidad de pronunciarse sobre aquella presunta infracción, pues lo impide la limitación competencial del Tribunal, declarada en el art. 54 de su Ley Orgánica.

Libertad sindical: contenido esencial y contenido adicional —STC 9/1988, de 25 de enero[4]—

La Sentencia resuelve el recurso de amparo interpuesto por don A.T.P. contra la Sentencia dictada por la Sala Quinta del Tribunal Central de Trabajo, de 5 de septiembre de 1986, en el recurso especial de suplicación interpuesto por el INSS, que revocaba la dictada por la Magistratura de Trabajo núm. 15 de Madrid en proceso sobre elecciones sindicales. Esta Sentencia confirmó la negativa, por silencio administrativo, de la Dirección General del INSS a convocar las elecciones solicitadas el 1 de junio de 1984 por el Secretario General de la Federación Sindical de la Administración Pública de Comisiones Obreras, al amparo de la entonces vigente Resolución de la Secretaría de Estado para la Seguridad Social de 12 de diciembre la Sala Quinta del Tribunal Central de Trabajo, de 5 de septiembre de 1986, en el recurso especial de 1981, conculcando la libertad sindical del recurrente.

FJ 2. [...] Este Tribunal ha precisado reiteradamente que el art. 28.1 de la Constitución integra, como derechos de actividad, los de negociación colectiva, huelga e incoación de conflictos, medios de acción que contribuyen a que

---

3   En definitiva, el sindicato es el «protagonista principal en la defensa de los intereses de los trabajadores (art. 7 CE) a través del ejercicio de la libertad sindical (art. 28.1 CE)» y, en conexion con ésta, de la negociación colectiva (artículo 37 CE), si bien ésta no le está atribuida «de forma exclusiva ni en modo que descarte a otros posibles representantes de los trabajadores, de manera que no cabe sino concluir que la negociación colectiva está «atribuida constitucionalmente a los sindicatos y a otras representaciones colectivas de los trabajadores» (STC 208/1993, de 28 de junio, FJ 4)» (STC 8/2015, de 22 de enero, FJ 2.d).

4   Sobre la tutela del contenido adicional de la libertad sindical, *vid.* también STC 241/2005, de 10 de octubre (la denegación de nombramiento de un delegado sindical en situación especial en activo, con pérdida retributiva, vulnera la libertad sindical); STC 20/2018, de 5 de marzo (la exclusión inmotivada de un sindicato del procedimiento de designación de candidatas/os a miembros del consejo de administración del ente público Radio Televisión Madrid vulnera la libertad sindical, además de los derechos reconocidos en los artículos 14 y 20.3 CE); STC 123/2018, 12 de noviembre (el desconocimiento de la garantía de prioridad de permanencia en la empresa otorgada por convenio colectivo a representantes de trabajadoras/es vulnera el derecho a la libertad sindical).

el sindicato pueda desenvolver la actividad a que es llamado por el art. 7 de la CE. Los derechos citados son un núcleo mínimo e indisponible de la libertad sindical, pero es evidente que los sindicatos pueden ostentar facultades o derechos adicionales, atribuidos por normas infraconstitucionales, que pasan a integrar el contenido del derecho. Así se dijo en la STC 39/1986, de 31 de marzo [FJ 3.°, ap. b), citada por la STC 184/1987, de 18 de noviembre, FJ 4.°], respecto a la facultad llamada de «participación institucional». Dichas facultades o derechos adicionales pueden quedar remitidos por la Constitución, a efectos de su regulación, a la normativa legal, o, en su caso, reglamentaria que la crea, no teniendo, per se, carácter de derechos fundamentales o constitucionales con sujeto determinado. Incluso su atribución a los sindicatos no permitiría afirmar que tales Sindicatos pueden ampararse en el contenido esencial de su libertad sindical para exigir el efectivo ejercicio de la facultad o derecho mencionado, pues ésta «no emana necesariamente de la libertad sindical, sino que es creación de la Ley en sentido amplio y a ella sola debe ser remitida» como de la participación institucional se dijo en la STC 39/1986, citada (FJ 3.°)[5].

Tratándose en este caso de órganos de representación colectiva y electiva de funcionarios en la Administración —y en concreto, de las facultades de los sindicatos en relación con la promoción y participación en tales elecciones—, conviene tener en cuenta que suponen tales órganos unas facultades o derechos, o, más ampliamente, un medio de acción sindical adicional sin reconocimiento constitucional, sino que son creación de la Ley y se relacionan con el art. 103.3 de la Constitución, como este Tribunal ha declarado en SSTC 98/1985 (FJ 3.° y 17) y 165/1986, de 18 de diciembre (FJ 3.°). En el presente caso la norma creadora carece de rango legal, pero ello no es óbice para su validez [...].

Pues bien, el reconocimiento o creación legal o reglamentaria de un medio de acción sindical, adicional a los mínimos indispensables, y que atribuye facultades o derechos también adicionales a sindicatos, impide alegar que afectan al contenido esencial de la libertad sindical los actos singulares, de aplicación o inaplicación —en su caso—, de la norma con efecto impeditivo, obstaculizador o limitador del ejercicio de tales facultades o derechos, del desenvolvimiento legítimo de tal medio de acción. Pero, al integrarse tales facultades en el núcleo de la libertad sindical, dichos actos contrarios a las mismas sí pueden calificarse de vulneradores del derecho fundamental, integrado no sólo por su contenido esencial, sino también por esos derechos o facultades básicas que las normas crean y pueden alterar o suprimir, por no afectar al contenido esencial del derecho; vicisitudes normativas éstas que no cabe confundir con los actos de inaplicación de la norma por órgano administrativo inferior a aquel de quien la norma emanó (lo que deja aclarado que la Dirección General del INSS no estaba facultada para derogar la Resolución de 12 de diciembre de 1981; en su momento se resolverá cómo se ha de enjuiciar el acto de inaplicación seguido en el tiempo de la derogación de la norma), o con la infracción o inobservancia de la norma por sus destinatarios en perjuicio de los derechos o facultades que a los sindicatos reconoce la misma. [...][6]

Las promoción de elecciones sindicales y la presentación de candidaturas como contenido adicional de la libertad sindical —STC 76/2001, de 26 de marzo[7]—

---

[5]   Esto significa que «no todo incumplimiento de cualquier precepto referido a aquel contenido adicional, por insignificante que sea, integra el núcleo de la libertad sindical a efectos de la admisión del recurso de amparo, pues como señala la SSTC 51/1988 «... tal violación se dará cuando tales impedimentos u obstaculizaciones existan y no obedezcan a razones atendibles de protección de derechos e intereses constitucionalmente previstos que el autor de la norma legal o reglamentaria ha podido tomar en consideración»» (STC 30/1992, de 18 de marzo, FJ 5). Así, el derecho de los trabajadores afiliados a la audiencia previa del delegado sindical en casos de despidos (artículo 10.3.3 de la Ley Orgánica de libertad sindical) no es subsumible en el contenido constitucional de la libertad sindical (ibídem). Tampoco lo es la existencia de la figura del delegado sindical, aunque puedan serlo algunas de sus atribuciones que, en esa medida, deben estar reconocidas a toda organización sindical (SSTC 61/1989, de 3 de abril; STC 173/1992, de 29.° de octubre; 292/1993, de 18 de octubre; 201/1999, de 8 de noviembre). Vid. también las SSTC 39/1986, de 31 de marzo; 104/1986, de 17 de junio; 187/1987, de 24 de noviembre; 235/1988, de 5 de diciembre; 127/1989, de 13 de julio; 30/1992, de 18 de marzo; 164/1993, de 18 de mayo; 1/1994, de 17 de enero; 263/1994, de 3 de diciembre; 67/1995, de 9 de mayo; 188/1995, de 18 de diciembre; 95/1996, de 29 de mayo; 145/1999, de 22 de julio; 201/1999, de 8 de noviembre; 70/2000 de 13 de marzo; 132/2000, de 16 de mayo.

[6]   Vid. también STC 23/1983, de 25 de marzo.

[7]   Vid., además de las citadas en la Sentencia, las SSTC 36/2004, de 8 de marzo; 103/2004, de 2 de junio; 152/2008, de 17 de noviembre (sobre el carácter sindical de una federación de asociaciones de funcionarios). En el contenido adicional de la libertad sindical, en concreto en materia de elecciones sindicales, subsiste la obligación de realizar una interpretación de la normativa applicable favorable al disfrute de las facultades que lo integran y que en ella se definen, así como de justificar sus limitaciones en la necesidad de salvaguardar otros derechos o intereses dignos de protección (vid. SSTC 185/1992, de 16 de

La Sentencia resuelve el recurso de amparo promovido por la Federación de Servicios Públicos de la UGT-PV contra las Sentencias de la Sala de lo Social del Tribunal Superior de Justicia de la Comunidad Valenciana de 20 de junio de 1996, y del Juzgado de lo Social núm. 6 de Valencia, de 10 de enero de 1996, que consideran conforme a derecho la negativa de la empresa a ceder a dicha Federación un local para convocar una asamblea fuera de horas de trabajo, con el fin de iniciar un procedimiento electoral para elegir a las/os representantes de los trabajadores. Entiende el recurrente que ambas vulneran su libertad sindical, en conexión con su derecho de reunión.

FJ 4. [...] Este Tribunal reiteradamente ha declarado que el art. 28.1 CE integra, además de la vertiente organizativa de la libertad sindical, los derechos de actividad y medios de acción de los Sindicatos —huelga, negociación colectiva, promoción de conflictos— que constituyen el núcleo mínimo e indisponible de la libertad sindical. Pero también que, junto a los anteriores, los Sindicatos pueden ostentar también derechos o facultades adicionales atribuidos por normas legales o convenios colectivos que se añadan a aquel núcleo esencial. Así el derecho fundamental se integra no sólo por su contenido esencial sino también por esos derechos o facultades adicionales, de modo que los actos contrarios a estos últimos son también susceptibles de infringir dicho art. 28.1 CE (SSTC 39/1986, de 31 de marzo; 104/1987, de 17 de junio; 184/1987, de 18 de noviembre; 9/1988, de 25 de enero; 51/1988, de 22 de marzo; 61/1989, de 3 de abril; 127/1989, de 13 de julio; 39/1992, de 18 de marzo; 173/1992, de 29 de octubre; 164/1993, de 18 de mayo; 1/1994, de 17 de enero; 263/1994, de 3 de octubre; 67/1995, de 9 de mayo; 188/1995, de 18 de diciembre; 95/1996, de 29 de mayo; 145/1999, de 22 de julio; 201/1999, de 8 de noviembre, 70/2000, de 13 de marzo, y 132/2000, de 16 de mayo). Estos derechos adicionales, en la medida que sobrepasan el contenido esencial que ha de ser garantizado a todos los Sindicatos, son de creación infraconstitucional y deben ser ejercitados en el marco de su regulación, pudiendo ser alterados o suprimidos por la norma que los establece, no estando su configuración sometida a más límite que el de no vulnerar el contenido esencial del derecho de libertad sindical (SSTC 201/1999, de 8 de noviembre, y 132/2000, de 16 de mayo)

La promoción de elecciones sindicales constituye parte de este contenido adicional. Como ha dicho este Tribunal, aunque la elección de representantes unitarios en la empresa o centro de trabajo es algo, en principio, ajeno al derecho de libertad sindical y, por ello, no todos los actos relacionados con ese proceso electoral afectarían o incidirían en el derecho de libertad sindical. Los derechos de los Sindicatos de presentar candidaturas y de promoción, en su caso, de éstas, pese a derivar de un reconocimiento legal, constituyen facultades que se integran sin duda en la libertad sindical, tanto en su aspecto colectivo como en su aspecto individual. De ahí que cualquier impedimento u obstaculización al Sindicato o a sus miembros de participar en el proceso electoral puede ser constitutivo de una violación de la libertad sindical. Tal violación se dará cuando tales impedimentos u obstaculizaciones existan y no obedezcan a razones atendibles de protección de los derechos o intereses constitucionalmente previstos, que el autor de la norma legal o reglamentaria ha podido tomar en consideración al establecer la configuración normativa de estos procesos electorales (SSTC 104/1987, de 17 de junio, 9/1988, de 25 de enero, y 51/1988, de 22 de marzo). [...]

En efecto, para que exista un proceso de promoción de elecciones sindicales como parte integrante de la actividad sindical en la empresa y tutelado como manifestación de la libertad sindical deben cumplirse los requisitos legales a los que se condiciona su validez. Entre otros, y por lo que aquí interesa, que dicho proceso se inicie por los sujetos legitimados al efecto, que el propósito de celebrar elecciones se comunique por parte de los promotores a la empresa y a la oficina pública dependiente de la autoridad laboral con un plazo mínimo de, al menos, un mes de antelación al inicio del proceso electoral, etc. (art. 67 LET). Si efectivamente el Sindicato ahora solicitante de amparo, como propugna en su demanda, hubiera visto vulnerado su derecho a la promoción de elecciones sindicales, debiera, al menos, haber alegado su condición de promotor, la existencia de pruebas o indicios que pusieran de manifiesto la iniciación de un proceso de elecciones sindicales, tales como la comunicación a la oficina pública o, incluso, que el proceso se llevaba a cabo cumpliendo las exigencias temporales de preaviso previstas legalmente. Pero nada de ello es alegado en la demanda de amparo ni a lo largo del proceso judicial, lo que resulta en gran medida lógico habida cuenta de que, en realidad, y pese a que otra sea la pretensión sindical, no es tanto la promoción de elecciones sindicales el objeto del presente recurso de amparo cuanto la solicitud de una asamblea para tratar de dicho proceso y, en función del resultado de la misma, iniciar, en un momento ulterior, los trámites legales exigidos para la verdadera promoción.

---

noviembre; 13/1997, de 27 de enero —sobre la subsanabilidad de los defectos de candidaturas electorales—). Por su parte, la STC 64/2016, de 11 de abril, dispone que el artículo 28.1 CE no garantiza el mantenimiento de la condición de representante de trabajadoras/es tras el cierre del centro de trabajo y el traslado de la actividad empresarial a otro centro.

La libertad sindical como especie del derecho de asociación —STC 152/2008, de 17 de noviembre[8]—

La Sentencia resuelve el recurso de amparo promovido por la Federación de Asociaciones de los Cuerpos Superiores de la Administración Civil del Estado (Fedeca) contra la Sentencia del Juez de lo Social núm. 21 de Madrid de 13 de abril de 2007, que declaró la nulidad de la proclamación de su candidatura en el proceso de elección de órganos de representación de los funcionarios públicos en el Ministerio de Economía y Hacienda, convocado el 18 de febrero de 2007, por entender que Fedeca, constituida al amparo de la Ley 19/1977, de 1 de abril, que regula el derecho de asociación sindical, no es un sindicato que pueda ejercer el derecho a la presentación de candidaturas a dichas elecciones. Alega la recurrente que la resolución impugnada vulnera, entre otros, su derecho a la libertad sindical, en conexión con el derecho de asociación (artículos 28.1 y 22 CE, respectivamente).

FJ 4. [...] [N]o puede acogerse la contraposición que mantiene el órgano judicial entre asociación y sindicato al existir entre ambos una relación de género y especie. Efectivamente, la asociación, a la que el art. 35.1 del Código civil (CC) reconoce personalidad jurídica junto a las corporaciones y fundaciones, está formada por una pluralidad de personas (universitas personarum) que se vinculan jurídicamente para la consecución de un fin de interés común. La finalidad de su constitución puede ser variada siempre y cuando el fin al que obedezca sea determinado, lícito, posible y (en las asociaciones stricto sensu, o no societarias) no lucrativo. Dentro del género «asociación», previsto en el art. 35.1 CC, destacan aquellas entidades que cumplen fines de relevancia constitucional, como es el caso de los partidos políticos (instrumento para la participación política conforme al art. 6 CE) o los sindicatos y las asociaciones empresariales, que según el art. 7 CE contribuyen a la defensa y promoción de los intereses económicos y sociales que les son propios. El sindicato es, por lo tanto, una manifestación asociativa con relevancia constitucional (SSTC 18/1984, de 7 de febrero, FJ 3; 121/1997, de 1 de julio, FJ 9; y 7/2001, de 15 de enero, FJ 5), cuya constitución y funcionamiento suponen el ejercicio de los derechos de asociación (art. 22 CE) y de libertad sindical (art. 28.1 CE), y que tiene como finalidad propia la promoción y defensa de los intereses económicos y sociales de los trabajadores, utilizando para ello medios de actuación específicos. Ciertamente, como señalábamos en la STC 219/2001, de 31 de octubre (FJ 10), entre los rasgos que, tanto histórica como legalmente, caracterizan al sindicato, figura muy destacadamente su esencial vinculación con la acción sindical que se plasma en el ejercicio del derecho de huelga (art. 28.2 CE), en la negociación colectiva (art. 37.1 CE) y en la adopción de medidas de conflicto colectivo (art. 37.2 CE). En definitiva, son esos fines y medios de actuación los que distinguen al sindicato del resto de las agrupaciones de índole asociativa a las que la ley reconoce personalidad para actuar en el tráfico jurídico, fines y medios que son predicables de Fedeca, cuya actuación resulta encaminada a la promoción y defensa de los intereses económicos y sociales de los funcionarios pertenecientes a los distintos entes de base que la componen. Resultando oportuno precisar que, bien directamente la Federación, bien aquellos entes, pueden utilizar medios de acción sindical, singularmente constitución de secciones sindicales, nombramiento de delegados sindicales, negociación colectiva de las condiciones de trabajo, adopción de medidas de conflicto colectivo y, como es el caso, presentación de candidaturas en los procesos de elección de representantes del personal para velar por los intereses profesionales de sus representados ante la Administración pública por medio de delegados y de presencia en las juntas de personal.

Igual de inadmisible resulta la significación conceptual que las resoluciones impugnadas pretenden deducir de la contraposición entre los intereses laborales y los intereses de carácter profesional, pues el presupuesto de profesionalidad es consustancial al fenómeno sindical, en tanto en cuanto la representación y defensa de los intereses profesionales y corporativos ha sido desde sus orígenes su principal objetivo. El sujeto sindical es, en definitiva, el portavoz e instrumento representativo que permite la tutela y promoción de los intereses colectivos de un grupo homogéneo de trabajadores unidos por su conexión laboral o por sus comunes intereses profesionales.

En tercer y último lugar, los argumentos ofrecidos por el Juez para negar a Fedeca su condición de sindicato en función de la forma federativa adoptada y la imposibilidad para cualquier trabajador de afiliarse a ella chocan frontalmente con el reconocimiento constitucional y legal del derecho a la libertad sindical. Ciertamente el art. 28.1 CE prevé expresamente, no sólo el derecho de los trabajadores a fundar sindicatos y a afiliarse al de su elección, sino también «el derecho de los sindicatos a formar confederaciones y a fundar organizaciones sindicales internacionales o afiliarse a las mismas». En el mismo sentido el art. 2.2.b de la Ley Orgánica 11/1985, de 2 de agosto, de libertad

---

8   *Vid.* también las SSTC 96/2009, de 20 de abril; 35/1993, de 8 de febrero —sobre la colegiación obligatoria y su compatibilidad con el artículo 28.1 CE (sobre este tema, *vid.* **ARTÍCULO 22**—).

sindical (LOLS) dispone que las organizaciones sindicales, en el ejercicio de la libertad sindical, tienen «derecho a constituir federaciones, confederaciones y organizaciones internacionales, así como afiliarse a ellas y retirarse de las mismas», libertad federativa que, con relación a los funcionarios públicos, encuentra reconocimiento explícito en el art. 2 de Real Decreto 1522/1977 antes mencionado. Es decir, no existe ningún impedimento constitucional ni legal para que la libertad sindical se ejercite a través de una organización compleja que agrupe diversas estructuras asociativas sindicales, ya que, según dijimos en la STC 187/1987, de 25 de noviembre, aquélla no tiene otro objetivo que el de «agregar y conjugar la capacidad de acción de todos los sindicatos federados o confederados —medida, entre otros parámetros, por su respectiva representatividad— con el fin de obtener mejores resultados en el desarrollo de la actividad sindical y, dentro de la misma, de la negociación colectiva, sin perder por ello su personalidad jurídica propia y, en su caso, su denominación específica; objetivo éste amparado por el art. 28.1 de la Constitución» (FJ 6). En definitiva, la organización recurrente en amparo es el resultado del ejercicio de la libertad federativa de los distintos entes de base que la componen. A través de esa estructura sindical compleja se coordinan y aúnan los esfuerzos de diferentes asociaciones para conseguir la tutela y satisfacción de los intereses profesionales que resultan comunes a todo el colectivo agrupado.

Tampoco puede negarse a la entidad recurrente su derecho a la libertad sindical por la circunstancia de representar y defender únicamente los intereses profesionales de los funcionarios integrados en las asociaciones federadas, ya que no existe ningún impedimento constitucional o legal para constituir sindicatos en los que la afiliación atienda a las cualificaciones profesionales, especialidades laborales o profesionales de los trabajadores, siendo sus estatutos, los que han de determinar su específico ámbito territorial y funcional de actuación [art. 2.2 b) LOLS]. Y la cualificación profesional de los funcionarios asociados en Fedeca (a los que el Juez define como «cuerpos de élite») no puede justificar la negación de su derecho a la libertad sindical. Ciertamente el art. 28.1 CE no excluye ni limita el derecho de libertad sindical de los funcionarios públicos (de ninguno de ellos, incluidos los de los cuerpos superiores de la Administración Civil del Estado), sino que simplemente prevé, en concordancia con lo dispuesto en el art. 103.3 CE, la regulación por ley de «las peculiaridades» del ejercicio de este derecho en la función pública. En este mismo sentido la Ley Orgánica de libertad sindical, en desarrollo del art. 28.1 CE, hace referencia al ejercicio del derecho de sindicación de todos los trabajadores por cuenta ajena, incluidos aquellos que prestan sus servicios para la Administración pública, estableciendo al respecto en el art. 1.2 que se consideran trabajadores, a los efectos de esa Ley, tanto los sujetos a una relación laboral como los que mantengan una relación de carácter administrativo o estatutario al servicio de las Administraciones públicas. Únicamente quedan exceptuados del ejercicio de ese derecho fundamental los miembros de las Fuerzas e Institutos Armados y los Jueces, Magistrados y Fiscales mientras se hallen en activo (arts. 1.3 y 4 LOLS). En virtud de lo anterior los funcionarios de los cuerpos superiores de la Administración General del Estado miembros de las distintas asociaciones integradas en Fedeca son titulares del derecho a la libertad sindical reconocido en el art. 28.1 CE y, en consecuencia, pueden fundar sindicatos y afiliarse al de su elección, sin que su específica cualificación profesional pueda sustentar la negación de su derecho a la libertad sindical o para imponerles la tutela de sus derechos profesionales por cauces diversos a los sindicales.

La libertad negativa de sindicación: la libertad de no sindicarse —STC 68/1982, de 22 de noviembre[9]—

La Sentencia resuelve el recurso de amparo promovido por doña C.P.P., impugnando la Sentencia del Tribunal Central de Trabajo de 10 de febrero de 1982 por la que se le denegó la afiliación en el régimen especial de trabajadores autónomos de la Seguridad Social.

FJ 3. [...] Es cierto que el derecho de libre sindicación, que el mencionado precepto consagra, comprende la libertad sindical negativa, que se define expresamente con la gráfica fórmula de que nadie puede ser obligado a afiliarse a un sindicato y es igualmente cierto que hay que interpretar esta última regla de un modo extensivo, de manera que se comprendan en ella tanto las obligaciones directas como las indirectas y tanto las genuinas obligaciones de sin-

---

9 En este sentido, el Tribunal Constitucional ha declarado que no constituye lesión de la libertad negativa de sindicación la legitimación exclusiva en favor de sindicatos, federaciones o confederaciones sindicales para la negociación colectiva laboral de convenios de ámbito pluriempresarial (STC 4/1983, de 28 de enero, FJ 4); o el reconocimiento a los sindicatos de derechos de información en materia de contratación, por lo demás reconocidos genéricamente a los representantes laborales (STC 142/1993, de 22 de abril, FJ 5).

dicación como las medidas de presión que al disfrute de la libertad se puedan oponer. Sin embargo, de ello no se puede extraer la consecuencia de que el derecho reconocido por el art. 28 de la Constitución impida que el legislador atribuya unos derechos a los trabajadores sindicados o que el contenido de los derechos de éstos sea diverso que el de aquellos que no se sindiquen, pues en tal caso no se está haciendo la sindicación obligatoria y la diferencia de régimen jurídico será legítima si lo es dentro del campo del art. 14 de la Constitución siempre que no entrañe presión o coacción, como antes hemos dicho.

El registro de organizaciones sindicales —STC 121/1997, de 1 de julio—

La Sentencia resuelve el recurso de amparo promovido por la Federación Sindical de Administración Pública de Comisiones Obreras contra la Resolución de los Presidentes del Congreso de los Diputados y el Senado de 20 de mayo de 1988, por la que se dictan Normas Reguladoras de las elecciones a la Junta de Personal de las Cortes Generales, y la Sentencia de la Sala Tercera del Tribunal Supremo, de 26 de septiembre de 1994, que desestimó el recurso contencioso-administrativo promovido por la recurrente contra las mencionadas disposiciones parlamentarias. Alega la Federación recurrente que dichas Normas vulneran los derechos fundamentales reconocidos en los artículos 14 y 28.1 CE, al disponer en su artículo 23 que ostentarán la representación sindical de los funcionarios de las Cortes Generales las organizaciones sindicales legalmente constituidas en las Cortes, creándose, a tal fin, un Registro específico, creando así un nuevo requisito constitutivo contrario a libertad sindical.

FJ 9. [...] [E]l derecho fundamental a la libertad sindical (art. 28.1 CE) incorpora, como contenido esencial del mismo, y en plena sintonía con lo dispuesto en los Convenios internacionales suscritos por España sobre la materia (en particular, el art. 2 del Convenio 87 de la OIT) el derecho a fundar y crear libremente sindicatos sin autorización previa [art. 2.1 a) LOLS].

La constitución de un sindicato, en tanto que asociaciones de relevancia constitucional (SSTC 18/1984, 20/1985 y 67/1985), no está sometida a más límites que los derivados de los arts. 7 y 22 CE, ni requiere de algún complemento estatal autorizante de la voluntad fundacional de sus miembros. Por ello mismo, el cumplimiento de la obligación legal de depositar sus estatutos «en la oficina pública establecida al efecto» que dispone el art. 4.1 LOLS se exige únicamente —como el propio precepto señala— para «adquirir la personalidad jurídica y plena capacidad de obrar». La obligación de depósito obedece, pues, a la necesidad de establecer un sistema de reconocimiento que permita la identificación jurídica del grupo como sujeto unitario de derechos y su incorporación a un status especialmente favorable para el ejercicio de su acción.

Nada impide al legislador articular esa operación de registro como un presupuesto para el eventual control formal de la legalidad del sindicato, y así lo declaró este Tribunal en relación con otras asociaciones también de relevancia constitucional como lo son los partidos políticos (SSTC 3/1981 y 85/1986). Ahora bien, una vez reconocidas al sindicato personalidad jurídica y capacidad de obrar, ese reconocimiento produce plenos efectos jurídicos (art. 4 de la LOLS), por lo que, en principio, y salvo condicionamientos derivados de otros mandatos constitucionales, ha de estimarse contraria a la Constitución cualquier disposición legal que coloque a las organizaciones sindicales en la necesidad de tener que adquirir nuevamente una personalidad jurídica y una capacidad de obrar de la que previamente ya disfrutaban. Una exigencia de este tipo vulnera el derecho fundamental a la libertad sindical (art. 28.1 CE), erigiéndose en injustificado impedimento para su ejercicio, con olvido del principio de mínima injerencia del Estado que, como queda expuesto, es el que ha de presidir el sistema de reconocimiento de personalidad jurídica a las organizaciones sindicales.

FJ 10. Lo anterior no se ve desvirtuado por la previsión constitucional recogida en el art. 72.1 CE, es decir, por la autonomía normativa de las Cortes Generales y, en particular, por su competencia para regular el Estatuto del Personal de las mismas. [...]

En el ejercicio de esa autonomía normativa constitucionalmente conferida a las Cámaras, las Cortes Generales, mediante remisión al art. 4 de la LOLS, en el que únicamente se hace referencia a «la oficina pública establecida al efecto», pueden constituir un Registro propio de Organizaciones Sindicales y facilitar, así, el reconocimiento de la personalidad jurídica y de la capacidad de obrar de aquellos sindicatos que vayan a desarrollar preferentemente su actividad en el seno de las Cortes Generales. A este fin responde el art. 23 del EPCG en la redacción dada al mismo por el Acuerdo de las Mesas de las Cámaras de 25 de Abril de 1988, desde cuya perspectiva, el artículo mencionado no puede estimarse contrario al derecho fundamental de libertad sindical, ni excede tampoco el ámbito competencial delimitado por el art. 72 CE

Mas la federación sindical recurrente no cuestiona propiamente en su queja la creación del citado Registro, sino lo dispuesto en el primer apartado del 23 del EPCG según el cual «La representación de los funcionarios de las Cortes Generales la ostentarán las organizaciones sindicales legalmente constituidas en aquéllas», condicionando así el resto del precepto. Dicho precepto impide a las organizaciones sindicales, que previamente han obtenido el reconocimiento de su personalidad jurídica y capacidad de obrar, desempeñar su actividad en el ámbito de las Cortes Generales a no ser que vuelvan a «constituirse» previo depósito de sus estatutos en el Registro de Organizaciones Sindicales de las Cortes Generales. De este modo, no sólo se priva de su eficacia jurídica general al reconocimiento de personalidad de los sindicatos ex art. 4 LOLS sino que, además, se desconoce —por referencia a la federación sindical demandante— la cláusula de convalidación («sin que en ningún caso se produzca solución de continuidad en su personalidad») prevista en la disposición final primera de dicha Ley orgánica.

La autonomía normativa de las Cortes Generales (art. 72.1 CE) puede ciertamente permitir en esta materia, como hemos visto, una modulación y adaptación de las previsiones establecidas con carácter general por el legislador en atención a las peculiaridades de ese órgano constitucional. Ahora bien, una alteración del sistema de reconocimiento de personalidad jurídica como la que nos ocupa, al igual que la modificación de algún otro elemento de similar trascendencia del régimen jurídico de una asociación con relevancia constitucional como lo son los Sindicatos, efectuada a través de la específica potestad normativa del art. 72.1 CE, requiere una justificación constitucional específica, susceptible de ser contrastada con el ya referido principio de intervención mínima. Sin embargo, ni en las disposiciones impugnadas ni en el escrito de alegaciones presentado por el Letrado representante de las Cortes Generales se aduce motivo alguno que justifique la ratio de esa medida, ni, prima facie, se aprecia conexión alguna entre la obligación impuesta a los sindicatos de tener que constituirse nuevamente ante el Registro creado ex professo en las Cortes Generales y la necesidad de garantizar su autonomía e independencia como órgano constitucional.

FJ 11. Ahora bien, cabe preguntarse en sintonía con lo manifestado por el Ministerio Fiscal con apoyo en la Sentencia del Tribunal Supremo (fundamento jurídico 9°. punto 6°), si es posible salvar la eventual inconstitucionalidad del art. 23 EPCG mediante una interpretación conforme del inciso final de su párrafo segundo, en el que se dispone que «Las Asociaciones y Sindicatos ya inscritos actualmente mantendrán su personalidad jurídica como tales organizaciones sindicales».

[...] [M]ientras que el reconocimiento de personalidad jurídica de aquellos sindicatos que decidan constituirse en el Registro al efecto creado en las Cortes se comunicará «a los solos efectos informativos» «al Registro correspondiente dependiente del Ministerio de Trabajo» (art. 23.2 EPCG) habrá igualmente que entender que, respecto de aquellos otros sindicatos que —como el recurrente— ya habían obtenido el reconocimiento de su personalidad, así como también aquellos que pueden obtenerla en un futuro, mediante su inscripción en el Registro a que se refiere el art. 4 LOLS, sólo pesará la obligación, también a efectos puramente informativos, de acreditar ante el Registro de Organizaciones Sindicales de las Cortes Generales la personalidad jurídica que previamente le fue reconocida.

En resumen, el art. 23 EPCG puede ser interpretado sin dificultad en el sentido de que la inscripción en el Registro que en él se establece carece de carácter constitutivo en el supuesto de aquellos sindicatos que, como es el caso del recurrente en amparo, en cualquier momento, decidiesen desplegar su actuación en el ámbito de las Cortes Generales y ya tuviesen reconocida su personalidad con arreglo al sistema general previsto en la LOLS.

El papel registral de la administración en la negociación colectiva —STC 235/1988, de 5 de diciembre—

La Sentencia resuelve el recurso de amparo interpuesto por el Sindicato Español de Oficiales de la Marina Mercante contra la actuación de la Dirección General de Trabajo y de la «Compañía Transmediterránea, Sociedad Anónima», y contra las Sentencias de 14 de diciembre de 1985 de la Audiencia Nacional (Sala de lo Contencioso-Administrativo) y de 20 de mayo de 1986 del Tribunal Supremo (Sala Tercera), que confirman la actuación de la Dirección de Trabajo del Ministerio de Trabajo y Seguridad Social, y de la «Compañía Transmediterránea, Sociedad Anónima», a propósito de la firma y publicación del Convenio Colectivo de dicha Empresa, al que el Sindicato recurrente niega validez.

FJ 3. [...] [L]a decisión administrativa que ahora se impugna [...] [ha] de enjuiciarse a la luz de los preceptos legales que delimitan el papel de la Administración en el sistema español de negociación colectiva (con expresa referencia a la de eficacia general, que es la que aquí interesa) y, en concreto, a la luz del art. 90 del ET cuya constitucionalidad no se ha cuestionado. Pues bien, según este precepto legal, la autoridad laboral está encargada del registro, depósito y publicación de los Convenios Colectivos (párrafos 2 y 3), así como de su remisión a la jurisdicción competente si apreciase en ellos vicios de legalidad o lesión grave del interés de terceros (párrafo 5). En términos generales, puede decirse que el art. 90 del E.T atribuye a la autoridad laboral una doble función en este ámbito de las relaciones de trabajo: En primer lugar, y como función que podría denominarse ordinaria, la de registro, depósito y publicación del Convenio, con el fin, básicamente, de asegurar la publicidad del mismo; y en segundo lugar, y como una excepción o matización a esa primera regla, la de remitirlo a la jurisdicción competente en los casos de presunta ilegalidad o lesividad, a fin de que los órganos judiciales, que son los competentes para el control de legalidad o lesividad de los Convenios Colectivos (art. 90.5 ET) y para la aplicación e interpretación con carácter general de los mismos (art. 91 E.T.), adopten las medidas pertinentes.

La intervención administrativa en el proceso de negociación colectiva (dejando al margen ahora otros supuestos de intervención voluntaria ajenos al caso que nos ocupa) ha de reducirse, por lo tanto, a esas funciones instrumentales y de control previo, y no podía ser de otra manera dado que la Constitución reconoce los derechos a la libertad sindical y a la negociación colectiva y acoge, en consecuencia, el principio de autonomía colectiva en la regulación de las relaciones de trabajo. Junto a esta conclusión de carácter general ha de tenerse en cuenta también que, según viene entendiendo la doctrina especializada y la jurisprudencia, la ley deja en manos de la autoridad laboral competente, aunque sea de forma reglada, el juicio previo sobre la ilegalidad o lesividad del Convenio y, en consecuencia, la decisión de someterlo o no al control jurisdiccional. Quiere ello decir que el interesado, aun pudiendo instar la puesta en marcha de ese especial procedimiento, carece de una acción propiamente dicha para exigir la remisión del Convenio a la jurisdicción competente. Por consiguiente, ante una eventual negativa de la Administración a esa solicitud, seguida de la inscripción definitiva y publicación del Convenio, el interesado habrá de intentar la defensa de sus derechos o intereses legítimos por otras vías, sin la mediación administrativa.

FJ 4. Una vez que el papel de la autoridad laboral en el control de la legalidad o lesividad del Convenio ha sido configurado en esos términos, la negativa a la solicitud de impugnación y consiguiente remisión a la jurisdicción competente, aislada de toda otra circunstancia, encaja dentro de los márgenes fijados por la ley, lo que obliga a excluir la supuesta ilicitud de la medida que aquí se impugna. Pero es que, además, la autoridad laboral no se limitó en el presente caso a denegar la petición del Sindicato recurrente, que interesaba la puesta en marcha del procedimiento previsto en el art. 90.5 del ET, sino que fundamentó su rechazo en diversos argumentos de carácter jurídico, todos ellos favorables a la legalidad del Convenio y suficientemente esclarecedores de los motivos que le indujeron a dicha decisión. En efecto, la autoridad laboral se apoyó, en primer lugar, en una interpretación posible del art. 89.3 del ET, según la cual, en el caso de que no pudiera alcanzarse con exactitud el 60 por 100 de los votos de la Comisión Negociadora, bastaría con el porcentaje inmediatamente inferior para la validez del Convenio; y en segundo lugar, en el tenor del art. 87.1 del ET, que legítima para firmar Acuerdos de eficacia general a las representaciones sindicales que asumen la mayoría de los miembros del Comité de Empresa, supuesto que concurría en la presente ocasión.

Aunque pueda discutirse la corrección de estos argumentos, o incluso su oportunidad, en ningún caso es posible —frente a lo que entiende el Sindicato recurrente— calificarlos de arbitrarios, irrazonables o contrarios a la ley, por lo que no cabe deducir de ellos discriminación alguna entre los Sindicatos que concurrieron a la negociación del Convenio. [...] Debe tenerse presente, por otra parte, que el Sindicato recurrente pudo impugnar jurisdiccionalmente, y así lo hizo, los Acuerdos alcanzados sin su anuencia, y pudo obtener finalmente la debida tutela judicial de sus derechos e intereses legítimos, cuyo resultado más palpable fue la reducción del ámbito personal de eficacia de los Convenios impugnados. Nada le impidió, además, participar, aunque después se retirara voluntariamente, en la negociación de los sucesivos Convenios a través de sus representantes en el Comité Intercentros, y si no llegó a imponer sus tesis en dicha negociación o a lograr un Acuerdo específico para sus afiliados, no fue por la resolución de la Dirección General de Trabajo que ahora se impugna. En consecuencia, no es posible considerar discriminatoria o atentatoria de la libertad sindical, y, por consiguiente, vulneradora del art. 28.1 de la Constitución, una decisión administrativa que aduce razones objetivas para rechazar la petición de impugnación del Convenio, y que trata de interpretar con criterios flexibles, fundados y razonables, aunque fueren discutibles, unas normas legales que en muchos casos se caracterizan por su rigidez o falta de adecuación a las condiciones reales de nuestro sistema de relaciones laborales, y con cierta frecuencia dificultan, por el juego de las sucesivas mayorías, la consecución de acuerdos de eficacia general.

Blanca Rodríguez Ruiz

Libertad sindical y artículo 14 CE: diferencias de trato en el ejercicio de la libertad sindical y el concepto de 'sindicatos más representativos' —STC 98/1985, de 29 de julio[10]—

La Sentencia resuelve tres recursos previos de inconstitucionalidad acumulados, promovidos respectivamente por el Parlamento Vasco, por el Gobierno Vasco, y por 65 Diputados, contra el texto definitivo del Proyecto de Ley Orgánica de Libertad Sindical.

FJ 5. El núcleo central de los tres recursos (de mayor o menor amplitud en cada uno de ellos) está constituido por la impugnación de las disposiciones del Proyecto de Ley relativas a la configuración de los «sindicatos más representativos», incluida en los arts. 6 y 7; y ello tanto por lo que respecta al concepto mismo de «mayor representatividad sindical», como por lo que atañe a los derechos y funciones que de ella se hacen derivar: impugnación consistente, en cuanto a lo primero, en cuestionar el reconocimiento de la condición de sindicato más representativo a aquél que esté afiliado, federado o confederado con una organización sindical más representativa en el ámbito estatal o de Comunidad Autónoma; y en cuanto a lo segundo, en considerar que aquellos derechos y funciones, además de exorbitantes, o bien no pueden ser atribuidos en exclusividad a los sindicatos más representativos, o bien no pueden serlo a quien lo es exclusivamente por lo que cabe calificar, como veremos, de fenómeno de irradiación. La impugnación se produce por presunta vulneración de los arts. 7, 9.2, 14, 23 y 28.1 de la CE, citándose ocasionalmente también el 9.3 y el 37. 1.

FJ 7. Como se desprende de lo anterior, el planteamiento jurídico-constitucional del tema no puede prescindir de dos principios derivados del texto constitucional, cuya compatibilidad es preciso garantizar: en primer lugar, el de libertad sindical e igualdad de trato de los sindicatos, derivado del art. 28.1 de la Constitución (en relación con el 14); en segundo, el de promoción del hecho sindical, que enlaza con el art. 7 de la Constitución y sería obstaculizado por una defensa a ultranza del primero. En la tensión entre estos principios, el problema obviamente es de límites, tal y como en el fondo vienen a reconocer los recurrentes, que no rechazan la existencia de los sindicatos más representativos ni la atribución a los mismos de determinadas prerrogativas, aunque no admitan la regulación legal. Ello se desprende también de la jurisprudencia constitucional, que no ha rechazado el concepto y sus consecuencias, así en las Sentencias núm. 53/1982, de 22 de julio («Boletín Oficial del Estado» de 18 de agosto), y núm. 65/1982, de 10 de noviembre («Boletín Oficial del Estado» de 10 de diciembre), en relación con la más eficaz defensa de los intereses de los trabajadores, que se vería perjudicada por una atomización sindical. Omitiendo ahora la cuestión relativa a los criterios determinantes de la mayor representatividad, el Tribunal ha centrado sus pronunciamientos en las funciones y prerrogativas atribuidas con exclusividad a los mismos, para admitir los supuestos de representación institucional ante órganos administrativos (Sentencia 53/1982 ya citada), representaciórn ante la OIT (Sentencia 65/1982, también ya citada) y negociación colectiva de eficacia general [Sentencias 4/1983, de 28 de enero «Boletín Oficial del Estado» de 17 de febrero]; 12/1983, de 22 de febrero [«Boletín Oficial del Estado» de 23 de marzo], y 73/1984, de 27 de junio [«Boletín Oficial del Estado» de 11 de julio], en ninguno de los cuales se estimó vulneración de los arts. 14 y 28.1 de la Constitución, y para rechazar, en cambio, por vulneración de la libertad sindical, y no ser consecuencia del concepto, la concesión de subvenciones para fines generales de todos los sindicatos con exclusión de los demás [Sentencias 20/1985, de 14 de febrero («Boletín Oficial del Estado» de 5 de marzo), y 26/1985, de 22 de febrero («Boletín Oficial del Estado» de 27 de marzo)].

Por ello, carece de fundamento el recurso interpuesto por los 65 Diputados en cuanto impugna el núm. 1 del art. 6 del Proyecto, que reconoce a los sindicatos más representativos «una singular posición jurídica a efectos, tanto de participación institucional como de acción sindical».

FJ 8. Desde el punto de vista constitucional no importa tanto el hecho de que unos sindicatos sean calificados legalmente de más representativos ni el modo en que se articulen los diversos grados de representatividad, cuanto los efectos que de ellos se deriven. Sólo en la medida en que una determinada función o prerrogativa se reconozca a un sindicato y se niegue a otro, surge el problema de determinar su adecuación a los arts. 14 y 28.1 de la Constitución.

---

[10] *Vid.* también las SSTC 65/1982, de 10 de noviembre; 70/1982, de 29 de noviembre; 37/1983, de 11 de mayo; STC 51/1984, de 25 de abril; 73/1984, de 27 de junio; 20/1985, de 14 de febrero; 84/1989, de 10 de mayo; 9/1986, de 21 de enero; 208/1989, de 14 de diciembre; 52/1992, de 8 de abril; 228/1992, de 14 de diciembre; 99/1983, de 16 de noviembre; 164/1993, de 18 de mayo; 263/1994, de 3 de octubre; 201/1999, de 8 de noviembre; 224/2000, de 2 de octubre; 120/2010, de 24 de noviembre; 80/2000, de 27 de marzo; 5/2011, de 14 de febrero.

De ahí que proceda el análisis de las funciones y prerrogativas señaladas con referencia a los sujetos que en cada ámbito concreto pueden ejercerlas o disfrutarlas. De la lectura conjunta de los arts. 6 y 7 se obtiene que las funciones previstas en los apartados b) (negociación colectiva), c) (participación en la determinación de las condiciones de trabajo en las Administraciones Públicas), d) (participación en los sistemas no jurisdiccionales de solución de conflictos de trabajo), e) (promoción de elecciones sindicales) y g) (cualquier otra función) del art. 6.3 se reconocen tanto a las organizaciones que tengan la consideración de más representativas como a las que cuenten con un 10 por 100 de los representantes en el ámbito afectado. En la medida en que este ámbito no coincida con el de medición de la mayor representatividad (territorial: Estado y Comunidad Autónoma; funcional: intersectorial), significa esto que tales funciones se reconocen en un ámbito territorial y funcional especifico a las organizaciones sindicales que cuenten con un 10 por 100 de los representantes en dicho ámbito, así como a las organizaciones de dicho ámbito que estén afiliadas, federadas o confederadas a una organización más representativa en el ámbito estatal o de Comunidad Autónoma. Dejando la consideración sobre la validez constitucional del mecanismo de irradiación que autoriza esto último para más adelante, se trata de valorar si la exclusión de tales funciones a quienes no hayan alcanzado el mínimo de representatividad requerido (10 por 100 de representantes) es o no acorde al texto constitucional.

FJ 9. [...] La valoración constitucional del establecimiento de diferencias entre sindicatos por las funciones atribuidas a cada uno se efectúa en atención a los arts. 14 y 28.1 de la Constitución. En el derecho de libertad sindical está implícita la exigencia de igualdad entre las diferentes organizaciones sindicales y la prohibición de injerencia de los poderes públicos a efectos de no alterar con su intervención la libertad e igualdad de ejercicio de la actividad sindical. Y tratándose de un problema de igualdad, el análisis adecuado a tal derecho fundamental ha de consistir en si la diferencia de trato está justificada. Es lo que ha dicho este Tribunal en aquellos casos en que se ha enfrentado con este problema: así las ya varias veces citadas Sentencias 53/1982, de 22 de julio («Boletín Oficial del Estado» de 18 de agosto), y 65/1982, de 10 de noviembre («Boletín Oficial del Estado» de 10 de diciembre), así como las Sentencias 23/1983, de 25 de marzo («Boletín Oficial del Estado» de 27 de abril); 99/1983, de 16 de noviembre («Boletín Oficial del Estado» de 14 de diciembre); 20/1985, de 14 de febrero («Boletín Oficial del Estado» de 5 de marzo), y 26/1985, de 22 de febrero («Boletín Oficial del Estado» de 27 de marzo). De todas estas resoluciones resulta que la atribución de funciones exclusivas a unos sindicatos origina una desigualdad en relación a los excluidos, que en el supuesto de no estar justificada vulnera el art. 14 de la CE, y especialmente el 28.1, entendido éste en cuanto precepto que consagra la libertad de actuación de los sindicatos, la igualdad de trato entre ellos y la no injerencia estatal en su actividad; pero al situar a unos sindicatos en mejor posición para el cumplimiento de las funciones que los trabajadores esperan de ellos, influye también en la libertad individual de sindicación, al facilitar la afiliación a los mismos y dificultarla para los excluidos.

No parece, en cambio, que pueda recurrirse en rigor al art. 9.2 como parámetro de valoración constitucional del problema, como hacen los recurrentes. Dicho precepto, que contiene un mandato a los poderes públicos para que promuevan las condiciones para que la libertad e igualdad del individuo y de los grupos en que se integra sean reales y efectivos, y para que remueva los obstáculos que impidan o dificulten su plenitud, puede actuar como un principio matizador de la igualdad formal consagrada en el art. 14 de la Constitución, permitiendo regulaciones cuya desigualdad formal se justifica en la promoción de la igualdad material; pero no puede pretenderse su aplicación para obtener la declaración de inconstitucionalidad de una norma en la que, presuntamente, se incumple el mandato de promover la igualdad real, pues esta igualdad no opera como un límite concreto en la actuación de los poderes públicos.

FJ 10. [...] El apartado b) del art. 6.3 se refiere a «la negociación colectiva en los términos previstos en el Estatuto de los Trabajadores». Se trata de un específico supuesto de negociación, dotada de eficacia general y aplicable por tanto a todos los trabajadores y empresarios incluidos dentro de su ámbito, pertenezcan o no a las organizaciones pactantes. Es este carácter, y la necesidad lógica de reconocer la legitimación a quienes representen cualificadamente los intereses del grupo afectado, los que justifican la limitación a quienes ostentan una mínima representatividad, teniendo en cuenta que la negociación de eficacia reducida se reconoce a todo sindicato. La limitación ha sido declarada constitucional por este Tribunal en sus Sentencias 4/1983, de 28 de enero («Boletín Oficial del Estado» de 17 de febrero), y 12/1983, de 22 de febrero («Boletín Oficial del Estado» de 23 de marzo).

De forma paralela al supuesto anterior, el apartado c) del art. 6.3 regula la función de «participar como interlocutores en la determinación de las condiciones de trabajo en las Administraciones Públicas a través de los oportunos procedimientos de consulta o negociación». Su justificación es la misma que en la negociación colectiva.

El apartado d) prevé la participación en los sistemas no jurisdiccionales de solución de conflictos de trabajo. Su valoración debe efectuarse teniendo en cuenta la conexión con la negociación colectiva y la representación institucional, pues lo que el precepto prevé no es sino la participación en sistemas públicos de solución de conflictos, dado que los sistemas privados —es decir, creados por las propias partes, bien expresamente para un conflicto determinado, bien con carácter general y previo—, son obviamente libres. Se trata de atender, pues, a sistemas de solución de conflictos, voluntarios y no impuestos —como se desprende de la Sentencia de este Tribunal núm. 11/1981, de 8 de abril («Boletín Oficial del Estado» del 25), sobre el Real Decreto-ley 17/1977, de 4 de marzo, regulador del derecho de huelga y de los conflictos colectivos de trabajo—, creados por el Estado y cualificados por el interés general. La vaguedad del texto que denuncian los recurrentes no tiene por qué ocasionar la inconstitucionalidad que se pretende. Si la regulación posterior de estos sistemas no se ajustara a los principios constitucionales en lo que aquí importa, por impedir el ejercicio de los derechos fundamentales de los sindicatos excluidos de la participación, sería ella la que debiera tacharse de inconstitucional.

La promoción de elecciones sindicales, prevista en el apartado e), pretende tan sólo ordenar de forma razonable dichas elecciones, partiendo del principio elemental de que únicamente a los interesados y no al Estado compete acordar la celebración de las mismas. Su limitación a quienes tengan un mínimo de representatividad es una medida lógica de ordenación del proceso electoral, pretende evitar las disfunciones derivadas de una atribución indiscriminada, y no altera los derechos de los excluidos, pues éstos pueden presentar su candidatura [art. 2.2 d).]

Por último, la cláusula general incluida en el apartado g), al ser una norma de remisión, no puede considerarse inconstitucional. Los problemas que los recurrentes aducen no derivan de este precepto, sino del instrumento jurídico que establezcan aquellas otras funciones representativas, bien por problemas relativos al rango de la norma, bien por su contenido. La valoración habrá de hacerse en cada supuesto concreto, sin que, obviamente, la previsión del Proyecto pueda tener una función legitimadora de dichos supuestos desde una perspectiva constitucional.

FJ 11. [...] En cuanto a la representación institucional ante las Administraciones Públicas u otras Entidades y organismos de carácter estatal o de Comunidad Autónoma que la tengan prevista [art. 6.3 a)], debe entenderse que la Ley se limita a establecer la capacidad representativa de los sindicatos que tengan el carácter de más representativos a nivel estatal o de Comunidad Autónoma (art. 7.1 del Proyecto), pero no impide que las Comunidades Autónomas, en el ejercicio de sus competencias de organización, integren además en sus propios órganos a otros sindicatos que no tengan esta consideración legal.

Respecto a la capacidad representativa para obtener cesiones temporales del uso de inmuebles patrimoniales públicos en los términos que se establezcan legalmente [art. 6.3 f)], el Proyecto se limita a reconocer tal capacidad a los sindicatos más representativos, sin contener regulación alguna excluyente en este punto en relación a los sindicatos a que se refiere el art. 7.2 del Proyecto ni a los demás, por lo que no debe interpretarse este precepto, como subraya el Abogado del Estado, en el sentido de que atribuya un monopolio a los sindicatos más representativos. Puesto que el art. 6.3 f) efectúa una remisión en blanco a una regulación legal, será tal regulación la que podrá, en su caso, plantear problemas de constitucionalidad; por ello, dado que en el presente recurso hemos de circunscribirnos al texto impugnado, debemos concluir que el art. 6.3 f) del Proyecto no es inconstitucional.

FJ 12. Los recurrentes impugnan especialmente los criterios de determinación de la mayor representatividad, por virtud de los cuales se atribuyen a unos y no a otros determinados derechos y funciones.

Estos criterios han sido objeto de consideración por este Tribunal en dos Sentencias, ya varias veces citadas en estos fundamentos: la núm. 53/1982, de 22 de julio, a efectos de participación institucional, y la núm. 65/1982, de 10 de noviembre, a efectos de participación en la Asamblea de la OIT. Ambas, en su respectivo fundamento tercero, vienen a señalar que los criterios en que se inspire la distinción entre organizaciones más o menos representativas tienen que ser de carácter objetivo y fundarse en elementos que no ofrezcan posibilidad de parcialidad o abuso.

El criterio inicial adoptado por el Proyecto de LOLS para la generalidad de las funciones que regula es el de la audiencia expresada mediante la obtención de un 10 por 100 o más de Delegados de Personal y miembros de Comités de Empresa y de los correspondientes órganos en las Administraciones públicas. Este criterio es el que determina la mayor representatividad «a nivel estatal» [art. 6.2 a)], y el que determina el acceso en un ámbito concreto a las funciones previstas (art. 7.2). De forma similar, aunque con distinto porcentaje (15 por 100) y con número mínimo (1. 500 representantes), se determina la mayor representatividad «a nivel de Comunidad Autónoma» [art. 7.1 a)].

Dejando para más tarde el problema derivado de esta diversidad entre el nivel estatal y el comunitario, nada puede oponerse a esta forma de medición, que parte de una relación entre el carácter del órgano y el interés que en él ha de representarse, y no es cuestionada por los recurrentes.

Pero tal forma no es la única en el Proyecto. Para el supuesto específico de representación institucional de que ahora tratamos, la distinción se funda exclusivamente en la condición de sindicato más representativo a nivel estatal o de

Comunidad Autónoma, y no en la obtención del 10 por 100 en el ámbito correspondiente. Y por fin, para todos los restantes, la medición de la implantación en el ámbito afectado se complementa con el reconocimiento ex lege de mayor representatividad a todos los sindicatos o entes sindicales que estén afiliados, federados o confederados a una organización sindical más representativa a nivel estatal o de Comunidad Autónoma [art. 6.2 b) y 7.1 b)].

La limitación de la representación institucional a las organizaciones más representativas a nivel estatal o de Comunidad Autónoma y a los sindicatos afiliados, federados o confederados a ellas se cuestiona por los recurrentes porque, a tenor de la Sentencia 53/1982 de este Tribunal, la representatividad sindical en órganos autonómicos, provinciales y locales ha de acreditarse necesariamente en el ámbito afectado.

Realmente de dicha Sentencia no puede obtenerse la conclusión pretendida. Juzgando el criterio contenido en la Orden ministerial de 8 de julio de 1981, que determina el cómputo a nivel nacional de la mayor representatividad para participar en la Comisión Ejecutiva Provincial del Instituto Nacional de Empleo, que determinó la exclusión de un sindicato que había alcanzado el mínimo del 10 por 100 en la provincia de Baleares, pero no en el ámbito nacional, el Tribunal declaró que no se trataba de «decidir si el criterio contenido en la Orden ministerial y aplicado por el Delegado de Trabajo Presidente de la Comisión Ejecutiva Provincial de Baleares es el más acertado o el más conveniente políticamente, ni tampoco si es el más acorde con la Constitución, lo cual entrañaría juicios de valor o de preferencia que este Tribunal no puede jamás emitir, sino tan sólo si es discriminatorio por ser irracional o arbitrario, o si por el contrario es razonable y objetivo». Para ello consideró decisivo «tener en cuenta el carácter del INEM y las funciones de sus Comisiones Provinciales» (fundamento jurídico 3.°).

Puesto que aquél es un órgano gestor del Gobierno y no sólo posee un ámbito nacional de actuación, sino también una estructura jerarquizada y centralizada y las Comisiones Provinciales no son órganos dotados de autonomía de gestión en el ámbito provincial, el Tribunal estimó razonable que se procurara en la Comisión Provincial una composición que fuese reproducción de las del Consejo General y la Comisión Ejecutiva.

FJ 13. Los recurrentes impugnan no menos ampliamente el criterio de mayor representatividad que ha venido en llamarse de la «irradiación», del art. 6.2 b), conforme al cual y conforme a la única interpretación que razonablemente puede hacerse, como se dijo, son sindicatos más representativos, y pueden ejercer en un ámbito específico todas las funciones atribuidas a tales sindicatos, aquellos de dicho ámbito que estén afiliados, federados o confederados a una de las organizaciones sindicales más representativas a nivel estatal o de Comunidad Autónoma. De hecho, como alega los recurrentes, el Proyecto permite que determinados sindicatos o entes sindicales que no acrediten la implantación mínima del 10 por 100 prevista en el art. 7.2, en un ámbito territorial y funcional especifico, puedan ejercer en dicho ámbito las funciones ligadas a la mayor representatividad. [...]

El criterio en si mismo no plantea problema constitucional alguno, que sólo surge cuando tal criterio introduce diferencias de trato entre organizaciones sindicales y por qué introduce dichas diferencias. Por ello, la adecuación o no a la doctrina de la representatividad en la que insisten los recurrentes carece de relevancia a efectos constitucionales. El que el legislador, en atención a finalidades que sólo a él compete establecer, haya decidido potenciar la actividad sindical mediante la extensión de un sistema de mayor representatividad, es una decisión política no controlable judicialmente, salvo si se vulnera la obligada igualdad de trato a los sindicatos, que sólo admite aquellas diferencias que estén justificadas, o si impide el ejercicio de los derechos sindicales de los trabajadores y de sus organizaciones. Esto último, sin embargo, no ocurre en el presente caso, puesto que, como hemos visto, la representatividad por afiliación, federación o confederación, no es el único criterio de medición, de forma que no impide que quienes no pertenezcan a las organizaciones más representativas puedan igualmente alcanzar la representatividad y ejercer las funciones en los concretos ámbitos de ejercicio; y que la mayor representatividad estatal o comunitaria, que permite irradiarla a las organizaciones afiliadas, arranca de un dato objetivo, que es la voluntad de los trabajadores. No hay, pues, razón suficiente para estimar que el criterio no se ajusta a los mandatos constitucionales. Vista la cosa en su conjunto, el principio de equivalencia entre representatividad e implantación, básico en el Proyecto, tampoco puede considerarse roto, como afirman los recurrentes, sino que aparece complementado mediante el criterio de la irradiación, en aras de la opción del legislador en favor de la potenciación de las organizaciones de amplia base territorial (estatal o comunitaria) y funcional (intersectorial), que asegure la presencia en cada concreto ámbito de actuación de los intereses generales de los trabajadores frente a una posible atomización sindical, en la línea de las consideraciones de las Sentencias de este Tribunal antes citadas al respecto.

FJ 14. Los recurrentes impugnan asimismo el criterio determinante de la mayor representatividad «a nivel de Comunidad Autónoma», tachándolo de discriminatorio, comparado con el de la mayor representatividad «a nivel estatal», y acusándolo de favorecer, en consecuencia, los sindicatos de ámbito estatal, con las lógicas incidencias en la auto-

nomía comunitaria.[frente al 10 por 100 estatal, se exige «al menos, el 15 por 100 de los Delegados de Personal y de los representantes de los trabajadores en los Comités de Empresa y en los órganos correspondientes de las Administraciones Públicas, siempre que cuenten con un mínimo de 1.500 representantes» —art. 7.1 a)]. [...]
En atención a lo que se acaba de decir, no es irrazonable exigir de los sindicatos más representativos a nivel de Comunidad Autónoma unas condiciones adicionales que garanticen su relevancia no solamente en el interior de la respectiva Comunidad, sino también en relación con el conjunto nacional y que eviten al mismo tiempo las distorsiones que resultarían de la atribución de los mismos derechos a sindicatos de distinta implantación territorial y que representen a un número muy distinto de trabajadores, según la población laboral de las respectivas Comunidades Autónomas.

La interdicción de perjuicios derivados de la falta de prestación de servicios laborales, fruto del desempeño de puestos de representación sindical —STC 90/2008, de 21 de julio[11]—

La Sentencia resuelve el recurso de amparo promovido por don S.M.O. contra la Sentencia de la Sala de lo Contencioso-Administrativo del Tribunal Superior de Justicia de Extremadura de 11 de mayo de 2006, y de la Sentencia del Juzgado de lo Contencioso-Administrativo núm. 1 de Mérida de 19 de septiembre de 2005, que deniegan al recurrente su solicitud relativa al reconocimiento como experiencia profesional del periodo en que se mantuvo como liberado sindical a tiempo completo, a efectos de su cómputo como mérito en el concurso para la provisión de puestos de trabajo vacantes de personal funcionario convocado por la Consejería de la Presidencia de la Junta de Extremadura para la que trabaja. Razonaban dichas Sentencias que la falta de trabajo efectivo durante su liberación sindical resultaba incompatible con la adquisición de la experiencia que se valoraba en la convocatoria.

FJ 3. [...] Este Tribunal ha tenido ya la oportunidad de reaccionar frente a decisiones de las Administraciones adoptadas en perjuicio de la situación profesional de los representantes sindicales y fundadas en la adquisición por éstos de la condición de liberado sindical, no dudando en tacharlas de lesivas del derecho de libertad sindical (SSTC 202/1997, de 25 de noviembre; 241/2005, de 10 de octubre; 336/2005, de 20 de diciembre; 144/2006, de 8 de mayo; y 257/2007, de 17 de diciembre), y también ha otorgado amparo constitucional a representantes de los trabajadores, liberados sindicales, en supuestos en los que, al margen de cualquier motivación antisindical, concurrían perjuicios en sus condiciones económicas derivados concretamente de la falta de prestación de servicios profesionales que era consustancial a su condición de representante de los trabajadores en situación de liberado por razón sindical (SSTC 191/1998, de 29 de septiembre; 30/2000, de 31 de enero; 92/2005, de 18 de abril; y 151/2006, de 22 de mayo)
A la misma conclusión ha de llegarse en este caso, ya que el recurrente, debido a que ha estado relevado del servicio como liberado sindical para realizar funciones sindicales, ha sufrido un menoscabo en su carrera profesional, al no poder alegar como mérito para su valoración en el concurso el tiempo dedicado a realizar esas específicas funciones representativas. Con ello, indirectamente, se le obliga a escoger entre su carrera profesional y la actividad sindical, colocándolo en el trance de sacrificar ésta y reincorporarse a su puesto de trabajo para que se le pueda aplicar, del mismo modo que al resto de los trabajadores, las bases de la convocatoria del concurso que evalúan los méritos a efectos de promoción interna.
La postura mantenida por la Administración (avalada judicialmente), que no encuentra en este caso justificación en la preservación de la eficacia administrativa, constituye un obstáculo objetivamente constatable para la efectividad del derecho a la libertad sindical. De un lado, por su potencial efecto disuasorio para el trabajador que realiza la actividad sindical, que ve limitada sus posibilidades de promoción profesional y movilidad; y, de otro lado, por la proyección que tiene sobre la organización sindical correspondiente, afectando a la labor de defensa y promoción de

---

[11]   *Vid.* también las SSTC 70/2000, de 13 de marzo; 265/2000, de 13 de noviembre; 43/2001, de 12 de febrero; 58/2001, de 26 de febrero; 281/2005, de 7 de noviembre (sobre el derecho al secreto de las comunicaciones por correo electrónico en conexión con la comunicación sindical en la empresa); 200/2007, de 24 de septiembre; 137/2008, 178/2008 y 179/2008, todas de 22 de diciembre. Sobre la inconstitucionalidad de un régimen menos favorable en este punto para el funcionariado que para trabajadoras/es por cuenta ajena, *vid.* STC 18/2003, de 30 de enero. Con todo, el Tribunal ha negado que forme parte del artículo 28.1 CE la inclusión en el ámbito de aplicación de la acción protectora de la Seguridad Social (a efectos de la protección por desempleo o de otras contingencias) de los cargos electivos sindicales retribuidos y con dedicación exclusiva en el marco de la función pública, siendo una cuestión de configuración legal, «con independencia de que pueda reputarse como deseable a fin de evitar eventuales perjuicios en la carrera de aseguramiento de quienes acceden a dichos cargos en caso de exclusión de los períodos en que dichos cargos se desempeñan» (SSTC 44/2004, de 23 de marzo, FJ 4; 234/2005, de 26 de septiembre, FJ 2).

los intereses de los trabajadores que la Constitución le encomienda en su art. 7 y que lleva a cabo en gran medida a través de sus representantes sindicales. [...]

Discriminación asociada al ejercicio de la libertad sindical y carga de la prueba —STC 17/2005, de 1 de febrero[12]—

La Sentencia resuelve el recurso de amparo promovido por Comisiones Obreras contra la Sentencia de 15 de julio de 1999 de la Sala de lo Social del Tribunal Superior de Justicia de Galicia, y contra el Auto de la Sala de lo Social del Tribunal Supremo de 23 de febrero de 2000, recaído en recurso de casación para la unificación de doctrina, que desestiman recurso interpuesto por el sindicato recurrente por despido de dos delegados de personal por la Mancomunidad das Terras do Navea Bibei, vinculados al desarrollo de su actividad sindical.

FJ 1. [...] [D]ebe precisarse que, si bien el demandante de amparo también invoca la vulneración de su derecho a la igualdad y no discriminación (art. 14 CE), tal queja carece de sustantividad propia, pues la discriminación enunciada no concierne a ninguna de las circunstancias explícitamente proscritas por el art. 14 CE, por lo que ha de quedar subsumida en la queja referida a la lesión del art. 28.1 CE, conforme a la reiterada doctrina de este Tribunal (por todas, SSTC 55/1983, de 22 de junio, FJ 1; 197/1990, de 29 de noviembre, FJ 1; 90/1997, de 6 de mayo, FJ 3; 87/1998, de 21 de abril, FJ 2; 308/2000, de 18 de diciembre, FJ 2; y 44/2001, de 12 de febrero, FJ 2).

FJ 2. Planteada así la cuestión, debe recordarse en primer lugar que, conforme a reiterada doctrina de este Tribunal, el derecho a la libertad sindical proclamado por el art. 28.1 CE garantiza, en su vertiente individual, el derecho del trabajador a no sufrir consecuencias desfavorables en la empresa por razón de su afiliación o actividad sindical, de suerte que el derecho a la libertad sindical queda afectado y menoscabado si el trabajador resulta perjudicado por el desempeño legítimo de la actividad sindical. Por ello, la libertad de afiliarse a un sindicato y la libertad de no afiliarse, así como el desarrollo de la actividad inherente a la legítima actuación sindical en el ámbito de la empresa, para defender los intereses a cuyo fin se articulan las representaciones de los trabajadores, constituye una «garantía de indemnidad», que veda cualquier diferencia de trato por razón de la afiliación sindical o actividad sindical de los trabajadores y sus representantes en relación con el resto de los trabajadores (por todas, SSTC 38/1981, de 23 de noviembre, FJ 5; 17/1996, de 7 de febrero, FJ 4; 74/1998, de 31 de marzo, FJ 3;/1998, de 29 de septiembre, FJ 4; 30/2000, de 31 de enero, FJ 2; 173/2001, de 26 de julio, FJ 5; 111/2003, de 16 de junio, FJ 5; y 79/2004, de 5 de mayo, FJ 3).

Asimismo, el derecho a la libertad sindical (art. 28.1 CE), en su vertiente colectiva, y en virtud de una interpretación sistemática con el art. 7 CE y del canon hermenéutico sentado por el art. 10. 2 CE, integra derechos de actividad y medios de acción de los sindicatos que, por contribuir de forma primordial a que el sindicato pueda desarrollar las funciones a las que es llamado por el citado art. 7 CE, constituyen el núcleo mínimo e indispensable de la libertad sindical, sin el cual ese derecho fundamental no sería reconocible. De este modo, como repetidamente ha declarado nuestra doctrina, la libertad sindical comprende el derecho a que los sindicatos realicen las funciones que de ellos es dable esperar, de acuerdo con el carácter democrático del Estado, lo que supone el derecho a llevar a cabo una

---

12   En el mismo sentido, el Tribunal Constitucional ha considerado que vulnera el derecho a la libertad sindical «la denegación de complementos retributivos salariales con exclusivo fundamento en la condición de liberado sindical, ya que ello supone un menoscabo económico que constituye un obstáculo objetivamente constatable para la efectividad del derecho de libertad sindical, por su potencial efecto disuasorio para la decisión de realizar funciones sindicales, lo que repercute no solo en el representante sindical que soporta dicho menoscabo, sino que se proyecta asimismo sobre la organización sindical correspondiente y afecta, en su caso, a las tareas de defensa y promoción de los intereses de los trabajadores que la Constitución encomienda a los sindicatos en el art. 7 CE» (STC 148/2015, de 6 de julio, FJ 3). En estos supuestos se aplica igualmente la inversión de la carga de la prueba. *Vid.* también las SSTC 78/1982, de 20 de diciembre; 21/1982, de 12 de mayo; 55/1983, de 22 de junio; 34/1984, de 9 de marzo; 293/1993, de 18 de octubre; 17/1996, de 7 de febrero; 82/1997, de 22 de abril; 90/1997, de 6 de mayo, 87/1998, de 21 de abril; 191/1998, de 29 de septiembre; 140/1999, de 22 de julio; 29/2000, de 31 de enero; 308/2000, de 18 de diciembre; 173/2001, de 26 de julio; 207/2001, de 22 de octubre; 214/2001, de 29 de octubre; 14/2002, de 28 de enero; 29/2002, de 11 de febrero; 30/2002, de 11 de febrero; 66/2002, de 21 de marzo; 84/2002, de 22 de abril; 17/2003, de 30 de enero; 11/2003, de 16 de junio; 111/2003, de 16 de junio; 171/2003, de 29 de septiembre; 64/2004, de 19 de abril; 79/2004, de 5 de mayo; 87/2004, de 10 de mayo; 188/2004, de 2 de noviembre; 298/2005, de 21 de noviembre; 326/2005, de 12 de diciembre; 3/2006, de 16 de enero; 144/2006, de 8 de mayo; 168/2006, de 5 de junio; 2/2009, de 12 de enero; 100/2014, de 23 de junio.

libre acción sindical, comprensiva de todos los medios lícitos y sin indebidas injerencias de terceros (SSTC 4/1983, de 28 de enero, FJ 3; 127/1989, de 13 de julio, FJ 3; 30/1992, de 18 de marzo, FJ 3; 164/1993, de 18 de mayo, FJ 3; 94/1995, de 16 de junio, FJ 2; 127/1995, de 25 de julio, FJ 3; 168/1996 de 29 octubre, FJ 1 y 145/1999, de 22 de julio, FJ 3). [...]

FJ 3. Debe igualmente traerse a colación la doctrina sentada por este Tribunal ya desde su temprana STC 38/1981, de 23 de noviembre, acerca de la importancia que tiene la regla de la distribución de la carga de prueba para garantizar el derecho a la libertad sindical frente a posibles actuaciones empresariales que puedan constituir una discriminación por motivos sindicales, regla consagrada expresamente en el art. 179.2 LPL como consecuencia de dicha doctrina, como recuerda la STC 74/1998, de 31 de marzo, FJ 5.

Para precisar con nitidez los criterios aplicables en materia probatoria cuando están en juego posibles vulneraciones de derechos fundamentales en el ámbito de las relaciones laborales, como es el caso de la libertad sindical, es pertinente traer a colación la STC 29/2002, de 11 de febrero. Decíamos allí, recordando nuestra reiterada doctrina, que «la necesidad de garantizar que los derechos fundamentales del trabajador no sean desconocidos por el empresario bajo la cobertura formal del ejercicio por parte de éste de los derechos y facultades reconocidos por las normas laborales para organizar las prestaciones de trabajo, pasa por considerar la especial dificultad que en no pocas ocasiones ofrece la operación de desvelar en los procedimientos judiciales correspondientes la lesión constitucional, encubierta tras la legalidad sólo aparente del acto empresarial. Una necesidad tanto más fuerte cuanto mayor es el margen de discrecionalidad con que operan en el contrato de trabajo las facultades organizativas y disciplinarias del empleador». Y proseguíamos señalando que «precisamente, la prevalencia de los derechos fundamentales del trabajador y las especiales dificultades probatorias de su vulneración en aquellos casos constituyen las premisas bajo las que la jurisprudencia constitucional ha venido aplicando la específica distribución de la carga de la prueba en las relaciones de trabajo (hoy recogida en los arts. 96 y 179.2 LPL; SSTC 38/1981, 37/1986, 47/1985, 114/1989, 21/1992, 266/1993, 180/1994 y 136/1996, entre otras). La finalidad de la prueba indiciaria no es sino la de evitar que la imposibilidad de revelar los verdaderos motivos del acto empresarial impida declarar que éste resulta lesivo del derecho fundamental (STC 38/1981, FFJJ 2 y 3), finalidad en orden a la cual se articula el doble elemento de la prueba indiciaria. El primero, la necesidad por parte del trabajador de aportar un indicio razonable de que el acto empresarial lesiona su derecho fundamental (STC 38/1986, FJ 2), principio de prueba dirigido a poner de manifiesto, en su caso, el motivo oculto de aquél; un indicio que, como ha venido poniendo de relieve la jurisprudencia de este Tribunal, no consiste en la mera alegación de la vulneración constitucional, sino que debe permitir deducir la posibilidad de que aquélla se haya producido (así, SSTC 166/1987, 114/1989, 21/1992, 266/1993, 293/1994, 180/1994 y 85/1995)». Sólo una vez cubierto este primer e inexcusable presupuesto, añadíamos, «sobre la parte demandada recae la carga de probar que su actuación tiene causas reales absolutamente extrañas a la pretendida vulneración de derechos fundamentales, así como que aquéllas tuvieron entidad suficiente como para adoptar la decisión, único medio de destruir la apariencia lesiva creada por los indicios. Se trata de una auténtica carga probatoria y no de un mero intento de negar la vulneración de derechos fundamentales —lo que claramente dejaría inoperante la finalidad de la prueba indiciaria (STC 114/1989)—, que debe llevar a la convicción del juzgador que tales causas han sido las únicas que han motivado la decisión empresarial, de forma que ésta se hubiera producido verosímilmente en cualquier caso y al margen de todo propósito vulnerador de derechos fundamentales. Se trata, en definitiva, de que el empleador acredite que tales causas explican objetiva, razonable y proporcionadamente por sí mismas su decisión, eliminando toda sospecha de que aquélla ocultó la lesión de un derecho fundamental del trabajador (reflejan estos criterios las SSTC 38/1981, 104/1987, 114/1989, 21/1992, 85/1995 y 136/1996, así como también las SSTC 38/1986, 166/1988, 135/1990, 7/1993 y 17/1996). La ausencia de prueba trasciende de este modo el ámbito puramente procesal y determina, en último término, que los indicios aportados por el demandante desplieguen toda su operatividad para declarar la lesión del propio derecho fundamental del trabajador (SSTC 197/1990, FJ 1; 136/1996, FJ 4, así como SSTC 38/1981, 104/1987, 166/1988, 114/1989, 147/1995 ó 17/1996)».

En definitiva, el demandante, que invoca la regla de inversión de la carga de la prueba, debe desarrollar una actividad alegatoria suficientemente concreta, y precisa, en torno a los indicios de que ha existido discriminación. Alcanzado, en su caso, el anterior resultado probatorio por el demandante, sobre la parte demandada recae la carga de probar la existencia de causas suficientes, reales y serias, para calificar de razonable y ajena a todo propósito lesivo del derecho fundamental la decisión o práctica empresarial cuestionada, único medio de destruir la apariencia lesiva creada por los indicios (SSTC 90/1997, de 6 de mayo, FJ 5; 74/1998, de 31 de marzo, FJ 2; y 29/2002, de 11 de febrero, FJ 3, por todas).

FJ 4. Conforme a la doctrina expuesta nos corresponde dilucidar si el sindicato demandante de amparo acreditó en el proceso a quo suficientemente la existencia de indicios de antisindicalidad y si, en tal caso, la Mancomunidad demandada probó que su actuación fue por completo ajena a todo propósito de atentar contra la libertad sindical. Antes de analizar ese punto decisivo, visto que el Juez de instancia y la Sala de lo Social alcanzaron conclusiones diversas sobre el particular, será oportuno recordar, como destacaba la STC 14/2002, de 28 de enero, que para resolver la cuestión no bastará con la simple evaluación de la razonabilidad de esas decisiones judiciales. Y ello porque es perfectamente posible que se den resoluciones judiciales que contengan una fundamentación que exprese razones —de hecho y de Derecho— por las que el órgano judicial llega a un determinado pronunciamiento, pero que, desde la perspectiva del libre ejercicio de los derechos fundamentales como los aquí en juego, no expresen de modo constitucionalmente adecuado las razones justificativas de la decisión adoptada. En estos casos, como señala la citada STC 14/2002, de 28 de enero, FJ 5, «nuestro enjuiciamiento no puede limitarse a comprobar que los órganos judiciales efectuaron una interpretación de los derechos en juego, y que ésta no fue irrazonable, arbitraria o manifiestamente errónea (STC 49/2001, de 26 de febrero, FJ 4), ya que aquí el derecho afectado no es el del art. 24.1 CE, sino un derecho fundamental sustantivo (STC 94/1995, de 19 de junio, FJ 4). Cuando se enjuicia la presunta vulneración de un derecho sustantivo, como lo es el relativo a la libertad sindical, el test de razonabilidad que este Tribunal aplica a los derechos del art. 24 CE queda absorbido, como ya dijimos, por el canon propio de aquel derecho. A tal fin se hace necesario interpretar a la luz de los valores constitucionales los indicios que sirven de base al enjuiciamiento, todo ello sin que tal actuación suponga la revisión de la valoración de la prueba efectuada por el juzgador, por ser firme doctrina constitucional que dicha valoración se encuentra atribuida en exclusiva a los órganos judiciales, sin que competa a este Tribunal revisar en vía de amparo las apreciaciones de aquéllos ni la ponderación que lleven a cabo, salvo que unas u otra resulten arbitrarias o irrazonables (SSTC 140/1994, de 9 de mayo, FJ 3, y 136/1996, de 23 de julio, FJ 4)».

FJ 5. Abordando el enjuiciamiento que nos corresponde con ese criterio y desde aquel esquema de distribución de cargas probatorias, debemos examinar si el sindicato demandante de amparo aportó una «prueba verosímil» (STC 207/2001, de 22 de octubre, FJ 5) o un «principio de prueba» revelador de la existencia de un fondo o panorama discriminatorio general o de hechos de los que surja la sospecha vehemente de una discriminación por razones sindicales o de una quiebra del derecho fundamental de que se trate (por todas, SSTC 87/1998, de 21 de abril, FJ 3; 140/1999, de 22 de julio, FJ 5; 29/2000, de 31 de enero, FJ 3; 214/2001, de 29 de octubre, FJ 4, y 14/2002, de 28 de enero, FJ 4).

En el caso de autos el Juzgado de lo Social estimó la vulneración del derecho a la libertad sindical alegada por el sindicato recurrente en amparo, al considerar que había aportado indicios suficientes que generaban la razonable sospecha del trato discriminatorio denunciado, por referencia a la actuación desplegada por la empresa frente a los dos delegados de personal del sindicato Comisiones Obreras, elegidos en las elecciones sindicales de 1995, que se concreta en las decisiones empresariales reflejadas en el relato de hechos probados y cuya antisindicalidad ha sido ya declarada por diversos pronunciamientos judiciales de los que igualmente se hace mención en los hechos probados de la Sentencia de instancia. Nada se dice en cuanto a que la Mancomunidad haya demostrado que su actuación respondiese a razones ajenas a la actividad sindical de los delegados de personal pertenecientes al sindicato demandante de amparo —por lo que ha de entenderse que las razones invocadas por la Mancomunidad para contrarrestar los indicios de antisindicalidad han sido descartadas por el Juzgado.

La Sentencia dictada en el recurso de suplicación interpuesto por la Mancomunidad, sin embargo, revocó la de instancia al considerar que el sindicato no ha aportado indicios que revelen una conducta empresarial lesiva del derecho a la libertad sindical, por lo que no resulta necesario siquiera entrar a examinar las razones y la actividad probatoria desplegada por la Mancomunidad en orden a desvirtuar las quejas del sindicato demandante. Señala la Sala de lo Social que la lesión de la libertad sindical invocada por el sindicato Comisiones Obreras se refiere a la situación de conflicto entre la Mancomunidad y los dos delegados de personal de dicho sindicato, elegidos en las elecciones sindicales de 1995, sin que se haya acreditado la repercusión de tal conflicto en orden a disuadir a simpatizantes de afiliarse al sindicato o a dificultar la presentación de candidatos por dicho sindicato a las elecciones sindicales, por lo que no existen indicios de discriminación sindical más allá de esa situación de conflicto con los delegados de personal mencionados, que no puede servir de fundamento a la demanda del sindicato, pues supondría duplicar las reclamaciones, toda vez que los litigios entre los delegados de personal y la empresa porque han sido despedidos o atacada su libertad sindical, ya han sido resueltos por Sentencias firmes del orden social, a cuyo contenido ha de estarse.

FJ 6. Pues bien, estas conclusiones de la Sentencia de suplicación no pueden ser compartidas, toda vez que no cabe negar que el examen de los hechos probados recogidos en ambas Sentencias pone de manifiesto un acervo probatorio suficientemente indicativo de antisindicalidad. En ellos se recoge que los delegados de personal elegidos en las listas de Comisiones Obreras reclamaron diversa información al amparo del art. 64 LET, solicitud que no fue atendida, por lo que presentaron denuncia ante la Inspección de Trabajo (hechos probados segundo y duodécimo); que uno de los representantes fue despedido en dos ocasiones sucesivas, declarándose nulo el segundo de los despidos por vulneración de la libertad sindical (el primer despido fue inicialmente declarado improcedente, para ser finalmente declarado procedente tras diversas vicisitudes procesales); que la empresa formuló contra él denuncia por lesiones y amenazas, resultando el trabajador absuelto (hechos tercero y cuarto); que el otro delegado, también elegido en listas de Comisiones Obreras, fue también despedido, declarándose improcedente el acto extintivo y que volvió a ser despedido por segunda vez, siendo calificado dicho despido como nulo por vulneración de la libertad sindical; que este trabajador fue despedido una tercera vez, aproximadamente un mes después de la Sentencia firme del anterior despido nulo, estando pendiente de resolución la correspondiente causa de despido en la fecha de la Sentencia de instancia dictada en estos autos (hechos séptimo y octavo); que durante la ejecución provisional de las Sentencias que declararon los despidos improcedentes la Mancomunidad optó por el abono de los salarios sin contraprestación de servicios, situación que se prolongó durante más de dos años (hecho quinto); que durante ese tiempo el sindicato efectuó diversas denuncias ante la Inspección por falta de publicación de calendarios de vacaciones, falta de entrega a los delegados de copias de los contratos, falta de ocupación efectiva de éstos, etc.; que la Inspección extendió actas de infracción, una de ellas por obstaculización de la función representativa (hechos sexto y noveno); que la Tesorería General de la Seguridad Social procedió a la liquidación de cuotas en el régimen general de la Seguridad Social por no dar de alta la empresa a los delegados de personal de Comisiones Obreras durante la ejecución provisional de las Sentencias de despido (hecho probado décimo); que se realizaron una serie de protestas por parte de representantes de Comisiones Obreras, interponiendo denuncia la Mancomunidad y absolviéndose a los denunciados en el juicio de faltas (hecho probado undécimo); que uno de los delegados de personal citados formuló demanda en procedimiento de tutela de libertad sindical, declarándose en suplicación que la conducta de la demandada constituye una lesión del art. 28.1 CE (hecho decimotercero en la redacción dada por la Sentencia de la Sala de lo Social impugnada en amparo, que aceptó la revisión fáctica en este punto); que los despidos de los delegados de personal implicaron vacantes en los puestos de representación unitaria, sin que conste si pudieron cubrirse (fundamento de Derecho segundo de la Sentencia impugnada). Frente a todo ello, la empresa logró en suplicación hacer constar en el relato de hechos que la empresa ha permitido a uno de los delegados de personal de Comisiones Obreras el ejercicio del derecho de reunión en fechas posteriores a su primer despido —fundamento de derecho segundo de la Sentencia de suplicación en relación con los hechos probados tercero y quinto. [...]

FJ 7. Alcanzada la anterior conclusión y con arreglo a la doctrina constitucional antes reproducida, correspondía a la Mancomunidad la carga de probar que sus decisiones se basaban en causas ajenas a la apariencia de discriminación sindical creada por la organización sindical demandante. En efecto, conforme recogíamos en el fundamento jurídico tercero, existente un principio de prueba o apariencia verosímil de la vulneración de derechos fundamentales, aquí de la libertad sindical, incumbe al empresario la carga probatoria encaminada a demostrar que su actuación resulta por completo ajena a todo propósito de discriminación sindical, como único medio de destruir la apariencia lesiva creada por los indicios.

En este punto ha de tenerse en cuenta que la empresa alegó en el acto del juicio las razones que, a su juicio, desvirtuaban los indicios de antisindicalidad y desarrolló la actividad probatoria que consideró oportuna al respecto. Tal argumentación fue rechazada en instancia por el Juzgado de lo Social, que, valorando la prueba practicada, declaró la lesión del derecho a la libertad sindical del sindicato demandante. La Sentencia de instancia, en suma, consideró que la empresa no acreditó que su actuación obedeciera a razones absolutamente ajenas a un propósito de vulneración de la libertad sindical, ausencia de prueba que, conforme a la doctrina de este Tribunal antes citada, trasciende del ámbito puramente procesal y determina que los indicios aportados por el demandante desplieguen toda su operatividad para declarar la lesión de su derecho fundamental a la libertad sindical.

Por el contrario, la Sala de lo Social del Tribunal Superior de Justicia de Galicia estimó el recurso de suplicación interpuesto por la empresa, al entender injustificadamente que no se han aportado por el sindicato demandante indicios razonables de que la actuación empresarial lesionó su derecho a la libertad sindical, pese a que, como ya dijimos, el relato de hechos declarados probados de la Sentencia de instancia aceptado por la Sentencia dictada en suplicación revela la existencia de indicios de antisindicalidad tanto de naturaleza mediata, referidos a los actos de despido contra los delegados de personal, como de carácter inmediato, expresivos de un conflicto directo existente entre empresa y el sindicato al que pertenecen dichos representantes unitarios, sin que la empresa cumpliera con la carga probatoria consistente en acreditar que su actuación se hubiera producido verosímilmente en cualquier caso y al margen de todo propósito vulnerador del derecho fundamental aducido. Siendo así, debemos concluir que la Sentencia de la Sala de lo Social del Tribunal Superior de Justicia de Galicia impugnada en amparo vulneró el derecho del sindicato recurrente a la libertad sindical (art. 28.1 CE).

Libertad sindical e intimidad informática —STC 11/1998, de 13 de enero (*vid.* ARTÍCULO 18.4 CE)—

Libertad sindical y derecho de reunión —STC 76/2001, de 26 de marzo (*vid. supra*)[13]—

FJ 5. [...] La libertad sindical comprende el derecho de los Sindicatos a su organización interna, pero también el que puedan promover acciones con proyección externa, dirigidas a todos los trabajadores, sean o no afiliados, lo que, en su faceta individual, correlativamente incluye el derecho del trabajador a adherirse y participar en las iniciativas convocadas por las organizaciones sindicales (SSTC 134/1994, de 9 de mayo, y 94/1995, de 19 de junio). En coherencia con este contenido constitucional, la LOLS establece que la libertad sindical comprende el derecho a la actividad sindical [art. 2.1 d)] y que las organizaciones sindicales en el ejercicio de la libertad sindical tienen derecho al ejercicio de la actividad sindical en la empresa o fuera de ella [art. 2.2 d)]. En los lugares de trabajo esta actividad viene concretada en el art. 8 que, en su apartado 1 b), recoge el derecho de los trabajadores afiliados a un Sindicato a celebrar reuniones, previa notificación al empresario, fuera de las horas de trabajo y sin perturbar la actividad normal de la empresa. Este derecho de celebrar reuniones a las que concurran los afiliados del Sindicato convocante, con el objeto de desarrollar los fines propios del Sindicato, forma parte del contenido esencial del derecho de sindicación tal y como se ha declarado en múltiples decisiones por el Comité de Libertad Sindical del Consejo de Administración de la Organización Internacional del Trabajo (STC 168/1996, de 10 de octubre, FJ 5). El derecho de reunión opera, así, a modo de técnica instrumental puesta al servicio del intercambio o exposición de ideas, la defensa de intereses o la publicidad de problemas o reivindicaciones (SSTC 85/1988, de 28 de abril, y 66/1995, de 8 de mayo), siendo en el específico ámbito sindical el soporte instrumental para el ejercicio de otros derechos, especialmente el de información. Pero, como dijimos en la STC 168/1996, de 10 de octubre, FJ 6, ello no autoriza, sin embargo, a ignorar las diferencias entre las reuniones que contempla el art. 8.1 b) LOLS y el derecho de reunión reconocido en el art. 4.1 f) y regulado en los arts. 77 a 80, todos de la LET. Mientras que las primeras canalizan la organización interna del Sindicato y viabilizan el flujo de información sindical en la empresa o centro de trabajo, y su titularidad corresponde individualmente a los trabajadores afiliados a un Sindicato, aunque sea de ejercicio colectivo (STC 85/1988, de 28 de abril), en las segundas se trata de un derecho de reunión de todos los trabajadores, independientemente de su afiliación, que, por ello, sólo pueden ser convocadas por el 33 por 100 de los mismos, o por los órganos de representación unitaria como órganos de representación del conjunto de los trabajadores de una empresa o centro de trabajo (art. 77.1, párrafo segundo, LET).

En la medida en que la pretensión del Sindicato recurrente no era la de solicitar una reunión con sus afiliados, para lo que, además no demuestra afiliación o implantación alguna, sino la de convocar una reunión con todos los trabajadores de la empresa, para la que no estaba legitimado, el derecho de reunión solicitado no puede calificarse de reunión sindical, sino como asamblea general. Por lo que, al no estar prevista la legitimación del Sindicato para convocar tal asamblea, la negativa empresarial no cercena su derecho de libertad sindical ni el de reunión al mismo anudado. Máxime cuando, como el resto de derechos fundamentales, el derecho de reunión no es ilimitado y, por ello, no puede afirmarse que comprenda, de forma absoluta e incondicionada, el que un tercero deba poner a disposición de quienes lo ejercitan un local de su titularidad ni que la reunión se celebre dentro del horario de trabajo (STC 91/1983, de 7 de noviembre).

Libertad sindical y libertad de expresión —STC 213/2002, de 11 de noviembre[14]—

La Sentencia resuelve el recurso de amparo promovido por don M.G.C. contra la Sentencia del Juzgado de lo Social núm. 2 de Lugo, de 11 de febrero de 1999, la Sentencia de la Sala de lo Social del Tribunal Superior de Justicia de

---

13 *Vid.* también la STC 88/2003, de 19 de mayo (*vid.* **ARTÍCULO 21**).
14 *Vid.* también las SSTC 81/1983, de 10 de octubre (*vid.* **ARTÍCULO 20**); 127/1995, de 5 de julio; 185/2003, de 27 de octubre; 198/2004, de 15 de noviembre; 227/2006, de 17 de julio; 75/2010, de 19 de octubre, FJ 10; 89/2018, de 6 de septiembre; 108-109/2018, de 15 de octubre; 114-116/2018 y 118/2018, de 29 de octubre; 126-127/2018, de 26 de noviembre.

Galicia, de 1 de julio de 1999, que confirmó la anterior en suplicación, y el Auto de la Sala de lo Social del Tribunal Supremo, de 24 de julio de 2000, que inadmitió el recurso de casación para unificación de doctrina contra la anterior Sentencia. El recurrente fue sancionado por la empresa Aluminio Español, S.A., para la que trabaja y en la que ostenta la condición de delegado sindical por la Confederación Intersindical Galega (CIG), como consecuencia de la publicación de un artículo en el diario «El Progreso» de Lugo, bajo el título «La CIG pide la dimisión del Jefe del Servicio Médico de Alúmina», y en que se recogen sus declaraciones sobre un informe relativo a las causas del aumento del absentismo en la citada empresa. Alega el recurrente que las resoluciones judiciales impugnadas vulneraron sus derechos a las libertades de expresión, de información y sindical (artículos 20.1 a) y d) y 28 CE).

FJ 4. […] [A]unque el recurrente alega tanto la infracción del art. 20.1 a) y d) CE —derechos a la libertad de información y expresión—, como del art. 28.1 CE —libertad sindical—, de la demanda de amparo se deduce con claridad que la lesión que se considera producida no es la de los genéricos derechos a la libertad de expresión e información de los que son titulares los ciudadanos, sino la de los derechos de información y libertad de expresión sobre materias de interés laboral y sindical, como instrumentos del ejercicio de la función representativa que en su condición de delegado sindical corresponde realizar al recurrente y a través de los que se ejerce la acción sindical que integra el contenido esencial del derecho fundamental de libertad sindical. La invocación del art. 20.1 a) y d) CE carece, pues, de sustantividad propia y no es escindible de la que se efectúa del derecho a la libertad sindical (art. 28.1 CE), y será, en consecuencia, desde esta perspectiva desde la que abordaremos nuestro análisis de acuerdo con nuestra doctrina (SSTC 273/1994, de 17 de octubre, FJ 4; y 201/1999, de 8 de noviembre, FJ 4).

Centrándonos, por tanto, en el art. 28.1 CE, es preciso recordar que aunque de su tenor literal pudiera deducirse la restricción del contenido de la libertad sindical a una vertiente exclusivamente organizativa o asociativa, este Tribunal ha declarado reiteradamente, en virtud de una interpretación sistemática de los arts. 7 y 28 CE efectuada según el canon hermenéutico del art. 10.2 CE, que llama a los textos internacionales ratificados por España —Convenios de la Organización Internacional del Trabajo núms. 87 y 98—, que su enumeración de derechos no constituye un numerus clausus, sino que en el contenido de este precepto se integra también la vertiente funcional del derecho, es decir, el derecho de los sindicatos a ejercer aquellas actividades dirigidas a la defensa, protección y promoción de los intereses de los trabajadores, en suma, a desplegar los medios de acción necesarios para que puedan cumplir las funciones que constitucionalmente les corresponden (por todas, SSTC 105/1992, de 1 de julio, FFJJ 2 y 5; 173/1992, de 29 de octubre, FJ 3; 164/1993, de 18 de mayo, FJ 3; 145/1999, de 22 de julio, FJ 3, y 308/2000, de 18 de diciembre, FJ 6). Los sindicatos disponen de un ámbito esencial de libertad para organizarse y actuar de la forma que consideren más adecuada a la efectividad de su acción, dentro, claro está, del respeto a la Constitución y a la Ley.

En el art. 28.1 CE se integra, pues, el derecho a llevar a cabo una libre acción sindical, comprensiva de todos los medios lícitos y sin indebidas injerencias de terceros (por todas, SSTC 94/1995, de 16 de junio, FJ 2; 127/1995, de 25 de julio, FJ 3; 168/1996, de 29 octubre, FJ 1; 168/1996, de 29 de octubre, FJ 3; 107/2000, de 5 de mayo, FJ 6, y 121/2001, de 4 de junio, FJ 2), y, en coherencia con dicho contenido constitucional, la Ley Orgánica 11/1985, de 2 agosto, de libertad sindical (en adelante, LOLS), reconoce en su art. 2.1 d) «el derecho a la actividad sindical», regulando su ejercicio dentro de la empresa en sus arts. 8 a 11. Sin necesidad de su exposición exhaustiva, es de señalar que para el cabal ejercicio de la acción sindical, la Ley Orgánica de libertad sindical otorga a los delegados sindicales iguales derechos y garantías que el estatuto de los trabajadores destina a los miembros de comités de empresa y a éstos como instituciones de representación electiva de los trabajadores. De este modo, a través de la explícita remisión a lo dispuesto en el art. 64 LET, se reconoce a los delegados sindicales el derecho a acceder a la misma documentación e información que la empresa ha de poner a disposición del comité de empresa, por lo que les compete conocer, entre otros extremos, de «las estadísticas sobre el índice de absentismo y sus causas, los accidentes de trabajo y enfermedades profesionales y sus consecuencias, los índices de siniestralidad, los estudios periódicos o especiales del medio ambiente laboral y los mecanismos de prevención que se utilicen» (art. 10.3.1 LOLS, en relación con el art. 64.1.8 LET).

Ahora bien, tales representantes no sólo gozan del derecho a recibir información del empresario acerca de las cuestiones que han quedado señaladas. Pesa también sobre ellos el deber de mantener informados a sus representados «en todos los temas y cuestiones señalados… en cuanto directa o indirectamente tengan o puedan tener repercusión en las relaciones laborales» (art. 64.1.12 LET). Como hemos tenido la oportunidad de decir en anteriores ocasiones, esa transmisión de noticias de interés sindical, ese flujo de información entre el sindicato y sus afiliados, entre los delegados sindicales y los trabajadores, «es el fundamento de la participación, permite el ejercicio cabal de una acción sindical, propicia el desarrollo de la democracia y del pluralismo sindical y, en definitiva, constituye un elemento esencial del derecho fundamental a la libertad sindical» (SSTC 94/1995, de 19 de junio, FJ 4; y 168/1996, de 25 de noviembre, FJ 6).

Ciertamente, el derecho y deber de información de los delegados sindicales —al igual que el de los representantes electivos o unitarios de los trabajadores y de los funcionarios públicos— no resulta ilimitado, sino que se encuentra condicionado por la imposición legal de un «deber de sigilo profesional» (art. 10.3.1 LOLS, en relación con el art. 65.2 LET y art. 10, párrafo 2, de la Ley 9/1987, de 12 de junio, de órganos de representación, determinación de las condiciones de trabajo y participación del personal al servicio de las Administraciones públicas). A través del mismo, se impone a los representantes de los trabajadores la obligación de no difundir determinadas informaciones que les proporciona la empresa en cumplimiento de su obligación legal de información sobre las materias competencia de la función de representación de aquéllos. Pero tampoco el deber de sigilo es irrestricto, antes al contrario se acota en los términos del art. 65.2 LET para permitir el desenvolvimiento de la labor de representación, garantizando una base de confianza entre el sujeto informante (empresario) y el informado (representante) y reduciendo así los temores o las reservas del primero por facilitar una información cuya divulgación podría perjudicar sus intereses.

FJ 5. […] A los efectos, por tanto, de ponderar si la conducta del recurrente se desenvolvió dentro de los márgenes que delimitan el legítimo ejercicio del derecho a la libertad sindical —en concreto, de los derechos de libre información y expresión sindicales—, se hace necesario traer a colación el específico contexto en el que los hechos objeto de enjuiciamiento se desarrollaron, pues no se puede obviar que la publicación de la noticia que ocasionó la sanción disciplinaria del recurrente en el mes de septiembre de 1998 no constituyó un hecho aislado o esporádico, sino que había estado precedida por la publicación de otros cinco artículos, algunos en el mismo diario «El Progreso», y otros en «La Voz de Galicia». Efectivamente, como pone de manifiesto la empresa Aluminio Español, S.A., para la que trabaja el recurrente, el primer semestre del año 1998 estuvo marcado por el significativo aumento en la citada empresa del absentismo laboral, convirtiéndose en una de las principales preocupaciones del momento, ya que, de un lado, se había incrementado el número de bajas por enfermedad, y de otro, habían disminuido los ingresos del «Fondo de ayuda» con cargo al cual se complementaban las prestaciones de Seguridad Social que los trabajadores debían recibir en tal situación, al haberse alcanzado un índice del 4,75 por 100 de absentismo que exoneraba a la empresa de realizar su aportación adicional a ese fondo. Ante tal situación, la empresa encomendó la realización de un estudio sobre las causas del absentismo al jefe de su servicio médico, que éste elaboró con fecha 18 de junio de 1998.

El problema del absentismo laboral provocó también una evidente confrontación entre el comité de empresa y la CIG, que se puso de manifiesto ante la opinión pública a través de las distintas publicaciones en la prensa a las que ya nos hemos referido […].

[…] Cabe concluir, en consecuencia: a) que las declaraciones que provocaron la sanción disciplinaria del demandante se realizaron durante el desarrollo de las funciones inherentes a su condición representativa sindical; b) que el tema sobre el que se informó y opinó revestía un indudable interés laboral y sindical, por tratarse de una materia estrechamente vinculada con la prevención de riesgos laborales, con la gestión y control de la incapacidad temporal, o, con los inconvenientes derivados del régimen de turnos es decir, con cuestiones todas ellas de claro interés para los trabajadores y de clara repercusión en las relaciones laborales por afectar, en definitiva, a la salud laboral; y c) que, como ya dijimos en nuestra STC 90/1999, de 26 de mayo, todo ello sitúa la publicación de la información que motivó la sanción en un marco temporal dilatado, en el que el problema venía siendo objeto de debate público (FJ 4.c).

FJ 6. Partiendo de que el recurrente fue sancionado en el ejercicio de su actividad sindical, nos corresponde, por tanto, comprobar si su actuación fue legítima, o si, por el contrario, excedió los límites constitucionalmente admisibles, tal y como mantuvieron las resoluciones judiciales recurridas. Pues bien, al encontrarnos tanto ante la comunicación de unos hechos noticiables — contenido del informe médico sobre absentismo— como ante la difusión —aunque en menor medida— de juicios de valor u opiniones respecto de aquéllos, hemos de comenzar por recordar que la actuación enjuiciada debe someterse a los cánones propios de los derechos de información (art. 20.1.d CE) y de la libertad de expresión (art. 20.1.a CE), es decir, de un lado, al requisito de la transmisión de información «veraz» (por todas, SSTC 47/2002, de 25 de febrero, FJ 3; 52/2002, de 25 de febrero, FJ 6; 76/2002, de 8 de abril, FJ 2; y 148/2002, de 15 de julio, FJ 4) y, de otra parte, a la exigencia de que la expresión de opiniones no se haya realizado a través de apelativos formalmente injuriosos e innecesarios para la labor informativa o de formación de la opinión que se lleva a cabo (por todas, SSTC 204/2001, de 15 de octubre, FJ 4; y 20/2002, de 28 de enero, FJ 4). […]

FJ 7. Sentando lo anterior, no se puede obviar que, en este caso, la protección que el recurrente demanda de sus derechos fundamentales a la libertad de información y expresión se efectúa en el ejercicio de su derecho de representación sindical frente al ejercicio del poder disciplinario empresarial en el seno de una relación de trabajo. En consecuencia, su ejercicio no sólo está sujeto a las limitaciones genéricas antes apuntadas, sino también al límite adicional de la buena fe o de la especial confianza recíproca entre el trabajador y el empresario inherente al víncu-lo contractual que les une (SSTC 106/1996, de 12 de junio, FJ 5; 1/1998, de 12 de enero, FJ 3; 90/1999, de 26 de mayo, FJ 3; y 241/1999, de 20 de diciembre, FJ 4). Hemos dicho con reiteración que tal modulación contractual no significa que exista un deber genérico de lealtad con un significado omnicomprensivo de sujeción del trabajador al interés empresarial, pues no resultaría acorde con el sistema constitucional de relaciones laborales (SSTC 186/1996, de 25 de noviembre, FJ 3; 204/1997, de 25 de noviembre, FJ 2; 1/1998, de 12 de enero, FJ 3; 197/1998, de 13 de octubre, FJ 2; y 241/1999, de 20 de diciembre, FJ 4). Por este motivo, es preciso que, en casos como el presente, los órganos judiciales preserven el necesario equilibrio entre las obligaciones del trabajador dimanantes del contrato de trabajo y el ámbito de sus derechos y libertades constitucionales, pues, dada la posición preeminente de éstos en el Ordenamiento jurídico, en cuanto proyecciones de los núcleos esenciales de la dignidad de la persona (art. 10.1 CE) y fundamentos del propio Estado democrático (art. 1 CE), la modulación que el contrato de trabajo puede producir en su ejercicio ha de ser la estrictamente imprescindible para el logro de los legítimos intereses empresariales, y pro-porcional y adecuada a la consecución de tal fin (SSTC 6/1982, de 21 de enero, FJ 8; 106/1996, de 12 de junio, FJ 5; 204/1997, de 25 de noviembre, FJ 2; 1/1998, de 12 de enero, FJ 3; 90/1999, de 26 de mayo, FJ 3; 98/2000, de 10 de abril, FJ 7; 80/2001, de 26 de marzo, FJ 3, y 20/2002, de 28 de enero, FJ 3).

A este respecto, tanto el Juzgado como la Sala de lo Social del Tribunal Superior de Justicia sostuvieron que el recu-rrente había transgredido la buena fe contractual que dimana del contrato de trabajo al utilizar y divulgar un informe que nunca le fue entregado oficialmente, respecto del que, además, había proporcionado una versión particular, no ajustada a la realidad, e incluso, según la Sala de suplicación, con ataques directos hacia su autor y llevado del ánimo de perjudicar a la empresa. En este sentido, la Sentencia de la Sala de lo Social del Tribunal Superior de Justicia de Galicia destaca que el objeto de la sanción empresarial fue la utilización abusiva por el recurrente de un documento que llegó a su poder de forma no reglamentaria, pues «habiéndolo obtenido de forma que no consta pero no por conducto de la empresa», procedió a divulgarlo a la prensa mediante una versión particular y crítica del mismo, sin contrastar previamente su contenido, ni asegurarse de si iba o no a ser aceptado por la empresa, y menos todavía, si las sugerencias que contenía se pondrían en práctica. [...]

FJ 8. Nos corresponde, por tanto, examinar, en primer término, si de la forma en que el recurrente obtuvo el docu-mento se puede deducir que, al proceder a divulgarlo, obró contrariando la buena fe contractual e incumpliendo su deber de sigilo profesional. [...] No consta, sin embargo, el modo concreto en que éste lo obtuvo [...].

No habiendo quedado probada en el caso la posesión ilegítima del documento, hemos de analizar a continuación si, por el contrario, resulta censurable su ulterior divulgación pública, lo que exige valorar previamente el carácter del informe o documento a cuyo conocimiento vino el recurrente a la luz de su contenido.

FJ 9. Por lo que se refiere al contenido y carácter del documento que fue objeto de divulgación, la Sala de lo Social del Tribunal Superior de Justicia atribuye al recurrente el incumplimiento de su obligación de sigilo profesional, al decir en el fundamento jurídico cuarto de su Sentencia que: «poco importa que un documento no consigne expresamente la nota de confidencialidad, si por la forma en que se ha llegado al conocimiento del mismo y la persona a quien va dirigida, hay que presumir fundadamente que no se debe hacer uso público de su contenido», imponiendo al receptor de la información —en nuestro caso, un delegado sindical— como consecuencia de esa obligación de presunción de reserva o sigilo que antes de proceder a divulgar la noticia efectúe un contraste con la empresa «para conocer su alcance y el valor que en su caso le atribuiría la empresa». En este sentido, añade, a propósito del art. 65.2 LET y de la obligación de sigilo profesional que el citado precepto legal establece sobre los miembros del comité de empresa, señalando expresamente la prohibición de utilizar los documentos entregados por la empresa fuera del ámbito de ésta y para distintos fines de los que motivaron su entrega, que «si dicha prevención se refiere a la documentación recibida por conducto oficial, con mayor razón todavía y con mayor rigor ha de aplicarse cuando los documentos no se obtienen a través de los medios adecuados, sino a espaldas de la Empresa». [...]

Cierto es que, como ya ha quedado expuesto, el recurrente, por su condición de representante sindical, debe obser-var, al igual que ocurre con los representantes unitarios (art. 10.3.1 LOLS en relación con el art. 65.2 LET), un deber de sigilo profesional en el ejercicio de sus funciones, pero ese deber no es exigible en cualquier caso y con referencia a cualquier tema del que pueda tener conocimiento en su labor representativa, sino sólo respecto a aquéllas materias que el legislador ha considerado que deben gozar de esa «confidencialidad», es decir, las que específicamente se contienen en los párrafos 1, 2, 3, 4 y 5, del apartado 1 del art. 64 LET, y, «en especial en todas aquellas materias sobre las que la dirección señale expresamente el carácter reservado» (art. 65.2 LET).

Tales circunstancias, sin embargo, no concurrieron en el presente caso, pues el recurrente no procedió a divulgar información sobre un tema sujeto legalmente a reserva o confidencialidad, sino sobre el contenido de la reunión que, como ya hemos dicho, en el día precedente había mantenido la federación comarcal de la CIG-Metal en Burela, en la que, entre otras cosas, se había tratado el problema del absentismo laboral y los datos y propuestas que respecto a dicho problema contenía el informe elaborado por el jefe del servicio médico de la empresa. En efecto, de una parte, tal materia está excluida del deber legal de confidencialidad (art. 64.1.8 LET) y, de otra, tampoco la dirección de la empresa había señalado expresamente el carácter reservado del documento [...]

Pues bien, en nuestro ordenamiento, como en otros comparados y en el Derecho comunitario europeo, la facultad empresarial de sujetar determinadas informaciones a la observancia por parte de sus destinatarios de una obligación de reserva o sigilo, destinada a salvaguardar los intereses empresariales que podrían resultar perjudicados por el conocimiento general de determinadas informaciones, no se configura ilimitadamente, sino con carácter restringido en cuanto limite el ejercicio de la función propia de los representantes de los trabajadores sobre los que pesa, como ya se señaló, un deber legal de informar a sus representados (art. 64.1.12 LET). De ahí que las normas que efectúan su regulación establezcan una cierta relación de correspondencia o adecuación entre el alcance de la obligación de sigilo y los legítimos intereses empresariales que su institución salvaguarda, bien identificando éstos el propio legislador (art. 65.2 en relación con el art. 64.1, párrafos 1 a 5, LET), o bien habilitando a la empresa a efectuar ese ajuste proporcionado al fin de dicha institución mediante una declaración de voluntad expresa que puede servir para proteger, además del interés propiamente empresarial, el de los trabajadores sobre los que la empresa facilita información, o que, a instancias de ésta, elaboran trabajos o informes en la confianza de que poseen carácter interno o reservado, documentos a los que la empresa —autora del encargo— puede mantener en el ámbito de la reserva o confidencialidad declarando expresamente su carácter reservado o confidencial (art. 65.2 LET). En este sentido, la Recomendación 129 de la Organización Internacional del Trabajo sobre comunicaciones dentro de la empresa, de 1967, ya destaca que «una política eficaz de comunicaciones debería asegurar que se difundan informaciones y que se efectúen consultas entre las partes interesadas, en la medida en que la revelación de informaciones no cause perjuicio a ninguna de las partes, antes de que la dirección adopte decisiones sobre asuntos de mayor interés». A tal fin, y como señala la STS de 13 de diciembre de 1989, no es suficiente con que el empresario califique unilateralmente como confidencial cierta información, sino que es necesario también que «desde un plano objetivo efectivamente lo sea». Por su parte, el último inciso del art. 65.2 LET, a contrario sensu, autoriza a los representantes de los trabajadores a utilizar los documentos que le entregue la empresa —referentes a temas no incluidos en las excepciones aludidas— razonablemente dentro de su ámbito y del ejercicio de sus funciones, así como aquellos otros no entregados por la empresa, siempre, claro es, que su obtención no haya sido ilícita o fraudulenta y, de nuevo, no se trate de documentos de carácter reservado.

En esta misma línea, la reciente Directiva 2002/14/CE del Parlamento Europeo y del Consejo, de 11 de marzo de 2002, por la que se establece un marco general relativo a la información y a la consulta de los trabajadores en la Comunidad Europea, exige igualmente que la empresa comunique expresamente el carácter confidencial de la información que es facilitada para que sobre ella recaiga el deber de sigilo del representante, al declarar en su art. 6.1 que «Los Estados miembros dispondrán que, en las condiciones y dentro de los límites fijados por las legislaciones nacionales, los representantes de los trabajadores, así como los expertos que en su caso les asistan, no estén autorizados a revelar a trabajadores ni a terceros la información que, en legítimo interés de la empresa o del centro de trabajo, les haya sido expresamente comunicada con carácter confidencial. Esta obligación subsistirá, independientemente del lugar en que se encuentren, incluso tras la expiración de su mandato. No obstante, un Estado miembro podrá autorizar a los representantes de los trabajadores o a cualquiera que les asista a que transmitan información confidencial a trabajadores o a terceros sujetos a una obligación de confidencialidad».

Más compleja, pero similar en su orientación y finalidad, es la regulación que sobre la confidencialidad de la información se contiene en el art. 22 de la Ley 10/1997, de 24 de abril, sobre derechos de información y consulta de los trabajadores en las empresas y grupos de empresas de dimensión comunitaria, promulgada para aplicar a nuestro ordenamiento interno la Directiva 94/45/CE del Consejo, de 22 de septiembre de 1994, relativa a la constitución de un comité de empresa europeo o de un procedimiento de información y consulta de los trabajadores en empresas y grupos de dimensión comunitaria, cuyo art. 8 se ocupa de la que denomina «información confidencial» en términos similares a como lo hace el art. 8 sobre «reserva y confidencialidad» de la posterior Directiva 2001/86/CE del Consejo, de 8 de octubre de 2001, por la que se completa el estatuto de la sociedad anónima europea en lo que respecta a la implicación de los trabajadores. El apartado 1 del citado art. 22 de la Ley 10/1997 dispone que «los miembros de la comisión negociadora y del comité de empresa europeo y los representantes de los trabajadores en el marco de un procedimiento alternativo de información y consulta, así como los expertos que les asistan, no estarán autorizados a revelar a terceros aquella información que les haya sido expresamente comunicada a título confidencial», precisando que «esta obligación de confidencialidad subsistirá incluso tras la expiración de su mandato e independientemente del lugar en que se encuentren». Prevé además, su apartado 2, con carácter excepcional que «la dirección central no estará obligada a comunicar aquellas informaciones específicas relacionadas con secretos industriales, financieros o comerciales cuya divulgación pudiera, según criterios objetivos, obstaculizar el funcionamiento de la empresa u ocasionar graves perjuicios en su estabilidad económica». Pero asimismo matiza que «esta excepción no abarca aquellos datos que tengan relación con el volumen de empleo en la empresa».

FJ 10. Pues bien, como ya ha quedado expuesto, en nuestro caso el documento difundido versaba sobre una cuestión de importancia notoria para los intereses de los trabajadores y para el ejercicio de la función que el delegado sindical y representante comarcal de la CIG venía realizando. En consecuencia, con independencia de que no le hubiera sido formalmente entregado por la empresa al Sr. García Cedrón, de su contenido no era posible deducir, en un plano objetivo y teniendo en cuenta la secuencia temporal ya destacada en el fundamento jurídico 5 de esta Sentencia en que el problema a que se refería venía siendo objeto de debate público, su carácter confidencial o reservado derivado de una inexistente presunción general de deber de sigilo sobre todo documento de ámbito empresarial obtenido al margen de su entrega oficial por la empresa. Siendo de insistir en que el informe adolecía de cualquier signo externo que denotase expresamente su carácter reservado, tal y como impone la ley, pues, como ya quedó advertido, no consta en él sello de confidencialidad alguno, ni siquiera las personas a las que iba dirigido o para las que se elaboró. [...] En definitiva, en el supuesto que aquí enjuiciamos ambos órganos judiciales exigieron en términos unilaterales la concurrencia de la «buena fe» contractual, al reclamar del recurrente un deber de sigilo extremo que la ley no le impone a partir del conocimiento extraoficial de la información, aliviando, por el contrario, a la empresa de la carga de señalar expresamente el carácter reservado de aquellos documentos que pretende someter al deber de reserva de información y sigilo profesional de los representantes de los trabajadores, unitarios o sindicales. En el caso, tratándose de un documento elaborado por uno de los trabajadores de la empresa correspondía a ésta, a efectos de ejercer su facultad de asignarle carácter confidencial, valorar la afectación por su eventual difusión no solo de sus propios intereses, sino también de los del autor del informe cuya posición podía verse comprometida ante el resto de los compañeros de trabajo por el conocimiento del contenido de su informe. Así lo pone de manifiesto, por lo demás, la carta dirigida por éste a la empresa, el 21 de septiembre de 1998, solicitando la adopción de las medidas necesarias para que hechos como el de la publicación de su informe no se volvieran a repetir y la rectificación pública por parte del Sr. García Cedrón de sus declaraciones.

En consecuencia, la exigencia de la buena fe contractual en los términos descritos no resulta conforme a las exigencias constitucionales, como ya tuvimos ocasión de poner de manifiesto en un caso similar al de autos (sanción a un miembro del comité de empresa por facilitar información al resto de trabajadores relativa a las condiciones de inseguridad con que se procedía a la recogida y transporte de dinero por cuenta de la entidad bancaria para la que trabajaba), en la STC 90/1999, de 26 de mayo, FJ 4. Como dijimos allí, «la buena fe contractualmente exigible no puede ser entendida en términos unilaterales: Tan vinculado a ella debe ser la conducta del trabajador —o del representante de personal en este caso— en el cumplimiento de sus funciones, como la de la empresa en el de las suyas». [...]

FJ 11. Procede que entremos a considerar por último si, como adujo la empresa al imponerle la sanción y mantuvieron los órganos judiciales, el recurrente Sr. García Cedrón hizo una utilización abusiva y desviada de los fines del documento sobre el que informó a su sindicato y posteriormente a la prensa, como representante de aquél.
[...] Pues bien, teniendo en cuenta que el recurrente conoció una noticia de interés laboral y sindical respecto a la que su sindicato venía manteniendo una clara y pública confrontación con el comité de empresa, no cabe sostener que la transmisión de información a su sindicato y después a la prensa, en ejercicio de su derecho de libertad sindical, sobrepase irrazonablemente su función representativa y transgrediese las exigencias de la buena fe contractual inherente a su relación laboral. Hemos dicho que la función representativa no se caracteriza por basarse en fórmulas de composición o de colaboración con la empresa, sino de autodefensa o autotutela en las que no cabe abogar por la existencia de un genérico deber de lealtad con un significado omnicomprensivo de sujeción del trabajador al interés empresarial (STC 134/1994, de 9 de mayo, FJ 4). Habida cuenta de la condición del recurrente —delegado sindical y responsable comarcal de la CIG—, no le era exigible que, en cumplimiento del deber de buena fe hacia la empresa, renunciase al ejercicio de los derechos inherentes a su función representativa y dejase de informar a su sindicato y a los trabajadores sobre uno de los problemas sujetos a mayor debate en la empresa en esos momentos, del que se había dado noticia con reiteración a la prensa previamente y que tenía indudable interés para aquéllos. Tampoco cabe sostener la vulneración de la buena fe contractual por el carácter ofensivo de las declaraciones o la facilitación de una

información tergiversada o perjudicial para el jefe del servicio médico y para la propia empresa —por la posición directiva de aquél en ésta o por dar a entender que las propuestas contenidas en el documento hubiesen sido aceptadas o asumidas por la propia empresa—, pues, como ya ha quedado establecido, la actuación del recurrente se desarrolló dentro de los cánones constitucionalmente exigidos para el ejercicio de los derechos de información y expresión.

La conducta del representante sindical se orientó a transmitir una información de relieve laboral, sin que, como hemos dicho en ocasiones anteriores, el derecho fundamental que ampara su conducta exista «solo para las informaciones que son favorablemente recibidas o consideradas como inofensivas o indiferentes, sino también para aquellos que pueden inquietar o perturbar» (Tribunal Europeo de Derechos Humanos, caso Handyside, Sentencia de 7 de diciembre de 1976, y STC 62/1982, de 15 de octubre, FJ 5)» (STC 6/1988, de 21 de enero, FJ 6). Con independencia de que el daño que con su conducta el recurrente hubiera podido irrogar a su empresa solo será merecedor de sanción si hubiera sido fruto de un ejercicio desviado de los derechos de información y expresión en el marco de su actividad sindical, la información transmitida no era, atendiendo a su contenido, así como a las circunstancias del caso, esto es, al contexto de producción de los hechos, una información causante de un daño efectivo y suficiente, y no deducido de forma meramente presuntiva, que, en consecuencia, pudiera considerarse una «información perjudicial» para la empresa en el sentido de la ya citada Recomendación 129 de la Organización Internacional del Trabajo. Como en el caso resuelto por nuestra STC 90/1999, «la actividad sancionada no fue, ni mucho menos, trascendente» (FJ 4.c).

Por todo ello, no merece censura el comportamiento del recurrente en términos de buena fe, dado que la exigencia contraria supone «validar límites al ejercicio de los derechos fundamentales como consecuencia de la existencia de una relación contractual en modo alguno imprescindibles para el adecuado desenvolvimiento de la propia relación contractual, o, más concretamente, en el caso, imprescindibles para el adecuado desarrollo de la actividad empresarial». Efectivamente, aunque «la existencia de la relación contractual puede llegar a imponer límites al ejercicio de los derechos fundamentales, estos límites resultan asimismo limitados por la noción de imprescindibilidad», que es consecuencia de la posición prevalente que en nuestro ordenamiento poseen los derechos fundamentales y que ya hemos afirmado (STC 90/1999, de 26 de mayo, FFJJ 3 y 4).

Desde esta perspectiva, en el presente caso se restringió injustificadamente el ejercicio de los derechos fundamentales cuestionados al superarse el límite mencionado. El entendimiento judicial extensivo de las obligaciones dimanantes de la relación laboral —«buena fe»— y del deber de sigilo profesional del representante sindical modularon el ejercicio de sus derechos fundamentales en una medida que no solo no era la «estrictamente imprescindible», sino desproporcionada al convertir el límite en regla general, pues, como ha quedado dicho, el órgano judicial amplió los supuestos en los que, según la ley, concurre la requerida obligación de observar sigilo.

La libertad sindical y tutela judicial efectiva (artículo 24 CE): la legitimación de los sindicatos para litigar —STC 202/2007, de 24 de septiembre[15]—

La Sentencia resuelve el recurso de amparo promovido por el Sindicato de Empleados Públicos (SIME) contra la Sentencia de 23 de julio dictada por la Sección Segunda de la Sala de lo Contencioso-Administrativo del Tribunal Superior de Justicia de Murcia, que inadmitió su recurso de apelación que aquél había interpuesto, negándole la legitimación para recurrir el acuerdo del Ayuntamiento de Cartagena por el que se aprobó el nombramiento de seis funcionarios en comisión de servicios en puestos de bombero. Su recurso se fundamenta en que la Sentencia vulneró, además de sus derechos a la tutela judicial efectiva (artículo 24.1 CE), y a acceder en condiciones de igualdad a las funciones y cargos públicos (artículo 23.2 CE), su derecho a la libertad sindical (artículo 28.1 CE).

FJ 3. Entrando ya en el fondo de la cuestión planteada, el sindicato recurrente alega en primer lugar la vulneración de su derecho a la tutela judicial efectiva (art. 24.1 CE) en conexión con el derecho a la libertad sindical (art. 28.1 CE), al negársele la legitimación para recurrir las decisiones administrativas objeto del proceso.

Se trata de una cuestión sobre la que este Tribunal ha formulado una consolidada jurisprudencia. Nuestra doctrina parte de un reconocimiento abstracto o general de la legitimación de los sindicatos para impugnar ante los órganos del orden jurisdiccional contencioso-administrativo decisiones que afecten a los trabajadores, funcionarios públicos

---

[15] Vid., además de las mencionadas en la Sentencia, las STC 186/1992, de 16 de noviembre; 74/1996, de 30 de abril; 12/1999, de 28 de junio; 84/2001, de 26 de marzo; 164/2003, de 29 de septiembre; 103/2004, de 2 de junio; 159/2006, de 22 de mayo; 358/2006, de 18 de diciembre; 52/2007, de 12 de marzo; 183/2009, de 7 de septiembre; 58/2011, de 3 de mayo; 148/2014, de 22 de septiembre.

y personal estatutario. Así, hemos dicho que los sindicatos desempeñan, tanto por el reconocimiento expreso de la Constitución (arts. 7 y 28) como por obra de los tratados internacionales suscritos por España en la materia, una función genérica de representación y defensa de los intereses de los trabajadores que no descansa sólo en el vínculo de la afiliación, sino en la propia naturaleza sindical del grupo. La función de los sindicatos, desde la perspectiva constitucional, no es únicamente la de representar a sus miembros a través de esquemas propios del Derecho privado, pues cuando la Constitución y la Ley los invisten con la función de defender los intereses de los trabajadores, les legitiman para ejercer aquellos derechos que, aun perteneciendo en puridad a cada uno de los trabajadores, sean de necesario ejercicio colectivo, sin estar condicionados a la relación de pretendido apoderamiento ínsita en el acto de afiliación. Por esta razón, es posible, en principio, reconocer legitimado al sindicato para accionar en cualquier proceso en que estén en juego intereses colectivos de los trabajadores (por todas, SSTC 101/1996, de 11 de junio; 203/2002, de 28 de octubre; 142/2004, de 13 de septiembre, y 28/2005, de 14 de febrero).

Pero también venimos exigiendo que esta genérica legitimación abstracta o general de los sindicatos tenga una proyección particular sobre el objeto de los recursos que entablen ante los Tribunales mediante un vínculo o conexión entre la organización que acciona y la pretensión ejercitada, pues, como se dijo en la STC 210/1994, de 11 de julio, FJ 4, «la función constitucionalmente atribuida a los sindicatos no alcanza a transformarlos en guardianes abstractos de la legalidad, cualesquiera que sean las circunstancias en que ésta pretenda hacerse valer». La conclusión es que la legitimación procesal del sindicato en el orden jurisdiccional contencioso-administrativo se ha de localizar en la noción de interés profesional o económico; concepto este que ha de entenderse referido en todo caso a un interés en sentido propio, cualificado o específico, y que doctrinal y jurisprudencialmente viene identificado en la obtención de un beneficio o la desaparición de un perjuicio en el supuesto de que prospere la acción intentada, y que no necesariamente ha de revestir un contenido patrimonial. Esto es, tiene que existir un vínculo especial y concreto entre el sindicato (sus fines, su actividad, etc.) y el objeto del debate en el pleito de que se trate (SSTC 7/2001, de 15 de enero, FJ 5; y 24/2001, de 29 de enero, FJ 5).

Sobre esta base, hemos considerado que existe un interés profesional o económico en la fiscalización por un sindicato de la legalidad de los acuerdos por los que se acordaba prorrogar nuevamente unas comisiones de servicios preexistentes, pues se halla plenamente conectada con la finalidad que legítimamente persiguen los sindicatos (la defensa y promoción de los intereses económicos y sociales de los trabajadores). La razón de esta conexión la hemos entendido patente a la vista de que en el caso de que prosperaran los recursos contencioso-administrativos los afiliados a la confederación sindical recurrente y, en general, el personal del organismo público afectado, que cumplieran determinados requisitos, tendrían, al menos, una expectativa de poder acceder a los puestos afectados por las comisiones de servicios (STC 89/2003, de 19 de mayo, FJ 5). Lo mismo hemos concluido en otros supuestos en los que un sindicato pretendía impugnar, por ejemplo, el nombramiento de un funcionario en comisión de servicio (STC 7/2001, de 15 de enero), el reconocimiento, de forma provisional y transitoria, de la compatibilidad para el ejercicio de actividades en el sector privado a dieciséis funcionarios adscritos a un hospital provincial (STC 203/2002, de 28 de octubre, FJ 5) o la aprobación de un concurso-oposición para acceder a una plaza del cuerpo de Policía Local (STC 28/2005, de 14 de febrero).

FJ 4. En conclusión y por su directa relación con el objeto de este proceso, dentro de nuestra doctrina, hemos de destacar:

a) Que «al analizarse un problema de legitimación sindical, cabe añadir, por último, que el canon de constitucionalidad a aplicar es un canon reforzado, ya que el derecho a la tutela judicial efectiva se impetra para la defensa de un derecho sustantivo fundamental como es el derecho a la libertad sindical (SSTC 84/2001, de 26 de marzo, FJ 3; 215/2001, de 29 de octubre, FJ 2; 203/2002, de 28 de octubre, FJ 3). Las decisiones judiciales como la que aquí se recurre están especialmente cualificadas en función del derecho material sobre el que recaen, sin que a este Tribunal, garante último de los derechos fundamentales a través del recurso de amparo, pueda resultarle indiferente aquella cualificación cuando se impugnan ante él este tipo de resoluciones, pues no sólo se encuentra en juego el derecho a la tutela judicial efectiva, sino que puede producirse un efecto derivado o reflejo sobre la reparación del derecho fundamental cuya invocación sostenía la pretensión ante el órgano judicial, con independencia de que la declaración de la lesión sea sólo una de las hipótesis posibles (SSTC 10/2001, de 29 de enero, FJ 5; 203/2002, de 28 de octubre, FJ 3)» (STC 112/2004, de 12 de julio, FJ 4).

b) Que no «puede oponerse al reconocimiento de la existencia de dicho interés legítimo... la consideración de encontrarnos ante una materia propia de la potestad de organización de la Administración que, en virtud de ello, resultaría ajena al ámbito de la actividad sindical. El que una materia forme parte de la potestad organizativa de la Administración no la excluye per se del ámbito de la actividad sindical, pues tal exclusión no sería acorde con la apreciación del 'interés económico o profesional' cuya defensa se confía a los sindicatos, tal y como ha sido reconocido por este Tribunal en casos similares al que ahora se plantea» ya que «el hecho de que un acto sea manifestación de la potestad organizativa de la Administración 'poco o nada explica sobre la existencia o inexistencia de legitimación procesal', porque poco o nada dice de la titularidad de intereses legítimos del sindicato (STC 7/2001, de 15 de enero, FJ 6)... No puede, pues, considerarse en sí misma ajena al ámbito de la actividad sindical toda materia relativa a la organización de la Administración, y por ello no es constitucionalmente admisible denegar la legitimación procesal de los sindicatos en los conflictos donde se discuten medidas administrativas de tal naturaleza (STC 203/2002, de 28 de octubre, FJ 4)» (STC 112/2004, de 12 de julio, FJ 6).

FJ 5. La aplicación de esta doctrina conduce derechamente a la estimación del amparo aquí solicitado; a) el Sindicato de Empleados Públicos (SIME) impugnaba la aprobación por la Comisión de Gobierno del Ayuntamiento de Cartagena del nombramiento en comisión de servicios de una serie de funcionarios; b) la Sentencia impugnada considera que la facultad autoorganizativa de la Administración diluye o hace inexistente el interés concreto y directo del sindicato que se considera exigible, sin hacer referencia a la noción de interés profesional o económico, que es la que, según la jurisprudencia constitucional antes expuesta, resulta determinante a estos efectos. Y, sin embargo, al margen del interés general y abstracto del sindicato en defender la legalidad frente a los acuerdos impugnados, ese interés resulta claramente discernible en el presente caso, al igual que en los antes aludidos, pues, de prosperar la impugnación los funcionarios municipales en general, y en particular los afiliados al sindicato, tendrían al menos una legítima expectativa de poder acceder a los seis puestos afectados.
Constatada la inclusión del objeto del acto administrativo impugnado dentro del campo propio del interés del sindicato ha de concluirse que éste estaba suficientemente legitimado para interponer, válidamente, el recurso contencioso-administrativo. En consecuencia la Sentencia recurrida, al negar al sindicato recurrente la legitimación activa, realizó una interpretación de los requisitos procesales (y, en concreto, del concepto de interés legítimo) excesivamente rigorista y desproporcionada, lesionando así el derecho de la entidad recurrente a la tutela judicial efectiva (art. 24.1 CE) en su vertiente de acceso a la jurisdicción, especialmente si se recuerda que el canon ordinario en este ámbito queda reforzado, dado que se trata de la defensa de un derecho sustantivo fundamental como es el derecho a la libertad sindical, de suerte que no sólo se encuentra en juego el derecho del art. 24.1 CE, sino que puede producirse un efecto derivado o reflejo sobre la reparación del derecho fundamental cuya invocación sostenía la pretensión formulada ante el órgano judicial: el sindicato recurrente ha sido privado injustificadamente de una resolución sobre el fondo respecto de sus alegaciones en la apelación, lo que determina la procedencia del pronunciamiento previsto en el art. 53.a) LOTC con anulación de la Sentencia recurrida y retroacción de las actuaciones al momento procesal oportuno a fin de que se dicte nueva Sentencia con respeto al derecho fundamental reconocido.

Titularidad de la libertad sindical por personas extranjeras —STC 236/2007, de 7 de noviembre (*vid.* TITULARIDAD DE LOS DERECHOS FUNDAMENTALES)[16]—

FJ 9. El Parlamento de Navarra impugna el punto 9 del artículo primero de la Ley recurrida en este proceso, que da nueva redacción al art. 11.1 de la Ley Orgánica 4/2000. El precepto dispone:
«Los extranjeros tendrán derecho a sindicarse libremente o a afiliarse a una organización profesional, en las mismas condiciones que los trabajadores españoles, que podrán ejercer cuando obtengan autorización de estancia o residencia en España».
La entidad recurrente denuncia la inconstitucionalidad del precepto por vulnerar el contenido esencial del derecho reconocido en el art. 28.1 CE y ser contrario a lo establecido en el art. 23.4 de la Declaración universal de los derechos humanos, al art. 22 del Pacto internacional de derechos civiles y políticos, y al art. 11 del Convenio europeo de derechos humanos. El ejercicio del derecho a la libertad sindical no requeriría la condición laboral de su titular, al contrario de lo que ocurre con el derecho de huelga, y por ello no cabría argumentar que los titulares del derecho sean sólo los trabajadores. [...]
Siguiendo el criterio interpretativo ex art. 10.2 CE que hemos utilizado para el enjuiciamiento de los anteriores preceptos, ha de tenerse en cuenta lo dispuesto en el art. 23 de la Declaración universal de los derechos humanos, según el cual «toda persona tiene derecho a fundar sindicatos y a sindicarse para la defensa de sus intereses»; así como el art. 22 PIDCP, que reza: «toda persona tiene derecho a asociarse libremente con otras, incluso a fundar sindicatos y

---

[16]   Sobre la constitucionalidad de esta ley, *vid.* también las SSTC 259/2007 a 265/2007, todas de 20 de diciembre.

a afiliarse a ellos para la protección de sus intereses», lo que en términos similares recoge el art. 8 PIDESC, proclamando el «derecho de toda persona a fundar sindicatos y a afiliarse al de su elección». Por otra parte, como se ha visto, el art. 11.1 CEDH consagra el derecho de «toda persona» a la libertad de reunión y de asociación, «incluido el derecho de fundar, con otras, sindicatos y de afiliarse a los mismos para la defensa de sus intereses», mientras en la Carta social europea las partes contratantes se comprometen a «que la legislación nacional no menoscabe esa libertad [sindical] ni se aplique de manera que pueda menoscabarla» (art. 5). Finalmente, deben mencionarse dos Convenios de la Organización Internacional del Trabajo (OIT), ambos ratificados por España y con virtualidad hermenéutica ex art. 10.2 CE (según se dijo en la STC 191/1998, de 29 de septiembre, FJ 5): el Convenio núm. 87, sobre libertad sindical y protección del derecho de sindicación, en cuyo art. 2 se garantiza aquí ya «a los trabajadores ... sin ninguna distinción ... el derecho de constituir las organizaciones que estimen convenientes, así como el de afiliarse a estas organizaciones»; y el Convenio núm. 98, relativo a la aplicación de los principios del derecho de sindicación y negociación colectiva, cuyo art. 1 proclama que «los trabajadores deberán gozar de adecuada protección contra todo acto de discriminación tendente a menoscabar la libertad sindical en relación con su empleo». [...]

En nuestra jurisprudencia hemos vinculado la titularidad del derecho de libertad sindical a «todos» los trabajadores en su caracterización material, y no jurídico-formal, y a «todos» los sindicatos (art. 28.1 en relación con el art. 7 CE), entendiendo de este modo la proyección universal subjetiva que de dicho derecho efectúan los tratados internacionales citados, entre los cuales es de recordar el Convenio 87 de la OIT relativo a la libertad sindical y a la protección del derecho de sindicación, cuyo art. 2 reconoce a todos los trabajadores, sin distinción alguna y sin autorización previa, los derechos de fundación de sindicatos y de afiliación a los mismos. Siendo así, no resulta constitucionalmente admisible la exigencia de la situación de legalidad en España para su ejercicio por parte de los trabajadores extranjeros, aunque lo sea para la celebración válida de su contrato de trabajo y, en consecuencia, para la obtención de la condición jurídico-formal de trabajador [art. 38 de la Ley Orgánica 4/2000, y arts. 1.1, 7 c) y 9.2 del texto refundido de la Ley del estatuto de los trabajadores, aprobado por Real Decreto Legislativo 1/1995, de 24 de marzo]. Por supuesto, ello no significa que el legislador orgánico no pueda establecer limitaciones o excepciones a su ejercicio en los términos a los que ya se refiere el propio art. 28.1 CE. Pero no alcanzando tales limitaciones o excepciones a los trabajadores extranjeros, la exclusión total del derecho de libertad sindical de aquellos extranjeros que trabajen pese a no haber obtenido autorización de estancia o residencia en España, no se compadece con el reconocimiento del derecho de libertad sindical que efectúa el art. 28.1 CE interpretado conforme a la normativa internacional sobre este derecho ratificada por España. Tampoco se compadece con este derecho la limitación consiguiente que deriva para el derecho de los sindicatos de defender y promover los intereses de estos trabajadores.

La concepción según la cual el derecho de libertad sindical se ejercería exclusivamente por quienes ostentan la condición de trabajador en sentido legal, es decir, por quienes «sean sujetos de una relación laboral» (en los términos del art. 1.2 de la Ley Orgánica de libertad sindical: LOLS), no se corresponde con la titularidad del derecho fundamental, ejercitable, entre otras finalidades posibles en la defensa de los intereses de los trabajadores, para llegar a ostentar tal condición jurídico-formal. De ahí que no resulte absurdo, como alega el Abogado del Estado, reconocer este concreto derecho a los extranjeros no autorizados para estar o residir en España, quienes pueden afiliarse a los sindicatos españoles para la defensa de sus intereses, entre los que puede encontrarse la regularidad de su situación, pese a la irregularidad de la misma. También aquí debemos precisar que el legislador orgánico puede fijar condiciones específicas para el ejercicio del derecho de sindicación por parte de los extranjeros que se encuentran en nuestro país sin la correspondiente autorización de estancia o residencia, siempre y cuando respete un contenido del mismo que la Constitución salvaguarda por pertenecer a cualquier persona, independientemente de la situación en que se encuentre. [...]

La libertad sindical de los miembros de la Policía Local —STC 273/1994, de 17 de octubre[17]—

La Sentencia resuelve el recurso de amparo promovido don E.P.P. y don F.L.A.R., que interviene en representación, del Comité Local del Sindicato Profesional de Policía Local de Santa Cruz de La Palma, en calidad de Presidente, contra la Sentencia de la Sala de lo Contencioso-Administrativo del Tribunal Superior de Justicia de Canarias, de 2 de abril de 1992, que estimó en parte el recurso formulado contra la Resolución del Ayuntamiento de dicha localidad, que confirmó la sanción impuesta al primer recurrente por incurrir en una falta grave prevista en el artículo 27.4 de la

---

[17]　*Vid.* también las SSTC 141/1985, de 22 de octubre, 213/2002, de 11 de noviembre.

Ley Orgánica 2/1986, de 13 de marzo, de Fuerzas y Cuerpos de Seguridad. La falta consistió en remitir cartas a otros policías, en cumplimiento de un Acuerdo de la Asamblea General del Sindicato Local del que era presidente.

FJ 4. Conviene [...] recordar los términos en que el art. 28.1 CE reconoce el derecho de sindicación, así como las diversas modulaciones que respecto de su régimen jurídico introduce, permitiendo un mayor o menor grado de intervención al legislador en la configuración legal del mismo, hasta el extremo de que éste puede «limitar o excepcionar el ejercicio de este derecho a las Fuerzas o Institutos Armados o a los demás Cuerpos sometidos a disciplina militar». En el caso de la Policía Local, el legislador, según se deduce del art. 5 de la Ley Orgánica 11/1985, de 2 de agosto, de Libertad Sindical y de los arts. 18 y 19 de la Ley Orgánica 2/1986, de 13 de marzo, de Fuerzas y Cuerpos de Seguridad, optó por limitar el ejercicio de la libertad sindical. Y, como quiera, que «limitar» no es «excepcionar» la libertad sindical de los miembros de la Policía Local inexorablemente debe contar con una zona de existencia posible en la que pueda ser reconocida, lo que presupone, a su vez, la existencia de ciertos contenidos —por mínimos que éstos sean— en que sustanciarse aquella libertad, pues lo contrario supondría tanto como la negación práctica de la misma. Por ello mismo, la citada Ley Orgánica 2/1986, tras reconocer a los miembros de la Policía Local su derecho a constituir organizaciones profesionales, así como a afiliarse a las mismas y participar activamente en ellas (art. 18), establece ciertas limitaciones constitucionalmente lícitas a su ejercicio y que se justifican, según la exposición de motivos de la Ley, en las especiales características de la función policial y el carácter de instituto armado que legalmente se atribuye a ese Cuerpo policial. Esos límites al derecho de sindicación y a la acción sindical son, a tenor de lo dispuesto en el art. 19 de la Ley Orgánica 2/1986, «el respeto a los derechos fundamentales y libertades públicas reconocidas en la Constitución y, especialmente, el derecho al honor, a la intimidad y a la propia imagen, así como el crédito y prestigio de las Fuerzas y Cuerpos de Seguridad del Estado, la seguridad ciudadana y de los propios funcionarios y la garantía del secreto profesional».

Del cuadro normativo expuesto sólo cabe concluir que la libertad de sindicación de los miembros de la Policía Local no se circunscribe exclusivamente a la afiliación y constitución de organizaciones sindicales sino que, además, aquélla también alcanza a lo que genéricamente se conoce como acción sindical (cfr. art. 19.1 Ley Orgánica 2/1986 y, con carácter general nuestras SSTC 70/1982, 127/1989 y 30/1992, entre otras muchas) dentro de la cual, y como parte de la misma, debe situarse, en lo que aquí interesa, el derecho de información y la posibilidad de adoptar medidas de presión sindical siempre que, obviamente, no excedan los límites legalmente establecidos y antes, sucintamente, expuestos. Así lo hemos expresamente reconocido en nuestra reciente STC 134/1994, a cuyo tenor el derecho de actividad sindical incluye el derecho a difundir la realización de actividades sindicales pacíficamente y por medios lícitos (fundamento jurídico 5º).

La libertad sindical de las personas no trabajadoras por cuenta ajena —STC 98/1985, de 9 de julio *(vid. supra)*[18]—

FJ 2. El segundo problema, relativo al Proyecto de Ley que plantean los Diputados recurrentes, se refiere a la sindicación de los trabajadores autónomos. De conformidad con el art. 3.1 del Proyecto, en efecto, «los trabajadores por cuenta propia que no tengan trabajadores a su servicio, los trabajadores en paro y los que hayan cesado en su actividad laboral, como consecuencia de su incapacidad o jubilación, podrán afiliarse a las organizaciones sindicales constituidas con arreglo a lo dispuesto en la presente Ley, pero no fundar sindicatos que tengan precisamente por objeto la tutela de sus intereses singulares, sin perjuicio de su capacidad para constituir asociaciones al amparo de la legislación específica». Los recurrentes impugnan el precepto en cuanto establece la prohibición de fundar sindicatos a los trabajadores por cuenta propia, por considerar que se opone a la libertad sindical que corresponde a todos, interpretada según convenios internacionales tales como el 141 de la Organización Internacional del Trabajo (OIT) sobre las organizaciones de trabajadores rurales, con arreglo al cual éstos, tanto si son asalariados como si trabajan por cuenta propia, tienen derecho a constituir organizaciones en las que deben respetarse plenamente los principios de la libertad sindical.

Mientras en determinados ordenamientos se estima que la libertad sindical recogida en el texto constitucional abarca igualmente a los trabajadores autónomos, el Proyecto impugnado ha seguido un criterio estricto al respecto, excluyéndolos expresamente de sus previsiones. El problema consiste en el alcance de la referencia a «todos los trabajadores» en el art. 1.1 del Proyecto, pues la no inclusión de los «trabajadores por cuenta propia» en los titulares

---

[18] *Vid.* también ATC 113/1984, de 22 de febrero.

del «derecho a sindicarse libremente para la promoción y defensa de sus intereses económicos y sociales» sólo es coherente con la libertad sindical si los trabajadores autónomos no son trabajadores a estos efectos. Porque si lo fuesen, deberían tener no sólo el derecho a afiliarse a las organizaciones sindicales constituidas con arreglo a lo expuesto en el Proyecto, que aquí se les reconoce, sino también el de crearlos libremente sobre la base de los arts. 7 y 28 de la CE, que en cambio se les niega. Si a los efectos del Proyecto de Ley impugnado «se consideran trabajadores tanto aquéllos que lo sean de una relación laboral como aquéllos que lo sean de una relación de carácter administrativo o estatutario al servicio de las Administraciones públicas», es lógico que quienes trabajen por su cuenta, sin sujeción a relación alguna de las descritas, no lo sean genuinamente. Pero ello no impide que puedan, según el Proyecto de Ley, defender sus intereses singulares, al reconocerles éste «su capacidad para constituir asociaciones al amparo de la legislación específica» (art. 3.1).

Dados los términos del precepto legal, el problema viene a ser, así, el del encauzamiento de la libertad asociativa de los trabajadores por cuenta propia. Porque la limitación que vemos establecida en el Proyecto recae en rigor sobre la organización del sistema de defensa de los respectivos intereses, afectando a la forma de tutelarlos, y no al trabajador. Si se parte de la idea válida de que el sindicato, en cuanto sujeto de la libertad de sindicación, se justifica primordialmente por el ejercicio de la actividad sindical, y que ésta se caracteriza por la existencia de otra parte ligada al titular del derecho por una relación de servicios y frente a la que se ejercita, siendo su expresión una serie de derechos como los de huelga, de negociación colectiva y de conflicto (reconocidos por los arts. 28.2, 37.1 y 37.2 de la CE), que no podría ejercer un sindicato de trabajadores autónomos, no hay motivo para considerar carente de fundamento razonable una regulación que en último término orienta el derecho de los trabajadores autónomos para defender sus intereses o hacia su integración en los sindicatos de trabajadores o, como hemos visto, hacia la constitución de «asociaciones al amparo de la legislación especifica», reconociéndoles un derecho que también deriva directamente de la Constitución (art. 22) y está dotado de igual grado de protección y de idéntica autonomía que el derecho de asociación sindical.

Mención aparte merece el Convenio de la Organización Internacional del Trabajo núm. 141, relativo a las organizaciones de trabajadores rurales, alegado por los recurrentes en apoyo de su impugnación. Dicho Convenio, que reafirma con referencia a los trabajadores rurales el derecho de libertad sindical ya establecido en el Convenio 87 relativo a la libertad sindical y a la protección del derecho de sindicación, dispone en su art. 2.1 que «a los efectos del presente Convenio, la expresión «trabajadores rurales» abarca a todas las personas dedicadas, en las regiones rurales, a tareas agrícolas o artesanales o a ocupaciones similares o conexas, tanto si se trata de asalariados como, a reserva de las disposiciones del párrafo 2 de este articulo, de personas que trabajan por cuenta propia...». La reserva supone que estos trabajadores por cuenta propia no empleen mano de obra permanente o mano de obra numerosa estacional, o no hagan cultivar sus tierras por aparceros o arrendatarios. Pues bien, en acción con los trabajadores rurales así entendidos, el Convenio dispone que «tanto si se trata de asalariados como de personas que trabajen por cuenta propia, tienen el derecho de constituir, sin autorización previa, las organizaciones que estimen convenientes, así como el de afiliarse a estas organizaciones, con la sola condición de observar los estatutos de las mismas» (art. 3.1); y que «los principios de libertad sindical deberán respetarse plenamente; las organizaciones de trabajadores rurales deberán tener un carácter independiente y voluntario, y permanecer libres de toda injerencia, coerción y represión» (art. 3.2). En su informe a la 69.ª reunión de 1983 de la Conferencia Internacional del Trabajo, la Comisión de Expertos en Aplicación de Convenios y Recomendaciones de la OIT constató, con referencia a los trabajadores rurales por cuenta propia, que en diversos países la creación de organizaciones se efectúa conforme a la legislación sobre el derecho de asociación; que el derecho de asociación de estos trabajadores «puede derivarse del derecho constitucional o hallar bases jurídicas en legislaciones específicas» y que «las organizaciones de trabajadores rurales por cuenta propia en el sentido del Convenio adoptan diversas formas, de las que merecen destacarse: los sindicatos, las asociaciones de productores, las asociaciones campesinas, las cooperativas, etc.» La Comisión considera, por una parte, que «las Cooperativas u otras formas de asociación no deberían constituir un obstáculo para que los trabajadores rurales, asalariados o no, creen organizaciones sindicales, que constituyen la forma de organización más avanzada y más capaz de crear las condiciones de un auténtico desarrollo en el seno del mundo rural». Pero, por otra parte, la Comisión subraya que, «cualquiera que sea la fórmula de expresión que pueda tomar la organización de trabajadores rurales, sus organizaciones deberían establecerse en conformidad con los arts. 3, 4 y 5 del Convenio: respeto total de los principios de la libertad sindical; tratarse de organizaciones plenamente independientes y establecidas en forma voluntaria sin estar sometidas a ninguna injerencia, coerción o medida represiva». Lo cual equivale a decir que lo decisivo es el contenido del derecho de asociación y no la denominación, forma o encuadramiento; y por ello cabe concluir que el Convenio núm. 141 se cumple tanto si se autorizan sindicatos exclusivos de trabajadores rurales por cuenta propia, como si se remite su organización, como aquí se hace, al derecho general de asociación.

II. EL ARTÍCULO 28.2 CE: EL DERECHO A LA HUELGA

Contenido constitucional del derecho a la huelga —STC 11/1981, de 8 de abril—

La Sentencia resuelve el recurso de inconstitucionalidad promovido por don Nicolás Redondo Urbieta y cincuenta y un diputados más contra diversos preceptos del Real Decreto-Ley 17/1977, de 4 de marzo, regulador del derecho de huelga y de los conflictos colectivos de trabajo.

FJ 7. […] Antes de seguir adelante convendrá observar, una vez más, que en un plano hay que situar las decisiones políticas y el enjuiciamiento político que tales decisiones merezcan, y en otro plano distinto la calificación de inconstitucionalidad, que tiene que hacerse con arreglo a criterios estrictamente jurídicos. La Constitución es un marco de coincidencias suficientemente amplio como para que dentro de él quepan opciones políticas de muy diferente signo. La labor de interpretación de la Constitución no consiste necesariamente en cerrar el paso a las opciones o variantes imponiendo autoritariamente una de ellas. A esta conclusión habrá que llegar únicamente cuando el carácter unívoco de la interpretación se imponga por el juego de los criterios hermenéuticos. Queremos decir que las opciones políticas y de gobierno no están previamente programadas de una vez por todas, de manera tal que lo único que cabe hacer en adelante es desarrollar ese programa previo. […]

[…] Aunque admitiéramos que el Real Decreto-Ley 17/77 pudiera considerarse como restrictivo sería ésta una calificación derivada de un enjuiciamiento político. No es posible calificar jurídicamente el art. 28 de la Constitución como más liberal o más avanzado o más generoso. La Constitución lo que hace es reconocer el derecho de huelga, consagrarlo como tal derecho, otorgarle rango constitucional y atribuirle las necesarias garantías. Corresponde, por ello, al legislador ordinario, que es el representante en cada momento histórico de la soberanía popular, confeccionar una regulación de las condiciones de ejercicio del derecho, que serán más restrictivas o abiertas, de acuerdo con las directrices políticas que le impulsen, siempre que no pase más allá de los límites impuestos por las normas constitucionales concretas y del límite genérico del art. 53. De este modo, la afirmación del recurrente en punto al carácter restrictivo es un juicio de valor político muy respetable y acaso compartible. Desde el punto de vista jurídico-constitucional lo único que hay que cuestionar es si sobrepasa o no el contenido esencial del derecho.

El mismo comentario merece el segundo de los tipos de razonamiento que el recurrente utiliza. Decir que lo que se opone a la Constitución, más que una norma en concreto, es la concepción global del derecho que ha tenido el legislador ordinario, es también un enjuiciamiento político y no jurídico-constitucional. Efectivamente, es posible entender que, introducido el derecho de huelga en la Constitución, como un instrumento de realización de la democracia social y del principio de igualdad, políticamente debería sostenerse una concepción más amplia y generosa. Sin embargo, el movimiento pendular entre la amplitud y la generosidad o la restricción vuelve a ser una decisión política que tiene que adoptar el legislador ordinario sin más límite que los que el derecho fundamental tenga, pues ningún derecho, ni aún los de naturaleza o carácter constitucional, pueden considerar se como ilimitados. De este modo, el reconocimiento del derecho de huelga no tiene por qué entrañar necesariamente el de todas las formas y modalidades, el de todas las posibles finalidades pretendidas y menos aún el de todas las clases de acción directa de los trabajadores.

Tampoco puede aceptarse la tesis del recurso de que los derechos reconocidos o consagrados por la Constitución sólo pueden quedar acotados en virtud de límites de la propia Constitución o por la necesaria acomodación con el ejercicio de otros derechos reconocidos y declarados igualmente por la Norma Fundamental. Una conclusión como ésta es demasiado estricta y carece de fundamento en una interpretación sistemática en la Constitución y en el Derecho constitucional, sobre todo si al hablar de límites derivados de la Constitución, esta expresión se entiende como derivación directa. La Constitución establece por sí misma los límites de los derechos fundamentales en algunas ocasiones. En otras ocasiones el límite del derecho deriva de la Constitución sólo de una manera mediata o indirecta, en cuanto que ha de justificarse por la necesidad de proteger o preservar no sólo otros derechos constitucionales, sino también otros bienes constitucionalmente protegidos.

De esta suerte hay que volver, como centro de gravedad de la cuestión propuesta, a la idea de «contenido esencial» del art. 53 de la CE.

FJ 8. Para tratar de aproximarse de algún modo a la idea de «contenido esencial», que en el art. 53 de la Constitución se refiere a la totalidad de los derechos fundamentales y que puede referirse a cualesquiera derechos subjetivos, sean o no constitucionales, cabe seguir dos caminos. El primero es tratar de acudir a lo que se suele llamar la naturaleza jurídica o el modo de concebir o de configurar cada derecho. Según esta idea hay que tratar de establecer una relación entre el lenguaje que utilizan las disposiciones normativas y lo que algunos autores han llamado el metalenguaje o ideas generalizadas y convicciones generalmente admitidas entre los juristas, los jueces y, en general, los especialistas en Derecho. Muchas veces el nomen y el alcance de un derecho subjetivo son previos al momento en que tal derecho resulta recogido y regulado por un legislador concreto. El tipo abstracto del derecho preexiste conceptualmente al momento legislativo y en este sentido se puede hablar de una recognoscibilidad de ese tipo abstracto en la regulación concreta. Los especialistas en Derecho pueden responder si lo que el legislador ha regulado se ajusta o no a lo que generalmente se entiende por un derecho de tal tipo. Constituyen el contenido esencial de un derecho subjetivo aquellas facultades o posibilidades de actuación necesarias para que el derecho sea recognoscible como pertinente al tipo descrito y sin las cuales deja de pertenecer a ese tipo y tiene que pasar a quedar comprendido en otro desnaturalizándose, por decirlo así. Todo ello referido al momento histórico de que en cada caso se trata y a las condiciones inherentes en las sociedades democráticas, cuando se trate de derechos constitucionales.

El segundo posible camino para definir el contenido esencial de un derecho consiste en tratar de buscar lo que una importante tradición ha llamado los intereses jurídicamente protegidos como núcleo y médula de los derechos subjetivos. Se puede entonces hablar de una esencialidad del contenido del derecho para hacer referencia a aquella parte del contenido del derecho que es absolutamente necesaria para que los intereses jurídicamente protegibles, que dan vida al derecho, resulten real, concreta y efectivamente protegidos. De este modo, se rebasa o se desconoce el contenido esencial cuando el derecho queda sometido a limitaciones que lo hacen impracticable, lo dificultan más allá de lo razonable o lo despojan de la necesaria protección.

Los dos caminos propuestos para tratar de definir lo que puede entenderse por «contenido esencial» de un derecho subjetivo no son alternativos, ni menos todavía antitéticos, sino que, por el contrario, se pueden considerar como complementarios, de modo que, al enfrentarse con la determinación del contenido esencial de cada concreto derecho pueden ser conjuntamente utilizados para contrastar los resultados a los que por una u otra vía pueda llegarse. De este modo, en nuestro caso lo que habrá que decidir es la medida en que la normativa contenida en el Real Decreto-Ley 17/77 permite que las situaciones de derecho que allí se regulan puedan ser reconocidas como un derecho de huelga en el sentido que actualmente se atribuye con carácter general a esta expresión, decidiendo al mismo tiempo si con las normas en cuestión se garantiza suficientemente la debida protección de los intereses que a través del otorgamiento de un derecho de huelga se trata de satisfacer.

FJ 9. El art. 28.2 de la CE, al decir que «se reconoce el derecho a la huelga de los trabajadores para la defensa de sus intereses», introduce en el ordenamiento jurídico español una importante novedad: la proclamación de la huelga como derecho subjetivo y como derecho de carácter fundamental. La fórmula que el texto emplea («se reconoce») es la misma que la Constitución utiliza para referirse al derecho de reunión o al derecho de asociación. De todo ello hay que extraer algunas importantes consecuencias. Ante todo, que no se trata sólo de establecer, frente a anteriores normas prohibitivas, un marco de libertad de huelga, saliendo, además, al paso de posibles prohibiciones, que sólo podrían ser llevadas a cabo en otro orden jurídico-constitucional. La libertad de huelga significa el levantamiento de las específicas prohibiciones, pero significa también que, en un sistema de libertad de huelga, el Estado permanece neutral y deja las consecuencias del fenómeno a la aplicación de las reglas del ordenamiento jurídico sobre infracciones contractuales en general y sobre la infracción del contrato de trabajo en particular.

Hay que subrayar, sin embargo, que el sistema que nace del art. 28 de la CE es un sistema de «derecho de huelga». Esto quiere decir que determinadas medidas de presión de los trabajadores frente a los empresarios son un derecho de aquéllos. Es derecho de los trabajadores colocar el contrato de trabajo en una fase de suspensión y de ese modo limitar la libertad del empresario, a quien se le veda contratar otros trabajadores y llevar a cabo arbitrariamente el cierre de la empresa, como más adelante veremos.

Además de ser un derecho subjetivo la huelga se consagra como un derecho constitucional, lo que es coherente con la idea del Estado social y democrático de Derecho establecido por el art. 1.1 de la CE, que entre otras significaciones tiene la de legitimar medios de defensa a los intereses de grupos y estratos de la población socialmente dependientes, y entre los que se cuenta el de otorgar reconocimiento constitucional a un instrumento de presión que la experiencia secular ha mostrado ser necesario para la afirmación de los intereses de los trabajadores en los conflictos socioeconómicos, conflictos que el Estado social no puede excluir, pero a los que sí puede y debe proporcionar los adecuados cauces institucionales; lo es también con el derecho reconocido a los sindicatos en el art. 7 de la CE, ya que un sindicato sin derecho al ejercicio de la huelga quedaría, en una sociedad democrática, vaciado prácticamente de contenido; y lo es, en fin, con la promoción de las condiciones para que la libertad y la igualdad de los individuos y grupos sociales sean reales y efectivas (art. 9.2 de la Constitución). Ningún derecho constitucional, sin embargo, es un derecho ilimitado. Como todos, el de huelga ha de tener los suyos, que derivan, como más arriba se dijo, no sólo de su posible conexión con otros derechos constitucionales, sino también con otros bienes constitucionalmente protegidos. Puede el legislador introducir limitaciones o condiciones de ejercicio del derecho, siempre que con ello no rebase su contenido esencial.

FJ 10. El art. 28 proclama el derecho de huelga como derecho de carácter fundamental, pero no lo define, ni lo describe, dejando esta materia a las concepciones existentes en la comunidad y a las inherentes al ordenamiento jurídico. Tampoco en el Real Decreto-Ley 17/77 la definición se comprende. Una primera aproximación podría hacerse a través de los significados que a la palabra se le atribuyen en el lenguaje espontáneo, tal y como aparecen por ejemplo fijados en el Diccionario de la Real Academia de la Lengua Española (cfr. 19.ª edición, Madrid, 1970, pág. 722), donde se dice que huelga (de holgar) es «espacio de tiempo en que uno está sin trabajar» y también «cesación o paro del trabajo de personal empleado en el mismo oficio, hecho de común acuerdo con el fin de imponer ciertas condiciones a los patronos». Al lado de ese concepto es posible detectar otro más amplio, que de algún modo recogen ya los textos legales (v. gr., cuando prohíben las llamadas huelgas de celo) y el propio lenguaje espontáneo (p. ej., cuando se habla de huelga de hambre). En este concepto más amplio, huelga es una perturbación que se produce en el normal desenvolvimiento de la vida social y en particular en el proceso de producción de bienes y de servicios que se lleva a cabo en forma pacífica y no violenta, mediante un concierto de los trabajadores y de los demás intervinientes en dicho proceso. En este sentido amplio, la huelga puede tener por objeto reivindicar mejoras en las condiciones económicas o en general en las condiciones de trabajo, y puede suponer también una protesta con repercusión en otras esferas o ámbitos.

Así planteado el tema, la cuestión que a nosotros se nos plantea consiste en averiguar si es o no conforme con la Constitución la reducción que opera el art. 7.1 del Real Decreto-Ley 17/77, al preceptuar que el ejercicio del derecho de huelga habrá de realizarse precisamente mediante la cesación de los servicios y al considerar como actos ilícitos o abusivos las huelgas de celo o reglamento y las formas de alteración colectiva del régimen de trabajo distintas de la huelga. La respuesta que haya de darse al interrogante abierto en el párrafo anterior depende de como entendamos el contenido esencial del derecho de huelga, al aplicar a este especial derecho subjetivo las nociones genéricas que más arriba establecíamos con referencia al contenido esencial de cualquier derecho. Para entrar en materia no será vano reiterar que entendemos por «contenido esencial» aquella parte del contenido de un derecho sin la cual éste pierde su peculiaridad o, dicho de otro modo, lo que hace que sea recognoscible como derecho perteneciente a un determinado tipo. Es también aquella parte del contenido que es ineludiblemente necesaria para que el derecho permita a su titular la satisfacción de aquellos intereses para cuya consecución el derecho se otorga.

Desde estos dos puntos de vista que son complementarios entre sí no parece descaminado establecer que el contenido esencial del derecho de huelga consiste en una cesación del trabajo, en cualquiera de las manifestaciones o modalidades que puede revestir. Y cabe decirlo así no sólo porque ésta es la más antigua de las formas de hacer huelga y porque es lo que la generalidad reconoce de inmediato cuando se alude a un derecho de este tipo, sino también porque es este un modo que ha permitido la presión para el logro de las reivindicaciones obreras.

La afirmación de que el contenido esencial del derecho de huelga consiste en la cesación del trabajo en cualquiera de sus manifestaciones, no excluye por sí sola que el legislador al regular las condiciones de ejercicio del derecho de huelga, pueda entender que algunas particulares modalidades de cesación del trabajo pueden resultar abusivas, como es posible que remita este juicio en determinados casos a los tribunales de justicia, sin perjuicio de que, como es obvio, el ejercicio de la potestad legislativa quede en tales casos sujeto al control de este Tribunal a través de la vía de la inconstitucionalidad y las decisiones de los tribunales de justicia queden sujetas al recurso de amparo por tratarse de un derecho fundamental.

[...] Es claro que el derecho de huelga comprende la facultad de declararse en huelga —estableciendo la causa o porqué y la finalidad reivindicativa que se persigue— y la facultad de elegir la modalidad de huelga. Mas es claro asimismo que la facultad de elección sólo podrá moverse dentro de aquellos tipos o modalidades que la Ley haya admitido y ya hemos dicho que el legislador puede considerar ilícitos o abusivos algunos tipos, siempre que lo haga justificadamente, que la decisión legislativa no desborde el contenido esencial del derecho, y que los tipos o modalidades que el legislador admita sean bastantes por sí solos para reconocer que el derecho existe como tal y eficaces para obtener las finalidades del derecho de huelga. [...]

FJ 11. Define al derecho de huelga el ser un derecho atribuido a los trabajadores uti singuli, aunque tenga que ser ejercitado colectivamente mediante concierto o acuerdo entre ellos. Para aclarar lo que se entiende por ejercicio colectivo debe señalarse que son facultades del derecho de huelga la convocatoria o llamada, el establecimiento de las reivindicaciones, la publicidad o proyección exterior, la negociación y, finalmente, la decisión de darla por terminada. Se puede, por ello, decir que si bien la titularidad del derecho de huelga pertenece a los trabajadores y que a cada uno de ellos corresponde el derecho de sumarse o no a las huelgas declaradas, las facultades en que consiste el ejercicio del derecho de huelga, en cuanto acción colectiva y concertada, corresponden tanto a los trabajadores como a sus representantes y a las organizaciones sindicales.

No puede en absoluto decirse que el Real Decreto-Ley 17/77 esté impidiendo las llamadas huelgas sindicales. [...] El art. 3 del Real Decreto-Ley 17/77 hay que entenderlo en el sentido de que, si bien la titularidad del derecho de huelga les pertenece a los trabajadores, el derecho puede ser ejercitado por las organizaciones sindicales con implantación en el ámbito laboral al que se extiende la huelga.

FJ 12. El apartado 2 del art. 28 de la CE, al reconocer el derecho de huelga como derecho fundamental, lo hace en favor de los trabajadores y para la defensa de sus intereses. Hay que entender, por ello, que el derecho constitucionalmente protegido es el que atribuye a las personas que prestan en favor de otros un trabajo retribuido, cuando tal derecho se ejercita frente a los patronos o empresarios, para renegociar con ellos los contratos de trabajo introduciendo en ellos determinadas novaciones modificativas.

El texto del art. 28 —derecho de los trabajadores para la defensa de sus intereses— pone en muy clara conexión la consagración constitucional y la idea de consecución de igualdad económica y social. La conclusión que de ello se extrae es que no nos encontramos ante el fenómeno de huelga protegido por el art. 28 de la CE cuando se producen perturbaciones en la producción de bienes y de servicios o en el normal funcionamiento de estos últimos que se introducen con el fin de presionar sobre la Administración Pública o sobre los órganos del Estado para conseguir que se adopten medidas gubernativas o que se introduzca una nueva normativa más favorable para los intereses de una categoría (p.e. empresarios, concesionarios de servicios, etc.).

Caracteriza a la huelga la voluntad deliberada de los huelguistas de colocarse provisionalmente fuera del marco del contrato de trabajo. El derecho constitucional de huelga se concede para que sus titulares puedan desligarse temporalmente de sus obligaciones jurídico-contractuales. Aquí radica una muy importante diferencia que separa la huelga constitucionalmente protegida por el art. 28 y lo que en algún momento se ha podido llamar huelga de trabajadores independientes, de autopatronos o de profesionales, que, aunque en un sentido amplio sean trabajadores, no son trabajadores por cuenta ajena ligados por un contrato de trabajo retribuido. La cesación en la actividad de este tipo de personas, si la actividad empresarial o profesional es libre, se podrá realizar sin necesidad de que ninguna norma les conceda ningún derecho, aunque sin perjuicio de las consecuencias que haya que arrostrar por las perturbaciones que se produzcan. Es claro que si se hubiera obtenido de manera expresa una concesión para el desarrollo de un servicio público o si se tratara de actividades de interés público sometidas a un régimen jurídico-administrativo especial, la actividad de cesación puede determinar que se estén violando las exigencias de la concesión o del régimen jurídico-administrativo de que se trate.

Titularidad del derecho a la huelga: las personas extranjeras —STC 259/2007, de 19 de diciembre—

La Sentencia resuelve el recurso de inconstitucionalidad interpuesto por el Letrado de la Junta de Andalucía contra diversos preceptos de la Ley Orgánica 8/2000, de 22 de diciembre, de reforma de la Ley Orgánica 4/2000, de 11 de enero, sobre derechos y libertades de los extranjeros en España y su integración social.

FJ 7. La autorización para trabajar a la que se refiere el precepto controvertido está regulada en el art. 36.1 de la Ley Orgánica 4/2000, el cual, en la redacción dada al mismo por la Ley Orgánica 14/2003, de 20 de noviembre, dispone que los extranjeros mayores de 16 años para ejercer cualquier actividad lucrativa, laboral o profesional precisarán de la correspondiente autorización administrativa previa para trabajar, autorización que habilitará al extranjero para residir durante el tiempo de su vigencia y que ha de ser solicitada por el empleador que pretenda contratar al trabajador extranjero. [...]

En nuestra jurisprudencia, desde la inicial STC 11/1981, de 8 de abril, hemos afirmado que la huelga «que como hecho consiste en la cesación o paro en el trabajo, es un derecho subjetivo del trabajador que simultáneamente se configura como un derecho fundamental constitucionalmente consagrado, en coherencia con la idea del Estado social y democrático de Derecho. Entre otras significaciones tiene la de legitimar medios de defensa a los intereses de grupos y estratos de la población socialmente dependientes, como instrumento de presión constitucionalmente reconocido que la experiencia secular ha mostrado ser necesario para la afirmación de los intereses de los trabajadores en los conflictos socioeconómicos, conflictos que el Estado social no puede excluir, pero a los que sí puede y debe proporcionar los adecuados cauces institucionales» (STC 123/1992, de 28 de septiembre, FJ 4). En esta misma Sentencia y fundamento jurídico también señalamos que: «Como cualquier otro derecho, el de huelga ha de moverse dentro de un perímetro que marcan, por una parte, su conexión o su oposición respecto de otros derechos con asiento en la Constitución, más o menos intensamente protegidos y, por la otra, los límites cuyo establecimiento se deja a la Ley, siempre que en ningún caso se llegue a negar o menoscabar su contenido esencial. Este, en principio, consiste en la cesación del trabajo en cualquiera de sus manifestaciones, núcleo que implica a su vez la facultad de declararse en huelga, estableciendo su causa, motivo y fin y la de elegir la modalidad que se considera más idónea al respecto, dentro de los tipos aceptados legalmente». La huelga puede tener por objeto reivindicar mejoras en las condiciones económicas, o, en general, en las condiciones de trabajo, y puede suponer también una protesta con repercusión en otras esferas o ámbitos.

Este derecho presenta una directa relación en su ejercicio con el derecho de libertad sindical consagrado en el art. 28.1 CE ya que, como señala la ya referida STC 11/1981 (FJ 11): «Define al derecho de huelga el ser un derecho atribuido a los trabajadores uti singuli, aunque tenga que ser ejercitado colectivamente mediante concierto o acuerdo entre ellos [...]». [...]

[...] [L]a dicción literal del art. 28.2 CE no realiza distinción alguna en cuanto a los sujetos titulares del derecho y tampoco lo hace el Real Decreto-ley 17/1997, de 4 de marzo, sobre relaciones de trabajo, sino que, coherentemente con su consideración de medio legítimo para la defensa de los intereses de los trabajadores, lo reconoce de manera general a todos ellos.

Ese concepto de trabajador, relevante para la determinación del ámbito subjetivo del derecho de huelga, ha de entenderse, en línea con lo que ya hemos afirmado en la STC 236/2007 (FJ 9) en relación con el derecho a la libertad sindical del trabajador extranjero, en su caracterización material, independientemente de la legalidad o ilegalidad de situación, de suerte que en ella ha de incluirse a todo aquel que presta sus servicios retribuidos por cuenta ajena y dentro del ámbito de organización y dirección de otra persona. Siendo ello así no resulta constitucionalmente admisible la exigencia de la situación de legalidad en España para el ejercicio del derecho de huelga por parte de los trabajadores extranjeros, aunque la anterior situación resulte exigible para la celebración válida de su contrato de trabajo [art. 38 de la Ley Orgánica 4/2000, y arts. 1.1 y 7 c) texto refundido de la Ley del estatuto de los trabajadores, aprobado Real Decreto Legislativo 1/1995, de 24 de marzo]. A mayor abundamiento debemos recordar que el propio párrafo segundo del apartado 3 del art. 36 de la misma Ley Orgánica 4/2000, en la redacción dada por el art. 1.29 de la Ley Orgánica 8/2000, sienta el criterio en cuya virtud la carencia de la correspondiente autorización para trabajar no invalida el contrato de trabajo respecto a los derechos del trabajador extranjero. De esta forma el propio legislador orgánico, con tal declaración de equiparación, pretende proteger los derechos del trabajador extranjero que, aun careciendo de autorización administrativa para trabajar, está efectivamente trabajando en nuestro país. Tales derechos no se atribuyen a la persona en razón de su nacionalidad o de la situación administrativa en la que puede encontrarse en un momento determinado, sino sólo por el hecho de ser trabajador. Entre esos derechos básicos se encuentra [art. 4.1 e) del Estatuto de los trabajadores] el de huelga. Por ello en relación con tal derecho ninguna duda puede caber respecto a que el mismo, de titularidad individual y ejercicio colectivo, se encuentra dentro de los medios legítimos para la defensa de los intereses de los trabajadores, concepto éste más amplio que el de derechos, de forma que no resulta constitucionalmente admisible que se prive al trabajador de una protección cuya razón de ser es la propia defensa de sus intereses.

Así pues la exclusión total del derecho de huelga de aquellos extranjeros que trabajen a pesar de carecer de la correspondiente autorización administrativa para ello —la cual, por lo demás, no están personalmente obligados a solicitar— no se compadece con el reconocimiento del derecho de huelga que proclama el art. 28.2 CE, interpretado conforme a la normativa internacional sobre este derecho ratificada por España, en particular el art. 8.1 d) PIDESC, en cuya virtud los Estados signatarios del Pacto han de garantizar el ejercicio del derecho de huelga, de forma que la regulación que se establezca deberá tener por objeto el ejercicio del derecho y no impedirlo a los trabajadores que prestan servicios retribuidos por cuenta ajena sin contar con los preceptivos permisos legales.

La concepción criticada no se corresponde con la titularidad del derecho fundamental ejercitable en la defensa de los intereses de los trabajadores, entre los que puede encontrarse la consecución de la plena regularidad de su situación administrativa. De ahí que no resulte absurdo, como alega el Abogado del Estado, reconocer este concreto derecho a los extranjeros no autorizados administrativamente para trabajar en España, quienes pueden ejercerlo para la defensa de sus intereses, entre los que puede encontrarse la regularidad de su situación, pese a la irregularidad de la misma. De esta forma la norma aquí controvertida no garantiza la debida protección de los intereses que, a través del reconocimiento constitucional del derecho de huelga, se tratan de satisfacer.

Titularidad del derecho a la huelga: la función pública y el personal civil dependiente de establecimientos militares —STC 11/1981, de 8 de abril (vid. supra)—

FJ 13. Sostiene el recurrente la inconstitucionalidad del Real Decreto-Ley 17/77 en la medida en que, según entiende, excluye del derecho de huelga a los funcionarios públicos. Para dar respuesta a esta cuestión debe observarse que la inconstitucionalidad que se pretende no resulta de una manera directa, pues no hay en el Real Decreto-Ley 17/77 norma expresa de exclusión o de prohibición. Tendría que ser una inconstitucionalidad indirecta, por derivación o deducción sin texto que declarar inconstitucional. Tampoco debe olvidarse que las personas ligadas con el Estado, con las Entidades Estatales Autónomas o con la Administración Institucional en virtud de contratos de trabajo no reciben en puridad la calificación de funcionarios y están por ello sometidos al Real Decreto-Ley 17/77. Por funcionarios hay que entender las personas que reciben esta designación en aplicación de las leyes generales del Derecho Administrativo.

El Real Decreto-Ley 17/77, según claramente resulta de su art. 1, regula el derecho de huelga en el ámbito de las relaciones laborales y este tipo de relaciones se encuentran en la actualidad delimitadas por las reglas del Estatuto de los Trabajadores, que expresamente excluyen (cfr. art. 1.3 a), «la relación de servicio de los funcionarios públicos» y la del personal al servicio del Estado, las Corporaciones Locales y las entidades públicas autónomas, cuando, al amparo de una Ley, dicha relación se regule por normas administrativas o estatutarias.

Lo anterior significa que el eventual derecho de huelga de los funcionarios públicos no está regulado —y por consiguiente, tampoco prohibido por el Real Decreto-Ley 17/77. Si no hay regulación —y tampoco prohibición— mal puede hablarse de inconstitucionalidad por esta causa.

FJ 25. Pretende el recurso que se declare la inconstitucionalidad de la Disposición adicional primera del Real Decreto-Ley 17/77, que dice así: «Lo dispuesto en el presente Real Decreto-Ley en materia de huelgas no es de aplicación al personal civil dependiente de establecimientos militares.» La primera consideración que la pretensión de inconstitucionalidad dirigida contra ese texto, sin especial argumentación, nos sugiere, es la misma que con anterioridad se ha hecho respecto de algunas otras reglas de carácter negativo: que una norma que se limita a señalar los casos a los que un cuerpo de normas no es aplicable, no puede por sí sola ser inconstitucional, pues el hecho de que unas normas que hay que considerar especiales no se apliquen en un determinado caso, no es contrario a la Constitución. La cuestión sobre la constitucionalidad o inconstitucionalidad sólo tendría sentido relacionando esa norma con alguna otra, de manera que del juego conjunto de ambas pudiera extraerse alguna conclusión normativa. Mas ello es algo que fuerza necesariamente a la deducción y a una deducción que coincide necesariamente con el contexto que rodea al texto cuestionado. En 1977, las únicas huelgas lícitas eran aquellas a las que se aplicaba el Real Decreto-Ley. Es claro por ello que la disposición adicional primera tenía un valor prohibitivo. Sin embargo, tras la promulgación del art. 28 de la Constitución la exclusión de la aplicación de una normativa concreta, en modo alguno tiene ese sentido. Se debe observar, finalmente, que no puede confundirse establecimiento militar con Administración militar. No es discutible que el personal sometido a relaciones laborales ligado en virtud de ellas con una empresa pública o con la Administración, ostenta el derecho de huelga. Este derecho debe ponerse en conexión con las diferentes categorías de trabajadores de este ramo que las normas reglamentarias establecen hoy en orden a su sindicación y, debe, además, como es lógico entenderse sin perjuicio de que en casos concretos pueda entenderse que los servicios que presta ese personal son servicios esenciales, de manera que, en tales casos, el derecho de huelga puede quedar limitado en virtud de las medidas de intervención requeridas para su mantenimiento.

Derecho a la huelga y conflicto colectivo —STC 11/1981, de 8 de abril (vid. supra)—

FJ 22. El recurso plantea —y no hay más remedio que afrontarlo— el problema de las relaciones entre el art. 28 y el art. 37 de la Constitución. [...] Parece prima facie que la huelga es una de las posibles medidas de conflicto colectivo. Se hace necesario por ello establecer las relaciones entre los dos artículos y el campo de aplicación de uno y de otro. Para resolver este difícil problema algunos comentaristas entienden que hay una innecesaria reiteración parcial que se produce entre ambos preceptos. Sin embargo, la tesis del art. 37 como parcialmente reiterativo del 28, no es, a nuestro juicio, correcta. De la amplia discusión de ambos preceptos, en el momento de elaborarse el texto constitucional, se extrae la indudable consecuencia de que el constituyente quiso separar el derecho de huelga del resto de las posibles medidas de conflicto. Además de ello, se ha recordado siempre, al hacer el comentario de los dos preceptos que el primero de ellos se encuentra dentro de la Sección 1.ª del Capítulo Segundo, que versa sobre los derechos y libertades, mientras que el segundo se encuentra en la Sección 2.ª del Capítulo Segundo, que habla simplemente de los derechos de los ciudadanos. Esta colocación sistemática comporta evidentes consecuencias en cuanto al futuro régimen jurídico de uno y otro derecho, el de huelga del art. 28 y el de adopción de medidas de conflicto del art. 37. Así, es claro, que el primero de ellos, en cuanto contenido en la Sección 1.ª del Capítulo Segundo, está garantizado con la reserva de ley orgánica, admite la tutela de los tribunales ordinarios por el procedimiento de preferencia y sumariedad de que habla el art. 53 y el recurso de amparo ante este Tribunal. A más de ello el constituyente consideró la huelga como uno de los derechos fundamentales, mientras que el derecho de adopción de medidas de conflicto es un derecho sin aquella categoría. De todo este planteamiento se desprende que debe rechazarse la tesis de la reiteración parcial y que hay que propugnar la separación entre ambos preceptos, que se produce, con claridad, desde el punto de vista de los trabajadores y consiste básicamente en que: a) el art. 37 les faculta para otras medidas de conflicto distintas de la huelga, de manera que la huelga no es la única medida de conflicto, y b) el art. 28 no liga necesariamente la huelga con el conflicto colectivo. Es verdad que toda huelga se encuentra muy estrechamente unida a un conflicto colectivo, pero en la configuración del art. 28 la huelga no es un derecho derivado del conflicto colectivo, sino que es un derecho de carácter autónomo. Además, las limitaciones que el art. 37 permite son mayores que las que permite el art. 28, ya que literalmente menciona las limitaciones que la ley puede establecer.

El hecho de situar en planos distintos las medidas de conflicto colectivo (art. 37) y el derecho de huelga (art. 28), destacando éste y haciéndolo autónomo respecto de aquéllas, permite concluir que la Constitución española y, por consiguiente, el ordenamiento jurídico de nuestro país no se funda en el principio que con expresión alemana se conoce como de la Waffengleichheit, también llamado de la Kampfparität, esto es, de la igualdad de armas, de la paridad en la lucha, de la igualdad de trato o del paralelo entre las medidas de conflicto nacidas en campo obrero y las que tienen su origen en el sector empresarial. Frente a esta pretendida equiparación, se ha señalado, con acierto, que hay muy sensibles diferencias entre los tipos de cesación o de perturbación del trabajo que pueden tener su origen en uno u otro sector. En particular, esta cuestión se plantea —y en el recurso se suscita de manera directa— respecto del «lock-out» que entre nosotros se suele conocer en la actualidad con el nombre de cierre patronal. El paralelo entre ambas prácticas ha tratado de establecerse viendo en el cierre o «lock-out» una huelga de patronos. Sin embargo, como decíamos, las diferencias entre una y otra figura son importantes y, de ellas se deduce que el régimen jurídico de una y otra figura debe ser distinto. Esta ha sido sin duda la idea básica del constituyente español, que ha reconocido la huelga como un derecho fundamental autónomo en el art. 28, mientras que ha incluido el «lock-out» entre las medidas generales de conflicto en el art. 37.

El fundamento de esta línea, como hemos repetido, radica en que las diferencias entre una y otra figura son muy grandes y rompen toda posibilidad de paralelo. La primera diferencia se refiere a la libertad de trabajo. Huelguistas son aquellos asalariados que han decidido libremente participar en el movimiento reivindicativo, o, si se prefiere decirlo así, en la situación de conflicto. Frente a ello, la decisión de cierre afecta no sólo al personal conflictivo, sino también al personal pacífico, cuyos derechos y cuya libertad resultan gravemente lesionados.

Contra la equiparación entre huelga y cierre patronal se puede decir que el paralelo corresponde a la época en que uno y otro se encontraban prohibidos. Es cierto que ambas son formas de coacción, pero no hay identificación funcional de ambos términos. El cierre no es una «huelga de patronos». Su práctica sólo reviste significación colectiva por la pluralidad de trabajadores afectados. En el cierre no hay reivindicación, sino defensa.

Las diferencias son también muy notorias en lo que se refiere al fundamento de una y otra figura. Como se ha dicho acertadamente, la huelga es un «contrapeso», que tiene por objeto permitir que las personas en estado de dependencia salarial establezcan una nueva relación de fuerzas en un sentido más favorable para ellas. Tiende a restablecer el equilibrio entre partes de fuerza económica desigual. En cambio, «lock-out» es una mayor dosis de poder que se otorga a una persona que tenía poder ya desde antes. He aquí por qué el régimen jurídico no puede ser idéntico. Además de ello, se puede señalar que, en ocasiones el «lock-out» es una retorsión, que se utiliza como sanción de la huelga después de que ésta ha acabado. Por ejemplo, si después de una huelga de diez días el patrono cerrara cinco. En este caso, en la medida en que se está sancionando económicamente (con la pérdida de unos salarios) el haber hecho huelga o el haber participado en ella, el resultado es jurídicamente inadmisible, porque la utilización de un derecho constitucional no puede nunca ser objeto de sanción. Lo mismo ocurre cuando el «lock-out» se utiliza como medida por virtud de la cual el empresario trata de hacer inefectiva la decisión de los huelguistas de poner fin a la huelga y volver al trabajo. De aquí se puede extraer la conclusión de que en todos aquellos casos en que el «lock-out» o cierre patronal vacía de contenido el derecho constitucional de hacer huelga o se alza como barrera que lo impide, el «lock-out» no puede considerarse como lícito, porque un simple derecho cívico impide un derecho fundamental. No puede decirse lo mismo en aquellos casos en que el poder de cierre se le otorga al empresario como lo que se puede llamar un poder de policía. Se entiende que el empresario tiene un poder de policía y un deber de asegurar el orden dentro de su empresa, cuando puede crearse una situación de peligro para la vida, la integridad física, las instalaciones o los bienes por la desorganización que las medidas de conflicto adoptadas por los trabajadores conllevan. De esta suerte se puede llegar a la conclusión de que no es contrario a nuestra Constitución el poder de cierre patronal como poder de policía para asegurar la integridad de personas y de bienes, siempre que exista una decidida voluntad de apertura del establecimiento una vez desaparecido el riesgo y que es contrario a la Constitución todo tipo de cierre que vacíe de contenido o impida el derecho de huelga. Apurando todavía más la argumentación, se puede llegar a la conclusión de que la potestad de cierre de los empresarios reconocida en el art. 12 del Real Decreto-Ley 17/77, no es inconstitucional si se entiende como ejercicio de un poder de policía del empresario dirigido exclusivamente a preservar la integridad de las personas, los bienes y las instalaciones y limitado al tiempo necesario para remover tales causas y para asegurar la reanudación de la actividad, como dice el art. 13[19].

Limites del derecho de huelga: las huelgas abusivas, contractuales y de solidaridad —STC 11/1981, de 8 de abril (*vid. supra*)—

FJ 10. […] Las anteriores premisas permiten afrontar el problema del art. 7.2 respecto de las llamadas huelgas rotatorias, huelgas de servicios estratégicos y huelgas de celo o reglamento. Antes de nada convendrá hacer una observación para desvanecer algunos de los equívocos que al respecto se pueden producir. Estas huelgas no se encuentran comprendidas en la enumeración que el art. 11 hace de las huelgas ilegales. El art. 7.2 se limita a decir que «se considerarán actos ilícitos o abusivos». La expresión textual del legislador deja en claro que lo que en el precepto hay es una presunción iuris tantum de abuso del derecho de huelga. Esto significa que quien pretenda extraer las consecuencias de la ilicitud o del carácter abusivo podrá ampararse en la presunción, pero significa también que la presunción, como todas las de este tipo, admite la prueba en contrario. Por consiguiente, los huelguistas que utilizaren tal modalidad o tipo, podrán probar que en su caso la utilización no fue abusiva. Es esta una cuestión que, obviamente, habrá de quedar a la decisión de los tribunales de justicia y, en su caso, a la de este Tribunal a través de la vía del recurso de amparo.

Para terminar de esclarecer la cuestión propuesta convendrá puntualizar la medida en que los mencionados tipos de huelga pueden ser en ocasiones abusivos. Para comprenderlo debidamente no debe perderse de vista que en el ordenamiento jurídico español actual la huelga es un derecho subjetivo, lo cual significa que la relación jurídica de trabajo se mantiene y queda en suspenso, con suspensión del derecho de salario. Significa, sin embargo, más cosas, como son que el empresario no puede sustituir a los huelguistas por otros trabajadores (cfr. art. 6.5) y significa también que el empresario tiene limitado el poder de cierre, como se desprende del art. 12 y de lo que más adelante diremos. El derecho de los huelguistas es un derecho de incumplir transitoriamente el contrato, pero es también un derecho a limitar la libertad del empresario. Exige por ello una proporcionalidad y unos sacrificios mutuos, que hacen que cuando tales exigencias no se observen, las huelgas puedan considerarse como abusivas. Al lado de las limitaciones que la huelga introduce en la libertad personal del empresario se encuentra el influjo que puede ejercer en los trabajadores que no quieran sumarse a la huelga (cfr. art. 6.4) y la incidencia que tiene en los terceros, usuarios de los servicios de la empresa y público en general, a quienes no deben imponerse más gravámenes o molestias que aquéllos que sean necesarios. En este sentido puede considerarse que existe abuso en aquellas huelgas que consiguen la ineludible participación en el plan huelguístico de los trabajadores no huelguistas, de manera que el concierto de unos pocos extiende la huelga a todos. Ocurre así singularmente en lo que el art. 7.2 llama huelgas de trabajadores que prestan servicios en sectores estratégicos, pues la propia Ley aclara que es un elemento del tipo la finalidad de interrumpir el proceso o imponer la cesación a todos por decisión de unos pocos.

El abuso se puede cometer también cuando a la perturbación de la producción que la huelga acarrea se la dota de un efecto multiplicador, de manera que la huelga desencadena una desorganización de los elementos de la empresa y de su capacidad productiva que sólo puede ser superada mucho tiempo después de que la huelga haya cesado. Así, una huelga de duración formal escasa consigue prolongar sus efectos en el tiempo, posee una duración sustancial muy superior y exige del empresario el costo adicional de la reorganización. El abuso del derecho de huelga puede finalmente consistir en disminuir formal y aparentemente el número de personas que están en huelga, disminuyendo el número de personas sin derecho a la contraprestación o al salario, es decir, los huelguistas reales simulan no serlo. Este elemento de simulación es contrario al deber mutuo de lealtad y de honradez que la huelga no hace desaparecer[20].

---

[19]   En material de negociación colectiva, *vid.* el FJ 25 sobre la inconstitucionalidad parcial, por contradicción con el artículo 37 CE, de la regulación que el Decreto-Ley hace de los laudos de obligado cumplimiento.

[20]   La «huelga en días alternos […] o más en general la huelga intermitente, no aparece expresamente citada entre aquellas que el art. 7.2 del Real Decreto-ley 17/1977, de 4 de marzo, considera como actos ilícitos o abusivos, y en consecuencia no les alcanza la presunción de abuso de derecho». Ello cual «no obsta, como es claro, a la potestad del Juez o Tribunal para valorar la prueba producida en el proceso y declarar los hechos probados. Pero impide que, en ausencia de conformidad sobre los hechos o de prueba, la presunción iuris tantum de licitud de la huelga deje de operar en perjuicio de los trabajadores, dado

FJ 14. Entiende el recurrente que el legislador de 1977, dentro del extenso campo de posibilidades o de modalidades que el fenómeno de la huelga permite, ha seleccionado una sola de ellas, que es la llamada «huelga contractual», para constituirla en modelo exclusivo de la regulación legal, lo que contrasta, a su juicio, con la amplitud del texto de la Constitución que no impone modelo alguno. Se entiende por huelga contractual aquella que se desencadena o produce en el momento de la negociación de los convenios colectivos con el fin de presionar en favor de los mismos, de modo que la huelga es un instrumento del convenio. Que en alguna medida es posible que los autores del Real Decreto-Ley 17/77 pudieran tener presente ese modelo es algo que parece desprenderse del apartado c) del art. 11, de acuerdo con el cual es ilegal la huelga que tenga por objeto alterar lo pactado en un convenio colectivo dentro del período de vigencia del mismo, precepto que coincide con el art. 20 que no permite plantear un conflicto colectivo para alterar lo pactado en un convenio y con el art. 8 que permite la renuncia del derecho de huelga siempre que la renuncia se haga en convenio colectivo. Finalmente, puede citarse el art. 8 que otorga a la negociación que pone fin a una huelga el mismo rango y el mismo valor que al convenio. La huelga es un instrumento puesto al servicio de la negociación colectiva que sólo puede ejercerse cuando, tras la pérdida de vigencia de un convenio o en el período inmediatamente anterior, se hace necesario negociar un nuevo convenio. Complementaria de esta idea es la de que el período de vigencia de un convenio colectivo es un período de paz laboral, con la consecuencia práctica de que el período de negociación de convenios es el de efervescencia conflictual. Sin embargo, no es posible entender tan estrictamente las normas del Real Decreto-Ley 17/77. El Real Decreto-Ley no establece una necesaria vinculación entre huelga y convenio colectivo, ni entre fase conflictual —negociación del convenio y fase de vigencia del convenio— paz laboral. Es cierto que el art. 11 no permite la huelga para alterar lo pactado en un convenio durante la vigencia del mismo. Sin embargo, nada impide la huelga durante el período de vigencia del convenio colectivo cuando la finalidad de la huelga no sea estrictamente la de alterar el convenio, como puede ser reclamar una interpretación del mismo o exigir reivindicaciones que no impliquen modificación del convenio. Por otro lado, es posible reclamar una alteración del convenio en aquellos casos en que éste haya sido incumplido por la parte empresarial o se haya producido un cambio absoluto y radical de las circunstancias, que permitan aplicar la llamada cláusula rebus sic stantibus. El apartado 1.º del art. 8 permite que se establezca en un convenio colectivo la renuncia al derecho de huelga durante la vigencia del mismo. Este precepto debe ser esclarecido y, una vez llevado a cabo tal esclarecimiento, no puede, como se verá, considerarse que es inconstitucional.

[…] Por mucho que el apartado 1.º del art. 8 hable de «renuncia», es claro que no estamos en presencia de una genuina renuncia. Y ello por dos tipos de razones: porque la renuncia es siempre un acto definitivo e irrevocable y la llamada «renuncia» del apartado 1.º del art. 8 es sólo temporal y transitoria (durante la vigencia del convenio) y no afecta al derecho en sí mismo, sino sólo a su ejercicio, de manera que no hay extinción del derecho, sino compromiso de no ejercitarlo, que entraña una pura obligación, que puede incumplirse arrostrando las consecuencias del incumplimiento. Cuando el compromiso de no ejercitar el derecho se establece obteniendo a cambio determinadas compensaciones, no se puede decir que un pacto como éste, que es un pacto de paz laboral, sea ilícito y menos aún contrario a la Constitución.

FJ 21. El apartado b) del art. 11 del Real Decreto-Ley 17/77 considera ilegales las huelgas de solidaridad o de apoyo y el recurso denuncia la inconstitucionalidad de esta norma. La ilegalidad de una huelga de solidaridad puede sostenerse en términos abstractos partiendo de la idea de que la infracción del contrato de trabajo, en que la huelga consiste siempre, y el consiguiente incumplimiento de las obligaciones, sólo se justifican cuando el huelguista incumplidor lo realiza para defender reivindicaciones que atañen a su propia relación de trabajo con el patrono y que éste puede atender. La admisión de las huelgas de solidaridad permite la extensión indefinida de los conflictos y la intervención en los mismos cada vez de más personas que no son los sujetos efectivos del conflicto. En la Constitución de nuestro país una posición semejante podría tener un apoyo literal en el art. 28.2 cuando dice que se reconoce el derecho a la huelga de los trabajadores para la defensa de sus intereses. El precepto permite concluir que los intereses defendidos mediante la huelga tienen que ser intereses de los huelguistas.

---

además que la carga de probar la existencia de los elementos fácticos de la huelga abusiva corresponde al empresario. Por otra parte a los efectos de tal calificación no basta con que la huelga origine un daño a la empresa, sino que es preciso que el daño sea grave y haya sido buscado por los huelguistas más allá de lo que es razonablemente requerido por la propia actividad conflictiva y por las exigencias inherentes a la presión que la huelga necesariamente implica» (STC 72/1982, de 2 de diciembre, FJ 4).

[...] Sin embargo, cabe entender que cuando el art. 28 habla de huelga de trabajadores, lo hace para excluir de la protección constitucional las huelgas de otro tipo de personas, como son pequeños empresarios, trabajadores autónomos y otros similares, más los intereses defendidos mediante la huelga no tienen que ser necesariamente los intereses de los huelguistas, sino los intereses de la categoría de los trabajadores. Por otra parte, no puede discutirse que los trabajadores huelguistas pueden tener un interés que les haga solidarios con otros trabajadores. El hecho mismo de la huelga sindical obliga a reconocer la huelga convocada por un sindicato en defensa de las reivindicaciones que el sindicato considere como decisivas en un momento dado, entre las que puede encontrarse la solidaridad entre los miembros del sindicato.

El apartado b) del art. 11 del Real Decreto-Ley 17/77, no obstante, su redacción gramatical, permite las huelgas de solidaridad cuando la solidaridad está fundada directamente en intereses profesionales de quienes la promuevan o sostengan. La exigencia de que la incidencia del interés profesional sea directa restringe el contenido esencial del derecho e impone que esta expresión adverbial sea considerada como inconstitucional.

FJ 26. Ataca el recurso la disposición adicional cuarta del Real Decreto-Ley, que dio una nueva redacción al art. 222 del Código Penal, considerando como reos de delito a los funcionarios encargados de la prestación de servicios públicos, así como a los patronos y obreros que con el fin de atentar contra la seguridad del Estado suspendan o alteren la regularidad en el trabajo.

El tipo delictivo dibujado no puede considerarse como inconstitucional si se tiene en cuenta que lo que se penaliza es un ataque contra la seguridad del Estado, esto es, tiene por finalidad la preservación del funcionamiento del orden constitucional, el libre desarrollo de los órganos del Estado y el ejercicio pacífico de los derechos y de las libertades ciudadanas. Los delitos contra el Estado, al que atacan en cuanto entidad soberana y como estructura de la vida jurídico-política de la sociedad, son, incuestionablemente, delitos cuya producción requiere un dolo específico, que es la voluntad de subvertir la seguridad del Estado o, como también se ha dicho, delitos de tendencia, según ha puesto de manifiesto una constante y reiterada doctrina de los tribunales. En estos términos, la constitucionalidad del tipo delictivo no puede ser cuestionada.

Condiciones para el ejercicio del derecho a la huelga —STC 11/1981, de 8 de abril (*vid. supra*)[21]—

FJ 15. El ejercicio del derecho de huelga puede quedar sometido en virtud de la ley a procedimientos o a algún tipo de formalismos o de formalidades, porque el art. 53 de la CE permite que el legislador regule las «condiciones de ejercicio» de los derechos fundamentales. Mas es preciso que el procedimiento y los formalismos no sean arbitrarios, tengan por objeto, como más arriba se dijo, proteger otros bienes e intereses constitucionalmente protegidos y que no sean tan rígidos o difíciles de cumplir que en la práctica hagan imposible el ejercicio del derecho. [...]

a) La necesidad de preaviso la establece el Real Decreto-Ley 17/77 en el art. 3 y la refuerza en los casos de huelgas que afecten a los servicios públicos. Es consecuencia del carácter de instrumento de negociación que la huelga tiene. Antes de que la huelga comience, debe darse a la otra parte la oportunidad de atender las demandas de los huelguistas o establecer con ellos una transacción para evitar la huelga. En el caso de huelgas de servicios públicos, el preaviso tiene por finalidad también advertir a los usuarios y permitirles la adopción de las medidas necesarias para que puedan prevenir a sus propias necesidades. Las huelgas por sorpresa y sin aviso pueden, en ocasiones, ser abusivas y la exigencia del preaviso no priva al ejercicio del derecho de su contenido esencial, siempre que los plazos que el legislador imponga sean plazos razonables y no excesivos. Debe observarse finalmente que estarán exentos de la obligación de cumplir el preaviso los casos en que así lo impongan una notoria fuerza mayor o un estado de necesidad, que tendrán que probar quienes por tal razón no cumplieran su obligación previa. Que el preaviso por sí solo no sobrepasa el contenido esencial del derecho lo pone de manifiesto el hecho de que algunas formas de ejercicio del derecho de reunión en lugares públicos requieran un preaviso a la autoridad gubernativa sin que por ello se pueda decir que el derecho quede vacío de contenido o que se sobrepase su contenido esencial.

b) Otro tema distinto es el de la exigencia de referéndum obligatorio y previo entre los eventuales huelguistas, que se exige que se adopte en cada centro de trabajo. La exigencia del Real Decreto-Ley es doble.

Ante todo, localiza cada huelga en cada centro de trabajo, de manera que el sistema que resulta es huelga por centro de trabajo. Por decirlo de algún modo, las huelgas intercentros serían sólo una suma de las huelgas parciales de cada

---

21   La STC 26/1986, de 19 de febrero, declaró inconstitucionales las «Instrucciones en relación con el ejercicio del derecho de huelga del personal laboral dependiente de la Administración militar».

centro. La exigencia de la declaración de huelga centro por centro no tiene verdadera justificación y no tiene más sentido que el de buscar medios de limitación, en lo posible, de los conflictos, especialmente en aquellos casos en que se presume —y estos casos no serán infrecuentes— que la decisión de huelga puede ser más fácil en unos centros que en otros.

Sin embargo, el requisito de mayor importancia, en este punto, es el referéndum obligatorio. [...] [L]a exigencia de un referéndum, especialmente en aquellos casos en que el quórum se refuerza, es una manera de ahogar el nacimiento de la huelga y constituye una importante limitación a este derecho. Por otra parte, parece bastante claro que el referéndum sólo tendría sentido si la voluntad de la mayoría se impusiera necesariamente a la minoría de los no huelguistas de acuerdo con los principios democráticos. Esta conclusión no es, sin embargo, coherente con la libertad y el derecho al trabajo que la Constitución y la legislación reconocen, porque si la huelga es, como ya se ha dicho, un derecho de carácter individual (aunque de ejercicio colectivo) es claro que no puede ser al mismo tiempo una obligación.

Por ello, hay que estimar que el referéndum previo carece de justificación, opera como una pura medida impeditiva del derecho que va más allá del contenido esencial y debe por ello considerarse inconstitucional.

FJ 17. El art. 7 del Real Decreto-Ley 17/77 prohíbe que los trabajadores huelguistas ocupen los centros de trabajo o cualquier dependencia de ellos. [...] Ante todo, hay que decir que la interdicción de ocupación de locales y de dependencias no puede entenderse como regla impeditiva del derecho de reunión de los trabajadores, necesario para el desenvolvimiento del derecho de huelga y para la solución de la misma. Es éste un derecho que debe quedar claramente preservado y su ejercicio llevarse a cabo de acuerdo con las correspondientes normas del Estatuto de los Trabajadores. Hay que decir también que la ocupación de locales y dependencias se torna ilícita cuando con ella se vulnera el derecho de libertad de otras personas (verbigracia, de los trabajadores no huelguistas) o el derecho sobre las instalaciones y los bienes. En todos los casos en que exista notorio peligro de violación de otros derechos o de producción de desórdenes, la interdicción de permanencia en los locales puede decretarse como medida de policía. Conviene, asimismo, llamar la atención en el sentido de que el art. 7 debe ser objeto de una interpretación restrictiva. Por ocupación hay que entender un ilegal ingreso en los locales o una ilegal negativa de desalojo frente a una legítima orden de abandono, pero no, en cambio, la simple permanencia en los puestos de trabajo.

La interdicción de la ocupación de locales no está, por sí sola, fundada en el derecho de propiedad, pues es claro que este derecho no resulta en ningún modo desconocido. Tampoco modifica la anterior situación posesoria, pues la posesión ejercitada por medio del poseedor inmediato no resulta modificada.

Todo lo anterior quiere decir que, fuera de los casos en que es una decisión aconsejada por la preservación del orden, la interdicción de la ocupación de locales no encuentra una clara justificación. Sin embargo, queda dentro del marco de libre acción del legislador y no puede decirse que, en la medida en que no impida la modalidad de huelga lícitamente elegida o el ejercicio de otro derecho como el de reunión, sea inconstitucional.

FJ 18. El art. 28 de la CE es muy claro en el sentido de que, la ley ha de establecer las garantías precisas para asegurar en caso de huelga el mantenimiento de los servicios esenciales de la comunidad. Esta idea se reitera en el art. 37, cuando dicho precepto alude al derecho de adoptar medidas de conflicto colectivo. Se habla allí de garantías precisas para asegurar el funcionamiento de los servicios esenciales de la comunidad, con una fórmula que es literalmente idéntica a la del art. 28.2. Uno y otro precepto significan que el derecho de los trabajadores de defender sus intereses mediante la utilización de un instrumento de presión en el proceso de producción de bienes o servicios, cede cuando con ello se ocasiona o se puede ocasionar un mal más grave que el que los huelguistas experimentarían si su reivindicación o pretensión no tuviera éxito. Es claro que ocurre así cuando se impide o se obstaculiza gravemente el funcionamiento de lo que la Constitución llama «servicios esenciales de la comunidad». En la medida en que la destinataria y acreedora de tales servicios es la comunidad entera y los servicios son al mismo tiempo esenciales para ella, la huelga no puede imponer el sacrificio de los intereses de los destinatarios de los servicios esenciales. El derecho de la comunidad a estas prestaciones vitales es prioritario respecto del derecho a la huelga. El límite de este último derecho tiene plena justificación y por el hecho de establecerse tal límite no se viola el contenido esencial del derecho. [...] No parece necesario definir ahora de forma detallada qué haya de entenderse por servicios esenciales. En una primera aproximación, como la que en esta Sentencia se hace, al art. 28 de la CE, la interpretación de esta fórmula tendría que ser necesariamente inconcreta. Es, por ello, más adecuado que el Tribunal vaya haciendo los correspondientes pronunciamientos respecto de cada uno de los supuestos especiales que se pueden plantear en el futuro a través de los correspondientes recursos de amparo.

Problema distinto es el relativo a puntualizar lo que ha de entenderse por garantías de funcionamiento. El recurso ofrece como respuesta la de que las medidas o garantías de aseguramiento de los servicios esenciales deben quedar al arbitrio de los huelguistas fundándolo en un supuesto principio de autotutela. Esta tesis no parece que tenga real apoyo, pues es difícil que los mismos interesados puedan ser juez y parte. [...] De aquí puede extraerse la conclusión de que la decisión sobre la adopción de las garantías de funcionamiento de los servicios no puede ponerse en manos de ninguna de las partes implicadas, sino que debe ser sometida a un tercero imparcial. De este modo, atribuir a la autoridad gubernativa la potestad para establecer las medidas necesarias para asegurar el funcionamiento de los servicios mínimos no es inconstitucional, en la medida en que ello entra de lleno dentro de las previsiones del art. 28.2 de la CE y además es la manera más lógica de cumplir con el precepto constitucional. La autoridad gubernativa se encuentra —ello es obvio— limitada en el ejercicio de esta potestad. Son varios los límites con los que se topa. Ante todo, la imposibilidad de que las garantías en cuestión vacíen de contenido el derecho de huelga o rebasen la idea de contenido esencial; y, después, en el orden formal, la posibilidad» de entablar contra las decisiones la acción de tutela jurisdiccional de derechos y libertades públicas y el recurso de amparo ante este Tribunal. [...]

FJ 19. [...] [E]l Real Decreto-Ley impugnado otorga al Gobierno [una extraordinaria potestad] para imponer la reanudación del trabajo (cfr. art. 10) [...] [con] unos presupuestos muy especiales: una duración muy prolongada de la huelga, unas posiciones de las partes excesivamente distantes o inconciliables y un perjuicio grave para la economía nacional. [...] [L]a mayor o menor duración del conflicto y la comparación de las respectivas posiciones de las partes (más o menos distantes; más o menos alejadas de una posible conciliación) [...] [en] ningún caso pueden servir de obstáculo a la subsistencia del ejercicio de un derecho, que ha sido declarado fundamental y de carácter básico por la Constitución. La fórmula «perjuicio grave de la economía nacional» tampoco puede obstar al derecho en examen. Es un concepto indeterminado que no concreta cuáles son los intereses a los que el derecho debe quedar sacrificado. Su supuesto de hecho queda en total inconcreción y ofrece un evidente margen a la arbitrariedad. Si la huelga es un instrumento de reivindicación social elevado al rango de derecho fundamental, no es nunca su ejercicio por sí solo la única causa que ocasiona el perjuicio grave, si no otras acciones u omisiones concurrentes con él.

No puede decirse lo mismo de la facultad que se le reconoce al gobierno de instituir un arbitraje obligatorio como vía de terminación de la huelga. No por ser obligatorio deja de ser verdadero arbitraje siempre que se garanticen las condiciones de imparcialidad del árbitro y es medio idóneo de solución posible en tan excepcionales casos como los que el precepto describe.

FJ 20. El apartado 7 del art. 6 del Real Decreto-Ley 17/77 dice literalmente que: «... el comité de huelga habrá de garantizar durante la misma la prestación de los servicios necesarios para la seguridad de las personas y de las cosas, mantenimiento de los locales, maquinaria, instalaciones, materias primas y cualquier otra atención que fuese precisa para la ulterior reanudación de las tareas de la empresa.» Añade el precepto que «corresponde al empresario la designación de los trabajadores que deban efectuar dichos servicios».

[...] Que no obstante la huelga deben adoptarse medidas de seguridad de las personas, en los casos en que tales medidas sean necesarias, y medidas de mantenimiento y preservación de los locales, de la maquinaria, de las instalaciones o materias primas, con el fin de que el trabajo pueda reanudarse sin dificultad tan pronto como se ponga fin a la huelga, es algo que no ofrece seria duda. La huelga es un derecho de hacer presión sobre el empresario colocándose los trabajadores fuera del contrato de trabajo, pero no es, ni debe ser en momento alguno, una vía para producir daños o deterioros en los bienes de capital. Las medidas de seguridad corresponden a la potestad del empresario, no tanto en atención a su condición de propietario de los bienes, cuanto en atención a su propia condición de empresario y, en virtud de ello, como consecuencia de las facultades de policía de que en el seno de la empresa está investido. La ejecución de las medidas de seguridad compete a los propios trabajadores y es éste uno de los sacrificios que el ejercicio responsable del derecho a la huelga les impone, pues es claro que no es el de huelga un derecho que pueda ejercitarse sin contrapartida. [...]

Sobre el establecimiento de servicios mínimos esenciales —STC 183/2006, de 19 de junio[22]—

La Sentencia resuelve el recurso de amparo promovido por la Federación de Servicios de la Unión General de Trabajadores (FES-UGT), contra el art. 3 a) y b) del Real Decreto 531/2002, de 14 de junio, por el que se establecen las

---

22   *Vid.* también las SSTC 184/2006, de 19 de junio; 193/2006, de 19 de junio.

normas para fijar el funcionamiento de los servicios mínimos esenciales en el ámbito de la gestión indirecta de los servicios públicos esenciales de radiodifusión sonora y de televisión, bajo competencia del Estado, y contra la Sentencia de 17 de enero de 2003, de la Sala de lo Contencioso-Administrativa del Tribunal Supremo, Sección Séptima, que desestimó el recurso contencioso-administrativo contra el citado Real Decreto.

FJ 3. El análisis de la cuestión suscitada ha de partir de la doctrina sentada por este Tribunal acerca del ejercicio del derecho de huelga y, en particular, de las limitaciones que pueden imponerse al mismo en orden a asegurar el mantenimiento de los servicios esenciales de la comunidad (SSTC 11/1981, de 8 de abril, FFJJ 7, 9 y 18; 26/1981, de 17 de julio, FFJJ 10, 14, 15 y 16; 33/1981, de 5 de noviembre, FJ 4; 51/1986, de 24 de abril, FFJJ 2, 4 y 5; 53/1986, de 5 de mayo, FFJJ 2, 3, 6 y 7; 27/1989, de 3 de febrero, FJ 1; 43/1990, de 15 de marzo, FJ 5; 122/1990, de 2 de julio, FJ 3; 123/1990, de 2 de julio, FJ 4; 8/1992, de 16 de enero, FJ 2; 148/1993, de 29 de abril, FJ 5), destacando en lo que ahora importa los siguientes aspectos:

a) El derecho de huelga puede experimentar limitaciones o restricciones en su ejercicio derivadas de su conexión con otros derechos o bienes constitucionalmente protegidos, aunque nunca podrán rebasar su contenido esencial, hacerlo impracticable, obstruirlo más allá de lo razonable o despojarlo de la necesaria protección. Una de esas limitaciones, expresamente previstas en la Constitución, procede de la necesidad de garantizar los servicios esenciales de la comunidad (SSTC 11/1981, de 8 de abril, FFJJ 7, 9 y 18; 51/1986, de 24 de abril, FJ 2; 53/1986, de 5 de mayo, FJ 3; 27/1989, de 3 de febrero, FJ 1; 43/1990, de 15 de marzo, FJ 5 a); 148/1993, de 29 de abril, FJ 5).

b) Antes que determinadas actividades industriales y mercantiles de las que derivarían prestaciones vitales y necesarias para la vida de la comunidad la noción de servicios esenciales hace referencia a la naturaleza de los intereses a cuya satisfacción la prestación se dirige, conectándose con los derechos fundamentales, las libertades públicas y los bienes constitucionalmente protegidos. Esta última óptica, que pone el acento en los bienes e intereses de la persona, y no la primera, que se mantiene en la superficie de la necesidad de las organizaciones dedicadas a llevar a cabo las actividades, es la que mejor concuerda con los principios que inspiran nuestra Constitución. Con la consecuencia de que, a priori, no existe ningún tipo de actividad productiva que, en sí mismo, pueda ser considerado como esencial. Solo lo será en aquellos casos en que la satisfacción de los mencionados bienes o intereses exija el mantenimiento del servicio, y en la medida y con la intensidad que lo exija, puesto que los servicios esenciales no quedan lesionados o puestos en peligro por cualquier situación de huelga, siendo necesario examinar en cada caso las circunstancias concurrentes en la misma (SSTC 26/1981, de 17 de julio, FJ 10; 51/1986, de 24 de abril, FJ 2; 53/1986, de 5 de mayo, FJ 3; 43/1990, de 15 de marzo, FJ 5 c); 148/1993, de 29 de abril, FJ 5).

De modo que la consideración de un servicio como esencial no puede suponer la supresión del derecho de huelga de los trabajadores que hubieran de prestarlo, sino la necesidad de disponer las medidas precisas para su mantenimiento o, dicho de otra forma, para asegurar la prestación de los trabajos que sean necesarios para la cobertura mínima de los derechos, libertades o bienes que satisface dicho servicio, sin que exija alcanzar el nivel de rendimiento habitual ni asegurar su funcionamiento normal [SSTC 26/1981, de 17 de julio, FJ 10; 53/1986, de 5 de mayo, FJ 3; 27/1989, de 3 de febrero, FJ 1; 43/1990, de 15 de marzo, FJ 5 c); 8/1992, de 16 de enero, FJ 2 a)].

c) En la adopción de tales medidas que garanticen el mantenimiento de los servicios esenciales la autoridad gubernativa ha de ponderar la extensión territorial y personal, la duración prevista y las demás circunstancias concurrentes en la huelga, así como las concretas necesidades del servicio y la naturaleza de los derechos o bienes constitucionalmente protegidos sobre los que aquélla repercute (SSTC 26/1981, de 17 de julio, FJ 15; 53/1986, de 5 de mayo, FJ 3; 27/1989, de 3 de febrero, FJ 1; 43/1990, de 15 de marzo, FJ 5 d); 8/1992, de 16 de enero, FJ 2 b); 148/1993, de 29 de abril, FJ 5).

d) En las huelgas que se produzcan en servicios esenciales de la comunidad debe existir una razonable proporción entre los sacrificios que se impongan a los huelguistas y los que padezcan los usuarios de aquéllos. Si es cierto que las medidas han de encaminarse a garantizar mínimos indispensables para el mantenimiento de los servicios, en tanto que dicho mantenimiento no puede significar en principio que se exija alcanzar el nivel de rendimiento habitual ni asegurar el funcionamiento normal del servicio, el interés de la comunidad debe ser perturbado por la huelga sólo hasta extremos razonables. Y si la huelga ha de mantener una capacidad de presión suficiente como para lograr sus objetivos frente a la empresa, en principio destinataria del conflicto, no debe serle añadida a la misma la presión adicional del daño innecesario que sufre la propia comunidad, adicionando así a la que se ejerce sobre el empresario la que se realiza sobre los usuarios de las prestaciones de servicios públicos [SSTC 11/1981, de 8 de abril, FJ 18; 26/1981, de 17 de julio, FJ 15; 51/1986, de 24 de abril, FJ 5; 53/1986, de 5 de mayo, FJ 3; 43/1990, de 15 de marzo, FJ 5 e)].

e) Finalmente, por lo que se refiere a la fundamentación de la decisión que impone el mantenimiento de servicios esenciales para la comunidad, este Tribunal ha declarado reiteradamente que el acto por el cual se determina dicho mantenimiento ha de estar adecuadamente motivado y que, cuando se produce una restricción de derechos fundamentales constitucionalmente garantizados, la autoridad que realiza el acto debe estar en todo momento en condiciones de ofrecer la justificación. Siendo una decisión que comporta tan graves consecuencias es preciso, no sólo que exista una especial justificación, sino que tal justificación se exteriorice adecuadamente con objeto de que los destinatarios conozcan las razones por las cuales su derecho se sacrificó y los intereses a los que se sacrificó y de que, en su caso, puedan defenderse ante los órganos judiciales. Pesa, pues, sobre la autoridad gubernativa el deber de explicar las razones que, a su juicio, legitiman en una concreta situación de huelga la decisión de mantener el funcionamiento de un servicio esencial para la comunidad, correspondiéndole asimismo probar que los actos de restricción del derecho fundamental tienen plena justificación, sin que sean aquí de aplicación las reglas generales sobre distribución de la carga de la prueba [SSTC 26/1981, de 17 de julio, FJ 14; 51/1986, de 24 de abril, FJ 4; 53/1986, de 5 de mayo, FJ 6; 43/1990, de 15 de marzo, FJ 5 f); 122/1990, de 2 de julio, FJ 3; 8/1992, de 16 de enero, FJ 2 c)]. Ello significa que en la motivación aportada por la autoridad gubernativa han de incluirse los factores o criterios cuya ponderación han conducido a determinar las prestaciones mínimas establecidas, sin que sean suficientes «indicaciones genéricas, aplicables a cualquier conflicto», de las que no es posible deducir cuáles son los elementos valorados por aquella autoridad para «tomar la decisión restrictiva en la forma y con el alcance con que lo ha hecho». En definitiva, han de hacerse explícitos, siquiera sea sucintamente «los criterios seguidos para fijar el nivel de tales servicios, de forma que por los Tribunales, en su caso, y en su momento, se pueda fiscalizar la adecuación de las medidas adoptadas» [SSTC 26/1981, de 17 de julio, FFJJ 14 y 15; 51/1986, de 24 de abril, FJ 4; 53/1986, de 5 de mayo, FFJJ 6 y 7; 27/1989, de 3 de febrero, FFJJ 4 y 5; 43/1990, de 15 de marzo, FJ 5 f); 8/1992, de 16 de enero, FJ 2 c)].
Si es lícito distinguir entre la motivación expresa del acto —«que puede responder a criterios de concisión y claridad propios de la actuación administrativa»— y las razones que en un proceso posterior se pueden alegar para justificar la decisión tomada, ello no implica que la justificación ex post libere del deber de motivar el acto desde el momento mismo en que éste se adopta, pues la falta de motivación impide precisamente la justa valoración y control material o de fondo de la medida. La decisión de la autoridad gubernativa ha de exteriorizar los motivos que le llevan a apreciar la esencialidad del servicio, las características de la huelga convocada, los intereses que pueden quedar afectados y los trabajos que no pueden sufrir interrupción o cuya prestación debe mantenerse en algún grado, siendo insuficientes a este propósito las indicaciones genéricas que pueden predicarse de cualquier conflicto o de cualquier actividad, y de las cuales no quepa inferir criterio para enjuiciar la ordenación y proporcionalidad de la restricción que al ejercicio del derecho de huelga se impone [SSTC 51/1986, de 24 de abril, FJ 4; 53/1986, de 5 de mayo, FJ 6; 27/1989, de 3 de febrero, FJ 5; 43/1990, de 15 de marzo, FJ 5 f); 8/1992, de 16 de enero, FJ 2 c)].

FJ 6. [...] [E]n el negado caso de que la Ley 4/1980, al hacer la calificación de la radiodifusión y la televisión como servicios públicos esenciales, estuviera haciendo una calificación global de conjunto de los servicios a efectos de eventuales huelgas, estableciendo así la base normativa para la ulterior limitación del ejercicio del derecho de huelga en tales servicios en otra norma, vendría a colisionar con nuestra doctrina interpretativa del art. 28.2 CE, citada en otro lugar, según la cual «no existe ningún tipo de actividad productiva que, en sí misma, pueda ser considerada como esencial. Sólo lo será en aquellos casos en que la satisfacción de los mencionados bienes o intereses exija el mantenimiento del servicio, y en la medida y en la intensidad que lo exija, puesto que los servicios esenciales no quedan lesionados o puestos en peligro por cualquier situación de huelga, siendo necesario examinar en cada caso las circunstancias concurrentes en la misma» (SSTC 26/1981, de 17 de julio, FJ 10, y 51/1986, de 24 de abril, FJ 2). [...] [E]l supuesto de hecho en que pueden imponerse medidas limitadoras se compone de dos elementos: uno, la calificación del servicio («servicios públicos o de reconocida e inaplazable necesidad») y otro, de carácter circunstancial («y concurran circunstancias de especial gravedad»), que debe concurrir en ambos términos de la alternativa del primer elemento. No basta así con la calificación del servicio para justificar las medidas limitativas, sino que éstas, en su caso, deben ajustarse a las circunstancias, que deben ser no sólo graves sino de especial gravedad (en este sentido el FJ 18 de la STC 11/1981 tempranamente advirtió que, «en algún sentido, el art. 10 del Real Decreto-ley 17/77 es más estricto que el art. 28.2 de la Constitución»).

FJ 7. En otro orden de consideraciones ha de significarse que la calificación de un servicio como esencial, como hace en esta ocasión el Real Decreto impugnado, «no significa la supresión del derecho de huelga de los trabajadores ocupados en tal servicio, sino la previsión de las garantías para su mantenimiento, término éste que sin necesidad de acudir a otro canon hermenéutico que el que brinda la interpretación lexicológica excluye aquellas garantías ordenadas al funcionamiento normal, [pues] mantener un servicio implica la prestación de los trabajos necesarios para la cobertura mínima de los derechos, libertades o bienes que el propio servicio satisface, pero sin alcanzar el nivel de rendimiento habitual». Y, en estrecha relación con la anterior consideración, ha de recordarse también que el límite al derecho de huelga establecido en el art. 28.2 CE trae causa en la correlativa satisfacción de otros derechos o libertades constitucionalmente protegidos y en la preservación de los bienes de idéntica significación (STC 53/1986, de 5 de mayo, FJ 3).

Al propio tiempo a la hora de relacionar el ejercicio del derecho de huelga con otros derechos o libertades constitucionales protegidos, en cuanto la preservación de éstos pueda operar como límite de aquél, debe ser factor importante a considerar el de la significación relativa del momento de ejercicio de cada uno de los derechos. En tal sentido si el derecho o libertad que, en su caso, pueda operar como limitativo del ejercicio del derecho de huelga puede ejercitarse en un momento no coincidente con el del ejercicio del derecho de huelga, sin afectar sensiblemente a su funcionalidad, no habrá ninguna razón para dar prioridad a aquél y para que deba operar como limitación del ejercicio del derecho de huelga en el momento elegido. La articulación de ambos derechos puede perfectamente hacerse, desplazando el momento temporal del ejercicio del derecho que eventualmente pudiera colisionar con el de huelga. Naturalmente, para la conciliación temporal del ejercicio de los diferentes derechos será factor importante el de la duración de la huelga, que deberá ser elemento inexcusable para un juicio de proporcionalidad sobre la necesidad del límite. [...]

FJ 8. No cabe duda de que el derecho de huelga, como ya hemos señalado, no es un derecho ilimitado y que, en concreto, a los efectos que a este recurso de amparo interesan, la salvaguarda del derecho a comunicar y recibir información veraz por cualquier medio de difusión [art. 20.1 d) CE] puede operar como límite de aquel derecho a la hora de definir los servicios esenciales y los servicios mínimos en relación con una huelga concreta.

Pues bien, en este caso en relación con la calificación como servicio mínimo de «la emisión, dentro de los horarios habituales de difusión, de una programación previamente grabada» [art. 3 a) del Real Decreto 531/2002, de 14 de junio], ha de afirmarse, en aplicación de la doctrina constitucional expuesta que, aun admitiendo que pueda resultar concernido el derecho a comunicar y recibir información [art. 20.1 d) CE] en aquellos supuestos en los que la programación previamente grabada revista un contenido o un interés primordialmente informativo, se restringe de manera desproporciona el derecho de huelga. En efecto, se trataría en todo caso de una información que obviamente puede ser emitida con posterioridad a la jornada de huelga, en esta ocasión de veinticuatro horas, sin menoscabo alguno del derecho a comunicar o recibir información, al estar desprovista ésta, por su propia condición de pregrabada, de la actualidad e inmediatez necesarias que pudieran justificar en principio la restricción del derecho de huelga. [...]

Pero de inmediato debe advertirse, además, que no toda la programación de televisión tiene que ver con el referido derecho constitucional, existiendo una gran porción de espacio de puro entretenimiento. Por ello, el resto de la plural actividad televisiva previamente grabada, desprovista de todo contenido e interés informativo, aún respaldada por un evidente interés legítimo tanto del comunicador como de los receptores, en nada concierne al derecho a comunicar y recibir información ex art. 20.1 d) CE, no invocándose en el Real Decreto impugnado ningún otro derecho o libertad constitucionalmente reconocido ni ningún bien de idéntica significación cuya preservación requiera el sacrificio del derecho de huelga para la emisión de la referida programación previamente grabada. [...]

FJ 9. La misma conclusión se impone en relación con la calificación como servicio mínimo de «la producción y emisión de la normal programación informativa» [art. 3 b) del Real Decreto 531/2002, de 14 de junio]. Es evidente la directa implicación en la adopción de esta medida del derecho a comunicar y recibir información veraz por cualquier medio de difusión [art. 20.1 d) CE]. Ahora bien, la obvia pluralidad, heterogeneidad y diversidad de contenidos que puede revestir y de hecho reviste la denominada en el Real Decreto impugnado, sin más concreciones, «normal programación informativa» no tiene por qué merecer, en razón de su distinto valor desde la perspectiva del derecho a comunicar y recibir libremente información veraz, un igual nivel de protección, de manera que sin una mayor precisión de lo que constituye la denominada «normal programación informativa», cuya ausencia no corresponde determinar a este Tribunal, no puede considerarse justificada ni proporcionada la restricción que en este caso, atendiendo a la extensión y duración de la huelga convocada, se ha impuesto al derecho de huelga. No puede dejar de recordarse a este respecto, como ya hemos señalado con anterioridad, que «mantener un servicio implica la prestación de los trabajos necesarios para la cobertura mínima de los derechos, libertades o bienes que el propio servicio satisface, pero sin alcanzar el nivel de rendimiento habitual» (STC 53/1986, de 5 de mayo, FJ 3), lo que también resulta aplicable y extensible en este caso a la programación informativa durante la jornada de huelga, sin que pueda justificarse sin más la exigencia de una «normal programación informativa». [...]

Los servicios mínimos y la autoridad gubernativa —STC 296/2006, de 11 de octubre[23]—

La Sentencia resuelve la cuestión de inconstitucionalidad planteada por el Juzgado de lo Contencioso-Administrativo núm. 4 de Oviedo, respecto al art. 15.2 l) de la Ley 1/1992, de 2 de julio, del Servicio de Salud del Principado de Asturias, en la que descansa la Resolución del Director Gerente del Servicio de Salud del Principado de Asturias (SESPA), de 5 de junio de 2002, para establecer servicios mínimos para la huelga convocada en el sector sanitario para el día 10 de junio de 2002. La citada ley atribuye al Director Gerente del SESPA la facultad de «fijar los servicios mínimos en los casos de huelga del personal, previa consulta a las centrales sindicales más representativas».

FJ 2. La controversia constitucional se centra, pues, en determinar si el Director Gerente del SESPA puede ser considerado autoridad gubernativa o no a los efectos de fijar los servicios mínimos en caso de huelga del personal de dicha entidad.

Ha sido una constante de nuestra jurisprudencia el afirmar el papel irrenunciable que a dichas autoridades, en cuanto dotadas de imparcialidad en relación con las partes en conflicto, corresponde en la determinación de las medidas necesarias para el establecimiento de los servicios mínimos (por todas, SSTC 11/1981, de 8 de abril, FJ 18, y 193/2006, de 19 de junio, FJ 19 y las allí citadas). Siempre hemos considerado que la fijación de los mismos no puede abandonarse, de ningún modo, en manos de órganos que no tengan responsabilidad política, es decir, que no respondan ante la comunidad en su conjunto por unas decisiones que afectan de una manera muy importante al ejercicio de un derecho fundamental, como es el de huelga, de especial trascendencia para el buen funcionamiento de las relaciones laborales en un Estado social y democrático de Derecho, y a la marcha de servicios esenciales para aquélla.

Si en el art. 28.2 CE, tras reconocer el derecho, se afirma que la ley que regule su ejercicio establecerá las garantías precisas para asegurar el mantenimiento de los servicios esenciales de la comunidad, lo cierto es que hemos venido interpretando la legislación preconstitucional (Real Decreto-ley 17/1977, de 4 de marzo, de relaciones laborales), todavía vigente, en el sentido de que ese aseguramiento de los servicios esenciales, que aparece como mecanismo básico de equilibrio entre el sano desarrollo del derecho colectivo de huelga de un grupo de ciudadanos y los intereses de la ciudadanía en general, debe ser responsabilidad de quienes tienen un mandato de tipo político y, por tanto, responden políticamente, de una manera directa o indirecta, ante dicha ciudadanía. Y esto porque solamente ellos serán capaces de interpretar correctamente las necesidades, no necesariamente confrontadas, que plantean, por un lado, los huelguistas y, por otro, aquéllos a cuyos intereses afecta el ejercicio de este derecho fundamental. Así, precisamente porque la exigencia de una apreciación equilibrada de los derechos e intereses en juego requiere la imparcialidad del órgano que establece los servicios mínimos, esta tarea no puede delegarse en quienes, dada su posición de parte interesada en el conflicto, no están en posición idónea para apreciar todos los aspectos sociales del mismo.

Dicho de otra forma, se trata de evitar que una decisión tan importante para el ejercicio de un derecho fundamental quede en manos de quien estructuralmente no puede adoptar la posición supra partes que es necesaria para formular las medidas adecuadas que permitan, a la vez, a unos realizar plenamente su derecho de huelga constitucionalmente reconocido, y a otros tener garantizado el mantenimiento de los servicios esenciales para la comunidad.

Ya en la STC 11/1981, de 8 de abril, FJ 18, se afirmaba que no era discutible la constitucionalidad de la atribución de la potestad de concreción de las medidas destinadas a fijar los servicios mínimos a la autoridad gubernativa, si se tiene en cuenta que el sujeto de la atribución no es genéricamente la Administración pública, sino aquellos órganos del Estado que ejercen, directamente o por delegación, las potestades de gobierno. Reafirmando la anterior doctrina la STC 26/1981, de 17 de julio, FJ 11, precisa que la responsabilidad por la obstaculización de los derechos cívicos, además de ser una responsabilidad jurídica, es también, y fundamentalmente, una responsabilidad política, que debe exigirse por cauces políticos, y debe producir los necesarios efectos políticos, de lo que se deriva que privar a un conjunto de ciudadanos en un caso concreto de un derecho constitucional, como es el reconocido en el art. 28 CE, es algo que sólo puede ser llevado a cabo por quien tiene responsabilidades y potestad de gobierno. En el caso concreto de la Sentencia citada, el Tribunal negó la condición de autoridad gubernativa al Delegado del Gobierno en Renfe (FJ 11).

Así pues desde fecha muy temprana, la doctrina del Tribunal ha insistido en la necesidad de que las facultades controvertidas se atribuyan a órganos que podrían denominarse como políticos o de gobierno, lo que plantea el problema,

---

[23]   *Vid.* también las SSTC 310/2006, de 23 de octubre; 36/2007, de 12 de febrero; 58/2013, de 11 de marzo (ésta última declara la nulidad del precepto legal que atribuye a un órgano administrativo de dirección y gestión, el Director Gerente del Servicio Murciano de Salud, la fijación de los servicios mínimos en el caso de huelga).

de solución no siempre fácil, de su diferenciación de los órganos propiamente administrativos. Con tal fin nuestra jurisprudencia identificó desde el primer momento (STC 26/1981, de 17 de julio), como criterio diferenciador definitivo, el de la responsabilidad política, que ciertamente no puede ser atribuida a órganos administrativos, lo que los distingue de los que ejercen propiamente potestades de gobierno. En efecto, sólo órganos políticos que respondan ante la comunidad en su conjunto pueden asumir la grave responsabilidad de limitar el derecho constitucional de huelga de determinados ciudadanos; ya que sólo órganos de tal naturaleza se encuentran estructuralmente capacitados para adoptar medidas que tengan en cuenta tanto los intereses de los huelguistas, como los de la ciudadanía en general, asegurando, por imperativo constitucional, el mantenimiento de los servicios esenciales de la comunidad.

En el mismo orden de consideraciones, ya en la STC 33/1981, de 5 de noviembre, FJ 6, el Tribunal precisó que no quedan excluidos del concepto de autoridad gubernativa los órganos de gobierno de las Comunidades Autónomas, integrantes del Estado y dotados de potestades de gobierno. Esta doctrina ha sido reiterada por las SSTC 27/1989, de 3 de febrero, FJ 2, 122/1990, de julio, FJ 2, y 233/1997, de 18 de diciembre, FJ 3, según las cuales la autoridad gubernativa puede serlo del Estado o de una Comunidad Autónoma, dependiendo de quien disponga de las competencias sobre los servicios afectados.

[...] Se reafirma así que sólo cuando nos encontremos ante autoridades verdaderamente gubernativas, del Estado central o de las Comunidades Autónomas, podremos reconocerles estos poderes, asumiendo de este modo plenamente la realidad del Estado autonómico español.

Por otra parte, al margen de la Administración en que se integre el órgano político de que se trate, hay que recordar que la STC 53/1986, de 5 de mayo, FJ 5, ya excluyó a los órganos de gestión y administración de la empresa del círculo de titulares integrados en la noción de «autoridad gubernativa», y que la STC 8/1992, de 16 de enero, FJ 4, precisó, como ya había apuntado la STC 27/1989, de 3 de febrero, que la autoridad gubernativa es la que tiene la potestad y el deber de determinar los servicios mínimos, «sin que pueda abandonar esa determinación (distinta de la simple ejecución o puesta en práctica) en manos de la entidad empleadora» (FJ 3).

Este Tribunal ha respondido así, con toda claridad, a la pretensión de trasladar gran parte de las funciones derivadas de la fijación de los servicios mínimos a órganos de gestión o no gubernativos, reafirmando que las mismas están reservadas a las autoridades políticas, independientemente de que aquéllos puedan realizar funciones de apoyo que no impliquen la toma de acuerdos decisivos para el ejercicio del derecho fundamental de huelga. Por decirlo con palabras de la STC 233/1997, de 18 de diciembre, FJ 2, «a la hora de garantizar los servicios esenciales de la comunidad, la autoridad gubernativa no puede velar por los meros intereses empresariales de las empresas o entes que prestan el servicio, sino que su tarea se endereza única y exclusivamente a preservar los derechos o bienes constitucionales que satisface el servicio en cuestión, haciéndolos compatibles con el ejercicio del derecho de huelga».

Por eso en el ATC 49/2004, de 13 de febrero, negamos, con cita expresa (FJ 3) de la doctrina referenciada, que el Rector de una Universidad pudiera ser considerado como autoridad gubernativa a la hora de fijar los servicios mínimos en una huelga, y sostuvimos que dicha solución no vulneraba ni la autonomía universitaria, ni el derecho a la educación, consagrados en los arts. 28.2 y 37.2 CE. [...]

FJ 4. [...] [P]or flexibles que sean los criterios utilizados para determinar el carácter de autoridad política de un órgano, resulta imposible incluir en tal noción al Director Gerente del SESPA, cuyo cometido básico es asegurar el mantenimiento del servicio que tiene encomendado. Desde dicha posición ningún órgano puede asumir la grave responsabilidad de limitar el derecho constitucional de huelga del personal cuya dirección tiene encomendada.

En efecto, como hemos reiterado, la fijación de los servicios mínimos en caso de huelga requiere que el órgano que los adopta se halle en una posición supra partes y que, además, se encuentre revestido de autoridad política ya que se trata, en definitiva, de «privar a un conjunto de ciudadanos en un caso concreto de un derecho constitucional» (por todas, STC 26/1981, de 17 de julio, FJ 1).

En este sentido la STC 27/1989, de 3 de febrero, consideró que los servicios mínimos que contaban con el visto bueno del Delegado del Gobierno, pero que habían sido establecidos en un plan elaborado por la dirección del centro de trabajo y el Director provincial del Insalud, no podía entenderse que habían sido fijados por una autoridad gubernativa, con los requisitos de «neutralidad e imparcialidad» que resultan exigibles. Consideraciones que la misma Sentencia apostillaba al señalar que «nada impide, desde luego, que la puesta en práctica de los servicios mínimos, una vez concretados por la autoridad competente, sea confiada a los órganos de dirección y gestión de la entidad afectada o discurra por los cauces propios de la autonomía colectiva. Pero ello no significa de ningún modo que la fijación de los servicios, que sólo corresponde a quien tiene responsabilidades y potestades de gobierno (STC 26/1981), pueda ser delegada en la práctica a la dirección empresarial» (STC 27/1989, FJ 3).

Ahora bien, si para la «puesta en práctica de los servicios mínimos» la autoridad gubernativa apoderara a la dirección del centro de trabajo, que no tiene tal carácter, para realizar funciones que van «más allá de la mera ejecución o puesta en práctica de las medidas limitativas del derecho … incidiendo en su propio contenido y delimitación», ello supondría «tanto como otorgar un apoderamiento a la propia entidad afectada por la huelga incompatible con la garantía de imparcialidad buscada por la determinación que se contiene en art. 10.3 del Real Decreto-ley 17/1977, de 4 de marzo, sobre relaciones de trabajo, según ha sido declarado por la jurisprudencia de este Tribunal a la que hemos hecho referencia» (STC 193/2006, de 16 de junio, FJ 10). Situación que, resulta evidente, es la que contempla directamente la disposición contenida en el art. 15.2 l) de la Ley 1/1992, modificada por la Ley 14/2001, de 28 de diciembre, al que se refiere la presente cuestión de inconstitucionalidad, en la medida en que se atribuye tal función a un órgano directivo de gestión de un servicio adscrito a un órgano político y sometido a sus directrices de política sanitaria[24].

Servicios mínimos y el respeto del derecho a la huelga —STC 80/2005, de 4 de abril[25]—

La Sentencia resuelve el recurso de amparo promovido por Comisiones Obreras y Unión General de Trabajadores contra la Sentencia de la Sala de lo Social del Tribunal Superior de Justicia de Aragón, de 22 de enero de 2003, que desestima el recurso de suplicación interpuesto contra la Sentencia del Juzgado de lo Social núm. 1 de Huesca, de 25 de octubre de 2002. Los recurrentes denuncian la vulneración del artículo 28.2 CE debida a que, en relación con la huelga general del día 20 de junio de 2002 por ellos convocada, que afectó a la empresa Luna Equipos Industriales, S.A., ésta estableció, en concepto de servicios de mantenimiento y seguridad una serie de servicios que no tenían tal carácter. En concreto, la empresa incluyó una serie de puestos de trabajo con la única pretensión de que no se alterase la normalidad u orden de la actividad empresarial y sus relaciones con terceros.

FJ 5. Por su parte los razonamientos utilizados por las resoluciones judiciales para negar la pretensión de los demandantes no resultan tampoco respetuosos con el contenido constitucional del derecho fundamental a la huelga. Ciertamente las Sentencias dictadas en el proceso a quo garantizaron el derecho al trabajo (art. 35.1 CE) de los no huelguistas, otorgándole idéntico rango constitucional que al derecho a la huelga (art. 28.2 CE), cuando tan sólo este último es un derecho fundamental. De tal modo, y según lo mantenido en las Sentencias recurridas, el derecho a la huelga se encontraría limitado, no tanto por la necesidad de proporcionar los «servicios necesarios» para garantizar la seguridad de personas y bienes y el mantenimiento de las instalaciones y su contenido (permitiendo con ello la reanudación de la actividad empresarial cuando finalice la huelga), tal y como previó el legislador en el art. 6.7 del Real Decreto-ley 17/1977, sino por la necesidad de garantizar el ejercicio del derecho al trabajo de aquellos que puedan no secundar la huelga y por la conveniencia de que la actividad empresarial no quede paralizada con motivo de cese temporal del trabajo.

El incumplimiento de los servicios mínimos —STC 123/1990, de 2 de julio—

La Sentencia resuelve el recurso de amparo interpuesto por trabajadores de la Empresa Municipal de Transportes de Madrid (EMT), Sociedad Anónima contra la Sentencia de la Magistratura de Trabajo núm. 10 de Madrid, de 26 de febrero de 1988, que confirmó las sanciones disciplinarias de suspensión de empleo y sueldo durante tres meses que les había aplicado EMT por no haber cumplido los servicios mínimos que les fueron impuestos con motivo de una huelga cuya legalidad no ha sido cuestionada. Entienden los recurrentes que dicha Sentencio vulneró sus derechos fundamentales de libertad sindical y de huelga reconocidos por el artículo 28 CE.

FJ 4. [...] El fondo del asunto muestra una vez más las consecuencias que produce en nuestro ordenamiento la falta de desarrollo adecuado del mandato que al legislador impone el art. 28.2 CE, lo que origina una conflictividad innecesaria en relación con la fijación de los servicios esenciales, y una puesta en peligro tanto de la garantía del manteni-

---

[24]　Sobre la base de esta docrina el Tribunal Constitucional ha entendido que tampoco tienen capacidad para establecer servicios mínimos, el Delegado del Gobierno en Renfe (STC 26/1981, de 17 de julio, FJ 11); el Director General del ente público RTVE (STC 193/2006, de 19 de junio); o por supuesto la empresa, que sin embargo puede completar técnica y funcionalmente las previsiones de la disposición sobre mantenimiento de los servicios esenciales (STC 53/1986, de 5 de mayo) y asegurar su puesta en práctica, además de formular propuestas a la autoridad gubernativa (STC 27/1989, de 3 de febrero).

[25]　*Vid.* también STC 45/2016, de 14 de marzo (la designación de trabajadoras/es para prestar servicios mínimos no vulnera el derecho de éstas/os a la huelga).

miento de los servicios esenciales como del ejercicio legítimo del derecho de huelga, lo que exige el establecimiento de procedimientos adecuados para asegurar la necesaria ponderación de los bienes constitucionales en juego. Corresponde a la ley garantizar, mediante los instrumentos oportunos, el mantenimiento de los servicios esenciales de la Comunidad en caso de huelga, pero, al mismo tiempo, también le corresponde establecer medidas que garanticen el respeto del ejercicio legítimo del derecho de huelga, incluida la previsión de vías jurisdiccionales adecuadas (art. 53.2 CE) que permitan preservar el derecho de huelga frente a las eventuales extralimitaciones y excesos en la fijación de los servicios mínimos. Una adecuada ponderación de los derechos y bienes constitucionales que se ponen en juego en el caso de huelgas en servicios esenciales para la Comunidad obliga también a que el establecimiento de mecanismos que aseguren el funcionamiento de dichos servicios esenciales venga acompañado también de vías que permitan someter a un control judicial inmediato las correspondientes decisiones de imposición de servicios mínimos que puede considerarse también como una garantía adicional de la efectividad del cumplimiento de los mismos. Como dijimos en la STC 11/1981, fundamento jurídico 18, es constitucional la atribución a la autoridad gubernativa de la potestad de dictar las medidas necesarias para garantizar el mantenimiento de los servicios esenciales de la Comunidad, pero «en cuanto que el ejercicio de esta potestad está sometido a la jurisdicción de los tribunales de justicia y al recurso de amparo ante este Tribunal» [fallo 2.º.e)], por lo que puede considerarse que el control judicial de las medidas gubernativas es al tiempo garantía integrante del ejercicio del derecho de huelga. No cumple en cambio adecuadamente el art. 53.2 CE un control judicial que se realiza dos años después de realizarse la huelga y que carezca de efecto práctico alguno sobre la huelga ya realizada o sus consecuencias.

FJ 5. [...] El órgano judicial se ha limitado a considerar el incumplimiento de la orden, de apariencia legal; no ha entrado a realizar ninguna otra consideración y no ha ponderado adecuadamente los derechos y valores constitucionales en juego, ni ha introducido en su enjuiciamiento confirmatorio de la sanción la necesaria perspectiva constitucional ni valorado la conducta no cumplidora de los recurrentes teniendo en cuenta la garantía del mantenimiento de los servicios esenciales, pero ponderando también si, en las circunstancias del caso, el ejercicio del derecho de huelga podría haber justificado razonablemente la negativa a no cumplir unos servicios esenciales si éstos manifiestamente vulneraban el derecho fundamental, que también trató de defender, aunque en su dimensión colectiva, la impugnación judicial de los servicios mínimos. Cuando el sancionado alega como causa de justificación el ejercicio legítimo del derecho de huelga está denunciando que la sanción ha lesionado un bien jurídico propio, lo que obliga al Juez de lo Social a valorar, desde una perspectiva constitucional, la actuación de los trabajadores al incumplir la orden que consideraron ilegítima, ponderando adecuadamente los derechos y deberes en conflicto, el de huelga y el del funcionamiento de los servicios esenciales, límite legítimo al ejercicio de aquel derecho.

La sustitución del personal en huelga —STC 33/2011, de 28 de marzo[26]—

La Sentencia resuelve el recurso de amparo promovido por trabajadores del Diario ABC, S.L., contra la Sentencia de la Sala de lo Social del Tribunal Superior de Justicia de Madrid, de 27 de abril de 2004, que confirmó la del Juzgado de lo Social núm. 33 de Madrid, de 10 de octubre de 2003, y contra el Auto de esa misma Sala de 22 de julio de 2004, que desestimó el incidente de nulidad de actuaciones promovido frente a la primera de las Sentencias citadas. Los recurrentes aducen vulneración de su derecho a la huelga por parte de la empresa, que incurrió en una práctica de sustitución interna de trabajadores durante la huelga general del 20 de junio de 2002.

FJ 4. [...] [L]a «sustitución interna» de huelguistas durante la medida de conflicto constituye un ejercicio abusivo del ius variandi empresarial, derecho que, con los límites legalmente previstos, corresponde al empresario en otras situaciones. Pero en un contexto de huelga legítima el referido ius variandi no puede alcanzar a la sustitución del trabajo que debían haber desempeñado los huelguistas por parte de quien en situaciones ordinarias no tiene asignadas tales funciones; ya que, en tal caso, quedaría anulada o aminorada la presión ejercida legítimamente por los huelguistas a través de la paralización del trabajo.

Por ello, ni el empresario puede imponer a los trabajadores no huelguistas la realización de las tareas que corresponden a los que secundaron la convocatoria, ni los trabajadores que libremente decidieron no secundarla pueden sustituir el trabajo de sus compañeros. Esa regla general admite dos excepciones, conectadas a las previsiones legales

---

[26]   La STC 17/2017, de 2 de febrero, entiende que sustituir personal del ente público Radio Televisión Madrid, en huelga general, por personal no huelguista para retransmitir un partido de Champions no vulnera el artículo 28.2 CE.

sobre el aseguramiento de determinados servicios mínimos esenciales para la comunidad (art. 10 del Real Decreto-ley 17/1977), y a las previsiones sobre los servicios de seguridad y de mantenimiento en la empresa (art. 6.7 del Real Decreto-ley 17/1977). En estos dos supuestos, si los trabajadores designados para el mantenimiento de los referidos servicios se negaran o se resistieran a prestarlos, quedaría justificada su sustitución a tales efectos. No obstante, en la determinación de cuáles son los servicios mínimos esenciales para la comunidad, o cuáles son los servicios de seguridad y de mantenimiento requeridos, debe atenderse a ciertos límites, que impidan interpretaciones restrictivas del derecho fundamental (SSTC 11/1981, de 8 de abril, FJ 18, y 80/2005, de 4 de abril, FFJJ 5 y 6). Si las cautelas frente a un entendimiento restrictivo del derecho de huelga se proyectan incluso sobre la ordenación de los servicios mínimos, no puede resultar incongruente que, en el ámbito que estamos examinando, la prohibición de la sustitución interna constituya el principal límite al ius variandi empresarial en situaciones de huelga.

Como ha declarado este Tribunal, y como se repite en la jurisprudencia ordinaria en numerosas resoluciones, la prohibición de la sustitución interna de los trabajadores es consecuente con la necesidad de garantizar la efectividad del derecho fundamental en juego. Por ello, en tanto resulte probado que las funciones de los huelguistas han sido desarrolladas por quienes tenían asignadas otras diferentes en la misma empresa, debe concluirse que se ha lesionado el referido derecho. Así lo declara la STC 18/2007, de 12 de febrero, —si bien en el caso enjuiciado deniega el amparo por falta de prueba de la sustitución alegada del trabajador huelguista— remitiendo expresamente a la doctrina sentada en la STC 123/1992, de 28 de septiembre, para afirmar el carácter lesivo de las prácticas de sustitución interna de trabajadores en huelga.

FJ 5. Al objeto de aplicar al caso de autos la doctrina constitucional expuesta, es ineludible recordar que «[E]n los talleres del periódico y en sus diversas secciones de preimpresión, almacén de papel, rotativas, cierre y distribución, hicieron huelga todos los trabajadores excepto los jefes de sección de todos los turnos»; que estos últimos, «acompañados de otros directivos y jefes de áreas como RR HH, Producción y Sistemas, Informática, Logística, etc., consiguieron tirar una edición de 29.800 ejemplares que fueron distribuidos en tiendas VIPS y a las distintas cadenas de televisión»; que «[E]n los espacios informativos de las distintas televisiones (TD3 y TD Matinal de TVE, Buenos Días de Telemadrid, Antena 3 Noticias y Avance informativo, y Entre Hoy y Mañana e Informativo Matinal de Telecinco) se hizo referencia a que el diario ABC había salido a la calle en edición reducida. En el TD3 de TVE aparecieron ejemplares físicos de los periódicos de Madrid, entre ellos el diario ABC y la presentadora leyó parte de su editorial. También en Antena 3 Noticias del 19-6 se exhibe el ejemplar del ABC del siguiente día» (hechos probados tercero y sexto de la Sentencia del Juzgado de lo Social núm. 33 de Madrid, de 10 de octubre de 2003).

[…] Pues bien, […] también la sustitución interna de trabajadores huelguistas, esto es, la que se lleva a cabo mediante trabajadores que se encuentran vinculados a la empresa al tiempo de la comunicación de la huelga, puede constituir un ejercicio abusivo de las facultades directivas empresariales. Así ocurrirá cuando, sea de forma intencional, o sea de forma objetiva, dicha sustitución produzca un vaciamiento del contenido del derecho de huelga, o una desactivación o aminoración de la presión asociada a su ejercicio. No cabe duda de que en el presente caso la edición, siquiera simbólica del diario (la tirada de aquel día fue de solo 29.800 ejemplares frente a la de los jueves precedente y posterior al de la huelga que fue de 250.000 ejemplares cada día —hecho probado quinto de la Sentencia del Juzgado de lo Social núm. 33 de Madrid, de 10 de octubre—), era idónea para desactivar el efecto y la repercusión de la huelga legítimamente convocada.

Está igualmente fuera de cuestión que la sustitución no vino justificada por la negativa de los trabajadores a cubrir los servicios mínimos a los que se refiere el art. 28.2 CE, regulados en el art. 10 del Real Decreto-ley 17/1977, de 4 de marzo, sobre relaciones de trabajo, ni tampoco por una resistencia de los trabajadores a llevar a cabo los servicios de seguridad y mantenimiento que regula el art. 6.7 del mencionado Real Decreto-ley 17/1977. Esos factores ni siquiera fueron objeto del proceso judicial: así lo acredita el silencio que las resoluciones judiciales y las alegaciones de todas las partes guardan sobre el particular. […]

Por todo lo cual debemos concluir que el razonamiento de la Sentencia recurrida no realiza el debido reconocimiento y protección del derecho de huelga definido por este Tribunal desde esa perspectiva material.

FJ 6. Tampoco puede prosperar el otro argumento utilizado por la Sala para negar la lesión, referido a la supuesta desvinculación de la empresa respecto a la decisión de editar el periódico, decisión que tuvo su origen en la iniciativa de los jefes de sección, quienes en una reunión previa a la huelga decidieron, supuestamente al margen de la empresa, sacar a la luz una edición reducida del diario. […]

En todo caso, la hipótesis alternativa, esa pretendida «no responsabilidad» de la empresa respecto de una actuación de sus mandos intermedios que socava el legítimo ejercicio del derecho de huelga, no es compatible con la dinámica real del ejercicio del derecho fundamental del art. 28.2 CE. En primer lugar, porque descontextualiza el derecho de huelga del marco propio de las relaciones laborales en las que tiene lugar su práctica, y, además, porque elude la realidad de los efectos ordinarios del ejercicio de tal derecho, que afectan directamente al empresario como parte contratante del trabajo. Recuérdese que el contrato mismo queda en suspenso durante la huelga [art. 45.1 l) de la Ley del estatuto de los trabajadores, y art. 6 del Real Decreto-ley 17/1977, de 4 de marzo, sobre relaciones de trabajo].

[…] Por otro lado, la responsabilidad empresarial, en relación con el ejercicio de derechos fundamentales de los trabajadores no se limita a las consecuencias de la propia conducta, sino que puede abarcar las derivadas de actuaciones de terceros que de él dependan. Como es sabido, este Tribunal ha declarado que los derechos fundamentales de una persona trabajadora pueden ser igualmente vulnerados por quien no sea su empresario en la relación laboral, en tanto intervenga o interactúe con él «en conexión directa con la relación laboral» (STC 250/2007, de 17 de diciembre, FJ 5). El empresario no puede considerarse ajeno a las vulneraciones del derecho de huelga que provengan de actuaciones de sus mandos o directivos en el marco de las actividades de su empresa, por lo que debe atribuirse al titular de la empresa la responsabilidad por las actuaciones antihuelga realizadas en dicho marco.

FJ 7. La empresa ABC tenía derecho, obviamente, a adoptar una posición en contra de la huelga general del 20 de junio de 2002, y los jefes y directivos del periódico, en virtud de su libertad de trabajo (art. 35.1 CE), podían decidir no secundarla, pero tales derechos no les facultaban para realizar o tolerar actuaciones dirigidas a neutralizar y vaciar materialmente de forma sustancial el ejercicio concreto, en aquella fecha, del derecho fundamental de huelga de los recurrentes en amparo. La utilización de las estructuras de mando para sustituir a los trabajadores huelguistas de categorías inferiores con el fin de editar el periódico el día de la huelga —o, en su defecto, el consentimiento empresarial tácito o la omisión de toda reacción o prevención que impidiera que el acto de sustitución llegara a producirse—, vulneró el art. 28.2 CE, al privar a la huelga seguida por los recurrentes de su plena efectividad como medio de presión colectiva.

Discriminación por el ejercicio de derecho a la huelga e inversión de la carga de la prueba[27] —*vid.* **la jurisprudencia desarrollada en el marco del derecho a la libertad sindical (artículo 28.1 CE)—**

La necesidad de justificar la proporcionalidad de las restricciones al derecho a la huelga —STC 37/1998, de 17 de febrero[28]—

La Sentencia resuelve el recurso de amparo interpuesto por el Sindicato Langile Abertzaleen Batzordeak (L.A.B) contra la Sentencia de la Sala de lo Social del Tribunal Superior de Justicia de la Comunidad Autónoma del País Vasco, de 20 de octubre de 1994, que confirmó la del Juzgado de lo Social núm. 3 de Guipúzcoa. Ésta declaró que la toma de fotografías y la filmación en vídeo por la Ertzaintza de un piquete de huelga informativo, que desarrolló su labor de forma pacífica, no lesionó los derechos de libertad sindical y de huelga del recurrente.

FJ 3. […] [E]l derecho de huelga reconocido en el art. 28.2 CE «implica el derecho a requerir de otros la adhesión a la huelga y a participar, dentro del marco legal, en acciones conjuntas dirigidas a tal fin» (STC 254/1988, fundamento jurídico 5º; y, AATC 71/1992 y 17/1995), o, en otros términos, encaminadas a «recabar la solidaridad de terceros» (STC 123/1983, fundamento jurídico 4º). En definitiva, el derecho de huelga incluye «el derecho de difusión e información sobre la misma» (STC 332/1994, fundamento jurídico 6º, reiterada por las SSTC 333/1994 y 40/1995), integrándose en el contenido esencial de dicho derecho de huelga el derecho a «difundirla y a hacer publicidad de la misma» (ATC 158/1994). Como dice este ultimo Auto, con cita del ya mencionado art. 6.6 del Real Decreto-ley 17/1977, el «requerimiento pacífico a seguir la huelga» forma parte del derecho que proclama el art. 28.2 CE.

---

[27]   *Vid.* STC 90/1997, de 6 de mayo.

[28]   La STC 69/2016, de 14 de abril, se ocupa por primera vez de la responsabilidad civil extracontractual de las/os líderes de un piquete huelguístico, como límite del derecho a la huelga. De un lado, declara contrario al derecho a la huelga que se les haga civilmente responsables por daños en las personas que no hayan causado (FJ 4a); de otro, permite que se les haga responsables de daños materiales derivados de los piquetes, aunque no los causaran directamente, incluido el lucro cesante derivado del cierre del local, entendiendo que dicha responsabilidad es ajena al derecho a la huelga (FJ 4b). *Vid.* en contra los votos particulares de Adela Asua Batarrita y Fernando Valdés Dal-Ré, y de Juan Antonio Xiol Ríos.

Ciertamente, y como no puede ser de otro modo, se trata de una publicidad «pacífica» (art. 6.6 citado), sin que en modo alguno pueda incurrirse en coacciones, intimidaciones, amenazas ni actos de violencia de ninguna clase (por todas, SSTC 332/1994, fundamento jurídico 6º y 137/1997, fundamento jurídico 3º), por lo que resulta obligado respetar la libertad de los trabajadores que optan por no ejercer el derecho de huelga (ATC 158/1994), libertad que les reconoce expresamente el art. 6.4 del Real Decreto-ley 17/1977. Es patente que quien ejerce la coacción psicológica o presión moral para extender la huelga se sitúa extramuros del ámbito constitucionalmente protegido y del ejercicio legítimo del derecho reconocido en el art. 28.2 CE. De un lado, porque limita la libertad de los demás a continuar trabajando y, por otro, porque afecta a otros bienes y derechos constitucionalmente protegidos como son la dignidad de las personas y su derecho a la integridad física y moral —arts. 10.1 y 15 CE—, como tuvo ocasión de señalar la STC 2/1982, fundamento jurídico 5º, respecto a los límites del derecho fundamental de reunión y manifestación, y cuya doctrina se ha aplicado a los límites del derecho de huelga por, entre otras resoluciones, las SSTC 332/1994, fundamento jurídico 6º y 137/1997, fundamento jurídico 3º; y, los AATC 71/1992 y 158/1994. [...]

FJ 5. [...] Es verdad que la actuación policial no impidió ni imposibilitó por completo la actividad del piquete. Así lo afirman los órganos judiciales y así lo reconoce expresamente el Sindicato demandante. Pero lo que hay que dilucidar es, en primer lugar, si la filmación restringió o limitó, aunque fuese levemente, el ejercicio de los derechos fundamentales alegados, singularmente, del derecho de huelga; en segundo lugar, si, en caso afirmativo, existía un derecho, un bien, o un interés jurídico constitucionalmente relevante que autorizase esa restricción; y, por fin, si dicha medida restrictiva resultaba justificada o proporcionada en este caso concreto, atendiendo fundamentalmente a la existencia o no de medidas alternativas igualmente eficaces y a «la proporcionalidad del sacrificio del derecho fundamental» (STC 52/1995, fundamento jurídico 5º).

FJ 6. Consta en los hechos declarados probados que algunos miembros del piquete —en la demanda se afirma que debidamente acreditados y de diversos Sindicatos mayoritarios, circunstancia esta última que efectivamente se comprueba a la vista de las actuaciones judiciales— trataron de identificarse y solicitaron de la Ertainzta la cesación de la toma de fotografías y de las filmaciones, alegando que no había razón alguna para ello. Sin dar mayores explicaciones, la policía no atendió sus intentos de identificarse ni tampoco su petición de cese de la filmación, actividad que se prosiguió de forma constante e ininterrumpida.
A lo anterior hay que añadir un dato de relieve muy notable para la resolución del presente caso: en el momento de producirse los hechos ahora enjuiciados no existía ninguna disposición legal que regulase el uso, la conservación y el destino de lo filmado. En efecto, aunque la filmación no estuviese ayuna de una genérica habilitación legal [art. 11.1 e), f) y h) de la Ley Orgánica 2/1986, de 13 de marzo, de Fuerzas y Cuerpos de Seguridad], lo cierto es que en ninguna disposición se preveían con detalle suficiente los supuestos y requisitos de su utilización ni la custodia de lo filmado, su uso, sus controles posteriores y los derechos de los posibles interesados; en definitiva, no existía una disposición legal que estableciese un régimen de garantías de los derechos y libertades fundamentales susceptibles de ser afectados por el uso de esa medida.
Todas estas circunstancias permiten avanzar ya en este momento que, efectivamente, la filmación entrañó una disuasión u obstaculización del libre ejercicio del derecho de huelga, reduciendo su efectividad, pues, no cabe minusvalorar los efectos disuasorios que puede producir en el ánimo de quienes pacíficamente forman parte de un piquete informativo el hecho de ser ininterrumpidamente filmados, sin mediar explicación alguna de este proceder —es decir, sin que los afectados puedan conocer los motivos de la medida adoptada—, sin que se acepte su ofrecimiento de identificación y, sobre todo, sin saber qué uso van a hacer de la filmación las fuerzas de seguridad y qué tipo de controles van a existir sobre la misma. Es más, esos efectos disuasorios pueden producirse también sobre los ciudadanos a los que se dirige la información de los piquetes, con la consiguiente enervación, cuando menos parcial, de los efectos de extensión y publicidad de la huelga perseguidos por quienes ejercen ese derecho constitucional. [...]

FJ 7. Establecido que la grabación de imágenes restringió el libre ejercicio del derecho de huelga, hay que examinar, seguidamente, si esta restricción respondía a un interés o a un bien constitucionalmente protegido. [...]
Ciertamente, como hemos reiterado, consta en los hechos declarados probados que en el supuesto aquí enjuiciado la actuación de los piquetes se produjo «dentro de la más absoluta normalidad», sin que existiera ninguna alteración de la seguridad ciudadana. Es cierto también que la Sentencia dictada por el Juzgado de lo Social aprecia que no existía razón alguna justificativa de la actuación policial, llegando a la conclusión de que la misma revela «una clara desconfianza» hacia los piquetes, desconociendo «su razón de ser [...] y [...] sus límites», actuando la policía «con excesivo celo y rigor [...], presumiendo la posibilidad de altercados u otros incidentes por la acción de un piquete, en ejercicio de derechos fundamentales consagrados constitucionalmente». El órgano judicial parece reprochar a la

actuación judicial que partiera de la presunción de que el derecho a hacer publicidad de la huelga se iba a ejercer de forma antijurídica, contrariamente a lo establecido por el ATC 17/1995.

Sin embargo, no es menos cierto que, en principio, no puede negarse a radice la posibilidad de que, en determinadas circunstancias y con las debidas garantías, puedan emplearse medidas de control como la aquí enjuiciada en orden a la prevención de alternaciones de la seguridad ciudadana y a la protección del libre ejercicio de los derechos y libertades. [...]

[...] [L]o que debemos indagar para concluir nuestro enjuiciamiento es si, como acabamos de apuntar, la medida concreta restrictiva del derecho de huelga resulta constitucionalmente proporcionada, dadas las circunstancias específicas del caso y las garantías concretas adoptadas en su aplicación.

FJ 8. En efecto, de conformidad con la doctrina de este Tribunal, la constitucionalidad de cualquier medida restrictiva de derechos fundamentales viene determinada por la estricta observancia del principio de proporcionalidad. [...]

[...] [N]o puede apreciarse que, en el presente caso y atendidas las circunstancias concurrentes, la grabación de la actividad de quienes trataban de extender y hacer publicidad de la huelga fuera una medida imprescindible y justificada desde la perspectiva de la proporcionalidad, no ya en el sentido genérico de la proporcionalidad que, según el art. 5.2 c) de la Ley Orgánica 2/1986, de 13 de marzo, de Fuerzas y Cuerpos de Seguridad, debe presidir toda actuación policial, sino en el sentido específico propio del juicio de constitucionalidad relativo a la que hemos denominado proporcionalidad del sacrificio del derecho fundamental (por todas, STC 28/1983).

[...] [E]n primer lugar, [...] a pesar de la solicitud de los miembros del piquete, no se justificó la medida, siendo así que, según tiene declarado este Tribunal, «la restricción del ejercicio de los derechos fundamentales necesita encontrar una causa específica y el hecho o la razón que la justifique debe explicitarse con el fin de que los destinatarios conozcan las razones por las cuales su derecho se sacrificó» (STC 52/1995, fundamento jurídico 5º). En segundo lugar, no se aceptó como posible medida alternativa la identificación personal ofrecida por los participantes en la acción de dar publicidad a la huelga. Por otro lado, no se aportan datos que permitan concluir que dada la ausencia de peligro claro, actual o inminente de producción de violencia o coacción, y, más en general, de desordenes que arriesgaran el ejercicio de derechos y libertades, fuese insuficiente la presencia de importantes efectivos de las fuerzas de orden público (los órganos judiciales declaran probado que estaban presentes varios coches patrulla de la Ertzaintza frente a algo más de cincuenta miembros del piquete) y, por el contrario, que resultara imprescindible para conseguir la anterior finalidad la filmación ininterrumpida y constante de toda la actividad pacífica de extensión y publicidad de la huelga. Finalmente, y de modo muy especial, hay que insistir en que se constata la desproporción de la medida si se tiene en cuenta su especial incidencia disuasora y, en consecuencia, limitadora del derecho de huelga, derivada de la inexistencia en aquel momento de específicas previsiones legales sobre los supuestos y procedimientos para llevar a cabo filmaciones, singularmente importantes en materia de conservación, puesta a disposición judicial y derechos de acceso y cancelación de las grabaciones, al margen de las previsiones generales contenidas en la Ley Orgánica 5/1992, de 29 de octubre, de regulación del tratamiento automatizado de los datos de carácter personal (referencia a esta Ley Orgánica pueden encontrarse en las SSTC 254/1993, fundamento jurídico 9º y 143/1994, fundamento jurídico 7º).

FJ 9. Ciertamente, la filmación no produjo una ablación total del derecho de huelga, sino una simple restricción de su ejercicio. No obstante, atendiendo a las circunstancias del caso y teniendo en cuenta que en estos supuestos, en los que un derecho fundamental cuyo ejercicio no está constitucionalmente supeditado a ninguna comunicación previa se ve limitado por una actuación policial preventiva, rige el criterio interpretativo de favor libertatis (STC 66/1995, fundamento jurídico 3º), debe concluirse que la captación ininterrumpida de imágenes fue una medida desproporcionada para conseguir la finalidad que se pretendía con la misma. [...]

EL DERECHO DE PETICIÓN

Artículo 29. *1. Todos los españoles tendrán el derecho de petición individual y colectiva, por escrito, en la forma y con los efectos que determine la ley.*
2. Los miembros de las Fuerzas o Institutos armados o de los Cuerpos sometidos a disciplina militar podrían ejercer este derecho sólo individualmente y con arreglo a lo dispuesto en su legislación específica.

INTRODUCCIÓN

El Tribunal Constitucional ha definido el derecho de petición como un derecho de participación política y democrática que, ejercitado individual o colectivamente, «permite a los ciudadanos comunicarse con el poder público, y que potencia la interrelación entre los Parlamentos y los ciudadanos y coopera a que los parlamentarios conozcan las preocupaciones de la sociedad a la que representan, así como las demandas políticas y las opiniones de los individuos y de los actores sociales» (STC 108/2011).

Nos encontramos pues ante un derecho de participación, un derecho que despliega su eficacia en la esfera política, y que, según dispone el artículo 3 de la Ley Orgánica 4/2001, de 12 de noviembre, reguladora del derecho de petición, puede ejercerse «ante cualquier institución pública, administración, o autoridad, así como ante los órganos de dirección y administración de los organismos y entidades vinculados o dependientes de las Administraciones públicas, respecto de las materias de su competencia, cualquiera que sea el ámbito territorial o funcional de ésta». Sus destinatarios son pues los órganos que integran los poderes legislativo y ejecutivo, que no el judicial, en cualquier ámbito territorial. Pese a ser un derecho de participación, con todo, el derecho de petición no se incardina entre los que el artículo 23 CE reconoce como derecho de participación política en sentido estricto, tal y como los define el Tribunal Constitucional. Más bien hay que ubicarlo entre los mecanismos participativos que los poderes públicos tienen la obligación de promover (artículo 9.2 CE), un mecanismo que, en este caso, y de forma excepcional, recibe reconocimiento como derecho fundamental específico. Como derecho de participación de contenido político, la Constitución limita su titularidad a los españoles. Como derecho de participación de contenido político, pero no en sentido estricto, fuera pues del ámbito de aplicación del artículo 23 y por ende también del 13.2 CE, el legislador puede ampliar su titularidad a personas que no tengan la nacionalidad española. Así lo ha hecho la Ley Orgánica 4/2001, cuyo artículo 1.1 lo reconoce a toda persona natural o jurídica, prescindiendo de su nacionalidad. Sólo se restringe su ejercicio a los miembros de las Fuerzas o Institutos armados, o de los Cuerpos sometidos a disciplina militar, quienes sólo podrán ejercerlo individualmente y con arreglo a lo dispuesto en su legislación específica (artículo 1.2)

Aunque el derecho de petición se ubica en el marco de la democracia participativa, aunque no se trate pues de un derecho de la participación política en sentido estricto, en relación con la garantía de su ejercicio el Tribunal Constitucional aplica cánones similares de exigencia a los que aplica respecto a los derechos del artículo 23 CE. Ha afirmado, en concreto, que los poderes públicos tienen la obligación de dar curso a las peticiones que le sean presentadas, sin extender su examen de la petición más allá de la estricta verificación de sus requisitos formales, ya que «no cabe, en principio, excluir ningún asunto público de la esfera de preocupación o interés político de los ciudadanos» (STC 108/2011, FJ 7). Hay que tener presente, en todo caso, que como mecanismo de democracia participativa el derecho de petición ocupa un lugar marginal en lo que a la relación entre ciudadanía y poder político concierne, siendo su ejercicio excepcional, y más excepcionales aún los recursos en torno al mismo, en el contexto de una democracia preeminentemente representativa.

LEGISLACIÓN

Ley Orgánica 4/2001, de 12 de noviembre, reguladora del derecho de petición; Ley 17/1999, de 18 de mayo, de régimen de personal de las Fuerzas Armadas (artículo 160); Real Decreto 96/2009, de 6 de febrero, por el que se aprueban las Reales Ordenanzas de las Fuerzas Armadas.

BIBLIOGRAFÍA

AA.VV. (2003): *Jornadas parlamentarias sobre el derecho de petición*, Madrid: Senado, Servicio de Publicaciones; ÁLVAREZ CARREÑO, S.M. (1999): *El derecho de petición, estudio en los sistemas español, italiano, alemán, comunitario y estadounidense*, Granada: Comares; COLOM PASTOR, B. (1998): *El derecho de petición*, Madrid: Marcial Pons; FERNÁNDEZ SARASOLA, I. (2000): «Un derecho residual: el derecho de petición en el ordenamiento constitucional español», *RVAP* 58, pp. 137-170; (2002): «Comentario a la Ley 4/2001, reguladora del derecho de petición», *REDC* 65, pp. 197-215; GARCÍA ESDUDERO, J.M. y GARCÍA MARTÍNEZ, M.A. (19??): «Artículo 29: Derecho de petición», *Comentarios a la Constitución Española de 1978* (O. Alzaga Villamil ed.), Madrid: Cortes Generales-EDERSA, Tomo III, pp. 371-382; SÁNCHEZ FERRIS, R. (1987): «El derecho de petición y su ejercicio ante las Cámaras», *Las Cortes Generales* (AA.VV.), Madrid: Ministerio de Economía y Hacienda, Instituto de Estudios Fiscales, pp. 2179-2226.

I. EL DERECHO DE PETICIÓN EN LA CONSTITUCIÓN ESPAÑOLA

El derecho de petición —STC 108/2011, de 20 de junio—

La Sentencia resuelve el recurso de amparo promovido por la Asociación para la defensa de la función pública aragonesa contra los acuerdos de la Mesa de las Cortes de Aragón de 14 y 30 de abril de 2009, que inadmitieron a trámite, respectivamente, la petición formulada por aquella asociación en orden a la creación de una comisión parlamentaria especial de estudio sobre criterios de conducta pública aplicables al conjunto de las instituciones de la Comunidad Autónoma de Aragón, y la petición de creación de una comisión parlamentaria de investigación para esclarecer la situación y funcionamiento de los gabinetes de los miembros del Gobierno de Aragón y promover las medidas necesarias para corregir las irregularidades que pudieran constatarse en su funcionamiento.

FJ 2. La doctrina constitucional relevante para dilucidar si los acuerdos de la Mesa de las Cortes de Aragón impugnados han vulnerado el derecho de petición (art. 29.1 CE) fue sintetizada en la STC 242/1993, de 14 de julio (FJ 1), dictada cuando se encontraba en vigor la Ley 92/1960, de 22 de diciembre, cuya vigencia había reconocido este Tribunal no obstante su origen preconstitucional.

En dicho pronunciamiento (que se ocupó de la pasividad y el silencio de un Parlamento autonómico a cuya comisión de peticiones se había dirigido una petición de un ciudadano) establecimos que el derecho fundamental de petición, que cuenta con una trayectoria que puede rastrearse hasta los albores de nuestro constitucionalismo y aún más allá, consagra en la forma y con los efectos que determine la ley que lo configure, un derecho que «tiene un mucho de instrumento para la participación ciudadana, aun cuando lo sea por vía de sugerencia, y algo del ejercicio de la libertad de expresión como posibilidad de opinar». La petición, decíamos, puede incorporar una sugerencia o una información, una iniciativa, expresando súplicas o quejas, pero en cualquier caso ha de referirse a decisiones discrecionales o graciables. En ese mismo sentido, la STC 161/1988, de 20 de septiembre, FJ 5, había señalado que el art. 29.1 CE reconoce un derecho uti cives que permite dirigir, con arreglo a la ley a la que se remite la Constitución, peticiones a los poderes públicos, solicitando gracia o expresando súplicas o quejas, sin que en él se incluya el derecho a obtener respuesta favorable a lo solicitado.

FJ 3. Casi dos décadas después del primer pronunciamiento constitucional citado, puede contarse con una progresiva regulación del derecho y de una mayor precisión de sus caracteres definidores, particularmente en el ámbito de las peticiones cursadas en el marco parlamentario.

En lo primero merece mención destacada el art. 44 de la Carta de los derechos fundamentales de la Unión Europa, ubicado bajo la rúbrica «derecho de petición», en el que se reconoce a todo ciudadano de la Unión y a toda persona física o jurídica que resida o tenga su domicilio social en un Estado miembro el derecho de petición ante el Parlamento Europeo. O puede igualmente citarse su concreción en diversos reglamentos de las Asambleas y Parlamentos autonómicos, como el de las Cortes de Aragón que será objeto de nuestro examen.

En el segundo aspecto enunciado, el de los caracteres definidores del derecho, contamos ya con una normativa precisa que sucede a la norma preconstitucional anteriormente mencionada, concretamente la Ley Orgánica 4/2001, de 12 de noviembre, reguladora del derecho de petición. Con la aplicación de la ley se dio cumplimiento al mandato contenido en el art. 29 CE, que remite a la configuración legal la regulación de la forma en que el derecho ha de ejercerse y los efectos que produce su ejercicio.

Además de los requisitos mínimos de procedimiento que establece, algunos de ellos novedosos como el impulso de medios de carácter electrónico para cursar las peticiones, la Ley Orgánica 4/2001, de 12 de noviembre, delimita el ámbito subjetivo de sus titulares (delimitación que se realiza extensivamente, ampliando el tenor constitucional al abarcar a cualquier persona natural o jurídica con independencia de su nacionalidad); determina que el derecho puede ejercerse tanto individual como colectivamente (sin perjuicio del régimen singular previsto para los miembros de las Fuerzas o Institutos armados, o de los Cuerpos sometidos a disciplina militar, según prescribe el art. 29.2 CE), y fija los destinatarios potenciales, entre los que se incluyen las Asambleas legislativas de las Comunidades Autónomas (disposición adicional primera). Resulta singularmente relevante en ese ámbito parlamentario que la tramitación de las peticiones recibidas se realizará, según la disposición adicional citada, de conformidad con lo establecido en los Reglamentos de las Cámaras destinatarias.

La posibilidad de ejercicio del derecho de petición en el ámbito parlamentario tiene su fuente y reconocimiento explícito en la propia Constitución, que se refiere a las peticiones ante las Cortes en su art. 77 [lo que incluye los Parlamentos autonómicos, según dijimos en la STC 242/1993, de 14 de julio, FJ 2: «aun cuando nuestra Constitución no indique expresamente los eventuales destinatarios del derecho, como hicieron las precedentes, no cabe dudar que las Cámaras legislativas han estado siempre entre las instituciones receptoras: las Cortes y el Rey, señalaban las Constituciones de 1837 y 1845, a quienes desde 1869 se añaden 'las autoridades' o éstas y los poderes públicos en la de 1931. La expresión 'Cortes' que utiliza la Ley 92/1960, reguladora de este derecho (art. 2) hay que extenderla hoy a las asambleas parlamentarias de las Comunidades Autónomas, una vez en vigor la nueva organización territorial del Estado»]. La Ley Orgánica 4/2001, de 12 de noviembre, conforme adelantábamos, viene a consagrar de manera expresa la petición ante los Parlamentos.

No podría ser de otro modo. La petición ejercitada en ese ámbito parlamentario, además de una libertad civil, es también expresión, cuando responde a un interés público o general, de un derecho de participación política, ejercitado individual o colectivamente. Un derecho político democrático que permite a los ciudadanos comunicarse con el poder público, y que potencia la interrelación entre los Parlamentos y los ciudadanos y coopera a que los parlamentarios conozcan las preocupaciones de la sociedad a la que representan, así como las demandas políticas y las opiniones de los individuos y de los actores sociales. Aunque evidentemente las Cámaras no queden comprometidas a actuar en el sentido reclamado por el peticionario, sin duda la petición puede estimular la actividad parlamentaria, favorecer que se lleve a cabo de modo más eficaz la función de control del ejecutivo, o incluso que se articulen nuevas iniciativas legislativas. El derecho de petición es en ese ámbito, materialmente, un derecho de participación democrática y ciudadana.

FJ 4. Como ha quedado expuesto, el art. 77.1 CE, que explicita para el ámbito parlamentario del derecho de petición del art. 29.1 CE, contempla las peticiones individuales y colectivas ante las Cámaras. Las únicas condiciones que fija la previsión constitucional son su forma escrita y la prohibición de presentación directa por manifestaciones ciudadanas, circunstancias que no son objeto de debate en el presente recurso de amparo. Por su parte, la disposición adicional primera de la Ley Orgánica 4/2001, de 12 de noviembre, según se dijo, remite el régimen de tramitación de las peticiones dirigidas a los órganos parlamentarios, también las cursadas ante las Asambleas Legislativas de las Comunidades Autónomas, a sus respectivos reglamentos. [...]

FJ 5. [...] Como correctamente afirma la Letrada de las Cortes de Aragón, entre las funciones de la Mesa se encuentra la de «[c]alificar los escritos y documentos de índole parlamentaria y declarar su admisibilidad o inadmisibilidad, con arreglo a lo dispuesto en este Reglamento, así como decidir la tramitación de los mismos y la remisión a la comisión correspondiente, en su caso» [art. 29.1 e) del Reglamento de las Cortes de Aragón]. Le corresponde evidentemente comprobar los aspectos formales de los escritos, en concreto, respecto a los escritos de petición, la identificación de los peticionarios y la concreción del objeto de la misma. Deberá comprobar igualmente que dicho objeto es acorde con las competencias de la Cámara.

Por otra parte, el Reglamento crea en su art. 62 la comisión de peticiones y derechos humanos, y señala expresamente que la misma «examinará cada petición individual o colectiva que reciban las Cortes de Aragón». Añade la posibilidad de que acuerde en su caso («podrá acordar» dice el previsión) su remisión, según proceda, por conducto del Presidente de la Cámara, al Justicia de Aragón, al Defensor del Pueblo, a la Comisión de las Cortes que estuviera tratando del asunto objeto de la petición, a las Cortes Generales, al Gobierno de la Nación, a la Diputación General de Aragón, a los Tribunales, al Ministerio Fiscal, a las Diputaciones Provinciales, a los Ayuntamientos aragoneses o, en general, a la autoridad u órgano administrativo competente. Y contempla, finalmente, la hipótesis de que la comisión acuerde el archivo de la petición «si no procediera la remisión a que se refiere el apartado anterior».

A mayor abundamiento, en coincidencia plena con lo señalado en los acuerdos impugnados, los arts. 63 y siguientes del Reglamento de las Cortes de Aragón establecen la regulación de las comisiones no permanentes de investigación o especiales de estudio, atribuyendo al Pleno la competencia para decidir su creación («a propuesta de la Diputación General, de la Mesa de la Cámara, de dos Grupos Parlamentarios o de la quinta parte de los Diputados», en el caso de las comisiones de investigación, y «a propuesta de la Mesa de la Cámara de acuerdo con la Junta de Portavoces», en el supuesto de las comisiones especiales de estudio, si bien añade el art. 66.2 del Reglamento de las Cortes de Aragón que la propuesta de la Mesa podrá realizarse por iniciativa propia «o a instancia de un Grupo Parlamentario o de la quinta parte de los Diputados»).

A la vista de dicha regulación la Mesa de las Cortes de Aragón consideró que las peticiones de la asociación recurrente debían inadmitirse, por falta de legitimación para instar su puesta en marcha, puesto que representaban una injerencia en el procedimiento parlamentario. Estimó, por tanto, que la iniciativa queda limitada a la voluntad de los Grupos Parlamentarios o de los Diputados individuales en número suficiente, como verdaderos sujetos de las funciones de control e impulso de las que aquellos mecanismos parlamentarios serían un claro reflejo. Diríamos con ello, en la línea que expone la Letrada de las Cortes de Aragón, que el estímulo para la creación de esas comisiones no permanentes de investigación o especiales de estudio queda circunscrito al ámbito estrictamente parlamentario. Lógica que podría responder a una determinada interpretación del art. 3 de la Ley Orgánica 4/2001, de 12 de noviembre, reguladora del derecho de petición, que afirma que «[n]o son objeto de este derecho aquellas solicitudes, quejas o sugerencias para cuya satisfacción el ordenamiento jurídico establezca un procedimiento específico distinto al regulado en la presente Ley» o del art. 8 de la referida Ley Orgánica, que establece que no se admitirán aquellas peticiones «cuya resolución deba ampararse en un título específico distinto al establecido en esta Ley que deba ser objeto de un procedimiento parlamentario, administrativo o de un proceso judicial».

FJ 6. La referida interpretación mantenida por la Mesa de las Cortes de Aragón no se acomoda al contenido esencial del derecho de petición (art. 29.1 CE).

Este Tribunal ha declarado, si bien en relación a las iniciativas de los parlamentarios, que ninguna tacha de inconstitucionalidad merece la atribución a las Mesas parlamentarias del control de la regularidad legal de los escritos y documentos parlamentarios, ya se trate de aquellos dirigidos a ejercer el control del Ejecutivo, o se trate de otros de carácter legislativo. Siempre que tras ese examen de la iniciativa a la luz del canon normativo del reglamento parlamentario no se esconda un juicio sobre la oportunidad política, en los casos en que ese juicio esté atribuido a la Cámara parlamentaria en el correspondiente trámite de toma en consideración o en el debate plenario. Y ello porque el órgano que sirve de instrumento para el ejercicio por los ciudadanos de la soberanía participando en los asuntos públicos por medio de representantes es la propia Cámara, no sus Mesas, que cumplen la función jurídico-técnica de ordenar y racionalizar el funcionamiento de las Cámaras para su mayor eficiencia, precisamente como tal foro de debate y participación en la cosa pública [SSTC 89/2005 y 90/2005, de 18 de abril, FFJJ 2 c), y 242/2006, de 24 de julio, FJ 4, por todas].

En relación al derecho fundamental de petición que pueda ejercitarse dirigiéndose al ámbito parlamentario, la función de la Mesa en esta tipología de casos no puede variar sustancialmente de la que acaba de describirse respecto de los actos estrictamente parlamentarios de control al ejecutivo o de carácter legislativo, formulados a iniciativa de los Diputados o los Grupos Parlamentarios. Y ello porque, al igual que ocurre con los actos de estos últimos en ejercicio del derecho del art. 23.2 CE, la Mesa tampoco puede negar toda virtualidad a cualquier petición de los ciudadanos a la institución parlamentaria (art. 77.1 CE) pues supondría confundir su función técnica de ordenación con la facultad de decisión y debate que corresponde a otros órganos de la Cámara, y, a su vez, también supondría confundir lo que es ejercicio del derecho de petición respecto a lo que puede ser una injerencia en la función parlamentaria. Tal proceder vaciaría la cobertura que ofrece el art. 29.1 CE, que en ese espacio parlamentario únicamente puede perseguir la interrelación de los peticionarios con sus representantes, haciéndoles llegar una iniciativa, una queja o una sugerencia o, como en esta ocasión sucede en los escritos de la asociación recurrente, de 27 de marzo y 14 de abril de 2009, una propuesta de actuación —creación de comisiones parlamentarias— que pretende estimular la iniciativa de quienes son competentes para ello, los Diputados o los Grupos Parlamentarios destinatarios según la regulación del Reglamento de las Cortes de Aragón.

En nuestra STC 242/1993, de 14 de julio, FJ 2, ya afirmamos que el derecho de petición incluye la exigencia de admisión del escrito que incorpora la petición, de su tramitación conforme al curso debido o de su reenvío al órgano competente si no lo fuera el receptor, tomando en consideración el contenido del escrito, lo que no significa, sin embargo, que ello «incluya el derecho a obtener respuesta favorable a lo solicitado». En este contexto cobra sentido la prescripción contemplada en el art. 62 del Reglamento de las Cortes de Aragón donde tras establecer la comisión de peticiones y derechos humanos se señala expresamente que ésta «examinará cada petición individual o colectiva que reciban las Cortes de Aragón». Con la recepción y el examen por dicha comisión de la petición formulada se asegura el respeto al contenido material del derecho fundamental en su concreción parlamentaria, al garantizarse el examen singular de la petición, el reenvío si procede a otra instancia [eventualmente interna a la propia Cámara, como se advierte en el art. 62.1 c) del Reglamento de las Cortes de Aragón], y, en todo caso, el conocimiento de la propuesta de los peticionarios por parte de los Grupos integrantes de la misma (que particularmente en lo relativo a las comisiones especiales de estudio y no permanentes de investigación, según se dijo, cuentan con facultades para instar el procedimiento que conduce a su creación, arts. 66.2 y 64.1 del Reglamento de las Cortes de Aragón, respectivamente).

En suma, el ejercicio del referido derecho fundamental no puede quedar sujeto, en el seno de la Cámara, a un control de oportunidad por parte de la Mesa, ni puede resultar condicionado por el hecho de que los peticionarios no tengan competencia para decidir o participar directamente en el procedimiento parlamentario, pues lo que realizan es una propuesta de intervención dirigida a los órganos parlamentarios que eventualmente pudieran llevarla a cabo, y que debe ser, por ello, debidamente encauzada a sus destinatarios. Bajo esas circunstancias, y a tenor del régimen previsto en el propio Reglamento de las Cortes de Aragón, a la Mesa le correspondía un examen de la viabilidad formal de tales propuestas, pues no se invoca, ni se aprecia, ninguna limitación material derivada de la Constitución, el bloque de la constitucionalidad, ni tampoco del Reglamento parlamentario que en concreto analizamos, que justifique que la Mesa extendiera su examen de la petición más allá de la estricta verificación de sus requisitos formales.

FJ 7. En definitiva, los acuerdos recurridos, como señala el Ministerio Fiscal, amplían extensivamente la competencia de calificación y admisibilidad de escritos de la Mesa, prevista en el art. 29.1 e) del Reglamento de las Cortes de Aragón, y desconocen la competencia atribuida al respecto a la comisión permanente de peticiones y derechos humanos (art. 62), sustrayendo la tramitación exigible en relación a los escritos mediante los que se ejercitaba el derecho fundamental consagrado en el art. 29.1 CE. De esta manera se impidió a la asociación recurrente el ejercicio de esta modalidad de derecho de participación política, expresado a través del derecho de petición, y se incidió, de forma mediata, en el derecho al ejercicio de los cargos públicos que corresponde a los Diputados electos, al impedir que conocieran una propuesta que podría merecer algún tipo de iniciativa parlamentaria por su parte, la sugerida por la asociación o la que pudieran estimar pertinente en relación a la petición presentada.

No es óbice para alcanzar tal conclusión lo dispuesto en los arts. 3 y 8 de la Ley Orgánica 4/2001, de 12 de noviembre, reguladora del derecho de petición. Es cierto que esas previsiones establecen que no serán objeto del derecho de petición aquellas solicitudes, quejas o sugerencias para cuya satisfacción el ordenamiento jurídico establezca un procedimiento específico distinto al regulado en dicha ley, y, además, que no se admitirán aquellas peticiones cuya resolución deba ampararse en un título específico distinto, que deba ser objeto de un procedimiento, entre otros, de carácter parlamentario. Y no es óbice porque la asociación recurrente no pretendía ni interferir el funcionamiento parlamentario, ni menos aún sustituir el procedimiento de creación de esas comisiones o sustituir en el mismo a los órganos parlamentarios competentes, sino, antes bien, como hemos dicho ya, hacer llegar su propuesta (que en este caso suponía también una queja) para que aquellos órganos, los grupos parlamentarios o los parlamentarios individuales legitimados para instar la creación de dichas comisiones, pudieran considerar la oportunidad de constituirlas. Por ello, la Mesa al rechazar las solicitudes, se excedió en sus atribuciones, ya que, en cumplimiento del procedimiento previsto en el Reglamento de la Cámara, debió remitirlas a la comisión permanente de peticiones y derechos humanos, que es la competente para decidir sobre dichas solicitudes, incluyendo, claro está, la posibilidad de su denegación.

Entendida la petición en esos términos, no cabe, en principio, excluir ningún asunto público de la esfera de preocupación o interés político de los ciudadanos, por lo que, en virtud del razonamiento antes expuesto, ha de concluirse que la Mesa de la Cámara ha lesionado el derecho de petición (art. 29.1 CE) en el presente caso.

EL DERECHO A OBJETAR EN CONCIENCIA A LAS OBLIGACIONES MILITARES Y A PRESTAR EL SERVICIO MILITAR OBLIGATORIO

***Artículo 30.2.** La ley fijará las obligaciones militares de los españoles y regulará, con las debidas garantías, la objeción de conciencia, así como las demás causas de exención del servicio militar obligatorio, pudiendo imponer, en su caso, una prestación social sustitutoria*

INTRODUCCIÓN

Dentro del marco del establecimiento de la obligación constitucional de defender a España en el artículo 30 CE, y en la medida en que dichas obligaciones pueden concretarse en la prestación de un servicio militar obligatorio, el artículo 30.2 CE reconoce el derecho a objetar en conciencia a dicho servicio, reservando al Estado la posibilidad de sustituir la prestación militar por una prestación social. Nos encontramos ante una concreción en el terreno específico de la prestación del servicio militar de la libertad de conciencia, parte a su vez del genérico derecho a la libertad ideológica reconocido en el artículo 16 CE. Nos encontramos, en concreto, y a diferencia de lo que sucede con otras manifestaciones de la libertad de conciencia, no ante la garantía jurídica de la abstención de una determinada conducta, la del servicio militar en este caso, sino ante «una excepcional exención a un deber —el deber de defender a España— que se impone con carácter general en el art. 30.1 de la Constitución y que con ese mismo carácter debe ser exigido por los poderes públicos» (STC 15/1982, FJ 7). Tras algunas vacilaciones iniciales (*ibídem*), el Tribunal Constitucional ha excluido la existencia de un derecho genérico a la objeción de conciencia. «La objeción de conciencia con carácter general, es decir, el derecho a ser eximido del cumplimiento de los deberes constitucionales o legales por resultar ese cumplimiento contrario a las propias convicciones, no está reconocido ni cabe imaginar que lo estuviera en nuestro Derecho o en Derecho alguno, pues significaría la negación misma de la idea del Estado. Lo que puede ocurrir es que sea admitida excepcionalmente respecto a un deber concreto», como el deber de prestar el servicio militar obligatorio (STC 161/1987, FJ 3). No puede así deducirse del artículo 16 CE un derecho a objetar en conciencia a obligaciones constitucionales, como es el caso del cumplimiento, no ya del servicio militar obligatorio, sino de una prestación social que venga a sustituirlo, en la medida en que ésta haya sido establecida por el legislador, con base en el artículo 30.2 CE (STC 55/1996).

La objeción de conciencia aparece reconocida en el artículo 30.2 CE, dentro de la sección 2ª del Capítulo II del Título I CE, sección dedicada a los deberes constitucionales, y a derechos fundamentales que no gozan de las garantías adicionales previstas para los que reconoce la sección 1ª, contando sólo con las que son consustanciales a la naturaleza constitucional del derecho, es decir, su vinculación directa a todos los poderes públicos, incluido el legislador, y con el sometimiento de su regulación a reserva de ley (artículo 53.1 CE). Pues bien, además de esas garantías, la objeción de conciencia goza también de una tutela jurisdiccional reforzada, que incluye el recurso de amparo ante el Tribunal Constitucional (artículo 53.2 CE). Su ubicación en dicha sección 2ª ha llevado al Tribunal Constitucional a dudar sobre el carácter de derecho fundamental de la objecion de conciencia, en línea con los reconocidos en la sección 1ª, si bien ha subrayado que, fundamental o no, nos hallamos ante un derecho de rango constitucional (STC 160/1987, FJ 3). Con independencia de la amplitud que queramos otorgar al concepto de derechos fundamentales, entendiéndolo como sinónimo de derechos constitucionales, o limitándolo a los que reciben la protección reforzada que nuestra Constitución reserva a reconocidos en la sección 1ª del Capítulo II del Título I, lo cierto es que, como se apuntó en la **INTRODUCCIÓN**, se trata de una cuestión conceptual que carece de relevancia práctica.

En efecto, y en lo que a la objeción de conciencia del artículo 30.2 CE concierne, nos encontramos, en todo caso, ante un derecho que por su reconocimiento constitucional vincula directamente a los poderes públicos, aunque no cuente con desarrollo legislativo, y aunque ese artículo remita a la ley para su regulación. Todo ello al margen de que, hasta que este desarrollo se produzca, el ejercicio directo del derecho puede reducirse a un mínimo contenido, a la suspensión provisional de la incorporación a filas (*ibídem*, FJ 8). Vincula, además, a todos los poderes públicos por encima incluso de los términos de su regulación legal. El Tribunal Constitucional declaró así que, por encima de que el Real Decreto 30/1976, de 23 de diciembre, se limitase a regular la objeción de conciencia a dicho deber en la media en que ésta tuviera carácter religioso, el derecho a ejercer esa objeción va más allá de este motivo (STC 15/1982, FJ 7). No entendió inconstitucional, por otro lado, la regulación de la objeción de conciencia y la prestación social sustitutoria en la Ley 48/1984, de 26 de diciembre, ni la regulación en la Ley Orgánica 8/1984, de 26 de diciembre (artículo 2, apartados 1, 2, 3 y 4), del régimen de recursos y régimen penal en materia de objeción de conciencia y prestación social sustitutoria (STC 160/1987), ni aun donde excluye el ejercicio del derecho tras la incorporación a filas (STC 161/1987). Hoy dicha regulación se contiene en la Ley 22/1998, de 6 de julio, reguladora de la objeción de conciencia y de la prestación social sustitutoria. Su aplicación, con todo, fue suspendida a partir del 31 de diciembre de 2001 por el Real Decreto 342/2001, de 4 de abril, en línea con la suspensión por el Real Decreto 247/2001 de 9 de marzo, del servicio militar obligatorio, que adelantó a esa fecha la originalmente prevista para dicha suspensión (el 31 de diciembre de 2002) en la Ley 17/1999, de 18 de mayo, reguladora del régimen del Personal de las Fuerzas Armadas.

LEGISLACIÓN

Código Penal, artículos 527 y 528; Ley 22/1998, de 6 de julio, reguladora de la objeción de conciencia y de la prestación social sustitutoria; Ley 17/1999, de 18 de mayo, reguladora del régimen del Personal de las Fuerzas Armadas (D.A. 13ª); Real Decreto 247/2001 de 9 de marzo, por el que se adelanta la suspensión de la prestación del servicio militar; Real Decreto 342/2001, de 4 de abril, por el que se suspende la prestación social sustitutoria del servicio militar

BIBLIOGRAFÍA

BLANCO VALDÉS, R. (1988): *La ordenación constitucional de la defensa*, Madrid: Tecnos; CÁMARA VILLAR, G. (1991): *La objeción de conciencia al servicio militar (Las dimensiones constitucionales del problema)*, Madrid: Civitas; GÓMEZ ABEJA, L. (2016): *Las objeciones de conciencia*, Madrid: CEPC; LÓPEZ AGUILAR, J.F. (1991): «La objeción de conciencia al servicio militar: un problema persistente en la construcción del derecho constitucional español», *REDC* 32, pp. 283-304; RUIZ MIGUEL, A. (1996): «La objeción de conciencia a deberes cívicos», *REDC* 47, pp. 101-124; SERRANO DE TRIANA, A. (1991): Meditaciones viejas sobre un derecho nuevo: la objeción de conciencia, *Estudios sobre la Constitución española: Homenaje al profesor Eduardo García de Enterría* (Martín-Retortillo Baquer, S., coord.), Madrid: Civitas, pp. 1213-1256.

I. EL DERECHO A LA OBJECIÓN DE CONCIENCIA A PRESTAR EL SERVICIO MILITAR EN LA CONSTITUCIÓN ESPAÑOLA

La objeción de conciencia antes del desarrollo legislativo del artículo 30.2 CE —STC 15/1982, de 23 de abril[1]—

La Sentencia resuelve el recurso de amparo promovido por don J.S.S.V. contra el acuerdo de la Junta de Clasificación y Revisión Jurisdiccional de la Zona Marítima del Estrecho de 26 de septiembre de 1980, la resolución del Almirante Capitán General de la Zona Marítima del Estrecho de 19 de noviembre de 1980 y el Auto del Consejo Supremo de Justicia Militar de 13 de mayo de 1981, que denegaron su solicitud de prórroga de incorporación al servicio militar, por no basarse en objeción de conciencia por motivos religiosos (única contemplada en el Real Decreto 3011/1976, de 23 de diciembre entonces vigente), sino personales y éticos.

FJ 6. [...] Nuestra Constitución declara literalmente en su art. 53.2, in fine, que el recurso de amparo ante el Tribunal Constitucional «será aplicable a la objeción de conciencia reconocida en el art. 30», y al hacerlo utiliza el mismo término, «reconocida», que en la primera frase del párrafo primero del citado artículo cuando establece que «los derechos y libertades reconocidos en el capítulo II del presente título vinculan a todos los poderes públicos». A su vez, el propio párrafo segundo del art. 53 equipara el tratamiento jurídico constitucional de la objeción de conciencia al de ese núcleo especialmente protegido que son los derechos fundamentales y libertades públicas que se reconocen en el art. 14 y en la Sección primera del capítulo II, del título I.

Por otra parte, tanto la doctrina como el derecho comparado afirman la conexión entre la objeción de conciencia y la libertad de conciencia. Para la doctrina, la objeción de conciencia constituye una especificación de la libertad de conciencia, la cual supone no sólo el derecho a formar libremente la propia conciencia, sino también a obrar de

modo conforme a los imperativos de la misma. En la Ley Fundamental de Bonn el derecho a la objeción de conciencia se reconoce en el mismo artículo que la libertad de conciencia y asimismo en la resolución 337, de 1967, de
la Asamblea Consultiva del Consejo de Europa se afirma de manera expresa que el reconocimiento de la objeción
de conciencia deriva lógicamente de los derechos fundamentales del individuo garantizados en el art. 9 de la Convención Europea de Derechos Humanos, que obliga a los Estados miembros a respetar las libertades individuales de
conciencia y religión.

Y, puesto que la libertad de conciencia es una concreción de la libertad ideológica, que nuestra Constitución reconoce en el art. 16, puede afirmarse que la objeción de conciencia es un derecho reconocido explícita e implícitamente
en el ordenamiento constitucional español, sin que contra la argumentación expuesta tenga valor alguno el hecho de
que el art. 30.2 emplee la expresión «la Ley regulará», la cual no significa otra cosa que la necesidad de la interpositio
legislatoris no para reconocer, sino, como las propias palabras indican, para «regular» el derecho en términos que
permitan su plena aplicabilidad y eficacia.

FJ 7. Ahora bien, a diferencia de lo que ocurre con otras manifestaciones de la libertad de conciencia, el derecho a
la objeción de conciencia no consiste fundamentalmente en la garantía jurídica de la abstención de una determinada
conducta —la del servicio militar en este caso—, pues la objeción de conciencia entraña una excepcional exención
a un deber —el deber de defender a España— que se impone con carácter general en el art. 30.1 de la Constitución
y que con ese mismo carácter debe ser exigido por los poderes públicos. La objeción de conciencia introduce una
excepción a ese deber que ha de ser declarada efectivamente existente en cada caso, y por ello el derecho a la objeción de conciencia no garantiza en rigor la abstención del objetor, sino su derecho a ser declarado exento de un
deber que, de no mediar tal declaración, sería exigible bajo coacción. Asimismo, el principio de igualdad exige que
el objetor de conciencia no goce de un tratamiento preferencial en el cumplimiento de ese fundamental deber de
solidaridad social. Técnicamente, por tanto, el derecho a la objeción de conciencia reconocido en el art. 30.2 de la
Constitución no es el derecho a no prestar el servicio militar, sino el derecho a ser declarado exento del deber general
de prestarlo y a ser sometido, en su caso, a una prestación social sustitutoria. A ello hay que añadir que el criterio
de la conformidad a los dictados de la conciencia es extremadamente genérico y no sirve para delimitar de modo
satisfactorio el contenido del derecho en cuestión y resolver los potenciales conflictos originados por la existencia de
otros bienes igualmente constitucionales.

Por todo ello, la objeción de conciencia exige para su realización la delimitación de su contenido y la existencia
de un procedimiento regulado por el legislador en los términos que prescribe el art. 30.2 de la Constitución, «con
las debidas garantías», ya que sólo si existe tal regulación puede producirse la declaración en la que el derecho a la
objeción de conciencia encuentra su plenitud.

El legislador español, sin embargo, no ha dado aún cumplimiento a ese mandato constitucional. Hasta el momento
presente la única norma vigente en la materia es el Real Decreto 3011/1976, de 23 de diciembre, sobre la objeción
de conciencia de carácter religioso al servicio militar, ya que la Ley Orgánica de Defensa Nacional, promulgada el 1 de
julio de 1980, se limita a reproducir el precepto constitucional al afirmar tan sólo en su art. 37.2 que «la Ley regulará
la objeción de conciencia y los casos de exención que obliguen a una prestación social sustitutoria».

Es evidente que la regulación contenida en el mencionado Decreto, norma de rango inferior a la Ley y que contempla
únicamente la objeción de carácter religioso, resulta insuficiente en su aplicación a la nueva situación derivada de
la Constitución, pues se limita a extender, haciendo uso de la facultad otorgada al Gobierno por la Ley General del
Servicio Militar en su art. 34.1, a dichos objetores la prórroga de incorporación a filas de cuarta clase —prórroga
que puede desembocar en una declaración de exención del servicio militar activo— y a autorizar a la Presidencia
del Gobierno para que señale los puestos de prestación del servicio de interés cívico que han de asignarse a quienes
disfruten de las prórrogas.

Cualquiera que sea la interpretación que se dé a «las debidas garantías» exigidas por la Constitución, un análisis de
las legislaciones extranjeras que regulan el derecho a la objeción de conciencia y de los principios básicos y criterios relativos al procedimiento y al servicio alternativo contenidos en la resolución 337 de la Asamblea Consultiva
del Consejo de Europa, así como de las aportaciones doctrinales, pone de manifiesto que el Real Decreto de 23 de
diciembre de 1976 no puede aplicarse por analogía a la objeción de conciencia no fundada en motivos religiosos.

FJ 8. De ello no se deriva, sin embargo, que el derecho del objetor esté por entero subordinado a la actuación del
legislador. El que la objeción de conciencia sea un derecho que para su desarrollo y plena eficacia requiera la interpositio legislatoris no significa que sea exigible tan sólo cuando el legislador lo haya desarrollado, de modo que su
reconocimiento constitucional no tendría otra consecuencia que la de establecer un mandato dirigido al legislador sin

virtualidad para amparar por sí mismo pretensiones individuales. Como ha señalado reiteradamente este Tribunal, los principios constitucionales y los derechos y libertades fundamentales vinculan a todos los poderes públicos (arts. 9.1 y 53.1 de la Constitución) y son origen inmediato de derechos y obligaciones y no meros principios programáticos; el hecho mismo de que nuestra norma fundamental en su art. 53.2 prevea un sistema especial de tutela a través del recurso de amparo, que se extiende a la objeción de conciencia, no es sino una confirmación del principio de su aplicabilidad inmediata. Este principio general no tendrá más excepciones que aquellos casos en que así lo imponga la propia Constitución o en que la naturaleza misma de la norma impida considerarla inmediatamente aplicable supuestos que no se dan en el derecho a la objeción de conciencia.

Es cierto que cuando se opera con esa reserva de configuración legal el mandato constitucional puede no tener, hasta que la regulación se produzca, más que un mínimo contenido que en el caso presente habría de identificarse con la suspensión provisional de la incorporación a filas, pero ese mínimo contenido ha de ser protegido, ya que de otro modo el amparo previsto en el art. 53.2 de la Constitución carecería de efectividad y se produciría la negación radical de un derecho que goza de la máxima protección constitucional en nuestro ordenamiento jurídico. La dilación en el cumplimiento del deber que la Constitución impone al legislador no puede lesionar el derecho reconocido en ella.

Para cumplir el mandato constitucional es preciso, por tanto, declarar que el objetor de conciencia tiene derecho a que su incorporación a filas se aplace hasta que se configure el procedimiento que pueda conferir plena realización a su derecho de objetor, declaración, por otra parte, cuyos efectos inmediatos son equivalentes a los previstos en el Real Decreto 3011/ 1976, de 23 de diciembre, ya que, según advierte el Abogado del Estado, la Presidencia del Gobierno no está haciendo uso en el momento presente de la autorización en él contenida en relación con la prestación social sustitutoria.

No corresponde, sin embargo, a este Tribunal determinar la forma en que dicha suspensión o aplazamiento ha de concederse, por lo que no puede proceder, como pretende el recurrente en su escrito de demanda, a la adopción de las medidas adecuadas para que el Ministerio de Defensa y sus órganos subordinados le concedan la prórroga de incorporación a filas de cuarta clase a).

Constitucionalidad del desarrollo legal del artículo 30.2 CE (1) —STC 160/1987, de 27 de octubre—

La Sentencia resuelve el recurso de inconstitucionalidad interpuesto por el Defensor del Pueblo contra la Ley 48/1984, de 26 de diciembre, reguladora de la objeción de conciencia y de la prestación social sustitutoria, y contra la Ley Orgánica 8/1984 (artículo 2, apartados 1, 2, 3 y 4), reguladora del régimen de recursos y régimen penal en materia de objeción de conciencia y prestación social sustitutoria.

FJ 1. Hay que indicar, en principio, que el recurso de inconstitucionalidad que formula el Defensor del Pueblo se dirige contra dos Leyes: una, la Ley ordinaria 48/1984, de 26 de diciembre, «reguladora de la objeción de conciencia y de la prestación social sustitutoria», y otra, la Ley Orgánica 8/1984, de 26 de diciembre, «por la que se regula el régimen de recursos en caso de objeción de conciencia, su régimen penal y se deroga el art. 45 de la LOTC 2/1979», sosteniendo, después de criticar la metodología del legislador por regular el derecho a la objeción de conciencia en dos leyes distintas, que toda la regulación de ese derecho debió realizarse en una única Ley con rango de orgánica. [...].

FJ 2. [...] [E]l derecho a la objeción de conciencia, aun en la hipótesis de estimarlo fundamental, no está sujeto a la reserva de Ley Orgánica por no estar incluido en los arts. 15 al 29 de la Constitución (Sección 1.ª del Capítulo Segundo, Título I), relativo a la enumeración de los derechos y libertades fundamentales, ya que el derecho, nominatim, no está, en efecto, en esa lista constitucional de derechos y porque, además, dicha fórmula se corresponde literalmente con la del epígrafe de la Sección 1.ª del Capítulo Segundo del Título I de la Constitución, deduciéndose de ello en principio que es a esa sección, y solo a esa sección, a la que se refiere el art. 81.1 y no a cualesquiera otros derechos reconocidos fuera de ella. Lo que la doctrina de este Tribunal hace es delimitar el ámbito y alcance de una determinada garantía (art. 81.1 referido a la Sección 1.ª), sin prejuzgar la existencia de otros derechos y de otras garantías, pero a los que no se extiende la de la Ley Orgánica.

FJ 3. Sin embargo, el Defensor del Pueblo [...] sostiene que la objeción de conciencia constituye, per se o por derivación del art. 16 CE (libertad ideológica), un verdadero derecho fundamental. No aporta, ciertamente, el Defensor del Pueblo argumentos bastantes para justificar su tesis, limitándose casi a afirmarla, también con el apoyo de la STC 15/1982. Pero esta afirmación no puede ser aceptada, porque tampoco de esta Sentencia se infiere que se entendiera que el derecho cuestionado tuviera rango fundamental. Lo que en dicha Sentencia se hizo fue declarar la naturaleza constitucional del derecho a la objeción de conciencia, frente a la tesis que en la ocasión sostuvo el Abogado del Estado de que tal derecho no está reconocido en la CE, porque el art. 30.2 se limita a remitir al legislador la tarea de regularlo y determinar su existencia. En la STC 15/1982, de 23 de abril, se dice que la objeción de conciencia, dada la interpretación conjunta de los arts. 30.2 y 53.2, es un derecho constitucionalmente reconocido al que el segundo de los artículos citados otorga la protección del recurso de amparo, lo que le equipara, a los solos efectos de dicho recurso, en su tratamiento jurídico constitucional con ese núcleo especialmente protegido que son los derechos fundamentales y libertades públicas, y es la Constitución, pues, la que reconoce el derecho de manera implícita y explícita, no significando otra cosa la expresión «la Ley regulará» del art. 30.2 que la necesidad de la interpositio legislatoris, no para reconocer, sino, como las propias palabras indican, para «regular» el derecho en términos que permitan su plena aplicabilidad y eficacia.

Se trata, pues, de un derecho constitucional reconocido por la Norma suprema en su art. 30.2, protegido, sí, por el recurso de amparo (art. 53.2), pero cuya relación con el art. 16 (libertad ideológica) no autoriza ni permite calificarlo de fundamental. A ello obsta la consideración de que su núcleo o contenido esencial —aquí su finalidad concreta— consiste en constituir un derecho a ser declarado exento del deber general de prestar el servicio militar (no simplemente a no prestarlo), sustituyéndolo, en su caso, por una prestación social sustitutoria. Constituye, en ese sentido, una excepción al cumplimiento de un deber general, solamente permitida por el art, 30.2, en cuanto que sin ese reconocimiento constitucional no podría ejercerse el derecho, ni siquiera al amparo del de libertad ideológica o de conciencia (art. 16 CE) que, por si mismo, no sería suficiente para liberar a los ciudadanos de deberes constitucionales o «subconstitucionales» por motivos de conciencia, con el riesgo anejo de relativizar los mandatos jurídicos. Es justamente su naturaleza excepcional —derecho a una exención de norma general, a un deber constitucional, como es el de la defensa de España— lo que le caracteriza como derecho constitucional autónomo, pero no fundamental, y lo que legitima al legislador para regularlo por Ley ordinaria «con las debidas garantías», que, si por un lado son debidas al objetor, vienen asimismo determinadas por las exigencias defensivas de la Comunidad como bien constitucional[2]. [...]

FJ 4. [...] Por un lado, el legislador, la comunidad, no puede satisfacerse con la simple alegación de una convicción personal que, por excepcional, ha de ser contrastada para la satisfacción del interés común. De otro, el objetor, para la recognoscibilidad de su derecho, ha de prestar la necesaria colaboración si quiere que su derecho sea efectivo para facilitar la tarea de los poderes públicos en ese sentido (art. 9.2 CE), colaboración que ya comienza, en principio, por la renuncia del titular del derecho a mantenerlo —frente a la coacción externa— en la intimidad personal, en cuando nadie está «obligado a declarar sobre su ideología, religión o creencias» (art. 16.2 CE). La idea de que el derecho, incluso el fundamental, repudia toda regulación legal no parece conformarse con la técnica constitucional: el propio art. 16 ya admite la entrada legislativa al determinar que las libertades que reconoce pueden ser limitadas por el orden público protegido por la Ley, lo que es independiente, por otra parte, de la mínima regulación precisa para que el derecho sea viable, como antes se ha indicado. Conclusión que es mucho más clara y terminante cuando se trata de un derecho, si bien constitucionalmente reconocido, no fundamental,

FJ 5. [...] Se ha concluido que el derecho a la objeción de conciencia del art. 30.2 no es un derecho incondicionado y que, dirigido en su finalidad última a la exención de un deber general (el servicio militar) debe el Estado regularlo con las debidas garantías, y el objetor ha de someterse a un determinado procedimiento, pues no es un derecho que se satisfaga con la mera existencia del dato de conciencia:

a) Es ahí donde el recurso impugna con más intensidad la Ley citada, en especial los artículos que se refieren a la solicitud del objetor y a la competencia del Consejo Nacional de Objeción de Conciencia (arts. 1.1; 2, 3.1 y 2; y 4.2 y 4) para el reconocimiento de la objeción. El Defensor del Pueblo sostiene que el objetor no tiene que solicitar y que el Consejo (CNOC) no tiene que declarar ni reconocer nada, pues es el propio objetor el que determina su condición de objetor. En este sentido, propugna la supresión del art. 1.4; de la palabra «solicitud» en los arts. 2 y 3 y la del inciso del art. 4.1 relativo a que el CNOC «declarará haber lugar o no al reconocimiento de la condición de objetor de conciencia».

Cierto que la terminología legal no es absolutamente precisa. Pero eso no puede ser causa de inconstitucionalidad. Es verdad que es el objetor de conciencia, y sólo él, el que «declara», manifiesta o expresa su condición de objetor, es decir. su oposición al servicio militar por los motivos que le afecten en conciencia, Pero eso no basta para que,

---

2   *Vid.* en contra el voto particular de Carlos de la Vega Benayas a esta Sentencia (punto 2).

automáticamente, sin más, se le tenga por tal, pues el fuero de la conciencia ha de conciliarse con el fuero social o colectivo. Por eso es cierto también que el CNOC se limita a reconocer o no la condición de objetor, no a declarar el derecho. La lectura atenta del art. 4.1 de la Ley así lo demuestra (y la supresión solicitada sí sería perturbadora) al decir que el Consejo «declarará haber lugar o no al reconocimiento de la condición de objetor...». No que declare la objeción, sino que, a través del trámite correcto, reconozca la existencia de la condición de objetor, por motivos válidos de conciencia, aptos para la exención del servicio militar, Por eso —y antes se ha aludido a ello— esas normas previstas en la Ley no limitan la esencia del derecho, redundando sólo en su desarrollo. Porque tampoco bastaría, como pretende el Defensor del Pueblo, con la simple constancia o toma de razón por el Consejo de la declaración. El derecho se completa con ese reconocimiento y así lo dice ya, en puridad, el art. 30.2 de la Constitución, del cual la Ley impugnada es desarrollo complementario. Es la eficacia o efectividad del derecho lo que está en juego, dada su peculiar condición, y es esa eficacia la que reconoce el Consejo, cuya actuación, por ello, no es constitutiva, sino declarativa, tras la pertinente comprobación y cooperación del objetor. No cabe, por tanto, declarar la inconstitucionalidad de los citados preceptos. Ni tampoco la del art. 4.4, relativo al silencio administrativo que prevé, entendiéndose «concedida» la «solicitud» pasados seis meses sin resolución. En primer lugar, dicho artículo no autoriza la denegación por silencio, sólo la posibilidad afirmativa, y después hay que entenderlo como una garantía más para el objetor. b) Motivo también de la impugnación es el relativo a la comprobación de la objeción de conciencia y a la prestación sustitutoria. La Ley 48/1984 lo regula en sus arts. 3.3, 4.2 y 8.3, que en síntesis permiten al Consejo recabar de los interesados ampliación de los razonamientos expuestos en la solicitud y requerir de los mismos o de otras personas u organismos la aportación de documentación complementaria o testimonios pertinentes, así como denegar la solicitud cuando se perciba incongruencia entre lo manifestado en ella y las conclusiones que se desprendan de las actuaciones del expediente. Se aduce por el Defensor del Pueblo que se vulnera el contenido esencial del derecho por infracción de los arts. 18.1 (intimidad personal), 16.2 (derecho a no declarar sobre la ideología personal) y los principios de igualdad y legalidad en cuanto a la duración de la prestación sustitutoria (art. 8.3 de la Ley). [...]

Es obvio que si la necesaria declaración del objetor, por los motivos que fueren, no supone vulnerar el derecho tampoco lo implicará la petición del Consejo dirigida al objetor para que amplíe los razonamientos de la solicitud, siempre que se atenga a los términos de ésta y a los motivos que se expongan de acuerdo con el art. 1.2 de la Ley 48/1984, ya que, razonablemente, cabe la posibilidad de una solicitud escueta, imprecisa, no razonada en principio o bien contradictoria, como señala el Abogado del Estado. La posible colisión con los derechos reconocidos en los arts. 16.2 y 18.1 CE, desaparece por el mismo ejercicio del derecho a la objeción, que en sí lleva la renuncia del objetor a mantener en el ámbito secreto de su conciencia sus reservas ideológicas a la violencia y/o a la prestación del servicio militar, bien entendido que sin esa voluntad del objetor dirigida a extraer consecuencias jurídicas —y por tanto exteriores a su conciencia— de su objeción nadie podrá entrar en su intimidad ni obligarle a declarar sobre su ideología, religión o creencias. La intimidad personal y el derecho a no declarar íntimas convicciones es algo que el objetor ha de valorar y ponderar en el contexto de las garantías que la Constitución le reconoce y decidir, nunca mejor dicho, en conciencia, pero a sabiendas también de la especial naturaleza del derecho de objeción y de las garantías que asimismo compete exigir a la comunidad y en su nombre al Estado. Cabe, pues, rechazar el reproche de inconstitucionalidad referido al primer párrafo o inciso del núm. 2 del art. 3 de la Ley 48/1984[3].

Por las mismas o parecidas razones, tampoco cabe admitir el reproche que se dirige al inciso segundo de ese mismo apartado y artículo, que autoriza al Consejo para «requerir de los solicitantes o de otras personas u organismos la aportación de la documentación complementaria o testimonios que se entiendan pertinentes»[4].

Cierto es que [...] siempre cabrá al interesado la posibilidad de impugnar aquellos datos o la forma de obtenerlos e incluso ejercitar los pertinentes recursos, ante el propio Consejo (art. 14.3, Ley 48/1984), en forma de reclamaciones, o en vía jurisdiccional. En todo caso, tal como se configuran las facultades del Consejo, que no puede «entrar a valorar las doctrinas alegadas por el solicitante» (art. 4.3 de la misma Ley), hay que entender que esa prueba que autoriza el inciso cuestionado ha de referirse, como es lógico, a hechos susceptibles de comprobación, a hechos externos constatables, no a la intimidad salvaguardada por el art. 18 de la CE y garantizada por el recurso de amparo (art. 53), sin que ello autorice a realizar pesquisas o investigaciones sobre la vida y conducta privada del objetor.

---

3   *Vid.* en contra los votos particulares de Carlos de la Vega Benayas (punto 3), Fernando García-Mon y González Regueral (punto 2) y Miguel Rodríguez-Piñero y Bravo-Ferrer.

4   El voto particular de Carlos de la Vega Benayas considera, con todo, que las penas legalmente previstas incurren en quiebra del principio constitucional de proporcionalidad (*vid.* punto 4).

c) [...] [E]l reproche que el recurso hace, tanto a la forma de la prestación social sustitutoria, como a su duración, no es aceptable. El Defensor del Pueblo realiza, en efecto, una interpretación literal de la frase «régimen análogo al establecido para el servicio militar», sin parar mientes en que la voz «análogo», por su propio sentido, no autoriza su tesis, en la que anida el temor a que, en la práctica, se traduzca por «identidad». Sería desconocer toda la finalidad del derecho, y también la de la Ley, entender que la prestación sustitutoria se exigiera con arreglo a la estricta disciplina militar, lo que no es el caso, sino simplemente, la necesidad de garantizar el mínimo organizativo para que el servicio sustitutorio pueda realizarse, sin que la referencia al «servicio militar» implique su identificación con él y su forma de prestarlo. Así resulta de la interpretación sistemática de la Ley, a la vista sobre todo del no impugnado art. 6, que especifica los modos de la prestación social sustitutoria y los sectores (protección civil, medio ambiente, servicios sociales, sanitarios, etc.), de su desarrollo, modos y sectores difícilmente identificables con los de carácter militar, independientemente de que dicha prestación deba estar organizada con la disciplina precisa, dada su condición de servicio obligado, pero en todo caso que no suponga dependencia orgánica de instituciones militares (art. 6.1 de la Ley 48/1984).

En cuanto a su duración, el Defensor del Pueblo insiste en que la regulación legal atenta al principio de igualdad, con lo que, en realidad, viene a plantear un problema de igualdad de trato. Habría que probar, por tanto, que se dé o no una efectiva discriminación ante supuestos de hechos sustancialmente iguales y que la distinción no estuviera justificada o carente de un fundamento objetivo y razonable, lo cual no es el caso del recurso, porque aquellos supuestos de que se parte —servicio militar, prestación civil sustitutoria— no son similares, ni cabe equiparar la «penosidad» de uno y otro, ni tampoco olvidar que la prestación sustitutoria constituye, en sí, un mecanismo legal dirigido a establecer un cierto equilibrio con la exención del servicio de armas, exención que obviamente se extiende a un hipotético tiempo de guerra, que excluye la asimilación matemática, no ciertamente razonable. Entra, pues, esa regulación impugnada dentro de los límites permitidos al legislador, dada la relación existente con la duración actual del servicio en filas, según también es norma general en otros países y conforme asimismo con la recomendación R (87) 8 del Comité de Ministros del Consejo de Europa, que habla de «límites razonables»; como también es permisible, desde la perspectiva constitucional, la remisión al Gobierno para fijar la duración del servicio dentro de los límites que establece el precepto, ya que se trata de una potestad organizativa que exige una discrecionalidad en atención a los medios y necesidades contingentes que puedan surgir según las circunstancias, campo propio de la potestad reglamentaria (art. 97 CE), aparte de que el Gobierno ya viene sujeto al límite máximo establecido en dicho artículo, lo que excluye la arbitrariedad[5].

FJ 6. Impugna también el Defensor del Pueblo el régimen disciplinario relativo a la prestación social sustitutoria, en concreto los arts. 17.2 y 3, 18.2 y 3, de la Ley 48/1984, de 26 de diciembre, por considerarlos de una dureza desproporcionada, con infracción del principio de igualdad y del art. 30.2 CE [...]

a) En cuanto al régimen disciplinario, el recurso, para sostener que las sanciones son excesivas y atentatorias al principio de igualdad, afirma que el término de comparación de las mismas ha de ser el tratamiento que en los supuestos que se enumeran se da a los funcionarios públicos civiles, con los que han de ser comparados y de lo que resulta una evidente desproporción por exceso en las sanciones, ya que la prestación sustitutoria es de carácter civil y no militar. Cierto es que, como antes se ha dicho, no es igual el contenido material de uno y otro servicio, el sustitutorio y el militar, pero admitido esto, también cabe afirmar que no por ello la prestación civil sustitutoria ha de ser análoga a la relación del funcionario con la Administración Civil y a la naturaleza del servicio que realiza, relación que es de carácter estatutario y, en su inicio, voluntaria para el ciudadano, es decir, no configurada como un deber —aunque su contenido se integra por deberes y derechos— como lo es el servicio sustitutorio. Por consiguiente, si esas situaciones no son comparables, no cabe hablar de discriminación o que los objetores de conciencia sea discriminados en relación con los funcionarios civiles. [...]

b) Se impugna también el tratamiento penal de la LO 8/1984, art. 2. Por lo pronto hay que advertir que una Ley posterior, sobrevenida al recurso, ha modificado la misma. Se trata de la Ley Orgánica 14/1985, de 9 de diciembre, de modificación del Código Penal y de la Ley 8/1984, en cuyo preámbulo, al referirse a esta Ley, se justifica la refor-

---

[5]   *Vid.* también la STC 60/1991, de 14 de marzo, que resolvió cuestión de inconstitucionalidad contra el artículo 127 del Código Penal Militar, que atribuye a la jurisdicción castrense juzgar la negativa a la prestación del Servicio Militar en tiempo de paz, por entender que excede del ámbito castrense, en contradicción con lo previsto en el artículo 117.5 CE. y con el derecho al Juez ordinario predeterminado por la Ley (artículo 24.2 CE). El Tribunal Constitucional declaró la constitucionalidad de la norma cuestionada —*vid.* el voto particular de Carlos de la Vega Benayas—.

ma «a fin de que no se produzca una injustificada disparidad entre las penas asignadas en el texto modificado del Código Penal Militar para los que deserten, no se presenten o se nieguen a prestar el servicio y las que la citada Ley Orgánica (8/1984) prevé para los objetores de conciencia en supuestos equivalentes». En su virtud, modifica el art. 2, sustituyendo la pena que fija su apartado primero de «prisión menor en su grado mínimo» (traducida en meses: Seis meses a veintiocho meses) por la de arresto mayor en su grado máximo a prisión menor en su grado mínimo (de cuatro meses a veintiocho meses), y suprimiendo de su apartado cuatro el inciso «en sus grados medio o máximo», para dejar sustituida la pena de objetor que rehúse en tiempo de guerra cumplir la prestación social, a las de prisión mayor o reclusión menor en su grado mínimo (setenta y dos meses a ciento setenta y seis), cuando la anterior era la de prisión mayor, en su grado medio o máximo (inciso suprimido), o la de reclusión menor en su grado mínimo, es decir, las mismas penas, pero con la posibilidad de aplicar la de prisión mayor en su grado mínimo (veintiocho meses a ciento setenta y seis meses). Los otros dos apartados, el 2 y el 3, permanecen sin modificar.

[…] Por consiguiente, tratándose en el caso de un recurso abstracto, como el de inconstitucionalidad, dirigido a la depuración objetiva del ordenamiento jurídico, carece de sentido pronunciarse sobre normas que el mismo legislador ha expulsado ya de dicho ordenamiento, en este caso de modo total, sin ultractividad, en cuanto que la norma nueva habrá de aplicarse en todo caso, incluso a situaciones anteriores en virtud del principio de Ley más benigna, siquiera la disminución de las penas que establece sea mínima o de escasa cuantía.

Por la misma razón, es decir, por la aplicabilidad de los apartados 2 y 3 de dicho artículo, que la Ley nueva reproduce, habrá que pronunciarse y dar respuesta al recurrente. Opina el Defensor del Pueblo que esas normas penales infringen los principios de igualdad y de proporcionalidad de las sanciones, en relación con las señaladas para los militares en el Código a conductas semejantes. Pero ni el término de comparación es correcto ni se da tampoco la arbitrariedad que se denuncia. Lo primero, porque las situaciones no son sustancialmente iguales y en eso el legislador puede tener un margen, en atención al carácter excepcional de la exención que el derecho concede, y lo segundo, porque el problema de la proporcionalidad entre pena y delito es competencia del legislador en el ámbito de su política penal, lo que no excluye la posibilidad de que en una norma penal exista una desproporción de tal entidad que vulnere el principio del Estado de Derecho, el valor de la justicia y la dignidad de la persona humana, tal como se dijo en el fundamento jurídico 2.° de la STC 65/1986, de 22 de mayo, supuesto que notoriamente no se da en el caso presente[6]. También se considera inconstitucional el inciso final del art. 2.3 de la Ley Orgánica 8/1984 por infracción del principio non bis in idem. No es admisible la impugnación, puesto que la exigencia de cumplimiento de la prestación social sustitutoria en caso de movilización al objetor no implica una nueva condena por los mismos hechos, sino una condena por el hecho nuevo del incumplimiento del deber resultante de la movilización de modo análogo a lo que sucedería con un soldado condenado por desertor o prófugo, que tampoco quedaría exento de su deber de atender a la movilización una vez producida, y podría ser condenado si no atendiera a la movilización.

FJ 7. Por último, en su motivo 7.°, el recurso del Defensor del Pueblo impugna, de las cinco Disposiciones transitorias de la Ley 48/1984, la segunda y la cuarta. Se alega que ambas contienen disposiciones retroactivas que restringen derechos individuales, con infracción del art. 9.3 de la Constitución.

La Disposición segunda se refiere a la legalización de situaciones de aquellos que, habiendo alegado objeción de conciencia anteriormente y se encontraran en prórroga, incorporación aplazada o licencia temporal, deberán dirigirse, con solicitud de objetor al efecto, al Consejo Nacional de Objeción de Conciencia. La cuarta a quienes se hallen y hayan estado en prisión por negativa a prestar el servicio militar por objetores de conciencia, quienes podrán solicitar acogerse a la Ley, sirviéndoles de abono para el cumplimiento de la prestación social sustitutoria el triple del tiempo que hayan estado privados de libertad por aquella causa.

Afirma el Defensor del Pueblo que sólo es por culpa de la Administración y del legislador, tras la vigencia del Real Decreto 3.011/1976, de 23 de diciembre (objetores de conciencia por motivos religiosos), por lo que dichos objetores (que la STC 15/1982 extendió a otros motivos, además de los religiosos) no pudieron cumplir el servicio civil sustitutorio previsto, y que después de ocho años (que hoy, en 1987 son once), al exigírseles ahora dicha prestación, supone incidir gravemente en situaciones familiares y personales, cuando ya han contraído «obligaciones de toda índole que marcan sus propias vidas», En este sentido, la obligación que ahora se les exige puede quebrantar, según el recurrente, el principio constitucional de interdicción de la irretroactividad de disposiciones restrictivas de derechos individuales, y más el derecho fundamental en juego. Igual argumento se extiende a la Disposición cuarta.

---

[6]   *Vid.* los votos particulares de Carlos de la Vega Benayas, Miguel Rodríguez-Piñero y Bravo-Ferrer y Angel Latorre Segura (ponente), contra la constitucionalidad de la supresión temporal del derecho a la objeción de conciencia.

Pero hay que reconocer —pese a los argumentos humanitarios de la Alta Institución recurrente— que no se trata aquí de un problema de retroactividad peyorativa, sino de Derecho transitorio [...], y son justamente esas situaciones de prórroga y de pendencia las que impiden aplicar la técnica de la irretroactividad, en cuanto no son situaciones consolidadas. Hay que tener en cuenta, por otro lado, que el legislador ha sido consciente de esas situaciones cuando en la disposición tercera computa a los objetores el tiempo que hayan invertido en actividades semejantes a la prestación social que establece la Ley. Por otra parte, es una transitoriedad de la que también pueden beneficiarse los objetores, dado el tiempo transcurrido y la previsión legal de acortamiento de la duración de la prestación social sustitutoria para los mayores de veintiocho años.

Por lo que se refiere a la Disposición transitoria cuarta se está ante un problema de oportunidad y política legislativa, que no parece discutible desde el plano de la constitucionalidad (tampoco por su pretendida retroactividad perjudicial), respecto al quantum del abono del tiempo sufrido en prisión. Debe ser, pues, rechazada la impugnación del recurso en estos extremos.

Constitucionalidad del desarrollo legislativo del artículo 30.2 CE (y 2) —STC 161/1987, de 27 de octubre (*vid.* ARTÍCULO 16)[7]—

FJ 3. El segundo punto que promueven las cuestiones es la posible inconstitucionalidad del art. 1.3 de la Ley 48/1984. Dice ese precepto:

«El derecho a la objeción de conciencia podrá ejercerse hasta el momento en que se produzca la incorporación militar en filas y, una vez finalizada ésta, mientras se permanezca en situación de reserva.»

Resulta, en consecuencia, que la Ley no permite ejercer el derecho a la objeción de conciencia durante el período de actividad o servicio en filas. En los Autos que plantean la cuestión la Audiencia Nacional señala que «lo que justamente importa es conocer si la exclusión del tiempo de filas como hábil para ejercitar el derecho a la exención ligado a la objeción de conciencia respeta o no el contenido esencial de aquel derecho a la libertad ideológica en cuanto a su consecuencia de objetar al servicio militar». Es decir, la posible inconstitucionalidad del precepto cuestionado se basaría en su contradicción con el art. 53.1 de la Constitución, en cuanto éste dispone, que «sólo por Ley, que en todo caso deberá respetar su contenido esencial, podrá regularse el ejercicio de tales derechos y libertades (las reconocidas en el Capítulo Segundo del Título I)». [...] Para resolver esta cuestión conviene, en primer término, examinar la forma en que la Constitución configura la objeción de conciencia. Se trata, ciertamente, como se acaba de decir, de un derecho que supone la concreción de la libertad ideológica reconocida en el art. 16 de la Norma suprema. Pero de ello no puede deducirse que nos encontremos ante una pura y simple aplicación de dicha libertad. La objeción de conciencia con carácter general, es decir, el derecho a ser eximido del cumplimiento de los deberes constitucionales o legales por resultar ese cumplimiento contrario a las propias convicciones, no está reconocido ni cabe imaginar que lo estuviera en nuestro Derecho o en Derecho alguno, pues significaría la negación misma de la idea del Estado. Lo que puede ocurrir es que sea admitida excepcionalmente respecto a un deber concreto. Y esto es lo que hizo el constituyente español, siguiendo el ejemplo de otros países, al reconocerlo en el art. 30 de la Norma suprema, respecto al deber de prestar el servicio militar obligatorio. Debe, pues, considerarse el derecho a la objeción de conciencia a la prestación del servicio militar obligatorio como un derecho autónomo, cuya conexión con la libertad ideológica no impidió al constituyente configurarlo en la forma que estimó oportuna. Tanto es así que el art. 53.2 de la Norma suprema le otorga de manera expresa la tutela del recurso de amparo, lo que sería innecesario si se tratase de una mera aplicación de la libertad ideológica garantizada en el art. 16, pues entonces bastaría para recurrir en amparo por posibles vulneraciones del derecho a la objeción de conciencia con invocar dicho art. 16, que de acuerdo con el mismo art. 53.2 está protegido por aquel recurso.

FJ 5. [...] Dentro de este planteamiento hemos de examinar si la exclusión legal contenida en el art. 1.3 de la Ley 48/1984, implica una reducción del contenido del derecho del art. 30.2 de tal alcance que lo desnaturaliza, o bien si la restricción analizada puede considerarse proporcionada en relación con los demás intereses constitucionalmente protegibles y no lesiva para el contenido esencial del derecho. La fijación en el mismo precepto constitucional del servicio militar obligatorio y la obligada regulación del derecho de objeción de conciencia «con las debidas garantías», en el sentido ya indicado, delimitan la libertad del legislador para configurar el derecho de objeción, forzándole a ponderar todos los bienes jurídicos protegibles en juego. Dentro de esa necesaria ponderación, que permitía

---

[7]   *Vid.* también la STC 321/1994, de 28 de noviembre.

y permite al legislador otras opciones, no parece excesiva la restricción impuesta por el art. 1.3. Queda a salvo el pleno ejercicio del derecho a la objeción antes y después del período en el que se suspende o excluye su ejercicio, y la exclusión misma resulta justificable en atención a la organización interna del servicio militar obligatorio y a la prestación de un deber constitucional cuya dimensión colectiva podría resultar perturbada por el ejercicio individual del derecho durante el período de incorporación a filas y sólo durante esa fase, por lo que el mismo art. 1.3 reconoce correctamente el ejercicio del derecho constitucional a la objeción durante la situación de reserva. No podemos olvidar que la defensa de España (art. 30.1 CE), la organización y las funciones de las Fuerzas Armadas están reconocidas constitucionalmente (art. 8 CE) y que la Norma fundamental ha constitucionalizado también el servicio militar obligatorio. Habida cuenta de todo ello, es necesario ponderar si el ejercicio del derecho a la objeción del art. 30.2 durante la fase de permanencia en filas resulta perturbador para la seguridad de la estructura interna de las Fuerzas Armadas, que deben estar en todo momento en condiciones de cumplir sus cometidos militares. Si el legislador entiende, como lo ha hecho, que, en relación con esos bienes y fines, el ejercicio del derecho debe ceder durante el período del servicio en filas el resultado de su ponderación no es excesivo o carente de justificación, bien entendido que esta restricción a un derecho que aún no siendo fundamental sí está constitucionalmente reconocido, debe ser interpretada a su vez restrictivamente. El dato de experiencia consistente en que en nuestro mismo momento histórico y dentro de otras sociedades democráticas a las que se refiere la ya citada Sentencia de 8 de abril de 1981 el derecho a la objeción de conciencia al servicio militar esté regulado con o sin reconocimiento de la objeción sobrevenida, y asimismo el hecho no menos cierto de que las declaraciones de organismos internacionales o silencien el problema de la objeción sobrevenida (como hizo la Resolución 337 de 1967 de la Asamblea del Consejo de Europa) o declaren que la ley estatal «puede prever» la posibilidad de la objeción sobrevenida [como dice la Recomendación R.87 (8) del Comité de Ministros de Europa sobre objeción de conciencia en su apartado 8, del 9 de abril de 1987] sin considerar necesario o debido su reconocimiento, inducen también a pensar que el derecho sigue siendo el mismo con o sin reconocimiento de su ejercicio en el período excluido por el legislador español en el art. 1.3 de la Ley 48/1984. Por todo ello debemos concluir que la examinada exclusión temporal al ejercicio del derecho de objeción de conciencia a la prestación del servicio militar obligatorio es razonable y proporcionada a los fines que objetivamente persigue y no destruye o vulnera el contenido del derecho constitucionalmente reconocido, por lo que el art. 1.3 de la Ley 48/1984 no es inconstitucional.

El inexistente derecho a objetar en conciencia a la prestación social sustitutoria del servicio militar y la punición del incumplimiento de dicha prestación —STC 55/1996, de 28 de marzo—

La Sentencia resuelve las cuestiones de inconstitucionalidad acumuladas planteadas por la Sección Primera de la Audiencia Provincial de Sevilla, la Sala de lo Penal de la Audiencia Provincial de Segovia y el Juzgado de lo Penal núm. 6 de Valencia, sobre el artículo 2.3 de la Ley Orgánica 8/1984, de 26 de diciembre, que regula el régimen de recursos en caso de objeción de conciencia y su régimen penal.

FJ 5. [...] [E]l derecho a la libertad ideológica no puede ser aducido como motivo para eludir la prestación social sustitutoria. Frente a esta prestación, amparada por la previsión contenida en el art. 30.2 CE, no puede oponerse la objeción de conciencia prevista por la Constitución en relación con el servicio militar, como pretenden los Autos de cuestionamiento. Esto es así, en primer lugar, porque ni la organización ni los servicios relativos a la prestación social sustitutoria —relacionados con protección civil, medio ambiente, servicios sociales, sanitarios, etc.— suponen en sí mismos considerados la realización de actividades que puedan violentar las convicciones personales de quienes se oponen al servicio militar. Como ha dicho este Tribunal en varias ocasiones, ambos servicios son distintos tanto en su contenido como en la forma de realizarse, careciendo la prestación social sustitutoria por su propia finalidad de naturaleza militar (STC 160/1987, fundamentos jurídicos 5° y 6°). Y, en segundo lugar, porque, aunque no puede negarse que entre ambas prestaciones existe una evidente relación, reconocida por el Preámbulo de la Ley 48/1984, reguladora de la objeción de conciencia y de la prestación social sustitutoria, y por este Tribunal (STC 160/1987, fundamento jurídico, 5°), no puede alegarse esa relación para justificar por motivos de objeción de conciencia al servicio militar el incumplimiento de una prestación social sustitutoria que, además, como acabamos de recordar, deriva de una previsión constitucional (art. 30.2 CE).

Ciertamente los Autos de los Tribunales Superiores afirman que la negativa a cumplir esta prestación responde a los mismos motivos ideológicos que los que fundan la objeción de conciencia al servicio militar. Esta negativa sería, al decir de los referidos Autos, «una forma de disenso ideológico radical al servicio militar [...]; el objetor que se niega a cumplir el servicio civil sustitutorio lleva su oposición ideológica al servicio militar, más allá de su coherencia

personal que le impide integrarse en una organización militar que rechaza, a retar lo que considera es una «militarización de la sociedad», como un intento de conseguir la quiebra del mismo modelo e incluso, como perspectiva final, la supresión de los ejércitos». Late, sin embargo, en este planteamiento una confusión que no podemos aceptar entre la concreta y personal afectación a las convicciones íntimas que genera el cumplimiento del deber general de prestar el servicio militar, conflicto a cuya solución sirve el reconocimiento de la eficacia eximente de la objeción de conciencia a dicho servicio, y la oposición ideológica a las normas que regulan este deber y el del cumplimiento de otras prestaciones sustitutorias, cuyo cauce natural de desarrollo se encuentra en un Estado democrático en las libertades públicas constitucionalmente proclamadas y, muy especialmente, en las de expresión, participación política y asociación. Dicho de otra forma, los objetores de conciencia al servicio militar tienen reconocido el derecho a no realizar el servicio militar o, más técnicamente, según ha establecido este Tribunal, a que se les exima del deber de prestar ese servicio (SSTC 15/1982, fundamento jurídico 7º y 160/1987, fundamento jurídico 3º), pero la Constitución no les reconoce ningún derecho a negarse a realizar la prestación social sustitutoria como medio para imponer sus particulares opciones políticas acerca de la organización de las Fuerzas Armadas o de su radical supresión. [...]
En suma, como hemos reiterado en otras resoluciones, so pena de vaciar de contenido los mandatos legales, el derecho a la libertad ideológica reconocido en el art. 16 CE no resulta por sí solo suficiente para eximir a los ciudadanos por motivos de conciencia del cumplimiento de deberes legalmente establecidos (SSTC 15/1982, 101/1983, 160/1987, 161/1987, 321/1994 y ATC 1227/1988).
Lo dicho no supone desconocer que una determinada regulación de la prestación social sustitutoria, que excediese los límites de lo razonable en cuanto a su duración o a las condiciones en las que deba realizarse, pueda vulnerar el derecho a la objeción de conciencia al servicio militar si, por su rigor, equivaliese al establecimiento de un obstáculo prácticamente insalvable para el efectivo ejercicio de ese derecho. Pero las cuestiones aquí enjuiciadas no se refieren a este problema sino al de las sanciones impuestas por el incumplimiento de la prestación social y ésta es una cuestión frente a la que aisladamente, como hemos razonado, no puede oponerse el derecho a la objeción de conciencia al servicio militar ni otras concreciones de la libertad ideológica con ella conectadas directa o indirectamente. [...]

FJ 6. [...] [L]os Autos de cuestionamiento basan sus dudas de inconstitucionalidad en la afirmación de que el bien jurídico protegido por la norma cuestionada no es otro que el cumplimiento de una obligación meramente administrativa por lo que la pena de privación de libertad prevista resulta desproporcionada, en primer lugar, por innecesaria, ya que el legislador podía haber optado por otras medidas que supusiesen un menor sacrificio del derecho implicado y, en segundo lugar, porque el sacrificio o gravamen impuesto al derecho no guarda un razonable equilibrio o proporción con los bienes que se pretenden salvaguardar. Así, pues, las presentes cuestiones de inconstitucionalidad confrontan la sanción impugnada con dos de las condiciones que este Tribunal ha considerado (SSTC 50/1995 y 66/1995) que, junto a la idoneidad de la medida para alcanzar el fin propuesto, rigen la aplicación del principio de proporcionalidad, a saber: la necesidad de su existencia y su proporción en sentido estricto o, en el presente caso, como dicen los Autos, «si la pena prevista es necesaria y proporcionada para asegurar» el bien jurídico protegido por la norma cuestionada. [...]
En el ejercicio de su competencia de selección de los bienes jurídicos que dimanan de un determinado modelo de convivencia social y de los comportamientos atentatorios contra ellos, así como de determinación de las sanciones penales necesarias para la preservación del referido modelo, el legislador goza, dentro de los límites establecidos en la Constitución, de un amplio margen de libertad que deriva de su posición constitucional y, en última instancia, de su específica legitimidad democrática. No sólo cabe afirmar, pues, que, como no puede ser de otro modo en un Estado social y democrático de Derecho, corresponde en exclusiva al legislador el diseño de la política criminal, sino también que, con la excepción que imponen las citadas pautas elementales que emanan del Texto constitucional, dispone para ello de plena libertad. De ahí que, en concreto, la relación de proporción que deba guardar un comportamiento penalmente típico con la sanción que se le asigna será el fruto de un complejo juicio de oportunidad del legislador que, aunque no puede prescindir de ciertos límites constitucionales, éstos no le imponen una solución precisa y unívoca. [...]
La posición constitucional del legislador a la que antes aludíamos obliga a que la aplicación del principio de proporcionalidad para controlar constitucionalmente sus decisiones deba tener lugar de forma y con intensidad cualitativamente distinta a las aplicadas a los órganos encargados de interpretar y aplicar las leyes. Como acabamos de recordar, este Tribunal ha reiterado que el legislador no se limita a ejecutar o aplicar la Constitución, sino que, dentro del marco que ésta traza, adopta libremente las opciones políticas que en cada momento estima más oportunas. En efecto, a diferencia de lo que sucede respecto de los órganos que tienen encomendada la tarea de interpretar y aplicar las leyes, el legislador, al establecer las penas, carece, obviamente, de la guía de una tabla precisa que relacione

unívocamente medios y objetivos, y ha de atender no sólo al fin esencial y directo de protección al que responde la norma, sino también a otros fines legítimos que puede perseguir con la pena y a las diversas formas en que la misma opera y que podrían catalogarse como sus funciones o fines inmediatos: a las diversas formas en que la conminación abstracta de la pena y su aplicación influyen en el comportamiento de los destinatarios de la norma —intimidación, eliminación de la venganza privada, consolidación de las convicciones éticas generales, refuerzo del sentimiento de fidelidad al ordenamiento, resocialización, etc.— y que se clasifican doctrinalmente bajo las denominaciones de prevención general y de prevención especial. Estos efectos de la pena dependen a su vez de factores tales como la gravedad del comportamiento que se pretende disuadir, las posibilidades fácticas de su detección y sanción, y las percepciones sociales relativas a la adecuación entre delito y pena.

En definitiva, en relación con la proporcionalidad de una determinada pena, este Tribunal no puede, para establecerla, tomar como referencia una pena exacta, que aparezca como la única concreción posible de la proporción constitucionalmente exigida, pues la Norma suprema no contiene criterios de los que pueda inferirse esa medida; pero, tampoco le es posible renunciar a todo control material sobre la pena ya que el ámbito de la legislación penal no es un ámbito constitucionalmente exento. Como afirmábamos en la STC 53/1985, el legislador «ha de tener siempre presente la razonable exigibilidad de una conducta y la proporcionalidad de la pena en caso de incumplimiento» (fundamento jurídico 9°).

FJ 8. No cuestionada la idoneidad de la medida, y no existiendo en efecto elementos para dudar de ella en este caso, debemos analizar la necesidad de la misma. [...]

En rigor, el control constitucional acerca de la existencia o no de medidas alternativas menos gravosas pero de la misma eficacia que la analizada, tiene un alcance y una intensidad muy limitadas, ya que se ciñe a comprobar si se ha producido un sacrificio patentemente innecesario de derechos que la Constitución garantiza (SSTC 66/1985, fundamento jurídico 1°; 19/1988, fundamento jurídico 8°; 50/1995, fundamento jurídico 7°), de modo que sólo si a la luz del razonamiento lógico, de datos empíricos no controvertidos y del conjunto de sanciones que el mismo legislador ha estimado necesarias para alcanzar fines de protección análogos, resulta evidente la manifiesta suficiencia de un medio alternativo menos restrictivo de derechos para la consecución igualmente eficaz de las finalidades deseadas por el legislador, podría procederse a la expulsión de la norma del ordenamiento. Cuando se trata de analizar la actividad del legislador en materia penal desde la perspectiva del criterio de necesidad de la medida, el control constitucional debe partir de pautas valorativas constitucionalmente indiscutibles, atendiendo en su caso a la concreción efectuada por el legislador en supuestos análogos, al objeto de comprobar si la pena prevista para un determinado tipo se aparta arbitraria o irrazonablemente de la establecida para dichos supuestos. Sólo a partir de estas premisas cabría afirmar que se ha producido un patente derroche inútil de coacción que convierte la norma en arbitraria y que socava los principios elementales de justicia inherentes a la dignidad de la persona y al Estado de Derecho.

Aplicando cuanto antecede al caso que nos ocupa, debemos llegar a la misma conclusión a la que ya llegamos en la STC 160/1987: la norma cuestionada no incurre en el exceso vulnerador del principio de proporcionalidad de la pena. Con independencia del juicio de oportunidad que pueda merecer la pena que se asigna al objetor que se niega a realizar la prestación social sustitutoria —juicio que no compete a este Tribunal y sobre el que, por lo tanto, nada se afirma—, no cabe sostener que atente contra el art. 17.1 CE, en cuanto desproporcionada por innecesaria, ni la previsión de imposición de una sanción penal consistente en una pena privativa de libertad, ni su cuantía de dos años, cuatro meses y un día a seis años —disminuible en su esencia por la posible concurrencia del beneficio de la libertad condicional y de beneficios penitenciarios— ni, en fin, la de inhabilitación absoluta durante el tiempo de la condena para aquéllos que se oponen a la realización de una prestación de carácter social. Debe tenerse en cuenta, como dato para negar la existencia del reseñado exceso, el hecho de que la prestación que elude el infractor se prolonga en la actualidad durante un período de trece meses (art. 50.3 del Reglamento de la Objeción de Conciencia y de la Prestación Social Sustitutoria, aprobado por Real Decreto 266/1995, de 24 de febrero), que ocupa treinta y cinco o cuarenta horas semanales (art. 52.1 del Reglamento citado) y que supone, por lo tanto, un importante condicionamiento de la vida personal y familiar, y la sujeción a la disciplina propia de la actividad que tenga por contenido. No debe olvidarse tampoco que la prestación frustrada posee carácter sustitutivo del servicio militar obligatorio en los supuestos de objeción de conciencia al mismo y el intenso condicionamiento vital que supone la realización de este servicio. A la misma conclusión conduce el análisis comparativo con otras opciones del legislador, que refleja que la elección de la sanción no ha sido arbitraria sin que en la norma cuestionada se dé el patente desfase valorativo que veta el principio de proporcionalidad en su dimensión constitucional. Así, el examen de las sanciones que el legislador asigna a ciertos comportamientos que guardan un grado relevante de semejanza con el de la negativa al cumplimiento de la prestación social sustitutoria, muestra, de un lado que, significativamente, merece idéntica pena a la cuestionada la conducta de quien rehúsa el cumplimiento del servicio militar [art. 135 bis i) CP]; y, de otro lado, que el incumplimiento de otros deberes generales de los ciudadanos contemplados en la Constitución también resultan sancionados con penas privativas de libertad parecidas a las previstas en el supuesto aquí analizado.

FJ 9. Los Autos de cuestionamiento inciden sobre todo en la vertiente del principio de proporcionalidad que se refiere a la comparación entre la entidad del delito y la entidad de la pena (proporcionalidad en sentido estricto). Debe recordarse una vez más que este juicio corresponde al legislador en el ejercicio de su actividad normativa [SSTC 65/1986, fundamento jurídico 3º; 160/1987, fundamento jurídico 6º b); ATC 949/1988, fundamento jurídico 1º], que se rige, por lo demás, a la hora de delimitar el marco abstracto de la pena que se anuda a un determinado tipo delictivo, por una multiplicidad de criterios que debe conjugar con el que ahora se invoca; no obstante, esta relación de proporcionalidad en ningún caso puede sobrepasar el punto de lesionar el valor fundamental de la justicia propio de un Estado de Derecho y de una actividad pública no arbitraria y respetuosa con la dignidad de la persona [SSTC 66/1985, fundamento jurídico 1º; 65/1986, fundamento jurídico 2º; 160/1987, fundamento jurídico 6º b); 111/1993, fundamento jurídico 9º; 50/1995, fundamento jurídico 7º].

Sólo el enjuiciamiento de la no concurrencia de ese desequilibrio patente y excesivo o irrazonable entre la sanción y la finalidad de la norma compete en este punto a este Tribunal en su labor de supervisar que la misma no desborda el marco constitucional. Para su realización también aquí habrá de partir de las pautas axiológicas constitucionalmente indiscutibles y de su concreción en la propia actividad legislativa.

En el presente supuesto es notorio que dicho desequilibrio irrazonable no se da. A pesar de la dureza evidente que comporta toda pena privativa de libertad que, además y debido a su cuantía, no es remisible condicionalmente, no se constata en la finalidad de la norma cuestionada, como sí sucedía en la STC 111/1993, la ausencia de un «interés público esencial» (fundamento jurídico 9º), ni la sola concurrencia, como pretenden los Autos de cuestionamiento y rebatíamos en el fundamento jurídico 7º, de un «mero interés administrativo». Concluíamos dicho apartado de nuestra argumentación con la afirmación del carácter constitucionalmente relevante de la finalidad de la norma sometida a nuestra jurisdicción, que describíamos como la protección directa de una prestación que, en cuanto social, se dirige a la satisfacción de necesidades colectivas, y que, en cuanto sustitutiva del servicio militar, prevean este servicio y su propia finalidad —la defensa de España—, que pasa así a integrarse en la que ahora sintetizamos. De ahí que, en conclusión, pese a la naturaleza de la pena y a su cuantía, en absoluto desdeñable, la trascendencia de las finalidades a las que sirve impide afirmar desde las estrictas pautas de nuestro control que existe el desequilibrio medio-fin que situaría la norma al margen de la Constitución.